The New Encyclopædia Britannica

in 32 Volumes

FOUNDED 1768
15TH EDITION

ENCYCLOPÆDIA
Britannica

Encyclopædia Britannica, Inc.
Jacob E. Safra, Chairman of the Board
Jorge Aguilar-Cauz, President

Chicago
London/New Delhi/Paris/Seoul
Sydney/Taipei/Tokyo

The information on this page refers to
The New Encyclopædia Britannica.

First Edition	1768 – 1771
Second Edition	1777 – 1784
Third Edition	1788 – 1797
Supplement	1801
Fourth Edition	1801 – 1809
Fifth Edition	1815
Sixth Edition	1820 – 1823
Supplement	1815 – 1824
Seventh Edition	1830 – 1842
Eighth Edition	1852 – 1860
Ninth Edition	1875 – 1889
Tenth Edition	1902 – 1903

Printed in U. S. A.

Library of Congress Control Number: 2006921233
International Standard Book Number-10: 1-59339-292-3
International Standard Book Number-13: 978-1-59339-292-5

Britannica may be accessed at http://www.britannica.com on the Internet.

不列颠百科全书

国际中文版

修订版

Encyclopædia Britannica
International Chinese Edition

12

中国大百科全书出版社

《不列颠百科全书》国际中文版

Narragansett 纳拉甘西特 美国罗得岛州南部华盛顿县东南部城镇,旅游胜地。位于纳拉甘西特湾入口处。西界佩塔奎姆斯库特河。其附近加利利村有1816年建的灯塔,为

纳拉甘西特印第安人首领尼尼格雷特的画像,18世纪
美国不列颠百科全书公司供图

警戒信号灯。约1675年始有移民定居。1888年从金斯敦划分出来。1901年建镇。经济主要依靠旅游业。面积37平方千米。人口16 361 (2000)。

Narragansett Bay 纳拉甘西特湾 美国北大西洋海湾,由罗得岛湾向北伸入罗得岛州45千米,把该州大体上一分为二。有汤顿、普罗维登斯、萨康尼特河注入。湾内有罗得、

纳拉甘西特湾的东北支——霍普山湾
美国不列颠百科全书公司供图

普鲁登斯和科纳尼卡特诸岛,其东北支霍普山湾,有新英格兰的最长大桥之一横贯其上。殖民时期以来一直为繁忙的运输中心。主要港口有普罗维登斯(罗得岛州首府)和纽波特。海湾大部分为渔场及娱乐区。

Narrandera 纳兰德拉 澳大利亚新南威尔士州中南部城镇。濒临马兰比吉河。1863年建为畜牧站。1880年设镇。现为附近地区服务中心,当地出产肉牛、饲料、美利奴羊、家禽、水果、小麦和羊毛。有面粉、锯木、水泥、建筑石料等工厂。有铁路和航空线通悉尼、墨尔本等地。人口5 013 (1981)。

narratology 叙述学 在文学理论中指对叙述结构的研究。叙述学源自结构主义。和结构主义一样,它是基于一个共同的文学语言,即在作品文本内部运作的一个普通的指令模式。该理论主体的发展以及相应的专门名词的发展,在20世纪中期加快了速度。以下几部著作构成叙述学的基础:V.普洛普著写的《民间故事结构研究》(1928),书中为民间故事创立了一种基于7个"活动范围"和31个"功能"的模式;C.列维-斯特劳斯著写的《结构人类学》(1958),书中概括叙述了神话学的基础;A.J.格雷马斯著写的《结构语义学》(1966),书中提出了6个称作"施动者"的结构单位;以及T.托多洛夫著写的《〈十日谈〉的语言用法规则》(1969),书中引入了"叙述学"一词。其他有影响的叙述学理论家有R.巴特、C.布雷蒙和N.弗莱等人。

narrator 叙述者 讲故事的人。小说作品中叙述者决定了故事的视角。如果叙述者是故事中行动的全程参与者,叙述者就用第一人称口气;如果叙述者不是故事中的人物,则用第三人称口气叙述。一件文学作品可能不止一个叙述者。E.勃朗特写的《呼啸山庄》一书中,先由一个叙述者讲一部分故事,然后引出另一个叙述者继续叙述或对故事的事件提供另一个视角。有时可以根据叙述者介绍故事的方式将其分成几类:一种是侵入式叙述者,这是18~19世纪许多文学作品中常见的手法,叙述者把故事打断,就故事的某一方面或一个更一般的话题进行评论;一种是不可靠的叙述者,他并不充分了解复杂情节的深刻含义,或者对目睹的事件作出了不正确的结论和臆断,F.M.福特写的《好兵》中的叙述者便是此类典型;还有一种是天真幼稚的叙述者,不够老练,无法理解故事中事件的全部含义,而读者却能够理解。这种叙述者往往是儿童,R.L.斯蒂文森写的《金银岛》即为一例。

Narrogin 纳罗金 澳大利亚西澳大利亚州西南部城镇。19世纪80年代大南方铁路经此,在铁路沿线修建一座旅馆后,居住区在旅馆附近发展起来。1895年设镇。现位于大南方公路上,邻近奥尔巴尼公路。是向东通往小麦带(**Wheat Belt**)、向西向南通往海滨和向西北通往珀斯的铁路枢纽。也是该地区粮食、羊毛、猪的市场。大桉树种植园生产丹宁。1914年成立纳罗金农业学校。人口4 969 (1981)。

narrow-mouthed toad 狭口蟾 姬蛙科两栖动物的统称,有50多属,200余种。见于南美洲、北美洲、非洲、亚洲和澳大利亚。特征为身体短小、皮肤光滑、四肢短、头小、口狭、吻突出。生活在地面、地下或树上,通常过隐蔽生活。多数种类体长不足5厘米。东部狭口蟾(卡罗来纳小口蛙,*Gastrophryne carolinensis*)是美国的一种小型陆栖姬蛙;灰色、浅红色或褐色,带有颜色较深的条纹、斑点或斑块。墨西哥狭口蟾(*Hypopachus cuneus*)与东部狭口蟾相似,但体稍大,背部有一黄色条纹,常栖身在洞中、驮鼠洞穴内,或像东部狭口蟾一样在地表的物体下。亚洲和非洲的姬蛙种类繁多。短头蛙属(*Breviceps*)包括许多非洲种狭口蟾,身体丰满,脸部短;在陆上生活和繁殖。雨蛙(驼背短头蛙,*B. gibbosus*)是南非的一种洞栖蛙,当地人认为它可控制降雨。东方姬蛙包括东南亚的吻端扁平的莫洛斯隙舌蛙(*Glyphoglossus molossus*)和中国、马来亚庭园常见的花狭口蛙(*Kaloula Pulchra*)。非洲的介间姬蛙属(*Phrynomerus*)有时被单列为介间姬蛙科(Phrynomeridae),约6种,树栖;双带介间姬蛙(*P. bifasciatus*)身上有黑红条纹,其皮肤分泌物可刺激人的皮肤。

东部狭口蟾(*Gastrophryne carolinensis*)
美国不列颠百科全书公司供图

Narses 纳尔萨(?~约302) 波斯萨珊帝国的国王(293~302)。他的统治开始了同罗马和平共处的40年。早期国王沙普尔一世之子。原任亚美尼亚总督,293年从巴赫拉姆三世手中夺得王位。由于占领亚美尼亚的独立地区而与罗马发生冲突。遭到惨败后,296年与罗马媾和,不仅承认罗马对亚美尼亚的宗主权,而且把美索不达米亚的北部草原以及辛加拉和底格里斯河左岸的山区割给罗马。

Narses 纳尔塞斯(约480,亚美尼亚~574,罗马或君士坦丁堡?) 皇帝查士丁尼一世时的拜占廷将军,曾征服意大利的东哥特王国。原是皇家宦官侍卫指挥官,最后擢为内侍总管。532年君士坦丁堡爆发骚乱,他以镇压和收买手段保住了查士丁尼的皇位。538年任财政大臣,赴意大利协助远征军指挥官贝利萨留征服意大利,同时对其进行监视。两人间的误会与不和妨碍了军事行动,致使东哥特人重新占领米兰,其后,他被召回(539)。551年夏,他奉命反击蛮族(匈奴人、格庇德人和伦巴底人)对巴尔干的劫掠。后来东哥特人在托提拉领导下重新在意大利建立起政权。纳尔塞斯率3万名士兵开赴意大利。552年6月在亚平宁山区塔基尼打败托提拉(重伤而死)。此后两年粉碎了东哥特人零散的抵抗,使法兰克人和阿勒曼尼人未能进入意大利北部。567年查士丁尼的继承人查士丁尼二世将他调离政府要津。于是他退隐到那不勒斯附近的一所别墅度其余生。

Narsimhapur 纳辛哈普尔 印度中部中央邦城镇,纳辛哈普尔县县城。临辛格里河。

该河将城镇分为两部分,东为坎德里,西为纳辛哈普尔。为铁路交叉点,从事农产品和木材贸易。锯木业为主要工业。设有索加尔大学所属管理学院。纳辛哈普尔县面积 5 138 平方千米,地处讷尔默达河与索德布尔岭之间的冲积地带。小麦、高粱、鹰嘴豆和油籽为主要农作物。林产品生产占重要地位,也开采煤炭。人口:城镇34 226;县650 445(1981)。

Narsinghgarh　讷尔辛格格尔　印度中部中央邦拉杰格尔县城镇。为主要铁路公路交叉点和农产品市场中心。工业主要为织布业。建于 1681 年,原为讷尔辛格格尔土邦首府。设有音乐学院和维克拉姆大学的管理学院。人口 17 572 (1981)。

narthex　前廊　教堂入口处与立面全长相等的封闭式狭长门廊,正面为柱廊或拱廊,内用柱子或带门洞的墙与中堂分隔。在拜占廷教堂中分为内外两部分。有时外前廊并非属于教堂主体而是附加的单层建筑。基督教早期,尚未受洗礼的信徒和忏悔者只能进入教堂前廊。

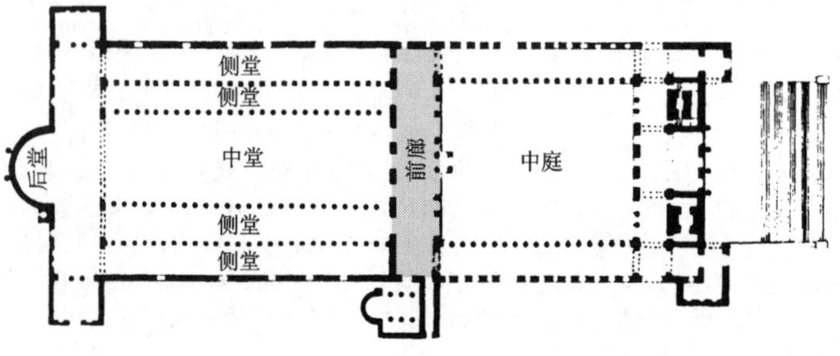

罗马圣彼得大教堂平面图中前廊的位置,公元 330 年

Naruszewicz, Adam (Stanisław)　纳鲁谢维奇 (1733-10-20,俄罗斯平斯克～1796-07-06,波兰亚努夫)　波兰第一位使用近代治学方法的史学家和诗人。他的作品反映出巴罗克风格向古典主义风格的过渡。早年信奉天主教,最后成为斯摩棱斯克主教。所著最重要的作品《信奉基督教后的波兰民族史》,共 7 卷,成书于 1780 ～ 1786 年间,记录了 14 世纪末以前的事件。

Naruto　鸣门　日本四国德岛县城市。面对濑户内海通往太平洋的鸣门海峡。德川时代(1603 ～ 1867)为港口和产盐地。19 世纪末开始生产化学制品和药品。传统生产有袜子和针织品。鸣门是鸣门海峡观景胜地。海峡宽仅 1.5 千米,每当涨、落潮时便布满急流和漩涡。捕鱼和采捞海藻仍是重要行业。人口 64 923(1995)。

鸣门海峡
美国不列颠百科全书公司供图

Narva　纳尔瓦　爱沙尼亚城市。位于纳尔瓦河入芬兰湾河口上游 14 千米处。13 世纪建立,很快便成为大商埠。19 世纪 50 年代起成为主要棉纺织中心。还制造麻制品和家具。有技术学校和历史博物馆。人口约 74 572(1998)。

Narváez, Panfilo de　纳瓦埃斯(约1478,西班牙卡斯蒂利亚巴利亚多利德～ 1528-11,墨西哥湾)　西班牙殖民地征服者、官员、探险家。早年参加军队,是牙买加岛最初的欧洲移民之一。后来率领一批弓箭手征服古巴,在古巴获得官职和大片的土地。1520 年 3 月离开古巴,率领舰队和约 900 名骑士去墨西哥夺取科特斯的政权。结果被俘。次年获释回到古巴。1526 年奉查理五世之命去征服和垦殖佛罗里达以西的广大地区。1527 年 6 月 17 日从西班牙出发,有船 5 只,士兵、水手和移民共约 600 名。历经艰险,1528 年 7 月末到达今佛罗里达州的圣马克斯。后沿海岸向墨西哥航行,船只沿墨西哥湾北岸漂流,经过彭萨科拉湾及密西西比河口继续往前。大约在 1528 年 11 月初,纳瓦埃斯所乘的船被风吹入大海,纳瓦埃斯葬身鱼腹,只有 4 人生还。

Narváez, Ramón María, DUQUE (duke) DE VALENCIA　**纳瓦埃斯**(1800-08-05,西班牙格拉纳达洛哈 ～1868-04-23,马德里)　即巴伦西亚公爵。西班牙将军和保守派政治领袖,一贯支持西班牙女王伊莎贝拉二世,曾 6 次任首相(1844 ～ 1866)。在第一次卡洛斯战争期间(1833 ～ 1839)他是玛丽亚·克里斯蒂娜摄政领导下的最有才干的军事领袖之一。1838 年进入议会,在塞维利亚领导反对自由党人的起义,失败后被迫流亡国外。1843 年政变成功后他奉命组织政府,当时女王伊莎贝拉二世在位。他的政府颁布了 1845 年宪法,进行了税制改革,但于 1846 年初政府倒台。1847 年 10 月～1851 年 1 月,他第三次任首相,除平息一次新的卡洛斯派造反外,又完成了大量的公共工程。1851 年他虽宣布退休,但以后又三次出山,供职于伊莎贝拉女王陛下;纳瓦埃斯死后数月,女王亦被废黜。

Narvik　纳尔维克　挪威北部诺尔兰郡的城镇和不冻港。位于奥福特峡湾顶端附近。因波的尼亚湾的各瑞典港口冬季封冻,它成为瑞典北部储量丰富的基律纳-耶利瓦勒矿区铁矿石的重要转运港。该地于 1883 年被一家英国-瑞典财团选为矿石出口港,1887 年命名为维多利亚港。1889 年原开发商破产,1892 年挪威政府接管该项工作,1898 年取现名。1902 年建镇,在修通铁路(世界上最北的铁路之一)后,发展迅速。第二次世界大战中德军侵略挪威(1940 年 4 月),纳尔维克被德军占领。英、德海军曾在海岸外进行重要的海战。1940 年 5 月 28 日,一支英、法远征军帮助夺回了该港,但由于法国前线崩溃,被迫于 6 月 9 日撤出该港。战后进行重建,并重新成为矿石出口港。经济主要靠出口贸易和渔业。人口:城镇区 18 499 (1999)。

Narwar　讷尔沃尔　印度中部中央邦北部古城。位于信德河东岸。12 世纪前称纳拉普拉,传说是梵文史诗《摩诃婆罗多》中拉加那拉国的都城。其山巅古堡在印度中古史上占有重要地位。16 世纪为莫卧儿人占领。19 世纪时属于马拉塔首领信希亚。城镇的城墙外有托马尔首领们的纪念柱。

narwhal (*Monodon monoceros*)　**独角鲸**　又拼 narwal。独角鲸科的一种小鲸。栖息于近海,有时深入北极河流。灰色,有斑点。体长约3.5～5米,无背鳍,齿仅两枚,生于上颚前端。雄鲸的左齿发育成一根直的獠牙,从上唇下伸出,长可达 2.7 米,表面有左旋螺线。偶见两根獠牙者,雌鲸通常无獠牙。獠牙的功能不明,据信是性选择的结果。在中世纪以为此獠牙是独角兽的角。独角鲸常 15 ～ 20 只群居。以鱼类、头足类、甲壳类动物为食。爱斯基摩人常捕猎之。

独角鲸(*Monodon monoceros*)
美国不列颠百科全书公司供图

Naryn　纳伦　吉尔吉斯斯坦东南的州。面积 51 100 平方千米。是该国最不易进入的地区。主要居民是吉尔吉斯人。位于天山山脉中,海拔 1 300 米以上,与吉尔吉斯斯坦其他地区有山脉相隔。在南面与中国接壤的边界上,耸立着5 982米高的科克沙尔套山脉。大陆性气候,谷地年降水量只有 200 ～300 毫米。绵羊为经济的主要来源,在广阔的草原和高山牧场上饲养。工业极少,但是 1970 年在行政中心纳伦附近已建成阿特巴希发电站,开始开发从东至西将该州分为两半的纳伦河的水电潜力。人口稀少,集中住在科奇科尔、准噶尔、中纳伦、阿特巴希和托古兹-塔劳谷地。人口约 267 000(1993)。

Naryn 纳伦 吉尔吉斯斯坦纳伦州城市和首府。濒临纳伦河,海拔 2 050 米。原为中国新疆喀什至楚河流域贸易通道上的一个要塞,1927 年建市。有一些小型工业企业和一所音乐厅兼剧院。人口30 409(最新统计)。

Naryn River 纳伦河 吉尔吉斯斯坦和乌兹别克斯坦境内河流。由天山山脉中部冰川和积雪的融水补给,在费尔干纳谷地与卡拉达里亚河汇合后,称锡尔河。向西流经 700 千米,支流繁多,流域面积 58 370 平方千米。每年 5 月水位升高。托克托古尔、乌奇库尔干两个水库,有防洪、发电、灌溉等效益。

Naryshkina, Natalya Kirillovna 纳雷什金娜(1651,俄罗斯~1694,莫斯科) 俄罗斯沙皇阿列克谢的第二个妻子,彼得大帝的母亲。外省贵族纳雷什金之女,1671 年与阿列克谢结婚。生彼得后她的朋党势力大增。1676 年阿列克谢驾崩,她的党羽立即大肆活动,为彼得争夺皇位。但阿列克谢第一个妻子所生的费多尔是长子,合法地继承为沙皇。费多尔死后在莫斯科牧首约阿吉姆支持下,彼得取得了皇位,由纳雷什金娜摄政(1682-04)。然而前皇阿列克谢的同母兄弟伊凡争夺王位,挑动皇家卫队造反,纳雷什金娜党只好承认伊凡和彼得共同执政,并由伊凡的姐姐索菲娅摄政。在索菲娅摄政期间(1682 ~ 1689),纳雷什金娜与彼得被囚禁到一个庄园里,不得过问朝政。1689 年索菲娅公然企图以自己的名义争夺皇位时,纳雷什金娜家族及其支持者强迫她把王位让给彼得(1689-09)。在彼得 1694 年亲政以前,纳雷什金娜在其兄弟列夫和牧首约阿吉姆辅佐下,一直为朝中重要人物。

Nás, An(Ireland) 参阅 **Naas 内斯**。

NASA 参阅 **National Aeronautics and Space Administration 国家航空和航天局**。

nasal 鼻音 语音学术语。此种语音发音时,口腔后部软腭下垂,气流从鼻腔逸出。如英语鼻辅音 m,n 和 ng(sing 中的尾音),发音时,唇或舌使口腔的某一部位形成阻塞,气流完全从鼻腔中逸出。如发音时气流部分从鼻腔中逸出,部分从口腔中逸出,这种音就成为鼻(音)化元音。在法语(例如在 vin“酒”,bon“好”和 enfant“儿童”等词中)、葡萄牙语和许多别的语言里,鼻化元音是普遍现象。同样也存在鼻化辅音亦即将鼻音化特征转移到典型的非鼻辅音上去的例子。例如法语 branlant(动摇的)中的 l 音即是。

nasal concha 鼻甲 又作 turbinate 或 turbinal。形成鼻道的几块卷曲的薄骨。分别称为下、中、上和最上鼻甲,用以增加鼻腔的表面积,使空气入肺前得以很快变得温湿。高等脊椎动物的上鼻甲及附近黏膜有嗅觉上皮,因此,嗅觉较为灵敏。嗅觉对人类意义不大,因此,人的鼻甲退化。

nasal gland 鼻腺 饮海水的海鸟和爬行类提取盐分并排出体外的腺体。1957 年 K.施米特-尼尔森等发现,海鸟眼睛上方的腺体能将血液中的氯化钠变成饱和盐液,由管道排入鼻腔,再借摇头动作从鼻孔排出,有时从嘴排出(摇头动作为鸬鹚、企鹅等的特征),其效率远较肾脏为高。至此才解答了为什么海鸟能生活在没有淡水的环境里这个问题。海生爬行类的类似腺体位于眼和鼻孔之间。

nasal polyp 鼻息肉 一种鼻科病,表现为突入鼻腔的一团组织,可堵塞鼻腔。可为变态反应或炎症的结果。变应性息肉常见于鼻腔侧壁及上壁,有时发生于鼻窦腔并突入鼻腔内。息肉内多血管网,呈鲜红色。可用手术切除,但常再发,至过敏源被消除为止。炎症性息肉的病因为炎症及鼻损伤。其中所含的液体少于变应性息肉,但白细胞数较多。切除后不会再发。既往的鼻损伤及高血压可致血管扩张,因此也可发生息肉。

nasal tumour 鼻肿瘤 鼻部的异常肿物,可为恶性,亦可为局限性和非再发性。因为鼻直接接触外界的气候条件及空气中的刺激物,故为上呼吸道肿瘤的好发部位。鼻肿瘤来自黏膜或由脑部蔓延而来。上皮乳头状瘤为常见的鼻部良性肿瘤,侵袭鼻黏膜,由带纤毛的高柱状黏液细胞组成。鼻癌亦侵袭黏膜,常致鼻腔及鼻窦的阻塞,又可侵蚀鼻骨。鼻咽癌见于鼻腔的最后部接近鼻与喉交界之处,常见于男性,能迅速转移至颈部淋巴结,在表面黏膜之下传播而不引起黏膜溃疡。嗅觉神经细胞瘤起源于嗅细胞,恶性程度很高,位于鼻腔的后上部,是一般能用放射疗法治愈的为数不多的几种肿瘤之一。

Nasarawa 纳萨拉瓦 又拼 Nassarawa。尼日利亚高原州西部城镇和酋长国。该镇在奥夸河一岔口以北。约 1838 年由乌马鲁所建,定为纳萨拉瓦新酋长国的所在地。乌马鲁征服邻近地区,扩大版图。其继任人又多次出征继续扩大酋长国,在 1900 年成为最早归顺英国的酋长国之一。1976 年划入高原州。居民主要是阿福人。主要经济活动是农业和矿业。该镇现为薯蓣、高粱、小米、大豆、牛油果和棉花的销售中心。有中学和医院。为公路枢纽。人口:城镇 17 478 (最新统计)。

Nasby, Petroleum V(esuvius) 纳斯比(1833-09-20,美国纽约州宾厄姆顿 ~ 1888-02-15,俄亥俄托莱多) 美国幽默作家,在美国南北战争前后对公众争议的问题有相当大的影响。原名戴维·罗斯·洛克。早年在纽约州和俄亥俄州为报社工作。1861 年任俄亥俄州《芬德利·杰斐逊党人》报编辑,用笔名纳斯比发表第一篇讽刺信。在 20 多年内不断为《托莱多之剑》报撰写“纳斯比书信”,该报在他任编辑期间发行全国。其中许多信还汇编成书,包括《纳斯比文集》(1864)和《一个求职者的日记》(1881)。洛克是一个热忱的联邦主义者,坚决反对奴隶制,南北战争期间大力支持北方的事业。他的主要武器是辛辣的讽刺,笔下的人物纳斯比,是一个粗俗、狠恶的同情南方的北方人,只会用错误百出、文理不通的“信”为南方辩护。为了一个严肃目标而开的这种文字玩笑使北方读者,包括林肯总统在内,大为开心,总统有时还把“纳斯比的信”念给其内阁成员听。

美国国会图书馆供图

Nascimento, Edson Arantes do 纳西门托 参阅 **Pelé 贝利**。

Nascimento, Francisco Manuel do 纳西门托(1734-12-23,葡萄牙里斯本~1819-02-25,巴黎) 笔名菲林托·埃利西奥。葡萄牙最后一位新古典主义诗人,晚年转向浪漫主义,推动了浪漫主义在全国的胜利。出身贫寒。曾受耶稣会教育,1754 年成为教士。由于和阿洛纳侯爵的女儿恋爱,遭到侯爵反对,并有可能被其告发,1778 年受宗教裁判所迫害,遂逃往法国,在那里以翻译和授徒为生。他的诗大多是无韵诗,辞藻华丽,但往往过多的使用古字古词,其题材从谴责贵族、宗教裁判所、僧侣等级制的暴政,到赞美故乡生活的乐趣,以及哀叹流亡生活的贫困和孤独都有。他所显示的葡萄牙语的灵活柔韧和富丽华美,以及所选择的主题和所翻译的维兰德和夏多布里昂的作品,对浪漫主义作家都有影响。

NASDAQ 纳斯达克 National Association of Securities Dealers Automated Quotations(美国全国证券交易商协会自动行情)的缩略语,又译奈斯达克。纳斯达克是全球电子证券交易市场。它属全国证券交易商协会(NASD),由证券交易委员会(SEC)控制。纳斯达克证券交易所的交易始于 1971 年。1992 年它与伦敦的国际证券交易所联网,成为首批洲际联网市场。1998 年纳斯达克同美国证券交易所合并,组成了纳斯达克—美国证券市场集团。到 21 世纪初成为美国最大的电子证券市场。2000 年纳斯达克从全国证券交易商协会(NASD)分离,成立了公开上市交易的公司——纳斯达克证券市场公司。在纳斯达克上市的有价证券达 3 000 余种。一家公司如欲成为纳斯达克的成员,必须先在证券交易委员会登记,至少拥有 3 家做市者(即作为特定证券经纪人或交易商的金融公司),且资产、资本、公共股和股东都必须符合最低限度规定。

Naseby, Battle of 内兹比战役(1645-06-14) 英国内战第一阶段的决定性战役,即 O.克伦威尔和 T.费尔法克斯爵士率领的议会新模范军同巴拉丁领地的鲁珀特王子率领的王军在英格兰莱斯特以南约20英里(32千米)处进行的战斗。从5月30日王军离开牛津进攻莱斯特时,新模范军便紧跟追击。两军在内兹比北边约1英里处相遇,各自在山岗上布阵,中间隔着一道名叫宽沼的峡谷。王军1.4万人,新模范军近1万人。展开全线攻击后,鲁珀特成功地打退了H.艾尔顿将军指挥的议会骑兵左翼,但犯了盲目追击的错误,从而使得在中央被围攻的王军步兵失去掩护。于是,克伦威尔指挥的纪律严明的议会骑兵右翼得以重新集结,对敌方中军发动决定性的进攻。结果王军被全部击溃,议会军俘获了约4 000俘虏和王军的大炮。国王查理一世由于在内兹比丧失了他最精锐的步兵团队,再也不能在公开战斗中同新模范军对抗,实际上已经战败。

Naselli, Alberto **纳塞利** 参阅 **Ganassa, Zan** 加纳萨。

Nāṣer, Jamal ʿAbd an- (Egyptian president) 参阅 **Nasser, Gamal Abdel** 纳赛尔。

Nāṣer od-Dīn Shāh **纳赛尔丁·沙阿**(1831-07-17,伊朗德黑兰～1896-05-01,德黑兰) 又拼 Nasir Ad-Din Shah。伊朗卡扎尔王朝的国王(1848～1896)。他作为改革者开始执政,但缺乏对需要加速变革的理解或对与西方接触造成的压力作出回答而变得日益保守。1848年继父位时国内发生严重骚乱,但他通过首相米尔扎·塔吉汗的努力把骚乱镇压下去。在塔吉汗的影响下,他执政伊始就实施一系列必要的改革。但不久塔吉汗被其政敌包括纳赛尔丁的母后夺去权力,最终被谋杀。1852年两名巴比教徒试图刺杀纳赛尔丁,未遂。他进行报复,对这个教派长期加以残酷迫害。由于未能收复19世纪初丧失给俄国的领土,为了取得补偿,他在1856年占领阿富汗的赫拉特。英国认为这是对英属印度的威胁,遂向伊朗宣战,迫使他归还赫拉特并承认阿富汗王国。纳赛尔丁在某些方面是有所建树的,如限制教士的世俗权力,开办电报和邮政,修筑公路,创立第一所西方式的学校,出版伊朗第一家报纸。曾三次访问欧洲,对所见到的工艺技术印象深刻。但晚年顽固地拒绝日益增长的改革压力。他向外国人提供一系列的特权,而把得到的大批金钱攫为己有。1890年他铸成更大错误,特许外国人在全国对烟草的购买、销售和加工,享有50年特权。由于日益不得人心,后来终于在德黑兰被刺。

Nash, John **纳什**(1752,英国伦敦～1835-05-13,怀特岛考斯) 英国建筑师、城市规划师,以建设摄政王公园和摄政王街闻名。随R.泰勒学建筑,后成为伦敦的建筑师和营造商。1783年破产,移居威尔士,重整建筑业务,从事乡村住宅设计。18世纪90年代后期回到伦敦与造园师H.雷普顿协作。1798年受雇于威尔士亲王,获得很多财富。他给自己设计了东考斯堡(1798),对早期仿哥特式建筑有很大影响。1811年,他在原来的玛丽勒本公园旧址上设计建造了摄政王公园,

纳什于1811年开始设计建筑的摄政王公园坎伯兰街
美国不列颠百科全书公司供图

由一条水道(称为摄政王河)、一片湖面、一大片林木和一座植物园组成。在公园的外围,建有几条商业拱廊和若干漂亮的居民点,其中东西公园村成为“花园式郊区”的典范。带有柱廊和扇形绿地的摄政王街(约1825年完工)直通皮卡迪利广场。1813～1815年,任政府的建筑副总监,后负责重建苏塞克斯郡布赖顿的皇家园林(1815～1823)。自1821年起,将伦敦的白金汉大厦改建为王宫。

Nash, John F. **纳什**(1928-06-13,美国西弗吉尼亚布卢菲尔德～　) 美国数学家。由于他从50年代开始的关于**对策论(game theory)**数学的具有里程碑意义的研究工作,而与匈牙利-美国经济学家J.C.豪尔绍尼和德国数学家R.泽尔滕共获1994年诺贝尔经济学奖。1948年纳什在宾夕法尼亚匹兹堡获卡内基理工学院(今卡内基-梅隆大学)的数学学士和硕士学位。两年后,22岁的纳什获普林斯顿大学的博士学位,在《数学年刊》杂志上发表了他有影响的博士论文“非合作对策”。1951年他进麻省理工学院工作,但50年代晚期在精神疾患频繁发作之后而辞职。以后,他同普林斯顿保持着非正式的交往。纳什建立了对策论的数学原理,对策论是研究有混合利益的竞争者之间的对抗的数学分支学科。他的以纳什解或纳什平衡而著名的理论,试图解释竞争者之间的威胁和行动的动力学。纳什解尽管还有一些实际的局限性,但还是被商业策略家广泛应用。

Nash, (Frederic) Ogden **纳什**(1902-08-19,美国纽约拉伊～1971-05-19,巴尔的摩) 美国幽默诗作者。他的诗大胆豪放,许多人竞相仿效。在哈佛大学肄业一年(1920～1921),写诗成功并专事写作前曾从事过各种不同的职业,包括广告、教学、编辑、债券销售。1930年将所写第一首诗卖给《纽约人》杂志,后一度被该刊编辑部雇用。第一本诗集《艰难的诗行》(1931)发表后,开始长达40年的诗人生涯,发表了20多本诗集,如《坏父母的诗园》(1936)和《除你我之外的所有人》(1962)。他定居在巴尔的摩,但常到美国各地旅行,在许多地方发表演讲。曾为《爱神的一触》(1943)和《二人行》(1952)两部音乐剧写歌词,还写过几本儿童读物。他的诗没有一定的韵律,有时杂乱无章,有时又严谨得使人难受,诗行忽长忽短,有时只有一个词而有时为整个段落,还常常被一些不相干的题外话所打断。他说他这种作诗的方法是从一位出名的邋遢诗人、“密歇根甜蜜歌手”J.穆尔在无意之中所犯的一些错误中学来的。

Nash, Paul **纳什**(1889-05-11,伦敦～1946-07-11,英格兰汉普郡博斯库姆) 英国油画家、版画家、插图画家和摄影家。在第一次和第二次世界大战中任官方战地美术工作者

纳什绘《死亡之海》(1940～1941)
美国不列颠百科全书公司供图

(1917、1940)。1918年展出的作品表现了疮痍满目的战地风光,如《梅嫩公路》(1918,伦敦帝国军事博物馆)。以后画海景和其他风景画。这些作品构思独到,色调多变。1933年英国艺术家的组织“第一部队”成立时,他是主要负责人。到30年代其作品构思更加豪放,色彩更加丰富,带有受超现实主义影响的“四维”幻象。第二次世界大战时所作的最有名的油画是《死亡之海》(1940～1941,伦敦塔特陈列馆藏)。其后期作品体现了他的富有幻想和诗意的象征主义画风。

Nash, Richard Southwell Bourke, Lord **纳什** 参阅 **Mayo, Richard Southwell Bourke, 6th earl of** 梅奥。

Nash, Sir Walter 纳什(1882-02-12,英国伍斯特郡～1968-06-04,新西兰奥克兰) 新西兰政治家、总理。曾在大萧条时期和整个第二次世界大战时期任财政部长,首先领导了工党的经济复兴计划,继而领导了政府的战时控制措施。自学成才。1907年当糖果点心批发商。1909年移居新西兰,不久参加工党。1919～1960年任工党执行委员。1929年进入议会。1935年任财政部长。1938年领导了新制订的社会保障计划。1940～1949年任副总理。第二次世界大战期间,制订计划管制物价、工资和成本,提高税率,实行配给制,增加家庭福利津贴。由于这项计划,本国人民的生活水平比其他盟国下降较少。1942～1944年任驻美公使和太平洋战争委员会委员,1944年作为代表出席联合国在布雷顿森林举行的财政会议。1957～1960年任总理兼外交部长和毛利人事务部长。在外交政策

美国不列颠百科全书公司供图

方面,他反对美国卷入越南战争,支持中华人民共和国恢复在联合国的合法席位。尽管如此,他仍支持新西兰与美国缔结的防务条约。1965年受封为爵士。

Nashe, Thomas 纳什(1567,英格兰萨福克郡洛斯托夫特～1601?,诺福克雅茅斯) 英国小册子作者、诗人、剧作家。第一部英文流浪汉小说《倒霉的旅行家,又名杰克·威尔顿传》(1594)的作者。在剑桥大学受教育。1588年左右前往伦敦,结交了R.格林等职业作家。1589年写《荒谬的分析》并为格林的《米纳封》作序。两者都表明作者是刚毕业的大学生,拥护传统的文学规范,敌视大众文学,因袭厌恶女性的态度,崇尚以委婉语为特色的优雅风格。1589和1590年成为主教团的雇用文人,在马尔普雷莱特论战中与以马丁为笔名的清教徒论战。几乎所有英国圣公会对马丁的反驳文章都归在纳什名下,但《给八哥的一颗杏仁》(1590)已令人信服地证实是出自他的手笔。《穷光蛋皮尔斯向魔鬼哀求》(1592)是一篇论战之作,反映出他艺术上的功力与弱点。他因卷入朋友格林与作家G.哈维的争端,所以在该书中对哈维兄弟进行了嘲弄。还写了《奇闻》(1592)和《带你去萨弗伦沃尔登》(1596)小册子参战。在《基督为耶路撒冷流泪》(1593)中,纳什警告他面临最严重的瘟疫之一的同胞,除非他们改邪归正,否则伦敦将遭到与耶路撒冷同样的厄运。《夜晚的恐怖》(1594)是一部漫谈式的作品,攻击对鬼魔的迷信。除《皮尔斯》之外,纳什最成功的作品有假面戏《夏日的遗嘱》(1592,1600年出版)、流浪汉小说《倒霉的旅行家,又名杰克·威尔顿传》(1594)和《纳什的素食》(1599)等。纳什还是出色的混合词创造者。

nashiji 梨子地 英语作aventurine。日本漆工艺中莳绘(**maki-e**)的一种形式,常作为图案的衬地。先在物体表面涂漆,然后在图案外的地方撒上金屑或银屑(称作梨子地

德川时代的梨子地印笼
美国不列颠百科全书公司供图

粉),再涂以透明的梨子地漆,经过打磨并以炭粉推光后,可以透过漆层看到隐约的金或银斑点。"梨子地"这一名称的来源,是因为这种漆器的表面类似梨皮的纹理。这种工艺盛行于室町时代(1338～1573)。在安土桃山时代(1574～1600),出现了这种技术的多种变型,例如"绘梨子地"就是其中的一种。其做法是把梨子地用于图案部分上。后来,到了德川时代(1603～1867),出现了更多的技法。例如"簇梨子地",是把金或银粉末撒得有地方厚,有地方薄,使之形成浮云状或使图案产生不规则的变化。

Nashim 娜西姆 希伯来文,意为妇女。犹太教口传律法汇编《密西拿》的六个回目中的第三回目。有论婚姻生活的各个方面的专论7篇:《丈夫之兄弟》、《订婚》、《誓愿》、《拿细耳人》、《奸淫罪嫌》、《休书》和《婚配》。

Nashua 纳舒厄 美国新罕布什尔州南部希尔斯伯勒县县城、城市。濒临梅里马克和纳舒厄两河。约1655年始有人定居。初属马萨诸塞州,1741年归新罕布什尔州。1837年合并一印第安村落。1853年设市。第二次世界大战后发展了多样化的工业。现生产鞋、石棉、电子元件、化工品、办公室设备和塑料制品。市内有联邦鱼苗场和里维尔学院(1933)。附近有本森野生动物饲养场和州立锡尔弗湖公园。人口:市86 605;主要都会统计区190 949(2000)。

Nashville 纳什维尔 美国印第安纳州中南部布朗县县城,在印第安纳波利斯以南64千米处。1836年建为县城。是中西部地区最有名的美术家集居地之一。当地的田园风光以及附近布朗县州立公园和香槐州立森林公园的瀑布和清泉吸引了大量游客、画家和哲学家。当地画家在该镇开设有一家画馆和一个博物馆。人口约804(2005)。

Nashville 纳什维尔 又称纳什维尔-戴维森。美国田纳西州首府(1843)和戴维森县县城(1784～1963)。在州的中北部,临坎伯兰河。为包括周围7个县部分地区在内的都市区的中心。1963年纳什维尔和戴维麻的行政管理机构合并。城东北24千米处有在坎伯兰河上拦成的旧希科里湖。1779年开始有人拓居。1784年设镇。1806年建市,逐渐发展成为内河商埠和该州政治中心。19世纪50年代修通铁路,商业更加发达。1963年4月纳什维尔市和戴维森县合并,改用现名。20世纪30年代,由于利用田纳西河流域管理局和坎伯兰河大坝提供的廉价电力,工业迅速发展。目前经济多样化。设有数家大保险公司和大金融公司的总部。主要工业产品有汽车玻璃、服装、鞋类、供暖和烹调设备及轮胎。纳什维尔以乡间音乐和西部音乐闻名,并在此基础上发展起大规模音响录制业。每年9月举行田纳西州交易会。为著名的宗教和教育中心。设有联合卫理公会出版社及联合卫理公会、主日学校南方浸礼联会和基督会历史学会总部。还设有许多教会学校以及田纳西州立大学(1912)、范德比尔特大学(1873)和州立纳什维尔工学院(1970)。此外,田纳西大学还在此设有分校。当地百年纪念公园内有一座按照雅典帕台农神庙原型大小仿造的建筑。州议会大厦(1855)按照希腊古典建筑式样设计。城东19千米有A.杰克逊总统的故居和墓地。另有1853年及1792年历史建筑,现已辟为博物馆。人口:市545 524;纳什维尔都会统计区1 231 311(2000)。

Nashville, Battle of 纳什维尔战役(1864-12-15～16) 美国南北战争时期联邦军战胜南部邦联军的一次决定性战役,使南部邦联在田纳西州的有组织抵抗从此结束。南部邦联军J.B.胡德将军在1864年末率兵回到田纳西州,企图切断联邦军W.T.谢尔曼将军的补给线。11月30日在田纳西州富兰克林地方与J.M.斯科菲尔德将军统率的联邦军交战,受重创。12月初胡德迫近纳什维尔,G.H.托马斯将军指挥的联邦军出城迎敌,于12月15～16日重创南部邦联军。南部邦联军一片混乱,撤退到亚拉巴马。胡德逃脱,但所部已溃不成军。

Nashville Convention 纳什维尔大会(1850) 美国南方赞成蓄奴的人士举行的两届会议。1850年6月3日来自南方九个州的代表在纳什维尔集会,来自辉格党和民主党的温和派人士挫败极端分子的脱离主张,最后于6月10日通过28项决议,要求保障蓄奴制以及一切美国人向西部准州自由移居的权利。但代表们同时还准备把《密苏里妥协案》所定界线延伸至太平洋沿岸,以解决准州的蓄奴制问题。9月,国会通过了《1850年妥协案》。11月11～18日,纳什维尔大会召开第二届会议,但出席会议的代表人数大减,会议为极端分子所操纵。他们拒绝《1850年妥协案》,并号召南方脱离联邦。第二届纳什维尔大会影

响甚微。

Nashville Dome　纳什维尔穹窿　辛辛那提背斜(**Cincinnati Arch**)在田纳西州显著的南延部分。奥陶纪地层(年龄约为4.90亿年前至4.43亿年前)是出露在这个穹窿的核部的最老地层,周围是石炭纪(约3.54亿年前至2.90亿年前)地层。纳什维尔穹窿在不同时期曾下沉被淹,而在另一些时期,其中心部分升出海面,受到侵蚀。有两次大的上升运动影响到纳什维尔穹窿。第一次发生在晚泥盆世(3.70亿年前至3.54亿年前),产生强烈侵蚀,约有150米厚的沉积物被侵蚀掉。第二次大的构造事件发生在石炭纪,又发生一次广泛的侵蚀。

Näsi, Lake　奈西湖　芬兰西南部海梅省湖泊。自坦佩雷城向北延伸,长约32千米,宽3.2～13千米,为皮海湖系中之最大者,也是该湖系西部诸湖的中心湖。湖南岸平坦荒芜,北岸比较发达,东岸有泰斯科村。北部湖湾旺卡,有运河(1854年建)通往帕洛湖和鲁奥湖。旅客可从鲁奥韦西城乘渡轮沿运河到达南面的坦佩雷城。奈西湖水向南经过塔墨尔急流流入皮海湖。

Nāsik　纳西克　印度西部马哈拉施特拉邦西北部城镇。坐落在哥达瓦里河岸、孟买东北约180千米处,通干线公路和铁路。因为哥达瓦里河的神圣性,也因为传说罗摩衍那史诗中的英雄罗摩和他的妻子悉多及兄弟拉克马纳曾在此居住过,纳西克于是成为重要的宗教中心,每年吸引成千上万人来此朝圣。该镇的主要部分位于河右岸(南岸),而左岸的班贾瓦蒂区建有几所寺庙,沿河两岸建有石阶(阶梯浴场)。纳西克有公元1世纪的佛教和耆那教洞穴寺庙遗址。在为数众多的印度教寺庙中,加拉拉姆和戈拉拉姆最为神圣。湿婆教乔蒂林加寺庙的所在地为距纳西克22千米的特拉姆巴凯斯瓦尔村,是最重要的朝圣地。20世纪下半叶,纳西克实现了工业化,丝织、棉织、制糖和石油加工为重要工业。欧扎是新兴的郊区城镇。纳西克设有浦那大学的几所分校。纳西克所在地区的水流入流域开阔肥沃的吉尔纳河和哥达瓦里河。主要农作物为小麦、小米和花生。甘蔗种植依靠灌溉,是重要的经济作物。地区工业主要包括蔗糖加工、石油加工和棉纺织。附近有一家军用飞机工厂。人口:市656 925;都会区725 351(1991)。

纳西克镇哥达瓦里河畔的阶梯浴场
美国不列颠百科全书公司供图

Nāṣin-ud-Dīn Muḥammad (Mughal ruler) **纳辛-乌德-丁·穆罕默德**　参阅 **Humāyūn** 胡马雍。

Nasionale Party van Suid-Afrika　参阅 **National Party of South Africa** 南非国民党。

Nāṣir, an-　纳绥尔(?～1225)　阿拔斯王朝第34代哈里发(1180～1225),也是蒙古人灭亡阿拔斯王朝前最后一位坚强的哈里发。他致力于恢复前代哈里发的俗权,尤其注意东方,曾借塞尔柱突厥帝国瓦解的机会扩大统治权。他攻打突厥人、波斯人和蒙古人。营造许多建筑物,并控制勇士的结义组织"弗土瓦",以增强他在穆斯林王公中的地位。

Nasir ad-Din Shah (Iranian ruler)　参阅 **Nāṣer od-Dīn Shāh** 纳赛尔丁·沙阿。

Nāṣir-i Khusraw　纳赛尔·霍斯鲁(1004,呼罗珊梅尔夫伽巴迪扬[伊朗]～约1072或1077,中亚巴达赫尚亚玛冈[今在阿富汗])　诗人、伊斯兰教义家、宗教宣传家。波斯文学最伟大的作家之一。出身于信奉伊斯兰教什叶派的政府官吏家庭,仅受过短期教育。1045年去麦加朝圣后,继续前往巴勒斯坦,最后到达法蒂玛王朝统治下的埃及。法蒂玛家族领导伊斯玛仪派(属什叶派),他们致力于宣传该派教义,向整个伊斯兰世界派遣传教士。纳赛尔·霍斯鲁就担任了这样一个角色,虽然并不清楚他成为伊斯玛仪派信徒是在他到达法蒂玛王朝的首都之前还是在这之后。他回到现在阿富汗境内的家乡,他在对立的逊尼派的势力范围内大力宣传伊斯玛仪派的思想,最后被迫逃到巴达赫尚,在那里度过晚年,写诗哀叹自己未能积极传教。纳赛尔·霍斯鲁的诗具有教诲和祈祷的特点,大都是长篇抒情诗,人们认为这些诗具有很高的文学水平。他的哲理诗有《光明颂》。最著名的散文作品是描写他长达7年旅程的《穿越叙利亚和巴勒斯坦的旅行日记》,是他目睹的景色和事件的很有价值的记载。他还撰写了12篇以上的论文,详细阐述伊斯玛仪派教义。其中有《两种智慧的结合》,在书中他企图调和伊斯玛仪派教义学和希腊哲学。纳赛尔的诗歌写作技巧精湛,而他的散文则以其丰富的哲理性词汇而引人注目。

Nāṣir-ud-Dīn Muḥammad Shāh (emperor of India)　**纳绥尔-乌德-丁·穆罕默德沙**　参阅 **Muḥammad Shāh** 穆罕默德沙。

Nasirābād (Bangladesh)　**纳西拉巴德**　参阅 **Mymensingh** 迈门辛。

Nāṣirīyah, An-　纳西里耶　伊拉克东南部城市。在幼发拉底河畔盛产海枣的平原地区。约建于1870年,1915年由英军从奥斯曼军手中夺取。现为地区性集市和铁路终点站,亦有造船、木器和银器制作行业。西南18千米处有古城吾珥遗址。人口约265 937(最新统计)。

Naskapi (people)　**纳斯卡皮人**　参阅 **Montagnais and Nas-kapi** 蒙塔格奈人与纳斯卡皮人。

naskhī script　纳斯基字体　伊斯兰纪元四世纪(即公元10世纪)形成的一种手写体字母的风格。从伊斯兰字母产生开始,就有两种手写体并行,一种用于日常通信和商业,一种用于抄写《古兰经》。纳斯基手写体是从最早的日常手写体发展而来的一种草写体,在阿拉伯世界中一直最为流行。字体清楚而端正,突出横线和字母间的比例。纳斯基字母的发展,与伊本·穆格拉(卒于940)及伊本·拜瓦卜(卒于1022或1031)两人的名字是分不开的,他们都曾在美索不达米亚工作过。伊本·拜瓦卜的《古兰经》抄本现存都柏林切斯特·贝蒂图书馆。纳斯基字母自11世纪起就广泛用于抄写《古兰经》。

Nasmyth, James　内史密斯(1808-08-19,苏格兰爱丁堡～1890-05-07,英格兰伦敦)　英国工程师,因发明汽锤而闻名。童年时代便非常爱好机械,成功地制作了许多蒸汽机模型。1836年他在布里奇沃特运河和新通车的利物浦—曼彻斯特铁路的交叉点建立铸造厂,生产各种机床和用蒸汽作动力的机器。当I.K.布律内尔设计"大不列颠"号轮船时,原计划要安装特大的明轮,内史密斯为此设计和制造一台重型汽锤,解决了锻造主动轴的难题。这种汽锤在1842年取得专利。虽然"大不列颠"号最终并没有装配明轮而改用螺旋桨,但汽锤却立刻在产业革命中成为冶金业的重要设备。此外,他还制造了100多台蒸汽机车、许多小型高压蒸汽机以及各种泵、水压机和其他机器。他48岁时从铸造厂退休,把全部精力用在天文学业余爱好上。

Naṣr ibn Sayyār　纳斯尔·伊本·赛雅尔(?～748)　伍麦叶王朝末代哈里发的呼罗珊和其他东方省份的总督(738～748)。以军事领导才能和机敏的外交手腕著称。曾领导平定两个叛乱部落的战役。74岁时任呼罗珊总督。曾与突厥邻邦、反叛的部落和后来夺得哈里发位的阿拔斯家族开展有力的战争。除对哈里发马利克之外,还曾为伍麦叶王朝的希沙姆、瓦利德二世和耶齐德三世诸哈里发效力。他采用向穆斯林征收土地税和向非穆斯林征收人头税的制度,并大力减少阿拉伯部落间的战争行动。

Naṣrid DYNASTY　**奈斯尔王朝**　西班牙最后一个穆斯林王朝，1212 年在拉斯纳瓦斯-德托洛萨战役中击败穆瓦希德人之后取得政权，1238～1492 年统治格拉纳达。第一代统治者是穆罕默德一世加里卜(1273 卒)。他开始兴建阿兰布拉城，并礼遇来自塞维利亚、巴伦西亚和穆尔西亚的穆斯林流亡者，从而为格拉纳达的繁荣昌盛奠定了基础。穆罕默德以后的历代国王由于宫廷和派别之争而削弱，时而屈服于基督教的卡斯蒂利亚，时而又依赖其在非斯(现属摩洛哥)的亲族马里尼德王朝，摇摆不定。但与非洲的联盟最终证明是灾难性的，导致优素福一世(1333～1354)在萨拉多河之役中败于阿方索十一世(1340)。1469 年基督教西班牙由于阿拉贡的费迪南德二世与卡斯蒂利亚的伊莎贝拉一世结婚而统一。这时艾布·哈桑·阿里(1466～1485)却在国内挑起了王位继承之争，在国外又由于拒绝纳贡而结怨于卡斯蒂利亚，奈斯尔王朝的统治最后以基督教势力征服格拉纳达(1492)而告终。

Nassarawa (Nigeria)　参阅 **Nasarawa 纳萨拉瓦**。

Nassau　拿骚　巴哈马联邦首都，新普罗维登斯岛东北岸港口。气候温和，海滩明净，风景秀丽。市区虽狭小，但住宅区沿海滩延伸很远。著名建筑物有：政府大厦；圣公会大教

拿骚市政府大厦及其之前的哥伦布纪念碑
美国不列颠百科全书公司供图

堂和市中心的行政机构。港口东端近海有海底花园，乘玻璃底船可观赏水下景物。市西的阿达斯特拉花园有许多罕见的热带植物。海岸外帕拉代斯岛为游乐中心，与拿骚之间有一座长 460 米的桥梁，为拿骚港的屏障。港口可停泊吃水 7 米的船只。无重要工业。出口剑麻、海绵、柑橘类水果、番茄和菠萝。通国际海、空航线，与其他岛屿之间有海空往来。人口约168 798(1990)。

Nassau　拿骚　德意志历史地区，以及产生该地区许多个世纪世袭统治者的贵族家族。今日荷兰和卢森堡的皇家元首都是这一家族(称作拿骚王室)的后裔。位于今德国黑森州西部及莱茵兰-帕拉蒂纳特州韦斯特瓦尔德区。12 世纪前，劳伦堡诸伯爵在拿骚附近建立领地；瓦拉姆(1198 卒)第一个僭取拿骚伯爵称号。其孙分领地为二：瓦拉姆二世拥有南部；奥托一世据有北部。瓦拉姆二世之子阿道夫，曾为德意志国王(1292～1298)。这一支的拿骚领地被册封为公爵领地并加入拿破仑一世所组成的莱茵联盟。1816 年魏尔堡的威廉成为拿骚唯一的公爵，其继承人阿道夫公爵在七周战争(1866)时期，因支持奥地利一方失利，领地为普鲁士占领；成为普鲁士黑森-拿骚省威斯巴登区的主要部分。奥托之后裔威廉(寡言者威廉，奥兰治亲王)，继承了该支在奥兰治的领地，是王朝的奠基人，其子孙世袭执政，历 16、17 和 18 世纪，为一显赫家族。1806 年奥托一支奥兰治的威廉六世将其德意志领地让与拿破仑，1815 年获得卢森堡大公国并继承荷兰王国王位，称威廉一世。现今其后裔(包括女性)仍统治荷兰。1890 年威廉三世去世，奥托一支男性绝嗣，其女威廉明娜成为荷兰女王，卢森堡则归瓦拉姆一支的拿骚公爵阿道夫继承。瓦拉姆一支至今是卢森堡大公国的统治家族。

Nasser, Gamal Abdel　纳赛尔(1918-01-15，埃及亚历山大～1970-09-28，开罗)　阿拉伯语拉丁字母转写作 Jamal ʿAbd an-Nāṣer。埃及军官，曾任总理(1954～1956)，后任总统

美国不列颠百科全书公司供图

(1956～1970)，阿拉伯世界一位有争议的领导人。有影响的阿拉伯领导人之一。在开罗上小学时参加过多次反英示威，中学毕业后进埃及皇家军事学院，毕业后获少尉军衔。在苏丹埃军服役时结识 3 位年轻军官，即毛希丁(后任副总统)、阿迈尔(后任陆军元帅)和萨达特(后继纳赛尔任总统)，他们建立秘密革命团体"自由军官组织"，目的是赶走英国人，废黜君主制。1952 年 7 月 23 日与 89 名自由军官发动一场不流血的政变，推翻帝制，成立埃及共和国，由以他为首的 11 名军官组成革命指挥委员会，推举纳吉布为国家元首。1954 年春纳吉布被罢免软禁，纳赛尔出任总理。1956 年 1 月颁布宪法，宣布埃及为一党政体的社会主义阿拉伯国家，奉伊斯兰教为国教。6 月以 99.9% 的选票当选总统。英国和美国原来答应提供 2.7 亿美元作为建造阿斯旺高坝第一期工程费用，于 1956 年 7 月相继取消。五天后他在群众大会上宣布苏伊士运河国有化，埃及人民将自己建设阿斯旺高坝。10 月 29 日以色列入侵西奈半岛，两天后法国和英国飞机袭击埃及机场。虽然埃及在战争中失地折军，但他在阿拉伯世界的声望却更高了。他在 1954 年所写的《革命哲学》一书中曾表示希望自己有朝一日成为全体阿拉伯人、非洲人以至伊斯兰教徒的领袖。1958 年埃及和叙利亚组成阿拉伯联合共和国，3 年后叙利亚退出。

纳赛尔在 18 年统治中政绩显著：苏联援建的阿斯旺高坝于 1968 年开始发电；现代化生活开始进入农村；工业化速度加快；进行了土地改革，限制个人占有土地的数量；反对贪污腐化收到部分成效；使妇女享有更多权利；培育埃及新人以替代西方人员。但在另一方面，他也把埃及变成了一个警察国家：信件被拆阅，传媒受到严格审查，主要报纸收归国有，电话被窃听，客房被搜查，各种职位的一党候选人均由纳赛尔及其亲密助手选定，政敌遭到囚禁。在外交方面他和铁托、尼赫鲁一起提倡不结盟，或称"积极中立"。在 1955 年万隆会议上他成为世界级的知名人物。他拒绝承认以色列。1956、1967 年两次爆发阿以战争，埃及失败。1970 年当纳赛尔勉强接受美国提出埃以和谈计划时，因心脏病突然去世。

Nasser, Lake　纳赛尔水库　尼罗河上的重要水库，位于上埃及和苏丹北部。由阿斯旺高坝拦截尼罗河水而形成。高坝建于 20 世纪 60 年代，1971 年落成。总容量为1 689亿立方米，增加灌溉面积 32.4 万公顷，并把 28.3 万公顷的洪泛区改造成常年灌溉区。20 世纪 80 年代初期在湖周围实施土地开垦计划。水库的2/3(北部)在埃及境内，以纳赛尔总统的名字命名。其余的1/3在苏丹境内，称为努比亚湖。

Nast, Thomas　纳斯特(1840-09-27，巴顿兰道[德国]～1902-12-07，厄瓜多尔瓜亚基尔)　美国漫画家。6 岁到纽约市。曾在全国设计学会学美术，15岁任《弗兰克·莱斯利新闻画报》的绘图员，18 岁进《哈珀周刊》。1860 年由《纽约新闻画报》派往英国，同年，又赴意大

纳斯特自画像，1892 年
美国不列颠百科全书公司供图

利为英美刊物报道 G.加里波第叛乱。美国南北战争爆发,他以绘画支持联邦的事业,反对奴隶制度。《战斗之后》(1862)抨击反对把战争进行到底的北方人;《解放》(1863)阐明奴隶制的罪恶及废除此制度的好处,均效果卓著,林肯称他为“我们最优秀的招兵员”。重建联邦时期,在他笔下,约翰逊总统是个压制人的独裁者,南方人是邪恶的剥削者,专欺走投无路的黑人,这些均表现出他对战后政治的失望和痛苦。所作《坦曼尼之虎纵恶》和《等待风暴停息的秃鹫》(均 1871)等,沉重打击以特威德为首的纽约市坦曼尼协会政霸集团。1885 年前后与《哈珀周刊》编辑们的争执日益频繁,1886 年在《哈珀周刊》上发表的漫画是他在该刊发表的最后的漫画作品。1902 年受任驻厄瓜多尔瓜亚基尔总领事。也画过油画和书籍插图,但主要以讽刺画和政治漫画著称。民主党的毛驴,共和党的大象,坦曼尼协会的老虎,以及最受欢迎的圣诞老人形象,都出自其手。

nastaʿlīq script　纳斯塔利克字体　15 ～ 16 世纪波斯书法中最流行的字体,首创者是帖木儿王朝(1402 ～ 1502)最著名的书法家大不里士的米尔·阿里。纳斯塔利克字体为草书,由纳斯基字体与塔利克字体糅合而成,其特

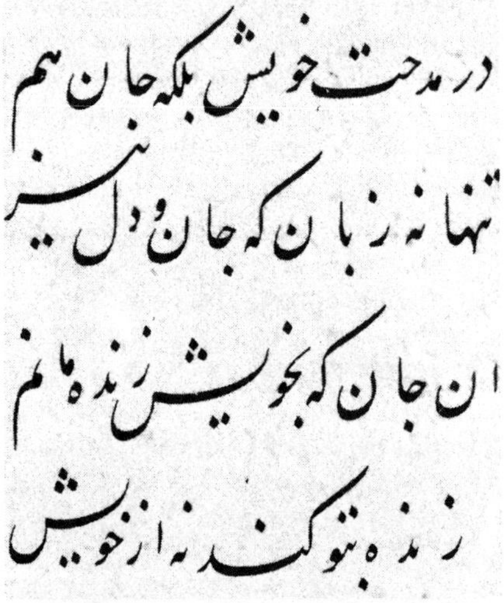

苏丹阿里·马什哈迪于 1506 年书写的纳斯塔利克字体
美国不列颠百科全书公司供图

征是横划修长而字体圆润。字母所附变音符号显得自然而不板滞,书写笔划显得线条流畅而无僵直之感。萨菲王朝早期(16 世纪),画家常以纳斯塔利克字体为其作品之题跋,而此种书体一直被看作是波斯字体中最为优美的一种。

Nastase, Ilie　纳斯塔塞(1946-07-19,罗马尼亚布加勒斯特～　)　罗马尼亚网球运动员。1966 年起参加戴维斯杯比赛,1969、1971 和 1972 年罗马尼亚队以他为主力闯入决赛。1970 年获美国室内网球赛和意大利网球赛单打冠军。1971 ～ 1973 和 1975 年获网球优秀运动员大奖赛冠军。1972 年在美国公开赛中战胜阿希而夺冠。1973 年夺得意大利和法国比赛单打冠军。1975 年与康纳斯合作获美国公开赛双打冠军。纳斯塔塞在世界上的排名远远超过他的比赛成绩。1970 ～ 1977 年跻身世界前 10 名。在球场常因滑稽小动作、发脾气和作鬼脸而被取消比赛资格、罚款或停止比赛。他打球动作迅速,步法精湛,善于挑高球过人。

nasturtium　旱金莲　旱金莲科旱金莲属(*Tropaeolum*)植物。一年生。原产于墨西哥、中美和南美北部,已引入其他地区种作庭园植物。该属植物叶带胡椒味,有时用于沙

普通旱金莲(*T. majus*)
美国不列颠百科全书公司供图

拉。花鲜黄、橙黄或红色,漏斗形,有长距,内有蜜腺。普通旱金莲(大旱金莲,*T. majus*)株高 2.4 ～ 3.6 米,花芽和果实有时用于调味,花橙黄色,具红色的斑点或条纹。矮旱金莲(小旱金莲,*T. minus*)花径不到 3 厘米。盾叶旱金莲(*T. peltophorum*)是攀缘植物,花橙黄色,长约 2.5 厘米。五裂叶旱金莲(外国旱金莲,*T. peregrinum*)俗称金丝雀藤。十字花科豆瓣菜属的学名亦为 *Nasturtium*。参阅 **watercress**。

nat　纳　缅甸民间宗教所信奉的鬼,相当于泰国人所称的披。众纳中以号称三十七纳的一群为最著名,他们都是横死者的亡魂,敬之者昌,违逆或轻慢者遭殃。此外尚有自然界的纳、世系纳(周年奉祀,世代相传)、村纳(保祐村民不受野兽、盗匪和疫病之害,依附于村口某树或某洞穴)。

Natal　纳塔尔　巴西东北部北里奥格兰德州首府。位于大西洋岸波滕日河(北里奥格兰德河)入海口附近。1597 年葡萄牙人在“东方三博士”要塞所在地附近建立,1611 年设镇。纳塔尔是北里奥格兰德州主要商业中心,产丝棉织品、蔗糖、食盐、皮革。建有海港和大型机场,班机通往特雷西纳和累西腓。铁路和公路与内地和沿海城市连接。市内有北里奥格兰德州立大学(1958),郊区有海洋研究所和巴雷拉多因费尔诺火箭基地。人口约709 422(2000)。

Natal　纳塔尔　南非的前省份,是该国4个传统省中最小的一个。葡萄牙航海家伽马在 1497 年圣诞节看到了今德班的海岸,以葡语圣诞节“纳塔尔”为该地命名。自 16 世纪后,纳塔尔的内地被操班图语的恩古尼族人占据。英国人 1824 年在纳塔尔港(今德班)建立商埠。1835 年签订了将纳塔尔南半部割让给英国人的条约。离开英国统治的开普殖民地的阿非利堪人于 1837 年 10 月进入纳塔尔内地。1838 年 12 月布尔人(阿非利堪人)在血河战役中打败祖鲁人。阿非利堪人建立了纳塔尔共和国,建都彼得马里茨堡。英国人反对在非洲南部海岸建立任何独立的国家,于 1843 年并吞了纳塔尔。前共和国的许多阿非利堪人动身前去德兰士瓦和奥兰治自由邦,从英国迁来许多新移民。1856 年以前,纳塔尔基本上是开普殖民地的属地,1856 年成为英国直辖殖民地,有自己的立法会议。纳塔尔殖民地由于接连获得属地而扩大,尤其是英国人在祖鲁战争(1879)中战胜祖鲁人后所控制的祖鲁兰。英国人在 1887 年正式吞并祖鲁兰,1897 年使之成为纳塔尔的一部分。1893 年英国人给予纳塔尔人内部自治。在南非战争(1899 ～ 1902)期间,纳塔尔受到布尔人军队的侵犯。1910 年,该殖民地成为南非联邦的一个省,1961 年又成为南非共和国的一个省。在 20 世纪,纳塔尔仍然是南非亲英情绪的基地。在南非政府种族隔离制度下,非独立的夸祖鲁黑人邦是全国的祖鲁人的合法家园。在 20 世纪 80 年代末和 90 年代初,敌对的黑人政党在纳塔尔和夸祖鲁发生激烈冲突。

南非新宪法废除种族隔离制度后,夸祖鲁在 1994 年重新并入纳塔尔省,改名夸祖鲁/纳塔尔省。

Natanya(Israel)　参阅 **Netanya** 内坦亚。

Naṭarāja　那吒罗阇　梵语,意为“舞主”。印度教大神湿婆的化身之一。印度南部地区湿婆庙大多供有那吒罗阇的金属像或石像。10、11世纪侏罗王朝的青铜雕塑等常见雕塑,都显示湿婆张四臂,脚踏象征人类冥顽的侏儒舞蹈,长发飘荡。后右手执荼摩卢鼓;前右

印度 12 ～ 13 世纪的那吒罗阇青铜雕像
美国不列颠百科全书公司供图

手掌朝外,手指向上,作无畏手印;后左手托火(在钵或掌中燃烧);前左臂横在胸前作象鼻状,手腕柔曲,手指朝下指向高抬的左脚。湿婆的头发编成几绺,恒河女神像、花朵、髑髅和新月编在各绺头发之间。像周围有大火圈。

Natchez　纳切斯人　又译纳奇兹人。操大阿尔冈昆语系语言的北美印第安部落。居住在密西西比河下游东侧地区。18世纪早期,法国人最初向这里移民时,纳切斯人约有6 000人,住在亚祖河与珀尔河之间的9个村庄,即今密西西比州纳切斯(纳奇兹)县附近地区。最初纳切斯人与法国移民关系良好,但1716、1723及1729年三次战争之后,纳切斯人被逐,约400人被俘后成为西印度市场上贩运的奴隶,其余先投奔奇克索人,后又投奔上克里克人及切罗基人那里避难。当上克里克人及切罗基人被迫迁往印第安纳准州(今俄克拉何马州)时,纳切斯人亦随之同行。有少数纳切斯人直到20世纪初还保持其语言;到20世纪后期,还有少数部落成员住在俄克拉何马州东北部。纳切斯人同其他穆斯科格人的文化大体相同,也是一个农业部落。利用桑树内皮纤维织布,精于制陶,并能建筑大型神庙,神庙同克里克人的神庙相似,用泥土篱笆筑于8英尺高的土冈上。纳切斯人的住房呈方形,以泥、草筑成,屋顶拱形,以藤茎为之;住房行列整齐,建于公用广场四周。奉祀太阳神,由一君主进行统治,号称大日王,握有生杀予夺之权。与宗教祭祀密切相关的是一常明圣火,永远燃于神庙之中。受人注意的有:纳切斯人的特殊的种姓等级制度,把人们分为太阳族、贵族、绅士、平民。首领大日王和各村村长自称是太阳神的后裔。太阳族的人不准与本种姓的人通婚,却要求同平民通婚。由太阳族女性与平民男性所生子女为太阳族,而太阳族男性与平民女性所生子女则属于绅士等级。

Natchez　纳奇兹　美国密西西比州西南部城市,亚当斯县县城(1817)。位于维克斯堡西南110千米处,临密西西比河(有桥通路易斯安那州维代利亚)。建于1716年。原属法国。1763年归英国所有。美国独立战争中为亲英效忠派的避难所。1779年被西班牙远征队占领。1798年归属美国。1798～1802年为密西西比准州首府,1803年设市。后成为广阔富庶产棉区的商业及文化中心。内战后发展为该州主要工业中心之一。利用木材、石油和天然气资源发展橡胶、木器、纸制品和纺织品的生产。该市为典型的南北战争前的南方城市。每年举行春日朝觐活动,届时南北战争前建筑如朗伍德(约1840)和斯坦顿厅(1851～1859)等均向公众开放,并有古装表演。设有纳奇兹初级学院(1885)、南密西西比大学纳奇兹分校。市东有杰弗逊历史学院(1802～1863)、霍莫奇托国家森林和埃默拉尔德印第安人坟墩(1250～1600)。人口约18 464(2000)。

纳奇兹市的一处美国内战前的宅邸
美国不列颠百科全书公司供图

Natchez Trace Parkway　纳奇兹小道公园路　美国早期道路和风景最美的公路之一。沿印第安小道修建,从密西西比州的纳奇兹向东北延伸,穿过亚拉巴马州西北部至田纳西州的纳什维尔。全长725千米。1800～1820年间为老西南方在政治、军事和经济上的最重要道路。后随汽船及新的道路出现逐渐衰落。沿途有历史遗迹(印第安人坟墩、村庄、铁矿及熔炉)。1938年全线划入国家公园系统。1961年沿途增设两处国家纪念地。

Natchitoches　纳基托什　美国路易斯安那州西北部城市,纳基托什县县城(1807)。位于什里夫波特东南109千米处,在凯恩里弗湖畔。是路易斯安那州珀切斯地区最古老的永久居民点,1714年由法国人创建;许多法国殖民时代的住宅保留至今。后发展为棉花市场,1825年后雷德河改道,该市商业重要性衰退。1872年设市。1950年以后发展起多样化的工业,主要依靠农产品和羊毛加工业。服务业也很重要,尤其是和旅游相关的服务业。市东和市南的吉赛奇国家森林延伸至凯恩河国家遗址区(1994年认定),里有几处与克利奥尔文化相关的历史遗址。设有州立西北大学(1884)。人口17 865(2000)。

Nātha　纳陀崇拜　印度宗教运动(纳陀意为大师)。其参加者进行修炼,希望使肉身成为真身,达到长生不死。其信仰是把佛教、湿婆教和诃陀瑜伽的秘教传统与追求玄秘的兴趣互相糅合。称为大师崇拜是因为传说中有9位名人都曾称大师。他们通过修炼使自己的肉体不朽,目前在喜马拉雅山过介于神人之间的生活。

Nathan, Daniel(U.S. author)　**内森**　参阅**Queen, Ellery** 奎因。

Nathan, George Jean　内森(1882-02-14,美国印第安纳韦恩堡～1958-04-08,纽约市)　美国作家、编辑、戏剧评论家。他因提高了剧作家和观众的水平而受到赞誉。1904年毕业于康奈尔大学后,入《纽约先驱报》编辑部工作。1906年起开始为许多杂志和报纸撰写戏剧评论,但他的名字与《时髦人士》和《美国信使》特别有关。他与H.L.门肯同为前者编辑(1914～1923),后者是他与门肯于1924年协助创办的。作为一位评论家,他推崇易卜生、斯特林堡、萧伯纳、奥尼尔、奥凯西和萨罗扬等人的剧作。1943～1951年,他每年出版《舞台年鉴》。此外,还发表了30多部生动的论述戏剧和其他问题的随笔。1955年同女演员J.海登结婚。

美国不列颠百科全书公司供图

Nathan, Maud　内森(1862-10-20,纽约市～1946-12-15,纽约市)　美国社会福利事业领袖,曾参与创办消费者联盟。1880年与其堂兄F.内森结婚;1890年与罗威尔夫人和伍德布里奇女士合作,成立纽约消费者联盟,其宗旨在于迫使商店主人出售合格产品,否则联合消费者对其商品进行抵制。内森夫人主持该联盟逾20年,同时兼任全国消费者联盟副主席。她积极争取妇女参政权,参与领导纽约市妇女联盟和妇女俱乐部总联合会。著有《划时代的运动》,叙述消费者联盟的历史。

Nathans, Daniel　内森斯(1928-10-30,美国特拉华威尔明顿～1999-11-16,马里兰巴尔的摩)他们研究了分子遗传学,发现限制性内切酶并将其应用于DNA分子内遗传信息的研究。内森斯曾在特拉华大学和华盛顿大学学习,1954年获华盛顿大学医学学位。他用史密斯分离的限制性内切酶研究一种最简单的已知能引发癌肿瘤的病毒——猿猴病毒40(SV40),描绘了病毒的基因图谱,这标志着人们首次应用限制性内切酶研究恶性肿瘤的分子基础。

Nāthdwāra　讷德瓦拉　印度西北部拉贾斯坦邦南部城镇。位于伯纳斯河南岸。为印度教圣地,有17世纪的黑天神庙。庙内有著名的克里希纳神像,众说为公元前12世纪之物。为农产品市场。设有拉贾斯坦大学的管理学院。人口约30 855(1991)。

Natick　内蒂克　美国马萨诸塞州东部米德尔塞克斯县城镇。位于波士顿西面29千米处。1650年创建。传教士J.艾略特在此向印第安人传教。并于1663年出版印第安语《圣经》。后白人定居者赶走印第安人,发展为农业社区。1781年设镇。现为住宅区。当地经济以服务业和商业为主。此外还有工业开发区。境内有州立科奇图伊特公园之一部。人口约32 170(2000)。

nation 同乡(或同国)学生会 中世纪大学中由某一地区或某个国家来的学生为了相互保护和合作而在异地结合在一起的一种团体。在一些大学里这种学生会负有教育学生和检查学生的责任。每一个学生会受其监督者管理,监督者由选举产生,任期从一个月(巴黎大学)到一年(博洛尼亚大学)不等。通过参加选举和会议,大学生们体会到宪政的实际运作。其中有许多人后来在君主们的各种委员会和政务会中任职。

Nation, Carry (Amelia) 纳辛 (1846-11-25,美国肯塔基加拉德县～1911-06-09,堪萨斯莱文沃思) 母家姓 Moore。美国主张禁酒者。曾使用短柄小斧捣毁酒吧间,由此闻名。

布朗兄弟公司供图

她的积极活动可能促使 1919 年美国宪法的禁酒修正法案得以通过。1890 年参加禁酒运动,当时美国最高法院作出决定,支持由其他各州进口并出售"原装"酒,此决定使堪萨斯州的禁酒法受到削弱。她认为:堪萨斯州生意兴隆的酒吧间是非法的,任何人可以捣毁之而不致受罚,于是有时独自一人,有时由唱圣歌的妇女陪同,冲进一家酒馆,开始唱圣歌、祈祷并以圣经的口吻痛骂,进而用短柄小斧粉碎酒吧间的设备及存货。她这种破坏性行动也指向兄弟会、烟草制品、外国货、妇女紧身胸衣、长度不适当的女裙以及当时某些酒吧间曾出现过的略带色情味的美术品。她是妇女选举权的提倡者。

Nation, The 《民族》 现仍继续出版的美国最早舆论周刊之一,被公认为最主要的自由派杂志。1865 年由 E.L.戈德金创办,很快成为反对南北战争后重建时期的冒进、政府中的贪污腐败、公职人员滥用职权等的有影响的力量。1881 年戈德金把该刊出售给纽约《晚邮报》,该刊遂成为该报的周刊版,开始增加国际新闻报道,更加关注文艺问题。1918 年 O.G.维拉德任主编,该刊不再是《晚邮报》的副刊,在政治上逐渐趋向左倾。该刊赞赏俄国布尔什维克,呼吁美国承认苏联。50 年代公开反对参议员麦卡锡的做法,反对美国出兵越南。这份销路不大、广告很少的公众事务杂志全靠支持者的捐赠来维持。

Nation of Islam 参阅 **Islam, Nation of** *伊斯兰民族组织*。

National Abortion and Reproductive Rights Action League 全国流产和生育权利行动联盟 原全国撤销堕胎法律协会(1969～1973)。美国致力于争取堕胎权、保护和促进生育自由的组织。由 3 个相关机构组成:全国流产和生育权利行动联盟、联盟政治行动委员会和联盟基金会。最初是 1969 年一群堕胎权积极分子成立的全国废除堕胎法律协会,其目标是在主张人工流产合法化全国组织的支持下,巩固加强各州争取堕胎权团体的工作。初期曾在各州组织游说和示威。1973 年的"罗诉韦德案"裁定妇女有权堕胎后,改用现名,并在联邦政府中联结盟友。该联盟政治行动委员会是最富有的单项政治行动委员会之一,为行动进程提供决定性支持。1991 年联盟基金会开展一项新运动,减少对堕胎问题的关注,而强调获得各项生育卫生服务的必要性。

National Academy of Sciences 全国科学院 美国科学家和工程师的非政府组织。成立于 1863 年 3 月 3 日,按国会法案,在所有科学和技术问题上作为政府的官方顾问。它是一个有一定数目的院士的永久性团体,增添新院士时要依据其对科学研究所作的重大贡献,由原有院士投票选举来决定。1916 年科学院设立了全国研究理事会以协调在大学、产业部门、政府部门等各方面的科学家和工程师的活动;理事会发行许多出版物;授予大量的博士后研究职位。1950 年科学院和理事会在行政管理方面实行合并。根据 1963 年的特许状,1964 年组织全国工程科学院。建立医学研究院作为全国性医学和公共卫生的咨询机构。该院组织美国参与国际地球物理年(1957～1958)和国际生物学计划(1964～1974)等国际性活动。

National Action Bloc 摩洛哥行动委员会 阿拉伯语拉丁字母转写作 Kutlah al-ʿAmal al-Waṭanī。1934 年成立的第一个摩洛哥政党,旨在反对法国对摩洛哥的统治;同时争取摩洛哥人与法国人在保护国内的平等地位。摩洛哥行动委员会团结了许多不同观点的受过教育的摩洛哥青年。这个自 1930 年即已非正式存在的组织在一些知名人士诸如穆罕默德·阿拉勒·法西和艾哈迈德·贝拉弗里杰的领导下,发行一些刊物并在穆斯林中进行政治教育。1934 年 12 月,委员会成为正式的政治团体。他们提出的增加穆斯林在摩洛哥政府所占比例的改革措施被法国当局拒绝。1937 年,法国当局终于同意阿拉伯语与法语共同作为印刷语文。委员会得到了群众的支持,具有广泛的影响。1937 年被法国人解散,年底领导人被流放或流亡国外。

National Action Party 国家行动党 墨西哥保守政党。成立于 1939 年,代表工商企业及罗马天主教利益,主要支持者为北方城市中产阶级。成立后 60 年间一直是执政革命制度党的主要反对党。1943 年首次参加全国大选。但直至 20 世纪 80 年代末在各层级的境况始终不佳。80 年代该党对革命制度党的选举舞弊大张挞伐。1989 年首次赢得北下加利福尼亚州长职位。但次年 8 月其下议院席位减少。同时,在指责操纵选举的声浪中,革命制度党人、总统 C.S.德戈塔里将瓜纳华托州长一职判给国家行动党。90 年代初萨利纳斯在经济与选举改革问题上得到该党支持。1994 年的总统选举中国家行动党候选人赢得 25% 以上选票,议会两院的席位有所增加。1995 年赢得哈利斯科州长选举和瓜达拉哈拉市长选举。1997 年在全国立法机构选举中由第二大党降为第三,但仍赢得全国 1/4 以上选票,革命制度党首次未能在众议院取得绝对多数。在 2000 年的总统选举中其候选人 V.福克斯获胜,结束了革命制度党长达 71 年的统治。国家行动党成为众议院的最大政党。

National Aeronautics and Space Administration (NASA) 国家航空和航天局 美国在 1958 年建立的独立的政府机构,研究和发展航天器和航天活动,以探索地球大气层内外的空间。该局下辖五个课题计划处:航空航天技术处,主管研制设备;航天科学与应用处,主管研究宇宙、太阳系和地球的起源、构造和演变的计划;航天飞行处,主管载人和不载人航天运输和涉及航天飞机的所有事务;航天测控及数据处,主管跟踪测控与资料搜集;航天站处,以建造载人的航天站为长期目标。该局还下辖许多附设的研究中心,包括:戈达德航天中心,设在马里兰州格林贝尔特;喷气推进实验室,设在加利福尼亚州帕萨迪纳;约翰逊航天中心,设在得克萨斯州休斯敦;兰利研究中心,设在弗吉尼亚州汉普顿;以及位于华盛顿的该局总部。国家航空和航天局的成立在很大程度上是美国对 1957 年苏联发射第一颗人造卫星作出的反应。它是在国家航空咨询委员会(NACA)的基础上成立的,该会早在 1915 年由国会所创建。在肯尼迪总统执政的头几年,国家航空和航天局的组建工作已在进行,肯尼迪总统提议美国人应在 60 年代末以前将人送上月球。为实现这一目标,制订了阿波罗计划。1969 年美国宇航员 N.阿姆斯特朗成为第一位登上月球的人。后来,一些不载人航天器("海盗"号、"水手"号、"旅行者"号探测器)先后探测了火星、水星、木星、土星和天王星等太阳系中的星体。此外,该局还负责若干地球应用卫星的研制与发射,例如旨在搜集天然资源及其他地球特征信息的测地卫星序列;通信卫星;气象卫星。该局还计划和研制了航天飞机。航天飞机是一种可以重复使用的航天器,能够执行普通航天器所不能执行的任务。

National American Woman Suffrage Association (NAWSA) 美国全国妇女选举权协会 1890 年由全国妇女选举权协会和美国妇女选举权协会两个主要女权组织合并而成。起初由 E.C.斯坦顿、L.斯通、S.B.安东尼等人领导。协会的策略是力促各州批准选举权修正案,借以迫使国会通过联邦修正案,并竭尽全力吸收新成员,为妇女赢得投票权。1900～1904 年实行"社会计划",广招受过大学教育、有特殊关系、有政治影响的成员,并扩大其教育成就。尽管 1896～1910 年有一个新建州未批准州选举权修正案,但组织基础业已大部铺就。接着采取"取胜计划",向联邦修正案发起全力冲刺。在C.C.凯特的领导下,将争取完全妇女选举权运动与支持第一次世界大战结合起来,说服W.威尔逊总统支持第19修正案。该修正案于1919年6月由国会批准,1919～1920年获36个州批准,1920年8月26日正式写入美国宪法,72年的奋斗就此结束。

national anthem　国歌　表达爱国情感的赞歌或歌曲;或是经政府正式制定的国歌,或是在民众感情中占有国歌地位的歌曲。最古老的国歌是英国的《神佑女王》。虽然从18世纪中叶起它就是一首流行的爱国歌曲,并在王室的盛大典礼和场合中应用,但到1825年才定为国歌。19和20世纪初,绝大多数欧洲国家都以英国为榜样,制定自己的国歌,有些是特意创作的,有些是采用现成的曲调配上新歌词而成。歌词内容多样化,从为王祈祷到涉及国家重要战斗或起义(美国的《星条旗之歌》,法国的《马赛曲》)以及表白爱国感情(《啊,加拿大!》)。各国国歌的音乐价值颇有高下。歌词和曲调一样也不都由本国人创作。某国政治或国际关系的变化往往导致改换歌词或采用新的赞歌。例如苏联在1944年用新国歌《苏联颂歌》取代共产主义赞歌《国际歌》。由著名诗人和作曲家创作的国歌极少,突出的例外是海顿在1797年为奥地利写的第一首国歌《神佑弗兰茨皇》,该曲于1929年换用《永远赐福》的词;海顿的旋律亦用于1922年定为德国之歌的《德国、德国至上》;它至今仍然是德国国歌的曲调,用第三段歌词"团结、正义和自由"作为它的开头,曲名改为《德意志之歌》。参阅 **Advance Australia Fair; Deutschlandlied; God Save the Queen; Internationale, L'; Marseillaise, La; O Canada; Star-Spangled Banner, The**。

National Aquarium　国立水族馆　美国最早的公立水族馆。1873年始建于马萨诸塞州伍德霍尔。1888年迁至华盛顿特区现址。1932年后一直设在华盛顿美国商业部地下室。馆内有近200类1 000多种鱼,放在54个容量为285～10 640公升的水箱中展出。美国的捕钓鱼类如鳟、鲈、狗鱼等也按天然栖息环境在此展出。

National Aquarium in Baltimore, The　巴尔的摩国立水族馆　美国最大的公立水族馆之一。1981年该水族馆在巴尔的摩内港地区开放,由市政府资助,但由美国国会正式指定为国立水族馆的分馆。该水族馆保有3 000多种水生动物,其中许多是海兽和海鸟。所有展出的海生动物都与由三个大水箱构成的装置相联系,它用来使190万公升咸水循环流动。也展出许多淡水生物。水族馆的布置和效果给人印象深刻。例如,天花板上吊着一具19米长的长须鲸骨骼,海洋活动和海生动物发出的背景声音在馆内各处都可听到。展品的主题体现出这种思想,即所有生物,无论生活在大气中、土壤中,或在河、湖、海洋中,它们的生存都离不开水。馆内引人注意的展品之一是热带雨林,这是一个玻璃制的高20米的宝塔形结构,内有瀑布和湿淋淋的植物。

National Archaeological Museum　国立考古博物馆　位于雅典的古希腊艺术博物馆,也许是世界上最好的希腊古物收藏馆。建于1866～1889年间,1925～1939年间增建侧厅,规模扩大。拥有希腊各地的雕刻、铜器、陶器、珠宝和手工制品,包罗了自麦锡尼时期到希腊化时期的展品。珍宝中还有从麦锡尼发掘的6座竖穴墓的随葬品,包括金制品、杯子、王冠和一个带有圆花饰的金角银制公牛头。古希腊雕刻中有许多青年男女雕像和精致的花瓶。埃伊纳岛上的阿菲娅神庙山墙的雕饰,代表了古风时期以前的希腊雕刻。公元前5世纪古典时期的雕刻展品很多。1928年在阿尔泰米松角发现的波塞冬铜像是一件特别精致的作品,其时间约在公元450年左右,可能为雕刻家卡拉米斯的作品。

National Army Museum　国家陆军博物馆　1960年始建于桑德赫斯特皇家军事学院、1971年在伦敦切尔西皇家医院路建成的专门馆舍。馆藏包括英国军队自阿让库尔战役(1415)迄今的各方面资料,涉及民兵、义勇骑兵、志愿兵和地方自卫队。军服和勋章展品尤为突出。印度英军及东印度公司军队的内容占有显着位置。伯克郡桑德赫斯特分馆设有印度军队纪念馆。北约克郡卡特里克另有步兵博物馆,供陆军新兵参观。博物馆设永久展览及临时展览。一系列永久展厅展示英国士兵的实事,第一画廊为15世纪至美国独立战争时期,最后一个展示近年的冲突。展品中有罕见的个人遗物、视频录像、比例模型和实物大小的逼真模型,其中包括南丁格尔的奖章和个人首饰、温莎公爵以及几名陆军元帅的军服和勋章等。

National Art Gallery　国立美术馆　位于新西兰惠灵顿。国家收藏馆,藏有新西兰和欧洲画家的绘画以及新西兰著名人物的画像。该馆的前身是1907年新西兰美术学院在该城建立的第一座公共美术馆。1936年,国立美术馆接管新西兰美术学院收藏馆藏品,即对公众开放。藏品以20世纪英国绘画居多,包括S.戈尔、F.布兰温和A.约翰等画家的作品以及B.赫普沃斯的雕刻作品。

National Assembly　国民议会　法国历史上各种不同议会的名称。1789年6月17日至7月9日,为第三等级代表组成的革命议会的名称。1789年7月10日至1791年9月30日,其正式名称是国民制宪议会。此后被立法议会取而代之。在结束普法战争和起草1875年宪法的1871～1875年国民议会以前,此名称一直未再使用。在随后的第三帝国(1875～1940)中,国民议会为议会参、众两院的总称。在第四共和国(1946～1958)期间,仅下议院(前众议院)称国民议会,上议院(前参议院)则称共和国参议院。在第五共和国时期(1958年起),国民议会仅用于下议院,上议院恢复参议院的名称。一般地说,国民议会的名称往往用来指制宪会议——不仅指大革命时期的国民制宪会议,而且指1848年的制宪会议(建立第二共和国)和1945～1946年的制宪会议(建立第四共和国)。

National Association for the Advancement of Colored People(NAACP)　全国有色人种促进协会　美国的种族自愿联合组织。成立的宗旨是废除住房、教育、就业、选举和交通等方面的隔离和歧视;反对种族主义;保障黑人的宪法权利。1909年,由尼亚加拉运动(W.E.B.杜波依斯领导的一群青年黑人组织)及一群关心运动的白人合并创立。协会成立后,在呼吁修改法律方面是最成功的。其他方面的活动,包括为民权法令的颁布实施而采取的政治行动;为使教育计划和大众宣传各项计划获得广泛支持而进行的活动;还包括为达到某些具体目标而采取的直接行动。1939年协会的法律辩护和教育基金会宣告成立,作为独立机构,成为人权运动的法律部门。协会的法律委员会曾向最高法院提交"布朗诉托皮卡教育局"案件,使最高法院在1954年作出了学校废除隔离制度的裁决。1986年,协会把设在纽约市的总部迁往巴尔的摩。

National Association of Colored Women (NACW)　全国有色妇女协会　1896年在华盛顿召开的一次大会上由非洲裔美国妇女同盟与全国有色妇女联盟合并而成的组织。创始人为H.塔布曼、F.E.W.哈帕、I.B.韦尔斯-巴尼特、M.C.特雷尔,特雷尔任首任主席。协会的座右铭是"勇攀高峰",意在向无知而又多疑的世界展示其目标、兴趣与一切追求向上的妇女无异。职业培训、同工同酬和儿童保健是特雷尔为该组织确定的工作目标。为幼儿园、职校、夏令营、退休者之家筹集资金,并反对交通系统实行种族隔离,坚决支持反私刑运动。1921年开始为准备上大学的美国黑人妇女资助奖学金,并于同年支持妇女选举权运动。到20世纪中期几乎各州均有分会。20世纪后期继续推行以社区为基础的传统服务,同工同酬及儿童保健仍为该协会的主要服务项目。

National Association of Congregational Christian Churches　基督教公理会全国协进会　美国基督教会联合机构。基督教公理会与福音归正会合并为联合基督教会,基督教公理会一部分神职人员和平信徒不愿参加合并,遂于1955年在密歇根州底特律另行组成该协进会。协进会坚持公理宗的独立传统。参加协进会的教会或教会联合机构保持各自的自主权,不必接受任何信经或纲领。协进会每年开会一次。年会休会期间由执行委员会负责会务。协进会内部的几个委员会分别监督基督教教育、教牧工作和出版事业。协进会在美国国内和世界其他地区推行传教工作。协进会的中央机构设在威斯康星州的密尔沃基。

National Association of Evangelicals　全国福音协会　美国基督教组织,是一些福音派

团体的联谊机构,1942 年由 147 位福音派领袖创建。包括约 50 个派别、许多独立组织、地方教会、教会集团以及个人。协会设有委员会和其他专门机构。全国总部设在加利福尼亚阿苏萨。另有办事机构设于华盛顿(哥伦比亚特区)、纽约等大城市。该组织与设于伦敦的世界福音团契保持正式关系。

National Association of Free Will Baptists 自由意志浸礼会全国协进会 美国基督教浸礼会的联会,1935 年成立于田纳西州纳什维尔市。该会源出于 18 世纪浸礼宗中的自由意志派即阿明尼乌派。大多数浸礼会坚持加尔文派的基督仅为预定得救者而死的教义,但自由意志派则相信自由意志、自由蒙恩及自由得救的教义。

National Association Opposed to Woman Suffrage(NAOWS) 全国反对妇女选举权协会 1911 年在各州反对妇女选举权团体于纽约召开的大会上成立的组织。创始人及首任主席 J.道奇认为,妇女参政会减少妇女的社区工作,削弱其实现社会改革的能力。该组织在各州及联邦极为活跃,创办《妇女抗议》通讯(1918 年改为《妇女爱国者》)。1918 年总部迁往华盛顿,直到 1920 年通过宪法第 19 修正案后解散。20 世纪 20 年代一直出版《妇女爱国者》,反对女权主义者和自由主义妇女团体的工作。

National Awakening Party(PKB) 民族觉醒党 又称人民觉醒党。温和的印度尼西亚伊斯兰政党。1998 年由瓦希德及其支持者组建。瓦希德为穆斯林神职人员、印度尼西亚最大的穆斯林组织"教师联合会"领导人。因反对伊斯兰政府,致使保守的党员脱离该党,另组新党。1999 年瓦希德当选 40 多年来首位民选总统,但 2001 年遭罢黜。该党支持宗教和睦、民主和非宗教政府。

national bank 国民银行 在美国,经联邦政府特许设立、受其监督而由私人经营的商业银行,称国民银行。1863 年的《国民银行法》对国民银行的特许、监督等作了规定。国民银行在向通货检查局局长贮存联邦债券作保证的情况下,可发行一种稳定而统一的国家通货。由于 1863 年法律并未禁止州银行发行银行券,国会就对州银行券证征收 10% 的税,这样就有效的排除了这种竞争的通货。由于国民银行发行的银行券供应量固定不变和准备金不足,1913 年便成立了联邦储备系统要求所有国民银行都成为联邦储备系统的成员。1935 年国民银行已将其银行券发行权转让给联邦储备银行。尽管有些国民银行仍继续开展储蓄和信托业务,但实质上已成为商业银行。

National Baptist Convention of America 美国全国浸礼联会 美国基督教浸礼宗两大黑人教会联合组织中的一个。1915 年,原全国浸礼联会分裂后,美国全国浸礼联会产生。在南北战争之后,成立了许多独立的黑人浸礼会。后来这些教会逐渐组成一些全国性的机构,包括海外传教浸礼联会(1880)。1895 年几个机构在佐治亚州亚特兰大合并,组成全国浸礼联会。关于该联会的出版社问题和制订章程的分歧,引起了 1915 年的分裂。其中一派通过了章程,取名合众国全国浸礼联会。另一派抵制章程,继续使用美国全国浸礼联会名称。美国全国浸礼联会进行传教、慈善、青年和其他工作,并在非洲、牙买加和巴拿马派有传教人员。该联会每年举行大会。

National Baseball Hall of Fame and Museum 全国棒球名人堂和博物馆 参阅 **Baseball Hall of Fame** 棒球名人堂。

National Basketball Association(NBA) 全国篮球协会 美国职业篮球运动组织,1949 年由两个原来对立的组织全国篮球联盟(1937 年成立)与美国篮球协会(1946 年成立)合并而成。1976 年又扩大吸引了美利坚篮球协会(同年,该协会解散)的 4 个队。全国篮球协会的成员分为东部和西部两个分会,每个分会又分为 3 个组,共有 30 个球队。东部分会由大西洋组、中央组和东南组组成。大西洋组包括波士顿凯尔特人队、新泽西网队、纽约尼克斯队、费城 76 人队和多伦多猛龙队;中央组包括芝加哥公牛队、克利夫兰骑士队、底特律活塞队、印第安纳步行者队和密尔沃基雄鹿队;东南组包括迈阿密热火队、奥兰多魔术队、华盛顿奇才队、亚特兰大鹰队和夏洛特山猫队。西部分会由西南组、西北组和太平洋组组成。西南组包括达拉斯小牛队、休斯敦火箭队、孟菲斯灰熊队、新奥尔良黄蜂队和圣安东尼奥马刺队;西北组包括丹佛掘金队、明尼苏达森林狼队、波特兰开拓者队、西雅图超音速队和犹他爵士队。太平洋组包括金州勇士队、洛杉矶快船队、洛杉矶湖人队、菲尼克斯太阳队和萨克拉门托国王队。每个赛季末由前几名球队进行总决赛,决出全国篮球协会冠军队,称世界冠军。全国篮球协会历史上成绩最好的队为波士顿凯尔特人队,该队由中锋比尔·拉赛尔领导,夺得从 1956 ~ 1957 年到 1968 ~ 1969 年 13 个冠军称号中的 11 个。参阅 **Sporting Record**: Basketball。

National Botanic Gardens of South Africa 南非国家植物园 在南非共和国好望角省开普敦附近克尔斯滕博什的植物园,世界上最大的植物园之一,占地 528 公顷。建于 1913 年。有6 200种非洲南部特有的种,包括美丽的有花植物,如山龙眼和石南、大量开花球茎植物及巨大的苏铁类。温室中有来自各种气候地区的植物。有三个标本室,总计近 300 000号参照标本。该植物园的主要目的之一是保存濒危的当地植物物种。多年来,植物园从一些地区获得样品,这些地方的大量植物品种都有绝种的危险。植物园在南非全境内已划出 8 个这样的地点为地区植物园或保护区,如伍斯特的卡鲁植物园保存着5 000 多个种类,多为南非的肉质植物;而伊迪丝·斯蒂芬斯洼地植物保护区则专门保存鸢尾科和百合科等球茎植物。

National Botanical Garden of Belgium 比利时国家植物园 法语作 Jardin Botanique National de Belgique。在布鲁塞尔郊外的梅瑟附近,有约18 000种植物。最初创建于 1870 年,位于布鲁塞尔市中心,占地 7 公顷。20 世纪 60 年代中期后逐渐转到梅瑟的一处占地 93 公顷的漂亮庄园——布舒庄园(位于城堡周围,长期用作公园,风景优美),有世界上最大的温室——植物宫,占地 1 公顷。比利时国家植物园内有 13 个温室供对公众和学生展出之用,着重展出有商业价值的热带植物;22 个温室供研究使用;20 个提供服务;还有一个藏有近 200 万号标本的植物标本室;另外有一个藏书 15 万卷的图书馆,已从布鲁塞尔迁入梅瑟的一座新楼,所有研究也都在这座楼里。除研究比利时植物外,该植物园一向着重视研究非洲热带植物。

National Broadcasting Co.,Inc.(NBC) 全国广播公司 美国主要的商业广播公司,现为通用电气公司(GE)的子公司。1926 年由美国无线电公司、通用电气公司和威斯汀豪斯电气公司共同组成的附属公司。由美国无线电公司总裁萨尔诺夫(1947 年起任美国无线电公司董事长)创办,是美国第一家单独专门经营全国性广播的公司。1930 年为美国无线电公司独家拥有,到 1986 年美国无线电公司又被通用电气公司买下,乃转为后者的子公司。总部设在纽约市洛克菲勒中心。设在新泽西州纽瓦克市和纽约市的两家早期的无线电台——威斯汀豪斯公司创办的 WJZ 电台和美国电话电报公司于 1923 年创办的 WEAF 电台——最初为美国无线电公司所购得,全国广播公司于 1926 年成立后,这两家电台成为全国广播公司的两个半独立的广播网的中心:蓝色广播网以 WJZ 为基础,红色广播网以 WEAF 为基础,分别与其他城市的无线电台连接。30 年代红色广播网蓬勃发展,至 1938 年它播出全国广播公司 75% 的商业性节目。1943 年全国广播公司将蓝色广播网卖掉[成为美国广播公司(ABC)]。5 年后在一场人才争夺战中,全国广播公司失去了几位主要演播员如本尼、伯恩斯夫妇、伯根、斯克尔顿等,他们转至哥伦比亚广播公司(CBS),致使全国广播公司蒙受重大损失,并在即将来临的电视时代中失去优势。至 1952 年,全国广播公司在电视收视率的竞争中败于哥伦比亚广播公司,后来并败于美国广播公司。80 年代凭借一系列受欢迎的电视节目重新获得全面优势。1987 年全国广播公司将其无线电广播网售出。

National Capital Region 国家首都区 美国哥伦比亚特区内及四周的国家纪念地、公立公园和娱乐区的统称。1790 年由美国国会批准,1933 年成为国家公园管理局的一部分。共有 300 多个单位,总面积2 618公顷。绝大部分位于华盛顿(哥伦比亚特区),其余位于弗吉尼亚州和马里兰州。其中包括华盛顿纪念碑、杰斐逊纪念堂、白宫、林肯纪念堂、总统公园、道格拉斯宅邸以及弗吉尼亚的威廉王子森林公园与阿林顿宅邸。

National Cash Register Company 国民收款机公司 参阅 **NCR Corporation** NCR 公司。

National Central Library 国家图书馆 前身是中国国立中央图书馆,1933 年创建于南京。1937 年抗日战争爆发后迁往重庆。1945 年抗日战争胜利后迁回南京,此时馆藏中西文书籍已达 100 万册。1948 年夏挑选善(珍)本书约 12 万余册,分批运往台湾。1954 年 8 月在台湾建馆,馆址设于台北市植物园内,与历史博物馆毗邻。1973 年台湾省立台北图书馆改为中央图书馆台湾分馆。1980 年成立"汉学研究资料暨服务中心",颇受学术界重视。1981 年编印的图书馆年鉴,对中国图书馆事业的发展及现况记述极为详尽。1986 年 9 月建于台北市中山南路的新馆竣工,并将所藏书籍全部迁入。1994 年开始使用资讯网络系统,开发索引书目光盘及专题影像系统,并引进各种资料库。1996 年 4 月改现名。

台北国家图书馆
台湾中华书局供图

National Centre of Independents and Peasants 全国独立人士与农民中心 法语作 Centre National des Indépendants et Paysans。法国政党。这个党是在 R.迪谢于 1948 年建立的全国独立人士中心的基础上发展起来的。1949 年迪谢联合右翼议员和小农政党自由共和党,建立全国独立人士与农民中心。该党此后参加历届政府,该党党员 A.比内曾于 1952 年任总理,另一名党员 R.科蒂曾任法国总统(1952 ~ 1959)。这个党虽然支持戴高乐第五共和国的成立,但在 1962 年因对戴高乐的阿尔及利亚政策有分歧而发生分裂,拥护戴高乐者另组新党共和党,该党影响力下降,后虽重新获得一些议席并参加历届保守政府,但其元气始终未能完全恢复。

National Church of Iceland 冰岛国定教会 受国家资助的冰岛福音信义会。基督教传教士于 10 世纪末来到冰岛,约 1000 年时,阿尔廷(全国议会兼最高法院)裁定,为了避免异教徒与基督徒之间的战争,冰岛国民应信奉基督教。冰岛第一位主教于 1056 年祝圣。挪威于 13 世纪控制冰岛,1380 年挪威与丹麦合并。挪威及丹麦国王克里斯蒂安三世(1534 ~ 1559 在位)把宗教改革运动引进冰岛,他逐步克服了冰岛人的抵触,于 1550 年确立信义宗为正统。索尔拉克森是冰岛最重要的宗教改革运动学者,他任侯拉尔主教 56 年;他撰写并编订大批冰岛文宗教文献,包括《圣经》(1584)。1918 年冰岛成为受丹麦国王管辖的独立国家,1944 年冰岛共和国成立。国家与福音信义会之间的历史关系依然维持不变,但其他派别也享受信仰自由。至 20 世纪,虽然冰岛公民大多数在名义上仍为国定教会信徒,实际上参加教会活动者很少。国家资助福音信义会,但允许它享受很多的自由。监督(主教)由牧师和神学团选举。全国只有一个主教区,下分教省,再下分堂区。教友代表大会由选出的代表组成,向教会提出建议。

National Coal Board(NCB) 英国煤炭局 英国的国营煤炭工业公司。管理过去私营的煤矿,生产焦炭和无烟燃料,经销煤炭、取暖器具及其他器材。第二次世界大战结束后英国工党执政,很快通过了《煤炭工业国有化法案》,1947 年 1 月 1 日成立英国煤炭局。当时它接管的煤矿有1 647个,土地 100 多万英亩,住房约 10 万所,还有运输设备及其他设施;同时,付给煤矿业主的补偿金达16 460万英镑。到 20 世纪后期,该局的煤矿及劳动力数目已大为减少。煤炭局总部设在伦敦,下有许多附属机构。

National Collegiate Athletic Association(NCAA) 全国大学生体育协会 美国负责制定有关比赛和运动员参赛资格规则的大学校际体育咨询组织,成立于 1906 年。所属全国大学生体育运动服务处汇编大学橄榄球、棒球、篮球、田径等运动的统计;大学体育运动出版社出版规则手册以及上述各项运动和击剑、体操、长曲棍球、冰球、足球、滑雪、游泳、摔跤等项运动的指南。20 世纪末期有 860 多个成员组织。总部设在堪萨斯州的肖尼米申。

National Congress of Parents and Teachers 全国家长和教师代表大会 又称家长和教师联谊会(Parent-Teacher Association, PTA)。美国关心儿童教育、社会和经济方面利益的组织。1897 年 2 月 17 日成立。当初是以全国母亲代表大会的名义出现的,后来会员范围扩大,包括教师、父亲和其他公民。有 52 个州级分会,其中包括哥伦比亚特区分会和为美国军事基地家属服务的欧洲分会。该会的明确宗旨是密切家庭与学校的关系,使家长和教师在培养儿童方面明智地合作;促进教育工作者和公众团结一致的努力,以保证每个儿童在智育、群育和体育方面的最高利益。出版物有《家长和教师联谊会杂志》以及《全国家长和教师联谊会公报》。

National Consumers League(NCL) 全国消费者联盟 美国组织,成立于 1899 年。旨在争取消费者和工人的福利。该组织的许多目标,如设立最低工资、限制工作时间等,直接使贫穷的劳动妇女受益。根据章程,该组织认为"应以合理的价格和充足的数量制造与销售商品,工作条件须良好、安全、卫生,可为消费者提供优质产品,为工人提供一个体面的生活水准"。在社会改革家 F.凯利的领导下,该组织对公众进行有关工资、工时和工作条件问题的教育。该组织成立初期,对劳工状况达到公平和安全要求的雇主发给"白色标签",敦促消费者光顾持有白色标签的公司,抵制那些无白色标签的公司。在整个 20 世纪 NCL 一直是保护与支持消费者的组织,在订立肉类检查法和工作场所安全标准,以及给予失业补偿方面发挥作用。1992 年成立全国诈骗信息中心,为电话推销和互联网诈骗的受害者提供指导与帮助。

National Convention 国民公会 法语作 Convention Nationale。1792 年 9 月 20 日至 1795 年 10 月 26 日的大革命最危急时期统治法国的议会。在推翻君主制(1792-08-10)以后选出的国民公会共有议员 749 人,包括商人、工匠以及许多专业人员,其任务是为国家制订新宪法。国民公会初期采取的行动有:正式废除君主制(09-21)和建立共和国(09-22)。山岳派和吉伦特派之间的斗争是国民公会第一阶段(1792-09 ~ 1793-05)的特征。前者主张给予下层阶级以更多的政治权力;后者则主张实行资产阶级共和制,要求减少巴黎在革命进程中的权力。因在与反革命的欧洲联盟的战争中遭到一系列失败而威信扫地的吉伦特派在 1793 年 5 月 31 日至 6 月 2 日的群众起义中被逐出国民公会。国民公会的第二阶段(1793-06 ~ 1794-07)是由山岳派控制的。后来,由于战争和内乱而成立了拥有绝对权力(由救国委员会行使)的政府。1793 年 6 月 24 日国民公会通过的民主宪法并未付诸实施,结果国民公会失去立法创制权,其作用降为批准委员会的建议。国民公会的许多议员反对救国委员会的激进政策,于 1794 年 7 月 27 日(热月 9 日)推翻救国委员会的最重要人物罗伯斯比尔。这次热月反动相当于国民公会的最后阶段(1794-07 ~ 1795-10)。热月反动以后,议会中的权力平衡掌握在温和的平原派议员手中。平原派议员从国民公会中清除山岳派,并将吉伦特派召回国民公会。1795 年 8 月,国民公会批准了督政府(1795 ~ 1799)制订的宪法。

National Council of Hispanic Women(NCHW) 全国拉美裔妇女理事会 个人和团体(如大学和公司)的组织,成立于 1985 年,旨在为拉美裔妇女争取权利并使他们在美国社会中发挥更大作用。该组织主要目标是确立拉美裔妇女在企业及政府中的领导地位以便在决策中更具有直接的代表性。除帮助拉美裔妇女取得领导职务外,该组织还努力为拉美裔公民争取一般的社会和经济机会,使拉美裔社区融入美国主流社会。该组织每年召开大会并出版季刊,随时使成员了解影响拉美裔社区的公共政策信息。

National Council of Jewish Women(NCJW) 全国犹太妇女理事会 美国历史最久的犹太妇女志愿组织,1893 年成立。总部设在纽约、华盛顿(哥伦比亚特区)和耶路撒冷。该组织秉承犹太人价值观,与犹太社区及公众一道在世界各地捍卫人权与自由。努力通过研究、教育及社区服务综合计划实现此项目标,对妇女儿童问题尤为重视。当前关心的一些问题包括妇女生育权、同工同酬、可比价值、家庭暴力和性骚扰。早期致力于帮助新移民。第二次世界大战结束后制订若干计划,帮助那些因战争破坏而生计无着落的人们。20世纪60年代后一直关注儿童教育及社会服务。为耶路撒冷的希伯来大学教育改革研究所和纽约市儿童中心提供资助。

National Council of Negro Women(NCNW) **全国黑人妇女委员会** 美国伞式组织。M. M.贝休恩1935年12月5日在纽约成立,旨在使非洲裔美国妇女及其家庭和社区获得更多机会并提高生活质量。贝休恩对美国黑人妇女团体缺乏团结与合作感到失望,故请求各团体领导人创建有凝聚力的组织以表达美国黑人妇女对国内外事务的见解。全国黑人妇女委员会成立大会的与会代表来自14个组织,其后基层组织有35个全国分会和250个社区分支,会员420多万。1942年在华盛顿(哥伦比亚特区)设立全国总部。1966年获得捐赠人免税的慷慨捐款,发展成为一个综合性组织,在地方、全国及国际上开展活动。

National Council of the Churches of Christ in the U.S.A. 美国全国基督教协进会 美国基督教新教、安立甘宗和东正教各派的机构,1950年由12个跨会派的全国性机构合并而成。该会是美国规模最大的普世教会运动组织,在21世纪初拥有信徒约5 000万人。它的国际对应组织是世界基督教协进会。美国全国基督教协进会的宗旨是提供一个机构,使各成员教会可以在其中表达共同的信仰并互相合作推行各种计划。协进会总部设在纽约市。协进会倡导了许多跨会派的活动,包括修订英文本《圣经》,出版有关宗教教育、福音传播和家庭生活的材料,并在广播节目中宣传宗教价值观和道德价值观。它还鼓励与海外教会合作利用现代有广泛影响的媒体;扫除文盲;联合各地方教会改进农业,改善营养状况并实行计划生育以消除饥饿,注意对自然灾害和战争灾害提供紧急救济。在21世纪,协进会的正式会员有36个新教和东正教机构,另外有其他教会组织(包括新教中的一些保守会派和罗马天主教人士)也参加它所主持的各种活动。

National Covenant 《民族圣约》 苏格兰教会人员于1638年2月在爱丁堡的格雷弗赖斯墓园宣誓订立的庄严誓约。原来,英格兰国王查理一世和坎特伯雷大主教劳德企图强迫苏格兰的教会接受英格兰教会礼仪和行政组织,这项誓约表示反对这种企图。《民族圣约》中包含《国王信纲》(1581)、亨德森(苏格兰长老会的一位领导人)的几项补充声明和一篇誓词。《民族圣约》重申归正宗信仰和长老制,但也呼吁忠于国王。签署它的苏格兰人甚多。

National Diet Library 国立国会图书馆 日语拉丁字母转写作 *Kokuritsu Kokkai Toshokan*。1948年由日本国会两院图书馆与前帝国图书馆(1872年建立)合并而成的日本国家图书馆。位于东京,靠近国会,1961年开始使用。国会图书馆内设多个部和35个分馆,为国会议员和全国服务。馆藏图书超过400万册,与100个国家的600多个组织建立了馆际交换关系。国会图书馆兼负日本专业图书馆协会和国际图书交换中心总部的任务。按照法律规定,日本一切出版物的版本都要存放在这个图书馆,由该馆用电子计算机编制日本全国书目出版。

National Education Association(NEA) **全国教育协会** 美国一个自愿组成的协会,成员为与中小学及大专院校有关的教师、教育行政人员和其他教育工作者。它是世界上最大的专业性团体。总部设在华盛顿(哥伦比亚特区)。该协会创始于1857年,原名全国教师协会。1870年,全国教师协会与全国教育局长协会和美国师范学校协会合并,组成全国教育协会。1900年成员约为2 000人;1939年约为20万人;20世纪末期已超过150万人。全国教育协会组织结构甚为复杂。第一,它是一个普通的、个人拥有会员资格的团体,共同担任促进公共教育事业和其成员福利的工作。拥有大批专职工作人员和各种委员会。这些委员会提供大量的服务项目,如研究、出版、与联邦政府各部门的联系、促进联邦立法和保护教师职业权利。第二,全国教育协会包括许多全国性的基于专业、行业和职业利益的团体。这些团体既是全国教育协会的各个部门,同时又是自治的组织,有它们自己的缴纳会费的会员、官员和工作人员,并往往在州和地方设有分会或分支机构。全国教育协会中两个发起团体的继承者,即现在的美国学校行政管理人员协会和美国师范院校协会,就是这种情况。在这两个团体中,有小学校长、中学校长和任课教师的组织,有艺术、音乐、数学、自然科学和社会科学等不同学科教师的组织;还有教育研究、课程发展、视听教学、农村教育以及小学、幼儿园和托儿所教育等领域的专业教育工作者的组织。第三,全国教育协会可被看作是一个各地、各州教育协会的联盟。全国教育协会的代表大会确定协会方针、选举协会官员,代表大会由各地各州教育协会选举的代表组成,而代表人数取决于这些隶属于总会的各地各州教育协会会员人数。1921年全国教育协会代表大会成立以来,它的成员人数迅速增长。教师和学校行政管理人员建立地方和州的协会,主要是谋求改进办学条件和工作条件,因为地方学校董事会制订工资级别和雇用条件,还因为在若干州公立学校体系的全部教育权力及资金权力属于州政府。有些州,地方和州协会的成员必须参加全国教育协会;另一些州,地方协会和全国协会的成员资格互不相干。

National Endowment for the Arts(NEA) **美国艺术基金会** 美国政府的一个独立机构,赞助艺术的创作、传播和表演。1965年美国国会通过《人文艺术国家基金会法》,美国艺术基金会由此产生。文学、音乐、戏剧、电影、舞蹈、雕刻和手工艺等项目计划都在美国艺术基金会资助之列。基金会的多数捐赠都直接给予机构,如美术馆、非营利的剧院和交响乐团以及学校的艺术计划等,也赞助民间艺术节等活动。捐赠也奖励给指定项目的个人艺术家。例如撰写长篇小说的作家或谱写了一部大作品的爵士音乐家。这种捐款特别鼓励多元化艺术。美国艺术基金会还常与州和地方的艺术机构合作来发放经费。后来美国国会中反对艺术基金会的声浪导致捐赠经费从1992年接近1.76亿美元的高点,降到1996年的不足1亿美元。

National Endowment for the Humanities (NEH) **美国人文科学基金会** 美国政府的一个独立机构,赞助人文科学方面的研究、教育、保护和公共项目。由美国国会根据1965年的《人文艺术国家基金会法》创建,这项法案广义地规定人文科学的范围包括考古学、语言、语言学、历史学、哲学、种族、比较宗教、法理学、文学以及艺术理论和评论的研究。国家人文科学基金会的计划中包括对博物馆、图书馆和档案馆的资助,用于保护和储存藏品,以及向公众展示这些藏品。博物馆展览、电视节目、历史遗址,还有学术出版社的翻译和编辑项目也都受过该会的捐赠。个人和机构都可以接受基金会的赞助,用来创作教育资料以及用于人文科学的教学和研究。该基金会在头30年里以51 000份研究基金和拨款的形式共资助了27亿美元。

National Football League(NFL) **全国橄榄球联盟** 美国主要职业橄榄球运动组织。1920年成立于俄亥俄州坎顿,时称美国职业橄榄球协会,1922年改现名。该组织是美国实力最强的职业橄榄球联合会,曾多次成功地应付对立组织的挑战,其中60年代美国橄榄球联盟的挑战最为严重。全国橄榄球联盟和美国橄榄球联盟于1970年合并,组成包括26个队的循环赛网,沿用全国橄榄球联盟名称。1976年又增加两个队。1995年又增加了两个队。至90年代中期有30个队,分属全国联合会和美国联合会,每个联合会又分成东部、中部和西部。每年赛季所产生的优胜队最后参加超级橄榄球决赛,争夺世界冠军称号。全国橄榄球联盟总部设在纽约市。1962年以来在俄亥俄州坎顿一直保留有职业橄榄球名人堂。到2002年,共有32支球队加入该联盟。参阅 **Sporting Record**: Football。

national forest 国家森林 在美国,指为保护水源、木材、野生动物、鱼类等可更新资源和供公众游览而划出并由联邦政府农业部林业局管理的林区。在21世纪初有国家森林156处,总面积约77万平方千米,分布在40个州和波多黎各。森林实行综合利用,既使各种资源充分满足国家需要,又不破坏土地产生更多资源的能力。1891年美国建立森林保护制度。1907年,森林保护区改称国家森林。

National Gallery 国立美术馆 英国收藏欧洲各国绘画的博物馆。1824年建立,原址在伦敦的蓓尔美尔街100号,1838年迁至特拉法尔加广场北边的现址。新馆为新古典主义建筑,由希腊复古建筑家W.威尔金斯所设计,曾先后于1860、1876、1886及1975年扩建。该馆藏有意大利之外的意大利文艺复兴最重要的作品,包括佛罗伦萨和威尼斯大师们的杰作。并藏有伦勃朗及其他荷兰画家的代表作及 15～19 世纪法国、西班牙、佛兰德斯画家的传世之作。该馆在 1897～1955 年监管塔特美术馆(**Tate Gallery**);1856 年起监管国立肖像画陈列馆(**National Portrait Gallery**)。现共有 2 300 件藏品,数量虽不多,但被认为是欧洲艺术最有代表性的藏品,特别是意大利文艺复兴时期的绘画作品。

National Gallery of Art　国立美术馆　美国联邦政府经营的艺术博物馆,位于华盛顿(哥伦比亚特区)毛尔草坪的东端,成立于 1937 年。当时由金融家兼慈善家梅隆捐赠给政府一批欧洲名画藏品,并提供一大笔基金建造这座新古典风格的画廊。画廊由建筑师 J.R.坡普设计,1941 年正式开馆。1978 年贝聿铭及其合作者设计了一栋新的东楼,以广场和地下道与原有建筑相连接,从此原有建筑便称西楼。国立美术馆目前藏有 12～20 世纪欧美的绘画、雕塑、装饰艺术和版画作品。其中意大利文艺复兴时期、荷兰和西班牙巴罗克风格,以及法国洛可可风格的艺术藏品尤其丰富。

National Gallery of Modern Art　国立现代艺术馆　位于罗马。专门收藏意大利艺术家的重要作品,反映了 19 和 20 世纪意大利艺术的全貌。1883 年创建,1911 年迁至现址。收藏丰富,有新古典时期早期作品,包括若干优秀肖像画,也有当代作品。其中一整间展室专门陈列称作色块画派(Macchiaioli)的托斯卡纳画家群体的作品。

National Gallery of Victoria　国立维多利亚美术馆　位于墨尔本。澳大利亚主要艺术博物馆,藏有欧洲、亚洲和澳大利亚各个时期的美术作品。博物馆设在维多利亚艺术中心,正厅以墨尔本艺术家 L.弗伦奇设计的彩色玻璃天花板为其特色。整体建筑于 20 世纪 60 年代末由罗伊·格朗兹爵士设计。

National Geographic Magazine　《国家地理杂志》　关于地理、考古、人类学和探险考察的月刊杂志,使读者足不出户即可读到生动准确的报道,看到精美绝伦的图片和地图。在华盛顿(哥伦比亚特区)出版。1888 年由非赢利的美国国家地理学会创办。学会原打算办成只针对美国的刊物,但其文章的性质很快使它成为一份面向世界的杂志。在 G.H.格罗夫纳任主编时,这份杂志的发行量到 1926 年即已高达 100 万份。它是首先复制彩色照片的杂志之一,也是刊登海底生物照片、同温层景观和天然栖息地动物照片的先驱。因经常发表带插图的讲述世界各地理区域的文章而驰名世界。该刊物恪守自己的信条:“只要是善意的,有关任何国家和民族的文章都可以刊登。”这包括介绍各地区的自然环境、社会文化状况以及当地人民。该刊物的收益全部用于资助各种科学考察活动。

National Geographic Society　国家地理学会　美国科学团体,由一批杰出的探险家和科学家于 1888 年在华盛顿创办,“旨在提高和传播地理知识”。20 世纪 90 年代中期拥有会员 900 多万人,是世界上最大的科学和教育团体。学会向会员发放《国家地理杂志》月刊。为学会印制并经常作为增刊向其会员发放的地图帮助建立了制图学标准。学会支持过5 000多项科学项目和探险活动,包括美国探险家 R.E.皮里和 R.E.伯德的南极、北极探险,英国考古学家 H.卡特发现埃及图特安哈门王墓,美国人第一次登上珠穆朗玛峰等。学会于 20 世纪 60 年代资助了英国人类学家 L.S.B.利基和 M.利基在东非奥杜威峡谷的研究,该地出产出色的人类及其祖先的化石遗存。学会还赞助了法国海底探险家 J.-Y.库斯托的研究、英国人种学家 J.古道尔关于黑猩猩的工作及美国动物学家 D.福赛关于大猩猩的研究,还有远洋客轮“泰坦尼克”号残骸的搜索。除了《国家地理杂志》之外,学会还出版书和地图集,向教师、图书管理员和学生刊发快报,并经营一个新闻社。学会最大的成就之一是为电视创作了数百部记录片,生产了大量盒式录像带教育片、CD－ROM(光盘只读存储器)产品以及交互式多媒体教育系统。

National Health Service(NHS)　**国民保健服务计划**　根据1946年《国民保健法案》制定的、通过立法程序的、由英国政府控制执行的综合性的国民健康保险条例。此项计划涵盖了全体国民,使他们只需付少量的钱,就可以得到各种健康服务。负责落实此项计划的机构可分成三类:综合性私人诊所和牙科诊所、医院和专家门诊、地方社区医疗服务网。多科医生和家庭医生大都有以契约形式固定下来的、比较稳定的患者群,但他们和牙医为执行这项计划所支款项实际上都是由政府按契约人头划拨的;他们所提供的服务也须通过一定的组织形式,这也是由地方议会出面协调的。至于医生本人,他们是否参与这项计划,则完全根据自愿;即便是该组织中的成员,他也可以有不要钱的计划外的患者。“医院和专家门诊”包括两部分人:一是那些在国立医院里拿国家工资的医生们;二是指地方卫生行政当局所辖医疗机构的医生们。社区医疗服务网则以妇幼保健、出院后及家庭康复、家庭病房、计划免疫、紧急救护、各种疾病的预防和普及卫生教育等。此外,社区服务还包括儿童日托、计划生育门诊等。国民保健服务计划的财政来源主要是国家财政税收,少量来自地方税收、医疗机构的营业收入等。国民保健服务计划确实使广大国民得到了实惠。但随着医疗技术的发展和医疗费用的不断增长,其财政情况日渐紧张。

National Hockey League(NHL)　**全国冰球联盟**　北美洲职业冰球队组织。1917年成立时有 5 个加拿大队,1924 年第一个美国队波士顿熊队加盟。该联盟为北美最强的联盟,1926 年起永久拥有代表世界冰球最高地位的斯坦利杯。总部设在纽约市。球队数目一度达到 10 支,1942 年后稳定在 6 支球队。几经扩充改组,到 2001 年,共有 30 支球队,分成两个联合会、6 个分会。在常规冬季赛季以后,每个分会的第一名将争夺斯坦利杯。参阅 **Sporting Record**:Ice Hockey。

national income accounting　国民收入核算　一套用来衡量一国的生产与收入的原则及方法。衡量国民经济活动基本上有两种办法:①一定时期内(通常为一年)总的商品及劳务生产的货币价值;②扣除经济活动中资本消耗后的总收入。国民生产的常用指标是国民生产总值(GNP),它是按市场价格计算的一国商品生产及提供劳务的总值。国民生产包括商品及劳务,它们在本质上极不相同,而有的并不在市场出售,因而断定市场价格极为困难且不精确。然而用一共同估价基础就可得出一个能代表一国生产水平的总数。扣除某些非收入成本,主要是间接税、津贴及固定资本消耗(折旧),便可由 GNP 得出国民收入。如此计算的国民收入代表生产要素所有人的总收入,它是工资、薪水、利润、利息、分红、地租等的总和。为求得 GNP 及国民收入所积累的资料,可以用各种方法来表示经济中的各种关系。资料的普通用途包括:按产品类型或按其生产各功能阶段对 GNP 的分类或很接近的 GDP(国内生产总值)进行分类;按收入类型对国民收入进行分类;对资金来源进行分析。在操作中,编制国民生产总值及国民收入的统计人员面临很多困难和复杂情况。从公司的定期生产报表、增值税数字、所得税、公司税账单及从其他有关收入和支出报告上虽然可以得到丰富的资料,但都不完整,还有差错,含义和定值标准也不同。统计人员为改进数字的质量,用很多间接资料来缩小数据上的差距。公布的数字仍不免有差错。因此,简单比较一国与另一国公布的国民生产总值及国民收入是不可靠的。

National Institutes of Health(NIH)　**国立卫生研究院**　美国政府机构,进行和支持对疾病原因、治疗和预防的生物医学研究。NIH 属于卫生和公众服务部公共卫生局。任务是改进美国人民健康;它是美国最大的生物医学研究的支持者。NIH 还协助训练医学研究人员,并利用现代通信工具传播医学情报。NIH 有 25 家专业化的研究所,进行和支持各有关领域中的研究工作。包括:国立肿瘤研究所;国立心、肺和血液研究所;国立糖尿病和消化及泌尿系疾病研究所;国立变态反应和感染性疾病研究所;国立儿童保健和人体发育研究所;国立牙科和颅面研究所;国立环境医学研究所;国立神经和中风研究所;国立眼科研究所;国立老化研究所;国立关节炎和肌肉骨骼及皮肤病研究所。除各研究所外,NIH 还经管国立医学图书馆,它是美国最先进的医学情报供应单位。NIH 还经管几个一般研究中心和计算机研究及技术部,后者利用计算机技术支持全国的研究项目。大部分 NIH 支持的研究是在医学院、大学和其他非联邦机构进行的。主要的资助方式是提供研究拨款。

National Invitation Tournament(NIT)　**全国邀请赛**　美国大学篮球比赛,1938年由纽约市篮球运动书刊著作家发起,每年举行一次，地点在麦迪逊广场公园，由城市大学篮球协会主办，采取单淘汰制。每次邀请32所著名大学派代表队参加。参阅 **Sporting Record**：Basketball。

National Labor Relations Act 参阅 **Wagner Act**《瓦格纳法案》。

National Labor Relations Board（NLRB）**全国劳工关系局** 美国独立的联邦机构，1935年根据美国国会决议建立，负责实施《国家劳工关系法》（《瓦格纳法》）。此法于1947年（《塔夫特-哈特利法》）和1959年（《兰德勒姆-格里芬法》）作了修订。该局的主要职责为：①举行无记名投票，让雇员们决定是否愿意由工会代表他们进行集体谈判；②防止、纠正雇主或工会对劳工不公正的行动作风。该局通过调查与非正式和解或通过准司法性程序，处理劳资纠纷。该局的总法律顾问负责提出正式诉讼、进行起诉及法庭案件。该局的成员由美国总统推选。该局没有独立权力强制执行其命令，但可通过上诉法院执行；被命令各方也可寻求司法的审议。该局不能出于自己的动机采取行动，控告及代表申诉必须由雇主、个人或工会提出。多年来，该局所作的各种决定对美国的劳资关系产生了深远影响。

National League **全国棒球联盟** 美国现存历史最悠久的主要职业棒球组织。1876年开始活动时称全国职业棒球俱乐部联盟，取代破了产的全国棒球运动员协会。多年来，全国棒球联盟的至高无上的地位遭到了几个对手组织的挑战，最早是在1882～1891年期间受到美国棒球协会的抗衡。在所有的对手中，只有成立于1900年的美国棒球联盟一直保存下来。1903年以来，全国棒球联盟和美国棒球联盟的冠军队每年都要进行一次世界系列赛，以决出美国最高级的职业棒球冠军。按照1992年中期的决定，全国棒球联盟在1998年包括分属三个赛区的16个队（其中有一个加拿大队）。东区包括亚特兰大勇士队、佛罗里达（迈阿密）马林鱼队、纽约大都会队、费城费城人队和华盛顿国民队；中区包括芝加哥小熊队、辛辛那提红人队、休斯敦太空人队、密尔沃基酿酒人队、匹兹堡海盗队和圣路易斯红雀队；西区包括亚利桑那（菲尼克斯）响尾蛇队、科罗拉多（丹佛）落基山队、洛杉矶道奇队、圣迭哥教士队和旧金山巨人队。参阅 **Sporting Record**：Baseball。

National Liberal Party **民族自由党** 德国政党。1867年以后首先活跃于普鲁士和北德意志联邦，1871～1918年间活跃在德意志帝国内。仅得到中产阶级的支持，民族自由党希望俾斯麦领导的政府较少独裁。该党的核心为原普鲁士自由党的温和派，1867年支持俾斯麦倡导的以普鲁士为首统一德国的运动，因而从自由党分裂出来。1871～1879年间，鲁道夫·冯·本尼格森和约翰内斯·冯·米克尔任党魁，在帝国议会中积极支持俾斯麦，实际上成为执政党。1877～1879年间，该党由于要求成立议会制内阁而与俾斯麦发生冲突，由于希望授权议会控制税收，使矛盾更加激化，最后于1880年在这个问题上分裂。1890年，民族自由党与保守党联合支持政府，但此后影响逐渐衰落。

National Liberation Front **民族解放阵线** 法语作 Front de Libération Nationale（FLN）。1962～1989年阿尔及利亚宪法规定的唯一合法政党，是领导阿尔及利亚反法独立战争（1954～1962）的革命团体的继续。由团结与行动革命委员会（Comité Révolutionnaire d'Unité et d'Action；CRUA）建立。这个委员会是1954年3月由一些阿尔及利亚青年斗争分子组成，旨在谋求民族主义运动的敌对派别互相和解，反对法国在阿尔及利亚的殖民统治。到1956年中期，几乎所有的阿尔及利亚民族主义组织都加入了民族解放阵线。接着民族解放阵线进行了改组，成立了类似政权的机构，由一个五人执行机构和一个包括所有地区首脑的立法机构组成。民族解放阵线领导人开始在诸如约旦、黎巴嫩和叙利亚等外国进行活动，代表阿尔及利亚参加北非和泛非会议，并在设于纽约的联合国机构派驻使团。阿尔及利亚的独立战争是一连串的游击战、恐怖主义活动和罢工，一直继续到1962年3月18日，当时法国因被抵抗运动闹得疲惫不堪，又面临赞成阿尔及利亚解放的日益高涨的国际舆论，遂与阿尔及利亚人在埃维昂莱班签订了停火协议，并规定嗣后在经济和社会方面的合作。在1962年7月1日的全民表决中，绝大多数阿尔及利亚人投票赞成自决并批准了《埃维昂协议》。1962年7月3日阿尔及利亚宣布独立后，民族解放阵线内部紧接着发生了权力之争。1962年7月本·贝拉、布迈丁上校和穆罕默德·希德尔三人成立民族解放阵线政治局，以反对贝勒卡塞姆·克里姆。政治局以伊斯兰社会主义思想和有效的宣传赢得了群众的广泛支持，使本·贝拉得以在1963年5月出任总理。1965年布迈丁推翻本·贝拉，紧紧抓住党和政府的领导权不放，直到1978年12月逝世。次年党进行了改组，沙德利·本杰迪德当选为总书记。民族解放阵线在1989年按照新宪法实行多党制以前，是阿尔及利亚的唯一合法政党，1990年举行的省市选举中大败于新组成的伊斯兰民族拯救阵线。20世纪90年代仍然对阿尔及利亚进行一党专政。

National Liberation Front（Greece） **民族解放阵线** 参阅 **EAM-ELAS** 民族解放阵线-民族人民解放军。

National Liberation Front（NLF） **民族解放阵线** 英语正式名称作 National Front for the Liberation of the South。越南政治团体，1960年12月20日成立，目的是推翻南越政府和实现越南北方与南方重新统一。1962年建立一个公开的共产主义的党作为民族解放阵线的核心，但是在军队中以及民族解放阵线的政治组织中，包括有许多非共产党人。在所有共产党国家和一些中立国家中，民族解放阵线驻有外交代表。1969年6月宣布成立越南南方临时革命政府。1976年越南重新统一后，民族解放阵线与越南共产党以及其他一些政治组织共同组成民族统一阵线。

National Library of China **中国国家图书馆** 中国藏书宏富、规模最大的国家图书馆。前身是1909年4月24日清政府学部奏请筹建的京师图书馆。1912年8月27日正式开放接待读者。1928年7月改名为国立北平图书馆。同年8月中华教育文化基金董事会建立的北平北海图书馆并入。1931年在北海公园西侧兴建了文津街馆舍。1987年7月1日新馆舍在北京紫竹院公园北侧落成。

现馆舍建筑面积17万平方米。馆舍面积与馆藏均居亚洲图书馆之冠。现设有30多个阅览室，阅览座位3 000个，同时还通过因特网向全球读者提供24小时文献信息服务。该馆藏书宏富，品类齐全，截止2000年底，馆藏文献资料已达2 250万册（件）。其中尤以所藏中国古籍善本闻名遐迩，现有善本古籍27万册（件），普通古籍164万册，殷墟甲骨35 000片。此外，还藏有115种文字的外国文献资料，占馆藏的50%。

中国国家图书馆的藏书基础可以远溯到700多年前的南宋时期。它继承了南宋皇家藏书楼缉熙殿和明代皇家藏书楼文渊阁的部分珍藏。建馆时又以清廷内阁大库、翰林院及国子监南学的藏书为基础，陆续入藏了存于承德避暑山庄文津阁的《四库全书》和敦煌写经等刻本和写本。

中国国家图书馆新馆舍

中国大百科全书出版社供图

中国国家图书馆的阅览室
美国不列颠百科全书公司供图

中华人民共和国建立后，该馆陆续搜集入藏了马克思、列宁等人的经典著作和革命根据地出版物，以及马克思、恩格斯的亲笔函件、著作版本等经典文献。1954年开始建立手稿专门收藏，包括中外著名作家、学者的著作手稿。

该馆自1916年开始接受国内出版物缴送本。1949年后，按照政府有关规定，全国各地出版社向中国国家图书馆缴送其所出书刊。该馆是中华人民共和国博士论文和联合国及其专门机构出版物的收藏馆。收藏文献载体包括缩微胶卷与平片、录像带、录音带、光盘等。设有书目文献出版社，主要出版物有《文献》(季刊)、《中国国家书目》、《民国时期总书目》、《北京图书馆古籍善本书目》、《北京图书馆古籍珍本丛刊》等。该馆是国际图书馆协会和机构联合会(IFLA)的机构会员和国际ISSN中国中心(原国际连续出版物数据系统[ISDS]的中国国家分中心)。该馆与120多个国家和地区的1 000余个图书馆保研究所建立了书刊资料的交换关系。

National Maritime Museum　国家海洋博物馆　有关大不列颠航海史的英国国家博物馆，位于伦敦东南部格林尼治的格林尼治公园内，在泰晤士河附近。馆中建筑物有三幢。主建筑为“皇后馆”，由I.琼斯设计，1635年竣工，原址为伊丽莎白一世出生的都铎王宫。19世纪增建两翼。后进一步扩建，供英国皇家海军学院使用。1934年根据议会法案建立博物馆。公园内的皇家格林尼治天文台亦由博物馆管理。本初子午线在此通过。博物馆馆藏甚丰，有17世纪的船舶模型和图纸及史前船只，但主要为19世纪及其后的藏品。有地球仪和经线仪等航海与天文仪器以及极精美的荷兰及英国航海绘画，包括17世纪画家范·德·费尔德父子的作品1 400幅，还有许多纪念性装饰品、大事记、影片和照片等各种档案。许多一流画家的精美绘画也在皇后馆展出。

national monument　国家保护区　在美国，指联邦政府为保护具有历史和科学价值的文物和地点而划出的地区。有时设为国家公园。国家保护区由国会法令或总统宣布设立，保护火山、冰川、山脉、森林、洞穴等自然特征以及印第安文化遗迹和在历史上有重要意义的地方。美国第一处国家保护区是T.罗斯福总统于1906年设立的怀俄明州魔塔。1933年起各保护区由内政部国家公园管理局统一管辖。

National Museum of Anthropology　国立人类学博物馆　西班牙语作Museo Nacional de Antropología。拥有约60万件与墨西哥有关的艺术品和其他实物的世界著名陈列馆，位于墨西哥城。收集品中有自西班牙人到来之前时代至今的有关人类学、人种学和考古学方面的资料。这些陈列品展示包括：①远古人类遗体和艺术品；②开始于约公元前5000年的先古典时期的肖像和陶器；③古典时期(约公元前200～公元900)的壁画和雕像。代表西班牙征服者到来(1519～1522)以后的后古典时期的器物有典礼用的精美碟子、礼拜用品和巨大的还愿匾。该博物馆建于1825年，1939年取现名。1964年建成一座现代化新楼，大楼内设有一所学校、一个藏书约30万册的图书馆、一个胶卷档案室和几个公众会堂。重要陈列品中有属于奥尔梅克文化的“人物群雕”和重22吨的阿兹台克“历石”，体现着世界历史。

National Museum of China　中国国家博物馆　中国综合性的国家博物馆。馆址在北京天安门广场东侧，2003年2月28日正式成立。是在中国历史博物馆和中国革命博物馆的基础上组建而成。中国历史博物馆的前身为1912年成立的“国立历史博物馆筹备处”，1949年更名为“国立北京历史博物馆”。中国革命博物馆的前身为1950年成立的中央革命博物馆筹备处。1958年8月，国家决定建立中国历史博物馆和中国革命博物馆。1959年8月，两馆大楼落成。合并后的中国国家博物馆规模将从原有的6.5万平方米扩建到15万平方米，计划于2007年底建成。中国国家博物馆拥有古代文物45万件，近现代文物15万件。通过常设陈列，全面、系统地展现了中华民族的历程和古老的中华文明。同时，举办包括艺术品在内的多种专题展览，并配合重大纪念活动，举办各种特展。中国国家博物馆具有田野考古、水下考古和遥感与航空摄影考古三方面的研究能力。所设水下考古研究中心和遥感与航空摄影考古研究中心目前是中国仅设的高科技考古专业机构。

National Museum of History　国立历史博物馆　中国台湾省博物馆之一，主要从事中国历史文物的搜集、研究和展览以及中国历史文化发展的学术研究工作。1955年创立于台北市植物园内。1956年7月至1957年初，陆续接收原河南博物馆迁台的中原文物及战后日本归还中国的古物，馆藏得以日渐丰富。其中河南新郑、辉县和安阳出土的铜器、洛阳出土的先秦绳纹陶、汉代绿釉陶、六朝舞乐俑、唐三彩等为该馆主要藏品。现今，国立历史博物馆的馆藏文物可略分为铜器、陶器、玉器、中国文字史料、瓷器、钱币、工艺、宗教文物、民俗文物、书画等类。各件文物均有详细文物资料卡，通过电脑存档。该馆的展览分为华夏文物、闽台文物和国际文化交流3个主要部分。

台北国立历史博物馆
台湾中华书局供图

National Museum of India　印度国立博物馆　位于新德里，是进行佛教、艺术史和肖像研究的专门博物馆。为将印度和中亚的珍品集中在一起，该博物馆曾与亚洲古物陈列馆合并。馆藏包括艺术与考古学、人类学、装饰艺术、铭文学和纺织等展品。绘画艺术展品有莫卧儿、拉杰普特、德干和伯哈里各流派的印度袖珍画。该馆还藏有不少精致的古老手稿、寺庙的挂饰、华丽的锦缎莎丽服，以及镶嵌宝石的武器和彩陶。奥雷尔·斯坦因爵士在中亚发现的古物中有佛龛壁画，都是流出中亚各国的稀世之珍。

National Nonpartisan League(U.S.)　**全国无党派联盟**　参阅 **Nonpartisan League** 无党派联盟。

National Organization for Women (NOW)　**全国妇女组织**　美国民间组织，成立于1966年，旨在促进妇女的平等权利。全国妇女组织由少数女权运动者创立，对美国社会中存在的性别歧视现象进行挑战，特别是在就业机会领域内的挑战。会员有妇女和男人，至20世纪后期约有25万人。该组织通过院外活动和诉讼方法提出的问题有关心儿童、产孕妇假期、堕胎及养老金等项权利。70

年代该组织主要关心的事是使全国权利平等宪法修正案获得通过，但该修正案却未能在1982年获得批准。该组织也推动各州权利平等修正案及同工同酬法案的通过，在州一级获得较大的成功。

National Palace Museum 国立故宫博物院 中国台湾省珍存中华文化艺术精品的机构，收藏中国文物最丰富的两座博物院之一（另一座为北京故宫博物院[Palace Museum]）。坐落于台北市近郊士林外双溪，占地29万余

台北国立故宫博物院
台湾中华书局供图

平方米。正馆仿北京故宫的架构依山而建，馆厦采用中国传统宫殿式设计。始建于1962年，历时3年建成正馆，此后曾三度扩建。故宫博物院自1925年始建于北京以来，其文物历经三次大规模迁徙：第一次在1931年"九一八"事变之后，1933年古物由北平南迁上海，1936年再迁至南京；第二次在1937年"八一三"淞沪会战后，古物由南京西迁大后方；第三次在1948年底国民政府将古物精华由南京迁往台湾。故宫文物迁台后，合并故宫与中央两博物院而成立"国立故宫中央博物院联合管理处"，于台中雾峰乡吉峰村凿洞贮藏文物。至1965年士林外双溪新馆落成，复由台中北迁，原联合管理处易名为"国立故宫博物院管理委员会"迄今。现珍藏文物数量逾60万件。就品类言，可分为器物、书画、椠刻及历史档案四大类。若细分之，则器物有玉石、陶瓷、金属（铜器等）及竹、木、牙、革诸器；书画包括历代名家法书、绘画、织绣缂丝等；椠刻有宋、元古本及明、清抄本图籍；历史档案包括历代国书诏令、朱批谕旨等。正馆一楼展出历代青铜器、甲骨文、历代铜镜等；二楼展出历代陶瓷、历代法书和名画等；三楼展出玉器、首饰、珐琅、雕刻、漆器、文具、珍玩、善本图画、历史文献等。此外，另辟有各种专题展览室。四楼中央高阁辟有古典茶屋"三希堂"，配以茶具、茶书、茶画、国乐。博物院举办定期文物研习会及不定期学术演讲会，并出版展品目录及历代器物、书画、善本图籍等藏品的复制品、幻灯片、专册、画册等400余种，以及各种文物月刊、学术季刊、丛刊和其他学术性著作。

national park 国家公园 一国政府为保存自然环境而设置的地区。设置国家公园的目的是为了公众的娱乐和休息，或是由于这一地区的历史或自然科学价值。国家公园的风景及动植物都保存原来的自然状态。美国和加拿大的国家公园以保护土地和野生生物为目的；英国的国家公园大部分是为保护土地；非洲国家动物园主要是保护动物；其他国家的国家公园里有大面积的专用土地。设置国家公园最著名的国家是巴西、日本、印度及澳大利亚。不同国家的国家公园在保护资源方面的有效程度是很不同的。有些政府为公园系统提供充足的资金，严格执行规章制度；有些国家的政府并未如此。大多数国家公园都有内在矛盾，既要靠公众对大自然的兴趣来促进旅游业，又要保护野生生物不受骚扰。解决矛盾的办法通常是只许游客在公园的限定地区内游览。这样，游人在游览公园时，只能对野生生物作最低限度的接触。参阅**nature reserve；national forest**。

附表：世界主要国家公园，见19～35。

National Party 国家党 又称国家乡村党（1975～1982）或乡村党（1914～1975）。澳大利亚政党。由于同自由党联盟，该党成立后大部分时间处于执政地位，在平衡党派力量上经常起决定性的作用，但其本身的力量多年来都受到削弱。1934年在联邦选举中得到16%的选票，1975年的得票率降至8%。1982年10月改名为国家党。19世纪90年代，澳大利亚农业界为消除农业机械进口税、终止工党对大种植园征收土地税，以及对抗有组织的劳工和工党增长的力量，首先在政治上组织起来。第一次世界大战期间，为追求上述目标的实现发展州农民协会，1914年西澳大利亚地方性的乡村党首度赢得澳大利亚议会议席。1918年建立联邦农民协会组织，翌年定名为乡村党。1923年乡村党领袖佩奇与国民党（以前称自由党）领袖布鲁斯达成联合协议，并让5名乡村党党员进入11人内阁。联合政府持续到1929年，对发展国家经济非常重视。

以后佩奇及乡村党即未再拥有像20年代那样大的影响力，但乡村党仍继续对国民党政府及其后继者澳大利亚统一党（1931～1945）和自由党（1945年起）提供支持的选票和部长人选。

National Party 参阅 **New Zealand National Party 新西兰国民党**。

National People's Congress of the PRC 中华人民共和国全国人民代表大会 中华人民共和国最高国家权力机关。1949年9月29日中国人民政治协商会议第一届全体会议通过的《中国人民政治协商会议共同纲领》规定，"国家最高政权机关为全国人民代表大会"，"在普选的全国人民代表大会召开以前，由中国人民政治协商会议的全体会议执行全国人民代表大会的职权"。1953～1954年间，全国开始第一次普选，乡、县、省（市）各级召开人民代表大会，选举产生地方各级国家机关。在此基础上，1954年9月15日在北京举行第一届全国人民代表大会第一次会议。从此，各级人民代表大会制度在全国范围内确立。

1965年1月4日，第三届全国人民代表大会第一次会议结束以后，由于1966年爆发了"文化大革命"，国家的宪法和法律遭到严重破坏，全国人民代表大会在长达十年的时间里没有召开。全国人民代表大会及其常务委员会实际上已失去最高国家权力机关的作用。直到1975年1月才召开了第四届全国人民代表大会第一次会议。但这次会议对各级人民代表大会制度的复苏是很有限的。文化大革命后，人民代表大会制度逐步恢复正常。1998年3月，全国人民代表大会已进入第九届。

全国人民代表大会每届任期五年。每年举行一次会议，由全国人民代表大会常务委员会召集。代表名额不超过3 000人。举行会议时，选举主席团主持会议。全国人民代表大会下设经常性和临时性的专门委员会，包括民族、法律、财政经济、内务司法、教育科学文化卫生、外事和华侨委员会。

全国人民代表大会的职权主要有：①制定和修改宪法，监督宪法的实施。②制定和修改刑事、民事、国家机构的和其他的基本法律。③选举、决定和罢免国家机构领导人员，包括选举中华人民共和国主席、副主席；根据中华人民共和国主席的提名，决定国务院总理的人选；根据国务院总理的提名，决定国务院副总理、国务委员、各部部长、各委员会主任、审计长、秘书长的人选。选举中央军事委员会主席；根据中央军事委员会主席的提名，决定中央军事委员会其他组成人员的人选。

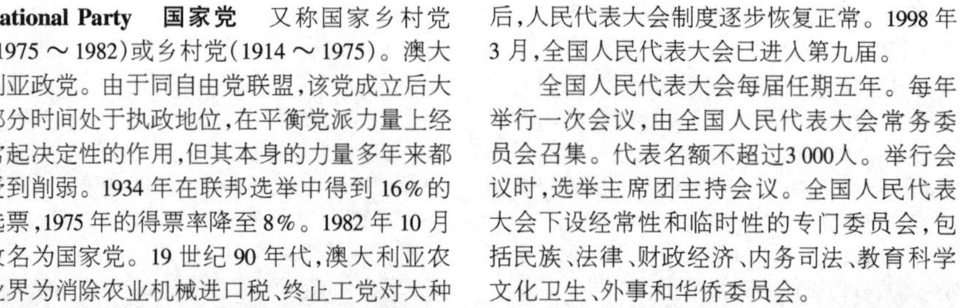

第一届全国人民代表大会第一次会议会场
中国大百科全书出版社供图

世界主要国家公园

国名 国家公园名	建立日期 保护区	 国家公园	面积 平方千米	 平方英里	概况
阿尔及利亚					
阿哈加尔	—	1987	45 000	17 375	撒哈拉沙漠中的火山岩高原
什里阿	1925	1983	266	103	卜利达附近的阿特拉斯山脉；野猪和胡狼
朱尔朱拉	—	1983	185	71	卡比利亚区的山脉
加莱	—	1983	764	295	地中海沿海地区森林山脉
阿杰尔高原	—	1972	72 000	27 799	撒哈拉沙漠中的侵蚀沙岩地层；史前时期岩画
安哥拉					
比夸里	1938	1964	7 900	3 050	波状平原；热带草原和落叶林地；野牛、猎豹和羚羊
坎甘达拉	1963	1970	630	243	缓坡丘陵；林地和热带草原；羚羊、河马和豹
基萨芒	1938	1957	9 500	3 668	大西洋海岸和悬崖；热带草原林地；野牛、羚羊、象和猎豹
阿根廷					
巴里图	—	1974	143	55	亚热带山地雨林；贝尔梅霍河；树懒、美洲豹和豪猪
卡利莱瓜	—	1979/80	240	93	卡利莱瓜山脉；亚热带雨林；鹿、美洲豹和猴
查科	1935	1954	71	27	广大高原；稀树草原；草本沼泽和潮湿森林；狼、貘、鹿和鸫鹋
埃尔雷	—	1948	143	55	查科平原和安第斯林地；貘、美洲豹和食蚁兽
伊瓜苏	1909	1934	52	20	玄武岩高原和伊瓜苏瀑布；亚热带雨林；美洲豹和猴
拉宁	1937	1945	1 426	551	拉宁休眠火山和湖泊；常绿林；水獭、负鼠和狐
洛斯阿勒尔斯	—	1937/45	455	176	山区阿勒尔斯林；湖泊和冰川；美洲狮、鹿、狐和猴
冰川	—	1937	1 618	625	安第斯-巴塔哥尼亚冰川、湖泊和森林带；栗色羊驼、毛丝鼠和鹿
纳韦尔瓦皮	1903	1934	3 721	1 437	安第斯山中纳韦尔瓦皮湖；冰川和常绿林；鹿、美洲狮和狐
佩里托莫雷诺	—	1937/49	67	26	安第斯山南部湖泊、冰川和森林；栗色羊驼、鹿、狐和神鹰
皮科马约河	—	1951	280	108	皮科马约河和巴拉圭河平原；亚热带森林；狼、食蚁兽和貘
普埃洛湖	1937	1946	117	45	安第斯山脉和普埃洛湖；潮湿混生林；鹿、狐和河狸鼠
火地岛	—	1960	345	133	偏远的山地海岸区；山毛榉林；栗色羊驼、海狮和企鹅
亚美尼亚					
塞凡	—	1978	1 500	579	塞凡湖盆地；山地草原和高山景色
澳大利亚					
阿尔派恩	—	1989	6 421	2 479	维多利亚州大分水岭中高山
阿彻本德	—	1977	1 660	641	昆士兰州约克角半岛上的沙质平原；走廊林；鳄鱼
巴灵顿高地	—	1969	391	151	新南威尔士州大石灰岩高原；温带雨林；袋熊和袋鼠
贝伦登克尔	—	1921	310	120	昆士兰州花岗岩山岭；约瑟芬瀑布；热带雨林；袋鼠
本洛蒙德山	—	1947	165	64	塔斯马尼亚州大山岳（粗粒玄武岩）高原；山中野花
布莱克当台地	—	1979/82	238	92	昆士兰州森林高原；悬崖、峡谷和瀑布；桉属森林
布莱登斯堡	—	1984	337	130	在昆士兰州
蓝山	—	1959	2 470	954	新南威尔士州沙岩地层；热带森林；鸭嘴兽和袋鼠
博贡	—	1981	812	314	维多利亚州高海拔高原；森林、高山植物和雪原
布拉宾	—	1977	260	100	西澳大利亚州沙质平原（长满灌木林）
边缘岭	—	1979/83	315	122	新南威尔士州一个火山口的边缘；亚热带雨林
鲍灵格林湾	—	1940/50	554	214	昆士兰州沿海沼地；埃利奥特山；热带雨林
布达旺	—	1977	161	62	新南威尔士州低山岭；雨林和开阔森林
本贾隆	—	1980	177	68	新南威尔士州利斯莫尔附近海滩、潟湖和沿海欧石楠灌木丛
布尼亚山	—	1908	117	45	昆士兰州大分水岭玄武岩山脉；热带森林
巴罗瓦松山	—	1978	184	71	维多利亚州流纹岩和花岗岩山脉；柏树和桉树；袋鼠
阿里德角	—	1969	2 794	1 079	大澳大利亚湾海岸景观和西澳大利亚州阿里德山
勒格兰德角	—	1948/66	316	122	西澳大利亚州有海滩及沼泽地的多岩石海岸线；沙袋鼠和负鼠
梅尔维尔角	—	1977	360	139	昆士兰州花岗岩山岭形成的一个半岛和沿岸平原
兰奇角	—	1965	506	195	西澳大利亚州山势陡峻的峡谷；岩洞；茂密的灌木丛；沙袋鼠
特里比莱申角	—	1981	170	66	昆士兰州风景优美的海岸线和热带雨林；鸟类
卡那封	—	1938/79	2 510	969	昆士兰州大分水岭砂岩峡谷；桉树和树状蕨类
科伯斯-廷加灵吉	—	1979	1 166	450	维多利亚州森林山岭；墨累河上游
科芬湾半岛	—	1983	304	117	南澳大利亚州海岸沙丘和桉树矮林地
科利尔山	—	1978	2 778	1 073	西澳大利亚州鬣刺属和绒毛草属的草地
康韦山	—	1962	238	92	昆士兰州惠森迪山口的海岸线和山丘；低地雨林
库卢拉	1962	1975	547	211	昆士兰州沙质丘陵和海边沙丘；湖泊；红树林和雨林
库普拉堪布拉	—	1979	388	150	维多利亚州的山；热那亚河峡谷；桉属森林
库龙潟湖	—	1966	399	154	南澳大利亚州的沙砾岬海岸、沙丘和潟湖；袋鼠和水禽
克雷德尔山-圣克莱尔湖	—	1922	1 611	622	塔斯马尼亚受冰川作用的山脉；湖泊和湍流；沼泽地和桉树林及针叶林；沙袋鼠和负鼠
克罗金戈隆	—	1978/79	875	338	维多利亚州的海滩和潟湖；桉树属森林；袋鼠和狐蝠
丹特里河	—	1962/77	565	218	昆士兰州大分水岭的高原和峡谷；热带雨林
当特尔卡斯托	—	1967/77	581	224	西澳大利亚州的海岸沙丘、湿地、欧石楠丛和森林
德瓦	—	1979	818	316	新南威尔士州森林山脉；山岭和石灰岩洞
塔鲁格	—	1967	148	57	新南威尔士州河流切割的高原；半干旱树林和沼泽；石刻
德赖斯代尔河	—	1974	4 359	1 683	西澳大利亚州金伯利多树荒原；土著岩石艺术

续表 1

国名 国家公园名	建立日期 保护区	 国家公园	面积 平方千米	 平方英里	概　　况
埃里楠德拉	—	1988	256	99	维多利亚州的花岗岩高原和河谷；寒温带雨林
埃翁盖拉	—	1941/50	508	196	昆士兰州山区；多草桉树林地和雨林；鸭嘴兽
芬克峡	—	1967	458	177	北部地方红砂岩悬崖的河谷和残存棕榈树；鸟类
菲茨杰拉德河	—	1954/73	3 290	1 270	西澳大利亚州沿岸小海湾、悬崖和秃山岭；河谷林地
弗林德斯蔡斯	—	1919	738	285	南澳大利亚州袋鼠岛；桉属林地；袋鼠、食蚁兽、树袋熊和鸸鹋
弗林德斯岭	1945	1970/72	949	366	南澳大利亚州侵蚀的向斜岩石地层；峡谷、小湖泊和山洞；袋鼠
弗兰克汉恩	—	1970	614	237	西澳大利亚州干旱地；沙原植物
富兰克林-下戈登原始河	—	1981	4 401	1 699	塔斯马尼亚未受干扰的原始河、石英山峰、荒野峡谷、温带雨林和石灰岩洞
甘蒙岭	—	1970	1 282	495	南澳大利亚州有深谷的崎岖荒山
直布罗陀岭	—	1963	173	67	新南威尔士州北部花岗岩山脉；带有雨林的欧石楠树丛；鸭嘴兽
贡加里	—	1975	604	233	西澳大利亚州无脉金合欢植被
古尔本河	—	1982	693	268	新南威尔士州流经砂岩山地的一条河；野花
格兰扁山脉	—	1984	1 670	645	维多利亚州崎岖的砂岩山岭；峡谷和瀑布；兰科植物；鸟类
大桑迪岛	—	1971	749	289	昆士兰州弗雷泽岛上的沙丘；雨林和海边欧石楠树丛；儒艮
格雷戈里	—	1990	9 781	3 776	北部地方维多利亚河沿岸风景
古里格	—	1964	2 207	852	北部地方科堡半岛；红树林沼泽；儒艮和鸟类
盖福克斯河	—	1972	356	137	新南威尔士州有陡峭石崖的河曲；林地；袋鼠
哈塔-库尔凯恩	—	1960	480	185	维多利亚州桉树矮林地区的湖泊和河漫滩；袋鼠和水禽
赫伯特河谷	—	1963/82	189	73	昆士兰州景色优美的峡谷；台地和瀑布
欣钦布鲁克岛	—	1932/68	399	154	昆士兰州岛屿；花岗岩山脉和沙滩；灌丛和雨林
艾恩岭	—	1977	346	134	昆士兰州崎岖丘陵、沿岸景观、低地雨林和热带动物
贾丁河	—	1977	2 370	915	昆士兰州有沼泽、欧石楠林和雨林的热带荒野
卡卡杜	1972	1979	20 277	7 829	北部地方沿海高原、峡谷和平原；桉属森林；沙袋鼠
卡尔巴里	—	1963	1 861	719	西澳大利亚州默奇森河的峡谷；河谷桉树；袋鼠
卡南格拉-博伊德	—	1969	683	264	新南威尔士州被河流分割的砂岩高原；桉属森林；沙袋鼠和树袋熊
卡里基尼(哈默斯利岭)	—	1969	6 066	2 342	西澳大利亚州分层砂岩山脉和峡谷；金合欢属植物；袋鼠
凯瑟琳岭(尼特米卢克)	—	1963	1 804	697	北部地方红棕色峡谷；热带林地；沙袋鼠
基普河	—	1982	569	220	北部地方红砂岩地貌、山岭和潟湖；热带稀树草原
肯尼迪岭	—	1993	1 417	547	在西澳大利亚州
金可奇加	—	1967/69	442	171	新南威尔士州达令河平原和洪泛湖系统；沼泽地；袋鼠
科西阿斯科	1944	1974	6 469	2 498	新南威尔士州雪山中的雪原、洞穴和森林；袋鼠
库灵盖蔡斯	—	1894	148	57	新南威尔士州布罗肯湾上砂岩高原；灌丛和雨林；树袋熊
埃尔湖	—	1985	13 560	5 236	南澳大利亚州标准的干盐湖；耐盐灌丛地
莱克菲尔德	—	1978/79	5 370	2 073	昆士兰州约克角半岛稀树草原林地和沼泽地；鳄鱼
拉明顿	—	1915	205	79	昆士兰州山脉；峡谷和瀑布；雨林；树袋熊
朗希尔	—	1984	2 620	1 012	昆士兰州干旱地区绿洲，有峡谷、溪流、池塘和热带植被
卢因-博物学家	—	1970	190	73	西澳大利亚州博物学家角与卢因角之间的海岸；欧石楠树丛和森林
林肯	—	1941/62	291	112	南澳大利亚州埃尔半岛的高原；桉树灌丛林地；袋鼠和鸸鹋
小沙地	—	1955/68	1 320	510	维多利亚州半干旱沙地欧石楠和桉树灌丛林地；季节性野花；袋鼠
下格莱内尔格	—	1969	273	105	维多利亚州格莱内尔格河的峡谷；洞穴；欧石楠和桉树森林；袋鼠
麦夸里岛	1933	1972	128	49	塔斯马尼亚东南麦夸里岛亚南极地区；海豹和企鹅
主岭	—	1909	115	44	昆士兰州科尔多山和景色美丽的平原；雨林
桉树崖	—	1977	580	224	新南威尔士州桉树灌丛林地和动物
米尔斯特里姆-奇切斯特岭	—	1969	1 997	771	西澳大利亚州半干旱山岭；春泛水池和棕榈；袋鼠和飞狐；土著人石刻画
米切尔河和艾丽斯河	—	1977	371	143	昆士兰州这两条河沿岸的开阔林地和走廊林；鳄鱼
穆尔河	—	1969	175	68	西澳大利亚州的野花地区
穆特温吉	—	1982	689	266	新南威尔士州砂岩丘陵；金合欢林地；袋鼠；土著人岩石艺术
莫顿岛	—	1986	168	65	昆士兰州一个有无数沙山和沙丘的岛；湖泊；鸟类
莫顿	1938	1964	1 624	627	新南威尔士州有砂岩桌子山、峡谷和瀑布的多林地小山的地区
布法罗山	1898	1956	310	120	维多利亚州大分水岭山脉；桉属林地；毛鼻袋熊
菲尔德山	1885	1916	163	63	塔斯马尼亚州温带草木区、茂密雨林和经冰川作用的山地高原；袋鼠
卡帕塔山	—	1925/60	368	142	新南威尔士州楠迪沃岭的山坡、峡谷和悬崖；死火山
蒙戈	—	1979	278	107	新南威尔士州固定沙丘和干涸湖泊；土著考古遗址
默里-森塞特	—	1991	6 330	2 444	维多利亚州油桉灌木丛地区盐湖
迈奥尔湖	—	1972	315	122	新南威尔士州沿海湖泊、海滩和沙丘；沼泽和雨林；沙袋鼠
纳马吉	—	1984	1 050	405	澳大利亚首都直辖区的花岗岩露头和山峰；森林
楠邦	—	1968	183	71	西澳大利亚州石灰岩小尖顶和海滩；沙漠灌丛和欧石楠
新英格兰	—	1935	300	116	新南威尔士州大分水岭热带原始森林；袋鼠
纳拉伯	—	1979	5 930	2 290	南澳大利亚州海岸悬崖和石灰岩洞；盐地灌丛；毛鼻袋熊
奥克斯利原始河	—	1986	902	348	新南威尔士州阿普斯利的峡谷和瀑布；亚热带雨林
帕默斯顿	—	1941	142	55	昆士兰州北部热带森林；峡谷和瀑布
查尔斯峰	—	1979	400	154	西澳大利亚州花岗岩山峰；桉属植被

续表 2

国名 国家公园名	建立日期 保护区	 国家公园	面积 平方千米	 平方英里	概　况
普穆卢卢(本格尔-本格尔)	—	1987	2 087	806	西澳大利亚州侵蚀砂岩地层(塔);沙袋鼠
鲁滨逊峡	—	1953	773	298	昆士兰州埃克斯皮迪申岭中的砂岩深谷;沿岸有棕榈树的溪流
罗克比-克罗尔湾	—	1983	2 910	1 124	昆士兰州姆克尔赖斯山岭和半岛地貌;鳄鱼
罗亚尔	1879	1886	151	58	新南威尔士州多石陆岬、沙滩和海边森林;野花
勒达尔河	—	1977	15 695	6 060	西澳大利亚州崎岖山岗、沙丘、水洼和盐湖
香农	—	1988	526	203	在西澳大利亚州
辛普森沙漠	—	1967	10 120	3 907	昆士兰州沙岭荒漠;雨后鲜花盛开;袋鼠
辛普森斯山口	—	1958/70	309	119	北部地方石山岭;峡谷;灌木和乔木;沙袋鼠
斯诺伊河	—	1978/79	987	381	维多利亚州的深河谷;山脉;桉属植物和雨林
西南	1955	1968	6 083	2 349	塔斯马尼亚高耸的山峰、茂密的雨林、湍急的河流、瀑布和断续的海岸线
斯塔滕河	—	1971/77	4 700	1 815	昆士兰州斯塔滕河沿岸开阔林地和走廊林
斯特灵岭	1913	1957	1 157	447	西澳大利亚州陡峭的石山峰和沙质平原;袋鼠、毛鼻袋熊和鸸鹋
斯特	—	1972	3 106	1 199	新南威尔士州沙石荒漠和侵蚀悬崖;灌木;袋鼠和鸸鹋
乌卢鲁(艾尔斯山-奥尔加山)	—	1958	1 326	512	北部地方艾尔斯山巨大岩块和奥尔加山巨石阵;干旱沙原;袋鼠、澳洲野犬和鸟类;土著人的岩画
沃德比利加	—	1979	775	299	新南威尔士州布罗戈河荒野地区;雨林、林地和欧石楠
沃尔波尔-诺纳拉普	1910	1957/72	159	61	西澳大利亚州崎岖海岸和三角湾;桉树林和欧石楠属植物;袋鼠
沃伦邦格尔岭	—	1953	209	81	新南威尔士州锯齿状火山山脊;松和桉属植物;袋鼠
沃什普尔	—	1983/84	277	107	新南威尔士州有亚热带雨林的荒野地区
沃瑟鲁	—	1969	445	172	西澳大利亚州野花地区
韦里金贝	—	1975	352	136	新南威尔士州温带和亚热带雨林
西麦克唐奈	—	1992	2 058	795	北部地方艾丽斯泉以西山脉;有残留棕榈树的峡谷
威兰德拉	—	1972	194	75	新南威尔士州河漫滩和间歇性水道;盐地灌丛;袋鼠
威尔逊角	1884	1905	490	189	维多利亚州多山的海岸,有沙滩;雨林;毛鼻袋熊和树袋熊
维特吉拉	—	1985	7 769	3 000	南澳大利亚州丘陵、盐沼和沙丘;高地和温泉
沃莱米	—	1979	4 873	1 881	新南威尔士州砂岩和火山岩山脉中高山深谷景色;森林
旺楠加塔-莫罗卡	—	1982	1 070	413	维多利亚州深河谷和亚高山风景
怀佩费尔德	1909	1921/56	3 568	1 378	维多利亚州干旱桉树矮林和生有欧石楠及灌木丛的砂石山岗;袋鼠
延戈	—	1988	1 399	540	新南威尔士州的山;雨林
尤雷吉尔	—	1973/80	183	71	新南威尔士州海岸沙滩、欧石楠、林地和动物
奥地利					
上陶恩山(萨尔茨堡)	—	1981/84	805	311	阿尔卑斯山区;高大山峰、瀑布和冰川;松林;巨角塔尔羊和鹿
巴哈马					
埃克苏马卡伊	—	1958/64	456	176	一组岛屿,有沙滩、珊瑚礁和水下洞穴;鸟类
伊纳瓜	—	1965	743	287	大伊纳瓜岛;盐碱草本沼泽和红树林;红鹳
白俄罗斯					
别洛韦日原始森林	—	1939	876	338	古老的松、山毛榉、栎和桤树林;欧洲野牛、猞、鹿和野猪
贝宁					
彭贾里河	1954	1961	2 755	1 064	彭贾里河沿岸稀树草原地区;狮、象、河马和羚羊
贝宁西非	—	1954	5 020	1 938	尼日尔河以南稀树草原;象、狮、羚羊和猎豹
不丹					
吉格米多吉	1974	1993	3 900	1 506	喜马拉雅山;冰川;针叶林;豹、鹿、野山羊和熊
皇家马纳斯	1966	1988	658	254	喜马拉雅山麓小丘;落叶林;虎、犀牛、象和水牛
玻利维亚					
安博罗	1973	1983	1 800	695	亚安第斯山、亚马孙河流域和查科;森林;美洲豹和西貒
卡拉斯科伊奇洛	—	1988	13 000	5 019	
伊西沃罗塞库雷	—	1965	11 000	4 247	安第斯山山坡和附近平原;雨林和稀树草原;鹿、貘和美洲豹
诺埃尔·肯普夫·梅尔卡多(万查卡)	—	1979	9 140	3 529	巴西地盾广阔的平顶山;瀑布;潮湿的亚热带森林;美洲豹、熊、西貒和犰狳
萨哈马	—	1939/45	299	115	白雪覆盖的火山和温泉;草地和森林;骆马和胡狼
圣克鲁斯-拉别哈	—	1989	171	66	
托罗托罗	—	1989	166	64	科迪勒拉雷亚尔由成层沉积形成的岩石,上有恐龙踪迹
博茨瓦纳					
乔贝	1961	1968	10 570	4 081	乔贝河泛滥平原和季节性沼泽;稀树草原;象、水牛和斑马
赫姆斯博克	1932	1971	27 665	10 682	沙漠(卡拉哈里),有一些稀树草原植被;羚羊、狮和豹
马卡迪卡迪	1970	1992	4 877	1 883	博泰蒂河流入的盐沼;稀树草原;羚羊、斑马、狮和猎豹
恩达伊池	—	1971	2 402	927	两个有林草地的盐池;长颈鹿、斑马、羚羊和狮
巴西					
亚马孙(塔帕若斯)	—	1974	9 940	3 838	巴拉和亚马孙两州中的塔帕若斯河平原;雨林;凯门鳄、食蚁兽和美洲豹
阿拉瓜亚	—	1959	5 623	2 171	托坎廷斯州阿拉瓜亚河中的巴纳纳尔岛;雨林;美洲豹和鹿
巴西利亚	—	1961	280	108	联邦区有多树草原的高地高原;狼、鹿、食蚁兽和鸫鹋
卡帕拉奥	—	1961	260	100	圣埃斯皮里图和米纳斯吉拉斯两州中的卡帕拉奥山脉;雨林;猴和豚鼠类
奥兰治角	—	1980	6 190	2 390	阿马帕州海上和河边浅滩;红树林和热带森林;红鹳

续表 3

国名	建立日期		面积		概况
国家公园名	保护区	国家公园	平方千米	平方英里	
迪亚曼蒂纳高地	—	1985	1 520	587	巴伊亚州多山地区;瀑布和大岩洞;猴
阿布罗柳斯马林	—	1983	913	353	巴伊亚州五个小岛和几个珊瑚礁;野山羊、鲸和鸟类
埃马斯	—	1961	1 319	509	戈亚斯州多草平原和多树草原;鹿、食蚁兽、鸸鹋和犰狳
大塞尔唐河	—	1989	840	324	米纳斯吉拉斯州多沼泽平原和丘陵;棕榈树;狼、犰狳和美洲鸵
吉马朗伊斯高地	—	1989	330	127	马托格罗索州岩石地层、峡谷和瀑布;森林
伊瓜苏	—	1939	1 700	656	巴拉那州伊瓜苏瀑布;亚热带雨林;水獭、美洲豹和鹿
伊塔蒂艾亚	—	1937	300	116	里约热内卢州曼蒂凯拉山;热带雨林;美洲豹和树懒
雅乌	—	1980	22 720	8 772	亚马孙州内格罗河低地和台地;热带雨林;美洲豹
伦索伊斯-马拉尼昂	—	1981	1 550	598	马拉尼昂州大西洋沿岸沙丘地区;湖泊和红树林;海鸟
内布利纳峰	—	1979	22 000	8 494	亚马孙州亚马孙和奥里诺科两河间之分水高原;热带森林;猴
新帕卡斯	—	1979	7 648	2 953	朗多尼亚州平顶陡坡山脉;热带森林;美洲豹和貘
马托格罗索潘特纳尔	—	1981	1 350	521	马托格罗索州巴拉圭河平原;沼泽和林地;鹿和貘
佩希湖	—	1986	344	133	南里约格朗德州海边湖;候鸟
圣若阿金	—	1961	493	190	圣卡塔琳娜州被河流分割的巴西高原;草地和松林;鹿
博凯纳山	—	1971	1 000	386	圣保罗州和里约热内卢州的岛屿和海岸高原;雨林;美洲豹
卡纳斯特拉山	—	1972	715	276	米纳斯吉拉斯州岩石高原;草地;狼、食蚁兽、鸸鹋和鹿
卡皮瓦拉山	—	1979	979	378	皮奥伊州有侵蚀台地的平原;茂密灌丛;小豹猫、林狗和豚鼠类
锡波山	—	1984	338	131	米纳斯吉拉斯州山脉和瀑布;草地;狼、猴和食蚁兽
迪维索山	—	1989	6 050	2 336	阿克里州茹鲁阿河丘陵和泛滥平原;热带雨林
韦阿代鲁斯高地	—	1961	600	232	戈亚斯州有裸露石块的平原;草地;鹿、狼和西貒
欣古	—	1961	22 000	8 494	马托格罗索州的欣古河平原;雨林;南美印第安人避难所
保加利亚					
皮林	—	1963	401	155	山脉、花岗岩地层和湖泊;云杉和松树林;野山羊和熊
维托沙	—	1934	266	103	维托沙山;一座休眠火山(在索非亚附近);栎树、山毛榉和桦树林;鹿
布基纳法索					
德巴莱斯	1937	1967	566	219	黑沃尔特河沿岸稀树草原;河马、水牛和象
卡博莱-坦比	1936	1976	2 427	937	红沃尔特河沿岸泛滥平原;多树草原;象、羚羊和狮
西非布基纳法索	1926	1953/54	1 900	734	尼日尔河流域的准平原;多树草原;狮、象和羚羊
布隆迪					
基比拉	1933	1980/82	400	154	三座大山;茂密的山地赤道林;黑猩猩和猴
柬埔寨					
吴哥窟	—	1925	108	42	高大树林覆盖的古代沙岩寺庙群;野牛、鹿、虎和鳄鱼
喀麦隆					
贝努埃	1932	1968	1 800	695	贝努埃平原的崎岖地貌;多树;象、狮、河马和羚羊
布巴恩吉达	1947	1968	2 200	849	有草原林地的多石准平原;犀牛、象、猎豹和羚羊
法鲁	1947	1980/81	3 300	1 274	山岳高原;草原林地;猎豹、河马和犀牛
科罗普	1961	1986	1 259	486	沿海地带的内陆高原;常绿林;猴、象和非洲灌丛野猪
瓦扎	1934	1968	1 700	656	乍得湖盆地的多草平原和金合欢林地;长颈鹿、象和狮
加拿大					
奥拉维克	—	1992	12 275	4 739	西北地区班克斯岛上的丘陵和蜿蜒的河流;冻原;麝牛
奥尤图	—	1972	21 471	8 290	西北地区巴芬岛的山脉、冰川和峡湾;冻原;旅鼠
班夫	—	1885	6 641	2 564	艾伯塔省落基山脉;针叶林;山地山羊、大角羊、鹿和熊
布鲁斯半岛	—	1987	270	104	安大略省休伦湖尼亚加拉陡崖和岛屿;草本沼泽和落叶林
布雷顿角高地	—	1936	951	367	新斯科舍省布雷顿角岛崎岖海岸;欧石楠和森林;驼鹿和熊
埃尔克岛	1906	1913	194	75	艾伯塔省起伏平原和丘陵;白杨和杨树林;美洲野牛、鹿、獐和驼鹿
埃尔斯米尔岛	—	1986	39 500	15 251	西北地区山脉和冰川;冻原;麝牛、狼、狐和北美驯鹿
福里伦	—	1970	240	93	魁北克省加斯佩半岛海岸峭壁和混合林;鹿和驼鹿
芬迪	—	1948	206	80	新不伦瑞克省芬迪湾沿岸丘陵;混合林;驼鹿、鹿和熊
乔治亚湾群岛	—	1929	14	5	安大略省乔治亚湾中的众多岛屿;槭树和山毛榉林;鹿
冰川	—	1886	1 349	521	不列颠哥伦比亚省塞尔扣克山脉;冰川;针叶林;熊和鹿
草原	—	1981	907	350	萨斯喀彻温省原始矮草草原;崎岖不毛地貌;叉角羚和丛林狼
格罗莫尔纳	—	1973	1 943	750	纽芬兰沿海丘陵和湖泊;针叶林;驼鹿和北美驯鹿
格瓦伊·哈纳斯群岛	—	1988	1 470	568	不列颠哥伦比亚省夏洛特皇后群岛上的山脉;云杉林;熊
伊瓦维克	—	1984	10 168	3 926	育空地区博福特海沿岸平原;冻原;美洲驯鹿、驼鹿和熊
贾斯珀	—	1907	10 878	4 200	艾伯塔省落基山脉;针叶林;山地山羊、美洲驯鹿、獐和熊
科吉姆库吉克	—	1968	382	147	新斯科舍省有冰川划痕的起伏不平地形和湖泊;混合林;鹿和熊
克卢恩	—	1972	22 015	8 500	育空地区山脉;冰川;森林和冻原;阿拉斯加盘羊、熊和北美驯鹿
库特内	—	1920	1 378	532	不列颠哥伦比亚省落基山脉;云杉和枞树林;大角羊、驼鹿和熊
库希布瓜克	—	1969	239	92	新不伦瑞克省滨海公园;针叶林和沙丘植被;水禽
拉莫里斯	—	1970	544	210	魁北克省劳伦琴山脉;混合林和湖泊;驼鹿、鹿和熊
明根群岛	—	1984	151	58	魁北克省圣劳伦斯河中的群岛;沼地和针叶林;海豹
雷夫尔斯托克山	—	1914	263	102	不列颠哥伦比亚省塞尔扣克山脉;高山草甸;熊、北美驯鹿和鹿
纳汉尼	—	1972	4 766	1 840	西北地区峡谷;北方林;阿拉斯加盘羊、熊和北美驯鹿
北巴芬岛	—	1992	22 252	8 592	西北地区崎岖的拜洛岛和巴芬岛的部分地区;冻原;海鸟

续表 4

国名 国家公园名	建立日期 保护区	国家公园	面积 平方千米	平方英里	概　　况
太平洋滨海	—	1970	500	193	不列颠哥伦比亚省温哥华岛海岸；雪松雨林；熊、鹿和美洲狮
皮利角	—	1918	16	6	安大略省伊利湖半岛；草本沼泽和朴林；鹿和浣熊
艾伯特王子	—	1927	3 848	1 486	萨斯喀彻温省混合林地区（平原）；湖泊；鹿、狼、熊、驼鹿和美洲野牛
爱德华王子岛	—	1937	18	7	爱德华王子岛北岸；云杉林；毛皮兽类
帕卡斯夸	—	1971	1 878	725	安大略省苏必利尔湖北岸；北方林；北美驯鹿、鹿、驼鹿和狼
赖丁山	—	1929	2 976	1 149	马尼托巴省高原和湖泊；北方落叶林；美洲野牛、猞、驼鹿和狼
圣劳伦斯群岛	—	1904	4	2	安大略省圣劳伦斯河段中诸岛和岸边陆地；混生林；鹿和狐
特拉诺瓦	—	1957	397	153	纽芬兰生有云杉和枞树林的近海地区；熊、猞猁和驼鹿
弗恩图特	—	1993	4 345	1 678	育空地区辽阔的平原，有湖泊；云杉和冻原；美洲驯鹿和水禽
沃特顿湖群	—	1895	526	203	艾伯塔省落基山；针叶林；美洲野牛、驼鹿、大角羊、鹿和熊
伍德布法罗	—	1922	44 807	17 300	艾伯塔省和西北地区的平原；北方林；美洲野牛、驼鹿、鹿和熊
约霍	—	1886	1 313	507	不列颠哥伦比亚省落基山脉；针叶林；熊、鹿、驼鹿和猞
中非共和国					
巴明吉-班戈兰	1916	1933	10 700	4 131	稀树草原和林地，有裸露岩石；犀牛、象、豹和长颈鹿
马诺沃-冈达-圣弗罗里斯	—	1933	17 400	6 718	大平原，地势平坦，季节性洪水泛滥；多树草原；犀牛、豹、象、长颈鹿、狮、羚羊和鳄鱼
乍得					
曼达	1953	1965/69	1 140	440	查里河两岸林木茂密的平原；羚羊、豹、狮和河马
扎库马	1958	1963	3 000	1 158	积水汇入萨拉马特河而形成的平原；开阔的有树草原；象、狮和羚羊
智利					
阿尔韦托·德阿戈斯蒂尼	—	1965	14 600	5 637	有冰川的山脉，一直伸入大洋；干草原和零散的树木；海豹
阿莱尔斯·安迪诺	1912	1982	393	152	花岗岩高原，有湖泊和瀑布；针叶林（智利柏）
贝尔纳多·奥伊金斯	—	1969/70	35 259	13 614	海岸岛屿、山脉、湖泊和巨大冰原；冻土带苔原、干草原和森林
合恩角	—	1945	631	244	智利南端的岩石岛屿；粗壮矮树；水獭、海狮和海豹
奇洛埃	—	1982	431	166	奇洛埃岛多山的太平洋海岸；温带雨林；狐、鹿和海狮
孔吉利奥	—	1950/70	608	235	安第斯山，有一座活火山、熔岩流和湖泊；混生林地；鹿和美洲狮
弗赖·豪尔赫	—	1941/67	100	39	多山的海岸综合地貌；半干旱草原中的亚热带森林残余；狐和美洲狮
奥尔诺皮伦	—	1988	482	186	雷隆卡比湾附近的火山
伊斯卢加火山	—	1967	1 747	675	阿塔卡马高原安第斯台地的火山和盐碱滩；栗色羊驼
胡安·费尔南德斯	—	1935	91	35	智利海岸外的群岛；火山山峰和陡峭海岸；棕榈和巨大蕨类植物；海豹
劳卡	1965	1970	1 379	532	高大干旱的安第斯高原和湖泊；仙人掌和干草原；红鹳、栗色羊驼和美洲狮
马格达莱纳岛	—	1983	1 576	608	智利南部森林密布的岛屿
潘德阿苏卡尔	—	1986	438	169	阿塔卡马沿海沙漠；仙人掌；栗色羊驼、海狮和企鹅
普耶韦	—	1941	1 070	413	智利湖区的安第斯山；温泉；温带雨林；鹿、狐和河鼠
克鸟拉特	—	1983	1 541	595	山脉、科尔加多冰川和孔多尔瀑布；常青林
大拉帕岛（复活节岛）	—	1935/68	67	26	太平洋上复活节岛；草地；人形巨大石像
圣拉斐尔湖	—	1945/59	17 420	6 726	巴塔哥尼亚的圣拉斐尔湖（峡湾）和冰川；森林和冻原；美洲狮、狐和海豹
辛普森河	—	1967	408	158	高山、狭谷地、辛普森河和瀑布；常青林；鹿
托雷斯-德尔帕伊内	—	1959	1 844	712	巴塔哥尼亚的台地、峭壁、冰川和湖泊；灌木丛植被；栗色羊驼和狐
维森特-佩雷斯-罗萨莱斯	—	1926	2 263	874	系列安第斯火山、瀑布和托多斯洛斯桑托斯湖；常青林
比亚里卡	—	1940	610	236	一连串三座火山（包括活火山比亚里卡）；南洋杉林；鹿
哥伦比亚					
阿马卡-亚库	—	1975	2 930	1 131	亚马孙的丘陵、平原和沼泽；热带雨林；美洲豹、猴和獭
卡维纳里	—	1987	5 755	2 222	亚马孙地区
卡利陆岬	1961	1968	1 500	579	靠近太平洋的一群高山；亚热带森林；熊
卡塔通博-巴里	—	1989	1 581	610	
钦加扎	1968	1977/78	504	195	东科迪勒拉山脉；热带山林；熊、鹿、南美浣熊和猴
奇里维克特	—	1989	12 800	4 942	山脉
埃尔科奎	—	1977	3 060	1 181	东科迪勒拉山脉；亚热带森林；南美浣熊、熊和野猫
罗萨里奥珊瑚礁	—	1977	195	75	加勒比海中的珊瑚礁；巴鲁岛上的红树林；海生动物
科迪勒拉洛斯皮卡乔斯	—	1977	4 390	1 695	奥里诺科和亚马孙两河之间的分水岭；潮湿的亚热带森林；貘
戈尔戈纳岛	—	1983/84	492	190	多山（火山）的戈尔戈纳和戈罗尼拉岛；珊瑚礁；雨林
拉斯埃尔莫萨斯	—	1977	1 250	483	崎岖山脉，有小湖泊；棕榈和枞树森林；貘、熊和鹿
洛斯卡蒂奥斯	—	1973	720	278	达连山和沼泽高原；亚热带雨林；貘、水獭和美洲豹
马奎拉	—	1977	250	97	加勒比海中多山半岛；干高山林和云林；猴
蒙奇克	—	1977	440	170	西科迪勒拉山脉；山地和热带雨林；鹿和美洲狮
乌伊拉雪山	—	1977	1 580	610	活火山和高荒平原；云林；貘、鹿、熊和猴
洛斯内瓦多斯	1959	1973	380	147	安第斯山脉中部有雪冠的火山峰；棕榈林；熊、貘和鹿
拉斯奥尔基迪亚斯	—	1973/77	320	124	西科迪勒拉山脉，有河流和陡峭的峡谷；山地雨林；鸟类
帕拉米约	—	1977	4 600	1 776	包括帕拉米约高原在内的山区；潮湿亚热带森林；貘
拉帕亚	—	1984	4 220	1 629	阿西斯港和莱吉萨莫港之间的普图马约河两岸大片地区
洛斯皮卡乔斯	1977	1989	4 390	1 695	东科迪勒拉山脉的崎岖支脉；湿热森林；貘和神鹰
皮斯瓦	—	1977	450	174	东科迪勒拉山脉；混生林；熊和鹿

续表 5

国名 国家公园名	建立日期 保护区	 国家公园	面积 平方千米	 平方英里	概　　况
普拉塞	1961	1968	830	320	安第斯山脉的阿尔马圭尔高原；活火山；森林和草地；熊和鹿
萨拉曼卡岛	1964	1977	210	81	马格达莱纳河口湾中的岛屿，有红树林；鳄鱼和海牛
桑基安加	—	1977	800	309	岛及其附近太平洋海岸；丘陵、红树林和沙滩
马卡雷纳山	1948	1971/89	6 300	2 432	孤立的山岭；峡谷和巨石；热带森林；鹿、熊和貘
圣玛尔塔山脉内华达山	—	1964	3 830	1 479	加勒比海沿岸附近的山峦；干旱的山脚丘陵、低地热带森林、云林和冰川；鹿、美洲狮、美洲豹和食蚁兽
苏马帕斯	1968	1977	1 540	595	山丘、光秃高海拔平原和云林；貘、熊和神鹰
塔马	—	1977	480	185	波状地形；潮湿森林；熊、猴和水獭
塔塔马	—	1987	519	200	
泰罗纳	—	1964	150	58	加勒比海滩、海边林地、山脚丘陵和云林；猴和鹿
第尼瓜	—	1989	2 018	779	
埃尔图帕罗	—	1970	5 480	2 116	奥里诺科河两岸稀树草原；林地和沼泽；美洲豹、貘和水獭
乌特里亚	—	1987	543	210	
刚果					
奥扎拉	1935	1940	1 266	489	波状高原；潮湿热带森林；黑猩猩、大猩猩、象和狮
哥斯达黎加					
阿米斯特德(塔拉曼卡)	—	1982	1 939	749	崎岖的塔拉曼卡山山岭；山地雨林；貘和大咬鹃
布劳利奥·卡里约	—	1978	459	177	两座休眠火山和侵蚀峡谷，雨林；美洲豹、貘和鹿
奇里波	—	1975	502	194	有光秃高平地、云林和冰川湖的山；貘、美洲豹和鹿
科尔科瓦杜	—	1975	545	210	奥萨半岛；海滩、河口湾和雨林丘陵；西貒、鹿和美洲豹
瓜纳卡斯特	—	1989/91	325	125	山岭；热带干旱树林；貘和野猫
林孔-德拉别哈	—	1973/74	141	54	火山和圣马利亚山脉；火山喷气孔和泥潭；雨林；大咬鹃
圣罗莎	1966	1971/76	372	144	海滩和盐滩；热带干旱森林；鹿、西貒、猴和美洲豹
托尔图格罗	—	1975	189	73	加勒比海海岸的海滩、河口湾和热带雨林；貘和美洲豹
科特迪瓦					
阿萨尼	1926	1981	190	73	邦达马河水淹盆地；沼泽草原；黑猩猩、象和水牛
邦科	1929	1953	300	116	埃布里耶潟湖周边热带雨林；猴、灵猫、黑猩猩和羚
科莫埃	1926	1968	11 500	4 440	科莫埃河两岸准平原；森林和稀树草原；黑猩猩、象和狮
马拉韦	—	1968	1 010	390	起伏不平(多丘陵)地区；草原林地；猴、象和河马
佩科山	—	1968	340	131	多山地区；落叶林；猴、黑猩猩、豹和象
桑贝山	—	1975	950	367	图拉山；草原林地；象、疣猪、水牛和猴
泰	1926	1972	3 500	1 351	萨桑德拉河的准平原；雨林；猴、穿山甲、豹和象
克罗地亚					
科尔纳蒂	1967	1980	224	86	亚得里亚海上光秃的岛群；陡峭的海岸和悬崖；零散的栎树、油橄榄和无花果
克尔卡河	1962	1985	142	55	克尔卡河峡谷，有瀑布和湖泊；栎树和鹅耳枥；狐、圣马丁鸟和艾鼬
普利特维策湖群	—	1949	192	74	有湖泊、瀑布和洞穴的高原；山毛榉和枞树林；熊、鹿和狼
古巴					
克里斯塔尔山	—	1930	150	58	关塔那摩西北部山脉
格拉玛兰丁	—	1980/86	258	100	
图尔基诺	—	1959	175	68	
捷克共和国					
克尔科诺谢山(巨人山)	—	1963	363	140	波希米亚巨人山的一部分；云杉林和高山草甸；鹿、野绵羊和野猪
吉布提					
戴福里斯特	—	1939	100	39	戈达山山脉高原；杜松林残迹；猴和豹
多米尼加联邦					
特鲁瓦峰山	—	1975	69	26	前火山的尖状遗迹；喷气孔和温泉；雨林和云林
多米尼加共和国					
阿尔曼多贝穆德斯	1933	1956	766	296	科迪勒拉中央山脉北坡；潮湿的亚热带松林；野猪和鸟类
德莱斯特	—	1975	420	162	海岸半岛、海滩和绍纳岛；潮湿的亚热带森林；鹦鹉
洛斯海带赛斯	—	1976	208	80	喀斯特地层(丘陵)、沿岸洞穴和石拱楔；潮湿的亚热带森林；鹦鹉
雅拉瓜	—	1983	1 374	531	盐水特鲁欣(奥维耶多)潟湖和沙滩；针叶林和仙人掌；红鹳
何塞-德尔卡门-拉米雷斯	—	1958	738	285	科迪勒拉中央山脉南坡；潮湿的亚热带松林；鸟类
蒙特克里斯蒂	—	1983	1 309	505	埃尔莫罗桌子山、多石海滩和石拱楔；红树林和荒漠灌木林地；鸟类
巴奥鲁科山	—	1983/86	800	309	高山；潮湿亚热带松林和干旱亚热带植被；鸟类
厄瓜多尔					
科托帕希	—	1975	334	129	安第斯山脉的科托帕希火山(活火山)；山上草地；鹿、狼、美洲狮和狐
加拉帕戈斯	—	1936	6 937	2 678	厄瓜多尔海岸外的岛群；独特的动植物(陆龟、雀类和鬣鳞蜥)
马查利亚	—	1979	551	213	海滩、悬崖和岛群；热带森林；鹿、西貒和犰狳
波多卡尔普斯	—	1982	1 463	565	洛哈附近安第斯山脉一部分；云林；熊和鸟类
桑盖	—	1975	5 177	1 999	安第斯山脉、活火山和热带雨林；貘、美洲狮和美洲豹
亚苏尼	—	1979	9 823	3 793	亚马孙流域亚苏尼河两岸土地；热带雨林；美洲豹和美洲狮
埃及					
穆罕默德角	—	1983	615	237	西奈半岛南端；红海中的珊瑚礁；海生物

续表 6

国名 国家公园名	建立日期 保护区	国家公园	面积 平方千米	平方英里	概况
爱沙尼亚					
拉赫马阿	—	1971	1 769	683	芬兰湾沿岸岩岸；草地和桧树丛林；猝、熊和猞猁
埃塞俄比亚					
阿比亚塔-沙拉双湖	—	1970/71	887	342	大裂谷中两个盐水湖之间的平原；金合欢属稀树草原；候鸟
阿瓦什	1961	1966/69	756	292	代纳基尔平原；生有棕榈树的稀树草原；羚羊、斑马、猎豹和鸵鸟
巴莱山	—	1969	2 471	954	台地、洞穴和湖泊；雪松林和草地；羚羊、狐和疣猪
甘贝拉	—	1973/74	5 061	1 954	吉洛和伊坦格两河两侧的平原；沼泽地；羚羊、象和狮
马戈(马基)	—	1978	2 162	835	马基河谷；稀树草原和有刺灌丛；水牛、羚羊、象、长颈鹿和狮
内奇萨尔	—	1972/73	514	198	多草平原、哈罗罗比湖和石山岭；斑马、羚羊、水牛和豹
奥莫	—	1969	4 068	1 571	奥莫河两岸草原和金合欢；水牛、羚羊、象和狮
瑟门山	—	1966/69	179	69	瑟门山脉、悬崖和深谷；草原和桧树；巨角塔尔羊、狐和豹
扬古迪拉萨	—	1976/78	4 731	1 827	多草平原逐渐升高至加拉托代巴山；羚羊、猞猁、斑马和猎豹
芬兰					
莱门河	—	1956	2 855	1 102	丘陵和湖泊；松树和云杉林及开阔欧石楠地带；猝、驯鹿、熊和狼
欧兰卡	—	1956	269	104	欧兰卡河谷；欧石楠林地和松林；驯鹿、猝、狐和熊
帕拉斯-欧纳斯山	—	1938	506	195	山地高原；大峡谷；泥煤田和针叶林；驯鹿、熊和猝
乌尔霍凯科嫩	—	1983	2 550	985	丘陵、小河和河谷；欧石楠林地和松与云杉林；驯鹿
法国					
塞文山	—	1970	913	353	高原、山脉和峡谷；草地和栎-山毛榉林；野猪、鹿和狐
埃克兰	—	1973	918	354	阿尔卑斯地区；湖泊、峡谷、冰斗和冰川；落叶松林；岩羚羊和狐
梅尔康图尔	—	1979	685	264	阿尔卑斯山的一部分；湖泊和冰川；松和落叶松林；岩羚羊、巨角塔尔羊和狐
西比利牛斯	—	1967	457	176	与西班牙交界的山脉；山毛榉和松林；岩羚羊、熊、猞猁和巨角塔尔羊
瓦努瓦斯	—	1963	528	204	阿尔卑斯地区；湖泊和冰川；松林和欧石楠；岩羚羊、巨角塔尔羊和狐
格鲁吉亚					
普里厄尔布鲁斯基	—	1986	1 010	390	厄尔布鲁士山以东高加索山脉和巴克桑河
第比利斯	—	1973	197	76	
德国					
巴伐利亚森林	—	1969/70	131	51	起伏不平的山地高原；云杉、枞和山毛榉林；鹿、野猪、水獭和猞猁
贝希特斯加登	1910	1978	210	81	阿尔卑斯地区；平顶山脉；混生林和湖泊；岩羚羊、鹿和雕
下萨克森瓦登海	—	1986	2 400	927	下萨克森州北海海岸线；沙丘和盐地草甸；海豹和海鸟
石勒苏益格-荷尔斯泰因瓦登海	—	1985	2 850	1 100	丹麦边界以南的北海海岸线；泥沼洼地、沙质悬崖和岛屿；海豹和海鸟
加纳					
布伊	—	1971	1 821	703	黑沃尔特河两岸的草原林地；河马、水牛和羚羊
迪贾	—	1971	3 478	1 343	沃尔特湖的半岛；草原林地；猴、象和羚羊
莫莱	1961	1971	4 840	1 869	有草原林地的丘陵地区；狒狒、胡狼、鬣狗、象和羚羊
希腊					
奥林帕斯山	—	1938	40	15	爱琴海附近奥林帕斯山区；灌木丛林和松林；狼和狐
普雷斯帕	1971	1974	195	75	米克拉普雷斯帕湖及普雷斯帕湖的一部分；潟湖和苇草沼泽；水禽
格陵兰					
格陵兰	—	1974	972 000	375 291	格陵兰东北部极地景观；内陆冰帽和冻原；鸟类
瓜德罗普					
瓜德罗普	—	1989	173	67	活火山、热带森林和红树林-海洋生物海岸地区；浣熊
危地马拉					
拉坎东	—	1990	2 000	772	佩滕低石灰岩高原上的拉格洛里亚和圣迭戈湖；雨林
阿蒂特兰湖	—	1955	548	212	阿蒂特兰湖，四周有三座火山峰环绕；鸟类
蒂格雷	—	1990	3 500	1 351	
蒂卡尔	—	1955/57	574	222	马雅印地安人城市废墟；多山；热带森林；鹿、美洲豹和貘
圭亚那					
凯厄图尔	—	1929/30	586	226	桌子山、峡谷和凯厄图尔瀑布；雨林和稀树草原；美洲豹、水豚和貘
洪都拉斯					
阿加尔塔	—	1987	655	253	洪都拉斯东部山脉
阿苏尔-德米安巴	—	1987	200	77	约华湖附近山脉
巴伊群岛	1960	1979	294	114	加勒比海中的群岛；沙滩、珊瑚礁和针叶林
塞拉克	—	1987	270	104	山峰；云林；大咬鹃
科马亚瓜山	—	1987	180	69	
阿苏尔山	—	1987	155	60	与危地马拉交界处附近的山峰
库苏科山	1959	1987	184	71	山峰和瀑布；热带雨林和云林；美洲豹、貘和西貒
普拉塔诺河	1960	1980	3 500	1 351	加勒比海沿岸平原；山脉；松林草原和丛林；貘、美洲豹和鹿
约罗山	—	1987	300	116	
匈牙利					
奥格泰莱克	1945	1985	197	76	包括巴拉德拉岩洞在内的系列岩洞，有巨大的洞室和石笋
比克	—	1976	388	150	高原地区，有深谷、湍流和岩洞；山毛榉林

续表 7

国名 国家公园名	建立日期 保护区	 国家公园	面积 平方千米	 平方英里	概况
霍尔托巴吉	—	1973	522	202	大草原，有湖泊、沼泽和稀疏的树木；水鸟
基什孔萨格	—	1974/75	359	139	匈牙利大平原；草地、湖泊和苇草沼泽；鸟类
冰岛					
约库尔索峡谷	—	1973	151	58	大峡谷，有悬崖峭壁、瀑布和多草平原；桦树和柳树；鸟类
斯卡夫塔费尔	—	1967/68	1 600	618	部分被冰川侵蚀的景色，有温泉和沙土平原；欧石楠、柳和桦木；狐
印度					
安希	—	1987	250	96	在卡纳塔克邦
伯尔珀克拉姆	—	1986	220	85	梅加拉亚邦加罗丘陵；森林；象、印度野牛、鹿和野猪
班陶格尔	—	1968	449	173	中央邦迈格拉岭(丘陵)；娑罗双林；虎、印度野牛、熊和鹿
本迪布尔	1941	1974	874	337	卡纳塔克邦内西高止山的丘陵；柚木和檀香；印度野牛、鹿和虎
科比特	—	1935	521	201	北方邦中的河谷和丘陵；草地和娑罗双林；虎、鹿和豹
达吉根	—	1981	141	54	查谟和克什米尔喜马拉雅山西部；密林；克什米尔鹿、鹿和熊
沙漠	—	1981	3 162	1 221	拉贾斯坦邦塔尔沙漠；羚羊、狐和鸨
杜德瓦	—	1977	490	189	北方邦丘陵地区和湖泊；娑罗双林；虎、豹、鹿和熊
吉尔	1900	1975	259	100	古吉拉特邦生长灌木丛和柚木的丘陵地带；亚洲狮、鹿、羚羊和野猪
大喜马拉雅	—	1984	606	234	喜马偕尔邦喜马拉雅山西北部；豹、熊、野山羊和鹿
古加马尔	—	1987	362	140	在马哈拉施特拉邦
半高山	—	1981	4 100	1 583	查谟和克什米尔外喜马拉雅；豹、野绵羊、野山羊和狼
因德拉沃蒂	—	1978	1 258	486	中央邦中河谷；虎、印度野牛、豹和鹿
甘格尔加蒂	—	1982	200	77	在中央邦；虎、鹿、豹和印度野牛
甘哈	1935	1955	940	363	中央邦迈格拉岭(丘陵)；草地和娑罗双林；鹿和虎
加济兰加	1908	1974	430	166	阿萨姆邦平坦多沼泽地带；印度巨犀、象、水牛、鹿和虎
盖奥拉代奥·加纳	1955	1981	29	11	拉贾斯坦邦天然洼地和季节湖；候鸟、鹿和羚羊
干城章嘉	—	1977	850	328	锡金境内喜马拉雅山中部；豹、熊、野绵羊和鹿
吉什德瓦尔	—	1981	310	120	在查谟和克什米尔；鹿、克什米尔鹿、野山羊和豹
古德雷穆克	—	1987	600	232	卡纳塔克邦内的山
马陶	—	1959	156	60	在中央邦；豹、羚羊和鹿
海上(卡奇的海湾)	—	1982	163	63	古吉拉特的沿海地带；红树林；象、羚羊和鸟类
海上(文杜尔)	—	1983	282	109	安达曼群岛；红树林；野猪、鹿和鳄鱼
穆灵	—	1986	483	186	在阿鲁纳恰尔邦
纳格尔霍莱	1955	1975	643	248	卡纳塔克邦西高止山的丘陵；象、印度野牛、鹿和熊
纳姆达发	—	1983	1 985	766	阿鲁纳恰尔邦内喜马拉雅山东部；虎、象、豹、印度野牛和鹿
楠达德维山	1939	1982	630	243	北方邦喜马拉雅山西部盆地；豹、印度野牛、鹿和熊
北辛普利帕尔	—	1978	846	327	奥里萨邦辛普利帕尔丘陵；羚羊、鹿、象、豹、穿山甲、虎和熊
伯拉毛	1959	1986	213	82	比哈尔邦热达讷格布尔高原；虎、鹿、象、豹、野猪和狼
本纳	—	1981	5 427	2 095	中央邦丘陵；虎、豹、鬣狗、鹿和羚羊
本杰	—	1975	257	99	在马哈拉施特拉邦；虎、豹、印度野牛、鹿和熊
本杰	—	1977	293	113	在中央邦；虎、豹、印度野牛和鹿
佩里亚尔	1940	1982	305	118	喀拉拉邦佩里亚尔湖沿岸丘陵；热带雨林；象、印度野牛、鹿和虎
宾谷	—	1987	807	312	在喜马偕尔邦；野山羊、豹和野绵羊
拉贾吉	1948	1988	832	321	在北方邦；虎、豹、象、鹿和熊
伦滕波尔	1957	1980	392	151	拉贾斯坦邦温迪亚山脉；落叶森林和草地；虎、鹿和羚羊
森杰伊	—	1981	1 938	748	在中央邦；虎、豹、印度野牛、鹿和羚羊
萨里斯卡	1955	1982	274	106	拉贾斯坦的河谷和丘陵；沙漠丛林和金合欢；虎、豹和鹿
索德布尔	—	1981	524	202	中央邦山脉；虎、豹、鹿和印度野牛
孙德尔本斯	1973	1984	1 330	514	西孟加拉邦恒河三角洲；港湾红树沼泽；虎、鹿和野猪
达多巴	1935	1955	117	45	马哈拉施特拉邦山脉和达多巴湖；落叶雨林；鹿和虎
印度尼西亚					
西巴厘	1941	1982	777	300	巴里西北多山地带；沙滩；混生常绿森林；虎、鹿和野牛
巴鲁兰	1937	1980	250	97	东爪哇海岸和死火山；金合欢稀树草原；野牛、水牛和豹
南巴里桑	1935	1982	3 650	1 409	苏门答腊西南海岸；火山锥；红树林和娑罗双属森林；犀牛
布罗莫-腾格尔-塞梅鲁	1919	1982	580	224	东爪哇崎岖的火山高原；林地；野猪、鹿和豹
普廷角	1936	1982	3 550	1 371	加里曼丹南部沼泽半岛；雨林；猩猩、长臂猿和豹
杜莫加-博恩	1979	1982	3 000	1 158	西里伯斯中北部河谷和山脉；低地雨林；野牛
葛林芝-塞布拉	—	1981	14 847	5 732	苏门答腊中西部两边悬崖峭壁的狭谷地；森林；犀牛、貘和虎
科莫多	1938	1980	1 735	670	三个崎岖的小巽他群岛；巨蜥(科莫多龙)和鹿
库塔伊	1936	1982	1 986	767	加里曼丹东海岸；热带雨林；猩猩、长臂猿和豹
洛尔林都	1973	1982	2 310	892	西里伯斯中部重叠的山和温泉；雨林；野牛和东南亚疣猪
马努山口	—	1982	1 890	730	塞兰岛(摩鹿加)中部山脉；热带雨林；鹿、野猪和灵猫
梅鲁贝蒂瑞	1972	1982	580	224	爪哇东南部丘陵和河谷；低地雨林；虎、野牛和豹
格德庞朗奥山	1889	1980	150	58	爪哇西部成对火山和温泉；热带雨林；长臂猿
勒塞山	1934	1980	7 927	3 061	苏门答腊北部巴里桑山脉；热带雨林；猩猩、长臂猿和虎
帕隆山	—	1990	900	347	
库洛恩角	1921	1980	1 229	475	爪哇西部半岛和岛屿；雨林；犀牛、鹿和豹

续表 8

国名 国家公园名	建立日期 保护区	 国家公园	面积 平方千米	 平方英里	概况
林贾尼	—	1990	400	154	龙目岛上的山峰和湖泊；针叶林；水牛、鹿和猴
瓦苏尔	—	1990	3 080	1 189	伊里安查亚省南部广阔的沼泽
伊朗					
巴姆	—	1962	481	186	山脉、丘陵和平原；矮树丛植被；野山羊、野绵羊和豹
戈莱斯坦	—	1957	919	355	厄尔布尔士山脉；温带森林和干草原；野绵羊、豹、熊和鹿
卡维尔	—	1964	4 200	1 622	卡维尔沙漠；沙丘、盐漠和山脉；瞪羚、猎豹和野山羊
乌尔米耶湖	1960	1967	4 636	1 790	具有盐滩和沼泽的盐湖；水禽越冬的地区；豹和鹿
坦杜雷赫	—	1968	308	119	石灰岩的科佩特山脉；干旷草原植被；狼、熊和野绵羊
以色列					
卡尔迈勒山	—	1956/60	84	32	海法附近的山；地中海灌木丛植被和松林；鸟类
意大利					
阿布鲁兹	—	1923	440	170	亚平宁中部山脉，有冰川地貌；山毛榉森林；狼、熊、岩羚羊和鹿
卡拉布里亚	—	1968	159	61	意大利南部拉西拉地块；松树、山毛榉、枞和槭树森林；狼、野猪和鹿
大帕拉迪索	1836	1922	702	271	上瓦莱达奥斯塔的阿尔卑斯地区；冰川；落叶松森林；巨角塔尔羊、岩羚羊和狐
波利诺	1971	1990	1 964	758	亚平宁山脉南部；峡谷；松树林；狼、野猪和鹿
斯泰尔维奥	—	1935	1 483	573	崎岖的阿尔卑斯山区；冰川和落叶松森林；岩羚羊、鹿、巨角塔尔羊和狐
日本					
阿寒-久住	—	1934	905	349	北海道的活火山和湖泊；针叶林；熊、浣熊和鹿
阿苏	—	1934	727	281	阿苏火山(活火山)的下陷破火山口，在九州，有草地围绕
磐梯朝日	—	1950	1 870	722	本州岛的火山和山脉；湖泊；山毛榉林；熊、猴和羚羊
秩父多摩	—	1950	1 216	470	本州岛沉积岩山区；松树和混生林
中部山岳	—	1934	1 743	673	本州的日本阿尔卑斯山；山毛榉、栎、针叶林；羚羊
大山隐岐	—	1936	319	123	本州岛上的大山；日本海的隐岐群岛；多草平原和森林
大雪山	—	1934	2 309	892	北海道石狩火山山岭；云杉和枞树林；熊
富士箱根伊豆	—	1936	1 227	474	本州的富士火山、海岸和岛群；松树和枞树林；鹿和野猪
濑户内海	—	1934	628	242	濑户内海中约 600 个岛屿及本州、九州和四国部分主要海岸；松林；猴
伊势志摩	—	1946	555	214	本州志摩半岛和各小岛；伊势湾以其神道祠庙著名
上信越高原	—	1949	1 891	730	本州的高原和火山；湖泊；落叶松和桦树林；羚羊
雾岛屋久	—	1934	548	212	九州的雾岛火山山岭和屋久岛；雪松林
钏路湿原	—	1987	269	104	北海道的钏路湿地、塘路湖、川上郡的沼泽和丘陵
南阿尔卑斯	—	1964	358	138	本州的日本南阿尔卑斯山；枞和铁杉林；羚羊
白山	—	1962	477	184	本州火山链；松、山毛榉和栎树林；熊和羚羊
日光	—	1934	1 402	541	本州的火山山脉、湖泊和瀑布；针叶林；鬣羚和熊
利尻礼文佐吕别	—	1974	212	82	北海道的火山岛群和沼泽沿海平原；海岸峭壁和沙丘
西海	—	1955	247	95	九州以西的五岛火山群岛和九十九岛群；亚热带森林
支笏洞爷	—	1949	983	380	北海道羊蹄山和破火山湖；枞树林；熊和紫貂
知床	—	1964	386	149	北海道多山的半岛；云杉和枞树林；鹿、狐和熊
十和田八幡平	—	1936	854	330	本州八甲田山和十和田湖；温泉；枞树和山毛榉林
云仙天草	—	1934	283	109	九州云仙火山和槭树林；天草群岛
吉野熊野	—	1936	598	231	本州吉野山；有峡谷和常绿树的熊野地区
约旦					
佩特拉	1963	1968	122	47	在砂石峭壁上雕刻而成的奈巴他廷城；半干旱，有矮灌木丛和夹竹桃
哈萨克斯坦					
巴彦阿乌尔	—	1985	455	176	
肯尼亚					
阿伯德尔	—	1950	766	296	火山山脉；雨林和高沼地；犀牛、狮和象
安博塞利	1906/48	1974	392	151	干湖盆地；季节性沼泽和荆棘灌木丛；象、犀牛和猎豹
丘卢岭	—	1983	471	182	肯尼亚南部丘陵；原为禁猎区
科拉	1974	1989	1 788	690	沿塔纳河的灌木丛林地；靠近河边的森林；象、犀牛和河马
纳库鲁湖	1960/61	1967	188	73	大裂谷中的浅含碱湖；干旱稀树草原和丘陵区；红鹳
马里-沃特霍尔	—	1989	876	338	
梅鲁	1960/61	1966/67	870	336	平原和丘陵；荆棘灌木丛和草地；犀牛、羚羊、斑马和狮
埃尔贡山	1958	1967/68	169	65	埃尔贡山火山锥；山区森林；象、水牛、豹和羚羊
肯尼亚山	—	1949	718	277	侵蚀的山；冰川；森林和高沼地；象、水牛和森林猪
内罗毕	—	1946	117	45	高原；有树的热带草原；移栖的平原哺乳动物
锡比洛伊	—	1972/73	1 571	607	鲁道夫(图尔卡纳)湖的湖岸；干旱多草平原；斑马、长颈鹿、狮和猎豹
东察沃	—	1948	11 747	4 536	亚塔高原；荆棘灌木草地；象、犀牛和河马
西察沃	—	1948	9 065	3 500	丘卢丘陵；荆棘灌木草地；象、犀牛、河马和羚羊
朝鲜					
金刚山	—	—	439	169	太白山脉崎岖的山峰；深溪谷、瀑布和森林
韩国					
雉岳山	—	1984	182	70	原州附近山峰；九龙庙
智异山	—	1967	440	170	小白山脉山峰；峡和瀑布；落叶森林；鹿和熊

续表 9

国名 国家公园名	建立日期 保护区	建立日期 国家公园	面积 平方千米	面积 平方英里	概况
汉拿山	—	1970/73	149	58	济州岛的休眠火山；亚热带植被；雉
庆州	—	1968	138	53	朝鲜古新罗王朝首都，有庙宇和陵墓；松林
五台山	—	1975	299	115	山峰；松林；庙宇
俗离山	—	1970	283	109	山峰和峡；栎、槭和银杏林；法住寺
雪岳山	—	1970	373	144	太白山花岗岩山峰；槭树和银杏林；山羊
德裕山	—	1970/75	219	85	大田以南的山峰；庙宇
月岳山	—	1984	285	110	山峰和温泉
吉尔吉斯斯坦					
阿拉阿尔查	—	1976/77	194	75	吉尔吉斯山脉峡谷；枞树林和高山牧草地；鹿和豹
拉脱维亚					
高亚	—	1973	920	355	高亚河谷暴露的岩石；混合林；猞、鹿和河狸
利比里亚					
萨波	—	1983	1 292	499	热带森林覆盖的低地和沼泽；象、矮河马和斑马
利比亚					
库福	—	1979	350	135	扎维耶塔达多山的地中海沿岸
立陶宛					
立陶宛	—	1974	303	117	奥格施泰契艾高地的冰碛、湖泊和森林
马其顿					
加利西卡	—	1958	228	88	阿尔巴尼亚边界山脉；湖泊；桧类植物-栎林；熊、野山羊和鹿
马夫罗沃	—	1949	731	282	比斯特拉和沙尔山脉、湖和峡谷；毛山榉-枞树林；熊、鹿和岩羚羊
佩列斯特	—	1948/49	125	48	山脉和冰川湖；高山牧场和松林；熊、岩羚羊和鹿
马达加斯加					
昂布尔山	—	1958	182	70	古火山山丘，有火山口湖和瀑布；热带雨林；狐猴
伊萨卢	—	1962	815	315	切割的山丘，有陡峭的悬崖和峡谷；有树的热带大草原；狐猴
马纳纳拉	—	1989	230	89	马纳纳拉河口（开普贝尔卢内）
马拉维					
卡松古	1922	1970	2 316	894	有树的丘陵、岩质露头和多草山谷；象、羚羊和猎豹
马拉维（尼亚萨）湖	1934	1980	87	34	马拉维湖的半岛和岛屿；林地；河马、豹和羚羊
伦圭	1928	1970	887	342	希雷河沿岸平原；稀树草原和灌木丛；羚羊、猴、狮和鬣狗
利翁代	—	1973	538	208	希雷河沿岸的斜坡平原；有树的热带大草原；狮、象和水牛
尼卡	—	1965	3 134	1 210	尼卡高原；草地和长青林；斑马、羚羊、豹和狮
马来西亚					
克罗克山	—	1984	1 399	540	东马来西亚（沙巴）的山脉
基纳巴卢	—	1964	754	291	东马来西亚（沙巴）基纳巴卢山；瀑布；热带雨林；鸟类
巫鲁山	—	1974	529	204	东马来西亚（沙捞越）的山；洞穴；热带雨林；豹
内加拉	—	1938/39	4 344	1 677	西马来西亚高原；热带雨林；犀牛、象、野牛和虎
马里					
布克勒杜巴乌莱	1950	1953/54	3 500	1 351	砂岩高原；有树热带大草原；羚羊、长颈鹿、河马和狮
毛里塔尼亚					
阿尔金湾	—	1976	11 730	4 529	岛群、珊瑚礁、大西洋沙滩海岸；草地和金合欢灌木丛；鸟类
墨西哥					
布兰科河峡谷	—	1938	557	215	从阿库兹因戈山脉延伸的峡谷；热带丛林和针叶林
博森切韦	—	1940	150	58	萨卡托内斯山卡门湖和斜坡；松林；候鸟
查卡瓦环礁湖	—	1937	142	55	瓦哈卡海岸的环礁湖；沙滩和热带森林；鹿、野猪和鳄鱼
科夫雷-德佩罗特	—	1937	117	45	东马德雷山脉的火山（又称瑙赫坎巴特佩特）；松林
科利马峰	—	1936/40	222	86	活火山和火山喷气孔；亚热带植被、松林和高地草原
戈戈隆	—	1936	250	97	群山环绕的戈戈隆峡谷；温泉；松树和半干旱的植被
伊斯塔西瓦特尔-波波卡特佩特	—	1935	257	99	内华达山的两个休眠火山；被雪覆盖的山顶；松林
马林切	—	1938	457	176	科迪勒拉新火山的孤立火山；松林，其上为草地
马尔莫莱斯	—	1936	232	90	圣维森特绝壁和坎干多山；针叶林
蒙特雷山	—	1939	2 465	952	东马德雷山脉、溪流和峡谷；瀑布和洞穴；松林
奥里萨巴山峰	—	1936/37	198	76	孤立火山（又称锡特拉尔特佩特）；山顶积雪，斜坡上有松林
帕伦克	—	1981	18	7	马雅人山顶神殿遗迹；热带雨林；猴和鸟类
圣彼得罗马蒂尔山	—	1947	630	243	下加利福尼亚圣彼得罗马蒂尔山脉和溪流；松林；鹿、丛林狼和美洲狮
苏米德罗峡谷	—	1980	218	84	格里哈尔瓦河的深峡谷，奇科阿森坝将之围住蓄水；鸟类
坦西塔罗山峰	—	1940	293	113	老火山，底部周围有突出的熔岩碎块；斜坡上有松林
特波斯特科	—	1937	240	93	有特波斯特科金字塔的特拉乌伊卡考古地带；多山
托卢卡山峰	—	1936/37	510	197	有雪盖的休眠火山；火山口有两个湖；松林
索克阿潘和阿内克萨斯	—	1937	194	75	山脉地带、峡谷和溪流；高海拔松林
蒙古					
阿尔图尔	—	1984	936	361	乌兰巴托附近以前的禁猎区
准噶尔戈壁	—	1976	5 500	2 124	野生动植物自然保护区
大戈壁沙漠	—	1975	53 000	20 463	多石沙漠；分散的灌木丛和青草；羚羊和野骆驼

续表 10

国名 国家公园名	建立日期 保护区	 国家公园	面积 平方千米	 平方英里	概况
摩洛哥					
图卜卡勒	—	1934/42	360	139	大阿特拉斯山脉；栎和桧树林；野绵羊、瞪羚和鬣狗
莫桑比克					
戈龙戈萨	1921	1940	3 770	1 456	草地平原；荆棘灌木和棕榈莽丛；象、羚羊、水牛和狮
缅甸					
阿劳道·杰沙帕	—	1984	1 606	620	勃固以北的塔和山脉
纳米比亚					
埃托沙	1907	1958	22 270	8 598	内陆灌溉地区（盐田）；干旱的热带大草原；羚羊、斑马、象和狮
尼泊尔					
卡布他德	—	1986	225	87	喜马拉雅山的高原；草地和混生林；豹、熊、野猪和鹿
朗唐	—	1976	1 710	660	喜马拉雅山高山山谷；亚热带森林；野山羊、鹿、熊猫和豹
伯尔迪亚皇家（格尔纳利）	—	1988	968	374	伯尔迪亚和巴拜河的平原；娑罗双属森林和一些草地；虎、鹿、豹、野猪、象和海豚
吉特旺皇家	1846	1973	932	360	拉布蒂河沿岸平原；沼泽地和娑罗双属森林；犀牛、虎、鹿和熊
萨加玛塔	—	1976	1 148	443	珠穆朗玛峰（萨加玛塔）；松、枞和桧树林；鹿、野山羊和豹
西波克米多	—	1984	3 555	1 373	横跨喜马拉雅山地区；森林和西藏植物群；野绵羊、鹿和豹
荷兰					
霍赫费吕沃	—	1935	54	21	漂流沙的稳定地区；混生林地和湖泊；鹿、狐和野猪
新西兰					
阿贝尔塔斯曼	—	1942	225	87	塔斯曼湾的沙滩、岛屿和山脉；山毛榉林；鹿和野猪
阿瑟山口	—	1929	993	383	南阿尔卑斯山的高山区；冰川和山毛榉林；岩羚羊和鹿
埃格蒙特	—	1900	335	129	埃格蒙特峰的火山锥；瀑布；亚热带森林；野山羊和鹿
峡湾地带	—	1952	12 519	4 834	南岛沿岸峡湾；冰川；山毛榉林；岩羚羊和鹿
阿斯派灵山	—	1964	3 555	1 373	南阿尔卑斯山；冰川和河谷；山毛榉林；鹿、岩羚羊和野山羊
库克山	—	1953	700	270	南阿尔卑斯山；冰川和高山植被；野山羊、岩羚羊和鹿
纳尔逊湖	—	1956	1 018	393	山脉环绕的罗托伊蒂湖和罗托罗阿湖；山毛榉林；鹿和岩羚羊
帕帕罗阿	—	1987	306	118	沿岸潘凯克岩石地形；帕帕罗阿山脉；山毛榉林；鸟类
汤加里罗	—	1887	796	307	三座火山（其中两座为活火山）、冰川和间歇泉；山毛榉林；鸟类
乌雷韦拉	—	1954	2 127	821	北岛山脉；瀑布和混合林；野猫、野猪和鹿
韦斯特兰	—	1960	1 175	454	南阿尔卑斯山西部山麓和冰川；亚热带雨林；岩羚羊
旺阿努伊	—	1986	742	286	北岛山脉和旺阿努伊河边的峭壁；森林；鸟类
尼日尔					
尼日尔西非	1937	1954	2 200	849	塔波阿和梅克鲁河谷；多树热带草原；象、水牛和羚羊
尼日利亚					
加沙卡-吉姆蒂	—	1991	5 860	2 263	与喀麦隆交界的戈泰尔山；森林；羚羊、狮和猴
卡因吉湖	1961	1975/79	5 320	2 054	卡因吉湖岸和邻近的平原；有树草原；羚羊、狮和象
旧奥约	1988	1991	2 530	977	稀树草原林地；羚羊、象、疣猪、水牛和狮
扬卡里	1956	1991	2 254	870	丘陵，有加吉河流经；稀树草原林地；象、羚羊和狮
挪威					
博尔格山	1963	1970	1 107	427	山脉、湖泊和溪流；桦树林；狞、鹿、狐和狼獾
多夫勒山	—	1974	256	99	多山高原；桦树林、酸果蔓属和草地；麝牛、野驯鹿和狞
费门斯马卡	—	1971	390	151	低山高原、冰碛和湖；松林；熊、狼獾和猞猁
格雷萨莫恩	—	1970	182	70	贫瘠的山地、广阔的谷地和湖；云杉林；狞、猞猁和狐
哈当厄高原	—	1981	3 422	1 321	高的花岗岩和片岩高原；北极和亚北极的植被；野驯鹿和狐
尤通黑门山	—	1980	1 145	442	高山、冰川和湖；高山植物群；鹿、野驯鹿、猞猁和狐
西北斯匹次卑尔根	—	1973	3 560	1 375	哈康七世地的山脉和冰川；北极苔原；野驯鹿
上阿纳尔河	—	1975	1 399	540	低起伏高原；酸果蔓属、桦和松林；狞、狼獾和狼
上迪维谷地	—	1971	743	287	高原、谷地和湖；松和桦树林；猞猁、熊、狼和狼獾
卡尔王子岛	—	1973	640	247	斯匹次卑尔根以西的多山岛屿，有锯齿状冰川覆盖的山岭；北极苔原
雷戈	—	1971	167	64	岩石覆盖的山地和瀑布；松林；猞猁、狞和狼獾
龙达讷	1962	1970	580	224	山块；高山和亚高山植被；野驯鹿、狞、鹿和狐
萨尔特峰-斯瓦蒂森	—	1989	2 105	813	山地高原；斯瓦蒂森的雪原和冰川
南斯匹次卑尔根	—	1973	5 300	2 046	图雷尔地和南角地的山脉和冰川；北极苔原
巴基斯坦					
特龙	—	1988	1 677	647	伯洛吉斯坦的山岭和山峰
赫扎尔根吉-吉尔坦	1890	1980	156	60	伯洛吉斯坦的山脉；稀疏的灌木林；野山羊、野绵羊和豹
欣戈尔	—	1988	1 650	637	伯洛吉斯坦的河谷
红其拉甫	—	1975	2 269	876	喜马拉雅山的山谷、冰川和高山牧草地；桦树林；野绵羊
吉尔特尔	1940	1974	3 087	1 192	特尔沙漠的丘陵；旱生树和灌木丛；野山羊、羚羊和狐
拉尔苏汗拉	1947	1972	874	337	焦利斯坦沙漠和伯蒂萨尔水湖；荆棘林；野猪、鹿和胡狼
马加拉丘陵	1959	1980	174	67	伊斯兰堡附近的小山脉；金合欢和松林；猴
巴拿马					
上坎帕纳	1966	1977	48	19	太平洋和加勒比地区动物的混生山区；常青雨林
阿米斯塔得	—	1988	2 070	799	与哥斯达黎加交界的山区；热带雨林

续表 11

国名 国家公园名	建立日期 保护区	 国家公园	面积 平方千米	 平方英里	概况
巴鲁火山	—	1976	140	54	一座老的侵蚀火山和山脉；热带森林；大咬鹃
霍亚山	—	1984	326	126	阿苏埃罗半岛西南端
查格雷斯	—	1984	1 290	498	河谷
科伊瓦	—	1991	2 701	1 043	太平洋上的岛屿
达连	—	1980	5 790	2 236	与哥伦比亚交界的山脉；热带雨林；美洲豹、貘和食蚁兽
贝卢港	—	1976	348	134	有岛屿、海湾和沼泽地的海岸线；红树林和热带森林
索韦拉尼亚	—	1979/80	221	85	巴拿马运河东岸，有起伏丘陵；低地热带雨林
巴拉圭					
德芬索雷斯德查科	—	1975	7 800	3 012	大查科北部（平原）；半干旱的荆棘林；西貒、美洲豹和犰狳
恩西斯科中尉镇	—	1980	400	154	大查科西北（平原）；半干旱棕榈林；西貒、水豚和鹿
廷方克	—	1966	2 800	1 081	皮科马约河沿岸永久或季节性的棕榈沼泽（湿查科）；鸟类
伊维图鲁苏	—	1990	240	93	山脉
秘鲁					
阿比塞奥河	—	1983	2 745	1 060	安第斯山的陡峭山坡和宽阔的谷地；雨林；熊
阿莫塔佩山	—	1975	913	353	秘鲁北海岸的阿莫塔佩山脉；荆棘林地；鹿和西貒
瓦斯卡兰	—	1975	3 400	1 313	安第斯山脉的山峰；山区的潮湿森林；骆马、鹿和熊
马努	1968	1973	15 328	5 918	亚马孙流域（马努河）地区；热带雨林；熊、鹿和美洲豹
廷戈玛丽亚	1950	1965	180	69	丘陵地带；湿亚热带森林；有油鸱巢的洞穴
亚纳克哈加-吉米银	—	1987	1 220	471	利马附近亚马孙河中部盆地；热带雨林；犰狳
菲律宾					
巴丹	—	1945	237	92	吕宋岛马尼拉湾沿岸崎岖地带；热带雨林；第二次世界大战战场
瑙汉湖	—	1956	217	84	民都洛岛上瑙汉湖区；沼泽和森林；鸟类、鹿、猴和野猪
马荣火山	1930	1938	55	21	吕宋岛上的活火山；草地和矮树；鹿、野猪和巨蜥
阿波山	—	1936	728	281	棉兰老岛上的活火山、湖泊、温泉和瀑布；森林；鹿和野猪
坎拉翁山	—	1934	246	95	内格罗斯岛上的活火山、温泉和瀑布；森林；鹿、猴和野猪
马林当山	—	1971	533	206	棉兰老岛上的山和湖；热带潮湿林；野生动物
伊格里特-巴科	—	1970	754	291	民都洛岛上的崎岖山脉；草地；水牛（侏儒水牛）
波兰					
巴比亚山	1924	1933/54	17	7	贝斯基德山脉的地块；针叶林；熊、猞猁、鹿和野猫
比亚沃韦扎	1919	1932/47	53	20	欧洲平原的低地森林；沼泽地；美洲野牛、狎、野马和熊
别斯扎蒂	—	1973	153	59	喀尔巴阡山脉；枞树林；熊、狼、猞猁、欧洲野牛、鹿和野猪
坎皮诺斯	—	1959	355	137	维斯图拉河沿岸沙丘和牧场；松树；狎、鹿和狐
皮耶尼内	1921	1932/54	23	9	杜纳耶茨河深谷所切断的山脉；枞和落叶松林；鹿和猞猁
斯沃文斯基	—	1966/67	182	70	类似沙漠的波罗的海海岸盐湖、沙丘；沼泽和松林；鹿
塔特拉	—	1954/55	212	82	喀尔巴阡山，有湖泊和洞穴；松林；岩羚羊、熊、狼和鹿
葡萄牙					
佩内达-热里什	—	1971	703	271	花岗岩山脉和山谷；栎和松林；野猪、鹿、狼和野马
罗马尼亚					
阿普塞尼	—	1990	379	146	阿普塞尼山脉的岩溶景色；洞穴
布切吉	1943	1990	357	138	带有岩石峰的布切吉山丘；山毛榉和枞树林；岩羚羊、熊、狼和鹿
卡拉什峡谷	1982	1990	304	117	
恰赫勒乌	1941	1990	172	66	山块，有尖状岩石和瀑布的山丘；落叶松林
多莫格莱德-切尔纳谷地	1932	1990	601	232	多莫格莱德山；切尔纳谷地的岩溶地貌；栎、椤、榛和松林
内拉峡谷-布斯尼塔	1982	1990	456	176	石灰岩峡谷；布斯尼塔河流域；岩溶地貌、洞穴、瀑布和湖泊；森林
皮亚特拉克拉伊卢伊	1938	1990	148	57	石灰岩山丘；山毛榉、云杉和枞树林；岩羚羊和熊
雷泰扎特	—	1935	544	210	喀尔巴阡山脉；湖泊；山毛榉、云杉和枞树林；岩羚羊、熊和鹿
罗德纳	—	1990	567	219	山丘和冰川湖
俄罗斯					
巴什基尔	1930	1986	980	378	乌拉尔南部丘陵区；松、落叶松和桦树林；熊、狎和鹿
贝加尔湖畔	—	1986	4 527	1 748	西伯利亚伊尔库茨克附近贝加尔湖西南沿岸
萨马拉河湾	—	1984	1 340	517	绕过日古利山的伏尔加河湾
索契	—	1983	1 896	732	索契附近黑海沿岸地区
通金斯基	—	1991	11 837	4 570	
外贝加尔	—	1986	2 672	1 032	西伯利亚贝加尔湖东北部沿岸
卢旺达					
阿卡吉拉	—	1934	3 120	1 205	卡吉拉河沿岸丘陵、湖泊和沼泽；草地；斑马、羚羊和狮
火山	1925	1929	150	58	维龙加山块；竹林和林地；大猩猩、象、水牛和羚羊
沙特阿拉伯					
阿西尔	—	1978/81	4 500	1 737	山脉和沿岸平原；棕榈、金合欢和桧树；胡狼、狼、巨角塔尔羊和猴
塞内加尔					
朱知	1962	1971	160	62	塞内加尔河三角洲的盐浅滩（湿地）；金合欢和柽柳属植物；红鹳
尼奥科洛科巴	1926	1954	9 130	3 525	冈比亚河沿岸漫滩；稀树草原-林地；豹、象和狮
萨卢姆三角洲	1964	1976	760	293	有沙岛和潟湖的三角洲；红树林和开阔森林；猴和疣猪
塞拉利昂					

续表 12

国名 国家公园名	建立日期 保护区	 国家公园	面积 平方千米	 平方英里	概况
奥塔姆巴-基里米	—	1981/86	808	312	广阔的河流平原；稀树草原和林地；象、豹和河马
斯洛伐克					
小法特拉山	1967	1988	226	87	多山的石灰岩和白云石高原；云杉和山毛榉林
下塔特拉山	—	1978	811	313	低塔特拉山脉；云杉、枞树和松树林；熊和猞猁
斯洛伐克拉伊	1964	1988	198	76	斯洛伐克厄尔士山脉岩溶地貌；云杉、枞树、山毛榉和槭树森林
塔特拉	—	1948	741	286	高塔特拉山脉；高山草甸和云杉林；岩羚羊和熊
斯洛文尼亚					
特里格拉夫峰	1924	1961/81	848	327	尤利安山山峰；山毛榉和云杉林；山地山羊、鹿和岩羚羊
南非					
阿多象	—	1931	117	45	东开普灌木丛覆盖的凹凸不平地带；象、羚羊和犀牛
喀拉哈里大羚羊	—	1931	9 591	3 703	北开普红沙丘和草地；羚羊、狮、食蚁兽和鸵鸟
卡鲁	1962	1979	328	127	西开普平原；草地和灌木丛；羚羊、猴、豹和鸵鸟
克鲁格	1898	1926	19 485	7 523	德兰士瓦的起伏地带；稀树草原；犀牛、象、水牛和狮
皮拉内山	—	1979	550	212	博普塔茨瓦纳的火山丘陵；稀树草原；犀牛、羚羊、象和猎豹
里奇特斯韦尔德-康特拉克图尔	—	1991	1 624	627	北开普多山沙漠；奥兰治河河湾；多汁植物
西班牙					
科瓦东加山	—	1918	169	65	石灰岩山区；山毛榉和栎树林；岩羚羊、狼、熊、野猪和鹿
唐娜娜	1963	1969	507	196	瓜达尔基维尔河三角洲；沼泽地、沙丘和软木栎林；鸟类
加拉霍那伊	—	1980/81	40	15	加那利群岛中戈梅拉岛上的加那霍那伊峰；茂密的月桂林
奥尔德萨河谷，佩尔迪多山	—	1918	156	60	比利牛斯山中加瓦尼山谷；石灰岩陡壁、瀑布和洞穴；针叶林；巨角塔尔羊、岩羚羊、熊、鹿、野猪和狐
泰德	—	1954	136	53	加那利群岛中的特内里费岛泰德峰的巨大火山口；桧属植物
斯里兰卡					
加尔河	—	1954	259	100	塞纳纳亚克湖和准平原；稀树草原；象、水牛、豹和鹿
马杜鲁河	1979	1983	589	227	起伏的准平原；草地和长青林；象、熊和水牛
鲁胡努(西亚勒)	1900	1938	975	376	岩石突出的海岸平原；荆棘灌木林；熊、豹、象和鹿
索马瓦西亚杰蒂亚	1966	1986	376	145	马哈韦利河的三角洲泛滥平原；草；象、胡狼、野猫和野猪
乌德瓦勒韦	—	1972	308	119	瓦勒韦水库沿岸的平原和山麓；草地；象、鹿和野猪
瓦斯戈穆沃	1907	1980/84	336	130	萨都坎达山脉；常青林；象、豹、熊和鹿
维勒珀图	1905	1938	1 121	433	有湖和沙丘的水平地区；分散的森林；象、鹿、野猪和豹
东亚勒	—	1969	179	69	库马纳红树沼泽；半干旱的荆棘灌木丛和茂密的森林；鸟类
苏丹					
班丁基洛	1935	1985	16 500	6 371	尼罗河附近的沼泽地；金合欢稀树草原；犀牛、象、长颈鹿和狮
博马	1960	1981	22 800	8 803	平坦的泛滥平原和起伏的高原；林地；羚羊、长颈鹿、水牛和狮
丁德尔	—	1935	8 900	3 436	沿埃塞俄比亚高地的泛滥平原；金合欢稀树草原；长颈鹿、水牛和羚羊
尼穆莱	1946	1954	410	158	沿白尼罗河的丘陵；稀树草原林地；象、猴和羚羊
拉杜姆	1979	1980	12 500	4 826	丘陵和山岭；稀树草原林地；象、羚羊和河马
尚贝	1935	1985	620	239	尚贝湖附近纸莎草沼泽；稀树草原林地；羚羊、水牛和狮
南方	—	1939	23 000	8 880	苏埃河沿岸平地；灌木和长廊林；象、水牛和犀牛
瑞典					
阿比斯库	—	1909	77	30	阿比斯库河谷、山脉和光秃的岩石；桦树丛；猞、驯鹿和狐
默达斯	—	1942	493	190	有一条河谷穿过的高原；云杉和松林；猞、熊、猞猁和驯鹿
帕亚伦塔	—	1962	1 984	766	瑞典拉普兰山区和湖泊；高山欧石楠；猞、驯鹿和熊
佩列凯斯	—	1909	153	59	山丘；桦树林和高山欧石楠；猞、狐、驯鹿和鼬
萨勒克	—	1909	1 970	761	瑞典拉普兰的岩峰和冰川；桦树林；猞、狐、熊和驯鹿
大湖瀑布	—	1909	1 278	493	瑞典拉普兰山脉；湖泊；松和云杉林；猞、驯鹿和熊
瑞士					
瑞士	1909	1914	169	65	雷蒂亚山脉；松林和高山牧草地；岩羚羊、鹿、巨角塔尔羊和狐
中国(台湾省)					
垦丁	—	1982	326	126	台湾南端的岩石海岸和沙丘；热带雨林；鸟类
太鲁阁	1936	1986	920	355	大理石深峡谷和山脉；雨林；豹、猴、熊和野山羊
玉山	—	1985	1 055	407	山脉和瀑布；枞、云杉和松林；鬣羚、鹿、熊和猴
坦桑尼亚					
阿鲁沙	—	1960/67	137	53	恩古尔多托火山口和梅鲁山；雨林；象、河马和犀牛
贡贝	1943	1968	52	20	坦噶尼喀湖沿岸山脉；长廊林；黑猩猩、猴和水牛
卡塔维	1951	1974	2 253	870	泛滥平原和湖泊；林地稀树草原；河马、水牛、象和羚羊
乞力马扎罗	1951	1973	756	292	乞力马扎罗火山雨林；象、水牛、犀牛和羚羊
马尼亚拉湖	1957	1960	325	125	东非大裂谷的盐湖；金合欢草地；犀牛、象和狮
马哈利山	—	1985	1 577	609	山脉和峡谷；热带雨林；黑猩猩、羚羊、狮和长颈鹿
米库米	—	1964	3 230	1 247	姆卡塔河泛滥平原；林地稀树草原；猴、狮、长颈鹿、象和斑马
鲁阿哈	1910	1964	12 950	5 000	鲁阿哈河谷；稀树草原和常青林；狮、象、斑马和犀牛
鲁邦多岛	1966	1977	457	176	维多利亚湖中的丘陵岛；常青林；羚羊、河马和黑猩猩
塞伦盖蒂	1929	1951	14 763	5 700	开阔草地平原；大群的迁移动物(羚羊和斑马)和狮

续表 13

国名 国家公园名	建立日期 保护区	 国家公园	面积 平方千米	 平方英里	概况
塔兰吉尔	1957	1970	2 600	1 004	地势起伏地区；金合欢荆棘灌木丛；犀牛、羚羊、象、狮和水牛
泰国					
寨颂	—	1988	592	229	
仓岛	—	1982	650	251	达叻府西南的泰国湾中的岛群；沙滩和茂密的莽林
昭迈滩	—	1981	231	89	董里附近的白沙滩，后面为木麻黄树林；有洞穴的石灰岩丘陵
乍达干	—	1987	543	210	
爱侣湾	1959	1975	550	212	爱侣湾瀑布；山脉、悬崖和石灰岩洞穴；娑罗双树和竹林
华得河	—	1988	829	320	
甲庄急流	—	1981	2 915	1 125	碧武里河和山；雨林；虎、印度野牛、长臂猿、象和鹿
林也山-沙蜜群岛	—	1981	131	51	大陆的白沙滩和泰国湾的阁沙湄岛；鹿、猴和狐蝠
夜素林瀑布	—	1981	396	153	在夜丰颂附近
崇那育山	—	1987	686	265	
杏隆敢山	—	1984	307	119	山脉、复杂的岩石地层和瀑布；松林；虎、熊和鹿
英坦昂山	1959	1972	482	186	泰国的最高山；瀑布；潮湿的山顶森林；灵猫、鹿、熊和狐猴
坤丹山	—	1975	255	98	清迈附近的山脉和瀑布；熊、鬣羚、野猪、鹿和虎
甲洞山	1947	1962	348	134	石灰岩高原；松林和草地；鹿、长臂猿、象、熊和胡狼
銮山	1961	1974	570	220	瀑布山脉；热带雨林；犀牛、豹、象和虎
攀山	—	1972/75	665	257	沙空那空附近的山脉、瀑布和洞穴；森林；鹿和象
普山-也山	—	1982	694	268	
沙拉因銮山	1963	1972	1 262	487	山脉；瀑布；多林牧场；象、印度野牛、鹿、长臂猿和虎
速山	—	1980	646	249	攀牙附近的石灰岩悬崖和瀑布；雨林；象、豹和鬣羚
艾山	1959	1962	2 169	837	砂岩山脉和瀑布；雨林；鹿、长臂猿、象、虎和印度野牛
瑙河	—	1972	966	373	隆塞附近的丘陵、瀑布和洞穴；松和栎林；象和爪哇野牛
诺帕叻塔拉滩-披披群岛	—	1983	390	151	甲米附近的沙滩，上排列着木麻黄树，有高峭壁、洞穴和椰树的岛群；珊瑚礁；鸟类
奥布琅	—	1991	3 456	1 334	切姆河的深峡谷；荆棘林
邦西达	—	1982	844	326	
攀牙湾	—	1981	400	154	攀牙湾中风化的石灰岩突岩层(岛群)；红树沼泽
碧达叻岛	—	1984	494	191	
宾河	—	1981	1 003	387	班洪以南的河、悬崖和山脉；柚木林
兰坎亨	—	1980	341	132	素可泰以西的山脉；穿山甲、鬣羚、野猪、鹿和印度野牛
赛育	—	1980	500	193	北碧附近的瀑布；石灰岩洞穴；竹林；象和虎
西拉那	—	1989	1 406	543	
西那卡因	—	1981	1 532	592	圭艾湖、瀑布和山脉；森林
西沙猜那莱	—	1981	213	82	素可泰王国有城墙的古城；庙宇
西米南岛群	—	1982	128	49	普吉岛西北的安达曼海中九个岛；珊瑚礁；茂密莽林
宋角	—	1983	315	122	安达曼海沿岸地带；红树沼泽和沙滩；鹿和猴
达鲁道	—	1974	1 490	575	沙敦以西安达曼海中岛屿；沙滩和珊瑚礁；茂密莽林
塔兰	—	1981	2 236	863	
渊阁塞	—	1981	410	158	南邦附近
翁河	—	1987	894	345	
永河	—	1986	455	176	
多哥					
法扎奥-马尔法卡萨	—	1950/75	1 920	741	法扎奥山脉；稀树草原林地；黑猩猩、象、水牛和羚羊
凯兰	—	1950/71	1 636	632	库蒙古河泛滥平原；长廊林和稀树草原；象和河马
突尼斯					
艾什凯勒湖	—	1980	126	49	地中海沿岸湖泊；湿地；留鸟和候鸟
布哈德马山	1936	1980	165	64	布哈德马山脉高原；桧树森林草原；瞪羚和野绵羊
土耳其					
加利波利半岛	—	1973	330	127	达达尼尔海峡沿岸沙滩和峭壁；松柏林；狼
格莱梅	—	1986	96	37	格莱梅山谷火山凝灰岩的玫瑰色火山锥和山峰
卡拉泰佩-阿斯兰塔什斯	—	1958	77	30	高原上西台城废墟；栎和松林；鹿、胡狼、狼和野猪
柯普律吕峡谷	—	1973	366	141	柯普律河的石灰岩深峡谷；柏林；鹿和狼
内姆鲁特山	—	1988	139	54	卡赫塔附近安条克一世陵墓；巨大的石像
蒙苏尔山谷	—	1971	420	162	山地湖和峡谷；栎林；熊、狼、猞猁、野猪和巨角塔尔羊
奥林波斯-贝达厄阿里	—	1970/72	698	269	从海岸峭壁上升到山脉；松、枞和雪松林；熊、狼和野猪
乌干达					
布温迪-伊姆佩尼彻布尔森林	1932	1991	321	124	伊沙沙河附近峻峭的农村地区；山地热带森林；山地大猩猩和鸟类
卡巴雷加(默奇森)瀑布	—	1952	3 839	1 482	维多利亚尼罗河沿岸起伏的稀树草原，森林；瀑布；黑猩猩、水牛、羚羊、犀牛、象、河马和狮
基代波河谷	1958	1962	1 344	519	基代波和拉鲁斯河流域；树和灌木干旷草原；斑马、猎豹和羚羊
姆布洛湖	1959	1982	256	99	围绕姆布洛湖的平原、丘陵和沼泽；金合欢草地；羚羊和豹
伊丽莎白女王	—	1952	1 978	764	爱德华湖和乔治湖之间的稀树草原和沼泽；河马和象

续表 14

国名 国家公园名	建立日期 保护区	 国家公园	面积 平方千米	 平方英里	概况
鲁文佐里山	—	1991	996	385	高的山峰；冰川；森林和高山植被；黑猩猩、象和豹
乌克兰					
卡尔帕特	—	1980	503	194	包括霍弗尔瓦山在内的喀尔巴阡山脉和湖泊；森林
沙茨克	—	1983	825	319	
英国					
布雷肯比肯斯	—	1957	1 351	522	威尔士布雷肯比肯斯(砂石峰)；树林谷地和欧石楠沼地
布罗得斯	—	1989	303	117	英格兰浅湖和连接内陆的水路；沼泽；鸟类
达特穆尔	—	1951	954	368	英格兰栎树林谷地包围的起伏花岗岩台地；欧石楠沼地
埃克斯穆尔高地	—	1954	693	268	英格兰沿海高原；欧石楠沼地和落叶林；鹿和矮种马
湖区	—	1951	2 292	885	英格兰排列完整的山脉和湖泊；有栎树林的草地；鹿和獾
新福里斯特	—	1993	375	145	英格兰索伦特的山毛榉和栎树林；低矮灌木；鸟类
北约克沼地	—	1952	1 436	554	英格兰伸延到海岸的高原；林地山谷和欧石楠沼地；鹿
诺森伯兰	—	1956	1 049	405	英格兰切维厄特丘陵地区；泥炭和欧石楠沼地；森林
皮克区	—	1951	1 438	555	英格兰奔宁山脉(丘陵)南端；欧石楠、草地和桦树林地
潘布鲁克郡海滨	—	1952	584	225	沿威尔士海岸线的岩石和峭壁、沙湾和气穴；一些林地；海鸟
斯诺多尼亚	—	1951	2 142	827	威尔士冰川山区；沼地、栎树林和海岸沼泽；水鸟
约克郡溪谷	—	1954	1 769	683	英格兰奔宁丘陵地；石灰岩地貌和沼地；鸟类
美国					
阿卡迪亚	1916	1919	171	66	缅因州芒特德瑟特岛和花岗岩海岸山脉；混生林；鹿
阿切斯	1929	1971	298	115	犹他州被浸蚀的石灰岩山拱和山峰；沙漠植物群；鹿、丛林狼和狐
巴特兰兹	1929	1939/78	982	379	南达科他州光秃的山锥、孤山和溪谷；草地，有美洲野牛和大角羊
大本德	1935	1944	3 243	1 252	得克萨斯州沿里奥格兰德的山脉和峡谷；干旱草原；鹿和丛林狼
比斯坎	1968	1980	699	270	沿佛罗里达州的热带岛屿和珊瑚礁；红树林海岸线和栗色马群
布赖斯峡谷	1923	1924	145	56	犹他州被浸蚀的山峰、峭壁和山锥；北美艾灌丛和松林；鹿
峡谷区	—	1964	1 365	527	犹他州被浸蚀的直立岩石峡谷；松树和草地；鹿和丛林狼
卡皮特尔里夫	1937	1971	979	378	犹他州彩色砂岩峭壁和岩石塔；沙漠植被和松树
卡尔斯巴德洞窟	1923	1930	189	73	新墨西哥州石灰岩地层洞窟和大的地下洞穴；蝙蝠
海峡群岛	1938	1980	1 010	390	加利福尼亚南部近海岸的五个岛屿；独特的植物；海豹、海狮和海鸟
火山口湖	—	1902	741	286	俄勒冈州喀斯喀特山脉的破火山湖；松林；鹿、熊和丛林狼
死谷	1933	1994	13 502	5 213	加利福尼亚崎岖不平的沙漠地带、山峰和洼地；耐盐植物；大角羊
达纳利	—	1917	20 236	7 813	阿拉斯加马金利山；冰川；云杉林；北美驯鹿、阿拉斯加盘羊、驼鹿和熊
德赖托图格斯	1935	1992	262	101	佛罗里达州基韦斯特西部珊瑚岛群；全砖石的杰斐逊堡；鸟类
大沼泽地	1934	1947	6 097	2 354	佛罗里达州亚热带锯草沼泽；红树林；美洲狮、鹿和钝吻鳄
北极之门	1978	1980	30 448	11 756	阿拉斯加布鲁克斯山脉；针叶林；熊、北美驯鹿和驼鹿
冰川	—	1910	4 102	1 584	蒙大拿州山峰、冰川和湖泊；针叶林；大角羊、驼鹿和熊
冰川湾	1925	1980	13 053	5 040	阿拉斯加有潮水域冰川；温带雨林；熊、山地山羊、鲸和海豹
大峡谷	1893	1919	4 926	1 902	亚利桑那州科罗拉多河的大峡谷；沙漠植被；丛林狼和鹿
大蒂顿	—	1929	1 254	484	怀俄明州山脉；云杉和松树林；獐、驼鹿、鹿和熊
大盆地	1922	1986	311	120	内华达州斯内克山脉、残余的冰原和石灰岩洞；森林
大雾山	1926	1934	2 105	813	田纳西州和北卡罗来纳州山脉；硬木森林；鹿、熊和野猫
瓜达卢普山脉	1966	1972	350	135	得克萨斯州起自沙漠的山脉；灌木和松树；鹿、大角羊和美洲狮
哈莱阿卡拉	1916	1960	114	44	夏威夷毛伊岛的休眠火山(哈莱阿卡拉火山口)；高山沙漠植被；鸟类
夏威夷火山	1916	1961	927	358	夏威夷岛上活火山(基拉韦厄和冒纳罗亚火山)；热带雨林；鸟类
温泉	1832	1921	23	9	阿肯色州的温泉；栎、松和山核桃林地；兔子、北美臭鼬和狐
罗亚尔岛	—	1931	2 313	893	密歇根州苏必利尔湖中荒岛；混生林；狼、驼鹿和丛林狼
约书亚树	1936	1994	3 214	1 241	加利福尼亚州山脉和沙洲；约书亚树原(巨大的丝兰)；大角羊
卡特迈	1918	1980	15 037	5 806	阿留申山脉和阿拉斯加半岛海岸；北方森林和冻土带；熊
基奈峡湾	1978	1980	2 709	1 046	阿拉斯加的海岸峡湾和哈丁冰原；北方森林；海狮、海獭和海豹
金斯峡谷	—	1890	1 870	722	加利福尼亚州内华达山脉的峡谷和山峰；巨大的红杉；熊和鹿
科伯克河谷	1978	1980	7 084	2 735	阿拉斯加科伯克河谷；北方森林；北美驯鹿、熊、狼和驼鹿
克拉克湖	1978	1980	10 671	4 120	阿拉斯加奇格米特山脉中的冰川湖；森林和冻土带；北美驯鹿和熊
拉森火山	1907	1916	430	166	加利福尼亚州拉森峰、温泉和泥汤泉；针叶林；鹿和熊
马默斯洞穴	1926	1941	212	82	肯塔基州马默斯洞穴群和丘陵地；硬木森林；蝙蝠
弗德台地	—	1906	210	81	科罗拉多州台地，有印第安人的山崖住居；松和桧树林；鹿和熊
雷尼尔山	—	1899	953	368	华盛顿州古火山和其冰川带；针叶林；鹿和熊
北喀斯喀特	—	1968	2 043	789	华盛顿州山区，有雪原和冰川；茂盛的森林
奥林匹克	1909	1938	3 735	1 442	华盛顿州山脉；冰川；铁杉和云杉雨林；獐、鹿和熊
化石林	1906	1962	378	146	亚利桑那州木化石和佩恩蒂德沙漠；旱生灌木丛；叉角羚和丛林狼
雷德伍德	—	1968	445	172	加利福尼亚州太平洋海岸风景区；原始红杉林
落基山	—	1915	1 075	415	科罗拉多州山峰、谷地和湖泊；松和枞树林；獐、鹿、大角羊和熊
萨瓜罗	1933	1994	78	30	亚利桑那州索诺兰沙漠的平原地区；巨大的萨瓜罗仙人掌属植物林区；鹿
红杉	—	1890	1 629	629	加利福尼亚州内华达山脉；巨大的红杉；鹿、熊和大角羊
谢南多厄	1926	1935	795	307	弗吉尼亚州蓝岭山脉；硬木(栎)森林；鹿、熊、红猫和狐

续表 15

国名 国家公园名	建立日期 保护区	 国家公园	面积 平方千米	 平方英里	概况
西奥多·罗斯福	1947	1978	285	110	北达科他州小密苏里河沿岸的崎岖地带；草地；美洲野牛和丛林狼
沃亚哲斯	1971	1975	883	341	明尼苏达州诺思伍德的溪流和湖泊；枞、云杉和松；河狸
温德岩洞	—	1903	114	44	南达科他州布莱克山的石灰岩洞；草原草地；美洲野牛
兰格尔-圣伊莱亚斯	1978	1980	33 716	13 018	阿拉斯加高峰和冰川；针叶林；北美驯鹿、熊、狼和驼鹿
黄石	—	1872	8 982	3 468	怀俄明州山脉、瀑布和间歇泉；松林；熊、鹿和叉角羚
约塞米蒂	1864	1890	3 079	1 189	加利福尼亚州的花岗岩峰、圆丘和瀑布；针叶林；鹿和熊
宰恩	1909	1919	593	229	犹他州沙漠中宰恩河谷；仙人掌、松树和杜松；鹿和丛林狼
乌拉圭					
富兰克林·罗斯福	—	1915/16	15	6	沙丘和灌溉渠地区；沼泽和桉树、松和桦树；河狸鼠
乌兹别克斯坦					
乌兹别克斯坦人民公园	—	1978	315	122	沿突厥斯坦水库北岸的山脉
委内瑞拉					
阿瓜洛-瓜里基多	—	1974	5 858	2 262	南美洲大草原中部（平原）；稀树草原和走廊林；水豚、猴、鹿和美洲豹
阿维拉	—	1958	852	329	加勒比海沿岸的山脉；稀树草原和山区森林；美洲狮和鹿
巴塔龙和内格拉高地	—	1989	952	368	科迪勒拉梅里达山脉的高山区（稀疏草地）
卡奈马	—	1962	30 000	11 583	高地；安赫尔瀑布；稀树草原和雨林；美洲豹、貘、鹿和西貒
锡纳鲁科-卡帕纳帕罗	—	1988	5 844	2 256	奥里诺科河支流和南美洲大草原（平原）
迪尼拉	—	1988	420	162	
杜伊达-马拉瓦卡	—	1978	2 100	811	陡直的平顶山脉；热带雨林；美洲豹、貘和猴
瓜查罗	—	1975	627	242	瓜查罗洞穴和山脉；热带雨林；栖于洞穴的油鸱
瓜拉马卡尔	—	1988	210	81	
瓜托波	—	1958	1 225	473	花岗岩山区；热带雨林；美洲豹、鹿、貘、西貒和树懒
亨利皮蒂耶	—	1937	1 070	413	加勒比海海岸山脉；稀树草原和湿山地森林；鸟类
哈亚-萨里萨里那马	—	1978	3 300	1 274	砂岩台地（方山），有塌陷深坑；热带雨林
马卡劳	—	1973	150	58	加勒比海岸绵延山脉；稀树草原和湿山地森林；鹿、野猪和狐
梅达诺斯德科罗	—	1974	913	353	沿加勒比海岸的广阔沙丘；沙漠植物；蜥蜴和鬣蜥
莫奇马	—	1973	949	366	多山的加勒比海岸；干的和湿的热带森林；鹿、犰狳和美洲豹
莫罗科伊	—	1974	321	124	加勒比海沿岸，有岛屿和盐滩；红树林和棕榈树；鸟类和鹿
内布利纳岭	—	1978	13 600	5 251	南部山脉和巴里亚河谷；热带雨林；貘和美洲豹
帕里亚半岛	—	1978	375	145	加勒比半岛；干旱的海岸植被和常青林；鸟类
佩里西亚	—	1978	2 953	1 140	莫蒂洛内斯山脉；雨林和高山区（稀疏草地）；猴、熊和刺豚鼠
雷斯廷加潟湖	—	1974	189	73	玛格丽塔岛的一部分；沙滩和红树林；海鸟
罗克斯群岛	—	1972	2 211	854	加勒比海环状珊瑚岛，有无数岛屿；红树林和仙人掌；海鸟
圣埃斯特万	—	1987	435	168	加勒比海岸山脉
圣路易斯山	—	1987	200	77	科罗以南的山岭
内华达山	—	1952	2 764	1 067	安第斯山西部，有冰川湖；热带森林和松树；鹿、熊和貘
塔卡里瓜潟湖	—	1974	391	151	加勒比海的潟湖和沙滩；红树林和热带干旱森林；红鹳
塔马	—	1978	1 390	537	安第斯山脉高山区（稀疏草地）；潮湿森林；熊、貘和刺豚鼠
特雷帕尔马	—	1976	187	72	波图格萨山脉；云林；美洲豹、熊、刺豚鼠、猴和鹿
亚卡姆布	—	1962	146	56	波图格萨山脉，有火山喷气孔；落叶林和云林；鹿
亚帕卡纳	—	1978	3 200	1 236	从周围平原拔起的平顶山；热带雨林和稀树草原
尤鲁比	—	1960	237	92	沿亚拉奎和阿罗河的崎岖地带；森林和稀树草原；鹿和野猫
越南					
百马海云	—	1986	225	87	两座山；岘港附近风景优美的海云山口风景区
吉婆	—	1986	152	59	多山岛屿、洞穴和沙滩；铁树和柚树；鹿和岩羚羊
巨芳	—	1962	225	87	南定以西的崎岖地带，有洞穴；原始热带森林；鹿和猴
南拜-吉仙	—	1978	376	145	
萨摩亚					
奥勒普普普埃	—	1978	29	11	山地带，有溶岩道；热带雨林；鸟类
前南斯拉夫					
吉尔达普（铁门）	—	1983	635	245	多瑙河的深窄峡谷；栎树林地
杜米托尔	—	1952	330	127	杜米托尔山块和塔拉河峡谷；湖；混生林；岩羚羊、熊和鹿
弗鲁什卡山	—	1960	254	98	低地山块和环绕的平原；山毛榉和栎树林；野猫、鹿和野猪
沙尔	—	1986	390	151	沙尔山、山地湖和河谷；栎、山毛榉、枞、云杉和松林
斯库台湖	—	1983/86	400	154	黑山脉的大溶岩湖；鸟类
塔拉	—	1981/82	192	74	塔拉山、其他山峰和德里纳河深峡谷
刚果（金）					
加拉姆巴	—	1938	4 920	1 900	起伏的准平原；稀树草原；犀牛、象、长颈鹿和河马
卡胡兹-贝加	1950	1970	6 000	2 317	大裂谷山脉；原始森林；大猩猩、黑猩猩和象
昆德龙古	1939	1970	7 600	2 934	高原、山麓和河谷；开阔林地；斑马、羚羊和猎豹
马伊科	—	1970	10 830	4 181	部分多山地区；茂密的赤道森林；大猩猩、獾加狓、象和水牛
萨隆加	—	1970	36 560	14 116	刚果河盆地；赤道森林；矮黑猩猩、象和羚羊
乌彭巴	—	1939	11 730	4 529	乌彭巴湖低地；沼泽、稀树草原和林地；河马和斑马
维龙加（艾伯特）	—	1925	7 800	3 012	维龙加火山；爱德华湖；赤道森林-干旷草原；大猩猩和平原哺乳动物

续表 16

国名 国家公园名	建立日期 保护区	 国家公园	面积 平方千米	 平方英里	概　况
赞比亚					
蓝潟湖	—	1973	450	174	卡富埃浅滩泛滥平原；草地和无花果树；斑马、羚羊和野狗
伊桑加诺	1957	1972	840	324	班韦乌卢湖的浅滩；沼泽森林和草地；象、斑马和羚羊
卡富埃	1951	1972	22 400	8 649	卡富埃河沿岸高原；柚木森林和稀树草原；斑马、羚羊和狮
卡桑卡	1941	1972	390	151	高原；沼泽和林地稀树草原；羚羊、象、河马和斑马
拉武希河	1941	1972	1 500	579	有陡面峭壁的丘陵；林地稀树草原；豹、狮、象和水牛
柳瓦平原	—	1972	3 660	1 413	平坦的砂石平原；卡拉哈里短草植被；斑马、水牛和羚羊
洛钦瓦尔	—	1972	410	158	季节性泛滥的卡富埃浅滩；草地和金合欢；斑马、羚羊和鸟类
下赞比西	—	1983	4 092	1 580	赞比西河沿岸丘陵；林地稀树草原；象、河马和水牛
卢安比	1966	1972	254	98	卢安瓜河沿岸冲积平原；林地稀树草原；狮、象和犀牛
卢库苏西	1938	1972	2 720	1 050	卢安瓜悬岩高原；林地稀树草原；象、羚羊和斑马
卢森加平原	1942	1972	880	340	卡隆圭希河沿岸平原；林地-草地；象、斑马和水牛
莫西奥图尼亚瀑布	—	1972	66	25	赞比西河岸和维多利亚瀑布；林地；象、疣猪和羚羊
姆韦鲁万蒂帕	1942	1972	3 134	1 210	湖泊；沼泽和林地稀树草原；象、水牛、河马和狮
北卢安瓜	1939	1972	4 636	1 790	卢安瓜河流域；林地；水牛、河马、狮、象和羚羊
锡奥马恩圭泽	—	1972	5 276	2 037	赞比西河沿岸平坦地区；卡拉哈里沙草原；长颈鹿、狮和象
南卢安瓜	1904	1972	9 050	3 494	卢安瓜河谷；林地稀树草原；水牛、河马、象和狮
松布(恩松布)	1942	1972	2 063	797	坦噶尼喀湖沿岸地带；金合欢和草地；狮、象和河马
西降加	1951	1972	1 684	650	西降加河沿岸平坦地区；干旱的常青林；象、斑马和水牛
津巴布韦					
奇马尼马尼	—	1953	171	66	奇马尼马尼山、峡谷和瀑布；草地和森林；羚羊
奇扎里拉	1963	1975	1 910	737	赞比西悬岩，有峡谷；林地稀树草原；象、水牛和羚羊
戈纳雷若	1968	1975	5 053	1 951	伦迪河沿岸平坦地区；混生林地；象、羚羊和水牛
万基	1928	1930	14 651	5 657	广阔的卡拉哈里沙地；柚林；象、水牛、羚羊、长颈鹿和狮
伊尼扬加	1902	1965	330	127	多山地区和瀑布；山区草地；羚羊、狮和非洲丛林野猪
卡祖马池	1949	1975	313	121	常遭季节性泛滥的平原；开阔的草地；羚羊和猎豹
马纳潭	1930	1963	2 196	848	赞比西河的泛滥平原；林地稀树草原；犀牛、象和水牛
马托波	—	1902	425	164	马托波花岗岩丘陵和洞穴；林地稀树草原；羚羊、豹和水牛
马图萨多纳	1963	1975	1 407	543	卡里巴湖沿岸丘陵悬岩；草地；象、水牛、羚羊和狮
维多利亚瀑布	1931	1979	20	8	赞比西河岸和维多利亚瀑布；雨林；羚羊、河马和狮
赞比西	1931	1979	563	217	赞比西河沿岸卡拉哈里沙地；林地；羚羊、象和狮

选举最高人民法院院长、最高人民检察院检察长。④审查和批准国民经济和社会发展计划和计划执行情况的报告，审查和批准国家的预算和预算执行情况的报告。⑤批准省、自治区和直辖市的建制；决定特别行政区的设立及其制度。⑥决定战争与和平的问题。⑦监督全国人大常委会、国务院、中央军事委员会、最高人民法院、最高人民检察院的工作，以及应当由最高国家权力机关行使的其他职权。

全国人民代表大会的常设机关是全国人民代表大会常务委员会。它在全国人民代表大会闭会期间行使国家最高权力。常务委员会由全国人民代表大会代表中选出委员长1人、副委员长若干人、秘书长1人、委员若干人组成。

National Popular Liberation Army (Greece) **民族人民解放军(希腊)** 参阅 **EAM-ELAS** 民族解放阵线-民族人民解放军。

National Portrait Gallery 国立肖像画陈列馆 位于伦敦，藏有国家收藏的英国男女肖像画，包括素描、袖珍画、半身画像、照片和油画。1856年建，1859年开放，当时只有70幅肖像画。尽管收藏了许多极好的艺术品，但入馆的标准往往是根据画中人的名望而不是根据艺术家的造诣。藏品均按编年次序排列，包括都铎王朝迄于现代的人物肖像。陈列馆表现了英国历史上的各种题材，并以地图和其他实物作为肖像画的补充。

National Postal Museum 国家邮政博物馆 设在伦敦的集邮博物馆和研究中心，位于伦敦邮政总局街区，毗邻圣巴塞洛缪医院。1966年对外开放。邮票藏品甚丰，除R.M.菲利普斯捐赠的19世纪邮票及其他珍品外，还有邮局藏品和伯尔尼藏品，包括1840年英国发行的首枚邮票。博物馆内设有专门图书馆和档案馆。

National Primitive Baptist Convention, Inc. 全国初始浸礼联会 参加1907年全国大会的美国独立黑人浸礼会组成的联会。南北战争后，本来与白人一起在初始浸礼会礼拜的黑奴获得解放，后在白人信徒帮助下另行组织教会，这些教会是本联会的基础。20世纪末期该联会约有25万以上信徒。

National Radio Astronomy Observatory 国立射电天文台 别名格林班克天文台(Green Bank Observatory)。美国天文台，地点在西弗吉尼亚州格林班克，1962年装成91米直径的半可跟踪抛物面射电天线。这种天线，斜置，能南北向摆动，靠地球自转把观测对象收进狭窄的东西向观测域，因而对准某一天体的时间不超过几分钟。1965年又在格林班克设置43米的可跟踪射电望远镜。1970～1971年原来的91米射电望远镜改装完成，采用铝质网络，从而可用于更短的波长。射电天文学家利用91米天线完成了涉及脉冲星、类星体和遥远星系领域的重大发现。1988年11月15日，这个大型天线出人意料地突然坍毁，完全无法修复。

National Railroad Passenger Corporation 参阅 **Amtrak** 全国铁路客运公司。

National Recovery Administration (NRA) **国家复兴署** 美国总统F.D.罗斯福在第一

1934年9月版的小说《名利场》封面，图中象征国家复兴署的蓝鹰正抓起山姆大叔腾飞
美国不列颠百科全书公司供图

届任期中为应付大萧条而建立的刺激企业复兴的政府机构，是《国家工业复兴法》(1933-06)的执行机关。该法授权总统颁行产业性法规，以消除垄断，减少失业，建立最低工资和最高工时标准并保证工人享有集体谈判权。国家复兴署总共制定了557个基本法规和208个补充法规，共涉及工人2 200万。虽然这些法规以消费者和小企业的利益为代价来保证大企业的利益，但它在某些产业中确实改进了劳动条件，并有助于工会运动的发展。国家复兴署于1935年撤销。

National Republican Party　国民共和党 1825年共和党分裂后形成的美国政党。1824年竞选期间，H.克莱和J.Q.亚当斯的追随者都自称国民共和党人，A.杰克逊的支持者则称为民主共和党人。在1828年选举中，杰克逊派简称为民主党人。杰克逊的反对派加入了国民共和党人联盟，提名亚当斯连任。亚当斯竞选失败，但国民共和党人的力量却壮大了。1831年他们以课征关税、加强国内改革和建立美国银行的纲领提名克莱竞选，但在此次失败后从未提出总统候选人。此后，国民共和党虽然联合其他派别进行反对杰克逊的活动，但到1834年该党已湮没无闻。

National Review　《国家评论》 纽约出版的新闻与评论双周杂志，是美国主要的保守派刊物。1955年由W.F.小巴克利创办。该刊每期有一篇从右派观点阐述美国或国际政治问题的长篇论文。此外有许多分析、评论、舆论和批评的短文和专栏，其中有一专栏由巴克利亲自执笔。该刊一贯用幽默揶揄的语气批评政治上的左派。作者几乎包括所有美国右派代表人物。该刊文笔优美生动的文章以及巴克利写的带有挑衅性的社论颇受保守的中产阶级知识分子欢迎。作为对大部分自由进步思想进行公开批评的刊物，拥有R.柯克、J.伯纳姆、H.肯纳和W.赫伯格等撰稿人。

National Revolutionary Party　国民革命党 西班牙语作Partido Revolutionario Nacional。墨西哥主要政党*革命制度党*(**Institutional Revolutionary Party**)的旧称(1929～1938)。

National Rifle Association(NRA)　全国步枪协会 管理步枪和手枪射击运动的组织，1860年成立于英国。美国的全国步枪协会于1871年成立，宗旨相同，至20世纪90年代初期约有会员300万人，包括射手、猎人、枪支收藏家、枪支技工、警察和其他枪支爱好者。20世纪下半叶美国全国步枪协会的活动中宣传得最多的是为反对控制枪支的各种立法建议进行极其有效的政治游说。英国和美国的这两个协会都主办地区性和全国性比赛，并选拔代表队参加国际比赛。英国协会总部设在萨里郡的沃金，美国协会总部设在华盛顿(哥伦比亚特区)。

National Road　国家公路 参阅**Cumberland Road** *坎伯兰公路*。

National Roman Museum　国立罗马博物馆 位于罗马。世界最大的古希腊罗马艺术博物馆之一。1889年创立，设在由米开朗琪罗在戴克里先沐浴地修复的一所隐修院里。该博物馆又以特尔梅(戴克里先的热水浴池)博物馆闻名于世。它藏有1870年以来在罗马发现的古物以及枢机主教卢多维西在以邦孔帕尼而知名的隐修院收藏的珍宝。该馆的重要雕刻藏品包括少数珍贵的希腊原物和大量失传的希腊作品的罗马复制品。其中有公元前4世纪的希腊原作《昔兰尼的维纳斯》，描绘女神维纳斯从海中升起，右腿附近有一只海豚托着她的外衣，可能为普拉克西蒂利的前辈所作。《瓦伦蒂努斯的躯干》描绘公元前5世纪的一位英雄或运动员。《许普诺斯头像》据传为普拉克西蒂利所作。精美的《拳击师在休息》有阿波罗尼奥斯的署名。《安齐奥的少女》为利西波斯派所作，1878年在安齐奥发现，描绘一个少女走近祭坛。重要的罗马复制品包括米隆所作两个掷铁饼者雕像，即《波尔齐亚诺城堡的掷铁饼者》和《掷铁饼者前兰西洛蒂》。《尼俄柏的女儿》是公元前5世纪希腊原作。罗马雕刻的作品包括许多胸像和表明罗马城起源的著名浮雕《来自奥斯蒂亚的祭坛》。来自奥斯蒂亚的《韦斯巴芗头像》是所有罗马半身雕像中最精美的雕像之一。

national seashore　国家海滨 在美国，指联邦政府为公众游览而划出的海滨区。以其海滩、水禽等野生动物和垂钓活动吸引游人。第一处国家海滨区设于1953年，为北卡罗来纳州的哈特勒斯角。其余各处包括科德角(马萨诸塞州)、帕德雷岛(得克萨斯州)、雷伊斯角(加利福尼亚州)、法尔岛(纽约州)、阿萨蒂格岛(马里兰州和弗吉尼亚州)、卢考特角(北卡罗来纳州)、格尔夫群岛(佛罗里达州和密西西比州)、卡纳维拉尔角(佛罗里达州)及坎伯兰岛(佐治亚州)。

National Security Agency(NSA)　国家安全局 美国国防部下属的情报机构，负责密码、电信侦察和保密工作。它起源于第二次世界大战期间军事部门的电信侦察，后来这些活动集中于国防部。1952年总统指示建立国家安全局，由于它不是通过国会建立的，因此相对而言可不受国会监督。它是美国最秘密的情报机构。局长由一名海军将领担任。其任务包括：负责美国军事机构和其他政府机构的电码、密码和其他隐语的制定和保密，利用电子设备或其他手段侦听、分析和破译密码通信，研究各种形式的电子传输。它设有窃听发自世界各地的信号的侦听站。由于该局是敌方情报机构最重视的渗透目标，因此它与公众或新闻界不保持接触。

National Security Council(NSC)　国家安全委员会 美国总统行政部门中一个机构，1947年根据国家安全法而建立，就内政、外交及军事政策有关国家安全的部分向总统提出建议。美国总统任国家安全委员会的主席；其他成员包括副总统、国务卿和国防部长。国家安全委员会顾问有参谋长联席会议主席、中央情报局局长及总统任命经参议院同意的其他官员。该委员会的幕僚是以国家安全事务特别助理为首，他通常充当总统的亲密顾问。国家安全委员会为白宫提供了一个独立于国务院的有用的外交决策工具。20世纪80年代末，国家安全委员会成员隐蔽的非法活动造成了被称为*伊-尼事件*(**Iran-Contra Affair**)的丑闻。

National Socialism　国家社会主义 又称纳粹主义。希特勒作为纳粹党首领在德国推行的极权主义运动。国家社会主义在强烈的民族主义、吸引群众和独裁统治方面与意大利法西斯主义有许多共同点。但是，纳粹主义的思想和实践更加极端。它在德国土生土长，是由希特勒的个性形成的。其某些根源可追溯到普鲁士的传统，它认为普鲁士军队的战斗精神和纪律是所有个人和平民生活的典范。19世纪知识界R.瓦格纳等人宣称日耳曼民族在种族和文化上比其他欧洲人和其他一切种族优秀，极大地影响了早期的国家社会主义。但是如果不是德国在第一次世界大战中战败，特别使中下阶层陷入失望和贫困的深渊，从而使希特勒的蛊惑得逞，这种精神准备绝不足以使国家社会主义在德国滋长。希特勒最初在德国，接着在世界范围内利用广泛存在的对共产主义的恐惧作为反共的支柱。他个人对国家社会主义理论和实践最重大的贡献在于他对当前世界上群众心理和群众宣传的深刻了解，他强调一切宣传必须适应智力最差的宣传对象的知识水平，而宣传所包含的真实性与唯一有效的标准即宣传是否成功相比，不值得考虑。国家社会主义宣称犹太人，不论其教育和社会发展，与德国人永远是根本不同并敌对的。国家社会主义企图把保守的民族主义思想意识与社会上的激进理论相调和。这样，这就成为一场深刻的、主要是反面的革命运动。它摈弃理性、自由主义和民主、法治、人权以及一切国际合作与和平运动。它却强调本能，个人服从国家，必须盲目地、坚定不移地服从上面指定的领导人。它还强调人与人、各种族不平等，强调强者有权统治弱者。它谋求肃清或镇压互相竞争的政治、宗教和社会团体，提倡一种强硬和凶残的道德；它把各社会阶级的失意者和失败者吸收到运动中来，部分消灭了阶级差别。1934年以后，国家社会主义的历史可以分为两个阶段：在1934～1939年，纳粹党建立对德国人民生活各个领域的全面控制。第二次世界大战初期希特勒的一系列外交胜利和对外征服，获得大多数德国人的全力支持。纳粹政权大肆开动宣传机器，其另一面便是以秘密警察和集中营为中心的恐怖机构。控制的主要手段是把警察、特务和党卫军交由希姆莱统一指挥。在1939～1945年，企图把纳粹制度扩大推行到德意志帝国以外的地方。在"自决"的基础上团结祖国一切日耳曼后裔之后，下一步是要通过对波兰及东面的其他斯拉夫民族的军事征服，开创"大经济区"或"生存空间"，有足够的土地变得经济上自足和军事上坚不可摧。初期的军事胜利把计划扩大为展望囊括整个欧洲、西亚和非洲，最后建立国家社会主义在全世界的统治。

纳粹德国的这些狂想,经过约6年的战争,终于在1945年化为泡影。20世纪90年代,东德的新纳粹主义青年袭击移民,亵渎犹太人墓地,与左派发生暴力冲突,给当地治安带来不利影响。

National Socialist German Workers' Party 德国国家社会主义工人党 参阅 **Nazi Party** 纳粹党。

National Steel Corporation 国民钢铁公司 美国公司,原先生产钢铁,后来也生产铝和经营金融业务。钢铁产品多数供应饮料罐头业及汽车制造业。总公司设在宾夕法尼亚州的匹兹堡,1992年迁往印第安纳叶米沙沃卡。创建人E.T.威尔通过合并威尔顿钢铁公司、大湖钢铁公司和汉纳铁矿公司,于1929年11月组成国民钢铁公司。它是30年代大萧条时期获利最多的钢铁公司之一,是1932年唯一有赢利的公司。随着利润增加,威尔单独提高工资,解决了公司内的劳资纠纷。1968年收购黑斯廷斯铝制品公司,1970年又吸收匹兹堡铝合金公司,产品种类增加了铝制品。1980年吸收加利福尼亚联合金融公司,以为增加一实力雄厚的金融机构会有助于稳定其赢利,但由于外国厂商的竞争和国内汽车生产持续下降,它也和其他钢铁公司一样,经营不利。1983年成为国民钢铁集团公司的附属公司。1984年和1992年国民钢铁集团公司分别将该公司的50%和20%的股权卖与总部设在东京的日本钢管公司。

National Theatre (United Kingdom) **国家剧院** 参阅 **Royal National Theatre** 皇家国立剧院。

National Trust 全国托管协会 全称全国历史文物与自然名胜托管协会。英国的一家机构。始建于1895年,后来为了更好地保护并向公众开放具有历史和建筑艺术价值的建筑物及自然名胜,根据1907年的《国家托管法案》正式成立。总部设在伦敦,管辖范围为英格兰、威尔士和北爱尔兰。苏格兰国立托管协会是1931年建立的另一个平行机构,总部设在爱丁堡。协会由住房改革家O.希尔(**Hill, Octavia**)、公民权益倡导者罗伯特·洪特爵士、威斯特摩兰郡雷城教区牧师H.D.罗恩斯利等人发起并筹建,理事会由50名成员组成,其中半数由学术团体、博物馆等组织选出,另一半由现职人员选出。此外,还设有一些由负责管理土地、建筑物和人工制品的专家学者组成的各种委员会。两家协会在经济上依靠自愿资助,其形式有捐款、遗赠、门票收入以及会员每年缴纳的会费(一切人均可入会)等。至20世纪后期,全国托管会已有成员200多万人。第一批捐赠是1895年的4.5英亩(1.8公顷)悬崖土地,位于迪纳斯奥莱乌,俯瞰威尔士的卡迪干湾。百年之后,这两家协会已拥有近70万英亩的土地以及约350处有纪念意义的名人故居、建筑物、庭园和其他场所,它们定期开放,供游人购票参观。这些游览胜地包括班诺克伯恩纪念馆、查特韦尔大厦(温斯顿·丘吉尔故居)、克莱武登、库洛登(战场)、哈德良城墙遗址、哈特斐尔德森林、诺尔、莱姆公园、彭林城堡、佩特沃斯宅第、波伊斯城堡、兰尼米德(以《大宪章》而出名)及萨德伯里大会堂等。

National Union for the Total Independence of Angola 争取安哥拉彻底独立全国联盟(安盟) 葡萄牙语作 União Nacional Para a Lndependência Total de Angola(UNITA)安哥拉政党,由安哥拉民族解放阵线(安解阵)和安哥拉人民联盟(安人盟)有关成员于1966年组建,领导人若纳斯·萨文比。主要支持者为安哥拉中部和南部的姆邦杜族和绍奎族。后开始与葡萄牙人合作,采取反左立场,抗击苏联支持的安哥拉人民解放运动(安人运)。1974年葡萄牙发生政变,结束了葡萄牙人在安哥拉的殖民统治。1975年11月安人运宣布成立独立的安哥拉人民共和国。次年初由古巴支持的安哥拉军队开始进攻安解阵和安盟。虽然安解阵很快退出,但安盟得到南非和美国的支持,继续与安人运战斗并开展反共游击活动。1988年南非与古巴从安哥拉撤军。安人运表示愿与安盟谈判,接受安盟提出的多党制要求。1991年5月在里斯本签署停火协议。1992年9月举行选举,安盟声称选举舞弊,继续进行武装斗争。1994年签署卢萨卡议定书,但萨文比仍未停火。1998年9月萨文比遭到内部安盟革新委员会的反对,安盟分裂为三派。2001～2002年初安哥拉内战依旧。2002年2月萨文比被政府军击毙。2002年4月安盟签署协议结束对抗。

National Union of Conservative and Unionist Associations (United Kingdom) **全国保守主义和统一主义协会联盟** 参阅 **Conservative Party** 保守党。

National University of Ireland 爱尔兰国立大学 都柏林一所由国家资助的学府,由3个组成学院和6所经认可的学院组成。该校建于1908年,旨在促进爱尔兰的文化和价值观念的发展。其前身是1853年建立的爱尔兰天主教大学,由约翰·亨利·纽曼(后为枢机主教纽曼)任校长。1857年纽曼离职后,该校开始衰落,但1882年,当该校与其他3所爱尔兰天主教学院在爱尔兰皇家大学的名下联盟时,它作为都柏林大学学院又得以复兴。1908年大学学院成为新成立的国立大学的组成学院之一。其他组成学院还有科克大学学院(1845,建时为女王学院,设于科克)和戈尔韦大学学院(1845,建时为女王学院,设于戈尔韦)。国立大学还包括5所其他学院:设于梅努斯的圣帕特里克学院、设于德拉姆康德拉的圣帕特里克学院、设于利默里克的纯洁玛丽教育学院、设于爱尔兰都柏林的皇家外科医师学院和斯莱戈的圣安吉拉教育学院。这些学院开设文科、凯尔特语研究、自然科学、商业、法律、医学和工程等课程。都柏林大学学院还开设农业和兽医课程;科克大学学院则开设乳制品科学课程。

National Urban League 全国城市联盟 美国志愿服务组织。创办于1911年,宗旨是消除种族隔离及种族歧视并协助黑人及其他有色人种参与美国生活的各个方面。至20世纪晚期,全国已有110多个地方附属团体开展活动。总部设在纽约市。1911年,由3个团体联合组成全国黑人城市生活条件联盟,协助黑人特别是新迁入纽约市的南方黑人解决就业、住房及如何适应城市生活等问题。此后各地竞相效法,到1920年,这个组织改称全国城市联盟。联盟自始就是跨种族的,理事会理事长传统上由白人担任,但联盟主席及行政官员则全是黑人。多年来联盟任务已逐渐扩大到更多方面,特别是在W.M.小辉特尼任主席期间(1961～1971),联盟已成为美国民权运动的主要力量之一。在他的继任V.E.小约旦领导期间(1971～1981),联盟的目标进一步包括了诸如环境保护、能源保存及一般的社会贫困等问题。在J.E.雅各布主席的领导下(1982～1994),联盟重新强调其社会福利的宗旨。到21世纪,联盟关注的主要问题包括种族认同、全球化以及其对美国黑人的经济影响和其他国际问题与教育问题。

National Westminster Bank 国民威斯敏斯特银行 原英国的银行控股公司。2000年3月被总部设在爱丁堡的苏格兰皇家银行集团收购。在国内有分公司,在世界各地有营业处,总部在伦敦。1968年由两个银行集团——国民地方银行(1833年成立)和威斯敏斯特银行(1836年成立)——合并而成。以后10年间,经历了一系列的股权收买和股权出卖。作为苏格兰皇家银行集团的一部分,公司在英国、其他欧洲地区和美洲开展业务。在英国,是公司和商务银行业务、私人银行业务和信用卡业务的主要供应商之一。

National Woman Suffrage Association (NWSA) **全国妇女选举权协会** 美国组织,1869年由S.B.安东尼和E.C.斯坦顿组建,总部设在纽约。当时女权运动因非洲裔美国人选举权问题分裂成两个组织;更为激进的全国妇女选举权协会将争取妇女选举权置于优先地位,时常就一些社会问题,如结婚、离婚,提出改革建议,鼓动公开辩论。由于邀请所有主张妇女参政的组织成为其附属团体,1890年与美国妇女选举权协会重新合并时其地位已大为提高。

National Woman's Party (NWP) **全国妇女党** 美国政党,20世纪早期曾用激进的方式争取通过美国宪法平等权利修正案。1913年成立,原名妇女参政国会联盟(1913～1916)。其成员与全美妇女争取选举权协会结盟。1914年两组织严重分裂。1916年采用现名及新策略。重组后更为激进,选择对抗与直接行动而不是问卷调查和游说。经常组织民众游行和采取对抗行动,是第一个在白宫外示威抗议的团体。曾有数百名妇女遭逮捕、监禁,许多妇女绝食抗议。曾公开指责W.威尔逊总统及所有民主党人,并反对第一次世界大战。1920年美国宪法第19号修正案最终通过,但该党并未因此受到赞许。1921年重组,不久出版期刊《平等权利》。为使1923年首次在国会提出的《平等权利修正案》获通过,对议员进行游说。但因作风僵硬和遭女权主义者反对,该党逐渐削弱,成为妇女运动中的边缘组织。

National Women's Hall of Fame 全国妇女名人堂 美国非营利教育机构,成立于1969年,旨在对美国杰出妇女的成就表示敬意。位于纽约州塞尼卡福尔斯,1848年首届女权大会即在此召开。该名人堂中存有每位入选者的资料及展品,并且还主办与美国妇女成就有关的巡回展、海报以及其它教育活动。从1999年起已有150多位美国女性入选。每年根据对社会及所属领域的贡献与业绩评选新人。

National Women's History Month 全国妇女历史月 为表彰妇女在历史上的众多成就,1987年美国国会规定每年3月为纪念月。各机构、学校、和各种组织的纪念活动集中体现"一直被忽略和低估的美国妇女在历史上的作用"。各图书馆和社区都提倡举办强调妇女成就的活动。3月的重要性可追溯至19世纪中叶。1857年3月8日纽约市一群制衣女工要求改善工作条件和工资待遇举行抗议活动。警察粗暴地阻止了示威游行。但几年后意志坚决的妇女组建了自己的工会。1911年,3月19日被确定为国际妇女节,承认妇女为争取认可和权利所不断进行的努力。1921年国际妇女节的日期改为3月8日。1978年加利福尼亚州索诺马县各学校将3月定为妇女历史月,藉以审视妇女的历史、问题和贡献。赞同这一想法的人越来越多,于是1981年国会决议宣布3月8日前后的一周为全国妇女历史周。1986年,全国妇女历史项目起了重要作用,将庆祝活动扩大到整个3月。其它国家不久也举行类似的为期一个月的活动。1992年,加拿大开始庆祝妇女历史月,2000年3月,澳大利亚开始庆祝本国的妇女历史月。

National Women's History Project (NWHP) **全国妇女历史项目** 美国非营利组织,1980年成立,旨在"促进对多元文化妇女历史的了解"。源于加利福尼亚索诺马县的教育特别工作组,该工作组1978年策划首个妇女历史周。其第一次活动是通过协调使国会通过决议,将每年3月定为全国妇女历史月,促使美国历史的编写更为公正、全面。此外,还配合妇女历史网络的工作,为K-12(从幼儿园到高中)历史教师提供培训。并致力于美国人民的妇女历史教育,建议社区组织全国妇女历史月活动,召开当地庆祝会,成立地区妇女名人堂以及为当地媒体撰写妇女历史故事。

National Women's Political Caucus (NWPC) **全国妇女政治核心小组** 美国无党派政治组织,成立于1971年,旨在对谋求公职的妇女予以鉴定、招募、培训、确认和支持,并致力于在政府中提高妇女呼声,改善妇女状况。为帮助妇女成功竞选,该组织举办研讨会,提供有关资金筹集、制定纲领、激励志愿者、获取媒体报道的信息。自1976年以来,一直努力推动妇女就任公职,尤其是重要的决策岗位。

National Zoological Gardens of South Africa 南非国立动物园 又称Pretoria Zoo(比勒陀利亚动物园)。位于南非比勒陀利亚附近。以推行野生动物保护工作著称。1899年由南非共和国国家博物馆在流经比勒陀利亚的阿皮斯河畔的一小片土地上开办。1913年脱离国家博物馆,改名德兰士瓦动物园,1916年改用现名,1933年由国家接办。近年来逐渐扩展,现已占有阿皮斯河两岸约32公顷的地面。拥有羚羊数量之多在世界上数一数二。1974年又在利赫滕堡附近开办了一处面积达4 047公顷的野生动物繁殖中心,成功地繁殖了濒危的白长角羚和白臀野牛。另外又拥有一处名为德威尔特的40.5公顷的猎豹繁殖基地。也是世界上第一个繁殖鬣狗科的一个种属土狼的动物园。

National Zoological Park 国立动物园 位于美国华盛顿(哥伦比亚特区)的一所动物园,由史密森学会根据1889年和1890年美国国会通过的两个法案,购置了在波托马克河支流罗克河流域一片多树木的土地而建立的。史密森学会也授权将学会后部笼养的动物移交给动物园。政府许多部门,包括外国领事服务处,赠送了动物;外国政府也赠送了许多珍稀动物。中国于1972年赠送的一对熊猫玲玲和兴兴分别于1992年和1999年死亡。2000年,中国又赠送了一对名为添添和美香的熊猫。该动物园占地76公顷,有500种动物,约5 000头。该园小型哺乳动物展品居世界之冠,并以繁育倭河马著名。珍贵的展品包括白色的孟加拉虎(1960年接受)和一对大熊猫(中国赠送)。20世纪60年代动物园进行改造,建造了著名的巨大的飞禽笼和新的有蹄动物饲养区。1970年又添加一所医院-研究大楼。1975年动物园在弗吉尼亚州弗兰特罗亚尔获得1 280公顷土地,用作保护区和研究中心。90年代又新开放了印度豹保育站、爬行动物探索中心、亚马逊雨林复制地等。

Nationalgalerie(Berlin) 参阅 **National Gallery 国立美术馆**。

nationalism 民族主义 又译国家主义。对国家的高度忠诚,即把国家的利益置于个人利益或其他团体利益之上。民族主义不是一种政纲或思想体系,不是这种政纲和思想所产生的政治观点。在不同形式的各个国家中,它会以一种独特的进程出现和存在。民族主义可以具有国际主义的特征或者孤立主义的特征。

民族主义是一种特殊的近代现象。它起源于民族国家是政治忠诚基本中心的设想——这种设想并不是始终被广泛接受。18世纪以前,这种忠诚的中心多半是较小的单位,例如封地、宗教团体、城市或邻近地区。就宗教而言,忠诚中心可能是超国家的团体,例如作为整体的基督教社会,可以称作基督教世界。因此,国家是许多忠诚中心中的一个。只是在18世纪,国家才第一次成为政治活动的中心点。这是许多原因促成的。大的、中央集权的国家的兴起导致封建结构和其他地方性效忠目标的消亡。国家的统治者也不再被视为和国家等同,他被视为国家临时的首脑。

民族主义可以有不同的形式。有时它与国家结合在一起,因为国家作为一个政治单位的同一性已经确定。属于这一种的是法西斯意大利的民族主义运动。民族主义运动也可以在民族、种族或文化社会中兴起,它们并不是作为独立的政治单位存在,而是在别人的统治之下。这类例子有18世纪中叶意大利的民族主义,或者是奥匈帝国统治下的巴尔干各国。民族主义运动并不总是政治性的。"文化民族主义"包括鼓励通过非政治活动表现民族特征,这种活动有艺术、文学、音乐、舞蹈和其他文化形式。

两位早期民族主义思想家是卢梭和赫尔德。卢梭在希腊城邦例子的启发下,试图设想使现代政治社会再一次成为以各种表现形式——从每年的节日到国民的宗教——出现的人类活动的焦点,以弥合政治和精神利益间的分裂。卢梭还强调所有公民对共同愿望的贡献,以及使政治机构反映各个社团的特殊性,因为这个机构正是由每个社团组成的。赫尔德的贡献是强调一个社会的文化统一,以及民间传说和通行习俗的同一性所起的作用。

18世纪末期和19世纪初期的许多民族主义运动具有自由的和国际主义的性质。这些运动一般接受并包含了民族的差异,同时引导他们产生参加共同斗争的共识。但是也有例外情况。德国统一者和民族主义者俾斯麦是保守主义者和独裁主义者。这些民族主义运动典型地具有强烈的文化因素。就在这个时期,"民族的"文学、历史和文化的学术权威第一次确立,拉丁语由本国语言替代作为正式学术交流的手段。

在19世纪末期,欧洲的民族主义运动开始失去一些国际主义色彩,变得更加保守甚至反动。这些民族主义运动的逐步强化和地方化的顶点是爆发了第一次世界大战。在两次大战的中间阶段,民族主义的保守趋势继续发展,特别是在意大利和德国。即使是本来具有世界性和反民族主义性质的运动如共产主义,也开始有了民族色彩。马克思的"全世界无产者,联合起来!"的口号让位给列宁的"在一个国家的社会主义"——这个学说在俄国民族利益和国际共产主义运动发生冲突时被用来为捍卫前者的行动辩护。

第二次世界大战以后,在许多欧洲国家中,民族主义的热情消失了,部分是由于认识到日益发展的互相依赖。北大西洋公约组织、欧洲经济共同体和其他组织促进了这种互相依赖关系。在亚洲和非洲,民族主义则迅速发展,主要是反殖民主义的一种反应。在以后阶段,中立主义和不结盟也被利用来作为反对政治和经济强国控制的保障。随着东欧的共产主义制度的瓦解,在许多苏联的前共和国中,基于语言、种族和宗教信仰的民族主义以令人瞩目的形式重新涌现出来。

Nationalist Party 中国国民党 又拼 Kuomintang(KMT)。中国近代民主革命家孙中山创立的政党。1928～1949年中国的执政党。1894年12月孙中山在美国檀香山组织革命团体兴中会，提出“驱除鞑虏，恢复中华，创立

1924年1月中国国民党第一次全国代表大会期间，孙中山和李大钊走出会场
中国大百科全书出版社供图

合众政府”的主张。1904年孙中山在日本东京创建中国第一个革命政党——中国同盟会，提出“驱除鞑虏，恢复中华，创立民国，平均地权”，实现民族、民权、民生三民主义。同盟会领导了1911年的辛亥革命，推翻清王朝，建立中华民国。孙中山就任第一任临时大总统。辛亥革命胜利后同盟会内部分化，革命成果被袁世凯攫取。1913年孙中山另组中华革命党，领导反袁护法斗争。1919年10月中华革命党改组为中国国民党，继续领导中国革命。1923年孙中山在苏联顾问及中国共产党人帮助下彻底改组国民党。1月发表《中国国民党宣言》及《孙文越飞宣言》，11月又发表《中国国民党改组宣言》和《中国国民党党纲》，确立联俄、联共、扶助农工的三大政策。1924年1月有中国共产党人参加的中国国民党第一次全国代表大会在广州召开，通过宣言和党纲、党章，根据三大政策精神重新解释了三民主义。同时出师讨伐军阀政府。1925年3月12日孙中山逝世。两年后，国民党内部发生分裂，蒋介石及国民党右派发动清党、反共的政变，国共两党合作的局面彻底破灭。国民党成为中国唯一合法政党。北伐完成后，蒋介石逐步掌握党、政、军大权后实行独裁统治，为推行一党专政、消灭共产党，发动一连串的“剿匪”战争，进行了10年的内战。1936年12月地方军事领袖张学良、杨虎城为逼蒋抗日发动“西安事变”，在中国共产党斡旋下，蒋介石接受停止内战、共同抗日的主张。1937年中日战争爆发后，国共两党于9月各自发表宣言，正式实现了第二次国共合作。抗日战争胜利后，国共双方内战全面爆发。1949年国民党在大陆的政权完全溃败后，迁移到台湾，继续沿用“中国国民党”称号，在台湾实行国民党一党专制统治和“戒严”统治体制。1975年蒋介石去世。1976年11月蒋经国任国民党中央主席。1987年7月，国民党当局解除在台实行38年的“戒严令”。10月，正式宣布开放台湾民众赴大陆探亲的决定。1988年蒋经国去世后，国民党召开“十三大”，选举李登辉为国民党中央主席。1991年5月1日，国民党宣布中止“动员戡乱时期”，结束国共两党内战状态，但仍保持敌视共产党的立场。2000年3月，国民党在台湾大选中失败，沦为在野党，李登辉被迫下台，由连战继任国民党中央主席。2005年7月马英九当选为新一任主席。

nationality 国籍 在法律上，指属于一个国家或主权国家的成员身份。国籍同公民(**citizenship**)资格不同，后者是一个比较狭义的名词，有时用来指那些享有充分政治权利的国民的身份。例如在美国，国会制定法案规定美国的印第安人为公民以前，印第安人有时就被称为“非公民国民”。在法律上，个人、公司(法人)、船只以及飞机都有国籍。不过，这一名词最常用于指自然人。事实上，一般都把国籍看作是每个人的不容剥夺的权利。因此，《联合国世界人权宣言》(1948)宣称“人人有权享有国籍”，“任何人之国籍不容无理褫夺”。国籍对每个人来说都是至关重要的，因为主要是凭借国籍，个人才同国际法发生关系，而且也主要是凭借国籍，个人才取得现代国家授予国民的政治、经济权利和各种优惠待遇。国家通过宪法和法律明文规定取得国民身份的标准。然而，国家授予国籍的权利并不是无限制的，否则就有可能侵犯他国决定谁是其国民的权利。根据国际习惯法的一种规定，一个人生于某国的领土范围内，并受该国的管辖，就取得该国的国籍。根据另一种规定，一个人可以通过继承而取得父母中的一方或双方的国籍。各国对上述两项原则的应用有所不同。当一国割让领土给另一国时，被割让的领土上的居民通常都有机会取得另一国的国籍。但国际实践却支持这样的主张：应允许他们自由选择自己的国籍。取得国籍的另一个途径是通过入籍(**naturalization**)程序。在国际法上，国籍在多种情况下都具有意义。例如引渡条约就载有条款，不强迫缔约国交出本国的国民。如果一个国家驱逐一个人出境，那么只有这个人的国籍国才有接受他的义务。由于各国的立法不同，由于缺乏具有普遍约束力的法律或惯例，就产生了一些未获解决的国籍问题，其中包括双重或多重国籍的问题和无国籍(即没有国籍)的人的问题。

nationalization 国有化 由国家来改变或承担私人财产的管理或所有权。按历史说来，它比没收或征用出现较晚，在动机和程度上也与没收或征用不同。没收或征用是政府有权为了特殊公共目的(如修筑公路、水库和医院)而取得私人财产，通常还附带发给赔偿费。国有化往往带有政府要实行共产主义或社会主义理论，如1918年后俄国将产业、银行和保险企业收归国有，1945～1950年英国和法国实现煤炭、电力、煤气和运输业的国有化。近年来，痛恨外国控制本国的重要工业，已成为国有化一项新的动力，如1938年墨西哥和1951年伊朗的石油工业国有化，1960年古巴的外国企业国有化。有人认为最近国有化有第三个动机：在一些发展中国家，由于国内私营经济部门还缺乏发达的资本市场，或缺乏企业家人才，政府控制各种产业经营活动至少暂时是必要的。通常只有在财产为外国人所有或为外国人占有大额股权的公司所有时，实现国有化才会产生国际法问题。许多外交事件和国际仲裁都认为：单方面取走外国人私有财产，只有支付公平的赔偿金，才算合法。这些先例是否同样适用于大规模国有化，迄今还没有任何国际法庭予以解决。具有深远后果的国有化事例，是那些包括航道和其他运输通道的国有化。1956年埃及将苏伊士运河公司国有化，据称起因是法国和英国侵略运河区。

Nationalsozialistische Deutsche Arbeiterpartei 德国国家社会主义工人党 参阅 **Nazi Party 纳粹党**。

nations, law of 参阅 **international law 国际法**。

Nations, League of 国际联盟 第一次世界大战末，由战胜的协约国首倡建立的国际合作组织。战时，英、美国内的一些有影响的团体强烈要求建立这样一个机构，美国总统威尔逊极为赞成，认为它是防止另一次破坏性世界冲突的有效手段。在1919年的巴黎和会上，提出一项盟约，其原则精神是：集体安全，国际争端仲裁，裁减军备，公开外交等等。根据盟约设立国际联盟的指导机构：大会，由所有成员国的代表组成；理事会，由主要协约国的常任代表组成；秘书处，由一名秘书长负责主持其工作。另设常设国际法庭并建立托管制，将亚洲、非洲各殖民地以托管形式交由各协约国管理。20世纪20年代，国际联盟总部设于日内瓦，不断吸收新成员国，协助解决一些细小的国际纠纷，各国对其权威性都予以尊重。防止侵略的主要目的之一是保持战后和约所确定的现状。30年代，联盟在阻止日本向中国扩张时未有成效，对意大利侵占阿比西尼亚束手无策，而对希特勒撕毁《凡尔赛和约》，更显得无能为力，因之信誉扫地，第二次世界大战期间停止活动。1946年该组织被联合国所取代。

Native American 美洲土人 美国习惯用语，泛指除爱斯基摩人及阿留申人以外的所有西半球土著民族。参阅 **American Indian**。

Native American Church 乡土美洲教会 又称仙人掌教(Peyotism 或 Peyote Religion)。北美洲印第安人中间流传最广的土著宗教，也是强大的泛印第安主义组织形式。仙人掌顶部含仙人球毒碱，服用能使人产生幻觉。哥伦布发现美洲时，墨西哥人用这种生物碱促人通神，也用它治病。19世纪中期，使用仙人掌的习俗扩展到美国大平原地区，1885年前后在俄克拉何马州的基奥瓦人和科曼奇人中间发展成为宗教。1891年后迅速传入加拿大境内，现在流行于50多个部落。据粗略统计，1951年纳瓦卓人将近1/5不顾部落会议的反对而信奉仙人掌教；1965年俄克拉何马州印第安人1/3信奉此教。乡土美洲教会自称在21世纪初有约25万信徒。仙人掌教以不同形式和不同程度将印第安人传统和基督教内容融合起来。有些部落认为，耶稣是印第安传统英雄复临，在上帝面前为人代求；另外一些部落则认为，耶稣是主保圣人，他因

阿拉帕霍人的仙人掌教仪式，C.斯威齐绘
美国不列颠百科全书公司供图

被白人杀害而转向印第安人。仙人掌教遭受迫害。1888 年美国政府禁止使用仙人掌，后来又有 15 个州政府宣布禁令，但是 1916 ～ 1937 年间多次执行禁令都遭到受印第安人事务局支持的各教会和某些印第安人组织的抗拒。乡土美洲教会为了自卫，要求各州政府予以法律上的承认。20 世纪 60 年代，该教根据宪法要求保障信仰自由，获得人类学者和其他人士的声援，一些州的最高法院也已承认它的权利。

native cat　本地猫　袋鼬科袋鼬属（*Dasyurus*）澳大利亚猫状有袋动物的统称，主要于夜间掠食。因有时袭击家禽饲养场致遭捕杀，而在部分地区绝灭。生境的破坏，狗、狐的捕食，以及家猫等有胎盘哺乳动物引进后与之竞争食物，亦为使其消失的原因。尾刷状，背部有白斑。主要残存于塔斯马尼亚森林或空旷地的东部本地猫（东袋猫，*D. viverrinus*［或 *D. quoll*］）体长55～75厘米，其中包括 20 ～ 30 厘米的尾长。产在澳大利亚西南部与中部稀树草原的西部本地猫（若弗鲁瓦尔袋鼬、西袋猫，*D. geoffroii*），大小似东袋猫，但尾较长。分布在热带地区的北部本地猫（北袋猫，*D. hallucatus*）体型一般较小。原产新几内亚岛各地的新几内亚本地猫（白斑袋鼬，*D. albopunctatus*）亦然，且占据多种生境。最大的斑尾本地猫（斑尾袋鼬、斑尾袋猫，*D. maculatus*）亦称虎袋猫，体长则可达 75 ～ 130 厘米，其中包括 35 ～ 55 厘米的尾长，见于塔斯马尼亚和澳大利亚东部的潮湿密林。

斑尾本地猫（*D. maculatus*）
美国不列颠百科全书公司供图

Native Dancer　土舞星（1950年出生）　绰号灰鬼（The Gray Ghost）。美国纯种赛马。参加 22 次比赛，获胜 21 次。2 龄时参加 9 次比赛全胜。在 1953 年美国三王冠赛中，仅在肯塔基大赛中屈居亚军，在普利克内斯有奖赛和贝尔蒙特大奖赛中夺魁。1954 年足部受伤仍四赛四捷，被评为当年良马。

native element　自然元素　任何可以在自然界中出现而不与别的元素相结合的元素，作为大气圈中的气体出现的元素除外。在自然界发现的 92 种化学元素中只知有 19 种作为矿物出现。这些自然元素一般分为三类：①金属（铂、铱、锇、铁、锌、锡、金、银、铜、汞、铅、铬）；②准金属（铋、锑、砷、碲、硒）；③非金属（硫、碳）。金属的矿物结构通常不是立方紧密堆积，就是六方紧密堆积。准金属和非金属则具有更复杂的结构。有一些自然元素（例如碳）具有一种或几种同质多晶型，这随元素形成时的条件而定。对于自然元素的产状，实在难以概括。它们是在差别极大的物理化学条件下，在各种类型的岩石中形成的。甚至单独一种自然元素也可在极其多样的环境中出现。例如自然铁（铁纹石）主要在陨石中发现。有一种叫六面体式陨铁的铁陨石，几乎全由铁纹石组成，而在称为八面体式陨铁的陨石中铁纹石是主要成分。虽然地球上的自然铁极为稀罕，但在火成岩（玄武岩）中，在碳质沉积岩中以及石化木中，均曾发现过。其他许多金属和某些非金属，则含量很丰富，可以形成有工业价值的矿床。例如，自然金和自然银便是金和银的主要矿石。

附表：自然元素，见 41、42 页。

Native Representation Act（New Zealand）**《土著代表权法案》**　参阅 **Maori Representation Act**《毛利人代表权法案》。

Nativity　耶稣降生　基督教艺术题材，根据福音书和外典关于基督诞生的描写，描绘新生婴儿耶稣同圣母马利亚和其他人物在一起。早期5世纪基督教的耶稣降生图是马利

G.tot 圣扬斯绘《耶稣降生之夜》，15 世纪晚期
美国不列颠百科全书公司供图

亚坐像，表明分娩没有痛苦，婴儿耶稣则身裹襁褓卧于马槽，还画有一头牛和一头驴，在形如谷仓的矮小的马棚里。画中一般还有一两个牧羊人，象征基督眷顾犹太人，另外往往还有东方三位博士，象征基督眷顾非犹太人。6 世纪在叙利亚出现另一种模式的耶稣降生图，在中世纪一直流行于东方，在意大利则一直盛行到 14 世纪后期。其主要差别是把马利亚改为卧在席上，从而减去了分娩时无痛苦的含义。婴儿还是身裹襁褓，牛、驴也依然保留，但背景不再是形如谷仓的马棚，而是根据巴勒斯坦的习俗改为充作厩的窑洞。一般画有天使在窑洞上面盘旋，约瑟坐于洞口外。往往画有博士和牧羊人。并往往同时画出天使向牧羊人报信以及博士长途跋涉作为背景。另外还有一种模式，画面前方有两个产婆为圣婴洗澡，这是东方教会的标准耶稣降生图。在西欧各地（包括意大利），14 世纪末期突然改变画法，出现另一种主要模式，实质是众人朝拜基督图。最重要的改变在于，马利亚不再是产后的姿态而是跪在圣婴前面，圣婴赤身，遍体发光，不是卧于马槽而是卧于堆在地面上的干草上或裹在马利亚的斗篷

自 然 元 素

名称 化学式	颜色	光泽	莫氏硬度	比重	习性	断口或解理	折射率或抛光部分的数据	结晶系空间群	备注
砷锑矿 AsSb	锡白色,带红色的灰色	金属光泽	3～4	5.8～6.2	似小圆石的块状物	一个完全的解理	砷锑矿与砷或锑共生的精细图示	六方 $R\bar{3}m$	
汞齐									
金汞齐 Au_2Hg_3(?)	淡黄色	金属光泽		15.5	块或粒	贝壳状断口		立方,部分地(?)	
银汞矿 Ag_2Hg_3	银白色	亮的金属光泽	3½	13.5～13.7	十二面体,块状的	两个清楚的解理		立方 Im3m(?)	
汞钯矿 Pd_3Hg_2(?)	银白色	亮的金属光泽	3½	13.5～16.1	粒或矿块		"汞钯矿合金基体"(白色,各向同性的,高反射率)和"汞钯矿夹杂物"(浅灰色各向异性的)连生体	立方	
锑 Sb	锡白色	金属光泽	3～3½	6.6～6.7	块状	一个完全的解理	亮白色,反射能力很强	六方 $R\bar{3}m$	
砷 As	锡白色,变暗至暗灰色	在新鲜表面上接近金属光泽	3½	5.6～5.8	粒状的块体,聚合的结核	一个完全的解理	白色,反射能力强,各向异性	六方 $R\bar{3}m$	
斜方砷 As	铅灰色	亮的金属光泽	2	5.3～5.5	块状	一个完全的解理			也许是不纯的天然砷或一个不同的变体
铋 Bi	银白色带有浅红的色彩,变暗的彩虹色	金属光泽	2～2½	9.7～9.8	网状或似树状的晶体族	一个完全的和一个良好的解理	亮奶白色,变暗的黄色;各向异性的	六方 $R\bar{3}m$	可切的,加热时稍有延展性
碳									
金刚石 C	浅至深黄色或棕色,白至蓝白色,有时可变的	金刚石至油脂状光泽	10	3.5	扁平的八面体,十二面体	一个完全的解理,贝壳状断口	$n = 2.4175$	立方 Fd3m	摩擦电的,强散射的
石墨 C	黑色至暗钢灰色	金属光泽	1～2	2.1～2.2	板状或片状的块	一个完全的解理	多色性和双折射极值	六方 $C\frac{6}{m}mc$ (?)	能导电导热,有润滑性,薄的碎片半透明呈深蓝色
陨碳铁矿 $(Fe,Ni)_3C$	锡白色,无光泽至浅古铜色或金黄色		5½～6	7.2～7.7	细长的片状晶体	三个解理		正交 Pbnm	强磁性
铜 Cu	浅粉红色,迅速变暗至铜红色和棕色	金属光泽	2½～3	8.95	片和鳞片,似线、似树的晶体族,螺纹带状,畸形的晶体	无解理,参差不齐的断口	粉红色-白色,各向同性的,反射能力强	立方 Fm3m	高度可塑性和延展性
金 Au	当纯净时为金黄色,银白色至橙红色	金属光泽	2½～3	19.3	细长的或扁平的晶体,似线、似树的或海绵状的	无解理,参差不齐的断口	亮金黄色,各向同性的,反射率高	立方 Fm3m	可塑性和延展性很好
铱锇矿 (Ir,Os)	锡白色至浅钢灰色	金属光泽	6～7	19.0～21.0	片或扁平的颗粒	一个完全的解理	稍带淡黄色的白色	六方 $C\frac{6}{m}mc$ (纯锇) Fm3m (纯铱)	延展性很小,与灰铱锇矿(Os、Ir)形成固溶体,范围从 77% Ir 至几乎 80% Os
铁 Fe	钢灰色至铁黑色	金属光泽	4	7.3～7.9	小熔岩疱或大块(地球上的),与镍-铁共生的片或片状块(陨石的)	一个解理,参差不齐的断口	白色,各向同性的	立方 Im3m	磁性,延展性

地。根据当前的生产速度，预计瑙鲁的磷酸盐矿藏将在 20 世纪末采尽。届时只有捕鱼业可取而代之，所以瑙鲁政府已把从磷酸盐矿业中取得的相当多的利润转到海运和空运服务以及澳大利亚的房地产和其他指望长期获得利润的投资方面。瑙鲁的劳动力大多受雇于政府或从事与政府有关的工作。合同制移民劳工受磷酸盐矿雇用，先以一年为期，而后可续签合同，这些劳工并不是合格的居民，在磷酸盐矿能升级的只限瑙鲁人。许多瑙鲁人不愿受政府雇用。岛上的环海公路完全铺设路面，约 3/4 的瑙鲁人拥有私人汽车或摩托车。亚伦附近有一个国际机场，由国营的瑙鲁航空公司经营。瑙鲁的主要贸易伙伴是澳大利亚、新西兰、英国和日本。

根据 1968 年宪法，瑙鲁的国家元首是总统，由瑙鲁国会 18 位议员选举产生。国会议员由全国 20 岁以上的成年人选出，3 年 1 次。投票选举是强制性的。总统任命 5～6 人组成内阁。瑙鲁地方政府议会代表当地不同的区，不仅行使政府职能，而且经营海运公司以及岛上的一些零售商店。高等法院、区法院和家庭法院组成司法系统。岛上有两所现代化的医院和许多专科诊所，提供免费医疗和牙齿保健。热带疾病除丝虫病外，大多已经根除。人口死亡率和婴儿夭折率很低。6～16 岁的岛民须接受义务教育，政府设有幼儿园，还有几所中等学校。岛民还可以到国外上大学，部分费用由政府承担。

从其独特的混合语言来看，瑙鲁人可能是先后从太平洋其他岛屿航海漂流到此的定居者。1798 年"猎人"号的英国航海家 J. 费恩是第一个到达瑙鲁的欧洲人，因为受到了岛上居民友好欢迎，他命名该岛为"快活岛"。从 19 世纪 30 年代起，捕鲸船常常到这里来停靠，许多白人流浪者于是定居于此。1878～1888 年间，欧洲人提供的轻武器使各部落间不断发生战争，导致岛上的德国移民要求并入德国的马绍尔群岛保护地，这一请求于 1888 年终获批准。该岛逐渐以它自己的名字瑙鲁而闻名。1899 年耶稣教传教士到达这里，1903 年天主教徒也来此。在 1899 年岛上发现磷酸盐矿后，一家英国公司于 1906 年开始采掘，并与德国一家商行分享利润。1914 年第一次世界大战开始时，澳大利亚人占领了瑙鲁。1919 年国际联盟同意瑙鲁成为大不列颠、新西兰和澳大利亚的联合托管地。首任澳大利亚行政官员首次把磷酸盐矿的利润让一部分给瑙鲁。第二次世界大战期间，日本人占领了瑙鲁(1942～1945)，并用武力驱赶占全部人口 2/3 的1 200名居民出境，其中只有 737 人于 1946 年 1 月 31 日返回。从此，这一天成为岛上的"释放"纪念日。1947 年瑙鲁成为由澳大利亚管理的联合国托管地。1951 年地方政府议会成立。1965 年瑙鲁立法机构成立，并于次年进行首届选举。1967 年按照协议瑙鲁人获得了开采和销售磷酸盐的权利。1968 年瑙鲁获得完全独立，选举出自己的首任总统，成立共和国。1969 年成为英联邦的准成员国。人口约10 200(1994)。

nausea　恶心　源自希腊语 nausia，意为晕船。即胃窝部的不适感，伴厌食以及预期要呕吐的心理；事实上也常继以呕吐。恶心起自胃或十二指肠的神经末梢受刺激，这刺激再进而兴奋了脑中管恶心呕吐的中枢。轻微和严重的疾病都可以恶心为症状。最常见于消化不良、运动症和妊娠。恶心可由于进食过快，或在进食时或刚进食后受到情绪波动。晕船和晕飞机时的恶心反映了内耳半规管紊乱；半规管是负责平衡的器官。在妊娠初期有时会出现恶心，这又称晨吐症，通常发生在早饭时间；它可每天复发连续两三个星期，然后不经任何治疗就消失了。任何可导致食欲异常缺乏的原因也可引发恶心——例如休克、疼痛、颅内压增高、义齿不适口或肝肾疾病。单纯性恶心经吐出后即可缓解。

Nauset　瑙塞特人　又称科德角印第安人(Cape Indians)。操阿尔冈昆语的印第安部落。居住在今马萨诸塞州科德角大部地区。可能由于地理位置关系，他们与白人接触较早；据说 1606 年时，尚普兰就曾遇到过瑙塞特人。瑙塞特人以捕鱼为生，现知他们还种过玉米和豆类。他们是半定居的部落，根据食物来源的季节性变化而在不同的固定居址之间流动。起初他们与普利茅斯殖民者敌对，但后来表示友好，在 1622 年还为饥饿中的殖民地居民供应粮食。在菲利普王战争期间，大多数瑙塞特人同白人移民保持友好。许多人在战前即已改宗基督教，1710 年前全部落分为若干教会，作为基本社会单位。但就在这年，许多瑙塞特人死于热病，到 1802 年据说只剩 4 名幸存的瑙塞特人。但有些印第安人被其他部落逐出其居住地后，曾到瑙塞特人地区定居，因而许多混血后裔得以生存下来。

Naushahra (Pakistan)　参阅 **Nowshera 瑙谢拉**。

nautilus　鹦鹉螺　鹦鹉螺属(*Nautilus*)和船蛸属(*Argonauta*)头足类软体动物的统称，尤指前者。鹦鹉螺属种类俗称珍珠鹦鹉螺或分室鹦鹉螺。船蛸属种类俗称纸壳鹦鹉螺，

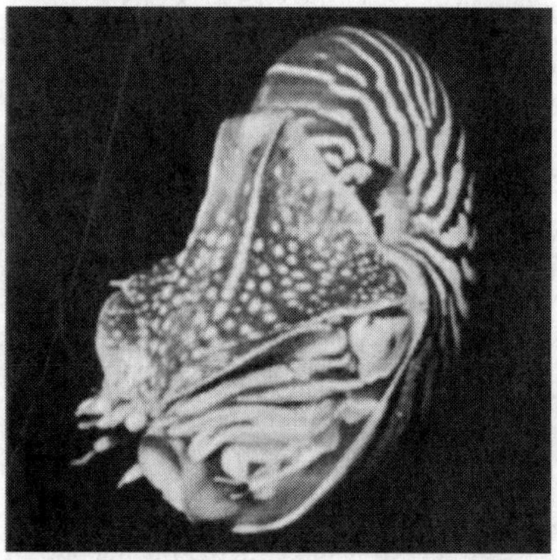

分室鹦鹉螺(*Nautilus*)
美国不列颠百科全书公司供图

世界性分布，与八腕类有亲缘关系。珍珠鹦鹉螺具壳，壳的表面光滑，平面盘旋，直径约 25 厘米；内部分为约 36 个壳室；最外侧的一室为躯体所居；各壳室之间有一条体管相连，体管的功能如浮器，用以调节壳室的气体含量，控制壳体在水中的垂直运动。鹦鹉螺在近海底处游泳，觅食虾类等，以多达 94 条无吸盘、可收缩的触手捕食。鹦鹉螺属为古老的鹦鹉螺目唯一的现存属，在古生物学中十分重要，可借以判定地层的年代。纸壳鹦鹉螺通常见于热带和亚热带海洋的表面，以浮游生物为食。雌体与其他八腕目种类不同之处为具一个薄而卷曲、不分室的外壳，由背腕上巨大的罩片或膜片构成，卵产于其中，幼体在此孵育。壳大，直径可达 30～40 厘米，质脆。雄体的大小仅为雌体的1/20，无壳，以前一度认为寄生于雌体的壳内。在其他特征方面，此雌体与章鱼属(蛸属，*Octopus*)相似。

Nautilus　"鹦鹉螺"号　历史上至少有3艘潜艇，包括世界上第一艘核动力潜艇名"鹦鹉螺"号。第4艘在科学幻想小说中著名。1800年美国工程师R.富尔顿经拿破仑批准，

美国"鹦鹉螺"号潜水艇
美国海军部供图

在法国建造了最早的"鹦鹉螺"号潜水器。尽管它在试验中下沉成功，甚至还击沉了船只，但没有从法国和英国获得进一步研究的支持。1870 年 J.凡尔纳的科学幻想小说《海底两万里》中描述了涅莫船长的"鹦鹉螺"号的航行。1886 年英国人造了一艘以蓄电池为电源、由电动机驱动的"鹦鹉螺"号，它预示了在水面以内燃机驱动，在水下以蓄电池为电源、由电动机驱动的潜艇的发展方向。1954 年 1 月 21 日美国海军的"鹦鹉螺"号潜艇下水，它是能长时间潜航的现代潜艇，它以核反应堆产生的蒸汽带动涡轮来推进。潜航速度超过 20 节，并能一直保持这一速度航行。它比旧式的潜艇大得多，长 97 米，水下排水量3 180吨。1958 年 8 月 1～5 日，它作了一次历史性的水下巡航，从阿拉斯加的巴罗角，穿过北极的水下到达格陵兰海。1980 年退役。1985 年开始在康涅狄格州新伦敦的"鹦鹉螺"号纪念馆和潜艇部队博物馆公开展览。

Nauvoo　诺伍　美国伊利诺伊州西部汉考克县城市。位于麦迪逊堡西南 16 千米处，临密西西比河。1839 年摩门教徒移居此地，曾发展为约有 2 万摩门教徒的社区。首领约瑟夫·史密斯被杀后，教徒于 1846 年迁居犹他州。随后该地一度成为以法裔为主的社会主义者伊卡里安的社区，人数最多时在1 200～1 800之间，后分裂；其成员融入大众。1841 年设建制。现经济以酿酒、农业(玉米、大豆和家畜)和旅游业为主。当地多葡萄园和苹果园。设有圣马利亚隐修院(1874)和圣马利亚女子寄宿学校(1874)。市内的诺伍历史纪念地内有约瑟夫·史密斯故居(1843)、杨伯翰故居和诺伍历史学会博物馆。附近为州立诺伍公园。人口约1 063(2000)。

续表

名称 化学式	颜色	光泽	莫氏 硬度	比重	习性	断口或解理	折射率或抛光部分的数据	结晶系 空间群	备注
铅 Pb	铅灰色，新鲜表面上灰白色	无光泽的，新鲜表面上金属光泽	1½	11.4	圆形的块，薄片	无解理	新鲜表面灰白色，各向同性的，反射率高，快速失去光泽	立方 Fm3m	延展性很好，稍易变形
汞 Hg	锡白色	很亮的金属光泽		13.596	分离的液滴，偶尔形成较大的液态物质			六方（在 －39℃）	常温下为液体
镍-铁 (Fe,Ni)	银白色至淡灰白色	金属光泽	5	7.8～8.2	卵石、颗粒、细鳞片（地球上），或与近似的陨石铁共生（陨石）	无解理		立方 Fm3m	强磁性，有延展性，可塑性
钯 Pd	带白色的钢灰色	金属光泽	4½～5	11.9	颗粒	无解理	白色，反射率高，各向同性的	立方 Fm3m	易变形，有延展性
铂铱矿 (Ir,Pt)	带淡黄色的银白色，新鲜表面上灰色	金属光泽	6～7	22.6～22.8	圆的或多角的颗粒	参差不齐的断口		立方 Fm3m	稍有延展性
铂 Pt	带白色的钢灰色至暗灰色	金属光泽	4～4½	14～19	颗粒或鳞片，有时呈团状或块状	无解理，参差不齐的断口	白色，各向同性的	立方 Fm3m	有延展性，易变形，有时有磁性
陨磷铁矿 $(Fe,Ni)_3P$	银白色至锡白色，失去光泽变为黄铜的黄色或棕色	亮的金属光泽	6½～7	7.0～7.3	片状、棒状或针状	一个完全的解理		四方 $I\bar{4}$	强磁性
硒 Se	灰色	金属光泽	2	4.8	常常有空心或似管状的晶体，玻璃状的滴	一个良好的解理	反射率还算高，奶白色，多色的，很强的各向异性的	六方 $C3_12$ 或 $C3_22$	导电体，薄的碎片透明呈红色
银 Ag	银白色，失去光泽为灰色至黑色	金属光泽	2½～3	10.1～11.1（纯的 10.5）	常常是细长的、似线的或似树的晶体族，大量的似鳞片或壳状	无解理，参差不齐的断口	亮银白色，已知反射能力最大，各向同性的	立方 Fm3m	易变形，有延展性
硫 S									
菱形硫 (α－硫)	硫黄色、麦杆黄至蜂蜜的黄色，淡黄棕色或灰色，淡绿色，淡红色	树脂状至油脂状的	1½～2½	2.07	透明至半透明片状晶体，球形或似小卵石的块状物，壳状，粉状	三个不完整的解理，参差不齐至不平坦的断口	$n=1.957$	正交 Fddd	非导电体，摩擦带负电
单斜硫 (β－硫)	亮黄色，近无色，由于含有机物质为浅棕色		微大于 α－硫	1.958，1.982	薄片或细长的晶体	两个解理	$n=2.038$	单斜	
珠光状的硫 (γ－硫)	亮黄色，近无色	金刚石般的光泽	低	小于 α－硫	微透明的晶体	未观察到解理		单斜	室温下慢慢回复至 α－硫
钽 Ta	淡灰黄色	明亮光泽	6～7	11.2	微小的晶体，细粒			立方 Im3m	
碲 Te	锡白色	金属光泽	2～2½	6.1～6.3	柱状至细粒状块状，微小的晶体	一个完全的解理	强各向异性的，白色，反射能力很强	六方 $C3_12$ 或 $C3_22$	
锡 Sn	锡白色	金属光泽	2	7.3	不规则的圆颗粒，未知的天然晶体	参差不齐的断口		四方 $I\frac{4}{a}md$	易变形，有延展性
锌 Zn	微带淡灰色的白色	金属光泽	2	6.9～7.2		一个完全的解理		六方 $C\frac{6}{m}mc$	虽然报道过，但以天然形式存在是有疑问的

里；往往还画有约瑟跪拜；除牛、驴以外，其他细节大多删略，尤其是在早期的作品中删略更多。在文艺复兴时期，天使重新出现在画面上，而且往往与牧人来拜结合起来，逐渐发展成为独立的题材。偶尔也画上产婆。16世纪，反宗教改革的特伦托会议决定，禁止画产婆和牛、驴，禁止画圣婴耶稣洗澡，斥之为鄙俗不雅，崇信伪经，违反教义。17世纪，出现了一种更家常式的描绘，画马利亚怀抱圣婴斜倚身躯的姿势。

NATO 参阅 **North Atlantic Treaty Organization** 北大西洋公约组织。

natrolite 钠沸石 沸石族中含水的钠的铝硅酸盐矿物[$Na_2(Al_2Si_3O_{10})\cdot 2H_2O$]。呈玻璃状细长晶体或纤维状块体，无色或白色，充填于玄武岩质岩石的空洞或裂隙中，产地有意大利的特伦蒂诺、挪威的布雷维克、北爱尔兰的贝尔法斯特、丹麦的法罗群岛、美国新泽西州的东北部。是最早被发现具有阳离子交换性能（被溶解的钠、钾、钙和镁在分子结构中很容易互相置换）的几种沸石之一。现在被用于软化硬水。钠沸石是分子结构主要由硅酸盐和铝酸盐的四面体（四个氧原子排列在中心为硅原子或铝原子的三角锥的角点上）连接成链的沸石矿物当中主要的一种，链与链之间的横向连接键比较少，造成这一类沸石具有特殊的纤维状形态。钠沸石一类中的其他一些沸石为中沸石、钙沸石、杆沸石和纤沸石。这些沸石都具有类似的产状、分子结构和物理性质，可是它们却具有不同的晶体对称性：中沸石和钙沸石为单斜晶系（3个不等长的晶轴，其中一个晶轴与其他两个晶轴组成的平面斜交）；钠沸石、杆沸石和纤沸石是斜方晶系（3个不等长的晶轴互成直角）。中沸石的化学成分介于钠沸石与钙沸石之间。关于化学式和详细物理性质，参阅 **zeolite**（表）。

Natron, Lake 纳特龙湖 坦桑尼亚北部与肯尼亚交界处的湖泊，位于阿鲁沙西北面113千米的东非大裂谷。湖长56千米，宽24千米，有盐、苏打、菱镁矿等矿藏。湖水温暖，成为大裂谷火烈鸟理想的繁殖场所。盖拉伊火山（2 942米）位于湖的东南边。在纳特龙湖的正西面的佩宁伊，考古学家们发现了佩宁伊下颌骨，或称纳特龙下颌骨，这是一副几乎保存完整的人颚化石，包括一副完整的成年人牙齿。此标本属于鲍氏南方古猿类（*Australopithecus boisei*）。

Natsume Sōseki 夏目漱石（1867-02-09，日本江户［今东京］～1916-12-09，东京） 原名夏目金之助。明治时期日本杰出的小说家，他第一个巧妙地描绘了被疏远的现代日本知识分子的悲惨处境。夏目在东京大学取得英语学位（1893）之后，曾到外地去教书，1900年官费去英留学。1903年他在东京大学任英语讲师。他因两部诙谐的小说《我是猫》（1905～1906）和《哥儿》（1906）而成名。二者都是讽刺当时的市侩和招摇撞骗的知识分子的。他的第三部书《草枕》（1906）是关于一个留在边远乡村的画家的抒情力作。1907年他放弃了教书生涯而专心写作，此后他发表了一些更具特色的作品，这些作品的基调无一例外都是阴暗的，描写人们为摆脱孤单而作出的

东京国际教育情报学社供图

努力。作品的典型主人公都是受过良好教育的中产阶级的人物，他们或背叛了身边的某个人，或被某个人出卖，结果怀着负咎的心情或幻灭感，过着离群索居的生活。在《行人》（1912～1913）中，主人公由于孤独感几乎被逼疯。在《心》（1914）里，主人公自杀了。在《门》（1910）里，未能进入禅寺以取得宗教安慰的主人公则是沮丧、孤独与无助的一个令人害怕的象征。夏目的最后一部小说《道草》（1915）是自传性质的。夏目自称他几乎不曾受益于本国的文学传统。不过，尽管他的小说具有现代的气质，但它们却有一种只有日本才有的优美的抒情风格。正是由于夏目的缘故，主要是一种外国文学体裁的现实主义现代小说才得以在日本扎根。

Natta, Giulio 纳塔（1903-02-26，意大利热那亚附近因佩里亚～1979-05-02，贝加莫） 意大利化学家。在开发用于制造薄膜、塑料、纤维和合成橡胶的高聚物方面作出了贡献，与德国化学家K.齐格勒共获1963年诺贝尔化学奖。1924年在米兰工学院获化学工程博士学位，随后在帕维亚大学、罗马大学和都灵大学任化学教授，继而回到米兰工学院任工业化学教授，1938年任工业化学研究所所长。其早期研究工作为工业合成甲醇、甲醛、丁醛和琥珀酸奠定了基础。1953年开始对大分子进行深入研究。应用齐格勒催化剂，试验了丙烯的聚合反应，得到分子结构高度规则的聚丙烯，性能优良，强度高、熔点高，具有重要的工业价值。

Nattier, Jean-Marc 纳蒂埃（1685-03-17，巴黎～1766-11-07，巴黎） 法国洛可可画家，以为路易十五的女儿画古典神话式装束的肖像著名。1703年进入皇家学院。1715年到阿姆斯特丹，为俄国沙皇彼得大帝和叶卡捷琳娜女皇作画。1720年因法兰西财政危机致使他改变了做一名历史画家的初衷，转而作肖像画。自1745年起，他以正式肖像画师的身份为路易十五的四个女儿画像。

Natufian culture 纳图夫文化 巴勒斯坦和叙利亚南部的中石器时代文化（起自约公元前9000）。纳图夫人主要从事狩猎，而以采集野生谷物补充食物，使用装在骨制直柄上的燧石、镰刀和石臼、石杵。一些群体住在洞穴里，另外一些住在原始的村落里。他们以个人饰物随同死者葬入坟墓，曾发现骨和石的雕刻艺术品。

natural bridge 天然桥 又称天然拱门（natural arch）。天然生成的类似桥的拱形地形。大部分天然桥是水平层状的块状砂岩或灰岩的侵蚀形态。某些天然桥是洞顶塌陷后

美国弗吉尼亚州列克星敦的天然桥
美国不列颠百科全书公司供图

像桥一样的残存部分，例如美国弗吉尼亚州列克星敦的天然桥（Natural Bridge）。另一些天然桥是由嵌入曲流截湾作用蚀穿曲流颈形成的。还有一些天然桥系因风化剥落而产生，又因风蚀而扩大的。最好的实例可在美国犹他州的天然桥国家名胜（**Natural Bridges National Monument**）和“虹桥国家保护区”（**Rainbow Bridge National Monument**）找到。天然隧洞的成因常与天然桥相似。海蚀穹是一种类似的形态，由海浪蚀穿残余岬角而成。海蚀穹桥顶崩塌通常形成海蚀柱。

Natural Bridges National Monument 天然桥国家名胜 美国犹他州东南部的三座天

天然桥国家名胜内的奥瓦乔莫桥
美国不列颠百科全书公司供图

然形成的砂岩石桥。在布兰丁以西68千米处。由源出埃尔克岭西坡的两条弯曲河流穿切而成。1908年定为名胜地,面积31平方千米。最大桥锡帕普桥高出河床67米,拱长82米。卡奇纳和奥瓦乔莫两桥分别高64米和32米,拱长62米和55米。附近多印第安人遗迹。卡奇纳桥的桥台上有早期穴居人刻的石壁画。

natural childbirth 自然分娩法 主要靠消除恐惧心理及锻炼助产动作,而极少采用麻醉药、镇静药及外科手术的助产方法。直到20世纪早期,“自然分娩”一词仍被视为正常分娩的同义词。1933年,英国产科医生G.狄克-里德著《自然分娩法》一书,认为分娩时阵痛的心理学基础是恐惧,而这是在社会生活中形成的,建议孕妇进行使肌肉松弛的锻炼,并接受孕期教育以掌握有关分娩过程的知识。但他后来也承认,疼痛不能完全避免。狄克-里德的方法及其他类似的方法在50年代中期为人们广泛接受。拉马兹、宾、布雷德利及勒布瓦叶等在狄克-里德法的基础上分别设计了其他的自然分娩法,虽然各有差异,但仍有共同的特点。孕妇都要学习及锻炼助产动作,并要消除顾虑,以减轻分娩过程的不适。具体内容包括讲授有关解剖学及分娩过程的知识,使产妇能与助产人员合作,分娩过程得以顺利进行。许多方案还鼓励产妇的丈夫参加,以便在分娩过程中给产妇以精神上的支持。参阅 **Lamaze**。

natural fibre 天然纤维 直接来源于动物、植物或矿物的毛发状原料;天然纤维也可定义为细长形的细胞附聚体。在自然界特别是植物界资源十分丰富。天然纤维中一部分可供纺织或其他工业用,其用途取决于纤维本身的长度、强度、柔韧性、弹性、耐磨性、吸着性能和表面特性等。各项性能都极良好的天然纤维并不多,大多数都具有各自的特点而适应某种用途。天然纤维在史前期就用作纺织原料。在瑞士湖滨人住地遗址挖掘出公元前7～前6世纪的亚麻和羊毛织物,是现存最早的纺织品。大麻是人类最早种植的纤维植物,最早种于东南亚,中国在公元前4500年也已经种植。公元前3400年以前,亚麻纺织在埃及已有较大发展。棉纺技术在公元前3000年时在印度出现。制丝技术产生于发达的中国文明,传说起始于公元前2640年。利用纤维的技术逐渐传播,新品种和新用途也不断发现。到18～19世纪产业革命期间,加工天然纤维的各种纺织机械相继涌现,纤维产量急速增加。人造纤维和合成纤维的发明和利用,使天然纤维受到激烈的竞争,引起对天然纤维的深入研究,包括培育高产的新优良品种,改进纺织加工方法,发展纱线和织物的变性加工,以增强天然纤维的地位,使天然纤维的产量逐年增加。但由于人造纤维价格便宜,纺织加工所需人工较少,天然纤维所占比重则在下降。天然纤维分为植物、动物和矿物纤维三类。植物纤维的主要成分为纤维素,又称天然纤维素纤维;动物纤维的成分是蛋白质。植物纤维能从大气中吸收6%～10%的水分,动物纤维可吸收10%～15%,这种特性使天然纤维特别适用于衣着。天然纤维还能吸收大量液态水而发生膨胀,有利于染色。与合成纤维不同,天然纤维不具有热塑性,棉和羊毛加热到约225 ℃时开始分解。棉易燃烧,羊毛易燃性略低。在阳光和水汽的作用下,天然纤维变黄并影响强度。各种天然纤维都会受微生物的侵袭而腐烂,蛋白质纤维还易被虫蛀。可以用化学处理改变纤维的性质来防止微生物和蛀虫对纤维的侵蚀,现在已能做到完全不受这类损害。

植物纤维 植物纤维又可分为种子纤维、果纤维、韧皮纤维和叶纤维。种子纤维附着在种子表面,如棉;果纤维附着在果壳壁,如木棉、*椰壳纤维*(**coir**);韧皮纤维存在于一些植物的韧皮内层,如亚麻、大麻、黄麻、苎麻;叶纤维生长在叶鞘或叶身内,如蕉麻、剑麻、西沙尔麻等。许多植物内部都有纤维素纤维,由于分离困难,用于纺织的纤维素纤维种类有限。*棉花*(**cotton**)为最重要的纤维素纤维。摘下后还没有去掉种子的棉花称为籽棉,籽棉中纤维重约占1/3。棉花轧去种子后的纤维称皮棉。最初剥棉全用人工,几百年前印度发明了皮辊轧棉机,1793年美国E.惠特尼发明锯齿轧棉机使轧棉现代化。原棉经轧棉及纺织加工后,仍附有籽屑,印染前须随同纤维中的胶质、灰分和蜡质等经碱液煮炼除去。煮炼使杂质成为可溶性物质或被分解、皂化、乳化,煮炼后原棉失重约6%～9%。棉布常需漂白,有次氯酸盐漂白、过氧化氢漂白和亚氯酸盐漂白等几种。棉籽上的短绒,可作填充料及纤维素原料供生产纤维素酯及炸药等用。棉纤维由单植物细胞组成,外壁为初生层,内层为逐日淀积的次生层,中央为腔管。棉纤维含纤维素约95%,次生层中几全为纤维素,初生层中有棉蜡等,原生质残留物、灰分和色素等则在腔管中。*木棉*(**kapok**)是木棉籽荚内壁的纤维,纤维壁薄,腔管粗,不吸水,浮力大,用作救生衣等的填充物,质脆,无弹性,不能纺纱。韧皮纤维由胶质黏结,使胶质在水中溶解脱胶,分离出纤维。*黄麻*(**jute**)纤维质脆,纤维素含量约58%～63%,大部分用作麻袋,也纺制成绳索和地毯用纱。用亚麻和羊毛交织成外衣,在19世纪以前甚为普遍,19世纪后为棉所替代。*亚麻*(**flax**)纤维较细,直径5～28微米,优质的制成台布、床单、花边和衣着用布,较粗的制成绳索、帆布、缝纫线和水龙带等。*苎麻*(**ramie**)纤维经脱胶和清洗后切短,在毛纺或棉纺机上纺制成纱。苎麻纤维的强度高,湿强度大,伸长率小,易干,可制成衣着、台布、手帕、帆布、蚊帐等,短纤维为纸币和香烟纸的原料。*大麻*(**hemp**)纤维较亚麻粗,纤维素含量约67%,不易漂白,常用作绳索,但已被强度较大的叶纤维剑麻等替代。叶纤维的柔曲性很差,只能用于制绳。重要的叶纤维为*蕉麻*(**abaca**)和*赫纳昆剑麻*(**henequen**)、*西沙尔麻*(**sisal**)。蕉麻的强度在叶纤维中最大,耐湿,最宜于制成各种用途的绳索,并广泛用于造币。叶纤维中,剑麻约占70%,剑麻绳索易断,是其缺点。

动物纤维 人类在175万年前开始利用*羊毛*(**wool**)。绵羊在各种条件下都能生长,公元前传入西班牙后育成的美利奴种已成为全世界广泛饲养的细毛羊种。绵羊毛分为细羊毛、半细毛、长羊毛、杂交种毛、地毯毛或混合毛等。羊毛须经过洗毛除去羊汗、油脂和砂土等,并用机械或化学(碳化)方法除去草屑。羊毛根据纤维的粗细、长度、卷曲、净毛率和植物质分级,这项工作常在羊毛洗净前进行。羊毛可分为粗纺毛和精纺毛,粗纺纱所用的纤维较短,捻度较低,粗纺织物较松,柔软,表面有绒毛;精纺纱光洁,捻度高,精纱织物质地紧密,表面平滑。羊毛纤维的特性为伸长能力大,弹性好,在变形很大时,也能恢复。*马海毛*(**mohair**)为安哥拉山羊毛,现只有美国、土耳其和南部非洲生产。马海毛长度长,无卷曲,不收缩,主要用于衣着。*山羊绒*(**cashmere**)为克什米尔山羊的内层毛,纤维特细,中国、蒙古和伊朗为主要生产国,中国和蒙古产的最优,主要用于衣着,可单独使用或与羊毛混纺。骆驼绒是双峰骆驼的绒毛,质优的用于衣着及制毯等。马海毛、山羊绒、骆驼绒以及美洲驼毛、羊驼毛、原驼毛和驼马毛有时统称为特种毛发纤维,质量优于绵羊毛。安哥拉兔毛有丝光、轻柔保暖,于19世纪中叶开始用于纺织,制成华贵的纺织品。*丝*(**silk**)光泽明亮,强韧而有弹性,可以制成从极薄的雪纺到厚实的丝绒等各类纺织品。桑蚕丝为主要品种,自古在中国繁殖,后传入日本、印度和伊朗。传说由两个波斯僧侣在6世纪时从中国偷带出蚕种和桑叶籽后方才在西方建立起丝绸工业。

矿物纤维 存在于地壳的岩石内,可用于纺织的*石棉*(**asbestos**)。石棉是纤维状镁、铁、钙的硅酸盐矿物的总称。石棉具有耐酸、耐碱和耐热性能,用来制成防火织物。

natural gas 天然气 主要由甲烷和乙烷组成的无色极易燃的气体,通常与原油共生的一类矿物燃料。除了甲烷和乙烷以外,天然气还含有其他烃类如丁烷、戊烷和丙烷,以及与气态烃类经常在一起的其他气体,包括二氧化碳、氢气、硫化氢、氮气和惰性气体氦、氩。经常发现天然气与石油存储在一起或在相近的地方,这是因为有利于气态和液态烃产生的地质条件是相同的。天然气大部分组分来自沉积岩中的有机物质(陆生和水生植物的残遗物),它们通过很长时间的地质过程变化成天然气。真正由这些天然过程产生的气体截留在分布于地层各处的气田中。生产者通过向地下打井开采得到天然气。有些天然气从井中开采出来不必精炼就能使用,但大多数需要加工,一般包括冷凝挥发性较小的烃类(产生大量液化石油气,主要为丙烷和丁烷)和除去不希望有的组分如二氧化碳、硫化氢和其他含硫的化合物。天然气可以其天然的气态用管道运输,或冷却至 -160 ℃液化后用油轮运输。液体只占约1/600气体的体积。虽然古代就使用天然气,但它未成为重要的能源,直至20世纪60年代末和70年代初当原油短缺迫使主要工业国家去寻找一种替换物,才去加工由石油产生的气体。从那时起,天然气作为住宅和工业的燃料以及化学原料日益被开发利用。

Natural History, American Museum of 参阅 **American Museum of Natural History** 美国自然历史博物馆。

Natural History Museum 自然历史博物馆 旧称不列颠博物馆(自然历史)(British Museum[Natural History])。英国的自然科学博物馆,基于馆内出色的标本收藏和广设的图书馆,对分类学和相关的研究负有全国和国际责任。位于伦敦的南肯辛顿。该馆原是不列颠博物馆的组成部分,不列颠博物馆成立于1753年,当时政府获得汉斯·斯隆爵士的收藏品。在R.欧文的监督下,这些自然历史收藏品移至现在的场所,且于1881年开放参观。该建筑物由A.沃特豪斯设计,是维多利亚时代罗马式建筑的杰出典范。该馆历经几次扩充,主要是为该馆服务提供贮藏库和设备。根据1963年的议会法令,自然历史博物馆有了自己的理事会,而完全独立于不列颠博物馆之外。1986年该理事会接管邻近的地质博物馆(今可直通自然历史博物馆)。还有一家分馆位于伦敦西北50千米赫特福德的特灵,这家分馆名为华尔特·罗思柴尔德动物学博物馆,由罗思柴尔德男爵第二(1868～1937)赠给国家。自然历史博物馆的收藏品包含世界各地近7 000万件标本。其中包括大量的"模式标本",即一个品种首次据以描述和命名的动植物。还有极重要的历史性收藏品,例如J.库克远航太平洋和C.达尔文乘皇家军舰"比格尔"号旅行所留下的收藏品。这些收藏品组编入生物学、昆虫学、矿物学、古生物学、动物学各部门,附属鸟类学部门则归于特灵。尽管该馆工作具有学术性质,馆内仍常举办科普性展览,主题包括地球、生态学、物种的起源、恐龙、哺乳类、人类生物学等。

natural law 自然法 哲学家和法学家所用的术语,通常指人类所共有的权利或正义体系。作为一般承认的正当行为的一组原则,它源于自然,常和国家正式颁布及由一定法令施行的"成文法"形成对照。

古希腊以来,对于自然法的意义及其与成文法的关系存在着不同的看法。古希腊智者派将"自然"和"法"区别开来,认为"自然"是明智的,永恒的,而"法"则是专断的,是出于权宜之计的。因此,按一种观点,法律是为强者的利益服务的;按另一种观点,法律是为弱者服务的。苏格拉底、柏拉图和亚里士多德都断定能发现永恒不变的标准,以作为评价成文法的参考。苏格拉底和柏拉图都未明确地关心自然法;不过,柏拉图认为必然独立存在着正义和勇敢这样永远不变的实在。但他认为这些实在不是由感觉或经验观察所能领悟的,而是必须由纯理性,亦即由哲学去寻求。因而立法和行政应无例外地委托给哲学家来负责。亚里士多德认为有一种无论哪里都具有同样的权威的、使用理性可以发现的自然法或正义。这种完善的自然法笼络社会上的所有公民,但奴隶除外。斯多葛学派引进了一种新的看法,并设想了一种均等的自然法。他们认为理性是人人所共有的一种属性,非公民所独有。自然状态是一种为理性所控制的和谐状态,但为自私所破坏。因此人类面临的任务就是要塑造自然的法则,以便恢复自古就有的理想。按照理性生活,就是按照自然生活。理性是各国人民所共有,因而自然法是普遍存在的。鼎盛的罗马时代虽然取代了希腊的地位,但对自然法理论却根本没有作出什么贡献。不过它有一个重要的发展,就是施用于罗马人和非罗马人的民族法在一定程度上也等同于自然法。欧洲到了中世纪,教会成了学术的主要中心,谋求法律理论以适应时代需要的责任就落到教会身上了。

使古代自然法和上帝法一致起来的是中世纪教会法规之父格拉提安。他将自然法和新旧约全书的天启法等同起来。T.阿奎那在上帝的永恒法、自然法和人类法之间找到了更系统的相互关系。他的哲学体系把希腊哲学、罗马法、早期基督教著作家的教言和当代的实用主义融为一体。但最惊人的是,他坚定不移地相信理性,因为即使上帝的永恒法"也不过是神圣智慧的理性而已"。他还把自然法分为三组原则:第一组是爱上帝、爱邻居和行善避恶;第二组包括(基督教)十诫、服从父母和权威、保护个人和别人的生命财产、忠诚老实和信守诺言;第三组包括根据个别情况应用由上述两组原则形成的具体准则。其他经院哲学家如J.D.斯科托斯等都强调自然法的来源是神的意志,而不是神的理性。

在中世纪告终的知识气氛中有三种因素占优势:相互敌对的基督教派系的滋长,民族国家的产生和科学的兴起,这些因素对自然法的概念都具影响。17世纪荷兰法学家H.格劳秀斯相信宇宙是由有理性的自然法统治着。对人来说,自然法就是由人的基本性质所必不可避免地要产生的那些准则的集合,所以它是可以理解和永久不变的。人之所以异于其他动物就是由于他能同别人和平共处和具有根据一般准则行事的能力。这些准则是:履行诺言,承认人类平等及公正原则,履行父母责任和遵守婚姻忠诚的原则。这个时期英国的T.霍布斯提出了社会契约论。他认为自然状态的人是自私的和残酷的;为了禁止他们的野蛮行为,就需要将他们置于绝对权威的管理之下。他们因此缔结了社会契约,而由此产生的统治者(君主)就行使人民赋予的权力,成为一个绝对的社会权势巨头,握有保证安定和满足人民需要的大权。霍布斯认为统治者(只对上帝负责)应依照自然法来行动,其中包括统治者要遵循道德的责戒。除此以外,个人毫无保障。这样说来,成文法是与自然法不同的,其明显特点是它来源于统治者(君主)的权威。洛克认为,个人并未曾将自己的所有权利都交给统治者(君主),而只是交给了适合于维护法律与安全的权力机构。18世纪这种理论在孟德斯鸠,尤其是在卢梭的《民约论》中得到了发展,而成为法国革命的哲学。

19世纪,自然法理论受到责难,其理由有:①社会契约论是完全虚伪的;②它是来自先天假定的演绎论推理,不能解决复杂的社会问题;③纯理性作为法国革命的口号带来了许多过分的结果;④基于实践比基于理性所进行的法律改革会更有收获。到了20世纪,当人们在战争所产生的动乱中引起对新价值的追求时,有些学者恢复了对自然法理论的研究。

natural resources, conservation of 自然资源保护 参阅 **conservation** 自然保护。

natural selection 自然选择 通过有选择性地繁衍那些在基因型或遗传性状方面有变异的个体,而使某生物物种本身更能适应其生存环境的过程。只有具有能增加该生物物种生存和繁殖概率的基因型的那些变异个体,才能不断地去除不利遗传性状而存活下来,并且世代繁衍。这一过程的直接后果就是生物进化。没有差异就没有进步,自然选择也是如此。生物种群各成员之间在生存、生育、成长、交配等各种生命现象中所表现出的差异是自然选择的基础,并直接影响到该种群的子嗣数量。如生存环境不变,则生物种群在传代过程中,基因频率也保持稳定。干扰基因频率自然平衡的因素有:基因突变、转移、随机漂移和自然选择。基因突变是DNA分子结构发生的自然变化,与生物种群无涉,且发生率低。转移是指不同种群的生物体之间杂交后,子代基因频率的局部变化。随机基因漂移则是一种在生物传代过程中发生的基因频率的变化,是一种纯随机过程。上述三种情况下的基因频率改变,显然与环境、物种的生存和繁殖能力无关,它们都是无序的随机过程。自然选择能使上述的随机无序状态变为有序——使有利于适应环境的突变基因性状得以繁衍、强化,而与环境相左的遗传性状则因无后代繁衍而消亡。这样,自然选择就能不断地扩大那些能很好适应其生存环境的种群数量,而且在某些情况下,还能通过对遗传性状的选择来改良生物品种。参阅 **evolution**。

naturalism 自然主义 19世纪末至20世纪初文学和视觉艺术中的一种倾向。受到自然科学的一些原则和方法,特别是达尔文的自然观的启发,并使之与文学艺术相适应。在文学上,发展了现实主义传统,并以更忠实地、不加选择地反映现实为宗旨,以反映不带道德评价的真实的"生活侧面"。自然主义与现实主义的区别在于,前者以科学上的决定论为假定前提,这导致自然主义作家在作品中只突出人的偶然性和生理性而非人的道德或理性。个人性格被表现为遗传和环境的孤立产物,各为其内在的强烈本能所驱动,并为外来的社会压力和经济压力所困扰。因此,他们没有意志或义务来决定自己的命运。在预测他们的"情况"方面,一开始就是悲观的。自然主义起源于法国。其直接的理论基础就是H.泰纳的批评方法。泰纳在其《英国文学史》(1863～1864)一书的前言中宣称:"……抱负、勇敢、真诚均有原因,就像消化、肌肉运动和体温均有原因一样。罪恶和美德则是像硫酸和蔗糖一样的产物……"自然主义的卓越代表是左拉。他写的《实验小说》(1880)一文堪称自然主义文学的宣言。按照左拉的看法,小说家不再是只满足于记录现象的观察家,而是超脱的实验员,他把自己作品中的人物以及人物的情感置于一系列实验之中,并像化学师同物质打交道那样检验情感与社会的真相。从左拉以后，自然主义风格风行文坛，并在不同程度上影响了这一时期的大多数大作家。莫泊桑脍炙人口的故事《项链》为像在显微镜下检验一个标本那样介绍人物开了先河。法国作家于斯曼、德国剧作家霍普特曼和葡萄牙小说家埃萨·德·克罗兹等人的早期作品都以自然主义为指针。在戏剧方面，1887 年安德烈·安托万在巴黎创立自由剧院，1889 年 O.布拉姆创立柏林自由剧院，开始以自然主义的舞台形式上演自然主义风格的新颖剧目。与此同时，自然主义在视觉艺术方面获得相应发展。画家效法现实主义画家库尔贝的先例，开始从现实生活中选择主题。其中许多人离开画室到户外，在街头巷尾从农民和店主身上寻找主题。一旦发现，便立即动笔不加粉饰和布置。因此他们的油画都带有速写所特有的新鲜感和直接感。文学自然主义的代言人左拉还是第一个支持E.马奈和印象派画家的人。自然主义文学家尽管声称要完全客观地反映现实，但仍为其决定论中固有的某些偏见所掣肘。他们忠实地反映自然，但往往是"狰狞可怕"的自然。他们关于遗传的观点常常促使他们偏爱受着强烈的感情所支配的简单人物。他们只看到压抑的环境，因而只热衷于选择某些最沉闷的题材，如贫民窟或下层社会等，他们往往以消沉灰暗的细节如实描绘这些环境。凡·高自然主义的《吃土豆的人们》(1885)一画的单调色彩即是文学自然主义的单调色彩的反映。他们始终未能遏制抨击他们所描绘的这种社会状况的浪漫主义成分。自然主义作为一个历史运动没有持续多久，但它为丰富现实主义艺术作出了自己的贡献——扩大了题材的新领域。其范围之大，形式之不拘一格，确实接近生活甚于接近艺术。自然主义者以各种印象的复合表达了他们对不断变动的世界的感受；这个世界充满相互依存的生命，因此不免有点像丛林那样杂乱不堪。美国文学中的自然主义出现较晚，表现最强烈的有哈姆林·加兰、斯蒂芬·克莱恩、弗兰克·诺里斯和杰克·伦敦等人的作品。德莱塞的艺术达到了美国自然主义的顶峰。詹姆斯·法雷尔的《斯塔兹·朗尼根》三部曲(1932 ～ 1935)是真正自然主义的最后表现之一。

naturalism　自然主义　一种哲学学说。它断言宇宙间的一切存在和事件(不管它们内在的性质如何)都是自然的，从而把科学方法和哲学联系起来。因而宇宙的一切知识都归于科学研究的范围。尽管自然主义一般否认真正超自然的实在的存在，但如果能够间接获得对超自然东西的认识，也就是说，自然的事物以可觉察的方式受到所谓超自然实体的影响，自然主义也可承认超自然事物的存在。在这种情况下，超自然的事物本身就处于可由科学检验的自然状态。自然主义认为：在原则上自然界是完全可知的。自然界中，有一种具有客观规律的规则性、统一性、整体性。如果没有这些，追求科学知识将是荒谬的。人们永无止境地为他们的信念寻求具体的证明，可以看作是对自然主义的方法论的一种确认。即使放弃一种科学理论而拥护另一种，依然不是对认识自然失去信心，也不是拒斥探索真理的"自然的方法"。理论可变，方法论不变。尽管人们往往把自然主义和唯物主义等同起来，但它的范围却比唯物主义广阔得多。唯物主义的确是自然主义的，但自然主义却并不一定是唯物主义的。严格地讲，自然主义并无本体论的偏爱，也就是说，它对于任何特殊的实在范畴都无偏见：二元论和一元论、无神论和有神论、唯心论和唯物论本质上都能和它和谐共存。只要现实的一切都是自然的，就没有其他限制强加于它。自然主义者实际上曾发表过种种不同的观点，甚至还有一种有神论的自然主义。自然主义在 20 世纪 30 ～ 40 年代最为盛行，主要是在美国，其代表人物有：F. J. E. 伍德布里奇、M. R. 科恩、J. 杜威、E. 内格尔、S. 胡克等人。

naturalization　入籍　一国授予外国人以该国国民身份的行为。入籍可由本人自愿申请，根据特别立法规定，因与该国公民结婚或其父母入籍而取得，也可能因入籍者的本国领土被一国并吞而转为该国的公民。各国给予入籍的特许条件不同。在通常情况下，入籍的一般要求是：要有一定的居住时期(2 ～ 15 年不等)，有永久定居的意愿，达到规定的最低年龄，能遵守前国籍国或入籍国或两国的法律，品德优良，身心健康，掌握入籍国家的语言，有足以谋生自立的能力。入籍时申请人须提出愿意丧失原国籍或已采取措施放弃原国籍的证明。

nature, law of　自然定律　逻辑上所表述的世界各种现象的关系或秩序的规律性。在一系列规定的条件下，这种规律性或者保持普适性，或者只在规定的一部分场合下有效。有关哲学方面的自然定律，参阅 **natural law**。自然定律有两种基本形式：①如果某定律表示迄今已知的某些条件始终伴随某些其他条件而存在时，则该定律是普适的。②如果某定律断言在一般前提下，展示某一已知条件的诸事例之明确陈述部分，同样也会展示某种其他条件时，那它就是盖然的。在任一情况下，定律都是正确的，虽然它只是在特定场合得到的，或者只是作为一种方便的近似值而取得的。再者，一条自然定律并不是逻辑上的必然，而是直接、间接地依据于经验的证据。普适形式的定律必须与概括相区别。诸如，"这个办公室的椅子全是灰色的"这一概括看起来就是偶然的。又如，概括不能提供诸如"如果这把椅子在我的办公室里，它就是灰色的"那样违反事实的陈述。概括化也不能提供诸如"若是把这把椅子拿到我的办公室，它就是灰色的"这样的虚拟条件句。另一方面，"所有的行星都围绕它们的恒星在一近于椭圆的路径上运行"这样的陈述就支持了概括化。所有的科学定律看来都会给出类似的结果，然而，作为自然定律的各种普适性陈述，都是由历史上的任何时代流行的科学理论确定的。自然定律通常需要若干实证的属性。对于事物的陈述限制于一个地域或一个时期，不能称做定律。大多数科学家也主张，陈述必须适用于那种并非用于引伸定律的证明：虽然定律是从经验中建立的，但是它必须预示或有助于人们理解那些经验所不包含的事物。最后，一条定律一般说可以希望用多个围绕它的定律或某种理论来加以解释，所以，对那种具有预示其成立的一般理论基础的规律性，比经验的规律性更易于被称为自然定律，因为经验的规律性不能在更普遍的定律或理论存在的条件下加以归纳。普适定律有几种不同的类型。很多定律是叙述量度某些性质的变量之间的关系的，如在恒温下气体的压强与它的体积成反比的定律。其他定律则指明事物出现的不变性顺序。例如，化石资料表明脊椎动物总是出现在无脊椎动物之后。最后，有些定律断定：如果一物体属于已陈述的某一类，它将有某种可观察的性质。自然定律一词意义含混的部分原因在于企图用它仅仅陈述这几种定律中的一种，例如宣称科学定律只讨论因果关系一样，然而，事实上所有这三类普适定律同样有效。

nature reserve　自然保护区　政府为保护某些动物、植物或这两者而划出的一个区域。自然保护区不同于**国家公园(national park)**，后者保护园地和野生生物是为了公共娱乐，而自然保护区则只是保护动物。濒危种常被保护在自然保护区内以避开使它们濒于绝灭的猎人。美国有许多这类野生动物保护地，尤其是鸟类保护地。欧洲、印度、印度尼西亚及一些非洲国家也有许多自然保护区。现代自然保护区起源于中世纪，当时地主们为保护猎物而建立禁猎区。纯粹为使其不绝种而保护动物的想法直到 19 世纪才产生。

Nāṭya-śāstra　《舞论》　全称《婆罗多舞论》。印度的一本关于戏剧艺术的详细论著。据传，系婆罗多(印度婆罗门教圣者和僧侣)所撰，成书于 3 世纪之前。书中论述了古典梵语戏剧的各方面问题。书中有许多章节详细论述艺术的所有方面，具体阐述古典印度戏剧概念，包括舞蹈、音乐、诗论及一般美学理论。

nauarch　海军都统　古代希腊海军舰队司令或最高指挥官。是公元前 5 世纪末～前 4 世纪初主要在斯巴达使用的官衔。斯巴达海军都统只能任职一次，任期 1 年。他必须服从最高长官(即掌政官)的命令。如果证明他不称职，可以罢免。但是，海军都统可以不受国王指挥而独立行动，并且不受任何同僚的干涉，所以有相当大的权力和影响。

Naudé, Gabriel　诺德(1600-02-02，法国巴黎～1653-07-30，阿布维尔)　法国医生、图书馆管理专家、近代图书馆组织理论的最早的重要创始人，他的《创建图书馆指南》一文(1627)是图书馆学的第一篇重要著作。诺德在巴黎等地习医后于 1626 年开业行医，但他的主要爱好是图书及其收藏和管理。1629 年应枢机主教巴尼之召赴罗马为他经管图书。后又为巴黎枢机主教黎塞留掌管图书，并成为法皇路易十三的御医。1643 年马萨林继黎塞留任枢机主教，诺德从全欧各地为他搜集书籍 4 万册，成立了马萨林图书馆，被誉为当时最佳图书馆。根据主教和他本人的愿望，制定了图书馆的题词：“请进来！一切希望阅读的人们。”图书馆对所有的人免费开放。诺德将藏书按神学、医学、法律、历史、哲学、数学和人文科学等学科分类管理。马萨林图书馆藏书在投石党暴乱（1648 ～ 1653）中散失，诺德也被驱逐到瑞典。死于前往斯德哥尔摩的途中。

Naugatuck 诺格塔克 美国康涅狄格州西南部纽黑文县城镇和自治村镇。位于沃特伯里之南，临诺格塔克河。其名在印第安人阿尔衮琴语中意为“独树”。约 1704 年始有人定居。1844 年设镇。1895 年与同名工业自治村镇合并。范围包括尤宁城和诺格塔克州有森林之一部。水利资源丰富，较早地将农业转为工业。主要出产橡胶。现经济多样化，有化工、塑料、金属、机械、钟表和仪器制造业。人口30 989（2000）。

Naujan Lake 瑙汉湖 菲律宾民都洛岛东北部沿海平原上的湖泊。长 14 千米，宽 6 千米，面积 79 平方千米，为菲律宾第五大湖。盛产淡水鱼。是瑙汉湖国家公园中的主要风景区。瑙汉湖国家公园（1956）由2 175公顷的沼泽和森林地带组成，是沼泽地鸟类、鳄鱼和脊鳍蜥蜴的繁殖地。瑙汉湖原为著名的狩猎垂钓区，只有邻近城镇才有捕鱼权，并以此为生活来源。

Naukratis 诺克拉提斯 古希腊人在尼罗河三角洲的殖民点。巨大商业中心及希腊化时期以前希腊和埃及间文化关系的中心。公元前 7 世纪由米利都人建立，但希腊人也来定居。整个古典时代都很繁荣。亚历山大大帝征服埃及建亚历山大港（332）后，开始衰落。1884 年发现遗址。此后几度发掘，发现有献神题辞和希腊陶器，从而弄清希腊字母的早期历史和希腊城邦的早期商业活动，尤其是公元前 6 世纪时期的。

naumachia 海战游戏 古罗马的模拟海战，在特别建造的水池中，或在水淹的圆形剧场中进行。交战者是战俘或罪犯，他们一直要打到一方被消灭为止。有历史记载的最早海战游戏（公元前 46）是表演埃及舰队与蒂尔舰队的遭遇战，由尤里乌斯·凯撒主持，在他特地挖的一个湖上举行。公元前 2 年，奥古斯都在罗马台伯河右岸新修的水坞上表演雅典人和波斯人的一场海战。公元 52 年克劳狄在富锡诺湖上组织一次海战游戏，有 100 只船和 1.9 万人参加。

Naumann, Friedrich 瑙曼（1860-03-25，普鲁士施托姆塔尔［德国］～ 1919-08-24，德国特拉沃明德） 德国政治与社会理论家、宣传家和改革家，德国自由主义与帝国主义相结合最有影响的人物。早年以青年牧师身份加入基督教社会运动，但后来被施特克尔的社会和神学保守主义所排斥。1893 年他把杂志《援助》改变成传播其思想的论坛，1896 年创立了全国社会联盟，纲领是民主和社会改革与国富民强。1903 年参加自由联盟（1910 年与进步人民党合并）。1907 年选入帝国议会。第一次世界大战期间他强烈反对德国吞并政策，但其《中欧》（1915）一书提出战后德国在文化与经济上统治中欧的前景。1919 年参与创建民主党，为该党领袖，直至去世。他的思想对一整代德国自由派知识分子有广泛影响。

Naumburg 瑙姆堡 德国中部偏东城市。在萨克森-安哈尔特州，位于萨勒河畔温斯特鲁特河河口附近，哈雷西南。迈森诸侯爵约于公元1000年建瑙姆堡，1028年蔡茨主教将教区所在地迁至此处时，侯爵将此地赐给他。1142年瑙姆堡获得城镇建制。15世纪，该城加入汉萨同盟，但分别于 1564 和 1815 年先后落入萨克森人与普鲁士人之手。瑙姆堡城内建于 13 ～ 14 世纪的罗马式哥特风格的圣彼得与圣保罗大教堂很著名，还有 4 座 16 ～ 18 世纪教堂的遗址。该城的工业有机床与木制品制造业。人口30 004（2003）。

瑙姆堡市的圣彼得与圣保罗大教堂
美国不列颠百科全书公司供图

Nauplia 纳夫普利亚 现代希腊语称纳夫普利翁（Návplion）。希腊阿尔戈利斯州重镇。在伯罗奔尼撒半岛阿尔戈利斯湾顶端。约公元前625年归属阿戈斯，后历经拜占廷、法兰克、威尼斯、土耳其人统治。1822 年在希腊独立战争中被希腊占领。1829 ～ 1834 年为希腊政府所在地。镇中有拜占廷、法兰克及威尼斯城堡和要塞，具有浓厚的中世纪风格。自由希腊的第一次国民议会在此召开。人口11 453（1991）。

纳夫普利亚镇沿岸小岛上的威尼斯要塞
美国不列颠百科全书公司供图

Nauru 瑙鲁 瑙鲁语作Naoero。太平洋西南部岛国，位于夏威夷西南4 160千米处，呈卵圆形，周长 19 千米，面积为 21 平方千米。首都是亚伦行政中心。瑙鲁是一个突起的珊瑚岩礁。中央高地海拔 30 ～ 60 米，由鸟粪淤积成的磷酸盐岩覆盖。岛上的布阿达礁湖是一个凹地，里面断断续续地充满着渗出的地下水。高地下面一片窄条平坦的肥沃地带环绕该岛，是主要的居住区和耕作区。沙滩外面有一圈靠近海岸而与海岸并行的珊瑚礁。平坦的环状海岸线上没有可使用的港湾。瑙鲁气候一般又热又湿，尽管有海风调节，白昼平均气温仍为 28 ℃。年平均降雨量为2 060毫米，偶尔也有严重的旱灾。无规律的降雨造成周期性的水源缺乏，偶尔还要进口饮用水。岛上的土壤多孔，极易渗水，所以草木主要限于椰子树、露兜树以及各种灌木丛和矮树硬木丛。大多数植物只生长在狭窄的海岸地带。瑙鲁人口中约 3/5 是波利尼西亚、密克罗尼西亚和美拉尼西亚血统的瑙鲁土著。太平洋其他岛屿上的人种占人口的 1/4，有基里巴斯、图瓦鲁、菲律宾和别的岛上的人，其余为华人和欧洲人。许多外国人是移民矿工。瑙鲁的国语瑙鲁语是一种独特的方言，它是波利尼西亚、密克罗尼西亚和美拉尼西亚 3 种语言的混合体。英语应用广泛，岛上中小学均开设英语课。基督教是主要宗教。人口几乎完全集中在海岸地带。

瑙鲁经济几乎只靠磷酸盐的开采、加工和出口。该国的国民生产总值是太平洋地区最高的，在世界范围内也属最高者之列。农业仅限于沿海地区，耕地占全国土地总面积的 15%。农产品有椰子、香蕉、菠萝、蔬菜以及猪和鸡。但这些在国内还供不应求。捕鱼业仅能满足当地需要。经济以磷酸盐矿的开采为主。瑙鲁所产该矿的含磷酸盐量属全世界最高之列。矿石在高地露天开采后，先装运到铁路起点站进行初步压碎，然后由狭轨铁路运送至处理厂，在那里进行干燥、碾碎，用高温煅烧法加以精炼。产品最后由传送带和悬臂组成的复杂系统运上停靠在暗礁外浮桶上的货轮。国家经营的瑙鲁磷酸盐公司控制着这项工业生产，大约一半的利润上交国家，另一半则由当地地主、长期信托基金组织以及当地政府分享，不征税。枯竭的矿区用垃圾和废物来改造，最终目的是使其变为耕

Navā'ī, (Mir) 'Alī Shīr 涅甫伊(1441,帖木儿阿富汗赫拉特～1501-01-03,赫拉特) Navā'ī 又拼 Nevā'ī。突厥诗人、学者、察合台突厥文学(以东突厥语方言写成)最伟大的代表人物。出身于贵族军官家庭。曾在赫拉特和马什哈德求学。当他的同学侯赛因·巴伊卡拉苏丹在赫拉特继承王位后,涅甫伊在宫廷中任职。他也是纳希本迪托钵僧团的成员。在他的老师、波斯名诗人贾米指导下,他阅读和研究了神秘主义大师的作品。作为一个慈善家,他对城中许多建筑承担责任。还对微型油画、音乐、建筑、书法有兴趣。晚年潜心作诗和研究学问,先后用波斯语和察合台语写作。他留下四大册诗集,分属他生活的不同阶段;五部传奇故事诗,内容以伊斯兰教文学的传统主题为基础。主要散文作品有:《两种语言的考验》,波斯语和土耳其语的比较;《群英荟萃》,收集有关突厥诗人的自传性叙述和生平;《拍子的韵律》是一篇关于土耳其诗体学论文。涅甫伊精通东突厥察合台语,为此这种语言又名涅甫伊语。

纳瓦霍国家保护区卡延塔-阿纳萨齐人的基特-锡尔悬崖住所

美国不列颠百科全书公司供图

Navajo 纳瓦霍人 美国印第安居民群体中人数最多的一支,20 世纪晚期约有 10 万人,散居于新墨西哥州西北部、亚利桑那州及犹他州东南部。纳瓦霍人操一种阿帕切语,该语属阿塔巴斯卡语系。目前尚不确知纳瓦霍人与阿帕切人何时自加拿大向北美洲西南部迁移的;在加拿大,其他操阿塔巴斯卡语的印第安人仍住在那里;但也有学者认为迁移时间是在公元 900 ～ 1200 年之间。因为纳瓦霍人曾受普埃布洛印第安人的强烈影响,早期的纳瓦霍人大概同现代阿帕切人更为相似,而同现代纳瓦霍人不太相似。这些普埃布洛影响包括以农业为主要生活模式及随之而来的趋于定居的倾向。在有史时期,农业之外,还辅以放牧绵羊、山羊和牛群,在某些地区,放牧还取代了农业。纳瓦霍人没有集中的部落或政治组织,这也与其他阿帕切民族相似。纳瓦霍人原先由有亲属关系的人们组成小型宗族,有当地头人。以居住地区而不以亲属关系为基础的地方居民集团,现仍存在,多数都选举头人,地方居民并不聚为村镇,而散处于广阔地区之内。纳瓦霍人同普埃布洛印第安人的接触,早在 17 世纪就已开始。当时由于西班牙人镇压了普埃布洛人的起义,一些格朗德河地区的普埃布洛难民逃到纳瓦霍人的住区。18 世纪时,一些霍皮印第安人因大旱饥馑,离开其居住的平顶山,迁入纳瓦霍人中间,到亚利桑那西北部舍利峡谷的尤多。这些普埃布洛来客,不仅对纳瓦霍的农业大有影响,而且对其艺术影响亦深。彩陶及远近闻名的纳瓦霍毛毯,还有具备纳瓦霍人礼俗成分的艺术品如干沙绘画,全是这种接触的产物。另一种纳瓦霍工艺是银器制造,它始于 19 世纪中叶,大概最初是向墨西哥人学得的。纳瓦霍人的宗教仪式复杂,有些神话记述第一批人们来自地表以下的各个世界;其他故事则是宣扬仪式的繁文缛礼。大多数仪式为治疗身心疾患而设,其他一些仪式仅有祷词或颂歌,或用花粉或花瓣绘成干(沙)绘画;在某些情况下,还举行公开舞蹈或表演,数百名乃至数千名纳瓦霍人集会在一起。许多仪式,至今仍然流行。虽然纳瓦霍人不像阿帕切人那样大范围掠夺和袭扰,但美国政府于 1863 年还是派出 K. 卡森上校率兵清剿,造成纳瓦霍人人畜大量伤亡,4 年讨伐(1864 ～ 1868)所造成的痛苦与不信任,迄今记忆犹新。现今纳瓦霍人在新墨西哥州、亚利桑那州及犹他州的保留地超过 6.4 万平方千米。但土地贫瘠不足以维持生活,数千人已外出做工或迁往科罗拉多河下游地区以收农业灌溉之利;也有迁往洛杉矶和堪萨斯城的。参阅 **Apache; Hopi; Pueblo Indians**。

Navajo language 纳瓦霍语 阿塔巴斯卡语系的一种北美印第安语,是亚利桑那州和新墨西哥州的纳瓦霍人所操语言,与阿帕切语关系密切。纳瓦霍语是声调语言,声调具有区分词义的作用。名词或为有生,或为无生。有生名词既可指人类,也可能指植物或动物;无生名词既可为物质名词,又可以是精神名词。纳瓦霍语有第四人称语法范畴,使说话者对在场的人或听力所及的距离内的人说话而不指出其姓名。因为名字被认为含有权势的意义,所以敬语形式避免称呼别人的名字。在性的范畴上把阳性与静态相联,阴性与动态相联,如"思想"(Sá ah Naaghási)是阳性,而"言语"(Bik̓ eh Hózhó)则属阴性。某些动词形式根据直接宾语的自然形状而变化,例如,以手持球的动词形式与以手持棒的动词形式就不一样。纳瓦霍语在使用者中被顽强地保持着。

Navajo National Monument 纳瓦霍国家保护区 美国亚利桑那州东北部的托纳利亚镇附近的一组有历史意义的三处悬崖住所。贝塔塔金(纳瓦霍语,意为"壁架屋")、基特-锡尔(意为"破陶器")和题词馆,是已知保存得最完善、制作得最精细的悬崖住所中的三处。基特-锡尔最大,是 1895 年白人首次发现的。这三处遗址于 1909 年经总统宣布为国家保护区(总面积 1.6 平方千米)。这些住所是一个史前民族卡延塔-阿纳萨齐人的主要根据地,他们于约 1250 ～ 1300 年生活在那里。悬崖住所的建造显然是由于他们已经从猎人和采集者进化成为定居的农民,但由于气候变迁促成水土流失和水源短缺,使农业无法进行,他们就离开了,很可能搬到了南边的平顶山地区。贝塔塔金的 135 间住室建在一个高 138 米、宽 113 米的悬崖凹处。基特-锡尔的 160 间住室和 6 个基瓦(举行宗教仪式用的地下礼堂)也位于一个悬崖凹处里。题词馆有 74 间住室。参观者要参观这些遗迹必须走有向导的旅游路线,由国家公园管理人带路。

Navajo weaving 纳瓦霍织物 纳瓦霍人所织的毯子和小地毯,被认为是北美印第安人所生产的一些最绚丽多彩和工艺精巧的纺织品。纳瓦霍人原是半游牧民族,10 和 11 世纪迁入美国西南部,到 1500 年才正式定居下来。这个部落成为定居的农业人口而进入了新的生活,开始进行纺织。以前他们对于纺织几乎一无所知,大规模制造纺织机和生产纺织品是向霍皮印第安人学来的。欧洲人来到美洲后,引进驯化绵羊,由于原料供应稳定,纳瓦霍人的纺织工艺发生根本性的改变,

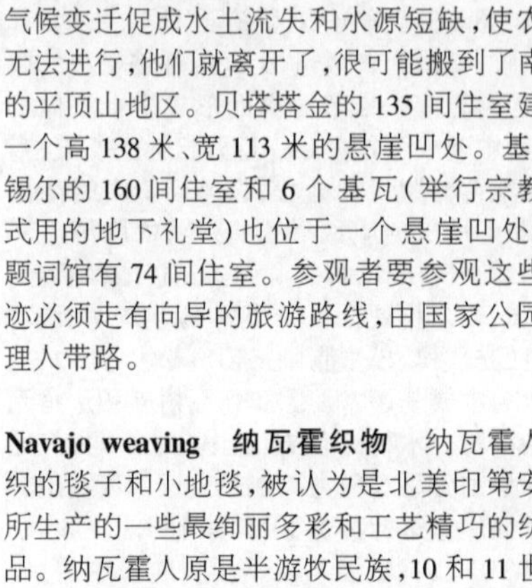

美国亚利桑那州的纳瓦霍人女织工

美国不列颠百科全书公司供图

并为取得羊毛开始驯养绵羊。霍皮人在纺织上仅限于条纹图案,但纳瓦霍人却引进几何图形、菱形和锯齿形的图案。一些抽象的图案,诸如风霜雨雪、一年四季、日出日落等现象,约到1820年才引入织物之中;墨西哥图案对纳瓦霍织品颇有影响。1800年以前,纳瓦霍人所织的毯子大多使用天然色泽如黑色、白色以及这两色混合而成的灰色的羊毛。19世纪末引进苯胺染料,使纳瓦霍的织物进入了以鲜明华丽的图案为特色的新时期。他们用鲜艳的色纱把大量取材于现代物品的装饰性图案,例如汽车、酒瓶、番茄罐头和飞机等图样,织入小地毯和毯子。纺织已成为当代纳瓦霍人社会生活和经济活动中的不可或缺的部分。

naval academy 海军军官学校 参阅 **military, naval, and air academies** 陆军、海军和空军院校。

naval stores 松脂制品 由松树及其他针叶树所得的产品,如焦油、沥青、松节油、松油、松香和萜烯。松脂制品一词原指建筑和维修木制大帆船所用的材料(除整块木制品外包括亚麻、索具、桅杆和肋材等)。松脂制品主要产于美国和法国,还有很大数量产自希腊、西班牙、葡萄牙和墨西哥。松脂(又称松树胶、松木沥青或粗松节油,提炼松胶的原料)是树脂溶于松节油中而形成的半流体物质,其主要成分是蒎烯。切开松树的外皮,直至积聚含油树脂的树心,收集切口中的渗出物,即可从松树中取得松脂。将松脂清洗和精制后制得松胶,再用蒸汽蒸馏提取松节油。残余的化合物硬化后成为纯净、半透明、浅琥珀色的松香。松木脂则来自废松木,如树桩、倒伏树木或易燃木及因腐朽而树皮和边材剥落的松树。木料处理方法虽不尽相同,但通常都是锯碎后在压力下加热处理。蒸发出的挥发性成分进行冷凝和分馏精制,得到木松节油和松油。松油不能从活树的松脂得到。用烃类溶剂处理可提取碎木中残余的树脂,将所得树脂溶液进行精制,蒸去溶剂即得木松香。naval stores也用于指所有向海军船舰和基地所提供的海军补给品,但是有些定义中则不包括弹药,有时也不包括给养。

Navan 纳文 爱尔兰语作An Uaimh。爱尔兰米斯郡的市区和首府。位于博因河和布莱克沃特河汇流处。是购物和商业中心,生产家具、地毯和羊毛织物。1970年探明此地有铅、锌矿,已在开发。西北有特尔敦山,是古代王室居处,为爱尔兰王托撒尔所建的四个建筑之一。人口3 411(1991)。

navaratra 那婆罗怛罗节 梵语,意为"九夜"。印度教名词。指频泾缚庾阇月(公历9～10月)白分初一至初九,是印度许多地方都庆祝的节期。在此期间,信奉难近母的人们礼拜这位女神,该女神在孟加拉和阿萨姆邦享有的香火最盛。节期中每天信徒礼拜纪念难近母战胜牛头恶魔默希沙苏勒的特设群像。在第10天列队抬像到附近河边或池边,把它们沉入水中。届时家家户户聚饮尽欢,访亲问友,还举行音乐会、诵诗会、庙会和演戏。在印度北部最主要的庆典是上演罗摩戏,同时还组织竞技和游猎活动。

Navarin, Bay of 纳瓦林湾 又称纳瓦里诺湾。希腊伯罗奔尼撒半岛西南部伊奥尼亚海小海湾。也称皮洛斯湾。在麦西尼亚州境内,几乎被陆地包围。1827年英、法、俄联合舰队在此击败土耳其-埃及舰队,巩固了希腊的独立。南岸有法国人修建的小城镇,现为一旅游中心。纳瓦林湾是地中海最安全的锚地之一。沿湾的帕莱奥卡斯特龙有法兰克城堡(1278)遗迹。

Navarino (Greece) **纳瓦里诺** 参阅 **Pylos** 皮洛斯。

Navarino, Battle of 纳瓦里诺战役(1827-10-20) 希腊独立战争中对土耳其进行的一次决定性海战。战场在伯罗奔尼撒西南部的纳瓦里诺湾。战斗在埃及土耳其舰队和英法俄舰队之间进行。塔希尔帕夏指挥的埃土舰队(3艘主力舰,15艘带帆快速战舰和50多艘小舰)泊于港内。海军上将爱德华·科德林顿爵士指挥的英、法、俄联合舰队(总共11艘主力舰、9艘带帆快速战舰、4艘小舰)为了拦截土耳其的供应线以支援希腊军队而在港外集结。1827年10月20日,联合舰队开入港内,双方开始战斗。优势的欧洲大炮火力使埃土方面有3/4的舰只被击沉,其余舰只被迫搁浅。欧洲的船只则无一损失。纳瓦里诺战役是木制风帆战舰的最后一次大战。是役之后不到10个月土耳其便开始撤出希腊,结果导致1832年建立独立的希腊王国。

Navarre 纳瓦拉 西班牙北部的一个自治区域,大致相当于历史上纳瓦拉王国的西班牙部分及现代的纳瓦拉省。自治区根据1982年区域自治法建制,北与法国接壤。纳瓦拉王国原拥有现在的自治区和法国下比利牛斯省。自治区首府潘普洛纳,711年后被穆斯林占领。798年一个名叫伊尼戈·阿里斯塔的贵族称王,一度臣服于法兰克王国。加尔西亚·伊尼格斯(约860～880在位)时代,势力渐强,与邻邦基督教国家阿斯图里亚斯建立外交关系。桑乔一世向埃布罗河南岸扩张。桑乔三世(1000～1035在位)时期,纳瓦拉人对整个基督教西班牙建立起短暂的霸权,但他死时王国分裂。1076～1134年纳瓦拉处于阿拉贡人统治之下,其后虽一度重获独立,但1234年后又为法国人统治。1512年阿拉贡的费迪南德占领纳瓦拉的西班牙境内部分,1515年它又为卡斯蒂利亚王国兼并,1833年则完全并入西班牙。位于西比利牛斯山北麓的部分一度保持独立,但1589年并入法国版图。今纳瓦拉自治区面积10 421平方千米,东邻韦斯卡省,东南为萨拉戈萨省,西接拉里奥哈、阿拉瓦及吉普斯夸省。比利牛斯山脉由法国向南延伸,贯穿自治区北部;山区雨量充沛,向南则剧减。南部是地中海气候,埃布罗河流经那里。人口稀少,主要集中于埃布罗河流域及潘普洛纳。南方城镇较多,山区以村落为主。农产量相对低下,产品有乳类、羊毛、木材及蔬菜。广泛种植小麦及玉米。自1964年起,制造业发展迅速,主要在潘普洛纳周围,有金工部件、食品饮料加工及鞋类。服务业集中在自治区商业中心潘普洛纳。人口约521 670(1992)。

Navarrete, Juan Fernández de(Spanish painter) **纳瓦莱特** 参阅 **Fernández de Navarrete, Juan** 费尔南德斯·德·纳瓦莱特。

Navarro, Pedro, CONDE (count) DE OLIVETTO **纳瓦罗(奥利韦托伯爵)**(约1460～1528) 西班牙军事工程师和将军,在15世纪后期至16世纪初期曾为许多国家和城邦作战。纳瓦罗开始工作时是一名水手,后来被枢机主教胡安(阿拉贡的)雇用为贴身男仆。他的东家1485年死后,他作为雇佣兵参加佛罗伦萨对热那亚的战争,以后几年里他又参加热那亚海盗与北非穆斯林之间的战争。纳瓦罗在葡萄牙贸易船上遭海盗袭击受了枪伤,1499年在奇维塔韦基亚养伤。当伊莎贝拉一世派冈萨洛·费尔南德斯·德·科尔多瓦去西西里和法国瓜分那不勒斯时,纳瓦罗参加了他的军队。1500年他去凯法利尼亚埋设地雷破坏城墙,未获多大成功。在1502～1503年意大利战役期间,由于他在卡诺萨和塔兰托保卫战中的表现以及在切里尼奥拉之战的胜利中所做的贡献而建立功勋。1503年在对法军驻守的那不勒斯城堡作战时,他的地雷战使他赢得当代第一军事工程师的美誉。当法国人被逐出那不勒斯时,西班牙国王费迪南德册封他土地和奥利韦托伯爵的头衔。1508年他占领戈梅拉岛,主要是因为使用了他发明的一种流动炮组。在1509年征服奥兰和1510年攻占布日伊和的黎波里中他建有战功。当时有人建议任命他指挥1511年组成的反对法国的神圣同盟的军队,但因为他出身低微,被认为不够资格,然而他被任命统帅一支下属部队。在拉韦纳,他掩护西班牙军队有秩序地退却,被法军俘虏,囚禁在法国洛什城堡内。吝啬的费迪南德国王拒绝为他支付赎金,囚禁三年后,纳瓦罗出于报复而投诚,参加了法国弗兰西斯一世的军队。他在意大利北部的几次战役中功勋卓著,1522年在热那亚被西班牙人所俘,囚禁在那不勒斯,直至1526年停战。但是除了他在奥利韦托的领地被没收外并未因叛变而受处罚。1527年他仅参加那不勒斯的一次战役。

Navas, El de Las 拉斯纳瓦斯的阿方索 参阅 **Alfonso**(Spain: Castile and Leon) 阿方索(西班牙:卡斯蒂利亚和莱昂)项下的 **Alfonso VIII** 阿方索八世。

Navas de Tolosa, Battle of Las 纳瓦斯-德托洛萨战役(1212-07-16) 阿拉伯语称小丘战役。为基督教徒重新征服西班牙的一次大战役。在这次战役中,穆瓦希德人大败于莱昂、卡斯蒂利亚、阿拉贡、纳瓦拉和葡萄牙的联军。联军由卡斯蒂利亚和莱昂国王阿方索八世指挥。战场在纳瓦斯-德托洛萨平原,位于西班牙南部安达卢西亚地区的哈恩以北64千米处。

nave 中堂 基督教教堂的中央和主要部分,位于前廊和耳堂之间,在无耳堂时则到圣坛为止。在有侧堂的巴西利卡式教堂中(参阅 **basilica**),中堂指中央部分。中堂是教堂

始建于1220年的英国索尔兹伯里大教堂中堂
美国不列颠百科全书公司供图

中专为一般教徒使用的部分,以别于供牧师和唱诗班使用的圣坛,两者之间用围屏或栏杆分隔。中堂的形式取自古罗马的审判厅,即巴西利卡。早期基督教的巴西利卡式教堂的中堂常用高侧窗采光,中堂两侧各有一廊或两廊侧堂,如罗马的老圣彼得教堂(330)和圣保罗教堂(380)。在罗马式和哥特式时期砖石拱顶成为北欧教堂的普遍形式之前,中堂的屋顶都是采用木屋架双坡顶。中世纪时中堂常沿进深分为若干个开间,用重复的形式增加建筑的深度感。中世纪时中堂侧墙的划分为:底层拱廊、楼厢(侧堂拱顶上的回廊)和高侧窗,有时有暗楼连拱(楼厢和高窗之间的连拱)。到了文艺复兴时期,常省去楼厢和暗楼连拱,只分为拱廊和高侧窗,例如佛罗伦萨的圣洛伦佐教堂(1421 ～ 1429)。文艺复兴时期,中堂进深分成的若干开间数量少且较宽,改变了哥特式大教堂内的垂直感,使中堂空间设计更为合理,不再强调任何单一方向,如伦敦1666年大火后由C.雷恩设计重建的圣保罗大教堂(1675 ～ 1711)。

navel 脐 又作umbilicus,复数umbilici或umbilicuses。解剖学术语,指腹壁上**脐带**(**umbilical cord**)附着处的一个小凹陷。这是哺乳动物胎儿借助脐带血管由母体获取营养的部位。

navigation 导航 通过测定位置、航向和距离引导运载工具航行的科学。现代导航的概念包括船舶、飞机的导航和航天飞行中的导航。其基本内容为:确定航线、避免相撞、节约燃料和计算时间。导航所用的地图称为航图,共有以下3种:①墨卡托投影图。将地球仪投影到与赤道相切的正圆柱上所得的地图,最大优点是经线互相平行,直线航行时船的航向与各经线的夹角均相等,但两点间的最短线一般不是直线,而是一条曲线,常用于航海。②兰伯特投影图。将地球投影在正割圆锥上,常用于空中导航。③球面投影图。在极地航行时采用。

早期航海用的导航方法是推测导航,即从已知点出发,在地图上画一航线,计算已航行的距离,推测船舰位置。这种方法除仪表误差外,还有偏流误差。海潮、洋流的流速小,在长时间航行中,可认为这类影响是互相抵消的。但空中导航时,风速甚大,因此用速度三角形的方法来计算偏流误差,如图所示,

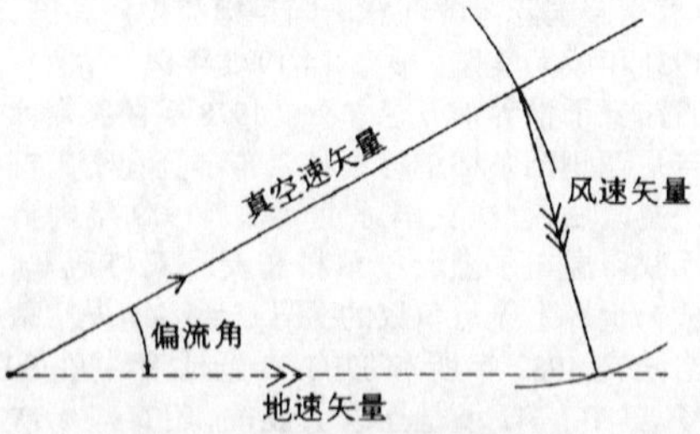

速度三角形示意图

真空速与风速的矢量和即为地速矢量。推测导航不仅可求出当时的位置,如果按计划的航向和速度航行,还可预测何时将到达何地,从而可在出发前作出整个航行计划,包括到达目的地的预计时刻。无线电发明后,船舰或飞机可利用无线电测向和定位。它的原理是,当环形天线与电波传播方向垂直时接收的信号最弱。因此,适当转动天线,就可测出无线电台的方位。依次测定两个电台的方位,两条方位线在地图上的交点就是飞机或船舰的位置。无线电定位向两个方向发展,一是在地面(特别在沿海)装设若干无线电发射台,即信标台,供船舰或飞机定位;另一是地面设若干定向台,接收船舰或飞机发出的无线电信号,为它们定位。利用天体来测定飞机或船舰的位置和航向的方法称为天文导航。这种方法古代已用于航海。近代天文导航用六分仪或八分仪来测定天体与地平线的夹角。

导航过程分3个阶段。第1阶段是确定运载工具运动的路线,它取决于运载工具在水面、水下、空中、陆上或太空的位置。第2阶段为保持航线,即确定运载工具应采取的速度矢量。第3阶段为操纵阶段,即沿纵轴或与纵轴相交的方向给予运载工具加速度,以改变其速度矢量。航行中导航员测定位置,以便与计划的航线对比,检查进程是否正确。如果发现误差,就需修正航线,改变航向和航速,如此连续获得信息和采取行动的流程称为"闭环"。导航闭环分3层:外层定位环;中层航向航速环,即用罗盘及速度表检查航向及航速;内层操纵环,用仪表或由操纵员测量加速度。定位环每隔一段时间进行一次,航向航速环经常进行修正,操纵环则处于连续活动状态。

近代导航应用各种新技术:①操纵方面。为迅速消除航向或倾侧偏差,采用了自适应飞行控制系统。为保持稳定性,采用陀螺仪。当船舰或飞机姿态与陀螺仪不一致时,传感器向舵机输出电信号,使其作出反应,修正偏差。装在飞机上的这种装置称为增稳器。接受操纵指令,驾驶运载工具的自动装置称为自动驾驶仪,有的飞机上自动驾驶仪与自动油门交连,以保证飞机按预定速度飞行。利用陀螺仪、加速度计和计算机制造的惯性导航仪可测出航向、航速和航程。它用在飞机、潜艇和洲际弹道导弹上。②保持航向方面。新式的罗盘采用远读陀螺磁罗盘或惯性平台。在测定航速时,船上采用电磁探测仪测流速,或采用惯性导航仪测速。最新式的是用多普勒原理测速。现已发展到与计算机结合进行推测导航。在船上,陀螺罗盘、计程器与计算机结合;在飞机上,陀螺磁罗盘、多普勒雷达与计算机结合。甚至不用航图,直接在活动地图上显示位置。③定位方面。老式的4航道无线电信标台(区域指向标)已被伏尔台(甚高频全向指向标)所代替,后者能更准确地指示方位。它和测距设备一起,同时向进近的飞机提供航向及距离数据。双曲线导航系统中的罗兰系统,可供远程导航,确定船舰或飞机的位置。台卡系统供中近程导航,适用于160 ～ 480千米的距离。它们的区别是前者用脉冲,按时间差定位;后者用连续波,按相位差定位。还有一种奥米加系统也是连续波,导航距离超过罗兰系统。利用同步卫星接收船舰或飞机的信号,并发射回地面,可作为测距系统或双曲线导航系统的中继站。轨道高度为几百英里的卫星,一般80分钟绕地球一周,也可用来按多普勒原理测定飞机位置。

Navigation Acts 航海条例 英国史上,主要是在17 ～ 18世纪生效的、规定由英国船只从事航运的一系列法律。这些条例的目的原在于促进英国航海业的发展,以便在战时有适量的备用船只。它在重商主义时代变成保护贸易的一种形式。1381年通过的第一个航海条例由于船只很少,实际上不过一纸空文。在16世纪,都铎王朝采取了一些措施,但因其他国家的报复而不得不废止。航海条例真正得到发展是在17世纪殖民时代的初期。1651年共和国政府通过大《航海条例》,目的在于对付英国当时最大的贸易劲敌荷兰。其中规定:凡是由欧洲国家输入英国的货物,只能由英国船只或产地国船只载运;凡是从亚洲、非洲或美洲进口的货物,只能由英国船只或有关的殖民地船只运载到英国、爱尔兰或英国的任何殖民地。各种鱼类的进出口,如同英国沿海贸易一样,全部由英国船只载运。1660年重新颁布航海条例,规定殖民地的某些产品只能直接运往英国、爱尔兰或其他英国殖民地。这些产品包括食糖(1739年以前)、靛青和烟草;18世纪又包括大米和糖浆。不在规定范围的产品可以由英国船只从英国殖民地直接运往外国港口。1664年起,英国殖民地所需要的欧洲货物必须由英格兰转口。苏格兰被当成外国看待,直到《联合条约》(1707)给予它与英格兰平等的权利时为止;从1670年至1779年,爱尔兰也不能享受条例带来的利益。尽管英国的商船总吨数和贸易在17世纪后期稳步增长,航海条例的批评者们争辩说这只是终究要发生的事,而强制提高运费最终将使英国的制成品缺乏竞争力。起初,殖民地商人从有保证的市场获利,但1764年加紧执行航海条例引起的不安导致了英属美洲殖民地的反叛;这些殖民

地的独立使航海条例遭到第一个严重的打击，此后出现了越来越多的不遵守条例的情况。1822年放弃了要求列出运输的货物清单的做法。英国的航海条例于1849和1854年完全废除。

navigation chart 海图 主要为航海而设计并使用的地图。海图具备了经纬比例，地形特征，导航设备（如灯标与无线电信标），磁信息，暗礁、浅滩和水深标记，以及警告标示等航海者所需的大部分信息。这些信息可用来绘制安全航线及核对航行的进程。最早的海图制于13世纪末，而比海图早100年出现的磁罗盘则被认为是海图发展的催化剂。从前海员多依赖熟悉的附近海岸、天体的位置和气象现象（如印度洋上的季风）等航行。地中海上的风与天气由于较难预测，遂刺激该区发展出最早的海图。在这些不考虑地面曲率的平面海图上，规则地交错着等角线或与起风方向相应的风线。平面海图因不适用于太北或太南纬度的航行，到17世纪，遂被墨卡托投影海图取代，图上以直线表示罗盘方向。其他投影海图亦被采用，尤其是用在极高纬度的航行上。航空图与海图类似，但特别强调地形、障碍物高度、机场与航线等方面，通常根据朗伯共形投影绘制，能够正确保留地球表面不同地方之间的角度。

Navistar International Corporation 纳维斯塔国际公司 旧称国际收割机公司（1986以前）。美国最大的卡车制造商，也是多年来农用机械及建筑设备主要的生产商。其前身为1902年创立的麦考密克收割机公司。总部在芝加哥。20世纪30年代，该公司进入建筑设备领域，以爬行式拖拉机作农业和工业之用，不久即成为最大的运土设备制造商之一。第二次世界大战后，其产品进入家用设备市场，但销售不佳。几十年来该公司最大业务是中型和重型卡车，它是这一行业的先驱。其他产品包括农业机械，供建筑用的运土设备，供能源工业用的涡轮压缩机、发电机和油泵等。1982年公司售出其在美国的大部分建筑设备业务，又在1985年处理了它在国内与海外的大部分农业设备业务，让给田纳科公司的J.I.凯斯子公司，终于在1986年改为现名。改名时卡车制造基本上是唯一的业务，规模仍很大。

Navojoa 纳沃华 墨西哥西北部索诺拉州南部的城市。在加利福尼亚湾沿岸平原，近马约河。周围广大地区的商业和制造业中心。20世纪50年代起因发展农田水利，地区人口和生产增加显著。农作物有棉花、玉米、枣、鹰嘴豆。还饲养牛。通铁路和公路，与墨西哥城及墨西哥西北部各大城市间有空运。人口98 187（2000）。

Navotas 纳沃塔斯 菲律宾吕宋岛中部城镇。濒临马尼拉湾，与卡洛奥坎市隔达加特达加坦潟湖相望。是马尼拉北面的重要渔业中心，由此上岸的商品鱼捕获量约占全国的一半。纳沃塔斯和附近的马拉邦为鱼虾食品加工地。人口约230 403（2000）。

Návplion（Greece） **纳夫普利翁** 参阅 **Nauplia** 纳夫普利亚。

Navratilova, Martina 纳夫拉蒂洛娃（1956-10-18，捷克布拉格～ ） 捷克出生的美国女子网球运动员，在20世纪70年代后期和80年代称霸女子网坛。1972～1975年，她是捷克头号选手。1975年左手握拍的纳夫拉蒂洛娃率队夺得国际网球联合会杯赛冠军后，引起国际上的注意。同年她流亡到美国，1981年成为美国公民。自1975年以后，她一直跻身于世界前五名之列。1978年在赢得弗吉尼亚州苗条杯锦标赛和温布尔登女子单打决赛以后，首次在国际上问鼎。1979年她再次获得温布尔登女子单打和女子双打冠军，成为世界上无可争议的头号选手。纳夫拉蒂洛娃在1982年所参加的93场比赛中胜90场，其中有41场是连续获胜的，还有些场次是在15个大赛中进行的，包括温布尔登女子单打和法国公开赛女子单打。次年，她又创下战87场，胜86场的佳绩，并获得了美国公开赛女子单打、温布尔登女子单打和澳大利亚公开赛女子单打冠军。1984年她在法国公开赛取得胜利后，国际网球联合会发给她100万美元的奖金。以承认她一年之内在"大满贯"四大比赛中获全胜，尽管严格地说她赢得澳大利亚公开赛冠军是在1983年年底。后来，由于澳大利亚公开赛的时间问题引起了不同的意见，结果对她的大满贯冠军称号未予承认。1986年在西德的菲尔德施塔特，她成为现代网球史上第二位赢得1 000场的选手。截至1987年，她的成绩是：1982、1984年两度摘取法国公开赛女子单打桂冠；1981、1983、1985年3次获澳大利亚公开赛冠军；1983、1984、1986、1987年4次荣登美国公开赛冠军宝座；创纪录地9次赢得温布尔登赛冠军（1978、1979、1982～1987、1990）。她还在许多重大锦标赛上获双打冠军。1987年，她在美国公开赛上除夺得女子单打冠军外，还夺得女子双打与混合双打冠军，从而成为自1970年以来在该公开赛中第一位获3项冠军的选手。1992年，在芝加哥赢得了第158个冠军头衔，从而成为网球历史上夺得冠军次数最多的选手。1994赛季后退役时，共获167个冠军头衔。2000年重返职业网坛，同年，入选网球名人堂。2003年，在温布尔登混双比赛中获胜，与比莉·珍·金共为获温布尔登桂冠次数最多的选手（20次）。当时46岁的纳夫拉蒂洛娃也成为年龄最大的温布尔登冠军。

Navsāri 瑙萨里 又拼Naosari。印度中西部古吉拉特邦东南部城市。位于沿海低地，傍布尔纳河。为帕西人（来自波斯的拜火教徒的后代）的故乡，建有拜火教庙宇。为棉花、黍类、木材市场，有各种加工厂、织布厂、金属加工厂和皮革厂等。瑙萨里地处西部铁路与主要公路线上。人口约134 009（2001）。

navy 海军 一国为在海面上、海面下或海面上空作战所保持的各种军舰和船舶。现代大型海军包括航空母舰、巡洋舰、驱逐舰、护卫舰、潜艇、扫雷舰、布雷艇、炮艇以及各种运输船、供应船和修理船，还包括海军基地和军港。当然，还需要建立庞大的机构来管理和维护这些军舰。海军舰艇是一国赖以在海上施展军事力量的主要手段。其主要功能有二：一是掌握制海权，二是不许敌人利用海面。掌握制海权得以使一国及其盟国在平时进行海上通商往来，在战时遂行战时必不可少的两栖突击以及其他海上作战任务。不许敌人利用海面就是剥夺敌商船和军舰在海上安全航行的权利。

早期历史上，海军的形式曾是某个部族和某个城镇的武装人员乘大型船只出海，与武器装备大同小异的敌人作战，或自海上登陆入侵敌国领土。早期海军作战所用的船只起初是商船或渔船，后来才有为作战专门设计的特殊类型的各种舰艇，使海军在人类武器库中获得了公认的地位。最古老的战舰是多桨帆船，每艘帆船都需要大量桨手。结果编组一支舰队所需的人员极为可观。这种大型多桨帆船的攻击力依靠以人员攀登敌舰或以船首撞角撞击敌舰。亚历山大大帝、迦太基、罗马、拜占廷、意大利各共和国、阿拉伯人和西班牙阿拉贡的武装部队均曾在地中海大量使用这种大型多桨帆船编组舰队作战。

罗马共和时期和帝国时代之所以必须维持一支舰队，不仅为了抵消来自敌对的海上强国的威胁，而且为了对付在地中海猖獗一时的海盗，确保贸易航道的畅通。罗马海军包括两支主要舰队，配备一批称为"先锋队"的战士，专门执行海上勤务。

拜占廷在马其顿王朝（867～1056）期间，海军实力相当雄厚，包括一支帝国舰队和若干省属分舰队。中世纪时，意大利诸共和国和地中海沿岸各君主国，均拥有相当规模的舰队。在历史上地中海各国海军多桨帆船舰队最后一次大规模亮相是在勒班陀战役中（1571）。此后海军活动的场景即告转移，舰艇和舰队改变成新形式以适应大洋航行和作战。

其后数百年作战舰艇的形式是在16和17世纪决定的。那时，划桨推进为风帆阵所取代，同时舰艇装上了火炮。将火炮配置于舷侧，即无操桨余地；而航海技术的发展使船桨成为不再需要。英国海军中的标准战舰是一种大帆船，具有两层或三层甲板，主炮配置于两舷侧，轻型火炮则装置于前后方。此即为1588年击败西班牙无敌舰队而为英国赢得重大胜利的战舰。西班牙无敌舰队的船只体型大，速度慢，只有少量近程火炮。西班牙舰艇本应靠拢敌舰使所载士兵攀登而上，而英国战舰则不让西班牙战舰接近到可以攀登的距离，并以射程和威力均占优势的火炮予以轰击。因此，英国的胜利乃是一项新颖而具有革命性的海上作战思想的胜利。

不久，人们认识到，作为作战舰队主力的强大战舰体型过于庞大而且造价太高，加之，笨重迟缓。因此，17～18世纪期间，战舰发展成为两种主要类别：舰队的主力战斗舰具有两层或三层甲板，舷侧装置重型火炮，船壳内装设厚肋材以抵挡敌炮击；另一种主要类别则由重量较轻、速度较快的巡洋舰构成，其中最大的是护卫舰，甲板只有一层或两层，配备的火炮口径也较主力战斗舰小些。类似护卫舰而较小的是轻型护卫舰；其次是轻巡洋舰，常用作联络船。

这种以舷侧火炮与敌人相互射击的高效帆船系列，几乎一成不变地沿用到19世纪后半叶。其时，由于蒸汽动力的利用和螺旋桨的使用，风帆遂被废弃。船壳和覆材改用铁（后改用钢）板取代木板。火炮演进到线膛炮管，后膛装弹，可发射高爆破炮弹，大大增加了战舰火炮的射程和威力。这些基本的创新在19世纪末期终于达到顶峰，发展出一种有重装甲，运动迅速，装有远射程、大威力、精确度极高的巨炮的战列舰。这种战列舰在第二次世界大战以前在公海上所向无敌。直到日本偷袭珍珠港的美国海军时才充分证明：自航空母舰起飞的轰炸机可以击沉任何水面船只，包括战列舰在内。

现代战斗舰艇可归纳为三种主要类别：①主要借从甲板上起飞的飞机从事战斗的舰只，即航空母舰；②主要用火炮或火箭推进的导弹从事战斗的舰只，即巡洋舰、驱逐舰和战列舰；③主要使用水雷、鱼雷或深水炸弹等水下武器从事战斗的舰只，即潜艇和驱逐舰。

核武器的发展给海上力量的作用带来重大变化。即使一国受到热核武器的猛烈轰击，仍能继续保持其海军，尽管这类战争突然发生而使海军来不及发挥其传统的功能。然而，能发射带热核弹头的中程弹道导弹的核动力潜艇的研制成功，为海上力量创造了一个全新角色——一个核威慑的角色。这种核潜艇基本上是用来威慑发动突然核袭击的潜在敌人，主要由于找到潜艇在水下的具体位置极其困难。潜在之敌会因受到威慑而不敢对一国易受攻击的陆基和空基核力量发动大规模突然袭击，因为这要面对核潜艇所编成的舰队实施报复打击的前景。

Navy, Royal(United Kingdom)　参阅 **Royal Navy, The** 英国皇家海军。

Navy, United States　参阅 **United States Navy, The** 美国海军。

Nawābshāh　讷瓦布沙阿　巴基斯坦南部信德省城镇。讷瓦布沙阿有铁路和公路与卡拉奇、海得拉巴、苏库尔相通。为日益发展的工业中心，有制造小船、制糖、肥皂、棉织品、丝织品等工业。由原信德大学的一所管理学院改组的公立梅赫兰理工大学建于1977年。主要农作物有棉花、黍类、甘蔗和水果。人口：镇102 139(1981)。

Nawānagar, Sir Ranjitsinhji Vibhaji, Maharaja Jam Saheb of　讷瓦讷格尔(1872-09-10，印度萨罗达尔～1933-04-02，贾姆讷格尔）印度板球运动员。1890～1893年于剑桥大学三一学院学习，后参加萨塞克斯板球队。他击球不拘常规，先后在1899和1900年取得总分3 000分的好成绩。在英格兰与澳大利亚的15场比赛中，共得985分。1907年3月即位为印度讷瓦讷格尔邦土邦主，对首府贾姆讷格尔进行现代化改建，兴建讷瓦讷格尔海港，以及公路、铁路和水利设施。第一次世界大战期间任驻法英军上校参谋。1920年代表印度联邦参加日内瓦国际联盟大会。1917、1919和1923年被封为爵士。

nawbah　纳乌巴　伊斯兰音乐中一种包括几个段落（通常是8～10个）的组曲。各段的形式与长短因地区而异。这种组曲既包括器乐曲也包括声乐曲，可独奏或合奏。器乐段中有序引性的即兴演奏（塔克希姆）和导人声乐段的各种各样的节奏型。声乐段以各种诗歌形式为基础，主要的是一种称为“加泽尔”的独唱情歌。

Nawoiy　纳沃伊　俄语作 Navoi。乌兹别克斯坦城市。为赖天然气而发展的工业城市，生产化肥和化学纤维的重要化工中心。还有大型水泥厂和大型地区发电站。人口约111 600(1991)。

Naxi　纳西族　中国少数民族。主要分布于云南、四川和西藏的部分地区。人口308 839(2000)。语言属汉藏语系藏缅语族彝语支。原有东巴和哥巴两种古文字，已不通

纳西族青年
中国大百科全书出版社供图

用。1957年设计了拉丁字母形式的拼音文字。多数人通用汉语文。先世可追溯到汉代的“牦牛夷”和晋、唐时的“摩沙”或“磨些”。“磨些”建立的“越析诏”是7世纪时滇西乌蛮“六诏”之一，后为南诏（参阅 **Cuan**）所灭。元、明到清初，一些首领先后被中央王朝授予世袭土司官职，如明代的丽江木氏土知府。清雍正元年(1723)丽江地区改土归流（gaituguiliu），除宁蒗、维西、盐源地区领主仍占有农奴外，各地地主经济迅速发展。农业生产水平与邻近地区的汉族、白族基本相同。手工业有铸铜、纺织、制革等。丽江铜器历史悠久，驰名川、藏和西北各省。信仰东巴教，崇拜山、水、风、火等自然现象。巫师称“东巴”，除做法事外以草药为人治病。丽江保存有“大定阁”、“琉璃殿”、“五凤楼”等明代建筑和壁画。中华人民共和国建立前宁蒗县永宁封建农奴制地区尚有母系家庭的残余。以女性为家长，子女知有母不知有父，财产按母系继承。男子在母方家庭劳动，对子女不负责抚养。中年以后对偶关系逐渐固定、建立家庭后子女才确认父母。但男子在晚年仍返回母家，由甥辈赡养。男女均着羊皮坎肩。女子披肩左右两侧缀有精绣的日、月和七星。住房多为“三房一照壁”“四合五天井”的瓦房，也有木楞房。人死后行火葬或土葬。传统节日有三朵节（农历2月8日）、祭干母女神节（农历7月15日，俗称转山节）和祭天等。1961年建立了丽江纳西族自治县，先后建立了4个民族乡。

Naxi language　纳西语　中国纳西族语言。属汉藏语系藏缅语族彝语支。主要分布在中国云南省丽江、维西、中甸、永胜、宁蒗和四川省盐源、盐边、木里等地。使用人口约24万。分东西两种方言。纳西语（丽江）语音特点：有33个辅音声母，包括双唇、舌尖中、舌根塞音，各分清、浊、清送气三套共9个；舌尖前、卷舌、舌面前塞擦音各分清、浊、清送气三套共9个；唇齿、舌尖前、卷舌、舌面前、舌根擦音各分清、浊共10个；双唇、舌尖中、舌面前、舌根鼻音和边音各1个。有浊塞音、浊塞擦音带同部位鼻冠音的复辅音声母各3个。有22个韵母，包括11个单元音韵母和11个复元音韵母；有4个声调：高平、中平、低降和低升。以虚词和词序表示句子的关系。词类有名词、动词、形容词、数词、量词、代词、副词、连词、助词、叹词10类。表示人的名词用声调转换法表示复数；形容词重叠表示程度加深；人称代词有辈称和昵称的分别；方位词有大范围和小范围的区别；句子主语在谓语前；宾语在主语后，动词之前，但主语或宾语带助词后位置可以互换；名词、代词作修饰语在中心词前，形容词、数量词组作修饰语在中心词后。原有东巴文（象形文字）和哥巴文（音节文字）两种文字。1957年设计了拉丁字母形式的文字方案。

Náxos　纳克索斯岛　希腊基克拉泽斯群岛最大的岛。在爱琴海中。自成一行政区。面积428平方千米。最高点宙斯山（希腊语译齐亚山）海拔约1 003米。西部海岸城市纳克索斯在古代及中世纪时即为首府。现为全岛首府和主要港口。青铜器时代初，有克里特人、卡里亚人和色萨利人在岛上定居。先后被波斯、雅典、威尼斯、土耳其、俄国人占领。1830年希腊独立战争结束后加入希腊王国。谷地富庶而水源丰富，出产优质白葡萄酒、枸橼和柑橘。金刚砂为主要输出品。居民大部信奉东正教。已在首府北面的格罗塔的迈锡尼时期居民区进行考古发掘。人口：市3 735；岛14 037(1981)。

Naxos　纳克索斯　希腊在西西里最早设立的殖民地，西奥克利斯统治下的哈尔基季基约于公元前734年所建。该地位于东海岸，在陶罗梅尼乌姆（今陶尔米纳）之南，阿尔坎塔拉河河口正北的斯基索角上。虽然在陶罗梅尼乌姆早已有土著西库尔人居住，但他们对外来的入侵无力反抗。纳克索斯是以爱琴海上的同名岛屿命名的，说明开发该地的人中可能有纳克索斯岛人。不久又在莱昂蒂尼和卡塔纳建立比纳克索斯重要得多的殖民地。公元前461年之后，纳克索斯与莱昂蒂尼人（前427）和雅典人（前415）联盟，共同对抗锡拉库萨人（又译叙拉古人）。公元前403年，此地为锡拉库萨暴君狄奥尼西奥斯一世所毁，之后归属西库尔人。被流放的希腊人最后于公元前358年以陶罗梅尼乌姆为避难

之地。目前该地还遗留有少许当日所建城墙。

Nāyanār 那耶那勒 古代印度泰米尔语诗人-乐师的统称。他们所创作的歌颂湿婆神的赞歌十分优美。那纳真班德尔、阿巴尔和琼德勒穆尔迪号称三大那耶那勒;印度南部各寺庙供有这三位圣人的像。他们与7、8世纪的毗湿奴教直觉知神派差不多活动在同一时代。

Nāyar 纳亚尔 又拼Nair。印度喀拉拉邦印度教种姓。在1792年英国征服印度之前,这一地区有一些小的封建王国,每一王国中的皇族、贵族、民兵和大多数土地经营者都来自纳亚尔及有关种姓。在英国统治时期,纳亚尔从事各种专门职业,在政界、政府部门、医药界、教育界和法律界颇有地位。纳亚尔与大多数印度教徒不同,传统上为母系社会。他们的家庭财产共有,成员包括兄弟姊妹、外甥和外甥女以及他们女儿的子女。年纪最长的男子是法定的家长。婚姻和居住规章制度,各王国之间不尽相同。16至18世纪之间,卡利卡特、沃卢瓦诺德、帕尔加特和科钦各主要王国中纳亚尔的婚姻习俗十分奇特,有人对此作了大量研究。女子青春期前即和一个纳亚尔或南布迪里婆罗门举行婚礼,但不过门。丈夫可以来看望她(但不一定如此),有时婚礼后立即举行离婚仪式。到达青春期后,妇女可以接待若干本种姓或较高种姓的丈夫前来看望。纳亚尔男子可以到适当等级的女人家去拜访,人数不限。妇女仍由其母系团体供养,父亲对子女既无责任,也无权利。英国统治初期,纳亚尔军队被解散,这也许是19世纪多夫多妻制婚姻逐渐消灭的部分原因。儿童开始由父亲抚育,父亲年老由子女奉养,死后由子女举行葬礼。20世纪30年代制定的法律实行一夫一妻制,男女均可分到母系财产,子女都享有父亲抚育及承受遗产的充分权利。到20世纪中叶,以核心家庭构成独立的居住和经济单位越来越普遍,在城市中尤其如此。

Nayarit 纳亚里特 墨西哥中西部的州。濒临太平洋。西马德雷山脉从狭窄的沿海平原拔地而起,向东南蜿蜒,将全州26 979平方千米的土地分割成深峡窄谷。有塞沃鲁科和桑甘古埃火山。海岸潟湖是著名的野鸟栖息之地。主要河流圣地亚哥大河常被看作是莱尔马河的延续,从查帕拉湖流向西北进入本州;圣地亚哥河向西穿越本州,在圣布拉斯北面注入太平洋。谷地极其肥沃。全州经济以农业为主,盛产玉米、烟草、甘蔗、豆类、咖啡、木材和药材。山区矿业颇为重要。西海岸公路和铁路纵贯全州,连接州首府特皮克与马萨特兰等城市。山区有科拉人和惠乔尔印第安人的小村庄。人口824 643(1990)。

Nayler, James 内勒(1618,英格兰约克郡阿兹利～1660-10,伦敦) 早期英格兰贵格会领导人之一。在英格兰内战(1642～1651)中,他曾在议会党人的军中服役,在兰伯特将军麾下任军需官两年。在此期间他以独立派教徒身份讲道,1651年在韦克菲尔德与福克斯会见,加入贵格会。三年间与福克斯紧密合作。1655年到伦敦,在贵格会中颇有势力,某些狂热女信徒尊他为基督转世。1656年内勒率人进入布里斯托尔,仿效当年耶稣进入耶路撒冷的情景。他因此被捕,在议会受审,并被判以重刑及监禁。1658年他写信给议会承认错误,1659年获释。内勒一度与福克斯不和。1660年两人和解,内勒重新在伦敦布道,直至去世。

Nazarbayev, Nursultan 纳扎尔巴耶夫(1940,哈萨克斯坦～　) 哈萨克斯坦总统(1990年就职),为自己的中亚共和国争取区域性自治的改革家。纳扎尔巴耶夫是哈萨克农民之子,先后毕业于乌克兰第聂伯罗捷尔任斯克的一所技术学校(1960)、哈萨克斯坦卡拉干达冶金联合企业所属的技术学校(1967)和莫斯科高级党校(1976)。1960～1977年继续在卡拉干达工厂任炼钢工人和工程师。他于1962年参加共产党,以后成为苏联最高苏维埃代表,1990年选举之后任哈萨克斯坦共和国总统,同时亦成为苏联共产党中央政治局委员。1991年8月发生强硬派的未遂政变后(纳扎尔巴耶夫原反对这一政变),他于8月22日辞去政治局的职务。自此以后,他主张前苏联各共和国互相合作,但是,他很久以来就反对莫斯科当局在经济上剥削中亚,因而谨慎地在这种合作中培育哈萨克斯坦的独立。

Nazaré 纳扎雷 葡萄牙莱里亚区城镇,大西洋渔港和旅游胜地。位于里斯本以北。当地居民(据传说为腓尼基人的后裔)是欧洲最有特点的民族之一。当地风格别致的服装和与其渔业生活有关的宗教仪式吸引着游客。港口亦为沙丁鱼和鲐鱼捕捞中心。人口:镇6 954(1981);行政区约16 000(1987)。

Nazarene 拿撒勒人 《新约全书》用语,用以称呼耶稣,后来,信奉耶稣的教义的人称为"拿撒勒教堂"(《使徒行传》24:5)。在希腊文本《圣经》中,此词有两个形式:简单形式Nazarēnos,意为拿撒勒的;特殊形式Nazōraios。在与地名拿撒勒发生联系之前可能指犹太教的"遵规派"亦即"虔诚派",后来才转而指基督徒。4世纪叙利亚境内一个犹太人基督教派别也称拿撒勒派。此派承认基督有神性,也承认他是通过超自然方式生到世上来的,但严格遵守犹太律法和习俗,而大多犹太人基督教徒已经不这样作。阿拉伯人和犹太人今天以"拿撒勒派"为信奉基督教的人们的通称。

Nazarene 拿撒勒派 又称路加兄弟会或圣路加兄弟会。一些德意志青年画家于1809年组成的一个协会,旨在使艺术恢复中世纪的精神。极力反对18世纪的新古典主义,是欧洲绘画中第一次有效的反学院派运动。他们认为,一切艺术都应为道德或宗教目的服务;赞赏中世纪后期和文艺复兴初期的画家,抵制此后的绘画(由欧洲各学院传播的),认为这些绘画抛弃了宗教理想,一味讲究艺术鉴赏。还认为,恢复中世纪画坊的比较亲密的教学环境,便可避免学院体系的机械教条。因此,他们以类似隐修院的方式一起工作和生活。其最初的成员是维也纳美术学院的6

拿撒勒派画家F.奥韦尔贝克绘《宗教在艺术中的胜利》(1840)

美国不列颠百科全书公司供图

名学生。他们的一项重大计划就是复兴中世纪的湿壁画,并在罗马获得这一机会,从而引起国际上的瞩目。拿撒勒派的高尚目标和理想对以后的艺术运动,特别是对英国19世纪中叶的拉斐尔前派的艺术,有着重要的影响。参阅 **Pre-Raphaelite Brotherhood**。

Nazarene, Church of the 拿撒勒派教会 美国基督教新教教会。由19世纪圣洁运动的几次教会合并而产生。在教义上属循道宗阿明尼乌派,强调上帝的恩典。认为只有上帝的恩典才能使人在得救之后达到彻底成圣,过无罪的生活。该会总部连同出版社和神学院均设在密苏里州堪萨斯城。教会办有学院、学校与医院。该会是圣洁派教会中较大者,20世纪末有信徒50多万。

Nazareth(Ethiopia) **拿撒勒** 参阅 **Nazret 纳兹雷特**。

Nazareth 拿撒勒 以色列北部下加利利历史名城和该国最大的阿拉伯人城市。该市首见于《圣经》记载,为耶稣童年时期的活动地,后为其第一次行神迹(在迦拿变水为酒)的出发地点。该市在耶稣时代的居民为犹太

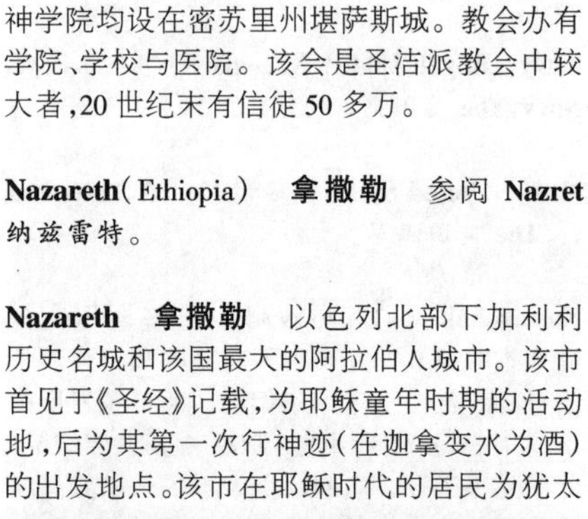

拿撒勒市,图中近左处为圣母领报堂

美国不列颠百科全书公司供图

人,313年基督教立为罗马帝国国教后,成为圣地。十字军时代是双方激烈争夺之地。1291年十字军被驱出巴勒斯坦后,当地的基督教势力衰退。16世纪初期奥斯曼土耳其人入据巴勒斯坦,城内基督教徒全被逐出,直至黎巴嫩的埃米尔法赫鲁丁二世时才获准返回。现今,该市居民以阿拉伯基督教徒为主,名胜有圣马利亚井、天主教圣母领报堂、加百列堂、会堂教堂、约瑟堂、基督坐席堂和青年耶稣大堂等。一些教堂附设有圣迹博物馆。现代的城市是加利利地区阿拉伯人的地方市场和贸易中心,旅游和轻型制造业亦重要。市民中有许多工人乘车去海法湾地区的工厂和埃斯德赖隆平原各犹太定居点的农田和工地工作。1957年在城东丘陵地带新建市郊犹太区,现有汽车装配、食品加工及纺织厂。拿撒勒的一些阿拉伯人在此工作。人口约52 000(1990)。

Nazas River 纳萨斯河 墨西哥北部杜兰戈州和科阿韦拉州的河流。由奥罗河和拉莫斯河在埃尔帕尔米托汇合而成,先向东南、后向东北偏东流入拉古纳地区,雨季可达马伊兰湖。全长约290千米。作为拉古纳土改纲领的一部分,在埃尔帕尔米托筑成拉萨罗-卡德纳斯拦河坝。沿河有莱尔多、戈麦斯帕拉西奥和托雷翁等大城市。

Nazca 纳斯卡文化 南美洲早中间期(约公元前200～公元600)文化,分布于今秘鲁南海岸,其名称源于纳斯卡谷地,但也包括皮斯科、钦查、伊卡、巴尔巴及阿卡里等谷地。

约公元600年的纳斯卡文化坐女形彩陶壶
美国不列颠百科全书公司供图

纳斯卡陶器为多彩陶器。有时采用模制。彩陶常施以四种以上的颜色,所绘人、兽、鸟、鱼及花草树木是写实的,但具有一定的图案化风格,往往显得呆滞而生硬。早期纳斯卡陶器多为敞口碗或带提梁的双嘴罐,彩纹简单粗放;晚期纳斯卡(伊卡)陶器形制较多样,有一些模仿人形的模制器物,图案亦较精致。

Nazca Lines 纳斯卡线条图 秘鲁南部纳斯卡以北几处沙漠方山上所刻画的一组巨型兽图和几何图案。这些图像有直线、三角形、螺旋形、一只鸟、一只猴、一只蜘蛛,还有花卉,绵延几百英尺,在平地无法看清,自空中俯视则一目了然。图像的作者及年代均不可考。但一般认为是12世纪印加人兴起之前的作品。其作用亦难推测,有些似有天文或历法含义,有些则可能具有礼仪性质。线条图由于当地气候极端干燥而得以保存下来。

Nazi (Sumerian deity) 参阅 **Nanshe** 南舍。

Nazi Party 纳粹党 德国国家社会主义工人党的别名。被称为国家社会主义(**National Socialism**)的群众运动的政党。在希特勒领导下,该党于1933年在德国获得政权,以极权方式统治直至1945年。原名德国工人党,1919年由慕尼黑锁匠安东·德雷克斯勒创立。1920～1921年希特勒逐走该党以前的领袖,将党改名为德国国家社会主义工人党。1920年他还制订了25点纲领,成为该党永久的基础。这个纲领号召德国抛弃《凡尔赛和约》并扩大德国领土。1923年希特勒及其追随者感到自己有足够的力量发动一场啤酒店暴动(**Beer Hall Putsch**),企图控制巴伐利亚州政府以期触发一场全国性反对魏玛共和国的叛乱。政变失败了。纳粹党暂时被取缔,希特勒被关进监狱,度过了1924年大部分日子。获释后,他迅速着手重建该党。党员人数从1925年的2.5万增为1929年的约18万。德国经济大萧条的影响使纳粹党在全国范围内取得真正重要的地位。1929～1930年失业激增,提供了数以百万计的无业和不满的选举人,形势对纳粹党有利。1929～1932年党员人数和选举力量大增,该党已成为国会中最大的投票集团。此时,大企业界已开始资助纳粹的选举运动,强大起来的冲锋队(**SA**)暴徒变本加厉地与共产党人在街上厮打。希特勒狡猾地在幕后操纵,促使德国总统兴登堡于1933年1月30日任命他为总理。1933年3月5日的选举中,纳粹党获得全部选票的44%。1933年3月23日国会通过《授权法》,"授权"希特勒的政府独立颁布法令,不受国会和总统支配;希特勒实际上获得独裁权力。1933年7月14日希特勒政府宣布纳粹党为德国唯一的政党。1934年兴登堡去世后,希特勒取得元首、总理和军队总司令等头衔,他仍然是纳粹党的领袖。所有高级文职官员和官僚必须是纳粹党员,地方长官成为各州政府的权力人物。1934年希特勒消灭了纳粹党的左翼,并处决了E.勒姆等难管束的冲锋队领导人。从此以后,希特勒的话成为党内无可争辩的至高无上的命令。该党实际上控制了德国的一切政治、社会和文化活动。其庞大而复杂的统治结构就像一座金字塔,由党控制的青年、妇女和工人群众组织以及其他团体在底层,党员和官员在中层,希特勒和其亲密同伙在顶上,行使绝对权威。1945年第二次世界大战结束时,德国战败,希特勒自杀,盟军占领德国,于是纳粹党被取缔,其最高级领导人以反和平和反人类罪行被判处。在其他国家(诸如美国)曾有过小的纳粹党,但到1945年后纳粹主义作为一个群众运动实际上不复存在。

Nazi-Soviet Nonaggression Pact 参阅 **German-Soviet Nonaggression Pact**《德苏互不侵犯条约》。

Nazım Hikmet Ran 纳齐姆·希克梅特·让 参阅 **Hikmet, Nazım** 希克梅特。

Nazimova, Alla 纳济莫娃(1879-06-04,俄罗斯帝国乌克兰克里米亚雅尔塔～1945-07-13,美国加利福尼亚洛杉矶) 阿拉·莱文顿的艺名。俄国出生和培养的女演员,成名于

纳济莫娃在《海达·加布勒》(1936)中的剧照
美国不列颠百科全书公司供图

美国的舞台和影坛。17岁时放弃小提琴训练,前往莫斯科与涅米罗维奇-丹钦科和斯坦尼斯拉夫斯基一起工作。进入莫斯科艺术剧院,并到各地旅行表演,后加入圣彼得堡的保罗·奥尔列涅夫剧团。1905年访问美国,虽然一句英语也不会说,却给舒伯特兄弟以深刻的印象。他们聘用她,条件是她要在6个月内学会英文。她做到了,并于1906年11月13日首演《海达·加布勒》。尔后两年因饰演易卜生的戏剧人物,如《玩偶之家》中的娜拉、《野鸭》中的赫德维希和《建筑师索尔尼斯》中的希尔达等而备受赞誉。由于她的成功,舒伯特兄弟特别为她建造了一座剧院。1910年4月18日,她在纳济莫娃剧院的揭幕演出中饰演易卜生的《小艾友夫》中的丽塔·阿尔门斯。

纳济莫娃的声名使她进入好莱坞,1915～1925年拍了17部电影,范围从粗制滥造的《战时新娘》(1916)和《童心》(1920)到根据她的成功的舞台剧改编成的默片。1928年重返舞台,在勒加利安纳执导的契诃夫的《樱桃园》中饰演拉涅夫斯基夫人。1927年成为美国公民,接着饰演奥尼尔《哀悼》(1931)中的克丽斯汀和赛珍珠的《大地》(1932)中的阿兰。她还执导并主演两出易卜生戏剧《群鬼》(1935)和《海达·加布勒》(1936),受到纽约市的热烈欢迎。60多岁时,纳济莫娃重返好莱坞,拍了几部故事片。纳济莫娃虽被公认为易卜生剧作中女主角的最佳诠释者,但有时她过分利用了她的异乡人的外表和刻意的表演风格,效果适得其反,正如她在好莱坞影片中给人们留下定型化的"荡妇"形象一样对她不利。

Nazirite 拿细耳人 古代希伯来人中一批经过洁身归圣的人,他们一般不剃发,不饮酒。最初,拿细耳人是具有特殊超凡能力的人,一般终身保有这种身份。后来甘心发愿在一定期间内离俗承担宗教方面任务者,就

是拿细耳人。拿细耳人可以经过献祭还俗(见《民数记》6、《马加比传》一卷 3:49;《使徒行传》21:24)。早期的拿细耳人身上有"主的灵",心理上和生理上都有特点,易于冲动,有内心灵性喜乐,热情而精力充沛。这样,他们与中东地区的热心于宗教的先知和占卜者(如《民数记》22 ～ 24 章所述的巴兰)十分相似。拿细耳人和先知也与勇士相近,勇士在履行职责时也处在成圣的状态之下。参孙就是这样一个勇士,他的神力与他的蓄长发有密切关联 。古代以色列人认为,头发的生长表明以色列之神的大能。《民数记》第 6 章和密西拿所讲的拿细耳人,即晚期的拿细耳人,并不是神秘性的人物。他仅仅是戒酒、蓄长发、禁触尸体而已。

Nazism 纳粹主义 参阅 National Socialism 国家社会主义。

Nazret 纳兹雷特 又称拿撒勒。埃塞俄比亚中部城镇。是首都亚的斯亚贝巴和德雷达瓦之间的公路枢纽和铁路车站。20 世纪 50 年代起经济迅速发展,人口猛增。附近有大规模甘蔗园和制糖厂,增加了就业。当地还有大型麝猫饲养场。附近有温泉。人口约 83 091(1986)。

Naẓẓām, Ibrāhīm an- 奈萨姆(约775,伊拉克巴士拉～约 845,巴格达) 伊斯兰教卓越教义学家、学者、诗人、历史学家、法学家。他曾在巴格达受业于穆尔太齐赖派教义学家阿布·胡栽里,专攻思辨教义学,不久自成一派。他以令人信服的说理证明,物质世界是真主在一定时间创造的,并非无始无终。本来伊斯兰教义学强调,真主超越万有,这样,人是否可以决定自己的行动,就成了问题。奈萨姆则认为,人具有两重性:人既是物质,他的行动都作用于物质世界之中,受真主支配;但人又是精神,不受物质世界的支配,有自由选择权,因此在道德上负有责任。

NBA 参阅 National Basketball Association 全国篮球协会。

NBC 参阅 National Broadcasting Co., Inc. 全国广播公司。

NCAA 参阅 National Collegiate Athletic Association 全国大学生体育协会。

NCR Corporation NCR 公司 1884～1974 年名为国民收款机公司(National Cash Register Co.)。美国收款机、计算机和信息处理系统制造商。总部在俄亥俄州代顿。公司的产品有 ATM 机、办公室用电子设备、超级市场扫描仪、半导体和多种用途的计算机系统。1991 年公司由美国电话电报公司收购,改名为全球信息解答公司(Global Information Solutions)。1996 年,美国电话电报公司被分为 3 个独立公司。NCR 公司脱离美国电话电报公司,恢复原名。虽然 J.里梯在 1879 年发明了收款机,却是通过 J.H.帕特森(1844 ～ 1922)的大力推销、革新生产和销售技巧,才使它得以在市场上长销不衰。帕特森不满足于煤炭商工作,1884 年以6 500美元收购当时设在代顿一个萧条地区的生产收款机而经营不善的国民制造公司的控制股权。帕特森改进了收款机,使之易于操作,又派出积极主动的推销员四出兜售。他付给推销员高额佣金,提出每个推销员独自经销一个地区的办法。为了减少顾客维修这种复杂机器的顾虑,他组织维修队伍进行售后服务。在 20 世纪,公司逐步发展,不断完善其收款机的生产:随着 20 年代会计计算机的应用、第二次世界大战期间电子产品的应用、60 年代商业表格和计算机软硬件的应用和 70 年代微电子器材的应用,收款机的生产无不得到进一步的提高。在 70 年代的 10 年中,NCR 公司在 W.S.安德生和小 C.E.埃克斯利两位总经理的领导下继续开发新技术和扩张市场;不过公司也经历了彻底改组,改组就难免要大量裁减劳动力并下放业务经营部门,将其从代顿总部迁移出去。该公司还为没有机构内部信息处理系统的企业经营一个世界范围的信息处理中心网络。

Ndebele 恩德贝勒人 又名德兰士瓦恩德贝勒人。几个操班图语的非洲民族,主要居住在南非北部省和东德兰士瓦省。他们是恩古尼人的古代支系,17 世纪开始迁到德兰士瓦地区。德兰士瓦恩德贝勒人的主要族群的祖先是穆西。在向非洲东南沿海迁徙时,他率领一部分人从恩古尼人当中分裂出来,最后在德兰士瓦即现今的比勒陀利亚定居。在 18 和 19 世纪逃避丁吉斯瓦约和沙卡战祸的恩古尼人加入了穆西族人后裔的行列。德兰士瓦恩德贝勒人由于藏匿于丛林中,得以躲过祖鲁人的袭击而幸存下来。因此上述两部分人便在地理上分成了不同的居群。德兰士瓦恩德贝勒人同大多数恩古尼民族一样,聚为小村落,以畜牧及农业为生,作物以玉米为主,兼种黍类、豆类、甘薯及其他。实行一夫多妻制,宗系延续、继位及财产继承皆以男系为主。许多恩德贝勒人现在在城里或矿区作工,有些人离家去寻找工作。1979 年,德兰士瓦恩德贝勒人重返其宽德贝莱家园,1994 年该家园成为东德兰士瓦省的一部分。其他德兰士瓦恩德贝勒人则被安置在莱博瓦家园(今在北部省)。

Ndebele 恩德贝勒人 又称津巴布韦恩德贝勒人、正统恩德贝勒人,原名马塔贝勒人(Matabele)。津巴布韦西南部操班图语民族,主要居住在布拉瓦约城周围地区,19世纪早期,作为纳塔尔地区的恩古尼人的一支分裂出来。一个名叫穆奇里卡奇的恩古尼军事指挥官,听命于另一恩古尼民族即祖鲁人的国王沙卡,由于双方发生龃龉,被迫于 1823 年率其徒众逃亡,最后约于 1840 年占据马塔贝莱兰(津巴布韦),其继承人洛本古拉扩张势力,将索托人、绍纳人及其他异族分子并入其部落。1890 年英国南非公司成立,使他们与殖民者之间冲突加剧。1893 年这些当时被称为马塔贝勒人的部落战败,此后他们便由公司划分为若干单独的区加以管理。短暂的马塔贝勒人国家将其居民划分为 3 类:高等阶层称为"赞西人",由原来的恩古尼人构成;中等阶层称为"恩拉人",由原来的索托人构成;下等阶层称为"洛兹米人"或"霍利人",由原来的土著民族构成。各阶层的男子都组成为

恩德贝勒人妇女
美国不列颠百科全书公司供图

战斗单位的年龄组。团队的成员结婚后仍住在设防的团队村庄里。现代恩德贝勒人居住在小村庄里,由分散的家宅组成。住房环绕一中央牛栏修筑。正房的长子是主要的财产继承人;他们也有转房婚(叔娶寡嫂)的习俗。恩德贝勒人种植玉米,饲养牛;男子牧牛、挤奶并外出狩猎,妇女担负农田活计。

N'Djamena 恩贾梅纳 前称拉密堡。乍得共和国首都。位于沙里河东岸。该城建于 1900 年,法国殖民军在那里击败并击毙苏丹冒险家祖拜尔。该城即以阵亡的一名法国少

恩贾梅纳市的政府大楼
中国大百科全书出版社供图

校而命名为拉密堡。1960 年乍得独立后,该城仍为科托科人居民点。1973 年改名恩贾梅纳。在 1980 ～ 1981 年被利比亚军队占领。恩贾梅纳地处植棉、养牛和捕鱼地区的中心,因而是重要的市场地区。有屠宰冷冻厂和发电厂。许多金融和轻工业企业在此设总部。1971 年建乍得大学,1963 年后开办了全国行政管理学校。设有国立人文科学研究所(1961)附属的国立博物馆(1963)。乍得盆地委员会总部设在该城。恩贾梅纳有公路通尼日利亚、苏丹和中非共和国。有国际机场。人口530 965(1993)。

Ndola 恩多拉 赞比亚第三大城镇,位于赞比亚与刚果(金)边界。有铁路通首都卢萨卡和利文斯敦。有炼铜、制糖、轮胎、汽车装配以及各种与采矿有关的工业。现为来自坦桑尼亚的达累斯萨拉姆的塔扎马燃料管道终点。设有北方工学院(1964)和赞比亚大学分

校(1978)。人口约376 311(1990)。

Ndongo 恩东加 非洲历史上姆本杜人的王国。其领土从安哥拉的罗安达向内地延伸,北界丹德河,东临卢卡拉河,南至宽扎河,西濒大西洋。16世纪初,其统治者恩戈拉承认刚果王国的霸主地位。1556年恩东加在丹德河畔的卡希托击溃刚果部队,从而赢得完全的独立。恩戈拉希望从同葡萄牙人的关系中受益,请葡萄牙人派使节来恩东加。贵族迪亚斯及耶稣会会士们到过该国。后迪亚斯奉国王命于1575年率葡军在罗安达登陆,1579年向恩东加首都卡巴萨进军。恩东加进行了持久的反抗。在以后几十年中,双方各有数千人在战争中阵亡。1623年版图缩小的恩东加和葡属安哥拉谈判签订和约。次年恩戈拉之妹恩津加登上王位,抗议葡萄牙人违反条约。1656年签订新和约。1671年安哥拉在来自巴西的军队的增援下,击败恩东加,其全部领土并入安哥拉。

NDP (Canada) 参阅 **New Democratic Party** 新民主党。

Ne Win, U 吴奈温(1911-05-24,缅甸邦德莱～2002-12-05,缅甸仰光) 缅甸将军,1962～1988年的缅甸政府首脑。1929～1931年在仰光大学学院求学。30年代中期,参加争取国家独立的斗争。第二次世界大战期间,日本入侵缅甸前,他是1941年到中国海南岛接受日本军事训练的"三十同志"之一。1943～1945年为日本人主持成立的缅甸国民军军官,但因对日本人的幻想破灭而参加组织地下抗日运动。1948年1月4日缅甸独立后,他任陆军副总司令。1958年吴努辞职,他组成看守内阁,任总理。1960年大选恢复议会政体时下台。1962年3月2日发动政变,监禁吴努,成立缅甸联邦革命委员会。在他统治下,将军事独裁与一种社会主义经济纲领结合起来,实行国有化和快速工业化的方针。对外奉行中立和孤立的政策。1964年使缅甸成为一党制的国家,唯一允许存在的政党是他所创立的缅甸社会主义纲领党。1972～1973年制定新宪法。1974年选举成立新政府,任国务委员会主席。1981年后只保留缅甸社会主义纲领党主席的职位,80年代后期,奈温的社会主义和孤立政策使缅甸落入世界最贫穷国家的行列,使主要大米出口国变为缺粮国。1987年末,各主要城市的反政府暴动蜂起,迫使奈温于1988年7月辞去缅甸社会主义纲领党主席的职务。但在幕后仍积极参与政治活动。2002年3月,在多名家庭成员因被控阴谋推翻军人集团统治而入狱后,遭到软禁直到去世。

Neagh, Lough 内伊湖 爱尔兰语作Loch Neathach。北爱尔兰湖泊。长29千米,平均宽24千米,面积396平方千米,大部分只有12米深,为不列颠群岛最大湖泊。汇水面积达5 700平方千米。在北爱尔兰中东部,贝尔法斯特西约32千米处。有上班恩河、布莱克沃特河和梅恩河注入,湖水经下班恩河向北排出。图姆湾出土有爱尔兰已知最古老的人类手工制品。

Neagle, Dame Anna 妮格尔(1904-10-20,伦敦～1986-06-03,伦敦附近) 原名马乔里·罗伯逊。英国女演员兼舞蹈演员,以在舞台剧、音乐剧和电影中的角色知名于世。她的电影生涯得到她丈夫、演出人兼导演威尔考克斯的指导。1917年以舞剧《神奇的故事》在伦敦开始其演员生涯。首次担任主角是在《起来,歌唱》(1931)中饰年轻姑娘。她还主演过《第十二夜》、《皆大欢喜》(1934)、《彼得·潘》(1937)和《爱玛》(1944)。第二次世界大战期间,参加"全国慰劳协会",在英国和欧洲大陆巡回演出。曾在《光荣的日子里》(1952)由她一人饰演4个角色(鲍蒙特、格温、维多利亚女王和格雷)。1965～1971年她在《查莉姑娘》中饰哈德韦尔夫人,在伦敦和澳大利亚连续演出5年,达2 000余场。她参加过30多部影片的演出,大多由她丈夫制片。获奖电影有《伟大的维多利亚》(1937,获维也纳多国杯奖)、《莱恩公园的喷泉》(1948)和《奥德特》(1950),后2片均获国家电影奖。后被授予大英帝国高级爵士勋章(1952)和英帝国女爵士勋章(1969)。

Neal, Patricia 尼尔(1926-01-20,美国肯塔基帕卡德～2010-08-08,马萨诸塞埃德加敦) 全名Patsy Louise Neal。美国电影女演员,以其异常精妙的表演着称。曾在西北大学学习戏剧。1946年移居纽约,次年出演舞台剧《森林里的另一部分》,获托尼奖。1948年与华纳兄弟影片公司签约。第二部影片《根源》(1949)为她树立了聪明伶俐、成熟老练女演员的声誉。1953年与作家R.达尔结婚,1983年离婚。50年代早期虽与一些名导演合作,并有出色的表演,但影片大多都很平庸,不过经典科幻作品《地球停转之日》(1951)是个例外,其中尼尔饰演女主角。尼尔在电影事业上的挫折使她重返舞台数年,在《纽约和伦敦》一剧中的表演获得称赞。1963年在《原野铁汉》(又名《牧野枭獍》)中的出色表演使她获得奥斯卡最佳女主角奖。1965年经历了几次中风,身体右侧麻痹,无法讲话。但两年内康复,在1967年的奥斯卡颁奖晚会上重新亮相,受到热烈欢迎。她重返影坛之作《玫瑰怨》(1968)再次获得奥斯卡奖提名。1981年,电视片《帕特里夏·尼尔的故事》记录了她的奋斗史和成功史。尼尔的健康问题困扰着她后来的演艺事业,尽管在电视和电影中仍有出色表演。此后她将大部分时间投入到慈善和宗教事业。

Neamţ 尼亚姆茨 罗马尼亚东北部县名。面积5 890平方千米。东喀尔巴阡山和外喀尔巴阡山俯瞰着谷地居住区。比斯特里察河和摩尔多瓦河流经境内。县城*皮亚特拉-尼亚姆茨*(**Piatra-Neamţ**)是全国最古老的居民点之一,现有化工、机械制造、金属制品和造纸工业。罗曼、布胡希、比卡兹和瑟维内什蒂有冶金、纺织、水泥及木材工业。比斯特里察河上有几座水电站。尼亚姆茨县西北有比卡兹人工湖,水坝高91米。县内尤其是克拉克乌河流域的农业以牲畜饲养和果树栽培为主。当地的自然风景区包括比卡兹峡谷和罗舒湖中一片1938年山崩后被淹没但树梢露在水面上的树林。特尔古-尼亚姆茨附近有斯特凡大公修建的尼亚姆茨要塞(14世纪)和尼亚姆茨隐修院,包括一座15世纪的教堂。尼亚姆茨县较大城镇之间有公路相通。皮亚特拉-尼亚姆茨有铁路通向南方。人口约557 084(2002)。

Neanderthal 尼安德特人 早期形态的智人,更新世晚期即10万～3.5万年前居住在欧洲许多地区和地中海沿岸;在中东、北非和中亚西部一些地区也曾发现其遗骸。1856年在德国杜塞尔多夫附近尼安德谷地的一个山洞中首次发现,故名。尼安德特人的起源尚未弄清,他们的祖先可以定年为距今约10万年前至15万年前,在年代上应为早期直立人。尼安德特人大概是欧洲最后一次间冰期(里斯-武木间冰期,7.5万年前至11.5万年前)的产物,德国、法国、比利时和意大利的许多地方,都出土有无疑属尼安德特人的颌骨、牙齿和颅骨碎片。属于欧洲最后一次冰期(武木冰期,3.5万年前至10万年前)的尼安德特人骨架遗存数量最多,也最完整。尼安德特人矮小结实,体格强壮;颅腔长、低而宽,后部偏扁;脸部有突出的眉嵴、硕大的牙齿和较小的颧骨;胸部宽大,肢骨粗壮,股骨和前臂骨弯屈,手足颇大。他们直立行走,很像现代人的步态。尼安德特人据洞穴而居,偶尔也建露天营地。他们用火,猎捕小型和中型动物(如山羊、小鹿),取食肉巨兽猎获物的腐肉而食。制作和使用各种石器及木矛。尼安德特人将死者入土埋葬,有个体葬,也有集体葬,某些证据表明可能有吃人肉的习性。间或发现人骨与动物共埋,或许表明他们已有原始形式的宗教。尼安德特人在分类学上的归属在学者中仍有争论。起初他们被定为单独的种(人科尼安德特种),后来被视为智人的一个亚种(智人尼安德特人亚种),但有些学者倾向于原来的分类。尼安德特人在进化过程中的作用也尚未弄清:在某些地区,他们可能纳入了现代人群体中;而在另一些地区,他们似已灭绝。

neap tide 小潮 日地间直线与月地间直线成直角时的潮汐。这时日月的引潮力互相抵消,潮差最小,通常比平均潮差小10%～30%。参阅 **tide**。

Neapolis (Italy) 参阅 **Naples** 那不勒斯。

Neapolis(Israeli-occupied Jordan) **奈阿波利斯** 参阅 **Nābulus** 纳布卢斯。

Neapolitan opera 那不勒斯歌剧 意大利风格的歌剧,主要由18世纪在那不勒斯工作的作曲家们所创作。参阅 **opera seria**。

Near East 近东 通常指地中海东部沿岸地区。包括非洲东北部和亚洲西南部,有时还包括巴尔干半岛。早期近代西方地理学者以"近东"指邻近欧洲的东方。大致相当于奥斯曼帝国版图。第二次世界大战后,此称几为中东(**Middle East**)取代,但两者常通用。

Nearchus 奈阿尔科斯(?～约公元前312) 马其顿亚历山大大帝麾下的军官。他曾奉亚历山大之命由印度西部的希达斯皮斯河航行到波斯湾,又上溯幼发拉底河,直达巴比伦。早在公元前333年亚历山大曾任命奈阿尔科斯为新征服的吕基亚和安纳托利亚的潘菲利亚的总督。公元前325年当亚历山大沿印度河而下到达大海时,奈阿尔科斯开始了他的征程。他按时间顺序详细记述自己的旅程,在阿里安的《印度记》(2世纪)中有此书大段的摘录。在亚历山大去世(公元前323)之后的斗争中奈阿尔科斯未能起任何重大作用;后世的一个资料说他重新取得了总督职位,但这个说法未必可靠。

nearsightedness 参阅 **myopia** 近视。

Neath 尼思 威尔士语作Castell-Nedd。威尔士格拉摩根历史郡的城镇。约在公元75年,罗马人选择位于尼思河畔的尼邓建造要塞,以保卫他们在河流下游自格洛斯特到卡马森的过河通道。12世纪在此建立了一座城堡。第二位格洛斯特伯爵菲茨罗伯特批准在邻近设镇,但城堡于1231年被威尔士王子卢埃林阿普·约尔沃思摧毁。12世纪所建的西多会慈善机构尼思大隐修院现亦是一片废墟。1584年建起一家炼铜作坊,使用当地开采的煤和科尼什矿石,廉价海运至尼思河口。其他有色金属(锡、铅、银等)也在此冶炼。19～20世纪,邻近的布里顿费里成为一个炼钢中心,当地旧式工业遂逐渐衰落。营造业和以钢为原料的其他工业(马口铁桶制造业)至今仍占重要地位。第二次世界大战后兴起了巨大的石油化学工业。作为商业和服务中心,尼思市的作用虽不及其西11千米处的斯旺西,但仍为当地工业和采矿业提供服务。人口45 965(1991)。

Neath Port Talbot 尼思塔尔伯特港 威尔士语作Castell-nedd Port Talbot。威尔士南部郡级自治市。属格拉摩根历史郡。产业革命时期铸铜业和采煤业的发展改变了地区经济格局。尽管许多原有产业已经不复存在,现该地仍为工业区,制造业包括钢铁、石油化工、服装和汽车引擎制造等。采煤业也已衰落,但在东部谷地仍有一些小煤矿。塔尔伯特是主要的工业和商业中心,拥有庞大的钢铁业和西北部巴格兰的石油冶炼业。西部城镇包括尼思和庞特道埃,两城镇的商业和居民住宅的发展使之成为与附近城市斯旺西交流往来的重要基地。阿伯拉文城是塔尔伯特港的海滨地区,是一著名的海滨游览胜地。其他旅游胜地有阿凡阿戈德乡村中心、马格姆郡立公园和马格姆阿比博物馆。博物馆收藏一批重要的基督教早期石雕作品。塔尔伯特港东部的庞特里德芬村是演员R.伯顿的出生地。面积442平方千米。人口138 800(1998)。

neat's-foot oil 牛蹄油 从除去角质后的牛蹄、牛皮和胫骨熬煮出的淡黄色脂油,主要用于皮革的防水整理并用作润滑剂。屠宰场的下脚料在水中熬煎以后,撇出浮在表面的油脂,用布过滤,压榨两次,第一次获得纯牛蹄油,用作精密机械的润滑剂。第二次得到的次等品用于纺织和制革工业。经两次压榨后获得的固体硬脂可用于制造肥皂。

Nebhapetre(king of Egypt) **奈卜哈佩特雷** 参阅 **Mentuhotep Ⅱ** 门图荷太普二世。

Nebitdag 涅比特达格 也拼作**Nebit-Dag**。土库曼斯坦西部巴尔坎州城市。位于大巴尔汉岭南麓。该名意为石油山。20世纪30年代初发现石油后,大有发展。1946年设市。现为土库曼石油工业基地。城市经过精心规划,草木葱翠,可减缓周围沙漠气候所产生的影响。人口约87 800(1997)。

Neblina Peak 内布利纳峰 巴西最高峰,海拔3 014米。位于亚马孙州塔皮拉佩科山脉。邻近委内瑞拉边界。1962年发现。

Nebo(Mesopotamian deity) **尼波** 参阅 **Nabu** 那波。

Nebo, Mount 尼博山 位于美国犹他州中北部朱阿布县的山,海拔3 620米,为沃萨奇岭最高峰。以一座约旦山名命名,据传摩西死于那座约旦山上。地处尤因塔国家森林内,其中114平方千米的区域1984年划为联邦自然荒野区。一个目的远足者常去的。

Nebraska 内布拉斯加 美国中西部一州。19世纪前60年,内布拉斯加主要是通往北部和西部的捕兽区以及山区和太平洋沿岸地区的拓居地和采矿带的一条水陆通道。但是,随着美国南北战争后的铁路建设和其后的移民,内布拉斯加肥沃的土地得到耕作,草原上也兴起了牧牛业。结果,该州几乎自1867年3月1日加入联邦成为美国第37州以来,就一直是主要粮食产地。

河流对内布拉斯加的地理和殖民开拓很重要。密苏里河在19世纪初期是密西西比河流域以西地区的主要水路,为该州与艾奥瓦州和密苏里州的东部边界以及与南达科他州大约1/4的北部边界。该州的名称来源于一个印第安语单词,意为"平坦的河",指普拉特河,它像一块磁石一样将城里人吸引到州内各地。该河由南、北普拉特河汇合而成,两河都发源于西南部的科罗拉多州,但是北普拉特河转向北流,经西面的怀俄明州,进入内布拉斯加州。与堪萨斯州相连的南部边界是1854年《堪萨斯-内布拉斯加法案》建立两个准州时确定的,该立法加剧了地方性敌对行动,最后导致美国南北战争爆发。今天,大多数内布拉斯加州居民生活在密苏里河和普拉特河附近,使该州200 350平方千米的许多地方人口稀少。州首府林肯市位于该州东南部。

农业是内布拉斯加经济的基础,但仅有1/10劳动力直接从事农牧。经济情况直接影响该州的政治生活,包括19世纪90年代重视农业的人民(平民)党的一个短时期的抗议。虽然内布拉斯加在传统上一直是共和党的地盘,但民主党也是当地一支重要的政治力量。

自然地理和人文地理

土地 *地形* 该州分为两个自然地理区:中央低地区(占东部1/3)的冰碛平原和大平原区。

高度从东南部海拔256米的最低点升至科罗拉多州和怀俄明州边界附近的最高点(海拔1 654米)。除了河谷地带、中南部以及锅柄地区大多是平地以外,其余大部分地区是略有起伏的草原。内布拉斯加辽阔的中北部和西北部砂岩丘陵地带无树,仅有杂草覆盖,约占全州面积的1/4。

水系 全州均属密苏里河流域;其在内布拉斯加地区的主要支流普拉特河,在奥马哈以南注入密苏里河。普拉特河虽然水浅而无法航行,但对该州的灌溉至关重要。埃尔克霍恩河在奥马哈以西流入普拉特河。卢普河由从沙岗地区流出的三条支流汇合而成,也注入普拉特河。里帕布利克河和大布卢河经内布拉斯加南部,通过堪萨斯河,流入堪萨斯的密苏里河。奈厄布拉勒为一条发源于怀俄明州边界以西高地的湍急溪流,经过内布拉斯加最北部。该州地下水资源丰富,使其能够广泛地发展井水灌溉。

土壤 内布拉斯加的各种土壤都对农业十分有利。东南部的草原土壤及中部和东北部的腐殖质土壤很适宜于一般耕作。普拉特河以南和草原土壤地区以西土壤最适合细粒谷类生产。冬小麦适应内布拉斯加西部的土壤和边际降水量。桑德希尔斯的风积土壤因降水量有限,并有冲蚀的危险,只适宜牧牛。沙岗地区有许多小湖和茂盛的草地,是一个理想的牧地。密苏里河和普拉特河流域以及小溪谷的各类冲积土壤特别适宜种植玉米等作物。

气候 来自西南的热风经常使内布拉斯加夏季气温猛增至32 °C,有时超过38 °C。7月平均气温在锅柄地区为23 °C,东南部为26°C。冬季西北风经常从加拿大带来北极的气团,可使气温降至－18 °C以下。从西南各州外移的低气压系有时给该州带来大暴风雪,对旅行者和牧主是一个威胁。1月平均气温在锅柄地区为－4 °C,东北部约为－7°C。东南部平均生长期为168天,锅柄地区为133天。年平均降水量从东南部的33英寸递减至最西部的16英寸以下。通常认为最少要有20英寸始能满足作物正常生长的需求,故全州约有一半地区是半干旱地区。灌溉广泛用在内布拉斯加东部和中部,这对该州西部某些农事也是必不可少的。

动植物 内布拉斯加草原原为各种草类覆盖,河谷坡地上长满落叶树。沿东部悬崖有棉白杨、栎,还有一些橡树和胡桃树,针叶树则生长在野猫和松岭高地以及奈厄布拉勒流域。中西部的内布拉斯加国家森林是人们在光秃秃平原上植树造成的。内布拉斯加平原上曾有大量野牛,后因白人大量捕杀几乎濒临绝灭。有些野牛至今仍在瓦仑丁附近奈厄布拉勒堡国家野生动物保护区里栖居。羚羊和鹿也产在该州,还有草原犬鼠、郊狼、长

耳大野兔、臭鼬和松鼠。候鸟和雉鸡常能见到。

住区模式 根据联邦法，在土地测量中，将土地划分为10平方千米的地区，每个地区包含36个小区；每个小区为259公顷，是土地的基本单位，棋盘式的测量布局至今仍为内布拉斯加景观的基本特征。镇和村大多位于河、溪和林地附近。若干镇、村已建设成为铁路终点，但运输方式不断变化，一些社区发展起来，另外许多社区则发展停滞或被遗忘。

经济、地理和政治使内布拉斯加境内某些地区出了名。内布拉斯加准州的首府设在奥马哈激怒了普拉特河以南的人，他们要求并入堪萨斯州；1867年首府移至普拉特河以南的林肯市。林肯和奥马哈成为主要的地区中心，但由于都位于该州东端，内布拉斯加西部人常把科罗拉多州的丹佛视为主要的服务中心。

人民 除了到内布拉斯加来的美洲人以外，大批欧洲移民在19世纪末叶来州内定居。1866～1877年，内布拉斯加移民局在欧洲雇用一代理人招募移民。在这方面，伯林顿铁路和联合太平洋铁路所作的努力比州政府更大得多。最大一批移民是德国人，1890年达7.2万人；斯堪的纳维亚国家（特别是瑞典）、波希米亚和不列颠群岛的移民对到内布拉斯加移殖开拓也作出重大贡献。

由于欧洲人涌入，内布拉斯加并不以传统的英-美形式为模式，那大致是美国早期发展的特征。来自波希米亚、德国和爱尔兰的大批天主教徒以及来自德国和斯堪的纳维亚的基督教路德会教徒使内布拉斯加的宗教和世俗生活多样化。虽然非英语集团在语言上的特性已消失，其多种文化遗产的其他方面至今犹存。

随着1854年该地区对移殖者开放，联邦政府为奥马哈的印第安人在内布拉斯加东北部创设了一处居留地，其中一部分后来成为新近离开威斯康星州的温尼贝戈人的居留地。一些明尼苏达州的桑蒂·苏人也来到内布拉斯加东北部的居留地。奥马哈-温尼贝戈和桑蒂·苏人的居留地至今存在。19世纪70年代，奥托-密苏里人、波尼人和蓬卡人在内布拉斯加的居留地生活以后，迁至印第安准州（今俄克拉何马州）。及至1878年，达科他人（苏人）已放弃在内布拉斯加西北部的活动，在达科他准州（今南达科他州）边界以外的居留地安身。20世纪初期执行的联邦立法允许居留地的印第安人拥有土地，并不促进各土著民族私有权的利益，结果使房地产常常迅速而不适宜地转移到渴望得到土地的白人手里。今天，内布拉斯加约1/3本地人居住在奥马哈和林肯。其他印第安人集中在居留地和内布拉斯加锅柄地区。

黑人在历史上很早便已来到内布拉斯加。大多数黑人在奥马哈定居，1900年已超过3 400人，及至20世纪后期已增加10多倍。黑人集中在奥马哈商业区以北的地方，该地区越来越呈现其他大城市里贫民窟所习见的社会经济问题的特征。但黑人社会核心区的人口显著下降，许多黑人迁往毗邻地区。20世纪60年代奥马哈的种族骚乱突出表明亟需改进经济机会和警民关系。奥马哈的黑人社会在议会里早已有代表。

内布拉斯加州北普拉特河西南的玉米地，由中心枢轴喷灌形成一个个圆圈，农场就坐落在圆圈之间的边角地上
美国不列颠百科全书公司供图

内布拉斯加人口统计最明显的趋势是农村地区人口不断下降，城市及其郊区显著发展。农业机械化促进城市发展，致使更少的人耕作更多的土地，农场数目减少而平均面积增大。同样，依赖当地农业的大多数小镇也继续失去人口，这种情况无疑由于现代公路系统扩大了城市商业区而加速。农村的学校、医院等机构不得不因此进行调整。虽然内布拉斯加乡间的就业机会在减少，制造业的工作机会却在增多，特别在公路运输良好的普拉特河流域以及州内各大城市。人口1 711 263（2000）。

经济 内布拉斯加的经济发展严重依赖境外的私人投资。1967年成立了州的经济发展部，把新的工业引入内布拉斯加。此外，1987年通过的法律以税收促工商业发展。批发和零售业及其他服务业、制造业、运输业和农业是主要的收入来源。该州在劳工事务方面一般比较保守，加入工会的非农业工人的百分比在全国排名较低。内布拉斯加有工作权利法，禁止强迫加入工会。

农业 内布拉斯加仍然是以农业为主的州。主要作物有玉米、高粱、大豆、干草和小麦。在玉米作为粮食生产方面以及小麦、高粱、食用干豆类和甜菜生产上，在牛、阉过的小牛和猪的数量上，内布拉斯加居各州前列。马铃薯也是重要的作物。

工业 就制造业的增值而言，食品加工是该州最重要的工业活动。其他主要工业活动有机械和化学品及有关产品的制造、印刷和出版、初级金属制品的生产，以及电气、电子和运输设备的生产。

原油占该州矿藏开采值的一半以上。内布拉斯加也生产一些天然气，以及大量的水泥、石灰、沙、砂砾、碎石和黏土，但还输入天然气以敷州内工、商业和住家之需。所有电气公用事业都归公有，消费率属全国最低之列。

内布拉斯加，特别是奥马哈，被称为美国保险业的主要中心。旅游业对该州的生计非常重要，在经济上的重要性居第三位，仅次于农业和制造业。

运输 内布拉斯加位于连接东、西方的几条最重要的交通干线上。州内东部交通大都通往奥马哈市、林肯市和艾奥瓦州的苏城以及普拉特河流域各城市。艾奥瓦州西部许多地方处在奥马哈大城市商业区内。

内布拉斯加建有良好的现代公路交通网。最重要的路线是承担从东至西横贯全州的繁忙交通的第80号州际公路。州内还有几条铁路在运营。奥马哈是密苏里河上商业驳船交通的重要港口。为内布拉斯加提供空运服务的包括主要的全国航线和为州内较小社区服务的航空支线。

行政与社会状况 **政府** 内布拉斯加实施一部1875年制定后屡经修改的宪法。1937年以来，设一院制议会，议员不代表政党当选——这在美国是独一无二的。一院制议会的49名议员在他们的区内按平等的人口比例经第一、第二次预选后直接选出，任期4年。一院制议会在奇数年开会90个立法日，在偶数年开会60个立法日。

议会的无党派特点受到许多人批评，他们指责一院制没有政党，其结果使议会没有领导。无党派的确可能增加立法程序中说客的重要性。

州长为首席执行官，由党派的投票选举方式产生，任期4年，限连任两届。州长负责约20个行政部门的作业，并且是各部、会的当然成员。州长必须向州议会提出详细的预算，议会须经3/5议员投票赞成才能提出超过州长建议的经费或推翻州长的否决。其他当选的州级官员也经党派的选票产生。

内布拉斯加的法院体制，经1972年改组，包括最高法院，有7名法官，还有区法院的48名法官。此外，有调解法院、县法院、奥马哈和林肯的市法院和少年法院，以及一个工人赔偿法院。内布拉斯加遴选法官采用年功制。由州长和内布拉斯加州律师协会挑选的司法提名委员会拟定被提名者名单，以补法官之缺。州长任命被提名者之一补充一特定职位。3年以后，各法官在超党派投票的大选中竞选连任,此后每6年必须在同样的选举中竞选。

县的治理权归由3～7名成员组成的督察会或委员会,他们如同其他县官员一样,也由党派的投票选举方式产生。内布拉斯加各城市采用市政经理及市长-政务会形式的政府。村政府的权力归于由选举产生的托管委员会。

内布拉斯加准州系华盛顿(哥伦比亚特区)的一届民主党政府所建立,民主党控制了内布拉斯加政治直至南北战争之时。1860年后的30年,共和党在内布拉斯加独领风骚,但19世纪90年代及其后的政治骚动结束了一党统治。虽然内布拉斯加选民登记中共和党人略占多数,但民主党人经常当选上台。

教育　20世纪60年代以来,州对地方政府的教育援助大增,学区的数目锐减,以便更有效地利用教育设施和规划。

内布拉斯加有30多所高等院校:约有一半是私立学校,其余为州立的四年制学院和公家支持的社区(初级)技术学院。内布拉斯加大学(1869年成立)是该州最大的教育机构,由三个半自主的校园组成——原校园在林肯市,一个校园在奥马哈市,医学部在奥马哈市和林肯市都有设施。内布拉斯加大学和克赖顿大学(奥马哈)设有研究生课程,两者都设医学、法律和牙医课程。在沙德伦、卡尼、珀鲁和韦恩的州立学院也设有研究生课程。

保健和福利　内布拉斯加的公共援助规划包括未独立儿童、老年人和盲人的医疗和财政援助。联邦经费提供了内布拉斯加公共援助支出的一半以上。福利经费虽不断增加,但内布拉斯加的月平均公共援助支付仍在全国平均额以下。

该州有精神病医院及专科卫生、矫形和保健设施的系统。奥马哈列为全国性医疗中心之一。

文化生活　在不到两个世代内,内布拉斯加从只有少数印第安人的荒野变为有100多万移民定居的州。这一业绩是19世纪的一项重大成就;内布拉斯加在文化上的贡献与其他西部州一样,自然集中在此边区经历。

内布拉斯加的作家,如W.卡瑟、M.桑多茨和B.S.奥尔德里奇都以敏锐的理解力描写平原上的生活而赢得全国读者。这些作家的重要主题包括拓荒者与变幻莫测的自然环境的关系,不同社会与种族背景的移殖者的生活方式和相互影响,以及印第安人的悲惨命运。诗人J.G.尼哈特写出了大平原上印第安人生活的感受;他还再现了19世纪西部探险者的经历。20世纪70年代初期,他所写叙事体的《黑人埃尔克自白》在出版约40年以后获得全国的公认。

1878年组成的内布拉斯加州史学会,继续对了解内布拉斯加和美国西部的生活作出重要贡献。1960年内布拉斯加大学出版社推出了平装本《野牛丛书》,重印了关于美国西部的早期和现代作品,包括历史、搜集的印第安人和白人移民逸事及其他重要文献,其中不少已绝版多年。

奥马哈的乔斯林艺术博物馆和林肯市内布拉斯加大学的谢尔登纪念美术馆藏有该州主要的视觉艺术品。通过发展内布拉斯加的音乐、戏剧和舞蹈团体和国家级艺术家巡回演出,繁荣了表演艺术。

各种民间纪念活动,如在威尔伯的捷克节,使人想起内布拉斯加人不同的血统。奥加拉拉在19世纪70和80年代是一个喧闹的牛市集镇,每年夏季的前街节活动重温昔日五彩缤纷的情景。1895年创立的奥马哈民间组织阿克-萨-本的骑士们每年10月为基维拉国王和王后加冕。这一盛举是为纪念西班牙探险者弗朗西斯科·巴斯克斯·德·科罗纳多于1541年走遍平原寻找传说中的锡沃拉七座金城和基维拉王国。内布拉斯加大学的橄榄球队全国闻名,从公民对橄榄球的热情中得到的收益对该州经济很重要。娱乐区包括几个州属公园、内布拉斯加国家森林和奥格拉拉国家草原。

历史

各史前民族早在公元前8000年就已在内布拉斯加居住。19世纪时,半定居的印第安人部落,最著名的为蓬卡人、奥马哈人、奥托人和波尼人,居住在内布拉斯加东部和中部。西部为游牧的布鲁勒人和奥格拉拉·苏人的领域,但其他部落,如阿拉伯霍人、科曼奇人和切延内人,也在该区流浪。

探险和殖民地拓居　内布拉斯加在法国和西班牙的北美帝国的边缘,但在1763年西班牙获得密西西比河以西地区的所有权。西班牙力图在密苏里河上游发展同印第安人的贸易,但鲜有成就,而且国际政治导致包括内布拉斯加在内的该地区在1800年转入法国之手。三年以后,美国获得这一大片地区作为路易斯安那购地之一部分。

1804年刘易斯和克拉克探险队抵达密苏里河内布拉斯加一侧,首次系统地考察了该地区。此后不久,沿密苏里河毛皮贸易兴旺,但内布拉斯加主要是通往北方和西方有更丰富毛皮资源的地区的要道。19世纪40年代,数以千计的移民西迁,普拉特河流域成为另一要道。

不久,人们对内布拉斯加和普拉特河流域可能成为通往太平洋的铁路通道颇感兴趣。密苏里州西部和艾奥瓦州的边疆土地投机商预期,如果内布拉斯加地区,即密苏里河与落基山脉之间大片印第安人领域之一部分对移民开放,将可得到巨大的财政收益。1854年通过《堪萨斯-内布拉斯加法案》后,联邦政府将政治组织扩展到密苏里河以西地区。内布拉斯加准州起初为351 558平方英里,但到1863年组成科罗拉多、达科他和艾奥瓦(包括蒙大拿州和怀俄明州)准州时,把内布拉斯加缩小到几乎目前的面积。

密苏里河沿岸早期的内布拉斯加定居点的经济大多基于土地投机,但不久农业开始发展,有些河上的城镇成为往西去的货物和旅客的重要转运点。1869年联合太平洋铁路建成及其后的铁路建设促进了该州的发展。

建州时期　1867年内布拉斯加加入联邦后,尽管出现了经济衰退和蝗灾,人口仍从大约12万增为1890年的100多万。这些年,印第安人在边远地区的抵抗已中断,殖民地拓居向西延伸到该州的锅柄地区。19世纪80年代,奥马哈成为重要的工业和肉类加工中心,林肯市因为既是州首府又是内布拉斯加大学所在地而变得十分重要。19世纪末和20世纪初,内布拉斯加州人为争取妇女选举权和禁止含酒精饮料的问题进行了斗争,显示了老世系美国人和新来的欧洲移民之间的文化差异。

19世纪90年代,内布拉斯加农民遭受农作物价贱、运输费用高和经济衰退之苦,通过人民党表达了他们的抗议。平民主义运动为时虽短,但振奋了该州的政治生活。到1900年已恢复繁荣,并持续达20年之久。经过20世纪20年代,内布拉斯加农业再次因市场情况欠佳而受害,40%的州特许银行于1921～1930年期间倒闭,部分与此有关。30年代大萧条的到来,使该州经济进一步恶化,需要联邦政府的大量援助。1933年州议会批准设立公共电力与灌溉区。美国政府的贷款使这些区得以在普拉特河流域和卢普河流域兴修水电和灌溉工程。一个公共机构后来购买了奥马哈地区以外的私有电力公司,1946年奥马哈公共电力区得到了当地私有电力公司。该州由此成为第一个发电和配电设施全部为政府所有的州,由于该州以政治上的保守而著称,因此这是一个颇具讽刺意味的事实。

第二次世界大战为该州带来了经济复苏及其他变化。克鲁克堡,在奥马哈以南,成为一家大型飞机制造厂所在地。1948年该地改称奥夫特空军基地,成为战略空军司令部的总部所在地,这刺激了大奥马哈地区的发展。

内布拉斯加的主要资源之一是地下水供应充足。50年代中期大力开发地下水资源用于灌溉。70年代采用的喷灌装置成为内布拉斯加农业史上的一项根本改革,因为它使原先得不到灌溉的土地能够耕种了。过量利用地下水,加上可能有更多的水从科罗拉多州和怀俄明州的普拉特河上游被引往他处,使内布拉斯加人更感到需要维护水资源。此外,他们也充分意识到化肥及有关产品污染地下水的危险。

20世纪60年代,肉类加工业发生的变化使奥马哈的肉类加工中心的地位急剧下降。但是,经济多样化使奥马哈继续繁荣,它仍然是内布拉斯加的主要工业中心。50年代以来,内布拉斯加的其他社区在制造业方面崭露头角。林肯市重视教育和政府工作,经济上也已多样化,成为美国中北部地区最具活力的城市区之一。

Nebraska City　内布拉斯加城　美国内布拉斯加州东南部城市,奥托县县城,濒临密苏

内布拉斯加城州立阿博洛奇历史公园内的J.S.莫顿故居

美国不列颠百科全书公司供图

里河。1854年设建制。1857年与邻近的卡尼城和南内布拉斯加城的居民区合并，成为一个社区，并发展为西行货船的卸货地。1871年通铁路。约翰布朗洞是当年黑奴逃跑的“地下铁路”的一站。名胜有快马邮递总部和州立阿博洛奇历史公园等。有内布拉斯加盲人学校（1876）。有综合农业经济和小型制造业。人口6 547（1990）。

Nebraskan Glacial Stage　内布拉斯加冰期　北美更新世重要的年代和地层单元（更新世从160万年前至1万年前）。是普遍可辨认的北美更新世中最老和分布广泛的冰川作用期。因内布拉斯加州的堆积而得名，但是该州的代表性露头出露得较差。这个冰期在整个北美都表现不清楚，虽然它是美国中西部更新世4个冰期中最早被辨认出来的，但是要使这个地位更加确立，还需要做很多后续工作。该冰期的堆积物在密苏里、内布拉斯加、艾奥瓦和堪萨斯各州发育最好。其他地区归入内布拉斯加冰期的沉积物并不被认为是可靠的。该冰期的堆积物富含黏土。

Nebuchadrezzar　尼布甲尼撒　《圣经》上作Nebuchadnezzar，阿卡得语作Nabu-Kudurri-Usur，希腊语作Nabuchodonosor或Nabugodonosor。巴比伦国王之名，按年代顺序排列于后，并各以●为标记。

● Nebuchadrezzar I　尼布甲尼撒一世（活动时期公元前12世纪）　第二伊辛王朝最著名的巴比伦国王（约公元前1119～约前1098）。为了报复因曾被埃兰征服和击败的耻辱，他曾领导一次大战役，攻占埃兰的首都苏萨。这次战役的胜利，标志着埃兰对这一地区的霸权的结束。但他在进攻亚述时战绩却不够理想。

● Nebuchadrezzar II　尼布甲尼撒二世（约公元前630～前561）　古代迦勒底帝国最伟大的国王（公元前605～前561），以其军事力量、首都巴比伦的豪华壮丽以及他在犹太历史上的重要地位而闻名。开国君主那波勃来萨的长子和继承人。公元前607或前606年他作为王储随父王在亚述北部山区指挥作战。后来父王返回巴比伦，由他单独指挥。公元前606或前605年埃及进攻巴比伦，他任总司令官指挥全军，在卡尔基米什和哈马痛歼埃及军队。公元前605年8月父王去世，尼布甲尼撒赶回巴比伦登上王位。公元前604年他发兵出征叙利亚和巴勒斯坦。其后3年他利用希腊雇佣军继续征战，扩大巴比伦人在巴勒斯坦的控制范围。公元前601或前600年被埃及军队打败，损失惨重，一些藩属国也纷纷叛离。尼布甲尼撒竭力补充损失的战车，然后对阿拉比亚西北部的阿拉伯部族发起进攻。公元前597年占领耶路撒冷，将犹大国王约雅斤掳到巴比伦。《圣经》中曾记载他对耶路撒冷的另一次进攻和一次对推罗城的围攻，并暗示他曾入侵埃及。从残存的楔形文字碎片可以看出，尼布甲尼撒曾于公元前568或前567年试图入侵埃及。尼布甲尼撒不仅是杰出的军事家，而且是卓越的外交家。他曾派遣使节前往小亚细亚在米底人和吕底亚人之间进行斡旋。尼布甲尼撒死后由子艾维尔-马尔都克继承王位。尼布甲尼撒除作为军事统帅外，主要活动是重建巴比伦。

nebula　星云　银河系中的非恒星状气体尘埃云的总称。

分类　银河星云按发光表现分为两类：暗星云和亮星云。亮星云根据起源和物理本原又可分为4个次型：①弥漫星云，本身发射暗弱辐射，外形不规则；②反射星云，因反射附近亮星的光而发光；③行星状星云，典型的形态是表面有亮度很高的圆盘或圆环；④超新星遗迹，这是一些高速膨胀的气体云，它们是恒星爆发时抛射的物质。

20世纪前的观测　1610年（即望远镜发明后两年），第一个确认的星云是猎户座大星云。18世纪初，哈雷在搜寻彗星之际，发现了许多亮星云。1781年梅西叶汇编了一个载有103个非恒星天体表，其中除星系和星团外，有11个星云。1786～1802年间，赫歇尔在其妹的协助下，出版了3部星团星云表，其中共载非恒星天体2 500个。其子继父业，到南非好望角天文台观测南天，又发现了1 700个星云天体。德雷尔在赫歇尔父子工作的基础上于1888～1908年编成了共有13 226个天体的《星团星云新总表》（NGC）和两部补编（第二星表，IC）。19世纪末，用照相方法拍摄星空，发现了大量肉眼难以发现的银河星云和星云的细节，使星云的研究跨进一个新阶段。此外，通过对星云光谱的研究还发现，星云光谱具有发光气体所特有的亮发射线，同由恒星构成的星团或星系的吸收光谱成鲜明对照，因而可通过光谱分析来区别气体星云和星系。

20世纪的发现　在观测手段上有4项重大进展。①发明了成像清晰、大视场的快速照相仪，其中最主要的类型是1930年问世的施密特望远镜；②实现了比照相方法灵敏100倍的光电探测技术；③改进了分光方法，其中包括应用干涉滤光片、法布里-珀罗分光计、傅里叶分光仪；④把分光观测扩展到光学波段以外。通过分光观测得知，弥漫星云、行星状星云和超新星遗迹的主要化学组成是离子，而反射星云的物质则几乎全是中性原子。不同的电离度取决于因俘获电子而从高电离态变成低电离态的复合过程，以及因吸收辐射而由低电离态变成高电离态的电离过程。在一个既定的辐射场中，星云气体的组成完全取决于上述物理过程的平衡。气体星云的氢发射线和连续辐射起源于复合过程，即氢核俘获电子而发射光子。但气体星云的最强发射线并非来自氢。1927年，鲍恩证明，星云的绿色发射线是二次电离氧的禁线。只有在气体星云密度极端稀薄的条件下，才会出现这种由电子碰撞而产生的激发过程。气体星云一般只有十分暗弱的连续光谱，除了氢的复合过程会形成连续辐射外，阻尼过程也产生连续光谱，即自由电子在经过离子时受到加速而发射的效应。星云在质量、大小和密度上可相差几百倍，它们的电离源可以是30 000K的热星，也可以是150 000K的行星状星云中央星。所以，星云温度的幅度也很宽，为6 000～12 000K。

弥漫星云、暗星云和反射星云　弥漫星云是气体和尘埃组成的星云，因受云中或附近的一个或几个年轻的大质量热星的电离而发光。最大者直径达200光年，其中有10^5个太阳质量的电离气体。典型的直径约30光年，密度为每立方厘米10个原子。暗星云是由中性物质构成的冷云。其中有些几乎完全不透明。由于银河系气体的90%是中性氢，所以暗星云实为密集的星际气体。反射星云是反射附近星光而发亮的星云，1912年发现昴星团中亮星云的光谱不是典型发射线光谱，而是同附近恒星的光谱类似，因而知道它是反射星光而发亮。在银河系中，弥漫星云和暗星云高度聚集在旋臂中，大多数离银道面不超过300光年，同直径10万光年的银河圆盘相比只是极薄的一层。根据星云发射谱线的强度，可测定弥漫星云化学组成。测量结果表明，最丰富的重元素是氧，其数目约为氢原子的1/1 000。氮的丰度为氧的1/6。

行星状星云　典型的行星状星云的半径为1光年，星云中气体质量相当于0.3个太阳质量。密度为每立方厘米1 000～10 000个原子，比弥漫星云稠密得多。大多数行星状星云有一中央星，它们是已知的最热的恒星。光谱研究得知，星云以每秒25～55千米的速度膨胀。它们的化学成分同弥漫星云相似。距离最近的一个行星状星云也在300光年以外，所以，只能用间接方法测定行星状星云的距离。已观测到的行星状星云有1 000多个。估计在银河系中有5万个。它们是构成银河系圆盘的天体，称为盘星族。行星状星云的前身是质量相当于太阳的天体。星云的膨胀速度表明其前身可能是红巨星，也许是长周期变星。

纤维状星云（超新星遗迹）　著名的有蟹状星云和天鹅座幕状纤维星云。前者是1 054年超新星的遗迹。气体膨胀速度为每秒1 100千米。它的光波是偏振化的同步加速辐射。星云中有一个每秒发射33个脉冲的脉冲星。后者的光学外形是一破碎的气壳。膨胀速度为每秒100千米，它可能是5万年前爆发的超新星遗迹。

nebulium　氛　英国天文学家哈金斯爵士于1868年设想存在于气体星云中的一种化学元素，他认为这样可以解释气体星云光谱中一些未经证认的（禁）线（波长为3 726、3 729、4 959和5 007埃）。美国物理学家和天文学家I.S.鲍恩于1927年确切指出，这些光谱线是由电离氧和电离氮在地球上无法实现的条件下产生的禁线。参阅 **forbidden lines**。

NEC Corp.　日本电气株式会社　日本大型计算机、电子产品和电信设备制造商。该公司最早为成立于1899年的日本电气有限公司（1983年正式命名为日本电气株式会社），资金来自美国西方电气公司，为日本第一家与外资合股的公司。作为日本卓越的电信公司，NEC致力于移动电话、光纤网络、专用小交换机、微波、数字化、卫星通信系统等领域的开发。除了生产计算机主机，NEC也是早期个人计算机制造商。1997 年 NEC 将其北美个人计算机运作部门与天顶数据以及帕卡德·贝尔等公司合并，组成帕卡德·贝尔-NEC 公司。

Necati, İsa　内贾蒂（？～1509，君士坦丁堡）　Necati 又拼作 Nejati。奥斯曼土耳其文学第一个伟大的抒情诗人。可能从出生之日起即为奴隶，少年时期前往卡斯塔莫努城，开始提高他的书法技艺，并渐获诗人盛名。1480 年前后途经君士坦丁堡时，曾为穆罕默德二世苏丹写诗。1481 年，经巴耶塞特苏丹二世同意，曾短期为苏丹的儿子阿卜杜拉王子效力。返回君士坦丁堡后，又一次被授官职，为苏丹另一个儿子马哈茂德效力，甚得恩宠。可是王子在 1507 或 1508 年死后，内贾蒂再次失去依靠。返回首都后，他拒绝担任任何官职，过着退休生活，直至 1509 年去世。除零散的一些诗歌片段外，他的现存作品只有《诗集》一部，收有大量名诗佳句。同时代以及晚些时候的土耳其作家赞誉他是既有独创性又雄辩善写的诗人，从而确立了他在土耳其文学史上的重要地位。

Nechako River　尼查科河　在加拿大不列颠哥伦比亚省中部，为弗雷泽河主要支流。源出肯尼水坝，向东流约 240 千米，经过尼查科高原，在乔治王子城注入弗雷泽河。长 415 千米的支流斯图尔特河在弗雷泽堡和乔治王子城之间注入尼查科河。1952 年，加拿大铝业公司在河上修建了 104 米高的肯尼水坝，拦成一座蓄水 222.03 亿立方米的水库。溢流向西经隧洞穿过海岸山脉至基马诺，为基蒂马特（Kitimat）大型炼铝厂供电。

Nechayev, Sergey Gennadiyevich　涅恰也夫（1847-10-02，俄罗斯伊万诺沃～1882-12-03，圣彼得堡）　俄国革命党人，以其策划建立职业性革命政党和杀死他的组织中一名成员而闻名。1868～1869 年参加圣彼得堡学生革命运动，撰写《革命者问答》，提出为达到革命目的不惜一切手段的斗争哲学。1869 年去日内瓦，会见无政府主义者巴枯宁，两人开始密切合作。1869 年 9 月回莫斯科，创建“人民惩治会”或称“斧头社”。以他的《问答》为纲领，要求社员无条件地服从领导的意志。社员中有个大学生伊凡诺夫反对他的方法，被他亲手杀害。这个罪行被揭露时他逃往瑞士，又与巴枯宁恢复联系，参加阴谋活动。1872 年瑞士警察当局根据沙俄政府的要求，将他引渡给俄国，判处有期徒刑 20 年，关在彼得保罗要塞，后死于该要塞，原因不明。陀思妥耶夫斯基的长篇小说《群魔》就以他作为书中人物彼得·维尔霍文斯基的原型。

Necho　尼科　又作 Neko 或 Nechao，希腊语作 Nekos，希伯来语作 Necoh 或 Neco，亚述语作 Niku。埃及统治者之名，按年代顺序分列于后，并各以●为标记。

● Necho I　尼科一世（活动时期约公元前 672～前 664）　亚述人统治时期埃及尼罗河三角洲赛斯城的总督，第二十六王朝的祖先，经历了下埃及公元前 670～前 660 年的多次政治变迁。他的祖先可能是埃及第二十四王朝一个利比亚血统的王公。当公元前 671 年亚述王以撒哈顿从第二十五王朝的塔哈卡手中夺取下埃及时，尼科一世已是亚述人委任的当地诸侯之一。新亚述国王亚述巴尼拔于公元前 667 年再次征服下埃及，占领孟斐斯，并对上埃及发动进攻。尼科及其他诸侯约于公元前 667 年阴谋叛乱，暴露后被流放。约公元前 666～前 665 年，亚述巴尼拔又恢复他赛斯城总督职务，并指派其子萨姆提克一世为三角洲阿斯里比斯城的统治者。尼科以后忠于亚述人。

● Necho II　尼科二世（活动时期公元前 7～前 6 世纪）　埃及第二十六王朝的国王（公元前 610～前 595），曾帮助亚述人抵抗新巴比伦人而未成功，后派出一支考察队环绕

尼科二世铜像
美国不列颠百科全书公司供图

非洲航行。根据希腊历史学家希罗多德的记述，尼科二世曾开始建造沟通尼罗河和红海的运河工程，这可能是为了满足埃及三角洲贸易日益增长的需要，后在一预言者劝告下中止工程。亚述帝国落入巴比伦人之手后，来自美索不达米亚的威胁与日俱增。尼科二世在地中海和红海建立舰队，于公元前 608 年发动叙利亚战役，支援遭到猛击的亚述军队。公元前 606 年埃及人击败新巴比伦人。在公元前 605 年的卡尔基米什（叙利亚城市）战役中，新巴比伦王储尼布甲尼撒大败尼科二世的军队，迫使他们撤出叙利亚和巴勒斯坦。埃及在公元前 601 年受到严重威胁，幸而尼科二世赶走了敌人，继续推进叙利亚-巴勒斯坦反巴比伦的联盟。据希罗多德的记述，尼科曾派出一支考察队环绕非洲航行。他的海员显然建立了这一功绩，因为他们说在航行中过了某地后，太阳出现在他们右侧。

Nechung oracle　乃穹　1959 年以前，中国西藏拉萨哲蚌寺专司贝哈尔（金刚药叉）降神问卜的巫师。西藏每遇重大事件，都请他降神问事。第五世达赖喇嘛（1617～1682）时指定乃穹为政府降神问事。每届新年乃穹必亲到拉萨预卜一年吉凶。每次寻访新生达赖喇嘛也要他求神启示。通常不许一般群众向他问事，要等他降神答完政府询问后，才可向他祈求神谕。

neck　颈　陆生脊椎动物连接头和肩、胸的部分。颈内存在或通过的一些重要结构包括：7 块颈椎骨和其内的脊髓；颈静脉与颈动脉；一部分食管；喉和声带；前面的胸锁乳突肌和舌肌；后面的斜方肌和另一些颈背部肌肉。灵长类中，人以具有相当长的颈为特征。

Neckam, Alexander　内克姆（1157-09-08，英格兰赫特福德郡圣奥尔本斯～1217 初，伍斯特郡肯普西）　英国科学家、牛津大学神学讲师，1213 年起任格洛斯特郡赛伦塞斯特的奥古斯丁隐修院院长。所著《器物论》，是欧洲最早提到把磁罗盘用于航海的著作。所著《物性论》一书是《旧约·传道书》的一篇注释的导言，由两部分组成。该书介绍了当时西欧感到新奇、但早为希腊和穆斯林学者们所知晓的各种科学知识。

Neckar River　内卡河　德国西南部莱茵河右岸支流。长 367 千米。源出黑林山，靠近多瑙河河源处。向北流转东北，沿施瓦本山西北麓，穿过蒂宾根和其他小城市。在普洛兴根转向西北流经斯图加特。后继续向北流，美丽的河谷幽深开阔。至埃伯巴赫折向西，河道曲折，穿过奥登林山南部的丘陵，在曼海姆汇入莱茵河。河口至普洛兴根河段已运河化，可通航1 000吨级的驳船。

Necker, Jacques　内克（1732-09-30，日内瓦～1804-04-09，瑞士科佩）　法王路易十六在位时期的瑞士银行家和财政大臣（1777～1781，1788～1789，1789～1790）。16 岁在其父朋友的银行当雇员，1750 年被调往巴黎的总

美国不列颠百科全书公司供图

行。1762 年被提升为地位较低的合伙人。在七年战争期间，因从事公债和谷物交易投机而成为知名和富有的银行家。1768 年为日内瓦派驻巴黎的常驻公使，兼任法国东印度公司董事。其后撰写财政论文，歌颂路易十四的财政大臣柯尔贝尔，抨击当时的谷物自由贸易政策（1775），颇负盛名。在法国，内克虽是外国人又是新教徒，却真正掌握着法国的财政大权，1776 年 10 月 22 日被任命为王室

司库,1777年6月29日被任命为财政大臣。他第一次任财政大臣期间进行过颇为审慎的社会改革和行政改革。1779年8月废除皇家地产永久管业权并采取降低农业税等措施。1781年为筹办公债发表《财政报告书》,遭到了宫廷的反对,被迫辞职。1784年他写了《论法国财政》一书为其政策辩解。1788年8月26日他再度应召担任财政大臣职务。为解决当时的财政危机,内克周旋于贵族与第三等级之间。在决定1789年召集三级会议之后,内克所最关心的已不是财政而是政治,他的目的是要仿照英国的模式建立具有两院制议会的有限君主立宪政体。1789年7月11日他被免职,这是王室反动的公开信号,终于在巴黎激起巴士底狱风暴。他回到瑞士后,7月20日又被召第三次出任财政大臣。由于国库亏空迅速加剧和别人揽权,他的努力无效。1790年9月18日辞职后退休。

Necker, Suzanne 内克(夫人)(1739-05,瑞士克拉谢～1794-05-06,洛桑附近博略)母家姓 Curchod。路易十六时期法国财政大臣J.内克的瑞士籍妻子(1764年结婚);斯塔

美国不列颠百科全书公司供图

尔夫人的母亲。为人聪明机灵,是出色的巴黎沙龙女主人。她的沙龙吸引了博物学家G.布丰、作家J.-F.德·拉阿尔普和J.-F.马蒙泰尔等人。她曾于1776年开过一家医院,写有几部作品。

Necker de Saussure, Albertine-Adrienne 内克·德·索叙尔(夫人)(1766,日内瓦～1841-04-20,日内瓦附近瓦莱迪萨莱沃) 母家姓 Albertine-Adrienne de Saussure。瑞士女文学家和具有长期影响的妇女教育论著作者。其父为瑞士杰出的博物学家;丈夫为知名植物学家,系路易十六财政大臣J.内克之侄。她的著作反映了强烈的宗教倾向。最重要的著作《循序渐进的教育或关于生命流程的研究》是对教育文献的巨大贡献。此书在1828～1838年间分数卷出版。先于1835年在波士顿译成英文(部分)出版,后于1839～1843年在伦敦译成英文出版(全本,3卷)。其他作品有《斯塔尔夫人性格及其作品评论》(1820)及A.W.施莱格尔的《论戏剧艺术和文学》(1809～1811)的法文译本(3卷,1814)。

Necklace, Affair of the(French history) 参阅 **Diamond Necklace, Affair of the** 钻石项链事件。

necklaceweed 项圈草 参阅 **baneberry** 类叶升麻。

necromancy 交鬼 与死者相通之术。其目的往往是想预见未来或完成以其他方法难以办到的事。交鬼术盛行于古亚述人、巴比伦人、埃及人、希腊人、罗马人以及埃特鲁斯坎人中间,在中世纪和文艺复兴时期特别普遍。马洛和歌德在浮士德的故事中对交鬼术的诱惑性和恐怖性有生动的描写。

necropolis 墓地 考古学术语,指古代城市的大墓场。在地中海地区,墓地习惯上设于城区之外,拥有若干公墓。在埃及,墓场往往设于尼罗河畔,与城市隔岸相对。在希腊及罗马,墓地多设于城郊道旁。20世纪40年代,曾在罗马圣彼得大教堂中殿下面发现著名古墓场。

necropsy 参阅 **autopsy** 尸体剖检。

necrosis 坏死 在外界因子的作用下植物或动物局部区域死亡的现象。组织的自然死亡称渐进性坏死。坏死可由物理性损伤(包括切伤、烧伤、挫伤)及生物性损伤(致病微生物的影响)所引起。坏死的征象(死组织)称为病损,常作为诊断的依据。坏死的发生是因为细胞内的酶为损伤所活化,又进而消除受损伤的细胞,这种过程似乎对整体有好处。

Nectanebo 奈克塔内博 又称Nekhtnebf或Nekhtnebef。埃及国王之名,按年代顺序分列于后,并各以●为标记。

● **Nectanebo I 奈克塔内博一世**(活动时期公元前4世纪) 埃及第30王朝第一代国王(公元前380～前362),成功地反击了波斯人在公元前373年再次统治埃及的企图。他登上王位时面临波斯的入侵,波斯人的22万大军向埃及挺进。埃及人最初受挫,但由于波斯大将法尔纳巴佐斯优柔寡断,埃及人得以集结军队,在三角洲门德斯附近从侧翼包围入侵者,迫使敌军撤退。他在位时曾大兴土木,艺术也极为繁荣。

● **Nectanebo II 奈克塔内博二世**(活动时期公元前4世纪) 埃及第30王朝的第3代和最后一代国王(公元前360～前343),最后一个土著的埃及国王。在斯巴达国王阿格西劳斯二世的协助下,篡夺了塔科斯的王位。他最强大的对手是波斯国王阿尔塔薛西斯三世奥克斯。阿尔塔薛西斯三世以前曾企图入侵埃及而无功,后来终于横扫腓尼基和巴勒斯坦,并深入尼罗河三个入海口,一举控制了埃及。奈克塔内博二世先逃至孟斐斯,继又逃至上埃及,此后不知所终。

nectar 花蜜 植物的花、茎和叶的蜜腺分泌的甜味黏稠物。花蜜吸引食果蝠、蜂鸟和昆虫,它们在植物间转移时身上沾附花粉,有助于为花授粉。花蜜是蜜蜂生产蜂蜜的原料,主要是果糖、葡萄糖和蔗糖等的水溶液,也含微量的蛋白质、盐、酸和精油。糖的含量决定于花的种类、土壤和气候条件,一般为3%～80%,蜜蜂主要从花中收集花蜜,蜜糖含量低于15%者蜜蜂很少收集。希腊神话中花蜜是神的饮料。

nectarine (*Prunus persica* variety *nectarina*) **油桃** 桃的一个变种,栽培史2 000年以上。南北两半球暖温带地区广泛栽培。树形和叶与桃难以分辨,但油桃果皮光滑,外形更像李

油桃(*Prunus persica* var. *nectarina*)
美国不列颠百科全书公司供图

子,核和仁形状则与桃相似。果肉红色、黄色或白色,含维生素A和C,通常供鲜食或制蜜饯、果酱和馅饼。和桃一样,有粘核油桃和离核油桃。桃在异花或自花受粉后,由于种子的基因不同,可长成油桃或普通桃树。由于芽变(一种体细胞突变),普通桃树也可结出油桃。栽培方法与一般桃树相似,种植于排水好、氮肥充足的沙壤土或砾质壤土。

Nectariniidae 太阳鸟科 雀形目燕雀亚目的一个鸣禽科,由大约116种小型、色彩鲜明的鸟类组成,广布于全非洲和亚洲的温暖森林中。体长9～22厘米,喙细长而向下弯曲,舌部分呈管形,翼短而圆。以小昆虫为食,并像蜂鸟一样从小花中啜饮花蜜(例如直嘴太阳鸟属[*Anthreptes*]、花蜜鸟属[*Nectarinia*]、太阳鸟属[*Aethopyga*])。捕蛛鸟属(*Arachnothera*)主要分布于东方。

NED 参阅 **New English Dictionary on Historical Principles, A**《新英语词典(按历史原则编订)》。

Nederburgh, Sebastian Cornelius 内德堡(1762-03-07,海牙～1811-08-03,荷兰斯赫拉芬赞德) 荷兰保守派政治家。1787年去巴达维亚任荷兰东印度公司律师,1791年任公司总督。1801年荷兰政府接管东印度公司后,他主持起草殖民地宪章,又称内德堡宪章。这一宪章体现了荷兰殖民政策中的保守主义倾向。

Nederlandse Antillen(Caribbean Sea) 参阅 **Netherlands Antilles** 荷属安的列斯。

Nederlandse Hervormde Kerk (Netherlands Reformed church) 参阅 **Netherlands Reformed Church, The** 荷兰归正会。

Nedham, Marchamont (journalist) 参阅 **Needham, Marchamont** 尼达姆。

Nedim, Ahmed **奈迪姆**(1681,君士坦丁堡～1730,君士坦丁堡) 奥斯曼土耳其文学最伟大的抒情诗人之一。法官之子。自幼即被培养为宗教学者和教师,受首相内夫谢赫利·易卜拉欣·帕夏的提携,任图书馆馆长,后与苏丹过从甚密,奈迪姆(意为挚友)之名由此而来。他生活在奥斯曼帝国历史上的“郁金香时代”,时值穆罕默德三世在位(1703～1730)。原因是那个时期崇尚郁金香成了当时宫廷爱美和享乐的时髦表现,是奥斯曼历史上少有的和平时期。他的颂诗和抒情诗绚丽多彩,尤擅长写柔媚活泼的谣曲,至今仍有人吟唱。它们是郁金香时代的繁荣的完美伴奏,充满甜美和欢乐。奈迪姆是老派诗人,但摆脱束缚,用独创的方式表达自己的个性和魅力。他的诗集充分显示出他运用语言的高深造诣,这就是他深受欢迎的原因所在。奈迪姆死于反对宫廷奢侈靡靡的内乱中。此次内乱终于导致“郁金香时代”的结束。

Needham, John Turberville **尼达姆**(1713-09-10,伦敦～1781-12-30,布鲁塞尔) 英国博物学家,第一个成为伦敦皇家学会会员(1768)的天主教教士。1738年受神职,但许多时间任教师和家庭教师。读了关于“微动物”的文章后引起对自然科学的兴趣。1746～1749年间在伦敦和巴黎从事科学研究。他是自然发生学说与活力论的坚定拥护者。1750年发表阐述自然发生学的论文,力图为该学说提供科学论证。1767年到巴黎的英格兰神学院继续进行科学实验,并担任布鲁塞尔帝国学院院长,直至1780年。

Needham, Marchamont **尼达姆**(1620-08-21受洗,英格兰牛津郡伯福德～1678-11-29,伦敦) Needham又拼Nedham。英国记者、《英国信使报》发行人。该报在政治上发表反保皇党的新闻、评论,是现代报纸的先驱。尼达姆曾进牛津万灵学院学习,最后决定以新闻作为终身事业。在第一期“时事通讯”中就维护国会事业,对保皇党刊物《宫廷信使报》上的攻击进行答辩。由于写了攻击王室的作品而多次被逮捕,又多次获释。1647年,即查理一世被处死前两年,突然改变政治立场,支持保皇党人,攻击克伦威尔拥护者。出版《实用主义信使报》——一种猛烈攻击国会的“时事通讯”。1650年,又出人意料地再度改变立场,支持国会派,攻击王室。主编《政治信使报》,谴责保皇党,拥护共和政体。1660年被迫逃往荷兰,后获得赦免,返回英国行医,并继续编写小册子。由于其经常改变立场,故成为许多讽刺文章和漫画的对象。

Needian Interglacial Stage **尼德间冰期** 荷兰更新世重要的年代和地层单元(更新世开始于约250万年前,终止于约1万年前)。位于瓦尔冰期之后,德伦特冰期之前,可与英国的霍克斯尼间冰期、北欧的荷尔斯泰因间冰期相对比。当前趋势是用荷尔斯泰因间冰期,而不用尼德间冰期来称呼荷兰地层;尼德间冰期这个术语在荷兰逐渐不为学者所用。

needle **针** 缝纫或刺绣的基本工具,特种针也用于针绣和钩编。缝纫用针细长,尖端锐利,便于穿过织物,另一端有针眼,用以穿引缝线。骨针和角针至少已使用了2万年。铁针始于14世纪,最早没有针眼,只有闭合的钩子。在15世纪低地国家制造出有针眼的针。现代的缝纫针是钢制的。钩针没有针眼,一端弯成钩状,用钢或塑料制造。针织用针较长,针的一端或两端都不锋利,有时在针尖的另一端有针踵。最早的针是钩状的,现代的针都是直的。

needle gun **针刺发火枪** 参阅 **Dreyse rifle** 德雷泽步枪。

needle lace **针绣花边** 与梭结花边同为花边的两个主要品种。针绣花边的图案系描绘在一张衬在底板上的羊皮纸或厚纸上。所画的轮廓用线缝缀作为编织花边边框的支撑,再用针和一根单线按边框线的不同密度以锁眼针迹一个接一个地绣制并作为进一步下针的支撑直线,针不得穿过底板。花边绣完后

(上)16～17世纪意大利针绣挖花花边
(下)16～17世纪意大利象牙针法针绣花边
美国不列颠百科全书公司供图

用小刀伸进底板在两层之间割断缝缀的轮廓线并从图样上取下花边。针织花边起源于15世纪末期,发源地是意大利还是佛兰德(Flanders)尚无定论,不过大多数人认为它是在意大利发展的。

needlefish **鹖针鱼** 银汉鱼目鹖针鱼科鱼类。主要为海产,体细长。遍布温带及热带水域。善于跳跃,肉食性,特点是两颌细长且具锐牙。体银白色,背部蓝或绿色。可食。60余种,最大的可达约1.2米。欧洲鹖针鱼(*Belone belone*)产于欧洲;鳄形圆鹖针鱼(*Tylosurus crocodilus*)广布于热带。

鹖针鱼(*Strongylura marina*)
美国不列颠百科全书公司供图

needlegrass **针茅草** 早熟禾科针茅属(*Stipa*)约150种禾草的统称。其颖果极尖,有线状的长芒。有些种如豪猪草(缆针茅,*S. spartea*)的颖果可能刺伤食草的牲畜的面

欧洲针茅草(*Stipa pennata*)
美国不列颠百科全书公司供图

部。该属植物多生于干旱地区,结籽前为优质饲草,高0.3～1米。有些种极耐旱。地中海茅草(细茎针茅,最强韧针茅,*S. tenacissima*)和一个利坚草属(*Lygeum*)的种在地中海西部地区用以制绳索和造纸。

needlepoint **针绣制品** 19世纪初期以前一种称为帆布工艺品的刺绣制品。针绣的针脚是数着数目用针按帆布布丝或网格进行绣制的。麻或棉制成的单或双网纹的粗布都可

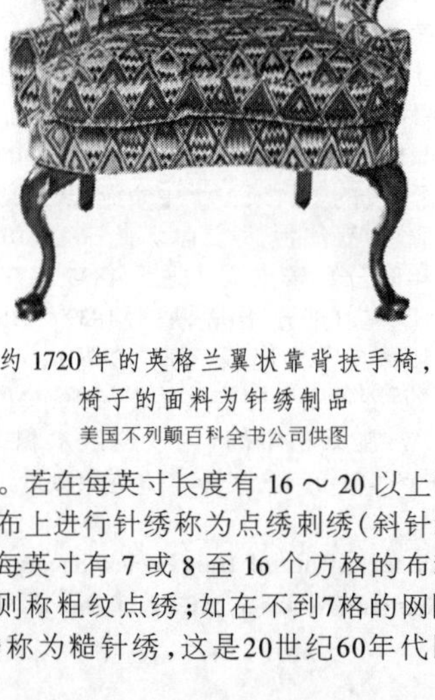

约1720年的英格兰翼状靠背扶手椅,
椅子的面料为针绣制品
美国不列颠百科全书公司供图

使用。若在每英寸长度有16～20以上网格的帆布上进行针绣称为点绣刺绣(斜针绣);若在每英寸有7或8至16个方格的布料上刺绣则称粗纹点绣;如在不到7格的网眼上刺绣称为糙针绣,这是20世纪60年代以来

由于其绣制快速而颇为流行的技术。从16至18世纪大部分针绣制品是在每英寸为20～45方格布料上的点绣。绣制时有150余种针法,大都由越过几个网格的长针脚和只越过一个方格的斜向平行针脚变化、组合而成。16世纪以后最常用的针法有斜向平行针脚、沿垂直方向绣制的佛罗伦萨针脚和交叉针脚。20世纪篮形编织和菱形针脚受到普遍的欢迎。虽然丝质纤维可用来刺绣,但通常用羊毛作针绣。点绣则用细毛绒纤维,而粗纹点绣常用双股波斯毛纤维或四股挂毯纤维。今日所说的针绣制品可以认为起源于17世纪,当时时兴用刺绣织物给家具作软垫,因此耐用的帆布作底料的针绣制品便应时而生。

Needles 尼德尔斯 美国加利福尼亚州东南部圣贝纳迪诺县城市。濒临科罗拉多河。1883年创建时为大西洋—太平洋铁路的车站。该市湿度低,气温常高于38 °C,在天气预报中常被称为全国的“热点”。该市街道两侧各种树木成荫。经济现以铁路车场、天然气管道加压站、装瓶工业和旅游业为主。市北有莫哈韦堡印第安人居留地。1913年设市。人口约4 830(2000)。

Néel, Louis-Eugène-Félix 奈耳(1904-11-22,法国里昂～2000-11-17,布里夫-拉盖亚尔德) 法国物理学家,因对固体磁性的开创性研究,与瑞典天体物理学家H.阿耳文共获1970年诺贝尔物理学奖。他对固体物理学的贡献已有了许多应用,特别是在改进电子计算机的存储器方面。他先后任斯特拉斯堡大学(1937)和格勒诺布尔大学(1946～1976)教授。30年代初期,在分子水平上研究不同于铁磁性的各种形式的磁性。铁磁性是最常见的一种磁性,低温下其中的电子沿同一方向排列。他观察到在有些物质中交错的原子团内的电子以相反的方向排列(很像把两个完全相同而磁极相反的磁体排在一起),从而把净磁效应抵消了。这种磁性称为反铁磁性。他对细粒铁磁性的研究为某些矿床异常的磁性记录提供了解释,这种反常的磁性记录提供了古代地球磁场方向和强度变化的信息。1971～1976年任格勒诺布尔工业学院院长,1956～1971年又任格勒诺布尔核研究中心主任。主要靠他的贡献,铁磁材料几乎可以制成供技术应用的任何规格。大量新的合成铁氧体材料的涌现,使微波电子学发生了革命。

Neemuch(India) 参阅 **Nīmach** 尼默杰。

Neenah 尼纳 美国威斯康星州中东部城市,在温纳贝戈县境内。濒临温纳贝戈湖,在阿普尔顿正南。与梅纳沙构成同一个经济社区。1835年开始有人定居。1850年建村。1873年建市。最初有磨粉业,后转而发展造纸业。现造纸为主要工业;其他制造品有包装物和金属铸件。人口:市约23 913;阿普尔顿-奥什科什-尼纳都会统计区约348 100(1999)。

Neer, Aert van der 内尔(1603或1604,阿姆斯特丹～1677-11-09,阿姆斯特丹) 荷兰

内尔绘《月光下的河流景色》
美国不列颠百科全书公司供图

巴罗克时期画家,以画夜景闻名。除H.阿弗尔坎普风格的冬景之外,擅长画黄昏、黎明或月光下的河流景色。其佳作能敏感地处理柔光及其在水面与河边房屋窗上的反射。

nef 船形容器 欧洲的一种容器,形状是一只中古式的船,通常装配有船舶全套索具。一般用贵金属精工制成,有时用水晶、硬石或鹦鹉螺壳做船体,偶尔也用威尼斯玻璃制作。

约1530年,可能是法国的镀银船形容器
美国不列颠百科全书公司供图

最初可能用做酒具,到14世纪已成为餐桌摆饰,以标志主人的地位或作为装盐和调料的容器或餐具。间或被用做皇室的布施盘。虽然到17世纪初船形容器在德国仍有制造,但在艺术上的重要性已经下降,而且在欧洲的其他地方业已绝迹。

Nef, John Ulric 内夫(1862-06-14,瑞士黑里绍～1915-08-13,美国加利福尼亚卡梅尔) 美国化学家。其研究证明碳元素既有2价也有4价的,极大地发展了对理论有机化学的理解。内夫随父迁美,在哈佛大学得学士学位(1884),在慕尼黑大学师从A.冯·拜耳并获博士学位(1886)。在拜耳实验室工作一年后,任教于珀杜大学(1887～1889)和克拉克大学(1889～1892)。1892年在芝加哥大学任化学教授。内夫是美国建立研究生制度的领导人,并将欧洲的大学有机化学实验室标准和技术带到美国。主要研究工作为异氰化物、硝基烷烃和雷酸盐化学,从后者提出了碳价问题。当时F.A.凯库勒提出碳只有4价,A.S.库珀提出碳为2价和4价,内夫的研究解决了他们的分歧。其发现还提高了库珀有机化合物结构式书写法的价值。

Neferkheperure Amenhotep(Egyptian king) **奈费尔海佩鲁雷·阿孟霍特普** 参阅 **Akhenaton** 阿肯那顿。

Nefertem 奈费尔廷 又拼 Nefertum 或 Nefertemu。古埃及宗教所崇奉的少年英俊之神,与荷花有关。奈费尔廷在远古即受人崇拜,金字塔文(约公元前2350)中提到此神,而他的香火大盛却是新王国时代(公元前1539～约前1075)及其以后。奈费尔廷既是荷花,信者即相信他是从原始众水之中升起的,而且又被认为与太阳神有关,因为荷花是在太阳底下开放的。他另有威武的一面,其像有时如狮。此神最常见的形象是手执隼头短弯刀,头戴荷花帽,帽顶有双羽,两侧各悬护身符。

Nefertiti 奈费尔提蒂(活动时期公元前14世纪) 又拼 Nofretete。埃及王后,阿肯那顿国王(公元前1353～前1336在位)的妻子。她支持丈夫进行宗教改革。有些人认为,在国王开始同旧的宗教仪式的维护者妥协后,她仍祭拜新的太阳神阿吞。奈费尔提蒂以其

约公元前1350年的奈费尔提蒂彩色石灰石雕像
美国不列颠百科全书公司供图

半身彩色石灰石雕像而闻名,这座雕像是在国王的新都泰勒阿尔马奈(古城埃赫塔顿)发现的。她生有6个女儿,其中两个后来成为埃及王后。阿肯那顿在位的第12年,她因不得国王宠爱而失势。

Nef'i 内非（约 1572，奥斯曼帝国哈桑克勒～ 1635，君士坦丁堡） 厄梅尔的笔名，最伟大的奥斯曼古典诗人之一，奥斯曼土耳其文学中最著名的讽刺诗人和颂诗诗人之一。生平不详。只知奥斯曼苏丹艾哈迈德一世在位期间（1603 ～ 1617），他做过低级官吏，到奥斯曼苏丹穆拉德四世时代（1623 ～ 1640），他成为诗人，得到了宫廷赏识，成为著名宫廷颂诗诗人和尖锐辛辣的讽刺作家。除保护人苏丹外，身居最高职位的人物都受到他犀利笔触的抨击。他的文章下流粗俗，发泄了他对当权人物的坦率看法。他还常常讽刺他早年颂扬过的人。他的尖刻詈辞使他在宫廷中树敌甚多。1635 年，苏丹的内弟、副首相巴伊拉姆帕夏终于将他处死。内非是奥斯曼文学中最优秀的颂诗作者。他的著名诗集收有许多诗，风格生动流畅，优美高雅。他的讽刺作品被认为意在中伤和谩骂。内非还留下一部波斯语诗集，深得扶掖者穆拉德四世（一位波斯文学的伟大赞赏家）的称赞。

Nefta（Tunisia） 参阅 **Naftah** 内夫塔。

Nefusa Plateau（Libya） 参阅 **Nafūsah Plateau** 奈富塞高原。

Negapattam（India） **内加帕塔姆** 参阅 **Nāgappattinam** 纳格伯蒂讷姆。

Negara National Park 内加拉国家公园 又称塔曼内加拉国家公园。在西马来西亚马来半岛的中南部，占地4 343平方千米。建于 1938 年，始称英王乔治五世国家公园。大部分为热带雨林，其余部分是围绕该国最高山大汉山（海拔2 187米）的广阔高原、溪流和裸露的石灰岩。野生动物有象、虎、豹、棕熊、野牛、水鹿、犀牛和马来貘等。

negative 负像 使被摄体的明亮部分表现为暗区，黑暗部分表现为亮区的摄影影像。负像通常形成于塑料或玻璃等透明材料上。将负像与感光纸紧挨在一起或将负像投射在感光纸上进行曝光，均能使负像的影调反转为正像的像片。黑白负像是由曝光时感光的银盐经显影而化学还原的金属银粒所构成。彩色负像是由 3 种色调相反的染料像所构成，染料像是在显影过程中和银像一起形成。银像经化学方法漂除后，便留下 3 个重叠在一起的不溶性套色染料像。某些新型黑白胶片也用不溶性染料形成负像。

negatron 负电子 物理学中，带负电荷的电子。参阅 **electron**。

Negeri Sembilan 森美兰 Negeri 又拼 Negri。西马来西亚（马来亚）西南部一州。位于马来半岛，与雪兰莪州（西北）、彭亨州（北）、柔佛州（东）和马六甲州（南）接壤。有 48 千米长濒马六甲海峡的海岸线。面积6 642平方千米。宁宜和米拉尔两河流经境内。1874 年后受英国保护。1895 年加入马来州联邦，第二次世界大战后加入马来亚联合邦。现由地区首领中遴选出的立宪苏丹统治。谷地生产水稻、水果和橡胶。西部沿岸山谷有锡矿。城镇居民以华人和印度人为主。该州有西海岸锡矿区和橡胶产区公路网的一部分。在金马士群山两侧通铁路。主要城镇有州首府芙蓉（**Seremban**）、瓜拉比拉和波德申。人口约 573 789（1982）。

Negev 内盖夫 以色列南部干旱地区。约占约旦河以西巴勒斯坦地区的一半，1949～1967 年以色列领土的 60% 左右。该区呈三角形，顶点南伸，西接西奈半岛，东邻约旦裂谷，面积约 12 200 平方千米。地质上为一东北-西南走向的多断层褶皱带，主要由石灰岩和白垩岩构成。气候属干旱、半干旱型。北部海拔 250 米的贝尔谢巴，年雨量 200 ～ 300 毫米；中南部高地仅 75 ～ 100 毫米；南部几乎无降水。少量降水集中在冬季。仅有季节性溪流，地表崎岖，被很多旱谷切割。有许多史前和早期聚落遗迹，内盖夫中部高原发现有新石器时代的燧石镞和红铜、青铜器时代的工具。圣经时代为牧区，后由闪族居民纳巴提人用修梯田和蓄冬雨的方法，将其改造为兴旺的农业区。并入罗马帝国版图后成为重要的粮仓。7 世纪阿拉伯人征服巴勒斯坦后，遂被荒废。尔后的 1 200 多年中，仅是少数贝都因人的牧场。1943 年新建三个集体定居点后，开始发展现代农业。第二次世界大战结束时，修筑第一个大规模灌溉工程，遂又建其他居民点。1948 年以色列建国后，该地区得以大力开发。利用全国供水工程的输水管线和隧洞，将水从以色列北部、中部引入该地区西北部。现有 16 万多公顷的黄土沃壤，出产谷物、饲料、水果和蔬菜。双季作物亦较普遍。当地矿产有钾碱、溴、镁、铜、球土、石英砂、磷酸盐和天然气。地区首府是贝尔谢巴（**Beersheba**），其他新建城市为阿拉德（**Arad**，1961）、迪莫纳（**Dimona**，1955）和以色列至红海的出口埃拉特（**Elat**，1949）港城。

内盖夫地区东部、靠近以色列-约旦边境线一带的荒漠

美国不列颠百科全书公司供图

Neghelli, Rodolfo Graziani, marchese di（marquess of） **内盖利侯爵** 参阅 **Graziani, Rodolfo** 格拉齐亚尼。

negligee 女式便袍 妇女在家中穿的宽松便服，多用柔软而透明的薄纱缝制。在紧身胸衣系带服装盛行的时代，女式便袍是午

F. 盖兰绘《阅读的女士》中妇女所穿的便袍

美国不列颠百科全书公司供图

饭后休息时穿着的一种宽松合体的外衣。有时穿着这种衣服还用细的腰带或丝带束腰。

negligence 过失 在法律上，指不符合为保护社会免遭不合理危害而规定的一种行为标准。过失是侵权行为责任的基石，并是判断大多数人身伤害案件和财产损害案件的一个关键因素。罗马法使用一个类似的原则，区分故意的损害（dolus）和非故意的损害（culpa），并用一种行为标准来确定责任问题。德国和法国的法律早就规定对事故要负非常严格的责任，而且现在仍然如此。在英国法律上，过失只是到 1825 年才成为责任的基础。过失原则最初只适用于"公共"行业，例如旅店主、铁匠和外科医生，而工业化和职业事故的增多又可能促进了这一原则的发展。起初，责任是很严厉的，后来就放松了一些，以鼓励工业的发展。近来的倾向是要承担较大的责任。任何人不能排除他的行为中的一切危险——只能排除一切不合理的危险，衡量这一点的标准是可能发生的结果的严重性。因此，对那些制造硝化甘油的人就要比对那些制造引火火柴的人适用更高的标准。在某些极为重要的部门，例如牛奶工业，法律规定要对任何错误负责，即使采取了最严格的预

防措施也是如此，这种政策称为严格责任政策。行为的标准是外部的。一般地说，法律仅仅检验一个人的行为，而不检验可能引起这种行为的内心激动、无知或愚蠢。法庭要确定的是，一个被认为是"有理智的人"在这种情况下本来是会怎样做的。这种标准还要求一定程度的预见性，即预见到其他人的过失——特别是像对儿童这样的特殊集团要有预见。衡量有理智的人的标准是可以推定他具有某些知识，例如，火会燃烧，水可能淹死人，汽车在潮湿的路面上可能滑动。社会习俗也会影响到上述一类的推定，例如，即使在私人的道路上行驶车辆，习惯的做法是紧靠路面的某一侧行驶，这是属于一种不适用法律的情况。但是，紧急情况可以放松对上述标准的适用。对身体上（但不是精神上）有缺陷的人，例如盲人，可以放宽标准，但是法律要求这些有缺陷的人要避免不必要地把自己置身于非本身力所能及而可能造成危害的情况中。除了把儿童和成年人加以区分以外，过失原则通常不考虑年龄或经验的因素。在过失案件中，原告人通常必须以充分的证据证明被告人的过失，这些证据可以是间接证据，只要它不是过分推测性的。在某些情况下，一旦原告人证实他受到的伤害与被告人的明显过失之间有明显的联系，被告人就必须反证没有这种联系。这个原则就是 res ipsa loquitur（拉丁文："让事实本身说话"）。一般地说，对过失可以要求的损害赔偿是对被认为从过失行为中"自然地或近似地"产生的伤害或损失所给予的金钱赔偿。参阅 **contributory negligence**。

negligence, contributory (law) 参阅 **contributory negligence** 助成过失。

Negra, Cordillera 内格拉山 秘鲁中西部安第斯山脉的山岭。从桑塔河向东南延伸，长约180千米。最高点4 430米，无积雪，因而其名的意义为"黑"。与东面常年积雪的布兰卡山隔桑塔河谷相望。

Negreti, Jacopo 内格雷蒂 参阅 **Palma, Jacopo** 帕尔马。

Negri Sembilan (West Malaysia) 参阅 **Negeri Sembilan** 森美兰。

Negrín, Juan 内格林（1894-02-03，西班牙加那利群岛拉斯帕尔马斯～1956-11-14，巴黎） 西班牙的共和派总理，任职期间正值西班牙内战（1936～1939）的最后两年。富商家庭出身，著名的生理学家，曾在马德里大学任教。1929年投身政治，参加民主社会党。1931年进入议会，1936年任财政部长，将西班牙的大量黄金储备运往苏联。1937年5月任总理，1939年2月辞职，逃亡巴黎，后又逃亡英国和美国。曾任共和国流亡政府总理，1945年辞职。

Negrito local race 尼格利陀地域人种 人类居民群，在亲缘关系上与澳大利亚地理人种、密克罗尼西亚地理人种及美拉尼西亚-巴布亚地理人种接近，可能还与蒙古地理人种的东南亚地域人种接近。尼格利陀人分为几个比较孤立的居民集团，居住在菲律宾的吕宋、棉兰老和巴拉望等岛屿上；马来西亚的塞芒人和安达曼群岛上的原居民也都属于尼格利陀地域人种。其主要体征是：身材矮小（身高1.53米以下），皮肤黄褐色，卷曲发或卷结发，面部特征与澳大利亚人近似，如牙齿硕大、下颌前凸、长头、宽鼻。安达曼妇女有明显的臀部过肥体征。参阅 **local race; Southeast Asian local race; Australoid geographic race; Micronesian geographic race; Melanesian geographic race**。

Negritude 黑人特性运动 20世纪30～50年代在法语非洲及加勒比海作家中开展的文学运动，以示对法国统治和同化政策的抗议。它的领导者是L.S. 桑戈尔（1960年当选为塞内加尔共和国首任总统）。他和马提尼克的A. 塞泽尔以及法属圭亚那的L. 达马一起，开始对西方价值观念进行严格审查，并重新评价非洲文化。他们对同化的争执是，虽然同化在理论上承认人的平等，可是它却认为欧洲文化和文明优于非洲文化和文明（甚至认为非洲没有历史或文化）。他们因自己的同胞不仅在两次世界大战中为别人的事业而牺牲，且在战场上的待遇低人一等而感到愤愤不平。通过研究历史，他们越来越认识到黑人在奴隶制和殖民统治下所受到的屈辱和痛苦。这些意识激发了产生黑人特性运动的多种基本思想：非洲的生命由于接近自然，与祖先经常保持联系而获得力量，它的神秘热情应继续对西方文化的冷漠无情和物质主义维持恰当的判断；非洲人必须从丰富多彩的历史和文化遗产中去确定哪些价值观念和传统对现代世界最为有用；有事业心的作家在写作中不仅应利用非洲的题材和诗歌传统，而且要使读者产生争取政治自由的愿望；黑人特性运动本身包括整个非洲文化、经济、社会、政治中值得珍视的东西；最重要的是，要维护非洲传统与人民的价值和尊严。在桑戈尔的诗里可以找到所有这些主题，他激励了许多作家。到60年代早期，随着大多数非洲国家实现了这一运动的政治和文化目标，黑人特性运动基本停止。

Negro River 内格罗河 亚马孙河主要支流。有源流数支，包括源出哥伦比亚东部雨林的沃佩斯河和瓜伊尼亚河。瓜伊尼亚河先东流，继而转向东北再向东南，形成哥伦比亚-委内瑞拉边界。在圣卡洛斯同卡西基亚雷河汇合后，称内格罗河。流入巴西后向东南偏东流，接纳布朗库河（**Branco River**）等支流，至马瑙斯同索利蒙伊斯河（**Solimões River**）汇合，形成亚马孙河。长约1 400英里（2 253千米），其中850英里在巴西。河口以上450英里河段可通航。两岸人口虽稀少，仍为主要运输通道。内格罗河水清澈乌黑，故名内格罗（意为"黑"）。

Negro River 内格罗河 阿根廷南部河流。由源出安第斯山脉的内乌肯河和利迈河在内乌肯城汇合而成。大致向东南偏东流，注入大西洋。长约640千米，若以内乌肯河为源，全长1 125千米。仅下游400千米河段可通航。河水用于水力发电和灌溉。灌溉区种植谷物和水果，用葡萄和苹果酿的酒出口欧洲。

Negro River 内格罗河 乌拉圭河流。源出巴西高原南部，向西南流，入乌拉圭境内，在帕索-德洛斯托罗斯附近筑有大坝形成内格罗河水库（南美洲最大人工湖，10 360平方千米），在下游转向西，在索里亚诺汇入乌拉圭河。全长约800千米。仅河口上游72千米河段可通航。在下游建有2个大坝，是乌拉圭水电的主要来源。

Negroid geographic race 尼格罗地理人种 又称非洲地理人种。原居住在非洲南撒哈拉地区的一组人类居民群（由各个地域人种及少数人种组成）。尼格罗人种的特征是皮肤色素沉着中等乃至浓重，发型为卷曲乃至螺旋式丛生发，身材细长（纤细、瘦削），厚唇，宽鼻，体毛稀，秃顶者少，R_0 型（Rh血型系统）血型出现率高，有U-阴性（MNSs血型系统）血型，Fy型（Duffy血型系统）和V型血型则罕见，亲血色蛋白变型，血红蛋白异常，6-磷酸葡萄糖脱氢酶（G-6-PD）缺乏。许多科学家都不采用传统的将人类分为尼格罗人种、高加索人种和蒙古人种的分类法，认为这种分类不足以表明人类各民族间的解剖学关系。

Negros 内格罗斯 菲律宾中部米沙鄢群岛中的一个岛。西北面与班乃岛隔吉马拉斯海峡，东面与宿务岛隔塔尼翁海峡。该岛北临米沙鄢海，南濒苏禄海。全岛呈长统靴形，长约217千米，宽为35～79千米。面积12 710平方千米。中央有几乎纵贯全岛的高耸山脉，因侵蚀而分割成片段。山脉包括坎拉翁活火山，海拔2 460米，为岛上最高点。岛上的主要河流有比纳尔巴甘河、伊洛河、托隆河、坦哈伊河等。半岛东南部（即靴尖）有达瑙和巴林萨萨延两个火山口湖。内格罗斯岛西南大部是未开发的塔布拉斯高原，景色多种多样。岛上沿海地区人口稠密。东部海岸仅有断断续续的山麓平原，而西部海岸的平原地带则位于较为宽阔的菲律宾低地，宽度为8～48千米，沿海岸线延伸约160千米。米沙鄢人居住在沿海地区，尼格利陀人则住在多森林的内陆高地。中央山脉将沿海地区分为东、西两部分，各自使用不同的语言：西部居民大多讲帕奈-希利盖农语，东部海岸地区居民大多讲宿务语。内格罗斯岛生产的糖约为全菲律宾的50%，为全国最富庶的地区之一，也是政治上最有影响的地区之一。甘蔗田和以甘蔗为原料的粗糖制造厂均集中在北部和西部。为数众多的农业季节制糖工人每年从帕奈渡过海峡到此收割甘蔗。内格罗斯种植的第二位作物有水稻、椰子、香蕉、番木瓜、芒果。玉米是主要粮食作物。木材开采和加工占重要地位。矿产有铜（在锡波莱开采）、石膏、煤、磷酸盐岩；东部地区产食盐。沿海西北部的巴科洛德是岛上最大的城市，为糖的重要出口地。拜斯有一家大的造纸厂，加的斯为重要的渔港。其他大城市有埃斯卡兰特、拉卡洛塔、杜马格特及巴戈。位于岛的中北部的坎拉翁市有一条公路与岛上所有其他沿海大小市、镇相连。人口约3 168 000(1990)。

Neguib, Moḥammed 参阅 **Naguib, Muḥammad** 纳吉布。

Nehavend, Battle of (642) 参阅 **Nahāvand, Battle of** 纳哈万德战役。

Neheh (Egyptian religion) **赫赫** 参阅 **Hu, Sia, and Heh** 胡、夏、赫。

Nehemiah 尼希米(活动时期公元前5世纪) 犹太人领袖。原被波斯国王阿尔塔薛西斯一世俘虏囚禁,获释以后,于公元前5世纪中期指导重建耶路撒冷。他还进行了大量的道德和礼拜仪式的改革,使犹太人重新崇拜雅赫维。当尼希米给波斯国王阿尔塔薛西斯一世充当尝酒侍臣的时候,巴勒斯坦的犹太王国已经有从巴比伦尼亚获释而归的犹太人重新定居。耶路撒冷的神殿业已重建,但是,那里的犹太人社区却垂头丧气,面对非犹太人邻居而无力自卫。尼希米听到耶路撒冷的不幸情况后十分忧虑,他得到阿尔塔薛西斯的批准,前往巴勒斯坦协助重建被毁的建筑物。他有卫队护送,并携带着保证犹太王国的波斯官员给予支援的文件。约在公元前444年,他抵达耶路撒冷,唤醒当地的人民,使他们理解重新定居该城和重建该城城墙的必要性。尼希米遭到邻近地区非犹太人地方官员的抵制,但在短短的52天里,犹太人在他的指导下胜利完成了耶路撒冷城墙的重建。此后,尼希米显然是任朱迪亚小区总督12年,在返回波斯之前实行了各种宗教和经济改革。当第二次前来耶路撒冷的时候,他加强了犹太同胞遵守安息日的习惯,并根绝了犹太男子娶异族女子为妻的风俗。这后一做法有助于保持犹太人与他们的非犹太人邻居分开。尼希米在巴勒斯坦的重建工作由宗教领袖以斯拉(**Ezra**)继续进行下去。《尼希米记》中讲述了尼希米的故事,此记的一部分的确似乎是以尼希米的回忆录为依据的。不过,此记本身系后来的一个不知名作者编纂,他显然还编纂了《以斯拉记》和《历代志》。

Nehemiah, Book of (Bible) **《尼希米记》** 参阅 **Ezra and Nehemiah, books of**《以斯拉记》与《尼希米记》。

Neher, Erwin 内尔(1944-03-20,德国兰茨贝格～) 德国物理学家,因与B.萨克曼一起研究基本细胞功能并发明微区-钳定技术(用以检测通过细胞膜的极微弱电流的通道)而共获1991年诺贝尔生理学或医学奖。内尔曾在慕尼黑技术大学获物理学学位,随后到麦迪逊的威斯康星大学学习并获理学硕士学位(1967)。1968～1972年在慕尼黑的马克斯·普朗克精神病学研究所做研究生和博士后研究。他在博士论文中首次提出微区-钳定概念,并于1970年在慕尼黑工科大学获博士学位。1972年他到格丁根马克斯·普朗克生物物理化学研究所工作,两年后开始与萨克曼合作。以后内尔先后到西雅图的华盛顿大学及耶鲁大学工作,这合作仍继续进行。1976年内尔和萨克曼将他们关于微区-钳定的研究结果递交给一次科学会议。同年内尔回到格丁根的马克斯·普朗克研究所,1983年任该所膜生物物理研究室主任。

Nehru, Jawaharlal 尼赫鲁(1889-11-14,印度阿拉哈巴德～1964-05-27,新德里) 印度独立后的第一任总理(1947～1964)。16岁前受家庭教师教育。1905年进入英国哈罗公学,两年后入剑桥大学三一学院,3年后获自然科学荣誉学位。后来又进伦敦内殿律师学院,历时两年取得律师资格。1912年回国任律师,但他对这个职业没有多大兴趣。像许多同辈人一样,他是个天生的民族主义者,渴望国家获得自由。1916年在印度国大党年会上他第一次遇到甘地,甘地坚持反英斗争的行动使他很感动。1919年后他和国大党的关系日益密切。1921年国大党的领导人和工作人员在几个省内被宣布为非法,尼赫鲁第一次被捕入狱。在以后的24年中他曾8次被监禁,前后在狱中共9年。1923年和1927年尼赫鲁两次任国大党总书记各两年。这期间他曾到印度许多地方旅行。在故乡联合省他第一次发现农民的极端贫困,这对他影响很深。1926～1927年他游历欧洲和苏联。他对马克思主义的真正兴趣以及倾向社会主义的思想就在这次旅行中开始形成。后来在狱中时他也曾研究马克思主义。1929年尼赫鲁当选为国大党主席,主持具有历史意义的拉合尔会议,会议宣告印度的政治目标是完全独立。拉合尔会议后尼赫鲁成为全国知识分子和青年的领袖。1932年1月甘地刚从第二次伦敦圆桌会议回来不久,就被控企图再次发动不合作运动而被监禁。尼赫鲁也被逮捕,判刑2年。伦敦圆桌会议最后于1935年产生印度政府法案,允许印度各省自治。1939年第二次世界大战爆发,英国总督宣布印度参战。尼赫鲁认为印度应当支持英国的反纳粹战争,但只能以自由国家身份支持英国。1940年10月甘地发动一次有限的不合作运动。尼赫鲁作为第二号领袖人物立即被捕,判刑4年,于珍珠港事件前夕提前获释。1942年8月国大党孟买会议通过要求英国撤离印度的决议后,国大党工作委员会成员包括甘地和尼赫鲁全体被捕。尼赫鲁于1945年6月获释。1947年8月15日印度独立,尼赫鲁任总理。自1929年被选为国大党主席直至去世,尼赫鲁始终受到印度人民的崇敬。他强调印度的基本团结,致力于促使印度进入科学发明和技术发展的现代化时代。尼赫鲁唤起人民对贫民及流浪者给予必要的社会关心,并尊重民主价值。尼赫鲁特别感到自豪的是改革了古代印度民法,使寡妇与男子一样,享有继承权和财产权。尼赫鲁的国际声望一向很高。印度独立初期,反殖民主义是他的外交政策的基石。1961年贝尔格莱德不结盟国家会议召开时,他力主不结盟才是发展中国家最关切的问题。他具有现代政治、经济观点,能将印度青年知识分子团结在自己的周围。他的对内政策的四大支柱是民主、社会主义、团结、现世主义。他的独生女儿英迪拉·甘地1966～1977、1980～1984年任总理。她的儿子拉吉夫·甘地1984～1989年任总理。

美国不列颠百科全书公司供图

Nehru, Motilal 尼赫鲁(1861-05-06,印度德里～1931-02-06,勒克瑙) 印度独立运动领袖之一,印度第一任总理贾瓦哈拉尔·尼赫鲁之父。克什米尔的婆罗门富裕家庭出身。早年当律师。中年转向政治,1907年在阿拉哈巴德任印度国大党省区会议主席。原被认为是温和派,1919年改持激进观点,创办《独立报》。英国人在阿姆利则屠杀几百名印度人的事件促使他参加甘地的不合作运动。1921年他和儿子贾瓦哈拉尔同被英国人逮捕,入狱6个月。1923年参加创立自治党(1923～1927)。1928年写成《国大党尼赫鲁报告书》,即未来独立印度的宪法。此建议被英国拒绝以后,参加1930年的非暴力反抗运动,因而被捕入狱。获释后不久去世。

Nehru-Liaqat Pact 《尼赫鲁-利亚格特协定》 参阅 **Delhi Pact**《德里协定》。

Neidhart von Reuenthal **奈德哈特·封·罗伊恩塔**(约1180,巴伐利亚[德国]～约1250) 中世纪晚期德国骑士诗人。他在典雅爱情诗逐渐衰微的时期,介绍了一种新的体裁,称为"典雅的乡村诗"。这种诗在冬、夏舞曲里,赞美了诗人对乡村姑娘而不是对贵妇人的爱。夏歌的开头是描绘这个季节的情景,接着写乡村草坪上的舞会,然后插入一支爱情歌曲,叙述骑士(奈德哈特)如何获得一个乡村美女的欢心。冬歌具有较多的讽刺意味,描写在农家的一次舞会上,粗俗的农村青年如何受人讥笑,他们都是与骑士争夺乡村美女的对手。冬歌常以争吵为结束。由于他的歌曲背景新奇及其粗鲁的幽默,引起不少人模仿他,挖苦农民成为流行一时的题材。

Neige 内阁 英语作Grand Secretariat。中国明、清两朝的中央官署,民国时期北洋政府的最高行政机关。明太祖朱元璋为加强专制,1380年罢中书省,废丞相制,集大权于皇帝。另仿宋制设华盖殿、谨身殿、武英殿、文华殿、文渊阁、东阁等大学士,以五品秩为皇帝顾问。成祖时始选大学士协助政事,参与机务。因在皇宫午门内文渊阁当值，故称为内阁。仁宗以后内阁权位渐高，入阁者多为尚书、侍郎，朝位班次列在六部之上。为首者称首辅，协助皇帝定方针、查题奏、拟诏令，已是宰相职责。但实权不如皇帝左右的司礼秉笔太监。晚明内阁大权实际已为宦官把持。清代相沿，内阁有三殿、三阁大学士，但因实权操在满族贵族集团手中，重臣多由皇帝在阁外指任，内阁职权逐渐降低。军机处成立后成为传达谕旨、公布文告的机关。清末仿立宪国制设责任内阁，旧内阁与军机处合并成为最高国务机关。民国时期北洋政府于1912年3月30日成立内阁。由国务院、行政各部和国务院直辖机关组成。

neighbourhood house　街坊文教馆　参阅 **social settlement** 社会服务所。

Neihardt, John Gneisenau　奈哈特（1881-01-08，美国伊利诺伊夏普斯堡附近～1973-11-03，密苏里哥伦比亚）　美国诗人、长篇和短篇小说家。他描写了美国印第安人，特别是苏族印第安人的历史。在堪萨斯和内布拉斯加长大，正是由于他对那些州的白人和印第安人的接触，才使他能够写出《荒凉的小路》（1907）这样的作品。这是一部短篇小说集，描写拓荒英雄和奥马哈印第安人。抒情组诗《一束没药》（1908）的出版确立了他抒情诗人的声望。《黑角鹿说话了》（1932）以自传的形式讲述一个苏族武士和圣人的一生。40年代，在印第安人事务局工作，1948～1965年在哥伦比亚的密苏里大学教授英语。奈哈特几乎花费了30年写作其巨著《西部组诗》（1949），共5卷，包含5首叙事诗，从密苏里地区的开拓写到19世纪90年代印第安人停止反抗。它的写作风格是老式的，但是对这个边疆地区和为争夺它而战斗的人们作了真实、生动的描写。小说《树木开花时》（1951）是奈哈特晚年作品之一，同情地研究了美国印第安人的生活。

Neijiang　内江　又拼 Nei-chiang。中国四川省辖地级市。位于四川盆地中部，成都、重庆和自贡3市之间。春秋战国时分属巴国、蜀国管辖，汉属资中县，北周天和二年（567）置中江县，隋改为内江县。1951年析内江县设市（县级市）。1985年升为省辖市。辖市中区、东兴区及资中、威远、隆昌3县。面积5 386平方千米，其中市区面积1 569平方千米。市境地貌以丘陵为主，海拔大多在350～500米，耕地集中，沱江纵贯市境。为四川最大的棉花、甘蔗产区。盛产水稻、小麦、油菜籽、棉花、甘蔗、花生、红黄麻。水稻、小麦总产量占四川省的1/10，甘蔗、棉花、花生、红黄麻产量占1/5～1/4。是中国优良地方猪种"内江猪"的产区。特产有内江蜜饯、天府花生、安岳细篾席等。以制糖为主的食品工业和纺织工业在全市工业中占有突出地位。年产粮食约占全省一半以上。现已发展了樱桃、梨脯、柑橘、瓜果、蔬菜等50多种蜜饯，120多种糖果和40多种甜制品，故有"甜城"之称。纺织工业主要集中于市中区。重工业有资中的硫酸和磷肥工业、威远的钢铁和天然气工业等。内江是成渝和内昆两铁路交会处，公路密布，有312国道以及成渝、内宜、隆纳高速公路通过，沱江上航达金堂，下抵泸州，水陆交通发达。名胜古迹有市内的圣水寺、桂湖、大洲胜景等，以及安岳县的千佛崖、摩崖造像、石刻等。人口：全市4 200 000（2005）；市区1 380 000（2004）。

neilah　奈伊拉　犹太教节日赎罪日5次礼拜中的最后一次；届时奏肃穆的乐曲，吹号角，宣告会堂礼拜结束，斋戒日已过。现代犹太人认为，奈伊拉象征末日审判到来时天堂之门关闭。

Neill, A.S.　尼尔（1883-10-17，苏格兰福弗尔郡福弗尔～1973-09-23，英格兰萨福克奥尔德堡）　全名 Alexander Sutherland Neill。英国教育家和作家，创建萨默希尔学校（**Summerhill School**），倡导自由的、自我发展的儿童教育。尼尔是一名教师的儿子，1912年毕业于爱丁堡大学，获硕士学位。1914年任苏格兰格雷特纳格林学校校长。他把自己最初的教育经验写在自传体小说《教师日志》（1916）和若干卷续集中，其中几卷于1975年重版，名为《尼尔教师的书》。1921年尼尔和其他人在德国德累斯顿附近创建了一所国际学校。3年后迁到奥地利松塔格堡，但不久因非正规课程和教育方法受到地方当局的反对而关闭。1924年尼尔把学校迁到英国多塞特郡莱姆里吉斯，在租得房子作为校舍后把学校命名为萨默希尔学校。1927年他把学校迁到萨福克郡莱斯顿的永久地址。萨默希尔学校因师生集体自治、灵活机动的课程、强调学生自己主动学习而闻名于世。但是，因对传统教育采取宽容态度，尼尔仍受到很多批评。尼尔关于其教育方法的主要著作《萨默希尔：儿童培养的激进探索》（1960）一书，引起了正规教育是否可以另有选择的争论。这本书在美国和西德比在英国影响大。他的其他著作有：《问题儿童》（1926）、《问题父母》（1932）、《问题家庭》（1949）、《自由儿童》（1953）及自传《尼尔！尼尔！橘子皮！》（1972）。

Neilson, James Beaumont　尼尔森（1792-06-22，苏格兰拉纳克谢特列斯顿～1865-01-18，柯库布里昆谢尔）　苏格兰发明家。发明用热空气代替冷空气鼓风炼铁，从而极大地推进了炼铁技术。1817年任格拉斯哥煤气厂工长，不久成为经理和工程师，在该厂工作30年。19世纪初，英国炼铁工人认为冷空气鼓风是炼铁效率最高的方法。尼尔森证明事实恰恰相反。他的想法最先在格拉斯哥的克莱德铁厂试验，1828年获得专利。用热空气鼓风每吨煤产铁增加两倍，并使低品位矿石可以有利地炼铁，还可以有效地利用原煤和低级煤代替焦炭，熔炼炉也可加大。

Neiman Marcus　尼曼-马库斯公司　美国得克萨斯州达拉斯颇有声誉的商店，广告中号称为"世界上最奇特的百货商店"。1907年创建。从一开始，该店就以供应不寻常的商品为特色。它迎合富豪们的要求，供应独特和奢侈的礼品，也向中等收入的顾客提供普通的时装及百货。它特殊的推销方式和服务已使尼曼-马库斯公司成为零售业中的传奇。公司印制的圣诞商品目录与其独具特色的圣诞礼物一样闻名，获得了"应有尽有的商店"的美誉。到21世纪初，该公司在全美国设有30家分号。1969年为布罗德韦-黑尔百货公司所兼并。1987年，哈考特通用公司成为尼曼-马库斯集团的控股股东。1999年，尼曼-马库斯集团成为上市公司。

Neisse River　尼斯河　波兰语作 Nysa。波兰西南部两条河流通用的德语俗名（当地在1945年前属德国）。尼斯-乌日茨卡河较著名，长252千米，为德国-波兰部分边界界河（参阅 **Oder-Neisse Line**）；尼斯-克沃兹卡河长182千米，全部在波兰境内。两河均源出苏台德山脉，向北注入奥得河。

Neith　妮特　又拼 Neit。古埃及宗教崇奉的女神，尼罗河三角洲上赛斯城的护城女神。在埃及各王朝之前妮特即已受人崇拜（约公元前3000），第一王朝（公元前约2925～前2775）有几位王后以此神为名。此神后来又成为埃及京城孟斐斯所奉重要女神。代表此女神的主要徽号为双箭交叉，以革盾为地。另一个徽号是弓匣，此弓匣有时会被绘成由女神当做冠冕戴在头上。通常妮特之像为妇人，戴代表下埃及的红冠，一手执交叉双箭，另一手握弓。据神话传说，此女神为鳄神塞贝克之母，后来又成为瑞神之母。对于妮特的崇拜在第26王朝（公元前664～前525）最为隆盛，彼时塞斯为埃及京城。

Neiva　内瓦　哥伦比亚中南部城市，乌伊拉省省会。在马格达莱纳河上游。1612年建市。其市民积极参加摆脱西班牙而独立的斗争（1810～1820）和哥伦比亚内战（1899～1903）。基本为农业中心，当地出产棉花、稻米、玉米和芝麻。制造棉织品、水泥，并加工大理石。是经贝里奥港到圣玛尔塔的大西洋铁路的南部终点。该市的田园风光对哥伦比亚诗人和小说家J.E.里韦拉（1889～1928）的创作有很大启发和影响。人口300 052（1999）。

Neiwufu　内务府　英语作 Office of the Imperial Household。中国清朝特设专管皇帝事务的机构。始设于顺治初年（1644），顺治十八年（1661）成为定制。负责管理皇宫内的典礼、仓储、财务、工程、畜牧、警卫、刑狱事务，不与外廷行政系统相混。长官称内务府总管大臣，以王、公或满族大臣兼充，无定员。陪都盛京（今沈阳）设盛京内务府，管理盛京故宫、努尔哈赤和皇太极等陵墓以及清廷庄园。

Nejati, İsa　参阅 **Necati, İsa** 内贾蒂。

Nejd（Saudi Arabia）　参阅 **Najd** 内志。

Nekhbet　奈赫贝特　埃及宗教所奉祀的女鹫神或女蛇神，她保佑上埃及特别是其统治

埃及第5王朝时期的奈赫贝特浮雕像
美国不列颠百科全书公司供图

者，其状展翅荫蔽法老，握王权戒指或其他王权象征物。全身白色，与下埃及女神布托的红色成对照，或作女人形象，有时鹫头白冕。

Nekhen (ancient Egyptian city) **尼肯** 参阅 **Hierakonpolis 希拉孔波利斯**。

Nekhtnebef (king of Egypt) 参阅 **Nectanebo 奈克塔内博**。

Nekrasov, Nikolay Alekseyevich 涅克拉索夫(1821-12-10，俄罗斯帝国乌克兰涅米罗夫～1878-01-08，俄罗斯圣彼得堡) 俄国诗人与文学刊物主编，作品以对农民苦难的同情为主要题材。在他改编的民歌和为儿童创作的诗歌中努力表现农村生活的朝气和魅力。曾在彼得堡大学求学，但由于父亲不肯

美国不列颠百科全书公司供图

出学费，很早就不得不以卖文为生。第一部诗集于1840年出版。1846年购得《现代人》杂志的发行权。该杂志原为普希金创办，在他死后一蹶不振。尽管书报检查官常找麻烦，但涅克拉索夫善于经营，把《现代人》办成了一个重要文学刊物，屠格涅夫和托尔斯泰都曾在上面发表过自己的早期作品。1856年后，在副主编车尔尼雪夫斯基的影响下，《现代人》变成富于战斗性的激进派的喉舌。1866年，在第一次谋杀亚历山大二世事件发生后，该杂志被官方查禁。1868年，他又和萨尔蒂科夫(谢德林)合办《祖国纪事》杂志，担任主编和发行人直至逝世。他的作品有的过于不加修饰，有的太多感伤情调，但主要诗作却气势磅礴，立意新颖。《严寒，通红的鼻子》(1863)描绘一个勇敢而富有同情心的农妇的形象；长篇叙事诗《在俄罗斯谁能快乐而自由》(1879)充分表现出他强有力的现实主义讽刺才能。

nekton 自游动物 不依赖水流或风力而自行游泳的海生动物的总称。仅3个门的动物的成体呈现出游泳动物类型：①脊索游泳动物，包括硬骨鱼、软骨鱼(如鲨鱼类)、爬行动物(如龟、蛇、海洋鳄类)及哺乳动物(如鲸、纯吻海豚及海豹)。②软体游泳动物，有枪乌贼和八腕类。③节肢游泳动物，为十足目(包括虾、蟹及海螯虾类)。游泳动物中草食性者较少，只在近海岸和浅水中有很少种类。食浮游动物为生者最多，包括许多硬骨鱼(小沙丁鱼、鲭鱼)以及某些最大的游泳动物(须鲸)。软体动物、鲨鱼及许多大型硬骨鱼以动物为食，其他鱼及大部分甲壳动物为食腐性。游泳动物的区域分布及垂直分布受温度、盐度、营养供应及海底类型的影响，游泳动物种类及个体数随海洋深度的增加而减少。

Nelligan, Émile 内利冈(1879-12-24，蒙特利尔～1941-11-18，蒙特利尔) 加拿大法语诗人。蒙特利尔文学流派的主要人物，1899年因精神错乱而停止写作。他的诗集于1903年出版，诗选英译本1966年出版。

Nelson 纳尔逊 加拿大不列颠哥伦比亚省东南部城市。位于库特内湖西湖湾畔，在省立科卡尼冰川公园南仅数英里和温哥华以东408英里(657千米)处。建于1887年，1888年以当时省督H.纳尔逊姓氏命名。为农业、伐木和采矿业区的服务点，也是西库特内区的主要行政中心。有铁路修配厂、锯木厂及交通通信设施。设有圣母大学(1950)及省立职业学校。当地库特内博物馆陈列印第安人石器和19世纪末移民入加拿大西部的俄国宗教教派成员捍卫灵魂派的遗物。1945年起，世界仲夏冰上溜石锦标赛在此举行。当地亦为渔猎、滑雪及水上运动胜地。1897年设市。人口8 760(1991)。

Nelson 纳尔逊 新西兰南岛北部港口和城市。位于塔斯曼湾顶端，马泰河口。1842年始有人定居。1858年设市。19世纪60年代淘金热时一度繁荣。现为游览地、退休人员住宅区和富饶农牧区的服务中心。工业有食品加工、锯木、机械工程等。港口出口烟草、水果、木材、肉类，进口石油产品。市内有圣公会大教堂、苏特美术馆、考索恩研究所(从事化学、生物和环境等研究)。人口：市37 943(1991)；城市区约52 348(1996)。

Nelson, Baby Face 纳尔森(娃娃脸)(1908，芝加哥～1934-11-27，美国伊利诺伊福克斯河丛林附近) 乔治·纳尔森的绰号。原名L.吉尔斯(Lester Gillis)。美国犯罪集团枪手、银行抢劫犯，以嗜杀成性和面孔酷似小孩著名。他从小偷小摸发展成为诈骗勒索，1929～1931年成为A.卡彭黑帮和其他私酒犯头子的同伙。1934年转向银行抢劫，参与了J.迪林杰的两起抢劫案。纳尔森被联邦调查局列为头号公敌，在一次枪战中被联邦调查局人员击毙。

Nelson, Horatio Nelson, Viscount, DUCA(duke) DI BRONTE 纳尔逊(1758-09-29，英国诺福克伯纳姆索普～1805-10-21，西班牙特拉法尔加附近海上) 又称霍雷肖·纳尔逊爵士

美国不列颠百科全书公司供图

(1797～1798)，或称尼罗河-伯纳姆索普的纳尔逊男爵(1798～1801)。英国海军统帅，曾和大革命时期的拿破仑法国多次作战，在尼罗河海战(1798)和特拉法尔加海战(1805)两大关键性战役中击败敌方，在后一战役中，他自己也在英国军舰"胜利"号上被敌方枪弹击中阵亡。在私生活方面，他作为有妇之夫和有夫之妇的埃玛即汉密尔顿夫人持续多年的恋情颇为世人瞩目。

早年生活 纳尔逊之父为乡村教区长埃德蒙·纳尔逊，母亲名叫凯瑟琳。纳尔逊在父母所生的11个孩子中排行第六。纳尔逊一家虽然家境清寒，但都知书达礼，好学上进。在这家人最重要的社会关系中，可以指望提携纳尔逊的只有一位远亲沃波尔勋爵，其人是曾经在18世纪初当过首相的R.沃波尔爵士的后裔。然而，对纳尔逊的生活起决定性作用的却是他的舅舅，日后成为英国海军审计官的M.萨克林上校。母亲去世后，舅舅同意把少年纳尔逊带往海上。纳尔逊在海军中最初几年的生活既积累了日常工作的经验，也有很冒险的经历。前者主要是在泰晤士河港湾获得的，后者则是一次乘商船去西班牙群岛的航行和1773年一次危险和不成功的北极科学探险。纳尔逊第一次参加海战是在印度洋。此后不久，由于染上热病而病倒，作为病号被遣送回乡。这当然使他一度意气消沉，但他很快就振作起来，转而情绪高涨，对前途充满乐观。从那一刻起，纳尔逊便树立起雄心壮志，决心使自己至少能够和他那些显赫的亲戚并驾齐驱。这种雄心壮志是由爱国主义精神激起的，而他的一腔爱国热忱又由于父亲灌输给他的基督徒激情而变得格外深沉。1777年纳尔逊考取海军中尉军衔，登船驶往西印度群岛，该地在当时对美洲殖民地进行的战争中是最活跃的战区。1779年，刚满20岁的纳尔逊被提升为艇长，受命指挥一艘装有火炮的快速帆船，多次参加了对尼加拉瓜西班牙殖民地区的作战，这些地区在西班牙追随法国参加和美洲革命党人的联盟后就成为被攻击的目标。对圣胡安的进攻在军事上获得成功，但最终却成为一场灾难：英国军队几乎全部死于黄热病，纳尔逊本人幸

免于难。1783年，在美国独立战争后，纳尔逊取道法国返英。回伦敦后，他于1784年愉快地接受任命，负责指挥一艘装有火炮的快速帆船开往西印度群岛。但这却不是一项愉快的任务。由于他严格执行《航海法》，打击了那些仍然按它们原来拥有但现在已被正式取消的特权进行海上贸易的美洲殖民地船只，纳尔逊不仅在商人和船主当中树敌过多，也得罪了那些出于自身利益而不愿意执行该项法律的派驻当地的英国当局。因此，当纳尔逊于1785年3月访问内维斯岛时，由于处境艰难和作为指挥员的孤独，他无法避免遭人攻讦。在岛上，他和弗朗西斯·尼斯贝特相遇，她是一位孀妇，带着一个5岁男孩乔西亚。纳尔逊风度翩翩而又循规蹈矩地追求她，1787年3月二人在内维斯结为夫妇。当纳尔逊带着新娘返回伯纳姆索普时，他发现自己没有再接到另一项任命，只能领取一半薪金。此后他一直赋闲达5年之久，他明白，“海军部显然对我怀有某种偏见，对这种偏见我既无法猜测其内容，也丝毫不应该归咎于我。”这很可能和他严格执行《航海法》的那段经历有关。不过，在法国国王路易十六于1793年1月被处决之后几天内，纳尔逊就被任命为拥有64门火炮的“阿加曼侬”号战舰舰长。

在地中海的服役 从这时起，纳尔逊便从一名满腔热情的职业军官一天天地变成了天才的海军将领。此后的几个月可能是他一生中感情最平静的时期。家里有一位爱妻在等待着他，她的儿子已被他带到海上。他的战舰快速而灵活，他属下的水兵们训练有素。这些都使他感到满意。他的任务是在地中海与大革命中的法国作战，支援英国的盟邦。为了完成保卫土伦港不被法国革命军（这支军队中有一位24岁的炮兵军官拿破仑·波拿巴）攻陷这一看起来几乎没有任何希望的使命，纳尔逊被派往那不勒斯召集援军。他后来满怀感激地认识到，他之所以能完成任务，大部分要归功于机敏过人和博学多才的英国驻该地公使威廉·汉密尔顿爵士。汉密尔顿公使已经在那不勒斯生活30年，他那位活泼的妻子埃玛当时深得王后的宠幸。土伦陷落后，纳尔逊的上级指挥官胡德勋爵把基地迁往科西嘉岛，在该地，纳尔逊率领全舰官兵登陆参战，协助攻克了巴斯提亚和卡尔维。作战中，一颗法国炮弹的碎片击中纳尔逊的面部，使他右眼受重伤，几乎完全失明。1794年底，胡德的职位被平庸的海军上将W.霍瑟姆取代，霍瑟姆后来又被撤职，换上了一位纳尔逊比较喜欢的军官约翰·杰维斯爵士。60高龄的老海员杰维斯经验极其丰富，他很快便发现纳尔逊的杰出才干，从而“更多地把纳尔逊视为一位同事而不是当做下属军官看待”。杰维斯到任时恰逢法军在陆战中节节取胜，因此英军被迫放弃了在地中海的基地，退却到直布罗陀和塔古斯河。

圣文森特角和尼罗河的海战 纳尔逊在前往指定的集合地和杰维斯会师途中，在圣文森特角附近的大西洋海面上发现，他的战舰在大雾中正横穿过一支由27艘战舰组成的西班牙舰队。西班牙舰队分成两个中队航行于海上，杰维斯原来的计划是插进这两个中队之间，在另一个中队赶来救援之前先摧毁敌方一个中队。但他把时间计算错了，情况现在变得很清楚：英国舰队已经来不及迅速掉头赶在西班牙的两个中队合拢阵形之前投入作战。此时，纳尔逊当机立断，在没有接到杰维斯任何命令的情况下立即改变航向，向西班牙人第二个中队的领头舰船发起攻击。当杰维斯舰队的其余战船缓慢地掉头赶来支援时，纳尔逊已经把两支西班牙舰队分隔开，以孤舰同时和7艘敌舰作战。英国炮手的高超技术这时起了决定性的作用，纳尔逊不仅强行登上和俘获了一艘敌舰，还从被俘敌舰的甲板上登上另一艘敌舰并把它俘获。此次海战使杰维斯被策封为圣文森特男爵，纳尔逊则获得爵士称号，并按资历被提升为海军少将。然而，他指挥一支实力雄厚的独立舰队第一次作战的结果却是灾难性的。在进攻特内里费岛的作战过程中，一枚散弹炸伤了他的右肘，他回到旗舰，右臂被截除。1798年春，纳尔逊伤愈归队，重新在圣文森特伯爵麾下服役。伯爵委派他去监视正等待时机想把一支远征军送上英伦三岛的法国舰队。纳尔逊在旗舰“先锋”号上巡逻港口附近的海面时，突然遇到一阵猛烈的西北风，暴风把他的舰队从停泊处吹到海上，也把法国舰队一路顺风地送到他们的目的地埃及。英国舰队立即追袭，纳尔逊相信法国人不是前往西西里就是前往埃及。经过一段有点混乱的追赶之后，英国舰队在尼罗河口附近的亚历山大港追上了法国舰队。在该处，英国人看到港口内挤满了法国运兵船，而在港口东边则有一支由13艘战船组成的法国护航舰队，它们沿着尼罗河口附近的阿尔基湾布成防御阵形抛锚停泊。这时，“先锋”号上升起了作战信号旗，纳尔逊指挥的各条战船立即向法舰发起进攻。由于法国战舰失去了机动能力，发起进攻的英国战舰得以逐个击破，先抛锚固定好自己的船位，集中火力去对付一艘敌舰，然后再转而去摧毁下一个目标。虽然从太阳落山发起进攻时开始此次海战便大局已定，双方还是激战了一个通宵。到黎明时分，法国舰队已几乎全军覆没。尼罗河海战的战略后果是意义巨大的，纳尔逊在海战结束后立即设法把胜利的消息传遍整个地中海地区，同时向伦敦送去加急战报。在最方便舰船进行维修的那不勒斯港，纳尔逊作为一位英雄受到盛大欢迎，欢迎盛典则是由汉密尔顿夫人一手导演的。一支英国海军常驻那不勒斯有助于支持费迪南国王，这位意大利主要统治者之一的部队几乎已溃不成军，很难抵挡住已经攻克罗马并废黜了教皇的法国人向南挺进。纳尔逊和埃玛的私情是在一个危急时刻发展起来的。当时，在纳尔逊的鼓励之下，费迪南头脑里充满建功立业以彪炳史册的幻想，公开加盟英、俄、奥一方，反对法国，并居然率领他那支不堪一击的军队去收复罗马。这次进军不仅以惨败告终，法国人发动反攻把他赶回了那不勒斯，而且那不勒斯城本身随之也陷入敌手。纳尔逊不得不带着那不勒斯王室撤退到西西里，在巴勒莫，他如醉如痴地迷恋上了埃玛·汉密尔顿。这件风流韵事已经变得尽人皆知，埃玛已经成了他一天也离不开的伴侣。

封锁那不勒斯与哥本哈根海战 1799年夏，纳尔逊的舰队支持了费迪南收复那不勒斯的尝试并取得成功。但是他和埃玛之间放荡不羁的暧昧关系已经传到英国海军部，上司们开始对他不耐烦了。波拿巴虽然从埃及逃回了法国，法军仍然坚守着马耳他。这时，代替圣文森特担任总司令的基思勋爵判断敌方下一个进攻目标将是梅诺卡岛。纳尔逊接到命令，要他统帅所辖全部可动用的战舰驶往该岛，但他拒绝执行命令，理由是将会受到威胁的目标在他看来是那不勒斯。后来的事态发展证明他的判断正确，但如此肆无忌惮地违抗军令是不可饶恕的。同时，海军部对他怡然接受费迪南国王在西西里授予他的布朗台公爵封号一事也感到愤怒。因此，海军部终于下了一道要纳尔逊回国的冷冰冰的命令。1800年纳尔逊起程回国，但在横穿欧洲大陆途中却有汉密尔顿一家作伴同行。当这古怪的一小群人登上英国陆地时，情况立即变得很明显：纳尔逊已经成了众望所归的民族英雄，他前往伦敦的行程简直是一路凯旋。当他被任命为即将率舰远征波罗的海的老海军上将派克爵士身边的副总司令时，埃玛为他怀有了身孕。在出征前几天，纳尔逊听到埃玛为他生下了一个女儿（取名霍雷肖）的消息。1801年初，派克的舰队驶往第一个目标哥本哈根。起初，总司令没有来找纳尔逊听取意见；随后，当丹麦人日益显示出抵抗势头时，纳尔逊才得以写下这样的日志：“现在我们肯定要作战了，我被召去商量军务。”纳尔逊采取让舰队出其不意地走一条吃水浅而很难航行的海峡的战略，绕过了扼守着哥本哈根城北通道的岸边炮垒。次日即4月2日凌晨，他率部投入战斗。当时的具体环境没有施展战术奇谋的余地；只有以高超的火炮射击术克敌致胜。丹麦人顽强抵抗，派克担心纳尔逊会遭受惨重损失，升起了让他们退出战斗的信号旗。纳尔逊不予理会，继续作战，一小时后他大获全胜。丹麦人的战船被打得七零八落，哑然无声，总共伤亡6 000余众，为英军损失的6倍。在这场大捷之后，纳尔逊还没有来得及继续对其余潜在的敌人展开类似的进攻，俄国沙皇保罗去世了，威胁也随之解除。派克的职位旋即被纳尔逊取代，他终于登上了海军总司令的宝座。海军部现在十分明白纳尔逊在公众心目中的地位，于是最大限度地利用了这一点，又为他设立了一个本土司令部。他任职以后，立即雄心勃勃地策划了一次对布洛涅海军基地的进攻，以挫败法军可能对英国本土发动的侵袭。纳尔逊本人没有参加这次战斗。进攻遭到惨败。由于开始与法国人议和，发动第二次进攻的计划被放弃了。1802年3月签订了《亚眠条约》。直到此时，纳尔逊才终于有了享受胜利果实的时间。埃玛按照纳尔逊的意见在伦敦附近购买了一座建筑精巧的乡间寓所默登别墅，花费大量金钱对别墅进行了翻修，它的华丽和气派充分反映了他们的虚荣心。

特拉法尔加大捷 时隔不久，人们便得悉波拿巴在准备重启战端，在战争爆发前两天，1803年5月纳尔逊被任命为地中海舰队司令，在“胜利”号战舰上升起了他的指挥旗。他再一次计划封锁土伦，这时的目的是阻止

土伦和布雷斯特两地的法国战舰在大西洋会合;在西班牙宣布对英作战后,也要防止卡特赫纳和加的斯两地的西班牙战船加入会合的队伍。那样庞大规模的一支舰队会使波拿巴具有充分的实力入侵英国。1805年初,给自己加冕为皇帝的拿破仑发布命令,要这三支舰队为入侵英国而会师海上。3月,预定要担任联合舰队司令的法国海军上将P.维尔纳夫在恶劣气候的掩护下从土伦突围,率领舰队消失得无影无踪。纳尔逊随即追袭。维尔纳夫停止了骚扰战,但他仍被一支英国战舰截住受到重创。由于未能控制住英伦海峡,法国人南窜加的斯。纳尔逊率领舰队进驻直布罗陀,在作出封锁加的斯的部署以后返回英国。在回国的25天中,他为一场看来已无法避免的和法国-西班牙联合舰队的交手而制订出了一套作战计划。34艘敌舰被C.科林伍德指挥的数量较少的战舰封锁在加的斯。虽然拿破仑放弃了越过海峡进犯英国本土的计划,他却开始重新部署他那支大军;在英国,法军入侵的危险似乎依然迫在眉睫,因此纳尔逊在人们的心目中成了国家的希望所在。纳尔逊于9月15日乘"胜利"号出击,下达了作战命令。他现在掌握了海军的最高指挥权,他手下的官兵都崇拜他,他充满信心地认为他麾下的各舰舰长对他的战术思想都已经领会娴熟,因此毋需费事去仔细商量。在过47岁生日的那天,他在旗舰上设宴招待15位舰长,大致阐述了他要打一场英军的高超炮术和进攻精神将在其中起决定性作用的"大混战"的计划。他打算把舰队分为两路纵队向法国-西班牙联合舰队挺进,把它们的长蛇阵分割开来各个击破。这标志着纳尔逊最终摒弃了传统上一贯严格遵行的一字长蛇阵战术。维尔纳夫在接到拿破仑要他必须突破封锁的命令后,于10月20日率领舰队冲出加的斯。次日拂晓,法国-西班牙联合舰队的侧影在特拉法尔加角附近的晨曦中显现,英国战船分成两路战斗纵队分别由纳尔逊和科林伍德带领。当作战双方的舰队逐渐接近时,纳尔逊用信号旗发出了这样一句作战口号:"英国希望每个战士尽职尽力!"特拉法尔加海战最剧烈的战斗是在"胜利"号旗舰周围进行的。一名法军狙击手从"凶猛"号战舰的桅杆上开枪击中纳尔逊,子弹穿过了他的肩部和胸部。他随即被抬到舱下外科军医面前,大家很快就看出他已奄奄一息。当部下向他报告业已俘获15艘敌舰时,他说:"干得好!不过我跟大家约定了要俘获20艘的。"他的旗舰舰长T.哈代吻了他的额头向他最后告别时,纳尔逊说了下面几句临终遗言:"现在我心满意足了。感谢上帝,我尽了自己的职责。"虽然特拉法尔加海战使英国最终摆脱了法国人入侵的危险,但纳尔逊的死讯这时却使海战捷报蒙上了一层阴影。举国上下一片悲哀,在圣保罗教堂为他举行了隆重的葬礼。无数的街道、旅店和纪念碑以他的名字命名,"胜利"号战舰被永远保存在朴茨茅斯港口。这一切都反映了国人对他的深切缅怀。

评价　在军事理论上,纳尔逊最终突破了上一个世纪传下的那套呆板的战略战术,他一贯教育军官们要独立思考。他作为战场最高统帅的判断力和一往无前的坚毅精神在他取得的两次重大胜利——尼罗河海战和特拉法尔加大捷——中起了决定性的作用。在尼罗河一役中,他摧毁了拿破仑·波拿巴希望靠它去征服东方的法国舰队;在特拉法尔加之战中,他摧毁了法国-西班牙联合舰队,从而确保英伦三岛免于被外敌入侵,并且树立了英国此后一百多年的海上霸权。他战功显赫,作为统帅对部属爱护体贴,加上他私生活中的风流韵事,这一切使纳尔逊在世时就成为大众心目中的传奇人物。直到今天,他还是英国最受人爱戴的民族英雄。

Nelson, Samuel　纳尔逊(1792-11-10,美国纽约希伯伦～1873-12-13,纽约库珀斯敦)　美国最高法院大法官(1845～1872)。1817年获得律师资格,在纽约州科特兰城执行律师业务。还被任命为邮政局长,担任选举门罗为总统的选举人,而且是纽约制宪会议的代表。他在会上主张废除选举权的财产资格。1823年被任命为第六巡回区法官,1831年被任命为州最高法院法官。1845年,泰勒总统任命他为美国最高法院大法官。作为最高法院一位辛勤工作的成员,他成了国际法、海商法和专利法方面的权威,而且常常在最高法院主要谈论案件技术方面的问题。他是唯一没有涉及D.斯科特案件的政治和宪法方面的大法官,他仅仅宣称,由于奴隶D.斯科特不是密苏里州的公民,因而不能在一个联邦法院提起诉讼。他反对扩大联邦的权力,在南北战争期间呼吁与南部邦联实行和解。1871年格兰特总统任命他为在日内瓦召开的解决"亚拉巴马"号索赔案的联合高级委员会的委员。1872年从最高法院退休。

Nelson, William Rockhill　纳尔逊(1841-03-07,美国印第安纳韦恩堡～1915-04-13,密苏里堪萨斯城)　美国记者、编辑和发行人。他帮助创建《堪萨斯城明星晚报》(1880)。在美国发行人中,他最早主张调查性报道应针对本地市政的腐败,而不应仅仅刊登闻名全国的专门搜集名人丑闻的新闻记者所揭露的事件。曾在圣母学院读书,两年后辍学回家,继续自学,1862年取得律师资格。后转向民主党政治活动。1878年他同S.E.莫尔斯合伙买下韦恩堡(印第安纳州)《哨兵报》。一年半后他们将该报出售,迁往堪萨斯城,创建《明星晚报》。该报在他的管理下以反对市政腐败、主张城市改革闻名。他把《明星晚报》办成了全国最成功的报纸之一。最初每份售价2美分,发行量从1880年9月的3 000份增至1893年的5万份。该报1885年改称《堪萨斯城明星报》。1901年购买了《堪萨斯城时代报》,并继续积极参与两报的经营。两报都采用美联社新闻,使国际新闻和本地新闻并重。政治上他一直是无党派人士,支持自己选择的候选人;报纸的编辑方针反映其独立的立场。死后财产于1933年建立了纳尔逊艺术馆和阿特金斯美术博物馆。

Nelson-Atkins Museum of Fine Arts　纳尔逊-阿特金斯美术馆　旧称威廉·罗克希尔·纳尔逊画廊和玛丽·阿特金斯美术馆。位于美国密苏里州堪萨斯城。美国十大艺术博物馆之一,开馆于1933年,拥有50多个画廊和若干个不同历史时期陈列品的展室。馆藏的突出特点是对东亚艺术品的收藏,所藏中国山水画是西方最好的收藏之一,而中国陶瓷和装饰艺术品也都具有极高的价值。此外,该馆还藏有文艺复兴以来的欧洲绘画、古埃及雕刻、日本绘画与版画以及英国陶器等。E.F.皮尔逊雕刻花园于1972年建成,亨利·穆尔雕刻花园于1989年开放。美术馆因由原《堪萨斯城明星晚报》的一位编辑W.R.纳尔逊和另一人士M.阿特金斯为美术馆的建设提供大笔资财,故以他们的姓氏命名。

Nelson Lakes National Park　纳尔逊湖国家公园　新西兰南岛北部公园。建于1956年。面积961平方千米。西北连布拉伯恩山和蒙兹山,北部邻罗伯特山,东部和西部分别与圣阿诺岭和埃拉山连接。这些山脉平均高1 500米。园内有三条河流:特拉弗斯河流入罗托伊蒂湖,萨宾河和迪维尔河流入罗托罗阿湖。公园有野营和划船的设施,地形崎岖多变,可供游人爬山、打猎、滑雪和钓鱼。公园总管理处设在圣阿诺。

Nelson River　纳尔逊河　加拿大马尼托巴省北部河流。源出温尼伯湖,注入哈得孙湾,全长650千米。流域面积115万平方千米。与鲍河和南、北萨斯喀彻温河形成西达加拿大落基山脉的、长2 575千米的水道。1612年为英国探险家T.巴顿发现,以其领航员姓氏命名。加拿大国家铁路支线哈得孙湾铁路与该河道平行。凯尔西大坝的水力发电,可供汤普森(濒临主要支流本特伊德河)镍矿使用,在凯特尔拉皮德也有水力发电设施。

Nelumbonales　莲目　有花植物的一目,含莲科(Nelumbonaceae)1科,2种,为美丽的水生植物,似睡莲。东方的圣莲(东方莲、莲花、荷花,*Nelumbo nucifera*)产于亚洲热带、亚热带;

圣莲(*Nelumbo nucifera*)
美国不列颠百科全书公司供图

美洲莲(黄莲、水青卡平、五瓣莲,*N. lutea* 或 *N. pentapetala*)产美国东部,南至哥伦比亚。以前归入睡莲目,但这些植物的一些植物学特征表明它们的进化起源不同于睡莲,这些特征如花粉粒和胚胎的结构、种皮有孔、无乳汁管、染色体也不同等。此外,叶圆形,表面有少量毛,直径达约60厘米,边缘上翘,中部略凹形似漏斗或碟,叶柄长,生于叶的中心。

东方圣莲的叶可高出水面 2 米多;花大,芳香,粉红色或玫瑰红色,由粗壮无叶的梗托出水面,花径可达 25 厘米,花瓣数多,夜晚合拢。美洲莲花淡黄色,高出水面 60 厘米。圣莲多栽培变种,有的矮小;花白色至红色。多数瘦果位于海绵质膨大的花托(莲蓬)内,莲蓬上端大,平坦,下端小;成熟后花托干枯,脱落在水面上漂浮,莲子从囊托上端的孔中脱出,沉入水底,发芽后长出新株。花匠收集莲干燥的花托用于干花。两种莲均可食。圣莲的种子在克什米尔用做食物,其根状茎(藕)在亚洲可烹食、制蜜饯或制藕粉。嫩叶可作蔬菜,在印度支那,用其雄蕊熏茶。美洲莲的根茎曾是印第安人重要的淀粉食物。莲对野生动物特别有益,如河狸取食其根茎,鱼类喜栖于莲的水下部分以得荫蔽。东方莲的莲子具有强大的生命力,在适合的条件下可以保存多年。在中国东北一个泥炭沼泽中发现的东方莲莲子,放射性碳测定表明已保存1 000年以上,但仍能发芽生长。

Neman River　涅曼河　德语作 Njemen。白俄罗斯和立陶宛境内河流。长 937 千米,流域面积约 9.8 万平方千米。源出明斯克高地的明斯克城附近,向西流经广阔的沼泽盆地,再北折进入立陶宛,在考纳斯(建有水电站)附近向西流经另一沼泽地,最后在克莱佩达以南注入波罗的海的库尔舍斯湾。自贝利察起 670 千米河段可通航,大量木材经此筏运。11 月末至 3 月中为封冻期。

Nemanjić DYNASTY　内马尼奇王朝　12 世纪末至 14 世纪中叶统治塞尔维亚的家族,将塞尔维亚发展成一个大帝国。该王朝起源于斯特凡·内马尼亚,他在 1169 ～ 1196 年是拉什卡的塞尔维亚地区的首领,当他开始扩展领土时拜占廷帝国还是这个地区的宗主国。其子 S.普尔沃文查尼("第一个戴上王冠的人")于 1217 年被教皇洪诺留三世加冕为塞尔维亚国王。他的弟弟萨瓦于 1219 年成为独立的塞尔维亚正教会第一个大主教,他也是塞尔维亚历史上伟大文化人物之一。相继继位的国王是斯特凡的儿子们:S.拉多斯拉夫、S.弗拉迪斯拉夫、S.乌罗什一世。后者由他的儿子 S.德拉古廷、S.乌罗什二世或 S.米柳亭(1282 ～ 1321 在位)继承。S.乌罗什二世征服了拜占廷马其顿的一部分。其子 S.乌罗什三世(1322 ～ 1331 在位)在被他儿子 S.杜香赶下台之前击败了保加利亚。S.杜香(1331 ～ 1355 在位)是最伟大的内马尼奇国王。在和拜占廷的战争中,他征服了阿尔巴尼亚、马其顿、门的内哥罗,并向南征服了伊庇鲁斯、埃托利亚、色萨利(均在希腊)。1346 年他被加冕为塞尔维亚皇帝。他颁布了一部重要的塞尔维亚法典《习惯法典》,他还支持在塞尔维亚兴建了许多教堂和庙宇。S.杜香之子 S.乌罗什五世继位后(1355 年起)统治不力,帝国四分五裂,由互相敌对的亲族分散统治。14 世纪 60 年代乌罗什五世被赶下台,内马尼奇王朝结束。

nematocide　杀线虫剂　参阅 **fumigant** *熏蒸剂*。

nematocyst　刺丝囊　主要见于刺胞动物体表的纤小长形或圆形的囊。位于刺细胞内。含一盘曲的丝,丝中空,常有倒钩。该丝用以驱逐天敌或捕捉猎物。囊受刺激时,其顶上的盖打开,刺丝以扭曲动作翻出,若有倒钩,则倒钩像钻一样穿入外物,并把刺丝拖入外物。若刺丝中含毒素,则通过丝管进入外物,麻痹其组织。丝翻出后与囊脱离。有的刺丝囊的丝能卷缠小动物。*僧帽水母*(**Portuguese man-of-war**)和其他*水母*(**jellyfish**)的刺丝螫人后,可引起麻痹、休克,甚至死亡。

nematode　线虫　又作 roundworm。又称圆虫。袋形动物门线虫纲蠕虫。有人将其列为线形动物门。是数量最大的动物种类之一,寄生于动物和植物内,或为土壤、淡水或海水

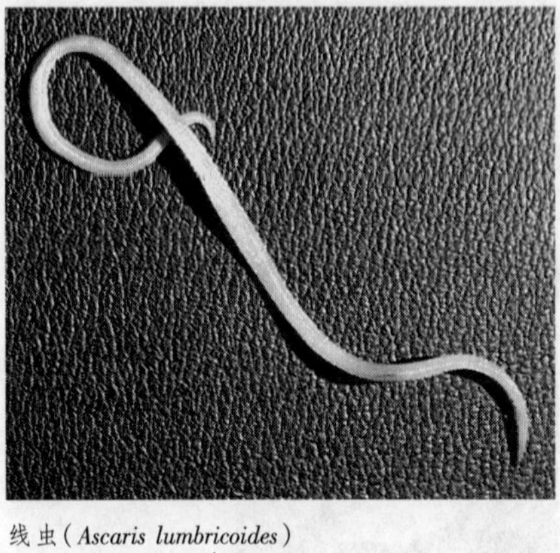

线虫(*Ascaris lumbricoides*)
美国不列颠百科全书公司供图

中,甚至醋和啤酒麦芽等不寻常地方的自由生物。已命名的线虫有15 000种,但在自由生活的线虫中可能仅有一小部分已得到鉴定。对寄生种类已进行大量研究,因其中大部分在医学、兽医学和经济上有重要意义。线虫的身体两侧对称,细长,两端渐尖,亦具假体腔(位于消化道与体壁之间的充满液体的腔隙)。多为雌雄异体,有些种类为雌雄同体。线虫的体型大小差异极大,从仅能在显微镜下看到至长 7 米,最大的种类寄生于鲸类体内。寄生于动物体内的线虫可寄生于所有器官,但最常见的寄生部位为消化系统,循环系统和呼吸系统。此类寄生线虫包括钩虫、肺线虫、蛲虫、粪类圆线虫、鞭虫和蛔虫。线虫可引起多种疾病,包括丝虫病,蛔虫病,旋毛虫病等。参阅 **aschelminth**。

Nemea, Battle of　奈迈阿战役(公元前 394)　希腊各城邦联合起来试图摧毁斯巴达在伯罗奔尼撒取得胜利之后的霸主地位的科林斯战争(公元前 395 ～前 387)中的一次战斗。斯巴达之大败第比斯、科林斯、雅典和阿尔戈斯联军,暂时击破了联军的力量。在奈迈阿河流域战场(今奈迈阿附近)上兵力占劣势的斯巴达人运用甲兵战术(重型装甲的步兵),得以一举包围并歼灭了雅典军队,随后又击溃了其他敌军。

Nemean Games　奈迈阿赛会　古希腊为奉祀宙斯神而于每年 7 月在阿尔戈利斯州奈迈阿宙斯大神殿举行的体育和音乐赛会。公元前 460 年以前由克利奥纳市主持,后由阿尔戈斯城主持。优胜者奖给野芹菜花环。公元前 573 年后向一切希腊人开放。

Nemerov, Howard　内梅罗夫(1920-03-01,美国纽约州纽约～ 1991-07-05,密苏里圣路易斯附近大学城)　美国诗人、小说家、评论家。他的诗多半歌颂自然,以辛辣和自谦的妙笔著称。内梅罗夫的《内梅罗夫诗集》于 1977 年问世,1978 年便获得普利策奖和全国图书奖。内梅罗夫 1941 年从哈佛大学毕业后,曾在第二次世界大战中隶属于美国陆军航空队的加拿大皇家空军当过飞行员(1941 ～ 1945)。战后他曾于 1946 ～ 1948 年在纽约州克林顿的哈密尔顿学院、1948 ～ 1966 年在佛蒙特州的本宁顿学院、1966 ～ 1969 年在马萨诸塞州沃尔塞姆的布兰代斯大学任教。1969 年在密苏里州圣路易斯的华盛顿大学任英语教授。1963 ～ 1964 年任国会图书馆的诗歌顾问。他是 1988 ～ 1989 年的美国桂冠诗人,1989 ～ 1990 年再度获选。内梅罗夫的第一部诗集《形象与法律》出版于 1947 年。后来又出了几部诗集,其中有《索尔特花园》(1955)、《镜子与窗子》(1958)、《新诗选》(1960)、《梦之邻:诗歌与戏剧两种》(1962)、《蓝燕》(1967)、《格言与机会》(1973)、《西方探索》(1975)、《语句》(1980)、《葱内》(1984)和《战争故事》(1987)。他是批评社会的作家,所以写过很多讽刺时弊的诗。内梅罗夫的小说有《通俗剧作家》(1949),写一个波士顿家庭解体的故事;《返校节的游戏》(1957),写一个学院教授戏弄一个小足球校队球星的风趣故事;还有《商品梦及其他》(1960)。在他为数众多的文艺批评著作中有《虚构生活纪实》(1965),《诗歌与诗学反思录》(1972)和《图像与思维:诗歌意味推理及其他》(1978)。

nemertean　纽虫　参阅 **ribbon worm** *纽形动物*。

Nemery, Gaafar Mohamed el- (president of The Sudan)　参阅 **Nimeiri, Gaafar Mohamed el-** *尼迈里*。

Nemesianus, Marcus Aurelius Olympius　内梅西安努斯(活动时期约280)　罗马诗人。生于迦太基。曾写作田园诗和劝世诗。现尚存四首田园诗及一首写狩猎的未完成的诗作。四首田园诗具有维吉尔风格,也受卡尔普尼乌斯的影响,由于诗句通顺流畅,韵律优美悦耳,因而颇能吸引人。《狩猎》一诗教人如何养犬、饲马及制作行猎工具,文笔优雅。

Nemesis　涅墨西斯　指希腊宗教里的两个神圣概念,一是阿提卡的女神,一是愤怒抗议的抽象概念(后被拟人化)。作为女神(大概是丰产女神),她在阿提卡的拉姆诺斯受到崇拜,并同阿耳忒弥斯(野兽、植物、生育和狩猎女神)十分相似。荷马以后的神话描述她受到主神宙斯的追求,最后宙斯化为天鹅捉住了化为鹅的涅墨西斯。她生下一个蛋,从中孵出海伦。作为抽象概念的涅墨西斯至少在后来才受到崇拜。她特别表示诸神对于

涅墨西斯雕像
美国不列颠百科全书公司供图

人类的僭越的反对态度。她的第一座祭坛据说是由攻打第比斯的七将之首阿德拉斯托斯在比奥蒂亚建立的。在罗马,对她的崇拜特别流行,在士兵当中她被看成是练兵场的保护神。

Nemesius OF EMESA **尼梅希(埃梅萨的)**(活动时期4世纪末) 基督教哲学家、护教士,曾任埃梅萨(今叙利亚境内霍姆斯)主教,著《论人性》。尼梅希知识渊博,他将2世纪希腊医学家加伦的实验生理学和其他科学家的观察、新柏拉图主义唯心哲学以及亚里士多德的唯实论熔于一炉,形成独特的基督教综合思想体系。尼梅希认为,灵魂必然是无形而有智力的实体,固有不灭,但生就与肉体合而为一。关于基督论,尼梅希指出,人的肉体与灵魂的关系,类似基督的神性与肉身人性的关系。尼梅希宣传基督教关于上帝旨意的教义,并指出,如果说人是有理性的,那末他就有行动自由,否则他的智力和思考能力就毫无意义。这种学说成为中世纪和文艺复兴时期基督教心理学的基本原理。

Nemi, Lake 内米湖 意大利中部拉齐奥区火山口湖,位于阿尔班湖东,罗马东南15英里(24千米),阿尔班丘陵阿尔班古火山口外圈。周长约3.5英里(5.5千米),深110英尺(34米),经一条2英里长的隧道排水。当地曾发掘出狄安娜女神殿。人们久闻西部湖底有两艘罗马战舰,曾几次试图打捞均未果,1895年曾遭潜水者劫掠,最珍贵的东西已被劫走。到了20世纪20年代,水位降低,船才被打捞上来。它们似为卡利古拉帝王时代的娱乐舰,一条长210英尺,宽66英尺;另一条长233英尺,宽80英尺。舰上许多物品现收藏在罗马的博物馆里。但两舰不幸于1944年5月31日被撤退的德军烧毁。

Neminātha(Jaina saint) **内米纳塔** 参阅 **Ariṣṭanemi** 阿利涅塔内米。

Nemirovich-Danchenko, Vladimir Ivanovich 涅米罗维奇-丹钦科(1858-12-23,俄国奥佐尔格蒂～1943-04-25,莫斯科) 俄罗斯剧作家、小说家、戏剧演出人、著名的莫斯科艺术剧院创始人。13岁开始导演戏剧,并对各种舞台效果进行实验。在国立莫斯科大学受教育时,就显露出作家和评论家的才华。作为一个青年剧作家,其剧本在莫斯科的小剧院演出时就受到高度的赞扬和重视。至少两次获得剧本创作奖。1891年在莫斯科交响乐团协会任戏剧艺术指导。不少人受其影响,在俄国舞台上成为知名的演员和导演,如众所周知的O.克尼佩尔、V.迈耶霍尔德和Y.瓦赫坦戈夫等人。他所阐述的部分戏剧艺术思想后来被斯坦尼斯拉夫斯基纳入他的表演方法体系。1897年,他认为俄国舞台有必要进行一次大改革,遂同斯坦尼斯拉夫斯基一起召开会议,拟定了建立一个新剧院的宗旨和方针。这个新剧院就是初名莫斯科艺术大众剧院的演员剧院。虽然斯坦尼斯拉夫斯基全权负责该剧院的演出事宜,但涅米罗维奇-丹钦科所做的贡献也不能忽视。两人都是演出人和文学顾问,他主要负责新剧本的审阅和挑选,并在演出和表演问题上给斯坦尼斯

美国不列颠百科全书公司供图

拉夫斯基以指导。他曾鼓励契诃夫和高尔基为剧院创作剧本,契诃夫的《海鸥》在首次上演失败后,能成功地重演也应归功于他。20世纪20年代初期,他把莫斯科艺术剧院的改革应用在轻歌剧上,并建立了莫斯科艺术音乐研究室。1925年在纽约市演出《佩里科勒》和《吕西斯忒拉忒》获得很大成功。写有自传《我在俄国戏剧界的生涯》(1936)。

Nemophila 喜林草属 田基麻科一年生草本植物属。约13个种,产于北美,大部分起源于太平洋沿岸。花轮状,蓝色到白色,有时具蓝脉,花冠裂片5枚,花茎4厘米。叶深

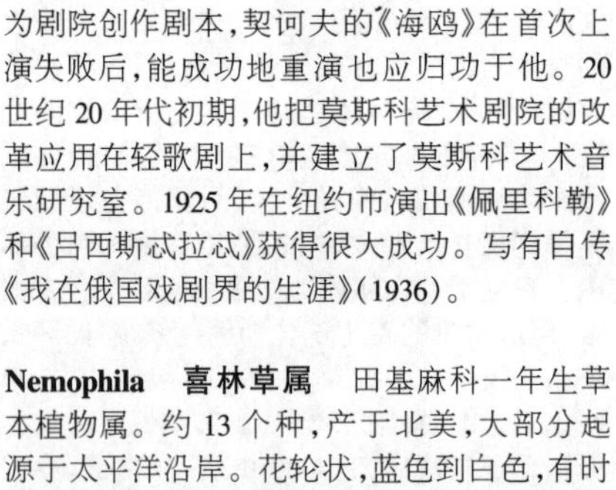

孟席斯氏喜林草(*N. menziesii*)
美国不列颠百科全书公司供图

裂,裂片5～9枚。株高可达50厘米,有时匍匐。孟席斯氏喜林草(*N. menziesii*)常见于加利福尼亚潮湿林地边缘,开蓝花。

Nemours 内穆尔 又译讷穆尔。法国中北部法兰西岛大区塞纳-马恩省城镇。位于巴黎东南偏南,枫丹白露南侧,临卢万河。城镇四周多林木(拉丁文 *nemora*),故名。中世纪时设防,1420～1437年在英国人手中。1528年,法王弗朗西斯一世将该公国授予萨伏依王室。城镇为杜邦家族祖先的故乡,这个家族的许多成员现在是美国特拉华州的化学工业家。保存有中世纪城堡(15、17世纪重建,现辟为博物馆)。16世纪圣让施洗教堂融合了哥特和文艺复兴式建筑的风格。有玻璃制造业。人口11 624(1982)。

Nemours, DUKES OF **内穆尔公爵** 法国有称号的贵族,由若干分支组成,主要有阿马尼亚克、萨伏依和奥尔良等家族的分支。按年代顺序排列于后,并各以●为标记。

● **Nemours, Jacques d'Armagnac, duc de 内穆尔公爵**(1433～1477-08-04,巴黎) 法国贵族,曾阴谋反对路易十一。内穆尔公爵的第一代。父母都是法国王族的后裔。1404年内穆尔公国授予拉瓦尔的查理三世,1425年查理死后的继承引起争夺。最后由路易十一于1462年将公国授予当时称为卡斯特尔伯爵的他。次年平息鲁西永之乱。因嫌赏赐过少,于1465年参加反对路易十一的社会福利联盟。但在国王任命他为法兰西岛总督之后,他脱离了阴谋活动。后又进行叛逆活动,但1470年路易十一予以赦免。1476年因再次谋反被捕,次年斩首。

● **Nemours, Louis d'Armagnac, duc de 内穆尔公爵**(1472～1503-04-28,那不勒斯王国阿普利亚切里尼奥拉) 又称吉斯伯爵(至1500)。内穆尔公爵雅克的第三子,阿马尼亚克公爵家族的最后一人。他曾追随法国的查理八世远征意大利。1501年由路易十二任命为那不勒斯总督。随后法国与西班牙因争夺南意大利发生战争,内穆尔在切里尼奥拉战役中阵亡。

● **Nemours, Giuliano de' Medici, duc de 内穆尔公爵** 参阅 **Medici, Giuliano de' 梅迪契**。

● **Nemours, Jacques de Savoie, duc de 内穆尔公爵**(1531-10-12,法国香槟沃吕伊桑～1585-06-15,阿讷西) 即圣索兰侯爵。法国宗教战争期间的著名军人和廷臣。16世纪50年代在东部边境和皮埃蒙特作战以及60年代在征讨胡格诺派及其德意志盟军期间,他都为法国王家服役,战功卓著。他在瓦卢瓦宫廷的风流韵事为人称道,被誉为崇拜女性的典型骑士。1566年同吉斯公爵的遗孀安娜结婚,后隐退至他的萨伏依封地。

● **Nemours, Charles-Emmanuel de Savoie, duc de,** PRINCE DE GENEVOIS **内穆尔公爵**(1567～1595-07) 热内瓦亲王。萨伏依公爵雅克的长子。他拥护由天主教徒吉斯家族发起成立的神圣联盟。1588年被任命为里昂总督,但不久发生国王亨利三世反对吉斯家

族的政变，吉斯公爵被谋害，他在布卢瓦被捕。后逃往巴黎。在重新准备讨伐里昂期间死去。

● **Nemours, Henri I de Savoie, duc de　内穆尔公爵**(1572-11-02,巴黎～1632-07-10,巴黎)　1595年以前又称圣索兰侯爵。查理-埃马纽埃尔公爵之弟和继承人。曾援助信奉天主教的萨伏依人占领萨卢佐(1588)，并在多菲内为神圣联盟作战，1591年任多菲内总督。1595年封内穆尔公爵，次年归顺国王亨利四世。他在参加鲁昂战役和亚眠战役后退隐于阿讷西庄园。1615年西班牙人进攻萨伏依，内穆尔公爵招募一支军队协同萨伏依人作战，翌年媾和。余年在巴黎度过，因鼓励与保护芭蕾舞和艺术而在宫廷中名振一时。

● **Nemours, Charles-Amédée de Savoie, duc de　内穆尔公爵**(1624-04～1652-07-30,巴黎)　萨伏依的亨利一世之子。其兄萨伏依的路易夭亡，由他继承公爵爵位。1645～1646年在佛兰德参加对西班牙作战，身经多次战役，在马尔迪克战役中腿部受伤。在投石党运动的第二阶段(1650～1653)他偏袒叛乱贵族，因而卷人阴谋和勾心斗角之中。他与隆格维尔公爵夫人等调情，结果在同伙中引起不和。后又与姻亲博福尔公爵弗朗索瓦发生争吵，于决斗中被打死。

● **Nemours, Henri II de Savoie, duc de　内穆尔公爵**(1625～1659-01-14,巴黎)　萨伏依的查理-阿梅代之弟，1652年继承其兄为公爵。早年受宗教训练，1651年被任命为兰斯大主教。因长兄无嗣，为继承兄位，终于在1657年破戒与隆格维尔公爵亨利二世之女奥尔良的玛丽结婚。为人谦和，孱弱多病，为癫痫所苦。身后无嗣，是该家族最后一人。

● **Nemours, Louis-Charles-Philippe-Raphaël d'Orléans, duc de　内穆尔公爵**(1814-10-25,巴黎～1896-06-26,法国凡尔赛)　法国国王路易-菲力普的次子。1848年其父退位后，联

巴黎国家图书馆供图

合流亡的保王党人以图恢复君主政权。1826年起任骑兵上校。1831年被选为比利时国王，但路易-菲力普拒绝让他继承该王位。1832年法国包围安特卫普时他曾参加此役，后又3次(1836,1837,1841)参加远征阿尔及利亚。1842年其兄奥尔良公爵费迪南去世，他有希望在路易-菲力普死后成为法国摄政。但由于他的保守主义立场不孚众望，一些派别要求让费迪南之妻奥尔良公爵夫人海伦娜为其子的摄政。1848年革命爆发后，他部署了土伊勒里宫的警卫，以掩护国王逃跑，然后设法护送奥尔良公爵夫人去众议院，坚决提出她儿子的王位要求。但议员们却宣布成立第二共和国。他和公爵夫人及其子女逃走，路易-菲力普逊位。他逃亡英格兰后曾争取实现奥尔良家族同流亡的查理十世之孙尚博尔伯爵的和解，作为恢复法国君主制的先决步骤。普法战争后剥夺法国王族法律地位的决定取消(1871)，他回到法国，恢复了师长军阶。但尚博尔伯爵试图以波旁君主制重新使法国联合起来的努力没有成功，内穆尔的复辟王朝的希望遂化为泡影。

Nemours, Marie d'Orleans-Longueville, duchesse de　内穆尔公爵夫人(1625-03-05,巴黎～1707-06-16,巴黎)　纳沙泰尔的女君主(1699年起)，因其《回忆录》(1709)著名。隆格维尔公爵亨利二世之女。12岁丧母，1642年起由其继母、著名的投石党运动阴谋家、隆格维尔公爵夫人安娜-日尼薇管束。在严格的学习气氛中成长，因与声名狼藉的继母格格不入，终于逃往迪耶普。投石党运动重新爆发时，又逃往佛兰德(1651)。一度有人建议她嫁给约克公爵，甚至嫁给曾向她求婚的英格兰查理二世。她却最终嫁给了内穆尔公爵(1657)。1659年公爵病殁，无子女。她的余年消耗在同她继母亲属的官司中。她力图确立自己的继承权益，涉及法国的财产虽败诉(1698)，却确立了她对纳沙泰尔公国君主的统治权。她的《回忆录》叙述投石党运动，对其父深表同情，而对其继母及其他孔代家族成员表示特别憎恨。

Nemuro　根室　日本北海道东部城市。1869年建立时为驿镇。第二次世界大战前为千岛群岛行政中心。当地港口花咲在根室半岛北岸，曾是渔船、海藻采集船和蟹肉罐头加工船基地。1945年遭美机轰炸，城市大部被毁。俄罗斯对千岛群岛的占领使其经济长期停滞。50～60年代建立水产和乳品加工厂后，经济有所发展。人口36 914(1990)。

Nen Jiang　嫩江　又拼 Nen River。中国松花江最大支流。蒙古语意为"碧绿的江"。古名难水，明代称脑温江，清初名诺尼江。源出大兴安岭支脉伊勒呼里山，自北向南流经黑龙江、内蒙古、吉林3省区的16市县(旗)，在三岔河汇入松花江。全长1 490余千米，流域面积28.3万平方千米，30多条支流呈典型的羽状分布。嫩江上游分布有多年冻土带。河流有4个月冰期，江轮可航至齐齐哈尔。嫩江流经坡度很缓的松嫩平原，河道曲折，形成许多湖泊、沼泽。春季融雪和夏秋多雨时易形成春汛和夏汛，常有水患。

Nenadović, Matija　内纳多维奇(1777,塞尔维亚瓦列沃附近布兰科维纳～1854-11-29,瓦列沃)　塞尔维亚司祭、爱国志士，塞尔维亚近代第一位外交使臣。16岁时成为司祭，几年后成为瓦列沃大司祭，故常被称作"大司祭马蒂亚"。其父阿列克萨是19世纪初当地最受崇敬的塞尔维亚人之一。当土耳其禁卫军决定杀戮名人恫吓人民时，其父首当其冲。从而激起1804年2月塞尔维亚人反对土耳其的起事。内纳多维奇任瓦列沃地区义军副司令。不久塞尔维亚革命领袖卡拉乔尔杰就派他去圣彼得堡执行秘密任务。此后几乎经常出使俄国、奥地利、布加勒斯特和君士坦丁堡。1814～1815年代表塞尔维亚出席维也纳会议。他在会上慷慨陈词，使这个小国引起了欧洲人的注意。所著《回忆录》生动记述了首次起事过程和塞尔维亚建立民族政府的最初经过。

nene(*Branta sandvicensis*)　**夏威夷雁**　又作 hawaiian goose。雁形目鸭科(**Anatidae**)的濒危种，与加拿大雁有亲缘关系。在夏威夷演化成一种非迁徙的、非水栖的具有短翅和半蹼足的鸟类。体长约65厘米，体羽灰褐有横斑；颈淡黄色，具暗色条纹；脸黑色。食高山熔岩斜坡上的浆果和草。到1911年，由于狩猎及狗、猫、猪、獴的捕食，其数量减少到只剩几小群。在禁止狩猎后数量仍继续下降，1952年降至约30只。在饲养下繁殖成功，但放回野外的鸟群尚不足以繁衍形成自力生存的种群。现在夏威夷已严格保护这种州鸟。

Nenets　涅涅茨人　旧称萨莫耶德人(Samoyeds)或尤拉克人(Yuraks)。俄罗斯西北部文化语言集团，居地西自白海，东至太梅尔半岛基部，南自萨彦岭，北至北冰洋。目前，涅涅茨人是讲乌拉尔语系萨莫耶德语支语言的最大居群。其祖先住西伯利亚西南部。现在涅涅茨人是冻土带驯鹿牧民、渔民和猎人；有几个小型森林居群，以渔猎为本，主要使用驯鹿作运输工具。人种学者通常把涅涅茨人分为森林涅涅茨人和苔原涅涅茨人。森林涅涅茨人仅占整个涅涅茨人人口的5%，目前只有1 500人使用他们的语言，而几乎没有儿童在学习这种语言，因此面临消失的危险；苔原涅涅茨人的语言有25 000人使用，但也有部分地区的儿童不再学习这种语言。有些地区已由突厥诸语言和俄语取代萨莫耶德各种方言。在苏维埃政府统治下，引进了公社式集体生产，饲养驯鹿仍为主要活动。传代以父系为宗，凡同祖氏族各有其住地，并有共同墓地、祭祀场及氏族标记；氏族内部，禁止通婚。妇女处于附属地位。萨满教巫医分为若干能力大小不同的等级。

Nenets　涅涅茨　俄罗斯西北部阿尔汉格尔斯克州一自治区。沿俄罗斯欧洲部分北海岸延展，从梅津湾至拜达拉塔湾，面积176 400平方千米。地势平坦。季曼丘陵和乌拉尔山北端穿插其间。东部有伯朝拉煤田的一部分，中部有油气田。地表覆盖着冻原。涅涅茨人主要从事养鹿业。原游牧部落现已定居乡村。俄罗斯人主要分布在行政中心纳里亚-马尔和阿姆杰尔马都市区。人口约48 000(1996)。

nengsuo　能所　英语作 subject versus object of cognition。佛教术语。"能知"和"所知"的简称，"能"指主体，"所"指客体。佛教学者认为"所知"不能离开"能知"而存在，把认识

对象消融于认识主体之中，或物我双忘，客观事物和认识主体同时泯寂，是人生理想境界。王夫之从唯物主义立场解决了“能”、“所”问题，在《尚书引义》卷五中指出：“乃以俟用者为‘所’，则必实有其体；以用乎俟用，而以可有功者为‘能’，则必实有其用。”强调“能”与“所”的区别；“所”是认识对象，一定有其实体；“能”是认识主体，一定有其作用。两者的关系是，客观事物不以主观意识为转移，人的认识是外界事物的反映。从此“能所”有了新的意义。

Nenjiang 嫩江 中国黑龙江省黑河市辖县。位于嫩江上游，小兴安岭与松嫩平原过渡地带。西部以嫩江为界与内蒙古自治区为邻。县城嫩江镇旧称墨尔根城，清康熙二十五年（1686）筑城，康熙二十九年黑龙江将军曾从黑龙江城（瑷珲老城）移驻此地。康熙三十八年黑龙江将军衙门移驻齐齐哈尔后设墨尔根副都统。光绪三十四年（1908）改设嫩江府，1913年改为嫩江县，属黑龙江省。伪满时期先后隶属龙江省、北安省。1945年属嫩江省，1949年复属黑龙江省。1954年设立专区后隶嫩江专区，1960年隶齐齐哈尔市，1961年隶嫩江专区，1967年隶嫩江地区，1970年隶黑河地区，1993年隶黑河市。辖嫩江、双山、伊拉哈、海江、多宝山等8镇和5乡。面积15 360平方千米。农牧业比较发达，盛产小麦、大豆、玉米、甜菜等。境内有嫩江、鹤山等农场。矿藏有金、铜、铁、煤等。多宝山铜矿为省内最大的铜矿；黑宝山煤矿为省西部大煤矿。工业有冶金、化工、制糖、机械、造纸、纺织等。有富嫩线、嫩林线、嫩黑线等铁路通过境内。人口500 000（2004）。

Nenni, Pietro Sandro 南尼（1891-02-09，意大利法恩扎～1980-01-01，罗马） 意大利新闻记者，社会党领袖，两次任外交部长并任副总理多次。农民之子。早年为新闻记者。因反对意土战争而入狱。1921年加入社会党。1922年墨索里尼执政后，他在主编的《前进报》上猛烈抨击墨索里尼和法西斯党。1926年该报被查封，他逃往巴黎。西班牙内战期间，他组织加里波第旅并任政委，与墨索里尼的军队作战。1940年在法国维希被德国盖世太保逮捕。1943年押回意大利。法西斯分子垮台后获释，当选为社会党总书记。1945年出任副总理。1946年选入制宪议会，并任外交部长。1947年在社会党代表大会上主张同共产党人合作，反对天民党政府。1956年苏军入侵匈牙利时，他同共产党决裂。他领导社会党转而与天民党合作。1968～1969年再任外交部长，并在连续3届政府中任副总理。1970年当选终身参议员，1979年当选参议院主席。

Nennius 内尼厄斯（活动时期约800） 威尔士古文物家，796～约830年曾编纂、修订《不列颠民族史》，汇集了各种历史和地志资料。现存手稿约35部，时间从10世纪起到13世纪止。该著作除序言外包括对世界6个时代的叙述，对不列颠居民和入侵者的记载，列举亚瑟王的12次胜利，一些盎格鲁人的家谱，对不列颠28个城市和各种“奇迹”的说明。在序言中称他是圭内斯主教埃尔沃杜加斯的门徒。

Neo-Confucianism 新儒学 日本德川幕府时代（1603～1867）的国定指导哲学，对知识阶层的思想、行为影响深刻。新儒学在中世纪随佛教禅宗自中国传入日本，为当时社会秩序提出了“天定”之说，主张上行仁政而下遵礼法，公正乃保和谐。新儒学促进了武士道的兴起，同时强调研习儒家典籍，在日本民众中提高了历史意识，从而使人们重新对日本古典经籍和神道教义（参阅 **Fukko Shintō**）发生兴趣。新儒学的最重大意义在于，它使学术界注意社会实际问题，如法律、经济和政治等。日本新儒学的师承主要有三：朱熹学（Shushigaku）以中国哲学家朱熹所倡学说为基础，成为日本教育之基石，提倡对亲长尽孝、忠、忱、服从以及报恩等基本道德伦理；王阳明学（Ōyomeigaku）以中国哲学家王阳明之说为中心，主张为学的最高境界是自知，并强调“求理于吾心”；古学派（Kogaku school）则试图复兴孔、孟本来的学说，认为日本新儒学其他各派对孔孟之说曾有所曲解。

Neo-Destour（political party） **新宪政党** 参阅 **Destourian Socialist Party 民主宪政联盟**。

Neo-Expressionism 新表现主义 20世纪80年代初期与中期，主导欧美艺术市场的多样化艺术运动（主要是画家的运动）。新表现主义包括一群不同组合的年轻艺术家，他们恢复描绘人体和其他可辨认的物体，以反对70年代那些隐秘、内向和高度理性化的抽象艺术作品。这个运动与创新和积极的销售方式、进步的媒体，以及画廊、画商的市场交易息息相关，甚至部分是由此等原因产生的。新表现主义绘画本身的外貌虽然不尽相同，但仍有某些共同的特点：排斥传统构图和设计的标准；一种矛盾而经常是脆弱的情调，反映了当代都市生活及其价值；通常缺乏对画面理想化的关心；运用生动但不和谐的平庸色彩搭配；用原始的风格同时画出对象的紧张性和嬉戏性，借以传达一种内在的不安、紧张、异化与暧昧的感受（新表现主义者一名就是用来描述这种态度的）。这一运动的主要艺术家有：美国的J.施纳贝尔、D.萨利，意大利的S.基亚、F.克莱门特，德国的A.基弗、G.巴泽利兹。新表现主义在其艺术作品的质量和它对购买艺术作品的群众呈现的高度商业化方面，均引起争论。

Neo-Hawaiian local race 新夏威夷地域人种 夏威夷群岛居民，遗传成分极为复杂而多变。这种混血人种的血统显然来源于三个地理人种：高加索人种（欧洲人种），蒙古人种（亚洲人种；包括中国人、日本人和菲律宾人），以及波利尼西亚人种（土著的夏威夷居民）。在夏威夷只剩下很少不混血的波利尼西亚人。根据血型研究，那些自认为是“夏威夷人”（波利尼西亚人）的人，平均都有8%以上的高加索人混血成分与大约14%的蒙古人种混血成分。新夏威夷地域人种的身体特征尚不够整齐划一而称之为典型的或具有代表性的身体类型。参阅 **Polynesian geographic race**。

新夏威夷地域人种妇女
美国不列颠百科全书公司供图

Neo-Hegelianism 新黑格尔主义 属于唯心主义哲学学派的学说。1870～1920年期间，这一学派在英美两国占重要地位。这一名称有时也用来指这一时期其他一些受黑格尔学说鼓舞的哲学，如B.克罗齐和G.秦梯利的哲学。英国的新黑格尔主义源于S.T.柯尔律治和T.卡莱尔，是对他们半通俗著作的自然承续。这种学说的创导者力图从哲学上将人们对当时盛行的唯物主义和功利主义的普遍反感表现出来。著名的英国新黑格尔主义者T.H.格林（1836～1882）、E.凯尔德（1835～1908）和F.H.布拉德利（1846～1924）在形而上学方面反对唯物主义和自然主义；在知识论方面反对用观念的联想和感觉来分析意识；在逻辑学方面反对心理主义和形式主义；在伦理方面既反对为义务而义务的学说，又反对“最大幸福”的原则。在政治上，他们否认流行的个人主义，倾向于把国家看做是一个有生命的共同体，而不看成是互利的社会。对宗教的看法较为含糊，尽管他们通常对宗教的主张表示同情，但并不承认这种主张的表面价值。事实上，这派哲学之所以深得人心是因为在科学知识广泛传播和C.达尔文思想的有力冲击之下，人们对于宗教信仰已经越来越难以接受，而它则提供了一种合乎理性的替代物。然而，使这派哲学衰微的原因恐怕也正在于此。因为随着宗教信仰不复成为当务之急，人们对于这派哲学所提供的取代宗教的东西也就感到没有多大需要了。美国的新黑格尔主义源于波士顿的先验主义者，不过他们对德国哲学的知识多半是第二手的。它的发展主要归功于W.T.哈里斯（1835～1909）和他在1867年创办的《思辨哲学杂志》。美国新黑格尔主义最优秀、最重要的倡导者是J.罗伊斯（1855～1916）。由于罗伊斯特别强调意志的作用，因而他的唯心主义与其说接近黑格尔本人的思想，不如说更接近费希特的思想。罗伊斯的著名的同龄人C.S.皮尔斯和W.詹姆斯都拒不接受罗伊斯的形而上学；皮尔斯本人早年自称为“唯心主义者”，而詹姆斯则在某种程度上受到黑格尔的影响。詹姆斯的后继者J.杜威亦是如此。杜威最初是一个黑格尔主义者；尽管他对于绝对表示反感，但其思想中仍保留有某些黑格尔的特征，这主要表现在他反对抽象，并对形式逻辑学家的主张持保留态度。

Neo-Impressionism 新印象主义 19世纪末的法国绘画运动。它反对印象主义（Impressionism）的经验现实主义，而是依据系统计算和科学理论取得预期的视觉效果。新印象主义的领导者是G.修拉和P.西涅克，前者是该派唯一的理论家和卓越的艺术家；后者

G.修拉绘《大碗岛上星期日的下午》(1884～1886)
美国不列颠百科全书公司供图

也是一位重要画家和这一运动的喉舌。新印象派于1884年成立独立艺术家协会。技法基础是分割主义，亦称点彩主义——以断裂的色点取得光感的印象派技法的科学发展。分割主义以对比强烈的小色点作科学的并列，使其从一定距离观看成单一色彩，整个画面布满小色点，形象划分不用线条，所有景物都沉浸在强烈而闪烁的光线中。色点大小相同，与整个画面的比例相适应。新印象主义

P.西涅克绘《圣特罗佩港口的帆船》(1893)
美国不列颠百科全书公司供图

的作品与印象派那种雾蒙蒙的感觉不同，有稳定感、明确感，非常简单化地揭示了精密组成的事物相互关系。光线仍然像印象派那样强烈，但整体效果却是稳定、和谐的庄严气氛，是印象主义转瞬即逝的光线和氛围的结晶化。新印象主义的影响到19世纪90年代即告消失。

Neo-Melanesian language 新美拉尼西亚语 参阅 **Melanesian Pidgin** 美拉尼西亚混杂语。

Neo-Paganism 新异教 企图复兴欧洲和中东地区的古代多神教的宗教运动。这种运动与法术和现代巫术有密切关系，但又与两者不同，其宗旨是复兴真正的多神崇拜和古代文化的礼仪。其方法往往是重建而谨防有所偏重，其态度是审思和欣赏。新异教源起于19世纪的浪漫主义运动以及英国德鲁伊特派等浪漫主义思潮。新异教有时与极端产物民族主义相近，其组织和情绪在第二次世界大战之前即已闻名。然而当代的新异教主要形成于20世纪60年代。新异教人士在瑞士心理学家C.容和英国作家R.格雷夫斯的影响下，着重研究自然及原型心理学而不重视民族意识。第二次世界大战后现代新异教在美国、英国和斯堪的纳维亚各国较为流行。在新异教的主要团体中，各个世界总教会规模最大，主要崇拜女神地母；费拉菲里亚教以古希腊宗教为基础，也主要崇拜女神；异道是自然宗教，主要崇拜女神和四时；北美洲德鲁伊特改革教会是德鲁伊特派的机构；永源教恢复古埃及宗教；维京弟兄会遵守古代斯堪的纳维亚宗教礼仪。

neo-Sinaitic alphabet 新西奈字母 一种文字体系，见于西奈半岛石刻短铭中，但不应把它与西奈铭文相混淆。西奈铭文比它早很多，而且两者没有直接联系。新西奈字母是在公元1世纪由纳巴泰字母演变而来，可能一直使用到公元4世纪。它的铭文初见于

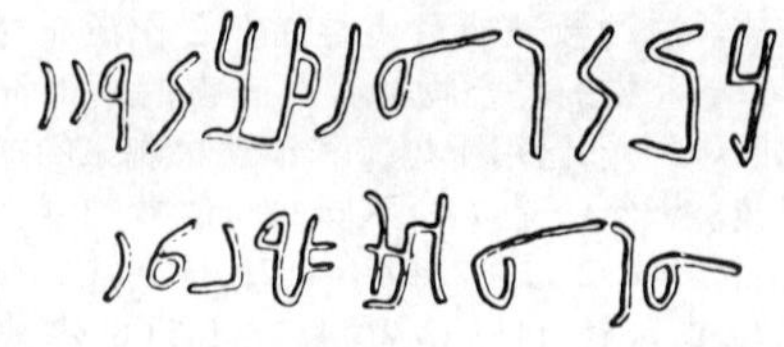

新西奈字母
美国不列颠百科全书公司供图

公元2～3世纪。新西奈字母可能是纳巴泰字母和阿拉伯字母之间的过渡形式，其重要性即在于此。

neo-Thomism 新托马斯主义 一种哲学体系。参阅 **Thomism** 托马斯主义。

Neo-Volcánica, Cordillera 科迪勒拉新火山 又称火山轴线。墨西哥西海岸科连特斯角和东海岸哈拉帕及韦拉克鲁斯之间横贯本国中部的火山山脉。该山区为全国的文化和历史中心。拥有锡特拉尔特佩特火山（奥里萨巴峰，5 610米）、波波卡特佩特峰（5 465米）和伊斯塔西瓦特尔峰（5 230米）。山脉多盆地与高原。气候温和，土壤肥沃，曾是13世纪阿兹特克文明的中心。1521年科尔特斯建立的墨西哥城成为墨西哥经济、工业和政治中心。山区有纺织、水泥、化工品、钢铁等工业。开采银、铅、锌、铜和锡矿。

Neoclassicism 新古典主义 参阅 **Classicism and Neoclassicism** 古典主义和新古典主义。

Neocomian Stage 尼欧可木阶 下白垩统的年代地层单元（白垩纪开始于约1.36亿年前，延续约0.71亿年）。包括下白垩统4个次一级的阶，从老到新有贝里阿斯阶、凡兰吟阶、欧特里沃阶、巴列姆阶。事实上，本阶是一个超阶，其名称往往仅有时间的意义，没有任何岩石序列的含义，以至在应用中缺乏确切的界限。

neodymium 钕（Nd） 化学元素，周期表Ⅲb族过渡稀土金属，以单质形式用于合金，其氧化物用于特种玻璃。钕具银白色，在空气中变暗生成氧化物。氧化物层会碎裂使钕金属暴露而进一步氧化，故应将金属钕密封于塑料袋或浸于矿物油中保存。钕与冷水缓慢反应，与热水迅速反应并放出氢气。1885年，C.A.冯·韦耳斯拔发现钕，他用氧化钕镨（稀土金属氧化物混合物）制得硝酸钕镨铵，以重复结晶法将其分成含钕和含镨的两部分。在稀土金属中，只有铈和钇丰度大于钕。在地壳火成岩中，钕的丰度约为铅的两倍、铜的一半。钕存在于独居石和氟碳铈矿中，核裂变产物中也含钕。离子交换法已取代分步结晶法用于钕的分离和提纯。电解钕的熔融卤化物或用钙或锂热还原其氟化物，均可制备金属钕。金属钕用于电子和钢铁工业，并可用作许多合金的组分，其中包括用于打火石的混合稀土金属（含钕15%）。钕的化合物在陶瓷业中用于瓷釉和玻璃着色。粗制的氧化物用来抵消玻璃中铁（Ⅱ）化合物的绿色。较纯的钕化合物用来制造独特的亮紫色

玻璃。这种钕玻璃可代替红宝石作激光材料。钕和镨的混合物能吸收有害的钠 D 光谱区中的光,已用于焊工和玻璃吹制工的护目镜。天然钕是 7 种不同的同位素的混合物:钕 142(27.2%)、钕 144(23.8%)、钕 146(17.2%)、钕 143(12.2%)、钕 145(8.3%)、钕 148(5.7%)和钕 150(5.6%),除了具有弱放射性的钕 144 是最轻的 α 衰变天然核素外,其余 6 种同位素都是稳定的。钕存在几种同素异形体,在室温下为密堆积六方结构。可形成氧化钕Nd_2O_3和氢氧化钕$Nd(OH)_3$等3价钕的化合物。Nd^{3+} 离子在水中稳定。已制出二碘化钕NdI_2和二氯化钕$NdCl_2$等几种2价钕的化合物。Nd^{2+} 离子在水溶液中不稳定。钕原子序数 60。原子量 144.240。熔点1 010°C。沸点3 127°C。比重 7.003(25 °C)。化合价 3。电子组态 2,8,18,22,8,2 或 $(Xe)4f^4 5d^0 6s^2$。

neoevolutionism 新进化论 人类学理论的一个学派,涉及文化上长期性的、方向性的、"进化论的"变化理论,认为在彼此无关系的、遥相分隔的诸不同文化中,可能见到规律性的发展模式。20 世纪中期发展起来的新进化论人类学涉及一般进化与特殊进化之间的关系。人类文化一般进化的特征是长期的、"渐进的"变化过程;特殊进化则表现为各种短期的、地方化了的社会及生态的各种调整过程,这些过程促使诸特殊文化在适应其独特环境的条件下形成彼此不同的模式。新进化论者还进一步研究不同文化对相似环境的各种适应方式,并考察可比群组之间在长期文化发展中所出现的相似性与不同点。由于绝大多数新进化论者对他们所研究群组的环境及技术调整感兴趣,许多人都把文化生态研究方法用于人种志。新进化论的人类学理论出现在 20 世纪 40 年代,以美国人类学家 L.A.怀特、J.H.斯图尔德及其他一些人的著作为代表。自从怀特和斯图尔德的开创性著作发表以来,新进化论的研究方法就一直受到各式各样的对待,有接受这种方法的,也有反对、否定以及修正的意见。这种理论在那些对长期性文化变迁与社会变迁问题感兴趣的考古学者与人类学者们中间,引起了热烈的争论。

Neogaean realm 参阅 **Neotropical region** *新热带区*。

Neogene Period 新第三纪 又称新近纪。新生代(开始于约6 640万年前,延续到现在)二分法的后一个纪,包括中新世和上新世(2 370万年前至 160 万年前之间),有些人认为它包括的时间一直到现在。"新第三纪"术语本身意思是"新的诞生",它本用来强调这个时代地层里发现的海相和陆相化石彼此间关系要比与在它之前的、称为*老第三纪*(**Paleogene period**)地层中的海相化石间关系更加密切。新第三纪这个术语在欧洲广泛地作为一个地质分期用,但北美一般不用,而把新生代简单地分为第三纪(约6 500~250 万年前)和第四纪(约 250 万年前到现在)。

Neoglaziovia 芦状凤梨属 凤梨科的一属。仅 2 种多年生草本植物,均原产于巴西,花紫色。*N. variegata* 芦苇状,叶长达 1.2 米,其纤维可搓绳索、结网和做包装材料等。

Neogrammarian 新语法学派 德语作 Junggrammatiker。1875 年前后出现的一批德国学者,他们提出的语言变化的主要原理是语音定律是毫无例外的。这个原理曾经引起争议,因为当时所发现的诸如*格里木定律*(**Grimm's law**)那样的若干语音定律,都对语言变化中的某些不规则现象似乎无法解释。但到 1875 年,丹麦语言学家 K.维尔纳对格里木定律明显的例外情况作了解释,称为*维尔纳定律*(**Verner's law**)。为了说明其他一些例外情况,随后又发现许多重要的语音定律,并把这些定律化成公式。19 世纪末,语音变化规律性的假说已经得到普遍承认。

Neolithic Period 新石器时代 又作 New Stone Age。史前人类文化演进或工艺发展的最后阶段。以磨制石器、依赖耕种或家畜、村居并出现制陶和编织工艺为特征。它处于旧石器时代之后,青铜时代或早期金属器时代之前。新石器阶段形成于全新世(地球历史的最近 1 万年)时期。此时,人类学习种植、养畜,不再依赖渔猎和采集。新石器文化通过用更硬的石块磨研而不再仅用砸的方式制造出更加实用的石器。种植谷物使新石器时代的人能建造常住的房屋并形成村落。摆脱游牧和狩猎-采集经济使得他们有时间去寻求专门的工艺。考古调查表明,从采集食物的文化向制造食物的文化过渡是从肥沃新月地带(西亚)的一个起点逐渐传及亚洲和欧洲的。种植和养畜约于公元前 9 000 年首先出现在西南亚。在底格里斯和幼发拉底河流域(今伊拉克和伊朗)以及今叙利亚、以色列、黎巴嫩和约旦地区,基于农耕和村居的生活方式肯定形成于公元前 7000 年前。最早的农民种植大麦、小麦,饲养山羊和绵羊,以后又有了牛和猪。他们的创新从中东向北沿两条路线:经土耳其和希腊传至中欧;经埃及北非传至西班牙。希腊的农业村庄最早出现在公元前 7000 年。其后,农耕向北传遍大陆约经历了 4 000 年。这种漫长而逐步的过渡直至公元前 3000 年以后才在不列颠和斯堪的纳维亚完成,这称之为*中石器时代*(**Mesolithic Period**)。约公元前 5000 年,新石器工艺亦东传至印度河流域。种植小米、大米的农业村社约在公元前 3500 年出现在中国的黄河流域和东南亚。在新大陆,新石器的生活方式独自完成。从公元前 6500 年起,在墨西哥和中美洲逐渐种植玉米、豆科和南瓜属植物;而定居生活最晚始于约公元前 2000 年。在旧大陆,新石器时代之后为*青铜器时代*(**Bronze Age**),那时人类社会已学会把铜、锡制成青铜,取代石器作为工具和武器。

neon 氖(Ne) 化学元素,周期表0族稀有气体族中的一种惰性气体,无色、无嗅、无味且比空气轻,用于电气信号灯和荧光灯。小量地存在于地球大气中,并被密封于地壳岩石中。虽然大气中氖含量约为氦的 3.5 倍,但按体积计干燥空气仅含氖 0.001 8%。氖在宇宙中的丰度比在地球上大。氖在 -246.048 °C液化,温度再降低 2.5 °C则凝固。电流通过低压氖气时,会发出明亮的橙红色光。利用氖的这种性质来制作氖信号灯(从 20 世纪 20 年代起就为人们所熟悉),氖还用于荧光灯、气体导电灯和高电压测试仪中。1898 年,英国化学家 W.拉姆齐和 M.W.特拉弗斯发现了氖,它是从空气所得液化粗氩中最易挥发的组分。由于氖电激时能发出特殊辉光,因此立即被确认为一种新元素。工业上利用分馏液态空气制备氖。液化空气最易挥发的部分由氦、氖和氮的混合物组成。在加压降温条件下用冷凝法,接着用深度冷却的活性炭吸附法除去氮气。用低温活性炭选择吸附法把氖与氦分离。处理88 000磅液态空气可得 1 磅氖。未观察到氖有稳定化合物。氖分子由单个原子组成。天然氖是三种稳定同位素的混合物:氖 20(90.92%)、氖 21(0.26%)和氖 22(8.82%)。氖原子序数 10。原子量 20.183。熔点 -248.67°C。沸点 -246.048 °C。密度(0 °C,1 大气压)0.899 90 克/升。化合价 0。电子组态 2,8 或 $1s^2 2s^2 2p^6$。

Neoorthodoxy 新正统派 20世纪兴起于欧洲和美国而且有影响的基督教神学运动,在欧洲称危机神学或辩证神学。该派运用《圣经》、各项信条的和正统新教神学的传统教会语言解释教义,故名。他们认为,使用古典宗教改革时的基督教语言,比他们所熟悉的开明派神学语言更适合于用来讨论社会现实。新正统派既然批判现代文化,因而也就研究政治和经济制度,探讨这种制度对于人类的自觉的存在会起什么作用。该派神学家从不同角度出发指出,宗教、伦理、经济和政治构成一个整体,即社会文化,不能分开认识和对待这些方面。因此他们关心社会制度和社会问题,设法以基督教的观点来认识共产主义、种族关系和核武器等当代争论未决的问题。

Neoplatonism 新柏拉图主义 希腊哲学最后一个学派,公元 3 世纪由一名伟大的哲学和宗教天才人物柏罗丁所创建。通常属于新柏拉图主义学派的古代哲学家自称为"柏拉图主义者",这和文艺复兴时代和 17 世纪接受过古代新柏拉图主义影响的哲学家们也自称为柏拉图主义者一样。参阅 **Platonism**。

neoprene 氯丁橡胶 一种弹性体,由较简单的化合物 2 -氯- 1,3 -丁二烯(氯丁二烯)聚合制成的橡胶状合成高分子有机化合物(聚合物)。用于生产鞋底、胶管和各种胶黏剂等。耐油、耐溶剂、耐热、耐风化作用均较天然橡胶为优。发现于 1931 年,是美国研制的第一个合成橡胶。通常用氧化镁或氧化锌硫化,有时也用硫磺。用氯丁橡胶制轮胎太贵,但耐化学品、耐氧化,在特殊应用中仍有价值。参阅 **rubber**。

neoprioniodiform 新锯齿牙形石型 牙形石,即亲缘关系不明的牙齿状磷酸盐小化石。其特征是有一个主要端齿尖和数目不一、可能完全融合一起的附齿尖，以及具有深沟线的下侧区。该型包括几个属，是奥陶纪极好的标准化石。

Neoptolemus 涅俄普托勒摩斯 在希腊传说中，他是特洛伊战争时期希腊军队的英雄阿喀琉斯和斯库洛斯国王吕科墨得斯的女儿得伊达弥亚的儿子，有时又称皮洛斯，意为金发者。在特洛伊战争的最后一年里，希腊英雄奥德修斯把他带到特洛伊，因为在这之前，特洛伊的预言者赫勒诺斯宣称：除非得到帮助修筑过特洛伊城墙的埃阿科斯的后人的帮助，否则特洛伊城是不会攻破的。涅俄普托勒摩斯就是埃阿科斯的曾孙。他作战英勇，参加了攻占特洛伊的战斗，但是由于在祭坛旁杀死年老的国王普里阿摩斯而犯有渎神罪，他同普里阿摩斯的儿媳安德洛玛刻生摩洛索斯，成为摩洛斯人的国王们的祖先。后来他娶赫耳弥俄涅为妻，但是不久在德尔斐被杀。

Neorealism 新现实主义 意大利的文学和电影运动，在第二次世界大战后尤为繁荣，它努力以写实手法描绘那些最终导致这次战争的事件以及那些在战争期间和随后产生的社会问题。文学运动可追溯到 20 世纪 20 年代，后受法西斯统治压制达 20 年；第二次世界大战结束后开始蓬勃发展。其生命力在于法西斯压迫、抵抗运动以及战争在那些富有才华的作家心中注入的痛切的感受、经历和信念；而在 30 年代和 40 年代译成意大利文的英美的具有社会觉醒意识的作品则对这一运动起了推波助澜的作用。新现实主义运动的代表作家有获诺贝尔奖的诗人 S. 夸齐莫多，小说家 A. 莫拉维亚、I. 西洛内、C. 莱维、V. 普拉托利尼、C. 帕韦泽、E. 维多里尼、I. 卡尔维诺、C. 马拉帕尔泰和 C.E. 加达等人。莫拉维亚在 1929 年出版的《冷漠的人们》也许是这一运动的第一部代表作。西洛内在流亡瑞士时期写出了《丰塔马拉》(1930)等反法西斯题材的作品，因而赢得了国际声誉。维多里尼则在《在西西里的谈话》(1941)这部海明威式的精彩小说中对法西斯政权进行了隐晦的批判。

战后，运动势不可挡地发展起来，普拉托利尼停止了写自传体作品，发表了写佛罗伦萨贫民生活的《街区》(1944)和这一运动的最优秀作品之一的《苦难情侣》(1947)。马拉帕尔泰出版了两部描写战争的震撼人心的小说《毁灭》(1944)和《皮肤》(1949)。E. 维多里尼在《人与非人》(1945)中公开叙述了他参加抵抗运动的经历。莱维则在《基督停留在埃博利》(1945)中感同身受地刻画了意大利南部农民的苦难处境而获得国际声望。其他的作家也感到要描写当时以及过去的生活的冲动。夸齐莫多摆脱了隐逸主义，开始发表关于战争和社会问题的诗歌，其第一部作品是《日复一日》(1947)。莫拉维亚继续从事创作活动，发表了许多杰出的新现实主义小说。帕韦泽献出了两部关于他在法西斯监狱中的生活的小说以及一些描写当代绝望情绪的内省小说。电影中的这一运动是同文学运动同时出现的。新现实主义影片的风格特点在于纪实的客观性；片中演员本身就是或者很像是普通生活情境中的普通人。虽然这类影片往往制作得匆忙并粗糙了一点，但它们与传统影片制作那种逃避现实的理想化做法大相径庭，它们直面人生，大胆处理当代主题，因而在国际上颇具影响。第一部新现实主义影片是 R. 罗塞里尼的《罗马，不设防城市》(1945)，这是一部揭露纳粹占领期间意大利人惨遭迫害的反法西斯影片。罗塞里尼的另一部影片《游击队》(1946)，表现意大利在战争中的六个小故事，也具有同样的悲惨性质。其他重要的新现实主义影片有 D. 西卡的《擦鞋童》(1946)和《偷自行车的人》(1948)以及 L. 维斯孔蒂的影片《大地在战栗》(1948)，最后这一部描写西西里的贫苦渔民生活，其中角色无一是职业演员。1950 年以后，意大利影片的倾向由现实主义逐渐转向神秘幻想、象征主义和文学题材。

Neoregelia 杂色叶凤梨属 凤梨科的一属，含约 40 种附生植物，原产南美热带地区。有几种(如卡罗来纳杂色叶凤梨[羞赧凤梨，*N. carolinae*])花和叶色彩美丽，作为室内观赏植物。该属植物叶色斑驳，具大理石花纹

卡罗来纳杂色叶凤梨(*N. carolinae*)
美国不列颠百科全书公司供图

或带状条纹，莲座状簇生；花小，白色、蓝色或紫色，着生在莲座中心深处。杂色叶凤梨属中一些种的叶被刺或鳞片。中心叶在花期色鲜艳。

Neosho 尼欧肖 美国密苏里州西南部城市，牛顿县县城(1839)。在欧扎克山区，乔普林东南 32 千米处。1839 年始建。1855 年设市。县政府院内竖立有南北战争时脱离联邦的南方议会会议(1861-10)纪念碑。经济依赖农业(养禽、乳品业)、轻型制造业(服装、金属线制品、家具等)和火箭发动机试验设施。当地鱼和野生动物养殖场(1887)是美国历史最悠久的同类养殖场之一。附近有铅矿和锌矿。克罗德堡所在地设有克罗德学院(1964)。画家 T.H. 本顿即在此出生。人口 9 254(1990)。

Neosho River 尼欧肖河 美国河流。源出堪萨斯州莫里斯县康瑟尔格罗夫以北，向东南流入俄克拉何马州(当地称格兰德河)，在吉布森堡附近汇入阿肯色河。全长 740 千米。流域面积32 789平方千米。其河口水流量从每秒3 800立方米到每秒 1 立方米不等。河上建有多座水坝和水库等灌溉防洪设施。尼欧肖河在康瑟尔格罗夫的渡口是历史上圣菲小道的起点。

Neospirifer 新石燕 腕足动物的绝灭属。化石见于晚石炭世到二叠纪的海相地层(晚石炭世到二叠纪之末的时间是约 3.2 亿年前至2.45亿年前)。有许多已知种，壳瓣结实，

新石燕
美国不列颠百科全书公司供图

往往完善地保存为化石。壳上通常发育明显的沟或槽、特殊的脊或褶，有助于鉴定。是地层对比有用的标准化石。

neotenin 参阅 **juvenile hormone** 保幼激素。

neōteros 新诗派 有意识地模仿亚历山大希腊典范的形式和内容，借以摆脱拉丁诗歌劝世和爱国传统的诗人。他们对使用过多的头韵、拟声语和格律呆板沉闷的现象感到不满，而这正是古罗马的恩尼乌斯传统影响下的史诗和劝世性作品的特点。他们写作过分精雕细刻、优美高雅和深于世故的短史诗、抒情诗、警句诗和哀歌。他们扶植一种自我表现文学和一种轻快的娱乐诗，并把一种后来称之为“为艺术而艺术”的美学态度引进拉丁文学。这一流派最初出现在公元前 2 世纪，本质上是非罗马的。它的核心人物是米兰诗人和教师普布利乌斯·瓦列里乌斯·加图，其他成员大都来自意大利北部边远地区。卡图卢斯就是其中之一，他在黄金时代中的西塞罗时期(公元前 70 ～前 43)曾用拉丁文和希腊文写作精美的爱情抒情诗和短史诗。在奥古斯都时期(公元前 43 ～公元 18)，新诗派的影响尤其表现在维吉尔的田园诗和赛克斯图斯·普洛佩提乌斯与提布卢斯的哀歌中，以及劝世和爱国的传统的一般精美的作品中。两个世纪之后，一批被称为新派诗人的人便以新诗派为榜样，用希腊语并按照希腊的榜样写作。

Neotropical region 新热带区 又作 Neogaean realm。又称南美区。根据动物区系特征而划分的世界 6 个大陆区之一。从墨西哥荒漠向南延伸到南美，直抵亚南极带。新热带区的动物包括美洲驼、貘、鹿、猪、美洲豹、美洲狮、各种负鼠、许多啮齿类和鱼类，及特别多的昆虫和鸟类，与新热带区大致相当的植被区称为新热带界。重要的植物有观赏用的禾草类、庭园花卉品种的祖先类型、龙舌

兰、橡胶树和各种材用树。

Nepal 尼泊尔 全称尼泊尔王国。南亚内陆国家，北与中国西藏接壤，以喜马拉雅山脉为界，东、南和西三面与印度交界。面积147 181平方千米。首都加德满都。东南至西北长约800千米，南北宽约140～240千米。境内有世界最崎岖险峻的高山地带。由于地理封闭和多年来自我孤立，尼泊尔是世界上最不发达的国家之一。人口约18 910 000(1990)。

土地 境内由南至北有四个连续的自然地理带：沿印、尼边界的德赖平原，多林木的朱里亚丘陵和丘陵以北的内德赖区，中部山区及大喜马拉雅山脉。德赖平原地势低平(海拔180～360米)、土壤肥沃，为恒河平原的北部延伸，宽约26～32千米。平原南部为农业区，与山脉丘陵交接处多沼泽和森林。人口稀少的朱里亚丘陵和内德赖区地势升高，与崎岖的默哈帕勒德山脉(海拔600～910米)相接；山间盆地则多森林。位于默哈帕勒德山脉与大喜马拉雅山脉之间的中部山区有一系列高度为2 400～4 300米的复杂山系，其间有加德满都和博克拉两个平坦谷地，巴格马蒂河和塞蒂河分别从这里流过。人口稠密的加德满都谷地为该国政治和文化中心。大喜马拉雅山脉高4 300～8 800米，区内有数座世界最高峰——珠穆朗玛峰、干城章嘉第一峰、马卡鲁第一峰、乔奥约峰、道拉吉里第一峰、马纳斯卢第一峰和安纳布尔纳第一峰——高度均超过8 040米；珠穆朗玛峰(8 848 .13米)为世界第一高峰。戈西、那拉雅尼(根德格)、格尔纳利三条河向南流经喜马拉雅山脉的横谷，均为尼泊尔的主要河流，水力发电资源丰富。

尼泊尔境内的气候变化多样，德赖平原为亚热带季风气候，大喜马拉雅山脉属高山气候。德赖平原东部年降水量为1 800～1 900毫米，尼泊尔西部地区则为760～890毫米。德赖平原低地在季风季节(7～10月中旬)有严重洪灾。冬季(11～次年3月)平均气温在德赖地区南部为19°C，山间盆地13 °C。两地的夏季(4～6月)平均气温分别为28 °C和21 °C。

尼泊尔主要的自然资源之一是森林，约占国土面积的1/6，林区可提供珍贵的木材、薪柴和草药。海拔最低处为热带潮湿落叶林，有虎、豹、鹿、猴和少数印度犀牛出没。海拔1 200米以上的森林为常绿落叶林(有橡树、枫树和木兰)，喜马拉雅山中部山坡偶有豹和熊出没。海拔3 050～3 650米之间为针叶林；林中有野兔、鹿、羚羊和小型食肉动物。再高的地区则为生长杜鹃花和桧木的次高山和高山草原，其间有麝和野羊等动物。

人民 尼泊尔早期殖民有大批来自西藏的亚洲人和来自印度北部的印度-雅利安人。具有印度-雅利安血统的尼泊尔人占总人口的绝大多数，藏裔尼泊尔人则是该国人口中重要的少数民族。由梵语转化而来的尼泊尔语为官方语言；藏-缅语系的尼泊尔语和其他许多主要语言也能通行。约9/10的人口为印度教徒，另有少数佛教徒。

尽管尼泊尔的人口出生率和死亡率都很高，该国人口仍以相当快的速度增长。15岁以下人口占总人口的2/5以上。几乎所有的人口都住在乡间。城市人口主要集中在加德满都。政府正努力降低德赖地区人口的密度，除改善交通运输与通讯、实行区域发展计划外，并在乡村建立小型工业以鼓励小型城市中心的发展。

美国不列颠百科全书公司供图

经济 尼泊尔属市场经济，以农业为主；经济的发展得到中国、印度、德国、美国、加拿大、瑞士和跨国机构的大量援助。人均国民生产总值居世界最低之列。

农业约占国民生产总值的一半，雇用了9/10以上的劳动力。可耕地约占土地总面积的1/5，农业生产率极低。加德满都东南部的一个水电站将土地的灌溉面积增加到5%。尼泊尔在农业上能够自给自足，但该国各地区在食物的供需方面严重失调。

稻是最主要的农作物。玉米、小麦、马铃薯、甘蔗和谷子也普遍种植。尼泊尔为重要的草药生产国，草药产自喜马拉雅山脉的山坡。牛、水牛、山羊和绵羊在当地均有饲养。

林业是一个重要行业。原木砍伐以硬木为主，大多用做燃料；尼泊尔的大部分能源消耗来自木材。普遍以林木作燃料造成严重的森林破坏和土壤侵蚀。

发展中的工业不足国民生产总值的1/10，雇用不到1%的劳动力。政府提倡制造业使用国内原料，主要制成品包括棉制服装、砖瓦、纸、建材和加工食品。篮子、食用油和棉布等传统产品由家庭工业生产。

旅游业正在成为越来越重要的外汇来源。然而，加德满都谷地是全国唯一建有必要的旅游设施的地区。

电力大多靠水力发电，全国人均用电量远远滞后于亚洲其他大多数国家，甚至城市用电也受到严格限制。

中央政府的支出(包括用于发展的支出)远超过经常性收入，这些收入大多来自关税和货物税，以及商业和个人的所得税。经常性收入和支出之间的差额靠外援补足。外国援助为尼泊尔政府的5年发展计划提供了大部分资金。

印度控制了尼泊尔的对外贸易，并对尼泊尔的转口权加以限制。出口商品主要包括棉布服装、谷物、黄麻、木材、油菜籽、酥油、马铃薯、草药和皮张。进口商品则以资本货物、生活用品、矿物燃料及化学品为主。

政体与社会状况 尼泊尔是一个民主的君主立宪国。1990年通过的宪法规定成立两院制政府，由众议院(下院)和国民议会(上院)组成。众议院有205名经选举产生的议员，国民议会有60名议员，其成员每两年撤换1/3。除宪法规定的那些国王专有权力以外，国王行使其他权力必须根据大臣会议的建议或得到其同意。只有经下院2/3多数票的通过才能修改宪法。

尼泊尔的生活水准很低，婴儿死亡率相当高，平均预期寿命仅为54岁。社会福利制度包括各种农村发展计划，这些计划试图为人民提供基本生活必需品。医疗保健设施不足，而且无法为大部分农村人口提供服务。过度拥挤、卫生条件差和缺乏医护人员的情形十分常见。肠胃疾病流行，肝炎、霍乱、肺结核和伤寒也很普遍。由于营养不良造成的各种失调现象，如甲状腺肿大、智力发育不足、聋哑和脚气病，十分普遍，是该国人均食物摄取量相对较低的一个明显标志。大部分住房用泥土、枝条、竹子和一些木材及石块等材料建成，屋顶覆盖茅草或石板。

约有1/3的男子和1/10的女子能够识字。然而，政府广泛设立的学校已使国民能有较多的受教育机会，识字人口也在逐渐增加。公立和私立学校均提供5年制教育(1975年起实行免费)和中学教育。加德满都的特里布万大学(创建于1959年)为该国唯一的一所大学。

国内有尼泊尔文和英文两种文字的报纸和期刊，由于文盲众多广播电台遂成为最重要的大众传媒。1986年该国的电视节目在加德满都开播。

文化生活 尼泊尔的文化遗产，尤其是加德满都谷地的尼瓦尔人在雕刻、绘画和建筑等方面的成就，使尼泊尔人颇引为自豪。雕刻、建筑和戏剧均反映出印度教宗教的主题。音乐和舞蹈是人们最喜爱的休闲活动。宗教仪典所需要的鼓和管乐器都是自古代就一直保存下来的。常有民谣和古典成分的祈祷歌为大多数宗教仪式和家庭聚会时的一项重要内容。

历史 尼泊尔的早期历史以尼瓦尔传说为主，这些传说有佛教和婆罗门印度教两种说法。古印度典籍中曾提到尼泊尔谷地和较低的丘陵地区。公元前3世纪时，印度阿育王可能到过尼泊尔。

4或5世纪梨车王朝时，经由喜马拉雅山隘口进行的贸易，使封闭的尼泊尔谷地变成一个传播知识和文化的中心。7世纪中叶，尼泊尔与中国开始互派使节。10～18世纪期间马拉王朝统治着尼泊尔。亚克希亚·马拉(约1429～1482在位)将王国分成三个独立的公国，这些公国到16世纪分别由独立的王朝统治。

1769年布里特维·纳拉延·沙阿领导的廓尔喀人征服了尼泊尔谷地。他把首都迁至加德满都，奠定了现代尼泊尔的基础。

1775～1951年尼泊尔的政局不稳，王室和诸贵族之间经常发生争斗。统治者沙阿常被贬而虚有其名，而政权则落入某个势力强大的贵族家族之手。

英国人征服了印度使尼泊尔的统治者们被迫迁就英国，以保全他们的独立。1860年达成一项协议，同意英国招募尼泊尔人在英属印度军队中服役。

1950年，居住在印度的尼泊尔人联合一些王室成员推翻了自1846年便一直得势的贵族拉纳政权。在新德里印度政府的支持下，尼泊尔又恢复了王室统治，革命势力也在政府中获得一席之地。

1959年通过了一部宪法，并举行了国会选举。1960年马亨德拉国王与内阁发生争议，他解散了国会并将多位议员监禁。1962年一部新宪法颁布，使国王掌握了更大的权力。尽管当时尼泊尔在名义上是一个君主立宪国，但国王多年来一直对下至乡村上至国家的各级行政机构实行专制统治。国王可以左右大臣会议，并在很大程度上控制国民议会而不会遭到任何反对，因为根据宪法规定，一切政党活动都被禁止。1972年马亨德拉国王逝世，其子比兰德拉即位。比兰德拉继续采取其父建立的无政党制度。1990年发生的一系列反对国王专制统治的示威游行和抗议，迫使比兰德拉解除党禁，接受了大部分由反对派人士组成的新内阁。1990年还通过了一部新宪法，规定了多党民主制和两院制。2001年，大部分皇室成员被皇太子枪杀，而皇太子在枪击后也死于自残，使国家陷入政治混乱。

Nepālganj　尼泊尔根杰　尼泊尔西南部城镇。地处印度楠巴拉东北肥沃的德赖平原区，为稻米、小麦、玉米、油料和兽皮的贸易中心，是尼泊尔西部最大城镇，距国界以南的印度铁路终点站6千米。也是公路交叉点，可以通往西面各村庄和菇近的一个飞机场。亦为向北通往西藏的山路的起点。有一所医院。人口63 653(2000)。

Nepali language　尼泊尔语　尼泊尔人所操东部帕哈里方言。参阅 **Pahari languages**。

Nepali literature　尼泊尔文学　尼泊尔国内使用尼泊尔语所写成的著作之总称。在1768年廓尔喀政权建立之前，尼泊尔文献多用梵语及尼瓦尔语或尼泊尔语写成，而尼泊尔语则是廓尔喀征服者所使用的语言。这些文献包括宗教经文、编年史、捐赠契据等等。现存尼泊尔语文献资料，其史料价值多于文学价值，只有约1770年写成的廓尔喀王普里特维·那拉扬·沙阿的回忆录似为例外，其文学价值较高。用尼泊尔语创作的文学作品只开始于19世纪。1830年前后，一个尼泊尔语诗派兴起，诗人们创作主题多取自印度史诗《罗摩衍那》和《薄伽梵德世书》，所用语言，与其说是尼泊尔语，毋宁说是梵语。所用形式，也深受古典梵语主题和诗律的影响。19世纪中叶，跋奴婆陀继承了这个诗派的创作风格。他写成的尼泊尔语本《罗摩衍那》，语言流畅自然，通俗易懂，宗教热情真挚，描写真实生动，在读者中深受欢迎。20世纪早期的诗人莱克纳特·包迪亚尔也倾向于口语化，并在他的一些诗篇中运用民歌的节奏来写作。尼泊尔现代文学的出现，真正开始于20世纪20和30年代，是以巴尔克里希纳·娑摩的创作开其先声的。他以梵语及英语作品为范本写作抒情诗和戏剧，也写短篇小说。娑摩与其同时代的伟大诗人勒克希米·伯勒萨德·德沃戈达共同摒弃了较早时期梵语作品一统文坛的传统，转而采取一些西方文艺形式进行创作，较明显的有散文诗、悲剧和短篇小说。这些作家在其诗作中经常涉及的主题有爱情与爱国主义，还有尼泊尔在20世纪所面临的社会不公平、专制统治和贫困问题。现代尼泊尔戏剧是以娑摩为主要创作者的，在反映当代社会问题上颇受西方剧作家的影响，主要是易卜生的影响。在维希沃希沃尔·伯勒萨德·戈伊拉腊和跋婆尼·毗迦苏等作家的笔下，尼泊尔短篇小说也以尼泊尔的社会问题和改革需要为其中心内容。

Nepenthales　猪笼草目　显花植物的一目。主要特征为叶变形为捕虫器。一年生或多年生。有茎或无茎。草本或稍呈灌木状，或为藤本。叶互生，变态。花单性或两性，辐射对称或两侧对称；仅有萼片或为两被花；雄蕊少至多数，分离或连合；雌蕊1，子房上位，心皮3～5，合生；胚珠少至多数；虫媒传粉。蒴果；种子小，少至多数，适于借风力传播。生长于缺氮的土壤中，能捕捉并消化昆虫等小动物以取得氮质。分2科，5属，约180种。

猪笼草科(Nepenthaceae)仅1属：猪笼草属(*Nepenthes*)，约80种。为多年生草本或灌木状，或为藤本，茎细长，匍匐生长或攀缘于其他植物之上，可攀上15～20米高的树冠。匍匐茎的节上可生根。叶多，舌形或圆形，厚而有光泽，其前部成卷须，用以缠绕其他植物，有些种的卷须能承受6千克的重量。卷须顶端变为口朝上的瓶状的捕虫囊，其形状、颜色各异，在同一植株上亦然：管状、圆柱状、瓮状、漏斗状、高脚杯状、球形或卵圆形，上端1/3稍缩窄。小者大如顶针，大者长50厘米，多数长10～15厘米。色鲜艳，常被误认为花，多为黄绿色至深绿色而带红纹。瓶口边缘有凹槽而如瓦楞纸状，口上有不能活动的盖，用以挡雨水，盖的下表面及口缘部多蜜腺。昆虫(尤其是蚁)为茎、叶(包括卷须及瓶状叶口缘部)的蜜腺所吸引来到瓶口，瓶内面上部覆以蜡质，极滑，昆虫至此失足跌入瓶底，该处每平方厘米有消化腺6 000条，分泌含蛋白酶及弱酸的消化液，瓶内生活的细菌亦有助于消化。在高温条件下消化过程于2～8小时内完成。含氮消化产物由瓶壁吸收。花小，簇生，浅绿或紫红色，簇生于茎端，单性，雌雄异株。种间易杂交，杂种有繁殖能力，在栽培条件下育成许多有趣的人工杂种。某些昆虫及其他小动物能在其瓶状叶内寻找食物或隐蔽所。某些蜘蛛仅能生活于瓶状叶口部水面之上，于此捕食被诱来的昆虫。20多种双翅目昆虫(2/3为蚊类)仅生活于瓶状叶的底部液体环境中。有些原生动物、黏菌、鼓藻、硅藻、轮虫、寡毛纲环虫、甲壳类、许多

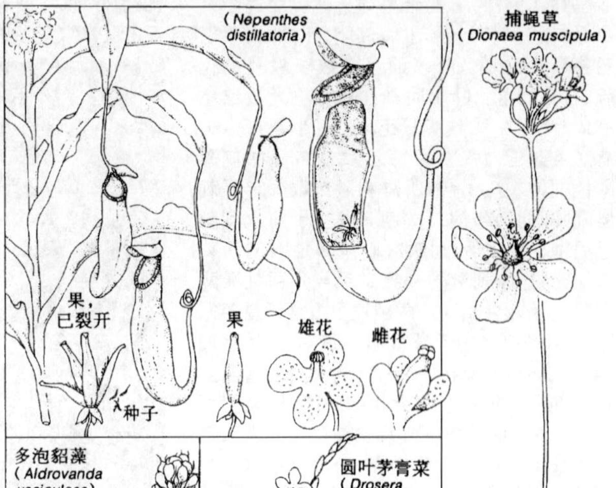

猪笼草目代表植物：
(上左)猪笼草科；
(其他)茅膏菜科

蚊蝇类幼虫，甚至某些蝌蚪偶然生活于瓶状叶中。沙巴的西里伯斯眼镜猴（*Tarsius spectrum*）用嘴舀食落入瓶内的昆虫。猪笼草分布中心在婆罗洲，尤其是沙巴的基纳巴卢山，由此向外辐射状分布，范围从斯里兰卡至新几内亚和澳大利亚北部。见于海平面至3 000米高处的潮湿热带森林。有些种为地方性分布。瓶状叶猪笼草（*N. phyllamphora*）分布华南至新几内亚，澳大利亚北部有近缘种。

茅膏菜科（Droseraceae）为一年生或多年生草本，稀为小灌木；多无地上茎。根纤维状，每年从根状茎生出。叶基生，除捕蝇草外上下表面均覆以腺毛及敏感的触毛。花两性，多为5萼片及5瓣；雄蕊5至多数而排成5轮，离生或近乎离生；子房一室，心皮3～5个；花柱3～5个，离生，常分裂。蒴果。种子3至多颗，纺锤形。分4属，103种。分布于世界温带至热带地区，多见于潮湿的荒地、沼泽、潮湿的稀树草原、沙滩，喜缺氮的酸性土壤，但露叶花属（*Drosophyllum*）分布于地中海地区（摩洛哥北部，西班牙、葡萄牙南部）干燥、多砾石的小丘的酸性土壤。捕蝇草属（*Dionaea*）仅1种——捕蝇草（*D. muscipula*）。多年生。分布于美国大西洋海岸平原潮湿的常绿灌木沼泽及干燥、沙质的长叶松稀树草原之间的过渡地带，见于潮湿的洼地、池塘边缘，与瓶子草、茅膏菜、捕虫堇等杂生。偶然发生的火灾有助于其生存。其捕虫叶由两个形状相同的半圆形裂片组成，长5～15厘米，宽2.5～5厘米，中间连以粗厚的有如铰链的中肋，两裂片间成50°角，在阳光充足处者呈鲜红色，阴暗处者呈绿色。裂片边缘有13条梳齿状长刺毛，于裂片闭合时即如手指般将裂片联锁。叶表面具多数蜜腺及消化腺，有猎物落于叶上时消化腺分泌大量红色液体，使叶片外形甚似花朵。每个裂片中央有3条对压力敏感的毛，受2次或多次刺激即能促使裂片闭合，所需刺激次数决定于刺激间隔时间，若第二次刺激发生于前次刺激之后1.5～20秒则两次刺激即足以使两裂片闭合，连续刺激同一感觉毛或分别刺激两根感觉毛效果相同。两裂片于正常日温条件下于半秒钟之内即能闭合。最短纪录为80毫秒。猎物的挣扎使裂片闭合更紧。若昆虫形小而从互相咬合的齿状毛间逃脱，则裂片于4～5小时后重新开启。捕虫叶上表面每平方毫米存在无柄腺50条，分泌含蛋白酶及蚁酸的消化液，消化过程于裂片闭合后36小时内开始，约10天完成，然后叶片开启。捕虫3～4次后捕虫叶即死亡。茅膏菜属（*Drosera*）约100种，分布世界，多见于南半球（澳大利亚、新西兰、非洲南部）。多为草本。高数厘米至100厘米以上。常有块茎或细长的根状茎。叶形似无指手套或为卵形、圆形、匙形、带形、线形，长约1厘米，莲座状着生。叶片上有分泌黏液的腺毛，边缘尚有400多条可弯曲的触毛，其长度越近外围越大，实为有柄的红色腺体，头部球形，分泌清亮的黏液，黏液在阳光下熠熠生辉如露珠状。蚊、蚋等小昆虫落到叶上即为黏液胶住窒息，越挣扎黏液分泌越多。数分钟内至数小时内，触毛由内向外陆续弯曲将昆虫困住，触毛又分泌消化液将其消化。数日至数周消化完成，触毛直立，昆虫残骸落下或被冲走、刮走。触毛运动速度慢于捕蝇草的裂片闭合，只能捕较小较弱的昆虫。触毛弯曲及伸直的机制为内、外侧细胞的生长速度不同。每根触毛可如此运动3次，有些夜蛾的幼虫食茅膏菜的无腺体部分。一种澳大利亚异翅目昆虫在茅膏菜叶上吮吸被捕昆虫的体液。茅膏菜的花序为聚伞花序，花瓣白或粉红色乃至深红色。可通过种子或芽胞、块茎及叶、根、花序的不定芽繁殖。露叶花属仅1种——葡萄牙露叶花（*Drosophyllum lusitanicum*），多年生；高1.5米，灌木状；叶线形，触毛似茅膏菜而不能动，昆虫落到叶上为大量黏液粘住，消化酶的分泌连续不断。貉藻属（*Aldrovanda*）仅1种——多泡貉藻（*A. vesiculosa*）。多年生。分布于欧洲大西洋沿岸至印度、日本，南至莫桑比克、澳大利亚。漂浮于浅而平静的淡水中的水烛、芦苇、茭白的茎之间，长10～15厘米。无根。捕虫叶似捕蝇草而较小，中肋不呈铰链状，合闭速度为1/50秒。

猪笼草目植物可观赏用。本目化石材料不多。或认为本目从虎耳草目演化而来。与虎耳草科（尤其是其中一部分可另立为梅花草科[Parnassiaceae]者）近缘。或将本目与瓶子草目组成一个自然类群。或将猪笼草科归入马兜铃目（该目包括烟斗藤）。但从花粉及胚株形态分析猪笼草科与茅膏菜科为近缘。或将捕蝇草另分立为一科捕蝇草科（Dionaeaceae）。

Nepenthes　猪笼草属　猪笼草目（Nepenthales）猪笼草科（Nepenthaceae）的一属，已知约80种，主要原产于东南亚洲和澳大拉西亚（北美常见的食虫植物瓶子草类[**pitcher**

猪笼草属（*Nepenthes*）瓶子草
美国不列颠百科全书公司供图

plant]属瓶子草科）。本属植物为多年生灌木，稀为草本，常借叶攀缘；或为附生。叶互生，翅状或宽展，末端缢缩成螺旋状卷须。卷须末端接一个直立而下垂的捕虫器（圆筒形或壶形的瓶状构造，具盖，通常色鲜艳，内有液体，可以淹死落入的昆虫）。花无瓣，不明显。栽培种有马来猪笼草（*N. hookeriana*）、维奇氏猪笼草（*N. veitchii*）、*N. dominii*、*N. mastersiana*、瓶状叶猪笼草（*N. phyllamphora*）等。

nepheline　霞石　又作nephelite或eleolite（脂光石）。是最常见的似长石矿物，为含钠和钾的铝硅酸盐（$Na_3KAl_4Si_4O_{16}$）。在玻璃和

产自美国缅因州利奇菲尔德的霞石
美国不列颠百科全书公司供图

陶瓷制造中有时用来作长石的代用品。霞石是碱性深成岩，特别是霞石正长岩和霞石片麻岩的特征性矿物。在意大利的维苏威火山索马山与云母、石榴子石和透长石一起形成美丽的晶体产出。详细物理性质，参阅**feldspathoid**（表）。三斜霞石是人工合成的高温霞石。钾霞石是原钾霞石的高温形态，是霞石的富钾的变种。钾霞石在常温下不稳定，在自然界中很少出现。

nephelinesyenite　霞石正长岩　中粒至粗粒的侵入岩，是主要由长石和霞石组成的碱性正长岩类（参阅**syenite**）的岩石。与花岗岩相比，二氧化硅含量极少，碱金属含量较多。霞石正长岩类在矿物性质方面的极其多变以及在习性上、结构上、外观上和成分上的显著变化受到了很大注意；对霞石正长岩类所作的岩石学研究比对任何其他深成岩做过的都多。加拿大的霞石正长岩在陶瓷和玻璃产品的制造中被用来代替长石。霞石正长岩中的长石可以是隐纹长石，或偶尔也可以是钠长石和危斜长石的混合物。霞石有时全部或部分被方钠石和钙霞石替代。最常见的深色硅酸盐矿物是绿色的辉石，碱性闪石（绿的、棕的或蓝的）也是大量的。在有些地区，辉石实际上不存在，被普通角闪石和黑云母的混合物替代了。不论是深色硅酸盐还是霞石的含量超过30%（按体积计）的岩石一般就不叫霞石正长岩。霞石正长岩中不含石英和富钙的斜长石，但方解石几乎从来不缺，而且可能是大量的。经常出现富含锆、钛和稀土的矿物，含量有时很丰富。在岩石圈中，霞石正长岩和有关的火山岩或深成岩的量是很小的，然而每个主要大陆块上都有各式各样的霞石正长岩产出，而且在很多大洋岛上都发现有它的火山岩代表。深成霞石岩一般产于小型杂岩体中，有些是完全孤立的，但大多数与成分相似的喷出岩密切伴生。

nephelinite　霞石岩　含有霞石和辉石，并且通常全部结晶的贫于二氧化硅的（基性）熔岩。这种岩石尽管地理分布广泛，并且偶尔在局部地点大片发育，但毕竟是非常少见的岩石。只见于第三纪的地层中（年龄大约从6500万年前到250万年前）。盛产霞石岩的地点有加那利群岛、亚速尔群岛、佛得角群岛、巴西海岸附近的费尔南多-迪诺罗尼亚岛。霞石岩中的辉石可以是富钛的普通辉石，也可以是霓石；斜长石如果有的话，常是拉长石。富含白榴石和蓝方石的品种是很出名的。黑云母在某些类型中有其特征；闪石

很少见。副矿物可能有透长石、黄长石、方钠石、钙钛矿、磷灰石和铬铁矿。

nephelometry and turbidimetry 浊度测定法和比浊法 分析化学中通过测量溶液浊度对光的散射和透射的影响程度,确定溶液浊度值的方法。液体的浊度是由密布的悬浮颗粒引起的,如果一束光线穿过混浊样品,则光强度因散射而降低。散射量取决于颗粒的浓度和粒度分布。浊度测定法测量散射光的强度,比浊法则测定穿过样品的透射光的强度。浊度测定和比浊测定用于天然水和被处理水中悬浮物的测定;也用于煤、油和其他有机物中硫的测定,在上述情况下硫以硫酸钡的形式沉淀出来。

Nephi 尼法 美国犹他州中北部城市,朱阿布县县城,在沃萨奇山脉南端。1851 年为农业移民点,称索尔特克里克,19 世纪 50 年代末摩门教领袖以摩门教圣经一位先知的名字重新命名。原为畜牧及农业中心,后因附近地区开采石膏而成为装运地,也是橡胶生产中心。此地每年举办犹他牛仔竞技狂欢节,是尼博观景环线的西部终点。人口4 733(2000)。

nephridium 肾管 多种低等无脊椎动物的排泄系统的组成单位,从体腔将废物排出体外(一般排入水中);亦见于文昌鱼。肾管的出现说明组织已经特化,无需所有细胞都接触海水,以扩散新陈代谢废物。肾管有两种形式:①原肾管,较简单、原始,见于扁虫、纽虫或轮虫,通常分散于其他体细胞之间。由位于体腔内的中空细胞构成,由此伸出一管通到体外,开口处称为肾孔。体腔内的液体滤入中空细胞(具纤毛者称焰细胞,具鞭毛者称为管细胞),纤毛或鞭毛不断摆动,促使滤出的尿液流入收集管,并排出体外。②后肾管,较复杂,一般排列成对,见于环节动物等。无焰细胞,直接开口于体腔,管壁有纤毛推动体腔液排出体外。小管细胞活跃地再吸收通过此处的有用营养物质。小肾与侧管为线虫所特有的同功构造。

nephrite 软玉 闪石类的透闪石-阳起石-铁透闪石系列中的宝石级硅酸盐矿物。在两种玉中较常见,但价值不大,常呈细长纤维的细密交织的致密集合体产出,半透明至不透明。它与玉石的另一类型*硬玉*(**jadeite**)的区别在于具参差状断口和油脂光泽。一般的绿色软玉通常因具有深色的包裹体而带有杂色或斑点。软玉产在低级区域变质岩中。在中国历史上,最重要的软玉产地是和田地区和中亚细亚的叶尔羌。其他重要产地包括西伯利亚的贝加尔湖地区、新西兰南岛、阿拉斯加州的科策布、怀俄明州斯威特沃特河流域和瑞士的格劳宾登州。巨大的软玉砾石在波兰西里西亚的约尔达努夫及加拿大不列颠哥伦比亚的弗雷泽河和特纳盖因河谷产出。在非洲大陆软玉是 1960 年首次在罗得西亚(津巴布韦)马沙巴发现。1965 年在中国台湾花莲也曾发现。

nephritis(medicine) **肾炎** 参阅 **Bright's disease** *布赖特氏病*。

nephroblastoma 肾母细胞瘤 又称肾胚胎瘤或威尔姆氏瘤。是幼儿的恶性肾脏肿瘤。75%发生于 5 岁以前,其中 2/3 在 2 岁以内。肿瘤生长迅速,并可能重达全身体重的一半。成人罕见本病。肾胚胎瘤早期不引起任何症状,以后可出现发热、肾实体变形、身体其他部位的转移瘤、腹痛、腰痛、消瘦、恶心、食欲不振、呕吐等。肿瘤起始于肾皮质,最初绕以致密的纤维包膜,一般呈灰白色,质软,往往破坏整个肾脏,并扩散到邻近脏器,常转移到肺、肝、脑及骨。若能早期确诊,可行手术切除,术前术后均应进行放射治疗。有时可用化学治疗以减慢肿瘤细胞的生长速度。

nephrology 肾病学 有关肾功能研究及肾脏病治疗的医学分支。17 世纪中叶,L.贝利尼与 M.马尔皮基首先对肾脏作科学的观察,但对肾脏生理的了解却始于 C.路德维希于 1844 年提出的假说,即血压迫使体内废液自肾毛细血管进入肾单位。1899 年,E.斯塔林进一步解释肾脏功能,提出渗透压有助于尿液在肾脏内浓缩的学说;该学说在 20 世纪 20 年代经 A.N.理查兹证实。有关肾功能的知识增加,研究肾脏病治疗的临床肾病学遂由泌尿学与心脏学中独立出来。虽然信息增加,但在 20 世纪 50 年代前,对严重肾脏病患者所能采取的治疗措施仍少。第二次世界大战期间,利用血液透析除去血液中有害物质的第一个人工肾脏研制成功,但仅适用于短暂性、可逆性的肾衰竭病人。直到 1960 年 B.斯克里布纳演示了永久性特氟纶(聚四氟乙酰)动静脉分流器的用处后,对慢性肾脏病进行重复的血液透析才切实可行。不可逆性肾脏病患的预后立刻由必然死亡变为 90% 存活。而肾脏移植的研究成功更增加这些患者长期存活的希望。1954 年肾脏移植首度成功施于同卵孪生子之间,自 50 年代始实行的移植尸体肾脏则应用更普遍。

nephron 肾单位 肾脏的功能单位,用以产生尿液,从而将废物和多余物质从血液中移去。人类的每个肾中有约 100 万个肾单位。最原始的肾单位见于原始鱼类、两栖类幼体和更高级脊椎动物胚胎的肾——*前肾*(**pronephros**)中。在两栖类和大多数鱼类,以及更高等脊椎动物胚胎发育较后阶段的肾脏——*中肾*(**mesonephros**)内,肾单位的构造仅略微先进一点。最先进的肾单位,见于陆栖脊椎动物——爬行类、鸟类和哺乳类成体的肾脏——*后肾*(**metanephros**)中。哺乳动物的肾单位由长度为 30 ~ 55 毫米的纤细小管构成。小管一端为盲端,且膨大,折叠成由两层壁构成的杯形结构(称为肾小囊或鲍曼氏囊),其中包绕一团毛细血管(此结构称为肾小球)。肾小球与肾小囊一同构成肾小体。血液通过由肾小囊开放端进出肾小囊的入球小动脉和出球小动脉流入并流出肾小球。在肾小体内,肾小球血液中的液体通过肾小囊的内壁滤过,进入肾小管,滤液通过肾小管时,其中的水分和其他成分被选择性地吸收,一些物质又分泌入滤液,于是滤液的组分发生变化。最终产物即为尿液,尿液通过集合管进入肾盂。

nephrosclerosis 肾硬化 肾动脉及肾小动脉壁硬化的一种疾病,由高血压病引起。患高血压病后可以 20 ~ 30 年没有肾脏损害的征象,这种患者常死于高血压病的其他并发症,如心力衰竭、冠状动脉及其分枝的硬化或脑出血等。若未发生上述并发症,则最终往往出现肾脏病变。肾硬化分为良性与恶性两类。良性肾硬化时肾脏的动脉缓慢地破坏。首先小动脉内壁增厚,逐渐地血管全层均增厚,有时血管内腔闭合,随后脂肪在退行性变的血管壁内沉积。较大动脉壁中层有较多的弹性组织,但也能因此而阻塞动脉管腔。上述两种情况均可阻断肾脏的血液供应,造成肾脏组织变性。恶性肾硬化的发展过程与良性相似,但速度要快得多,快到肾脏来不及出现大体变化。但肾脏表面的出血部位几乎总可见到大片红斑。恶性肾硬化时小动脉壁增厚并可能被迅速增生的细胞所阻塞。这些细胞的核死亡,弹性纤维消失,管壁变得更脆且易扩张。广泛的血管破裂和出血并不少见。小动脉经常出现痉挛,迫使血液通过血管壁的病变处,结果造成组织肿胀。肾硬化的症状为视力损害、血尿、消瘦及尿毒症等。治疗包括抗高血压药,控制感染、消除梗阻等,慢性肾功能衰竭的一般处理亦适用于本病。

nephrotic syndrome 肾病综合征 同时出现的表现为肾功能不全的一群症状,包括血浆蛋白降低、血脂增高、蛋白尿及组织水肿。病因可能为链球菌感染、红斑狼疮及重金属中毒。常见于幼儿及青年。症状为食欲减退、烦躁、呕吐及腹泻。组织内滞留大量液体,可致体重增加 50%。患儿可表现明显的颜面浮肿,而成年患者常见下肢浮肿。由于血浆蛋白减少而出现低血压及血容量减低,偶尔可引起循环虚脱。蛋白质营养不良可致肌肉萎缩及发育迟缓(尤见于儿童)。治疗时应注意其病因,并通过利尿来减轻水肿。

Nepos, Cornelius 内波斯(约公元前100~约前 25) 罗马历史学家。西塞罗和卡图卢斯的朋友。来自意大利北部。主要著作有《名人传》,包括罗马和外国名人简传;《年代学》,它引入了希腊人的完整的比较年代学;《轶事集》以及老加图和西塞罗的传记等。他的著作行文朴素,不以文体见长。

Nepos, Julius 内波斯(?~480-05-09) 西罗马帝国末代合法皇帝(474 ~ 475)。出身显贵。东罗马皇帝利奥一世派他去管辖意大利。赴任后立即废黜格利塞里乌斯,474 年 6 月自立为西罗马皇帝。翌年他被迫承认位于今法国图卢兹的西哥特王国独立。地方长官奥雷斯特斯作乱,他被迫逃往达尔马提亚(475-08)。后为格利塞里乌斯的友人所杀。

Neptune 尼普顿 古罗马宗教中所信奉的神灵。原为淡水之神,到公元前399年,人们已经把他同希腊宗教中的波塞冬等同起来,成为海神。与他对应的女神萨拉西亚,本来可能是涌泉女神,后来即完全与希腊女神安菲特里特融为一体。尼普顿的节日在最缺水的盛夏7月23日,在艺术作品中,尼普顿与

执三叉戟的尼普顿雕像
美国不列颠百科全书公司供图

希腊的波塞冬形象相同，执三叉戟，偕带海豚。

Neptune 海王星 太阳系第八颗大行星(按离太阳由近及远次序)。发现于1846年，以罗马海神的名字命名。海王星沿一条椭圆轨道绕太阳旋转，平均距离为45.04亿千米。在这一距离处，海王星绕太阳转一周的时间为165年。其质量是地球的17倍，体积超过地球44倍。其赤道直径约为49 528千米。海王星主要由氢和氦构成。它没有明显的固体表面，但可能有一个石质和水质的核心。大气(特别是外层)中有大量甲烷气体。1989年美国"旅行者"2号空间探测器航经海王星时，发现其大气中有相当大的湍流。探测器观测到，在海王星南半球有一巨大的风暴系统，即所谓"大黑斑"，其中的风速达到300米/秒或更高。在此风暴的上方漂移着类似卷云的柔云，而在南极附近则是一些宽的云带，颜色由浅蓝到深蓝，变化不定。由于距离太阳太远，海王星接收太阳辐射甚微。但温度的测量表明，海王星也像木星和土星一样，内部具有热源。尽管它从太阳接收到的阳光约为邻近的天王星的1/3，其温度也大致与后者相当(约为59K)。同其他外大行星和地球一样，海王星周围也有磁场。磁场强度虽比不上其他行星，但它捕获的太阳风和银河宇宙线粒子(如高能质子和电子)在行星周围也形成了一条类似地球范艾伦带的辐射带。分析来自海王星磁场的射电辐射，天文学家得出海王星自转周期为16.11小时。其自转轴与海王星绕太阳运转平面的交角约为29°，即与地球和火星的情况相似(分别为23.5°和25°)。"旅行者"2号揭示，海王星周围至少有4条环，其中大部分是尘埃大小的粒子。最外一条环中的粒子分布是不均匀的；有5块密度较高的弧状亮区，分布在一个45°环段上。海王星还有8颗已知的卫星。其中只有两颗(即海卫一和海卫二)是在"旅行者"2号飞过之前就已观察到的。海卫一是8颗卫星中最大的，几乎与地球的月亮相等。其他卫星的直径约58～416千米。除海卫一外，海王星卫星的外形都不规则，表面也很黑暗。

neptunium 镎(Np) 周期表Ⅲb族锕系放射性化学元素，第一个人工合成的超铀元素，原子序数93。其后在自然界虽已发现痕量镎，但并非原生的而是由铀矿石中中子诱发嬗变反应产生的。1940年，E.M.麦克米伦和P.H.艾贝尔森在伯克利加利福尼亚大学用回旋加速器加速的中子轰击铀时，首次发现镎。镎的可称量的生产是作为增殖反应堆中由铀238生产钚时的副产品(约每1 000份钚可得1份镎)。镎的所有同位素都是放射性的，其中最稳定的同位素是镎237(半衰期214万年)，最不稳定的是镎232(半衰期13秒)。镎为银白色金属，有3种结晶的形式，室温下的镎(α)为正交晶系。镎的化学性质活泼，和铀相似，呈现+3～+6氧化态。水溶液中镎离子有特征颜色：Np^{3+}浅紫色，Np^{4+}浅黄绿色，NpO_2^+蓝绿色，NpO_2^{2+}随阴离子的不同可为无色至粉红色或黄绿色。最稳定同位素镎237。熔点640°C。比重(α)20.45。化合价3、4、5、6。电子组态2,8,18,32,22,9,2或$(Rn)5f^4 6d^1 7s^2$。

neptunium series 镎系 一组人工产生的不稳定重核元素系，它们通过α和β衰变形成亲代关系。为4组放射系(**radioactive series**)之一。

ner tamid 长明灯 特指置于犹太教会堂里约柜前或其旁的长明不熄之灯，提醒会众尊约柜内所藏《托拉》(律法)经卷为神圣并记取上帝常在而眷顾犹太人。长明灯还象征古代耶路撒冷圣殿西部的长明灯。

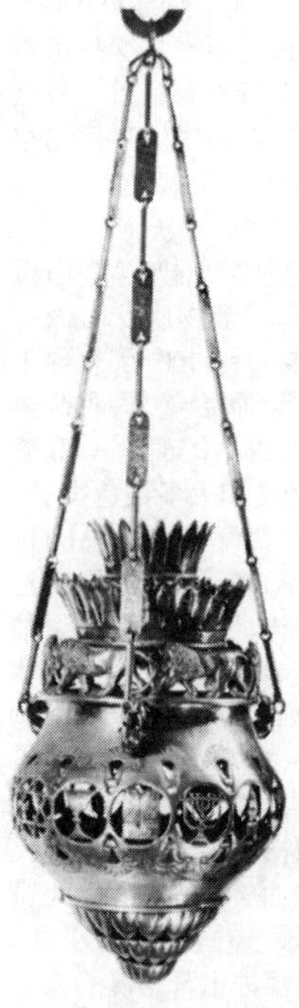

1884年的俄国或波兰长明灯
美国不列颠百科全书公司供图

Nerbudda River (India) **讷尔布德达河** 参阅 **Narmada River** 讷尔默达河。

Nerchinsk 涅尔琴斯克 又译尼布楚。俄罗斯中东部赤塔州一镇。在涅尔恰河与石勒喀河汇流处。1654年建为要塞。曾为通往中国的重要海关站和贸易中心，但在19世纪末西伯利亚大铁路绕过此镇后衰落。现有小型电机工业和食品加工业。人口约16 900(1991)。

Nerchinsk, Treaty of 《尼布楚条约》(1689) 中国和俄国签订的第一个界约。即《中俄尼布楚议界条约》、《黑龙江界约》。1689年9月7日中国清政府代表索额图与帝俄政府代表戈洛文在尼布楚(又译涅尔琴斯克)签订。条约规定：中俄东段边界以格尔必齐河、额尔古纳河和外兴安岭为界。岭南属中国领土；岭北归俄国。额尔古纳河南岸属中国，北岸归俄国。外兴安岭与乌第河之间的地区另议。条约还规定将尼布楚周围及其以西原属中国的领土让给俄国，以换取俄国军队撤出雅克萨，并将其在雅克萨和额尔古纳河南岸的据点全部拆毁。《尼布楚条约》明确肯定黑龙江流域和乌苏里江流域是中国领土，阻止了俄国向东方的扩张。

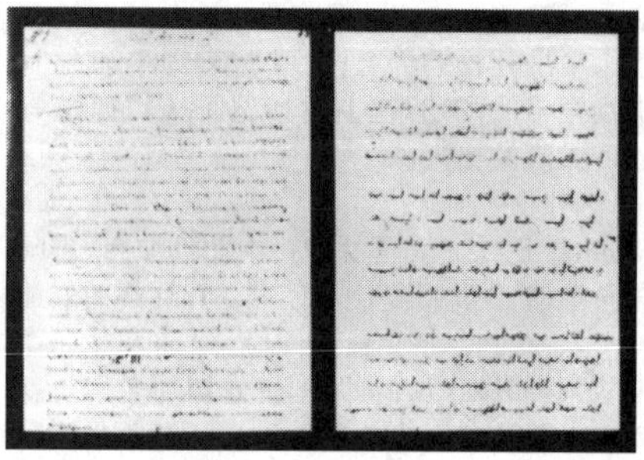

满文、俄文《尼布楚条约》
中国大百科全书出版社供图

Nereid 涅瑞伊得 在希腊宗教中，她是海神涅柔斯(海的化身蓬托斯的长子)和俄刻阿诺斯(环绕平坦大地的水域之神)的女儿多里斯的女儿(共有50或100人)中的任何一人。她们被描绘成住在任何水域(咸水或淡水)中的少女，并且对人类是仁慈的。她们常见于希腊文学中。其中著名的有安菲特里特(海神与地震之神波塞冬的配偶)、忒提斯(密耳弥冬人的国王珀琉斯的妻子和英雄阿喀琉斯的母亲)和伽拉忒亚(独眼巨人波吕斐摩斯喜爱的一个西西里人物)。

Nereid 海卫二 海王星的已知的第三大卫星。美国天文学家G.P.柯伊伯于1949年用照相方法发现。海卫二绕海王星的公转周期为360.2日；公转轨道很扁，轨道面与行星赤道面的交角很大。海卫二到海王星的平均距离为5 511 000千米。海卫二的亮度非常暗弱，甚至用世界上最大型的地面望远镜，观测起来也十分困难。因此，对海卫二的情况知之甚少。不过，按美国"旅行者"2号空间探测器于1989年发送回地球的观测资料推测，海卫二为一类似小行星的天体，它的直径约340千米。

Neretva River 内雷特瓦河 波斯尼亚-黑塞哥维那和克罗地亚两共和国境内的河流。该河源出莱伯尔什尼克山，先向西北流后转西南流，注入亚得里亚海。全长225千米。该河的上游流经无人居住的峡谷。亚布拉尼察坝形成一人工湖泊，用于水力发电。下游谷地为达尔马提亚海岸的地中海气候。

Nereus　涅柔斯　希腊宗教中的海神。被荷马称为“海中老人”，以智慧、预言天赋和变形的本领闻名。他是蓬托斯（大海的化身）和大地女神该亚的儿子。水中仙女们涅瑞

希腊水罐绘画细部中的涅柔斯和赫拉克勒斯角力，约公元前490年
美国不列颠百科全书公司供图

伊得则是他和多里斯的女儿。他和她们生活在大海，特别是爱琴海的深处，而爱之女神阿佛洛狄忒是他的学生。希腊英雄赫拉克勒斯在寻找由赫斯珀里得斯姊妹看守的金苹果时，同以多种化身出现的涅柔斯角力，终于取得他的指点。在瓶画上，他常常被描绘成一位庄重威严的旁观者。

Nergal　内尔格勒　美索不达米亚宗教所崇奉的次要神灵，流行在苏美尔人和阿卡德人中间。此神与焦土和战争之神伊拉和麦斯兰蒂亚为同一神灵。据公元前第1千纪的亚

约公元前2100～约前1500年的内尔格勒赤陶塑像，双手各持狮头神杖
美国不列颠百科全书公司供图

述文献记载，他赐福于人，聆听祈祷，起死回生，保佑农牧。据有的赞美诗说，他司掌瘟疫、饥馑和破坏。内尔格勒兼为阴间之王。对内尔格勒的崇拜从苏美尔和阿卡德地区扩展到其他区。

Neri, Saint Philip　内里（1515-07-21，佛罗伦萨～1595-05-26，罗马）　反宗教改革运动期间的重要奥秘神学家。创建奥拉托利会，该会由教区僧侣组成。内里于1548年组织在俗信徒救济穷人、疗养人员和朝圣者。1551年任司铎，迁入罗马圣吉罗拉摩大教堂。前往该教堂听他讲道的人日益增多，于是另在中殿之旁开辟演说厅（奥拉托利）。此后，聚集在该厅听讲的人以及内里所主办的虔修、慈善工作和文娱活动乃至音乐演出，都称

G. B. 毕亚契达绘《圣母子在圣内里面前显迹》（1682～1754）
美国不列颠百科全书公司供图

奥拉托利。内里除曾劝说教皇克雷芒八世于1595年解除对法兰西国王亨利四世的绝罚外，很少参与政治。他多次经历通神境界，传说他有过多次神迹。

Nerina, Nadia　涅林娜（1927-10-21，开普敦～2008-10-06，法国博略叙尔梅尔）　南非首席芭蕾舞女演员，以擅长塑造多样性的角色著名。1942年在南非巡回演出之后，于1945年到英国，师从M. 兰伯特。涅林娜于1951年成为皇家芭蕾舞团的首席女演员，既擅长古典剧目，特别是《关不住的女儿》，也擅长现代剧目。作为特邀艺术家她曾去苏联与大剧院芭蕾舞团和列宁格勒基洛夫芭蕾舞团合作演出。1966年退休。但在芭蕾舞事业上仍很活跃。为1977年第三届莫斯科国际芭蕾舞比赛的英国评委。

neritic zone　浅海带　从平均低潮面到200米深处的浅海环境。一般相当于大陆架的范围。不同量的阳光射入浅海水，使浮游生物和底栖生物能进行光合作用。这个带的特点是因为接近陆地，营养物丰富，生物活动比较活跃。海底沉积物一般是陆源粗粒物质，但是低纬度地区例外，该处藻类、细菌和珊瑚等有机体制造大量的碳酸钙沉积物。

Nernst, Walther Hermann　能斯脱（1864-06-25，普鲁士布里森～1941-11-18，德国穆斯考）　德国科学家，现代物理化学的奠基人之一，因提出热力学第三定律而获1920年诺贝尔化学奖。此定律可简述为：当温度在热力学温度零度以上时，一切物质倾向无规则运动，所有能量趋于耗散。他先后在苏黎世、格拉茨（奥地利）和维尔茨堡等地的大学求学，1887年成为W. 奥斯特瓦尔德的助手，奥斯特瓦尔德和J. 范托夫、S. 阿伦尼乌斯共同把物理化学创立为独立学科。1890年转入格丁根大学物理系工作，1905年去柏林大学，1924～1933年任该校实验物理研究所所长。他所从事的许多研究工作如原电池理论、化学平衡热力学、高温下各种蒸气的性质、低温下固体的性质以及光化学过程的机理等在工业和科学上都得到了重要的应用。能斯脱对于应用科学也颇感兴趣，曾发明了一种改良电灯、带有电子放大的钢琴。他著的很有影响的理论化学教科书首版于1893年。晚年，他主要从事天体物理学的理论研究。

Nero　尼禄（37-12-15，拉丁姆昂蒂乌姆～68-06-09，罗马）　罗马皇帝（54～68）。即位时尚不满17岁，为罗马的第一个少年皇帝。以纵情声色、奢华无度以及证据不足的焚烧罗马和迫害基督徒而臭名昭著。原名卢西乌斯·多米提乌斯·阿赫诺巴布斯。3岁丧父，由母亲小阿格丽品娜抚育长大。阿格丽品娜与其叔父、皇帝克劳狄一世结婚，劝说皇帝以尼禄为继承人，并将公主屋大维娅嫁给尼禄。尼禄于公元54年继承皇位。他对元老院的第一篇演说受到普遍的赞扬，人们认为是预告一个新的黄金时代的来临。迄公元59年为止他一直施行仁政，如禁止流血性的竞技，取消极刑，减少赋税，允许奴隶们控诉不公正的主人。他宽恕写诗讽刺他的作者，甚至宽恕阴谋反对他的人，也很少进行秘密审讯。他赐给元老院更多的独立性。克劳狄一世曾以叛国罪处死40名元老，而在公元54～62

美国不列颠百科全书公司供图

年期间在尼禄统治下没有发生类似的事件。但在公元59年他下令处死了自己的母亲，公元62年又下令处死妻子屋大维娅，开始显示出真正的凶残。尼禄曾经自以为是个诗人，而且登台演戏。公元64年罗马大火后，他按

照希腊风格重建这一城市，并营造规模极为宏大的宫殿。公元66年末他去希腊漫游，这次旅行达15个月之久。回国后帝国各地发生叛乱。罗马各军团拥立加尔巴为皇帝，元老院判处尼禄上十字架、用鞭子抽死。尼禄逃离罗马，有人说他以短剑自刎，也有人说他到达希腊的岛屿，次年(68)被当地总督逮捕，按元老院的裁决处死。

Nero, Golden House of 参阅 **Golden House of Nero** 尼禄金殿。

Nero Claudius Drusus 尼禄·克劳狄乌斯·德鲁苏斯 参阅 **Drusus Germanicus, Nero Claudius** 德鲁苏斯·日尔曼尼库斯。

Nerthus 内尔瑟斯 古代日耳曼的女神，有关她的名字见于罗马历史家塔西佗的著作，他在《日耳曼尼亚志》(公元1世纪末)一书中将她当做大地母亲，又说她为7个部落所崇拜(其中有日后入侵英格兰的盎格鲁人)。对她的崇拜以波罗的海一座岛上一个神圣树林中的庙宇为中心。据说她驾驶一辆牛拉的战车，乐于来到她的人民中间。她的祭司能辨识她的来临。当她在人民中间时，他们会享受和平，没有战事或斗争，而且非常愉快。当她返回庙宇时，她和战车同在一圣湖中由奴隶洗涤，然后那些奴隶便被溺毙于湖中。人们认为她的名字与尼约尔德的名字是一致的，但后者却是一个男神。因此，她的性别是个问题，她可能具有男女两性。崇拜她的仪式中许多内容可在后来的日耳曼宗教中见到。

Neruda, Pablo 聂鲁达(1904-07-12，智利帕拉尔～1973-09-23，圣地亚哥) 原名内夫塔利·里卡多·雷耶斯·巴索阿尔托。智利诗人，外交家，马克思主义者。获1953年加强国际和平列宁奖金，1971年获诺贝尔文学奖。父

美国不列颠百科全书公司供图

亲是铁路工人。10岁即开始写诗，并读了许多古典名著，后成为积极的无政府主义者。1921年在首都圣地亚哥师范学院学法语，10月，以《节日之歌》获智利大学生联合会文艺竞赛一等奖。1923年他把家具和父亲送给他的手表全部变卖，自费出版了第一部诗集《霞光》。次年又出版了成名之作《二十首情诗和一支绝望的歌》。从此放弃法语学习，专事诗歌创作。1927年进入外交界，在亚洲各地任领事。后来写书追忆，其中颇多轶闻趣事。在南亚的几年，他写出诗集《地球上的居所》。1934年转赴西班牙。1936年西班牙内战爆发，他的朋友惨遭屠杀和监禁，大批无辜百姓流血街头，这一切坚定了诗人的政治态度，写下著名长诗《西班牙在心中》(1937)，谴责法西斯暴行。1938年出使墨西哥，创作许多诗篇，内容大多描写第二次世界大战。1943年乘船归国，受到太平洋沿岸各国人民的盛大欢迎。1945年当选为参议员。智利右派掌权时，作为共产党员的聂鲁达，被迫与其他左翼分子一起转入地下。在此期间他抓紧时间创作了大量作品。1948年初离开智利，出席巴黎保卫和平大会。1949年6月首次访问苏联，出席普希金诞辰150周年纪念会。1952年智利逮捕左翼作家和政界人物的命令撤销后，回到智利。聂鲁达的生活经历非常丰富，诗歌题材也绚丽多彩，格调的不断变化显示他一生经历的变化。年轻时的两册诗集是抒情而色情的。《地球上的居所》，打破传统格局，独创"聂鲁达风格"。西班牙内战使他的作品更趋向现实主义。《漫歌》(1950)是他的一部辉煌巨著，也是美洲大陆最伟大的史诗之一。但这种风格庄严宏伟的诗作以后又为主题较为简单的社会批评诗歌所代替，如《要素之歌》(1954)。诗歌主题和技巧的变化，并不因其日趋年老而减退。在《爱情十四行诗一百首》(1959)中，爱情再度成为他诗歌的主题。

Nerva 内尔瓦(约30～98-01) 罗马皇帝(96-09-18～98-01)。罗马有名的五圣主之一。元老院议员家庭出身。公元71和90年两度任执政官。图密善皇帝被暗杀后登基。此后一些政界耆宿相继出山，辅佐他治理国家。他曾推行土地改革和民众参政法。

Nerval, Gérard de 奈瓦尔(1808-05-22，巴黎～1855-01-26，巴黎) 热拉尔·拉布吕尼的笔名。法国诗人，法国文学中最早的象征派和超现实主义诗人之一。他论证梦是日常世界与超自然活动之间交往的一种手段。他的作品是对自己的经历和梦幻、对一直威胁着他理智的幻觉及想象的反映和分析。父亲是一位医生，曾在拿破仑远征军中服役；母亲在他两岁时逝世。他由在瓦卢瓦的蒙特封丹的舅公抚养成人。对瓦卢瓦童年的回忆，一直以诗意般的梦幻萦绕他的一生。1820年去巴黎与父亲同住，入查理大帝中学，与诗人T.戈蒂耶相识，结下永久的友谊，并开始与艺术家、画家、小说家和一些放荡不羁的文人出入于咖啡馆。祖父母留下的一份遗产，使他得以游历意大利，余款则全贴给了一家倒运的戏剧杂志。当时奈瓦尔对德国文学深感兴趣，将歌德的《浮士德》译成法语，并用E.T.A.霍夫曼的笔调写了一部故事集《光荣之手》(1832)。1836年结识女演员吉妮·科隆，并狂热地爱上了她。两年后吉妮却与别人结婚，并于1842年逝世，从此成为奈瓦尔梦中的形象，被日夜思念。同年奈瓦尔出游地中海东部诸国，写出最优秀的作品《东方游记》(1843～1851)，该书同时也是一部对古老的民间传说、符号和宗教的考察记录。奈瓦尔在创作盛期，神经严重失调，至少8次被送进精神病院。他把吉妮·科隆看做是《奥蕾丽亚》(1853～1854)中答应拯救他的圣母马利亚。包括西尔薇故事在内的《火焰姑娘们》(1854)一书，唤起他对失去的美、完善、纯真和青春的乐园的渴望。十四行诗《幻景》(1854)突出表现了他的作品中的音乐气质。1855年，奈瓦尔在巴黎的路灯柱上自缢身死，结束了他贫穷、痛苦的一生。

nerve 神经 神经组织的细状体，产生神经冲动，连接神经系统与其他器官。参阅 **neuron** 神经元。

nerve cell(biology) **神经细胞** 参阅 **neuron** 神经元。

Nervi, Pier Luigi 内尔维(1891-06-21，意大利松德里奥～1979-01-09，罗马) 意大利工程师兼建筑师，以技术精湛和设计作品(尤其是大跨度的钢筋混凝土结构)生动而驰誉全

美国不列颠百科全书公司供图

球。其重要作品有都灵博览会中跨度达93米的预制拱结构(1949～1950)及意大利第一幢摩天楼——米兰的皮雷利大厦(1955，与其他建筑师合作设计)。1913年毕业于博洛尼亚大学。1926～1927年设计其第一个重要作品，那不勒斯的一座电影院；继又设计佛罗伦萨的市立体育场(贝尔塔体育场，1930～1932)。1935年意大利空军拟在全国各地修建飞机库，征求机库设计方案，内尔维提出了用造价低廉、跨度巨大的混凝土拱以修建机库的设计图纸，因而受托从事此项工程。1935～1941年，他在许多地方建造机库，但第二次世界大战中，这些建筑全部毁于炮火。上述早期的结构作品，说明他对解决结构问题新方法的不倦地探索及在设计概念方面所取得的进展。他的创造才能并不仅限于建筑领域。第二次世界大战中，他曾试图用混凝土为意大利海军制造船只，但计划并未完成。战争结束后，他终于建成了一艘165吨的混凝土机动帆船，船壳的厚度为3.6厘米；接着又建成了船壳厚度仅1.5厘米、长11.6米的双桅船。以上船壳是用他自己发明的一种名叫"钢丝网水泥"的材料制作的。这种材料是以致密的钢丝网和稠密的混凝土组成的，具有轻巧坚固的特点。他在1949～1950年为都灵博览会修建的拱顶，使用的即是这种材料。它是波纹状筒形拱顶预制结构，跨度达93米，拱身用按模数预制的玻璃及钢丝网水泥部件拼装而成。只有凭借钢丝网水泥这种材料的结构性能，才有可能建成这样的工程。从此项工程及他的其他作品中，可以看到设

计与施工技术之间密不可分的关系。内尔维总是采用直截了当的方式解决建筑上的问题,他把结构中产生的应力,通过最短的路线,传递到基础中去。他的作品较少受到建筑界风尚变化的影响。他从1947年起担任罗马大学教授以来,一直告诫学生们,设计师可以用三种方式找到解决问题的真实答案:要懂得力量平衡和材料力学的法则之间的相互协调关系,要诚实地看待每一问题的主要因素,要打破前人的局限性。1950年,联合国教科文组织决定在巴黎建设新的总部,内尔维应聘为设计该总部的建筑师之一。1955年,他和一批建筑师合作,设计了意大利第一幢摩天楼皮雷利大厦。这是第一次使用大跨度结构(25米)建造的办公楼。虽然美国的建筑师和工程师具有设计和建造高层建筑的丰富经验,但他们一直都墨守成规,采用较小跨度的柱网框架结构。内尔维在设计皮雷利大厦时,制作了供试验用的大厦模型,在其实验室中进行了结构强度的检验。他的第二幢摩天楼建于加拿大蒙特利尔,也是同别人合作设计的。第三幢高层建筑为澳大利亚广场大厦(1962～1969,悉尼),这是一座50层的圆柱形塔楼,为当时世界上最高的混凝土建筑。1957年及1958～1959年,内尔维为罗马的奥林匹克运动会设计了两座体育馆。他受纽约港务局委托,设计了曼哈顿的乔治·华盛顿桥公共汽车总站(1961～1962),这是他在美国从事的第一项工程。随后,他设计了新罕布什尔州达特茅斯学院的一座预制拱结构的体育用房(1961～1962)。他又同P.贝卢斯奇合作,设计了圣方济各大教堂,该教堂的大厅有四片竖向翘曲的混凝土墙,构成了令人注目的空间。1963年,哈佛大学授予他荣誉学位,其后他又获得了美国建筑师学会的金质奖章。他在意大利和国外从事许多年繁重的建筑业务之后,从60年代后期起,开始减少活动,放弃施工方面的事务,而只参加建筑设计的工作了。虽然内尔维在进行设计时,从未将美观问题作为其考虑的主要内容,但他的许多作品,却达到了诗的意境。他的建筑物具有异常的表现力量,例如罗马加蒂毛呢厂中几何形状的混凝土板(1953)及都灵劳动宫内的夹层楼板。他利用相互穿插的面、折叠或弯曲的板和翘起的墙面等,为建筑增添了一种新颖的三维空间设计手法。他使建筑师们想起:"材料、静力学、营造技术、经济效益和功能需求,乃是建筑语言的词汇"。内尔维对建筑的贡献,在于经过不断探索和改革而创造的许多合理和新颖的结构,这些结构着重于按模数进行预制和拼装,而且重量非常之轻和外观十分轻巧。

Nervo, Amado 内尔沃(1870-08-27,墨西哥特皮克～1919-05-24,蒙得维的亚) 墨西哥诗人、外交官,一般认为是19世纪末20世纪初现代主义文学运动中最杰出的墨西哥诗人。他的内省诗,以其深刻的宗教情感和简单的形式为特点,反映了他在一个动荡的世界上,为了解自身和求得内心平静而做的努力。1894年移居墨西哥城,在那里写出他的第一部小说《学士》(1895),以及他的第一本现代主义诗集《黑珍珠》(1898)。1898年他参与创办了《现代评论》,该杂志很快就成为现代主义运动中最有影响的刊物之一。1905～1918年他在马德里居住,担任墨西哥公使馆秘书。在这期间,创作了他的29卷作品集中的大部分诗歌、散文、短篇小说。后期作品包括《宁静》(1914)、《完美》(1918),其中收有他的最优秀的诗作,反映出他毕生追求内心宁静的成果,这在一定程度上是他研究佛教的收获。后在蒙得维的亚任公使期间去世。

nervous system 神经系统 解剖学概念。由各种感觉受体(感觉神经细胞)、信息传入通路(感觉神经纤维)、信息整合网络(中枢神经元及其纤维)、传出通路(运动神经元及其纤维)和效应器末梢构成的器官系统。

依靠神经系统的功能,多细胞动物能对其体内、外环境出现的各种变化作出迅速的反应。神经组织主要由神经细胞(即神经元及其细胞突起)构成。虽然不同的神经元具有不同的功能分化,但基本形式都是感受刺激和传导神经生物电冲动。神经元可按功能分为感觉神经元(感受刺激并形成神经生物电冲动)、运动神经元(将神经冲动传给效应器官)和中间神经元(维持感觉神经元和运动神经元之间的神经联系)三类。典型的脊椎动物神经元由几个树突、细胞体和一个轴突三部分构成。树突是感受刺激、接收来自感觉受体和其他神经元的神经冲动的神经纤维;它能把感受到的刺激转变成生物电信号,并将其传至细胞体和轴突。轴突能根据一定阈值范围的树突生物电信号产生自身的神经冲动,并将其传给下一级神经元或效应器官。突触是两个神经元的接点。当突触前神经元的生物电冲动到达轴突末梢时,就会刺激末梢将突触小泡中的神经介质(乙酰胆碱、去甲肾上腺素等)释放入突触间隙。随后,神经介质以弥散的方式和突触后膜的受体分子结合。这一神经传导的结果是兴奋还是抑制,取决于神经介质的数量和受体的类型。完成一次传导的神经介质就会被酶降解,返回突触间隙,并被突触前膜重新吸收、利用。因此,神经介质的作用不会无休止地持续下去。神经冲动还有一种电传导方式,这种突触实际上就是突触前膜和后膜之间的一个裂口连接,生物电冲动直接通过裂口传递。

神经系统有分散型和中枢型二类。前者比较原始,仅见于低等无脊椎动物,如水母和水螅一类的、体型呈中心对称形的腔肠动物。此型神经系统实际就是散布于动物全身的一个神经细胞网,没有脑样的结构。绝大多数动物种属的神经系统都有程度不等的中枢化倾向。它们的神经系统中都有一些像大、小"司令部"一样的结构,负责各种感觉信息的整合,并指导对刺激的应答。甚至一些有中心对称体形的棘皮动物(如海星及其同源动物)也有一个具有支配功能的中枢神经环(不

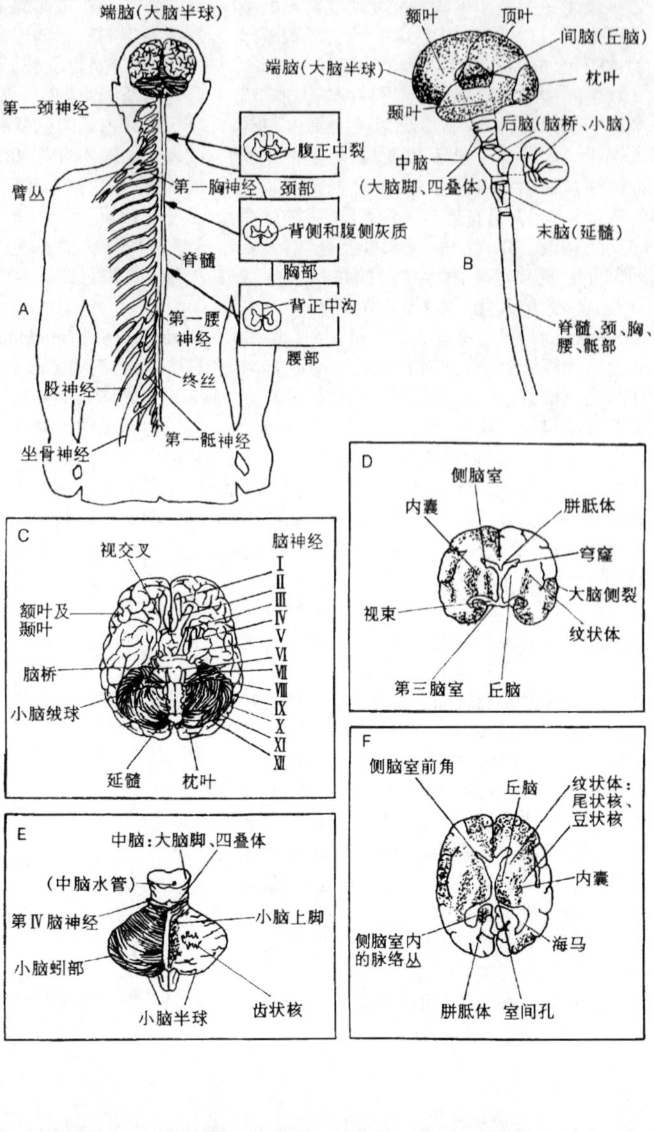

脑与脊髓

是脑),其放射状排列的神经纤维均自此环发出。在生物进化过程中,动物向左右轴对称的体型进化后,才开始出现由脑和神经索构成的中枢神经系统。最原始的中枢神经系统见于某些扁平无环节寄生虫,它们的脑其实只是神经索头端的一个膨大部分。环节动物(如蚯蚓和水蛭)和节肢动物(如昆虫和甲壳动物)就已经有了一个明确的脑和腹神经索。脊椎动物的中枢神经系统发育得极为完善,由一个有高度功能分化的脑和一条脊髓(背神经索)构成。

人类的神经系统包括中枢神经(脑、脊髓)和周围神经(传入和传出神经)两部分。不同于其他高级脊椎动物,人的大脑不仅体积大,而且大脑皮层的解剖、组织和功能分化极为完善。人脑的功能主要是:接收、分析、并整合所有来自感觉受体的神经冲动;控制所有神经效应器官的功能活动;是推理、记忆、学习等高级心理活动的物质基础。连接大脑和脊髓的脑干是人类的基本生命中枢所在地,包括各种反射的控制中枢、内脏运动中枢(包括呼吸和心跳)、机体内环境调节中枢;由于脑干和大脑、小脑、脊髓都有广泛的联系,故它是维持正常神经系统功能的重要调节枢纽。脊髓是控制人体颈部以下的躯体运动和感觉的二级中枢。脊髓后角感觉神经元和前角的运动神经元之间有直接的突触联系,形成所谓脊髓反射,如膝跳反射等。但感觉神经元主要是和中间神经元建立突触联系(不止一个);其中有的中间神经元再刺激运动神经元,成为低级反射弧的中枢部分;而大多数中间神经元则将感觉神经冲动传向高级中枢——大脑,构成高级反射弧的第二级传入神经。周围神经包括12对脑神经和31对脊神经。12对脑神经中的11对主司头颈部的感觉和运动,只有迷走神经是胸、腹腔脏器的支配神经。31对脊神经都是混合性神经,即含有感觉和运动两种类型的神经纤维成分;感觉(即传入)神经纤维进入脊髓后角(背根),而运动神经纤维是发自脊髓前角(腹根)的运动神经元。脊神经自脊髓发出后,经由椎间孔出椎管,然后再不断分支,支配各种效应器官或组织。周围神经系统中有躯体运动和内脏运动(自主神经系统、植物神经系统)两类运动神经元。前者即是支配横纹肌(骨骼肌)的神经;因骨骼肌接受意识控制,故又名随意肌;后者支配心肌、腺体和血管、呼吸道、消化道、泌尿道、生殖道的平滑肌;因其不受意识控制,故又名不随意肌。自主神经系统又分为交感神经和副交感神经两部分。绝大多数的器官都同时具有两类神经支配,但其功能却是互相拮抗的。交感神经的作用是一种应激效应,交感神经兴奋可致血压升高、血糖增加、出汗、瞳孔扩大、肌肉的血液注入量增加等;而副交感神经恰好相反。这两种神经的作用体现了一种相互制约和保持平衡的生物学机制。上述各种神经都可出现程度不等的损伤或疾病,轻者只是一过性痉挛,重者可致瘫痪或精神病状态。神经病变致死者亦不少见。脊髓的炎症、肿瘤、外伤、先天性畸形可致截瘫或肢瘫。帕金森氏病和舞蹈病主要伤及运动神经元,可致不能控制的震颤和语言障碍。参阅 **neural tube defect**。

Nesbit, E(dith)　内斯比特(1858-08-15,伦敦～1924-05-04,英格兰肯特新罗姆尼)　英国儿童故事作家、小说家、诗人。她的童年在法国和德国度过,后在肯特过平凡的乡村生活。她的作品均以该地为背景。对社会主义感兴趣,是称为新生活会的一个团体的创始人之一,费边社即由其发展而成。19世纪90年代开始为儿童写小说,总共为青少年写有60多部作品,还著有一些不太成功的供成人阅读的小说和诗集。她的儿童读物的特色是人物描写生动、情节新奇、叙述风格流畅、幽默。她最著名的作品有《寻宝人的故事》(1899)、《冒充的好人》(1901)、《玩具的反抗以及争吵的结果》(1902)、《五个孩子和它》(1902)和《护身符的故事》(1906)。后者写一个古埃及祭司突然出现在19世纪的伦敦。

Nesch, Rolf　内施(1893-01-07,德国上埃斯林根～1975-10-28,挪威奥斯陆)　德国-挪威版画家,最早采用金属拼贴印刷版画的艺术家之一。曾在德国德累斯顿受教育。1933年纳粹掌权时,作为政治难民逃往挪威。他在30年代发明了制作凸版版画的方法,即将金属条焊接在印刷版上进行印刷。进而他又用金属、木头、彩色玻璃和石头粘在平板上制作镶嵌构造,使其本身就成为一件艺术品。

Nesebŭr　内塞伯尔　1934年前称梅森布里亚。保加利亚东部的历史城镇和旅游胜地,在黑海海岸的一个陆连岛上。梅森布里亚初为希腊殖民地,建于公元前6世纪,兴盛于希腊与色雷斯通商期间。罗马人占领时,该地名声稍逊。拜占廷时代复兴。土耳其人的统治使内塞伯尔渐次衰落,1878年附近港口布尔加斯的开发,又加剧了其衰势。该地到处是铺着石子的小巷、石木结构的房屋和整洁的庭院。有教堂40多处,很多现已倾圮。在陆上为游客兴建了海滩设施。人口约8 248(1986)。

Nesimi, Seyid İmadeddin　内西米(?～约1418,叙利亚阿勒颇)　14世纪末、15世纪初土耳其最伟大的神秘主义诗人之一。生平不详。他同极端的侯鲁非教派的奠基人、伊朗神秘主义者阿斯塔拉巴德城的法德勒·安拉过从甚密。法德勒于1401～1402年因其异端信仰被剥皮处死。与法德勒相识前,他已在几个神秘主义老师门下学习过,及至结识法德勒后,便成为该派狂热的拥护者,并从事传教。内西米被阿勒颇的伊斯兰教学者视为异端,1418年与其师遭到同样命运。他著有波斯语和土耳其语诗集各一卷,以及若干首阿拉伯诗歌。土耳其语《诗集》被视为他的最重要作品,包括250～300首抒情诗(厄扎尔)和150多首四行诗。他在诗中表现了苏非派和侯鲁非派教义的感情,那优美抒情的风格使他成为最杰出的早期诗集大师,在土耳其文学史上占有重要地位。

Nesiotes (sculptor)　内西奥特斯　参阅 **Critius and Nesiotes** 克里蒂乌斯和内西奥特斯。

Neşri　内什里(?,奥斯曼帝国卡拉曼～约1520,布尔萨[今在土耳其])　侯赛因·伊本·艾因·贝格的别名。杰出的奥斯曼历史学家。所著《世界景物志》原拟写成世界历史,其中最长亦即现存的部分是奥斯曼王朝历史,主要以阿希克帕夏扎德的《奥斯曼王朝编年史》为原始资料。但他认真辨明真伪,努力保存了正确史实。

Ness, Eliot　内斯(1903-04-19,芝加哥～1957-05-07)　美国打击犯罪斗士,为绰号"铁面无私"的9人执法人员小组组长,专打击芝加哥地区以A.卡彭为首的黑社会组织。内斯为芝加哥大学毕业生,1929年26岁时受雇于美国司法部,以特勤人员的身份领导芝加哥禁酒局,执行调查及侦缉卡彭的特定任务。由于所雇用的助手年龄都在二十多岁,一心为公,不受贿赂,其所领导的小组因而有"铁面无私"的称号。大众由报纸所载有关这个小组大规模突击酿酒场、私酒店以及其他非法地点等案件的头条新闻中熟知其名(记者曾受邀参加突击)。他们潜入黑社会组织所获的证据使卡彭以逃漏所得税的罪名入狱。内斯后来主管美国财政部酒税稽查单位(1933～1935),又调任俄亥俄州克利夫兰市公安局长(1935～1941)。第二次世界大战时(1941～1945)为华盛顿联邦安全署社会保护处处长,战后转入私人企业。

Ness, Loch　尼斯湖　又译内斯湖。苏格兰高地政务会辖区因弗内斯区水体。坐落于贯穿苏格兰高地的大峡谷内。为苏格兰水道网

尼斯湖风光
美国不列颠百科全书公司供图

的一部分。为英国贮存淡水量最多的湖泊(深 240 米,长 36 千米)。据称常有水怪出没。尼斯湖水怪是否存在,如果存在,是否是世界上唯一幸存的蛇颈龙,这一直是很多人感兴趣的问题。尼斯湖流域方圆1 800多平方千米,有几条供水河,包括奥伊赫河和恩里克河,其排水口为尼斯河,将湖水排入马里湾。由于受热不均匀,经常发生湖震(湖面上下波动)。

Nesselrode, Karl (Robert) Vasilyevich, Graf (Count)　涅谢尔罗迭(1780-12-13,里斯本～1862-03-23,圣彼得堡)　沙俄外交大臣(1822～1856),伯爵。其父为俄国驻葡萄牙大使。他 16 岁参加俄国海军,后转入外交界,1801～1806 年在俄国驻普鲁士和荷兰的大使馆任职。1807 年起在俄国驻巴黎使馆工作,他曾试图防止俄法战争再起,但没有成功。曾出席维也纳会议(1814～1815),力劝沙皇亚历山大一世支持波旁王朝复辟。1816 年任外交学院院长,1822 年任俄国外交大臣。尼古拉一世即沙皇位(1825)后,涅谢尔罗迭试图保持奥斯曼帝国对俄国的依附,签署了《洪基阿尔-伊斯凯莱锡条约》(1833)。后因英国反对而放弃该条约,代之以英俄联盟,导致签署《海峡公约》(1841),承认奥斯曼苏丹有权制止任何国家军舰通过海峡进入黑海(参阅 **Straits Question**)。1848 年匈牙利爆发革命后,曾阻止尼古拉干预法国革命(1830, 1848)的涅谢尔罗迭建议沙皇帮助奥地利镇压匈牙利革命。此后,俄国领导人企图抑制法国对奥斯曼帝国日益增长的影响,导致国际危机(1853)和克里米亚战争的爆发。战争结束时,他于 1856 年签订《巴黎条约》,破坏了他长期努力建立起的俄国在巴尔干半岛的优势。他从外交界卸任后只保留沙皇的枢密官一职。

(左上)厦鸟(*Philetairus socius*)的"公寓"式群居巢;(右上)长尾山雀(*Aegithalos caudatus*)的巢;(左下)美洲鸫(*Turdus migratorius*)的杯状巢;(右下)旧大陆收割鼠(*Micromys minutus*)的球形巢
美国不列颠百科全书公司供图

nest　巢　动物为安置卵、幼体或在某些实例中为安置自身所筑成的结构。少数无脊椎动物(尤其是社会性昆虫)及所有脊椎动物大类群中的一些成员都会筑巢。节肢动物中只有社会性昆虫(如白蚁、蚁、蜜蜂和黄蜂)建筑真正的巢。这些巢常常有复杂的巢室和隧道系统,筑于地下或地上;也常常设有安置蜂王或蚁后、卵、幼虫、蛹的巢室,还有通道供通风和运动用。鱼类的巢形式各异,从见于许多类群的挖在沙砾中的浅坑,到用植物性材料构成的封闭结构,如雄刺鱼用肾的一种分泌物筑巢。两栖动物中,只有少数蛙筑巢,其巢或为简单的泥盆(某些雨蛙属[*Hyla*]种类),或为变硬的浮渣块(许多蛙类)。少数爬行动物筑巢,大多数不筑巢。密西西比鳄(*Alligator mississipiensis*)用软泥和植物筑成土墩,将卵产在墩内,并由雌鳄看守。眼镜蛇将叶子和林中觅到的碎片缠在颈上带回筑巢,雌雄都担任护卵。最常观察到的筑巢动物是鸟类。鸟类的巢形式变化很大,从实际上完全没有结构(例如隼、猫头鹰、许多海鸟和海滨鸟类)到织巢鸟的复杂、曲颈瓶状,用草股打结织成的巢。非洲的某些织布鸟及美洲的巴尔的摩拟黄鹂(挂巢鸟、橙腹拟黄鹂)将用长草茎及植物纤维构成的巢以长纤维索挂在大树枝上。多数鸟类的巢介于两种极端之间,杯状或圆顶状,用细枝、叶、软泥、羽毛甚至蛛网筑成。少数鸟类用大量唾液来黏合泥筑的巢,尤其是燕类、南美的灶鸟及火烈鸟。雨燕达到用唾液筑巢的极致,能用唾液将小树枝粘在烟囱之内,形成小篮状的巢。亚洲金丝燕仅用唾液筑巢,此种巢可食即燕窝。鸟巢的直径变化也很大,从 2 厘米左右(小型的蜂鸟)到 2 米以上(大型的鹰),重量从几克到 1 吨以上。许多小型兽类如收割鼠、松鼠、兔,在树上、地上或地下筑巢。针鼹鼠及鸭嘴兽用其巢为产卵之所。哺乳动物巢的功能可以是固定的住地,或者只是为了产仔育幼。

Nestlé SA　雀巢食品公司　食品制造业跨国公司,总公司设在瑞士沃韦。所属商号、仓库和其他机构,分设在 80 多个国家。主要产品为炼乳和奶粉、婴儿食品、乳酪、巧克力制品、糖果、速溶咖啡、速溶茶、羹汤、调味品、腌肉、罐头肉、水果、蔬菜、冷冻食品、冰淇淋、瓶装饮水和酒类。此外,该公司还生产化妆品和经营饭店。该公司的历史可追溯到 1866 年,原为两家公司,一家为美国人(兄弟二人)所办,另一家为瑞士人所办。1905 年两公司合并,称雀巢英瑞炼乳公司,1947 年为瑞士公司所购进,改今名。20 世纪初,公司开始实行多样化。它在世界各地收购并建立企业,成为全世界规模最大的食品制造商。2002 年,收购罗尔斯顿·普里纳公司,进入宠物食品业;在美国的冰淇淋业务与德雷尔合并。同年收购冷冻食品公司美厨公司。

Nestor　涅斯托耳　希腊传说中伊利斯地方皮洛斯(纳瓦里诺)国王。他的所有兄弟都被希腊英雄赫拉克勒斯杀死,只有涅斯托耳幸免。据荷马史诗《伊利亚特》所载,他年约 70 岁,既贤明又虔诚。他的作用主要是激励战士英勇作战和讲述他早年所建功勋的故事,这些功勋同他的听众的经历相对照,就显示出他们的经历平静而安逸。在《奥德赛》里他款待过忒勒玛科斯。

Nestor　涅斯托尔(约1056,基辅[今在乌克兰]～1113-10-27,基辅)　约从 1074 年起为基辅罗斯的基辅山洞隐修院修士,几部圣徒传和一部重要编年史的作者。他写过 1015 年被谋杀的罗斯圣弗拉基米尔的两个儿子圣鲍里斯和圣格列布的生平事迹,也写过山洞隐修院的住持圣狄奥多西(1074 年卒)的传记。根据 13 世纪最初记录下来的传说,中世纪早期罗斯的最重要历史著作《往年故事》也是他的作品。然而,现代学者认为《往年故事》是在几个阶段写作和修改的,它的主要底本是由涅斯托尔在 1113 年左右编定。这部作品现存几种中世纪的手稿,最早的一份于 1377 年在基辅辑成,其中详细叙述东斯拉夫人早期的历史，一直讲到12世纪第二个10年。《往年故事》部分用古教会斯拉夫语写成，部分用古俄罗斯语写成，其中包括从拜占廷编年史中翻译过来的材料、西斯拉夫和南斯拉夫的文字资料以及官方文献和口头流传的英雄传奇故事。整个作品文笔生动，妙趣横生，富有戏剧性。

Nestor, Agnes　内斯特（1880-06-24，美国密歇根大急流城～1948-12-28，伊利诺伊芝加哥）　美国劳工领袖、改革家。1897年随家人移居芝加哥后在手套厂工作。1898年春，手套厂女工举行罢工，内斯特脱颖而出，成为女工代言人。1902年领导女工脱离男工工会，自立妇女工会并担任主席。同年参加组建手套工人国际工会，1903～1906年担任该工会全国副主席。1906～1913年任秘书兼司库，1913～1915年任主席，1915～1938年再次担任副主席，1938～1948年任研究与教育部主任。自1904起还积极参与芝加哥妇女工会联盟活动，1913～1948年任联盟主席。1907年后任全国妇女工会联盟执委会委员。除在其工会中任职外，她还帮助其他行业组建工会，并参加1909年和1910～1911年的成衣工人罢工。伊利诺伊州1909年通过10小时工作日 法，1937年通过8小时工作日法都主要是内斯特的努力结果。此外她还致力于童工、最低工资、产妇健康及妇女参政立法等活动。

Nestorian　聂斯脱利派　基督教一个派别的成员，该派源起于小亚细亚与叙利亚。起初，以弗所会议（431）和卡尔西顿会议（451）先后谴责聂斯脱利及其教义，随后这个派别就脱离正教会而另立门户。该派强调基督的神人二性各自独立，两个位格若即若离。现代该派的代表是东派教会亦称波斯教会，西方通称之为叙利亚教会或聂斯脱利派教会。该派信徒约有17万人，大多居住在伊拉克、叙利亚和伊朗。原来基督教在波斯不断受迫害，424年波斯教会正式宣告与外界基督教会断绝关系，自此才摆脱里通外国之嫌而免于迫害。486年波斯教会承认聂斯脱利派神学权威狄奥多乐为正道卫士。巴拜任牧首时期（497～502）波斯教会再次肯定狄奥多乐的地位，于是正式成为聂斯脱利派组织。波斯教会从521年前后到539年前后发生内部分裂，自540至545年遭受迫害，但能屹立不倒。637年阿拉伯人征服波斯，当局承认东派教会为分立宗教团体予以法律保护。到10世纪末，波斯国内共有15个都主教区，在国外，包括印度和中国也有5个都主教区。聂斯脱利派也传到原有基督一性派教会的埃及。自7世纪至10世纪聂斯脱利派教会在中国十分兴旺，称大秦景教。中亚有些鞑靼部族几乎全体为此派信徒。该派甚至把基督教传到西伯利亚东部的贝加尔湖附近。进入蒙古统治区的西方旅行家发现聂斯脱利派在蒙古境内很有根基，连大汗朝廷中也颇有人信奉该派。14世纪中，帖木儿袭击波斯一带，东派教会实际全被摧毁，美索不达米亚少数城镇尚存聂斯脱利派教会，主要集中于底格里斯河与凡湖、乌尔米耶湖之间跨土耳其、波斯两国的库尔德斯坦地区。

Nestorius　聂斯脱利（4世纪末，小亚细亚盖马尼恰～约451，埃及帕诺普利斯）　君士坦丁堡早期主教之一。其父母均为波斯人，他曾在安提阿学习，受神职为长老。428年受东罗马帝国皇帝狄奥多西二世委任为君士坦丁堡主教。他随身有一名宅第司铎，名阿纳斯塔修斯，在讲解教义时表示反对称马利亚为“生神者”。聂斯脱利支持他的说法。430年11月亚历山大主教西里尔召请各主教到亚历山大，并写信要求聂斯脱利谴责他自己言论中的12点，否则予以绝罚。但早在信使抵达君士坦丁堡以前，皇帝狄奥多西二世已宣布将于431年圣灵降临节以前在以弗所召开会议。会议原定于6月7日开幕，由于支持聂斯脱利的安提阿主教约翰等人未及时到达而延期。西里尔担心约翰发言有影响，就拉拢当地主教门农于6月22日召开第一次会议。聂斯脱利拒绝出席，受到缺席谴责。4天后约翰到达，开会决定废黜西里尔和门农。7月10日罗马主教（422～432）切莱斯廷的3名使者到达；西里尔再次采取主动，恢复对聂斯脱利的谴责。双方都向狄奥多西二世申诉。聂斯脱利曾开罪于狄奥多西二世之妹普尔切里亚，狄奥多西二世在她的影响下将聂斯脱利押回安提阿附近他原属的隐修院，会议结束。后来约翰与西里尔两派达成协议，不因教义问题争论影响对聂斯脱利的处置。约翰认为聂斯脱利继续留在安提阿附近使他难堪，遂进言皇帝将他放逐。皇帝先下令将他流放到阿拉伯境内佩特拉，后又感到处分过宽，乃再将聂斯脱利驱往利比亚沙漠中的大绿洲（今哈里杰绿洲）。匪人将他劫往帕诺普利斯（今艾赫米姆），一度迁往赛伊尼（今阿斯旺）对岸的埃利潘蒂尼。450年，狄奥多西二世死，新皇帝马西安似曾决定将他召回，但消息传来时他已死去。当时人们认为，聂斯脱利的教义坚持基督的人性，甚至宣称基督有两个位格，一人一神。实际聂斯脱利反对这种观点，西里尔纯属误解。聂斯托利所主张的是：圣子利用人格以表现自己，人格包括在他的扩充位格之中，因而圣子是单一的表现体。聂斯脱利教义在罗马帝国境内被消灭，但在其他地方存在下来。波斯教会承认聂斯脱利学说，今日伊拉克、印度、伊朗、叙利亚和南美洲、北美洲等地都有信奉聂斯脱利教义的教会。

Néstos River　奈斯托斯河　保加利亚语作梅斯塔河（Mesta River）。在保加利亚西南部和希腊色雷斯西部。源出罗多彼山脉里拉山的科拉罗夫峰，上游支流将里拉山、皮林山与罗多彼主脉分开。越过保加利亚边境进入希腊，将马其顿与色雷斯分开。从最西的斯塔夫罗波利斯到爱琴海处的河口，全长240千米。为卡瓦拉与克桑西两行政区的界河。奈斯托斯河穿越人烟稀少的兹拉马山区，在帕拉奈斯蒂翁以北是人迹罕至的峡谷。在克桑西以西流抵多沼泽的沿海冲积平原赫里苏波利斯，土耳其人称之为黄色平原。

Nestroy, Johann (Nepomuk Eduard Ambrosius)　内斯特罗伊（1801-12-07，维也纳～1862-05-25，奥地利格拉茨）　统治19世纪中期维也纳通俗戏剧舞台的奥地利伟大喜剧作家之一，也是一位杰出的性格演员。曾在欧洲一些城市当过歌剧演员（1822～1831），后返回维也纳开始写作和演出。所写50个剧本实际上都是根据以前的戏剧或小说改写的，剧情通常集中在一个出色而又超然的主角身上（由内斯特罗伊本人扮演），这个角色在措词、时间的掌握等方面都需要精湛的演技，以表达其细腻的情感。他使用讥刺、反讽和滑稽模仿等手段来表达他的幽默。1854～1860年，担任维也纳卡尔剧院经理。最著名的作品有《恶神流浪汉》（1833）、《被撕碎的人》（1844）、《来自市郊的姑娘》（1841）、《他想给自己开个玩笑》等。

net　网　用线、绳或金属丝织成的透孔织物，于各交点处绕圈或打结形成网目，主要用于捕捞。早期网的制造与应用方法已难察考，因为当时使用的材料易坏，制造的工具又简单，但有力的证据显示，旧石器时代晚期南欧从事狩猎和采集的先民已会用网。原始的网由各种植物纤维（树皮、韧皮纤维、棉、椰子、叶、根和茎）与动物组织（皮、腱、毛、肠和鲸须）做成的线或绳制造。现代的网则由植物纤维（如棉、大麻、亚麻、马尼拉麻与西沙尔麻）或人造纤维（如尼龙、聚酯、聚丙烯与聚乙烯）制成，一般利用机器制作。人造纤维可以防腐，植物纤维须用焦油之类物质处理以防腐。

流网、围网类与张网为渔用网的主要形式。流网（包括用于水面的刺网、三重网[三层刺网]与用于海底的底层定置网）捕鱼是靠网将鱼缠住；其中刺网与三重网主要用来捕捉鲱鱼与鲑鱼，是最普通的流网。在商业性渔业中，常使用绵延数英里的流网网列，网顶浮一排软木或其他浮子，底系一排铅锤，使网垂直悬浮；可调浮子使网保持在所需深度，每隔一定距离设置灯浮标，这些网须于日落时从船上抛下，因为白天下网鱼会看见。船抛锚后，网则整夜漂流。当鱼企图游过刺网，头穿入网目时，网的一段细绳便滑至鱼鳃盖下，将其缠住。另一方面，三重网则由两个外层粗目网中间夹一个内层细目网组成，将鱼缠在内网通过外网网目所形成的小袋中。

围网类为细密的重型网，利用包围法捕鱼，围网、拖网、捞网与延绳钓均属之，其中围网与拖网应用最广。围网中的地曳网或大拉网可将鱼获拖到海滩；其他的围网（称作囊网）则在远离海岸深水处的船上操作。将穿过囊网底圈的钢缆上拉，网即闭合。围网（又称环网或圆网）用于捕沙丁鱼、鲱鱼、沙脑鱼、鲑和金枪鱼。拖网为围网类的另一主要型式，系由专门的船只（拖网渔船）沿海底或在中层水域拖曳的袋形网，用于捕鳕鱼、黑线鳕、鲽与鳎，网拉到水面鱼便入网。

张网是系在海岸或河口桩上的定置网，形成类似迷宫的室，鱼容易进入不易逃出，主要捕捉鲑鱼、鳟鱼与鳗鱼。

网虽主要使用在商业性渔业，但也可用于陆地以捕捉动物（鸟、蝴蝶与更大型的动物），在工业、体育与园艺方面的用途也不少。

net-winged beetle　网翅萤　即红萤。鞘翅目红萤科昆虫。约2 800种。体软，色彩艳丽，多为热带种类。鞘翅革质而宽，端部较基部宽，有突起的网状纹，故得其俗名。成虫吃植物汁或昆虫，常在植物间缓慢飞行或在花上爬行。体橙、黑、蓝色相间，极为显目，可能为警戒色，提示掠食者其味酸而灼热。

Netaji (Indian revolutionary) **尊敬的领袖** 参阅 **Bose, Subhas Chandra** 鲍斯。

Netanya 内坦亚 又拼 Natanya。以色列中西部城市。在特拉维夫-雅法以北，濒临地中海。在21世纪初，多次成为巴勒斯坦恐怖分子袭击的目标，主要是因为靠近约旦河西岸。1928年建，1933年始有犹太移民自纳粹控制下的欧洲各国迁入。第二次世界大战后移民人数增加，1948年设市。1950～1952年后开发成新工业区。现为大都会核心城市和国内钻石加工业中心，还有纺织、橡胶制品、塑料制品、联合机械、制药和啤酒工业；并发展为旅游中心。人口约154 900（1999）。

Netanyahu, Benjamin 内塔尼亚胡（1949-10-21，以色列特拉维夫～ ） 别名 Bibi。以色列政治人物、外交官，1996～1999年担任总理。历史学家班齐昂·内塔尼亚胡之子。1963年随家迁往美国费城，他在当地的中学就读。1967年加入以色列军队，成为反恐怖主义的精锐部队"边境侦察组"的突击队员。1972年，他参加在特拉维夫机场拯救遭劫持的喷气客机的突击队行动。1972～1975年就读于麻省理工学院，1976年获工商管理学硕士学位。大学期间曾抽空参加1973年以色列的赎罪日战争。1976年其兄弟乔纳森率领以色列突击队成功地突袭被劫持到乌干达恩德培机场的民航客机，但乔纳森在行动中丧生，内塔尼亚胡遂设立乔纳森研究中心，举办反恐怖主义的研讨会。内塔尼亚胡曾任以色列的驻美副大使（1982～1984）和以色列驻联合国大使（1984～1988）。1988年以利库德集团成员的身份入选以色列议会，先后担任过外交部次长（1988～1991）和拉宾联合内阁（1991～1992）的副部长。波斯湾战争（1990～1991）期间，以以色列发言人的身份接受电视采访而成为国际知名的人士。1993年在利库德集团的党魁竞选中获胜，接替沙米尔出任该职。内塔尼亚胡以反对1993年以色列-巴勒斯坦解放组织和平协议以及继之而来的以色列自西岸和加沙走廊的撤离而著称。1995年初，执政的工党原对即将举行的大选有较大的胜算，但拉宾于11月遇刺身亡削弱了工党的竞选实力，且1996年初穆斯林好战分子在以色列采取一系列的炸弹自杀攻击事件促使舆论转向利库德集团一边。1996年5月29日，在该国的首届总理直选中，内塔尼亚胡仅以1%的得票优势险胜在任总理佩雷斯。他于6月18日组成政府，成为以色列有史以来最年轻的总理。在他任职期间，以色列与巴勒斯坦、叙利亚关系恶化。1998年，他与巴勒斯坦领导人阿拉法特会谈，签署了怀伊备忘录，规定将西岸40%的领土划为巴勒斯坦控制区。1998年，以色列议会解散政府，1999年5月进行选举。由于右翼势力四分五裂，再加上公众对他不连贯的和平政策的反感，以及他自身生硬粗暴的作风，内塔尼亚胡败给了工党候选人巴拉克。内塔尼亚胡在利库德内的领导职位于1999年被沙龙取代，但在党内仍颇受欢迎。2001年，因为已退出议会而无资格参加总理选举，试图挑战沙龙重获对利库德的领导权，但最后失败。他在沙龙的政府中，先后于2002～2003年出任外交部长，2003～2005年任财政部长。

netball 女子无挡板篮球 女子球类运动项目，流行于英格兰和其他一些英联邦国家的女子学校，类似美国的6人女子篮球。场地坚硬，长方形，长100英尺（30米），宽50英尺，明显标出3个区，两端各画有半径为16英尺的弧形投球圈，篮柱高10英尺，篮圈直径15英寸（38厘米）。球用皮革或橡胶制成，直径约8.5英寸，重14～16盎司（400～450克）。每队7人，3名中锋，2名前锋，2名后卫，各限在规定区域内活动。只许传球，不许持球走。中锋设法将球传至投球圈以便前锋投篮，只有那两名前锋才允许投篮。每场分4节，每节15分钟；也可分为两个半场，每半场20分钟。到21世纪初，全世界有200万名无挡板篮球手。1998年成为英联邦运动会的正式比赛项目。

Netherlandic language 尼德兰语 英语作 Dutch 或 Flemish，尼德兰语作 Nederlands，佛兰芒语作 Vlaams。尼德兰国语，与法语同是比利时官方语言。操英语者常称尼德兰境内的尼德兰语为 Dutch，比利时的尼德兰语为 Flemish（佛兰芒语），事实上它们是同一种语言。尼德兰语既有标准语又有方言形式。通行于尼德兰大部地区、比利时北部、法国北海沿岸与比利时接壤的少数地区。尼德兰语也是苏里南和尼德兰属安的列斯的行政用语。由尼德兰语衍生出来的阿非利堪斯语，与英语同是南非共和国官方语言（参阅 **Afrikaans language**）。尼德兰口语有许多变体，除标准语外，还有公众用、行政用、学校教育用以及家庭、亲友或同村人所用的各种方言。这些方言分歧现象比北美地区英语之差别情况要严重得多。尼德兰标准语的特征，从语法上说，已失去名词"格"的词尾。在比利时，曾努力使尼德兰语取得与法语相等的地位。法语在1795～1814年曾在文化上占统治地位。1938年在比利时北部曾把尼德兰语作为唯一的官方语言。尼德兰人较之比利时人要更为广泛地既使用尼德兰标准语，又操地方方言。阿姆斯特丹、海牙、鹿特丹的方言比其他地区方言更接近于尼德兰标准语。尼德兰语同英语、弗里西亚语及德语一样，都属西日耳曼语，主要是从萨利克法兰克人的语言（低地法兰克语）发展而来，也有其他非法兰克语的特征，这或许来自北海沿岸前法兰克日耳曼居民的语言。尼德兰语最早文献约可溯至12世纪末，但是少许词语、名称及偶然采用的词汇可能更早一些。

Netherlandish art, Early 参阅 **Early Netherlandish art** 早期尼德兰艺术。

Netherlands, Reformed Churches in The 参阅 **Reformed Churches in The Netherlands** 尼德兰归正会。

Netherlands, The 荷兰 正式名称Kingdom of The Netherlands，荷兰语作 Netherland 或 Koninkrijk Der Netherland（荷兰王国）。西北欧国家。南北长282千米，东西宽177千米。西、北濒临北海，东邻德国，南接比利时。首都阿姆斯特丹，政府所在地海牙。面积41 528平方千米，其中内陆水域约占20%，人口约16 150 500（2003）。

土地 荷兰可分为两个明显不同的区域。东部和南部是较高地区，主要由起伏的平原和几处海拔不超过107米的山岭构成。最东南端的瓦尔瑟山（323米）为该国最高点。西南、西、西北及北部的低地区占该国的大部分，由莱茵河、默兹河及斯海尔德河三河的三角洲组成。荷兰沿海地区几乎全低于海平面。该国这部分的大部地区系夺自海洋的土地，依靠精心设计的水流管理、排水设施与填海造地而成。这一过程可追溯至12世纪，然而真正的大型工程则始于20世纪。自12世纪以来，荷兰土地约有1/5系填海造地。蒸汽、柴油及电力的水泵已代替风车为堤坝围垦地排水。

沿岸沙丘由人工筑起的绵亘高堤进行加固，围住堤坝围垦地，保护大部分低地区免遭潮水浸袭，使围海造地可用于农业及居住。最大的北部围海造地区在艾瑟尔湖（原为须得海之一部），这是20世纪30年代建起防水坝围成的；而南部的土地（涉及莱茵河、默兹河及斯海尔德河的河口）则是由三角洲大坝工程于80和90年代挡住西南部的泽兰省入海口而围成的。莱茵河、默兹河与斯海尔德河是该国的最大河流。

荷兰的气候温和，主要受北海及墨西哥湾流的影响。平均温度为9 °C，从1月的2 °C至7月的17 °C不等。该国平均年降雨790毫米，夏季（8月）雨量最大。种植期长和堤坝围垦地良好的畜牧场有助于该国乳品业的发展。荷兰的奶酪、黄油和鸡蛋的出口量均居世界前列。约有3/5的国土用于农业，其中1/3为牧场，1/4以上是农场和商业菜园。供出口的观赏植物、花卉及球茎，尤其是郁金香（荷兰国花）的栽培已成为一个主要产业。温室栽培的黄瓜、番茄、莴苣和花卉主要供应出口。荷兰的天然气储量在西欧各国中排在前列，可基本满足国内能源需求的一半。其他矿产资源包括石油、盐和煤。

人民 种族构成主要为荷兰人，另有一些土耳其人、摩洛哥人和日耳曼人。现代荷兰人被认为是后来成为弗里西亚人、撒克逊人与法兰克人的先日耳曼或日耳曼族的混合后裔。荷兰有史以来的移民包括法国的胡格诺派教徒、萨尔兹堡人、瑞士人、西班牙与葡萄牙的犹太人、印度尼西亚人和苏里南人。该国天主教徒与新教徒基本相等，但有1/3的人口自称无宗教信仰。

20世纪末，荷兰人口的年增长率持续下降。出生率相对较低，尚不及1945～1954年那段时期的一半；死亡率亦低，且很少变化。平均预期寿命较高：男性为74岁，女性80

岁。15 岁以下的人数量不多，只占人口的18%，而 60 岁以上者占 17%以上。

外来移民人数超过移居国外的人数，大多来自土耳其、摩洛哥、联合王国及前荷兰殖民地苏里南。自 1975 年以来移居国外的人数已有所减少。这些移民主要前往土耳其、联合王国和德国。

该国人口密度总体说来虽属偏高，但有 2/5 的人口居住在中西部的南荷兰、北荷兰与乌得勒支三省，阿姆斯特丹、鹿特丹、海牙及乌得勒支等市即位于其中。在东北部各省人口密度则显著偏低。国内人口流动有自西部向东部各省发展之势。城市人口占荷兰总人口的 88%以上。

经济 荷兰属发达的市场经济，主要以金融服务业、轻工业、重工业及贸易为基础。工业大部集中在北荷兰、南荷兰及乌得勒支三省。国民生产总值的增长速度大大高于人口的增长。人均国民生产总值与其他西欧发达国家的人均国民生产总值相近。

农业在国内生产总值中所占比率约为 2%，从业劳动力所占人口比率亦基本相同。农业已实现高度机械化，大部分为蔬菜种植。虽然小麦及某些其他主要粮食作物需依靠进口，该国仍然是欧洲最大的农产品出口国之一。主要作物有甜菜、马铃薯、蔬菜、瓜和小麦。乳牛饲养主要在弗里斯兰和北荷兰，猪的饲养数量亦很大。

由于荷兰缺乏矿物资源，金属矿石、燃料及其他原料均需大量进口，唯有天然气属于例外（产于格里宁根省及北海）。西欧石油大部分通过港口城市鹿特丹进入荷兰，该地建有存储设备、炼油厂及石化厂等一系列综合配套设施。电力生产主要靠国内和进口燃料。该国制造业约占国内生产总值的 1/6，雇用了 1/6 的劳动力。工业集中在阿姆斯特丹、乌得勒支、哈勒姆、鹿特丹及海牙等城区。主要产品有食品、合成纤维、石油产品和电动机械。

荷兰工会联盟于 1975 年由两大工会联合组成，代表着近 100 万工人；天主教徒与新教徒分别有各自的工会为其代表。劳工基金会成立于 1945 年，从事雇主与雇员之间的调解工作。

荷兰的出口值约占其国民生产总产值的一半。鹿特丹是欧洲的主要港口，四通八达的内陆水运将其与西欧内地连为一体。荷兰属于比荷卢经济联盟；该国的大部分对外贸易是与欧洲经济共同体其他成员国之间进行的。主要贸易伙伴有德国、比利时及卢森堡、英国和法国。

政体与社会状况 荷兰王国（包括自治的阿鲁巴岛和前荷属安的列斯）为一君主立宪国，政体属代议制。世袭的君主作为国家元首，主要享有礼仪上的特权。该国的 1814～1815 年宪法经过数次修正和增补，将立法权赋予两院制议会，即总议会，由 75 名议员的第一议院和 150 名议员的第二议院组成。第一议院议员由省议会选举产生，任期 6 年；第二议院议员权力较大，由直接选举产生，任期 4 年。行政权由任命的内阁在首相的领导下行使。司法系统的最高机构为最高法院。

社会福利计划用去预算开支的主要部分

美国不列颠百科全书公司供图

（约占总开支的 1/5）。福利计划包括养老、残疾和鳏寡抚恤、幼儿津贴与所有居民特殊医疗支出的补助。雇员享有保健福利与服务、工伤赔偿和失业救济。国民健康状况与其他发达国家人民的健康状况相似。长期住房短缺促使政府实行几项颇有争议的计划，包括对公共和私人建房给予补贴及对城区的房租进行控制。

荷兰人口中几乎没有文盲。政府对 5～16 岁的未成年人实行义务教育。教育系统既有公立学校也有受国家津贴的私立学校。大部分儿童就读于私立教会学校。高等教育由大专院校及技术学院提供。

出版界的图书种类繁多，编辑质量上乘，呈现出一派生机勃勃的景象。荷兰语广播系统由荷兰广播公司经营；包括若干有宗教和政治倾向的私人组织，它们提供了大部分的节目。

文化生活 荷兰最主要的艺术形式始终是绘画。因此该国拥有多座著名的艺术博物馆并不使人感到惊奇。以收藏 17 世纪荷兰绘画著称的国家博物馆、藏有数百件凡·高绘画与素描的凡·高国家博物馆和藏有大量现代艺术品的市立博物馆均位于阿姆斯特丹。克罗勒-米勒国家博物馆位于奥特洛，亦拥有世界闻名的凡·高绘画藏品。莫里斯宫皇家绘画陈列馆藏有大批 17 世纪的绘画，鹿特丹的博伊曼斯-范伯宁根博物馆亦颇负盛名。

称为风格派的 20 世纪运动对西方艺术及建筑都产生了广泛的影响。著名的当代荷兰艺术家包括蒙德里安、杜斯堡和唐吉。

荷兰的戏剧和文学在国际上的知名度不高。然而音乐生活却相当丰富，阿姆斯特丹音乐会堂管弦乐团驰名世界。

历史 罗马帝国征服时期（公元前 1 世纪）凯尔特与日耳曼部族即居住在荷兰。公元 5 世纪初，日耳曼部族的一次入侵结束了罗马的统治。法兰克人的墨洛温王朝继罗马人之后统治荷兰，但于 7 世纪末被丕平二世及其后人所取代，其中最著名的一位是查理曼。9 世纪中叶，加洛林帝国在路易一世（虔诚者）死后遭到瓜分。

自 10 世纪初至 14 世纪中叶这一时期，世俗及教会的公国纷纷出现，为夺取统治权而互相争斗。16 世纪初，荷兰成为西班牙哈布斯堡王朝的一省。在宗教改革时期，北方诸省改奉加尔文主义，奥兰治王室的威廉王子（1533～1584）领导了一场加尔文派发起的反叛，旨在推翻西班牙腓力二世的反对宗教改革政策。1579 年，西班牙统治的北部诸省脱离西班牙，成立尼德兰联合省。

联合省与西班牙之间的战争一直持续到 17 世纪，西班牙终于在 1648 年承认荷兰独立。17 世纪时，荷兰拥有大片的殖民地，成为当时欧洲的商业大国。由于英格兰企图抑制荷兰的海上势力，荷兰于 1652～1654 年间与英格兰交战。1688 年，英国国会邀请联合省都统、奥兰治的威廉及其妻玛丽·斯图亚特治理英格兰，称威廉三世和玛丽二世。威廉于是凭借英格兰与荷兰两国的国力与法国的路易十四作战。18世纪,荷兰的海上势力逐渐衰落,商业变得更加依赖英国人。

法国大革命之后,荷兰成为法国的一个保护国,称巴达维亚共和国(1795 ~ 1806)。1814年,奥兰治王子威廉六世重又恢复了奥兰治王室,他自称威廉一世,建立了一个新的荷兰王国,将比利时和卢森堡一并包括在内,直到1830年比利时人起而反抗,获得独立。威廉二世于1840年即位,并督导该王国转变为一个议会制国家。1848年效法英国政治制度制定了一部新宪法,赋予议会以最高权力。19世纪末,国家对教区教育的支持一时成为一个颇有争议的政治问题。

威廉明娜女王在位期间(1890 ~ 1948),赋予男子以普选权。荷兰于第一次世界大战期间保持中立,但在第二次世界大战期间遭德国占领。这一期间,许多人被当做人质扣押,许多犹太人被遣送到集中营。

战后荷兰放弃其中立地位,加入了北大西洋公约组织。1958年,该国加入欧洲经济共同体。战后各届政府由天主教党与工党联合执政。自20世纪50年代末至70年代初,政府由人民党掌权,该党系重新组建的天主教党,包括新教徒在内。1973年,该党在选举中败于工党,失去了对政府的控制权,从1977年起荷兰又由各党派联合执政。到20世纪末,荷兰因自由主义的社会政策而闻名。毒品方面的法律宽松,法律承认同性结合,对少数民族宽容,重视环保。

Netherlands, United Provinces of the 尼德兰联合省共和国 参阅 **Dutch Republic** *荷兰共和国*。

Netherlands Antilles 荷属安的列斯 又译民德兰属安的列斯。荷兰语作 Nederlandse Antillen。加勒比海的5个岛屿,1954年起成为荷兰的自治领地。这几个岛分为相隔遥远的南北两组:北组位于小安的列斯群岛北端,包括圣尤斯特歇斯岛、圣马丁岛的南部和萨巴岛;南组距北组约800千米,位于委内瑞拉海岸外,包括博奈尔岛和库拉索岛(1986年以前,还包括阿鲁巴岛)。总面积800平方千米。首府是库拉索岛的威廉斯塔德。人口约197 069(1994)。

土地 距委内瑞拉海岸约80千米的南组岛屿为干燥的岩石低地。较大且较高的岛是库拉索岛,面积444平方千米,海拔375米。位于库拉索岛东部约32千米的博奈尔岛面积较小,只有288平方千米,海拔240米。南组岛屿属热带干旱气候,年降水量常少于488毫米,平均温度27 ℃,温差变化小,东信风使岛上和风徐徐。生长仙人掌及其他少数抗旱植物。这些岛屿都不在加勒比海飓风通常经过的路线上。北组岛屿由火山岩构成,海拔高于南组岛屿,萨巴岛高达860米。这些岛屿面积较小,最大的圣马丁岛(85平方千米)只有南半部(34平方千米)属于荷属安的列斯。降雨量和植物均多于南组岛屿。

人民 荷属安的列斯的人口种族混杂,包括欧洲人、非洲人和美洲印第安人的血统。除萨巴岛上白人和黑人各占一半外,其他岛上的白人数量很少。黑人占多数的北组岛屿,主要受与英国有联系的邻岛的文化影响,南组岛屿则与委内瑞拉和哥伦比亚有密切联系,颇具拉丁色彩。库拉索岛的人口约占总人口的3/4,绝大多数人居住在荷属安的列斯最大城市威廉斯塔德。人数居其次的是圣马丁岛的荷属部分。

官方语言为荷兰语。岛上也通行英语,特别在北组岛屿;南组岛屿通用西班牙语,帕皮亚门托语——一种西班牙语、葡萄牙语和荷兰语的混合语言,也在南组岛屿通用。3/4以上居民信奉天主教,少数人信奉新教,特别是荷兰归正会。岛上有几个人数不多的犹太人社区,据说是美洲最古老的犹太人社区。岛上的人口出生率和死亡率均较低。

经济 南组岛屿特别是库拉索岛邻近委内瑞拉油田,位于海运航线上,且具有多个天然深水良港,便于进行石油的提炼、贮存和转运,是当地经济的支柱。政府在财政和税收上鼓励发展新行业,尤其是旅游业,该行业现在已经成为5个岛屿上的主要行业,使这些岛屿在经济上不再单纯依赖石油提炼。岛上政治的稳定对外国投资特别具有吸引力,威廉斯塔德已成为加勒比海地区的主要银行和金融服务业中心。农业,特别是在南组岛屿,受到雨量不足和土壤贫瘠的限制。库拉索岛生长可作为药品原料的芦荟和制作库拉索酒的柑橘。大部分粮食依赖进口。唯一天然资源为磷酸盐和食盐。除库拉索岛上的炼油厂以外,其他地方只有少量的轻工业,包括博奈尔岛上的纺织厂和圣马丁岛上的朗姆酒厂。几乎所有制造品都必须进口。圣马丁岛有近海渔业和家畜饲养业。岛上大部分饮用水都通过蒸馏技术取得。国民生产总值在20世纪70年代有所增长,但到80年代由于世界石油需求量回落,阿鲁巴岛脱离荷属安的列斯,以及旅游业的停滞不前,国民生产总值下降。委内瑞拉、美国和荷兰是该地区主要贸易伙伴。

经济上更具重要性的南组岛屿交通比较发达。大部分道路建在库拉索岛上。各岛均建有机场;库拉索岛、博奈尔岛和圣马丁岛的机场都具有国际水平。各岛间也有空运服务。主要港口为威廉斯塔德。

行政与社会状况 行政权属于荷兰君主,由一位当地政府提名经王国政府任命的总督行使。部长会议由总督任命,协助总督进行治理,对立法议会负责。议会由普选产生的22位议员组成,任期4年。中央政府在内政上完全自治,库拉索岛、博奈尔岛和北组岛屿均设有地方政府。

荷属安的列斯的生活水平与加勒比海其他各岛比较相对较高。由于经济状况良好,政治稳定,岛上的住房和社会福利条件不断改善。由于气候炎热干燥,健康状况受到特别注意,岛上卫生水平很高,各岛均有医院设施。虽然教育并非义务,政府对教育的投入仍然很大,文盲数量极少。威廉斯塔德的荷属安的列斯大学(建于1970年)可提供高等教育。各岛均有荷兰语广播电台,库拉索岛、圣马丁岛还建有电视台。数种日报以不同的地方语言刊印并在各岛发行。岛上其他刊物还包括数种周刊和月刊。

历史 1499年西班牙航海家奥赫达在库拉索岛登陆,1527年西班牙人占领该岛以及博奈尔岛和阿鲁巴岛。欧洲人到达这里时,居住在岛上的是爱好和平的阿拉瓦克印第安人。1493年哥伦布到来之前,北方的荷属向风群岛为好战的加勒比印第安人所占据。1643年荷兰人来到库拉索岛,希望将此地建成一个货物集散地,以繁荣这个地区的贸易。约在同一时期,荷兰人占领了博奈尔岛和阿鲁巴岛。其后,除拿破仑战争期间英国人曾短期统治过这些岛屿外,荷兰人一直控制着这3个岛屿。这几个荷兰向风群岛虽曾数度易手,但自19世纪初起一直归荷兰人所有。1845年这6个岛屿(当时包括阿鲁巴岛)正式成为荷属安的列斯。1863年的奴隶解放对当时的加勒比海奴隶贸易中心库拉索岛的经济造成打击。20世纪初,随着委内瑞拉油田的发现和后来南组岛屿炼油厂的发展,该地区的经济才又重新恢复。1954年,这些岛屿成为荷兰的一个组成部分,在内政上享有完全的自治。70年代和80年代初,荷属安的列斯争取完全独立的运动有长足进展。1986年,阿鲁巴岛脱离荷属安的列斯,但在国防和外交事务上仍与其他5岛一样,从属于荷兰。1994年其他成员投票决定继续保留荷属安的列斯。

Netherlands East Indies(Indonesia) **尼德兰东印度群岛** 参阅 **Dutch East Indies** *荷属东印度群岛*。

Netherlands Reformed Church, The 尼德兰归正会 荷兰语作 Nederlandse Hervormde Kerk。荷兰最大的基督教会,其前身是16世纪宗教改革运动时期成立的荷兰(Dutch)归正会。在宗教改革运动初期荷兰国内即有了改革的要求。神圣罗马帝国皇帝查理五世早在1522年就运用异端裁判所镇压尼德兰的宗教改革运动。荷兰人进行争取摆脱西班牙统治的斗争,开始于要求在神圣罗马帝国范围内享受更多的自由,包括宗教信仰自由。荷兰人终于获得了自由,归正会成为国定教会。荷兰归正会第一次大会举行于1571年,以后各级会议陆续举行。该会采用长老制教务行政,以《比利时信纲》(1561)和《海德堡教理问答》(1562)为教义准则。在17世纪,荷兰归正会内就得救预定论发生神学争论。荷兰教授及神学家阿明尼乌一派人反对加尔文的严格得救预定论;另一位荷兰神学家戈马尔的追随者坚持刻板地解释得救预定论。于是举行多尔德会议(1618 ~ 1619)解决这场争论。会议通过的文献谴责阿明尼乌派(又称抗议派),坚持拘谨地解释得救预定论。这批文献,连同《比利时信纲》和《海德堡教理问答》,构成荷兰归正会的神学基本原则。1798年荷兰归正会丧失国定教会地位,但仍受国家一定程度上的控制。1816年国王威廉一世对它进行了改组并易其名为尼德兰归正会。19世纪其内部又发生教义争论,势力减弱,但仍在荷兰占统治地位。尼德兰归正会在20世纪有所发展,1951年通过新章程。荷兰公立学校取消宗教课后,归正会仍开办多所私立学校。

Netherlands school（music） **尼德兰学派** 参阅 **Franco-Netherlandish school** *法国-尼德兰学派*。

Neto,(Antônio) Agostinho **内图**（1922-09-17,安哥拉伊科洛埃本戈～1979-09-10,莫斯科） 诗人、医生,安哥拉人民共和国首任总统。1948年在罗安达发表一卷诗集开始出名,并参加旨在复兴安哥拉民族文化的运动。他曾因参加政治活动而多次被捕。第一次是他去里斯本学医时在当地被捕的。1959年回国行医。1960年6月,以反抗殖民当局罪而在他的病人面前被捕。当病人提出抗议时,警察开枪射击,伤200人,死若干人。内图被关押在佛得角群岛和葡萄牙两年。其间又写出一卷新诗集。1962年设法逃至摩洛哥,参加流亡的安哥拉解放运动。同年末,当选为安哥拉人民解放运动主席。1975年安哥拉独立时,国家由3支交战的独立运动武装力量所分割。安哥拉人民解放运动在古巴支持下,控制着国家中部地区(包括首都),马克思主义者内图被宣布为总统。他是公认的天才诗人。他的作品曾在许多葡萄牙和安哥拉评论杂志上发表,并收入M.de安德拉德所编《葡萄牙文黑人诗选集》(1958)。

Netscape Communications Corp. **网景公司** 美国因特网软件开发公司,总部设在加利福尼亚州芒廷维尤。由J.H.克拉克和M.安德烈森创办于1994年4月,称为马赛克通信公司。1993年安德烈森在国家超级计算应用中心(NCSA)期间,带头开发出NCSA Mosaic浏览器。这是第一种普及而简便的万维网浏览软件,它第一次使科技界和政府部门以外的人能上网。1994年10月,两人为了使济览器更加普及。在网站上推出全新的浏览器“领航员”(Navigator)第一版,立刻获得成功。与伊利诺伊大学因公司的注册名产生纠纷,遂改名为网景通信公司庭外和解。1995年8月公司上市造成金融圈的轰动:在第一个交易日,这个成立仅16个月的公司股价就翻了一番以上。快速的发展把网景推向软件世界的前端。1996年6月公司宣称有3800多万人使用“领航员”,使之成为空前普及的个人计算机应用程序。网景的异军突起被广泛视为是对微软的挑战,后者控制了操作系统,已成为个人计算机的统治势力。1995年秋,微软开始迅速转向因特网领域。后来集中人力开发出“网络探险家”(Internet Explorer),这是一种在功能方面逐渐赶上“领航员”的浏览器。到1996年,微软把“网络探险家”捆绑在视窗操作系统中。结果,网景原先80%的市场占有率开始萎缩。为此,网景控告微软不正当交易。美国司法部开始对微软进行反垄断调查。网景也更加重视服务器应用程序的销售和公司的服务。然而,网景面临着来势汹汹的竞争者。1998年初发布了增长趋缓和首季亏损的信息。1998年11月公司被美国在线公司收购。

Netscher, Caspar **内彻**（约1635,巴拉丁领地海德堡[德国]～1684-01-15,海牙[尼德兰]） 巴罗克时代的德国画家,使肖像画家成为一种时髦的职业。早期的风格画受G.梅曲和G.泰尔博赫的作品影响,从他们那里学得高超的构图技能。后来以《圣经》题材、神话题材和小尺幅的肖像画而获声誉。作品雅致,但不免肤浅。

netsuke **根付** 形似坠子的装饰品。通常为牙雕,日本人用来把药盒、烟荷包和烟斗挂在和服腰带上。在德川时期(1603～1868),它既是精巧的小工艺品又是服装中的必备饰

19世纪的牙雕根付
美国不列颠百科全书公司供图

物。德川幕府统治末期出现了新的服装习惯,不久又传入了纸烟,根付遂被淘汰,仅有少量雕品供外国住户和旅游者之需。

netting **结网** 制造网眼织物的古老方法,将纱、线、绳或索交叉,在交叉点套结使形成几何形网眼。现在网眼织物除用结网方法外,还可用机织、针织和钩编方法生产。网眼织物的形状、大小和重量悬殊很大,绢网是一种极为细软、具有六角形网眼的网眼织物,珠罗纱也具有六角形的网眼。网眼为正方形、在每个角打结的网眼织物,常用做渔网和帷幕。网眼织物还可用做妇女面纱、帽衬里、衣衫、帷幕、饰带和工业用装卸网等。

Netzahualcóyotl（Mexico） 参阅 **Nezahualcóyotl** *内萨瓦尔科约特尔*。

Neu Lauenburg（Papua New Guinea） **新劳恩堡群岛** 参阅 **Duke of York Islands** *约克公爵群岛*。

Neuber, Caroline **诺伊贝尔**（1697-03-09,萨克森赖兴巴赫[德国]～1760-11-30,德累斯顿附近劳贝加斯特） 母家姓弗雷德里克·卡罗琳·魏森伯恩。德国女演员兼剧团经理。对现代德国戏剧的发展有重要影响。1718年与事务员约翰·诺伊贝尔结婚后,他们先后在两个巡回剧团中做学徒。1727年成立自己的私人剧团。萨克森的选侯腓特烈·奥古斯特一世给他们在莱比锡的复活节集市上演出的专利权。早在1725年,诺伊贝尔的表演就引起了评论家和戏剧改革家J.C.戈特舍德的注意,他的作品主要以法国经典的悲剧和喜剧为范本。她的剧团以仔细背台词和认真的排练取代了当时统治德国舞台的那种即兴表演的闹剧和丑角戏。戈特舍德和诺伊贝尔的合

美国不列颠百科全书公司供图

作一直延续到1739年,这个时期被认为是德国戏剧史上的转折点和德国现代表演艺术的开端。她的剧团在德国其他城市巡回演出3年之后,于1737年回到莱比锡。1733年奥古斯特去世之后,演出专利权已转让给另一个剧团。该剧团团长J.F.米勒是陈腐的即兴表演方式和过时的丑角戏的支持者。对此,诺伊贝尔予以坚决对抗,故意在舞台上亲自表演丑角,被观众赶下舞台,使米勒剧团从此一蹶不振。1740年在安娜皇后的邀请下,诺伊贝尔剧团将现代戏剧介绍到俄国。当剧团回到莱比锡时,戈特舍德已经和另一个剧团建立了合作关系。1753～1754年,诺伊贝尔试图在维也纳取得地位,但未能成功。去世后虽然未能葬于教堂墓地,但1776年为她建立了一个纪念碑,把她誉为“德国戏剧高雅情趣的奠基人”。歌德在他的《威廉·迈斯特》中通过内利夫人这个人物,使诺伊贝尔在观众心目中树立了不朽的形象。

Neubrandenburg **新勃兰登堡** 德国东北部梅克伦堡-西波美拉尼亚州城市。位于托伦塞湖北端托伦塞河发源地附近,距施特拉尔松德南约85千米。始建于1248年,为勃兰登堡总督所设防御前哨,地处什未林和居斯特罗之间的通商路线与施特拉尔松德至柏林的大道交叉点。该城于1300年左右归属梅克伦堡,1352～1471年为梅克伦堡-施塔尔加德领地首府。在此年代,该城以其纺织工业及商业中心地位得到发展繁荣。此后命运日衰,三十年战争期间遭到劫掠,曾两次(1679,1737)被大火焚毁,以后又屡遭拿破仑战争蹂躏。19世纪后半叶新勃兰登堡曾有某些复兴。虽然中世纪城堡得到很好保护,但在第二次世界大战中,中世纪建筑物多被炸毁。1952年后已经大规模重建。现有工程、食品加工、化工、木材、制革和造纸工业。设有格赖夫斯瓦尔德大学的农业科学研究所。人口约69 157(2003)。

Neuchâtel **纳沙泰尔** 德语作Neuenburg(诺因堡)。瑞士西部的州。西北与法国接壤,东南临纳沙泰尔湖,东北与伯尔尼州相邻,西南接沃州。面积803平方千米,位于汝拉(侏罗)山脉中段。境内有纳沙泰尔湖和杜河。州内按地势分为低、中、高三个地区。

首府为纳沙泰尔(Neuchâtel)。勃艮第王国末代国王鲁道夫三世(1032 卒)遗嘱首次提及该州。后为德、法等国统治。1815 年加入瑞士联邦,成为第 21 个州;当时是联邦中唯一非共和制的成员,其世袭统治者是瑞士保留其地位的最后一批人。1848 年建立共和政体。居民主要讲法语,约有 2/3 信奉基督教新教,1/3 信奉天主教。有设备良好的酿酒厂,出产水果并饲养马。谷地中有畜牧场,产少量乳酪。沥青是最有价值的矿产。最有地方特色的工业是钟表制造,18 世纪初在诸高地河谷即很著名。克雷谢有炼油厂。公路和铁路交通高度发达。人口约165 594(1999)。

Neuchâtel 纳沙泰尔 德语作 Neuenburg(诺因堡)。瑞士西部纳沙泰尔州首府(1815 年以来)。位于纳沙泰尔湖西北岸。11 世纪前即为勃艮第人的城镇。1214 年设市。曾为纳沙泰尔前伯爵领地和公国(1648 ~ 1707)的中心。历史建筑有中世纪城堡(现为州政府所在地)和圣母院(12 ~ 13 世纪)。17 ~ 18 世纪精美的贵族宅邸中包括佩鲁府邸(约 1765)和市政厅(1784 ~ 1790)。设有纳沙泰尔大学(1838)、物理研究所、瑞士钟表技术研究实验室、商业学院、音乐学院、拉丁学院中的博物馆和图书馆、州天文台和美术馆。市内有重要的葡萄酒市场,生产钟表、巧克力糖、烟草和纸张等。人口约31 740(1998)。

Neuchâtel, Lake 纳沙泰尔湖 德语作Neuenburgersee(诺因堡湖)。全部在瑞士境内的最大湖泊。面积 218 平方千米,分属于纳沙泰尔州、沃州、弗里堡州和伯尔尼州。与比尔湖和莫拉湖之间通运河。长约 38 千米,宽 6 ~8 千米,海拔 429 米,最深 153 米。有蒂耶勒河自西南端注入,东北端排出。该湖又接纳阿勒斯河和布鲁瓦河。西北岸(纳沙泰尔州)人口密度最高,湖坡上栽培葡萄。北岸的拉坦诺以发掘出史前时期遗物闻名。

Neuchâtel crisis 纳沙泰尔危机(1856 ~ 1857) 瑞士历史上对欧洲大国产生影响的一次紧张事件。维也纳会议(1814 ~ 1815)决定:纳沙泰尔具有双重地位:既是瑞士联邦的一个邦,又为普鲁士国王私人的世袭公国,但不属于普鲁士王国。这一安排引起纳沙泰尔人民的不满,他们在 1848 年 3 月举行起义,成立共和国。在 1852 年的《伦敦议定书》中各大国正式承认普鲁士国王在纳沙泰尔的权利,但附带一个条件:非经各大国一致同意,他不得擅自行使这些主权。1856 年 9 月保皇贵族在纳沙泰尔发动一次未遂的亲普鲁士政变。政变领袖被捕后,普鲁士国王要求瑞士联邦给予释放,并请法国皇帝拿破仑三世从中调解;但瑞士人最初坚持审判叛乱分子。因而普鲁士与瑞士断绝外交关系,开始准备战争。1857 年 1 月拿破仑三世劝说瑞士把罪犯的处理改为短期流放,并暗示他将从中斡旋,使问题的最终解决对瑞士有利。同年 3 月在巴黎召开的中立国会议上签订一项条约,规定普鲁士国王不得对纳沙泰尔有主权要求,只给他保留大公的称号。

Neue Künstlervereinigung 新美术家协会 英语作 New Artists' Association。1909 年由 W.康定斯基、A.冯·亚夫伦斯基、G.明特以及其他一些风格不尽一致但都反对慕尼黑官方艺术的艺术家组成的艺术团体,后来加入的有 A.埃尔布勒、A.卡诺尔德、A.库宾、M.冯·韦雷弗金、K.霍费尔等。首届画展于 1909 年 12 月在慕尼黑汤豪泽现代美术馆举行,作品主要反映了青年风格和野兽派风格的影响,不为观众和批评家所欣赏和接受。第二届展览于 1910 年 9 月在同地举行,为国际性展览,包括一些外国画家的作品,其中有 P.毕加索、G.布拉克、G.鲁奥、K.范·唐吉、A.德兰、M.德·弗拉曼克、H.勒·福科尼耶以及大卫和 V.布尔柳克。这次展览因有外国人特别是俄国人参加而在一些问题上受到指责,被认为是对巴伐利亚文化的威胁。第三届展览于 1911 年 12 月在同地举行,但在筹备过程中因美学观点不同,协会内部发生分裂,部分原因是因为评选委员会拒绝展出康定斯基的大型抽象画《末日审判》。追求表现自由的 F.马尔克(最后加入协会的画家)和康定斯基结成联盟,反对较为保守的艺术史家 O.菲舍尔(后来成为协会的发言人)、画家卡诺尔德和埃尔布勒。马尔克和康定斯基离开了协会(同时还有明特和库宾),另外组织"青骑士"派,并在同地同期展出他们的作品,展室与新艺术家协会的展览相邻。

Neue Sachlichkeit 新客观派 1924年曼海姆艺术厅厅长 G.F.哈特劳勃为一批德国艺术家取的名称,这些艺术家以现实主义的风格作画(与当时流行的表现主义和抽象主义

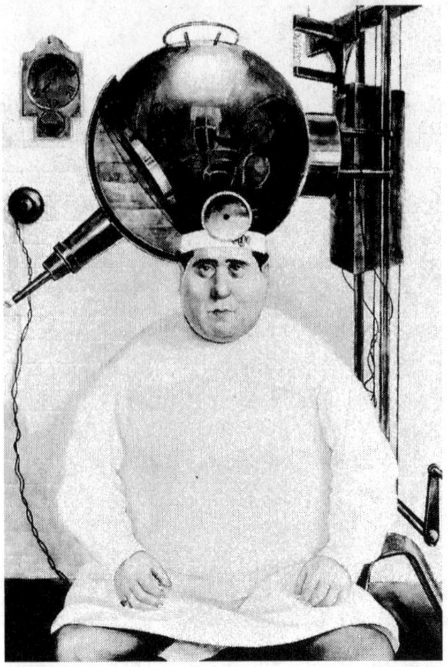

新客观派画家 O.迪克斯绘《迈尔·赫尔曼博士》(1926)

美国不列颠百科全书公司供图

风格相对而言),反映了如哈特劳勃所说的第一次世界大战战后时期德国的听天由命和犬儒主义。新客观派有过形形色色的倾向和风格,有人曾把它分为三种:真实主义风格,纪念碑或古典主义风格和仿效法国画家 H.卢梭的画派。虽然许多艺术家在 20 世纪 20 年代以后继续以抽象风格作画,但新客观派作为一个运动已随纳粹主义的出现而告终。

Neue Zürcher Zeitung 《新苏黎世报》 苏黎士出版的日报,被公认为世界大报之一。1780 年创刊时为周报,称《苏黎世报》。1821 年改组后改称今名,每周出版 2 次。1868 年报馆改为由苏黎士市民共有的股份公司,每天出 2 版次。1894 年起每天出 3 版次。该报是一份小报,但品位不低,是世界最严肃的报纸之一。该报的特点是报道谨慎、冷静、深思熟虑并辅以深入的分析和背景情况介绍。该报以大量篇幅登载国际新闻,在世界 30 多个主要城市派驻记者。自创刊以来就受到知识分子、政府官员、商界和政界领袖人物以及其他对世界大事感兴趣的人们的热烈欢迎。为保证准确客观,该报常对世界大事保留一段时间,待事态平静后再予以报道。但对掌握确实的事实却毫不犹豫地立即发表,例如因报道国会纵火案非共产党人所为,其罪魁原是戈林,该报自 1934 年在德国被禁。1945 年以来在冷战年代中以及在冷战之后,该报以不偏不倚的新闻报道获得广泛赞许。

Neuenburg(Switzerland) **诺因堡** 参阅 **Neuchâtel** 纳沙泰尔。

Neuenburgersee(Switzerland) **诺因堡湖** 参阅 **Neuchâtel, Lake** 纳沙泰尔湖。

Neuengamme-Ring 新加默集中营区 德国纳粹集中营区,位于汉堡港郊外新加默区附近的沼泽地。第一个营地建于 1940 年,为当地军火工业提供奴隶劳工,由于囚犯人数增加,1942 年后陆续增加了一些营地。据德国人估计,有 8.2 万犯人死于该地,许多人死于疾病、营养不良、体力衰竭,另一些人死于医学实验。1945 年 5 月 3 日英国空军袭击易北河上的船只,炸死数千名转运中的犯人。

Neuf, Pont(bridge) 参阅 **Pont Neuf** 新桥。

Neuhof, Theodor, Baron 诺伊霍夫(1694-08-24 或 25,科隆 ~ 1756-12-11,伦敦) 德意志冒险家,曾在欧洲各国的军事、政治及财政事务中从事密谋活动,1736 ~ 1743 年为科西嘉名义上的国王。原在法国和巴伐利亚军队中服役。后去英格兰并转往西班牙,为瑞典进行谈判。曾参加苏格兰金融家 J.劳的商业投机活动。在热那亚时他向一些科西嘉囚犯说,如果拥立他为国王,他可以把科西嘉岛从热那亚专政下解放出来。他在这些囚犯支持下在科西嘉登陆称王。最初抗击热那亚取得胜利,但后来失败,科西嘉岛上发生内战。他于 1736 年末逃走。1738 和 1743 年两度卷土重来,都未能重建他当权的地位。后因负债在伦敦人狱,将其"王国"作为抵押而获释。

Neuilly, Treaty of 《纳伊条约》(1919-11-27) 第一次世界大战结束后保加利亚同战胜国、协约国之间签订的和约。1920 年 8 月 9 日生效。依约,保加利亚被迫把有 30 万居民的土地割给南斯拉夫和希腊(从而失去爱

琴海的出海口),军队减到2万人,并偿付赔款(后75%的赔款得到豁免)。

Neuilly-sur-Seine 塞纳河畔讷伊 法国巴黎西北郊的殷实富户居民区。位于首都西、布洛涅森林以北的上塞纳省。它主要的通衢是与香榭丽舍大街相连的宽阔的戴高乐林荫道和格兰达尔梅林荫道。18世纪建造的横跨塞纳河上的讷伊桥位于居民区两侧,是个杰出的工程。1935～1940年间重建,拓宽至35米。人口59 874(1999)。

Neukölln 新克尔恩 德国柏林市南部一区。面积45平方千米。在中世纪4个村庄基础上发展起来。第二次世界大战中受炮火破坏远较该市其他区轻。现为购物和娱乐中心。工业基础雄厚,有肉类加工、化工、医药和汽车制造等工厂。人口约303 100(1990)。

Neumann, Balthasar 诺伊曼(1687,奥地利哈布斯堡领地波希米亚埃格尔[今捷克共和国海布]～1753-08-19,维尔茨堡[德国]) 德国建筑师,后期巴罗克风格杰出大师。1711年移居维尔茨堡,从事筑城防御工程后,获得该城统治者申博恩家族的保护。1719年开始为维尔茨堡统治者建造府邸。工程时断时续,直至1753年逝世为止。在此同时,曾设计其他许多建筑。从18世纪20年代开始,修建了维尔茨堡大教堂内的申博恩礼拜堂(1721～1736)、维尔茨堡城外小修道院的教堂(1726～1730)和明斯特施瓦察赫的隐修院教堂(1727～1743)。他还为申博恩家族其他成员设计房屋,包括宅邸、公共建筑、桥梁、供水系统及10多座教堂。40年代,设计了他的杰作:菲尔采黑利根的朝圣教堂(1743～1753)。此外还修建了维尔茨堡附近的教堂(1740～1752)及内勒斯海姆的隐修院教堂(1747～1753)。诺伊曼在处理教堂及府邸的内部空间方面,具有高超的构图技巧。他设

诺伊曼设计的菲尔采黑利根的朝圣教堂内部
美国不列颠百科全书公司供图

计的建筑物内部,墙壁与柱子往往隐没不显,以创造出惊人而有趣的效果,同时又保持对称与和谐的感觉。他善于利用穹顶和拱顶,以创造一连串轻巧的圆形及椭圆形的内部空间,加上从大窗户透入的光线,呈现出一种奇幻缥缈的景象。此外,他又大量使用石膏雕塑、涂金装饰、雕像、壁画及顶篷绘画等点缀室内各个部分,使建筑物内部更为灵巧生动。

Neumann, John von (mathematician) 参阅 **von Neumann, John 冯·诺伊曼**。

Neumann, Saint John (Nepomucene) 纽曼,圣(1811-03-28,波希米亚普拉哈季采[今在捷克共和国]～1860-01-05,美国宾夕法尼亚费城) 天主教费城主教,美国天主教教区学校制度的创导人。他曾在布拉格大学学习,立志到美国传教,于是到达纽约,1836年在纽约受祝圣。1840年参加赎世主会,后任美国赎世主会会长。1852年教皇庇护九世任命他为费城主教,其后3年间他在教区内兴建教堂,开办学校,开设收容所,并热心教育事业。

Neumann line 诺伊曼线 陨石学名词。若将有些铁陨石切开并将其裸露面磨光和腐蚀,就会显现出细而直的抓痕状条纹,称为诺伊曼线。一般认为这种线所揭示的陨石内部结构是由于某种剧烈的应变,比如陨石在陨落之前经受天体间的碰撞等造成的。诺伊曼线是以其发现者——德国矿物学家F.E.诺伊曼(1798～1895)的姓氏命名的。参阅 **Widmanstätten pattern**。

neume 纽姆符 音乐记谱法中记录一个或一个以上连续音高的符号,是现代音符的前身。纽姆符用于基督教(如格列高利和拜占廷)礼拜仪式圣咏、中世纪复调音乐和一些世俗的单声部音乐。早期的纽姆符从希腊文字

纽姆符
美国不列颠百科全书公司供图

的重音发展而来,逐渐演变成各种不同形状来表示音高和歌声的装饰音。这些没有谱表的或者说是靠手势表示的纽姆符能帮助回忆起当时按照半口传方式而记住的旋律。不久,纽姆符就"提高"到能暗示特定的旋律线了。大约在1000年出现了一种有4条线的音乐谱表。把纽姆符记录在谱表上能表现出准确的音高,使歌唱者能唱出陌生的旋律。约在1200年,纽姆符采用了很有特点的方形符号,现代的格列高利圣咏记谱中仍在使用这种符号。纽姆符是否表示、如何表示节奏,至今众说纷纭。能表明拍子的音符于13世纪下半叶由纽姆符脱胎而出。

Neuquén 内乌肯 阿根廷中西部省份。西邻智利。面积94 078平方千米。西部有一些山间湖和森林。东部有大平原,平原上生长着矮小的植物、分布着众多的盐矿床。省会内乌肯(Neuquén)在内乌肯河与利迈河汇流处。境内有拉宁和拉古纳布兰卡两个国家公园和纳韦尔瓦皮国家公园的一部分。苹果、梨、葡萄和李子是重要的收入来源。西部养羊。在内乌肯城附近,石油和天然气的开采仍很重要。人口约540 384(1999)。

Neuquén 内乌肯 阿根廷中西部内乌肯省省会。内乌肯河和利迈河在该市汇成内格罗河。建于1904年,是附近的水果种植区的市场中心。20世纪70年代,利迈河和内乌肯河上的水坝建成后,水果增产。当地可加工水果,工业为北面和西面的油田制造重型装备和建筑材料。人口327 374(1989)。

neural crest 神经嵴 神经管形成过程中分出的一组胚胎细胞。它们没有参与中枢神经系统的形成,而是转移到身体许多部位,并参与形成许多组织:黑色素细胞(表皮深层的色素细胞,与皮肤颜色有关)、面部骨骼、成牙质细胞、许多脑神经细胞、脑膜、施万氏细胞(围绕周围神经系统的神经纤维,起绝缘作用)、交感神经节链及肾上腺髓质细胞。决定转移及分化的因素未明。

neural network 神经网络 以模拟大脑自然神经网络的方式运行的一种计算机程序。其理论基础由伊利诺伊大学的神经生理学家W.麦卡洛克和芝加哥大学的数学家W.皮茨于1943年提出。1954年麻省理工学院的B.法利和W.克拉克成功运行了首个简单的类神经网络。商业上已用于投资决策、识别笔迹及探测炸弹。其明显特征是知识广泛分布于网络自身而不是详尽地写入程序。网络随后通过接触各种不同情境来进行学习。神经网络可用于贷款申请等过程,其中的输入信息是代表贷款申请的数据,而输出信息则为是否批准给予贷款。

neural tube defect 神经管缺陷 胚胎发育早期神经管发育异常所致的脑或脊髓先天性缺陷,通常伴有颅骨或脊柱的缺陷。在正常的发育中,沿将来成为胎儿背侧部位的表面形成一块板状的神经组织,即神经板,后来神经板中间下凹并合拢形成一条闭合的管——神经管。神经管发育为中枢神经系统的各个构造。神经管闭合不全,神经管部分缺损,或神经管部分阻塞,均可致神经管畸形。

神经管不同程度的闭合不全可致脊柱裂、脑(脊)膜膨出、脊髓膨出、脊髓脊膜膨出。脊髓背侧的椎骨闭合不全即致脊柱裂,神经得不到保护。病变通常见于脊柱下端的腰椎或骶椎部位。属于此类的其他神经管畸形是脊柱裂的特殊类型。

脊髓膨出指脊髓以致神经组织暴露于背部表面,甚至无皮肤或脑(脊)膜(包围脑和脊髓的膜质组织)覆盖。若脑(脊)膜通过脊柱的缺陷突出,形成内充液体的囊状,则称为脑(脊)膜膨出。脊髓脊膜膨出是一种复合缺陷,其突出的囊中亦含一些神经组织。若这些缺陷中的任何一种又与脊髓中央管相交连,则分别称为脊髓中央管脊膜膨出、脊髓中央管脊髓膨出、脊髓中央管脊髓脊膜膨出。因此脊髓中央管脊髓膨出指包含神经组织并通向脊髓的开放性缺陷。脊柱裂可于幼儿期进行手术治疗;脑(脊)膜膨出的治疗成功率最高,因为脊髓膨出多伴有截瘫或其他残疾,这使治疗复杂化。

脑膨出是另一种神经管缺陷,表现为包含脑组织的脑膜囊自颅骨突出。症状视受累神经组织的多少而定。

无脑畸形和无嗅脑畸形的病理变化为

神经管的一些部分缺失。对于无脑畸形，大脑发育极差或短缺，头颅骨未形成。这种畸形通常致命，无脑畸形的胎儿多为死产。无脑畸形有一种类型——积水性无脑畸形，其时头颅骨形成，但前脑短缺，患儿可为活产，但生后不久即死亡。对于无嗅脑畸形，位于脑前端的嗅脑短缺。患儿有唇裂和颚裂，鼻畸形或短缺，眼小，内脏有缺陷。有关的畸形包括：独眼畸形，只有一个位于颜面中央的眶，内有一眼或无眼，眶的上方有管形鼻；猴头畸形，两侧大脑半球融合，但面部可能相对正常。多数患儿生后不久即死亡。

若神经管中脑脊液的正常通道部分或完全阻塞，则脑脊液积聚，这就是脑积水。脑脊液压力增高，大脑及头颅显著扩大。脑积水的发生率为每千名活产中出现1～2例。可分流中枢神经系统内过多脑脊液的手术设计成功之前，患者恒将死亡。今天若脑积水能得到及时的诊断和治疗便不一定引起智力损害。

neuralgia　神经痛　周围感觉神经分布区周期性发作的急性疼痛，原因不明。神经组织中未发现有病理学变化。神经痛常与神经炎相混淆。神经痛有两种主要类型：三叉神经痛（痛性抽搐）和舌咽神经痛。三叉神经痛以沿三叉神经任何分支的、短暂和反复发作的剧痛为主要特征。青春期后任何年龄均可发病，但通常在中年后起病。女性发病率高于男性。患者常描述其感觉为“刺痛”，“枪击痛”或“电击样痛”。疾病早期疼痛持续不到1～2分钟，发作间隔为数周或数月。随着病情进展而间歇期渐短。鼻和口周围区域过敏，触之可激起疼痛发作。说话、饮食或冷风吹面亦可引起发作。止痛药可使之暂时缓解。切断神经节近端的神经感觉根可根治本病。神经感觉根和神经节后部单纯减压术有一定疗效。舌咽神经痛较为罕见，以咽、扁桃体、舌后部和中耳反复发作的剧烈疼痛为特征。通常在40岁后起病，男性多于女性。神经组织未见病理变化。疼痛剧烈难忍，起于咽喉，放射到耳，或沿颈部下行。疼痛可自然发生，或由喷嚏、咳嗽、哈欠、咀嚼或说话诱发。每次发作仅持续数秒至一二分钟。发作间期一般较长。内科疗法通常无效，因为在止痛药起作用前发作即已平息。严重的病例需行外科手术。参阅 **neuritis**。

Neurath, Konstantin, Baron (Freiherr) **von　诺伊拉特**(1873-02-02，德国小格拉特巴赫～1956-08-14，西德恩茨韦英根)　德国外交官，1933～1938年任希特勒的外交部长。曾在蒂宾根大学和柏林大学攻读法律。1903年进入德国外交部工作。第一次世界大战后历任驻丹麦公使（1919起）、驻意大利大使（1922起）、驻英国大使(1930起)。1932年6月起在巴本内阁和施莱谢尔内阁中任外交部长。1933年希特勒上台后他仍任原职。1938年2月被希特勒撤职，代之以里宾特洛甫；1939年3月被任命为德国驻波希米亚和摩拉维亚保护长官。1941年9月希特勒说他的统治“过分宽大”而被解职。第二次世界大战末期被法军俘获，纽伦堡国际军事法庭判处15年监禁。1954年11月获释。

neuritis　神经炎　单支或多支神经的炎症。除了痛、触痛外，神经炎的主要症状涉及该神经所辖区域内的躯体感觉、肌力、肌张力、神经反射活动的减弱，并可有血管运动功能障碍和异常出汗反应等。不管是有髓还是无髓，外周神经都很长，而且要路经或伴行各种各样的、软硬深浅不一的组织和器官。神经炎的病因常和这些毗邻结构有密切关系，如骨折、外伤、炎症、肿瘤浸润、变态反应等。神经炎及其病因之间常有一定的规律：单神经炎和神经丛炎以机械原因居多；而多发性单神经炎则以血管病变或过敏性疾病居多；多神经炎则多源于中毒、代谢异常、各种感染或变态反应等。神经炎的症状常仅限于该神经所辖区域。感觉神经元及其神经纤维的炎症可致麻刺痛、针扎痛、烧灼痛、刀伤痛等；夜间或温度变化时疼痛加剧。运动神经元及其神经纤维的炎症可致所辖肌肉出现肌无力、肌张力下降、触痛，进而萎缩，甚至全瘫。贝尔氏麻痹，即面神经麻痹，就是因面神经炎导致的面部肌肉呈异常收缩状态，患者口眼歪斜。神经炎的治疗应首先确定病因，然后对症下药。常用止痛药。如治疗及时、措施得当，神经炎的预后较好。神经炎可反复发生，如治疗不彻底，可留后遗症。参阅 **neuralgia**。

neurofibromatosis　神经纤维瘤病　以局限性皮肤病变和良性、进行性增大的神经纤维瘤为主要症状的遗传性疾病。神经纤维瘤病Ⅰ型，即雷克灵豪森氏病，较常见，新生儿发病率为1/3 000。主要症状有淡棕色皮肤色素斑和多发性、良性神经纤维瘤，瘤体质软。色素斑可生后即有，而神经纤维瘤则多于十几岁才出现，且因其体积大而使机体多处变形。病变多呈进行性发展。本病为常染色体显性遗传，故可有半数子女患病；不过，家族遗传者只占临床病人的一半左右，另一半源于基因突变。1990年，科学家们确定：人类编码神经纤维瘤病的基因位于第17对染色体上。以此段基因为模板合成的蛋白质可刺激神经外衣的纤维细胞呈肿瘤性生长。神经纤维瘤病Ⅱ型较少见，瘤体长在外耳道，色素斑数量较少。

neurogenic arthropathy　神经原性关节病　又称夏尔科氏关节(因19世纪法国神经病学家J.-M. 夏尔科而得名)。发生于活动量大的关节的一种骨科疾病，特点为关节端骨质广泛破坏，关节边缘出现大小不一的骨赘。最后引发关节功能障碍，但极少或无疼痛及不适感。本病伴发于关节位置觉缺失的神经系统损伤，患者常不能觉察关节过劳及损伤，结果关节迅速破坏崩解。最常见的病因为脊髓痨，此时关节病变发生于膝、髋、踝及腰部。足的神经原性关节病并发于糖尿病。其他能影响关节位置觉或痛觉的疾病（如麻风、脊髓外伤、恶性贫血等）亦可致神经原性关节病。其治疗常用梏具保护关节，避免活动，预防损伤。

neurohormone　神经激素　由神经分泌细胞(结构上属神经系统而非内分泌系统的特化细胞)所产生的一类物质。神经激素沿着神经细胞轴突传递，在称为神经血器官的特殊区域释放入血流，从而在感觉刺激与化学应答之间建立起一种联系。许多哺乳动物的神经激素包括催产素及加压素，均由下丘脑产生并由神经垂体分泌入血。称为“释放激素”(1969年首次鉴定了一种释放激素的化学成分)的第二类神经激素亦来自下丘脑。释放激素在神经细胞内传送到脑的另一个部位，从这里通过血液流到达腺垂体，刺激或抑制各种腺垂体激素的释放。第三类神经激素包括脑啡肽及其他内啡肽，于1975年在研究吗啡及其类似物的作用机制时首次发现。内啡肽有镇痛效果，这性质显然与其作为神经递质的功能有关。它们在中枢神经系统中，通过一个与位点(而不是分泌神经元)有关的间接过程刺激生长激素和后叶加压素的分泌，从而表现出其神经激素活性。参阅 **endorphin**。

neurolinguistics　神经语言学　研究语言存贮和产生过程神经机制的学科。尽管已能很满意地断定语言中心在惯用右手的人的大脑左半球，但是关于语言的各个方面与大脑不同的特殊区域有关的问题仍有争议。在这一领域所进行的研究课题之一就是对失语症的探讨，研究者曾对神志清醒的患者用电流刺激其大脑皮层来诱发暂时的失语症，以确定语言不同功能的位置。虽然对大脑的一般的语言中心已经提出，但似乎并不存在高度专门的语言中心；一些病例证明，将患者大脑左半球切除后，原来左半球具有的语言功能就移到右半球上。总的看来，虽然这个领域的研究工作正在取得一些进展，但有关语言神经机制的各个问题，至今尚不确知。

neurology　神经学　有关神经系统（即脑、脊髓和神经）功能性或器质性障碍的诊断与治疗的医学专科。现代神经学已在前两个世纪内得到发展。18世纪早期，S.黑尔斯和R.惠特首先对动物的神经功能作科学的观察，但直到19世纪中期临床神经学仍是一块相对来说未经探索的领域。19世纪中、晚期，在神经学方面已出现许多重要进展，在关于失语的原因、癫痫以及脑损害所致运动障碍等方面已获得许多新知识。经由选择性电刺激绘出脑部功能定位图，亦始于此时。尽管如此，有关脑和神经功能的新知识，大部分仍来自对动物的研究和神经细胞的显微分析。20世纪20年代，H.贝格尔发明记录脑电活动的脑电描记术，使神经病的诊断大为改善。借助脑电描记术、脑脊髓液分析和脑血管造影，神经学家能更精确地诊断，并研究出特异性的疗法与康复措施。而70年代早期研制出电子计算机轴位断层扫描（CAT），80年代研制出核磁共振成像，两者均能详细而无损伤地将脑内景象呈现出来，对脑部障碍的诊断有进一步的帮助(参阅 **brain scanning**)。用特异性药物治疗神经病，则为另一主要发展。中枢神经系统内神经递质的鉴定和这些物质在神经冲动的传递与阻断上所起作用的阐明，使20世纪中、晚期研制出一大批能矫治或缓和种种神经障碍的药物。与神经学相关的医学专科——神经外科，或许是外科学中最难与最复杂者，但也从CAT与其他日益精密的定位神经组织内病损及其他异常的方法中得益。神经障碍一直是人类疾病中最微妙、最令人困惑者之一，虽然在其领域中不断有进展，但神经学家还是无法有效治疗许多神经系统的障碍。

neuromuscular blocking agent　神经肌肉阻滞药　又称箭毒样药物。对神经-肌肉间的兴奋性冲动传递具有阻断作用的药物。能影响乙酰胆碱的作用。竞争性或稳定性神经肌肉阻断药（如箭毒及其合成类似物）能与乙酰胆碱竞争受体部位，在外科手术中可作为肌松药使用。去极化药应用后迅即使肌肉受体处于去极化状态且持续较长时间，从而阻止受体对乙酰胆碱的反应，使肌肉麻痹。参阅**ganglion blocking agent**。

neuromuscular junction　神经肌肉接点　又作myoneural junction。又称肌肉神经接点。神经纤维与肌肉细胞之间的化学联络点。与神经元之间的突触同功。神经纤维分为许多末梢分支，每个分支嵌入肌细胞膜上称为终板的凹陷中。终板内容纳数以千计的受体（长形的蛋白质分子，形成穿过膜的通道）。在神经冲动刺激之下，神经末梢从称为突触囊泡的球形结构中释出一种化学物质——神经递质（乙酰胆碱）。神经递质与受体结合，通道开放，钠离子流入终板，引起**终板电位（end-plate potential）**，这种电变化导致肌肉收缩。

neuron　神经元　又作nerve cell。又称神经细胞。构成脊椎动物和大多数刺胞动物（例如珊瑚虫和水母）以上的无脊椎动物的神经系统的基本细胞。能传递神经冲动。典型的神经元有一个带核的细胞体和两根或两根以上的长纤维。冲动沿着一条或几条纤维（树突）传到细胞体；在较高级的神经系统中只有一根纤维（轴突）将冲动从细胞体传出。成束的来自多数神经元的纤维由结缔组织包绕形成神经。大型脊椎动物的某些神经元可长数英尺。感觉神经元将冲动从感受器（如眼或耳）传递到神经系统较中枢的部位（例如脊髓和大脑）。运动神经元则将冲动从神经中枢传递到效应器（如肌肉）。

neuronal junction (biology)　**神经元接点**　参阅**synapse 突触**。

neuropteran　脉翅类昆虫　脉翅目（Neuroptera）的昆虫。以前一度还包括两个近缘目：蛇蛉目（Raphidiodea）和广翅目（Megaloptera）昆虫。脉翅目成虫的口器在头的腹面，幼虫具特有的刺吸颚（由上颚和下颚组成）；后两目昆虫的口器位于头前端，幼虫具咀嚼式上颚。这三个目可能均从早期的广翅目祖先分支演化而来。肉食性，构造和习性多样化，淡水或陆生。世界性分布。在害虫或害螨生物防控方面起重要作用。脉翅目4 000种，长1.5～35毫米以上，前翅长2～50毫米。翅脉多。卵直接产在物体表面上；或黏附于一根黏液丝的顶端，产卵时雌虫的腹部末端先触及物体表面，排出黏液，慢慢抬起腹部，把黏液拉成一丝，黏液丝很快变硬，卵的后端即附着在丝（柄）的顶端。若非越冬期，则5～14天孵出幼虫。有些科的幼虫用

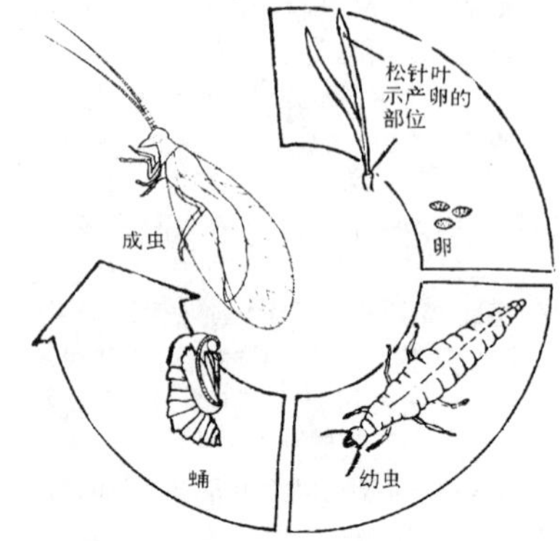

褐蛉（*Hemerobius stigma*）的生活史

皮肤的增厚部分破卵而出，有的是卵裂开。一般幼虫具3龄：第1龄数天，第2龄数天或过冬，第3龄随种类而异；从数周到数月。幼虫肉食性，自由生活；但水生的水蛉科（Sisyridae）幼虫例外，寄生在淡水海绵上。典型的脉翅目幼虫往往吸食捕获物的体内组织，只留下空皮。

虽然许多种幼虫为夜行性，因而不需伪装，但亦有些种类将碎屑附着于体上作为伪装之用。蚁蛉的幼虫在干土或沙上挖一圆锥形坑，等待落入坑内的蚂蚁或其他动物。若落入的蚂蚁企图爬壁逃走，蚁蛉幼虫便用头投土使其落回坑内。脉翅目幼虫从肛门排出灰白或淡黄色丝，先织一个疏松的茧附在一物表面上，然后在内部再织一致密的茧。两层茧壁或紧靠或分开（随种而异）。在化蛹前，可能在茧内度过数天或数月的前蛹期。有些种一年产卵两次或三次，但生活史不超过一年。成虫在任何时候都能交配。有时雌体保留受精卵一直到气候合适时。脉翅类的成虫和幼虫大量取食螨类、昆虫卵和幼虫、蚁、蓟马、啮虫和同翅目昆虫（尤其是蚜虫）。例如草蛉科（Chrysopidae）的种类大量消灭蚜虫，是蚜虫的主要的天敌。幼虫除在脱皮时外，不停地取食，成虫可能也吃死昆虫。

neurosecretory cell　神经分泌细胞　将神经信号转变成化学刺激的神经元。神经分泌细胞能产生神经激素，神经激素沿轴突移动，在神经血器官（轴突终端与毛细血管紧密接触的特殊部位）释放至血液中。神经分泌细胞见于多数多细胞动物。该种神经元区别于其他的神经元之处为其细胞核、轴突终端及细胞体非常大。

neurosis　参阅**psychoneurosis 精神神经症**。

neurotransmitter　神经递质　又作chemical transmitter, transmitter substance。又称化学递质。由神经细胞释出的化学物质，用以刺激相邻的神经细胞，使冲动从一个细胞传递到下一个细胞，从而在神经系统内传递。神经细胞接触的部位称为突触，由一个神经元的轴突终端与下一个神经元的树突所组成。两个神经细胞之间有一个微小的空隙，称作突触间隙。当神经冲动到达一个细胞轴突的终端时，有一种化学物质通过突触前膜释出，在数毫秒的时间内穿过突触间隙到达相邻神经细胞的突触后膜。化学物质的释放受细胞的电作用的刺激。虽然据信有多种化学物质可能为神经递质，但只有少数几种被鉴定出来，其中包括乙酰胆碱、去甲肾上腺素、多巴胺和血清类。如乙酰胆碱等的作用为兴奋（激活）神经细胞，另一些物质则起抑制的作用。

Neusalz（Poland）　参阅**Nowa Sól 新苏尔**。

Neusatz（Serbia）　**诺伊萨茨**　参阅**Novi Sad 诺维萨德**。

Neuschwanstein　纽什凡斯泰恩城堡　根据巴伐利亚国王路易二世的指令，建于巴伐利亚阿尔卑斯山脉波拉特峡谷凌空突出的岩壁上。1869年动工，至1886年路易去世时尚未完工。这座铺张浪费的要塞是由中世纪城堡改建而成的奇特而传奇性的建筑。城堡包括围墙院落、室内花园、尖塔、望楼以及人工山洞。设有宝座的两层觐见厅模仿拜占廷式的长方形会堂，有红色的斑岩柱子和点缀着星宿的蓝色筒形拱顶。路易是音乐家R.瓦格纳的保护人，城堡中各处的壁画都是以瓦格纳所编歌剧中的故事为题材：四楼歌唱厅中的壁画描绘帕西发尔的生平，书斋壁画中有汤豪泽的传说，大厅壁画中则有洛亨格林。20世纪成为游览胜地。

Neuse River　纽斯河　美国东部河流。发源于北卡罗来纳州中部偏东北。由弗拉特河与伊诺河汇合而成。长约440千米。大致流向东南，经金斯顿（通航的起点），在新伯尔尼有特伦特河汇入，形成宽8千米，长64千米的河口湾。纽斯河流过克罗亚坦国家森林，注入大西洋。20世纪90年代，在河中发现有毒赤潮藻（*Pfiesteria piscicida*），能周期性导致鱼类的大量死亡。

Neuserre　纽塞里　又拼Nyuserre。埃及第5王朝（约公元前2465～约前2325）第6位国王，因在下埃及阿布吉拉伯营建太阳神瑞神神庙而闻名。从太阳神庙的浮雕可以看出工艺和技巧十分发达。统治期间的情况文字记载不多，仅知作为他的陵墓的金字塔位于阿布吉拉伯太阳神庙附近的阿布西尔。

Neusiedler Lake　新锡德尔湖　奥地利东部和匈牙利西北部的湖泊。海拔115米，是奥地利的最低点。长36千米，宽6～14千米，面积350平方千米。水甚浅（很少超过4～6英尺），来自小溪，可能还有地下水，没有天然外流出口。湖面高低和大小随气候变化而变化。有运河连接多瑙河支流拉布尼茨河。湖岸芦苇丛生，有多种珍禽和候鸟，为国

新锡德尔湖
美国不列颠百科全书公司供图

际禁猎地。该湖为植物纤维工业提供原材料，且为附近维也纳的游乐区。湖畔主要城镇有新锡德尔、波德斯多夫和鲁斯特(葡萄酒中心)。

Neusohl（Slovakia） **诺伊索尔** 参阅 **Banská Bystrica** 班斯卡-比斯特里察。

Neuss 诺伊斯 德国西部北莱茵-威斯特法伦州城市。濒莱茵河西岸，与杜塞尔多夫隔河相望。约建于公元前12世纪，为罗马要塞。1187～1190年设建制。1816年归属普鲁士。市内有圣奎里努斯教堂(1209)和旧市政厅(1634～1638)等古迹，均毁于第二次世界大战，但均已修复。巨大的城楼(中世纪城防工事之一部)现为克莱门斯-塞尔斯博物馆，军械库(1639)现为音乐厅。为重要铁路枢纽、港口、谷物市场和工业中心。港口可容小型远洋轮船。制造业有机械、化工和食品加工等。人口约152 050(2003)。

Neustadt an der Weinstrasse 魏因施特拉瑟的诺伊施塔特 德国西南部莱茵兰-普法尔茨州城市。在哈尔特山东坡，施派尔-巴赫河口。建于1220年。1275年设建制。有许多古建筑。城市坐落于德国酒贸易中心，一年一度在此举行德意志酒节。设有葡萄栽培法和园艺学培训研究所。交通便利，景色优美，是著名的旅游地。还有食品加工、金属加工和造纸等工业。人口约51 988(1991)。

Neustettin（Poland） **新斯德丁** 参阅 **Szczecinek** 什切齐内克。

neuston 漂浮生物 生活在水面上或附着在水的表面膜下方的生物群。漂浮生物包括豉甲科甲虫和黾蝽等昆虫、某些蜘蛛和原生动物，偶然还有蠕虫、螺类、昆虫幼虫和水螅。漂浮生物与浮游生物有区别，浮游动物只是偶然与水的表面膜有联系。

Neustria 纽斯特里亚 中世纪早期欧洲墨洛温王朝时期(6～8世纪)的西法兰克王国，与奥斯特拉西亚(即东法兰克王国)截然不同。就词源而论，纽斯特里亚意即“新地”，即法兰克人定居高卢北部以来所垦殖的地区。大致相当于今法国默兹河以西、卢瓦尔河以北地区。7世纪时，奥斯特拉西亚与纽斯特里亚互相抗衡，687年奥斯特拉西亚的宫相丕平在泰特里战胜了纽斯特里亚人，从而确保了奥斯特拉西亚的优势地位。墨洛温王朝晚期，纽斯特里亚的著作家交替使用纽斯特里亚和法兰西亚之名，以表示纽斯特里亚已形成法兰克人领地的心脏和核心。后来，纽斯特里亚所指的范围要小得多，11、12世纪时，有时与诺曼底同义。

Neutra(Slovakia) **诺伊特拉** 参阅 **Nitra** 尼特拉。

Neutra, Richard Joseph 诺伊特拉(1892-04-08，奥地利维也纳～1970-04-16，西德乌珀塔尔) 奥地利出生的美国建筑师，以将国际式建筑风格融入美国建筑而著称。曾在维也纳工学院和苏黎世大学学习。1923年与德国建筑师E.门德尔松合作设计的巴勒斯坦海法市城市规划方案获奖。同年，移居美国，先后在芝加哥的霍拉伯德和罗奇事务所以及威斯康星州塔里辛的赖特事务所工作。早期最主要的作品有洛杉矶的洛弗尔住宅(1927～1929)，使用大面积玻璃窗及钢索悬吊的阳台，风格上与欧洲L.科比西埃和密斯·范·德·罗厄的作品相似。他在30年代设计的住宅均为国际式。第二次世界大战后，设计了优雅、严谨的加利福尼亚州帕姆斯普林斯考夫曼沙漠别墅(1946～1947)和圣巴巴拉的特里梅因住宅(1947～1948)。

美国不列颠百科全书公司供图

诺伊特拉认为建筑应使人与自然和谐地结合，他设计的住宅常通过天井或门廊使室外成为建筑的一部分。在50～60年代中，诺伊特拉的作品有办公楼、教堂、学校、住宅和文化中心等。1966年以后，与他的儿子合组事务所。诺伊特拉的著作甚多，其中以《通过设计而生存》(1954)和《生命与住房》(1956)等最为著名。

Neutral 中立人 法语作Neutre。操易洛魁语的印第安部落联盟，居住在加拿大安大略省南部，美国纽约州西部、俄亥俄州东北部及密歇根州东南部。17世纪中叶前，易洛魁人和休伦人曾进行多次战争，这个部落联盟一直保持中立，故法国人给他们命名为“中立人”。不过他们并不对所有部落都保持中立，17世纪初，中立人就曾同其西邻各族群(特别是对波塔瓦托米人)发生战争。中立人的村庄坐落于可设防的高地，房屋由树皮覆盖而成，经济活动以农为主，辅以狩猎，猎物甚为丰饶。据说1653年这个部落有成员800人，作为一个独立的居民集团，住在底特律附近。这是有关材料中最后一次谈到他们。其余的中立人不是被易洛魁人杀掉，就是被易洛魁人作为成员吸收过去了。

neutral monism 中性的一元论 心灵哲学的一种学说，认为心灵和身体并非分离的、截然不同的实体，而是由同一种中性的“质料”组成的。18世纪时苏格兰怀疑论者D.休谟发展了一种知识论；他把心灵和身体看做“印象”(知觉)的集合体，即经验的原始资料。20世纪的英国逻辑学家和哲学家B.罗素称中性的实体为“可感素”，他认为精神和物质均为“逻辑的建构”。美国的实用主义者W.詹姆斯认为中性的原始材料不是一系列的原子感觉，而仅仅是一种“发出隆隆嗡嗡嘈杂声的混乱状态”，他称之为“纯粹经验”，而以心灵或意识和身体的名称表明其中可以觉察的功能。

中性的一元论在解释心灵和身体两方面都不够充分，因而一直受到批判。休谟自己在《人性论》中就说过，他的心灵观念作为一束感觉不足以说明心灵的一致性和单纯性。也有人将肉体包含着某种原始经验的见解斥之为暗藏的唯心主义。因此，中性的一元论的中心问题也就是对中性素材的性质在作出清楚的说明时，不采用完全是身或心之类字眼的那种方式。

neutralism 中立主义 又称不结盟。在国际关系中，和平时期奉行的一种政治上或意识形态上不依附于任何主要国家集团的政策。在冷战时期(1945～1990)，印度、南斯拉夫及许多亚洲、非洲的新独立国家均奉行此政策。这些国家绝大部分既不与苏联领导的共产党国家结盟，也不与以美国为首的西方国家集团结盟。虽然在这种意义上是中立主义的，但它们并不是中立者或孤立主义者，它们不仅积极参与各项国际事务，而且对国际问题和争端都有自己的立场。

中立主义还必须与中立地位区别开来，后者是国际法术语，指在合法的战争状态下的非交战国所必须遵守的各项准则。

中立主义作为一种独特的政策得到广泛支持是第二次世界大战后的一种现象，但在此以前，类似的政策，尽管范围较小，也曾为人们所奉行。华盛顿总统和杰斐逊总统在法国大革命后英法两国之间的欧洲战争时期，以及1815年和平之后整个一个世纪为美国所鼓吹和奉行的所谓孤立主义政策和避免卷入同盟关系的方针，与20世纪的中立主义政策如出一辙。

20世纪后半叶，许多国家都采取中立主义的立场。1955年29国参加的万隆会议，除其他问题外，即旨在确立中立主义，孕育了不结盟运动。不结盟国家的第一次会议于1961年在贝尔格莱德举行。1964年和1970年更多的中立国家再次集会，以后大约每3年集会一次。最后加入这一运动的约有100个国家，以许多理由证明其采取此种立场之正确。它们不认为美国、苏联或任何别的国家一定会蓄意采取侵略行动侵犯其领土完整，因此它们拒绝参加针对某些特定国家的联盟或集体防务安排。它们也不认为一个国家指导其内部事务的意识形态、政治或经济制度会支配其国际行动。持中立主义的国家认为这样的一种政策是保持其独立所必需的。构成中立主义国家的最大集团是亚洲和非洲的新兴国家，它们绝大多数是西方列强过去的殖民地。这些国家一方面对与西方集团的这些强国结成永久性或紧密的联盟十分小心谨慎，怕被引入一种新形式的依赖关系；另一方面固然一般受到各共产主义国家（常常具有反西方论调的）经济援助的吸引，他们也害怕与苏联的亲密关系同样会威胁它们的独立。实际上，中立主义政策常能使它们从两大集团都获得急需的经济援助。

到70年代后期，经济问题成了各成员国主要关心的问题。不结盟运动在国际事务中的许多问题上，建立统一的政策方面经历了相当大的困难。许多成员国（像伊朗和伊拉克）成了仇敌，真正的不结盟成了令人难以捉摸的目标。冷战结束和苏联解体（1991）后，作为指导原则，中立主义在许多国家的对外关系中已失去了大部分作用。

neutrality　中立　指一个国家由于避免参加其他国家间所进行的战争，对交战双方保持不偏不倚的态度，同时这种避免和不偏不倚为交战双方所承认，从而取得的法律地位。根据国际法，这种法律地位在中立国和交战国之间产生某些权利和义务。有关中立国权利和义务的法规，大都包含在1856年《巴黎宣言》、1907年《海牙第5公约》（《陆战时中立国及其人民的权利和义务公约》）和《海牙第13公约》（《海战时中立国权利和义务公约》）中。《海牙第13公约》的主要条款是：当某些国家之间爆发战争时，每个希望保持中立的国家通常应发表一项特别的或一般的中立宣言。但这样的宣言并非为国际法所要求。在交战过程中，中立国可以撤销、改变或修正自己的中立地位，但规定这样的改变以对所有交战国都不偏袒为前提。由于保持中立而取得的最重要权利，就是能够维护领土的完整。各交战国不得利用中立国领土为活动基地，也不得在中立国领土上进行战斗。这项权利不仅适用于中立国的领土和领海，而且也适用于领空。根据1923年《海牙空战规则》，中立国有权保卫自己的领空，不准交战国飞机通过。然而，由于作为战争工具的弹道导弹和人造卫星的出现，就产生了关于国家高空界线的范围问题。中立国有权同其他中立国和交战国保持外交联系，有权要求本国有关保证自身中立的法规受到尊重，有权要求交战国不干涉本国公民的商业往来，除非这种干涉为国际法所批准。第一次和第二次世界大战中的一些事件预示着中立的某些基本概念的破产。随着德国入侵比利时、意大利入侵希腊、英国占领冰岛和美国通过《租借法案》，关于中立的传统规则似已不再切实可行。20世纪中叶，中立法有下列新的发展：①现代战争的总体性（包括经济手段和机械化手段的运用，已使中立国的传统自由范围大大缩小；②按照《联合国宪章》规定，被安理会"号召"或要求对某一侵略国采取军事或其他强制行动的会员国已不能取得合法的中立地位（宪章第41、48条）；③各国经济的社会化可能导致中立贸易的减少。许多原来可以以私人贸易者身份与交战国进行贸易的企业，作为国有企业已不能再进行这种贸易。

Neutre（people）　参阅 **Neutral** 中立人。

neutrino　中微子　不荷电、质量很小或无质量、自旋为1/2的亚原子粒子。中微子属于粒子中的轻子族，它们不受强相互作用支配。有三类中微子，每一类和一个荷电轻子（即电子、μ子和τ子）相联系。1930年，奥地利物理学家W.泡利为了解释β衰变（一种放射性形式）中能量的明显损失，提出电子-中微子假说。1934年，意大利出生的物理学家E.费米进一步阐明了这一假说，并给该粒子命名。电子-中微子在正β衰变中和正电子一起射出；电子-反中微子在负β衰变中和电子一起射出。中微子是穿透力最强的亚原子粒子，因为它们只通过弱相互作用与物质发生反应。中微子不引起电离，因为它们不带电荷。在穿过等于地球直径那样厚的物质时，10^{10}个中微子中只有一个和质子或中子发生反应。1956年，当来自核反应堆的反中微子束与质子反应而产生中子和正电子时，人们首次从实验中观察到电子-中微子。另一类中微子产生于π介子衰变中（1962年得到确证），称μ子-中微子。虽然它们和其他中微子一样是不易起反应的，但当它们和质子或中子发生反应产生μ子而不是电子时才被人们发现。20世纪70年代中期，粒子物理学家发现了另一种荷电轻子，即τ子。τ子-中微子和τ子-反中微子和这第三类荷电轻子相联系。如果这三类中微子真有质量，则它们的质量都远比它们荷电伙伴的质量小。例如，实验证明电子-中微子的质量应小于电子质量的0.000 4。然而理论上没有非让中微子质量严格为零的理由。实际上，从地球上检测太阳核心的核反应所产生的中微子数目的短缺（即所谓太阳中微子失踪之谜），可以由一类或较多类中微子有小质量而得到解释。参阅 **lepton**。

neutron　中子　原子核（氢核除外）中两种亚原子粒子的一种，另一种是质子。中子和质子统称核子，它们通过核力按不同比例结合成各种元素的原子核。1932年英国物理学家J.查德威克在用α粒子轰击铍的实验中首先发现，并根据E.卢瑟福的意见予以命名。中子的质量为$1.674\,66 \times 10^{-24}$克，比质子的质量$1.672\,36 \times 10^{-24}$克略大，是电子质量的近1 840倍。中子和质子共占原子质量的99.9%以上。自由中子由于其质量大于质子，会发生β*衰变*（**beta decay**），衰变为质子并发射一个电子和一个反中微子，半衰期为11.7分。束缚于核中的中子是稳定的。自由中子在自然界中不能存在，必须用人工方法产生。中子不带电，可不受阻碍地通过原子内部电场，形成强贯穿辐射，它几乎总是通过与原子核发生相当稀有的碰撞而与物质相互作用。中子具有内禀角动量，其自旋在以$h/2\pi$为单位时取值1/2（h为普朗克常数）。中子遵从*泡利不相容原理*（**Pauli exclusion principle**）。而大数量中子的性状则由*费米-狄拉克统计法*（**Fermi-Dirac statistics**）所决定。中子有磁矩，其值为$-1.913\,15$核磁子（1核磁子$=0.505\,038 \times 10^{-23}$尔格/高斯），负号表示中子的磁矩同自旋方向相反。中子磁矩的存在说明电中性的中子必然具有相当复杂的正、负电荷的内部结构。按照目前的理论，认为中子和质子被带电的或中性的π介子"云"所包围。当任意两个核子相互接触时，它们就交换（传递）这类π介子，从而把核系统"胶合"在一起。基于上述理论，当质子与带负电的介子相距约10^{-13}厘米时，中子就能以这种形式短时间存在。因此，中子的内部结构包含能产生磁偶极矩的环绕电荷。这进一步说明中子与电子之间必然存在着微弱的静电相互作用。根据量子力学定律，中子的波长λ与其能量E的平方根成反比（$\lambda = 2.86 \times 10^{-9}/\sqrt{E}$厘米，$E$以电子伏为单位）。中子按能量可分为慢中子（0～1 000电子伏）、中能中子（1 000～500 000电子伏）、快中子（0.5兆～10兆电子伏）和甚快中子（>10兆电子伏）四类，而慢中子还可分为冷中子（<0.002电子伏）、热中子（≈0.025电子伏）和超热中子（>0.5电子伏）。

实验中一般可通过各种人工核反应过程获得自由中子。用高能入射粒子（质子、氘核或α粒子）轰击轻核（锂、氚、铍等）可以产生大量的快中子和甚快中子；高能γ辐射引起的光致核反应也可以产生大量中能中子和快中子；核反应堆是一种很实用的慢中子源：铀235受到热中子轰击，就可以发生核裂变，每次平均放出2.5个中子，其能量从0.1兆到8兆电子伏，平均约为1.5兆电子伏。中子的能量是通过与反应堆中减速剂（通常是石墨或重水）的原子核连续碰撞来降低的，中子减速到具有与减速剂平衡的热能后，便为原子核所俘获或以热中子形式逸出。使用选速器或通过中子飞行时间技术，可以根据需要把从减速剂射出的能量不同的大量中子分离开来。慢中子的波长约10^{-8}厘米，与晶体内原子的间距相当，而中能或快中子的波长与核尺度接近，因此可以分别用来进行有关晶体结构和核结构的深入研究。用中子轰击原子核,可以发生不同的核反应。电中性的中子即使能量很低也能引起核反应。当中子被俘获时,中子与靶内的核子分享其能量并形成复核,接着复核就发射一个中子,一个γ光子或一个带电粒子,终核则处于某一容许量子态,发射粒子的种类由复核和终态的性质决定。当入射中子的能量恰能使复核的总激发能等于它的实际能态时,就发生俘获几率极大的核共振现象。此外,中子还有可能只与核内的单个核子作用,而把该核子逐出,叫做直接核反应。电中性的中子不能产生直接的电离,必须通过它与核反应的次级效应来探测,主要通过中子感生裂变反应以及中子辐射俘获过程来实现。各国研究人员又发现了重元素在中子轰击下发生核裂变并释放更多自由中子的现象。1942 年,物理学家 E. 费米领导的一个研究组经实验证明,裂变过程中产生的自由中子数量,足以维持一种链式反应。这一发展导致原子弹的诞生。后来的科技突破则促成了由核能大规模生产电力。原子核暴露于在核反应堆中获得的高强度中子之下时,会吸收中子而生成大量的*放射性同位素*(**radioactive isotope**),可用于多种目的。了解中子的性能和结构,有助于物质结构的一般理解。中子诱发的核反应,可提供有关原子核及把它们结合在一起的力的重要信息。

neutron, thermal 参阅 **thermal neutron** *热中子*。

neutron bomb 中子弹 又称增强辐射弹头。是小型热核武器的特殊型别,它产生的冲击波和热量极小,但释放出大量的致命辐射。中子弹发出的冲击波和热效应只局限在直径数百码的区域内,但在相当大的区域内放出密集的中子和γ辐射,这种辐射能穿透装甲和几英尺厚的地面,并对活体组织有极大的破坏力。由于中子弹的破坏能力是近距离的,并没有远距离的作用,故它对战场上的坦克和步兵编队有很高效能,但不会危及数英里外的城市或其他居民点。中子弹可装在长矛导弹上或者用 8 英寸(200 毫米)榴弹炮发射,也可能用强击机投掷。从战略上来说,中子弹有一种理论上的威慑作用:由于它会引起敌方对中子弹反击的恐惧,故可阻止地面的装甲兵突击。中子弹可在数分钟内使敌坦克乘员失去战斗力,而暴露在外面的人员将在数天内死去。美国在 1978 年推迟生产中子弹,在 1981 年又恢复生产。

neutron capture 中子俘获 靶核吸收中子而放出量值离散的电磁能(γ射线光子)的核反应。靶核和生成核是同一元素的同位素。例如,磷 31 通过中子俘获变为磷 32。生成的较重同位素可能是放射性的,几乎任何核都能发生中子俘获,所以它是生产放射性同位素的常用方法。中子俘获也叫中子-γ光子(n,γ)反应,根据入射粒子为中子(n)和出射粒子为γ光子而命名,有时叫做中子辐射俘获,因为瞬发出射的只是电磁辐射。天然元素中的硼、镉和钆,都是通过俘获过程而吸收慢中子的最好吸收剂。

neutron optics 中子光学 研究中子波动性态的物理学分支。中子存在于一切原子核内(普通氢核例外)。在核反应堆中,通过裂变反应,从原子核发射出中子。由此产生的自由中子束射到物体上就会被反射、散射或衍射。快中子在射到物体上时显现出粒子性;慢中子的波长比快中子的长,约为 10^{-10} 米,相当于晶体中的原子间距。被固体中原子散射的慢中子要相互干涉形成衍射图样,可据以推断出晶体结构及其磁性等方面的细节。

neutron star 中子星 一种据认为主要由中子构成、密度极高的恒星。典型中子星的直径为 20 千米,质量约等于太阳的质量。因此,它们的密度极高,约为水的 10^{14} 倍,大体相当于原子核内部的密度。在某种程度上,中子星可以认为是由其自身引力吸在一起的巨核。在密度最大的中心处,物质据信主要是超子和介子。在中介层则多为中子,而且可能处于"超流"状态。尽管温度可能达到 10^6 K 的高温,最外面的 1 千米还是固体的。密度最低的固态表面是高密度的铁。中子星另一个重要的特性是存在强度极高的磁场,超过 10^{12} 高斯,它使表层的铁聚合成为长长的铁原子链:每个原子都被压缩并沿磁场被拉长,而且首尾相接,形成从表面向外伸出的"须状物"。在表面以下,由于压力太高,单个原子不能存在。1967 年发现了脉冲星,首次证明了中子星的存在。现已发现 300 多颗脉冲星,普遍认为它们是旋转的中子星。蟹状星云脉冲星(NP0532)和船帆座脉冲星的脉冲周期极短(分别为 33 毫秒和 83 毫秒),说明它们不可能是白矮星。据认为脉冲是由于它们的旋转和强磁场而产生的一种电动力学现象,就像发电机的情况一样。另有证据表明,某些双星 X 射线源(如武仙座 X-1)也包含着中子星,它们似乎是由于压缩从伴星吸积到它们表面上的物质而发出 X 射线的。中子星据信是超新星爆发形成的,在该过程中,随着核心密度增至约 10^{15} 克/厘米^3,中子压力便会顶住中心核的坍缩。若坍缩中心核的质量超过太阳质量的 2 倍,则不能形成中子星而可能变成*黑洞*(**black hole**)。

Neuwied 新维德 德国西部莱茵兰-普法尔茨州城市。位于科布伦茨西北,莱茵河右岸,邻近维德河。1653 年由维德伯爵为宗教避难者而建。1662 年设建制。18 世纪成为繁荣的商业和手艺人的城镇。1815 年归属普鲁士。1904 年合并黑德斯道夫村(这里曾发掘出罗马城防工事)。古迹有维德亲王的巴罗克式城堡(1707～1757)等。工业产品有钢铁制品、机械、木器、化工品和由当地火山沙制成的浮石建筑材料等。人口约 60 665(1989)。

Neva, Battle of the 涅瓦河战役(1240-07-15) 诺夫哥罗德军队在涅瓦河畔打败瑞典人的战役。战争由瑞典极力向俄国西北部扩张并强迫俄罗斯人改信天主教引起。比里耶伯爵统率的瑞典军队在涅瓦河口登陆,企图封锁诺夫哥罗德通往波罗的海的通道。诺夫哥罗德大公亚历山大·雅罗斯拉维奇(因指挥此役有功,得名"涅夫斯基")率兵迎战,击溃瑞军的大部分,比里耶带领残部退回芬兰。

Neva River 涅瓦河 俄罗斯西北部圣彼得堡州河流。源出彼得要塞的拉多加湖,向西注入波罗的海的芬兰湾。全长 74 千米,流域面积282 000平方千米,结冰期为 12 月初至翌年4月末。为大型轮船的通航河道,是白海—波罗的海和伏尔加河—波罗的海水道的组成部分。圣彼得堡市位于该河河口。

Nevada 内华达 内华达位于包含半干旱草原及碱沙荒漠在内的山区,1864 年 10 月 31 日成为美国第 36 州。该州名称源出西班牙语 nevada(意为"白雪覆盖"),指该州西南部与加利福尼亚州交界处高峻的内华达山脉。该州的地理特点使其成为美国最干旱的一州,邻近的几个州也具有许多这种地理特点,它们是:北面的俄勒冈州和爱达荷州、东面的犹他州、东南的亚利桑那州。内华达州是美国第 7 大州,也是人口最稀少的州之一。首府卡森城。

当年,康斯托克矿脉富饶的银矿使边陲城镇弗吉尼亚城突然繁荣起来,如今,内华达已历尽沧桑。然而,拓荒时代的遗风仍依稀可见,只不过是经过现代城市环境的熏陶而已。那些千辛万苦地寻找富矿的人们早已逝去,新来者则是想在拉斯韦加斯和里诺的豪华赌场上一举暴富的赌客;昔日人们只是到"酒馆消遣"一番,现在已发展成到一掷千金的夜总会寻欢作乐。

内华达州人大多数居住在两大城市:一半以上在拉斯韦加斯大都会区;将近1/4在里诺大都会区。但是,该州待开发地区蕴藏着基本上尚属未知的资源。一方面是现代化城市与广阔的荒漠并存,另一方面又有涉及联邦政府原子研究设施的重要科研活动,因此内华达州在美国各州中独具特色。

自然地理和人文地理

土地 *地形* 内华达州大部位于盆地及山岭地区中的大盆地中,盆地及山岭地区的地形特点是山峦起伏,谷地平坡,偶有地垛及平顶山,还有沙漠。由北向南纵贯该州的山脉共有 30 多条,最高点有邦德里峰(4 009米)和惠勒峰(3 982米)。该州南部在莫哈韦沙漠内,最低点海拔 143 米,在科罗拉多河谷中。

水系 该州河流靠冬雪溶化和春雨补充水源。绝大多数河流不是流入没有出口的湖泊,就是流入洼地,而这些洼地在夏季由于水分蒸发又变成碱滩。该州最大河流洪堡河,形成了该州仅有的东西大水系。发源于内华达山脉中的特拉基河、卡森河和瓦克尔河,在各自地区的许多灌溉和垦殖计划中发挥作用。该州南部的马迪河和维尔金河属于科罗拉多河水系。

内华达州的几个湖泊风景美丽,招徕大批游客。地处加利福尼亚-内华达边境的塔霍湖尤以湖深水清、景色迷人而闻名。皮拉米德、瓦克尔和温尼穆卡湖都是古海的遗存。但是,与该州面积相比,该州绝少地表水。城市、工业和农业用水日增,地下水和地表水趋

地处内华达州西部内华达山脉东坡的弗吉尼亚城国家历史文物保护区
美国不列颠百科全书公司供图

于枯竭，水荒日益严重。筑坝拦水而成的米德湖，自胡佛坝上延188千米，向该州东南部供水。

气候 内华达山脉峰高岭峻，连绵于该州西部边境，拦截从太平洋飘来的雨云，使之不能到达州境，形成半干旱气候。东南部和卡森洼地最为干旱，年降水量很少超过100毫米。东北部降水量为200毫米，而西北部山区降水量经常可达600毫米。气温同样悬殊很大。在该州北部，7月平均气温21 °C，而在南部则高达30 °C。1月平均气温在北部为 -4 °C，在南部则为4 °C。在北部及东部，冬季漫长寒冷，夏季短暂，相对较热，而在南部，夏季漫长酷热，冬季短暂温和。植物生长期长短不一，反映出区域上的差异：拉斯维加斯239天，里诺155天，埃尔科则仅有103天。

动植物 内华达州气候干旱，地形崎岖，但植被种类繁多。在地势较低的沙漠地区，生长着大量的牧豆树、三齿拉瑞阿、黑肉叶刺茎藜、丝兰以及30多个品种的仙人掌，三齿蒿和短叶丝兰则在地势较高地区生长茂盛。在该州全境，主要是在春雨之后，有许多野花盛开，知其名者有2 000多种。山林中有松、冷杉、云杉以及桧和山桦。矮松为高山地区所特有，世界最古老的树种之一狐尾松仅生长在托伊亚比岭。

内华达的动物包括最适应极端寒暑和干旱的种类。较大型动物有加拿大盘羊、鹿和叉角羚。兔和其他啮齿动物数量很多。沙漠地区有守宫、角蟾、龟、响尾蛇等爬行类动物，常见的食肉动物有森林狼和红猫。内华达州常栖鸟类较少，但有多种候鸟依季节迁移至此，该州可以猎捕的鸟类有艾草榛鸡、雉鸡和北美鹑。该州河中有大量鲈鱼、鲑、刺盖太阳鱼和鲇鱼。

人民 内华达州人大部分为欧洲人后裔，其中近90%出生在美国。约有5 000～10 000人自称其先人来自巴斯克，当时从西班牙比利牛斯山脉老家招募来此放牧羊群。讲西班牙语的美国人，主要是墨西哥裔和古巴裔，集中在内华达州东南部。派尤特人、肖肖尼人和瓦肖人等北美印第安人的后裔居住在保留地内。黑人在该州人口中只占很小比例，大多居住在拉斯韦加斯和里诺地区。

势力较大的宗教是摩门教和天主教。该州还有基督教(新教)多种派别以及人数不多的犹太教徒。

从20世纪50年代到70年代，内华达州人口增长了约70%，到了80年代中期，该州人口的增长速度比全国快3倍。该州人口出生率略高于全国平均水平，死亡率略低于全国平均水平。但是，该州人口的增长主要是其他州的居民大量迁入所致，移民潮冲击势头最强的地区是拉斯韦加斯市及其周围的克拉克县、里诺市及其周围的沃肖县。大多数内华达州人是城市居民，参与上述两大都会区蒸蒸日上的经济生活。全州人口1 998 257 (2000)。

经济 矿业和农业在传统上是内华达州经济生活的基础，目前也仍占重要地位，但是，它们已经极大地落后于制造业、政府事业和同旅游有关的服务业。

矿业 美国最富的矿藏区之一从加利福尼亚州向东延伸，穿过内华达州最后伸入到亚利桑那州。矿产以铜矿为主，但在20世纪70年代和80年代铜矿产量大幅下降，内华达州生产铜的主要企业纷纷停业。目前铜仅仅是金矿作业中的副产品。黄金取代了铜，成为该州最具商品价值的矿物，该州的黄金年产量在全国名列前茅。内华达州在重晶石及汞的产量上也领先美国其他各州。洪堡县的麦克德米特矿是美国最大的单一汞矿。银产量在70年代末有所下降，但是新的银矿在80年代已经开工。其他重要矿产有石膏、沙、砾石、碎石、钨和锰。1954年尼耶县发现了石油，商业性开采已于70年代开始。

农业 内华达的农业依靠灌溉。即使是在河谷之内，农场和牧场也必须抽取地下水补充耕作和畜牧的用水需求。该州可作为农田的土地有75万英亩(30万公顷)，另有大约760万英亩为草场和牧场。在20世纪，农场和牧场的面积扩大，数量减少。

农田主要种植饲料作物和草料，其中以苜蓿为主要商品作物。畜牧是农业的主要收入来源。放牧牛羊的大牧场主要在埃尔科、洪堡和兰德县。牛大都运往加利福尼亚州或中西部地区进行育肥和销售。在内华达州西部和东南部地区，奶场和禽场已是重要企业，牧马场也已建立。

内华达州近1/ 5的面积为森林及林地。划为国家森林的面积有500多万英亩，私有森林的伐木业规模很小。森林除了生产木材外，还在保护水源、野生动植物，以及提供游乐机会等方面具有重要作用。

工业 制造业规模扩大，门类增多，较大的企业多设在克拉克县或沃肖县。主要产品有石制品、陶器、玻璃制品、食品及粮食副产品、化工产品；印刷和出版业也是主要行业。规模最大的工业综合体位于亨德森，该地大型工厂主要加工钛矿，生产工业用化学品。

内华达州的电力大都靠煤和天然气生产，少量为水力发电。该州南部的发电厂使用煤及天然气作为燃料。水力发电主要由胡佛坝和戴维斯坝供应，不足部分由加利福尼亚州和俄勒冈州的水力发电站补充。

内华达州的土地约85%为联邦政府所有。联邦政府于50年代在该州建立内华达试验场，其后在拉斯韦加斯地区形成了科研及开发基地，主要范围包括航空航天、民防科研、生物医学、环境保护和电子。这些工厂目前已足以与设在加利福尼亚州以及波士顿地区和首都华盛顿地区的类似工业相匹敌，内华达试验场本身是地下核试验的主要中心，而且在1972年以前的15年间也是研制核燃料火箭的主要中心。此外，内利斯空军基地和佛伦海军航空站还驻有数千名军事人员。

旅游业 旅游业及其有关的各种活动吸引了数百万游客，为内华达州带来的收入超过了矿业、农业和制造业的总和，为全州大约1/3劳动力提供就业机会。尽管每年有数百万人游览米德湖和其他游乐及风景区，但旅游业主要集中在该州风格独具的一些场所。

拉斯韦加斯全天开放的赌场，是合法赌博业中最著名的场所，与赌场有关的其他重要设施有豪华饭店、美食餐厅、高尔夫球场和夜总会，它们使拉斯韦加斯成为美国一个主要的充满活力的游乐中心；里诺和塔霍湖的娱乐设施与拉斯韦加斯相似，但规模较小。一些小镇也重视发展旅馆业和旅游业。在内华达州中部农业区各县，卖淫是合法的。

运输 由于内华达州幅员辽阔，空运成为该州的主要运输方式。该州有几条国内航线。州内大小飞机场数不胜数，拉斯韦加斯和里诺均被指定为国际入境口岸。

内华达境内有3条铁路贯穿全境，另有几条短途支线，铁路与公路运输的竞争十分激烈。州内公路包括一级公路、二级公路以及市级和农村公路。境内有2条联邦公路，属于州际公路系统。

内华达州的三大运输及贸易中心分别是：里诺，为内华达西北部和加利福尼亚州东北部主要商品集散地；埃尔科和伊利，都在内华达东北部；拉斯韦加斯，为内华达南部以及犹他州、亚利桑那州附近地区的商业中心。由于内华达位居要津，对过境货物实行"自由港"免税制，因而仓储和货车运输业十分繁荣。

行政与社会状况 *政府* 内华达州至今仍根据1864年通过的宪法进行治理，但对该宪法的许多内容做了修改。州长、副州长、州司法部长、州务卿、审计长、财政部长等主要官员由选举产生，任期4年。除了负责各方面公务的部和局以外，内华达州还设有平权委员会（负责监察各种形式的歧视）和赌博监督局（负责监督赌博业的运营）。

内华达州的两院制立法机构包括参议院和众议院，参议院有议员21人，任期4年；众议院有议员42人，任期2年。立法机构在奇数年1月召开会议。

州最高司法机关是州最高法院，由1名首席法官和4名法官组成。该州还设有地方法院，按人口情况分成几个区。城市和镇法院有市法官和治安法官。司法官员一律由不分党派的选举产生。

内华达州的行政区划分为16个县、16个市和56个区。由于该州在传统上以农业为主，因而县仍为地方行政的基本单位。各县有县长1人、县行政委员会委员若干人、地方检察官、县治安官和其他官员。市和镇的建制须经州议会批准，政府形式大都采取市长-市议会制。

金融 内华达州的金融政策一直非常保守。州宪法对赋税和债务有硬性限制。发行债券总额不得超过发行人在州内不动产估定总值的2%；对不动产的征税有上限。尤其特别的是，该州不征收遗产税和各种所得税。该州主要收入来源是赌博税和销售税。在州政府的总收入中，税收约占2/3，不足部分主要靠联邦赠款和补助金。

教育 公立学校系统由选举产生的州教育委员会管理，该委员会任命1名公立教育机构督导员，行使行政职责。地方上一个县即是一个学区，接受州政府补助。州政府对7～17岁的儿童及少年实行义务教育制。

内华达大学于1874年根据《莫里尔赠地学院法》中的规定建于埃尔科；12年后迁到里诺。该校于1951年在拉斯韦加斯设分校，这所分校后来即成为自治的内华达大学。埃尔科、卡森城、里诺和北拉斯韦加斯设有2年制社区学院。作为大学教育的补充，沙漠研究所和各农业实验站为全州提供科研服务。

保健与福利 内华达州的各项福利计划和监护机构都由人力资源部管理，老年关怀事业和福利事业的拨款按需要分配，盲人和其他残疾人可享受公共救济。受抚养的儿童可享受补助，卡森城和博尔德城附近设有孤儿院。州精神病院设在斯帕克斯，拉斯韦加斯也有一处精神病康复机构。服刑和改造机构包括设在卡森城的州监狱、吉恩和印第安斯普林斯的辅助监狱、卡连特的女子训练中心以及埃尔科的男青年职业学校。保健事业、住房以及公共安全由地方政府或私人企业负责。

文化生活 内华达州人历来把农村保守主义和老西部地区的个人主义混为一体。20世纪中叶以前，该州人口少而分散，文化价值是一个农业社会的价值。但是，随着旅游业的兴起和人口的增长，拉斯韦加斯和里诺具有了大都市特征。不但经济开始了多元化发展，文化活动也呈现一片繁荣景象。1967年，州议会有鉴于这种趋势，专门设立了内华达州艺术委员会以协调和促进文化活动。

拉斯韦加斯和里诺都有传统的表演艺术活动。各大学主办讲座、音乐会和戏剧演出，旅游业也经常邀请娱乐界名人举行演出。拉斯韦加斯和里诺两市都出资赞助交响乐团，并拥有商业性的和公共的艺术展览馆。传统的印第安手工艺在各保留地和城市印第安人聚居地又得以振兴。

内华达州人以一年一度的庆典和节日纪念他们的拓荒时代。拉斯韦加斯每年5月都举行海尔多拉多周，届时市民身着美国西部服装，举行放牧人竞技会和庆祝游行。埃尔科有巴斯克节，里诺放牧人竞技会是每年7月4日庆祝活动中的重要内容。内华达州每年10月31日都要纪念加入联邦日，届时卡森城举行的游行和化装舞会把庆祝活动推向高潮。

建在卡森城的内华达州立博物馆以展示矿业和矿物为主。展览人类学文物的博物馆有欧弗顿的洛斯特城博物馆、拉斯韦加斯的自然历史博物馆和亨德森的南内华达博物馆。里诺内华达大学校园内麦凯矿业学院博物馆主要展出冶金、矿物和地质方面的展品。内华达历史学会（设在里诺）藏有拓荒时代的纪念物、搜集最齐备的内华达州报纸，并有一个规模较大的文献图书馆。里诺内华达大学图书馆藏书量居该州首位，卡森城内华达州立图书馆因藏有珍贵的法律书籍而闻名。

州和联邦政府均出资建公园、森林区、历史纪念馆和游乐区。欧弗顿附近的火谷州立公园内有颜色鲜艳的五彩岩层和印第安人岩画，在国内外享有盛誉。热那亚的州立摩门教传教站遗址博物馆是内华达州最早的移民定居点原址；死谷国家纪念地地跨内华达与加利福尼亚两州的边界。红岩峡谷位于拉斯韦加斯附近，该地高原沙漠，地势奇突，彩色陡崖连绵不断。皮奥奇附近的州立峡谷大教堂公园摆放着红色和金色的岩石，状似教堂尖塔。洪堡国家森林位于内华达中东部，包括贾比齐旷野和鲁比山。米德湖国家休养地包含胡佛坝，内有垂钓、游艇及游泳设施。大盆地国家公园最吸引人的是利曼洞穴和惠勒峰地区，位于内华达与犹他州的边界附近。

历史

考古发掘表明，早在2万多年以前即有史前印第安人生活在内华达一带。穴居人在内华达州南部的岩石上留下了象形文字，竹篮人和普韦布洛印第安人也曾在该地活动过。19世纪初的探险者在内华达境内许多地方发现了莫哈维、派尤特、肖肖尼和瓦肖部落的印第安人。

探险家和移居者 深入内华达地区的先驱者是传教士和毛皮商人。西班牙传教士F. 加尔赛斯于1775～1776年自新墨西哥出发，前往加利福尼亚进行传教旅行，其后其他西班牙方济各会会士接踵而来。1825年，属于哈得孙湾公司的毛皮商人深入到内华达北部和中部地区，两年以后，J. 史密斯率领一队美国人进入拉斯韦加斯河谷，穿过了大盆地。到1830年，许多商人已陆续从圣菲和洛杉矶沿老西班牙小道进入这一地区；其后，J. 弗雷蒙特于1843和1845年在大盆地和内华达山脉一带进行勘探，使外界对这两个地方有了一定的了解。19世纪40年代，拓荒者纷纷沿洪堡河谷-唐纳山口道路到达太平洋海岸，1849年的淘金热又使途经内华达到达加利福尼亚的移民人数大增。

由于1848年墨西哥的割让，内华达遂归属美国，当时它是加利福尼亚的一部分，1850年划归新成立的犹他准州。1849年在卡森河谷内的热那亚（当时为摩门教传教站）建起定居点，但人口一直稀少，1859年发现了著名的康斯托克矿脉，人口才开始增加。从此，内华达不再仅仅是淘金者前往加利福尼亚的一条通道。弗吉尼亚城成为西部采矿营地中最著名的地方，找矿者和移居者纷至沓来，致使内华达准州于1861年建立。

美国南北战争使新成立的内华达准州具有了重要的战略价值。林肯总统认识到内华达的丰富矿物资源会有利于北方，而且，他需要一个北方州支持废除蓄奴制的宪法修正案。正式建州需要当地人口达到127 381人，虽然内华达仅约有此数的1/5，但内华达准州人仍被鼓励申请加入联邦。美国国会接受了递交上来的州宪法，并于1864年批准内华达成为美国一州。

矿业和放牧业时期 在内华达建州后最初几十年间，其经济依赖矿业和放牧业。1878年，康斯托克银矿的年产值达到3 600万美元的最高纪录。但是，在19世纪70年代，联邦政府对银在货币体制中的作用加以限制，导致银价下跌，内华达州许多银矿倒闭，一些曾经繁荣一时的社区变得一片荒凉。

由于矿业不景气，养牛遂成为一个主要行业。但是，牛肉价格难以保持稳定，铁路运费高昂，严冬常常造成数千头牛死亡。在19世纪80年代末，许多牧场被迫宣告破产。受矿业及放牧业萧条的影响，该州人口从1880年的6.2万下降到1890年的4.7万。

20世纪初，在托诺帕发现了蕴藏丰富的银矿，伊利一带发现了大铜矿，戈尔德菲尔德又发现了金矿，于是该州经济勃然复兴。成千上万的矿工受这些富矿脉的诱惑，蜂拥而至，各条铁路也纷纷增修支线，把采矿设备运到矿区，再把矿石运出。铁路运输的便捷和运费的下降也促使牧场主重新恢复大规模生产。肥沃的河谷地区得灌溉之利，牧草产量大增。这样冬季饲料便更为充足，牧场主遂把饲养牛群的范围扩至高原地区。第一次世界大战对内华达州的牛肉和金属制品的大量需求使经济旺势不衰，但20年代的市场滞销又使经济再次萧条。

内华达建州后的30年间，该州基本上受共和党控制。受全国政坛涣散之风的影响，该州也往往被腐化的政客所操纵。矿业主和牧场主经常补贴政府官员，对州内富人出钱购买美国参议院席位的指控时有发生。在19世纪90年代，州内最主要问题是货币问题，银币自由铸造党在连续4届州议会选举中都大获全胜。到1900年，传统的两党制恢复运作，其后，内华达州在全国大选中一直是随大势而动。

建立现代经济 内华达州在30年代大萧条期间开始向现代经济过渡。1931年赌博业合法化和离婚诉讼判定前在该州的居留时间缩短为6个星期之后，内华达州成为结婚、离婚和度假中心。主要的度假胜地有拉斯韦加斯、里诺、劳克林和塔霍湖。拉斯韦加斯从加利福尼亚州南部及国外吸引来大批游客，还经常主办各种大型工商会议和专业会议。许多人分别从圣弗朗西斯科湾地区及太平洋沿岸西北部地区群集里诺寻欢作乐。劳克林于80年代成为旅游中心；塔霍湖仍是设备先进的游乐场。

科罗拉多河上的胡佛坝落成，极大地促进了内华达州南部的经济，它提供的水电价格低廉，为制造业的发展打下了基础。从哥伦比亚河上的邦纳维尔坝输入的水电以及利用管道输入的天然气，也促进了该州西北部的工业开发。

50年代，联邦政府在当地建起内华达试验场，扩大了就业机会并促进了州内技术工业的发展。但是，旅游业的发展和花样翻新，使该行业不仅有了里诺和拉斯韦加斯地区的赌博及娱乐设施，而且有了全州各地的风景区和游乐区，这是当前经济繁荣的根本原因，其重要性远远超过了该州新兴工业的发展。

Nevada, Emma　内华达（1859-02-07，美国加利福尼亚阿尔法［内华达市附近］～1940-06-20，英国利物浦）　原名Emma Wixom。美国歌剧演员。19世纪末20世纪初最优秀的花腔女高音歌唱家之一。1876年毕业于加州奥克兰的米尔斯书院（现为学院）。1877年游学维也纳，师从著名歌唱家、声乐教授M.马尔凯西，学习三年。1880年5月于伦敦成功上演V.贝利尼的歌剧《梦游女》，一举成名，并改名。她具有长笛般柔美动听的音色，尽管音量稍嫌不足，但其高超的艺术表现力完全能够加以弥补。之后两年间，曾在意大利的里雅斯特、佛罗伦萨、热那亚等地演出，并得到歌剧大师G.威尔第的赏识。1883年5月在法国巴黎喜歌剧院表演歌剧《巴西的珍珠》。1884年上演A.麦肯奇的清唱剧《莎伦的玫瑰》，其中有一部分是专门为她编写的；并到伦敦演出。同年后期返回美国，在J.H.梅普尔逊的歌剧团与A.帕蒂轮流演唱花腔女高音。11月在纽约音乐学院演唱《梦游女》，并随剧团巡演。1885年与R.S.帕尔默结婚。后到欧洲巡演多年。1899年、1901～1902年和1907年三次在美国巡回演出。1910年在柏林演出歌剧《拉克美》后告别舞台。后在英国从事声乐教学。

Nevadan orogeny　内华达造山运动　美国加利福尼亚东部内华达山脉区域的造山事件，发生在侏罗纪最晚期（约1.44亿年前）。这个术语现在已扩大到包括北美西部科迪勒拉地槽西段的许多次造山脉动，其时间范围从晚侏罗世到早白垩世（约1.63亿～0.975亿年前）。这次运动早期阶段的证据有内华达山脉西坡和加利福尼亚北部克拉马斯山脉中的晚侏罗世的火成岩侵入以及褶皱作用和逆冲断层作用。运动中晚期阶段则以在加利福尼亚南部、内华达山脉、爱达荷和不列颠哥伦比亚等处形成白垩纪初期和中期的巨大岩基（面积约大于104平方千米的火成侵入岩体）为代表。内华达造山运动可能是由于大洋壳沿先前位于科迪勒拉地槽西段中的海沟向北美板块西部下面俯冲的结果。

Nevado de Toluca National Park　托卢卡火山国家公园　墨西哥中部国家公园。在墨西哥州境内，墨西哥城西面。1936年建立。面积671平方千米。公园设在托卢卡火山上，火山海拔4 580米以上。主要景观为一座白雪覆盖的死火山（3 164米），火口湖湖水清澈，冰川、云彩倒影如画。有全国最高公路通达火山口边缘。低坡上有茂密的松树和枞树林。

Nevāʾī, ʿAlī Shīr (Turkish poet)　参阅 **Navāʾī, (Mīr) ʿAlī Shīr** 涅甫伊。

névé (snow)　**万年雪**　参阅 **firn** 粒雪。

Nevele Pride　内维尔骄子（1965年出生）美国标准种轻驾车快步马。参加67次比赛，胜57次，8次创世界纪录。3个赛季共获奖金87万美元。由S.丹赛驯练并驾驭，两龄时已在29次比赛中胜26次，并在肯塔基州列克星顿1英里赛中创世界纪录。1969年在印第安纳州印第安纳波利斯以1分54⅘秒跑完1英里，打破保持31年的世界纪录。1968年在快步马三王冠赛中获冠军。1969年退为种马。曾连续3次被评为年度最佳轻驾车快步马。1999年死亡。

Nevelson, Louise　奈维尔逊（1899或1900-09-23?，基辅～1988-04-17，纽约市）　母家姓Berliawsky。美国女雕刻家，以大型单色的抽象雕刻和用木及其他材料作的环境雕刻闻名。1905年和家人从乌克兰移居缅因州的罗克兰。1929年在纽约市美术学生联合会向K.H.米勒学习。1931年在慕尼黑随H.霍夫曼学习。1941年在纽约市举行首次作品展览。早期制作的木刻、陶器、青铜和塑料雕刻（如《古人像》，1932），表达了用块状结构相互连接为整体的设计意图。图案雕刻中的一些随手拈来的物像（如《马戏团小丑》，1942），也都代表着她的风格特征。50年代中期专门制作抽象作品，多冠以神秘的标题，如《寂静的音乐Ⅱ》（1964）、《天国的大门——纽约》（1978）等。20世纪70～80年代在其雕刻中运用多种材料，诸如铝和有机玻璃等。

Nevers　讷韦尔　法国中部勃艮第大区涅夫勒省省会、城市。位于巴黎东南偏南，卢瓦尔河和涅夫勒河汇流处卢瓦尔河右岸高地上，原为一座典型的古老乡间城镇。附近工业区建起后发展成为现代化城市。中世纪一些年代中该城曾在欧洲一些有实力家族间易手。16世纪曼图亚的贡扎加家族占有该城，并引入陶瓷制造业。原讷韦尔公爵的豪华建筑现辟为法庭。生产电动和非电动机械、铁路设备、橡胶和传统陶瓷。人口42 768（1982）。

Nevers, Ernie　内弗斯（1903-06-11，美国明尼苏达威洛里弗～1976-05-03，加利福尼亚圣拉斐尔）　美国大学和职业橄榄球队和棒球队队员。1926～1928年在全国橄榄球联盟德卢斯爱斯基摩人队任队员兼教练，1929～1931年在该联盟所辖芝加哥枢机队任同职。1931年退休。经历虽短，但战绩辉煌。1929年在对芝加哥熊队的一场比赛中，攻入对方端区持球触地6次，触地得分后获附加分4次，共得40分，这个成绩一直到80年代仍是全国联盟的纪录。内弗斯还是美国棒球联盟圣路易斯布朗队的投手（1926～1928）。退出橄榄球坛后，1936年任宾夕法尼亚州拉斐特学院球队教练，1937年在艾奥瓦大学担任教练。第二次世界大战期间在海军陆战队服役，战后在旧金山从事工商业。1963年入选橄榄球名人堂。

Nevers faience　讷韦尔彩陶　法国锡釉陶器，是由科拉多兄弟俩于1565年从意大利引进到讷韦尔的。他们及其后代主宰讷韦尔彩陶制造业达一个多世纪。经鉴定的最早的讷韦尔彩陶制品是一件大型的椭圆形多色盘，盘上画有神话故事，产于1589年。讷韦尔是第一个采用中国装饰风格的法国制陶中心，色彩的选择也受中国的影响，但是在当时中国青花的基础上，添加了独具一格的锰紫色。几乎在同一时期，讷韦尔还生产了“波斯式”的瓶罐。除昂贵的制品外，还生产一些廉价的喻意彩陶产品：如一般壶类和盘类，上面绘有以讽刺手法表现的日常生活情景，还有上

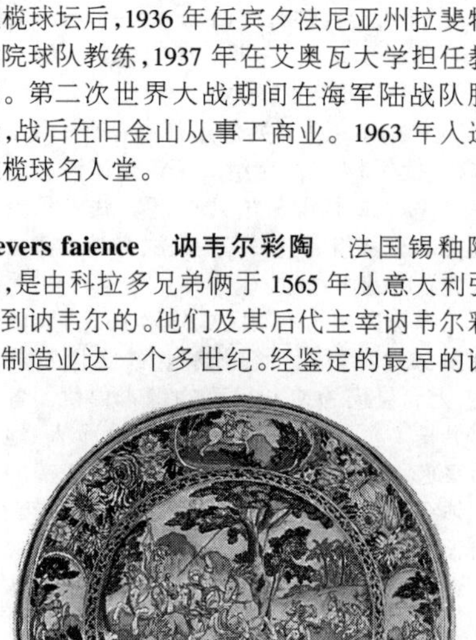

17世纪中叶的伊斯托里亚多风格讷韦尔彩陶盘
美国不列颠百科全书公司供图

17 世纪后半叶的“波斯式”讷韦尔彩陶罐
美国不列颠百科全书公司供图

面带有当时政治口号的爱国彩陶。1743 年时有 11 个工厂，到 1797 年只剩下 6 个，其中 2 个现在还在生产。由于法国大革命的影响，尤其是英国廉价陶器的竞争，讷韦尔制陶业逐渐衰落。

Nevers glass figure　讷韦尔玻璃小像　16 世纪末到 19 世纪初在法国讷韦尔制作的玻璃工艺品，题材包括宗教、神话、历史、寓言或轶事中的人物和鸟兽形象。这些工艺品只有

17 世纪的讷韦尔玻璃人物小像
美国不列颠百科全书公司供图

几英寸高，外表酷似细瓷，其实是用玻璃棒和玻璃管吹制的。其制作技术于 16 世纪由意大利传入法国。路易十三童年曾玩过在讷韦尔制造的玻璃动物玩具。法国各地均生产类似的玻璃制品，很难区别哪一种是在讷韦尔制造的，哪一种是在其他地区制造的；不过像讷韦尔彩陶一样，讷韦尔玻璃小像通常为暗黄色、白色、红色及蓝色等。

Neves　内维斯　巴西里约热内卢州城市。位于瓜纳巴拉湾东岸，与里约热内卢市隔湾相望。原为一印第安人村庄，现为大里约地区最重要郊区工业中心之一。有重要的非金属矿（开采与加工重晶石、石英、陶土、花岗岩料石）、大型冶金厂、造船厂，还有生产机器、橡胶、化工产品和药品的工厂。有铁路与公路通往尼泰罗伊商业区及内地。是向东通往弗里乌角的铁路终点。人口约 138 130（1980）。

Nevi' im　《奈维印》　希伯来语，英语作 The Prophets（《先知书》）。希伯来语《圣经》或《旧约》的第二部。其余两部分为托拉（律法书）和克图温（圣录）。在希伯来正典中，《奈维印》分为：①前先知书（《约书亚记》、《士师记》、《撒母耳记》和《列王纪》）。②后先知书（《以赛亚书》、《耶利米书》、《以西结书》与《十二先知书》即《小先知书》[《何西阿书》、《约珥书》、《阿摩司书》、《俄巴底亚书》、《约拿书》、《弥迦书》、《那鸿书》、《哈巴谷书》、《西番雅书》、《哈该书》、《撒迦利亚书》、《玛拉基书》]）。《奈维印》内容在公元前 2 世纪初尚未确定，公元 100 年前后众拉比在今以色列境内的贾卜奈举行会议才予以确定。基督教新教正典据《七十子希腊文本圣经》称前《奈维印》为史书。天主教会与东正教会正典的史书中尚有《马加比传》第 1、2 册。新教正典先知书包括原属后先知书的《以赛亚书》（天主教文本或分为 2 册）、《耶利米书》和《以西结书》，又将小先知书分为独立的 12 册，这样，新教正典先知书有 17 册。天主教将《巴录书》及其第 6 章《耶利米书信》也收为正典，犹太教和新教则视之为外典。

Neville, John　内维尔　参阅 **Northumberland, John Neville, earl of** 诺森伯兰伯爵。

Neville, Ralph Neville, 4th Baron　内维尔男爵（第四）　参阅 **Westmorland, Ralph Neville, 1st earl of** 威斯特摩兰伯爵（第一）。

Neville, Richard　内维尔　参阅 **Warwick, Richard Neville, 1st earl of** 沃里克伯爵（第一）。

Neville's Cross, Battle of　内维尔十字路口战役（1346-10-17）　英格兰打败苏格兰人的一次战役。苏格兰国王戴维二世作为法国的盟友率军入侵英格兰，企图牵制英军以解加来之围。但英王爱德华已经预见到戴维的入侵，先在北方各郡留下了一支劲旅。这次战争在达勒姆附近进行，苏格兰人惨败，戴维被俘，南苏格兰被占。英格兰人得以在法国继续战争。

Nevin, Ethelbert Woodbridge　内文（1862-11-25，美国宾夕法尼亚埃奇沃思～1901-02-17，康涅狄格纽黑文）　美国轻歌曲和钢琴曲作曲家。曾在纽约市、波士顿和柏林学习。1886 年在匹兹堡第一次以钢琴家身份出现，其后在波士顿、芝加哥、纽约市和美国其他城市演出。他早期的英语和德语歌曲曾受舒伯特和舒曼的影响。后来的乐曲风格较轻松，包括很受喜爱的《玫瑰园》（1898）和《像玫瑰一样了不起》（1900）。最著名的钢琴曲是选自《水景》中的《水仙花》（1891）。

Nevin, John Williamson　内文（1803-02-20，美国宾夕法尼亚斯特拉斯堡～1886-06-06，宾夕法尼亚兰开斯特）　美国基督教神学家、教育家。曾提出“默瑟斯堡派神学”理论，形成一个运动，试图抵制南北战争前美国新教奋兴派的流行。1826 年毕业于普林斯顿神学院，留校任教，兼任西部神学院教师。1840～1853 年执教于德裔归正宗默瑟斯堡神学院。1841～1853 年任马歇尔学院院长；1853 年富兰克林-马歇尔学院合并后，任该校教师，1866～1876 年任院长。1843 年出版了《不安之席》一书，抨击芬尼等布道家所鼓吹的奋兴派教义和他们对传统信仰的漠视，该书影响甚大。他力辩教会生活与礼仪，特别是天主教关于洗礼和圣体礼的教义的重要性。这种见解发表在《默瑟斯堡评论》（内文本人参与创办并于 1849～1853 年任主编）上，并且成为“默瑟斯堡派神学”的基础。这一神学理论也受到 F. A. 劳赫（1806～1841）和 P. 沙夫（1819～1893）的影响。内文的主要著作包括：《圣经中的古迹》（2 卷，1827）；《神秘的存在》（1846）；《海德堡教义问答的历史及其精神》（1847）。1889 年，T. 阿佩尔撰写的《内文传》出版。

Nevinnomyssk　涅温诺梅斯克　俄罗斯西部斯塔夫罗波尔地区城市。位于库班河畔，大泽连丘克河口。20 世纪 50 年代中期以前为农业集镇。1962 年利用附近的天然气资源兴建化工联合企业和化肥厂。1968 年起生产塑料和化学纤维。现为铁路枢纽，也是涅温诺梅斯克运河的起点。该运河为斯塔夫罗波尔和克拉斯诺达尔地区以及罗斯托夫州提供灌溉用水。人口约133 000（1997）。

Nevins, Allan　内文斯（1890-05-20，美国伊利诺伊波因特营～1971-03-05，加利福尼亚门洛帕克）　美国历史学家、著作家和教育家，尤以所写 8 卷本美国南北战争史和美国政界与产业界人士的传记知名于世。他还制订了本国第一个口述历史计划。伊利诺伊大学毕业，后为纽约《晚邮报》撰写社论，从此任新闻记者近 20 年。其间曾出版两部论述美国历史的著作：《1775～1789 年革命前后的美国各州》（1924）和《近代美国的出现，1865～1878》（1927）。1928 年起在哥伦比亚大学任教 30 年。在这段期间著作甚丰，其中有荣获普利策奖的历史传记：《G. 克利夫兰，对勇气的研究》（1932）和《H. 菲什，格兰特政府内幕史》（1936）。1948 年他发起口述美国历史运动，把同知名人士的会见记录在磁带上。1958 年从哥伦比亚大学退休，但他的学术贡献并未结束。论述美国南北战争的 8 卷著作——《联邦的考验》（2 卷，1947）、《林肯的崛起》（2 卷，1950）、《维护联邦之战》（4 卷，1959 起）使他成为研究美国南北战争的权威。他曾领导纪念美国南北战争 100 周年委员会（1961～1966），并协助编辑该委员会的 15 卷《影响丛刊》。后应聘到加利福尼亚州亨廷顿

图书馆兼任高级研究员，1964～1965年任牛津大学客座教授，并继续撰写他的美国南北战争史丛书的最后几卷。

Nevinson, John 参阅 **Nevison, John** 内维森。

Nevison, John 内维森(1630或1640，英格兰约克郡～1685-03-15，约克城附近纳维斯迈尔) 又称 William Nevison。Nevison又拼 Nevinson。英国王政复辟时期约克郡的强盗，因其事迹流传于民歌和民间故事中而出名。内维森从小进行扒窃，后来到荷兰冒险，因偷窃被捕监禁。逃跑后在佛兰德加入英国军队作战，最后开小差潜回英国。他在约克郡进行诈骗、拦路抢劫等犯罪活动，后来与T.坦卡德和E.布雷西合伙。据T.麦考莱《英格兰史》记载，内维森"对北部牲口贩子每季抽税，但保护他们免遭其他盗匪之扰；他索取钱财时彬彬有礼；他还偷富济贫。"他虽然多次被捕，但总设法缓刑和逃跑。最后被一名小旅店女老板告发，再度被捕。审判后绞死于纳维斯迈尔。

Nevşehir 内夫谢希尔 土耳其中部城市。位于一小山低坡上，山顶上有塞尔柱时代倾圮的堡垒。其他名胜有18世纪初奥斯曼帝国的大臣D.易卜拉欣帕夏所建库尔辛卢清真寺及其附设的经院、济贫院和图书馆。该城为地区农产品市场。有公路通至安卡拉、阿达纳和开塞利。周围有克孜勒河流经，是富饶的产粮区。多历史名胜，尤以该城东部格莱姆的岩雕教堂和隐修院最为著名。城北的哈奇贝克塔谢，据说是有影响的伊斯兰教比克特西教团创始人哈吉·比克特西·吾力(卒于1295年以前)的诞生地；那里有该教团的大清真寺。人口：市50 204(1985)。

Nevsky, Aleksandr(prince of Novgorod) **涅夫斯基** 参阅 **Alexander Nevsky, Saint** 亚历山大·涅夫斯基。

nevus 痣 先天性皮肤病，由异常色素沉着、血管增生、其他皮肤或上皮结构增生所造成。可隆起，可平伏。而蓝痣的增生组织深埋于真皮层中。大多数痣由功能正常的皮肤成分过度生长所形成。但有些痣是癌前期病损，恶变时便丧失其正常结构。癌前期痣有皮脂痣(含有毛囊及皮脂腺)及巨大色素痣(或称躯干下部痣、巨大的不规则的暗棕色或黑色皮斑，与恶性黑色素瘤伴发)等。色素痣最为常见。有些色素痣如蓝痣及交界痣可伴发皮癌，但一般不被视为癌前病变。其他的色素痣可并发于全身性疾病；咖啡牛奶色斑是一种浅棕色色斑，可发生于身体的任何部位，白色人种中发生率为10%，但亦可能是奥尔布赖特氏病的一个症状。蒙古斑是下腰背部的蓝黑色皮斑，见于90%的印第安人、黑种人及亚洲人中。血管痣可表现为"葡萄酒色斑"，常随年龄增长而消失。上皮痣如皮脂痣，由正常上皮组织增生所致，常呈肉色或微黄色。

New Age movement 新世纪运动 又译新时代运动、新纪元运动。20世纪70～80年代通过神秘的、形而上学的宗教社团传播的运动。该运动期待着一个充满爱和光明的"新世纪"，并通过个人的转变和治疗让人们得以预先体验那个即将到来的时期。该运动最坚定的支持者是现代秘传宗教的信徒。秘传宗教是一种宗教观点，从公元2世纪开始一直在西方流行，特别是诺斯替教，其基础是掌握神秘的知识。许多世纪以来继古代诺斯替教之后有各种秘传宗教运动，包括17世纪的玫瑰十字会以及19～20世纪的共济会、神智学和仪式魔法等，一代代传承下来。19世纪末，神智会创建人之一H.P.勃拉瓦茨基宣布新世纪即将到来。会员信奉佛教和婆罗门教的一些观念，如转世等。她认为会员应帮助人类进化，并准备与即将降临的净光兄弟会的上师们合作。她还认为，这个神秘主义的兄弟会的成员是世界隐藏的领导人，是他们在指导着我们这颗行星的命运。降灵论的实践者和占星术的信徒对新世纪的期待，就源于她的思想。对这些人来说，新的宝瓶座时代将是一个人们亲如兄弟又没有偏见的时代。勃拉瓦茨基的继承人A.贝赞特预言弥赛亚(或救世主)即将降临。她认为那个弥赛亚就是印度教师J.克里希纳穆提。当秘传宗教发展之时，其主要代表神智学却遭受严重的挫折。19世纪80年代，人们指控勃拉瓦茨基，说她与上师们接触的神奇事件是编造出来的。20世纪初，神智学会再度受挫，是出自于一连串涉及其领导人的性丑闻事件。1929年克里希纳穆提变节，这使贝赞特大为难堪。但该会在促使公众接受心灵现实方面起了重要的催化作用，并在其成员及在基督教占优势的一般公众中推行一个增强其他宗教传统意识的计划。1970年美国神智学家D.斯潘格勒转到芬多恩基金会，在那里提出新世纪运动的基本观念。他认为，精神能量新浪潮的释放已启动新世纪的降临。他进一步提出，人们应利用这种新能量使新世纪显示出来。斯潘格勒于70年代中期回到美国，成为新世纪运动的主要设计师。他在一套流行甚广的书籍——第一本是《启示录：新世纪的诞生》(1976)——中介绍了他的思想，并将许多旧式形而上学神秘组织的领导人吸引到他正在壮大的运动中来。分崩离析的迷幻运动也给他带来了新的支持者，包括诸如著名心理学家R.阿尔珀特那样的代言人。阿尔珀特倡导使用迷幻药以获得人神灵交的体验。可是，他从印度回来后提倡更传统的精神修炼方法。同时，出版了一些期刊，还开设了专门的书店，出售与新世纪有关的书籍、录像带和冥想用品。新世纪运动用两个简单的观念将一批信仰各不相同的人联合起来。第一，它预言一个具有更高心灵意识及国际和平的新时代终将来到人间，那时世界上不会再有种族主义、贫困、疾病、饥饿和战争。第二，个人可以通过自己的精神转变而预先体验到新时代。传统的神秘主义做法(如塔罗牌、占星术、瑜伽、冥想术、灵媒术等)都被结合进新世纪运动，用作帮助个人转变的手段。新世纪运动也针对那些有病的、心理受过伤害的人，尤其是那些传统的医学或心理治疗不能奏效的人。新世纪运动的信徒与整体健康运动结盟。后者提倡采用其他的自然的治疗法(如按摩、天然食物、脊椎矫正术、针刺疗法等)，而新世纪运动的信徒则提倡心灵治疗。他们也将古老的占卜术(占星术、塔罗牌、《易经》占卜)与标准的心理咨询加以结合。当新世纪运动在80年代达到高峰时，有两种具有转变作用的手段——通灵和水晶。有些新世纪运动的成员认为：他们有能力改变世界文化，并从一个猴子学会洗食物的故事中找到证据。到80年代末，新世纪运动已失去发展势头。虽然主要是一个宗教运动，但因接受了一些不科学的观念和做法(特别是水晶和通灵法)而遭到嘲笑。到90年代中期，显然已经濒临死亡。新世纪运动被证明是20世纪西方最重要的宗教现象之一。它改善了旧式秘传宗教团体的形象，并使其许多大的团体在西方越来越多元化的文化中找到一席之地。几乎在每个城市中心都能找到许多新世纪书店、期刊及组织，这些证明新世纪的思想继续存在。

New Albany 新奥尔巴尼 美国印第安纳州东南部城市，弗洛伊德县县城(1819)。位于俄亥俄河畔，隔河与肯塔基州路易斯维尔相望。初建于1813年，1839年设市。19世纪40及50年代该城已为印第安纳州最大城市及重要的汽船制造中心。现有多种制造业，生产胶合板、饰面、预制件房屋、家具、电子设备、化肥和服装等。设有印第安纳大学东南分校(1941)。市内有诗人、剧作家W.V.穆迪少年时代的住宅(约建于1850年)，以及斯克里布纳故居(1814)和卡伯特森宅邸(1868)等建筑物。人口37 603(2000)。

New Amsterdam 新阿姆斯特丹 圭亚那东北部城镇。位于伯比斯河注入大西洋河口附近。1740年由荷兰人建立，1790年成为荷属殖民地首府。1803年被英国占领。城镇景色如画，有荷兰风格。有英国圣公会教堂。为沿海农牧区(产甘蔗、稻谷和牛)的商业和制造业中心。有路通首都乔治敦。人口约25 000(1985)。

New Apostolic Church 新使徒会 德国基督教会，1863年由使徒公教会部分信徒建立，当时称普世公教会，1906年改现名。这一部分信徒认为，教会应由使徒管理，使徒故去时应任命新使徒以补其缺，直到基督复临。该教会教义与使徒公教会相似，但受欧洲大陆新教影响，在礼拜仪式和信仰倾向方面日益靠拢新教而远离天主教。新使徒会强调圣灵之恩赐，包括讲预言、说方言和行神迹治病，圣礼有洗礼、圣餐和圣印("授受圣灵")。施圣印礼必须由一位使徒按手在受礼者头上，凡受此礼者必将在基督复临后与基督共同统治世界一千年。和耶稣基督后期圣徒教会一样，新使徒会宣称，活人可以替死者领受圣礼。新使徒会由神职人员体系管理，其中包括总使徒和其他使徒，由使徒任命主教、地区长老、牧师和传教员。在20世纪后期，新使徒会有信徒200多万人，大多数在德国。该会总部设在瑞士境内苏黎世。

New Artists' Association 参阅 Neue Künstlervereinigung 新美术家协会。

New Bedford 新贝德福德 美国马萨诸塞州东南部城市，布里斯托尔县县城之一。濒临阿库什尼特河口。位于波士顿以南87千米处。1652年始建，1760年为渔村，1765年已发展成一小型捕鲸港及造船中心。曾停泊与波士顿茶党案有牵连的茶船。美国独立战争时期遭英军袭击并烧毁，后重建。1787年设镇，1847年设市，1820年发展成世界主要捕鲸港之一。捕鲸业衰落后，经营棉织业。20世纪20年代纺织业向美国东南部迁移。现经济多样化，主要生产服装、电器、机械、橡胶制品、化工品、塑料、钻机和五金等。该市为科德角海区航海点和重要渔港。有州立菲尼克斯海滩保留地、新贝德福德捕鲸博物馆、罗德曼要塞和海员教堂（教堂墙上挂有H.梅尔维尔在《白鲸——莫比·狄克》中描写的为死者所立的纪念碑）。1996年，该城的13个街区被指定为新贝德福德捕鲸国家历史公园。人口：市93 768；都会统计区175 198（2000）。

新贝德福德市的海员教堂
美国不列颠百科全书公司供图

New Bern 新伯尔尼 美国北卡罗来纳州东部城市，克雷文县县城（1722）。位于特伦特河河口，纽斯河河岸。1710年始有居民，1723年设市。市内有该州第一家印刷厂（1749）及第一所由税款资助的学校（1764）。曾是殖民地及州首府（1746～1792）。特赖恩大厦建于1767～1770年间，是第一座州议会大厦，1952～1959年整修为州历史古迹。与大西洋岸内水道及东南偏南52千米莫尔黑德城港口相连，使该市成为附近避暑胜地的服务中心。美国切里岬海军陆战队航空站设此。该市为玉米、烟叶和棉花产区的服务中心，并有多种工业。新伯尔尼国家公墓内葬有美国内战中死难将士。有为黑人儿童开办的最早的公立学校之一（1862），以及克雷文社区学院（1965）。人口23 128（2000）。

New Braunfels 新布朗费尔斯 美国得克萨斯州中南部城市，科马尔县县城（1846），亦部分在瓜达卢普县境内。位于圣安东尼奥东北50千米处，在巴尔康斯陡崖上。1845年为德国移民所建，1846年设建制。20世纪40年代后德国的影响减弱，但现仍保留了许多旧文化。旅游业以附近风景点兰达公园、天然桥岩洞和坎宁湖为中心。移民的领袖卡尔王子的故宅索芬堡今为博物馆，有德国开拓者的纪念碑以及得克萨斯州手工家具博物馆。工业有纺织厂、针织厂、面粉厂、种籽厂及石灰石开采场。此外有畜牧业、农业及乳制品业。人口36 494（2000）。

New Britain 新不列颠岛 太平洋西南面俾斯麦群岛的最大岛屿，在巴布亚新几内亚。位于新几内亚东大陆休恩半岛以东88千米处。长600千米，最宽处80千米，面积近36 500平方千米，海岸线长1 600千米，被暗礁所环绕。岛呈新月形。沿岸平原狭窄，中部地势崎岖，有怀特曼、纳卡奈和拜宁等山岭，有几座山峰高2 100米以上。有3个活动火山区分别位于：①西尽头；②濒奥彭和金贝湾的北部沿海；③东北部靠近拉包尔的加泽尔半岛，这里的马图皮和武尔坎火山锥对岛上这个最大的居民点城镇造成经常性的威胁。1937年的喷发使263人丧生。属赤道性气候。1616年荷兰航海家J.L.马伊雷看到该岛，认为是包括新几内亚和新爱尔兰的大陆块的一部分。他的理论被一位英国人W.丹皮尔所否定（1699～1700），这位英国人命名了这个岛。另有P.卡特雷特于1767年发现圣乔治海峡（东）。该岛以新波美拉尼亚的名称于1884年成为德国保护领地的一部分。第一次世界大战后，交由澳大利亚监管，1942年被日军占领，1945年收回。随后形成联合国新几内亚托管地的一部分，由澳大利亚监管。1975年巴布亚新几内亚独立时成为该国的一部分。岛上最发达、人口最多的地区是东北部的加泽尔半岛，这里地处富庶的沿海平原，盛产椰干和可可，既在商业性种植园也在小块土地上种植，通过拉包尔、科科波和凯拉瓦特等地出售，这些农作物以及油椰在沿岸的其他地方也种植，并从西北部的塔拉塞亚等小海港外运。当地各合作社的成功是这种发展的特点。还有其他各种农作物则在村庄里种植供当地消费。内地农区实行轮作制，轮作期较长。其他资源有木材、铜、黄金、铁和煤。人口（包括邻近小岛）约302 023（1990）。

New Britain 新不列颠 美国康涅狄格州中部哈特福德县城市。范围与同名镇相同。1686年始建（称大沼泽），1754年改用现名。1850年设镇，1870年设市。1905年镇市合并。18世纪即有金属制造业。现以生产金属器具和机械设备为主。设有康涅狄格州立中部大学（1849）和新不列颠美国艺术博物馆（1903）。人口：市75 491（1990）；新不列颠都会统计区71 538（2000）。

New Brunswick 新不伦瑞克 加拿大4个大西洋省之一，又是原加拿大自治领（1867）最早的4个成员之一。与新斯科舍和爱德华太子岛组成一个区域集团，称为滨海诸省。面积73 440平方千米，西与美国缅因州接壤，北与魁北克省为邻，东濒圣劳伦斯湾和诺森伯兰海峡，南临芬迪湾。省会弗雷德里克顿。

新不伦瑞克原为阿卡迪亚的一部分，是印第安人米克马克族和马莱西特族所居住的临海地区，这两族均操阿尔贡金语。在18世纪中叶以前，本区内仅有少数法国毛皮商和殖民者。阿卡迪亚后来成为英法两国为争夺这个地区的统治权发生冲突之地。1755年英国占领博塞如尔要塞之后，驱逐讲法语的阿卡迪亚人以缩小法国势力。1763年英国宣布将现在所称的新不伦瑞克并入新斯科舍省，数百名阿卡迪亚人返回该地，为数不多的新英格兰人在此定居下来。北美独立战争之后约有1.4万亲英难民从美国涌入（在此之前，本地区人口一直稀少），结果造成该地区脱离新斯科舍，而于1784年成立新不伦瑞克省。英国政府对这个新省未给予很大支持，直到1808年英国给予北美殖民地的木材资源以优惠关税才改变态度，这是因为拿破仑的封锁，使波罗的海供应英国造船用的木材来源被切断，英国才不得不采取这个措施。对新不伦瑞克来说，这个历史事件给它提供机会使它迎来所谓木材、风力和水路的时代，即以出口木材和蒸蒸日上的造船工业为基础的繁荣时代。英国于1848年授与它自治权。1854年新不伦瑞克与美国签订互惠条约。1867年加入加拿大联盟。

该省森林覆盖面自1950年以来一直在增加，现在已占全省面积约90%。主要的树有胶枞、红云杉、黑云杉、松和铁杉。鹿和大角麋的数目不断增加。有几条河流因有大西洋鲑鱼而闻名，还有鳟鱼、鲈鱼和小狗鱼也吸引了捕鱼爱好者的兴趣。

林业和伐木业是该省的最大产业，有许多锯木厂，纸浆和纸张的生产是其唯一最大的组成部分。森林为木材、胶合板、刨花板、燃料和圣诞树提供原料，还提供了广泛的就业机会。捕鱼在该省经济方面仍占重要地位，龙虾、蟹、扇贝、鳕鱼和其他各种北大西洋鱼类构成大宗的捕获量。20世纪下半叶，东北部的锌、铜、铅、银的开采渐趋重要。水力发电的发展辅以燃煤、燃油和核发电站，促进了该省工业的发展。

圣约翰是加拿大的主要港口，国家的大宗对外贸易都通过此地。尤其在冬季的月份，圣劳伦斯海运削减，这里的作用更大。有公路、铁路、通往四面八方，空中航线可通至本省。

自从1867年加入加拿大联盟之后，新不伦瑞克政府由全民成年人选举的一院制议会组成，任期4年。议会中的多数党领袖即成为总理，由他从议会中挑选出最高行政会。行政部门另一成员是副总督，由加拿大总督挑选，作为英国君主的代表。

12年的公立小学和中学义务教育均为免费，使用英、法两国语言授课为其特征。中学设有职业和技术课程，也为成人设立这种学校。新不伦瑞克大学提供高等教育，以林业学和工程学最为著名，建立于1785年，为加拿大最古老的大学，一部分校园设在圣约翰，另一部分设在弗雷德里克顿；蒙克顿大学有三个分校，用两种语言授课；私立阿利森山大学设立在萨克维尔，1842年建校，是美以美教会学校；设在弗雷德里克顿的圣托马斯大学是天主教会学校。

该省有极良好的文化风尚。尽管困难重重，阿卡迪亚人维护了他们法国文化的遗产，省里有一大批说法语的少数民族。弗雷德里克顿是第一个具有本土和民族色彩的英-加诗歌派的故乡，代表人物有 W.B. 卡曼（1861～1929）和 C. 罗伯茨（1860～1943）。英国报业巨头比弗布鲁克勋爵生长于新不伦瑞克，他遗赠给故乡的有比弗布鲁克勋爵美术馆，其中收藏了珍贵的英国和加拿大绘画。许多全国闻名的画家都住在本省。弗雷德里克顿还以其影剧院而闻名。省的四所大学都赞助创造性艺术。此外还重建了在弗雷德里克顿附近的金斯兰汀村古迹。在萨克维尔附近的博塞如尔要塞国立历史公园再现了法英开发该省的旧貌。人口 754 741（1999）。

New Brunswick　新不伦瑞克　美国新泽西州东部城市，米德尔塞克斯县县城。临拉里坦河，东北偏北距纽瓦克 33 千米，在古老的特拉华—拉里坦运河的终点。1681 年始有居民，1730 年设镇，1784 年设市。1838 年卡姆登—安博伊铁路（后来的宾夕法尼亚铁路）通达该地。19 世纪末叶，建立生产橡皮膏及外科敷料的公司，成为医院设备及药品的主要产地。其他制造业有维生素和健康食品、电池、塑料、玩具、包装及汽车零件。拉特格斯大学建于 1766 年（原为女王学院，1945 年改为州立大学）。美国最古老的新不伦瑞克神学院（1784），1810 年后一直设在该市。这里亦是诗人 J. 基尔默的出生地及美国童子军全国总部所在地；还是 1869 年 11 月 6 日拉特格斯及普林斯顿首次校际足球赛的地点。人口约48 573（2000）。

New Brutalism　新朴野主义　由 L. 科比西埃、L. 密斯·范·德·罗厄和 F.L. 赖特等人在建筑上所倡导的国际风格（即要求建筑设计从功能出发的风格）的一个方面。新朴野主义这一名称最早出现于1954年，英国建筑

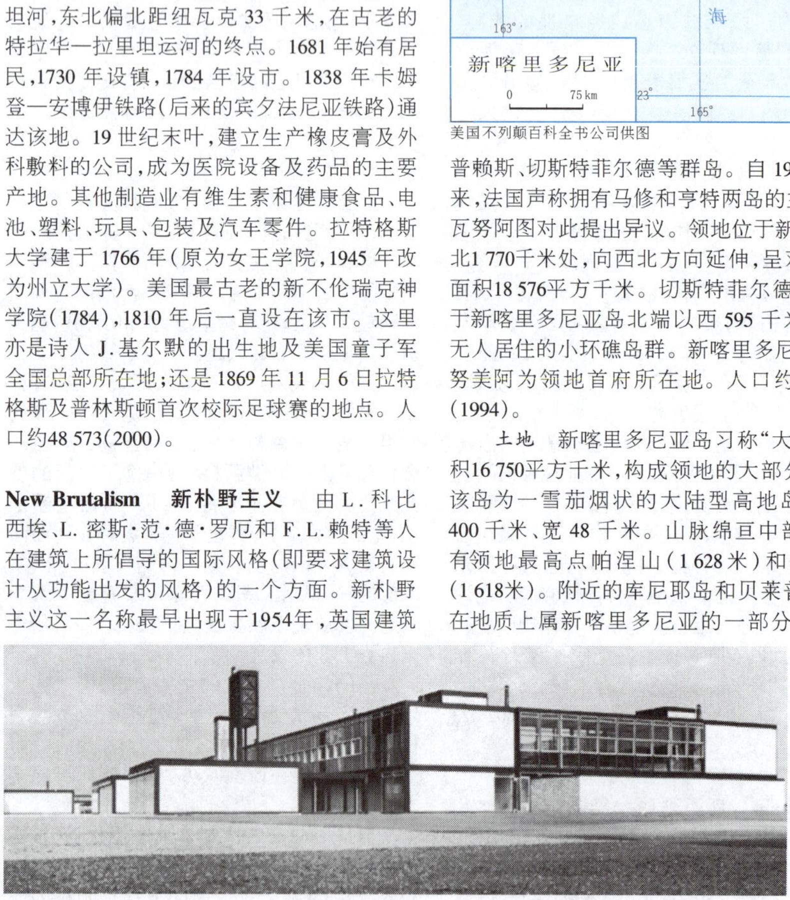

1954 年史密森夫妇设计的新朴野主义风格建筑——英格兰诺福克的亨斯坦顿学校

美国不列颠百科全书公司供图

师史密森夫妇用以形容科比西埃 20 世纪 30 年代以后的作品的风格。与密斯·范·德·罗厄喜用玻璃和钢不同，科比西埃的国际风格的表现主义手法包括使用雄伟的雕塑般的造型、粗糙不加修饰的模制混凝土外观，这对英国建筑师来说是一种新的朴野主义。朴野主义作为建筑设计上的一种改革，要求在功能、材料和结构上恢复功能主义的原则。

New Caledonia　新喀里多尼亚　法语全称 Territoire de la Nouvelle-Calédonie et Dépendances（新喀里多尼亚领地及附属地）。太平洋西南部法国海外领地，包括新喀里多尼亚、沃尔波尔、库尼耶岛以及洛亚蒂、贝莱普、休恩和瑟

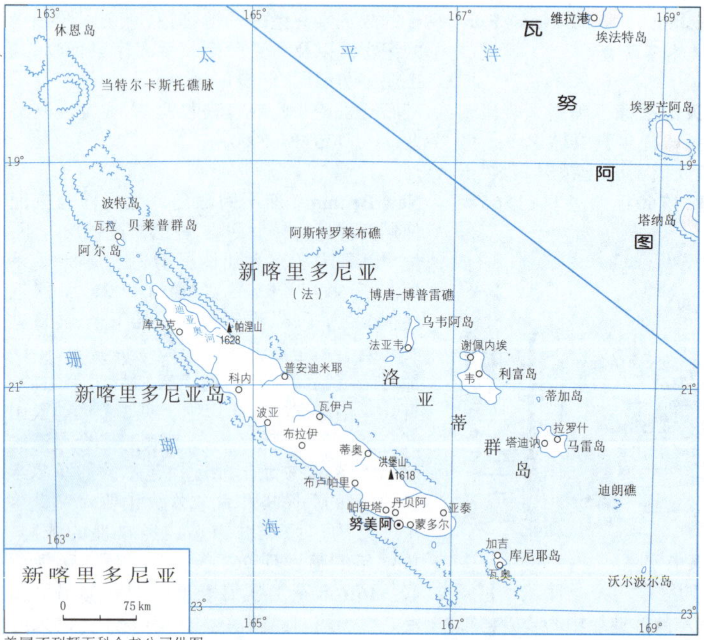

美国不列颠百科全书公司供图

普赖斯、切斯特菲尔德等群岛。自 1975 年以来，法国声称拥有马修和亨特两岛的主权，但瓦努阿图对此提出异议。领地位于新西兰以北1 770千米处，向西北方向延伸，呈双链状，面积18 576平方千米。切斯特菲尔德群岛位于新喀里多尼亚岛北端以西 595 千米处，为无人居住的小环礁岛群。新喀里多尼亚岛的努美阿为领地首府所在地。人口约183 000（1994）。

土地　新喀里多尼亚岛习称“大陆”，面积16 750平方千米，构成领地的大部分陆地。该岛为一雪茄烟状的大陆型高地岛屿，长 400 千米、宽 48 千米。山脉绵亘中部，其间有领地最高点帕涅山（1 628米）和洪堡山（1 618米）。附近的库尼耶岛和贝莱普群岛，在地质上属新喀里多尼亚的一部分。整个岛群被巨大的岸礁所环绕。岛群向西南倾斜，溺谷有极佳的港口。山坡陡降，形成起伏的丘陵和海岸平原。河流仅见于新喀里多尼亚岛，水流湍急，挟带大量泥沙，洪水定期泛滥。

洛亚蒂群岛的马雷、利富岛和沃尔波尔岛均是高位环礁，马雷岛有两处内陆火山丘陵，利富岛的珊瑚石灰岩洞闻名遐迩。其他岛屿多属环礁或礁岛，马修和亨特两岛均为活火山。

当地属亚热带气候，海平面年平均气温为 22～24 °C。地势较高的多山岛屿东南南侧，因有信风吹过，年平均降雨量为2 000毫米；西北西侧年平均降雨量则降至1 016毫米。12 月至次年 3 月雨量最多，偶有台风侵袭。较干燥的西部亦偶尔发生旱灾。

约有3/4的植物为当地特有品种，大多耐旱。新喀里多尼亚岛海拔较高处以针叶树为主，沿岸森林则多为藤本植物和灌木林。该岛西岸较干燥地区有白千层树林和类似稀树草原的大草地，沿岸沼泽区有红树林。

哺乳动物稀少，但有波利尼西亚鼠、蝙蝠、野猪和引进的苏门答腊鹿。鸟类较为普遍，包括鸭、杜鹃、翔食雀、秧鸡、长尾鹦鹉、鸽、鹭鹤和滨鸟。有蜥蜴、蝎、蜈蚣；昆虫（包括各种彩蝶）的数量很多。沙洲及附近海域有许多鱼类、龟、海蛇和甲壳动物。

新喀里多尼亚岛的镍、铁、锰、银、铬和钴的储量丰富，镍的储量居世界第一。其环礁和珊瑚岛上有磷酸盐层。

人民　土著美拉尼西亚人（卡纳克人）占总人口的2/5以上；欧洲人约占1/3，其中以法国人为主；瓦利斯人和塔希提人占1/8；其余为爪哇人和其他种族（包括越南人）。洛亚蒂群岛的岛民有波利尼西亚混血人。新喀里多尼亚岛的美拉尼西亚人主要居住在保留区。美拉尼西亚保留区不足新喀里多尼亚岛的10%，但却包括整个洛亚蒂群岛、贝莱普群岛和库尼耶岛。官方语言为法语，亦通行数种美拉尼西亚方言。新喀里多尼亚的居民大多为基督徒，几乎2/3为天主教徒，约1/5为新教徒（包括两个福音派教会的教徒）。穆斯林只占很小一部分，多为爪哇人。人口出生率比发达国家的出生率高出许多，但死亡率稍低。1/3以上人口不足 15 岁。平均预期寿命约为 69 岁。沿海地区和城市的人口密度最高，约有2/3的人口住在努美阿。

经济　当地的自由企业经济正在发展之中，主要以采矿、冶金和旅游业为基础，对法国的依赖十分严重。国民生产总值的增长慢于人口增长。人均国民生产总值居发展中国家的前列。20 世纪 70 年代全球性金属价格的跌落和 80 年代的政治纷争，造成周期性经济衰退。

农业约占国民生产总值的 2%，但可耕

地仅占全国土地面积的1%。有1/3以上的劳动力从事农业。经济作物包括咖啡、椰干和椰油。马铃薯、蔬菜和玉米供销售,山药、芋头和甜菜则当做口粮,主要由美拉尼西亚人种植。较小的岛屿主要以椰子、椰干、粮食作物和捕鱼为生。牧场约占全国土地的15%,饲养牛、猪、羊以供应国内需求。林地约占全国土地的1/3。尽管伐木业已经扩大,但仍不能完全满足国内需要。商业捕捞除海洋渔业外,还包括虾、牡蛎和贝类的养殖。

采矿和冶金为主要产业,约占国内生产总值的28%。新喀里多尼亚是世界主要产镍地之一。努美阿市郊有一座铸造厂,生产部分精炼镍供出口。铬的开采曾于1962年中断,1975年恢复开采后产量有所增加。其他工业产品有瓦楞铁板、水泥、肥皂、化学品、塑料、啤酒和软饮料。

旅游业随着旅馆设施的兴建而发展迅猛,是赚取外汇的主要来源。每年有2/5以上的游客系乘游轮而来。

岛屿间的交通以船运为主;努美阿为主要港口,全境另有较小港埠20多处,努美阿建有一座国际机场,喀里多尼亚航空公司的领地内航班通往当地许多机场。

80年代初期和中期,新喀里多尼亚的出口值远低于进口值,主要原因是由于世界镍市场的不景气。镍矿石、镍铁和镍锍是主要出口商品(占出口总值的3/4),其次为铬、鱼、咖啡和椰干。主要进口商品有燃料、机械、运输设备和食品。主要贸易伙伴为法国、日本、美国和澳大利亚。

行政与社会状况 作为法国的一个海外领地,新喀里多尼亚在法国国民议会中占有2个席位,在参议院中有1个席位。领地由3个自治的行政区议会治理,由法国指派一位高级行政专员负责监督。3个行政区议会组成领地议会。领地议会为咨询性立法机构,有选举产生的主席。领地议会的54名成员经普选产生。

努美阿的加斯东·布雷医院和巴斯德研究院,在配备有军队医务人员的内地医疗中心支持下,扩大了私人诊所和医生的服务。教育部对教会学校、免费的公立中小学和职业学校进行督导。法国政府经营的努美阿电台每日以法语广播,亦有一个由政府控制的电视频道。当地有几份日报以及一些周刊和月刊。

努美阿是南太平洋委员会(1947年成立)的总部所在地。1983年政府设立土地改革委员会和内陆及外岛开发处,负责将土地重新分配给美拉尼西亚人。努美阿有一座博物馆和一个海洋及植物研究中心,还有几个音乐、舞蹈及种族协会。

历史 新喀里多尼亚富埃半岛上的拉皮塔,是拉皮塔陶器出土的典型地点,这表明在公元前2000～前1000年这里曾有澳斯特罗尼西亚人存在。库尼耶岛发掘出来自新不列颠岛的黑曜石,表明此地曾有长途贸易。此外岛上还有早期以土石堆成的土冢。该岛的陶器可溯至公元前900年,是美拉尼西亚人以木刀刻画图案制成的。另有一些独特的人种志陶器,与巴布亚新几内亚的陶器类似。种植芋头的梯田亦证实在与欧洲人接触之前,当地即存在一种高级文化。

虽然L.-A.de布干维尔可能早在1768年就发现了这些岛屿,但J.库克船长于1774年首次登陆主岛,并将该岛取名为新喀里多尼亚(仿照罗马人对苏格兰的称呼)。1792年第一位法国探险家B.当特尔卡斯托抵达此地。19世纪30年代,伦敦传教会会员到达洛亚蒂群岛。1840年,法国天主教会亦随之而来。1850年发生传教士和法国测量船船员被岛民宰食的事件后,法国遂于1853年兼并了这些岛屿。此后新喀里多尼亚一直由军事总督统治,直至1884年。1864～1897年,该地成为罪犯流放地。1863年发现镍矿,但开发工作(始于1870)经常受到土著反叛的影响,直到1917年才得以顺利进行。1940年,新喀里多尼亚加入戴高乐将军的自由法国运动。1942年起,美国利用这些岛屿作为军事基地,修建了道路和机场,开始了现代化进程。1946年,群岛成为法国的一个海外领地,1958年,首次举行部长和议会议员的普选。1976年,随着岛上自治呼声的日益高涨,议会规模也不断扩大。20世纪80年代初,土著美拉尼西亚人(卡纳克人)要求脱离法国独立。虽然卡纳克人是少数民族,但他们的独立运动声势浩大,致使法国总统F.密特朗建议实行5年自治,1989年再举行全民投票,以决定是否独立。由于反对独立的人士(多为法裔)的努力,这项建议在1984年11月的选举中被选民否决。好斗的卡纳克人反应激烈,引发了一系列的暴动、罢工和混乱。法国政府派兵进驻新喀里多尼亚岛恢复秩序后,推迟了独立方案。1987年许多卡纳克人拒绝参加全民公决,在这次全民公决中新喀里多尼亚选民以压倒多数赞成维持作为法国领地的现状。1988年新喀里多尼亚被置于法国的直接管辖之下,为期1年,作为10年后举行独立公决的一个步骤。

New Castile 新卡斯蒂利亚 西班牙语作Castilla la Nueva。西班牙中部高原的历史上省区名,大致包括在11世纪并入卡斯蒂利亚王国的摩尔人所建立的托莱多王国的疆域。在近代西班牙的地理概念中,新卡斯蒂利亚为一行政区域,包括雷亚尔城、昆卡、瓜达拉哈拉、马德里和托莱多等省,总面积72 363平方千米。1979年后,除马德里外均并入一新建置的卡斯蒂利亚-拉曼查(**Castile-La Mancha**)自治区。有关新卡斯蒂利亚的历史沿革,参阅**Castile**。

New Castle 纽卡斯尔 美国特拉华州北部纽卡斯尔县城市。位于威尔明顿南面,濒临特拉华河,有两座特拉华纪念大桥与新泽西州相连。1651年建居民点,为一早期文化中心。在荷兰、瑞典、英国之间多次易主。1776年9月21日在此举行地区会议,建特拉华州,曾短期为州首府(1777年迁至多佛)。1875年设市。美国《独立宣言》的三位签名者G.里德、G.罗斯和T.姆基恩曾在此居住。伊曼纽尔教堂(1703;1980年被烧毁后重建)是历史名胜,其他名胜有约1730年的阿姆斯特尔故居博物馆及17世纪晚期建筑、旧法院和格林广场(1655)。威尔明顿学院创办于1968年。地方工业生产人造纤维、钢、鞋、油漆和药品。人口4 862(2000)。

纽卡斯尔市的伊曼纽尔教堂
美国不列颠百科全书公司供图

New Castle 纽卡斯尔 美国印第安纳州东部城市,亨利县县城(1822)。西距印第安纳波利斯80千米,濒布卢河。1819年始建。1839年设市。1900年汽车、钢琴制造及其他工业兴起,此后10年间该城随之发展,同时还兴起大规模商业性玫瑰花种植业。现生产汽车零件和钢制品。航空事业先驱W.莱特1867年诞生于此。人口17 753(1990)。

New Castle 纽卡斯尔 美国宾夕法尼亚西部城市,劳伦斯县县城(1849)。位于扬斯敦东南32千米处,在阿勒格尼山麓,谢南戈、马霍宁和比弗三河汇合处。原为特拉华印第安人首府。约1798年始有白人定居。1802年兴建。1825年设自治镇。1833年伊利运河延伸至此。1869年建市。有煤、铁矿石、石灰石、耐火陶土等矿藏,为工业发展提供了物质基础。生产钢及钢制品、塑料制品和烟花爆竹。附近有莫兰州立公园和麦考纳尔米尔娱乐区。人口26 309(2000)。

New China News Agency(NCNA) 新华通讯社 中华人民共和国的国家通讯社,简称新华社,总社设在北京。1931年11月7日创建于江西瑞金,当时名“红色中华通讯社”。1935年迁陕北。1937年1月在延安成立新华通讯社。在各抗日根据地陆续建立分社。1940年12月30日开始播音,名为延安新华广播电台,即中央人民广播电台前身。1944年9月开始用英语向国外广播。1948年起建立国外分社。1985年7月在国内各省市和世界94个国家和地区有总分社、分社或常驻记者。每天向国内播发新闻约5～6万字。用英、法、中、西班牙、阿拉伯、俄六种语言播发新闻累计约15万字。用十几种文字向120多个国家的1 000多家报刊寄发特稿。还通过传真、航寄向国内外提供新闻照片。在16个国家和地区有200个电传供稿点。同68

家外国通讯社有新闻交换协议。在有些和中国尚未建立正式外交关系的国家或地区，新华社派有记者。在香港，新华社分社具有半官方的外交代表身份。出版的报刊有：《新华每日电讯》、《新闻照片》、《参考消息》、《经济参考》、《新闻业务》、《半月谈》、《瞭望》、《环球》、《摄影世界》等。

New Church　新教会　又称斯维登堡派(Swedenborgians)。其组织形式分别为新教会大会、美国新耶路撒冷教会大会和新耶路撒冷教会总会。该派信徒信奉18世纪瑞典科学家、哲学家、神学家斯维登堡的神学学说。斯维登堡本人并未创立教会，也从未脱离信义会，但他的神学理论与信义会迥然不同。该派礼拜全按规定仪式进行，根据斯维登堡的教导从灵意讲解《圣经》。该派以洗礼和圣餐为两种圣礼，认为婚姻神圣，真诚的婚姻在天堂继续维持。该派除一般基督教节日外，另以6月19日为新教会节。这三个新教会的组织并不相同，但都有广泛的传教活动，重点为非洲。新教会派教会一般规模较小，但存在于世界许多地区。

New Clean Government Party　新公明党　日语拉丁字母转写作 New Kōmeitō。原公民党。日本政党，1964年作为佛教世俗团体创价学会(**Sōka-gakkai**)的政治派别而成立。创价学会在1962年参议院选举中获得15个议席，超过民主社会党，位列日本政党或政团的第三位。1965年7月，创价学会——公明党在参议院中的席位增加到20个。1967年公明党第一次参加众议院选举，获得25席，到1979年议席增加一倍多，达57个。到20世纪90年代，议席减至45个，1993年在野党自民党受丑闻困扰期间，公明党议席增至51个。次年与几个反对党组成新进党，1997年解散。1998年与新和平党合并组成新公明党。2000年选举赢得31个议席；2003年获15%的选票，34个议席，成为日本第三大党。主张"人道主义的社会主义"和开放的独立的外交政策，特别是开展逐步废除《日美安全条约》运动。

New Comedy　新喜剧　约公元前320～前3世纪中期的希腊戏剧，它对当时的雅典社会，特别是对其常见的和家庭的各个方面，提出一种温和的讽喻。与旧喜剧那种戏谑著名的政治人物和事件的做法不同，新喜剧主要塑造虚构的普通公民，其中并不包含超自然的力量或英雄人物。这种喜剧通常写的是诸如受阻挠的情人这类的传统情景；它所包括的定型角色是狡猾的奴仆、诡计多端的商人、说大话的士兵和严酷的父亲。情人之一通常是个弃儿，最后发现了他出生的真实情况和身份，使得婚姻如愿以偿。新喜剧虽然未如实地描写当时那个时代的生活，但却真实地反映了那个时代商人阶级的精神幻灭和在道德问题上模棱两可的态度。米南德约于公元前320年将新喜剧引入其作品之中，并成为新喜剧最著名的代表作家。文艺复兴时期新喜剧再度流行，并一直影响到18世纪的欧洲戏剧。

New Criticism　新批评派　第一次世界大战后英美文学批评理论流派。强调艺术品的内在价值，并把注意力仅集中在作为独立意义单位的单独作品上。这是与传统的评论相对立的。传统的评论是运用史料或自传性材料来对一部作品进行解释。新批评派的主要方法则是仔细和有分析的研读。这一方法同亚里士多德的《诗学》一样历史悠久。但是，新评论家对这种方法作了精心的改进。这一流派初期具有重大影响的著作作为英国评论家I.A.理查兹的《文学批评原理》(1924)和燕卜荪的《晦涩的七种类型》(1930)。然而，这一运动直至J.C.兰塞姆的《新批评》(1941)问世才有了名称。《新批评》是一部将这一基本上属于文学批评中语言学方法的各种原理集为一体的著作。对他们来说，诗歌是一种特殊的交流方式，一种任何其他语言都无法传达感情和思想的表达手段。它与科学或哲学的语言有着质的区别，但仍传达同样有效的意思。这类评论家利用仔细研读这种技巧，对作品中语词的含蓄意义和联想价值，以及形象语言的多种功能，如象征、隐喻、形象比喻，均予以特别强调，力图对诗的构思和语言的特性予以界说并作出定论。

New Deal　新政　美国总统F.D.罗斯福的政府在1933～1939年期间所实施的内政纲领。它通过实行工业、农业、财政、水电、劳工以及住房等方面的改革，扩大政府活动的范围来及时地缓解经济。"新政"一词是罗斯福于1932年7月2日接受民主党提名为总统候选人时发表的演说中提出的，是对H.胡佛总统政府面对大萧条而无所作为的反应。大选中选民压倒多数地支持民主党为"被忘却的人们"所作的"新政"许诺。新政与美国传统的自由放任主义政治哲学相反，大体上包括一种政府调节经济的思想，使互相冲突的经济利益达到平衡为宗旨。新政府的第一个目标是解决失业问题，为此发放了紧急和短期的政府救济，提供临时工作，雇用建筑工人，招募青年养护国家森林。为了复苏工业和农业，授权国家复兴署协助制定管理贸易、工资、工时、童工和集体谈判的法规。为了避免金融的崩溃，政府对参加了联邦储备系统的各银行实行保证，同时设立机构以保护投资者的正当利益。在农业方面，农业调整署负责实施农业纲领，它试图采取给予农场主现金补偿的办法来限制主要作物产量，以提高农产品的价格。1933年设立田纳西河流域管理局，使政府干预范围扩及电力系统，其管辖范围涉及7个州，目标是提供廉价电力、防止洪水、促进水利灌溉和生产硝酸盐。1935年，新政的重点转移到帮助工人及其他城市居民的措施上。1935年的《瓦格纳法》大大增加了联邦政府处理劳工关系的权限和加强了工会的组织力量。设立全国劳工关系局来执行这一计划。在整个新政中，影响最为深远的纲领也许是1935和1939年所采取的社会保险措施，包括向老年人和寡妇提供的福利金、失业津贴和伤残保险。1938年某些工业部门还规定了最高工时和最低工资额。美国最高法院宣布新政的一些法律为违宪。理由是宪法并未授权联邦政府进行社会和经济改革。为此罗斯福要求改组最高法院，未获成功。但法院也认可了新政的其他法律。尽管有人认为新政具有"社会主义的"倾向而予以抵制，但杜鲁门总统(1945～1953)的"良政"广泛地继续实行罗斯福的内政纲领，且此后两党政府都承认新政的某些改革已成为美国国家生活中有长久意义的组成部分。

New Delhi　新德里　印度首都，德里(**Delhi**)市和联合区域的构成部分。

New Democratic Party(NDP)　新民主党　法语作 Nouveau Parti Démocratique。加拿大政党，具有民主社会主义立场，主张公有-私有混合经济、扩大社会福利和国际主义的外交政策。新民主党的前身是1933年成立的平民合作联盟(CCF)，是加拿大第一个代表小农和工人的政党。1944年平民合作联盟在萨斯喀彻温掌权时，它已有了一个全国性的组织，在全国各地提出候选人并得到了相当多的选票，但从未强大到足以成为正式的反对党，也未能在两大党——自由党和进步保守党——之间起到举足轻重的作用。1956年加拿大的大部分劳工团体联合组成加拿大工人大会。1961年8月，加拿大工人大会与平民合作联盟合并成立新民主党(萨斯喀彻温省的党仍保持平民合作联盟的名称，直到1967年)。长久以来，马尼托巴和萨斯喀彻温两省的农民以及不列颠哥伦比亚和安大略两省的城市工人一直是新民主党的群众基础。该党于20世纪40～90年代，曾断续地在萨斯喀彻温、马尼托巴、不列颠哥伦比亚3省，80年代起在育空地区，90年代在加拿大最大最富的省份安大略省组织政府。90年代中期，新民主党在沿大西洋省份中很受欢迎，特别是在新斯科舍省。在1997年的联邦选举中，它在新斯科舍省获得了近1/3的选票。但就全国而言，新民主党却不是很成功。1988年，它在联邦选举中赢得了43个下议院席位，是它在历史上的最好成绩。但在随后的选举中，只赢得了9个席位。虽后来又有所反弹，但一般仅能获得10%多一点的选票。2004年，由于民众对自由党的支持率下降，新民主党获得了近16%的选票，在下议院中赢得19个席位。

New Economic Policy(NEP)　新经济政策　1921～1928年苏联政府的经济政策。它是对以前极端教条的中央集权社会主义政策的一次暂时性退却。1918年以来实行的战时共产主义政策，到1921年已使国民经济全面崩溃。1921年3月发生的喀琅施塔得叛乱使共产党和它的领袖列宁认识到，必须从社会主义政策退却才能保住党对政权的控制。因此，1921年3月举行的第10次党代表大会提出新经济政策措施。这些措施包括重新允许私人拥有并经营大部分农业、零售商业和小规模轻工业，同时，国家保持对重工业、交通运输、银行和对外贸易的控制。1922年，货币重新引入经济领域(战时共产主义时期曾取消货币)；允许农民拥有并耕种自己的土地，向国家纳税。

新经济政策重新采取稳定经济的措施，

让苏联人医治战争、内战和政府失误年代造成的创伤,恢复元气。这个时期繁荣起来的小商贩和小工厂主被称为“耐普曼”(NEP men)。但是,苏联政府将新经济政策仅仅看做复苏经济使共产党巩固其政权的权宜之计。1925 年左右,布哈林带头拥护新经济政策,而托洛茨基表示反对,斯大林则态度暧昧。新经济政策时期,政府一直未能从农民取得足够的粮食供应城市劳动力的需要。1928～1929 年,粮食短缺状况促使当时最高国家领导人斯大林强制取消土地私有,在国家控制下实行农业集体化,于是保证了此后对城市充足的粮食供应。政策的这一急遽转变伴随着全国数百万最富足的私人农场的消失,标志着新经济政策的结束。到 1931 年,全国工商业重新处于国家控制之下。

New England　新英格兰　美国东北部地区。范围包括缅因、新罕布什尔、佛蒙特、马萨诸塞、罗得岛和康涅狄格 6 州。1614 年由英国船长 J. 史密斯命名,后由英国清教徒开拓。17 世纪建公立学校及哈佛(1636)和耶鲁(1701)等高等学校。新英格兰殖民地远离祖国,逐步发育起代议制政府,城镇会议,扩大了公民权及公民自由。早年有自给的农场。因当地多森林、河流和港湾,发展起造船业和横跨大西洋的海运商业。18 世纪为独立战争的策源地,在创建新国家的斗争中作用显著。建国初期支持国家税收法和联邦政策。19 世纪文学兴旺,热衷于传道并从事改革:戒酒、废奴、改善监狱及疯人院条件、废止童工等。南北战争中坚决站在联邦一边。随着边界的向西推移,自新英格兰出发的移民把这里的文化和行政管理模式带往中西部的新边疆。由于工业革命的输入,制造业成为经济支柱。所产纺织品、鞋靴、钟和五金运销其西面的密西西比河流域。南北战争前后涌入爱尔兰和东欧国家移民,使人口多民族化,并迫使传统的新教与天主教分享权力。20 世纪这里又发生了许多变化。第二次世界大战后,一度发达的纺织和制革业南移,代之以发展了运输设备及高技术产业(电子)。20 世纪末期新英格兰地区因高技术的扩展及服务业出现而更趋繁荣。

New England, Council for　新英格兰理事会　英属美洲殖民史上,英王颁发特许状成立的股份公司(1620)。公司受权开拓并统治今称为新英格兰的地区。公司成员均来自地主阶级,公司首脑斐迪南多·戈吉斯爵士原计划将该地作为采邑分封理事(40 人),建立起一个坚固的、受贵族统治、信奉英国圣公会的省。但事实上新英格兰殖民化被两个强有力的基督教新教教会中产阶级的企业组织——清教徒派(1620)及马萨诸塞湾公司(1629)所控制。为了肃清理事会统治时期混乱的采邑封爵名号并消除政权纷争,马萨诸塞湾公司直接自英王接受特许状,从而结束了新英格兰理事会的存在。

New England Confederation　新英格兰联盟　英属美洲殖民史上,马萨诸塞、康涅狄格、纽黑文和普利茅斯的联盟,1643 年 5 月由这 4 个清教殖民地的代表组成。主要目的是要共同对付法国人、荷兰人或印第安人的袭击。罗得岛和缅因因不同意清教徒戒律而拒绝加入联盟。联盟由 8 个委员领导,4 个殖民地各派出两名委员,一般每年开会一次。他们负责:在遇到战争时确定各殖民地出人出钱的数额;在与外国或别的殖民地发生争端时排解纠纷;相互引渡逃跑的奴仆、囚犯和其他逃亡者;处理关于印第安人的事务。该联盟于 1684 年解体。它是英国殖民地建立互利的殖民地联盟的首次努力。

New England Glass Company　新英格兰玻璃公司　1818年建于马萨诸塞州东剑桥的美国玻璃公司,1888 年迁往俄亥俄州托莱多,改称利比-欧文斯-福特公司。这家公司用模制、压制、刻花和雕刻等技术生产各种袖珍小瓶、玻璃酒杯和精美的玻璃艺术品。其特点是含铅量高,线条简单,做工精细,色彩丰富,其中尤以宝石红色著名。另一种深受欢迎的产品为“镀银玻璃”,用以制作门手柄和仿银餐具。他们还生产桃色釉玻璃、琥珀玉髓玻璃和果树女神玻璃等艺术玻璃品。

New England Range　新英格兰岭　又称北部台地。澳大利亚东部高地(大分水岭)之一段,位于新南威尔士州东北部。从蒙比岭向北延伸 200 英里到达昆士兰州界,东西宽 80 英里,最高峰朗德山,海拔5 300英尺。是全国最大高原,海拔3 000英尺以上的面积为9 000平方英里。山区森林资源丰富,是多支河川水源区,河谷土壤肥沃,生产粮食、水果、马铃薯,饲养牛羊。出产钻石、蓝宝石、绿宝石、金和锡。主要城镇有因弗雷尔、阿米代尔、格伦因尼斯和滕特菲尔德。位于岭东坡阿米代尔以东的新英格兰国家公园建于 1935 年。

New England Renaissance　新英格兰文艺复兴　参阅 **American Renaissance** 美国文艺复兴。

New English Dictionary on Historical Principles, A　《新英语词典(按历史原则编订)》　简称 NED。此系《牛津英语大词典》(**Oxford English Dictionary, The**)初版(1884～1928)时之名称。1933 年出版的修订版改称《牛津英语大词典》。

New Forest　新福里斯特　英格兰汉普行政、历史郡一区。范围包括新福里斯特及其沿南安普敦湾和索伦特海峡的城市化沿海地区,加上该郡西部灵伍德和福丁布里奇周围的农业区。面积 751 平方千米。旧海斯港和新的南安普敦湾岸的现代化福利石油终点站与南安普敦市(和区)紧密联系。西部的比尤利西多会隐修院已发展为主要旅游点。人口约171 000(1998)。

New Fourth Army　新四军　全称国民革命军陆军新编第四军。抗日战争时期中国共产党领导的主力军之一。1937 年 10 月中国共产党同国民党达成协议,将湘、赣、闽、粤、浙、鄂、豫、皖 8 省红军游击队(广东琼崖红军游击队除外)改编为新四军。军长叶挺,副军长项英,共 1 万余人。1938 年 3、4 月间,新四军第一、二、三支队和第四支队分别在安徽南部岩寺地区和中部舒城地区集中,随即挺进长

新四军军长叶挺在全军参谋会议上作报告
中国大百科全书出版社供图

江南北敌后,同中国共产党华中各地党组织一起,发动和武装广大群众,开展游击战,积极与日伪军作战。到 1940 年先后建立起大小 10 块抗日民主根据地,部队发展到 10 万人,击溃了日伪军的多次“扫荡”。国民党则坚持消极抗战、积极反共的政策,蓄意消灭新四军,命令新四军撤离皖南。1941 年 1 月新四军军部率直属部队共9 000余人从皖南北移,在泾县茂林地区遭到国民党军 8 万余人的重重包围和进攻,军长叶挺在同国民党谈判时被扣,副军长项英在突围中被杀害,大部分干部、战士在战斗中牺牲。这就是震惊中外的“皖南事变”。事变发生后中共中央下令重建新四军军部,任命陈毅代理军长,刘少奇为政治委员。全军编为 7 个师,继续坚持华中敌后抗战,不断击溃日、伪军的“蚕食”、“清乡”和“扫荡”,并击退了国民党军队的多次军事进攻。1945 年 8 月在华中地区展开了战略反攻。在 8 年抗战中,新四军共歼灭日伪军 43 万余人,主力部队发展到近 30 万人,民兵、人民自卫武装发展到 96 万人,抗日民主根据地面积扩大到 25.3 万平方千米。解放战争时期,与八路军统一改编为中国人民解放军。

New France　新法兰西(1534～1763)　北美大陆的法国殖民地。最初包括圣劳伦斯湾沿海地区、纽芬兰以及阿卡迪亚(新科斯舍)。后来逐步扩张,又包括大湖地区的大部分和阿巴拉契亚山以西的部分地区。1529 年新加利亚(新法兰西)的名称首次见于地图。1534 年法国海员 J. 卡蒂埃从圣劳伦斯湾深入内陆,远至拉欣拉皮德,到达今蒙特利尔,并试图在今魁北克附近建立一块殖民地。殖民地虽未建成,但与海湾和河川地带的印第安人开始了毛皮贸易。S. de 尚普兰于 1603 年到达圣劳伦斯湾,翌年到达芬迪湾,他在法国建立第一块北美殖民地波特罗亚尔的过程中起过一定作用。1608 年他开拓魁北克殖民地。魁北克是一个制高点,控制着圣劳伦斯河的河口湾。1627 年法国首相黎塞留建立新法兰西公司(通称百发公司)。但是英法战争刚一开始,这个公司的船队就被英军俘获,1629 年

魁北克本身也沦于英国之手。虽然根据1632年的《圣日耳曼条约》,英国将魁北克归还法国,但是新法兰西公司再也未能从这次打击中复苏。1663年路易十四撤销该公司,将新法兰西改为直属国王的行省,派总督镇守。1666年镇守新法兰西的法国军队击败当地的易洛魁人,迫使易洛魁人缔结和约。从那时起,法国开始向新法兰西大量移民。在17世纪60年代,法国送往新法兰西的移民有3 000多名,其中包括已届婚龄的女子。1671年圣卢松勋爵多蒙为法国取得全部北美大陆地区的所有权,这是新法兰西的一次领土扩张。当时,英法两国在关于北美大陆的领土和贸易问题上加剧了矛盾。在奥格斯堡同盟战争期间(1689～1697),W.菲普斯爵士指挥一支英国舰队占领阿卡迪亚。1690年菲普斯又企图占领魁北克,却被法军打败。之后,在弗隆特纳克伯爵指挥下,法军开始对新英格兰进行一系列的边界入侵,最终长驱直入易洛魁人的国家。1697年签订《赖斯韦克条约》,其中规定新法兰西除原有领地外,还占有哈得孙湾(不包括纽芬兰)。1699年伊贝维尔又着手开拓新法兰西的另一块殖民地——路易斯安那。1700年新法兰西与易洛魁人缔结和平条约,结束了对易洛魁人的战争。新法兰西的好运至此达到顶点,随后即开始走下坡路,因为英国人虎视眈眈,企图将新法兰西夺为己有。1710年英军再次占领阿卡迪亚,但翌年英军在圣劳伦斯河一线屡遭失败。后来由于结束西班牙王位继承战争的《乌得勒支条约》,英国又取得哈得孙湾。七年战争的最初两年,法军和加拿大民兵获胜。随后英军增强,夺取了制海权,1758年英军攻陷路易斯堡,1759年占领魁北克,1760年蒙特利尔无条件投降,接着整个新法兰西放下武器。1763年的《巴黎条约》结束了英法间的七年战争。除新奥尔良的边缘地区外,新法兰西在密西西比河以东的土地全部割让英国,法国仅保留纽芬兰附近两个小岛圣皮埃尔和密克隆的主权以及在纽芬兰海域的捕鱼权。但在今魁北克省,有6万余法籍加拿大人成为英国臣民。

New General Catalogue of Nebulae and Clusters of Stars(NGC) **《星云星团新总表》** 星团、星云和星系的一个基本星表,简称NGC,是丹麦天文学家J.L.E.德雷尔根据英国天文学家赫歇尔家族早期星表于1888年编制的。德雷尔编制的这个星表包含约8 000个天体,而在1895和1908年分别出版的第一星表(NGC)和第二星表(简称IC)总共增至约13 000个天体。尽管用现代仪器能观测到的许多天体在表中没有列出,但NGC及其补编却是包括整个天区的星表。一个天体可以有几个名称,例如蟹状星云又称NGC1952和M1,后者是该天体在梅西叶星表中的编号。

New Georgia Group 新乔治亚群岛 太平洋西南部所罗门群岛的火山岛群。位于瓜达尔卡纳尔西北145千米。最大岛为新乔治亚岛(长50英里,在最宽部分20英里)。主要岛屿从西北向东南排列。科隆邦阿拉岛上有海拔1 768米的硫磺火山。群岛风景优美。环有礁石和潟湖。地势崎岖,河流交错。有茂密的森林。动物稀少。出产木材、椰干、薯蓣和甘薯。人口27 879(1976)。

New Glarus 新格拉鲁斯 美国威斯康星州南部格林县村庄。濒临舒格河的支流,在麦迪逊西南40千米处。1845年由大约100名瑞士格拉鲁斯州灾民建立。初为半公社性质,矿山和水源为公共所有,土地靠抽签分配。1901年建村。居民现仍多为移民后裔。为奶品产区中心,以瑞士奶酪闻名。旅游业占重要地位。每年6月举行戏剧节;8月举行庆祝瑞士独立日的瑞士人民节;9月举行威廉·退尔节,演出席勒名剧《威廉·退尔》。村南有州立新格拉鲁斯森林公园。人口2 111(2000)。

New Glasgow 新格拉斯哥 加拿大新斯科舍省北部皮克图县城镇。在东河河畔、哈利法克斯东北167千米。1809年苏格兰人W.弗雷泽命名。工业制造有铁路设备、重型机械、锅炉、钢结构、轮胎、纸浆和纸张、褥垫等。加拿大第一台火车头"萨姆逊"号(1839)现陈列在该城加拿大国家铁路车站。1875年设镇。人口9 905(1991)。

New Granada, Viceroyalty of 新格拉纳达总督辖区 拉丁美洲殖民地的西班牙总督辖区之一,1717～1724年临时设立,1740年永久设立。范围包括今哥伦比亚、巴拿马(1751年以后)、厄瓜多尔和委内瑞拉,首府在圣菲(今波哥大)。原属秘鲁总督辖区,将之划分出来,反映了18世纪初期该地区人口的不断增加和商业的日益重要。后进行商业和政治改革,加之欧洲对殖民地产品需要日益增加,使该地出现繁荣时期,学术文化活动亦甚活跃,然而半岛上的西班牙人和中上层克里奥尔人之间的分歧加深。由于大多数辖区排斥西班牙官员,总督辖区于1810年取消。次年,宣布独立,但发生了一系列内战,使西班牙得以在1814～1816年再度征服新格拉纳达联省。直到1823年,该地区才完全解放。哥伦比亚曾于1830～1858年称新格拉纳达国。

New Granada Treaty 《新格拉纳达条约》(1846) 参阅 **Bidlack Treaty**《比德拉克条约》。

New Guinea 新几内亚 马来群岛东部岛屿,位于太平洋西部,澳大利亚北部。北濒太平洋,东临俾斯麦海和所罗门海,南濒珊瑚海和托雷斯海峡,西南连阿拉弗拉海。全岛面积约80万平方千米。新几内亚行政上分为两部分:西半部为印度尼西亚一省,称伊里安查亚(原名西伊里安);东半部是巴布亚新几内亚的主要部分,巴布亚新几内亚于1975年成为实行议会制的独立国家。参阅 **Irian Jaya; Papua New Guinea**。新几内亚是世界第2大岛(仅次于格陵兰),长(自西北至东南)约2 400千米,最宽处(自北至南)约650千米。连绵不断的山脉自西北向东南贯穿新几内亚,山峰高度均在4 000米以上,位于伊里安查亚西部的查亚山海拔5 030米。山脉顶端为冰雪覆盖。山脉有若干死火山及狭长肥沃的高原盆地,其海拔一般在1 490米以上。山脉北部在地质结构上是一条深沟,曼伯拉莫、塞皮克、拉穆以及马克姆等河的河谷均位于此。新几内亚中北部沿海平原的边缘是一系列断层山岗,海拔低于3 505米。新几内亚的最西北部分由多为低地的孟贝莱半岛和多为山地的多贝莱半岛所构成。中部山脉的南部为弗莱-迪古尔陆架,这是一片辽阔的沼泽平原,平原上河流密布,包括弗莱、毕安、迪古尔、马皮、普劳、洛伦兹等河流。东南部的欧文·史坦利岭绵延达320千米,形成一个宽广的半岛,分隔北方的所罗门海和南方的珊瑚海。新几内亚的气候基本上属热带型,低地年平均最高气温为30～32 °C,高原白天气温全年一般在22 °C以上。每年约有7个月吹东南信风,中部高原南坡年雨量经常超过7 620毫米。因此,弗莱-迪古尔陆架和邻近高原成为全球最潮湿地区之一,也是人口最稀少的地区之一。中部高原全年雨量在2 540～4 065毫米之间。东南部海岸的摩尔斯贝港每年的雨量仅约为1 016毫米。海岸一带红树沼泽几乎随处可见,内陆则生长尼巴棕榈。南部海岸的三角洲及河流沿岸有大片的西谷椰子林。新几内亚海拔约1 005米以下地区大多为原始低地雨林。海拔1 005米以上的中部高原到处有橡树、山毛榉和松树林。高原盆地的大部分地区有大量的天然植被被住在高原的务农者砍伐,以发展相对密集农业。中部高原为新几内亚人口最稠密地区。中部高原北部的山麓林区和人口稀少的曼伯拉莫河、塞皮克河流域的草原,盛行刀耕火种或轮垦农业。北部海岸人口也相当稠密。新几内亚的植物种类繁多,包括兰花、无花果和各种假山毛榉。野生动物包括许多爬行动物及一些有袋动物,如树袋鼠和袋貂。鸟类则以食火鸡(一种大型不能飞的鸟)、壮观的极乐鸟和鹦鹉著称。新几内亚几乎全为操巴布亚诸语言的人民所居住,他们是该岛最早的居民,主要分布在内陆和南部地区。巴布亚各种社会团体的特点体现在它们由当地"大人物"领导以及盛行互赠礼物的风俗。巴布亚人的种族结构复杂,语言约700种。在北部海岸、东部海岸以及许多近海岛屿的社区里,居民操澳斯特罗尼西亚诸语言(南岛诸语言)。居民中也有一些波利尼西亚人、华人和欧洲人。数种皮钦语,如皮金语和莫土语颇为盛行;印度尼西亚语(印度尼西亚官方语言)和英语(巴布亚新几内亚官方语言)也都通用。尽管巴布亚新几内亚的居民约有1/3是天主教徒,1/4以上是信义宗教徒,传统的宗教信仰和礼仪仍被广泛遵行,岛上的大多数居民是泛灵论者。

铜是岛上的主要矿产资源。伊里安查亚境内查亚峰西南约40千米处的滕巴加普拉是世界最大的高品位铜矿产地。巴布亚新几内亚境内奥克特迪附近弗莱河源头有另一重要的铜矿储藏区,正在开发中。伊里安查亚的多贝莱半岛产石油,巴布亚新几内亚的塞皮克河流域和弗莱-基科里地区已发现天然气。新几内亚大部分居民是自给型农民。薯蓣、芋头、西米和香蕉是低地一带的主食,而甘薯则是高原一带的主食。养猪业很普遍。巴布亚新几内亚的经济作物有咖啡、可可、椰干、棕榈油、茶和橡胶;也出口金枪鱼、大虾和木材。内陆运输依靠几条次级的沿海公路、河船和航空线,而航空运输日见重要。新几内亚可能在5万年前即有人居住。约在公元前7000年时,高原盆地即有人从事固定的农业,并有广泛的沼泽排水与灌溉设施。在欧洲人到来的前数百年,印度尼西亚的和亚洲的航海者即已了解该岛,特别是其西半部。欧洲人中,葡萄牙人于1511年最先发现该岛,但直到1527年才在那里登陆。1828年,荷兰人声称该岛的西半部为荷属东印度的一部分。19世纪70年代,英国的摩尔斯贝船长测量东南部海岸;1884年,新几内亚东南部被英国吞并。同年,德属新几内亚公司接管了东北部。1904年,英属新几内亚交澳大利亚管辖,改称巴布亚领地。第一次世界大战后,德属新几内亚成为国际联盟的委任统治地,交澳大利亚管理。第二次世界大战初期,日本曾一度占领该岛的大部分。战后,澳大利亚将巴布亚领地和新几内亚委任统治地合并,称巴布亚和新几内亚领地。同时,该岛西半部,即西伊里安,回归荷兰管辖。1949年印度尼西亚独立;1969年举行公民投票,以决定西伊里安的归属问题。投票结果,西伊里安并入印度尼西亚,成为伊里安查亚省。1975年,巴布亚新几内亚独立,仍在英联邦内。人口:伊里安查亚约1 648 708;巴布亚新几内亚约3 097 559;包括附近较小岛屿在内,整个岛屿约4 746 267(1990)。

New Guinea plateless turtle 新几内亚无盾板龟 参阅 **pitted shell turtle** *麻壳龟*。

New Hampshire 新罕布什尔 新罕布什尔位于美国东北角的新英格兰地区,是美国最初13州之一。面积24 032平方千米,北与加拿大魁北克省接壤,东与缅因州交界,有25千米州界濒临大西洋,南为马萨诸塞州,西邻佛蒙特州。首府康科德,位于该州中南部。

众所周知,新罕布什尔州别名"花岗岩州",是一个有许多差别的研究对象。自从19世纪后期以来,它一直是美国6个工业化程度最高的州之一,但是它却常常被描绘为一个农业和畜牧的州。据称,佛蒙特和新罕布什尔是白人盎格鲁-撒克逊新教徒所统治的"扬基王国",但州内众多居民人口中有法裔加拿大人、德国人、意大利人、波兰人和其他非英籍人。它的政治声誉是重商和保守,州资金的一项最大来源是商业利润税。新罕布什尔的地区差别是如此之大,致使许多人建议把该州一分为三,分别并入缅因州、佛蒙特州和马萨诸塞州。

尽管有这些差别,该州还是极具特色。这种特色的核心就是该州政府节俭的形象:新罕布什尔没有总的销售或个人所得税,但每年都能有预算盈余。州一级的节俭强调所有的城镇都要分担责任。虽然在所有新英格兰各州都设有镇政府,但是这些镇政府都没有新罕布什尔州的镇政府那样有权力。这种特色的另一个组成部分就是坚持传统,在弗兰科尼亚山峡,人称"山老人"的大石面就是这种传统的有力象征。节俭、分权、传统主义、工业化、种族特点和地理多样性的结合使新罕布什尔对许多美国人颇有吸引力。1950年以来,密西西比河以东只有佛罗里达和特拉华两州的人口增长率超过该州。

自然地理和人文地理

土地 *地形* 新罕布什尔的基本自然地理特征是最后冰川期(约7万年前至1万年前)的结果,在这时期,威斯康星大冰原像一辆巨型推土机一样移动,从西北向东南穿过新英格兰地区松散的沙、淤泥和砾石沉积起来如同冰碛团,靠近格林兰镇有395英尺深。新罕布什尔的山峡——克劳福德、迪克斯维尔、弗郎科尼亚、平克姆——是冰川作用的结果,该州所发现的锅穴和冰斗也是如此。大冰川留下许多三角州和层状淤积小丘。新罕布什尔的湖泊也是冰川作用的结果。

山是新罕布什尔州自然景观最突出的特色。约有1 500种高度,包括8座海拔5 280英尺以上的山,61座海拔3 960英尺的山,157座海拔2 640英尺以上的山。最著名的是华盛顿山,海拔6 288英尺,是密西西比河以东地区的全国第三高峰。该州的平均高度为海拔1 000英尺左右。

新罕布什尔州朴次茅斯港的渔船

美国不列颠百科全书公司供图

水系和土壤 该州有5个主要河系流域。最大的是位于该州中部的梅里马克河流域。第二位的是西部边界的康涅狄格河流域。其他水流除注入小溪外,还注入萨科、皮斯卡塔克亚和安德罗斯科金等河流(统称近海河流)。这些河流两岸有较丰富的深层土沉积,但是总的说来,州内的土壤多为岩石重叠而且贫瘠,难以耕种。

气候 该州的气候差别很大。冬季气温可降至 - 18 °C达数天之久。夏季则较为凉爽,年平均温度约为6.7 °C。年降雨量约1 067毫米(42英寸),四季雨量均匀。

动植物 该州80%以上土地被森林所覆盖。美国东部的大部分树种该州均有。最有价值的树木是白松。

树木繁茂地区有着众多野生动物。到处都是白尾鹿;大角麋群主要限于库斯县。每年有一次猎鹿季,但是禁止猎杀大角麋。曾经濒临绝灭的海獭已受到保护并重新繁殖起来。黑熊比较普遍,较小的哺乳动物如兔子、松鼠、浣熊、狐狸和水貂数量很多。此外还有大量的鸟类,包括松鸡、丘鹬、雉、鸭等。州饲养站将内陆湖泊、河流很好地利用起来作为养鱼场。该州对危及水生动物的污染现象十分关注,不论是政府还是私人都竭尽全力防止湖泊、溪流及沿海水域的进一步污染。

住区模式 该州有6个不同的区域,每个区域的发展都与该州历史有关。北部树木繁茂的怀特山地区不论夏季和冬季,登山人和游客都络绎不绝。温尼珀索基湖附近的湖区是极好的夏令营营地和游乐胜地以及水上运动的处所。海滨区包括朴次茅斯、多佛、埃克塞特和汉普顿,有许多海上活动设施。中南部地区,即环绕曼彻斯特和纳舒厄的梅里马克区是该州工业化程度最高的区域。该州中西部的达特茅斯-森纳披湖区有许多教育机构和夏日别墅。州西南角莫纳德诺克山附近的地区以许多小型工业以及诸如麦克道威尔聚居区这样的胜地而闻名,后者是建于彼得伯勒的艺术家休养地,林兹的派恩斯大教堂也很著名,这是一个纪念美国阵亡军人的户外圣坛。每一区都正式组织起来,并为本区的振兴活动提供资金。怀特山国家森林区占该州11%面积,几乎无人居住。

人民 1790年美国第一次进行人口普查,新罕布什尔的人口为141 885人。此后每10年一次的统计,人口总有所增长,只有1870年除外,当时正值南北战争结束不久,人口大量流向中西部地区。城市人口大部分集中在南部和东南部区域,较大的城市中心都位于怀特山以南。在最靠近波士顿的地区,新罕布什尔变成了一个城郊住宅区,成千上万名在该市工作的人都居住在这一地区。

在殖民时代,当地绝大多数居民是英格兰人,但是从1719年开始,又汇集了大批苏格兰、爱尔兰人,他们多数属于基督教长老会成员,居住在该州的中南部和西南部,把他们居住的主要城镇起名为德里、伦敦德里、安特里姆和都柏林。

新罕布什尔有一种城镇教会组织制度,规定凡正式被承认的教派都能参加每年一度的镇民代表大会,接受公益税的资助。美国独立战争之前有5个教派得到正式承认,它们是:公理会、浸礼会、长老会、公谊会和圣公会。1819年立法机构通过的《信仰自由法》取消了这个制度。从那时起,所有教会都接受私人资助,任何教派都可自由活动。

19和20世纪从中欧和东欧有一股移民浪潮涌向该州。第一个天主教教区于1823年建立,第一所天主教学校于1859年创立,全州的主教管区则于1884年建成。第一个犹太公理会于1892年组成,第一个希腊正教会则成立于1905年。新罕布什尔教会联合会于1945年成立,制订了广泛的全基督教大联合政策以包容许多信仰。

黑人不到人口总数的1%,亚洲人则更少。来自英伦三岛以外的最大群体是法裔加拿大人或加拿大裔美国人,南北战争一结束,他们就率先来到这里,主要是来自魁北克。他们的去向主要是一些工业城市,例如曼彻斯特、纳舒厄拉科尼亚和柏林。第一次世界大战结束时,新罕布什尔是美国各州中法裔加拿大人最多的一州。人口1 235 786(2000)。

经济 过去的制鞋业、木器制造业、服装业和纺织业在生产力和就业方面都已衰退,而太空时代的工业却发展迅猛。同样发展很快的非制造业的产业有公用事业、保险业和银行业、医药保健服务机构、各种商业服务以及批发和零售业。旅游业在经济中的地位也很重要。

农业、林业和渔业 20世纪农田面积减少了2/3。乳制品是农业收入的主要来源,其次为观赏和温室植物以及各种水果和蔬菜。木材收获量的一半用于锯材,近40%的制浆木材供应造纸和新闻纸厂。该州商业捕鱼量不多,但是有适合市场出售的龙虾和深海鱼。

工业、机器制造业和电力 电子产品制造业基本上替代了纺织和服装产业,1945年以后,许多从事纺织和服装生产的工厂不是倒闭就是迁往南方。造纸和木材产品是第二大产业。怀特山以北唯一的大工业中心就是柏林,这里有大造纸厂和纸浆厂。

该州有许多岩石采石场,主要是花岗岩采石场。从吨位和价值方面看,沙和砾石都是主要的矿产。其他有商业价值的当地矿物有石榴子石、锆石、绿柱石和沼铁。

1955年州议会建立了工业区管理委员会,现名工业开发委员会,以吸引更多的行业进入新罕布什尔。因为有单独的城、镇以及各种私人机构的大力相助,该委员会成功地使州的工业和商业方式现代化。把新罕布什尔作为一个旅游区有步骤地向外推出始于1925年,这项工作现已逐渐扩大。由于第二次世界大战之后人们对冬季运动的兴趣增加,新罕布什尔的冬季与夏季一样对游客具有吸引力。

运输 新罕布什尔的铁路网现在只有原来长度的1/4。数百英里的公用事业用地都被放弃了,除了在华盛顿山的一条6英里长的齿轨铁路外,其他都没有客运业务。这条铁路线于1869年开始运转,是世界上第一条这种类型的铁路,在夏季以蒸汽机车作牵引运载旅客。随着铁路的消失,州内公共汽车和公路系统大大增加。州际公路系统的数条支线给新罕布什尔的居民带来极大的方便,得以进入东北部的主要大都会地区。定期的商用货运飞机为基恩、莱巴嫩和曼彻斯特等地的机场提供服务;该州还为私人飞机提供了数十个小型机场。整个运输系统的建立使该州居民到其他州工作成为可能,并且也使旅游业运转顺利。

行政与社会状况 *政府* 新罕布什尔的宪法于1784年正式通过,是美国50个州中第二部最老的宪法。每隔10年该州居民可以就是否要召开会议以考虑宪法的修改问题进行投票。通过这些会议的建议必须经公民复决中的2/3投票人同意方始有效。在该州的历史上曾经召开过几次这种会议,也通过了大量的修正案,但是原宪法的相当一部分内容仍保持完整。

州长由选举产生,任期两年,由5人组成的政务委员会协助管理,这是从殖民时代流传下来的老传统。这5位成员每两年由州的5个地理区域选举产生,他们必须批准该州各办公室的大部分任命以及司法职位的全部任命。

州的立法机构——州议会,由400余人组成,每两年选举一次。低一级的机构——众议院,有375～400名代表,具体人数视人口变化而定。因此这是讲英语地区最大的立法机构之一。州参议院有24名成员。

该州司法职责由下列3级法院贯彻:自治市和区法院、县高级法院和遗嘱检验法院、州最高法院。所有法官均由州长和行政委员会任命,只要在任职期间表现良好可一直工作到70岁。州警察力量除了完成他们经常性的工作外,随时受州长调遣以应付紧急任务。

县、市、镇均为州级以下的政府机构。10个县有极少的非司法职能。13个市的每一个市都有其自己的宪章,规定采取市长-政务会、政务会-经理或委员会的管理体制。实际上所有221个建制的镇都依赖每年一届的镇选民大会来指导政策。镇有许多选举和任命的委员会,但是由这些顾问团体提出的普遍性问题都作为委托书上的条款在镇选民大会召开之前分发给大家。由推选出来的主席主持,将每一条款付诸表决。会议还选举广泛的地方官员。被选出来的镇管理委员会有成员3～5人,负责管理日常事务。在较大的镇,允许有一个经理来协助他们。

新罕布什尔有一个筹集岁入的不寻常制度。该州紧紧抓住它的特征不放,即它的收入既非来自一般销售税亦非来自综合的州个人所得税。由于该州从赛狗、赛马、州经营的酒店以及彩票中筹集岁入,新罕布什尔素有依赖"罪恶"税的名声。实际上州岁收中的这些来源只占很小比例。商业利润税、执照费、餐饮税、住房税以及机动车燃料税所占的比例最大。州提供标准的保健和社会福利服务;但是提供的经费和设备不如邻州那样多。福利体系的管理主要取决于镇,同样,资助公立小学与中学教育的责任也在镇。地方财产税提供了大宗这样的资助。整个征税结构在20世纪60和70年代成为紧张的党派间的争论焦点。80年代州预算的盈余和地方财政控制的优势使许多批评者对目前的制度也无话可说。

新罕布什尔一直是两党控制的州。南北战争以前,该州的民主党占有绝对优势,但是从那时起直至20世纪30年代的大萧条期间,该州一直受共和党控制。但是,选民有几次都投了民主党总统候选人的票——威尔逊、弗兰克林、罗斯福和约翰逊——并且还将几位民主党人选入国会。

教育 自1647年以来该州便有一套公立学校体制,当时作为马萨诸塞州的一部分,它需要根据社区规模提供不同种类的学校。全州范围的体制是由以特派员为首的教育局管理。每个镇为一个学区,其主要资金来自地方财产税。许多镇常常联合起来组成统一的公立中学区。授地学院后来成为新罕布什尔大学,于1866年在汉诺威创建,1893年迁至达勒姆。几个附属学院分别设在普利茅斯和基恩。州内还有几所职业学院和一所工学院。1959年以来州立大学开始实行电化教育。

该州还有许多私立的教育机构。在州的预备学校中最著名的有菲利普·埃克塞特学校和圣保罗学校。学院有达特茅斯学院,1769年成立于汉诺威,圣安塞尔姆学院(曼彻斯特,1889)和科尔比-索耶学院(新伦敦,1837)。

文化生活 该州有几个著名文化机构。

麦克道威尔居住区建于1907年，是音乐家和作家的休养地，也是作曲家和彼得伯勒居民E.麦克道威尔（1860～1908）的纪念地。位于科尼什的著名雕塑家圣高登斯（1848～1907）的故居占地35公顷，于1964年被指定为国家历史遗址。在曼彻斯特有库里尔美术馆和一所文理学院；达特茅斯学院是一所著名的美术中心，在纳舒厄也有一所艺术和科学中心。有几个城镇也有小画廊、艺术中心和博物馆。夏季戏院活跃在十几个旅游胜地。

娱乐和旅游业是该州文化模式的主要组成部分。新罕布什尔约有30处滑雪场地，其中许多处在夏季还开动升降机供旅游者观光。全州约有200个青年营和70个高尔夫球场。历史遗址包括修复了的殖民时代住宅和位于纽卡斯尔的宪法堡。全州还有30多个州立公园和32.4万公顷的公共森林保护区。

历史

美洲印第安人 在与英国人接触之前，约有3 000名美洲印第安人住在后来成为新罕布什尔的地方。他们组成部族、半自治集团和较大的部落实体。彭纳库克人是这些部落中势力最大的，他们所住的主要村庄就靠近以他们的部族命名的城镇。这里全体印第安人在语言方面都属统一的阿尔冈昆文化的一个组成部分，他们统治着北美的东北部。在与英国开拓者接触后的日子里，疾病、战争和迁徙使印第安人的数量激剧减少。到1700年在殖民地范围之内已几乎没有印第安人居住。如今能够提示人们这里曾是美洲印第安人居住地的就只有地名了，诸如温尼珀索基湖、坎卡马格斯公路和帕萨康纳威山。

英国殖民地 17世纪20年代英国君主赠与J.梅森和其他人的一系列土地中就包括新罕布什尔区。捕鱼和贸易村落于1623年建成，1629年以英国罕布什尔郡命名的新罕布什尔区位于梅里马克河与皮斯卡塔克亚河之间。多佛、朴次茅斯、埃克塞特和汉普顿等城镇是主要的居住区。

1641～1679年间这个地区由马萨诸塞的殖民地政府管理。在马萨诸塞和梅森继承人之间发生土地和宗教信仰之争以后，新罕布什尔遂于1679年成为一个单独的英国殖民地。就后来成为佛蒙特的那部分新罕布什尔授地与马萨诸塞和纽约发生的激烈边界之争几乎持续到独立战争。B.文特沃思自1741～1767年一直担任该殖民地总督，这是在任何殖民地都算任期最长的皇家总督了。

1767年殖民地当局首次进行人口普查，结果显示该地约有52 700人。至1772年该州被分为5个县，1800年以后又增加了5个。新罕布什尔的士兵在1689～1763年英法之间的殖民地战争中起到了重要作用。到殖民时代结束时，政府所在地设在朴次茅斯，该殖民地共有147个特许镇。

革命和建州时期 1744年12月发生了武装抗击纽卡斯尔的英国人的事件，殖民者占据了威廉和玛丽堡（今宪法堡）。新罕布什尔的公民极其同情革命领袖们的目的。州向大陆军提供了两名陆军准将、3个团的正规部队和几百名短期民兵。1776年新罕布什尔正式成为一个州，并在国家于1776年7月4日宣布独立前数星期发布了该州的独立宣言。在批准1788年美国宪法的过程中，新罕布什尔州的一票是第9票，也是决定性的一票。

国家成立之后，该州的发展也随之加快。农业，尤其是绵羊的饲养极为繁荣；制造业在水流湍急的河流沿岸，特别是曼彻斯特逐渐发展起来。铁路通到东北部时，在新罕布什尔建起了四通八达的铁路网。朴次茅斯及其周围城镇都是造船中心。1846年曼彻斯特成为该州第一个设建制的城市。新罕布什尔也是著名政治家D.韦伯斯特、F.皮尔斯总统的诞生地。

对战争和政治的贡献 在美国南北战争中，新罕布什尔起到了积极的作用；这场冲突过去之后，该州一直支持共和党候选人，直至20世纪30年代的"新政"开始实施。20世纪初期进步运动对该州产生了很大的冲击力，30年代的经济萧条造成的伤痕只能慢慢愈合。在第一次和第二次世界大战中以及后来的朝鲜战争和越南战争中，新罕布什尔的士兵都起了重要的作用，朴次茅斯的造船厂和海军设施有其特别的价值。

由于该州率先在国内举行总统预选，新罕布什尔为许多候选人提供了第一个试验场。1905年，朴次茅斯成为结束日俄战争的和平会议的举办地。1944年在该州又举行了布雷顿森林会议，会议通过了设立国际复兴开发银行和国际货币基金组织的决定。美国空军于1957年在纽因顿建造了庞大的战略空军司令部基地。皮斯卡塔克亚河附近的朴次茅斯海军造船厂继续专门建造和修理潜水艇。

New Hampshire Grants 新罕布什尔授地 后成为美国佛蒙特州的那一地区在美国独立战争前的称谓。新罕布什尔首先对之提出领土要求，并于1749年颁发第一份授地证。至1764年，已有131个乡镇建制。1765年纽约也声称对该地区享有主权，并开始颁发授地证，因而往往造成双方受地者之间的武装冲突。格林山兄弟会（Green Mountain Boys）即为驱逐纽约受地者而成立的组织。争端至1777年成立佛蒙特（始称新康涅狄格）独立共和国时始告解决。

New Hampshire v. Louisiana 新罕布什尔州诉路易斯安那州案（美国《联邦报告》第108卷第76页[1883]） 指美国最高法院的一个案例（与纽约州联合诉路易斯安那州），涉及新罕布什尔州和纽约州试图迫使路易斯安那州偿付为原告州的公民所拥有而委托这两个州予以收集的州公债券利息。新罕布什尔州和纽约州分别于1879和1880年通过法律，根据上述法律，两州中的任何公民对另一州拥有现期或逾期申请权的都可以书面将此项申请权委托给州政府，该州的总检察长则可以对不履行义务的州提起诉讼。而索回的金钱，扣除了诉讼费用，将归还原主。最高法院以上述有疑问的法律违反了美国宪法第11条修正案的精神和宗旨为理由驳回了此案。根据这一修正案，"美国联邦的司法权不能被解释为可以扩大适用于别的州的公民诉美国的一个州的案件"。

New Harmony 新哈莫尼 美国印第安纳州西南部波西县城镇。位于埃文斯维尔西北35千米处，濒临沃巴什河，靠近伊利诺伊州边界。当地最早有印第安人居住。1814～1815年，德国传教士G.拉普在此建立居民点。1825年拉普派首领将其地产卖给英国改革者R.欧文，后者到美国是想根据以理性思想、合作和免费教育拯救人类的方案建立合作性社区。欧文将此镇改名为新哈莫尼（意为"新和谐"），得到地质学家、商人、慈善家W.麦克卢尔的资助。约1 000人应其号召到此，但多数人不合要求。1827年5月，欧文资金用光，次年返回英国。留下的人（包括欧文的3个儿子）将新哈莫尼发展成为南北战争前美国最著名的文化中心之一。1850年设镇。新哈莫尼镇现为农产品贸易中心。1965年被辟为国家历史纪念地。许多新和谐村民和拉普派用过的建筑得到修复。镇内"劳工学会"（1894）是美国建立最早的免费公共图书馆之一。当地每年6月举行工艺美术节庆祝活动。人口916（2000）。

New Haven 纽黑文 美国康涅狄格州中南部港口城市，纽黑文县县城。濒临长岛湾。1638年创建。1643年与邻近城镇合并成纽黑文殖民地。1665年并入康涅狄格殖民地。

纽黑文市中心的格林公园
美国不列颠百科全书公司供图

1701～1875年为该殖民地（后为州）两首府之一。美国独立战争中遭亲英的效忠派洗劫（1779-07）。内战中为废奴主义者重要中心。1784年设市。该市曾在许多工业领域内居领先地位，有过多种发明创造，其中包括E.惠特尼的大规模生产技术、硫化橡胶、改进的连发手枪、硫质火柴等。设有温切斯特手枪博物馆。现经济以多种制造业和运输业为主。1957年彻底重建闹市区。但一直到20世纪末，城中心附近的街区仍是一片衰败景象，失业、毒品和犯罪问题严重。该市亦为文教中心，有耶鲁大学（1701）、州立康涅狄格南方学院（1893）、阿尔伯图斯马格努斯学院（1925）和康涅狄格中南社区学院（1968）。人口：市123 626；纽黑文-梅里登都会统计区542 149（2000）。

New Haven Railroad 纽黑文铁路 参阅 **New York, New Haven and Hartford Railroad Company** 纽约-纽黑文-哈特福德铁路公司。

New Hebrides (islands, southwestern Pacific Ocean) **新赫布里底群岛** 参阅 **Vanuatu** 瓦努阿图。

New Hope 新霍普 美国宾夕法尼亚州东南部巴克斯县的自治镇,艺术家的聚集地。位于特拉华河西岸景色优美的林木区内。西南距费城 53 千米。1715 年始有人定居,1837 年设建制。1900 年建成目前规模,现为画家、作家、作曲家和演员们的隐居地而闻名。镇内工艺品商店、书店和美术陈列室甚多。1831 ~ 1858 年旧特拉华运河的重建河段通过该镇,现有骡拉彩车是旅游一景。有 18 世纪 80 年代的巴克斯县剧场,22.5 千米长的新霍普与艾维兰德铁路和维多利亚时代的蒸汽火车和公共马车。镇南 11 千米有华盛顿渡河村州立公园。人口2 252(2000)。

New Humanism 新人文主义 以英国诗人和评论家 M.阿诺德的文学和社会理论为基础,于 1910 ~ 1930 年间在美国兴起的一个评论运动。阿诺德试图在工业化与实利主义时代恢复过去的道德品质。新人文主义者反对文学上的现实主义和自然主义中合乎科学的哲理,不接受决定论关于人性的观点。他们的论点是:①在自然界的创造物中,人是独特的;②经验的实质基本上是道德的和伦理的;③人的意志虽从属于遗传法则并由环境所造成,但本质上是自由的。新人文主义者——P.E. 莫尔、I. 白璧德、N. 福斯特和 R. 谢弗等——以这些论点概括了体现他们信念的完整纲领和美学原则。到了 20 世纪 30 年代,新人文主义者开始被认为是文化上自命不凡的人物,并且是社会和美学上的保守主义的鼓吹者,其影响变得微不足道。

New Iberia 新艾比利亚 美国路易斯安那州南部城市,艾比利亚县县城。位于拉斐特东南 37 千米的特奇长沼畔,通过运河与海湾岸内水道连接。18 世纪时,法国人、西班牙人和阿卡迪亚人首先定居于此。1835 年以古西班牙语"艾比利亚"命名并开始规划。1839 年设市。1863 年被北方联邦军队占领,并发展成食盐、蔗糖、大米、胡椒、蔬菜、油料的加工和航运中心,还发展轻型制造业。市容保持浓厚法国风貌特点。每年 9 月举行路易斯安那甘蔗节盛会。附近有州立牲畜试验站,埃弗利岛和杰斐逊岛上有景色优美的花园。人口32 623(2000)。

New Ireland 新爱尔兰 巴布亚新几内亚省份,俾斯麦群岛之一岛。与南方的新不列颠岛隔圣乔治海峡相望。自西北向东南延伸长约 350 千米,东南部宽 48 千米,西北宽 8 ~ 24 千米,面积8 651平方千米,全省面积(包括其他各岛)9 600平方千米。南部地势最为崎岖,南部的罗塞尔山海拔2 150米,北部的施莱尼茨岭海拔1 481米,西北有莱姆斯通高地,莱莱特高原海拔 610 米。沿岸有滤灰层形成的平原。极少优良港湾。经济以椰干生产为主。该岛分南、北两部分。北部行政中心卡维恩(主要港口),南部为纳马塔奈。居民多分布在北部。该省包括新汉诺威岛、圣马赛厄斯群岛、塔巴尔群岛、利希尔群岛、坦加岛、费尼群岛。人口:省约78 900(1987)。

New Jersey 新泽西 美国最初13州之一。北和东北连接纽约州,东和南濒临大西洋,西与特拉华州和宾夕法尼亚州交界。该州以英吉利海峡中的泽西岛命名。首府特伦顿。

新泽西州虽然本身的社会、经济和政治力量都很强大,但在美国东部沿海高度工业化和人口稠密的诸州中往往处于不受重视的地位。面积20 168平方千米,美国只有 4 个州的面积小于该州,而人口多于该州的州也寥寥无几。然而,新泽西州作为一个地理实体和一个人口聚居地在美国各州中没有地位。新泽西有成千上万公民乘车前往纽约州和宾夕法尼亚州工作,从这一点来看,该州仅是一个巨大的城郊住宅区而已。其运输系统的繁忙和覆盖程度在世界名列前茅,基本上是运送旅客和货物去纽约市和北部地区、宾夕法尼亚和特拉华州以及南部地区的通道。新泽西沿大西洋有很长的海岸线,沙滩景色优美,吸引了成千上万旅客,大西洋城休养胜地的名声也许要高于该州本身。

首先,新泽西州充满了矛盾和反常现象。各市政府当局很有权力,但却是经济普遍萧条和城市衰败的主要原因。州政府曾企图结束市政府当局这一级,又遭到人民强烈反对。一方面新泽西州在 20 世纪产生过几位才干过人、受人尊重的美国州长;另一方面,地方政治腐败惊人,该州作为有组织的犯罪团伙的一个主要避风港而臭名昭著。

在 18 世纪,新泽西因土地肥沃而名盛一时,被称为"花园州";现在仍为美国城市化程度最高、人口最稠密的几个州之一。该州东北部城市集中,与西北部山地崎岖、东南部松林密布、中南部地势起伏草木茂盛的牧马场形成鲜明对照。新泽西州是一个重要的工业中心,但为此付出的代价是环境污染严重、尘土飞扬、市尘喧嚣、道路拥挤和贫民窟比比皆是。总之,新泽西州是城市和乡村、贫穷和富有、进步和落后、目光偏狭和见多识广的奇怪混合体。它确实是美国具有各种不同成分最多的几个州之一。

自然地理和人文地理

土地 *地形* 新泽西由 4 个不同的自然地理区组成:西北部的山脉和河谷区,高低起伏的阿巴拉契亚山余脉横贯该州;新英格兰区,新英格兰古代岩石的南部延伸部分呈东北-西南走向斜穿该州;绵延起伏的中皮得蒙高原,大城市及郊区集中于此;平坦的大西洋沿海平原分为内外两部分。外沿海平原有松林沙土灌木地,土壤贫瘠多沙。最肥沃的土壤在内沿海平原、皮得蒙高原和最后一次冰川推进以南的新英格兰地区的河谷。虽然郊区化正在迅速蚕食新泽西州的农业土地,但在皮得蒙高原,部分地区仍有一些大庄园和农场,内沿海平原南部许多地区仍有商品蔬菜农场。内沿海平原北部的椭圆形跑道说明那里有兴旺的养马场,山脉和河谷区仍可见乳品业。新泽西州最引人注目的特点是海滩、松林沙土灌木地、与曼哈顿遥遥相对的帕利塞兹丘陵、东北部一望无际的沼泽地带和西北部的山区,包括著名的特拉华峡谷。

水系 湖泊约占该州 816 平方千米的面积。新泽西州的主要河流是与宾夕法尼亚州共有的特拉华河。哈得孙河位于该州和纽约州的分界处。其他主要河流是东北部的巴赛克河和哈肯萨克河,从西至东横贯该州的拉里坦河是北泽西和中泽西之间的分界线,跨越萨塞克斯和莫里斯两县的霍帕康湖是该州最大的湖泊。

气候 西北部冬季气候较冷,1 月平均气温在 - 2°C以下。南部气候温和,冬季平均气温在 0 °C以上。全州夏季气候炎热,7 月平均气温在西北部为 21 °C左右,西南部达 24 °C以上。气候潮湿,降水量四季分布均匀,平均降水量为1 120～1 220毫米。

动植物 美国东北部常见的植物在新泽西几乎全可见到,在新泽西州南部的沼泽地带和松林沙土灌木地,生长着许多稀有的植物,包括一些吞食昆虫的植物。在沙土灌木地排水良好地带主要有橡树和松林,在排水不畅的泥沼则长有雪松。其他地方常见的树木有橡树、糖槭、芹叶钩吻、桦木、楞树、美洲枫和其他落叶树木,常见植物有野杜鹃花、杜鹃花、忍冬、山月桂、冬青树和红花半边莲。

帕利塞兹以西的哈肯萨克草地和莫里斯县的大沼泽地是最近冰河时期冰湖的遗迹。前者杂草丛生,后者林木密布。管理哈肯萨克草地的目的是鼓励善用土地和减少污染。大沼泽地是国家野生动物保护区,亦是巴赛克河流域几个排水不畅的地区之一。在其他地区,郊区发展迅速,侵占了野生动物栖息地,虽然某些林区仍有熊和野猫出没。即使在许多郊区也常见到鹿、负鼠和浣熊。东北部常见的其他哺乳动物、蛇和鸟(包括候鸟)在当地也可见到。

住区模式 新泽西州最富有特色的地区是长达 200 千米的海岸线。其中有许多狭长的堡岛,与大陆之间有潟湖相隔,岛屿之间是进潮口。南端的开普梅是美国首屈一指的避暑胜地。该社区和蒙茅斯县的朗布兰奇均为 19 世纪美国总统的休养地。海滨居住区属上流社会。在怀尔德伍德和大西洋城等度假胜地,人们狂欢通宵达旦,而阿瓦朗、大洋城和比奇港则为家庭度假地。新泽西州海滨有两个州立公园:北面的桑迪胡克和南面的艾兰海滩。沙丘上覆盖着粗糙而易断的杂草,鱼鹰在草中筑巢。沼泽地带有多种野生动物,大风和咸水雾使树木弯曲变形。

东北部 5 个县——艾塞克斯、哈得孙、帕塞伊克、伯根、尤宁——属于纽约市大都会区,居住着该州约2/5的人口。州内的 6 个大城市有 4 个在这里:纽瓦克、泽西城、帕特森和伊利莎白。纽瓦克-哈得孙县-伊利莎白联合工业区在许多外州人眼里是一座一望无际的工业城市,烟雾腾腾、气味难闻,给人以一种市尘喧嚣的印象。

城市以外为郊区。多数郊区风景宜人,生活富裕,但有些郊区比较破旧并显示出一些有损市容的迹象。郊区的工业建设速度加

新泽西州大西洋城中的大街
美国不列颠百科全书公司供图

快，但许多郊区镇，特别是在伯根县，仍是纽约市和新泽西州一些城市的城郊住宅社区。由于劳动力源源流入纽瓦克市，该市人口成倍增长。然而，新泽西州仍受靠近其州界的两大城市的支配。在工作日，每天有数十万新泽西州人越过哈得孙河前往纽约市。北泽西人看纽约的电视节目，为纽约的体育队喝彩捧场，光顾纽约的剧场和餐馆。卡姆登、伯灵顿、格洛斯特和默瑟等县也是如此，居民大多越过特拉华河去宾夕法尼亚州工作。

特伦顿以南为南泽西，包括 8 个县的大部分地区，约占全州面积的一半，人口占1/4。沿海内岸平原的壤质土宜种蔬菜，未被森林或沼泽覆盖的土地大多为农田。该州只有不足 1% 的人口从事农业，但每英亩的农业收入却位居全国最高之列。沿海外岸平原的派恩兰兹国家自然保护区建于 1978 年，面积约 4 400平方千米，是美国第一个国家自然保护区，联邦政府提供资金购买了一片未开发的土地，州和地方当局负责对四周发达地区进行资源评估和经济规划。

中泽西包括 5 个县和 3 个县的部分地区，基本上是一个平原，仅在亨特登县和萨默塞特县有山区。米德尔塞克斯和默瑟两个县已实现工业化，前者尤甚。普林斯顿大学位于默瑟县和普林斯顿市区，该校将大学校园的美好景色与各种各样殖民时期的遗迹结合在一起，使当地成为美国最美丽的城镇之一。州立拉特格斯大学在新不伦瑞克附近。亨特登和萨默塞特两县是郊区、农田和林区的混合体。

新泽西州西北部 4 县有小镇、富裕的郊区，也有崎岖不平的乡村，但两个主要城市巴赛克和帕特生位于巴赛克县。该地区还有许多乳牛场、公园和旅游点。

哈肯萨克草地虽然面积不大，但由于其地理位置在世界最繁忙的大都会区中心，因而颇具利用价值。在 60 年代后期，新泽西州集中力量通过哈肯萨克草地发展委员会开发这一地区。1976 年，草地体育联合区开始提供服务，开放了一条跑道。1977 年巨人运动场建成，1981 年布伦丹-拜内室内运动场开放。这一地区还建有仓库和公司大厦。

人民 新泽西的居民反映出 19 世纪和 20 世纪的移民情况，包括日耳曼人和斯拉夫人，俄罗斯人和欧洲犹太人，爱尔兰人和意大利人。在第二次世界大战期间和以后，该州是离开南方的大批黑人的主要目的地。新泽西州有许多波多黎各人，许多古巴人在卡斯特罗革命成功后离开了他们的家园前来北泽西，主要在哈得孙县定居。

意大利裔美国人是该州最大的种族群体。他们是城市中居统治地位的白人集团，虽然城市中也有许多波兰人、匈牙利人和其他东欧人。意大利裔美国人和黑人控制着城市的政治生活和文化生活，因而这两个群体经常相互竞争和发生冲突。

新泽西州最明显的人口趋势是白人居民远离城市，同时城市中的黑人居民大量增长，工商业也随之搬迁。陈旧过时的工厂被遗弃，换成了在城外的新厂房，郊区大型购物中心取代了市区的百货公司。这种转变意味着郊区会有更多的就业机会，这些就业机会也提出了相应的住房需求。郊区周围城市中的黑人越来越多，由于城市持续衰退，城市可提供的住房和服务质量都很差，形成一种随时可能失控的局面。人口8 414 350(2000)。

经济 A.汉密尔顿 1791 年在帕特森建设美国第一个工业城市的尝试未能成功。然而，他的想法是正确的，因为新泽西注定会成为一个工业巨人。

州经济开发局偕同主要公用事业和企业组织推行一个宣传新泽西工业发展远景的颇有成效的计划。该州由于地方大、交通便利和税率较低，已经吸引许多行业，特别是从纽约市迁来该州的公司的总部。然而，工业和住房的扩展已占去新泽西许多良田(美国亩产量最高的土地)。

科研 新泽西的科研机构很大并享有盛名。该州的工程师和科学家数量按人口计算居全国首位。伟大的发明家爱迪生 1876 年在门洛帕克建立了一个研究实验室。他在那里发明了电灯、留声机，并着手研究电影行业的技术。继爱迪生早期的实验室之后，该州又陆续成立了大卫·萨尔诺夫研究中心、贝尔电话和西方电器实验室、普林斯顿高级研究所、詹姆斯·福莱斯特研究中心以及分布在中泽西的许多其他现代中心。

工业 新泽西的主要工业是化学工业。其次为电机和电子设备制造业。在服装、食品、玩具、运动器材以及石料、玻璃和黏土制品的生产方面，新泽西也名列前茅。该州的矿产资源并不十分丰富，但美国独立战争时期使用的子弹和炮弹所用的铁多由北泽西提供。新泽西的矿产品现在主要是黏土、沙和砾石。

旅游胜地也是新泽西经济中的一个主要成分，尤其在南部。海滨收入欠佳可影响整个地区的经济运转。1976 年，新泽西州居民批准一项宪法修正案，允许在大西洋城设赌场，该城建有一个很大的会议厅及许多豪华饭店，冬季会议接连不断，生意兴旺。赌场都要付税，税款用于老年公民和残疾人的福利。

运输 自从殖民时期起，当连接费城和纽约市的新泽西州收费公路成为一个主要行业时，运输就一直是新泽西的经济命脉，它在新泽西州的作用主要体现在纽瓦克地区。那里的 12 车道新泽西收费公路与宾州中央铁路系统的主线、纽瓦克机场、纽瓦克港口及伊利莎白港口相连，以保证货物和旅客的正常输送。新泽西北部的经济与纽约市的经济紧密结合，两州之间的商业运输量居全国首位。

纽约州和新泽西州在 1921 年设立了纽约港口局，现称纽约和新泽西港口局，这是由两州组成的一个委员会，负责纽约大都会地区运输设施的筹资和管理。该港口局是政府经营的一个企业，管理新泽西的纽瓦克机场和泰特伯勒机场，纽约的拉瓜迪亚机场和肯尼迪机场，以及林肯隧道、荷兰隧道、三座大桥、巨大型码头、公共汽车线路、铁路及运货卡车终点站。

卡姆登地区有一个类似的、但小得多的运输站，连接南泽西地区和费城。卡姆登的特拉华河畔有一个深水港和一条通向费城的高速公路。这条收费公路长 212 千米，从该州北面的乔治·华盛顿桥延伸到南面的特拉华纪念桥；花园州公园大路从北至南长 245 千米；大西洋城高速公路长 71 千米，连接大西洋城和卡姆登地区。即使在第二次世界大战以前，新泽西州的公路网在全国也名列前茅。

行政与社会状况 **政府** 新泽西州曾制定过 3 部宪法。现在的宪法是 1947 年制定的，已修改过 30 余次。新泽西州州长任期 4 年，可连任一次。由于没有其他州一级官员在全州竞选，州长在行政机构中没有竞争对手。所有州一级的高级官员，以及州委员会、局和司法部门的成员实际上都由州长在征得参议院的意见并同意的情况下任命的，州长还有权取代县检察官。由于新泽西州州长握有广泛的行政权和管理权，并掌握着重要职位的任命权，他利用报纸、电台和电视台的机会无人可比，因而他在州中的权力与美国总统在全国的权力不相上下。要推翻他的否决必须得到州众参两院2/3多数票的同意。一般说来,执反对意见的州议会或政界领袖可以制止州长的行为,有时还可击败他,但新泽西州州长只在小事情上被击败过,从未在重大决策中败过。1966 年根据美国最高法院的决定,新泽西州议会采用了"一人一票"原则。州内 40 个选区的选民在各区选出 1 名参议员和 2 名众议员。众议员每 2 年选举一次,参议员每 10 年竞选一次 2 年任期和两次 4 年任期。

新泽西州的 21 个县都由全县选出的职位终身保有者委员会管理。委员会由 3～9 人组成,依县的大小而定。除了这些经选举产生的官员外,地方政府还有一些服务性的委员会、局和机构协助管理,这些机构多享有广泛的独立权,甚至自治权。合并自治市和减少学区数目或加强县政府的尝试均未成功;地方权力和特权是新泽西州政治中的重要决定因素。

在全国大选中,新泽西州总是左右摇摆。它倾向于支持共和党人,但民主党人经常控制州议会。虽然有迹象表明,城市政治领袖控制权正在削弱,但新泽西州的政治体制长期以来一直是由县一级有权势的领袖支配的,由于这些领袖控制了市政府或市政厅,他们可通过任命权或批准合同而掌握大权。这些首领中最臭名昭著的一位是自 1917～1947 年控制泽西市和哈得孙县的 F.黑格。他控制民主党达 30 年之久,对共和党人也有很大影响。他对批评者的著名答复可以高度概括他的管理哲学:"我就是法律。"

教育 新泽西州公立小学和中学主要由地方筹资和控制。该州逃避其高等教育责任的名声已有所改进。1946 年该州承担起拉特格斯大学的全部责任之前,根本没有州立大学,现在这所大学已是新泽西州立大学,包括 3 个分校、各种不同专业的学院和课程。从 60 年代开始,州立学院从以专门培养教师为主改为全面发展的普通文科学校。普林斯顿大学(1746)是美国最著名的私立学校之一。

保健与福利 新泽西州居民得到的服务大多由州政府提供,虽然大多数的大县都维持着某种机构,大部分资金由联邦政府部门提供。该州缺少医院、监狱和其他各种机构,但已做出很大努力来改变这一局面。

文化生活 新泽西充分利用纽约市和费城的文化设施,因而该州本身就不大注重这方面的发展。1968 年该州在蒙茅斯县花园州艺术中心建起了一座漂亮的圆形露天剧场,该剧场是新泽西交响乐团的演出中心,它的建成有助于改变该州文化落后的名声。该设施证明是成功的,在这里上演的音乐、舞蹈、戏剧节目一直甚受欢迎。

新泽西州有几座夏季剧院,其中多数位于度假区附近。普林斯顿大学校园中的麦卡特剧院终年开放,上演高水平的戏剧和音乐节目。

新泽西有 100 多个全国知名的博物馆,多设在名胜古迹或古建筑中。新泽西州立博物馆位于州府特伦顿,内有一个天文馆。其他著名的博物馆包括拉特格斯大学美术馆、纽瓦克博物馆和普林斯顿大学艺术博物馆。

新泽西丰富的历史遗产大多是历史上著名住宅和遗址,其中主要有罗金厄姆州历史古迹;华盛顿在普林斯顿附近的冬季住所,他在这里撰写了致大陆军的告别词;普林斯顿的莫文是在独立宣言上签名的 R.斯托克顿的故乡;已经修复的殖民时期的村庄巴茨托和阿莱尔;以及诗人惠特曼在卡姆登的故乡。这些地方及其他历史古迹每年吸引了数以千计的游客。该州还有一些公园、森林、娱乐场所,自然区和小艇停靠区。

历史

殖民地 在欧洲人到来之前,特拉华(或称伦尼莱纳佩)印第安人早已生活在这一地区。意大利探险家韦拉扎诺 1524 年到达新泽西,是到达这里的第一个欧洲人。过了几乎一个世纪,英国航海家 H.哈得孙于 1609 年到达新泽西,开始了殖民时期,他还派出一行人去桑迪胡克湾探险。欧洲人于 1660 年在伯根(今泽西市)建立了第一个永久性居留地。1664 年,该殖民地由英国人管辖,此后 5 年荷兰人对这一权利提出异议。1676 年该地划分为东泽西和西泽西,前者由 G.卡特里特统治,后者由一些贵格会教徒统治。这种分裂状态一直持续到 1702 年,后全部返归英国王室。

其他的殖民地居民在严酷的英国人统治下受尽苦难,但早先的泽西州人具有独立的性格,因而受苦难的倒是皇家总督。1738 年以前,新泽西和纽约由一位总督管辖。当莫里斯就任新泽西的第一任总督时,一位议员告诉他的同事如何对待总督:"我们要让这些总督十分穷困,这样他们就会照我们的意思办事了。"

独立战争和州的地位 新泽西州人对美国独立战争的看法分歧很大,亲英分子十分活跃。1776 年 12 月 26 日在该州进行了这场战争最重要的一次战役。华盛顿将军率领他的饥寒交迫、衣衫褴褛的军队乘坐所谓的德拉姆船(即浅槽货船)从宾夕法尼亚州越过特拉华河,突袭驻守在特伦顿的德国雇佣军,占领了该城。一周后,华盛顿又在普林斯顿打一胜仗,击溃 C.莫胡德上校率领的英军。这些胜利鼓舞了参加独立战争的将士的士气,一支由殖民地人民组成的几乎绝望的军队转变为一支精锐的队伍。

从独立战争至南北战争期间,由于先后修筑了运河和铁路,新泽西州的工业取得巨大发展。19 世纪的工业发展成为靠巧取豪夺及残酷剥削而致富的"强盗资本家"时期,在这一时期,一些铁路,特别是卡姆登和安博伊铁路(宾州中央铁路系统的前身)在该州的政治生活中起了主要作用,支配和控制着议员和州长。这一时期通融性的税法使新泽西州有了"托拉斯之母"的绰号:美国半数最大的企业将总公司设在该州。公众对托拉斯和公用事业公司的权力十分不满,因而为 W.威尔逊于 1910 年当选州长铺平了道路。在第一次和第二次世界大战期间和以后,工业持续发展直至 20 世纪中叶,工业带来的普遍繁荣使城市日益衰败的状况受到忽视。

New Jersey, State University of 参阅 **Rutgers, The State University of New Jersey 新泽西州立拉特格斯大学**。

New Kensington 新肯辛顿 美国宾夕法尼亚州西部威斯特摩兰县城市,位于匹兹堡东北,濒临阿勒格尼河。1891 年建立,1892 年设为自治镇,1931 年与邻镇帕纳瑟斯合并,1934 年设为市。新肯辛顿市的工业产品有铝、钢、玻璃、纺织品、金属和石油产品等。设有铝工业研究和开发中心,当地现已不再产生铝。1958 年,该市建立宾夕法尼亚州立大学新肯辛顿分校。人口14 701(2000)。

New Lisbon (Angola) **新里斯本** 参阅 **Huambo 万博**。

New Liskeard 新利斯克德 加拿大安大略省东部蒂米斯卡明区城镇。位于渥太华河延伸部蒂米斯卡明湖北端,靠近魁北克省边境。1822 年省政府开辟为居民点。镇名取自建镇者英国人 J.阿姆斯特朗的同名出生地。为周围农业、伐木业和钴、银矿区的贸易和物资集散中心,也是钓鱼和狩猎胜地。建有钢铁厂、乳品厂、罐头食品厂、纸浆厂和锯木厂。人口4 906(2001)。

New London 新伦敦 美国康涅狄格州东南部新伦敦县港口城市。位于泰晤士河口,长岛湾畔。大西洋岸最深港湾之一。1646 年始建,1784年设市。1709年建该州第一家印

新伦敦市海岸警卫队学院的操场
美国不列颠百科全书公司供图

刷厂。美国独立战争中遭英军袭击并焚烧(1781-09)。19 世纪初捕鲸业一度兴旺。该市经济因有海岸警卫队学院(1876)、潜艇基地(1916)和水下声呐实验室及核潜艇生产而获益。设康涅狄格学院(1911)和阿林博物馆。附近有康涅狄格植物园和米切尔学院(1938)。为一年一度的耶鲁-哈佛划船赛终点。人口:市约25 671;新伦敦-诺威奇都会统计区约293 566(2000)。

New Madrid 新马德里 美国密苏里州东南部城市,新马德里县县城(1821)所在地。濒临密西西比河。1783 年前后被印第安人辟为商埠。1789 年,曾参加过美国独立战争的退伍军人 G.摩根受西班牙政府馈赠,获得这片土地的所有权,该城市由此诞生。但直到

1803 年美国购买路易斯安那后，此地的农业和商业才迅速繁荣。1811 ～ 1812 年间由于强烈地震、洪水和河流改道，迫使该城数次搬迁，城市发展速度因此减缓。1862 年美国南北战争期间，此地曾成为战场。经济的主要支柱是生产多种作物的农业，有棉花、大豆、玉米和高粱种植业及牲畜饲养业。工业产品有铝锭、电导体和服装，亦发展伐木业。城西10 千米利尔伯恩堡垒遗址乃史前印第安人的典礼中心。1808 年设建制。人口3 334(2000)。

New Madrid Fault　新马德里断层　又称新马德里地震区(New Madrid Seismic Zone)。地壳的深层断裂构造，西南-东北走向穿过美国的阿肯色、密苏里、田纳西和肯塔基等州。位于北美板块的中央地带，断层线约 70 千米宽，300 千米长。深断面上压着厚厚一层岩石，岩石上又压着深层不稳定的冲积物，这些冲积物是密西西比、密苏里和俄亥俄各河的沉积。1811 年 12 月 16 日、1812 年 1 月 23 日和 2 月 7 日连续 3 次地震(美国有史以来最大的地震)发生在密苏里边界城镇新马德里附近(震中北纬 36.6°西经 89.6°)，每一次震级都在里氏 8 级以上(每日还有轻微余震，延续一年多)。第一次地震从加拿大到新奥尔良，甚至远至马萨诸塞州的波士顿和华盛顿(哥伦比亚特区)都感觉到了。其结果是，在7 800～13 000平方千米内都能看到地震所留下的痕迹，地形上出现了如此大的剧变诸如地裂、山崩、地壳隆起、湖泊和沼泽的形成或毁灭，以及森林的破坏。

New Market　纽马基特　美国弗吉尼亚州西北部谢南多厄县城镇。位于谢南多厄河河谷。1784 年始建。1796 年建镇。有纽马基特战场公园。镇北的无底洞和镇南的谢南多厄洞的石堆以色泽晶莹和造型奇异闻名。现以旅游业为经济支柱。人口1 637(2000)。

New Mexico　新墨西哥　美国西南部一州，为具有许多被驱赶的牛群、牛仔，以及拓荒者与阿帕切族印第安人之间发生冲突的“老西部”的一部分。在其开阔的大平原中，在其数座粗犷苍劲、久经风蚀的顶峰中，仍存留着许多边疆的遗韵。西班牙裔美国人、印第安人和盎格鲁人(即讲英语的白种人)之间的紧张关系和日益频繁的对抗，是其漫长历史所特有的充满仇恨的对抗的延续，1912 年该地成为美国第 47 州时这些问题仍未得到解决。

新墨西哥面积314 925平方千米，为美国第 5 大州；水域仅 258 平方英里。该州呈长方形，仅在西南角有一小块锅柄状地区。北接科罗拉多州，东邻俄克拉何马州和得克萨斯州，南与得克萨斯州和墨西哥的奇瓦瓦州毗连，西与亚利桑那州交界，而在1850～1863 年间，亚利桑那是新墨西哥准州的一部分。新墨西哥的西北角与亚利桑那州、犹他州和科罗拉多州接壤，这是美国唯一一处四州相连的地方。

尽管该州历来以农业为主，并因采取有效灌溉方法，农田面积不断扩大，但新墨西哥州已经实现都市化。有大批的人口住在阿尔伯克基及邻近的伯纳利欧县。首府圣菲是一个小得多的城市，但建立时间(1610)比阿尔伯克基早 96 年，并且为北美洲连续使用时间最长的政府所在地。它又是圣菲小道的西南端，从 1821 ～ 1880 年铁路修通时止，这条大篷车小道曾是由密苏里通往西南部的主要经商和移居路线。

自然地理和人文地理

土地　*地形*　新墨西哥有几片世界上最平坦的土地，还有几座最崎岖的山脉。有些地区长满松林，草地茂盛，山溪多鱼，而另一些地区则无河水，甚至仙人掌都要为存活而斗争。该州东部1/3是包括埃斯塔卡多平原在内的大平原延伸部分。落基山脉伸入中北部，脊岭呈南北走向，其间有谷地。新墨西哥的其余部分为高位高原，但其间也包括许多平原和一些矮山峦。

平均海拔在西北部为5 000～8 000英尺，而在东南部则不足4 000英尺，该州 85% 的土地在海拔 4 000 英尺以上。最高峰惠勒峰(13 161英尺)和特鲁查斯峰(13 102英尺)，均在该州中北部的桑格雷德克里斯托山内。海拔最低处2 817英尺，位于该州东南角。各山岭间的无数谷地对农业和放牧业是不可缺少的。大量独特的火山地层，均为昔日熔岩流的残余部分。卡尔斯巴德附近的溶洞是世界最壮观的天然岩层之一，由于风蚀水冲，在白沙国家保护区形成了世界最广阔的石膏沙丘之一。

水系　该州有 5 大河流——格兰德河、贝可斯河、卡内丁河、圣胡安河和希拉河。格兰德河在新墨西哥的历史上曾起过重大作用，它实际上将该州从北向南一分为二。自史前时代起，农业在其泛滥平原中已很重要；欧洲殖民者最初只居住该河及其支流的谷地。贝可斯河位于格兰德河以东，几乎与之平行，也是探险家喜欢走的一条道路。卡内丁河发源于桑格雷德克利斯托山，向东流过干燥不毛的平原，虽然这条河的峡谷很深，仍是一条对探险家有用的途径。圣胡安河和希拉河位于大陆分水岭以西，前者在西北，后者在西南。除了希拉河在新墨西哥未筑坝以外，其他河流均为灌溉提供水源，并有娱乐和防洪的功能。

气候　新墨西哥宜人的气候一直是它最大的魅力之一，对那些寻求舒适的退休环境或者缓解因呼吸器官和其他疾病造成的痛苦的人们更是如此。虽然新墨西哥的年平均气温为 12 °C，最高温度却可达 47 °C，最低为 – 46 °C。气温的变化主要是由高度而不是由纬度造成的，即高度每上升1 000英尺，气温则下降约 3 °C。夜间气温往往急剧下降。年平均降雨量 13 英寸，不过水量有随高度增多的趋向。在较高的山中降雨约 40 英寸，而在较低的地区很可能不足 8 ～ 10 英寸。一般来说，降水量最多的地区是该州的东部，最少地区是西部。

动植物　新墨西哥有 6 个植被区，这些植被区主要是由高度决定的。下索诺兰区，在格兰德河和贝可斯河谷地南段和该州的西南角，常见于4 500英尺以下高度，包括新墨西哥近 2 万平方英里最好的牧场和灌溉农地。上索诺兰区，占该州面积约3/4，包括大部分海拔4 500英尺以上的平原、山麓小丘和山谷，为大草原草地、矮松和杜松灌木丛的生长区域。海拔愈高，植物长势愈好，这反映出雨量比较丰富。过渡区的面积约 1.9 万平方英里，以生长巨松为主。卡内丁区，面积4 000平方英里，海拔8 500～9 500英尺，生长蓝杉和冷杉。哈得孙区和高山区海拔均在9 500英尺以上，面积极小，植物稀少，无足轻重。

该州的野生动物反映出天然植被和海拔的千变万化。黑尾鹿、棕熊、大角羊、貂、麝鼠、狐狸、美洲狮和红猫栖居于7 000英尺以上的山林地区，而羚羊、郊狼和长耳大野兔则见于海拔较低的地方。一些山区引进了北非大角羊。山溪中常可见到多种鳟，低处河流有大量暖水鱼类。终年可见的鸟类近 300 种，包括各种准许捕猎的鸟在内。响尾蛇和黑寡妇蜘蛛很普遍。虽然建有国立和州立公园、森林区和禁猎区，新墨西哥动物的许多种和亚种均受到危害。

住区模式　在格兰德河及其支流的中游河谷最早定居的西班牙移民由西班牙和墨西哥授予土地，在新墨西哥整个的历史中，这些土地被人们相互争夺。讲西班牙语的居民依然聚居在该州的中北部。该州东部的1/3通称“东区”，为西得克萨斯高位平原的延伸部分，南北战争之后作为新拓展的牧牛地开始有人定居。这里继续吸引信奉新教的盎格鲁人从得克萨斯前来充当牧场工人、农场工人或石油工人，他们往往与阿尔伯克基和圣菲的西班牙裔美国天主教徒发生矛盾。该州西南角在铁路修通之后有盎格鲁矿工定居，这里与中部地区也很少共同之处。西北角有一些从科罗拉多州来的摩门教徒，只是由于第二次世界大战后发现了石油和天然气，该地区才得到迅猛发展。

因为其他地方缺水，早期移民沿河岸居住。在一个典型的社区中，泥砖房屋的正门面向一个小广场，有 4 条街从广场向外伸展，而整个居民点由一道围墙防护。紧靠墙外是一些个人拥有的小块农田和果园。再往外是公地——集体公用的放牧、游玩或打柴的地方。虽然害怕印第安人袭击，在远离住区的地方还是建起了大农场。在美洲征服时期，新墨西哥是一个自给自足的农业社区，大多数人居住在小村庄里。

南北战争以后，东区出现了面积很大的牧牛场，其规模仅受到取水的限制。1879 年铁路修通后，盎格鲁农民曾经数次大批涌入，但是，许多试图像在他们原先比较湿润的家乡一样耕地的人，均因频频出现的干旱而破产。干耕法(即在耕作时使用抗旱作物或保存土壤水分)在当时拯救了许多留下的人，然而在今天，灌溉耕作成为农业最主要的方式。

人民　新墨西哥的人民主要是盎格鲁人、西班牙裔美国人或印第安人，黑人仅占该州人口的 2%。最初的西班牙移民都与印第安人通婚，他们的后代通称西班牙裔美国人或西班牙语美国人，而不像在美国西南部其他地方那样称为墨西哥裔美国人。西班牙裔美国人在 20 世纪 40 年代以前一直占多数，现在有西班牙血统的人仍占全州人口的1/3以上。第二次世界大战后，盎格鲁人大量流

新墨西哥州白沙国家保护区的石膏沙中生长的丝兰
美国不列颠百科全书公司供图

人,讲西班牙语的居民普遍离弃他们的小农业村庄,移往该州的城市中心或加利福尼亚州。许多村庄变成荒无人烟的废墟。

印第安人在全州人口中仅约占10%。纳瓦霍族居住地面积很大,越过该州西北角伸入亚利桑那州,附近的盖洛普以"美洲印第安人首都"著称。犹他族、以及吉卡里拉族和阿帕切族的梅斯卡莱罗人也均有保留地;普韦布洛族印第安人居住在将近190万英亩分散的授予土地上。印第安人保留着他们许多古代的生活方式,照管羊群和生产手工艺品。但是,他们对收入低、住房不足、保健水平差和缺少受教育机会感到不满,因而越来越富于斗争精神,从保留地或村落成群结队前往城市中心的人也越来越多。

新墨西哥历来属于农业社会,现已加入了全国性的城市化潮流。有近一半人口现在居住在阿尔伯克基、圣菲和拉斯克鲁塞斯的都会区,仅阿尔伯克基地区就居住着全州1/3的人口。该州城市化牵涉到一系列的因素:西班牙裔美国人大批离开乡村,农场合并,许多农民日益倾向于放弃与世隔绝状态而前往大城镇,并出让他们的田地和羊群。人口1 819 046(2000)。

经济 新墨西哥是美国比较穷的一个州。它的经济有点与发展中国家相似,即主要是靠天吃饭,对自然力很少控制。由于严重依靠出口原料和联邦政府对一些临时性工程的开支,新墨西哥受州外经常变化的需求的制约。政府花费约占该州经济的1/4。

农业 来到日后成为新墨西哥州这块地方的西班牙探险家科罗纳多在1540年恰如其分地描述说:当地人民最大的关心是需要水;现代农民依赖供水的情况与古代印第安人毫无二致。印第安人和西班牙裔美国人曾经是自给自足的农人,在格兰德河的冲积平原上栽种豆类、玉米、棉花和南瓜。企图根据新墨西哥的雨量栽培作物的努力(一种称为干耕法的技术)通常都失败了,大多数田地现在都经灌溉。干旱不毛之地大多用作牧场,直至20世纪的很多年代牧羊仍很兴旺。盎格鲁人从得克萨斯州带来了养牛技术,销售牛和牛犊的所得占农产品市场收入的一半以上。批发牛奶在价值上占第2位,其次为干草、红番椒和小麦。

采矿业 西班牙人到新墨西哥进行探险和定居,部分是由寻找贵重金属促成的。甚至从这块土地的命名上,也反映出西班牙人希望新墨西哥在矿物方面会像墨西哥一样丰富。有些采矿工作是由西班牙和墨西哥殖民政府直接进行的,但是直到南北战争以后,金和银的提炼才变得重要起来。采矿业使许多人前来定居,并在准州时期吸引了资本,然而却一直没有生产出所期望的财富。金和银继续受到重视,但主要是作为冶炼铜的副产品加以回收。开采铜矿也是在19世纪开始的;该州的许多地方都发现有铜,不过大部分矿藏以及生产是在该州西南角的格兰特县境内。

在一个缺乏木材的区域,煤很久以来一直是重要的燃料。煤的产量随着铁路的开通而增加,但在燃料来源由煤改为柴油之后便衰落了。生产一度几乎完全停止,后来作为热电站发电的燃料又变得重要起来。

新墨西哥的钾碱产量占全国的85%左右。1950年发现铀矿床后,该州的铀产量一直居全国之首。该州也开采铁矿石、铅、锌、锰和钼,但石油和天然气约占州矿产收入的一半。天然气主要生产于东南角和西北的圣胡安盆地。

过去矿物生产不稳定的情况,在新墨西哥已经重复了许多次。矿山、油田或天然气田的繁荣时期过后往往是经济的不景气。

工业 新墨西哥的制造业最初只限于生产消费品,但是第二次世界大战以来已有所增多。食品加工、石油精炼、熔炼矿石以及制造电子元件、通信设备和建筑材料,是主要的工业活动。洛塞勒摩斯国家科学研究所和阿尔伯克基的桑迪亚国家科学实验室进行核武器和核能的研究工作。这种工作的一个分支是由私营工厂制造军械、电子设备和精密仪器。工会组织不普遍,主要存在于采矿、冶金和石油工业。

旅游和娱乐 新墨西哥每年吸引几百万名游客。多年以来,得克萨斯州人为躲避夏天闷热的天气,纷纷来到该州空气新鲜、凉爽宜人的山间避暑。许多人在夏天前来新墨西哥钓鱼、野营、欣赏自然风光,或参加各种节日活动和观看牧童骑术竞赛。印第安人的典礼是非常引人入胜的事情。州立和国立公园、纪念馆和历史古迹也吸引了无数旅游者。猎人们在秋天前来寻找多种多样允许捕猎的鸟类和动物。冬季,该州的滑雪场吸引了许多酷爱此种运动的人们。旅游业已发展到如此程度,以致有人指出以现金收入来衡量,它已成为新墨西哥最主要的行业。

运输 地理位置的偏僻是新墨西哥经济发展缓慢的一个基本原因。在西班牙和墨西哥殖民时期,墨西哥城到圣菲的路程大约要花费6个月的时间才能走完。圣菲小道的路线短得多,走起来也快得多,而美国消费品也有助于为征服铺平道路。1880年当铁路通到阿尔伯克基和圣菲时,这种孤立状态随之结束。现在,一个大铁路网把全州贯穿起来。公路使新墨西哥的主要人口居住区相互连接;其中3条公路是联邦州际公路系统的一部分。山区筑路耗资巨大,但是次等级道路已足够用。空中运输是该州与全国其他地区联系的一条极为重要的纽带。

行政与社会状况 *政府* 新墨西哥州的宪法是1911年正式通过的。在大多数情况下,经立法机构的多数票表决和选民的多数票表决,宪法可以修正。重大问题允许公民复决,但公民没有立法提案权。职务提名由秘密预选会进行。

该州州长的权力比美国大多数州长的权力都大。州长拥有通常的赦免权、缓刑权和否决权,此外,还负责任命州的部、局、办事处和委员会的大多数主管。结果,州长是任命权和政治机构的实际控制者。与副州长及其他行政官员一样,州长也由选举产生,任期4年。任期结束后4年间,所有官员均无资格担任该州由选举产生的职位,只有副州长例外,他可以竞选州长。

立法机构包括参、众两院,参议员42名,经选举产生,任期4年;众议员70名,经选举产生,任期2年;奇数年会期60天,偶数年会期30天。司法机关由5名最高法院法官领导,他们均由选举产生,任期8年,可连选连任。13个司法区的法官由选举产生,任期6年,并为少年法庭的当然法官。

新墨西哥共有33个县,大多由一个选举产生的县委员会管理。各县经选举产生的其他官员有估税员、书记员、县治安官、收税官、司库和遗嘱认证法官。在准州时代,公民一般投共和党人的票,但是建置为州以后,民主党人已日益占居支配地位。新墨西哥的每个印第安人群体均选出一部落委员会,像地方政府一样管理日常事务,并代表部落与联邦和州政府进行谈判。

教育 1891年公立学校体系建立,现在,城市的教育标准已赶上或超过西部其他各州。不过,许多乡村和小镇的学校仍在最低标准以下。原因之一是许多学校区覆盖的范围大,人烟稀少,学生的住所往往离学校很远。另外,许多乡村学校位于该州比较贫穷的地区,在那里学习可能不如谋生重要。因为西班牙裔美国人在这些地区占多数,对于他们的子女来说,教育就更差了。20世纪50年代结束了对西班牙裔少数民族的合法种族隔离,但实际上种族隔离往往依然存在,主要是在小学。

该州最大的高等学府是阿尔伯克基的新墨西哥大学,该校于1889年成立。其他由州政府出资办的学校有设在大学公园的新墨西哥州立大学(1888),位于索科罗的新墨西哥矿冶学院(1889)。新墨西哥北部社区学院系1909年为培训西班牙裔美国人教师在埃尔里托创立,在埃斯帕尼奥拉和圣菲设有分校。各州立大学均设立了分校,而一些城市又开办了初级学院。该州还有几所私立学院。

保健与福利 1919年成立的州卫生部,负责主管庞大的社会服务计划,经常与联邦的机构合作。新墨西哥的医院大多设在城市地区,农村地区的医疗服务一般不足。紧急医疗通信网把各种急救工具(包括直升飞机)与全州各地的医疗设施连结起来。其他州立机构包括:一座监狱,一所男生工业学校,一所女子福利院,几所盲人和聋人学校,一个弱智儿童发展中心和几所由州资助的专门学校。

文化生活 作家和建筑师们曾受到新墨西哥印第安人和西班牙裔美国人的遗产的影响,而这些遗产又必然受到盎格鲁文化的影响。牛仔和矿工的仪表,以及19世纪边疆地区的冲突,也是占重要地位的文化主题。画家们曾经特别关心这里独一无二的风景,因为美国其他地区的景色很少如此千变万化,或者有如此众多的生活方式并存。新墨西哥的城市从全国和世界各地吸引来艺术家。陶斯最先有一个重要的艺术社区,但是现在圣菲和阿尔伯克基已为竞争对手。州立高等教育机构通过它们的图书馆以及它们的美术、音乐、舞蹈和戏剧等系,在传播文化方面起了关键性作用。这种作用有直接完成的,也有通过培训公立学校教师来实现的。圣菲歌剧团于1957年首次公开演出,它的成功反映出音乐欣赏水平的提高。该剧团在圣菲附近的桑格雷德克利斯托山中的一个露天剧场演出,所演节目使该团赢得全世界的称赞。

新墨西哥的独特建筑体现出该州的历史氛围和3种文化的融合。西班牙移民在建设圣菲的时候曾将印第安人的村落建筑加以修改,现在许多原有结构又被恢复。州议会大厦、大多数公共建筑物和许多私人房屋,都是以经过修改的西班牙传教团的建筑风格修建的。

当地印第安人生产高质量的美丽陶器。每个村庄都有自己的图案,以表明是该村人民的作品。纳瓦霍族的毛毯世界闻名。许多印第安人制作钮扣、珠串、别针、指环、项链、耳环和带子,主要卖给日益增多的旅游者。美国印第安人艺术和工艺管理局试图以规定手制银标准的办法保持印第安人珠宝的货色真实可靠。个别村落保留着传统的舞蹈,在许多的节日演出,最重要的节日是印第安人部落联谊仪式节,每年夏季都有数千名游客到盖洛普观光。

西班牙民间艺术大部分由天主教内的宗教团体苦修会保存下来。乡村地区保存了中世纪的西班牙音乐和艺术。

大多数县都有以历史、印第安人艺术或具地方特色的主题为重点的博物馆。圣菲的州长大厦是新墨西哥博物馆的一部分,藏有考古人工制品、纪念品和过去的各种民间艺术。州档案馆也藏有重要的遗物。纳瓦霍族艺术的惠尔赖特博物馆坐落在圣菲。陶斯有K.卡森之家和博物馆,这是一个历史和艺术博物馆,以印第安人和西班牙人艺术以及19世纪的西方家具为特色。

历史

新墨西哥最初的居民是各种印第安人群体,在白人探险家们来到之前,他们在这片土地种田和狩猎至少已有1万年之久。比较爱好和平的农人包括晚期的一些群体,他们的村庄废墟散见于该州各地。这些部落在比较好战的纳瓦霍族和阿帕切族游牧民从北方侵入时(大概在15世纪),已经有了发展良好的灌溉系统。

西班牙人和墨西哥人的统治 虚构的7座黄金城的报道给新墨西哥引来了第一批欧洲探险家(1540),领队为西班牙冒险者科罗纳多。此行毫无所获,他们返回了墨西哥。经过几十年由军人和修士进行的没有明确目的的探险之后,奥尼亚特于1595年获得拓殖契约,并在以后的年代建成第一批永久性白人居民点,1610年建成圣菲。

在17世纪,传教工作一直占主要地位,但是,试图根除印第安人宗教和文化的作法引起了一次起义和大屠杀(1680),欧洲人一度全部逃离该地区。到1700年,西班牙人又卷土重来,18世纪时当地已有不少人定居。阿尔伯克基建于1706年,是南方的重镇,圣菲为北部的中心。

格兰德河及其支流河谷的生存农业附带饲养羊和马。与东部的科曼切人进行的贸易是用羊毛、毛皮和马匹来换取消费品(可能来自法国商人)。西班牙人迅速增多,到1800年可能已达到2.5万人,使新墨西哥的人口高出得克萨斯和加利福尼亚两个殖民地数倍。虽然该地与墨西哥的奇瓦瓦州有大量的贸易往来,但西班牙当局通常却不太重视这个重要的边疆殖民地。

虽然来自路易斯安那州新奥尔良的法国商人侵入了圣菲的经济,但对西属新墨西哥的一个更大的威胁则是阿帕切族和科曼切族印第安人的攻击。守卫圣菲的100多名士兵没有力量阻止印第安人的劫掠。1806～1807年,Z.派克少尉率领一支美军小分队进入新墨西哥的区域。他因非法进入墨西哥而被俘和坐牢,被释放后,写了一份有关墨西哥属西南部的报告,吸引了一些美国毛皮猎取者和商人进入这一地区。当新墨西哥变成墨西哥共和国(1821年成立)的一部分的时候,它已开始通过圣菲小道与美国进行贸易,这种贸易导致新墨西哥在25年后又一次改变隶属关系。

准州和州 1846年开始了墨西哥战争,在战争期间,由S.卡尼将军指挥的西部军攻占了新墨西哥。全部居民都得到了大赦和公民权,作为他们宣誓效忠美国的回报。1850年国会决定建立新墨西哥准州。在南北战争期间,一支入侵的南部联盟军队曾被科罗拉多志愿军赶走。

纳瓦霍族各部落遭到镇压,1868年为其划出很大一块保留地,但阿帕切族(1880年住在两块保留地上)一直坚持斗争至1886年。开始起步的牧牛业是这几十年的主要发展,牧牛人和牧羊人、大地主和农场主之间的战斗往往使准州血流成河。传说中的小魔王比利和他的公正执法者P.加列特便是此种斗争的产物。阿帕切族的领袖杰罗尼莫、科奇斯和维克托里奥虽然主要在亚利桑那州进行活动,也常常伸入到新墨西哥西南部进行突袭。艾奇逊-托皮卡-圣菲铁路于1880年通到阿尔伯克基,带来了新的移民,农业因新的灌溉方法和资源的开发而迅速扩大。

1912年1月6日成为美国一州后,新墨西哥仍保持着它的农业基础和边疆风貌。某些偏僻地区,依然是由驿站马车连接火车,牛仔在牧场牧牛,有些牧场是大型企业。建州所带来的变化很少触动西班牙裔美国人的社区,新世纪发生的一些大事也不曾使印第安人文化产生变化。但是,仍有一些力量在起作用,从实质上改变该州及其人民。

不久,甚至那些最遥远的西班牙裔美国人的村庄或者印第安人的村落,也因汽车的发展而结束了与世隔绝的状态。年轻人移往城市,农产品更容易用卡车运去出售。20世纪30年代由于实施"新政",汽车打破隔离状态的进程又被向前推进一步,"新政"的许多救济计划使新墨西哥最边远的乡下人第一次与政府发生接触。

第二次世界大战好似一种催化剂,加快了已经开始的演变。年轻的西班牙裔美国人和盎格鲁人应征入伍,其他人到新墨西哥的政府机构或者一些边远州的军工厂就业。研究机构包括位于洛塞勒摩斯的机构,即1945年制成第一颗原子弹的设计中心。从那时起,当地继续有许多军事活动。石油、天然气和其他矿物资源的开采也已增加,通过改进灌溉设施,农业亦有发展。

New Milford 新米尔福德 美国新泽西州东北部伯根县城镇。地处哈肯萨克河东岸,哈肯萨克正北。初为荷兰人所建庄园式农场,后遭印第安人抢劫。1675年法国胡格诺派教徒在此建永久居民点。1739年所建新桥客栈仍在营业。原为帕利塞兹镇区一部分。1922年由3个小居民点合并建自治镇。虽然主要功能是作为纽约市郊区的居住区,在当地也有加工和包装工业。人口16 400(2000)。

New Model Army 新模范军 英国1645年组成的军队,在内战中为议会赢得胜利,并成为重要的政治力量。1642年爆发内战时,议会只掌握一些地方民兵。由于地方民兵不肯远离家乡作战，议会授权它的一些主要支持者招募、组建骑兵和步兵。这些军队由议会发给薪饷，但因缺少统一指挥，在战略上发挥不了作用。1644年末，其主要将领曼彻斯特伯爵H.蒙塔古和副帅O.克伦威尔之间发生争论。克伦威尔说：除非议会加强军事实力，否则战争永远不会结束。结果新模范军应运而生。按计划，它包括11个骑兵团（每团600人）、12个步兵团（每团1 200人），并有1 000名龙骑兵。T.费尔法克斯爵士被任命为新军总司令。新军的组织和训练工作都是由费尔法克斯而不是由克伦威尔完成的。克伦威尔在内斯比大捷（1645-06-14）前不久担任骑兵司令。后在克伦威尔统率下，新军在邓巴战役和伍斯特战役中取得两次巨大胜利。

New Moon　新月节　希伯来语作Rosh Ḥodesh。犹太教的小节日，即犹太教历的每月之首，此日不得禁食和哀悼。现代礼仪主要是在此日之前的安息日诵读祝词，歌唱或诵读颂赞诗篇中有关新月节的部分。

New Nantucket Island（Pacific Ocean）　**新楠塔基特岛**　参阅 **Baker Island 贝克岛**。

New National Party of South Africa　南非新国民党　1914～1939年，1951～1998年期间称南非国民党，1939～1951年期间称再统一国民党或人民党。南非政党，1914年成立，从1948年后一直统治南非。其党员包括大部分荷兰裔阿非利堪人和许多操英语的白人，主张实行种族隔离和白人优越政策。赫尔佐格为了团结阿非利堪人反对博塔和斯穆茨政府的英国化政策，于1914年成立国民党。1924年斯穆茨政府试行稍微放松种族隔离政策，被赫尔佐格领导的国民党-工党联盟击败，他们在两届政府期内企图进一步摆脱大英帝国的控制，也为白种人防备非洲黑人及阿非利堪人防备英国人提供更多的"保护"。1933～1939年，赫尔佐格和斯穆茨组成联合政府，把各自的追随者合并为统一党。但以马兰为首的国民党人不愿参加统一党，仍保持国民党，1939年又推赫尔佐格为领导人，改组后的反对党取名再统一国民党（或人民党）。新党由于战争期间的派别活动而受到削弱，赫尔佐格和其他同情纳粹的人最后退党，1941年另建立阿非利堪人党。再统一国民党在1948年的选举中获胜，再次执政，后来制定了一大批种族主义的法律，旨在保持白人在南非的优越地位，国民党称其政策为"种族隔离"。该党在1951年兼并阿非利堪人党，巩固了力量。同年，它重新改名为南非国民党，逐渐加强对众议院的控制——从1948年的73席增加到1977年的134席（占总席位的81%）。相继由马兰（1948～1954）、斯揣敦（1954～1958）、维沃尔德（1958～1966）、沃斯特（1966～1978）、博塔（1978～1989）、德克勒克（1989～1997）和范斯卡尔奎克（1998～　　）领导。国民党并使南非脱离英联邦，在1961年成为共和国。自沃斯特任总理起，国民党试图在种族问题上实行所谓"开明"政策，但这无非是加速建立黑人"家园"，并有选择地缓和一些被认为不便于一般经济与文化发展的种族隔离政策。

1982年该党的不少右翼分子因反对有限度地给予有色人种及亚洲人政治权利而退党，另成立保守党。1989年起在德克勒克领导下，国民党开始采取放弃种族隔离的步骤，走向使南非占多数的非洲黑人获得一些政治代表权的宪法安排。为此，废除了许多镇压性的法律，黑人的反种族隔离政治组织得以合法化。在这些变革中，国民党在1989年的选举中勉强获得多数，保持了对议会的控制。在1994年4月南非举行的第一次多党选举中，南非国民党败于非洲人国民大会，但德克勒克参加了由非洲人国民大会组织的民族团结政府。1996年6月，国民党离开民主团结政府，这是1948年以来该党第一次未加入政府。1998年12月，该党重组为新国民党。1999年，该党的支持率下降，在议会中仅赢得28个席位。第二年，与民主党和联邦联盟结成民主联盟，但新国民党于2001年退出该联盟。后来，该党又开始寻求与夙敌非国大之间的合作。2004年8月，新国民党宣布与非国大合并。

New Nationalism　新国家主义　在美国历史上，T.罗斯福的政治哲学：主张联邦政府进行积极干预以申张社会正义，并增进下层社会的经济福利。其准则受H.克罗利所著《美国生活的前途》（1901）影响颇深。"新国家主义"一语系罗斯福于1910年一次企图调解（未获成功）共和党内自由派和保守派的演说中首先使用，并作为进步党总统候选人于1912年11月大选中继续阐发的政治思想。其要点为：大大增加联邦政府调整州际工业的权力，广泛推行社会改革，把人权置于产权之上。由于共和党的选票分散，T.罗斯福及其新国家主义被民主党候选人W.威尔逊击败。参阅 **Croly, Herbert David**。

New Negro Movement（literature）　**新黑人运动**　参阅 **Harlem Renaissance 哈勒姆文艺复兴**。

New Norfolk　新诺福克　澳大利亚塔斯马尼亚州南部城镇。临德文特河。1807～1808年南太平洋诺福克岛上居民移居此岛。1811年被选为镇址。1827年定名为新诺福克。为附近地区服务中心。出产国内酿酒用蛇麻子的大部，亦产苹果、燕麦和绵羊。1941年以来，生产新闻纸为主要工业。有澳大利亚第一座鱼卵孵化场萨蒙池（1864），位于普伦蒂河。古迹有澳大利亚最早领有开业执照的旅馆（1815）和圣马太教堂。人口约5 286（1996）。

New Orleans　新奥尔良　新世界最具特色的城市之一。建立于冲突的环境中，付出了极大的代价。扼控流经北美富饶内陆的巨大的密西西比-密苏里水系入海口，其战略地位使它成为欧洲人争夺对北美控制权的工具，结果新奥尔良居民逐步形成一个融合了许多遗产的单一的文化和社会。某非洲人后裔居民作出的独特贡献使新奥尔良成为爵士乐诞生地。新奥尔良是一个充满矛盾、对比鲜明的城市：一方面与其他美国城市一样受到的城市生活问题的困扰，另一方面则保持着生机蓬勃和无拘无束的精神，这种精神的典型表现是游艺季节，特别是一年一度的狂欢节，届时百万居民涌上街头寻欢作乐。城市经济基础坚实，是路易斯安那州最大的城市，就吞吐量而言是美国第二大港口，也是旅游胜地和医药、工业和教育中心。2005年8月，遭到卡特里娜飓风的严重破坏。保护该市的堤坝决口，整个城市几乎都被洪水淹没。暴风雨及其引发的其他灾难夺去了数百人的生命，带来了惨痛的财产损失，迫使整个城市居民进行全面撤离。不到一个月后，又有飓风经过，导致一些地方再度决堤，城市部分地区再度被淹。面积：城市516平方千米；都会区4 939平方千米。

自然地理与人文地理

景观　*城市布局*　新奥尔良市和奥尔良县同域共存，西界密西西比河和杰斐逊县，北邻庞恰特雷恩湖，南毗圣伯纳德县及密西西比河。密西西比河穿城而过，主要居民区在河东岸。西岸称阿尔及尔，发展迅速，有两座桥与城市东部相通。早期城址建于密西西比河东岸急转弯处，因此有"新月城"之称。现今都会区的发展已远超过原址。因地势呈浅碟形，低于海平面5英尺，平均雨量又达57英寸，所以护堤和排水系统对城市至关重要。

新奥尔良市一角
中国大百科全书出版社供图

气候　新奥尔良气候温和，10月至次年3月的日平均气温为16 °C，4月至9月的日平均气温为25 °C；冰冻天气稀少，一年中气温超过35 °C的仅约6天。

人民　新奥尔良的人口已开始下降。白人在居民中不到一半，而1960年时他们还超过2/3。与奥尔良县人口下降形成对比的是，在毗邻的圣伯纳德、杰斐逊、圣坦慕尼三县（与奥尔良一道组成国家标准都会统计区）的人口却显示出稳定增长。以前这3个县的黑人居民相当少，数字表明白人正迁往郊区，这是美国大城市的共同趋势。

迁往郊区的原因与其说有紧张的种族因素（尽管可能起着部分的作用），毋宁说他们追求更好更现代化的设施。事实是生活在人口下降街区（有实行种族隔离的，也有取消种族隔离的）的黑人居民中的大部分，既促进着黑人的也促进着族际的政治、社会和宗教组织独自地或与市、联邦机构一道规划改善低收入市民的生活质量。值得补充的是，新奥尔良已有一批上层和中产阶级的黑人居民，他们在上述规划中是个重要因素。

人口：市约484 674；新奥尔良都会统计区

新奥尔良市维约卡雷区的圣路易大教堂
美国不列颠百科全书公司供图

约1 337 726(2000)。

经济 *港口* 新奥尔良一向主要是商业中心,制造业在经济上居次要地位。繁忙的港口除了增加该城的国际都市气氛外,还是新奥尔良的经济基础所在,影响着该市生活的许多方面。新奥尔良的现代港区始于1879年建设南航道的防波堤,南航道是密西西比河注入墨西哥湾的3条航道之一。自从建市以来航道间形成的栏门沙妨碍船只进入内河,防波堤紧束南航道使河水冲刷航道使之加深至9米。其后,又建防波堤使第二条即西南航道深达12米,成为海船进出内河的主要航道。新奥尔良至墨西哥湾的距离约180千米。港口发展的另一个重大步骤是1896年州立法会议取消私人承包者对码头设施的控制权,建立了新奥尔良港务理事会负责管理公共码头。1908年理事会获准发行可转让债券以改善港口设施。后来完成了的计划包括改建和扩建公共码头,建设一条长9千米的工业运河,把密西西比河、庞恰特雷恩湖和海湾沿海航道联通起来。1963年密西西比河-海湾出口使海上的航线缩短了64千米。理事会还拟订了一项称之为"美国中央港口"计划,把密西西比河的许多港口活动移到海湾出海口沿线的码头和工业综合区,从而使临河地带转用于建设高层住宅和公共娱乐区计划。朱利亚、埃拉多和上波伊德拉斯码头发展成1984年路易斯安那国际博览会场址。新造的永久性建筑物有新奥尔良会议大厦、展览中心和国际馆。新奥尔良既是美国也是世界性的重要谷物港口,也出口未加工的和加过工的农产品、金属、化工产品、纺织品、石油及其制品、烟草和纸制品。20世纪80年代初散装货物出口的巨大增长使新奥尔良成为世界性载驳船和西比型载驳货船的中心。在国际商业中,新奥尔良每年有5 000艘远洋货轮停泊,市内设有40多国的领事机构。

工业 新奥尔良大都会区是一个重要的工业区。在新奥尔良以北的密西西比河沿岸建有石化工厂群。美国国家航空暨太空总署1961年在该市建成米乔德装配厂,生产用于登月飞行的"土星"号巨型运载火箭推进器。新奥尔良大都会区主要制造品有:食品,服装及附件,石材,黏土和玻璃器具,原生金属和金属制品以及运输设备。旅游业也是一项重要行业。

然而新奥尔良北面密西西比河沿岸的石化工业和墨西哥湾的近海石油钻井已成为严重的污染源。油井喷出的火焰和漂在水面的油膜以及排出的汞、砷和铅,对城市饮水、鱼类和海湾的生态构成威胁。尽管联邦政府采取了一些冒犯企业的行动,但仍有许多事情尚待去做。

交通运输 新奥尔良的交通运输设施包括3个机场:市西的新奥尔良国际机场、庞恰特雷恩湖的新奥尔良机场和为军事单位服务的美国海军航空站。有几条运营的铁路,长途客货汽车,平底船航线等把客、货运入、运出城市。此外,还有定期的快捷轮船航班提供客货运服务。大都会区内有重要的桥梁通道,辅助大奥尔良桥的是市北跨河的朗桥和庞恰特雷恩公路的双跨大桥,桥长超过39千米,是世界最长的桥梁之一。

行政和社会状况 *政府* 新奥尔良的政治生活和市政管理一向由民主党派系统治。州对城市事务的干涉与地方自治的矛盾是主要的争议之一。1954年新奥尔良最终接受了一个强地方自治特许状,采用市长和市议会制以取代1912年以来的市长-市委员会制的管理形式。

市长和7名市议会成员(5名由各区选出,2名由全市选出)均任期4年,作为补充还有一名由市长任命的首席行政官。市长是14个市政部、局之上的最高行政官员,监督各委员会和理事会的事务;市长任命的首席行政官则监督市府各部局,编制年度预算,协调该市与州、联邦各机构的关系。市议会完全是一个立法机构。

政治问题已经改变。市政府和州政府间的对抗经历了20世纪20年代的H.朗市长直至40年代的E.朗市长时代业已消失。政治腐败不再是城市的政治问题,种族隔离亦减弱;而黑人在居民中成为多数以来,在政治上也日趋活跃,黑人在选民名单中不断扩大,黑人政治集团在城市政治生活中如今发挥着有效的作用。1978年E.莫赖尔当选为新奥尔良历史上的首位黑人市长,1982年他连选连任。其子M.莫赖尔于1994年当选市长,1998年连选连任。

尽管在新奥尔良的大多数市、县政府机构已实行统一,但奥尔良的县级官员继续发挥重要作用。这些官员包括县检察官、陪审团以及在州教育局领导下监督公共教育的县学校理事会。

市政服务 新奥尔良新建居民区的扩展以及服务费用的急剧上涨导致市政运营预算翻番,市政府缺乏必要的资金开展有效的工作,为各部局雇员提供适当的收入。重要原因之一是对居民以及工业财产的估值过低以及城郊区县缺乏纳税人。排水在市政服务中一向是最主要的问题。城市周围几乎都筑有护堤,密西西比河上的护堤高25英尺,在庞恰特雷恩湖上的护堤高10英尺,还有十多个大型排水站。排水站用的是世界上最大的排水机。

沿密西西比河和庞恰特雷恩湖以及市内一些较小水道的防洪控洪工作,在奥尔良护堤区护堤专署领导下进行。除防洪控洪的主要任务外,从20世纪20年代以来,该专署还在庞恰特雷恩湖填湖拓地数百英亩,发展成美国风景最好的湖滨地区之一。这些土地大部分用于公共设施,包括沙滩;一座小游艇船坞;一条水泥防波海堤,提供捕鱼、游泳之便;还有野餐地;两旁有花圃、喷泉和休憩所的园林大道等。其余的湖边垦地作为小住宅区,是本市最精美的住宅区之一。

为与稳定增长的城市犯罪率作斗争,从1961年起警察局建立了警犬分队,改组巡逻体系以提高其有效性,增加机动装备、警车、改善通信设施以提高应急能力。原意旨在动员市民小组的警察计划已扩大到包括邻里值班计划、新奥尔良邻里警察反犯罪委员会和电视台,一项市民通过电话诉控警察的计划。此外还增设了心理警察,扩大了反毒品分队。

保健 新奥尔良已成为一医疗与教育中心。路易斯安那慈善医院是附近的图兰大学医学院和路易斯安那州立大学医学院的教学医院,附近的退役军人管理局医院也是一个附属机构。都会区亦有许多医院。除为本地

居民服务外，专家们还经常处理来自拉丁美洲的病人。

教育 新奥尔良的高等学校有图兰大学及其附属机构索菲·纽康女子学院、图兰医学院、罗耀拉大学、新奥尔良大学、迪拉德大学、路易斯安那沙勿略大学和新奥尔良南方大学等大专院校。此外还有许多私立、教会和商业学校。1841年建立公立学校体系时只有4名教师和83名学生，如今师生增加了1 000多倍。1960年当两所白人学校企图取消种族隔离导致了公立学校危机，引起国际社会的关注。其后20年间在学校体系中无论教师或学生，黑人都占压倒地位。

文化生活 新奥尔良的文化生活是白人、黑人文化的合璧。白种人的美国传统反映在商业上，而移民的传统如爱尔兰人的社团，德国人的民间节日和意大利人的圣约瑟夫日圣坛等为城市的和谐增添了种族色彩。黑人文化传统尤为丰富。南北战争以前，有色人种中的自由民有音乐家、诗人、记者、企业家和地主。黑人自由民和奴隶都以精于砌砖、制铁栅和木工等手工艺闻名。黑人音乐家从黑人布鲁斯音乐、“田间劳动号子”、白声舞曲和赞美诗中脱胎创造出爵士乐，举世闻名。因此，新奥尔良是黑人、白人文化贡献都十分丰富而且得到承认的一个美国城市。

新奥尔良不愧为著名的旅游休假胜地，有“忘忧城”之称，希望得到休暇娱乐的人往往来此游玩。该地居民酷爱音乐和舞蹈，喜欢有乐趣地度过“大陆式的星期天”。旅游者向往这个城市的因素有三：有维约卡雷区充满“旧大陆”风情的西班牙-法国式建筑，有狂欢节和“油腻的星期二”的放纵喧闹，它又是19世纪80年代和第一次世界大战之间产生的爵士乐的故乡。维约卡雷区亦称法国区，是观光者最欣赏的地方。内克里奥尔式建筑，使城市充满异国情调，将本地精巧的建筑和加拿大东部法国殖民时期的传统以及西部印第安西班牙殖民地的风格结合起来。最典型的是单层的房舍，门直接开向人行道，有高而陡的尖屋顶和落地窗。另一种风格是呈L字形的两层住宅，侧面有入口通向内院。这种房屋也建在人行道旁，前后的屋檐遮盖住向街和向着内院的阳台。专为这些房屋设计的铁栅十分精美，是本地奴隶工匠所作，既装饰阳台，又支撑屋顶。这类房屋座座相连，中间不留空地，但内院有空地可栽花种树，建有喷泉，为住户提供幽静的家居生活。

维约卡雷区中心是杰克逊广场，广场对面是市政厅、本堂神甫住宅(原行政中心，今辟为州博物馆)和圣路易教堂，都是殖民地时期所建，但建成后这些建筑物的风格都经过相当大的修改。广场的另一侧是建于1849～1851年间的庞塔尔巴公寓大楼，附近是具有历史意义的法国市场。罗亚尔大街上的商店满是奇珍古董。各条小街两侧有许多画廊、香水店、路旁咖啡馆和茶馆。波旁大街以其夜总会闻名，其中的爵士乐和肉感的文娱表演颇具特色。爵士乐迷还可至爵士乐保留演出大厅和迪克西兰大厅欣赏爵士乐的传统风格。新奥尔良爵士乐俱乐部设立爵士乐博物馆，后来把收藏品捐赠给路易斯安那州博物馆系统。爵士乐收藏品和“油腻的星期二”的展品在美国旧造币厂陈列。每年春季该市举行国际爵士乐节和传统狂欢节。

每年4月新奥尔良春季游行协会在维约卡雷区以及豪华的19世纪花园住宅区主办徒步旅游参观私人住宅和庭院；乘船参观港口设施，欣赏沿线的壮丽风光。运河街脚的国际贸易中心顶部的观察点(高400英尺)可一览城市和河流的全貌。毗连贸易中心的里弗盖特是个宏大的展厅。大量的餐馆，从有法国侍者供应法国大菜的华丽餐厅到铺着花格台布、供应红豆和米饭的小咖啡店都可以品尝到世界闻名的克里奥尔式菜肴。

在新奥尔良，体育和爵士乐、狂欢节一样享有光荣的地位。这里有世界上最大的体育馆之一的路易斯安那超级圆顶体育馆，全国橄榄球联盟的成员“新奥尔良圣者队”的老家也在这里。当地露天赛场的赛季长达100天。多数人喜爱的高尔夫球吸引着最佳的高尔夫球手参加一年一度在莱克伍德乡村俱乐部举行的大奥尔良高尔夫球公开赛。划船、垂钓、游泳也是该市深受喜爱的娱乐。庞恰特雷恩湖上的南部游艇俱乐部是历史悠久的俱乐部之一。滨湖区的城市公园和奥杜邦公园是该市最大的两个公园，深受喜爱的游乐区。奥杜邦公园有一些修复扩建的动物园，展览野生动物和家畜，很吸引游客。新奥尔良娱乐局开办100多处游乐场，指导成千上万的青少年组织娱乐活动。每年岁末举办仲冬狂欢活动，以各项体育的业余竞赛为主要内容，并以元旦举行最佳校队间的糖缸橄榄球决赛收场。

第二次世界大战以来，新奥尔良成为一个艺术中心。许多艺术家和画廊出售原作以供收藏。新奥尔良艺术博物馆是陈列许多珍品的艺术博物馆。戏剧界因许多小型剧团的演出而生气蓬勃。音乐活动包括新奥尔良歌剧院协会每年上演的歌剧、新奥尔良交响乐团举办的音乐会、夏季通俗音乐会和新奥尔良爵士乐俱乐部及新奥尔良娱乐局举办的音乐会。新奥尔良的狂欢季节从圣诞节后便开始，由当地负责狂欢节的机构组织，几乎每夜都有舞会，一直到“油腻的星期二”(即大斋首日)。在“油腻的星期二”前两周，到处日日夜夜都有游行，高潮是星期二当天的君主游行队。游行队伍由一队队称为“克鲁”的队伍组成，第一队为“宴乐之神科摩斯的神秘的克鲁”是1857年开始出场的。但这种游行队伍的出现，可追溯至1827年，由戴假面具的学生组成。君主克鲁是1872年才有的。克鲁队和狂欢的人群不断增长，直至20世纪70年代后期，当时市议会限制沿传统路线游行的人数。

19世纪后半期，这里出版有五六家主要报纸，其中一家是法语报纸。经过逐步的联合，今天新奥尔良只有一家重要的日报，此外还有几份周报、行会出版物、校刊和发行量颇大的地区性杂志。城市的电视台和电台之间存在着激烈的竞争。

历史

建城和早期居民区 1717年，当年控制了路易斯安那的约翰·劳西方公司在巴黎决定建立新奥尔良。新奥尔良是以法国摄政王奥尔良公爵的姓氏命名的。殖民地的新领主预见到新奥尔良将是一个“装卸港口”或将来从密西西比河流域上溯以进行贸易的转运中心。城址是边维尔先生建议的，他还受托建设该城。为建新城清除矮树丛可能始于1718年3月。工程师A.德波热起草了城市的第一个规划，包括现在的维约卡雷区，共有66座广场形成一个平行四边形。

最初的居民是一支由加拿大边远蛮荒地区居民、公司工匠、军队，既决犯、奴隶、荡妇和贫民组成的混合人群。1721年11月普查时，新奥尔良有居民470人，其中白人277人，黑人172人，印第安人奴隶21人。1722年新奥尔良规划为路易斯安那首府，1731年城市又返归法国国王管辖。正派的殖民者开始抵达，但人口增长仍不稳定。新奥尔良周围地区种植的主要作物：供出口的烟草和靛蓝，供当地消费的大米和蔬菜。也出口松脂制品。然而，法国船只拒绝应召前来装运这类货物，因为其价值不高。按照1763年的巴黎条约，法国将新奥尔良和密西西比河以西的路易斯安那领地割让给西班牙。在一次短时间的叛乱被残酷地镇压之后，新奥尔良在西班牙的法律管理下得到和平和日益增长的繁荣。虽然有西班牙的禁令，但和英国各殖民地间的贸易仍在增长。与此同时，操英语的殖民者向西迁移，定居在密西西比河支流的沿岸。这些被称为“搜括实物地租的人”，在美国独立战争的10年间，开始用船载货顺流而下前往新奥尔良。为了报复美国边界居民在城市上方护堤一带的骚扰行为，西班牙军官曾数次暂停美国人在新奥尔良卸货的权利。1800年，路易斯安那被私下归还给拿破仑当政的法国，1803年这位法国皇帝又谈判将该地卖给美国。归还法国和转卖给美国的两次仪式在新奥尔良市政厅以及阿姆斯广场(今杰克逊广场)举行(1803年冬)。

城市的发展 *19世纪初期* 1803年新奥尔良的人口是：白种人约4 000到8 000人，“有色人种”中2 700人是奴隶，自由民约1 300人。该市繁荣以出口为基础，1803年出口值约为200万美元，出口商品主要运往美国各港口。1805年新奥尔良建制为自治市，脱离路易斯安那准州政府。作为城市，它越出了原有的边界。最初增加的是圣玛丽新市区，位于维约卡雷的非商业区之侧，与维约卡雷之间有一宽阔的“公地”(今运河街、新奥尔良的主要街道)。19世纪初，此地区成为“美国区”以及多数商业活动的中心。其他新市区则位于这两个核心居民区的上、下方和河对岸，到19世纪70年代终被吸入城区。1812年战争期间，新奥尔良受到英国军队进犯的威胁，英军从墨西哥湾逼近该城。杰克逊将军率领一支由边民和当地志愿人员组成的军队于1815年1月8日大败英军，城市得以保全。但是当时他还不知道全面战争已经结束。

其后的40年，是新奥尔良作为一个运输棉花的大港口的黄金时代。1812年到达该市的第一艘轮船命名为“新奥尔良”颇合乎实际。1840年，在密西西比河上行驶的轮船增至400艘，本地贸易值扶摇直上，1835年达到

5 400万美元。到1840年,该市为世界第4大港口。19世纪40年代后,运河和铁路把货物向东运至纽约市。

19世纪40年代,德国和爱尔兰移民大批抵达新奥尔良。到1850年全市人口达到116 375。然而新奥尔良尚未学会应付人口雨后春笋般增长对健康造成的危害,如饮用水来自河流或水塘、没有排污系统、疏浚有缺陷、大雨后洪水到处泛滥等问题导致霍乱和黄热病流行。1853年最严重的瘟疫黄热病导致8 000多人丧生。

南北战争及其后果 南北战争期间,南方邦联军方未能认识新奥尔良的战略地位。法拉格特海军上将率领的联邦舰队于1862年4月攻占该城。城市处于巴特勒将军的军事管制之下,文职人员全部撤职。虽然1862年底,巴特勒的指挥官一职由班克斯接任,但他短暂的残酷统治在当地历史上留下狼藉的声名。1865～1877年的重建时期,种族关系的紧张日趋严重。"南方佬"(与共和党军队合作过的南方白人)和"北方投机分子"(被谴责为利用形势谋取私利的北方人)联合起来,在黑人选民的支持下取得市和州的政治控制权。1872年,以前支持南方邦联的人得到特赦,市政府返回传统的白种人控制;但直至1877年,州政府和市警察部队仍在激进的共和党人控制之下。

19世纪80年代投机家执政时形成的2 400万美元债务,随着其后的每届政府而不断扩大。为改善市政获准发行新债券前,必须归还原先的债务。因此,19世纪最后20年间新奥尔良只取得有限的进步。1840～1900年间,它在全国的排序由第3位降至第12位,尽管居民却增至287 104人。

南北战争后急剧减弱的黄热病,到1906年终于根除。20世纪初,无法与铁路竞争的河上轮船消失了。第一次世界大战前不久,新奥尔良港的铁路货运因比东部各港口少而跌入低谷。第二次世界大战后,由于几乎可装载整列火车所运货物的拖轮和驳船的发展,港口又跃居全国第2位。20世纪50年代,城市有了重大进步,至少是物质上的改善。在莫里森市长当政期间,一个庞大的加强铁路的计划实现了,街道拓宽了,地面铁路叉口改建成旱桥,还建造了一座造价为2 000万美元的市政中心(包括一座11层的市政厅)。20世纪50年代,化工业在新奥尔良发展起来,70年代,又兴起了炼油业。1984年举行的路易斯安那世界博览会使仓库区的面貌焕然一新,却带来了严重的经济损失。80年代中期,当地的石油工业衰落,致使整个城市经济衰退。60年代开始的中产阶级移居郊区的潮流仍在继续。高犯罪率,特别是高谋杀案件率,以及警察队伍的腐败在90年代中期相当严重。但随着旅游经济的发展,城市情况大有好转。

对于该城及其临近地区来说,卡特里娜飓风是一次史无前例的灾难。大片地区被毁,很多建筑物在首次暴风雨中幸免,但由于随后发生的大洪水的严重破坏而无法使用。大量人口被迫在其他地方寻求暂时避难,部分人选择永久性搬离该市。清理工作已经开始,但城市重建仍面临着重重困难。

New Orleans, Battle of 新奥尔良战役 (1815-01-08) 1812年战争中美国战胜英国的一次战役。1814年秋E.帕肯厄姆将军率英舰50余艘驶入墨西哥湾,准备袭取密西西比河口战略要地新奥尔良港。12月1日,美国西南军区司令A.杰克逊将军率南部州民兵及志愿兵6 000～7 000人飞驰打援。因通信迟缓,签订《根特条约》(1814-12-24)的消息未能及时传到。英国正规军7 500人于1815年1月8日发动强攻,但美军的棉花包垛防御工事克奏奇效,战斗仅持续半小时,美军即取得决定性胜利,英军败退。英军伤亡2 000多人(死289人);美军仅伤亡71人(死31人)。捷报与《根特条约》的消息同时传来,使首都华盛顿的抑郁气氛为之一扫。新奥尔良战役使杰克逊赢得民族英雄的桂冠。

New Orleans, Battle of 新奥尔良战役 (1862-04-25) 美国南北战争期间,联邦海军夺取新奥尔良市的行动。一支由43艘舰艇编成的联邦海军分遣舰队,在D.G.法拉格特上将指挥下进军密西西比河下游该市附近,迅即突破由粗大跨河链索结成的主要防线。南方联盟的M.洛弗尔将军见到抵抗已经无用,便率3 000名部队向北撤退,4月25日新奥尔良市陷落。5月1日,B.F.巴特勒将军率领1.5万名联邦军进驻该市,直到战争结束。新奥尔良的长久沦陷被认为是南方联盟在西战区遭受的最惨重损失之一。

New Orleans Race Riot 新奥尔良种族暴乱(1866-07) 美国南北战争后,在美国路易斯安那州发生的针对黑人城市居民的一次白人暴力行为。这一事件使北方舆论界认识到,必须采取更加坚定的措施以在重建时期治理南方。在当地民政和警察当局的默许下,白人于7月末杀死新奥尔良市黑人公民35人,伤100多人。这次种族暴乱与南方发生的多次事件相似。事后制定了《黑人法典》,这样,激进共和党人和他们的强有力的重建时期政策,就在1866年的全国选举中获得了绝对多数的拥护。

New Orleans style 新奥尔良爵士乐风格 最早的一种以小组作爵士乐即兴演奏的方式。发展于19世纪末20世纪初。它最初的活动并非在新奥尔良而是在芝加哥、洛杉矶和印第安纳州的里士满录制唱片。很多专家把这些唱片分成白人与黑人的,传统的看法是,它们都非常着重于集体即兴演奏,所有的乐师都同时为演奏而相互润色。这是第一批唱片的情况,但也有一部分是独奏与伴奏的形式,其中一个独奏乐器(如短号)处于突出地位,其他乐器(如单簧管和长号)助奏,而吉他和(或)班卓琴和(或)钢琴则结合起来在几乎是每一拍上坚持奏出和音。有许多杂志记者把那些离开新奥尔良以后于1915年至30年代初期在芝加哥演奏的黑人乐师们称为新奥尔良风格。除了奥利弗和奥赖以外,这些演奏员中最出色的有小号手L.阿姆斯特朗、高音单簧管兼萨克斯管手S.比切特,单簧管手J.努尼、鼓手"宝贝"多兹和他的兄弟单簧管手J.多兹等。特别是阿姆斯特朗和比切特,他们促使以小组为主的即兴演奏转变为以独奏为主的即兴演奏,预示了后来的**迪克西兰(Dixieland)**爵士乐风格。S.查特斯的《爵士乐:新奥尔良人1885～1963》(1963)一书是一本研究爵士乐史的论著。参阅 **Chica-go style**。

New People's Army(NPA) **新人民军** 菲律宾共产党(马列主义)的武装组织,目的在于用革命起义手段夺取菲律宾政权。菲律宾共产党(马列主义)原为毛派,1968～1969年脱离非常消极的、亲苏联的菲律宾共产党,不久以后组成新人民军。新人民军很快就展开反对马科斯政权的游击战,暗杀政府官员,伏击政府军队。在70和80年代,实力逐渐增强,1971年约有350名武装人员,到80年代末期已超过2万名。新人民军从原来在吕宋岛北部的根据地扩展到菲律宾群岛的诸岛屿,并在乡村地区建立全国性的支援网,后来几个大城市中也有类似组织。至80年代末期,新人民军已成为C.阿基诺总统的民选政府的主要威胁,它拒绝与政府谈判解决问题。

New Philadelphia 新费城 美国俄亥俄州中东部城市,塔斯卡罗瓦斯县县城(1808)。北距坎顿32千米,邻多佛市,濒塔斯卡罗瓦斯河。1803年始建。1833年设镇。1883年设市。南北战争后依靠当地丰富的煤及黏土矿藏,工业得到发展,现在工业制品有纺织机械、建筑设备、机床、陶瓷、塑料和工业用风扇。设有州立肯特大学塔斯卡罗瓦斯分校(1968)、马斯金格姆流域资源保护区总部。附近有藻尔村及该州第一村申布伦村,现均为州立名胜古迹。人口约17 056(2000)。

New Plymouth 新普利茅斯 新西兰北岛西部港口城市(区)。位于埃格蒙特山麓,濒临北塔拉纳基湾。1841年建为居民点。后来,移民和当地毛利人因土地问题发生纠纷,1860年终于酿成塔拉纳基战争。现为新西兰乳品业中心。有人工港湾,为重要港口。进口水泥、石油产品和肥料,出口乳制品和肉类。附近所产天然气经管道北输奥克兰。以多公园著称,又因近埃格蒙特国家公园,故为游览胜地,埃格蒙特山冬季运动尤为闻名。1949年设市。人口:城市区约48 700;区约66 165(2001)。

New Providence Island 新普罗维登斯岛 巴哈马的主要岛屿。在安德罗斯岛(西)与伊柳塞拉岛(东)之间。岛长21英里,宽7英里,大部分地区地势平坦,有沼泽和几个浅水湖。主要城市拿骚是巴哈马的首都。据说新普罗维登斯岛之名是16世纪一个总督起的,感谢上帝让他在一次船只失事中幸免于难,后来增加一个"新"字,以避免同英属洪都拉斯附近的海盗要塞相混淆。17世纪末岛上建起几个英国要塞。农业和渔业在当地经济中占有重要地位,岛上酿制的糖酒输出到国际市场。拿骚城四周已发展成为世界著名的旅游地区。人口约210 832(2000)。

New Quebec(region, Canada) 参阅 **Nouveau-Québec 新魁北克**。

New Religious Movement(NRM) **新宗教运动** 几个世纪、包括折中主义和融任何源于近合主义、宣称具有超凡能力的领导者,以及"反文化"方面等典型特征的宗教。新宗教运动被视为在社会主流之外,在西方门派繁多,不仅仅包括千禧年运动(如耶和华见证人)、西方化的印度教与佛教运动(如国际黑天觉悟会),所谓的"科学"团体(如科学论派),以及自然宗教(参阅*新异教*)。在东方,它们包括中国在19世纪的太平天国运动(参阅*太平天国*)、日本的天理教和完全自由教团,以及韩国的天道教和统一教团。部分新宗教运动逐渐消退,或遭遇悲惨结局。其他新宗教运动,诸如摩门教会,则最终被接纳成为主流。

New Republic, The **《新共和》周刊** 美国评论性周刊,1914年创立,是美国最具影响的自由主义杂志之一。由W.斯特雷特创办,H.D.克罗利任首任主编。该杂志反映进步运动和寻求美国政治和社会改革。早期的主编和投稿者有R.伯恩、W.李普曼和M.考利等。最初,《新共和》周刊支持成立工会、八小时工作制和妇女选举权。第一次世界大战期间,它支持W.威尔逊总统的外交政策,但后来同他决裂,并反对《凡尔赛和约》。20年代自由主义观点不受欢迎,该杂志随之衰落。但30年代再度兴起。它起初反对、后来支持F.D.罗斯福总统及其新政。1946年罗斯福上一个任期时的副总统H.A.华莱士任该杂志主编,将该杂志进一步推向左倾,直至他被迫辞职为止。到20世纪末,该杂志刊登一系列反映各种美国政治思想的社论和解说性文章。《新共和》周刊一直是一本有影响的政治评论和分析性杂志。

New Republic Party **新共和党** 阿非利堪斯语作Nuwe Republikeinse Party。原南非政党,1977年建立,前身为*统一党*(**United Party**)。1934～1948年统一党统治南非,1948年后为主要反对党。统一党因许多人脱党参加其他新政党而陷于瓦解,多数派于1977年6月28日正式决定解散该党,在第2天建立新共和党。该党在议会中的议席不断减少,作为国民党的主要反对党的地位已无疑地让给进步联邦党。新共和党在非种族问题上一般持自由主义态度,赞成建立一个新的种族联邦,由一个白人控制的、但包括其他种族集团议员的议会所统治。1987年,该党在议会的席位降到1个,随后解散。

New River **纽河** 美国河流。源出北卡罗来纳州西北部,由南、北两支流在阿什县汇合而成。北流进入西弗吉尼亚州与高利河汇合,形成卡诺瓦河。全长410千米。河上建有水坝,形成克莱顿湖,用以发电;在欣顿附近的布卢斯通水坝则形成蓄洪水库。1977年在费耶特维尔附近河段上建造的纽河峡谷桥,钢拱跨度为518米,长度居世界前列。

New Rochelle **新罗谢尔** 美国纽约州东南部韦斯特切斯特县城市。位于纽约市东北,濒临长岛湾。始建于1688年,1857年设村,1899年设市。为现代化市郊住宅区,有公园、高尔夫球场及海滨游憩设施。亦有一些轻工业,生产电器设备、外科器械及管道配件。1804～1806年,革命作家T.佩因住在此地。现有纪念碑(1899年揭幕)、殖民时期后佩因农舍(现为博物馆)及佩因纪念馆(1925年落成)。沿海的戴维岛上有斯洛克姆堡,1862～1966年用作军事基地。新罗谢尔学院建于1904年,艾奥纳学院建于1940年。人口72 582(2003)。

New Romney **新罗姆尼** 英格兰肯特郡谢普韦区的堂区和城镇。中世纪时为英吉利海峡沿岸*五港同盟*(**Cinque Ports**)之一,但现已距海岸1英里以上。一度是罗瑟河的入海口,1287年该河改道后港口衰落。1563年以前五港同盟每年在此集会。该镇镇府内保存着有关五港同盟的许多记载。人口8 340(1991)。

New St. Mary(Florence) 参阅 **Santa Maria Novella** *新圣马利亚教堂*。

New St. Peter's Basilica **新圣彼得大教堂** 参阅**Saint Peter's Basilica** *圣彼得大教堂*。

New Sarum(England) **新塞勒姆** 参阅 **Salisbury** *索尔兹伯里*。

New School University **新学院大学** 1998年之前称为社会研究新学院。美国纽约市一所私立男女学生合校高等学府。新学院建于1919年,当时是进行成人教育的非正式中心,不久成为美国第一所专门继续成人高等教育的大学。该院在1934年获得办学许可证,同年成立了政治学和社会科学研究生院,教师主要是从纳粹德国逃难出来的学者。现在的新学院包括:上述研究生院,它授予社会科学的高级学位;成人教育分部;管理研究生院;文学院和帕森斯设计学院,帕森斯设计学院为设在纽约的一所美术设计学院,1970年与新学院合并。目前在校注册学生为31 000人。

New Scotland Yard **新苏格兰场** 参阅 **Scotland Yard** *伦敦警察厅*。

New Shoreham **新肖勒姆** 美国罗得岛州城镇,范围同*布洛克岛*(**Block Island**)。

New Siberian Islands **新西伯利亚群岛** 俄语作Novosibirberian Osttova。俄罗斯东北部群岛。位于东西伯利亚以北的北冰洋水域,西面是拉普捷夫海,东面为东西伯利亚海,南以德米特里·拉普捷夫海峡与大陆分开。行政上属雅库特地区。面积3.8万平方千米。包括3组岛屿,南部是利亚霍夫岛组,介于桑尼科夫海峡和新西伯利亚岛组之间,东北部是较小的德朗岛组。大岛有:新西伯利亚、别尔科夫斯基、科捷利内和法捷耶夫岛。后两岛之间有邦厄岛,为低沙原,时而为海水淹没。海拔374米。典型的极地气候,一年有9个月地面积雪,植被为稀薄的苔原,有许多沼泽和沙荒地。动物有北极狐狸和北方鹿等,夏季多候鸟。

New Smyrna Beach **新士麦拿比奇** 美国佛罗里达州东北部沃卢西亚县城市。北距代托纳比奇25千米,濒临大西洋。有希尔斯伯勒河潟湖穿过。早为卡帕拉科印第安人村庄。1768年进行殖民开发。一度放弃。后种植甘蔗及靛蓝染料,建有灌溉运河系统。1887年设镇。1903年设市。随铁路和大西洋岸内航道的修建,成为柑橘、农产和水产品加工销售中心。旅游、游艇、捕鱼活动带来不少经济收入。造船业和油漆制造业也是主要经济活动。1937年后建起工业区。市西侧有新士麦拿比奇老糖厂旧址纪念地(1830);市南有国家海滨区。人口20 742(2003)。

New South Wales **新南威尔士** 澳大利亚东南部的一州,位于沿海山地和内陆台地。东濒太平洋,南邻维多利亚州,西接南澳大利亚州,北界昆士兰州。面积801 600平方千米。新南威尔士是澳大利亚商品农业、工业和文化中心。大分水岭是州内重要的地理分界线,它将狭长的海岸带与西部大平原分开。海岸带宽16～80千米不等。山峰东侧陡峭,成为海岸带的天然屏障;另一侧缓缓向西倾斜,形成一系列高原和台地。该州近2/3面积是平原。除海岸带外,新南威尔士大部分地区天然土壤都很肥沃,但因雨量太少又不稳定,农业潜力受到很大限制。该州的天然植被种类繁多,东北海岸为亚热带密林,西部平原为稀疏的植物。森林占该州面积约1/5,大部地区为未开垦的丛林地和灌木丛。该州鸟类丰富,有各种鹦鹉,不能飞的鸸鹋,营冢灌丛吐绶鸡和桉树矮林鸟。大部分有袋类动物(没有胎盘,而在体外的袋中携带其幼仔的哺乳动物)在该州都有发现,如毛鼻袋熊、树袋熊、普通飞袋貂和卷尾飞袋貂、普通袋狸和长鼻袋狸及各种袋鼠和沙袋鼠。几种毒蛇在全州各地也有发现。新南威尔士近2/3人口为英国血统,许多人祖籍爱尔兰,其余多数为南欧裔或亚裔。土著居民约占人口的2%。

农业经济可分为4个地区。海岸带主要是牛奶场,中央台地饲养牛羊,西侧坡地种植小麦。大平原是大牧羊场所在地,100多年来是该州经济支柱,至今澳大利亚羊毛大约1/3由该地区提供。新南威尔士的土地所有制主要有自由所有制和租借君主土地两种。欧洲所理解的租佃方式不常见,除西部外,大部土地为其主人所有。小麦在粮食作物种植面积中约占3/5。燕麦、玉米和稻谷也有种植。亨特河谷出产葡萄酒。新南威尔士州在牲畜、木材、矿物和食品加工方面是澳大利亚经济中最重要的州。最丰富的矿物资源是中部海岸地区发现的煤田。其他矿产资源有银、铅、锌、铜、锡和金红石。南新威尔士州是最重要的木材产地,约占澳大利亚产量的一半。金枪鱼捕捞业是最重要的海洋渔业。新南威尔士的经济和整个澳大利亚经济一样主要是发达的私营经济,但是州政府拥有并管理着铁路、一些煤矿和电力生产。州议会为两院制,州议会选举为强制选举。有3个主要政党。它们是自由党,国家党和澳大利亚工党。该州有一个工业委员会,其任务为解决工业争端,虽然澳大利亚调解仲裁委员会(这是个全国性机构)已占优势。新南威尔士首府悉尼拥有历史最悠久的澳大利亚交响乐团,该乐团驻地在悉尼歌剧院(1973)。新南威尔士美术馆拥有澳大利亚最好的澳大利亚绘画收藏品。

最初,新南威尔士这个名称指英国探险家J.库克1770年宣称这块土地属于英国王室后占澳大利亚东部1/3的全部地区。随着塔斯马尼亚、南澳大利亚、维多利亚和昆士兰(19世纪宣布)以及澳大利亚首都直辖区被开拓,新南威尔士逐渐缩小到目前范围。东海岸最初完全是囚犯流放地和监狱管理人员居住地。1815年左右其他移民在畜牧业前景的吸引下开始到达。羊毛和水产品源源运往英国,于是新南威尔士得到迅速开发。原住在该地区的土著居民因疾病折磨大量死亡,在反对掠夺土地的斗争中大量被屠杀。新南威尔士于1901年建立联盟州政府,独立的殖民地随之成为澳大利亚的一州。人口约6 371 745(2001)。

New South Wales, Art Gallery of 新南威尔士美术馆 位于澳大利亚悉尼。1874年州政府拨款建立并由政府维持的艺术博物馆,新扩建后于1972年开放。美术馆建立时已被授权在伦敦和悉尼购置艺术品,因而英格兰19世纪的油画和现代英国艺术都有代表作展示。博物馆自成立以来一直支持澳大利亚的艺术家,所以它收藏有世界上最优秀的澳大利亚艺术品。

New South Wales Corps 新南威尔士保安队(1789~1818) 英国为驻守新南威尔士罪犯殖民区而建立的武装部队。他们在1790~1792年到达澳大利亚以后,该殖民地有了有战斗力的军队。军官和士兵得到土地,成为军垦人员,许多军官进行商业冒险活动,最主要的是贩朗姆酒;部队中还有勘探、测量人员和学者。1804年曾镇压爱尔兰罪犯的叛乱(卡斯尔山暴动)。负责这次军事行动的军官G.约翰斯顿少校后来成为1808年朗姆酒叛乱的领导人。1809年,这支部队改编为正规军第102团。

New Spain, Viceroyalty of 新西班牙总督辖区 西班牙为治理新大陆征服地区而建立的4个总督辖区中的第一个。建于1535年,最初包括西班牙统治下巴拿马地峡以北的所有土地。后又包括加利福尼亚州的北部和南部(现为美国的中部和西南部)和沿墨西哥湾向东至佛罗里达州的领地。它还管辖西班牙在加勒比地区的属地。1565年,新征服的菲律宾群岛也曾由它管辖。新西班牙总督尽管是最高长官,但实际上行使权力颇受牵制,因为许多属地的行政长官有很大独立性。他的权力主要局限于墨西哥的中部和南部。在这里,他使土著人信奉基督教,兴建学校,并管理以采矿业和畜牧业为基础的经济。在西班牙统治的最初100年间,新西班牙的印第安人口因疾病和受虐待而急剧下降,从约2 500万减至100万,新西班牙第1任总督是A.de门多萨(1535~1549在位),当时还兼任秘鲁总督。新西班牙总督辖区在17世纪末和18世纪初一度衰败后,又因两位杰出人物而呈现出新面貌:A.M.de布卡雷利(1771~1779)和J.V.de G.P.de帕迪利亚(1789~1794)。M.伊达尔戈和J.M.莫雷洛斯曾试图使墨西哥独立,新西班牙总督辖区未受影响。但却在1821年被A.de伊图尔维德结成的联盟所征服。在新西班牙总督辖区内曾与墨西哥松散联合的中美洲,一度被新独立的墨西哥兼并。1823年,中美洲人民径自推翻了伊图尔维德帝国。

New Statesman 《新政治家》 伦敦出版的政治与文学周刊,是英国最著名的政治周刊,也是世界主要舆论刊物之一。1913年由费边社会主义者韦布夫妇创办。该刊反映他们的观点,成为一个政治上独立的社会主义论坛,讨论严肃的学术问题,进行政治评论及文艺批评,以对英国及世界政治局势所作的分析而知名。许多英国知名作家为此刊撰稿,因此,其政治评论、文化述评和艺术评论,以及它的"致编者信"专栏,均以文笔优美、妙趣横生而闻名。

New Stone Age 参阅 **Neolithic Period** *新石器时代*。

New Style calendar 新历 参阅 **Gregorian calendar** *格雷果里历*。

New Sweden 新瑞典 美洲唯一的瑞典殖民地,1638年3月由新瑞典公司建立,1655年被荷兰人占领。原由瑞典和荷兰人探险队首领P.米纽伊特自印第安人手中购得,并以瑞典女王名定名为克里斯蒂娜堡,其址在今美国特拉华州威尔明顿。J.普林斯就任总督(1643)后陆续开拓新殖民点,并着手应付竞争对手荷兰人。1654年J.C.赖辛继任总督,瑞典殖民增多,迫使荷兰人献出卡吉米日堡。翌年荷军围攻克里斯蒂娜堡,新瑞典被迫投降。

New Territories 新界 又作Xinjie。香港地区面积最大的部分,连同附近的235个小岛屿,面积975.1平方千米,约占香港面积的92%。1898年6月英国迫使清政府签订《展拓香港界址专约》,租借了深圳河以南、尖沙嘴区的界限街以北整个九龙半岛未割之地(九龙半岛以北),以及东起大鹏湾、西至深圳湾、南至薄寮洲(南丫岛)的辽阔海面和大屿山等大小200多个岛屿,这片区域始称"新界"。新界被"租借"99年,1997年回归中国。参阅 **Hong Kong**。

New Testament 《新约》 《圣经》两大部分中成书较晚而容量较小的第二部分。只有基督教(包括天主教、东正教和新教)以《新约》为正典。根据基督教义,《旧约》体现上帝的诺言,而《新约》则是诺言的实践。《新约》传达上帝与基督徒之间的誓约(通过耶稣的生与死所代表),并阐述其意义。《新约》与《旧约》一样,体裁形式不一。共27卷,包括叙述耶稣生平言行的四福音书;叙述早期基督教会历史的《使徒行传》;以及使徒书信,这些书信对各地教会提出建议、指导、告诫或劝勉,其中14封据说出自保罗手笔(《希伯来书》很可能不是),7封为另外3人所写;最后一卷《启示录》预言上帝如何支配历史发展。《新约》各卷并不按历史顺序编排。例如,保罗的书信是针对基督死后各地教会立即出现的问题而写,被认为是最早的文献。各卷的编排较多地依据叙事逻辑:福音书载耶稣的生平和教诲;《使徒行传》叙基督的门徒宣传基督教的活动;书信解释基督教义的意义和含义;《启示录》预言未来之事和上帝旨意的最终实现。要想写出耶稣的传记或1世纪教会的历史,是困难或干脆不可能的,其中一个因素就是《新约》在基督教会内产生的经过。编写各卷的用意并不是为了满足读者对它们所述事件的历史好奇心,而是要通过这些事件作见证,叫人们相信上帝的作为。《旧约》叙事上下千年,史实丰富,相比之下,《新约》覆盖时代甚短,因此难以据以写成历史。《新约》中史料少于《旧约》,因此,关于1世纪教会的许多史实只好根据福音书或书信推测。

New Thought 新思想派 19世纪源起于美国的一种以宗教和形而上学理论为依据的精神治疗运动。许多新思想派自居为基督教徒,但是人们怀疑它究竟与基督教有无关系。科学界的经验主义引起许多人不满,17、18世纪兴起的怀疑宗教的思潮激起一些人的反感,这都是新思想派的根源。19世纪的浪漫主义和唯心主义也对新思想派兴起发生影响。当时美国缅因州从事催眠术的P.P.昆比和他的门生宣传新思想。赞成这种新思想的人逐渐组织起来,第一次新思想派大会于1894年举行,全国新思想派联盟和国际新思想派联盟先后于1908和1914年成立。

新思想派理论包含下列各派思想的因素:①柏拉图主义,这种学说由公元前5~前4世纪希腊哲学家柏拉图所创,谓心比物更为真实;②斯维登堡哲学思想,主要是以服从神的意志的精神为因、物质为果的命题;③黑格尔主义,特别是其中有关外部世界、精神现象所提出的各项观点以及人的神经系统结合身心的说法;④东方哲学思想,包括印度教等东方宗教的灵修学说;⑤19世纪美国哲学家和诗人R.W.爱默生的先验论,这是主要的因素。

1916年国际新思想派联盟通过该组织的宗旨,其中包括该派的主要思想:宣传至高者的无限性;人的神性;人的无限的可能性;这种可能性是通过建设性思想的创造力,通过服从居于内心的上帝所发声音而起作用的;居于内心的上帝是产生灵感、能力、健康和成功的源泉。

1917年,国际新思想派联盟在美国密苏里州圣路易斯举行大会,通过主要信仰声明,经过修改,1919年刊登于《新思想》杂志,50年代再次修改。两份文件都强调:上帝是内在的;人有神性;人可以享受上帝的力量;宇宙的本质是精神；罪恶、机能紊乱、疾病基本上都是思想不正确所致；人可以与上帝融为一体，共享爱、真理、和平、健康和富裕。许多新思想派团体强调，耶稣教人以真道，为人治病，耶稣的国存在于人心。经过1954年修改的《主要信仰声明》将有关耶稣或基督的提法一律删除。现在新思想派的领导人与昆比不同，他们越来越多地强调：新思想可以导致物质繁荣。

新思想派一方面声称人人都可接受新思想，另一方面又说具有洞察力、曾经为新思想派接纳的人才能掌握精神医疗和身心强力。新思想派没有固定的礼拜仪式，聚会时有人解释该派观念，有人为疗效作见证，全体为病人祈祷。由于它满足一些人精神需要，使人自觉精神振奋，因此，在美国及其他许多地方都有信众。

New Tōkaidō Line　新东海道铁路　日本东京至大阪的高速铁路。属新干线(**Shinkansen**)第一段。

new town　新城镇　城市规划的一种形式，目的在于重新安排大城市的人口，使大量居民迁移到大城市以外，在那里集中建设住宅、医院、工厂及文化、娱乐、购物等中心，组成相对独立的新社区。1946年英国的《新城镇法》最早提出建立新城镇的主张；从1947至1950年，英格兰和威尔士设立了12个新城镇，苏格兰设立了两个新城镇，每个新城镇都有自己的开发公司，由政府提供资金以进行建设。新城镇建立在相对不发达的区域。每个新城镇的居民都由混合的成分构成，这样就可以使社会生活达到平衡。根据设计，第一批新城镇的人口在2.9万～14万之间。1961年之后，新城镇计划居民人数增长到7万～25万之间。新城镇的设想受到许多国家的欢迎，特别是美国、西欧的许多国家以及西伯利亚地区。对新城镇的主要批评意见是，设计新城镇时往往缺乏灵活的观点。例如在瑞典，1952年的一项总计划打算在斯德哥尔摩附近设立18个社区，每个社区有自己的住宅、就业地点，及购物、文化设施，然而在这项总计划中没有预料到在外地上班等形式的人口流动量剧增，因而新城镇不需要像设计时所要求的那样自我完备。例如，瓦林比郊区的2.7万名职工中2.5万名都是在外地上班职工，其中一半人在斯德哥尔摩工作；而瓦林比自己的工厂反而从外地吸收前来上班的工人。

New Ulm　新阿尔姆　美国明尼苏达州南部城市，布朗县县城。位于明尼苏达河畔，靠近卡顿伍德河口明尼阿波利斯西南145千米处。始建于1854年。在1862年苏族印第安人暴动中被毁坏殆尽，市内广场旁有纪念碑以志纪念。曾于公元9年在条顿堡林大败罗马军的日耳曼部族酋长赫曼(阿米尼乌斯)的铜像(约建于1897年，高31米)矗立在山崖上俯瞰全城。1857年设村，1876年设为市。1884年建立马丁·路德博士学院。经济以农业(牲畜、玉米、大豆、豌豆和奶制品)为主，亦生产电子设备和塑料。附近有州立弗

新阿尔姆市的传统德式建筑
美国不列颠百科全书公司供图

兰德劳公园。人口约13 594(2000)。

New Wave　新浪潮　法语作Wouvelle Vague。指20世纪50年代末一批极富个人特色的法国电影导演的创作风格。新浪潮导演中最杰出人物有L.马勒、C.夏布罗尔、F.特吕福、A.雷斯内和J.-L.戈达尔，其中大多数人都与在50年代宣传"电影导演作者论"的刊物《电影手册》有关。这种理论认为，某些导演对他们的影片起着重大的主导作用，以致可以说他们才是这些影片的实际作者。新浪潮导演的影片往往以新颖出色的技巧为特征，甚至使影片的主题相形见绌。例如在戈达尔的《精疲力尽》(1960)中，场景的组接非常急速("跳接")，用以创造跳跃的、不连续的效果。新浪潮作为一个运动虽然从来没有过明确的定义，但它大大促进了关于电影的探讨；并有助于表明，电影可以在获得艺术成就的同时也取得商业上的成功。参阅 **auteur theory**。

New Westminster　新威斯敏斯特　加拿大不列颠哥伦比亚省西南部城市。在温哥华都会区东南部，濒临弗雷泽河河口。建于1859年，殖民时期为不列颠哥伦比亚首府(1859～1866)，亦为省内第一个设建制的市(1860)。1898年遭大火，恢复以后已成为加拿大西部最繁荣的港口和主要铁路枢纽。亦为省内最大工业与贸易中心之一，以生产林业制品著名，还有食品加工、酿酒、造船、炼油业。人口43 586(1991)。

New Windsor (England)　**新温莎**　参阅 **Windsor** 温莎。

New Windsor　新温莎　美国纽约州东南部奥兰治县城镇。在纽堡正南，临哈得孙河。老村新温莎中心于1749年开始规划，1763年设镇。纽约州首任州长G.克林顿和其侄子德威特出生于此。当地原大陆军的冬季大兵营新温莎营地已重建为州历史纪念地。面积90平方千米。人口约22 866(2000)。

New World monkey　新大陆猴　又作platyrrhine。又称阔鼻猴。新大陆某些类人灵长类的统称，以别于旧大陆猴类(狭鼻猴)。新大陆猴一词约从1812年以来即沿用，包括狨科(Callithrichidae，狨和小绢猴)和卷尾猴科(Cebidae，僧帽猴、蜘蛛猴及其他)。新大陆猴的特征是两鼻孔大而离得很宽；上下腭两侧各有3颗前磨牙；拇指对掌能力较差；尾长，有时能卷曲。

New Year festival　新年　依全世界许多宗教、社会和文化惯例，庆祝新的一年的开始。庆祝新年是最古老而最普遍的传统，庆祝活动中往往包括斋戒、涤罪、振奋以及迎新送旧等仪式。复始更新是新年节日的本质，借创世周年纪念之机，重温创世的故事，祝福神灵，振兴宇宙，鼓舞人群，这种含义在世界各民族的习俗中都可发现，仅有较明显或较隐晦之区别而已。在现存史料中，最早的新年庆祝活动于公元前2000年发生在美索不达米亚，当时巴比伦的新年定在最靠近春分的新月(相当于公历3月中旬)；亚述的新年定在最靠近秋分的新月(相当于公历9月中旬)。埃及、腓尼基和波斯的新年定在秋分(公历9月21日)；希腊在公元前5世纪以前把新年定在冬至(公历12月21日)。罗马共和历的新年从3月1日开始；公元前153年以后改为1月1日，后来儒略历(公元前46年)即沿用此制度。犹太教历以提市黎月(公历9月6日～10月5日)初一为元旦。中世纪初欧洲大部分信奉基督教地区以3月25日为元旦，但在盎格鲁撒克逊人所居住的英格兰，元旦却是12月25日。11世纪英格兰国王威廉规定1月1日为元旦，但后来英格兰与其他基督教国家一样以3月25日为一年之始。1582年的格雷果里历恢复1月1日元旦，天主教国家纷纷采用这种制度，其他欧洲国家也随之仿效(苏格兰1600；德国、丹麦约1700；英格兰1752；瑞典1753；俄罗斯1918)。大多数东方国家的新年庆祝活动仍保留明显的宗教特征。在达罗毗荼人居住的印度南部地区，泰米尔历以冬至为一年之始，3天的奶粥节喜庆活动中包括朝圣与煮新稻米粥的仪式。孟加拉国新年拜恒河。东南亚各国庆祝新年的活动中虽经多年佛教压制，但地方传统以及印度教传统仍灼然可见。泰国新年在公历3、4月间，庆祝活动中杂有不同习俗，僧人驱鬼而受布施，人们向原为印度教所奉诸神献祭，相见时互相以水泼身，3天内开赌禁。中国农历新年在公历1月末或2月初，庆祝活动延续1个月之久。藏历新年在公历2月，宴会访友和放宽僧侣戒律是主要庆祝活动。

new-year's gift (plant)　参阅 **winter aconite** 冬乌头。

New York　纽约　美国最初13州之一。20世纪60年代以前，就人口、文化和经济等几乎所有指数而论，纽约都算是美国最大的州。约至20世纪60年代中叶，纽约让位于加利福尼亚而屈居其后，这并不是由于纽约在上述几方面大幅度衰落，而是由于美国西海岸

持续迅速增长的结果。现在纽约仍然是美国第2个人口最多的州，纽约的经济总产值超过世界大多数国家的经济总产值。

纽约所在的地域，从长岛的大西洋海岸和曼哈顿摩天大楼，穿过该州北部的河流、山脉和湖泊到大湖区平原，景象不同，对比鲜明。纽约有运河、铁路和公路之便，是美国中部滨大西洋诸州和新英格兰诸州通往西部的主要门户，也是全国大部分地区往来旅行的枢纽。该州主要城市——包括纽约市、奥尔巴尼(州府)、乌提卡和锡拉丘兹以及五大湖畔的罗切斯特和布法罗——及这些城市的郊区居住着该州4/5以上的人口。

新英格兰地区和南方殖民地对美国独立战争的促进和这个新国家最初数十年的稳定所做出的贡献都比纽约大；但是纽约一旦行动起来，却身手不凡，飞速前进。纽约州——尤其是纽约市——仍然是全国大部分经济和金融业务的中心，也是美国文化和艺术的许多创作冲动的来源地。纽约市无处不在的存在，倾向于在社会和政治方面自己与纽约州分开，这造成纽约市和纽约州长期存在的难题；不过该州的影响和形象还是全国政治生活中的主要因素。

纽约州面积137 304平方千米，从西至北与伊利湖、加拿大的安大略省、安大略湖和魁北克省相连，东与新英格兰的佛蒙特、马萨诸塞和康涅狄格诸州接壤，东南与大西洋和新泽西交界，南与宾夕法尼亚为邻。

纽约州的尼亚加拉瀑布
美国不列颠百科全书公司供图

自然地理和人文地理

土地 虽然对许多人说来，纽约州和纽约市是一同义语，但州内各地的地理和气候条件却各不相同，差异很大。至少在冰河时代的部分时期，纽约州的大部分地区被冰川所覆盖，仅有南部的长岛、斯塔滕岛和边远的西南角例外。

地形 冰川运动给纽约留下9个不同的自然地理区域。每个区域都有自己各具特色的地貌以及与众不同的地质结构和侵蚀型式。东北部的阿第伦达克高地有州内最高、最峭嵘的山脉，马西山高达1 629米，麦金泰尔山的阿尔冈昆峰高达1 559米。这个区域，除一些林业活动和文体娱乐外，无甚经济价值；其中很大一部分已被州内划为莽原保护区。

圣劳伦斯低地从安大略湖沿与加拿大毗邻的边界向东北延伸至海洋。这个区域可进一步划分为3个小的地区：圣劳伦斯海岸平原是圣劳伦斯河沿岸一条略有起伏的、狭长而平直的地带；其南为圣劳伦斯丘陵；再南为山普伦湖平原。

哈得孙-莫霍克低地从纽约市沿哈得孙河向奥尔巴尼延伸，然后沿莫霍克河西折。介于西边卡茨基尔山脉和东边塔科尼克山脉之间的哈得孙河谷宽16～32千米，莫霍克河谷宽16～48千米。它们提供了自纽约市和新英格兰到纽约内地的通道。这些河流穿凿纽约中部和西部群山为小径，遂成为该州的商业通衢；开始时它们作为伊利运河的基础，后来便作为纽约中央铁路和纽约州高速公路，即杜威快速公路的基线。

新英格兰高地位于哈得孙河东面，向东延伸至马萨诸塞和康涅狄格州，向南越过哈得孙河谷伸入宾夕法尼亚。

纽约东南部地图上还有2个小区域应加以描述。大西洋沿岸平原包括长岛和斯塔滕岛在内，从马萨诸塞伸向佛罗里达。皮德蒙德区域东部有一小指形的地段从新泽西沿哈得孙河西岸伸出。

纽约最大的区域阿巴拉契亚高地约占该州面积的一半，从哈得孙河谷向西延展至南部和西部边界。卡茨基尔山脉(诸山峰高达610～1 220米)、芬格湖丘陵地区和特拉华河流域皆位于该区域内。卡茨基尔有山和湖泊，基本上是一个游乐区。芬格湖地区也提供了许多冬季和夏季体育运动的机会，其中山谷还有优良的奶牛牧地。特拉华河流域是一个混合农业区。

伊利-安大略低地为一类似高原的区域，位于阿巴拉契亚高地以北和莫霍克河谷以西，沿五大湖南岸延伸。它是由一些以五大湖为界向内陆伸展8～48千米的湖岸平原所组成。由于五大湖对气候的调节作用，该区域已成为重要的水果产地。在湖岸低地和阿第伦达克山西部地带之间和奥奈达湖以北有塔格山高地；由于其土地贫瘠、排灌不畅和冬季严寒多雪，成为该州人口最稀少的地区之一。

水系 纽约州的地理特点之一就是该州有2条主要的海岸线：一条是204千米长的大西洋海岸线，一条是597千米长的伊利湖和安大略湖的湖滨线。此外，该州有约8 000个湖泊和9条大河。哈得孙河和莫霍克河一直在该州历史中起最重要的作用；不过，向北流入安大略湖的杰纳西河和奥斯威戈河也很重要。特拉华河、萨斯奎汉纳河和阿勒格尼河流经该州南部和西部，并为纽约市提供了大部分用水。东河连接长岛湾和纽约湾，并将长岛和曼哈顿隔开。该州众多瀑布中最令人惊奇的是尼亚加拉瀑布，它不仅是美国东北部主要的风景名胜之一，也是水力发电的丰富资源。

土壤 纽约的土壤可根据其母体材料分为几类。石灰含量丰富的冰碛物区域的土壤是最肥沃的土壤之一。如果当地排水良好而地形又不太陡峭，这是些宜于农业耕种的优良土壤。这种土壤遍布横跨全州的广阔地带和哈得孙河谷。另一种石灰含量丰富的土壤，在从前冰川湖底地区(如伊利-安大略低地及哈得孙和圣劳伦斯河谷一些大片地方)都可见到。这种土壤结构精密、地形平坦，只要当地排水不成问题，都很适于农业种植。淤积土壤是由古时冰川融水和现今溪流洪水的沉淀物所形成的。在许多河谷的底部，特别是在阿巴拉契亚高地及莫霍克河和哈得孙河沿岸，都有这种土壤。长岛大部分地区也都覆盖有淤积土壤，这些土壤常有极佳的生产潜力，其他土壤较不宜于农业种植：一种是由石灰含量贫乏的冰碛物所形成的，如安大略低地一些主要石灰岩露头地以北的土壤；一种是土层太浅或土质粗糙，如州内岩石峋嶙的山区或奥尔巴尼西部和北部的砂质土壤。

气候 纽约的气候对于早期荷兰移民说来，是极其令人失望的。由于曼哈顿的纬度与地中海的纬度实际相同，令这些早期移民困惑不解的是曼哈顿的冬季"大雪纷飞，滴水成冰"。如果说曼哈顿在冬季数月是潮湿寒冷，令人不适，那么纽约州的其他地方就更加令人沮丧了。

7月平均气温从纽约市的25 °C到阿第伦达克山印第安湖的18 °C不等；1月平均气温从长岛的0.5 °C到阿第伦达克山斯蒂尔沃特水库的-10 °C不等。这些数字都表示极温；不过纽约市的气候和北部的奥尔巴尼、布法罗、罗切斯特、西那库斯等地的气候有很大差别。全州笼罩着云雾，很少有完全晴朗的日子。纽约市每年约有100天完全晴朗，西那库斯和布法罗72天，宾厄姆顿68天，奥尔巴尼73天。

年降水量的范围为810～1 140毫米，卡茨基尔地区降雨最多，而伊利-安大略低地最少。由于布法罗位于伊利湖东岸，其周围地区降雪量非常多。

动植物 纽约州一半以上的土地为森林所覆盖。林木约有150种，内有美国鹅掌楸和枫香树等南方树种。不过，大部分林地都以几种北方硬木树居多，主要是山毛榉和糖槭，间有椤树、椴树、樱桃树、白桦树、红花槭和各种栎树，偶尔还间杂有五针松和铁杉之类的针叶树。不同于北方硬木林的，主要是阿第伦达克山区大片的云杉群丛林和纽约东南部一些以栎树为主的森林。

常见的小型哺乳动物有拉布拉多白足鼠、东方棉尾兔、雪鞋兔、美洲旱獭、灰松鼠、麝鼠和浣熊。较大的哺乳动物有弗吉尼亚鹿、河狸和黑熊。纽约是许多候鸟的栖息地。常年的留鸟包括东方草地鹨、美洲红额金翅雀、红衣凤头鸟、东方蓝色鸣鸟、雪松太平鸟、有冠蓝背樫鸟、数种啄木鸟、数种鸮枭(猫头鹰)、红尾𫛭、披肩鸡、绿头鸭，布鲁克林还有1850年从欧洲引进到北美的普通家麻雀。

住区模式 纽约州各地的文化和社会差异业已消失。例如，北部各城市几乎也像纽约市那样多民族混居。早期移民所带来的某些文化和社会特征依稀可见，并在一定程度上仍影响人们的生活方式。在殖民地时期而且在独立战争后的许多年月，新英格兰是当地移民的主要源头，州内——尤其是长岛北岸的建筑和小镇规划上以及韦斯特切斯特县北部——仍有新英格兰影响的痕迹。在奥尔巴尼周围一带，除地名、街名、加以有些保留或修复的荷兰建筑外，荷兰人的影响已基本上消失。德国移民在斯科哈里河谷以及哈得孙和莫霍克河谷某些地方，苏格兰移民在奥兰治县和阿尔斯特县及切里河谷地区，都留下了他们各自的印记。

该州南北部一般是按政治路线区分的：北部保守，南部自由。政治差异是与社会差异相互吻合的。南部划分为纽约市和郊区，纽约市的各行政区之间也有巨大差异。尽管曼哈顿有许多低收入居民，但它仍是奢华风雅的生活方式和自由政治的中心。远郊各行政区在民族或种族构成的变化过程中，民族聚居区和社区相对稳定；这里的居民比曼哈顿居民保守，但在政治上倾向于民主党。虽然郊区人们的收入差距已经扩大，而且近郊正开始向该市的远郊行政区靠拢，但郊区仍以住在独门独院的中高收入的白人家庭为主。

该州北部农村地区必须与北部城市及其郊区加以区分。纽约农村在政治和社会两方面仍然是保守的。城市区各不相同，发展较快的罗切斯特有大量从事技术与管理的白领工作者，锡拉丘兹-纽约中部地区则比较保守。布法罗因以重工业为主，所以蓝领工人很多。

人民 自殖民地时期以来，纽约的发展大多受益于来自其他州和国外的移民。美国独立战争以前，移民主要是荷兰人、英格兰人、苏格兰人和德国人；在19世纪前半叶，新英格兰人随之而来，扩展到纽约北部的整个发展中地区以及韦斯特切斯特和长岛北部。欧洲移民首先来自欧洲大陆的北部和中部，随后又来自南部各国。

许多纽约人不是自己出生在国外，就是其父母出生在国外。他们最初来自意大利、前苏联(即乌克兰和俄罗斯)、波兰、德国、爱尔兰、英国和加拿大，但也有很大一部分人来自其他不同的国家。

与移民出生国有关的是该州宗教的构成。约有1/3的人口是天主教徒，10%以上的人口信奉犹太教。

在20世纪，非白人人口的增长相当快。黑人首先从南方各州大量流入该州发生在第一次世界大战期间；不过，比起第二次世界大战期间及其后的黑人人迁，规模还是很小。1940年该州仅有4.4%的人口是非白人；但到20世纪后期这一比例已增至20%左右，他们主要集中在州内各大都会区，尤其集中在这些地区的市中心区。

波多黎各人是另一类移民群体；自第二次世界大战以来，他们对纽约的经济和文化产生了相当大的影响。该州居住着数十万波多黎各人，大多集中在纽约市。在20世纪50年代与60年代初期波多黎各人大量迁人之后，波多黎各经济实力不断增长导致移民人数大大减少——进入该州的人数大体上与返回波多黎各的人数相等。

20世纪该州内的人口迁徙并不是无序的，它体现出了人口分布的重新调整：中高收入的白人家庭迁到郊区，而低收入的白人和黑人则留在市中心区。许多经济部门，尤其是制造业和公司总部，也迁至郊区。这种人口流动和经济活动已经造成全美国都普遍存在的城市危机：城市不断需要与犯罪以及由于贫困而产生的各种症状作斗争，然而城市为进行这项工作所需要的社会和经济资源已经被移走。虽然纽约州诸大都会区的经济实力在不断增长，但城市本身却越来越无力参与经济繁荣，并且似乎要更加滞后。人口约18 976 457(2000)。

经济 纽约州的经济与其他东北部各州的经济很近似。服务业占主导地位，而制造业也很重要。尽管其他各州经济正以较快速度增长，但纽约仍具有强大的经济实力。例如，纽约拥有一个复杂的几乎包括各种形式的交通运输网。纽约的家用和商用电力资源极其充足，包括传统的燃煤和油的发电厂、尼亚加拉地区输送的水电以及巨大的核能发电量。

纽约有联邦政府指定的几乎所有名目的经济部门。然而，与美国其他各州相比，纽约经济在批发和零售贸易、金融-保险-房地产、运输-通信-公用事业、制造业、建筑业、政府管理等方面占有相当大的份额。该州在农业和采矿业方面却显得不足。

州政府在经济中起一种调节和促进的作用。公共服务委员会负责控制公用事业的收费率，住宅与社区重建局鼓励建造住房和其他社区设施。商务部在下列几方面提供帮助：将新的经济活动吸引到该州来；为寻找切入点的企业提供信息和协助；对有兴趣发展工业园区的当地社区给予财政支持；提供其他优惠以便吸引更多的行业到这些地区来。

在国民经济衰退期间，纽约的失业率总比其他各州低一些，可是经济恢复也较慢。这主要是与该州的经济构成和严重依赖非制造业经济活动有关。

纽约是工会组织最多的州之一。工会在诸如教师、清洁工人、警察、消防人员等政府雇员的服务部门中发展得很迅速。各行业劳资关系差别极大，建筑业和服装业的工人控制着较大权力。几乎每届州议会都关注劳资关系，特别是公共部门雇员的关系。

服务业和制造业 纽约从事制造业的人口比例正在缩小。1947年受雇人员中有1/3以上从事制造业，而到20世纪后期这一数字已减少到1/5左右。

该州不同地区的经济侧重点也不同。服务业和金融-保险-房地产活动，大多集中于纽约市大都会区，而不是该州北部地区。布法罗在重工业方面实力雄厚，而罗切斯特则主要制造照相器材和光学设备，该州由此在仪器制造方面居领先地位。

锡拉丘兹在原生金属的生产、机械、纸张及相关产品以及学校受雇人数方面位居该州前列。乌提卡-罗马地区专门生产机械和原生金属，而奥尔巴尼-特洛伊-斯克奈塔第地区在纸张及相关产品的生产上占有优势。奥尔巴尼作为州府，是政府部门就业人数最多的城市。该州最小的都会区宾厄姆顿，原先是国际商用机器公司的所在地，因此受雇人员主要集中在计算机和商用机器领域。

农业 乳品业是最重要的农业收入来源，占总收入的一半以上。其他重要的农业收入来源为家禽、蛋、畜产品、水果、蔬菜和大田作物。纽约州种植各式各样园艺特产，其中包括苗圃产品、玻璃棚作物、花球茎和种子；它在槭糖的生产上与佛蒙特相互竞争。水果和蔬菜农场向食品加工业供应的产品有：苹果、樱桃、桃子、醋栗、草莓、西红柿、豌豆以及其他豆类、甜玉米、圆白菜等。

运输 纽约的经济优势主要在于它处于连接州内外各城市中心的重要天然运输线与设施的有利位置。

伊利运河于1825年凿通，将纽约市及其港口与布法罗和当时向西发展的地区连接起来。主要铁路干线沿着运河铺设，支线伸入到州内南北各地。第二次世界大战后，杜威高速公路从纽约延伸至宾夕法尼亚州界，途经奥尔巴尼、乌提卡、锡拉丘兹、罗切斯特和布法罗。这些主要交通干道的基本线路与州内原先移民所使用的路线并没有很大不同。

随着1918年纽约州驳船运河系统(其中包括旧的伊利运河)的竣工，纽约拥有了全国最长的内陆水运系统。尽管该系统是运输大宗散装货物——尤其是占货物重量相当大比例的石油产品——的一个重要手段，但该系统每年的运输总吨位已大大减少。

铁路首先在货物运输方面向该运河的地位提出了挑战。自19世纪中叶纽约中央铁路建成起，一个将纽约州的主要城市与芝加哥、波士顿、蒙特利尔及其他城市联系起来的铁路系统便建立起来了。虽然乘客数量业已下降，铁路仍不失为货运的重要工具。这些货物大多从纽约港起运，纽约港是美国最大港口，全国进口货物的1/10都经该港口转运到各地。美国近1/3的移民是通过纽约港进入这个国家的。

公路系统中最重要的是出入口有限制的高速公路。杜威高速公路在奥尔巴尼与北方公路相连接，后者向北延伸至加拿大。在纽约中部有一条从宾夕法尼亚州一直通到加拿大的主要公路，途经宾厄姆顿、锡拉丘兹和沃特敦。该公路在锡拉丘兹与杜威高速公路相交，使锡拉丘兹成为一个运输枢纽，并对其经济发展起了重要作用。另一条高速公路穿越该州南部。在长岛有一组东西走向的公路，分别通往纽约市、新英格兰和该州北部。

由于地铁、公共汽车和铁路相互连接，纽约大都会区有全国最复杂的公交客运系统。纽约公共交通系统近1 280千米长，可运送市内乘客。市郊铁路通往长岛郊区、新泽西、康涅狄格和韦斯特切斯特县。交通运输网大都于1968年归大都会交通运输管理局统一管理。

纽约市大都会区有3个最大的飞机场：约翰·肯尼迪国际机场、拉瓜迪亚机场和纽瓦克机场（位于新泽西）。

行政与社会状况 *政府* 纽约州宪法规定，州政府各部门和各地方政府系统都要实行分权。然而该宪法过于详尽，包括多数宪法专家认为适合列在成文法规而不是宪法中的条款。正是由于其过于详细，有些条款总是很快就变得过时，需要经常开会修订。自1777年首次修订会议以来，差不多隔20～25年总要召开一次修订会议。宪法要求，每隔20年就应将召开会议问题提交该州选民考虑。

第一部宪法建立了两院制立法机构，并规定出美国第一位民选州长，但该宪法限定仅男性房地产持有人享有选举权。宪法修订委员会享有否决权，该委员会由州长、最高法院首席法官和数名最高法院法官组成；几乎州和地方的所有官员皆由任命委员会选派，该委员会由州长和4名参议员组成。这些委员会体现出纽约州人为避免他们从殖民地总督那里经受到的独裁统治而作出的努力。1821年宪法修订会议撤销了这两个委员会，将选举权扩大，并提出正式的人权法案。

过去议会时常将州内信贷提供给铁路和运河建设等领域的私人企业，1846年的会议，在杰克逊民主平民主义精神的强烈影响下，对议会机构提出了若干财政限制的规定。州内许多机关，包括司法机关，都由选举产生。

1894年宪法迄今已修订过200多次。宪法条款有公务员考绩制度、处理州内森林保护地的政策界限、支持公共教育、有关州和地方关系的第一次权威性界说。

州政府由一位坚强有力的州长领导，他握有决定官员任命和财政预算的大权。然而州长也受到一些独立任命或选出的官员的制约。例如，负责教育工作的教育委员会就是由州立法机构任命的。负责州和地方政府两方面审计工作的是一位独立选举出的审计长。

议会包括61名参议员的参议院和150名众议员的众议院。两院的议员都由选举产生，任期2年。参议院和众议院各设有一些处理公众政策问题的常务委员会。有几个委员会由参众两院的议员组成，他们研究政策问题，向议会提出建议。该州还利用许多非立法性委员会——由州长、议会或州长和议会双方任命——调查教育援助方案、州与地方的关系、司法程序、福利管理、政府组织之类的问题。

纽约分为12个司法区。各区都有数名推选出来的法官，他们共同组成州最高法院。4个司法部门充当从最高到低等法院的上诉部门。最高等级的法院是上诉法院。州长从那些被选到最高法院的法官中选出数名法官，委派他们到受理上诉的部门工作；7名在上诉法院任职的法官，经参议院批准后由州长任命，任期14年。申诉法院受理控告纽约州的案件。该州的地方法院形式多样，包括县法院、家庭和遗嘱检验法院以及纽约市法院系统。

许多立法辩论是针对州政府对地方司法区的援助拨款而展开的。自1896年起，州宪法已有关于地方自治的条款，可是法院对此条款的解释是州有权处理任何与州有关的事宜，这种解释有助于淡化地方自治的概念，继续州府奥尔巴尼对地方政府的控制。除此之外，城市化和工业化造成的州与地方之间日渐增长的相互依赖，已经不可避免地削弱了地方司法区的自治。

该州有62个县，县以下设镇。城区可划分为市和村。市不受镇的管辖，而村仍为所在镇的一部分，居民同时向镇和村缴纳赋税。纽约市包含5个县。

与那些下属镇或县政府软弱无力的州不同，纽约州的地方政府都很强大。这种情况常导致城市范围之外的政府机构重叠。州内设有港口与桥梁、保健、消防等特区，以及地区性市场管理局。纽约和新泽西港务局是最大的特区之一，负责管理整个纽约市大都会区（包括新泽西州北部）的桥梁、港口及相关设施。

1965年美国最高法院要求各立法区人口大致相等的决议给纽约的县政府带来新的活力，因为镇长已不能再作为县长具有双重职责。许多县，包括纽约市之外的城区县，都已采取单一行政体制。

一般来说，市和村都由市长和政务会管理；仅有少数几个城市，其中最大的是罗切斯特，采用城市经理制。有些较大城市还设有第二立法机构，常称其为财政预算委员会。在纽约市，市长、市政务会主席、审计长和5个行政区的区长均在该机构任职。在其他城市，任职的成员通常有市长、市政务会主席以及一名或数名高级财政官员。

纽约的州-地方行政管理体制赋予地方政府重大责任；州预算的一半以上是对地方政府的援助金。大部分援助金用作公立学校的经费；其他部分用于福利、保健、公路、住房和城区重建等方面。

为了给这类服务筹措资金，纽约比较雄厚的经济基础为税收提供了充足的来源；纽约的税制是美国人均赋税率最高的税制之一。该州征收所得税、销售税、营业税和货物税。联邦基金是财政收入的主要来源。地方财政收入主要来自财产税和销售税。该州广泛的税基加上普遍征收地方销售税，使纽约不像其他大州或人口密集的州那样过分依赖地方财产税。

政治生活 一般说来，纽约州的政治在纽约市是受势力强大的民主党控制，而在该州北部和长岛则是共和党占统治地位。自1920年以来，民主党和共和党州长都曾在纽约掌权。在这数十年之间，州议会总是倾向于共和党；不过自1975年以来，众议院总是被民主党控制，而参议院则被共和党左右。

虽然民主党和共和党在全州各地都有强大的党派组织，但纽约的第三党和第四党发展很快并常在选举中发挥重要作用；美国只有少数几个州的党派组织在两个以上。

教育 纽约州花在公共教育上的学生人均教育经费较任何其他州（阿拉斯加除外）都高。这种公立学校制度——对6～16岁（布法罗和纽约市为17岁）的未成年人实行义务教育——始于殖民地时期。早在1638年新阿姆斯特丹的教会就在政府资助下开始创办学校。但直至1791年，该州才创办第一所公立学校。1795年该州对小学给予若干项资助，1812年建立了永久性公立学校制度。在1867年该州所有小学实行免费之前，家长支付的学杂费是对学校资助的一部分。在19世纪50年代期间，有少数城市设立了公立中学；在19世纪后半叶，公立中学已遍布全州。

纽约州大学是世界上学科最多的综合性教育机构之一，创设于1784年，由一大学董事会管理。1812～1904年，纽约的教育系统由2个部门管理。然而1904年州议会又将一切教育活动划归教育委员会管理。该委员会负责遴选州教育专员、批准新学院的建立、发放就业执照、批准新学位的项目计划、就教育问题向议会提供咨询等。所有中学均采用的标准化考试被称作评议考试。这些考试的分数为评定学习成绩提供依据，也是授予各种奖学金的基础。

1948年各公立高等学院——主要是师范学院和2年制的农业和技术学院，另有一些新建立的学院——都合并到纽约州立大学；该所大学与纽约州大学截然不同，但为后者的一部分。此前，私立院校在高等教育中一直占主导地位。尽管目前纽约私立院校录取学生名额的比例在许多州中是比较高的，但纽约州的教育体系自建立之日起却是全国公立高等院校发展最快的。

该州大学体系包括4大类型的院校。主要大学中心位于斯托尼布鲁克、奥尔巴尼、宾厄姆顿和布法罗。师范学院和一些大学分校一般致力于本科生教育并进行某些学科的研究生培训。2年制州立学院和社区学院，大致由州、地方社区和学生学费平均资助。纽约市立大学由纽约州和纽约市资助，提供由2年制社区学院到研究生教育的许多不同的教学课程。

该州有200余所私立高等院校，其中包括仅有数百名学生的小型院校和学生人数在3万名以上的纽约大学。这类院校有些是全国最著名的大学。哥伦比亚大学，1754年建校时名为国王学院，以高水平的研究生教育及该校师范学院在全国的影响而知名。康奈尔大学是纽约州立大学的农学、人类生态学、兽医学、工业和劳工关系等单位的教学基地。康奈尔大学同哥伦比亚大学一样也是常春藤联合会的成员。福德姆和圣约翰或许是该州众多天主教学院和大学中最著名的。罗切斯特大学和锡拉丘兹大学也是很著名的私立高等院校。前者以音乐和自然科学的专业而知名，后者是麦克斯威尔公民资格和公共事务学院的所在地，是第一所为培养公共事务专业的学生而创办的大学。其他受到人们重视的院校有：科尔盖特大学、汉密尔顿学院、协和学院、圣劳伦斯大学、巴德学院、斯基莫尔学院、巴纳德学院、瓦萨学院等。

保健与福利　纽约州居民的预期寿命要比美国人均预期寿命短些，但该州有一些全国最好的医院和医学教育设施。大多数纽约州人都有住院和外科医疗保险。社会福利是纽约州的一项主要事业。州福利金涉及范围很广，从受抚养子女的救济到家庭护理的补助应有尽有。该州居民还参与了联邦政府的食品券计划。

文化生活　美国的生活方式与格调大多发轫于纽约市，该市仍然是全国的艺术、文化和经济的中心。时装业以该市的服装制造区为大本营。美国主要演出剧院都坐落在百老汇大街和外百老汇地区。许多电视节目都在纽约市摄制，美国三大电视网总部也位于纽约市，许多影片也是在纽约市街头拍摄的。纽约市的博物馆——特别是大都会艺术博物馆、现代艺术博物馆和美国自然历史博物馆——在全国同类机构中是出类拔萃的。

几家大型出版社和一大批全国性杂志社都在纽约市设有总部。为适应这些总部和许多美国最大公司的需要，该市开办了许多银行、公共关系和广告公司、管理咨询公司和法律事务所。由于这种商业和文化上的集中，纽约市在美国生活的许多方面保持着领导地位。

然而文化活动并不仅局限在纽约市。该州其他城市也有许多艺术博物馆。布法罗的奥尔布赖特-诺克斯美术馆收藏了许多当代绘画和雕塑。罗切斯特有罗切斯特大学的纪念美术馆、罗切斯特博物馆和科学中心、斯特朗博物馆和设在乔治·伊斯曼大厦的国际摄影博物馆。锡拉丘兹和奥农多加县的埃弗森艺术博物馆被认为是现代建筑的突出范例，而锡拉丘兹的伊利运河博物馆是专门陈列运河历史文物的。奥尔巴尼的纽约州立博物馆是美国最古老和最大的州立博物馆。纽约市以外的交响乐团有布法罗和罗切斯特的交响乐团，而设在罗切斯特的伊斯曼音乐学校是一所国际著名的学校。漂亮的建筑全州随处可见。该州既有专业团体也有业余团体从事表演艺术。州内许多大学城的文化生活常集中在这些院校。

萨拉托加斯普林斯的萨拉托加表演艺术中心是费城管弦乐团和纽约市芭蕾舞团的夏季演出基地；在这个现代文化中心也常有戏剧表演。纽约西南部肖托夸湖岸的肖托夸学院原是一所主日教师培训学校，创建于1874年。从此，肖托夸一词便用来表示范围广泛的文化教育活动，如音乐会、歌剧、话剧、演讲等。

由J.F.库珀之父创建的库珀斯敦被人称为博物馆之村，其中最著名的博物馆为全国棒球名人堂和博物馆。帕尔迈拉附近的丘英拉山上的天使摩罗尼纪念地，为庆祝摩门教的创建每年都要举行盛大的庆典。帕尔迈拉之南，在哈蒙兹波特有格雷顿·H.泰勒葡萄酒博物馆；在科宁有科宁玻璃制品中心。州内有许多名人故居、历史城堡和古战场。美国独立战争期间的战役有1/3以上（例如萨拉托加战役）是在纽约州内进行的。

纽约是美国最早制订向艺术提供长期财政支持计划的州。艺术委员会负责执行这项计划，它为表演艺术、视觉艺术、电影和传媒以及特别节目提供基金。

纽约地理的多样性不仅提供了超乎寻常的自然美，而且为文娱、休憩和研究过去提供了广泛的良好时机。由于有夏季凉爽的阿第伦达克山区、白雪皑皑的卡茨基尔山坡、海滩和湖泊，以及几乎无尽无休的水上运动轮回演出，纽约州有广阔的文化体育娱乐活动基地。

历史

当欧洲人首次到达纽约地区时，这里居住着两大印第安部落群：靠近大西洋沿岸有阿尔冈昆族的英希干和曼西2个部落，靠近内陆有易洛魁族的莫霍克、奥奈达、奥农多加、卡尤加和塞纳卡5个部落。这5个部落约在1570年组成易洛魁联盟。这个印第安部落联盟由于有先进的社会和政府制度，约在1700年达到其权力的顶峰。这些部落与英国人为伍反对法国人和阿尔冈昆人，这或许是英国人能够在北美两大欧洲强国之间近150年的争斗中成为胜利者的主要原因。

移民拓居与殖民地时期　1609年H.哈得孙对后来以哈得孙命名的这条河流进行勘查以后，纽约最初为荷兰移民的聚居地。1624年荷兰人在今奥尔巴尼建立奥兰治堡，作为第一个永久性欧洲居民点。一年后，他们又在曼哈顿岛的山麓建起新阿姆斯特丹；为使此居民点合法化，荷兰总督P.米纽伊特付给印第安人价值60荷兰盾（约合24美元）的商品。虽然荷兰人沿哈得孙河建有几个居民点，可是他们对贸易的兴趣大于对永久性农业的开发；因此，在贸易站繁荣昌盛并有助于荷兰帝国大扩张的同时，荷兰人并没有在纽约扎下长期殖民化的根基。对此可能的解释是荷兰本国当时经济繁荣，社会稳定，荷兰公民没有向海外迁移的强烈经济动力，又没有剧烈的宗教纷争促进这种迁移。当1664年英国舰队驶进纽约港时，总督P.斯特伊弗桑特便不战而降。虽然随后数年该殖民地的归属颇有争执，但到1669年它显然已落入英国人之手。在英国人的统治下，该殖民地便以约克公爵之名重新命名为纽约。

尽管所有权和统治权发生更迭，但该殖民地并未因此而得到迅速发展。英国王室也像荷兰人一样，将大片土地分赠给个人。这种土地所有制对那些已在新英格兰定居的移民说来，无甚吸引力，而且农业发展——尤其是哈得孙河沿岸地区的农业发展——仍微不足道。

欧洲英法两国之间的战争已蔓延到北美地区。立足于圣劳伦斯河沿岸和魁北克的法国人，对纽约北部和中部进行过多次袭击。强大的易洛魁族五部落联盟，由于法国人早先帮助过其宿敌阿尔冈昆族，遂与纽约和新格兰的英国人站在一边。这场战争阻碍了奥尔巴尼以外的拓居移民。战争以1763年签订《巴黎条约》而宣告结束，条约确认了英国人对纽约地区的统治。移民从新英格兰地区不断地迁入是纽约州人口爆炸的开端。新英格兰人跨过康涅狄格和马萨诸塞的边境，有些停留在哈得孙河东岸，有些穿过奥尔巴尼到达内地。

1698年该殖民地的人口为1.8万人，其中2/3集中在纽约市及其周围地区。到美国独立战争前夕，人口已增到16.3万人，人口分布情况正好颠倒过来，即纽约市及其周围地区有1/3，但纽约在各殖民地中仍名列第7位。那时荷兰文化的气息在纽约市和奥尔巴尼仍很强烈，而内地大多数居民点却带有新英格兰人情味和乡音；此外，还有几个德国人社区。这一新兴的多样性文化模式，如同独立战争之后并延续到20世纪的欧洲移民潮那样，对该州日后的政治影响颇大。

独立战争、州的地位和发展　纽约境内有许多独立战争的战场。或许由于纽约境内居民忠于英国王室的人口比例较任何其他殖民地都大，纽约境内的战争带有许多内战的特色。

战争过后，纽约的部分领导人同其他殖民地的领导人一道，敦促这个新兴国家建立一个强有力的中央政府，而不是当时权力松散的邦联。纽约代表积极参与制宪会议，会议的领袖之一就是A.汉密尔顿。尽管汉密尔顿及其他纽约代表在宪法起草过程中发挥了很大作用，州议会关于批准宪法的政治斗争仍非常激烈，纽约是签署美国宪法的第11个州。

美国独立战争和1812年战争暂时阻碍了纽约向西扩展，不过后来的发展却坚实而稳妥。公路从奥尔巴尼及哈得孙河一带的其他地点向西扩展，拓居者从州的这边迁往另一边。1825年伊利运河凿通，从而确立了纽约作为从大西洋沿岸通向西部的门户地位。铁路建设的进展也很快，而且也倾向于采取早先公路和运河所建立的贸易模式。

根据1800年的人口调查，纽约是继弗吉尼亚之后的美国第二大州；10年后它超过其他所有州。该州的领导地位不仅在于它的人口、面积和发展，还在于它的制造业、贸易和交通运输，它的不断增长的人口的多元化。

该州的发展和变化也反映在政治和政府的历史中。原先州宪法将公民选举权局限于有财产的人，因而建立起一个被大资产者和大商业集团所支配的行政管理制度。由于人口构成和全国政治态势的变化，纽约也很快趋向更加民主。19世纪30年代在哈得孙河流域展开了一场反对地主所有制的激烈运动，最后佃户争取到耕者有其田的机会。1846年宪法会议确认了这些民主趋向，扩大了选举权，限制了议会和州长的权力。

政治出现分裂　纽约几乎在各个方面都在继续发展，而纽约市和该州北部之间利益和感情的裂痕却也不断增大。地方自治权问题,即纽约市要求完全自治权问题,迄今一直是冲突的中心。

18世纪80年代,人们为反对独立战争中有财产的领袖限制公民权的企图而在纽约市成立了一个最终被称作坦曼尼协会的组织。因其成员大多为中产阶级,它并未将其民主原则扩大到下层阶级和外来移民。到19世纪中叶,通过工人和主张平权的党派的支持,爱尔兰政治家开始在坦曼尼组织和市长办公室掌权;这一趋势在1868年后由特威德"老板"控制坦曼尼协会这一民主机器时达到顶峰。

直至20世纪,坦曼尼一词成了表示最高层市政当局腐败的国际通用代名词。市与州的对立由于民主党控制纽约市和共和党控制该州北部地区(在很长一段时间里州府及州议会也被共和党所左右)而火上加油。对坦曼尼协会和纽约市总的政治调查以西伯里委员会(1931～1932)的调查最引人注目。这次调查引发了沃克市长的辞职,导致了拉瓜迪亚市长(1933～1945)在任职期间的改革,以及后几届市长努力控制坦曼尼协会在市政选举中的影响和树立廉洁奉公的形象。

在20世纪20年代移民法的改变减缓了移民浪潮之前,坦曼尼协会的权力主要基于它对纽约市的大批外来移民提供社会服务,赢得了民心。当州和联邦政府开始接管诸如社会保障、工人补助、失业救济、福利和健康补贴等项社会服务时(尤其是在20世纪30年代经济衰退期间),坦曼尼的影响便开始缓慢地消退。

当前趋势 自第二次世界大战以来,虽然纽约的工业基础已被侵蚀,其社会和教育服务却反而大幅度地增长。这给该州和纽约市都带来财政困难,1975年纽约市仅幸免于破产。虽然州当局仍有责任提供门类日益繁多的服务,而连续几届的州长和议会领袖已经成功地逐渐降低了税收并扩大了州的经济基础。

New York, Chicago and St. Louis Railroad Company 纽约-芝加哥-圣路易斯铁路公司 美国铁路公司。1882年开始经营布法罗与芝加哥之间的线段。同年范德比尔德购得其控制股权。1916年该铁路成为范斯威林琴兄弟的铁道"帝国"的一部分;他们将其他几条线路并入该铁路,使其贯穿布法罗、惠灵、芝加哥、圣路易斯等地,总长2 720余千米。1964年又与诺福克-西方铁路合并,使诺福克-西方铁路网从大西洋延伸至大湖区。

New York, New Haven and Hartford Railroad Company 纽约-纽黑文-哈特福德铁路公司 美国的铁路公司。经营新英格兰南部和纽约州的铁路。由大约125条铁路联合组成。1976年被联合铁路公司兼并。1872年纽约-纽黑文铁路同哈特福德-纽黑文铁路联合,组成纽约-纽黑文-哈特福德铁路。最后干线长达1 880英里。1907～1914年它首先在纽约与纽黑文之间线段上实现电气化。1968年与纽约中央铁路公司、宾夕法尼亚铁路公司合并,组成宾夕法尼亚中央运输公司,拥有线路2.1万英里,从大西洋海岸延至中西部。两年后,新公司破产。这条铁路的客运业务于1971年由全国客运铁路公司接管,其他资产1976年并入联合铁路公司的其他5条线路中。

New York, State University of (SUNY) 纽约州立大学 由纽约州资助的州立高等教育体系。建于1948年,它若干中心分布于纽约州各地。1784年,纽约州立法机构在美国革命战争后的第一次会议上建议仿照法国高等教育体系成立一所州立大学作为中心管理机构,下设多个院校。州立法机构提出建议150余年后,纽约州立大学才正式组建。当初任命了一个董事会来管理该州唯一的学院——国王学院(后改称哥伦比亚大学),并创办一些新学院。但这些董事未能使筹建工作启动;1787年,哥伦比亚大学的控制权又移交给该校自己的理事会。第二次世界大战结束之前,董事会成员通过分配纽约州的奖学金基金,和与各私立学院密切合作以确定教育政策,来支持高等教育的发展。战后,大学已有校舍显然不足,无法容纳退伍军人学生和少数民族学生。这些学生开始向纽约州施加压力,要求建立免费的州立大学体系。1948年,纽约州立法机构批准建立包括一些现有院校在内的大学体系,并要求在未设院校的地区建立新的学院。为了管理这个体系,成立了一个理事会,取代原来的董事会。现在,这个体系包括设在奥尔巴尼、宾厄姆顿、布法罗(研究生教育的主要中心)和斯托尼布鲁克(又译石溪)的大学中心,许多文理学院,一些私立大学内的专业学院,一些两年制的农学院与工业学院,以及35所以上两年制社区学院。附属于纽约州立大学体系的,还有3个医学中心(两个在纽约市,一个在锡拉丘兹)和3个工业专科学院。纽约州立大学的非住校生学院称为帝国学院,它允许学生通过独立自学获得学位。整个州立大学系统的在校学生超过40万。

New York Botanical Garden 纽约植物园 美国植物研究和植物区系学的领导中心之一。位于纽约市布朗克斯公园,占地101公顷。收集的植物几乎来自世界各地,共约1.2万种。许多种类全年在温室展出,温室占地约1/2公顷。露天展出的有岩石植物园、本地植物园以及专门收集的针叶树、丁香、杜鹃、木兰等。园内的植物学图书馆是美国国内最大的植物学图书馆之一,园内的植物标本室有430万多号参照标本。对成人和学生还提供各种程度不同的教育活动,有些活动使用上述的设备。纽约植物园于1891年由哥伦比亚大学植物学教授N.L.布里顿建立,1900年对公众开放。布里顿是植物园的第一任园长,他开始的植物考察工作一直延续至今,研究工作在南美,特别是亚马孙河流域进行,有时也在其他各洲进行。1971年植物园在纽约市北部的达奇斯县得到729公顷土地,用于建立卡里树木园。

New York Central Railroad Company 纽约中央铁路公司 美国联系东海岸和内地的铁路干线之一。1853年建立。为联合10条奥尔巴尼与布法罗之间、平行于伊利运河的小铁路而成。以后30多年间又多次合并其他铁道,发展到16 090千米,从纽约通至波士顿、蒙特利尔、芝加哥和圣路易斯。第二次世界大战后开始衰落。1957年开始同其竞争对手、也有财政困难的宾夕法尼亚铁路公司商谈合并,1968年联合成立了宾夕法尼亚中央运输公司(还并入纽约-纽黑文-哈特福德铁路公司),共有铁路33 790千米。合并后经营失利,新公司在1970年6月破产。客运业务于1971年由全国客运铁路公司接管。其他铁路资产于1976年4月并入联合铁路公司,纽约—华盛顿路线后转由全国铁路客运公司经营。

New York City 纽约市 美国人口最多的大都市。根据人们的不同观点,纽约市可属于下列4种城市之一:对于社会科学工作者,它是研究城市生活难题(从阴森可怕的赤贫到富豪们的奢侈淫欲)的试验室。对于旅游者,它是行人摩肩接踵、交通堵塞而汽车喇叭声不停、街道肮脏和地铁臭气熏天的城市,所有这一切都与摩天大楼的空中轮廓、联合国大厦、华尔街、自由女神像、大都会艺术博物馆、时报广场和百老汇剧院这类国际性象征形成了鲜明的对比。对于乘公交车辆来上班的人们,它是忙碌于世界贸易和金融、大众传媒、工商管理、时装时尚和各种企业和制造业活动而致人厌倦的蜂房,是一个晚上应该尽快离去的地方,离开这地方才可到翠绿的郊区享受更宁静的气氛。可是对于这个温暖而湿润的城市(纽约大部分是哈得孙河在大西洋入海处诸岛上隆起的地方)的居民说来,纽约市实际上是分散在该市5个行政区——曼哈顿、布鲁克林、布朗克斯、昆斯和斯塔滕岛(旧称里士满)——中许多聚居区的集合体,每个聚居区都表现有自己的生活方式。市面积800平方千米。

在该市内,从一个聚居区走到另一个聚居区可能就像从一个国家走到另一个国家一样。像"纽约并不是美国"和"纽约是参观游览的好去处,可是我不愿住在那里"这类口头禅,或许是某些评论家所杜撰的;他们没有注意到惠特曼称之为"行色匆匆、焦躁而紧张的人群"的人们的友善一面的重要性。

自然地理和人文地理

纽约市的个性 人们常说纽约是无法治理的,纽约临近死亡的预言19世纪就开始了。自20世纪60年代末以来,由于一些重要的企业已经离开这座帝国城迁至郊区,毁灭的预兆也日渐频繁;街头犯罪成倍地增加,以致报刊宣传员称纽约为"逍遥城"和"大苹果城";公共服务日渐缺少而服务质量日益恶化,就业机会已经降低,纽约市的印章上刻有从前象征财富的河狸而现在的财政却已达到危险的状况。

危机的扩散 某一机构的首脑花费了差不多20世纪一半的岁月,修建公园、公路、桥梁、隧道和住房来改造纽约市;在其退休时回忆道,他对如何称谓该市,即如何用简短的词语描绘其特性,感到为难。

在原先记述纽约市(愚人村)的人们中,

从港口看曼哈顿岛，左为哈得孙河，右为东河，纽约市的金融地区和巴特里公园在中前部，中央公园在中上部

美国不列颠百科全书公司供图

最杰出的如往日的O.亨利、R.拉德纳、D.鲁尼恩之流，他们给我们以侧面见闻、花絮以及绘画中所说的风情画，可是它们所勾勒出的不过是一个地区、一个角落、一个片段或一个侧面，而决不是本质。小说家库珀比这位首脑早一个世纪之前就觉察到这点，他写道："就其利害关系、地位和追求的事业说来，纽约本质上是全国的。没有人认为这个地方属于某个州，而是属于美国。"成千上万的纽约人，有时还有他们的市长，被他们神话般城市的奇特个性所困惑，周期性地争辩着说纽约应该脱离纽约州，自己成为联邦的另一个单独的州。

集权与分权 自20世纪60年代以来，在城市管理方面两股基本势力一直在发生冲突。一些人说，有待争论的正是纽约市或其他任何大城市的生存问题。另些人争辩说，纽约市正在经历另一次重大的转变，这种转变将最终导致两种方式融合成一种处理适于居住的特大城市的方案。于是，辩论就成为主张集权与主张分权之争。

自20世纪30年代开始，"机器政治"的改革者及其他反对派大都在促进纽约市的集权方面取得成功。5个行政区区长的权力都被大大地削减，并转移到市长及其指定人的身上。像教育、健康、卫生、公园、娱乐、下水道和道路这类重要的市政，差不多全部由更大的市属各局(几乎总是坐落在曼哈顿)所监管。支持集权的人们坚持认为：由于集权可以消除各行政区重叠的官僚层次，可减少地区政客在各行政区所增设的无用的工作，因而为政府服务带来更大的效率。

在林赛市长执政期间(1966～1972)，分权的呼声日益强劲。分权主义者声称，集权已使市政府孤立地高高在上，远远地脱离了人民及其问题。

行政区区长要求归还他们的权力，以便他们能将收集垃圾、填补路面凹坑、维修公园等工作做得更好。各社区计划委员会(委员是行政区区长指派的)，都更加积极和更加有影响力。这在富裕的布朗克斯的里弗代尔(这里有华丽的住宅和昂贵的公寓大楼俯视哈得孙河)是这样，在布鲁克林的布朗斯维尔地段(这里在低收入人们新居民村周围被烧毁的经济公寓正摇摇欲坠)的贫民窟也是这样。林赛市长及其城市计划委员会所提出的建议被拖延，有时在社区计划委员会的压力下被完全封锁。

各社区在所有各种活动中，如为哈勒姆的学校挑选校长，阻止在曼哈顿西区建筑一家百货公司，将昆斯区中产阶级科罗纳地段内计划拆除的住宅省下来办一所中学，以及将格林尼治村或布鲁克林高地旅馆中靠社会福利过活的流浪汉赶出去，都取得了更大的权力。社区小组成为城市基层工作的监察员，他们指出哪里警察分局人员不足，哪里红绿灯不可或缺，哪里医院年久失修，或者哪里防火设备陈旧过时。街道办的报纸本来几乎绝迹了，现在在纽约市许多地方又重新诞生了。

集权主义者宣称，纽约市的生活正在被社区领导人的心血来潮所扼杀；分权主义者反驳说，如果没有健康的社区，就没有健康的城市。

由于恐惧——对抢劫犯和盗窃犯的恐惧，社区小组得以巩固。正如其他大城市一样，纽约市被许多街头犯罪——有些极其血腥残暴——所困扰。由于纽约市是走私毒品的主要进口地点和贩卖市场，它已经成为全国吸毒者的主要集合地。许多街头犯罪和盗窃都是吸毒者所做所为。

差不多没有什么地区没有街头犯罪。在贫民窟，太平梯上窗户的内部都装上铁栅栏。中产阶级地区的许多公寓，通入室内的门常装有门闩外，套间还有两道或三道锁。富人家，虽然昼夜有人看门，在其豪华的套间里还常常装有精巧的防盗系统；他们仅为防盗系统所支付的维持费每月就要1 000美元或1 000美元以上。超级市场附近抢夺钱包已屡见不鲜，因此许多妇女不再拿手提包，或者将提包的皮带绕在自己的腕子上。公园和游乐场已成为吸毒者和贩毒者的夜间集聚地。人们买狗，为防盗护身的多，当做宠物的少。摩天办公大楼雇用私人警卫，商店夜间要拉上铁门。街道组织有自己的志愿辅助警察分队，配备有双向无线电话机，夜间驱车巡逻。地铁是纽约的关键性大动脉，它有自己的警察队伍。

当代危机的历史前身 地区小组力量的日益增强和那些缠绕地区小组的恐惧，都是一项过去的老问题再度发作的有力证明。位于几乎所有纽约市危机——及其胜利——的核心之处的都是些穷困潦倒的移民大众；他们携带着用破烂的纸板衣箱、打了结的床单和枕套盛起的衣物行装，走进纽约美丽的港口或者涌向纽约公共汽车、火车和飞机的庞大总站中去。作家兼编辑怀特将纽约人描绘成"他们在很大程度上都是为寻求庇护或实现某一或大或小的目标而刚在别处收起摊子来到城里的外来户"。这些移民，为求得安全、繁荣和政治权势，建立起聚居区如哈勒姆、小意大利、唐人街、格林尼治村以及许多经济公寓、公寓大楼和私人住宅组成的社区。这些聚居区使纽约从烹饪到语言都有各种特色和风味。

远在1643年，一位罗马天主教传教士走在曼哈顿岛南端新生的荷兰社区内肮脏的街道上，就惊奇地听到18种语言。1870年动乱不已的纽约市——当时仍限在曼哈顿——的人口调查表明：近乎100万居民之中有40万以上是外国出生的。1920年纽约市有人口560万以上，外国出生的总数差不多有200万，而黑人超过15万。

由于1921和1924年通过了联邦法律，移民急剧减少，纽约市迈进了日渐稳定时期；在此期间虽然仍有禁酒年代的动乱、政治丑闻、经济大萧条和第二次世界大战，但社会基本稳定。许多移民及其儿女发达兴旺起来，因此得以从贫民区迁移到中上阶级地区。城市十分安全，在20世纪20、30和40年代夏季闷热的夜晚，纽约人时常在公园里和海滩上睡觉。在贫民区，居民为了通风而大开房门；在许多地段，居民并不锁门闭户。

自20世纪50年代开始，千千万万新的移民来到了；黑人和波多黎各人的人口加到一起，翻了一番还多。就像19世纪的日耳曼人和爱尔兰人，20世纪初期的意大利人和东欧犹太人——之前的移民浪潮一样，这些新的少数民族到来之后照例就是分化瓦解。

市民生活的持续 经过一个多世纪的贫民窟、骚乱、时疫、犯罪浪潮和腐化堕落(它们都是移民浪潮带来的许多不稳定因素所激发出来的)，另加不正当的商业竞争，纽约市没有毁灭而得以幸存，应归因于它的适应能力、基础民主和注重谋生技艺——这几种特点结合起来，很容易地造就了理想主义者和政治家，也同样很容易地造就了煽动家和流氓无赖。在《在熔炉的那边》中，社会学家格莱齐和莫伊尼汉写道："纽约已成为历史上由人民中的人们所统治的第一个伟大城市，这并不在于它是格拉奇或公社的一个孤立的现象而在于它是一种持久而确定的模型。"然而评论家芒福德看了这些同样的市政混乱现象却断言"无目的的实利主义已成为纽约市生活的基本原则"。

行政区 旅游者,甚至多数纽约人,谈到“纽约市”就是指曼哈顿。布鲁克林、昆斯、布朗克斯和斯塔滕岛各行政区——每个行政区都是单独的县——在纽约人及外来客之中一直是取笑的对象。布鲁克林就因沃尔夫的一则题为《只有死鬼才知道布鲁克林》的故事继续被人嘲笑。昆斯以“墓地的行政区”而知名。提起布朗克斯常常使人想起它所拥有的最大荣耀,可能就是扬基体育场露天看台上发出的、名为“布朗克斯喝彩”的嘲笑声。斯塔滕岛距新泽西的大工厂较距其政治关系密切的兄弟行政区还近,被认为是外围的荒野。由于这4个行政区的大多数居民在曼哈顿工作,缠绵的眷念之情使他们将布鲁克林、昆斯、布朗克斯和斯塔滕岛看作曼哈顿的“寝室”。

在人口数量上,曼哈顿实际上已被布鲁克林和昆斯超过。除曼哈顿外4个行政区的3个——布鲁克林、昆斯和布朗克斯,如果不是纽约市的一部分,它们都应位于美国大城市之列。其他4个行政区的数以万计的居民很少到曼哈顿,他们对自己城市的心脏的了解比极其偶然光临的旅游者知道的都少得很多。这些行政区的议员都无休止地抱怨:市府偏袒曼哈顿而将他们各区忽略了。

只有从其总体上观察,人们才能充分理解纽约这座水上城市的特点。布朗克斯1895年以前是郊区韦斯特切斯特县的一部分,现在它是纽约市占据美国大陆部分的唯一的行政区,就是这样一个行政区也是东、西、南三面环水;其他行政区或者是整个岛屿,或者是一个岛的几部分。纽约市仅有的陆地界线,北面是韦斯特切斯特县,东面是长岛上的拿骚县。除此之外,纽约市被长岛海峡、大西洋、哈得孙河以及各式各样的海湾、海峡和溪流所包围,由此纽约可供航运和休憩娱乐的滨水区共有578英里。

曼哈顿 对于外来客,曼哈顿——这个旅游者的磁铁石、纽约市的象征——或许是最具有欺骗性的行政区。外来客总是走马观花地看看:时报广场周围的剧场区(小心翼翼地从百老汇西边第42街的肮脏下流现象之旁走过)、第5大道的购物漫步,华尔街及其附近金融机构的慷慨大方,东村和索霍区波希米亚生活的乖僻古怪,唐人街的新奇事物,小意大利和哈勒姆的特殊情调。乍看起来,曼哈顿不过是一个摩天楼林立、灯火辉煌和节奏疯狂的城市,一个奇人怪士、神经病者和先锋派聚居的岛屿。其23平方英里的空间挤塞有140多万居民。由哈勒姆河、东河和哈得孙河形成的水面,共43英里长,仅有零零落落的三五成群的贫民窟儿童在污染的河水中游泳;那为数不多的渔民也仅有微薄的捕获。

对于这个岛屿的居民,每个地段都是一个故乡。那些居住在曼哈顿西70～79街、80～89街和90～99街——上西区,虽然岛屿北端的街道编号已达200以上——的人们知道他们的聚居区是一个不同语言、不同职业和不同收入的世界性大杂烩。正是在这口沸腾的大锅里,配制出民主党的许多自由主义的试验;有些人说它是该党许多混乱的根源。在上东区,中央公园的东面,是另一个不同的大杂烩,一般比较富裕。

曼哈顿西20～29街的切尔西地区以及区内的经济公寓、修葺一新的褐石房屋和工会修建的庞大的合作公寓,其生活节奏较东村和索霍稳重,东村和索霍占老下东区的很大地方,也是纽约市努力奋斗的作家和艺术家的主要集中地。波希米亚生活的老中心格林尼治村已成为富裕的专业人员、有成就的作者和艺术家喜欢居住的地方。哈勒姆不仅意味着经济公寓、平民住宅区和黑人政治;它还意味着从体育运动到门廊学习讨论会的充满活力的街头生活,它因拥有豪华的公寓大楼(有门卫且几乎完全由黑人居住)而增加了情趣。在曼哈顿东80～89街中的约克维尔还保留有捷克、匈牙利和日尔曼文化的小块地区,其中旧的经济公寓和高大而豪华的公寓大楼形成反差,很不协调。街道上的爱尔兰人酒馆通过岛屿最北部的因伍德蔓延扩展;也就是在这里——岛屿最北部,曼哈顿行政区越过哈勒姆河在大陆布朗克斯中拥有几个正方形街区的飞地。在因伍德有曼哈顿仅存的几片森林覆盖的地面,在露天文娱活动区爱尔兰人仍在玩爱尔兰式曲棍球和盖尔式足球——这正像南面很远的小意大利还保留有一些意大利式室外地滚球场一样。在哥伦比亚大学周围的莫宁赛德高地上,学术界的礼仪文质彬彬,而俯视下面东面和北面的哈勒姆区,凄凉的景象连绵不断。

甚至稀奇古怪的下曼哈顿,从巴特里岛屿端部有渡船码头——到市政厅已开始呈现出一个街区的气氛。公寓大楼已在市政厅附近拔地而起;华尔街是成百上千家金融和保险公司以及某些美国最大银行的发祥地,周围摩天大楼林立,气宇非凡,发挥出国际性的威力。

布鲁克林 布鲁克林是纽约市人口最多的行政区,它与金斯县相连,除曼哈顿外,最为有名。它占据长岛的西端,与昆斯为邻。周围有东河、昆斯、大西洋和上、下纽约湾,包括人们称为科尼岛的地铁-里维拉游乐园在内,布鲁克林占地73平方英里,有大约200英里的滨水区。

布鲁克林保存有许多过去使它发展成单独城市的特点。它的闹市区有熙熙攘攘的购货地区和办公大楼。沿着滨水区散布有许多工厂,其中有些还十分庞大。那停产的布鲁克林海军造船厂——现名纽约海军造船厂——是建造和停泊过许多美国最大战舰的地方,它已被改造成穷人接受培训的工业场所。虽然布鲁克林有许多私人住宅,而大多数布鲁克林人还住在公寓大楼、经济公寓或庞大的平民住宅区内。布鲁克林内的聚居区有其自身的特点,从布鲁克林高地上等住宅地段(有纽约港的壮丽景色和曼哈顿天空轮廓背景)到布朗斯维尔阴森可怕的贫民窟(有许多一片片被焚毁或被遗弃的楼房、沉闷单调的经济公寓、用木板钉死门窗的商店和低收入居民的住宅区),也同曼哈顿聚居区一样,对比鲜明,差别悬殊。

该行政区的贝德福德-斯泰弗森特是世界上最大的黑人社区之一;住房有的是诱人的褐色砂石房,有的是高耸的居民村,有的是贫民窟,居民就局促地拥挤在这各式房屋混杂的社区之中。然而,有确切的迹象表明这里正在建设一个稳定的聚居区,这个地区曾选出过第一位美国国会黑人女议员。帕克有正统的犹太社区和沿街设立的犹太教堂;本森赫斯特有坚持在其私人住宅后面带花园的意大利人;克朗高地的黑人和犹太居民在努力阻挡高地的倾塌:这些地方都有各自特殊的个性。

昆斯 昆斯占地110平方英里,它已成为纽约市中产阶级的大本营,是那些逃离布鲁克林、曼哈顿或布朗克斯正在恶化中地段的人们的会集地。它的周围是长岛海峡、拿骚县、大西洋、布鲁克林和东河;其中有盖特韦国家娱乐区美丽的海滩,还有海峡沿岸的划船设施。在20世纪70年代昆斯的人口出现10年来的第一次下降,不过其下降率仍低于整个纽约市。它已招来一些新的百货商店和购物中心;它是谢伊体育场的所在地,也是麦茨棒球队和捷茨足球队的驻地。虽然地区的兴旺已带来许多大型公寓楼以及消耗税款的下水道、学校和地铁,但是大多数居民是住私人住宅。数以千计的这类私人住宅是黑人所有的,这在纽约市其他行政区倒是一种不同寻常的情况。

在昆斯区,人们通常总认为自己首先属于聚居区,然后才是属于行政区,最后才属于城市。持续性在昆斯区很重要。在爱尔兰人地区伍德赛德,父母和子女两代人在同一所教堂举行过婚礼是很寻常的事。阿斯托里亚有一所公立学校,20多个国家出生的儿童在这里上学;阿斯托里亚还有希腊之外最大的希腊人社区。在科罗纳,祖孙两代人还一同住在意大利人祖先所建造的房子里。正是在昆斯区自己拥有住房的人们——白人和黑人——为反对低收入居民村和高层公寓大楼而进行过最激烈的斗争,这绝不是偶然的事。该行政区有一些小块贫困地区,但绝没有通常大城市意义的贫民窟。

布朗克斯 布朗克斯有41平方英里,周围是韦斯特切斯特县、长岛海峡、东河、哈勒姆河和哈得孙河。该行政区(与布朗克斯县范围大小相同)已成为美国最引人注目的城市斗争的场景之一。主要的奋斗目标一直都是要遏制贫民窟——及其被遗弃和被焚毁的楼房、关闭的商店和蔓延中的犯罪——的扩张。在人们称为南布朗克斯和亨茨波因特的地区有大批吸毒者和贩毒者出没,他们潜伏在窗户被金属板罩住、房门被砖砌起的、被遗弃的楼房里。

在这两个地区和北面的莫里萨尼亚之内,一场政治斗争正在黑人与波多黎各人之间展开。由于波多黎各人人口增加了,他们已经取得了更大的政治控制权;政治争论常集中在由政府提供基金的反贫困的工作机构上。纽约市历史上第一位波多黎各人行政区区长是在布朗克斯选出的,后来他成为美国国会议员。布朗克斯行政区还有波多黎各人被选举到州议会中去的。该行政区的贫民窟持续不变地向北部扩展,甚至在破坏着过去富裕的汇聚大道;为了制止人们从本市衰败地区出逃,中等收入平民住宅业已建成。

斯塔滕岛 1975年以前名为里士满行政区。该行政区大小相当于里士满县;它与纽约市的其余部分被纽约湾隔离，它与新泽西被一些狭窄的海峡隔开。岛上许多海岸都面向大西洋。它占有面积56平方英里，是纽约市人口最稀少的行政区。岛上许多地方仍然空旷，几乎是农村，相对地说没有什么公寓大楼。

岛上主要的斗争已在房地产经营者和民政团体之间展开；前者想要实现最大可能的利润，而后者想要避免其他行政区那样伴随发展而来的密集和拥挤。与此同时，大片的林地和草地已经消失，成为供从布鲁克林、曼哈顿和布朗克斯逃来的难民居住的地盘。在20世纪70年代斯塔滕岛的人口几乎增长了20%；它是纽约市唯一呈现人口增长的行政区。这种增长已经加剧了著名的斯塔滕岛渡船（往来于该岛与曼哈顿之间）的紧张。由于这个渡船经过自由女神像并且可以看到下曼哈顿空中轮廓的美好风光，它长期以来一直是旅游者和纽约人喜爱的交通工具。

人民 有强有力的证据表明：自20世纪开始以来解释纽约市许多变化的关键是人口统计，而不是地理。除了填海所增加的土地之外，纽约市及其5个行政区的边界仍与1898年的相同；然而在此期间，纽约市一直被政治的、社会的和经济的大风波所激荡，这些大风波起源于人口的变迁，回顾起来它们无一不是具有革命性的。纽约市对于资本主义和社会主义市政杂交的产生影响颇大，这种杂交化在罗斯福总统执政期间被称为新政。人口迁徙的冲击——比刑法典和警察活动的作用还巨大——决定了纽约市犯罪活动的数量和种类。人口迁徙——不是教育理论或教师质量——一直应对纽约市学校教育的严重错位负责，还应对教育部门的许多试验负责。

实际上，人口迁徙对于该城市的形成一直都是关键性的因素。最先，纽约是一个荷兰人的城市，然后依次是英国人的，爱尔兰人的，爱尔兰人-意大利人-犹太人的，犹太人-意大利人的，犹太人-意大利人-黑人的。假定像大多数波多黎各人那样将他们自己划为白人，那么纽约已成为白人-黑人的城市。每个种族或宗教集团取得权力，然后迁走，将权力丢给随之而来的、像浪潮般的移民和迁居者，这时，该市的生活方式就改变了。但是，无论这种事情发生得多么频繁，纽约人对其城市的历史不大记得，办起事来就如同以前每一次人口大震荡都未曾发生过一样。那些受到人口迁徙浪潮威胁的人们辱骂新来者，而反过来却又被别人指斥为"当权派"。人们的体力、政治压力和经济实力都被双方应用在周期性的人口迁徙的斗争中去。

以往情况表明，随着人口迁徙浪头的转变，人们态度也随之而变化。从目前看来，纽约市的犹太人由于其事业心、勤劳和清洁而开始受到人们敬重，他们对纽约市工商业和文化的贡献十分巨大。许多外来客认为——错误地认为——纽约市主要是犹太人，可是犹太人占该市人口还不足1/6。然而1895年《纽约时报》一篇文章评论犹太人从东欧涌向曼哈顿下东区的第一批移民浪潮时说道："清洁对于这些人们说来是一种陌生的品德。他们不可能被提高到更高的层次，因为他们并不想要被提高。"前此数十年对爱尔兰人及19世纪开始不久对意大利人的攻击都是同样蛮横无理。晚至20世纪20年代，反对在经济公寓中设置私人浴室的人们争辩说，经济公寓的居民"老是愿意把煤放在浴缸里"。这些移民的后裔对黑人和波多黎各人也做过类似的评说，他们一律被贴上了肮脏、懒惰和犯罪的标签——是社会的大祸害。

如同前几十年一样，现在这些指责也有真实的因素。最近一大批、一大批的移民和迁居者的确是居住在贫民窟内，沉沦在卖淫和犯罪之中。他们很有进取心，在社会中努力向上爬。当他们伸手攫取权力时，他们就成为一种威胁。然而一个重要的区别是，当前纽约市白人和黑人之间的紧张局势——在规模上也是同样——如果不是国际性的，也是全国性的。与此同时，新闻工作的标准提高了，事实与偏见的界限更加清晰了。

城市计划委员会人口调查数字表明：在20世纪70年代期间迁出纽约市的人口较迁入的人口约多120万人，迁出的人口是1960～1970年迁出人数的2½倍。虽然有这样大批的人口外流，但黑人和西班牙人后裔二者的人口都有所上升。另一个被上述委员会跟踪到的显著变化是在20世纪70年代数以千计的波多黎各人家庭从贫困的地区迁往较好的聚居区。可是，那时仍有一些地区没有什么波多黎各人或黑人居民。在1960～1980年期间，法院宣布若干取消种族隔离的裁决，纽约市的少数民族聚居区比以前的规模扩大了2～3倍。

从纽约市内民族集团的迁移可以看出，白人对民族的融合抱有强烈的敌意。所有民族融合现象也是暂时的，它们总是发生在黑人迁入而白人逃出的地区。虽然有些黑人聚居区比某些白人聚居区富裕，但白人并不迁入黑人聚居区。住在黑人地区的白人，大多是年老的、贫穷的和不能离开的。

人口统计的变化不仅限于肤色问题。黑人和西班牙人后裔人口的平均年龄较白人的平均年龄大约低10岁，西班牙人后裔（尤其是妇女）的平均年龄甚至比黑人的平均年龄还低。

年龄的统计数字特别重要，因为所有种族集团内的暴力犯罪在青年之中极其盛行。年龄再小一些——与黑人和波多黎各人家庭人口较多结合起来——也给公立学校带来很大的紧张，因为黑人和波多黎各人儿童——原因不一，从家中无父亲到贫困等——很难赶得上非波多黎各的白人儿童。

虽然人口转移数字之庞大无法低估，可是这类转移在纽约市并不是空前的。1870年该市人口几近100万人，其中大约40万人是在外国出生的。将在外国出生的人们及其在纽约出生的子女计算在内，他们的人数已超过那些19世纪前半期曾在该市占主导地位的盎格鲁-撒克逊人。爱尔兰出生的人有20万以上，他们已是该市最强大的政治力量。另有15万人是从德国迁来的，而第二最高贵家乡英格兰仅送来大约2.44万人。其他几十个国家迁移来的人数都较少。那时该市的黑人人口只略多于1.3万人。

那时该市反对爱尔兰人的反天主教情绪如同美国其他地方一样激烈，时常比其他地方更糟。正像现在该市黑人和波多黎各人之间存在仇恨一样，当时日尔曼人和爱尔兰人之间的反感非常强烈，以致爆发了流血冲突。中产阶级飞快地从爱尔兰人定居的地区纷纷逃离，那时布鲁克林、昆斯、布朗克斯和斯塔滕岛仍是郊区，而曼哈顿还有许多空旷的土地。当时有一本书写道："来到纽约的陌生人惊奇地发现该市仅有两个阶级，就是穷人和富人阶级。"

不过，假如认为纽约市的所有移民——或迁居者——都面临过同等的困难，那将是错误的。19世纪日尔曼人所遇到的麻烦就比爱尔兰人少得多。一个原因就是他们大多是新教徒，信奉权势盘根错节的集团的宗教。意大利人虽然与爱尔兰人宗教相同，却时常建起自己的教堂，不到爱尔兰罗马天主教徒做礼拜的教堂去，部分原因是他们想向懂得他们语言的神父做忏悔。宗教的不同是敌视犹太移民的重要原因。

有一种普遍的设想，认为在纽约市人们对待黑人和波多黎各人比对待先期的移民更加苛刻无情。无疑，现在存在十分强烈的反对黑人的情绪，而且在许多黑人之中也有十分强烈的反对白人的情绪。不过，在许多方面黑人和波多黎各人要比一切先期的移民和迁居者好得多。在这座令人惊恐的城市，他们的前辈（先来者）没有任何人接受过福利。在20世纪头20年期间，移民住在地窖，甚至露宿街头，时常冻死或饿死。过去曾有一个时期，肺结核被称作犹太人的疾病。在20世纪20与30年代，在移民居住区常常见到这些新来者因不能按期支付一个月的房租，他们的东西被扔到街上。移民要学习英语，否则就要吃亏。他们常因习俗或口音不同而受到刁难和奚落。

该市已经学会——或者说不得不学习——比较慎重地处理移民和迁居者问题。在像警察局之类的公共建筑物里，时常看到不仅用英文而且用西班牙文写的标志牌，许多警官还学习西班牙语。在唐人街附近一家医院里，走廊上的标志牌不仅写了英文而且写了中文，这也是该市另一种人口迁徙趋势的迹象。

伯杰在力求了解纽约这个他已经写作了约40余年的城市的时候，他在《纽约》一书中写道："这个地方过去并不总是凝固不变的，并不总是拥挤不堪的。它不过发展得比历史上任何其他城市都快罢了。"成群结队的外来客就是使它发展如此迅速的人们。

人口：市约8 008 278；纽约主要都会统计区9 314 235；纽约-北新泽西-长岛联合都会统计区约21 199 865（2000）。

经济 看，那些高耸入云的建筑物，拥挤堵塞的交通运输和从办公大楼倾泻而出的人群！与这些所造成的印象相反，纽约市的经济生活并不依赖少数庞大的公司，而是依赖为数众多的小企业和制造厂商。世界金融都会的这种多样性使该市具有灵活性和抵御经济衰退和萧条的力量，它在抵御衰退或萧条时比底特律——譬如说——和南加利福尼亚所遭受的损害要小些；底特律依赖的是大型汽车厂，南加利福尼亚则大量依靠航天和国防工业的政府合同的支持。

纽约市的林肯表演艺术中心(左)、大都会歌剧院(中后)、埃弗里·费希尔大厦(右)

美国不列颠百科全书公司供图

经济的组成部分 无数的蜂房式的小工厂聚集在下曼哈顿——即曼哈顿闹市区——旧的筒子楼上,排列在狭窄的鹅卵石铺设的街道上;这些街道是为马匹和运货马车而建筑在低于闪烁发光的米德汤的该岛窄长地带上的。在许多耀眼的摩天大楼里有成千上万的小办公室,每个室内仅有职员数人。世界上都知道纽约市大得惊人的服装中心,可是这个中心就在布鲁克林、昆斯和布朗克斯的小工厂或临街店面之中;或者就在下东区古老的筒子楼内,这里将许多分包工作转化成中曼哈顿的业务支柱。

白领工人占就业人员的绝大多数,而3/4以上的白领工人都在非制造业工作。在这些非制造业的白领工人中,大约一半是在服务行业或批发和零售贸易中工作;其余主要在金融、保险、房地产、运输和公用事业中工作。政府也是一个大雇主。

虽然小企业和制造业占该市就业的主要部分,但是其最大的经济发展却在银行业。最惹人注目的当然是庞大银行的钢筋玻璃摩天大厦的总部,可是朴实无华的中小银行已在全市街头巷尾蓬勃兴起。

该市是大众宣传媒介的心脏,国家的电视和无线电广播网的总部都设在这里。该市有些报纸已经消亡,而印刷出版业仍在继续发展。全国大的出版社和广告社的总部也大多集中在米德汤地区。电子计算机的应用日渐增加,这使白领工人在该市就业中成为主力军,这一情况比过去任何时候都更加显著。

纽约主要的行业多年来一直是,现在仍然是服装。尽管许多服装制造厂商已迁到南方,而这一行业仍雇用大量的工作人员。

经济活动的危机 虽然某一公司的总部迁到新泽西、康涅狄格或韦斯特切斯特县的郊区颇引人注意,但损失较大的却一直在制造业。自动化和兼并对制造业所造成的衰落却比从该市外迁所造成的大些。市府官员特别关心这方面的下降,因为正是在这一经济部门,不大熟练的工人——尤其是少数民族中工人——才能得到工作和接受培训的机会。

该市在挽救制造厂商的斗争中所面临的基本问题之一就是如何为它们找到得以发展的空间而不致于过多地增加成本。在制造业,城市房租常占成本的20%或20%以上。为此,有些公司认为彻底撤离该市比支付增加的房租较为合适,因为在该市扩展地盘一定要增加经营的成本。这种大批撤离的一项奇异的副产品就是将空着的筒子楼改变成为豪华的公寓。

为了诱使正在扩建的制造厂商留下来,该市正在布鲁克林、布朗克斯、昆斯和斯塔滕岛外围地区购置大面积荒废的或空闲无用的土地作为工业园区。市政部门向制造厂商提供这种土地时,租金较私人业主的租金低廉,时常还带有购买选择权。此项计划很成功,为该市保留了更多的就业机会,并使早先工商业外迁所损失的税金征收入库。

海运是该市几个世代以来最兴盛的行业之一;然而现在正在衰落。相当多的海运已经转移到港口的新泽西一侧,那边集装箱运输的现代设施已使船货的装卸费用比较低廉。工人自发的罢工和水边犯罪也促使其他发货人使用距本市相当遥远的港口。本市港口设施由于闲置不用而变得效益低下。在努力增加往返本市货物航运量方面,已经制订出计划要恢复布鲁克林滨海区沿岸的大型转运枢纽,这些枢纽还带有整套的仓库和铁路设施。横渡大洋的豪华班轮,往日在纽约市港口很常见,现在已大大减少,被国际航空所取代。人们承认已无法保全那曾经名噪一时的哈得孙河沿岸的码头——人称"地狱的厨房",后来在1980年又开始了该地区的修复工作;这一年着手修建的纽约展览与会议中心——位于老宾夕法尼亚铁路调车场的上方,是一座有5个街区长的玻璃建筑物。

海运业中丧失的就业机会 在很大程度上已从航空业中得到补偿;而纽约市之所以得以幸存,全靠它有能力吸引并非由于技术变化而外迁的企业和工业并使它们回迁。有些公司离开纽约市的主要原因之一就是犯罪的蔓延。那些感到威胁的人们得知其他城市的犯罪比纽约增长得更快且已蔓延到郊区时,便不那么宽慰了。

街头的行凶抢劫已使许许多多纽约人害怕夜间在许多大街上行走。抢劫载货卡车,特别是往返机场的载货卡车,已经成为令人严重忧虑的事。偷窃办公室已使各公司不得不花费大量保安费用来聘请私人警卫和安装警戒装置。由于该市已普遍组织了工会,甚至移民也不再保证是廉价的劳动力。为应付日益飞涨的社会福利费而不断提高的税金也已经使实业家们厌烦难忍。

这些不断增长的花费已使诸如交通运输便利、熟练工人众多、悠久的组织才能传统、对几乎任何规模和复杂的工程计划都能富有想象力地加以处理的市民等这类优越性减弱了。由于在纽约生活已令人感到厌烦,甚至令人感到危险,该市对有天赋的人们的吸引力已开始减弱。在有些情况下,年轻的管理人员已拒绝提职,如果这意味着在纽约市生活和工作的话。与此同时,中层和中上层阶级纽约人大量流向郊区已大大增加了市外优良劳动力的储备。然而纽约对于许多青壮年,尤其是对艺术有兴趣的青壮年,仍具有强烈的吸引力。

另一项有人认为威胁纽约经济健康发展的是通信联络的长足进步,这使高度集中的业务成为不必要,或许是效率低下。1792年24个商人在梧桐树下集会,制订出一套有价证券交易的规则,在华尔街成立了纽约证券交易所;时至今日,该交易所面对一些特别课税,已在考虑要从华尔街迁至新泽西了。

当经济和犯罪的统计数字被用作论证该市是在发展中还是不在发展之中时,无疑恐惧是会蔓延的,它会在商人与雇员之中滋生出他们应该离开该市的思想。为了反对这种心理,1971年该市一群商业、工业、金融和民政领袖组织了纽约优化协会,提出"这儿就是公司活动之所在"的口号。他们在运动中强调:新的摩天大厦在建筑中;市内办公室租金与郊区及其他主要城市相比是具有竞争性的;一些新的企业正从远至加利福尼亚的诸地点向纽约市搬迁。姑且不论将来,毫无疑问纽约市现仍在与其许多危机中最严重的危机之一作斗争。

行政与社会状况 纽约市,估计有房地产价值数百亿美元,花费在居民身上的钱比美国任何其他城市——实际上比任何州都多。纽约人从生到死处在价值数十亿美元的城市服务中,他们将其视作理所当然,只有当服务临时中断时才意识到它。纽约生活中引人注目的怪现象之一就是这最资本主义化城市中的强烈的社会主义倾向。该市的服务之所以成为负担,不仅由于规模太大而且由于大都会的复杂性。该市的主要功能——福利、住房、卫生、保健、防盗与防火、娱乐、供水、道路、交通运输——,其中任何一项本身就是庞大的工程。甚至人们呼吸的空气,在检测和预防污染方面,每年都有数百万美元的市政开支。

政治 "你不能跟市政厅斗。"这是纽约人从嘴边溜出来的话，或者听天由命地耸耸肩，或者一边说一边听天由命地耸耸肩；要不然，他们就说"去跟市政厅斗"，说时既无可奈何，又怒不可遏。这些口头禅是多少世代以来纽约政治生活的标记，它们并非完全真实，或许从来就不——在20世纪期间肯定不——完全真实。纽约人发表这些言论，是意味着政府与人民之间的分歧比应有的分歧要大，或者政府并非像它应该的那样易于作出反应，归结起来，纽约人有一种强烈的意识：他们至少有权在地方政府面前发泄不满，如果不能使政府采取对他们有利的行动的话。

①市民政治的背景。在该市历史上——尤其是在20世纪——有过这样一些时期：通向权力的道路遭到堵塞或变化太快而发生了时间滞后，公众在时间滞后中摸索特别感到受挫和失望。许多纽约人认为今天的情况就是如此而其他人则认为政府现在已较过去易于作出反应了。失望的情绪在往日已时有发生，传统的政治"机器"抛弃改革者和改革集团建立政治机构一样，都时常发生。因此，19世纪后期，在人称克罗克老板的政治首领领导下的坦曼尼丑闻变得如此令人憎恨，以致选民选举了改革派；一届高度原则的改革又是如此让选民生气，以致在下一届选举中老牌政客(提出的口号是"改革，见鬼去罢！")又获得控制权。在另一方面，拉加第亚在20世纪30年代和林赛在20世纪60年代虽然一再攻击"俱乐部会所政治"，却正是因为俱乐部会所政治已经变得呆滞无生机而他们才得以当选。一旦在位，他们就着手使用许多原先已使政治机器富有成效的方法来赢得重新当选。他们的秘诀就是想方设法帮助人民"跟市政厅斗"——或至少认为他们在跟市政厅斗。

多年来，纽约市政府组织章程常不及市政府(按章程组建起来的)实际工作方式重要。在许多年间，政治首领的组织才能和作风，不论是好是坏，一直都起决定作用。无法无天的特威德老板利用职权毒化了后南北战争时期，但20世纪的前数十年间墨菲老板却有真知灼见从选区政治活动中选拔了史密斯并支持他任州长。到1928年史密斯已被提名为民主党的总统候选人。

有时候，正是市长的品格和能力使民主在纽约市这样高度复杂和易变的社会中受挫或运行。"吉米绅士"沃克市长，或许如同该市曾有过的任何市长那样受人喜爱，由于他太容忍其政治密友的欺骗行为。在20世纪30年代初受到猛烈攻击而被迫辞职。嗣后在20世纪30年代，拉瓜迪亚不仅是市长而且也是政治统治者。

不管由政治首领还是由选出的市长来统治，那些颇为关心的纽约人会在学习如何与市政厅斗争或如何利用市政厅之中作出必要的调整，因为纽约人绝不至于忘记：在他们这政治上动乱的城市里，只要他们能投票选举，他们在市政厅就有发言权——如果他们记住组织起来就是力量的话。关于这一事实，老板们和市长们决不会有不同意见的。这就是弗林所著唯一一本书的要旨。弗林原为布朗克斯一选区的领袖，后升至行政区领袖，最后成为罗斯福总统的亲密顾问和民主党全国委员会主席。在解释他为什么写《你是老板》一书时，他说："我是一个实际政治家。我知道政治生活的实际。我知道政治机器绝不是过时落伍的现象，它如同内燃机一样的现代化和不可或缺……我知道哪里有大多数选民在政治机器内部积极工作，你就在哪里有代表选民的机器。事情就是这样简单。"

自愿为林赛竞选的人们，纵使1965和1969年在临街铺面所设的总部内进行运作，但组织得很有效；他们也像20世纪20年代塔曼尼街区首领们那样清楚地证明了这一事实。

②政党组织和作用。关于该市的政治生活与政府，有两个基本事实：一是民主党在该市占支配地位；二是该市有很强的独立性。自由党也将许多选民算作自己的拥护者；自由党成立于20世纪30年代，其领导与追随者常较民主党具有更加强烈的自由主义立场。虽然自由党经常支持民主党候选人谋取市的、州的或全国的公职，可是它也支持过自由主义的共和党人或提出过自己的候选人。自20世纪60年代中期以来，全州范围的保守党也登记竞选，想从正常情况下拥护共和党的选民和关心犯罪、税收和社会福利不断增多的少数民族白人社区寻求支持。

纽约市的独立选票已有全州和全国的影响；由于内部的不断争吵，独立选举人为了改革而创建了一些民主党俱乐部。独立选票不仅在本市而且在全州和全国范围内削弱了民主党。民主党人不能再依赖在本市积累庞大的多数就能保证民主党人州长和美国参议员的当选了。共和党人已经取得了州长的职位并与保守党分享了参议院席位；这些人之所以当选或许要归功于纽约市民主党人的勾心斗争。

③暗斗与呐喊。具有讽刺意味的是，纽约市的派性是由历史上最大的民主党选票得主罗斯福煽动起来的。当1932年罗斯福谋求第一届总统任期提名时，塔曼尼协会一面帮助除弗林的布朗克斯组织之外的其他行政区的民主党政治机器，一面对他进行了猛烈的攻击。

一旦当选，罗斯福就决定要摧毁塔曼尼的权力。他支持在该市成立美国工党，工党主要利用工会。工党是受共产主义为导向的政治家所操纵的，在情况变得明显时，工党发生了分裂；反共小组成立了自由党而大大削弱了塔曼尼。这一情况激励了党内其他持不同政见者而纪律涣散。当1964年肯尼迪被选为纽约的美国参议员时，许多民主党人相信他定会统一该市的民主党，可是他1968年遇刺，随之而来的是更大的派性。

尽管党内分裂，但该市民主党组织却有极大的潜在力，因为——正如经常那样——它实际上能完全控制穷人。该组织过去将其力量建立在爱尔兰人身上，然后在意大利人身上，然后在犹太移民身上，现在它在黑人和波多黎各人之中具有几乎独占的权力，它发起过将这些集团中最合适的成员选举到当权的地位。

在贫民窟中取得这种成就的唯一原因就是民主党总是坚信"平衡的"候选人名单——即一张可代表民族或宗教集团的候选人名单。许多人攻击这种平衡是蛊惑民心的宣传，而另一些人则认为这是民主在发挥作用，它表明民主党相信帮助所有的人涉足市政厅或奥尔巴尼州长大厦是有益的。

自19世纪爱尔兰移民的暴徒被激怒而袭击市政厅以来，迄今纽约人还没有如此执拗、如此机智地迫使官员倾听他们的怨言。到20世纪70年代初，穷人——这一次是黑人和波多黎各人——再次力图挤进权力圈。他们正在培育自己的领袖，有些人较其他人机会主义强而且冷酷无情；他们有穷人理想的传播媒介——电视，因为电视并不需要文化。穷人及其领袖们明了：电视像游行示威一样，越喧闹越好。

市内其余的人们已经学会：能引起市长及其他官员注意的办法就是仿效穷人们在电视中的滑稽动作。他们也设警戒，静坐示威，和在法案和拨款意见听证会上愤怒地齐声喧哗。工会、租户小组、学生家长、教师协会、市民组织和公民权利争论者——装备着标帜牌、手提扩音器和公关礼服——全来了。

政府 受到这种经常性压力的市政府结构有3个主要组成部分：市长、预算委员会和市议会。市长由选举产生，任期4年；他委派副市长和各部门主管，并享有其他许多人事任免权。市长还编制预算。因此，根据该市组织章程市长的权力很大；不过实际上市长权力是否很大也因市长个人及其他政治人物的具体情况而不同。一般说来，自拉加第亚开始，市长总比政党领袖强而有力，通常由市长领导自己的政党。

市议会是主要的立法机构。它提出并通过所有的法律，并拥有可用2/3的投票否定市长的否决权。市议会由议长(由全市范围选出)和43名议员(任期4年)所组成。这些议员中，由行政区内各选区选出33名，另由每个行政区各选出2名代表全市(和不同的政党)。

预算委员会的主要职权是执行市长编制的预算；它由市长、议长、主计官和5个行政区区长组成。市长、主计官和议长在委员会中各有2票，因此可超过5个行政区长合起来的票数。

行政区区长所进行的真正的权力斗争，在于市政府的行政管理。林赛不厌其烦地呼吁支持"社区管制"，组建了一系列"超级机构"；由林赛指派超级机构的主管来治理该市。这些机构的业务范围是：人力资源、环境保护、保健与服务、财务、住房与开发、经济发展、市政服务、公园与娱乐等(其中有些机构后来被林赛的接替者比姆市长解散)。此外，一个名叫保健与医院公司的半公立的组织成立了；由行政区区长和州长拟出了计划，设立街道委员会并增强行政区区长的职权，以便分散市的权力。所有这一切都渊源于纽约人的老战斗口号"去与市政厅斗"。

福利 虽然该市早已不得不削减社会服务，但福利费用仍是一项沉重的负担，不得不减少其他服务。每6个纽约人当中就有1个人接受某种形式的公共援助。虽然福利费用由联邦政府支付40%左右，由纽约州承担30%，其余30%由该市支付；不过该市的税基已因中等工资收入的人们迁赴郊区而破坏，这30%的福利费用也给该市带来巨大的压力，以至该市也对在市内工作的月季票旅客征税。

列入福利名册中的人们，大多数都在21岁以下。名册之中仅有很小一部分人被认为是可以工作的。巨额的福利费用已使纽约人形成一种普遍的情绪，认为：由于管理松弛，在福利方面定有大量的弄虚作假。该市的人力资源署通过其社会服务处监察福利，该署承认用以防止人们重复领取福利救济金的制度并不很有效用。

1971年揭露，过去曾有数千户领取福利救济的家庭被安置在旅馆居住，每月常花费1 000美元以上，情况表明这不仅是市政官员松弛的问题。它戏剧性地表明，当这么多人靠领取福利救济金生活之时，却极其缺乏穷人公寓。当白人一旦从较差的中产阶级地区撤离时，它就很快变成黑人和波多黎各人栖息的阴森可怕的贫民窟。公寓，而且常有整座整座的经济公寓被焚毁，往往被吸毒者焚毁。作为比福利救济旅馆更好的解决办法，该市已经设法来增加建设低收入者住宅。在建设这类住宅区(几乎完全用联邦基金建造)方面，纽约已经远远走在其他城市的前面。公寓主要是为劳苦大众提供的；可是自本世纪60年代初期以来，接受福利救济的住宅区居民的百分比一直在稳步上升。

教育 纽约的学校教育是争取该市社区权力欲望的生动例证。根据1969年一项纽约州的法律，该市的学校系统被划分为31个学校区，每个区都有选举出来的委员会。这些委员会的权力有：小学和初级中学的管理，社区督学的选用，教师的委派，以及某些校舍的建设与修缮。校长(学校系统的行政长官)由全市范围的教育委员会选定；教育委员会的委员由市长指派。

教育系统包括有：残疾人和康复病人学校，中等职业学校，社会适应不良者走读学校，以及延长在校时日和个别指导的试验方案。特别方案可早在9年级为程度较差的学生开设上大学的预科。成千上万的小学生学习英语作为第二语言。对那些想学习专业的中学学生，设有美术设计中学、音乐美术中学、时装工业中学、表演艺术学校、纽约印刷学校及学习烹饪和海运行业的帕克韦斯特中学。

纽约是美国唯一具有庞大公立大学系统的城市。自1970年实行“开放入学”以来，高等教育方案已日渐重要。实行开放入学就是允许任何高中毕业生根据自己的学习成绩进入大学本科或社区学院。实行开放入学之前进入高等院校的标准很高。采用这一方案是使更多的黑人和波多黎各人能够上市立高等院校。

私立大学，除通常的课程之外，还设有特别学习科目。例如，哥伦比亚大学有俄罗斯研究并设有新闻学院；福德姆大学有中世纪研究；纽约大学设有艺术奖学金课程。朱利亚德学校是举世闻名的音乐、戏剧和舞蹈的学校，洛克菲勒大学以生物医学著名。

环境卫生与供水 几个世代以来纽约是以肮脏的城市而著称。这是经常存在的贫民窟和纽约人较为漫不经心的结果。然而居民们因关心环境污染而醒悟过来，现在要求更高了。不过，纵使纽约有一支很大的力量在从事环境卫生工作——清扫街道，收集废物，处理垃圾，它仍然是一个肮脏的城市。在某种程度上，该市因缺乏基金成为有缺陷的城市。

纽约对于某项公共服务的态度是直到出了乱子才承认其存在，最好的例子就是供水系统。纽约的水都是州内远至300英里的许多地方用管道输送来的。有时候各个不同的市政机构都想进行有效率的服务，就难免相互冲突。例如，一个机构认为电比较清洁而价格低廉，便决定用电为低收入的公共住宅供暖；而与此同时，另一个机构却由于能源短少正在努力压低电的消耗量。

公安 该市的服务是如何因财政危机而受到削减的，其中最引人注目的例证之一就是警察部门。有时候多数纽约人感到最痛心的问题就是街头犯罪，而警察部门由于退休和调离的人员得不到补充，不得不听任其力量减弱。

最令人关心的统计数字就是侵犯人身罪行的统计数字。在美国10个人口最多的城市中，纽约的重大罪行发生率是较高的。为了应付街头犯罪，警察部门建立了特别工作组和特遣队，并决定对赌博实质上不管不问。多年来，警察在赌博领域中的贪污腐化一直是许多丑闻的起因。纽约人漠视禁赌的法律是臭名昭著的；在抽彩给奖和场外进行赛马打赌合法化之后，紧随着就是很强的压力要求赌博合法化。警察的力量为应付市民的各种示威游行而受到牵制，进一步受到了束缚。

纽约市的消防部门必须了解在摩天大楼或地铁中以及在古老的经济公寓或豪华的高层公寓中如何灭火，他们能力很强，受到崇高的尊敬。自1982年以来，妇女也不断参加消防部门。

交通运输 地铁虽是州营系统的一部分，除了每天平均有300多万乘客的车费收入外，主要仍受纽约市的补贴。在大都会区，地铁占所有大众交通的40%以上。使用地铁的人，其中约有90%是本市居民。在高峰时间，地铁车常一分钟开一列。

保健 该市通过保健与医院公司经营许多市立医院。此外，该市有好几十所私营而非营利的医院和私营而赢利的医院。补充这些医疗机构之不足的还有几所州立医院和保健中心。由于该市与各医学院和医院有联系并有大量各种各样的案例，长期以来一直是极其良好的培训医生的场所。对于实习医生以及有经验的医生说来，最著名的培训机构有：纽约大学-贝尔维医疗中心、纽约医院-康奈尔医疗中心、哥伦比亚长老会医疗中心、圣卢克-罗斯福医院中心、犹太学校-艾伯特·爱因斯坦医院、西奈山医院等。

文化生活 虽然许多纽约人已开始认为将他们的城市贴上“逍遥城”标签是个恶作剧，不过在这个绰号里面可能仍然具有大量的真实性。对于那些寻欢作乐(几乎是任何形式的欢乐)的人们，纽约是，而且一个多世纪以来一直是“一个该去的地方”。不论是戏剧、音乐、芭蕾、绘画还是文学，不论是棒球、足球、篮球、田径、曲棍球、拳击、赛马、英式足球、板球还是橄榄球，不论是活生生的、录成影片的，还是印刷出来的色情艺术——不论是男人或女人在文化、艺术、体育运动，还是在色情方面的爱好，纽约都无不丰富。该市是美国最伟大的文化市场——和主要的满足肉欲的场所。

与文化和艺术联系在一起的是中间人——经理、代理人和各式各样吃广告饭的人。与这些活动所需要的人才库交织在一起并促进其形成的是大型博物馆、庞大的图书馆系统和像朱利亚德学校、艺术学生联合会之类世界著名的学校。总的结果是一个囊括从天才到伪造者的行业，这个行业赋予该市一种能吸引并鼓动起全世界人才的特色。

毫无疑问，纽约市作为一个提供欢乐的地方，一直受到广泛报道的街头犯罪所伤害。然而旅游业一直在发展并增加了剧场、运动场和音乐厅的观众。不过演出和音乐会结束后还要呆得很晚的纽约这一老传统，已因恐惧而把时间缩短了。餐厅和饭馆关门提早了。在晨光熹微时刻，出租车稀少。过去整个城市不分昼夜毫无睡意，而现在到清晨一点钟人们就龟缩回家了。纽约市现仍有几十家夜总会，可是轻松愉快的气氛减弱了。然而在某种程度上，纽约市作为一个文化艺术试管，比以往任何时候都令人振奋。

表演艺术 该市戏剧业存在着衰落与发展同时并存的最生动的自相矛盾的怪现象。百老汇的戏剧业在有声电影兴起的20世纪20年代末开始衰落。由于这一时期的戏剧大多平庸和低下，不能与有声电影展开什么竞争。20世纪30年代的大萧条给百老汇带来新的不幸，将沿第42街的剧院改成滑稽歌舞杂剧院，然后又改成电影院。第二次世界大战——有那么多金钱要花——给舞台剧加了一把劲，可是后来又受到诸如电视、不能增加票价来弥补不断增涨的生产成本和大量中产阶级观众迁至郊区这3种情况的伤害。现在，留在时报广场地区的大剧院数量约相当于20世纪20年代的一半。

或许更加重要的是，全国其他各地的戏剧业业已兴起，与纽约市展开竞争。过去郊区转瞬即逝的夏令剧院现已扎根，全年开演。地区性的剧院已在明尼苏达州明尼阿波利斯、洛杉矶、达拉斯、华盛顿哥伦比亚特区、康涅狄格州纽黑文及其他城市发展起来。各大学的剧院在数量、规模和专业化方面都有所发展。

然而，有迹象表明：纽约市的舞台剧，总的说来——不仅指时报广场地区——是非常活跃的。自20世纪50年代以来，大量的外百老汇和外外百老汇的剧院已在筒子楼、地下室、汽车库、教堂和旧餐厅成长起来。这些新的小剧院——仅有不足300个座位——是培育试验性戏剧的肥沃田地，也是那些不再被百老汇剧院录用的演员、导演、剧作家和技术员的培训场地。它们对黑人和波多黎各人组建他们自己的公司尤为重要。

票房的统计数字只能说明戏剧业对纽约市意味着一部分价值。时报广场剧院开场时，衣冠楚楚的人群从出租车中涌出来，穿过街旁人行道挤进狭窄的休息厅，幕间休息时在剧院和酒馆之间跑来奔去，兴奋而喋喋不休地谈论着最后一幕，在最后一阵掌声后追赶出租车——这些作用是不可能转换成美元的。舞台剧的自然优美、精致高超和生气勃勃，都不是电影首次演出——甚至好莱坞最精心设计的首次演出——用聚光灯和丝绒绳所能捕获得到的。

了解到戏剧业的价值比给票房——甚至还有旅馆和餐厅——带来的金钱要大，该市已经采取若干措施来支持它。由于建筑法规有变更——如果建筑物内包含有剧院，则在楼面面积上给予建筑者以额外的奖励。20世纪70年代初期时报广场中摩天大楼内已有几家剧院开业。此外，该市对戏剧工作进行了财政援助。它主办莎士比亚戏剧的演出，多年来公园里上演莎士比亚戏剧，观众免费入场。它买了一所古旧的图书馆，将其改建成5所小剧院。由于其房屋免税，而且像改建后的图书馆一样，市里所收的房租是象征性的(每年1美元)，纽约城市中心能够保持按中等票价演出高标准的芭蕾和戏剧。尽管该市财政困难极大，它每年仍在表演艺术上花费100多万美元，其中有贫民区的街头戏剧演出，大都会歌剧院和纽约交响乐团在公园演出的歌剧和音乐会。

该市文化艺术机构中最蔚为大观的是林肯表演艺术中心，其设计已被洛杉矶和华盛顿特区所仿效。它环绕环礁湖和喷泉建成5座大楼，作为大都会歌剧院、纽约市歌剧院、纽约交响乐团、纽约市芭蕾舞团、保留剧目轮演团和艺术图书馆的本部或所在地。它接待过全世界的戏剧、音乐和舞蹈演出团体。正如多数歌剧和音乐组织一样，大都会歌剧院和纽约交响乐团经营有亏损，全靠私人捐助弥补。

听音乐会的人们仍然认为该市最好的音乐厅是卡内基音乐厅，它预约许多世界上的大音乐团体来此演出。一些主要艺术家和室内乐团还经常使用陶恩音乐厅、亨特学院的礼堂和布鲁克林音乐学院。

纽约市可供选看的电影片对人们有很大吸引力。仅在曼哈顿任何时候都有数以百计的影片在上映，有首轮上映的，有重新上映的，有任何轮次上映的。该市是那些寻找新、旧外国影片人们的宝库。由于导演和制片人已经知道利用该市作为背景可使影片具有激动人心的作用，该市已发展成为制片中心。这种情况提醒人们：影片在送交好莱坞之前，大多是在纽约市摄制的。

图书馆、博物馆和美术馆 纽约公共图书馆系统有近200家分馆，是该市的荣耀之一。由于该市开展节约运动，图书馆现在开放的时间不像从前那么长，图书的流通量也有所下降。这种衰落也可能反映出电视对该市阅读习惯所产生的影响。然而，流通量数字并不代表那位于第42街和第5大道的图书馆总馆(守卫门前的石狮子是该市最著名的景观之一)所做的大量研究工作。该市公共图书馆系统的数字也反映不出一些特别图书馆的价值，特别图书馆如皮尔庞特·摩根图书馆、哥伦比亚大学洛纪念图书馆，或林肯中心图书馆所收集的图书和档案。

博物馆是该市文化生活的另一个重要方面。在博物馆参观者可以看到古代和现代大师们的绘画，鲸鱼从天花板俯冲下来的复制品或行星秘密的展示。数以百万计的纽约人和参观者——有的个人自己来的，有的学校组织集体来的——成群结队地行进穿过博物馆的走廊，有时候一边用耳机聆听着解说词或一边听向导的讲解。最有名的博物馆纽约有大都会艺术博物馆、美国自然历史博物馆和邻近的海登天文馆，它们都位于公共用地上。其他艺术博物馆有现代艺术博物馆(还带有摄影和影片的重要收藏品)，弗里克美术收藏馆、古根海姆博物馆、惠特尼美国艺术博物馆和布鲁克林博物馆。

博物馆虽是私立的，但该市提供若干财政帮助。不过一般情况是由博物馆自行征集私人捐赠来弥补亏损。总的看来，该市主要博物馆参观人数一直呈上升趋势，自然历史博物馆和大都会博物馆都已采用由参观者自由决定付款的制度。知名度较差但对学者和参观者却具有特别吸引力的单位有：纽约城市博物馆、纽约历史学会、犹太博物馆、美国印第安人博物馆、海伊基金会、美国工艺博物馆(以前名为当代工艺博物馆)、哈勒姆工作室博物馆和人称伊沃的犹太生活研究中心。此外，至少还有70家私立美术馆，它们协助维持将全国的艺术生活集中在纽约市。艺术中发展的新情况之一就是为艺术家们做出特殊安排，让其生活和工作在索霍附近的筒子楼中。

娱乐 该市约有5万英亩——相当曼哈顿面积的3倍以上——作为公共用地。公园的大小由周围交通拥挤的小小三角形绿地到布鲁克林526英亩的普罗斯佩克特公园，昆斯1 257英亩的弗拉辛草地-克罗纳公园，曼哈顿840英亩的中央公园、布朗克斯2 117英亩的佩勒姆海湾公园以及斯塔滕岛、布鲁克林和昆斯中盖特韦国家娱乐区2.5万英亩的公共用地、海滩和沼泽地。使用率很高的公共海滩如布鲁克林的科尼岛和布朗克斯的奥查德海滩也包括在该市公园地区之内。这些海滩有些已被侵蚀和污染，用途有所减少。

深受各种年龄的城市居民和参观者喜爱的是动物园和植物园。该市一主要的动物园位于布朗克斯，但位置较偏僻，而中央公园中一个小得多的动物园却常常被拍成电影。在布鲁克林、昆斯和斯塔滕岛也有动物园。布朗克斯和布鲁克林的植物园是植物学家以及学者气息较少的花卉爱好者聚会的地方。颇为诱人但不甚著名的是昆斯的植物园。

纽约市地区的职业运动队有扬基队和麦茨队(棒球)、捷茨队和巨人队(足球)、岛民队和突击队(曲棍球)、尼克队(篮球)和科兹莫队(英式足球)等。扬基体育馆、谢伊体育馆或麦迪逊广场花园中心的重要联合会运动比赛可能登上报纸的头版头条和电视的新闻报道；但是对于纽约人，公园和海滩浴场的娱乐作用却大得多。通常，一个夏季周末在布鲁克林的科尼岛约有100万人，另外在盖特韦国家娱乐区罗卡威海滩游泳的有75万人，二者皆在长岛的南岸。在中央公园可以看到波多黎各人队和各娱乐性行业队之间棒球比赛的激动人心的场面；在中央公园夏季可划船消遣，冬季还可滑冰打发阴暗的时日。在这些比赛场上以及在各公园千千万万野餐者之间可以感到一种温暖和邻里情谊，这是纽约这个人类熔炉所梦寐以求而未曾实现的朦胧的梦想。纽约市是联合国的所在地，这或许是合适的。

历史

探险与早期定居 虽然意大利探险家韦拉扎诺1524年就曾看到过纽约市这个地点，而英国航海家哈得孙却被人们誉为该市的发现者，1609年9月3日他驶进纽约港口并上溯至现在以他名字命名的深潮河，妄想为荷兰西印度公司寻找一条通往印度的通道。哈得孙向其雇主提出的关于此壮丽港口的报告说，它被青翠的山峦和一望无际的潜在农田所掩护，纬度似乎是亚热带。此报告是为荷兰殖民而提供的，是荷兰殖民确定了该市奋发前进和独立自主的型式，而讹误迭出的荷兰名称一直在提醒纽约人，是荷兰人创建了他们的城市。

殖民者 1614年，英国清教徒在普利茅斯岩登陆前6年，一个荷兰小船船长及其船员由于他们的船被焚毁，不得不在曼哈顿岛度过一个冬季；他们在此建造了一艘新远洋航船，并预示性地将这18吨的航船命名为“不息”号。1626年荷属新尼德兰省总督米纽伊特以价值60荷兰盾(相当24美元)的小宝石之类华而不实的货物从该地区印第安人那里购得曼哈顿；当时的新尼德兰省不仅包括现在的整个纽约市，而且延伸到现在的康涅狄格、新泽西和长岛。1653年2月2日该省的首府新阿姆斯特丹成为城市，人口800人。

1638年以前荷属西印度公司拒绝出卖曼哈顿的土地，不过早期的拓居者可有充足的农田。他们还发现曼哈顿岛的许多地方下面都是极其坚硬的岩石，南部是大片的沼泽以及池塘和小溪。他们学会了排水和填补沼泽地面，并学会了沿河岸水面倾倒垃圾创造土地。后来成为布朗克斯行政区的许多地方当年都是多岩石的山脊。长岛日后成为布鲁克林和昆斯的那部分地方，虽时常呈砂石状况，却比较平坦并宜于种植。以后成为斯塔滕岛的地段，那时山峦起伏，最高海拔409英尺，为该市的最高点。

荷兰人开展了该市的对外贸易，建立了与印第安人的贸易，并规划了以后成为曼哈顿闹市区主要街道的道路。经过1643与1655年间许多次与印第安人的流血冲突——间隔有不稳定的休战，荷兰人终于在曼哈顿岛以及后来成为纽约市一部分的许多邻近地区建立了永久性的白人统治地位。

英国城市 荷兰人的统治于1664年9月8日结束。那时约克公爵派遣一支舰队(作为欧洲英荷战争的一部分)很容易便占领了该市，因为荷兰人并不太喜欢他们严厉的统治者斯特伊弗桑特。英国人把该市改名为纽约。1673年荷兰人突然入侵取得成功，英国的统治暂时中断；为了向奥兰治亲王表示敬意，该市改名纽奥兰治。但是第二年，根据英国与荷兰之间的威斯敏斯特条约，该市又恢复了英国的统治和名称。1686年纽约成为殖民地中接受皇家特许状的第一个城市。

由于荷兰人和英国人在曼哈顿相处得很好,政权的更迭并未给生活和贸易带来很大的干扰。不仅荷兰的而且英国的移民都认为英国皇家代表(官吏)太专制。1689～1691年间,莱斯勒宣传在市内叛乱,并想组织远征队袭击加拿大。1691年莱斯勒被处以绞刑并斩首。然而市内愤懑情绪很大,英国议会不得不予以昭雪。

因此,早在独立战争以前该市便确立了强烈的独立意识——还伴随有它从未丧失的经商机敏与落拓不羁。17世纪海盗将该市作为自己的巢穴,臭名昭著的基德船长被视作该市最杰出的市民之一。他捐赠了全部家当,开始建造了具有历史意义的三一教堂。商人曾协助装备了海盗并分享了他们的赃物。

正是在纽约,第一次伟大的新闻独立尝试取得了胜利,1734年确立了全国新闻自由的基础;那一年《纽约周刊》的发行人兼编辑曾格被控犯有诽谤罪并因猛烈攻击政府而被监禁,他上诉反击,1735年被宣告无罪。第一次为争取独立而流血,据信是在纽约发生的。1775年1月18日,一个爱国团体"自由之子"与英国士兵发生了冲突;该团体中一人死亡,数人受伤。

大都会的发展 *独立战争* 纽约这个城市在独立战争期间被英军占领且几乎被毁灭,1789～1790年成为美国第一个首都。1789年4月30日华盛顿在该市就任美国首任总统。1784年州议会首次会议在纽约举行,它在1796年以前一直是州的首府。到1790年,人口有3.3万人,它已成为全国最大的城市;到18世纪末,人口已超过6万。

1825年连接纽约市与布法罗、五大湖区、开发中的西部的伊利运河的开凿,保证了该市成为杰出的海港和世界贸易中转站。19世纪40年代移民的浪潮冲刷该市,大批的廉价劳动力(熟练的和非熟练的)为一个迅速发展和社会动乱的新时代增加了动力。

这种发展的主要受益人之一就是人们称为坦曼尼协会的当地民主党组织。坦曼尼,主要为了社会和爱国活动,于1789年成立,到18世纪末以前在伯尔领导下发展了政治实力;它经过两次支持杰克逊竞选总统胜利(1828和1832)之后成为一支重要的政治力量。坦曼尼为争取更加广泛的参政权进行过斗争;由于成功,坦曼尼一时处于保守分子的统治之下。19世纪40年代,移民的洪流改变了该组织的方向;它将工作重点置于这些移民身上,以他们的选票作为坚实权力的基础,这种情况持续了近一个世纪,使它成为政治上由"老板控制"的全国象征。虽然坦曼尼成了贪污腐化的同义词,可是它为移民贫苦大众敞开政治和经济机会的大门也起过关键的作用。

在南北战争期间,该市被其有史以来最大的暴动所震撼。1863年7月的4天内,千千万万的暴民——大多是贫困的爱尔兰移民,他们被新征兵法允许应征人缴纳300美元而免服兵役这一规定所激怒——抢掳烧杀,席卷全市。黑人被吊死在街灯上和大树上。由于暴民不断地与警察、国民警卫队和军队发生冲突,军舰将大炮对准城市,至少有2 000人被杀害,8 000人受伤;在面临武装冲突的情况下,一切业务陷于停顿。

南北战争后,该市因要与布鲁克林、昆斯、布朗克斯和斯塔滕岛合并而不断产生争吵。最强的阻力来自布鲁克林,布鲁克林本身就是市,它很有理由担心,在政治老板特威德和克罗克领导下,坦曼尼协会中那样明显而暴虐的贪污腐化会通过合并扩散到布鲁克林。由于1883年架起连接布鲁克林和曼哈顿的布鲁克林桥,合并已无可避免。1898年1月1日实现了合并,5个行政区中最小的曼哈顿成为最有权力的行政区。大纽约的诞生体现了该市从城市到大都会以及从国家级到世界级的变化。

20世纪 20世纪头20年又从意大利和东欧迁来千百万个移民,这给该市向世界大都会过渡添加了动力。这样大批的廉价的——而且往往是熟练的——劳动力,他们建造桥梁、隧道、高架铁道和地铁网络,将不断扩大的城市联系在一起,创造了著名的服装业,繁荣了印刷业和小型制造业,吸引了全世界的企业家,并使该市成为工团主义和激进主义的试验室。在20世纪头几十年间,学校教育系统为该市日渐复杂而繁荣的经济造就了大批极有效率的白领工人和行政人员。

1993年共和党人鲁道夫·朱利安尼因其杰出的能力当选纽约市长。他承诺减少税收,改善市政服务或将市政服务私有化,并严厉打击街头犯罪。他在减少犯罪方面的巨大成绩赢得了全美国的赞誉。但也有人认为他应为纽约警方在打击犯罪中滥用暴力的现象负责。

20世纪90年代,纽约市人口显著增长,经济更加稳定,大量移民涌入,华尔街的长期金融繁荣促进了各个地方的发展。对基础设施的大规模翻新(例如对中央车站的修复)也已完成。

由于在全球商业中的显著地位和中心作用,纽约成为恐怖主义活动的目标。1993年,世贸大厦内发生炸弹爆炸事件,导致数人死亡,1 000人受伤。2001年9月11日,美国历史上最严重的恐怖主义事件在世贸大厦发生,两架被劫持的客机撞入大厦,导致两座大厦和附近建筑倒塌,3 000多人死亡。但该市的重要性并没有因此减弱。作为联合国总部所在地,它仍然是美国最具国际化的大都市,也是世界上最著名的旅游胜地之一。

New York City Ballet 纽约市芭蕾舞团 设在"纽约市音乐和戏剧中心"的一个固定性芭蕾舞团。该团原名"芭蕾舞协会",1946年由编导G.巴兰钦(艺术指导)和L.柯尔斯坦(总经理)创办,作为一个推动抒情戏剧的私人募捐组织。它是美国芭蕾舞团的继续。1948年芭蕾舞协会首次公演,改名为"纽约市芭蕾舞团",从1950年起随着出国访问演出的增多,该团威望日增。1964年,该团的演出基地成为林肯表演艺术中心纽约州立剧院。除了巴兰钦编导的舞剧以外,该团还上演J.罗宾斯(自1969年起担任舞剧编导)、W.多拉尔、T.博伦德尔、F.蒙西恩、L.克里斯坦森和F.阿什顿编导的作品。它的主要演员有M.塔尔奇夫、T.勒克莱尔、M.海登、P.怀尔德、V.韦尔迪、S.法雷尔、A.埃格列夫斯基、J.丹波伊斯、E.维莱拉和P.马丁斯等。

New York Daily News 《纽约每日新闻》 纽约出版的小型晨报,发行量曾居美国报纸首位。1919年由J.M.帕特森创办,当时称《每日新闻画报》,几个月后改称现名。该报以耸人听闻的报道、照片和娱乐特写吸引读者。到1930年时发行量达152万份,以后10年中曾达到200万份。它和其他通俗的报纸一样,大肆渲染政治丑闻和耸人听闻的社会事件,如蒂波特山油田租赁的丑闻和威尔士亲王亦即后来的爱德华八世(1894～1972)的风流韵事。该报特别注重图片,是30年代美联社有线传真业务的最早用户,并拥有自己一支技术精练的摄影记者队伍。但到21世纪,该报的号召力已经不如20世纪70年代。虽与小报《纽约邮报》之间有长期竞争关系,发行量与20世纪中期的黄金时期相比已经下降了很多(到2000年,大约是73万份,周末版为85万份),但该报仍然保住了全国销量头几名的地位。21世纪初,该报属于纽约新闻有限公司,由商人M.赞克曼担任主席和联合出版人。

New York Dolls 纽约妞儿乐队 美国摇滚乐队,朋克音乐的先驱之一,其华丽摇滚在20世纪70年代使纽约地下音乐重新焕发生机。组建于1971年,成员包括D.约翰森、J.桑德尔、B.穆尔西亚、S.西尔维恩、J.诺兰、A.凯恩和R.里维茨。女性化的形象、奇异的服饰和荒诞的舞台行为是他们最显着的特征。他们的华丽摇滚风格并非精雕细琢而是近乎粗鲁,其中结合了英国摇滚乐的节奏因素、布鲁斯音乐中吉他的失真音响,以及原型朋克中强劲的节奏。1972年在英国巡回演出中,鼓手穆尔西亚因吸毒致死,从另一个方面增加了他们的知名度。第二年与墨丘利唱片公司签约,推出了名为《纽约妞儿》的专辑。1974年的专辑《太多,太快》似乎是对由于成员们吸毒、酗酒而使乐队濒于解散的恰如其分的写照。1977年乐队解散。2004年重新组合。尽管他们没有取得商业上的显着成就,但却对下一代的音乐风格产生了长久影响。

New York Herald 《纽约先驱报》 1835～1924年在纽约出版的美国日报。一便士报纸运动中最早创建的报纸之一,常被引证为美国新闻事业的开始。该报由J.G.贝内特创办。它的通俗化特征影响整个美国报界,尽管其竞争者把它的名字和邪恶等同起来,并号召公众抵制其"不顾一切的腐败堕落"和"道德败坏"。贝内特给予读者所要的东西,也就是既坦率而又富有刺激的报道。该报在他和他同名的儿子在世时很兴旺发达。不论对战场上的残杀,还是对道德堕落的行为都予以详细的报道。小贝内特虽也是有才华的主编和发行人——是他派H.斯坦利去非洲寻找失踪已久的探险家和传教士D.利文斯敦——但他在巴黎和伦敦的奢侈生活挥霍了该报许多资金;他经营《先驱报》的大部分时间不在纽约。他创建了该报的巴黎版,也为该报大大增添了实力,但他在1918年去世前,已从该报收人中提取了千百万美元,供自己享乐。当 F.芒西在小贝内特死后买下它时,该报已亏本。芒西打算重建《先驱报》,办法是将该报与纽约《太阳报》上午版以及纽约《论坛报》合并。他曾着手执行同《太阳报》的合并计划,但《论坛报》的老板奥格登和 H.R.里德一直拒绝他的建议。最后他将《先驱报》出售给他们。《先驱报》随即不复存在,而成了《纽约先驱论坛报》,该报一直是温和的共和党政策的喉舌。1963 年《纽约先驱论坛报》并入《纽约世界新闻论坛报》,但亦经营欠佳。原来的《巴黎先驱报》改名为《国际先驱论坛报》,这个报系的报纸才持续下来。

New York Public Library 纽约公共图书馆 世界著名的图书馆之一,也是美国最大的市立公共图书馆,1895 年通过合并私人捐献的伦诺克斯藏书和阿斯特藏书及蒂尔登基金会的 200 万美元基金而建成。图书馆的中央大楼位于 42 号街与第五大道的交叉处。1911 年对公众开放。图书馆由仍由私人资助的科研图书馆加上 83 个分馆和若干流动图书馆组成,共藏图书1 000万册和手稿1 000多万份,以及大量图画、地图、盲文版书、影片和缩微胶片。馆内的特殊藏书有伯格的英、美文学书籍,15 ～ 20 世纪的稀有书籍和手稿。档案部分入藏的手稿包括门肯文件和华盛顿亲笔书写的告别演说词。

New York school 纽约画派 泛指从20世纪 40 年代初期起在纽约市或纽约市周围参与现代艺术运动的画家。第二次世界大战期间及以后,先锋派艺术的领导地位从受到战争创伤的欧洲转移到纽约,而纽约画派在世界艺术中的领导地位一直持续到 80 年代。第二次世界大战后出现的最重要的艺术运动**抽象表现主义(Abstract Expressionism)**,以及**极简抽象派艺术(minimalism)**、**波普艺术(Pop art)**、60 年代后期的新写实主义等,都起源于纽约。

New York State Barge Canal 纽约州驳船运河 又称驳船运河(Barge Canal)。美国纽约州所有并管理的水道。长 837 千米。连接伊利湖和哈得孙河,支线延伸至安大略、尚

罗彻斯特附近的纽约州驳船运河河段
美国不列颠百科全书公司供图

普兰、卡尤加及塞尼卡湖。其运河网包括**伊利运河(Erie Canal)**、尚普兰运河、奥斯威戈运河以及卡尤加湖和塞尼卡湖。长 91 米、宽 13 米、吃水 3 米、载货2 000吨的驳船可以通行。1903 年获准开挖,1918 年完成。20 世纪 80 年代因管道、铁路和卡车运输增长,河运已衰落。现运河网多游船。

New York Stock Exchange(NYSE) 纽约证券交易所 世界上最大的证券市场。1792 年由一个 24 人的树下集会发展到现在纽约市华尔街上的交易所。1817 年正式组成为纽约证券交易会,1863 年取现名。自 1953 年起,成员限定为1 366名。从 1868 年起,只有从当时老成员中买得席位方可取得成员资格。1812 年美英战争后美国商业活动的增长和 19 世纪 30 年代美国铁路股票的投机,增加了对资本的需要,刺激了该交易所的交易。美国内战以后,该交易所为加速美国工业化提供了所需要的资本。1837 年大恐慌中,许多投资者遭到重大损失,此后该交易所开始要求各公司向公众公布其财务状况,作为股票上市的条件。在该交易所上市,需符合下列条件:公司在前三年的税前总收入应大于 650 万美元,已发行股票至少为 110 万股,给予普通股东投票权,并定期公布财务报表。2001 年,交易所实现小数报价。

New York Sun 《纽约太阳报》 1833 ～ 1950 年间在纽约出版的日报,在很长时间里一直是美国最有影响的报纸之一。《太阳报》是纽约出现的第二份"一美分报纸"。创办人为纽约印刷商 B.H.戴,以报道犯罪侦破活动和笔调俏皮而大获成功。1868 年 C.A.达纳任该报主编,为该报工作达 29 年之久。他加入该报后,采用明晰而全面的新闻写作形式,谨慎地保持了原有的幽默笔调,并偶尔采用耸人听闻的消息,社论立场渐趋保守。8 年后该报发行量增加 3 倍,达 13 万份。1887 年增加晚报版。1916 年该报卖给 F.A.芒西。4 年后,其上午版同芒西的《纽约新闻》合并。晚报版改称《太阳报》。芒西又购入《纽约环球报》与之合并,以取得美联社会员资格。《太阳报》出版到 1950 年,售给斯克里普斯-霍华德报系,并入《纽约世界电讯报》。

New York Times, The 《纽约时报》 纽约出版的晨报,长期以来是美国的重要报纸,也是世界大报之一。该报以社论水平高见长,但从未成为销量最大的报纸。1851 年创刊时属"一美分报纸"。反映了当时大量出版适合新兴城市工人阶级需要的廉价小报的潮流。但它的严肃庄重的格调经不起其他纽约报纸的竞争,在 1896 年 A.S.奥克斯收买该报时,已陷于亏损境地。奥克斯接手后使它成为国际上受推崇的报纸。奥克斯在主编 C.范安达帮助下,更加注意全面报道时事新闻,保持并加强原有的国际新闻报道,取消小说连载,增加星期日杂志版,把零售价降回至 1 美分。该报利用一切可能的消息来源充分报道 1912 年 4 月"泰坦尼克"号沉没事件后,声誉大增。该报对两次世界大战的报道也进一步提高了其出色的国际新闻报道的声誉。1971 年该报发表美国秘密研究出兵越南的所谓"五角大楼文件",立即成为争议的中心。美国最高法院裁定此举受美国宪法第一修正案新闻自由条款的保护。70 年代后期,在奥克斯的孙子阿瑟·奥克斯的主持下报社进行了大刀阔斧的改组,开始出版由卫星传送至各地印刷的全国版。

New York University 纽约大学 美国纽约市的一所私立高等学府。它有 13 所学院和分校,分布在纽约市曼哈顿区的 5 个主要中心。该校最初名为纽约市大学,于 1831 年成立。它的法学院建于 1835 年,医学院建于 1841 年。1890 年增设教育学研究生院,成为教育专业教学的重要中心。该大学现名于 1894 年正式采用。纽约大学现有一所大学本科文理学院和一所文理研究生院;一所提供本科和研究生教育的商学院,一所公共行政服务研究生院;一所包括教育、保健、护理和艺术等学科的学院;一所医学院;一所牙医学院;一所法学院;一所社会福利工作学院;还有一所继续教育学院。纽约大学加拉廷分校建于 1972 年,它使学生有机会通过创新的学习课程获得学位。目前在校注册学生约48 300人。

New York World 《纽约世界报》 1860～1931 年在纽约市出版的日报。在不同的业主手里该报以各种形式表现出来的绚丽多彩和直言不讳的特点使其成为美国新闻业中颇具影响的报纸。1860 年创刊,为"一美分报纸",基本上带有宗教倾向。曾支持林肯总统进行的南北战争及他的其他各项政策,但因资金亏损,卖给了纽约市民主党的一个财团,在 1863 年 1 月 1 日《解放宣言》发表后,突然转而反对林肯。1864 年该报因刊登一篇报导,捏造北方要为联邦军队再征兵 40 万的消息,而被联邦政府勒令停刊两天。1868 年该报出版了一本统计和历史年刊——《世界年鉴》,在《纽约世界报》停刊后仍继续出版了多年。1883 年 J.普利策(1847 ～ 1911)收买该报,文风日益浮夸,特别是 A.布里斯班主编的星期日版更是如此。该报极力煽动侵略主义情绪,在导致美国进行美西战争一事上起了主要作用。后来布里斯班离开报社,普利策去世,他的儿子 J.普利策第二掌管该报,浮夸文风才有所缓和。该报以聘有众多杰出的记者、专栏作家、编辑和卡通画家而著称。1930 年提高报价后发行量下降。巨大的亏损促使小普利策把报社卖给斯克里普斯-霍华德报系。1931年该报与《纽约电讯晚报》(1867 年创刊)合并成《纽约世界电讯报》(后者一直办到 1966 年;其再次合并的产物,《纽约世界论坛日报》办了不到一年,于 1967 年停刊)。

New York Zoological Park 纽约动物园 参阅 **Bronx Zoo 布朗克斯动物园**。

New Yorker, The 《纽约客》 又译《纽约人》。以文风多样化,笔调幽默著称的美国文学周刊。1925 年 2 月 21 日由 H.罗斯创刊并任主编到 1951 年 12 月去世。《纽约客》初期主要报道纽约市娱乐界动态与社会文化生活,但杂志后来逐渐拓开思路,开始刊登文学作品、时事及其他题材。它以短篇小说、散文、外国报道和人物传记、漫画出名,还涉及电影、图书、戏剧和其他艺术门类的详细评论。杂志向全国知识界中上层读者提供报道与评论、短篇小说、诗歌、书评和幽默小品。

《纽约客》的撰稿人包括知名作家S.J.佩雷尔曼、R.本奇利、O.纳什、W.吉布斯、E.B.怀特、J.奥哈拉、E.威尔逊、J.D.塞林格、J.厄普代克、R.韦斯特、D.派克和P.克尔。著名漫画家有C.亚当斯、H.霍金森、G.普赖斯、J.瑟伯(也是作家)和R.欧文。欧文是《纽约客》的首席艺术指导，曾经创作了美国早期一位花花公子E.蒂利的漫画像，作为第一期的封面画，以后每年重复刊登一期。1985年《纽约客》转售与出版家小纽豪斯，这是该杂志创刊60年第一次换发行人。W.肖恩从1952年到1987年一直是杂志主编，1987年后期由R.戈特利布接任。1992年《名利场》的前主编，英国人T.布朗接替了戈特利布。1998年，杂志的正式撰稿人D.瑞姆里克出任主编。

New Zealand 新西兰 南太平洋岛国，位于澳大利亚东南约1 600千米处，由南岛和北岛两个主岛及一些小岛组成，两主岛之间隔有32千米宽的库克海峡。首都惠灵顿。面积270 534平方千米。人口约3 835 000(2000)。

土地 南北两岛的南部均被山地、北部均被丘陵一分为二。北岛约18%的面积、南岛约70%的面积为山地。南岛西部有绵延480千米的南阿尔卑斯山脉，包括新西兰最高峰库克峰(3 764米)和22座高度超过3 000米的山峰。南阿尔卑斯山的雨影效果为牧业提供了良好条件，形成大规模的牧场，生产出新西兰的上等羊毛，尤其是美利奴羊毛。南岛东部的丘陵很少超过1 800米，并逐渐下降成坎特伯雷平原；南岛北部丘陵地势亦较低。北岛地势远不如南岛陡峭，由火山高原及高原四周的丘陵形成中央地区，饲养绵羊和制作乳制品是区内的重要活动。高原部分地区为森林所覆盖，北奥克兰半岛有一些亚热带森林。

新西兰的大多数河流很短且水流湍急，对发展水电起到重要作用。北岛的怀卡托河是新西兰最长的河流，长425千米。土壤多为黏土，大多贫瘠不适农耕，但在许多山谷底部亦可见到一些肥沃的冲积土壤。新西兰的火山和地震活动频仍。

雨量稳定而充沛，年降雨量为635～1 525毫米。海平面的年平均气温在最北部为15 °C，最南部为9 °C。平均季温和日温的变化幅度均约为10 °C。

新西兰的森林一度约占国土总面积的2/3，虽曾大力开展重新造林活动，但仍减少到不足1/3。蜥蜴、青蛙、蝙蝠为仅有的当地陆地动物。赤鹿、澳大利亚负鼠、兔及多种家畜系由欧洲移民引进。鸟类很多，包括不能飞行的几维鸟和小翅秧鸡。近海水域有许多种鱼，包括金枪鱼、啮鱼、鳕鱼和鲆鲽鱼。

矿产对新西兰经济不具重要性，但煤、铁矿砂和金矿的储量可供商业化开采。再生能源(特别是水电和地热)对新西兰的经济发展有重要作用。

人民 新西兰人口中主要的种族为欧裔，约占4/5(主要是英国后裔)；当地的波利尼西亚土著毛利人约占1/7；其余为太平洋岛民、华人和印度人。英语和毛利语为官方语言。圣公会为最大的教会，其次是长老会和天主教，但该国近1/4的人口表示无任何宗教信仰。

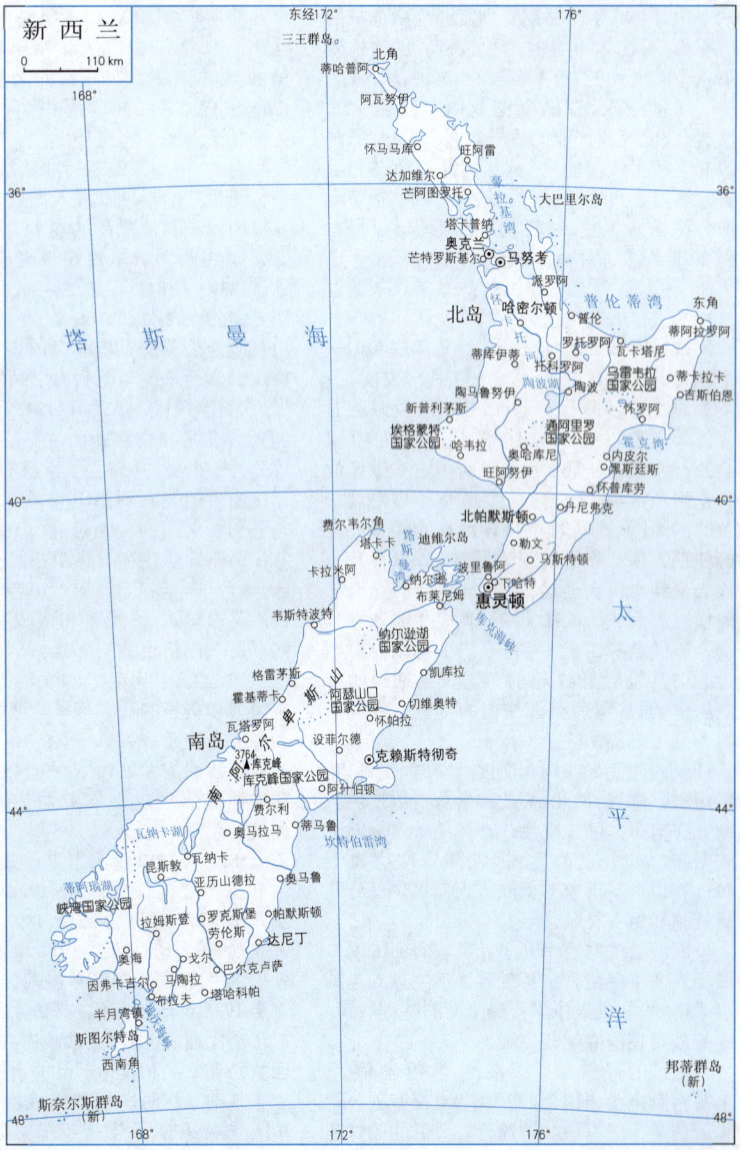

美国不列颠百科全书公司供图

新西兰人口的年增长率相对较低。人口出生率和死亡率适中。国民的健康水平极佳。平均预期寿命较长，女性为81岁，男性76岁。有5/6的人口住在城市，国内人口迁移大多属城市间的人口迁徙。克赖斯特彻奇是南岛最大的城市。北岛人口较多，有马纳考、奥克兰和惠灵顿等大城市。

经济 新西兰属发达的市场经济，主要以农业、小型工业和服务业为基础。由于燃料、资本和消费品均依赖进口，经济增长速度一直较低。人均国民生产总值居世界发达国家之列。

农业占国内生产总值的约5%，雇用了将近10%的劳动力。农场经营实行科学化管理，黄油、干酪、肉、羊毛、苹果、梨和某些其他农产品的销售由各商会控制。农产品为新西兰的主要出口商品。牧场约占全国土地面积的一半，但可耕地只约占2%。

饲养绵羊在农业中居主导地位，产量极高。牲畜实行科学化饲养和管理，牧场磷肥的施用量极大。20世纪末，新西兰绵羊存栏数达5 000万头。肉、羊毛、黄油和干酪大部分供出口。

小麦产量可满足国内需求。大麦、玉米、豆类和马铃薯亦有种植，主要供应国内消费。弥猴桃、苹果和梨的生产则供应出口。林业是重要的外汇来源，以针叶原木、木材和木浆的出口为主。

由于长须鲸的出口增加刺激了渔业的迅速增长。1978年，新西兰宣布其海岸以外200海里(370千米)范围为经济区。

采矿业在国内生产总值中所占比例很小。政府通过新西兰石油有限公司鼓励开发石油和天然气。新西兰所产的天然气多用于发电。塔拉纳基半岛上的几个油田出产原油。每年亦开采300万吨以上的煤，其中少量供出口。

制造业占国内生产总值的比例日益缩小。工业规模较小，产品主要供应国内市场。生产成本通常高于其他工业国家的生产成本。电力生产主要靠水电厂，亦有数座大型地热发电厂和数座普通热电厂。

20世纪末，政府的开支超过收入。财政收入主要来自个人所得税。政府通过赤字预算筹措资金来弥补差额。社会服务支出约占政府总开支的1/3。

旅游业在新西兰经济中发挥着日益重要

的作用,但90年代后期受到亚洲金融危机的严重影响,在21世纪初有所恢复。游客主要来自于澳大利亚、日本、美国和英国。

20世纪末,该国电信业取得了巨大发展,很快成为该产业的领导者之一。过去,邮政局垄断了该国的电信业,但经济效益和服务都不好。1989年,电信业放松管制,很多电信公司相继建立,并吸引了大量国外投资。到20世纪末,国内总产值的近10%投资于电信业,该比例高于全球大部分国家。全国近一半的人口有条件上网。

政体与社会状况 新西兰是英联邦内一个独立的民主国家。该国无正式成文宪法。英国君主是名誉上的元首,在新西兰派驻总督作为代表。立法权归一院制的众议院(议会)行使,议员任期3年。议会中占多数席位的党派负责组建政府。行政权赋予以总理为首的内阁,总理同时也是多数党的领袖。总督任期5年。除了礼仪性职责外,总督必须代表皇室对议会通过的法案表示同意后,才能使之最后成为法律。该国两个主要政党分别为国民党和工党,另有一些小党派。新西兰的法典包括1947年前英国议会通过的某些法令,通常承袭英国法律的判例。上诉法院为全国最高法院。

新西兰完善的福利制度为疾病、生育、老年、残疾、鳏寡、孤儿、失业和紧急事故提供救助。在国有医院住院治疗一律免费。保健设施完善,人员充足。全国大部分住房建于1955年以后。国家对低收入人口提供部分购房贷款和租房补贴。

新西兰的文盲率几乎为零。6～16岁未成年人须接受免费义务教育。学生从6年制小学毕业后,进入中学接受全面的基础教育。高等教育在国立学校完成。

报纸的报道水平很高,内容覆盖面广。电视台及电台由国营的新西兰电视有限公司和新西兰广播有限公司监管。节目的题材范围广泛,有许多是在当地制作的。

文化生活 新西兰以欧式的文化氛围为主,但毛利人独特的艺术和文化传统正在恢复。此外,许多太平洋岛屿的移民也依然遵行自己的传统习俗。在欧洲人到来之前,毛利人的艺术表现方式,除了装饰图案以外,全部以口语相传,因而很大一部分现已失传。但是,现在正使用毛利语谱写新的歌曲、颂诗及一些诗歌和散文。

新西兰的艺术家和作家已从诠释本国独特历史的框框中解脱出来,开始创作有关人性分析和内省的作品,如K.曼斯菲尔德的作品。最为世人所知的可能是J.弗雷姆的作品。歌剧院和芭蕾舞团需靠政府补贴维持,但全国到处都有活跃的业余戏剧演出。国家管弦乐团完全靠政府资助。正在发展中的电影业于20世纪末开始获得国际上的承认。体育运动是大多数国民的一项主要休闲活动。人们广泛参与大多数主要的运动项目,尤其是英式橄榄球、田径和赛马。1995和2000年新西亚在美洲杯帆船赛中两次获胜。

历史 波利尼西亚人至少在公元1000年或更早的时候,就已占据了新西兰。在18世纪波利尼西亚时代的晚期,各主要岛屿大约住有10万～20万毛利人。

荷兰航海家A.J.塔斯曼率领的一支探险队于1642年12月发现韦斯特兰海岸。他试图登陆南岛,但与毛利人发生了冲突。1769～1770年,J.库克船长环绕两主岛航行并绘制了海图。库克与毛利人的初次接触也发生暴力,但后来的航行和接触则较为和谐。

新西兰的早期欧洲人拓居地是澳大利亚从事捕鲸和其他活动的企业建立的:澳大利亚公司在两岛沿岸建起小规模的捕鲸拓居地。1839～1841年,新西兰成为新南威尔士殖民地的一部分。1840年,毛利人将新西兰主权割让给英国以换取保护和土地所有权的保障。然而移民与毛利人之间的冲突仍时有发生,直至殖民主义者于1847年最终征服毛利人。根据1852年新西兰宪法法案,该殖民地分为6个省,并建立了自己的政府。

由于毛利人不愿出售最好的土地,移民与毛利人之间的关系恶化。1860年,英国军队奉命驱逐居住在有买卖纠纷土地上的毛利人,导致了一场几乎持续10年之久的战争。最后英国军队、国民军和亲政府的毛利人击败了反对出售土地的部族。

19世纪中叶金矿的发现给该殖民地带来繁荣和更多的欧洲移民。然而北岛却因毛利战争而使经济发展受阻。19世纪80年代初冷藏货船的发展使农民能够将黄油、干酪和肉类远销英国,以农业为基础的经济因此而发展起来。

1891～1912年自由党(这段时期主要是由R.J.塞登担任总理)积极推广《社会保障法》(1898),鼓励建立工会(1892～1896)并引进成功的土地政策。1912年,自由党被由W.F.梅西领导的革新党击败,梅西担任总理直至1925年。20年代,革新党政府建立起出口营销代理制,由厂商和政府共主其事,为新西兰的乳制品和其他产品的合作营销组织奠定了基础。在两次世界大战中,新西兰均以军队、羊毛和食品支援英国。第一次世界大战的参与虽带来了外贸的繁荣,但却损失了无数的生命。第二次世界大战的参与则始于1939年派遣军队赶赴欧洲战场。1941年后,新西兰直接受到日本威胁,遂卷入太平洋战争。

1907年,新西兰成为大英帝国的一个自治领;1931年根据《威斯敏斯特条例》该地已被授予自治权,但新西兰直到1947年才正式接受。独立后,新西兰的政府除了短期由工党执政外,主要由国民党控制。自从70年代初英国加入欧洲经济共同体以后,新西兰就必须扩大其外销市场和发展多元化经济。该国在外交关系上也已变得更加独立。

New Zealand, Church of the Province of 新西兰圣公会 基督教安立甘宗的自立教会,由英国圣公会19世纪派来新西兰的传教士建立,信徒是移民的白人定居者,也有当地的毛利族。其他教派的传教机构也在新西兰设立教会,但圣公会仍为最大的教会。大主教驻在克赖斯特彻奇。

New Zealand Company 新西兰公司 (1838～1858) 英国组织向新西兰移民的股份公司。1838年成立,1839年向新西兰派出一支收购土地的远征队。1840年建立惠灵顿和纳尔逊移民区,1841年建立新普利默斯移民区。公司陷入财政困难,1843年公司一些工作人员被杀害,1844～1847年又发生群岛湾战争,使困难更加严重,公司终于在1858年关闭。

New Zealand Labour Party 新西兰工党 1916年成立的政党,由各社会主义的和工会的团体合并而成,包括统一工党(1910年创立)和社会民主党(1913年创立)。该党发展很快,1930～1935年间已成为正式的议会反对党。1935年获53席,以明显多数组成以M.J.萨维奇为总理的第一届工党政府。工党一直执政到1949年(1940年后P.弗雷泽任总理),在这期间,它颁布了许多有关福利的立法,包括社会保障、物价和贸易管制、强制性的工会制度、保护毛利人和其他改革,但是只实行了很有限的社会主义化(如银行和广播事业)。工党在思想上和它的对手国民党的距离已变得狭小和模糊。在以后的35年中,工党在1957～1960年、1972～1975年,以及1984～1990年执政。1990年,工党政府被新西兰国家党政府替代。1993年,工党选举海伦·克拉克作为领导人。1999年,工党组成联合政府,克拉克任总理。2002年该联合政府在大选中再度获胜。

New Zealand literature 新西兰文学 产生于新西兰的口头和书面文学。早在欧洲人移居新西兰约1 000年前,毛利人已住在这里。和波利尼西亚其他各种族一样,毛利人有其口头文学传统,其中包括战歌、哀歌、爱情诗、祈祷文和较完善的神话。部落集合场地曾是(现在仍然是)毛利人将歌词和表演结合起来展示丰富口才的场所。毛利人的传说也是将过去当作现实,将事件描绘成当前发生的事。一些新西兰学者担心毛利文化失传,便尽力记录毛利人的传说。他们已将歌词和吟诵词划分为许多类型,如哀歌、爱情歌、叙事歌、求爱歌或赞歌、为儿童唱的歌、祝贺歌和送别歌等,还有各种不同场合吟唱的吟诵词。在毛利作家开始用英语发表作品的20世纪40年代和70年代之间,很少有作家精通毛利语。自70年代起,许多潜心研究毛利文化的作家开始在新西兰文学史中占据一定地位。

新西兰第一个永久殖民地建于1840年,但是近代对新西兰文学的论述一般将19世纪产生的作品看作英国人在海外的作品。不难理解,早期作品大多是派生物,19世纪最有价值的作品为描写拓荒者经验的自传体叙述文学,如巴克夫人的《定居新西兰》(1870)和曼宁的《老新西兰》(1863)。

新西兰第一位卓越的作家是K.曼斯菲尔德,她虽然一生大半旅居国外,但她许多短篇小说都以儿时理想化的新西兰为背景,包括收集在《幸福》(1920)和《花园宴会》(1922)中的短篇作品。曼斯菲尔德同期的作家J.曼德、W.萨切尔、约翰·李、R.海德和J.马尔根特别受到重视。

B.E.鲍恩是第一位出色的新西兰诗人。20世纪30年代继这位女诗人之后有A.R.D.费尔伯恩、R.A.K.梅逊,A.寇诺和D.格洛弗等诗人。以3卷集自传和多部长篇小说著称于世的F.萨吉森也在30年代开始发表短篇小说。

在20世纪50年代,目前一些世界著名作家崭露头角,其中以J.弗雷姆和S.艾什顿-沃纳最为杰出。其他著名作家有小说家M.沙德博尔特、M.吉、B.皮尔逊、D.巴兰坦和R.H.莫里森以及精力充沛的折中派诗人J.K.巴克斯特。巴克斯特后成为某种受崇拜的英雄。

20世纪后半期的新西兰文学风格追求世界潮流,它的诗意表现出超现实主义、现代主义和男女平等主义倾向。戏剧方面因有B.梅森、M.汤普森、R.霍尔和诗人V.奥沙利文的著名剧作,尤其繁荣。新西兰作家中各种不同风格流派的互相渗透十分显著。

New Zealand National Party 新西兰国家党 新西兰政党,1936年成立,由非工党组织、特别是统一党和革新党合并而成。支持自由市场经济政策,得到郊区和农业地区的广泛支持。革新党全称为新西兰政治革新联盟,是一保守派组织,曾于1912～1928年执政。统一党的前身是自由党,1927年成为统一党,在1928年的选举中出人意外地获得成功,组成以J.沃德为首的政府。1931年统一党和革新党的联合政府成立,在1935年的选举中惨败于新西兰工党。右翼政党的领导人认识到,使保守派复兴的唯一办法就是将其各集团联合起来。于是新西兰国家党于1936年诞生。但是,复兴的过程非常缓慢,直到1949年,新西兰国家党才重新取得政权。1949～1957年、1960～1972年和1975～1984年该党执政。20世纪80年代中期,党内出现分裂,导致在1990年之前,未能再次重掌政权。1990年,在詹姆斯·博尔格的领导下,该党在选举中获胜,一直执政到1999年。该党在1993年分裂,国家党一前部长成立了新西兰第一党。1994年,珍妮·希普利取代博尔格出任总理和国家党领导,因而成为新西兰历史上第一位女总理。1999年,由工党组织的联盟击败国家党赢得大选。

New Zealand Political Reform League 新西兰政治革新联盟 又名革新党,1912～1928年执政。该党以城市商业集团和北岛奶牛业小农为基础,因许诺将土地租赁制改为自由所有制,有利于农民以出售土地获利,从而在1911年大选中获胜。在1912～1925年间,党的领袖W.F.梅西一直担任新西兰总理,曾严厉镇压1912～1913年的罢工。但在20世纪20年代末经济萧条时因党内商业派和农业派互相冲突而严重削弱了实力。1931～1935年革新党与统一党联合执政。1936年正式解散,并入新成立的国家党。

New Zealand red pine 新西兰红松 参阅**rimu** 柏木陆均松。

New Zealand short-tailed bat (*Mystacina tuberculata*) **新西兰短尾蝠** 一种小型蝙蝠,短尾蝠科唯一的种。体长约6～7厘米,尾短,约1.8厘米。毛灰褐色,厚于其他蝙蝠。翼膜紧靠身体,革质。是最喜地栖的翼手类动物,在陆上行动非常敏捷。在森林中可能栖居于树洞、山洞或裂隙内,有时在朽木上挖穴而居。食果实、花蜜、花粉和昆虫等。幼仔生下就睁开眼。

Newar 尼瓦尔人 尼泊尔加德满都谷地占人口半数的民族。他们操藏-缅语系语言,但文化上受印度宗教和社会制度的影响很深。人口约54万。多数尼瓦尔人是印度教徒,但有些人相信印度式的佛教。尼瓦尔人种姓共70个,其体系约与印度种姓制度的体系相同,有婆罗门、刹帝利、吠舍、首陀罗四种瓦尔纳,并有多数贱民。尼瓦尔人从事多种行业,有许多农民,有杰出的零售商,还有高级行政官吏。传统上他们以建筑、手工艺著称。自10～16世纪,绘画、雕刻、制陶、造纸、木雕、冶炼,都曾一度兴旺发达。迄今一种行业便成为一个种姓的专业特长。

Newark 纽瓦克 美国特拉华州北部纽卡斯尔县城市。位于威尔明顿西南偏西。17世纪80年代末形成社区。附近库奇桥是独立战争中本州内唯一一次战事(1777年9月3日)的旧址。在早期纽瓦克有1798年前建造的纸厂。1887年设镇,1951年设市。现生产硫化纤维、混凝土构件、加工食品和装配汽车。设有特拉华大学(1743年创立于宾夕法尼亚州新伦敦,1765年迁至纽瓦克)。人口28 547(2000)。

Newark 纽瓦克 美国新泽西州东北部城市和港口。濒临帕塞伊克河西岸和纽瓦克湾,位于曼哈顿南部以西13千米处。1666年由康涅狄格来的清教徒移民从土著印第安人手里买下土地后所建。拓居地最初起名为皮塞亚克,后改为新米尔福德,第三次或许是以A.皮尔逊牧师家乡名字命名的。此人由英国特伦特河畔纽瓦克来到该地。另有说法认为纽瓦克一名具有圣经意义——新方舟(New Ark)。1682年纽瓦克成为埃塞克斯县县城,1693年设镇。

独立战争后以制革和制鞋著名(约1790年),此行业因S.博伊登的独创发明而获利颇丰。博伊登研究出制作漆皮的工艺(1818),他还被誉为可锻铸铁的发明人(1826)。其他行业开拓者有H.古德温牧师和E.韦斯顿,前者因发明电影软胶片取得专利(1888),后者发明了电流量测仪器(1888)。

因邻近纽约市,该市处于全国最高度工业化和人口最稠密的地区。它是该州最大城市和主要工业中心。工业产品种类繁多,有电子设备、皮革制品、化工产品、纺织品、工业机械和食品。印刷、出版和保险业也占有重要地位。该市还是运输中心和东海岸的主要集散中心。纽瓦克国际机场是世界上最繁忙的机场之一,其服务业务囊括纽瓦克和纽约市两地区。纽瓦克港建于1914年,现由纽约港务局租用并管理。

20世纪50～70年代,纽瓦克居民的外迁从根本上改变了该市种族成分。这种改变在1967年该市被黑人暴乱毁坏后愈加迅速。白人移居郊区使该市黑人比例由1950年的17%上升到80年代的50%以上。1970年第一位黑人市长K.A.吉布森当选后,黑人获得某些政治权利。

该市有新泽西理工学院(1881)、拉特格斯大学纽瓦克分校、塞顿霍尔大学分校(属天主教,1856)、县立埃塞克斯学院(1968)及新泽西内科与牙科学院。市中心附近的军人公园原为殖民地时期的练兵场,现有G.博格勒姆创作的"美国历次战争"青铜雕像群。布兰奇布鲁克公园以其日本樱花而闻名。在C.吉尔伯特所设计的县政府大楼前有林肯总统的座像,亦为博格勒姆之创作。古迹有三一大教堂(1743,独立战争期间曾用作医院)、祈祷堂(教区长石结构住宅已有200年历史)以及荣誉堂(1710)和古老的第一长老会教堂(1791)。

该市知名人士有《汉斯·布林克,又名银冰鞋》(1865)的作者M.M.道奇和诗人E.C.斯特德曼以及《红色英勇勋章》(1895)作者S.克莱恩,还有A.伯尔。综合性的纽瓦克博物馆附近有一座重建的维多利亚式建筑巴兰坦宅邸。1836年设市。人口:市273 546;纽瓦克主要都会统计区2 032 989(2000)。

Newark 纽瓦克 美国俄亥俄州中部城市,利金县县城(1808)。位于哥伦布以东48千米,利金河南、北支流和拉孔河的汇合处。1802年始建。1826年设镇;1860年设市。由于靠近俄亥俄-伊利运河系统,1852年又修通铁路,遂发展成为农业贸易中心。现已发展有以工农业为主的多样化现代经济,包括乳制品、牲畜、谷物、水果、玻璃纤维、铝、车轴及传动系统、照明设备、集装箱及塑料。设有俄亥俄州立大学纽瓦克分校(1957)、中央俄亥俄理工学院(1971)。历史古迹有白金汉大厦(1815)、俄亥俄印第安艺术博物馆等。附近有州立巴克伊湖公园、道威斯植物园、州立燧石岭纪念地等。市西8千米处有丹尼森大学(1831)。人口46 279(2000)。

Newark and Sherwood 纽瓦克-舍伍德 英格兰中部诺丁汉行政、历史郡的区,位于该郡中部偏东,面积654平方千米。从西部的沙质高地(海拔约90米)延伸至东部宽广肥沃的特伦特河河谷,以特伦特河畔纽瓦克镇为中心。贫瘠的高地为奔宁山露出地面的岩层,生长欧石楠,农业有限。还有传说中的舍伍德森林的遗迹,原为一橡树林,现已大部分改种松树。该区煤的生产颇具潜力。20世纪60年代,诺丁汉郡煤田的开采向东延伸至舍伍德森林附近的奥勒顿和比尔斯索帕。70年代末期,特伦特河畔纽瓦克以北的特伦特河谷发现大量煤矿藏。农业是河谷主要的经济活动,种植小麦、大麦、甜菜和饲养乳牛。特伦特河畔纽瓦克是生产球轴承和滚珠轴承及其他机械的中心,也是该区的首邑。特伦特河畔纽瓦克以西16千米的绍斯韦尔堂区(镇)的大教堂(1884),将诺曼晚期、英国初期的建筑风格和哥特式的装饰艺术融合在一起。人口约106 287(2001)。

Newark-on-Trent 特伦特河畔纽瓦克 英格兰诺丁汉郡纽瓦克区城镇。濒临特伦特河。位于古罗马福斯路与大北方(A1)高速公路的交点上。已知最早有人居住是在盎格鲁-撒克逊时代。1055 ～ 1549 年为林肯大主教领地。中世纪时有繁荣的服装业。现为小型机械制造业中心,有多种农产品加工业。圣马利亚(抹大拉的)堂区教堂是英国最精美教堂之一,其建筑可追溯至诺曼时代。其尖塔高达 75 米。区府设在凯尔海姆大厦内。人口35 129(1991)。

Newberg 纽伯格 美国俄勒冈州西北部亚姆希县城市。在波特兰西南,位于威拉米特河谷。1869 年始建。1889 年设市。现为一木材、水果、坚果、纸张和木制品产区的贸易、加工和运输中心。也是造酒业中心。设有乔治·福克斯学院(1885),胡佛总统为该校1888 年首届毕业生。市内有胡佛总统故居。附近有尚波埃格州立公园。人口 18 064(2000)。

Newbery Medal 纽伯里奖章 美国每年颁发给前一年中最优秀儿童读物的作者的奖章。由鲍克出版公司董事长 F.G.梅尔彻设立,以 18 世纪英国首批专门出版儿童读物的出版商之一 J.纽伯里的名字命名。第一枚纽伯里奖章于 1922 年颁发。纽伯里奖章每年在美国图书馆协会的年会上与考尔德科特奖章一起颁发,后者奖给最佳儿童读物插图画的作者。

Newbolt, Sir Henry (John) 纽博尔特 (1862-06-06,英国斯塔福德郡比尔斯顿～1938-04-19,伦敦) 英国诗人,以其爱国诗歌和航海诗著称。曾就学于克利夫顿神学院和牛津大学科珀斯克里斯蒂学院。1887 年林肯律师协会授予他律师称号,此后从事律师工作至 1899 年。歌谣集《全体海军将领》(1897,其中包括激动人心的诗篇《德雷克之鼓声》)的发表确立了他的文学声誉。此后出版了其他一些诗歌,收在《诗集:新与旧》(1912)里。他还编辑过各种诗集,显示了他对诗歌的广泛而不断增长的兴趣。1915 年被封为爵士。1922 年被授予最下级荣誉勋爵称号。

Newburgh 纽堡 美国纽约州东南部奥兰治县城市。位于纽约市以北 93 千米、哈得孙河西岸,与比肯隔河相望。1709 年始有德国移民定居。1800 年设村。1865 年设市。1782 ～1783 年,G. 华盛顿最后一个司令部设在此地。华盛顿在此放弃君主政体,正式

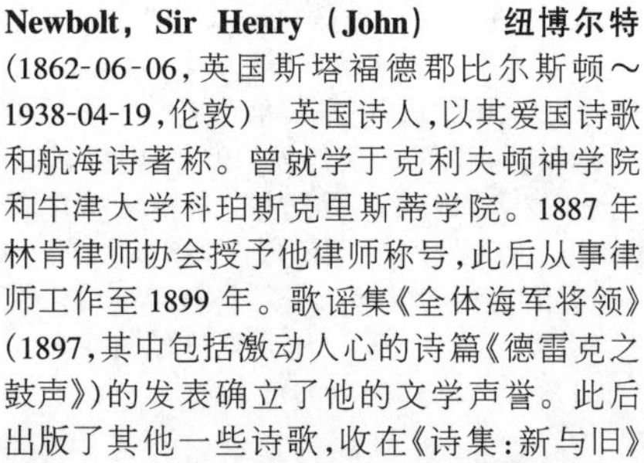

纽堡的 J.哈斯布鲁克故居
美国不列颠百科全书公司供图

解散大陆军。华盛顿的司令部现为州历史纪念地和博物馆。附近有新温沙营房和保存下来的 H.诺克斯将军司令部(1754)。作为沿河港口,它的发展在 19 世纪得益于捕鲸业的繁荣;并成为由宾夕法尼亚向新英格兰运煤的渡口。现工业有造船和纺织、服装、制铝和机械制造。该市为周围乳品和水果产区的集散地。附近有油罐场。设有圣玛丽山学院(1930)。人口约28 259(2000)。

Newburn 纽本 英格兰泰恩-韦尔大都会地区泰恩河畔纽卡斯尔区的城市地区。位于泰恩河畔纽卡斯尔大都市联合体西缘。为住宅和工业区。有 1190 年建的圣米迦勒和众天使教堂。人口42 897(1991)。

Newbury 纽伯里 英格兰西伯克郡单一政区城镇。属伯克历史郡。临肯尼特河和肯尼特-埃文运河。镇内发现多处罗马时期的遗迹,保存有罗马古堡。该镇为内战期间两次重要战役(1643,1644)的战场。内战前为纺织品贸易中心,现有轻工、谷物碾磨、木材加工和小型飞机制造等工业。镇东有英格兰最好的跑马场之一。人口33 273(1991)。

Newbury 纽伯里 英格兰伯克郡一区。面积 705 平方千米。从雷丁区沿肯尼特河两侧向西延伸,北面进至伯克郡丘陵草原,南面进至汉普郡丘陵草原;两片丘陵草原均为白垩构成,海拔 185 ～ 245 米,有山毛榉树丛,种植谷类作物(以大麦为主)。肯尼特河谷地多牧场,普遍饲养奶牛和当地品种伯克郡猪。人口约144 200(1998)。

Newburyport 纽伯里波特 美国马萨诸塞州东北部城市。埃塞克斯县城之一(另两处为塞勒姆和劳伦斯)。位于波士顿东北偏北48千米处,临梅里马克河口。1635年始建。

梅里马克河口畔的纽伯里波特市
美国不列颠百科全书公司供图

1764 年设镇。1851 年设市。早期有渔业、造船业和手工业。独立战争前为繁荣的港口。其雄伟的联邦式建筑现仍有保存,1808 年的库欣大厦现为当地历史学会所在地。因1807 ～1808 年杰斐逊对外国贸易的禁运、1811 年火灾和 1812 年战争而衰落,作为商港的重要性消失。19 世纪 40 年代造船业一度兴旺。1850 年后经济以纺织、制鞋、银器和糖酒业为主。现经济以旅游、电机、制革和服装工业为支柱。市内布朗公园中有废奴主义者 W.L.加里森的塑像。附近有州立索尔兹伯里海滩禁猎区和帕克河国家野生动物保护区。人口17 189(2000)。

Newcastle 纽卡斯尔 澳大利亚新南威尔士州港口和城市。位于悉尼东北面 168 千米铁路线上,濒临亨特河河口。1801 年原为小煤港囚犯流放地。1885年设市。现已发展成

纽卡斯尔港口
《黑星》杂志社供图

为煤和富饶腹地农产品的输出港。钢铁工业现可与煤炭贸易相匹敌。有多种工业,包括冶金、机械、造船、采矿和重要的纺织业。设有纽卡斯尔大学和纽卡斯尔战争纪念文化中心。人口:市约470 610(2001)。

Newcastle 纽卡斯尔 加拿大新不伦瑞克省城镇、诺森伯兰县县城(1786),米拉米希河口附近入口港。1785 年建立,可能以纽卡斯尔公爵、英国首相 T.P.霍姆斯的爵位号命名。城镇随木材、纸浆等的贸易发展起来。有出版商和金融家比弗布鲁克勋爵捐款建造的镇公所、图书馆和公园。1899 年设镇。人口约1 228(2001)。

Newcastle 纽卡斯尔 爱尔兰语作An Caisleán Nua。北爱尔兰唐区(1973 年设立)的城镇,原在唐郡。临邓德拉姆湾,在多纳德山脚下,该山海拔 852 米,是莫恩山脉的最高峰。该城镇为海滨胜地和登山旅游中心。附近托利莫尔国有森林公园(486 公顷)有树木 135种。镇内有轻型机械制造业。新城堡是 1588年建的马吉尼斯要塞。人口7 214(1991)。

Newcastle 纽卡斯尔 南非夸祖鲁纳塔尔省西北部城镇。在德拉肯斯山脉山麓下。英国在纳塔尔的第四个拓居地。1864 年建为地区贸易中心。第一次布尔人战争(1881)和南非战争(1899 ～ 1902)中,其附近有战事。该镇以采煤和钢铁生产闻名。黑人劳动力大多住在邻近的夸祖卢。德班与约翰内斯堡之间公路和铁路干线均经过此镇。人口:镇约38 767;大都会区212 777(1991)。

Newcastle(-under-Lyme), Thomas Pelham-Holles, 1st Duke of 纽卡斯尔公爵(第一) (1693-07-21 ～ 1768-11-17,英格兰伦敦) 即T.佩勒姆-霍利斯、克莱尔侯爵。英国首相(1754 ～ 1756,1757 ～ 1762),乔治一世和乔治二世时期掌握官职任命大权,具有巨大政治影响。1712 年承袭其父的男爵爵位。英格兰最富有的地主,在 12 个郡拥有领地,地租年收入近 4 万英镑。后因协助乔治一世即位,1715 年被封为泰恩河畔纽卡斯尔公爵。1724年起任国务大臣达 30 年之久。1754 年 3 月继其兄任首相。1756 年 10 月因英国在英法七年战争初期溃败而引咎辞职。后又被封为纽卡斯尔安德莱姆公爵。8 个月后与以前的

政敌 W. 皮特组成联合政府，由他出任首相，皮特任国务大臣。1762 年 5 月辞首相职，由乔治三世的宠臣比特伯爵所取代。

Newcastle(-upon-Tyne), William Cavendish, 1st Duke of 纽卡斯尔公爵(第一)（约 1593～1676-12-25，英格兰诺丁汉郡韦贝克）即 W. 卡文迪代。英国内战时期保王军司令，诗人、戏剧家及其他作家的著名赞助人。查尔斯·卡文迪什爵士之子。剑桥大学圣约翰学院毕业。因继承遗产和国王赏赐而积累了大量财富。1620 年受封为曼斯菲尔德子爵，1628 年受封为泰恩河畔纽卡斯尔伯爵。一生中曾赞助过 B. 琼森、J. 谢利、W. 戴夫南特、J. 德莱顿、T. 沙德韦尔、R. 弗莱克诺、T. 霍布斯、P. 伽桑狄、R. 笛卡儿。1642 年查理一世公开宣战后委任他指挥北部 4 郡。他开赴约克解围。1643 年攻占韦克菲尔德、罗瑟勒姆和设菲尔德。同年 6 月在阿德沃尔顿荒原击败费尔法克斯，几乎占领整个约克郡。后又进军林肯郡，占领盖恩斯伯勒和林肯。然后回师围攻赫尔，但他留在林肯郡的军队于 10 月在温斯比被克伦威尔击败。同月晋封为侯爵。翌年苏格兰人向前推进，使他的处境受到更大威胁。他退到约克，受到苏格兰人、费尔法克斯勋爵和曼彻斯特伯爵三方军队的包围。7 月 2 日在马斯顿荒原惨败后，他宣布放弃保王事业，离开英格兰。1644 年 7 月至 1645 年 2 月居住在汉堡。1645 年 4 月移居巴黎。1648 年前往鹿特丹协助查理王子指挥海军。最后定居安特卫普。1650 年 4 月任查理二世的枢密官，主张与苏格兰人达成协议。王政复辟后回到英格兰，重新担任他在查理一世时担任的各种职务。1661 年获嘉德勋位。1665 年 3 月晋升公爵。著有许多论文和几部喜剧，并翻译过莫里哀的《冒失鬼》(1688)。

Newcastle disease 鸡新城疫 又称鸡肺脑炎。禽类的一种严重的病毒性疾病。表现呼吸困难和神经过敏。在热带和亚热带地区死亡率很高，但某些成年患鸡仍可康复。幼鸡对该病特别敏感，病后大多死亡。吐绶鸡患该病后症状多样，但患鸭几无可见症状。无有效疗法，已制成该病疫苗，多次注射可获得良好的预防作用。人可通过处理病鸡受染，但仅表现一过性的结膜炎。

Newcastle-under-Lyme 纽卡斯尔安德莱姆 英格兰斯塔福德行政和历史郡一区（自治市）。该区三面与特伦特河畔斯托克市接壤，面积 211 平方千米。城镇 1173 年设建制，1932 年并入沃尔斯坦顿、克莱顿和基尔（部分），自治城镇扩大。现有采煤、砖瓦制造和机械工业。原北斯塔福德郡大学学院(1949)于 1962 年改为基尔大学。人口：城镇 73 731(1991)；区约 123 300(1998)。

Newcastle upon Tyne 泰恩河畔纽卡斯尔 英格兰泰恩-威尔都会郡城市（区），属诺森伯兰历史郡。位于泰恩河北岸，距泰恩河的北海河口 13 千米。面积 113 平方千米。

历史可追溯至罗马时期。当时在今泰恩桥附近筑有一要塞。1080 年征服者威廉一世之长子罗贝尔二世曾筑一诺曼人城堡，该地由此而得名。12 世纪时，由于地处边防要地，成为扼守通往苏格兰东海岸要道的重镇。1172～1177 年，罗贝尔的城堡被一个巨大的石头城堡（现仍存在）所取代，以保卫泰恩河桥，还筑起高墙将城堡西北面的一小片土地围起。由于有要塞保护，吸引了许多宗教团体和商人来到此地，使该城迅速发展。居民享有许多特许状中给予的自治市的自由和特权，当地成了繁荣的商业中心。最为重要的是羊毛贸易，1353 年纽卡斯尔成为毛织品生产城市。中世纪后期织布业兴旺发达。

以后几个世纪中，纽卡斯尔继续稳定发展。16 世纪当地开采的煤运往需求日益增长的伦敦市场，取代毛织品成为主要出口物产（伦敦依靠从纽卡斯尔海运来的煤，因此出现了“把煤运到纽卡斯尔”这样的讽刺语，意为多此一举）。到 1800 年，纽卡斯尔成为重要的工业和金融中心（1755 年后创办了头几家银行），铁制品制造和玻璃工业迅速发展。泰恩河成为造船业中心，纽卡斯尔的造船厂曾长期为世界最大船舶修理中心之一。尽管 20 世纪后期修船业已衰落，但与其有关的船舶和重型机械制造业仍然重要。现经济以服务业为主。

该地的行政、商业和零售业集中在泰恩河与莫尔镇之间的中世纪古镇。1800 年以来人口的增长已使镇墙之外出现许多中产阶级居住的郊区：北面有戈斯福斯和杰斯蒙德，东面有沃克和希顿，西面有登顿和肯顿。今都会区亦包括几处著名的旧居民点。6 条主要的公路和铁路桥将纽卡斯尔与河南岸的盖茨黑德连接起来，其中最著名的泰恩大桥(1928)是全国主要公路连接点之一。伦敦与爱丁堡之间的铁路通过纽卡斯尔泰恩河上的高架桥(1844～1849)。电控平旋大桥(1865～1876)建于罗马时代和中世纪古桥原址，是当时最伟大的工程成就之一。

圣尼古拉大教堂建于 14 世纪，但 1123 年在原址上曾建过一座教堂。市政厅(1655～1658 年重建)坐落在旧城中心桑德希尔。保存最完好的一段古镇墙位于威斯特盖特大道和加罗盖特之间，紧靠中世纪黑衣修士隐修院废墟。

纽卡斯尔是重要的教育中心。泰恩河畔纽卡斯尔大学成立于 1937 年，当时称为国王学院，由阿姆斯特朗学院和医学院合并而成。1963 年前，这两所学院都附属于达勒姆大学，此后国王学院独立成为现在的大学。市立理工学院、拉塞福理工学院和一所教育学院还提供更多的教育。1600 年成立的皇家中学最初建于亨利 8 世在位期间(1509～1547)。1705 年靠捐资办起戴姆·艾伦学校。

古物博物馆（附属于大学）和古物学会藏有罗马时代和其他重要的考古发现。科技博物馆有该地区工业发展历史的展览。汉考克博物馆保存有几个博物学会的收藏品。莱恩艺术博物馆和哈顿画廊长期展览绘画作品。人口 276 100(1998)。

Newchwang(China) 参阅 **Yingkou** 营口。

Newcomb, Josephine Louise Le Monnier 纽科姆（1816-10-31，美国马里兰巴尔的摩～1901-04-07，纽约州纽约） 美国慈善家，纽科姆学院创办人，该学院是美国第一所与男子学校有联系的经费自给女子学院。富商之女，

美国不列颠百科全书公司供图

大部分时间在欧洲受教育。1831 年母亲去世后不久家境衰败，与父亲在路易斯安那州新奥尔良生活。1845 年嫁与杂货批发商 W. 纽科姆。1866 年丈夫去世，留下大笔财产。1870 年女儿索菲亦病故。敏锐的经商意识使她得以增加自己的财富，她将大笔财富捐赠弗吉尼亚州列克星敦的华盛顿与李大学、南卡罗来纳州查尔斯顿的邦联孤儿院以及其它机构。1886 年 10 月，经朋友建议，向新成立的新奥尔良图兰大学捐款 10 万美元创建索菲·纽科姆女子纪念学院。纽科姆学院于 1887 年 9 月开学，后被证明是美国第一所成功地与男子学院有联系的自给自足女子学院。以后几年中，她对该学院的捐赠共约 100 万美元。1901 年去世时，其遗嘱指定将约 250 万美元遗产赠与纽科姆学院。

Newcomb, Simon 纽康 （1835-03-12，加拿大新斯科舍华莱士～1909-07-11，华盛顿[哥伦比亚特区]） 可能是美国 19 世纪最伟大的天文学家。7 岁时就学会开立方，但早年受正规教育甚少，16 岁在加拿大新不伦瑞克省索尔兹伯里跟一个庸医当学徒，二三年后弃医赴美，到美国马里兰州他父亲处。在华盛顿市的一些图书馆中，他尽情博览群书。在涉猎许多科技领域以后终于确定自己的才能在数学方面，对《美国天文年历》尤感兴趣。旋即申请在美国航海编历局工作，1857 年在马萨诸塞州剑桥成为一名计算员。同时在哈佛大学上学，1858 年毕业。1861～1877 年任美国海军数学教授，并被派到美国海军天文台工作了十多年。他在该台用子午仪（最后两年改用一台新的、口径 66 厘米的折射望远镜）确定天体位置。1877 年领导美国航海编历局，开始从事计算太阳系天体运行的繁重工作，直到 1897 年被授予海军少将的特殊荣誉而退休时为止。他是美国天文学会的奠基

人之一和该会第一任会长(1899～1905)。他还是45个外国学会的会员,欧洲10所大学和美国7所大学曾先后授予他名誉学位,荣获过英国皇家天文学会金质奖章、荷兰科学

美国不列颠百科全书公司供图

学会惠更斯金质奖章、皇家学会科普利奖章、太平洋天文学会布鲁斯金质奖章、圣彼得堡帝国科学院舒伯特奖金、霍普金斯大学西尔威斯特奖金。1869年当选为美国全国科学院院士,1881～1883年任科学院内务秘书,1883～1889年任副院长,1903年起任科学院外事秘书直至逝世为止。他的主要著作被收录于《美国编历局论文集》中,在头9卷近4 500页(四开本)的36篇文章中,他独撰或为主要作者的就有25篇,几乎全世界都用其中的太阳、水星、金星、火星、天王星和海王星的表来计算这些天体1901～1959年的每日位置,以及1959年以后的太阳、水星、金星和火星的每日位置。他影响最深远的是他与A.M.W.唐宁共同开创全世界统一的天文常数系统。1896年5月在巴黎举行的美、英、法、德各国编历天文台台长会议上作出决议,自1901年起,所有天文历书均采用统一的、基本上是纽康的常数系统。1950年在巴黎召开的类似会议上也一致作出结论:就实用而言,1896年采用的天文常数系统比其他常数系统更好。

Newcomen, Thomas　纽科门(1663,英格兰德文达特茅斯～1729-08-05,伦敦)　英国工程师和发明家。他发明的常压蒸汽机是瓦特蒸汽机的前身。鉴于科尼什锡矿用畜力排水代价太高,于是他同助手J.卡利一起用了10年多的时间试制成一台蒸汽泵,比T.萨弗里简陋的水泵优越得多。纽科门机器的压强不受限于蒸汽压强,当蒸汽凝结,在汽缸里形成真空时,则由大气压强将活塞推下。由于萨弗里已在1698年取得发明水泵的主要专利,纽科门无法为自己的机器申请专利,因此他和萨弗里合作。有记载的第一台纽科门蒸汽机是1712年在斯塔福德郡的达德利堡附近安装的。为了在汽缸里造成真空,纽科门发明了内凝喷嘴和自动阀动装置。利用相当于大气压的蒸汽,他保持材料在其工作极限以内。纽科门的机器多年用于矿井排水,也用来提水以推动水车。

newel　楼梯端柱　楼梯在起步、转角及尽端处的立柱,用以固定扶手。遮盖和联结踏板侧边的楼梯斜梁侧板常嵌入立柱内。立柱与楼梯本身采用同一材料(木材、石或金属),可以仅具结构功能,也可施以华丽的装饰,如在伊丽莎白风格或詹姆斯风格建筑中。英语newel一词原指盘旋式或圆形楼梯的中央立柱,没有中柱的盘旋式楼梯称为无中柱旋梯。哥特式建筑中的伞状拱顶,其中央立柱也称newel。

Newell, Allen　纽厄尔(1927-03-19,美国加利福尼亚旧金山～1992-07-19,美国宾夕法尼亚匹兹堡)　美国计算机科学家,人工智能(AI)学科的先驱之一。第二次世界大战中在海军服役两年,1949年在斯坦福大学取得物理学学士学位。在普林斯顿大学继续攻读数学一年,1950年进入位于加利福尼亚州圣莫尼卡的兰德公司。在兰德公司他运用运筹学和博弈论的数学技巧来研究行政组织,并同美国空军合作模拟一种早期雷达预警监控站。1952年兰德公司因他的研究成果建立了系统研究实验室,他因此开始了与兰德公司在组织分析领域的顾问H.西蒙之间的长期合作。两人不久就讨论用计算机来检验人类解决问题的技巧。1957年纽厄尔获得卡内基理工学院第一个人工智能博士学位。1956年两人和另一位同事C.肖推出最初的人工智能程序之一,即"逻辑理论家"。它能够解决一般的逻辑问题。他们还发明了信息处理语言(IPL),用于编制人工智能程序。他们的下一个项目是"通用解题程序"(GPS),1957年首次运行。1961年纽厄尔离开兰德公司任卡内基教授,在那里参与了创办美国最早的一批计算机科学系之一。1972年同西蒙一起断言人类认知的本质就是从目标向次目标的不断反复推敲,直到最终得出一个结论。纽厄尔是美国人工智能协会的创始人兼首任主席(1979～1980)。1975年获图灵奖,1992年获国家科学奖章。

Newfoundland　纽芬兰狗　在纽芬兰培育的使役狗。可能由当地品种与17世纪巴斯克渔民带到北美的比利牛斯大狗杂交而育成。以能营救落海的人而著名。体大,性温

纽芬兰狗
美国不列颠百科全书公司供图

驯,有耐心。体高66～71厘米,体重45～68千克。后肢强大,肺活量大,脚大而有蹼,被毛厚而含油,故善游泳,能抗寒冷。典型毛色为纯黑色、棕色和灰色;兰西尔纽芬兰狗因曾画过此品系的画家埃德温·兰西尔爵士而得名,通常为黑白相间。纽芬兰狗除作为营救狗外,还用作看门狗、伴侣狗及挽狗。

Newfoundland and Labrador　纽芬兰-拉布拉多　加拿大大西洋四省之一,伸入北大西洋,构成北美洲的最东端。南部为纽芬兰岛,北部为大陆拉布拉多地区,中隔贝尔岛海峡。拉布拉多西部和南部与魁北克接壤,面积占全省将近3/4。参差不齐的海岸线长逾2.32万千米,有一些世界上最优良最广阔的渔场,这便是大岸滩。该省位置扼北美洲与欧洲之间交通要冲,战略地位重要。省会圣约翰斯。全省面积405 212平方千米。人口约519 600(2003)。

该省主要由纽芬兰岛和拉布拉多两个部分组成。纽芬兰岛面积108 860平方千米,最初由印第安人和因纽特人(爱斯基摩人)居住。纽芬兰岛北部由考古发掘发现有大约公元1000年时的北欧海盗遗迹,表明他们是最早到达该地的欧洲人。但欧洲人正式发现它则是在1497年,此年J.卡伯特到来并宣布该岛为英国所有。英国人历来视岛上渔场为母国保留地,不鼓励移民,这样纽芬兰岛的发展便同加拿大其他地区分离,直到1824年英国任命驻岛总督和行政会,最终承认纽芬兰为英国殖民地为止。1832年当地民众骚乱导致民选议会成立。至19世纪末,以爱尔兰罗马天主教徒为主的劳工阶级和以新教徒商人及渔民为主的中产阶级已经在纽芬兰发展起来。1907年E.莫里斯领导的人民党及1908年W.科克尔领导的渔民保护联盟相继成立,实行了激进的社会政策。

拉布拉多面积294 330平方千米,经与加拿大长时间谈判后,于1927年成为纽芬兰一部分。20世纪30年代,业已处于困境的纽芬兰经济受到大萧条的冲击,为解决财政困境,英国遂任命一委员会接管了政府。1949年纽芬兰作为一个省加入加拿大联邦。2001年更名为纽芬兰-拉布拉多省。

纽芬兰岛与拉布拉多为地文不同的两个地区。前者地理上属北美洲阿巴拉契亚山脉一部分,后者则为加拿大地盾一部分。冬季寒冷,但不严酷(拉布拉多北部除外,该部分属亚极带);夏季温和凉爽,但多受到横越加拿大至大西洋海岸的中纬暴风雨的袭击,大岸滩及沿海南部和东南部常有浓雾。

全省除拉布拉多北部的冻原地带、高海拔的不毛地区和沿海一些地方以外,均为森林所覆盖。主要树种为胶枞和黑云杉一类的针叶树。境内大部分地区,特别在岛上,针叶树中混有纸桦和蚕桦类落叶树种,亦有各类硬木灌木丛。最茂密森林生长在渗水性好的深土地带,如拉布拉多长岭山脉东坡。野生动物资源丰富,有麋、驯鹿、黑熊、北极熊和各种海豹等。在北部针叶林和冻原地带多有小毛皮兽。诸岛及沿海地区多有大群海鸟。鲸现已受到保护,夏季常见。

居民种族单一,人口中英裔和爱尔兰裔约占95%,法裔不到3%。三个最大的宗教派别为天主教、圣公会和加拿大联合教会。

20世纪初,在拉布拉多西部发现大铁矿后,采矿业成为该省主要行业。在此之前大岸滩的捕鱼业(主要捕鳕鱼)实际是境内唯一行业。19世纪末,林业亦开始兴起。水产业虽

已被作为地方财富来源的采矿业和林业所超越，但仍拥有最大数量的劳力，依然是沿海村镇的主要经济支柱。传统捕鱼为近海作业，捕到的鱼由小型家用设备加工后上市。如今利用现代化拖网船离岸捕捞，并将鱼送到沿海的大型冷冻厂保鲜。但20世纪末期，北方鳕鱼资源枯竭，为该省经济带来不利影响。

19世纪80年代，从圣约翰斯至钱纳尔-巴斯克港铺设一条窄轨铁路，但现已被废弃。境内目前有一条从拉布拉多至圣劳伦斯湾的单线货运铁路。纽芬兰岛公路四通八达，但拉布拉多大部分地区仍无公路。该岛去大陆可乘汽车和客运轮渡。省内有数条航空线。

众多的水力发电资源对该省工业发展举足轻重，在丘吉尔瀑布区（拉布拉多境内）有世界上最大的水力发电站，为魁北克及间接为美国东北地区供电。

纽芬兰-拉布拉多宪法以1867年通过的《英属北美法》为基础。它规定设立代理总督，由加拿大总督任命并代表英王室，以及由全民普选产生的一院制议会；多数党领袖出任总理，并从议会选出行政会。地方政府发展缓慢。1888年圣约翰斯选出首届市政府，而第二届市政会则到1938年才产生。

纽芬兰-拉布拉多的封闭状态使省内各学校的宗派意识长期延续。1969年联邦政府将各学校区合并统一。公立小学和中学至11年级实行免费强制义务教育。亦有省府所属的无宗派的职业学校，技术学校和商业学校。圣约翰斯的纽芬兰纪念大学成立于1925年，已成为加拿大最大高等学府之一。

由于该省相对封闭，17世纪西部乡村语言及其他英国方言至今仍保留。大量民间音乐和民间故事亦被说书人及吟游诗人保留下来。

Newhall, Nancy　纽霍尔（1908-05-09，美国马萨诸塞林恩～1974-07-07，怀俄明杰克逊）　美国女摄影评论家、自然资源保护论者、影集编辑，在把摄影作品集发展为一种艺术形式方面作出了贡献。曾在史密斯学院就读，并加入纽约市艺术学生联合会。其摄影生涯开始于1943年，当时她代替在军中服役的丈夫出任纽约市现代艺术博物馆摄影部代理主任。其夫是一位摄影历史学家和摄影部的创始人。她所编著的22本影集中包括：《在新英格兰的时光》（1950年，照片为斯特兰德所摄）和《安塞尔·亚当斯传》（1963）。她与亚当斯长期合作，编著了一部著名摄影集，即《这就是美国的大地》（1961），成为自然资源保护主义的里程碑式的经典之作。该影集以她所首创的“特大型”版式出版，被认为是她的主要作品。

Newham　纽汉　英格兰大伦敦都会区的外围自治市，面积36平方千米。东濒罗丁河，南临泰晤士河，西傍利河。东、北两部以住宅区为主。南部的泰晤士河岸工业区以皇家码头为主。有机械、面粉及其他制造业等工业。有几条公路干线从市内向东穿过该自治市。人口约243 737（2001）。

Newhaven　纽黑文　英格兰东萨塞克斯行政郡刘易斯区一堂区（城镇）。属萨塞克斯历史郡。濒临乌斯河口。1570年大暴风雨使乌斯河下游改道，入海口自锡福德西移，此后纽黑文发展起来。其港口是横渡英吉利海峡至法国迪耶普的轮渡终点站。有轻工、造船和旅游业。人口约11 208（1991）。

Newhouse, S(amuel) I(rving)　纽豪斯（1895-05-24，纽约市～1979-08-29，纽约市）　美国报纸发行人。他拥有的报系在美国居第3位，总发行量为300余万份。除31种报纸以外，还拥有7种杂志、5个电台与15个电缆电视系统。他年仅17岁时，在新泽西州贝荣充当拉扎勒斯的雇员，拉扎勒斯收购了一份即将倒闭的报纸——《贝荣时报》，将其交给纽豪斯管理。纽豪斯在争取更多的广告与更大的发行量的同时降低成本，4年之内，报纸兴旺，他每年薪金3万美元。1922年他开始购买不景气的报纸，并运用同样方法使其获利。1922年以9.8万美元购得《斯塔滕岛前进报》；他又以该报的利润，购得纽约、新泽西和宾夕法尼亚的其他报纸。1976年他以3.05亿美元购买密歇根州的8种报纸，是美国当时最昂贵的报纸交易。他不为报纸规定编辑方针，当地编辑可自由表达政治观点。1959年购得康德·纳斯特出版公司出版的杂志，有《时装》、《家园》、《魅力》等多种。他创立纽豪斯基金会，捐款在锡拉丘兹大学设立纽豪斯大众传播学校，在拉特格斯大学设立纽豪斯法学中心，并在纽约创建以其妻名命名的M.E.纽豪斯剧院。

Newington　纽因顿　伦敦萨瑟克自治市一区，在滑铁卢站东南，伯蒙德西之西。19世纪发展为市郊居住区，建成若干条公路与铁路后成为泰晤士河以南的交通枢纽。交叉路口环路的附近有大都会会堂、伦敦印刷学院和火车站。第二次世界大战空袭伦敦时被毁，20世纪60年代大规模重建。

Newlands, John Alexander Reina　纽兰兹（1837-11-26，伦敦～1898-07-29，伦敦）　英国化学家。他的“八行周期律”指出了化学性质相似的元素的原子结构模式，对周期律的发展做出了重大贡献。他曾在伦敦皇家化学学院学习。1860年参加G.加里波第的志愿军为意大利的自由而战。后来成为工业化学家。1864年，他把当时已知的各种化学元素按原子量的顺序排列，发表了这些元素的周期性的概念。他指出，在这种排列中，每逢第八个元素就有相似之点，并提出这种周期性与八度音程相似。他这样解释“八行周期律”，最初被人忽视或嘲笑，后来，在现代化学理论的重要概括中有了地位。他的各种论文被收入《论周期律的发现》（1884）一书中。

Newman　纽曼　澳大利亚西澳大利亚州西北部的矿业城镇，位于奥夫萨尔米亚山脉最高峰纽曼峰（1 053米）附近。城镇名和山名都是纪念1896年在该地区探险殉身的A.W.纽曼。1967～1969年间，纽曼峰矿业公司建立该镇，作为在附近惠尔巴克峰开发铁矿的住宅区和服务中心。1975年种植约6万株灌木和乔木，以改善本地不良的环境。1979年建成一座铁矿石预处理厂。至20世纪80年代，每年约输出2 000万吨矿石，由铁路运往西北部，经赫德兰港出口。州首府珀斯位于本镇西南约1 120千米，有公路可通。人口5 627（1991）。

Newman, Arnold　纽曼（1918-03-03，纽约市～2006-06-06，纽约）　美国摄影家，以拍摄名人肖像为专长。其特点是将名人与其工作或性格相关的物品一起拍下来，称为“氛围式”肖像。纽曼从事摄影是受童子军小队长B.罗斯（后为著名摄影家）的启发。纽曼原习绘画，因受经济大萧条影响被迫从迈阿密大学辍学，在一家照相馆就业。后到费城，在费城博物馆附设工艺美术学校进修，从师A.布罗多维奇。同时靠拍摄室内人像为生。1941年6月他与罗斯一起举行首次影展。他的声誉日隆，作品获得国际好评。最著名的作品有M.恩斯特、A.施蒂格利茨和G.奥基夫、P.毕加索、L.B.约翰逊以及J.科克托等人的肖像。

Newman, Barnett　纽曼（1905-01-29，纽约市～1970-07-03，纽约市）　美国抽象表现派画家。创造以色彩为主的简练风格，用充满画面的单一形象来保持画面完整性。曾在

美国不列颠百科全书公司供图

艺术学生联合会和纽约市立学院（1927）学习，在萨斯喀彻温（1959）大学（加拿大）和宾夕法尼亚大学（1962～1964）任教。他和巴齐奥特、马瑟韦尔以及罗思科等人一起成立“艺术主题”画派（1948）。1950年在纽约首次举行个人展览。1966年其组画14幅耶稣受难像在纽约市古根海姆博物馆展出。

Newman, John Henry　纽曼（1801-02-21，伦敦～1890-08-11，英国沃里克伯明翰）　19世纪有影响力的教会人士和学者，他先领导圣公会内部牛津运动，后成为天主教会枢机助祭。幼年受福音派教育，后入牛津大学三一学院，1822年成为牛津奥里尔学院院士；1825年任阿尔本学院副院长，1828年任牛津圣马利亚教堂牧师。1833年英国圣公会内兴起高教会运动，通称牛津运动，其宗旨是在英国宗教传统中强化天主教的因素，并整顿圣公会。他主编《时代书册》，亲自撰写其中24

种,但是所著的其他书,对牛津运动的影响尤其重大,其中《论教会的先知职责》(1837)是权威的小书册派教义;《大学宣道集》(1843)是阐述宗教信仰原理的经典文献;《教区讲道

美国不列颠百科全书公司供图

和一般讲道文集》(1834～1842),向全国揭示牛津运动的原则。纽曼认为,圣公会才是真正的公教会,它既不同于天主教会,也不同于他听说的通俗新教,因为它坚持古代教父统一的教会所传的教义。自1834年以后,他这种中间派态度被人斥为贬低宗教改革的意义。由于他一再受到指责,甚至一些追随者也对他不满。纽曼日益深居简出,丧失自信,而且逐渐怀疑圣公会是真正的公教会。1843年9月辞去牛津圣马利亚教堂牧师职务,一星期后在利特尔莫尔教堂最后一次以圣公会牧师身份讲解教义。1845年10月在利特尔莫尔教堂加入天主教会。纽曼在罗马受祝圣,经过一番周折于1848年在伯明翰建立讲道所。天主教会内部较为严格的人士对他有所怀疑。1852～1853年纽曼以诽谤脱离多明我会的阿奇利而被定罪,后来被派去爱尔兰任新成立的都柏林公教大学校长,在当时情况下,无法执行职务。纽曼在主编天主教《漫谈》月刊时的举措以及他参与阿克顿勋爵鼓励天主教徒研究评注《圣经》的行为,使他背上更多的嫌疑,最后纽曼与英国天主教枢机主教曼宁决裂(曼宁本人也曾是小书册派,后来改奉天主教,任威斯敏斯特大主教)。纽曼所著《与信徒谈信仰》被人汇报给罗马教廷指为异端。纽曼正在因经受这些打击而感到没有出路时,1864年金斯利无端抨击他的道德说教,这一举动倒使纽曼得以摆脱困境。金斯利实际是质问他,作为圣公会教士,他的行径是否诚实。纽曼遂发表《为自己的一生辩护》一文,历述自己宗教信仰变化的经过,受到天主教内外人士的赞誉。1879年,教皇利奥十三世任命他为韦拉布罗的圣乔治教堂枢机助祭。

Newman, Paul　纽曼 (1925-01-26,克利夫兰～2008-09-26,康涅狄格韦斯特波特)　20世纪后半期极富魅力的美国电影演员和导演。1949年从俄亥俄州的凯尼恩学院毕业,1953年在百老汇舞台上扮演角色。1955年进入电影界,在《回头是岸》(1957)中刻画的拳击手洛奇·格雷齐亚诺把他推向明星宝座。他出演的主要影片包括《漫长的炎夏》(1958)、《原野铁汉》(1963)、《虎豹小霸王》(1969)、《骗子》(1973)以及《大审判》(1982)等。在6次获得奥斯卡奖提名,并获得终生成就奖后,纽曼终于因《金钱本色》(1986)一片获奥斯卡最佳男主角。后又因《大智若愚》(1994)和《毁灭之路》(2002)两次获得提名。1982年,开办了自己的食品公司,并将公司利润投入慈善事业。他的表演轻松自如,精湛的演技使他能扮演各种角色,其中很多是善于冷嘲热讽的孤僻的理想主义者。后导演并制作了几部影片,如《巧妇怨》(1968)。

Newman, Randy　纽曼 (1943-11-28,美国加利福尼亚洛杉矶～　　)　全名Randall Stuart Newman。美国作曲家、钢琴家、创作歌手。其具有特色、讽刺、而且往往幽默的作品深受观众的喜爱和评论家的赞许。少年时期在新奥尔良和洛杉矶度过,后进入加利福尼亚大学学习作曲,毕业后创作歌曲。作为歌手,20世纪60年代末和70年代初发行的唱片销量不多。在1972年推出的《远航》和1974年的《老男孩》中,他把以钢琴为主的新奥尔良韵律,"胖子多米诺"和"长发教授"的节奏与布鲁斯风格融入到G.格什温的流行音乐传统。其具有讽刺意味的歌曲中所蕴涵的深刻情感和社会正义得到了评论家们肯定,但往往被多数普通听众所曲解。1977～1999年先后推出多张专辑,而在演唱的同时,还为电影创作了许多极其成功的配乐和歌曲,包括著名的《拉格泰姆》(1981)、《大自然》(1984)和《玩具总动员》(1995)。曾经获得16次奥斯卡提名,2002年终于以为动画片《怪物公司》创作的歌曲《如果我失去你》首次获得奥斯卡音乐奖。

Newmarket　纽马基特　英格兰萨福克行政、历史郡福雷斯特-黑思区一城镇。位于距伦敦110千米的白垩丘陵地。是赛马总会所在地。赛马活动始于詹姆斯一世(1603～1625在位)时代。该地也以在其荒野训练赛马而闻名。1634年查理一世在此设立第一个赛马奖。1967年伊丽莎白二世创办国家种马场。现该地每年举办大型种马交易会。设马科动物研究中心。全区均为白垩丘陵地,有其独特的动、植物。西北部的威肯沼泽是属于国家托管会的自然保护区。人口16 947(2001)。

Newport　纽波特　英格兰怀特岛郡城镇。属汉普历史郡。位于该菱形岛中央附近,麦地那河口湾顶端。距考斯地区的河口8千米。1177～1184年被授予成立自治城镇的第一个特许状。1608年设自治城镇。由于其贸易设施,成为该岛首府。现为岛上的农业中心。镇郊的帕克赫斯特是全国防御最严密的监狱。人口22 957(2001)。

Newport　纽波特　美国阿肯色州东北部城市,杰克逊县城。濒临怀特河。建于1870年(当时其北面杰克逊波特的镇民不愿通铁路及架桥遂改建于此)。1875年设建制,成为新港。1892年取代杰克逊波特成为县城。后为怀特河流域农产品加工转运中心。有河贝打捞业。市东北原军用机场现为工业区。人口7 811(2000)。

Newport　纽波特　美国肯塔基州城市,坎贝尔县县城(1796)之一(另一为亚历山德里亚)。位于俄亥俄河畔,与辛温顿毗邻,与辛辛那提隔河相望。1790年始有人定居。1795年设村。1835年设市。19世纪50年代,肯塔基唯一的反奴隶制报纸《自由南方》在此出版,19世纪80和90年代,随着德国移民流入和通往辛辛那提桥梁的竣工,纽波特有很大发展。当地的钢铁工人曾举行长达7年(1921～1928)的罢工。工业有钢铁、服务业、食品加工和酿酒等。1999年,纽波特水族馆开放。人口约16 243(2003)。

Newport　纽波特　美国俄勒冈州西部城市,林肯县县城(1954)。位于太平洋亚奎纳湾北岸。1855年始有人定居,为渔村。1866年后发展成为海滨休养地,与旧金山通汽轮。1882年设市。现为附近托莱多的伐木业服务,建有鱼罐头厂、船厂和旅游设施。设有俄勒冈州立大学海洋科学中心。亚奎纳湾入口处矗立有亚奎纳角灯塔(建于1873年,1966年已实现自动化)。旧亚奎纳湾灯塔(1871)已辟为亚奎纳湾州立公园中的博物馆。人口9 532(2000)。

Newport　纽波特　美国罗得岛州纽波特县城市和入口港。位于纳拉甘西特湾内,罗得岛南端。城市建在港口西侧、海拔76米的山坡和高地上。1639年始建,因是良港,迅速发展成北美殖民地最繁荣的海港之一。早期经济得益于三角贸易(非洲—西印度群岛—新

纽波特市的布雷克斯别墅(1895),海边有世界闻名的"峭壁步行道"
美国不列颠百科全书公司供图

英格兰之间)。1727 年 J.富兰克林创办印刷业,1758 年他又创办《纽波特信使报》(至今仍为周报)。1784 年设市。1787 年改为镇,1853 年又改为市。独立战争期间被英军占领。南北战争之后成为避暑胜地。有 1895 年文艺复兴式建筑。1900 年以前与普罗维登斯同为该州首府。大部分居民现在设在该地的海军通信站、海军水下系统中心等美国海军机构工作。有制造电气仪表、电器和电子装置等工业。政府服务和旅游业是经济的重要组成部分。殖民时期的许多建筑物至今犹存,如旧殖民地大厦(1739)、三一教堂(1726)、图罗犹太教会堂(1763)、纽波特军事博物馆(1741)等。老城区有殖民时期豪华的商人住宅,有些已辟作博物馆。图罗公园内有旧石磨遗迹。该城有美国名人草地网球馆及网球博物馆(1954),主办美国杯快艇赛。1951 ~ 1971 年举办爵士乐节。每年 7 月举办室内乐及舞蹈节。人口约26 136(2003)。

Newport　纽波特　美国佛蒙特州北部城市,奥尔良县县城。在门弗雷梅戈格湖南端,邻加拿大边界。1793 年开始有人居住。1802 年设镇。1816 年称现名。1918 年设市。现为进口港,有铁路与加拿大太平洋铁路相接。为商业中心和旅游胜地。四周是广大的乳牛饲养区。轻工业产品有服装、木器和塑料。人口5 005(2000)。

Newport　纽波特　威尔士语作 Casnewydd。威尔士蒙默思历史郡的城镇、工业海港和郡级自治市。位于布里斯托尔湾的阿斯克河口。中世纪为自治市,1126 年左右所建的城堡已成废墟。19 世纪,因附近煤田工业化而成为要地。1839 年爆发宪章派群众起义,至今西门旅馆的柱子上仍可看到弹痕。1913 年以前因煤炭贸易而繁荣,1964 年煤炭贸易已转移到巴里港口。自此后,城镇工业多样化起来,有钢和铝加工、造纸、机械和化学等工业。新进口品有木材、茶叶和汽车。1959 年,由于东面建起斯潘塞钢铁厂,成为英国最重要的炼钢中心之一。码头附近的河上有一座高 75 米的桥式输送装置;1964 年修建的公路桥是英国第一座缆索悬臂桥。纽波特区成立于 1974 年,位于布里斯托湾北侧,面积 191 平方千米。其主要历史名胜为卡利恩镇(军团城市)。从公元前 4 世纪至公元 75 年,此处为罗马第二奥古斯都军团的主要要塞。公元 80 年建一圆形剧场,后来被称为亚瑟王的圆桌。该区有极佳的铁路和公路通伦敦、英格兰东南、中部和北部以及南威尔士其他地区。人口:市115 522(1991);区约139 200(1998)。

Newport Beach　纽波特比奇　美国加利福尼亚州南部奥兰治县城市。位于长滩以南,濒临纽波特湾。1873 年建为木材集散站。1892 年规划为纽波特。1906 年设市。后以当地游艇设施、垂钓场所和海滩为基础发展起来,成为洛杉矶和长滩两市的住宅区。现有以航天电子工业为主的轻工业。湾内有几座小岛,该市有许多码头,是主要游艇活动中心。市东北有设于欧文的加利福尼亚大学。有纽波特港口艺术博物馆(展出美国现代艺术)。人口70 032(2000)。

Newport News　纽波特纽斯　美国弗吉尼亚州东南部独立市和入口港。在汉普顿锚地和詹姆斯河北面。与朴茨茅斯、汉普顿和诺福克构成汉普顿锚地(**Hampton Roads**)港。1621 年有人定居。1880 年被选作切萨皮克—俄亥俄铁路系统的运煤港后发展起来。1882 年进行城市规划。1886 年纽波特纽斯造船和干船坞公司建立,促进了当地的繁荣。该公司现为世界上最大的最完备的造船厂之一,曾制造豪华的邮轮、航空母舰和发射导弹的核动力潜水艇。两次世界大战中该城均为重要的补给和装载港。1896 年建市。1952 年脱离沃威克县管辖成为独立市;同年沃威克县建市,1958 年二市合并仍称纽波特纽斯市。港口设施可装卸大量煤炭、矿石、液体货和杂货。工业制成品有纺织品、纸张、航空和电子设备以及石油产品等。市内有航海博物馆(1930)、弗吉尼亚战争纪念博物馆、半岛自然与科学中心和克里斯托弗纽波特学院(1960)等。人口:市180 150;诺福克-弗吉尼亚比奇-纽波特纽斯都会统计区1 569 541(2000)。

Newquay　纽基　英格兰康沃尔行政、历史郡雷斯托梅尔自治市大西洋岸一城镇。几乎完全是一个现代化的海滨胜地。从 19 世纪中叶由一个渔村发展起来。坐落在悬崖上,下

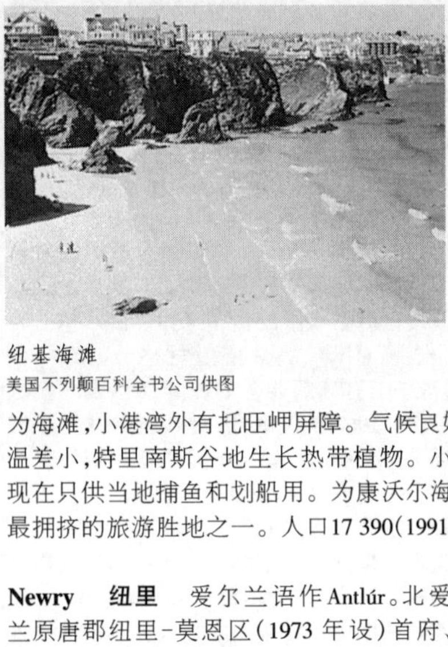

纽基海滩
美国不列颠百科全书公司供图

为海滩,小港湾外有托旺岬屏障。气候良好,温差小,特里南斯谷地生长热带植物。小港现在只供当地捕鱼和划船用。为康沃尔海岸最拥挤的旅游胜地之一。人口17 390(1991)。

Newry　纽里　爱尔兰语作 Antlúr。北爱尔兰原唐郡纽里-莫恩区(1973 年设)首府、城镇。临克兰赖河和纽里运河,近卡灵福德湖(小海湾)和莫恩山。城镇在西多会隐修院附近发展起来。1578 年在镇内建起的圣帕特里克教堂是爱尔兰的第一座新教教堂。为多罗莫天主教主教驻地。建有圣帕特里克和科尔门大教堂(1825)。工业包括麻、棉纺织品和防水服生产以及食品加工,花岗岩开采等。人口21 633(1991)。

Newry and Mourne　纽里和莫恩　北爱尔兰一区。1973 年设立。东濒爱尔兰海,西和南邻爱尔兰共和国。面积 890 平方千米。境内多山,纽里运河(1730 ~ 1741 建)将全区分为东西两部分。生产马铃薯、燕麦和牲畜等。有石灰岩和花岗岩开采业。许多葱郁的山坡被辟为游览区。区行政中心为纽里镇,有纽里河通爱尔兰海。人口约82 288(1991)。

news agency　通讯社　又作 press agency, press association, wire service 或 news service。在一国或世界各地采访、编写和播发新闻,供报纸、刊物、广播电台、电视台、政府机构和其他用户采用的组织。它本身不刊行新闻,而是将新闻供应给订户,这些订户通过共同负担费用来得到各种服务,它们除此以外没有其他办法获得这些服务。所有大众传播媒体都依赖通讯社获得大部分新闻,即使少数自己拥有广大新闻采访力量的媒体也不例外。

通讯社有各种形式。在一些大城市里,报纸和广播电台、电视台把力量联合起来,以获得来自警察局、法院和政府机构等的日常新闻报道。全国性的通讯社扩大报道范围,采访和播发股票市场牌价、体育比赛结果和选举情况报道。若干通讯社将它们的业务扩大至国际新闻。业务已发展至包括新闻解说、专栏、新闻图片、供电台广播用的录音节目和供电视新闻报道用的录像带和影片。许多通讯社是合作组织,第二次世界大战后的趋势也朝着这个方向发展。在这种组织形式下,各个会员从自己的活动地区,提供新闻给集稿中心供大家使用。在一些大的新闻中心里,国内和国际部门都有它们自己的记者采访重大事件,并设有分社,以便利其播发业务。

除一般通讯社外,还发展了几种类别的专业通讯社。仅在美国这些通讯社就远远超过一百家,其中包括科学新闻社、宗教新闻社、犹太电讯社和新闻选择通讯社等大通讯社。其他国家的专业通讯社包括瑞士的国际天主教通讯社,报道与天主教特别有关的新闻;以及巴基斯坦的明星通讯社,以英语和乌尔都语供应与穆斯林有关的新闻。

美国的主要通讯社已将其业务扩大至包括娱乐性特稿,而一些特稿辛迪加则将提供纯新闻报道作为其业务的一部分。报业联合通讯社在美国既播发新闻,也播发特稿。

虽然通讯社已是过多,但全世界每天刊登和广播的大部分新闻仅来自少数几家主要通讯社,其中 3 家最大的是:美国的美联社、英国的路透社和法国的法新社。只有这几家以及其他几家才有财力向世界所有经常发生重大事件的地区派驻有经验的记者(俾能确保使用设备完善的发送设施),或派他们至重大事件突然发生的地方。这些通讯社也有自己的设备,几乎可以立即播发消息。例如,美联社能够在不到一分钟的时间内把急稿播发至 80 个国家。

世界性通讯社与其他通讯社及各个单独的新闻媒体建有各种关系。这些通讯社大多购买全国性或地方性通讯社的新闻,以补充他们自己派驻各主要地点的编辑部人员采访新闻的不足。路透社和法新社一样,提供整套国际新闻,由一些全国性通讯社在播发自己的国内新闻报道时一起播发。美国通讯社更为经常地采取订约的办法,向国外各个用户直接传送稿件。

共产党国家的通讯社与本国政府有着密切的关系。每个重要的共产党国家都有自己

的国家通讯社，每家通讯社都由官方控制，通常由宣传部长控制。苏联通讯社塔斯社是苏联及其盟国的国际新闻的主要来源；它并宣传共产党的政策。苏联势力范围外的共产党国家，例如中国和南斯拉夫，都有它们自己的国家通讯社，受到类似形式的控制。中国的新华通讯社是20世纪后期共产党国家中最大的通讯社。

其他大多数国家拥有一家或更多的全国性通讯社。有些通讯社以共同服务为基础，例如阿拉伯通讯社，它为中东的几个国家提供新闻。有些通讯社为全国报业合作组织，如丹麦通讯社，它成立于1866年，拥有完善的电传打印机网。少数通讯社，如意大利的安莎通讯社，有限度地扩大国外报道，作为国内报道业务的补充，但其国外新闻仍大多依靠路透社和法新社。德国自1949年以来，已将德意志新闻社建成为欧洲较重要的通讯社之一，其业务包括与其他全国性通讯社广泛交换电讯。加拿大的加拿大通讯社是一家合作性通讯社，总部设在多伦多。英国限于在本土运作的最老和最大的通讯社是英国报纸联合社，由地方报纸于1868年在合作的基础上建立。在邮政部门接管过去供应新闻给地方报纸的私营电报公司后，该社于1870年2月5日开始实际工作。它供应新闻给伦敦所有的日报和星期日报、地方报纸，以及商业杂志和其他期刊等。

20世纪期间，迅速播发新闻的能力大大地提高了。使快速自动播发新闻稿成为可能的无线电电传打字电报机与各大地区联系。由无线电和高保真电信系统播发图片已发展完备。电传排字机发稿自美联社于1951年启用后，已由各大通讯社采用，供愿意直接从新闻发稿进行电脑排版的报纸利用。到21世纪，大部分通讯社的运作和稿件传送都在电脑上进行。

有关世界各主要通讯社的情况，参阅 **Agence France-Presse; Associated Press; Kyōdō tsūshinsha; Press Trust of India; Reuters; Tass; United Press International**。有关报业特稿辛迪加的情况，参阅 **newspaper syndicate**。

newscast 新闻广播 通过广播或电视报道各种新闻事件，由播音员朗读新闻稿或把朗读与录音带结合起来（在广播中），以及把朗读与影片或录像带结合起来（在电视中）。新闻广播时间的长短不一，短的有一分钟的简明新闻。较长的有15分种的新闻广播（通常分成国际新闻、国内新闻和当地新闻三部分）乃至30分钟或1小时的新闻广播。最长的是全部时间都用于新闻广播。

美国于20世纪20年代开始进行新闻广播，但起步缓慢而且艰难，开始时往往只是偶尔朗读最新报纸的大标题和头版新闻。1933年，以各广播电台为一方，以美国各大报纸和支持它们的三个通讯社（美联社、合众社和国际新闻社）为另一方，开始爆发一场旷日持久的纷争。这场斗争的最重要产物是广播电台网在两年之后成立了自己的新闻采编机构。第二次世界大战爆发前的国际形势引起了美国公众越来越强烈的关注，各广播电台的独立新闻采编机构在这一时期中首次证明了自己的潜力。

电视新闻广播开始于1953年，起初只是把无线电新闻广播改用电视播出，中间使用一些影院放映的那种新闻片。许多电视新闻人员就是来自新闻电影机构的。随着新闻广播日益普及，广播次数日益频繁，到60年代末期，新闻广播的客观性成为一个引起争论的问题。美国联邦通讯委员会1941年法规规定了"……播音员不能成为某种代言人……"。美国播音员协会也规定（1939），"由于广播渠道数量有限，新闻广播不应带有编辑者的意见……"。但一些人认为新闻广播中经常违反这些规定。

Newsday 《新闻日报》 纽约长岛出版的小张晚报，面向纽约以东拿骚和萨福克各县的郊区居民。1940年由H.古根海姆和发行人J.M.帕特森的女儿艾丽西亚·帕特森创办。他们确定了该报的自由派独立方针，专门报道本地的重大新闻，有时由记者调查组进行报道。1953年该报以"公正无私和值得称赞的公众服务"获普利策奖，后又获两次普利策奖。1979年该报迁到梅尔维尔，并且开始采用电脑排版及其他革新设备。该报现为时报镜报公司集团的一部分，该集团还出版《洛杉矶时报》。

newsletter 新闻通讯 版式简单、文体直率的向特定读者对象提供特殊信息的非正式出版物。内容为各种个人新闻文章，很少刊登广告。现代新闻通讯的先驱是一种选编外国报刊新闻的单页通讯，17世纪初由荷兰人发行，在阿姆斯特丹出版英、法文译本。在英属美洲殖民地，1704年开始出版《波士顿新闻通讯》——据信为第一家美洲报纸。R.W.巴布森于1904年发行投资咨询信，1918年开始出版《惠利-伊顿通讯》。现代新闻通讯的发行量因种类不同而有显著差别。小规模的志愿团体发行数量有限的免费通讯，而像《基普林格华盛顿通讯》（W.M.基普林格于1923年创办）等一类有订阅业务的新闻通讯则多至数十万份。1967年在伦敦开始发行的《拉丁美洲通讯》周刊是典型的新闻通讯。新闻通讯内容多为商业及各种专业、能源、卫生、安全以及旅游等方面的问题。公司发行业务通讯交流内部情况。非营利团体也向组织成员发行通讯。打字机、复印技术以及高效率、低成本的照相胶印复制技术的广泛应用导致20世纪（特别是在60和70年代）新闻通讯的快速发展。利用直接邮递以及专门的邮寄单作为发送征订函件的重要手段。文字处理系统和电子传送技术被应用来加快生产进程并提高时效。20世纪后期，美国发行的新闻通讯多达10万种以上。1977年在纽约市成立了美国新闻通讯协会，1982年改称新闻通讯协会。1983年在伦敦成立分会。新闻通讯经常提供内部信息、建议和预测。《新闻通讯的新闻通讯》于1964年开始发行。H.P.赫德森著的《新闻通讯的出版》（1982）一书说明通讯的各种设计，书后附专用词汇。

newspaper 报纸 出版物的一种。通常每天或每周出版，刊登消息和就时事及其他普遍关心的事件发表评论。新闻报道的内容包括政府活动、外交事务、州和地方的政治活动、体育、灾祸、犯罪行为、科技和商业发展以及特别使人们关心的事件等。社论和评论专栏文章对有争议的问题发表意见。特写文章之题材范围广泛，包括风行一时的事物、教育、卫生和儿童保护等。还定期登载连环画、日常生活指导性文章、纵横字谜、电影和电视节目表等。此外还常载有广告。

现代报纸的前身包括古罗马的《每日纪事》——一种张贴出来通报社会政治事件的传单——和中世纪晚期流传的手抄新闻通讯，主持者多为商人。奥格斯堡的富格尔家族即其中佼佼者。

在英国，印本的新闻书和新闻小册子通常只记述一个事件，如一次战役、一场灾祸或一次公众庆典，最早为人所知的例子是英格兰在佛洛顿战役（1513）中战胜苏格兰的目击报道。此外，市镇传布公告者的喊话、叙事民谣和大张海报也可视为报纸的先驱。

17世纪最初20年间在德国、意大利和尼德兰开始出现较为常规的印刷报纸。荷兰文的《时事新闻》早在1620年就翻译成英文和法文在阿姆斯特丹出版。17世纪时许多欧洲国家出现了原始的报纸。日本在德川时代（1603～1867）出版了通报社会新闻的大张海报。

第一份英文《时事新闻》于1621年在伦敦出现。到17世纪40年代，新闻书改为报纸的形式——取消了书名页。第一份英文日报是《时事日报》（1702～1735）。直到1771年以后议会才正式容许新闻记者报道议会会议情况。1785年J.沃尔特创办了《泰晤士报》，后来它成为高度完美的典范并率先实行机械印刷。《观察家报》于1791年创刊。

1618～1648年的三十年战争阻扼了刚刚萌芽的德国报纸的发展。整个欧洲都采取了不同形式的审查制度。1766年瑞典通过了第一个保障新闻自由的法律。

在法国，第一份日报《巴黎新闻报》创建于1771年，1789年又创办了《辩论新闻报》，专门报道国民议会的会议情况。大革命时期报纸大量出现，大革命后又急剧减少。

美国的第一份报纸《国内外公众事务报》（波士顿，1690年9月）仅出一期便被殖民地总督查禁。1704年《波士顿新闻通讯》开始出版，这是一份由邮政局长发行的周刊。《波士顿公报》（1719）是由本杰明·富兰克林的哥哥詹姆斯·富兰克林印行的。北美殖民地的独立报纸出版公认为始于詹姆斯·富兰克林的《新英格兰时事新闻》（1721）。1735年，纽约报纸发行人J.P.曾格被控诽谤，因辩称他的政治批评是以事实为据的而获无罪裁决，这一具有里程碑意义的案件大大推进了新闻自由。美国宪法第一修正案（1791）进一步保障了美国的新闻自由。在联邦党人和杰斐逊派共和党人的斗争中，大多数报纸都表现出强烈的党派性。

19世纪初，报纸发行量通常只有几千份。大量发行是在机械排字、高速印刷（轮转印刷机）、通信设施（电报、电话）和运输手段（火车）等技术进步的情况下才得以实现的。以英美报纸为先导，各地报纸纷纷扩大读者面，降低售价。例如《泰晤士报》从 1815 年的 5 000 份（每份 7 便士）扩大到 19 世纪中期的 5 万份（每份 5 便士）。在美国，B.戴在纽约创办了第一份大获成功的"一美分报纸"《太阳报》(1833)。两年后 J.G.贝内特创办了《纽约先驱报》。贝内特制定了现代新闻业的许多指导方针，如报道全面、注重娱乐性内容。以争取妇女权利和反对蓄奴而闻名的 H.格里利创办了独立的《纽约论坛报》(1841)。另一份独立的但较不激烈的报纸《纽约时报》于十年后出现。到 19 世纪中期时，美国共有 400 种日报和3 000种周刊。

1848 年纽约报纸发行人组织了一个合作采编新闻的企业，这就是美联社的前身。在伦敦，P.J.路透于 1858 年开始为报业提供国外新闻。从 1883 年开始，在纽约的《世界报》业主 J.普利策和《美国人日报》(1895)的业主 W.R赫斯特之间展开一场激烈的竞争，导致大量使用过分渲染的、耸人听闻的新闻，这就是所谓的"*黄色新闻*"(**yellow journalism**)。在西欧，许多报纸成为政治舆论和文学评论的主要喉舌。

1896 年 A.哈姆斯沃思（即诺思克利夫勋爵）在伦敦创办了全国性报纸《每日邮报》，降低售价以扩大发行量，有意识地采取了以广告收入为主要赢利来源的方针。他还开创了四开小报的形式（《每日镜报》，1903），即约为标准型报纸（38×58 厘米）一半大小。美国的第一份小报是 J.M.帕特森的《纽约每日新闻》，该报专门报道有关桃色新闻和耸人听闻的消息。20 世纪初，美国报纸数量达到顶峰（日报两千多种，周刊 1.4 万种）。其后种数减少，但总发行量日增。20 年代和 30 年代，争夺发行量的竞争持续进行，开始出现了以辛迪加方式提供专栏和现成稿件、连环画、字谜及其他娱乐性内容的做法。后来，十来家大报系控制了美国一半以上的日报。第一个美国报系是由 E.W.斯克里普斯于 19 世纪 90 年代建立起来的。报纸合并的模式在世界各地出现，尤以 20 世纪后半叶为甚。

由于读者，特别是青年读者，不满足于已有的报纸，20 世纪后半叶兴起了一种所谓"地下"报纸，或称"另一种"报纸。纽约的《乡村之声报》于 1955 年开始出版。这类报纸往往表现激烈，狂妄无礼，急于寻求新的处事方式。各种特殊利益集团，如行业的、民族的和宗教的团体，也各有各的报纸。

到 20 世纪末叶，亚洲有2 500多种日报，欧洲有2 600多种，北美有约2 200种，南美有 760 多种，非洲则不到 160 种。大部分国际新闻仅由四家通讯社提供，全是西方国家的通讯社，它们是：路透社、美联社、合众国际社和法新社。

newspaper syndicate　报业辛迪加　向报纸和其他新闻媒体提供各种专稿和画稿的机构。这些专稿多是由著名作家、权威人士撰写或由著名漫画家绘制的，它们不属于最新新闻报道。辛迪加的主要功能是把昂贵的稿件费用分摊在尽可能多的报纸（用户）身上。与向所有报纸提供新闻稿的*通讯社*(**news agency**)不同的是，报业辛迪加在一个地区只向一家报纸出售某一稿件的专有出版权。有些辛迪加专门提供娱乐性材料，诸如连环画、漫画、怪人怪事或幽默专栏文章以及小说连载等。典型的辛迪加稿件是关于育婴、保健、家政、园艺和桥牌等的专栏文章。美国南北战争结束时，美国报纸的数目迅速增长，报业辛迪加应运而生。它满足了乡村和小城镇周报和日报对于稿件的需求，帮助小报与大城市报纸进行竞争。1865 年有三家辛迪加开始营业，提供各种新闻性专稿和短小稿件。1907 年各报开始刊登连环漫画，这一艺术形式使辛迪加事业的性质逐渐改变，并变得更加有利可图。还有许多作家、摄影师和版画家将自己的作品以辛迪加方式供多家报刊同时发表。一些稿件来源实力雄厚的报纸也以辛迪加方式向本地区以外的报纸提供他们自己的稿件，如稿件来源充足的《纽约时报》和以国外新闻见长的已停刊的《芝加哥每日新闻》就是如此。有些报纸与另外的报纸结成协作关系以辛迪加方式提供稿件，如《洛杉矶时报》与《华盛顿邮报》的辛迪加和《芝加哥论坛报》与《纽约时报》的辛迪加。20 世纪 80 年代初美国最主要的报业辛迪加有赫斯特报系所属的"金氏专稿"辛迪加、斯克里普斯-霍华德报系所属的"联合专稿"辛迪加和美联社的"新闻专稿"辛迪加。

newspeak　新话　一种宣传语言，特点是使用婉转说法、迂回表述和颠倒惯用义。此词由 G. 奥威尔在小说《一九八四》(1949) 中创造。该小说中的新话有以下几类：排除某些词或舍弃某些词的正统含义；用一词替换另一词，如用 uncold（不冷）替代 warm（温暖）；词性的转换，任何词都可用作名词、动词、形容词或副词，如不采用 cut（切削）一词，而将 knife（刀）兼作名词和动词，例如 She knifed the bread；以及为政治目的而创造某些词，如创造 goodthink 一词，意为"正统"或"用正统方法思考"。

newsreel　新闻片　约于1897年由法国人 C.帕泰引进英国的反映时事的短片。新闻片最初系在歌舞厅的娱乐节目间歇时放映，后来在电影院放映故事片的间歇中放映。由于拍摄最新新闻代价昂贵，所以新闻片常常拍摄一些预定的事件，如检阅式、典礼、体育比赛或出浴美人竞赛以及水灾惨状等小消息。最著名的新闻片集有首先在英国和法国上映的《百代杂志片》(1908)和专为美国观众拍摄的《百代新闻周报》(1912)。在美国则有由时代周刊公司制作的《时代进行曲》(1935)。随着电视新闻、电视纪录片、电视特写片的日益普及，新闻片的数量显著下降。

Newsweek　《新闻周刊》　纽约出版的周刊，是美国最有影响的"三大"新闻周刊之一。1933 年由《时代》周刊原国外新闻编辑 T.J.C.马丁创办。早期发行的内容有单调乏味的一周新闻和若干署名述评专栏。1961 年它由《华盛顿邮报》发行人 P.L.格雷厄姆购买之后，因发表准确、活泼、生动和客观的新闻报道而赢得声誉。它对各项新闻均用简明综述的形式进行报道，特别注重文艺、科学、商业、宗教以及体育。到 21 世纪初，《新闻周刊》的严肃新闻有所减少，加入更多的关于名人的报道，并增加了为消费者服务的内容。

newt　水栖蝾螈　又作 eft。又称水蜥。有尾目(Caudata)蝾螈科两栖动物，10 个属 40 余种，分布区域广泛。水栖者皮肤光滑，称水栖蝾螈（水螈，newt），而陆栖者皮肤粗糙，称水蜥(elf)。体躯细长，尾呈侧扁状（高大于宽）。各种水栖蝾螈或在陆地或在水中生活，但均常在春季返回到池塘或溪流繁殖。受精卵在 3 至 5 周的时间内孵化，而水生幼体则在夏末或秋初变态成为成体。大多数幼小水栖蝾螈完全在陆地生活，2～4 年后开始每年或永久返回池塘。水栖蝾螈以蚯蚓、昆虫、螺类和其他小动物为食。北螈属（欧螈属，*Triturus*）的 3 个种是英国水栖蝾螈的代表种。在英国最普通的种是滑北螈（普通北螈，*T. vulgaris*）身上有斑点，亦遍布全欧。最大的欧洲蝾螈是疣水螈（冠北螈，*T. cristatus*）体长约 17 厘米。加利福尼亚水螈（肥渍螈，*Taricha torosa*）产于北美洲西部潮湿地带，体长约 15 厘米。赤水蜥（变绿东美螈，*Notophthalmus viridescens*）是北美东部最常见的种类，需在陆地生活 2～3 年后方变为永久的水栖动物，在由陆生变为水生的过程中，体色由鲜红变为暗绿，且体两侧各出现一排红色斑点。日本水螈（红腹蝾螈，*Cynops pyrrhogaster*）常被作为玩赏动物，在豢养条件下可活数年。水栖蝾螈也见于中东、伊朗、中国大部分地区及邻近地区。

疣水螈(*T. cristatus*)
美国不列颠百科全书公司供图

Newton　牛顿　美国艾奥瓦州中部城市，贾斯珀县县城(1846)。位于得梅因东 50 千米。1846 年有人定居，辟为县城。名称取自独立战争士兵约翰·牛顿。1857 年建市。19 世纪 60 年代铁路修通后，成为锯木和农业贸易中心。1898 年开始制作洗衣机。梅塔格在这里发明手摇洗衣机(1907)和电动洗衣机(1911)，给洗衣机制造业带来革命性变化。有梅塔格历史博物馆。经济现以生产自动洗衣设备为主；另有农用和筑路机械、广告器材、乳制品等。人口约15 579(2000)。

Newton　牛顿　美国堪萨斯州中部的城市，哈维县县城(1872)。1871 年始建，1872 年建市。19 世纪 70 年代俄罗斯门诺宗移民在此种植从家乡带来的冬麦（现为该州主要农产品）。现为周围小麦产区的贸易和转运中心。

有铁路维修工场、食品加工厂、谷物加工厂及活动住房制造厂。北牛顿的贝瑟尔学院(1887)是全国规模最大、历史最悠久的基督教门诺宗学院,校内考夫曼博物馆收集有各种老式汽车和拓荒者的遗物。人口约17 190(2000)。

Newton 牛顿 美国马萨诸塞州东部米德尔塞克斯县城市。位于波士顿西面,临查尔斯河。1639 年创建。1688 年设镇,名纽陶恩,1691 年改现名。1873 年设市。早期有谷物加工和锻造业。1834 年通铁路后加快城市化。现虽人口增多,但因城市布局分散、地势起伏,仍有半城市半乡村特色。工业发展受到限制。该市以其教育机构著称,设有安多弗牛顿神学院(1808)、拉塞尔初级学院(1851)、伊达山初级学院(1899)、阿基纳斯初级学院(1961)、波士顿学院(1863)和派因曼诺学院(1911)。人口约83 829(2000)。

newton 牛顿 米-千克-秒物理单位制中力的绝对单位。其定义为:使质量 1 千克的物体产生1 米/ 秒^{2}加速度的力。1 牛顿等于厘米-克-秒(CGS)制中100 000达因的力,或等于英尺-磅-秒(英)制中约 0.2248 磅的力。此单位为纪念 I. 牛顿而命名,他提出的第二运动定律指出力可使物体的运动发生改变。

Newton, Alfred 牛顿(1829-06-11,日内瓦～ 1907-06-07,英国剑桥郡剑桥) 英国动物学家,当时最重要的鸟类学家之一。曾于剑桥马格达伦学院求学。1854 ～ 1863 年作为德鲁里旅行联谊会会员,到过拉普兰、冰岛、西印度群岛、北美及斯匹次卑尔根群岛考察鸟类。后来又作过多次环绕不列颠群岛的夏季航行,以研究海鸟及其筑巢处。1866 年起终身任剑桥大学第一任动物学及比较解剖学教授,当时该校师生几乎没有人懂动物学。他继续努力使动物学发展为一门有特色的学科。又促成议会通过第一批保护鸟类的法案。1865 ～ 1870 年编辑了鸟类学杂志《鹮》。1870 ～ 1872 年编辑《动物学文录》。最重要的著作为《鸟类词典》(1893 ～ 1896),这本词典以他为《不列颠百科全书》第 9 版所撰写的有关鸟类的条目为基础增补而成。他所撰写的在第 11 版中经过修正的条目"鸟类学"至今被认为是鸟类学史及鸟分类学方面最有价值的资料。

Newton, Sir Charles Thomas 牛顿(1816-09-16,英国赫里福德郡布雷德沃丁～ 1894-11-28,肯特马盖特) 英国考古学家。在土耳其西南部发掘遗址数处,挖出古代世界七大奇迹之一的哈利卡纳苏斯(今博德鲁姆)摩索拉斯陵。1840 ～ 1852 年任伦敦不列颠博物馆古物部助理员时,被派往爱琴海莱斯沃斯岛任驻米蒂利尼副领事,受命照管博物馆在安纳托利亚事务。1852 及 1855 年在卡利姆诺斯岛获得许多铭文。1856 ～ 1857 年掘出哈利卡纳苏斯陵遗物,后又挖出尼多斯古城的平面布局。运往不列颠博物馆的古物除哈利卡纳苏斯陵主要遗物之外,还有伊斯坦布尔出土的铜铸特尔斐巨蛇、希腊谷物女神得墨忒耳雕像、尼多斯巨狮,以及在通往狄杜玛(布兰其第)大道发现的雕像。担任博物馆馆长期间,于 1880 ～ 1888 年兼任伦敦大学学院考古学教授,对推动英国的古希腊、罗马研究工作出力甚多。1887 年受封为爵士。与 R.P. 普兰合著《哈利卡纳苏斯、尼多斯和布兰其第出土文物志》(2 卷,1862 ～ 1863)。

Newton, Sir Isaac 牛顿(1643-01-04,英格兰林肯郡伍尔索普～ 1727-03-31,伦敦) 英国物理学家和数学家,17 世纪科学革命的顶峰人物。在光学方面,他发现了白色光的组

美国不列颠百科全书公司供图

成,把颜色现象归纳入光的科学范畴内,从而建立了现代物理光学的基础。在力学方面,他的运动三定律是近代物理的基本原理,进而明确地表达了万有引力定律。在数学方面,他是首创微积分学的人。牛顿所著《自然哲学的数学原理》(1687),是近代科学史中最重要的一本巨著。

来自各方的影响及工作

形成伟人的各种影响 牛顿是自耕农伊萨克·牛顿的独生子。其父来自汉纳艾斯克夫,在牛顿出生三个月以前就去世了。在 1642 这一年,G. 伽利略在佛罗伦萨附近阿尔切特里逝世。牛顿最后挑中了伽利略关于运动的数学科学这一思想,并使他的工作结出丰硕成果。牛顿生来瘦小孱弱,出生时好像活不了,但后来却活到 84 岁。牛顿既在降生前就失去了父亲,两岁时母亲又改嫁给富有的牧师 B. 史密斯,迁往邻近的村庄,又生了一子一女,因此牛顿又失去了母亲,只好依祖母抚养。史密斯于 1653 年去世,此前的九年中,牛顿和母亲基本上没有来往。由于这种幼年时的创伤,他经常被认为有精神病的倾向。肯定他对继父很憎恶,1662 年他对自己的灵魂做忏悔时,曾用速记列下自己的罪过,他记得"曾想放火烧死我的母亲和父亲,而使他们葬身于烧毁的房子里"。牛顿终生有剧烈的不安全感:当他的研究工作出版发表时,他总是那样焦虑困恼,而在为他的工作辩护时,又总是那样言辞激烈,甚至失去理智。这可能是和他幼年时的不幸生活有关。

他的母亲第二次居孀后,决定将现有的富足家业交给大儿子牛顿管理,但很快就发现,这样做对牛顿和家庭都是灾难。牛顿不懂得把注意力集中在管理田园事业上,去看管牛犊,他宁愿蜷曲着躺在树下看书。幸亏这个错误发觉得早,牛顿被送回格兰瑟姆,在他已学过几年的中学上学,准备升大学。他和同时代的许多科学界的领袖人物一样,在格兰瑟姆留下了一些轶事,他以其机械才能和工艺能力制造了一些机械模型,例如钟和风车等。在中学里,他熟练地掌握了拉丁文,但对于数学则至多只能算是一知半解。1661 年,他进入剑桥大学的三一学院,由于他在中学曾辍学一次,所以年龄略大于同班同学。

科学革命的影响 牛顿 1661 年进入剑桥时,现在称之为科学革命的运动已经蓬勃开展,并已出现了许多近代科学的基础工作。从哥白尼到开普勒等天文学家已经完善了宇宙的太阳中心论。伽利略已经提出基于惯性原理的新力学的基础。以 R. 笛卡儿为首的哲学家已经开始为自然界提供新的概念,他们认为自然界是一种复杂的、不由人来决定的惯性机器。可是,包括剑桥在内的欧洲大学,对这些进步漠不关心,好像根本没有发生。他们仍然是亚里士多德主义的顽固堡垒,仍主张宇宙的地球中心论,只从定性方面而不是从定量方面研究自然界。

和成千上万的大学生一样,牛顿在他的高等教育之始就沉醉于亚里士多德的学说。即使没有新哲学的课程,但在社会传闻中还是有新哲学的声音。牛顿进入大学后,发现了法国自然哲学家笛卡儿和其他机械哲学家的工作,他们和亚里士多德的观点相反,认为物理现实世界是由运动着的物质粒子所组成,自然界的一切现象都是由这些运动着的物质粒子的机械相互作用产生的。1664 年某日,他在学生练习本的空白页上写了一段题为"一些哲学问题"的笔记。在这个题目之下,他写道:"柏拉图是我的朋友,亚里士多德是我的朋友,但我最亲爱的朋友是真理"。牛顿的科学事业从此开始。

"一些哲学问题"说明,牛顿业已发现可为科学革命提供框架的自然界的新概念。他已经完全掌握笛卡儿的工作,也发现了法国哲学家 P. 伽桑狄复兴的原子主义,这是解释自然的另一种机械系统。"问题"中也反映牛顿已经倾向于认为后者(即原子主义)的哲学比笛卡儿的自然哲学更具有吸引力,因为笛卡儿抛弃了根本不可分割的粒子的存在。17 世纪化学家 R. 玻意耳的工作为牛顿在化学领域中不少工作打下了基础。有意义的是,牛顿曾读过剑桥的柏拉图学者 H. 莫尔的著作,从而把神秘莫测的炼金术的传统介绍给知识界。这种传统企图用炼金术和魔术的概念来解释自然现象。自然哲学的这两种传统,即机械论的哲学传统和炼金术的哲学传统,虽然是截然相反的,但不断影响他的思想,在它们的交叉作用下,为他的科学事业提供了根本的主旋律。

虽然在他的"问题"笔记中没有提到数学,但他业已开始学习数学。他学习数学也是从笛卡儿的《几何学》开始的。以后转到有关近代分析的其他文献,其中用代数方法解决几何问题,然后又转回去学习经典几何学。不到一年,他掌握了文献,开始走上了自己的

分析道路，进入了一个全新的领域。他发现了二项式定理，发展了微积分，得到了一种更有力的分析形式，可用来求曲线的斜率和曲线下的面积。

1669 年，牛顿起草了《在分析中采用无穷级数》，这是他总结这一段工作的报告，这个报告只有手抄本，只在有限范围内传阅，但他的名字却由此传开。在此后两年中，他修改了原稿，称之为《关于级数法和流数》。牛顿本人用红字写的流数这个词，表示微积分业已出世。那时，虽然只有少数有名的科学家知道牛顿这个人，但他事实上已达到了欧洲数学家中领导人物的地位。

鼠疫年代的工作　当牛顿在 1665 年 4 月获得学士学位时，人们并没有认识到，牛顿的大学生活是大学教育史上最有成就的学习过程。他在没有任何指导的情况下，独自找到了新哲学和新数学，但都没有发表，仅写在他的笔记本上。1665 年，学校由于鼠疫而关闭，此后两年他被迫呆在家里，闲来无事，反复思考着这些问题。在鼠疫流行期间，牛顿奠定了微积分的基础，并把早期考虑过的看法写入论文《论颜色》，其中包括《光学》这一著作中的大多数思想。这段时间，他还研究了圆运动的要素，并把他的分析用于行星和月亮，导出了平方反比关系，即行星所受径向引力随与太阳距离的平方而减小，以后被归纳为万有引力定律，而那时世界上对此还一无所知。

事业

光学　*三一学院受职演讲*　学校复课后，牛顿在 1667 年被选为三一学院研究员。两年后，鲁卡荪讲座的教授 I. 巴罗为了专心研究神学而辞职并推荐牛顿来继任他的职位。巴罗教授早些时候曾把牛顿的《数学分析》传给伦敦的 J. 科林斯。教授职位只要求讲一门学年课程，并不要求指导学生学习。牛顿开始选择光学作为他的讲课课程；此后 3 年（1670 ～ 1672）中，他把讲稿发展成题为《论颜色》的论文，以后改编为他的《光学》书中的第一卷。

从 1604 年开普勒著作中的“附录”开始，光学的研究一直是科学革命的中心课题。笛卡儿提出了光的折射正弦定律，它表达了光通过不同介质的交界面时，入射角和出射角之间的关系。这一数学关系使光这门科学的数学规律增加了新的内容，从而使人们更加相信，宇宙应该依照数学规律构造而成。笛卡儿亦曾促使光学成为自然界的机械论哲学的中心，他辩论说，光线的实质是运动通过材料介质传递的过程。牛顿对于光的机械论性质是完全接受的，但他选用了原子学派的观点，认为光是物质微粒的运动。不过，光的微粒论对牛顿而言，只是牛顿光学的外围，而且是一种未证实的理论思维。牛顿的光学贡献的核心和颜色有关。古代的理论，至少远溯到亚里士多德，都认为光的本色为白色，有一些像虹那样的有色现象是光的变态。笛卡儿把这一理论推广到一切颜色，并将其转变为虚构的机械论。在 1665 年到 1666 年之间，牛顿进行了一系列实验，他把一狭光束的光谱投射到暗室的墙上。牛顿抛弃了光的变态概念，而代之以光的分解概念。他从根本上放弃了光是单纯的均匀的观念，而代之以光是复杂的非均匀的观点。颜色这一现象是由于把由不同成分组成的光分解成若干单纯成分而产生的。牛顿确信光是微粒的观点的根源，在于他确认每一条光线有不变的特征，而这种特征也必导致物质粒子的不变特性。他认为每一单独的射线都代表给定尺寸的微粒群，当这些微粒打击视网膜时会刺激它而产生相应颜色的视觉。他还总结说，不同射线沿不同角度折射，因此，当一束入射到棱镜面上的非均匀的射线通过棱镜时，由于折射而分解为许多颜色不同的单色光线，它们排列起来组成光谱，像虹这样的现象都是由于折射分解而形成的。因为牛顿相信透镜系统的色差是无法消除的，所以他转而研究并制作了第一架反射望远镜。从那时起，光的不均匀性成为物理光学的基础。

牛顿在剑桥大学受职演讲的题目是“颜色理论”，但我们现在无法证明这次演讲留下了什么印象，正如牛顿在数学方面的成就和他在同一讲台上宣读的《原理》的内容一样，也无法证明在当时留下了什么印象。当然，“颜色理论”和后来的其他工作，都通过 1660 年组成的皇家学会传到世界各地。在牛顿受聘为鲁卡荪讲座教授以前，他的名字可能在皇家学会中鲜为人知，不过，从 1671 年起，他们听说了他的反射望远镜，并要求去看看。由于大家对他的反射望远镜表示热情，也由于他被选入皇家学会，牛顿高兴地自愿在 1672 年初的皇家学会上宣读了关于光和颜色的论文。整个说来，大家对这篇论文给予好评，但也提了一些问题，而且还听到了一些不同的意见。

长期论战　在对牛顿的论文有不同意见的人中，最重要的人物是 R. 胡克，他是当时皇家学会的领导人之一。胡克认为自己是光学的权威，他以屈尊的姿态写了一篇文章批评这个名不见经传的崛起者。人们可以理解，这样的批评会使一个正常的人感到生气。牛顿果然被激怒了，他想公开羞辱胡克，但落得个精神反常而告终。牛顿并未能正确面对批评，在他的论文发表后一年多时间内，来往不断的真诚讨论使他内心很不平静，他开始和人断绝关系，而退缩到基本上完全孤立的境地。

1675 年，牛顿访问了伦敦，他以为胡克已接受了他的“颜色理论”，便壮胆又发表了第二篇论文，“薄膜中颜色现象的探讨”，其内容和他的书《光学》第二卷中有关部分大体相同。这篇论文的目的是对固体的颜色进行解释，证明光既可以通过折射，也可以通过反射而被分解成它的各种成分（即单色光）。他对于物体颜色的解释并没有保存下来为后世所接受，但这篇文章首次演示了周期光学现象，所以还是很重要的。他发现在透镜与平板玻璃之间的薄层空气中存在许多有色的同心环（现在称为牛顿环），这些有色同心环之间的距离和空气薄膜的厚度增加有关。1704 年，牛顿把光学演讲的修订稿跟 1675 年的文章和少量增添材料合在一起，就是他的《光学》第二卷。

和牛顿 1675 年的论文一同送交的第二篇文章，引起了一场新的争论。这篇文章的题目是“解释光的性质的假说”，其实它解释了自然界的普遍系统。胡克公然声称，牛顿所讲的内容是从他那里偷去的。牛顿再一次被激怒了。不过，这次争吵通过正式和极为客气的多次来往信件后，很快就控制下来，但并未把两人之间完全冷淡的局面扭转过来。

牛顿还曾和列日的一帮英国耶稣会会员就其颜色理论有过一次争论，可能这是一次最公开的论争。虽然他们反对的理由很肤浅，但他们说牛顿的实验是错的，从而引起他的愤怒。这场争论用通信手段一直拖到 1678 年，那时牛顿愤怒到了极点，同时发生了精神崩溃，最后才沉寂下来。再过一年，他因母亲去世，而完全与世隔绝。这样有 6 年之久，他退出了知识界，除非有人写信给他，他才勉强回一封短信，但总是很快就中断了通信。

炼金术传统的影响　牛顿在他处于孤立的时代，深受炼金术传统的影响，这种传统在其大学时代就已熟悉，牛顿原来对炼金术颇有兴趣，现在则深深陶醉在其中了。他手抄了一本又一本小册子，对它们进行校注，谋求理解这些虚构的秘密。在这种炼金术的传统的影响下，他的自然观产生了决定性的变化。在此之前，牛顿一直是标准的 17 世纪形式的机械论哲学家，用物质粒子的运动解释一切自然现象。所以，他认为光的物理现实是一股微小的颗粒流，当它通过疏和密的介质时，引起流动线路的改变。他觉得当用棉布擦玻璃时，玻璃会冒出一股带有“以太”味道的东西，把一些小的碎纸片吸附在玻璃表面上。机械论的哲学家不相信有什么远距作用，像对于静电作用那样，他们用看不见的“以太”机理来解释表面看来是吸引力作用的这类现象。牛顿 1675 年所写的“光的假说”就采用了宇宙“以太”这一概念，它是典型的机械论的自然系统。有一些现象，如某些化学物质只和另一类化学物质发生作用等现象，曾经困惑着他，不过，他曾提到所谓“秘密原理”，这个原理认为物质和其他物质之间，有“善交际”和“不善交际”之分。大约在 1679 年，牛顿放弃了“以太”和它的看不见的机理，而开始把化学亲和力、化学反应中的生热、液体的表面张力、毛细管现象以及物体的附着现象等一系列使人困惑的现象，都归结为物质之间的引力和斥力。35 年后，牛顿在他的《光学》英文第二版中再一次接受了“以太”，但是这一次的“以太”包括了远距离作用这一概念，而这种远距离作用使质点之间存在着斥力。牛顿关于引力和斥力的理论是直接套用了神秘的炼金术哲学中的“同情和反感”的观点，而机械论的哲学家则无休止地对这类观点进行着攻击。不过，牛顿把这一点看作是对机械论哲学的一种修正，在这样修正以后，就可以用纯粹数学进行处理了。在这种构想下，引力得到了定量的定义。这种引力的定量定义把 17 世纪科学界的两大基本课题架桥连接起来：一方面是机械论的传统，它基本上是口头上的机械虚构；另一方面是毕达哥拉斯的传统，它坚持现实的数学特性。牛顿调解了关于力的概念上的分歧，提出了大家都能接受的力的定义，这是牛顿对科学的最根本贡献。

《自然哲学的数学原理》 *行星运动* 牛顿的引力和斥力的思想，原来只用于像前节所述的地球现象的范围。但在他利用这种概念后不久，于1679年年底，胡克想和他恢复通信，写信给他提出了另外的应用建议。胡克提出，他的行星运动分析，实质上就是用中心引力不断改变直线运动方向的过程。牛顿直率地拒绝了通信要求，但进一步提出要用实验来演示地球的转动：他说如果有一物体自高塔下落，则由于塔顶的切向速度大于塔基的切向速度，所以由塔顶落下的东西一定偏东着地。牛顿作图表示的物体下落所经路线，是通过地球中心的螺旋曲线的一部分。后来胡克指出这是错误的。根据胡克的行星运动理论，路线只能是椭圆的；而且如果能把地球撕裂，让落体穿透地球内部后，还回升起返回原地。牛顿不愿意自己的工作被人改正，更不愿意被胡克改正，但他无可奈何只好接受胡克的基本观点；而他还是用地心引力为常数的观点修正了胡克的曲线。胡克为此写了一封信说，虽然牛顿的路线图对常数的地心引力而言是对的，但他本人的假设是地心引力按距离的平方而减小。几年后，胡克根据他的这封信对牛顿提出了剽窃的控告。其实胡克的控告是个误告。他的平方反比关系只是基于臆测的结果，并没有从向心力的定量结果中推导出来，也没有从关于行星周期和它们的轨道半径之间关系的开普勒第三定律中推导出来。胡克似乎并不知道，牛顿在10年以前就根据上述关系推导出了平方反比的引力定律。牛顿后来承认，与胡克的通信促使他证实了一个椭圆轨道必有一个平方反比的引力中心位于椭圆的一个焦点上，这是万有引力定律依据的两个决定性的前提之一。更有甚者，胡克的轨道运动定义(即永远有一个引力体不断吸引行星，使行星偏离它的惯性运动路线)使牛顿的力的概念也能应用于宇宙问题上而且可以用它来解释行星轨道运动的规律。在1679年和1680年，牛顿只限于研究行星的轨道动力学，他还没有形成万有引力定律的概念。

万有引力 几乎在5年以后，即1684年8月，英国天文学家E.哈雷访问了牛顿。那时，哈雷也被轨道动力学问题困惑着，在他了解到牛顿业已解决了这一问题时，就请求牛顿把结果送来学习一下，牛顿同意了这一要求。3个月后，哈雷收到了题为《论运动》的短文摘要。这时牛顿正在致力于该论文的修改和扩充。又过了两年半，这一短文《论运动》已变成《自然哲学的数学原理》这一巨著，它不仅是牛顿的成名杰作，而且是整个近代科学的奠基工作。

有意思的是，《论运动》中并没提到万有引力定律。它虽然是一篇有关轨道动力学的论著，但没有涉及到任何有关牛顿运动三定律的内容。只有在《论运动》的修订过程中，牛顿才把惯性原理(即第一定律)包括进去，进而得到了第二运动定律。这个第二定律(即力的定律)被证明是物体间力的作用的精确定量描述，是他的自然系统里的中心定律。第二定律用数量表示力的概念，从而完善了精确定量的力学，长期以来，它一直是自然科学的楷模。

《原理》所讲的定量力学绝对不应和机械论哲学混同起来。后者是一种自然哲学，它企图用看不见的物质质点的虚设机构来解释自然界的一切现象。《原理》中的力学是看得见的物体的运动的一种精确定量的描述。它的基础是牛顿的运动三定律：①物体静则常静，除非它受力作用，促其静止状态发生变化；②运动的变化(速度的变化乘质量)和所施加的力成正比；③对每一个作用而言，必有大小相等、方向相反的反作用。用这些定律分析圆周运动时，可导出使物体不走直线而走已知圆周路线所需的用物体速度和质量表示的向心力的定量公式。当牛顿把这一公式代入开普勒第三定律时，他发现把行星控制在以太阳为中心的轨道上绕日运动的向心力，必按日、星距离的平方而递减。因为木星的一些卫星也服从开普勒第三定律，所以也必有一个平方反比的向心力把那些卫星吸向它们各自轨道的中心。牛顿证明了在地球、月球之间也有相同的向心力关系。月球和地球的距离约为地球半径的60倍，牛顿把月球(其轨道尺寸是已知的)因失控顺着圆轨道的切线方向每秒走过的距离与物体在地球表面每秒自由下落的距离相比较，发现后者比前者大3 600倍，即60×60倍；他得出结论说，在上述三个问题中，都是同一种力，而且服从相同的定量定律，并从月球轨道和地球表面重力加速度的相互关系，把这种引力用古拉丁文gravitas来表示，称之为"万有重力"，或"万有引力"。万有引力定律后来在潮汐现象和彗星轨道中得到证实。万有引力定律阐明："宇宙中任一物质质点对其他物质质点的吸引力，和它们两者的质量乘积成正比，和质心之间的距离平方成反比"。

当皇家学会收到牛顿所著《光学》第一卷(1686)的全部稿件时，胡克高呼剽窃，但这一控诉没有得到任何有意义的支持，反而由于牛顿的回应而暴露了许多涉及胡克的事情。胡克一定会满足于给他的宽宏大量的谢意，而向体质衰退的病人胡克表示适度友善姿态对牛顿不会有任何损失。但牛顿没有这样做，反而从他的草稿中删除了所有提到胡克的参考文献。他愤怒万分，在胡克去世之前拒绝出版《光学》，也拒绝接受皇家学会的主席职务。

国际闻名 《自然哲学的数学原理》的出版，立刻使牛顿成为世界上的显赫人物。欧洲大陆的科学家们由于继续效忠于机械论的思想，几乎近一代人没有接受远距作用的思想。他们即使在思想上拒绝接受，也禁不住对著作的技术评价表示崇仰。年轻一代的英国科学家们自发地把牛顿作为他们的楷模，几乎在一代人的时间里，那些为数不多的有年俸的科学家的职位，如牛津、剑桥、格雷沙姆学院的教授讲座，都被年轻一代的牛顿学者所垄断。牛顿和妇女接触很少，只有和他的母亲接触较多，但不幸她曾几乎遗弃了他，所以他和他母亲的关系也不美满。此后他有一位侄女照顾他的生活，但她只满足于在年轻科学家们面前充任照料、保护的角色。他和居住在伦敦的瑞士出生的数学家F.de杜伊连尔关系较好，他们趣味相投，这可算是牛顿在成年生活中相识最深的关系了。

造币厂长 在《自然哲学的数学原理》出版后不久，詹姆斯二世曾企图把剑桥大学从新教(基督教)手中抢到天主教方面去，牛顿是一个狂热的非正统基督教徒，他帮助领导了剑桥大学的一批学者进行抵抗。此后，他被选为剑桥大学的代表参加谈判会议，并取得了革命性解决。牛顿在谈判过程中，和许多人有了广泛深入的联系，其中包括哲学家J.洛克。在《自然哲学的数学原理》出版的兴奋之余，牛顿又一次尝到了伦敦的激昂兴奋生活。他的大部分创造性工作业已完成，他已不再满足于修道院式的学者生活了。他想改变生活的愿望得到了他的朋友杜伊连尔的鼓励，他劝牛顿在伦敦找个职位。牛顿得到了朋友C.蒙塔古的帮助，蒙塔古是当时不断上升的政治家，后来封为哈利法克斯勋爵。最后在1696年，牛顿被任命为造币厂厂长。他当时并未辞去在剑桥大学的职务。从1701年以后，他迁居伦敦，从此他的生活即以伦敦为中心了。

在这时，牛顿和杜伊连尔的关系出现了危机。杜伊连尔患了重病，他的家庭问题和经济问题都迫使他回瑞士老家去。牛顿的苦恼接连发生。1693年，牛顿建议杜伊连尔回剑桥去，允诺一定支持他的生活，但杜伊连尔没有接受这个建议。1693年初，牛顿写信显著增多，后来又未经解释就和杜伊连尔割断了友谊关系和信件来往。4个月后，S.佩皮斯(英国日记作家)和洛克，原来都是牛顿密友，忽然都毫无预兆地接到牛顿猛烈指责的信：佩皮斯被告之牛顿将不再和他来往；洛克被指责试图用女人纠缠他。这两位朋友都忧虑牛顿是否神智正常。其实，牛顿正患着至少是第二次精神崩溃症。这次危机后，牛顿再一次恢复了稳定。不过此后，他只在短期内从事过持续的科学工作，所以可以说，自从牛顿迁居伦敦后，牛顿的创造性活动也就结束了。

作为造币厂的厂长，以后升为局长，牛顿的收入很高，年俸达2 000英镑，加上他自己的庄园地产收入，在他去世时，他已成为一位富翁。他的职位原是一份闲差使，但牛顿并没有这样做。在大量重铸钱币的时期，需要他的积极指挥，即使在这以后，他也是坐在办公室里行使职权。他非常注意防止伪币，他成为伦敦伪币制造和使用者的死对头，有不少人为此而被送上了绞架。在他们当中，他找到了被社会认可的对象，来发泄他长期积蓄在内心的怒火。

对宗教和神学的兴趣 牛顿这时找到了时间来探索像宗教和神学等他感兴趣的事。1690年早些时候，他把一份手稿送给洛克，这份手稿想证明，现有《圣经》中有关三位一体神的那一段是后人篡改成的，不是《圣经》原文。当洛克建议公开发表时，牛顿又害怕他的反对三位一体神的观点暴露给公众而收回了手稿。牛顿晚年曾花了不少时间来解释但以理和圣约翰的预言，把这些预言和古代编年学放在一起研究。在牛顿去世后，这些研究成果曾公开发表。

英国科学界的领袖 牛顿在伦敦成为英国科学界的老前辈和领袖，1703年被选为皇家学会的主席。4年以前，法国科学院推选

他为 8 个外籍院士之一。1705 年，英国女王安娜赐以爵士称号，他是科学家中获得爵士称号的第一人。牛顿治理皇家学会威严傲慢。皇家学会会员天文学家 J.弗拉姆斯蒂德有一次亲身感受到牛顿对皇家学会的专横管理。弗拉姆斯蒂德那些年在格林尼治的皇家天文台工作，他累积了无与伦比的大量天文数据，但弗拉姆斯蒂德在涉及他的个人权利时，也是难以对付的。牛顿曾为了写《自然哲学的数学原理》而有求于他。1690 年时，当牛顿研究月球运行理论时，又一次向弗拉姆斯蒂德索要数据。当牛顿不能按其所需及时获得有关数据时，便颇为生气，用一种跋扈的和优越感的态度对待弗拉姆斯蒂德。牛顿依靠他是皇家学会主席，以及他和政府之间的关系，取得了管皇家天文台的“视察员”机构的主席地位，他企图强迫立刻出版弗拉姆斯蒂德的星表。这一不光彩的连续剧一共演了约 10 年之久。牛顿绝不容忍反对派，他撕毁了自己和弗拉姆斯蒂德所订的协议。弗拉姆斯蒂德的观测数据是终生工作的成果，不论牛顿怎样抗议，弗拉姆斯蒂德就是抓住不放，而且准备把资料交给牛顿的死敌 E. 哈雷出版。弗拉姆斯蒂德坚持他的立场，而且在法庭胜诉，法庭命令牛顿把业已印好的星表在向外分发前交还弗拉姆斯蒂德。弗拉姆斯蒂德把这些印好的星表全部焚毁。弗拉姆斯蒂德去世后，他的助手才根据遗嘱授权出版了众所周知的《弗拉姆斯蒂德星表》。只有少数几个人能胜过牛顿，而弗拉姆斯蒂德就是其中之一。牛顿为了报复，在后来几版的《自然哲学的数学原理》中，删除了一切引用弗拉姆斯蒂德工作的参考文献。

G.W.莱布尼兹是一位德国哲学家和数学家，他是牛顿碰到的一位才能和他不相上下的对手。现在大家业已公认，牛顿在莱布尼兹尽力探索数学以前就已发展了微积分，而莱布尼兹后来也独立地研究出微积分。大家对于牛顿没有发表他的关于“流数方法”的文章，而莱布尼兹在 1684 年首先发表了关于微积分的文章，使微积分成为公众共有的知识等这些事实，都不再有任何疑问。在《自然哲学的数学原理》中，牛顿曾提示过他的“流数方法”，但没有发表过，一直到 1704 年《光学》出版时在附加的两篇文章中才看到这一方法。这时，优先权的争论，已达到一触即发的地步。如果这一争论真是如所说的那样，则就不可能对这一场争吵进行评价了。开始时，这本是一个温和的旁敲侧击，但很快逐步升级，达到双方指控对方剽窃的地步。牛顿在力求赢得名声的他的追随者的怂恿下，使自己卷入了这场风波的中心；有一次被指控为有欺骗行为后，他怒火大发几乎失掉控制。莱布尼兹在这次争辩中处理事务的方式也不够愉快大方，但比起牛顿来，则相形见绌。牛顿在争论中从未出头露面，但大多数辩护文章都是他自己写的，而且用一位青年追随者的名字署名发表，但这位青年人从来没有提出过异议。作为皇家学会的主席，牛顿聘定了一个“公正”的委员会来调查研究这一事件，背后由他自己秘密起草了一个报告，以皇家学会的官方名义发表，而且由“哲学汇编”作了不具名的评论。甚至莱布尼兹的去世，也没能减轻牛顿的愤怒，而且他继续穷追敌人，一直追进了莱布尼兹的坟墓。为了抹去关于欺骗指控的不可抑制的需要，对莱布尼兹的战斗，支配了牛顿最后 25 年的生命，它不断地闯入牛顿的意识。在这些年中，他写的任一问题的任一论文中，几乎都要插入一段猛烈攻击这位德国哲学家的文字，而且一次比一次更加尖锐，直到牛顿去世，这种怒斥最后才得以结束。

最后几年 在最后几年中，牛顿把他的中心著作不断重版。1704 年的第一版《光学》只发表了 30 年以前的著述，1706 年他又出版了《光学》的拉丁文版，1717～1718 年间还出了英文版的第二版。在这两种版本中，中心部分并无改变，但他却扩充了附录“质疑”，并在“质疑”中对宇宙本质的推测作了最后的陈述。《自然哲学的数学原理》的第二版，是 1713 年由 R.柯茨编辑出版的，第二版对第一版作了广泛的修改；第三版是 1726 年由 H.彭伯顿编辑出版的，作了少量增补。接近终年以前，牛顿是皇家学会的主席（在会议中经常打瞌睡），也是造币局的局长。在他的最后一年，他的侄女 C.B.康杜伊特和她的丈夫同他住在一起。

Newton Abbot 牛顿阿伯特 英格兰德文郡廷布里奇区的堂区（城镇）。位于廷河口湾顶端附近。是繁忙的服务中心。有轻型机械、食品加工和出版业。布拉德利庄园（15 世纪）现属国家托管会财产。人口约20 927（1981）。

Newtonian transformations 牛顿变换 参阅 **Galilean transformations** 伽利略变换。

Newton's law of gravitation 牛顿万有引力定律 说明宇宙中任何物质粒子都吸引其他物质粒子，吸引力同两物质粒子的质量乘积成正比，而与它们之间距离的平方成反比。如以 F 表示吸引力，则它等于 G（万有引力常量，其数值与所用的单位制有关，是一普适常量）与质量 m_1、m_2 的积，除以距离 R 的平方。即：$F = G \cdot m_1 m_2 / R^2$。牛顿于 1687 年导得这一定律并用它解释行星及其卫星的运动。上述公式是 17 世纪初德国天文学家 J.开普勒发现的行星运动定律的数学概括。

Newton's laws of motion 牛顿运动定律 说明作用于物体上的力与物体运动之间关系的定律。虽然 I.牛顿最早把它总结成可用的公式，但早在牛顿诞生前四年，伽利略就从实验上发现了这些定律。这些定律只适用于物体的整体运动，即它的质心运动。这一概念，相当于把物体看作是有一定质量而无大小的质点。严格说来，这些定律都只在运动是相对置于恒星上的参考系（坐标系）而言时才适用。牛顿参考系、伽利略参考系或惯性系，就是这种参考系。由于地球是旋转的，因而地球上的参考系不是惯性系，所以在有些情况下，要应用牛顿定律就必须考虑这种转动。不过，对大多数实际应用，地球的转动可以忽略。牛顿第一定律阐明，如果物体处于静止或作恒速直线运动，那么只要没有外力作用，它就仍将保持静止或继续作匀速直线运动。这个定律也称惯性定律，它描述了力的一种性质：力可以使物体由静止到运动或由运动到静止，也可以使物体由一种运动形式变为另一种形式。在伽利略时代之前，人们认为只有在力的作用下物体才会运动，没有力物体就会静止。那些想探索是什么力使行星持续运动的人，没有认识到行星在轨道上作匀速运动，根本不需要力，他们不懂得引力只是改变运动的方向。牛顿第二定律定量地描述了力能使物体的运动产生变化。它说明速度的时间变化率（即加速度 a）与力 F 成正比，而与物体的质量 m 成反比，即 $a = F/m$ 或 $F = ma$；力越大，加速度也越大；质量越大，加速度就越小。力与加速度都既有量值又有方向。计算时，以矢量（箭头）表示，矢量的长度与它们的量值成比例。加速度由力引起，方向与力相同；如果有几个力作用在物体上，就由合力产生加速度。合力由力矢量首尾相加而得。第二定律是最重要的，动力学的所有基本方程都可由它通过微积分推导出来。自由落体就是一个简单的例子。略去空气的阻力不计，就只有物体向下的重量在起作用，它产生一个向下的加速度，与重力加速度 g 相等。在靠近地球表面处其平均值为 9.8 米/秒^2。牛顿第三定律指出，两个物体的相互作用总是大小相等而方向相反。对于两个直接接触的物体，这个定律比较易于理解。书本对桌子向下的压力等于桌子对书向上的托力。引力也是如此，飞行中的飞机向上拉地球的力在数值上等于地球向下拉飞机的力。第三定律对静力学是重要的，因为它能把复杂的结构和机器分成简单的单元，以便在未知力最少的情况下，对每个单元进行单个分析。

Newton's rings 牛顿环 把凸玻璃的凸面置于另一块平面玻璃上，在两块玻璃之间有空气层，这时会观察到一系列同心的亮暗相间的彩色环带。这一现象是由于两玻璃片之

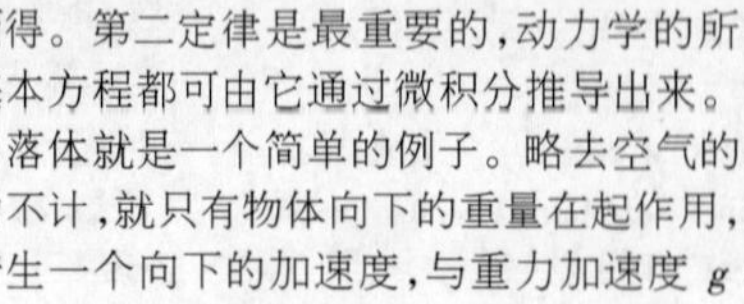

各种被检验表面所形成的干涉图

间空气膜顶部和底部的反射光发生干涉或光波叠加所致：波峰重合处，光就亮；波峰与波谷相遇处，光就变暗。这些环以 17 世纪英国物理学家 I.牛顿的姓氏命名，因为他首先定量地研究了这些环。这一原理常用于检验抛光表面的均匀性，办法是用一完美的平面玻璃与需检验的表面接触，研究它们的干涉图样。图中所示为各种表面在检验时形成的等高线图样。图中，A 是由平表面在 X 点接触产生的。在 B 和 C，检验表面稍微凸起，两种情况都用 X 表示接触点。不规则表面可产生如 D 所示的干涉图样，它有 X_1 和 X_2 两个接触点。

Newtown 纽敦 威尔士语作 Drenewydd。威尔士波伊斯郡新城镇。属蒙哥马利历史郡。位于威尔士浦西南 24 千米的塞文河畔。1967 年威尔士有在此建成第二个“新城镇”的

计划,以便创造更多的就业机会,并抑制乡村人口的不断减少。该镇最初的特许状是1280年颁布的。20世纪70年代逐步进行城市更新,结果城镇呈新旧混合状态。16世纪的镇公所已拆除,代之以新的乔治王朝式大厅。其他新建筑包括郡立图书馆中心、警察局、居民住宅区和工业区。引进了多种轻工业以补充传统的纺织及锯木业。人口约10 548(1991)。

Newtown Saint Boswells 圣博斯韦尔新镇 苏格兰罗克斯堡历史郡苏格兰边界市政务会辖区村镇。位于爱丁堡东南的特威德盆地,爱丁堡—纽卡斯尔公路和爱丁堡—卡莱尔铁路线上。1929年前,居民以铁路雇员为主。1929年后其主要职能为郡行政管理,1975年后,则成为行政区管理中心。经济以牲畜贸易为主。有行政区农业学院。有小说家W.司各特和陆军元帅D.黑格的墓。人口约1 108(1991)。

Newtownabbey 纽敦阿比 爱尔兰语作Baile Na Mainistreach。北爱尔兰城镇和区(1973年建立),原属安特林郡。1958年纽敦阿比城镇由7个村合并而成,现为贝尔法斯特市(位于贝尔法斯特港湾畔)延伸的居民区。周边有现代工业区,生产轮胎、电话机,纺织品及轻型土建设备,亦有新建住宅区。纽敦阿比区面积150平方千米,东接拉恩和卡里克弗格斯两个区,北邻巴利米纳,西界安特林郡,南临贝尔法斯特市。安特林山脉南坡伸入该区的北部与东部,但纽敦阿比大部为平原和起伏不平的低地。有少量农业活动集中于纽敦阿比城镇以北11千米宽阔峡谷中的区政府所在地巴利克莱尔四周。人口:城镇57 103(1991);区约79 600(1998)。

Newtownards 纽敦纳兹 北爱尔兰阿兹区(1973年建立)城镇和区府,原在唐郡。在斯特兰福德湾北端,贝尔法斯特东面。1608年建立。现为制造业中心,有麻织、针织和机械工业。人口24 301(1991)。

Nexø, Martin Andersen 尼克索(1869-06-26,哥本哈根~1954-06-01,民主德国德累斯顿) 丹麦第一位为社会革命而奋斗的无产阶级小说家,在提高丹麦以至全欧洲社会觉悟方面出力甚多。出生于哥本哈根贫民区一个赤贫家庭,童年时当过牧童和制鞋徒工,因此深知无产阶级身受的缺衣少食生活。1901年起以写作为生。其闻名世界的两部主要小说一为《征服者贝莱》(4卷,1906~1910),书中主人公是农场雇工的儿子贝莱,他当了哥本哈根的工人,后来成为富于斗争精神的工人领袖;另一部为《普通人狄蒂》(5卷,1917~1921)描写一位贫穷、坚毅、可爱的妇女一生摆脱不了压迫的故事。第三部小说《在上帝的国土上》(1929)抨击由于第一次世界大战引起农产品价格暴涨时期的富裕农场主。尼克索赞赏苏联的革命实验,第一次世界大战后参加了共产党,曾数次前往苏联旅行。把在苏联所得印象写成《走向黎明》(1923)。他著有回忆录二卷(1932~1939)。1945年出版《赤色分子莫尔顿》(2卷),为《征服者贝莱》的续集,在这本书中莫尔顿是革命者,而贝莱和许多西方工人领袖一样,已资产阶级化。北大西洋公约签订后,1949年他离开丹麦定居民主德国,在那里度过余生。

nexum 涅克疏姆契约 在早期的罗马法中,指一种涉及贷款的正式契约(又译要式契约)。这种贷款条件十分苛刻,可以使债务人完全处于债权人的支配之下。这个交易要通过一种使用秤和铜的仪式来完成,这种仪式是财产转移的传统标志。在公元前4世纪的后期,这个程序被废止了,当时的《波特里亚法律》(*Lex Poetelia*)释放了所有受这种契约束缚的人(即无力偿还债务受债权人奴役的债务人)。

Ney, Elisabet 内伊(1833-01-26,普鲁士威斯特伐利亚蒙斯特[今在德国]~1907-06-29,美国得克萨斯州奥斯汀) 全名Franzisca Bernadina Wilhelmina Elisabeth Ney。雕塑家,因雕刻19世纪中期到晚期欧洲和得克萨斯名流的全身像和半身像被人所铭记。初在蒙斯特习画,后去德国慕尼黑皇家巴伐利亚美术学院学习。1855年到欧洲师从著名雕塑家C.D.劳希。1856年在柏林博览会上展出她的作品,获得成功。她为哲学家A.叔本华和汉诺威的乔治五世制作的半身雕像为她赢得了名声。1863年与E.D.蒙哥马利结婚,但保留了自己的姓氏。1865~1866年间为意大利爱国者G.加里波第制作半身像。1867年还为普鲁士首相俾斯麦制作半身像,同年完成了《被缚的普罗米修斯》巨型雕像。并回慕尼黑任巴伐利亚的路德维希二世的宫廷雕塑师。1870年夫妇二人移民美国,全身心抚养儿子,此后有近20年的时间没有从事雕塑。1890年重操旧业,为得克萨斯州爱国者S.休斯敦和S.F.奥斯汀制作全身像(1892;1893),3年后在芝加哥举办的哥伦比亚世界博览会的得克萨斯馆内展出。1892年在得克萨斯州奥斯汀建立工作室。生前最后一件主要作品——麦克白夫人全身像——于1905年完成。她去世后该工作室改建为内伊陈列馆。

Ney, Michel 内伊(1769-01-10,法国萨里路易~1815-12-07,巴黎) 自1804年起是拿破仑手下最著名的元帅之一,骁勇善战的传奇式英雄。出身于手工业工人家庭。1788年加入轻骑兵团。在1792~1800年法国革命战争期间,即以作战勇猛著称。后参加拿破仑的历次战争。1803年被任命为第6军团军团长,1804年5月受帝国元帅头衔。在跟随拿破仑进军欧陆腹地的征战中连续获胜。1808年起被派往西班牙作战。1811年初因与上级关系不和而被迫去职。1812年拿破仑率军远征俄国,内伊又获重用。博罗季诺会战后,被封为莫斯科亲王。法军自莫斯科撤退时,任后卫部队指挥,曾遭到俄国炮兵和大量哥萨克骑兵的攻击,他身先士卒,英勇机智,被拿破仑誉为"勇士之最"。后来又参加了1813年和1814年的欧洲战役。曾在登讷维茨会战中被瑞典王储查理十四世约翰击败,并在莱比锡会战中负伤。拿破仑退位后投靠波旁王朝。1815年3月拿破仑东山再起时,他又转到拿破仑方面,并参加了滑铁卢会战。波旁王朝第二次复辟后,内伊企图逃往国外,后被发觉而遭逮捕,并被军事法庭判处极刑。

美国不列颠百科全书公司供图

Neyagawa 寝屋川 日本本州大阪府城市。考古证明当地曾有史前村落。1910年与大阪通铁路后发展成为居民卫星城。少数几家大工厂生产金属制品、运输设备和纺织品。人口约258 907(1983)。

Neyman, Jerzy 奈曼(1894-04-16,俄国宾杰里~1981-08-05,美国加利福尼亚奥克兰) 俄罗斯出生的美国数学家和统计学家,帮助建立了假设检验的统计理论。1917~1921年在乌克兰哈尔科夫理工学院任讲师,后在波兰比得哥什农业研究所任统计学家。1923年在华沙农学院任讲师,1928年到华沙大学任教。1934~1938年在伦敦大学学院任教。以后移居美国,在伯克利加利福尼亚大学任教。在越来越多随他学习的统计学家和数学家的协助下在该校建立了一个研究机构,后来发展为世界著名的数理统计中心。在他的领导下举行了一系列很成功的概率论和统计学的专题讨论会。他在数理统计方面的工作(包括估计理论和假设检验的理论)在遗传学、医学诊断、天文学、气象学和农业实验方面有广泛的应用。他主要以理论和应用相结合而闻名。

Neyshābūr 内沙布尔 又拼Nīshapūr。伊朗东北部城镇。位于麦什德以西74千米处。海拔1 213米,地处宽阔、肥沃的平原。种植谷物和棉花,经营农产品贸易,制造地毯和陶器。有公路和铁路通德黑兰和麦什德。5世纪时为皇家驻地,后几经兴衰,13世纪遭受两次地震及蒙古人入侵的破坏。附近有精美的圆顶陵墓(1643)、丰富的中世纪及其以前的文物。附近有12世纪天文学家、诗人欧麦尔·海亚姆的墓地。人口135 681(1991)。

Nez Percé 内兹佩尔塞人 操萨哈普廷语的北美印第安人。集中住于斯内克河下游及其支流萨蒙河、克利尔沃特河流域,约相当于现在美国爱达荷州中部及其毗邻的俄勒冈州、华盛顿州部分地区。他们是萨哈普廷人

(Sahaptin)中间最大、最有名、也最有实力的一个民族,其他民族对他们的称呼不同,如法国人称之为内兹佩尔塞人,意为"穿鼻人",系指其鼻部佩戴垂饰而言,不过此种风习似乎并不普遍。他们的文化主要属于高原文化区

曾在酋长约瑟夫领导下参加内兹佩尔塞战争(1877)的酋长"镜子"
美国不列颠百科全书公司供图

类型,尤以萨哈普廷诸部落的文化为其特征。但因他们是最东端居民集团之一,也受落基山东面的平原印第安人的许多影响。他们的家庭生活传统上集中于小村落里,小村落则坐落河边,河中盛产鲑鱼;晒干后的鲑鱼为其主要食物来源,这正是高原印第安人的特点。内兹佩尔塞人也猎捕各种猎物,采集浆果及块根。他们集体居住,住屋为A形,以草席覆盖,大小不一,但有时能容30个家庭居住。18世纪早期,内兹佩尔塞人得到马之后,生活开始发生了明显的变化,至少在某些居民集团中是如此。他们能够乘马远征,猎捕野牛,并能同落基山东面诸民族进行贸易。他们本为尚武民族,得马之后,愈益好战,并且仿照平原印第安人的习俗,设有多项战争荣誉、采用多种战舞和马术。他们还采用了平原印第安人的圆锥形帐篷。内兹佩尔塞人所饲养的马群是美洲大陆最大的马群之一;在学习选配良种方面,在美洲印第安人中几乎是无与伦比的。由于能在这方面发财致富并向外扩展而导致更多的部落间或村落间的磋商活动,使得他们在同其他部落谈判时常占优势。白人移民的到来,使他们的生活发生了变化,1805年后,商人及毛皮兽捕猎者进入其住地,传教士亦接踵而至。1860年萨蒙河与克利尔沃特河地区发现金矿,成千上万的白人涌入该地。到1877年酿成内兹佩尔塞战争,他们在其约瑟夫(酋长)(**Joseph, Chief**)领导下进行战斗,以失败告终。到20世纪晚期,约有1 500名内兹佩尔塞人仍旧生活在爱达荷州内兹佩尔塞人居留地,但大多数已生活在美国一般居民之中,成为小土地所有者或劳工。

Nezahualcóyotl 内萨瓦尔科约特尔 又拼Netzahualcóyotl。墨西哥中部墨西哥城东北的自治区。位于墨西哥谷地东北端。是全国第二大区。原是特斯科科湖,湖面缩小后南岸出现大片土地,1900年后开始有人定居。1946年政府在北面修建霍恰卡堤坝防洪,廉价出售土地,吸引了成千上万的人。但不久出现公共服务设施不足问题。1958年由于人口增长过快,卖方和买方之间矛盾尖锐化,政府通过立法,规定每出售一块土地,必须有服务方面的保证。1963年奇马卢阿坎、拉巴斯、斯特科科、埃卡特佩克以及阿滕科地区合并,成立该自治区,行政机构设在内萨瓦尔科约特尔市。有公路通至墨西哥城。经济主要依靠墨西哥城。人口约1 255 456(1990)。

Neẓāmī 内扎米(约1141,塞尔柱帝国甘贾～1209,甘贾) Neẓāmī又拼Niẓāmī。波斯文学中最伟大的浪漫主义叙事诗诗人。他把一种口语和现实主义风格带进波斯叙事诗。生平不详,幼年成为孤儿,一生在甘贾度过。曾离家一次去面见掌权的王子。虽得到一些君主和亲王的保护提携,但他仍以心地正直和生活简朴著称。他的颂歌和抒情诗仅有少量留存至今。伟大的《五卷诗》是他的成名作。以对句韵诗形式写成,共3万句。他从波斯叙事诗人费尔多西和萨纳伊的诗中获得了灵感,不愧为波斯文学史上第一个伟大的戏剧诗人。《五卷诗》中的第一卷是劝世诗《秘密宝库》;第二卷是浪漫叙事诗《霍斯陆和西琳》;第三卷是伊斯兰民间文学中著名的故事《莱伊丽和马季农》;第四卷是他的杰作《七美人》;最后一卷是对亚历山大的哲理性描绘《亚历山大故事》。内扎米以其清澈明晰、富有独创性的文体在讲波斯语的国家中受到钦佩。但由于他为语言而爱语言,以及偏爱哲学和科学知识,因而所写作品不易为一般读者所理解。

Nezib, Battle of(1839) 参阅**Nizip, Battle of 尼济普战役**。

Neziqin 内齐钦 希伯来语,意为赔偿。犹太教口传律法汇编《密西拿》六个回目中的第四回目,论依法判定的赔偿和财务问题,有专论10篇:《首门》、《中门》、《尾门》、《公会》、《条纹》、《誓愿》、《作证》、《偶像》、《列祖》和《判决》。

NFL 参阅**National Football League 全国橄榄球联盟**。

Ngada 恩加达人 又称罗卡人。印度尼西亚小巽他群岛弗洛勒斯岛南岸的一个部落。属于原始马来亚种,使用安汶-帝汶语族的一种马来-玻利尼西亚语。1954年有人口3.5万～4万。自称是来自爪哇的移民,祖先是猎户。现种植水稻、旱稻、玉米、黍子和蔬菜。恩加达人的农村住房多以木桩搭成,按照氏族领地划分,土地由氏族分配给其成员。采用父系和母系两种传宗制度;长门有继承权。婚姻实行严格的族内婚制,虽禁止同胞兄妹结婚,却鼓励堂表兄妹结婚。婚后,夫属于妻的氏族,直到付清全部聘礼为止。氏族为同一祖先、同一地区的组织,传统上也是政治单位,后来荷兰人设置了"拉甲"以代替氏族。最初只崇奉提婆神及其配偶尼陀,1920年后基督教士在当地传教,许多人成为天主教徒。

Ngami, Lake 恩加米湖 博茨瓦纳西北部10 400平方千米的奥卡万戈沼泽地西南角的浅水湖。沼泽和湖泊水源来自奥卡万戈河,但河水流经沼泽地时大部分蒸发。恩加米湖海拔932米。探险家利文斯敦在1849年第一次看见该湖时,曾估计其周线在275千米以上。但在1965～1966年的旱灾中,湖水完全干枯,以后雨水又使湖水回升,但湖比利文斯敦见到时小很多。湖里有很多鸟类和四须淡水鱼,这种鱼即使湖水干涸,也能在泥里生存几个月。该湖没有天然出口,水满时,库涅雷和恩加贝河谷被淹没,湖水被引入博泰蒂河。

Ngaoundéré 恩冈代雷 喀麦隆中北部城镇。地处阿达马瓦高原。为纵贯喀麦隆铁路的北端终点站。当地发展以畜牧业为主。工业有奶制品、皮革、香料和轧棉。城南开采大型铝土矿。旅游业发达。有医院、机场、气象站等。恩冈代雷历史上为重镇,曾是富拉尼人传统的首都。富拉尼埃米尔阿达玛在19世纪前半叶建立此城,作为阿达马瓦王国的一部分。人口78 210(1987)。

Ngasaunggyan, Battle of 牙嵩延战役(1277) 蒙古军打败缅甸军,导致缅甸蒲甘王朝灭亡的战役。蒙古统治者忽必烈统一中国后遣使来见蒲甘王那罗梯诃波帝(1254～1287),初未得见,二次来使被斩。1277年,蒲甘王向云南大胆进军。他在牙嵩延与蒙古军相遇,全军溃败。南逃至勃生,屈为蒙古臣藩。1287年蒲甘王被其子暗杀后,蒙古人完全控制南至蒲甘的地区,1289年扶植傀儡政权,灭蒲甘王朝。

Ngata, Sir Apirana Turupa 恩加塔(1874-07-03,新西兰卡瓦卡～1950-07-14,怀奥马塔蒂尼) 新西兰毛利族政治和文化领袖,20世纪初推动政府改进对毛利人的政策的主要力量。1897年获法学学位,是毛利族第一个大学毕业生。曾当律师。后积极从事青年毛利党的活动。1905年选入议会,任议员39年。1927年受封爵士。1928～1934年任土著事务部长。1931年开始推行毛利族土地发展计划,扩大毛利人的耕地面积。为了使毛利人有更多受教育的机会,曾设置资助开办学校的毛利人专用基金。又参加建立毛利民族研究委员会,1928～1934年任该会主席。并曾任波利尼西亚学会主席9年,对研究波利尼西亚人类学作出贡献。曾编印一部毛利族歌谣集(1929)。

Ngbandi 恩格班迪人 又拼Gbandi,又称莫格万迪人(Mogwandi)。乌班吉河上游地区民族,其住区在中非共和国南部及刚果(金)北部。操尼日尔-刚果语族阿达马瓦-东部语支一种语言,与邻近通行的班达语及巴亚语相似。"恩格班迪人"一词为比利时人种志学者所喜用,法国人则将其同其他"乌班吉"诸民族如班齐里人、恩扎卡拉人、桑桑戈及亚科马人等划在一起。恩格班迪人来自今苏丹南

部,其现居地周围有许多小部落,有些已和他们融为一体。18世纪时,属于班迪亚氏族的恩格班迪人征服阿赞德人地区,建有一些小国;他们吸收了阿赞德文化和语言,现在两者已无法分辨。恩格班迪人务农,种植玉米、木薯、花生、甘薯、利马豆、胡椒、菠萝、番木瓜等。传统上男子从事渔、猎及清理田地,妇女采集野果及负责耕作。不少健壮男女都外出打工挣钱。恩格班迪人传统的村庄仅有一排住房,人口拥挤。家庭实行父系传宗,酋长负责仲裁纠纷及祭祀祖先。流行一夫多妻风习,但此俗多年来已逐渐消失。恩格班迪人传统上以尚武著称,所制刀、枪质地优良,现在则为爱好非洲艺术的收藏家们所珍视。

Ngbanya(people) **恩格班亚人** 参阅 **Guang** 古昂人。

NGC 参阅 **New General Catalogue of Nebulae and Clusters of Stars**《星云星团新总表》。

Ngelengwa(African ruler) **恩格朗瓦** 参阅 **Msiri** 姆西里。

Ngengi, Kamau(president of Kenya) **恩根吉** 参阅 **Kenyatta, Jomo** 肯雅塔。

Ngo Dinh Diem **吴庭艳**(1901-01-03,越南北部广平省～1963-11-02,越南南部堤岸) 越南政治领袖,1955年起直至被杀,一直任越南共和国(南越)的独裁总统。贵族出身。17世纪,他的祖先成为首批信奉天主教的人。1933年任保大皇帝的内政大臣,但因法国人不支持他的立法改革而于同年辞职。其后12年他在顺化过平静的生活。1945年被胡志明的军队俘获。胡劝他参加北方政府,想利用他去争取天主教徒的支持。但他拒绝这个建议,出亡国外近十年之久。1954年应保大之召回国,任美国支持的南越政府首相。1955年10月保大在政府控制的公民复决中失败,吴庭艳废黜保大,自任越南共和国(南越)总统。他拒绝《日内瓦协议》关于举行自由选举建立民族政府的要求,而在南部建立起专制政府,任用自己的亲属充当高官。他在美国的军事和经济支援下,安顿了数十万北方难民,但他的天主教信仰和对天主教徒的偏爱受到占南越压倒多数的佛教徒的反对。他宣称实行土地改革,从未兑现。在他统治时期,共产主义的力量不断扩大。他对待叛乱者的军事策略暴虐而无效,使他的政府失去民心而孤立。他以煽动共产党叛乱为口实,监禁并杀害许多佛教徒,最终导致美国撤销对他的支持。后在军事政变中被击毙。

Ngo Quyen **吴权**(897?～944) 越南解放者,以战术闻名。他奠定一个独立的越南人王国(他称之为南越)的基础。原为在中国统治下的红河流域交州的太守。938～939年间在今海防以北的白藤江畔打败中国人,宣布建立一个自治的王国,定都于红河上的古螺。在越南的历史进程中,后来的将军们纷纷仿效吴权于939年赶走中国人时所运用的战术。在随后的几个世纪中,尽管中国反复进行攻击,南越王国始终保持自治,直至19世纪法国人掌握了控制权为止。

Ngo Van Chieu **吴文照**(1878,越南平西～1926,西宁) 又名黎文中。越南高台教的创始人。毕业于美荻的省立中学,在殖民地政府移民部门供职;1902年去职。他自称获启示,遂献身于宗教。经过一段时间研究和思考,他宣布创立高台教(高台是道教名词,指天尊)。高台教(**Cao Dai**)又名第三次神赦教,成立于1926年。教义中包含中国儒家思想、道教、佛教和天主教成分。其教团以主教为首领。吴文照任主教终身。

Ngoko River(Cameroon) **恩戈科河** 参阅 **Dja River** 贾河。

Ngonde(people) **恩贡德人** 参阅 **Nyakyusa** 尼亚库萨人。

Ngoni **恩戈尼人** 又拼Angoni,由班图系统的恩古尼人(**Nguni**)支系的12个群体组成。他们散居在非洲东部各地,起因是19世纪早期祖鲁帝国兴起,许多小部落逃离祖鲁兰。一名恩戈尼酋长茨旺根达巴率领其部落逃到坦噶尼喀湖地区;其后裔就成了正统的恩戈尼人,分别住在赞比亚马拉维北部及坦桑尼亚南部。另一群体则逃往莫桑比克。每个恩戈尼群体形成一个独立小邦,中央统治机构按父系世袭。他们常侵袭弱邻部落;如本耕区肥力耗尽,便迁徙别处。其优良的军队组织与祖鲁人的军队相似,全面征兵,分别按同龄编为兵团,因此能抢占土地,大量俘获其他群组的人民。部分俘虏卖给阿拉伯人作奴隶,不少被本部落同化,有的甚至在军队和统治机构内获得高位。住区特点是大而稠密的各村围在中心牛棚四周,村庄彼此紧密相接,一村人口可达2 000～3 000人之多。19世纪末葡萄牙、英国和德国军队入侵,1910年恩戈尼人接受殖民统治。

Ngorongoro Conservation Area **恩戈罗恩戈罗保护区** 坦桑尼亚北部阿鲁沙地区国家保护区,位于塞伦盖蒂国家公园东南,占地8 300平方千米,包括部分东非大裂谷。有各种生境和地貌,如草原、热带林地、森林、山脉、火山口、湖泊、河流、沼泽地。恩戈罗恩戈罗火山口是公园最著名的景色,还有重要考古遗址奥杜瓦伊峡谷和拉埃托利尔,其中发现有距今210万年和360万年的原始人类遗骸。当地主要火山形成于2 000万年至200万年前。恩戈罗恩戈罗保护区是世界上最大有蹄哺乳动物栖息地,有牛羚、草原斑马、汤姆森瞪羚和格兰特瞪羚,食肉动物有狮子、斑点土狼、豹、猎豹,还有濒于灭绝的黑犀牛和非洲猎狗。鸟类有400余种,其中著名的有火烈鸟、银颊犀鸟、八哥和太阳鸟。1979年被联合国教科文组织列为世界遗产地。

Ngorongoro Crater **恩戈罗恩戈罗火山口** 位于坦桑尼亚北部东非大裂谷的死火山口。在阿鲁沙镇以西120千米。海拔2 400米。底部(326平方千米)比环缘低约1 700米。栖居着各种动物,是恩戈罗恩戈罗国家公园的中心。外形与月球火山口极为相似。

Ngoy **恩戈伊** 中非大西洋海岸历史上的国家,在今卡宾达南部和刚果(金)西部。约于15世纪由说班图语的民族建立。1783年葡萄牙人在卡宾达建筑城堡时,该王国曾联合邻近的卡刚果王国和法国人摧毁该堡。由于出口奴隶,国内贵族的财富和权势日增,而使国王沦落到软弱无能的地位。19世纪30年代,贵族当中未能选出一位新国王,王国最终分裂成若干小邦。

Ngozi **恩戈齐** 布隆迪中北部城镇。海拔约1 750米,为市场中心。周围地区放牧牛群,种植咖啡、香蕉、木薯、甘薯、豆类和玉米。其他重要经济活动有锡矿开采和茶叶加工等。与国内第二大城镇和贸易、服务业中心基特加之间通公路。人口:城镇14 511(1990)。

Ngubane, Jordan Kush **恩古巴内**(1917-11-15,南非纳塔尔莱迪史密斯～1985) 祖鲁族小说家、学者。德班《纳塔尔太阳报》、约翰内斯堡《班图世界》和费鲁拉姆《班图论坛》这些南非出版物的编辑。他在德班附近的亚当斯学院取得学位,1962年举家迁往斯威士兰,经营一个小农场,偶尔搞些创作。1969年获福特基金会资助赴美,在华盛顿[哥伦比亚特区]霍华德大学任教。经过大约10年的离乡背井的生活,于1980年春返回家乡,任内阁新闻部长。《他眉头一皱使人胆战心惊》(1957)是他用祖鲁语写的小说,问世后很受欢迎,成为学校教材,1962～1967年遭禁。非小说著作有《一个非洲人眼中的种族隔离》和《思想冲突》等论文。1979年发表长篇论文,分析美国与南非种族问题的异同。他还发表了一些诗歌和短篇小说。1973年出版了他唯一的英文小说《乌沙巴:奔向血河》。

Ngugi, wa Thiong'o **恩古吉**(1938-01-05,肯尼亚利穆鲁～) 东非重要小说家。他的《孩子别哭》(1964)是东非人写的第一部重要英语小说。1963年获乌干达坎帕拉马凯雷雷大学文学士学位,1964年获英国约克郡利兹大学文学士学位。在利兹完成研究生学业后,曾在肯尼亚内罗毕大学学院任英语讲师,并曾在美国伊利诺伊州埃文斯顿市的西北大学任客座英语教授。1972～1977年任内罗毕大学文学系高级讲师和主任。获奖的《孩子别哭》写一个基库尤人家庭在紧急状态和茅茅起义时期逐步被卷入肯尼亚独立斗争的故事。《一粒麦种》(1967)专写独立前后的许多社会、道德和种族问题,表明他在艺术上愈加成熟。《一河之隔》(1965)写新旧价值观念无法调和,基督教同传统的方式和信仰之间的冲突拆散情人。《血的花瓣》(1977)描写东非独立后的社会经济问题,尤其是国内外资产阶级对工农的剥削。《十字架上的魔鬼》(1980)用基库尤文写成,以讽喻形式表达了这些思想。《黑隐士》(1962)是他几部剧本中的第一部,有些评论家认为其中的《对德丹·基马塞的审判》(与穆戈合写)是他最好的剧本。《我想结婚时就结婚》(1980)是他和米里用基库尤文合写的剧本,抨击了肯尼亚中部的资本主义、新殖民主义和宗教的虚伪,它的上演引起肯尼亚政府的不满,使他在未经审判的情况下被监禁一年。《马蒂加里》(1986)是一部同样风格的小说。恩古吉在许多论文和演讲中提出了自己对文学、文化和政治的见解。他最重要的论文和演讲收在《回家》(1972)及《政治问题作家》(1981)等文集中。这些著作使他获得了非洲最为明快的社会评论家之一的名声。

Nguni 恩古尼人 操班图语的一组种族集团,居住在南非共和国、斯威士兰及津巴布韦。他们的祖先占居一片广宽的高地,自好望角的大鱼河起,向北延伸至科西湾(靠近纳塔尔与莫桑比克边界);这片地区与印度洋沿岸平行。19世纪初,恩古尼人分成许多政治实体,如恩德兰贝人、加莱克人、滕布人、姆蓬多人、姆蓬多密斯人、巴卡人、卢比人、姆特斯瓦人、祖鲁人等。这些社会群体各有首领。民众种植黍稷,饲养牛群,女耕男牧。家庭实行父系制,从夫居,族外婚。19世纪期间,恩古尼人的生活方式发生巨大变化,主要原因之一是"姆菲卡尼"大动乱。由于祖鲁人争霸之战,造成各部落逃离故土,在非洲南部及中部又形成一些小国,有津巴布韦西南部的恩德贝勒人国家,莫桑比克南部的加札人国家,斯威士兰的斯威士人国家,还有在坦桑尼亚、赞比亚和马拉维的几个恩戈尼人国家。另一影响深远的事件是:不断膨胀中的欧洲势力逐渐腐蚀和破坏了恩古尼人社会。南方恩古尼民族与好望角的欧洲人之间爆发了一系列战争。南方恩古尼人战败,土地被占,牛群被抢;大量恩古尼人流离失所,成为非洲南部各地的流动工人。1886年威特沃特斯兰德地区发现金矿后,工业化进程持续发展,需要大批劳动力。操恩古尼语的人们于是成为经济发展的主要支柱之一。不少人已是南非城市居民。随着城市化的进程,南非政府实施种族隔离政策并建立班图斯坦黑人家园,试图把传统的恩古尼文化及酋长制限制在农村。有些家园已变成"共和国",但这对说恩古尼语的人们来说,无甚关系;他们生于城市,已与祖先所居住的农村隔绝多年。因之,"恩古尼"一词,现在最好把它看作一个语言学术语,它的文化内涵早已消失无遗。

Nguru 恩古鲁 尼日利亚博尔诺州西北部城镇。靠近季节河哈代贾河。建城年代不详。16世纪初属卡努里人的博尔努王国(参阅 **Kanem-Bornu**),为王国西部诸省总督的驻地。一度为豪萨人的卡诺王国国王基索基(1509～1565年在位)的军队所占,但不久为博尔努人收复。约1808年被富拉尼人焚毁殆尽。1929年通铁路后成为该国主要阿拉伯树胶集中地之一。花生、棉花、肉类和生皮经此运往拉各斯。20世纪60年代建现代化屠宰场和冷冻厂。亦为当地卡努里、贝德和曼加人的主要农产品销售中心以及扎里亚一卡诺铁路干线的东北终端站。经地方公路通尼日利亚干线公路网。人口约87 660(1991)。

Nguyen DYNASTY 阮朝(1802～1945) 越南最后一个王朝,由阮氏家族创立。阮氏家族崛起于16世纪黎朝(参阅 **Later Le dynasty**)统治时期。1527年莫登庸篡夺越南王位后,阮检于1533年率军扶黎朝皇帝重登王位。莫氏(参阅 **Mac family**)退往北方,此后阮氏家族成员在黎朝担任宫内府大臣,直到16世纪中期被郑氏家族(**Trinh family**)取而代之。阮氏势力渐与越南南方相结合。1620年,长期对立的阮氏和郑氏公开交战,战争持续到1673年,两个家族事实上分治越南。阮氏从未受封于中国,实际上独立地统治着南方。17～18世纪,阮氏鼓励越南人向南扩展,迁入被占人和柬埔寨人占领的土地。1771年西山弟兄(**Tay Son brothers**)起义爆发后,阮氏在南方的势力受到挑战。青年王子阮映幸免于死,终于收复阮氏领土,被立为嘉隆(**Gia Long**)皇帝,从1802年起统治越南全境,成为阮朝的创始人。阮朝仿行中国清朝体制,奉行保守政策,反对外国在越南从事传教活动。法国于1858年入侵越南,登陆岘港,后在西贡建立基地。迫使嗣德皇帝(**Tu Duc**)于1862年将越南南方东部三省割让给法国,5年后法国人控制了整个交趾支那(**Cochinchina**)。1883～1885年入侵后,法国人进而控制了越南全境,越南与中国古老的臣藩关系至此结束。顺化的阮朝名义上仍控制着越南中部(法国人称安南[**Annam**])和北部(亦称东京[**Tonkin**]),而交趾支那则是殖民地。法国一直控制着越南王室直至1945年越南民族武装力量宣布独立,末代皇帝保大(**Bao Dai**)退位为止。保大于1949年复位,1955年被吴庭艳组织的全民公决所废黜。

Nguyen Ai Quoc(Vietnamese leader) **阮爱国** 参阅 **Ho Chi Minh** 胡志明。

Nguyen Anh(Vietnamese emperor) **阮映** 参阅 **Gia Long** 嘉隆。

Nguyen Bun Dao(Vietnamese emperor) **阮宝岛** 参阅 **Khai Dinh** 启定。

Nguyen Cao Ky 阮高其(1930-09-08,越南北部山西～2011-07-23,马来西亚吉隆坡) 南越军政领袖。早年曾参加反对越南解放运动的法国军队。1954年国家分裂后他参加了南越的空军。以激烈反共蛮干冒险而引起人们的极大注意,得到越南美国顾问的赏识。1963年吴庭艳政府垮台后,他被任命为南越空军司令。在美国的支持下他很快建立起拥有1万人的战斗部队。1965年6月他与阮文绍、杨文明领导一次军事政变。作为这一三头政治的首脑,他的独裁政策引起普遍的反对。1967年上层军事领袖达成一项协议,即由阮文绍竞选新政权的总统,阮高其竞选副总统。他因不满于此职位而公开批评阮文绍政府。1971年他试图反对阮文绍而夺取总统职位,但被迫退出竞争回到空军。1975年4月南越垮台,阮高其逃亡美国,所著《20年和20天》于1976年问世。

Nguyen Du 阮攸(1765,越南仙田～1820-08-10,顺化) 笔名素如。越南诗人,史诗《金云翘》的作者。一些人认为他是越南文学之父。19岁时即通过汉文考试,在黎王朝任卑微军职。他和自己家族几代人一样,一直为黎王朝统治者效忠,直至该王朝于1787年崩溃。曾协同他人扶助黎王朝复辟,但未成功,遂退隐家乡附近的鸿岭山区。1802年新阮氏统治者嘉隆统一全国,召阮攸入朝,他勉强遵旨前往,后任多种官职。1813年在越南北方广平省任职时获"帝国柱石"之位,嗣后衔命率使团前往北京。在出使中国期间把一部明代小说译成越南诗歌,取名《金云翘》。他的诗探讨了个人罪恶因果报应的佛教教义,表达了作者个人的痛苦和深厚的人道主义精神。他的其他许多作品如《招魂文》等多用汉字写成。他两次衔命出使北京,最后一次未及启程即因长期患病拒不治疗而死。

Nguyen Hue(Vietnamese revolutionary leader) **阮惠** 参阅 **Tay Son brothers** 西山弟兄。

Nguyen Huu Tho 阮友寿(1910-07-10,越南南郡堤岸～1996-12-24,胡志明市) 越南南方民族解放阵线主席,越南社会主义共和国副主席。橡胶园总管之子。20世纪30年代在巴黎学习法律,回西贡后开律师业,一向不过问政治。直到1949年才领导学生进行反法示威游行。1950年组织群众抗议美国战舰在越南沿海巡逻。1954年日内瓦协议南北越分治后,一度与吴庭艳政权合作。后因鼓吹举行普选、统一国家被捕。除1958年一度获释外,1954～1961年一直关在狱中。后来在反吴庭艳派帮助下越狱。不久越南南方民族解放阵线成立,他出任主席。他所领导的游击队取得许多重大的胜利。1969～1976年任越南南方共和临时革命政府顾问委员会主席。1976～1980年任越南社会主义共和国副主席。1981年任国务委员会副主席及国会常设委员会主任。

Nguyen Khanh 阮庆(1927-11-08,越南茶荣～2013-01-11,美国加利福尼亚圣何塞) 越南军政领袖。原在法国殖民军中服役。1954年转入越南军队后步步高升,成为杨文明将军的参谋长。1963年11月1日参加杨文明的反吴庭艳政变。1964年又推翻杨文明,1～10月任"越南共和国"政府首脑。1965年2月阮高其上台后任命他为巡回大使,实际上是流放美国。

Nguyen Lu(Vietnamese revolutionary leader) **阮侣** 参阅 **Tay Son brothers** 西山弟兄。

Nguyen Nhac(Vietnamese revolutionary leader) **阮岳** 参阅 **Tay Son brothers** 西山弟兄。

Nguyen Phuoc Chi Dam(Vietnamese emperor) **阮福晈** 参阅 **Minh Mang** 明命。

Nguyen Phuoc Hoang Nham(Vietnamese emperor) **阮福洪任** 参阅 **Tu Duc** 嗣德。

Nguyen Phuoc Tan(Vietnamese ruler) **阮福濒** 参阅 **Hien Vuong** 贤王。

Nguyen That Thanh(Vietnamese leader) **阮必成** 参阅 **Ho Chi Minh** 胡志明。

Nguyen Tri Phuong **阮智方**(1806,西贡附近～1873-11-20,河内) 越南保守派,嗣德皇帝近臣。献身于抵抗欧洲势力和法国的军事侵略。父为省长。他早年从军,以在朱笃击退暹罗军的入侵和收复河仙闻名。1841年任下交趾支那(今越南南部)都督。他把女儿嫁给嗣德皇帝,从而成为顺化朝廷最有权势的大臣。他和嗣德接近西方,但拒不采用西方技术,以致国家落后,无力抵抗法国的入侵。1859年他在土伦(今岘港)抗击黎峨海军上将率领的法军。1861年在西贡附近的志和被法国夏尔内海军上将打败。1873年在河内保卫战中彻底败北。被俘后绝食而死。

Nguyen Truong To **阮长祚**(1828,越南义安省～1871) 越南早期现代化和政治改革的提倡者。信奉天主教。曾随法国教士去意大利和法国游历。19世纪60年代回国,在觐见嗣德皇帝时力陈国家应该现代化。1866年嗣德派他去欧洲购买机器设备和聘请西方专家。但第二年法国就侵占越南南方,使他的现代化计划完全落空。他在朝中反对保守派,坚决主张进行迫切的政治和经济改革,如减少官员人数和提高工资;在平等基础上与所有大国进行合作,防止一个大国在越南独享特权;利用西方技术知识和科学设备开发国内自然资源;在越南文中废除汉字。他的主张招致朝廷的猛烈抨击。

Nguyen Van Thieu **阮文绍**(1923-04-05,越南宁顺省池水～2001-09-29,美国马萨诸塞波士顿) 越南共和国(南越)总统(1967～1975)。小地主家庭出身。1945年参加越盟。但后来又为法国殖民当局效劳。1954年任越南国立军事学院院长。1956年后在吴庭艳政府中工作。1963年在推翻吴庭艳的政变中起重要作用。1965年在以阮高其总理为首的军人政府中担任国家元首。1967年当选总统。1971年连选连任。在美国总统约翰逊和尼克松当政的时代,他始终得到美国的支持。1973年美军撤退后,他仍然努力巩固自己的势力。1975年4月21日,他在一篇斥责美国的讲话中宣布辞职并让位给副总统陈文香。不久后出国。先去台湾,后到英国萨里郡居住,后又在美国定居。

Nguyen Van Thinh **阮文厅**(?～1946-11-10,越南西贡) 越南政治人物,1946年一度担任法国控制的交趾支那政府的总统。他是法国籍公民——这是法国统治越南时期授予越南上层人士的一种特权。第二次世界大战以后他协助策划1946年初由法国人建立的所谓的自由越南共和国。他虽然有交趾支那共和国临时政府总统的头衔,但这个共和国实际上由法国人操纵。因为感到自己不起作用,羞愤自杀。

Nguyen Vinh Thuy (Vietnamese emperor) **阮永瑞** 参阅 **Bao Dai** 保大。

Ngwenyama **狮子** 参阅 **Sobhuza II** 索布扎二世。

Nha Trang **芽庄** 越南东南部港口城市。濒临丐河河口,在胡志明市(原西贡)东北412千米处。公元3世纪时属扶南藩国古笪(罗)。1653年并入南方阮主的领土,1802年后划入越南王国版图。1862年被法国人占据。1895年法国人在此设巴士德热带病研究所。1912年通西贡—河内铁路。现有港口设施和储油设备。由于芽庄气候宜人,和沙质海滩,在法国人统治时期成为一海滨休养地。与该市隔江相望的岛村的花岗岩墩上一座浦那竭罗坐像(城市之母)是占婆人于7～12世纪间重新建造的4座湿婆庙群。芽庄设有越南唯一的海军学院和海产学院,是1976年从海防迁此的。人口213 460(1989)。

芽庄市街景
中国大百科全书出版社供图

NHL 参阅 **National Hockey League** 全国冰球联盟。

Ni-ō **二王** 日本佛教神话中的护教神。以两种形象出现,守护寺院大门右侧的是金刚力士,手执雷电以除恶;守护大门左侧的是密迹金刚。两像都身材高大,全身披挂或袒胸佩飘带。

日本奈良东大寺南门的二王塑像
美国不列颠百科全书公司供图

Ni Zan **倪瓒**(1301-02-27～1374-12-25) 又拼 Ni Tsan。中国元代画家。字元镇,号云林、荆蛮民等,无锡(今属江苏)人。家富有,收藏图书文物甚多。元末农民军起,变卖田宅,疏散家财,泛舟往来五湖三泖间达20年之久,寄情山水诗画。对佛学有研究,后人全真教。曾向黄公望请益,并常与王蒙等切磋画艺。擅画水墨山水,初师董源,有工整润厚之作,晚年更运化荆浩、关仝、董源、李成、郭熙,“一变古法,以天真幽淡为宗”。写山石用侧锋创“折带皴”变化荆关;画树木用简笔淡墨发展李成寒林一派。多取材于太湖一带平远景色,作遥岑浅水,茅亭疏林,意境萧瑟幽寂。虽不见人踪,而倪瓒其人,却于画中恍惚如现。他伤时感事,自谓“逸笔草草,聊写胸中逸气耳”。他的画似嫩而苍,似淡而腴,简中寓繁,小中见大,外落寞而内蕴激情,貌萧疏而实不凋残,具有独特的艺术风格。在当时,他本人即自视甚高,明清以来更受到王世贞、董其昌等人的推重。后世把他与黄公望、吴镇、王蒙合称“元四家”,且常有人将他置于其他三家之上。又所作“山水著色者甚少,间作一二,绘染亦深得古法”。亦擅墨竹。他还长诗文、散曲,工书法,为元末高手。其书体在楷书与八分之间,风格“遒逸”,瘦劲而又开张,在画上题咏甚富,且能与绘画风格紧密结合。存世画迹有《水竹居》、《雨后空林》、《江岸望山》、《幽涧寒松》、《松林亭子》、《六君子》、《紫芝山房》、《容膝斋》、《狮子林》、《梧竹秀石》、《竹枝》等图。伪作甚多,著名学者容庚曾著文加以鉴别。诗文有《清閟阁集》传世。

倪瓒绘《雨后空林》
中国大百科全书出版社供图

niacin **烟酸** 又作 nicotinic acid。又称抗糙皮病维生素或维生素 PP;一种水溶性B族维生素。在代谢中烟酸与烟酰胺可相互转换。同维生素 B_1、B_2 一样,它是参与糖代谢的辅酶。烟酸于1937年被发现,它广泛分布于动、植物组织中，瘦肉通常是良好的来源。一个人每天大约需要15毫克。在一些哺乳动物的肠道中，色氨酸可在细菌的作用下转变成烟酸，从而部分满足动物的需要。在蛋白质含量丰富、质量高的饮食中，由于色氨酸充足，可以使机体对烟酸的需要量减少到零。这说明为什么蛋类和乳类食品尽管含烟酸很少，但仍能防止糙皮病。烟酸是最稳定的维生素之一，耐烹调、耐贮藏。商业用烟酸是由煤焦油中的乙基吡啶和喹啉制得的。

Niagara(Ontario, Canada)　**尼亚加拉**　参阅**Niagara-on-the-Lake**　滨湖尼亚加拉。

Niagara Escarpment　**尼亚加拉陡崖**　又称莱克岭。北美洲的一条山脊。起自美国威斯康星州东部多尔半岛，经过休伦湖北部的马尼图林群岛（加拿大），向南穿过布鲁斯半岛（加拿大），沿安大略湖西南缘向东伸展，为古海岸一段。在尼亚加拉瀑布越过加-美边界，延伸至纽约州罗切斯特东侧。断断续续，蜿蜒1 050多千米。顶部高出四周低地75～300米，北坡陡峭。有许多由河流切割成的峡谷和瀑布，其中以尼亚加拉瀑布最为著名。罗切斯特等城市以地近大瀑布（杰纳西瀑布）有廉价电力而得以发展。陡崖还屏障了沿安大略湖南岸的尼亚加拉水果带。

Niagara Falls　**尼亚加拉瀑布**　北美东北部尼亚加拉河上的大瀑布，也是美洲大陆最著名的奇景之一。位于加拿大安大略省和美国纽约州的交界处。过去数十年，尼亚加拉

加拿大境内的尼亚加拉瀑布——霍斯舒瀑布
美国不列颠百科全书公司供图

瀑布一直吸引人们到此度蜜月、走钢索横越瀑布或者坐木桶漂游瀑布。但美丽独特的自然景观渐渐成为尼亚加拉瀑布引人入胜的地方。高特岛把瀑布分隔成两大部分。较大的部分是霍斯舒瀑布，靠近左（加拿大）岸，高56米，曲折的脊线长约670米，亚美利加瀑布接邻右岸，高58米，宽320米。下游尼亚加拉峡谷的形成及瀑布规模的维持都有赖于特殊的地质条件。从志留纪（4.38亿年前至4.08亿年前）开始，尼亚加拉峡谷的岩层几乎是平的，仅向南每千米下降约4米。上层为坚硬的白云岩，其下是页岩。水产生静水压力，并渗入因冰蚀作用和地壳隆起而形成的岩缝之中，缓慢地侵蚀着白云岩。随着上层来水继续渗入并侵蚀页岩，白云岩块出现倾颓。这一过程不断继续的同时，瀑布亦向上游移动。瀑布水流无沉积物，清澈的水质为瀑布增添了秀色。安大略省和纽约州深知这一自然奇景的重要性，因而保留或获得了瀑布毗邻地区的土地所有权，将这些土地辟为公园。近年来发电引走瀑布上游大量的水，已减低了侵蚀的速度。上游各种巧妙设计的控制工程维持了美、加两边瀑布流量的均衡，而瀑布的水帘也未受影响。瀑布上游一大部分水流被引入4条大渠道中，供下游各发电厂使用。因为担心发生大型岩石坍塌事故，1969年时曾将河水引离亚美利加瀑布，对基岩进行加固，并实施了一项广泛的钻孔和采样计划。同年11月，河水再度引回亚美利加瀑布。有关方面决定应该对前来参观的公众实行安全防范措施，而企图阻止自然进程的措施则既耗资巨大又毫无必要。

置身加拿大的维多利亚女王公园、亚美利加瀑布边上的展望点及展望点之下300米处横跨峡谷的虹桥之上，人们可以饱览引人入胜的景观。游客可经人行陆桥由美国一侧通往高特岛，再乘坐电梯至瀑布底部，参观水帘后方的风穴。1842～1905年期间，占河水流量的90%的霍斯舒瀑布平均每年向上游移动1.7米左右，此后由于各种控制工程和引水工程的进行，侵蚀有所减小。

Niagara Falls　**尼亚加拉瀑布城**　加拿大安大略省东南部尼亚加拉自治区的城市。位于尼亚加拉河左岸，与美国纽约州尼亚加拉瀑布城相对。1855年尼亚加拉峡谷上建成吊桥，该城随之发展。1881年更今名，1963年与斯坦福乡合并，面积增加12倍。大瀑布是安大略省主要电源和全国旅游名胜之一，该城因此重要；现有三座桥梁与美国尼亚加拉瀑布城相通，也是一个海关港口和工业中心。工业制品有电子化工产品、化肥、磨料与耐火材料、银制品、谷物、机械、体育设备、纸制品、食品等。有维多利亚女王公园。1904年设市。人口：市75 399；圣凯瑟琳斯-尼亚加拉都会区364 552(1991)。

Niagara Falls　**尼亚加拉瀑布城**　美国纽约州西部尼亚加拉县城市及入口港。位于尼亚加拉河大瀑布旁。1761年英国人在此建要塞。1805年建磨坊。后均于1812年战争中焚毁。但周围农区继续发展，数村合并为尼亚加拉瀑布城。1892年设市。1881年开发水力资源。1886年成立尼亚加拉瀑布电力公司，城市工业发展得到保障。其水电站（为世界最大电站之一）向全州大部地区和该市的电化学、电冶金及航空航天工业供电。其他工业产品有纸张、研磨料、面粉、机械、电器设备和食品业等。州立尼亚加拉保护区公园(1885)范围包括普罗斯佩克特公园和沿河地区。旅游业为主要经济项目之一，每年游人数以百万计。1941年建成虹桥以代替原有的瀑布观景桥。设有尼亚加拉县社区学院(1962)。市区外有尼亚加拉大学(1856)。市东北14千米处有塔斯卡罗拉印第安人保留地。人口：市55 593；尼亚加拉瀑布城主要都会统计区1 170 111(2000)。

Niagara Frontier　**尼亚加拉边境区**　美国纽约州西部游览区和重工业区。大体沿安大略湖和伊利湖之间的尼亚加拉河延伸。游览区有时包括沿河加拿大一侧，工业区则包括布法罗都会区。游览区的中心是1885年建于尼亚加拉瀑布的州立尼亚加拉保护区公园（纽约州最早的州立公园，有观景塔、降入亚美利加瀑布下峡谷的电梯和霍斯舒瀑布底部激流的漂流）。其他公园有州立尼亚加拉堡公园（在安大略湖畔尼亚加拉河河口处）、州立旋涡公园（位于瀑布北面5千米处）、州立魔鬼洞公园、州立巴克霍恩岛公园（瀑布南面格兰德岛北端一野生动物保护区）、州立伊文戈拉公园和W.布里奇斯伯爵艺术公园(1974，在刘易斯顿附近河岸高处）。全地区由州立尼亚加拉边境公园和游览区管理委员会管理。州建摩西园林大道（原尼亚加拉园林大道）将格兰德岛公园和尼亚加拉瀑布、尼亚加拉堡和安大略湖连接。格兰德岛南园林大道和西河园林大道形成环岛旅游公路，并与纽约州高速公路、摩西园林大道、比弗岛和州立巴克霍恩岛公园以及布法罗沟通。

Niagara Movement　**尼亚加拉运动**(1905～1910)　W.E.B.杜波伊斯领导的黑人知识分子组织，以争取美国黑人充分的政治、公民和社会权利为宗旨，与B.T.华盛顿在《1895年亚特兰大种族和解声明》中所持的和解哲学形成鲜明对照。为美国全国有色人种协进会(NAACP)的前身。1905年夏，包括杜波伊斯在内的29名杰出黑人在尼亚加拉瀑布秘密聚会，起草一项宣言，呼吁完全的公民自由，废除种族歧视，承认人类的兄弟情谊。此后每年聚会一次。运动虽有30个分支机构并曾分散地取得一些地方性的成就，但因组织软弱，资金不足，又无常设总部及工作人员，所以从未赢得广大群众的支持。1908年伊利诺伊州发生斯普林菲尔德种族暴乱后，白人自由主义者同尼亚加拉“斗士”的领导核心联合，于1909年成立全国有色人种协进会。尼亚加拉运动于1910年解散，杜波伊斯主持了两组织间过渡的领导机构。

Niagara-on-the-Lake　**滨湖尼亚加拉**　又称尼亚加拉，加拿大安大略省东南部城镇，属尼亚加拉自治区。濒临安大略湖南岸尼亚加拉河河口。在瀑布南35千米。建于1792年，为上加拿大省的第一个省会（1796年省会迁到多伦多）。现为避暑胜地、水果种植区的中心。工业有罐头加工、游艇制造和编筐。名胜有乔治堡（建于18世纪90年代末）及海军大厦。人口12 945(1991)。

Niagara River　**尼亚加拉河**　自伊利湖流注安大略湖，全长56千米，为美国纽约州与加拿大安大略省的界河。集水面积包括苏必利尔湖、密歇根湖、休伦湖和伊利湖水系，总计67.3万平方千米。河流全程水位落差99米，为北美水力资源最丰富的水道之一。流程约经一半即为尼亚加拉瀑布所在地。该河美加两侧有同名城市，尼亚加拉瀑布城。自伊利湖流出8千米后分为东西两支，分别在美国、加拿大境内各自流经24千米和19千

米，于尼亚加拉瀑布上游 5 千米处汇合，此前落差共 18 米。瀑布以下 11 千米处为尼亚加拉峡谷。自霍斯舒瀑布始的 3.6 千米一段落差仅 1.5 米，可航小船。以下落差 28 米，西北流 1.6 千米入漩涡。峡谷在此转向 90°朝东北方向延伸 3 千米，再转北 2.5 千米，到纽约州刘易斯顿的尼亚加拉陡崖脚下。最后经湖区平原 11 千米注入安大略湖。一万多年前，尼亚加拉河形成于更新世后期。大陆冰盖消融后，露出白云岩构成的尼亚加拉陡崖，伊利湖盆地流水经此外泄，形成瀑布。在侵蚀作用下，瀑布逐渐后退，出现了尼亚加拉峡谷。按后退平均速率和峡谷长度计算，历时 7 000年。另有一些地质学家认为需经 2.5 万年，瀑布方能退至今日位置。而从最后一次冰期测定，则尼亚加拉河年龄为 1.2 万年。尼亚加拉河自伊利湖口至急流的上游一段可以通航。沿河运输经上游水道和美国水道人纽约州驳船运河。该运河最浅处 4 米，连接哈得孙河，并有支流同尚普兰及安大略湖相连。布莱克罗克运河自布法罗港至尼亚加拉河下游几千米处冬季大部分时间可通航。但最重要的航线是沟通伊利湖与安大略湖的韦兰运河，是五大湖-圣劳伦斯河深水航道的组成部分。1950 年美、加两国商定：在旅游旺季期间，为使瀑布显示其宏伟壮丽的奇观，必须有足够水量通过瀑布，定为3 600立方米/ 秒；美、加两国于 1960 ～ 1963 年建成水力发电厂，装机容量 400 万千瓦。美国建于纽约州的刘易斯顿；加拿大建于安大略省的昆斯敦。从瀑布上方将水导入隧道及渠道引向下游电厂。电力除供两岸需要之外，多余部分向外地输送。

Niagaran Series　尼亚加拉统　北美志留纪（4.38 亿年前至 4.08 亿年前）年代地层的三个大单元的第二个统。因纽约州的尼亚加拉县研究过的露头而命名。特征的露头在尼亚加拉瀑布下游尼亚加拉河的峡谷中。这一峡谷的边坡是一个不易风化的洛克波特白云岩，在白云岩之下便是该地区尼亚加拉统的残余：含化石的页岩和灰岩薄层。辛辛那提背斜以西，尼亚加拉统主要是钙质的，分布很广，往往很厚。在印第安纳州、伊利诺伊州和威斯康星州的尼亚加拉白云岩中，常常可见到珊瑚化石礁，有些直径达 10 千米，厚达 300 米。

Niah Cave　尼亚洞穴　研究东南亚史前人类生活遗迹的重要考古遗址。位于东马来西亚婆罗洲沙捞越距南海 16 千米的内陆。洞穴提供了更新世早期沙捞越地区人类居址的实例，而且这个地点迄于 19 世纪始终有人居住。1864 年 A.R.华莱士首次向西方人士介绍这座洞穴的情况。尼亚洞穴规模巨大，共有 5 个洞口。主洞被称为壁画洞，因为洞穴的石壁和洞顶上都有用赤铁矿石绘制的壁画。主洞的洞口高约 90 米，宽约 180 米。壁画洞内的空气干燥，光线充足，适合人类居住，但是其他洞室都是阴暗潮湿的，其中栖息着几百万只蝙蝠和东亚雨燕。T.哈里森 1954 年在此做了第一次考古发掘，发现大量人类居住遗迹。石片石器和砍砸器的年代为公元前 4 万年。尼亚洞穴最重要的一项发现，是一具青年男子的骨架遗存，其年代为公元前 3.8 万年，是当时所知远东地区最早的智人遗存。这具骨架所以有重要意义，是因为他同爪哇的索罗人、非洲的罗得西亚人及欧洲的古典尼安德特人生活在同一时期，同属于智人，只是体型纤细，与现代人相差较多。其他的发现还有埋葬地“死者之船”等。

nialamide　尼阿拉米　即2-苄基氨甲酰乙基异烟肼。合成的单胺氧化酶抑制剂类药物，用于治疗精神抑郁症。能抑制单胺氧化酶在神经末梢对去甲肾上腺素的破坏作用。本品可口服给药，服药后疗效发生较迟，治疗过程前两周内缓缓发生疗效。副作用同其他单胺氧化酶抑制药，可能对肝脏造成损害。

Niam-Niam(people)　**尼安-尼安人**　参阅 **Azande 阿赞德人**。

Niamey　尼亚美　尼日尔首都，濒临尼日尔河。原为农村，1926 年兴建为尼日尔殖民地首府，第二次世界大战后发展迅速。现有来自尼日利亚、贝宁、多哥及尼日尔其他地区的

尼亚美市的国民议会大厦
美国不列颠百科全书公司供图

约鲁巴和豪萨商人、官员和手工艺人居住。从 1970 年建肯尼迪桥后，市区已自左（北）岸扩大至右岸。有一些工业，但居民大多从事服务行业。设有尼亚美大学（1971 年创建，1973 年升为大学）、国立行政管理学校（1963）、国家博物馆和地质学、矿物、人类科学、热带森林、热带农业和兽医学等研究所。有国际机场和通往贝宁和尼日利亚等国大西洋海岸港口的公路。人口420 000（1994）。

Nian Uprising　捻军起义（1853 ～ 1868）中国太平天国时期安徽、山东、河南、江苏等省的农民大起义。捻军源于捻党，成员多为破产农民、走私盐贩、渔民、船夫等。常护送私盐，劫富济贫。鸦片战争后捻党武装日益发展。1853 年太平天国北伐军经过安徽、河南，各地捻党纷纷起义响应。捻党首领张乐行聚众万余攻克河南永城。1855 年各路捻党首领在亳州雉河集（今安徽涡阳县）结盟，推张乐行为“大汉盟主”，号“大汉明命王”。制订《行军条例》19 则，建立黄、红、蓝、白、黑五旗军制，组成捻军，众约 10 万人。1857 年以听分封不听调用为条件接受太平天国领导，配合太平军作战，但不接受改编。张乐行封为成天义，在鄂、豫、皖、苏等地多次挫败清军。张乐行晋升征北主将。后被封沃王。1861 年太平军保卫安庆战役失败，捻军退守淮北，1863 年 3 月张乐行被俘牺牲。1864 年太平天国都城天京陷落后，张宗禹、任化邦部捻军和太平军余部赖文光等合并，推赖文光为首领。1865 年在山东曹州（今菏泽县）全歼僧格林沁马队。1866 年 10 月分为东西两部。赖文光率领东捻军转战山东、河南、湖北、江苏，1868 年 1 月被俘在江苏扬州就义。张宗禹率领西捻军攻入陕西，配合回民起义军作战。1867 年 12 月东下山东。1868 年 8 月在茌平南镇覆没。

Niane, Djibril Tamsir　尼安（1932-01-09，几内亚科纳克里～　）　非洲历史学家、剧作家、短篇小说家。在塞内加尔达喀尔受完中等教育后，于 1959 年毕业于法国波尔多大学历史系，在科纳克里的中学和理工学院教书，后在达喀尔黑非洲基础学院任教。第一部学术著作《马里帝国研究》（1959）问世后不久，接着出版与让·絮雷-卡纳尔合写的《西非历史》（1961）。第一部小说《松迪亚塔：一首古老马里的史诗》（1960）再现了 13 世纪马里帝国的杰出创始人的生平和时代，取得极大成功。其他作品有短篇小说集《默莉》（1975）和两部历史剧《锡卡索》与《沙卡》。

nian hao　年号　又拼nien- hao。英语作reign name，era name。中国古代帝王为自己政权纪年的名号。最早见于公元前 841 年西周以“共和”纪年。公元前 140 年汉武帝即位，次年开始以“建元”纪年后，历代帝王和部分农民起义政权都有纪年的年号。有的因祥瑞或事故中途变更年号，有的帝王改年号十数次，甚至 1 年之中改年号数次。明、清皇帝都只立 1 个年号（如洪武、顺治），故通常不称庙号，而以年号通称。

Niani　尼亚尼　几内亚东北部村庄。位于尼日尔河支流桑卡拉尼河左岸。为穆斯林曼丁哥帝国的首都达 300 年之久。曼萨·穆萨（1307 ～ 1332 年在位）统治期间为马里政治、商业和商队中心，是其极盛时期，后日渐衰落。直到 20 世纪 60 年代中期，一个几内亚-波兰考古队在今尼亚尼周围进行挖掘时才确定中世纪时期马里首都的遗址。尼亚尼现坐落于有灌溉之利的河谷，种植水稻，间或可采掘冲积的黄金。

Nianqing tanggula Shan　念青唐古拉山　又作 Nien-ch'ing-t'ang-Ku-la Mountains。中国青藏高原主要山脉之一。雅鲁藏布江与怒江分水岭。在西藏自治区中东部。“念青”藏语意为“次于”，即此山次于唐古拉山。该山脉西接冈底斯山，东南延伸与横断山脉伯舒拉岭相连。全长1 400千米，平均宽 80 千米，海拔5 000～6 000米。其主峰念青唐古拉峰在拉萨市西北，海拔7 111米，山岭陡峻。东段波密、察隅一带河谷陡降到2 000～3 000米，形成高山深谷。该山脉降水量大，有利冰川发育，为中国季风海洋性冰川区。察隅北境的阿扎冰川源出海拔6 610米的若尼峰，峰上雪线不过4 600米，冰川延伸 20 千米，末端下降到2 500米，穿行于森林带中。由于冰川补给量和消融量大，经常发生暴发性泥石流，造成严重灾害。念青唐古拉山北坡为地震活动带，纳木错东的当雄于 1951、1952 年曾分别发生 8 级和 7.5 级地震。

Niantic 尼安蒂克人 操阿尔冈昆语的林地印第安人。住在新英格兰南部。东尼安蒂克人在今罗得岛州西部海岸及毗邻的康涅狄格州沿海一带;西尼安蒂克人的生活范围是自新伦敦以西的奈安蒂克湾沿岸一带至康涅狄格河流域。这两个部落本来曾是一体,显然系因佩科特人迁入这一地区而被分为两支。1637年的佩科特战争中,西尼安蒂克人几被全部歼灭,余众逃往莫希干人那里。1675～1676年的菲利普王战争中,东尼安蒂克人保持中立,战争结束时,许多战败的纳拉干西特人及其盟部定居于他们中间,此后,这个混合的各部落就名为纳拉干西特人(Narraganset)。

Niaodao Nature Reserve 鸟岛自然保护区 中国第一个鸟类自然保护区。位于青海省青海湖内。青海湖面积为4 635平方千米,是中国最大的内陆咸水湖。湖内平均水深19.15

鸟岛自然保护区
中国大百科全书出版社供图

米,属于高寒半干燥草原气候,年平均气温在1～3 ℃之间,年日照3 040小时,湖区分布着大面积的草原和40条大小河流。鸟岛自然保护区由鸟岛、海皮岛、蛋岛、三块石岛、沙岛和海心山等岛屿组成。保护区1977年建立,1992年列入"国际重要湿地名册"。每年5～9月,10万多只斑头雁、天鹅、赤麻鸭、绿头鸭、鱼鸥、棕头鸥和鸬鹚从南方飞来此地繁殖,几个岛屿上挤满了铺窝营巢的鸟。中国鸟类科学家在此建立了鸟类环志站,从1983年开始为2 000多只斑头雁,戴上了特制的金属环,以掌握迁飞的地点和距离。1985年7月中国鸟类环志中心获得来自印度那加兰邦的科西马寄来的报告,得知1983年鸟岛环志的斑头雁在那里收获。青海湖湖滩上的禾本科、豆科、蓼科和莎草科等草类是鸟类良好的食物,著名的湟鱼——属于鲤科的裸鱼,成为鸥和鸬鹚的主要饵料;加之与陆地相隔,可避开兽类天敌的侵袭,因此这里成为鸟类理想的栖居地。

Niarchos, Stavros (Spyros) 尼亚科斯(1909-07-03,希腊雅典～1996-04-15,瑞士苏黎世) 希腊海运大王与艺术品收藏家。1929年自雅典大学法学系毕业后,首先在其叔父的面粉厂工作。从阿根廷进口小麦中认识到运输费用高昂,他使其家庭相信:如果他们拥有自己的船只,定会节省金钱。经济大萧条期间,他们以12万美元购得6艘货船。1939年尼亚科斯脱离家庭,组织自己的商号——尼亚科斯集团,拥有两艘油船与5艘其他商船。第二次世界大战期间他在希腊海军服役,同盟国军队租用其船只,战斗中被击沉6艘。他运用200万美元保险费作资本扩大自己的船队,尤其是购买油船。他的宗旨是购买与建造大船,他的许多大型超级油船(2.5万吨以上)在大小与装载量上创世界纪录。多年内他的船队是世界上最大的私人船队。他还享有艺术品购买与收藏家的盛名。

Niari River 尼阿里河 刚果(布)南部奎卢河的支流。发源于布拉柴维尔西北的巴泰凯高原,南流至加洛邦多,西折至卢迪马,再转向西北流至马卡巴纳,与卢埃塞河汇合而形成奎卢河。第二次世界大战后,布拉柴维尔—黑角铁路建成,尼阿里河流域居民大增。流域铜、铅、锌等矿藏丰富;土地肥沃,设有农业研究所和试验农场。尼阿里的名称有时延伸包括奎卢河(Kouilou River)。

Nias 尼亚斯 印度尼西亚北苏门答腊省岛屿。是苏门答腊西侧最大的岛屿,面积4 772平方千米。地形与西苏门答腊有很多近似之处,但没有火山。最高点海拔886米。沿岸无港口,船舶须在东岸的古林斯托里或南岸的直落达兰的近海停泊。大部分居民属原始马来人,讲南岛语系(马来-波利尼西亚)的一种方言,信仰万物有灵论。有一些人信基督教或伊斯兰教。岛上各地都有巨石墓碑或木雕,以纪念死者或象征繁殖力。北部村庄规模小,南部村庄较大,可能还有一浴池。当地房屋搭在脚架上。头人的房子特别大,屋顶高耸,巨大的柱子和横梁上有雕刻装饰。旅游业非常重要,其海岸是冲浪者的胜地。2004年,由于附近海底地震引发的海啸毁坏了海岸地区。人口567 318(1990)。

Niatross 奈亚特劳斯(1977年出生) 美国标准种轻驾车走马,驯马师、骑师为加尔布雷思。两龄时参加13次马赛全部获胜,得奖604 900美元,创同龄马获奖纪录。3龄时在26次比赛中夺魁24次,并获走马三王冠赛冠军。在两年走马比赛中创纪录地共获奖2 019 212美元。总共参加39次比赛,胜37次。多次创世界纪录。1981年退为种马。

Niaux 尼欧洞 法国阿列日的洞穴,以其旧石器时代"古典"马格德林风格的黑线轮廓壁画著称。马格德林时期约在公元前1.5万～前1万年之间,尼欧洞是比利牛斯山脉许多洞穴之一,其壁画是已知洞穴绘画中风格上最为一致的一处。尼欧洞划为若干区,其中幽美的黑色沙龙区,拥有野牛及野马的素描画面,也画有鱼、公牛和不同形态的猫,此外,还有一个类似犀牛的野兽。洞穴的另外几个区,包括所谓圆形大厅和筛网洞,后者是1970年发现的一个险峻的画廊,里面有5幅画。

Nibbāna 参阅 **Nirvāṇa** 涅槃。

Nibelungenlied 《尼贝龙根之歌》 一首中古高地德语史诗的现代公认名称,写于约1200年,作者为多瑙河地区一个不知名的奥地利人。它保留在3份13世纪的手稿中:A(现存慕尼黑)、B(存圣加尔)、C(存多瑙埃兴根);现代学者们认为B最为可信。此诗来历很长,不少处互有出入。如"尼贝龙根"一词在诗中第一部分指齐格弗里德的国家、人民和他的财宝,但在整个第二部分中却为勃艮第人的别名。诗的内容分两部分。一开始的两个章节分别介绍沃尔姆斯的勃艮第公主克里姆希尔特和下莱茵河的一个王子齐格弗里德。齐格弗里德不顾父母的警告,仍决心向克里姆希尔特求婚。他到达沃尔姆斯时,被哈根认出,哈根是克里姆希尔特的兄弟、国王巩特尔的亲信。然后,哈根叙述了齐格弗里德过去的英雄事迹,包括他获得一批财宝。丹麦人和撒克逊人宣战时,齐格弗里德自告奋勇率领勃艮第人进行战斗,并建殊功。他凯旋时才第一次与克里姆希尔特相遇,他住在宫廷期间,他们的爱情逐渐发展。叙述至此,一个新的因素插了进来。巩特尔听说北方有一位力大无比、美艳非凡的女王,只有武艺堪与匹敌的男人才能赢得她的欢心。巩特尔决心利用齐格弗里德的帮助,向布伦希尔特求婚,他答应齐格弗里德此事如果成功,就把克里姆希尔特许给他。齐格弗里德遂率领人马前往布伦希尔特的住处,并自称为巩特尔的家臣。在随后的各种竞赛中,巩特尔的各种技艺实际上是由伪装的齐格弗里德代劳。布伦希尔特被击败后,接受巩特尔为她的丈夫。如所许诺,齐格弗里德就和克里姆希尔特成婚。但是,布伦希尔特对此事甚为狐疑,并心存不满。不久两个王后即生不和,布伦希尔特挖苦克里姆希尔特下嫁侍臣,克里姆希尔特则揭露布伦希尔特受了齐格弗里德和巩特尔的欺骗。此时,哈根由于站在布伦希尔特一边并策划报复,遂变成一个突出的人物。他设法赢得克里姆希尔特的信任,探明了齐格弗里德身上最易受伤的部位,然后给予致命打击。在这些事件发生期间,布伦希尔特几乎悄然退出故事之外,这样,齐格弗里德的死就不像是她的报复所致,更像是哈根由于对齐格弗里德日益增长的权力怀有戒心而将他杀死。齐格弗里德的葬礼极为隆重,而哀恸欲绝的克里姆希尔特尽管长期受到巩特尔和哈根的冷遇,却留在沃尔姆斯。后来为了要利用齐格弗里德带到沃尔姆斯的财宝,他们才握手言和。在克里姆希尔特开始分配财宝时,哈根担心她的势力将要增长,遂将财宝沉入莱茵河。诗的第二部分的结构简单得多,主要叙述克里姆希尔特和哈根的冲突,以及她对勃艮第人的报复。匈奴王埃采尔(阿提拉)向她求婚,被接受,因为她看到这次结合有可能达到她报复的目的。许多年以后,她说服埃采尔邀请她的几个兄弟和哈根到他宫廷里来。尽管哈根怀着戒心,他们还是来到了埃采尔的宫廷,随后就是一场大屠杀。克里姆希尔特杀死巩特尔后,随即亲手用齐格弗里德的剑刺死身被捆绑、无法自卫的哈根。哈根临死也不肯泄露齐格弗里德的财宝藏在何处。她本人旋即被目睹这一残酷行为的骑士希尔德布兰特所杀。《尼贝龙根之歌》是在中古德意志文学的这一时期写成的,那时普遍崇尚谦恭节制、趣味举止文雅等"高雅"美德。而《尼贝龙根之歌》却展示猛烈的情感和不惜一切地注重复仇和荣誉。两相对照,此诗回到了一个更古老的时期,并且具有迥乎不同的起源——条顿民族大迁移时的英雄文学。勃艮第人被灭的故事可能源于公元437年匈奴人推翻沃尔姆斯的勃艮第王国一事。此诗中保存了历史事件中许多英雄品质,如哈根不择手段地保卫巩特尔国王的荣誉。《尼贝龙根之歌》对日耳曼艺术贡献甚多,可能非任何其他作品所能及。后几个世纪中,出现了许多改写本。近代最重要的改写本为瓦格纳的著名歌剧《尼贝龙根的指环》(1853～1874)。

Nicaea(Turkey) **尼西亚** 参阅 **İznik** *伊兹尼克*。

Nicaea, Council of 尼西亚会议(325) 基督教会的第一次普世会议,在古城尼西亚(今土耳其境内伊兹尼克)举行。召集人是尚未受洗的慕道友皇帝君士坦丁一世,他主持开幕式并且参加讨论。先是亚历山大司铎阿里乌提出异端学说,谓基督不是神,是受造的;在东派教会内挑起问题,君士坦丁一世希望这次会议解决这一问题。教皇西尔维斯特一世没有参加这次会议,但派代表出席。这次会议谴责了阿里乌,并在一部分与会者不太情愿的情况下把不见于经文的"一体"一词写进信经(《尼西亚信经》),表明圣子与圣父绝对平等。君士坦丁一世遂即放逐阿里乌,此举一则表明教会与国家团结一致,再则强调世俗当局对教会的保护的重要性。这次会议还想统一耶稣复活节的日期,但未能办到。会议就其他许多问题发布了命令,诸如规定祝圣主教的正确方式;谴责神职人员放债取利;禁止主教、司铎和助祭从一个教堂转到另一教堂。据5世纪拜占廷史学家索克拉斯蒂克斯说,尼西亚会议本来想制订教会法,规定神职人员必须独身,由于一些人反对而未果。会议还确认亚历山大教会和耶路撒冷教会在各自地区内地位最高。

Nicaea, Council of 尼西亚会议(787) 基督教会的第七次普世会议,在尼西亚(今土耳其境内伊兹尼克)举行。先是皇帝利奥三世于726年发布谕旨,禁止拜圣像,引起破坏圣像之争;这次会议就是要解决这场争论。会议宣布:圣像值得尊重和崇敬,但不应崇拜。会议由君士坦丁堡牧首塔拉修斯召开,教皇阿德里安一世派代表出席,阿德里安一世承认了会议所发布的教令。但是,迟至11世纪,在法兰西却有人对这次会议的权威性提出异议,其原因之一是某些教义词句翻译有误。但是罗马教廷对于这次会议本来的态度终于受到公认,第二次尼西亚会议被列为第七次普世会议。

Nicaea, empire of 尼西亚帝国 拜占廷帝国分裂后的一个独立小国,1204年由狄奥多尔一世(1208～1222在位)在尼西亚(今土耳其伊兹尼克)建立。他即位后逐渐控制安纳托利亚西部的大部分地区。第2代皇帝为约翰·瓦塔特泽斯,他企图重新占领君士坦丁堡。狄奥多尔二世(1254～1258在位)和约翰四世(1258～1261在位)在他们短暂的统治时期,都能抵御入侵的蒙古人,保持尼西亚的国力。1261年尼西亚的大将迈克尔·帕里奥洛加斯重新占领君士坦丁堡,称迈克尔八世,创立了拜占廷的最后一个王朝。

Nicaragua 尼加拉瓜 全称尼加拉瓜共和国。中美洲最大的国家,面积130 700平方千米。首都马那瓜。南北最长约440千米,东西最宽约440千米。北邻洪都拉斯,东滨加勒比海,南接哥斯达黎加,西临太平洋。人口约5 024 000(2002)。

土地 尼加拉瓜西半部有大幅度断开、森林茂密的山脉,其间盆地和肥沃谷地相互交错。中部山脉核心的西部与南部有一条西北-东南走向、与太平洋沿岸平行的火山带,断断续续约有40个休眠火山和活火山。火山带以东为尼加拉瓜的西南内陆,这里的盆地区包括尼加拉瓜湖(8 157平方千米)和较小的马那瓜湖(1 035平方千米)。火山带以西为太平洋低地。

该国东半部的地势逐渐向加勒比海沿岸倾斜,其边缘沼泽地带被称作莫斯基托海岸。科科河(长780千米)的流域面积为5 800平方千米,构成该国与洪都拉斯的大部分边界。圣胡安河把尼加拉瓜湖与加勒比海连通,形成尼加拉瓜南部与哥斯达黎加的大部分边界。尼加拉瓜的地震活动频繁,偶有毁灭性地震发生。

尼加拉瓜属热带气候,分为干季(1月至5月中旬)和湿季(5月中旬至12月)。东部气候较西部稍冷,也比较潮湿。太平洋一侧地区的年平均气温为27 °C,年降水量约1 900毫米;东部地区则分别为26 °C和3 800毫米。热带森林占土地总面积的1/3以上,东部低地除莫斯基托海岸茂密的热带雨林外,大都为热带稀树草原。动物有美洲狮、美洲豹、猴子、食蚁兽、鳄鱼、西貒以及蛇和龟。

人民 尼加拉瓜3/4以上的人口为梅斯蒂索人,即欧洲人(主要是西班牙人)和美洲印第安人的混血种人。原有的美洲印第安人包括苏莫人、米斯基托人和拉马人,他们居住在东北部多条河流的流域和加勒比海沿岸的其他地区。西海岸有少数莫宁博和苏布蒂亚巴印第安人。本地出生的黑人居住在加勒比海沿岸低地。官方语言为西班牙语,但英语也广泛流行。全国约9/10的人口信仰天主教。

美国不列颠百科全书公司供图

尼加拉瓜的人口结构年轻,约一半人口不足15岁。出生率属中美洲最高之列,死亡率则仅略高于平均数且有下降趋势。自20世纪50年代起,婴儿的高死亡率也大幅降低。该国是所有中美洲和拉丁美洲国家中人口年增长率最高的国家之一。

经济 尼加拉瓜属发展中的市场经济,主要以农业、轻工业、商业为基础。国民生产总值自70年代中期起由于政治和经济不稳定呈现负增长,人均国民生产总值低于中美洲水准。

农业约占国民生产总值的1/4,但雇用了2/5的劳动力。玉米、高粱和豆类为主要农作物,一年有两次收获。咖啡、棉花、香蕉和糖的生产主要供应出口。该国已探明的矿藏包括储量丰富的金、铜和银矿。尼加拉瓜东部是金矿和银矿的主要产区。工业只局限于国内原材料的加工,占国民生产总值的1/5,雇用了1/10的劳动力。产品包括精制糖、石油产品、化学品、香烟、皮革制品、纺织品、水泥及塑料。电力主要靠进口燃料生产;有1/4为水力发电,另有1/4为核燃料发电。

尼加拉瓜出口的主要商品有咖啡、棉花、牛肉、香蕉和黄金。进口商品有工业用的初级和中级产品、矿物燃料、工业用的资本货物以及运输设备。主要贸易伙伴有加拿大、德国、俄罗斯、古巴和日本。

政体与社会状况 索摩查政权被推翻之后,该国从1979～1985年由桑地诺民族解放阵线组成的政务会统治。行政与立法权掌握在民族复兴政府手中,该政府接受国务会议的立法建议。1984年举行了总统和立法选举,新一届政府基本上仍由桑地诺民族解放阵线所控制,于1985年取代了原来的政务会政府。在1990年举行的历史性自由选举中,桑地诺政府下台,但桑地诺主义者在国民议会92个议席中仍占有足够席位,可以阻止新政府修改宪法。

该国的保健事业历经数十年的忽视之后,在桑地诺政府执政期有了很大改进。但是诸如肠炎、肺结核、破伤风和伤寒之类的疾病仍很普遍。训练有素的医护人员严重缺乏,保健设施也很落后。平均预期寿命男性约61岁,女性约63岁。6～13岁的未成年人须接受免费义务教育。约有3/4的学龄儿童入小学就读，但仅有一小部分人毕业后继续升入中学。

尼加拉瓜有数家日报，其中包括发行量最大的日报之一的《新闻报》。在80年代的大部分时期政府对新闻媒体实施检查。全国有两家电视台和许多广播电台。

历史 尼加拉瓜最早的印第安居民在一个难以断定的遥远时代自南美洲迁移到西海岸。10世纪时，墨西哥及中美洲的印第安移民开始大批进入尼加拉瓜。由于一个主要部族改信基督教，西班牙人于16世纪对这些人的平定相对容易。

1502年，哥伦布登陆尼加拉瓜东部。最早的欧洲人殖民点、西部内陆的格拉纳达和莱昂是16世纪20年代初由西班牙探险家科尔多瓦所建。殖民时期这两个城市间的竞争十分激烈，省会莱昂发展成为一个自由派的文化中心，而格拉纳达则发展成为一个以保守派地主贵族为主的农业中心。17和18世纪时，英国海盗在加勒比海沿岸建立殖民点，这些殖民点促使英国宣布莫斯基托海岸为该国的一个保护地(1740～1786)。在19世纪初，该地区为摆脱西班牙统治、争取独立期间，莱昂和格拉纳达依然继续相互敌对。

1826年尼加拉瓜成为中美洲联邦的一州，但于1838年脱离联邦。1848年英国人夺取了加勒比海岸的一个小港北圣胡安，并一直占据到1860年。19世纪50年代，范德比尔特汽轮公司利用汽轮把淘金者自大西洋经由圣胡安河和尼加拉瓜湖运抵太平洋海岸的加利福尼亚。W.华尔克是一个从田纳西州来的能言善辩的美国人，曾于1856年设法自任尼加拉瓜总统。一年后，中美洲5个共和国和范德比尔特汽轮公司共同努力将其击败。

在1838年尼加拉瓜独立后大约1个世纪的时间里，该国政治主要为以莱昂为中心的自由党人和以格拉纳达为中心的保守党人之间的权力斗争。两方为将该国首都定在各自所代表的城市一直争执不下，直到1857年达成一项协议，根据此项协议，始将首都定在距两城同等距离的马那瓜。

19世纪后半叶，政府主要由保守党领导，但1893年自由党人获得总统职位并开始迫害保守党人，就如同保守党人以前迫害他们一样。自由党人掌权至1909年，当时来自美国的压力促使该国成立一个保守党政府。美国为支持新政府，向该国派来一支海军陆战队的分遣队。1925年这支海军陆战队撤离后，两党又爆发了新的内战，为此美国于1927年又派遣数千名海军陆战队员到该国镇压自由党领导的一场暴动。1928和1932年该国分别举行了两次由美国监督的选举，自由党人被选为总统。在经过认真训练的尼加拉瓜国民卫队证明其足以维护该国治安后，美国海军陆战队于1933年撤离。

1934年国民卫队首脑索摩查·加西亚策划暗杀了杰出的自由党反叛军领袖桑地诺。1936年，索摩查在没有竞争对手的情况下当选总统。他在尼加拉瓜的铁腕统治长达20年，任期内经济虽有长足发展，但利益分配不公，索摩查家族及其支持者大肆侵吞国家财产。1956年索摩查被暗杀，他的一个儿子路易斯·索摩查·德瓦伊莱继任总统，并一直统治到1967年逝世。其弟安纳斯塔西奥·索摩查·德瓦伊莱继任总统。其时，一支称作桑地诺主义者、反对索摩查家族的游击队组织于1962年成立。

1972年的一场地震倾毁了马那瓜，造成6 000人丧生，30万人无家可归。由于政府将国际社会对灾民的援助转入索摩查家族的私囊，人民对索摩查政权的反对愈加激烈。桑地诺主义者于是便与反对政府的自由派和中产阶级势力相结合，在1979年一次全国人民的反抗中战胜国民卫队，并推翻了索摩查政权。

桑地诺主义者政府没收了索摩查家族拥有的大批财产，将银行、保险公司及矿山森林资源收归国有，普遍加强了政府更多参与经济的制度。它也限制了公民的自由，并同苏联和古巴建立了较密切的关系。

美国于1981年中止了对尼加拉瓜的援助，并于1982年开始积极地进行动摇尼加拉瓜经济的活动，如以金钱支持反政府的叛乱和实施一些秘密行动。这些活动都取得了成功，虽然尼加拉瓜在社会服务方面到1985年已取得很大进展，经济灾难却加深了。桑地诺主义者政府在1990年2月的全国选举中失败，其后，许多经济事务，如出口工业和矿业又转归私人管理，公众对经济的参与又有所增加。经济对农业出口的依赖性日益增强，特别是咖啡出口，但1998年飓风米奇严重破坏了该国的农庄，导致1 800名尼加拉瓜人丧生，并摧毁了数个村庄。

Nicaragua, Lake　尼加拉瓜湖　尼加拉瓜西南部最大的淡水湖，也是中美洲最大的湖泊。当地土著称尼加拉瓜湖为科西沃尔卡，意为"甜海"。尼加拉瓜一词导源于印第安部落首领尼加拉奥，该部落居民分布于湖滨，因之得名。湖呈卵形，面积3 149平方英里(8 157平方千米)，长110英里，平均宽36英里。中部水深约60英尺(18米)。在其最大的奥梅特佩岛东南方，水深达200英尺。水面海拔95英尺。尼加拉瓜湖和西北面的马那瓜湖原为海湾，因火山爆发而成为包括两个湖泊的内陆盆地，两湖之间有蒂皮塔帕河沟通。海湾中的鱼类逐渐适应从咸水变为淡水。尼加拉瓜湖是唯一有海洋鱼类(鲨鱼、剑鱼和大海鲢)的淡水湖。湖水由40多条河川补给，其中以蒂皮塔帕河最大。从湖东南岸流出的圣胡安河穿过繁茂的林区注入加勒比海，全长112英里。部分河段为尼加拉瓜和哥斯达黎加的界河。在湖西南，与太平洋之间有一条12英里宽的里瓦斯地峡。湖面水位在12月至次年4月的干季下降，5至10月的雨季上升。表层水温通常为24 °C，底层为16 °C。湖中有400多个岛屿，其中300个在湖西北岸格拉纳达城的5英里以内。多数岛屿植被繁茂，有热带果树。有些岛屿有居民定居。最大的奥梅特佩岛长16英里，宽8英里，由原先的两个分开的火山形成：1983年爆发的康塞普西翁火山，海拔5 282英尺；马德拉火山，海拔4 015英尺。以往的爆发产生的火山岩在两山之间形成蒂斯蒂安地峡。奥梅特佩岛有许多哥伦布到来以前的文物，如石像和陶器。有些是古代南美洲和北美洲文明的遗迹。岛上种植咖啡、可可、玉米、香蕉、水果、棉花和烟草。尼加拉瓜湖是该国西岸城市和东岸及南岸城市之间的传统交通要道。自1882年起有汽船在湖中行驶。在以前几百年中，加勒比海的海盗经常袭击湖边城镇，17世纪在圣胡安河边筑起要塞，阻止了海盗的入侵。在19世纪20年代，曾经有人提出要开凿一条穿过尼加拉瓜湖，沟通大西洋和太平洋的运河的计划。1914年巴拿马运河修成后，该计划即不再引起关注。然而，自1916年后，根据尼加拉瓜和美国之间签订的《布赖恩-查莫罗条约》，美国拥有修筑这样一条运河的专有权利。

Nicaro　尼卡罗　古巴东部奥尔金省城市。濒临莱维萨湾。附近的克里斯塔尔山山麓出产氧化镍，为全国主要镍、钴冶炼中心。其他经济活动包括汽车修配、乳品加工等。也为小型渔船队停泊港。有公路通其他沿海城市。城市东南有机场。在卡斯特罗发起的反抗巴蒂斯塔政权的暴动中，1958年该城曾发生激战。人口约9 506(1970)。

Niccoli, Niccolò　尼科利(约1364，佛罗伦萨～1437-02-03，佛罗伦萨)　文艺复兴时期佛罗伦萨殷富的人文主义者，其所收藏的古代艺术品及古希腊、罗马作品手稿，对15世纪意大利的古物研究工作曾有很大影响。尼科利在古典文学方面的主要贡献是抄录和整理古代手稿，校正其本文，分成章节，编纂目录。佛罗伦萨罗伦佐图书馆所藏珍贵手稿有许多是经他手抄的，其中有卢克莱修的作品和普劳图斯的12部喜剧。尼科利的私人图书馆是佛罗伦萨最大、最好的图书馆。他还收藏了少量很有价值的古代艺术品、钱币和徽章。尼科利也是一位颇有造诣的书法家，他那微斜的古体草书对斜体字型的发展产生影响。

niccolite　红砷镍矿　一种镍的矿石矿物，是镍的砷化物(NiAs)。常与其他镍的砷化物及硫化物伴生，例如在日本的枣红镍矿床、德国的安德烈亚斯山、加拿大安大略的萨德伯里以及美国科罗拉多州的锡尔弗崖。红砷镍矿属硫化物类，呈特有的六方结构。详细物理性质，参阅 **sulfide mineral**(表)。

Niccolò DELL' ARCA　尼科洛(活动时期约1460～1494)　意大利文艺复兴初期的雕刻家，其富于表现力的手法将北方哥特式的现实主义与文艺复兴艺术的真实构图原则结合在一起，并以此闻名。为博洛尼亚圣多明我教堂内的圣多明我墓制作了华盖及独立雕像的大部分(1469～1494)。其杰作《哀悼死去的耶稣》极富戏剧性(6个人物；1463，博洛尼亚维塔圣母院)。另一圣母与圣徒赤陶群雕(1478)坐落于博洛尼亚市政厅大门上方。

Niccolo DI GIOVANNI DI MASSIO　尼科洛　参阅 **Gentile da Fabriano 秦梯利(法布里亚诺的)**。

Nice　尼斯　法国东南部普罗旺斯山蓝岸大区滨海阿尔卑斯省省会、港口城市。为地中海旅游中心，距意大利边境 32 千米，临昂热海湾。城市被美丽的山峦屏蔽，气候宜人，是蓝岸地区主要游览胜地。公元前 350 年由希腊水手建立。公元 1 世纪被罗马人征服，成为一个繁忙的贸易站。1388 年传到萨伏依各公爵手中，直至 1860 年根据《都灵条约》割让给法国。帕永河将位于西部的新城和位于东部的旧城、海港、商业区分开。街道狭窄弯曲的旧城坐落在以城堡闻名的花岗岩小山西侧脚下。新城最主要名胜是著名的昂格莱斯沿河大街，长 4 千米，有被花坛和棕榈树隔开的两条宽阔行车道。市内朱尔·谢雷美术馆和马塞纳博物馆收藏有早期意大利油画以及 19 世纪和当代艺术家的作品。画家 M.夏加尔纪念馆收藏有他 1966 年捐赠的圣经题材油画。市中心东北有古代主教城镇奇米埃兹，它保存着雄伟的罗马圆形剧场遗迹。附近一座 17 世纪建别墅现辟为考古博物馆，收藏有法国画家 H.马蒂斯的 40 余幅油画和素描。旅游业为该市冬、夏季主要商业活动。每年在此举行众多的节庆活动，其中最重要的是尼斯狂欢节（始于 1873）。尼斯有良好的公路、铁路和海上交通，其机场是法国最重要的航空港之一。工业有食品加工、橄榄油厂、酿酒、香水等制造业。新近建起的新技术工业有电子业和精密仪器制造业等。1963 年建起鲜花和鲜果市场。尼斯也是一发展中的文化中心。1965 年建立一所综合性大学。当地地中海中央大学（1933，第一任校长为诗人 P.瓦莱里）经常举办当代问题和语言研究讨论会。1970 年建立一所国际艺术学校。人口 343 123（1999）。

Niceforo, Alfredo　尼切福罗（1876-01-23，意大利卡塔尼亚西西里堡～1960-03-02，罗马）　意大利社会学家、犯罪学家和统计学家。他提出这样一种理论：每个人都有一个具有反社会的、下意识的冲动的“潜在的自我”，这个“自我”代表一种回到史前状态的返祖现象。根据他的理论，伴随这个自我和试图制止其潜在越轨行为的，是一个由人们的社会相互作用形成的“较高的自我”。他在 1902 年发表的这一理论，与大致在同时的精神分析学上的发现有某些相似之处。他在洛桑（瑞士）、布鲁塞尔和其他地方教授犯罪学，而且从 1931 年起在那不勒斯和罗马的大学里教授统计学。最初，他受意大利犯罪学家隆布罗索（1835～1909）的影响，后者曾归纳出一种理论，认为存在着一种可由某些身体特征加以识别的罪犯类型。但是，尼切福罗后来认为，只有通过对正常的人进行全面的调查研究——生物学上的、心理学上的和社会学上的研究——才能了解犯罪。作为意大利的第一个经验主义社会科学家，他把统计学运用到发现社会行为的规律性的问题上。从这些研究中他得出这样一种理论，各种社会的人们都存在某些经久不变的特点，他把它们称为残存物，其中之一是个人之间的差异。他还认识到在每个社会里各阶层的人们形成社会等级和汇聚成一个集团，这个集团尤其在宗教的和民族的意识形态系统方面可以看得出来。在阐述他的关于人的双重自我的理论时，他坚持说，潜在的自我往往成功地回避了较高的自我想要控制它的企图。他在《潜在的自我及其面具》（1949）一书中详细说明了这一观点。

Nicene Creed　《尼西亚信经》　唯一为天主教、东正教、安立甘宗和主要新教派别共同承认的基督教信仰宣言。其他两种信经《使徒信经》和《亚大纳西信经》仅为一部分教会所接受。20 世纪前，人们一直认为，《尼西亚-君士坦丁堡信经》（确切名称应如此）是尼西亚会议（325）所公布的《尼西亚信经》的增补本。还认为，这种增补是在君士坦丁堡会议（381）上进行的。但 20 世纪发现的文献说明，事情并非这样简单。最可能的情况是，它就是君士坦丁堡会议所公布，可能以当时已有的洗礼认信文为基础草成，是一个独立文本。所谓“和子”句，即插在“圣灵……从父出来”之间的“和子”字样，是 6 世纪以后由西派教会增加进去的。《尼西亚信经》起初以希腊文写成，在西派教会中用于领圣餐，在东派教会中用于领圣餐及洗礼。全文如下（中国基督教会标准译本；括号表示西方教会所加）：

> 我信独一上帝全能的父，创造天地的，并造有形无形的万物的主。我信独一主耶稣基督，上帝的独生子；在万世之前，为父所生，从神出来的神，从光出来的光，从真神出来的真神；受生的，不是被造的；与父一体的；万物都是借着主受造的；主为要拯救我们世人，从天降临，由圣灵感孕童贞女马利亚，取着肉身，并成为人；在本丢彼拉多手下，为我们钉十字架；被害，埋葬；照圣经第三日复活；升天，坐在父的右边；将来必有大荣耀，再降临，审判活人死人；他的国无穷无尽。（我信）圣灵，为主，并赐生命的根源，从父（子）出来的，与父子同受敬拜，同受尊荣；曾借着先知传言。（我信）独一圣而公之教会，众使徒所传者；我认为赦罪设立的独一洗礼；我指望死人复活，并来世的生命。

Nicephorus　尼斯福鲁斯　统治者之名，按国别与牧首系谱分列于后，并各以●为标记。

拜占廷帝国

● **Nicephorus I　尼斯福鲁斯一世**（?，塞琉西亚～811-07-26，保加利亚）　拜占廷皇帝。其统治后期，因加重赋税，常将臣民财产充公，以致造成臣民的离心离德。伊林娜女皇时曾任高级财政官员，802 年的革命废黜了伊林娜，被拥立为皇帝。803 年和 808 年先后粉碎了由巴丹尼斯·图尔库斯和阿尔萨柏尔发动的争夺皇位叛乱。他拒绝向巴格达哈里发哈伦·赖世德纳贡，从而引起战争。805 年阿拉伯军队在弗里吉亚的克拉苏斯打败尼斯福鲁斯。806 年哈伦·赖世德又入侵小亚细亚，占领赫拉克莱亚、蒂亚纳等地。尼斯福鲁斯被迫同意交纳年贡 3 万金币。他奉行正统的宗教政策，但对教会实行有力的控制，主张皇帝不受教会律令的约束。810 年与查理曼帝国就威尼斯、伊斯特拉及达尔马提亚海岸的争议问题达成临时协议，争议地区交还拜占廷，条件是拜占廷承认查理曼的帝号。807～809年对骚扰北方边境的保加利亚人发动进攻。811 年入侵保加利亚。保加利亚人在峡谷设伏，尼斯福鲁斯本人及其所率军队大部阵亡。

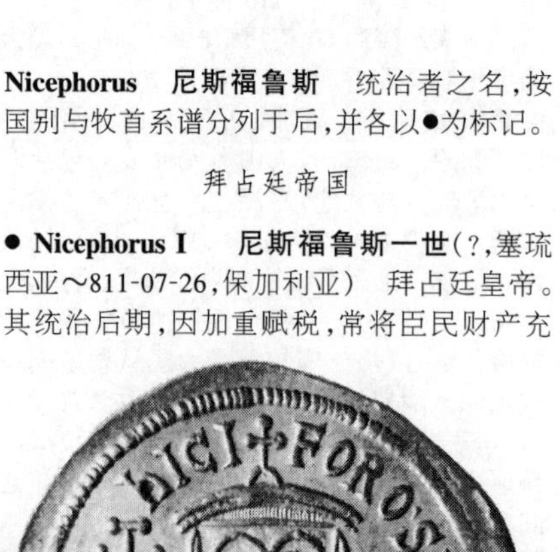

9 世纪钱币上的尼斯福鲁斯一世像
美国不列颠百科全书公司供图

● **Nicephorus II Phocas　尼斯福鲁斯二世**（912，卡帕多西亚～969-12-10 或-11，君士坦丁堡）　拜占廷皇帝（963～969 在位），其军事成就使穆斯林阿拉伯人震慑，在10世纪再兴拜占廷声威。拜占廷驻守安纳托利亚大将巴达斯·福卡斯之子，自幼投身军旅，追随父亲在与东方哈姆丹阿拉伯人作战中表现非常出色。945～955 年任东方军司令，他整顿队伍，严肃军纪，并改变募兵办法。后受罗曼努斯二世皇帝之命，任解放克里特岛远征军的司令官。他动员拜占廷的整个舰队和 2.4 万名士兵于 961 年 3 月 7 日攻占昌达克斯，将进行抵抗的阿拉伯人斩尽杀绝。他押解克里特岛的最后一代埃米尔阿卜杜拉·阿齐兹班师回君士坦丁堡。这次胜利使拜占廷帝国实现了霸占东地中海的梦想。尼斯福鲁斯后来当皇帝时，洋洋自得地宣称他已经控制海洋。962 年初他进攻西利西亚和叙利亚的阿拉伯人，攻克城堡 60 余座。罗曼努斯二世死后，他于 963 年 8 月 16 日由牧首波留克图斯在圣索非亚教堂加冕为皇帝。一个月后与罗曼努斯遗孀狄奥法诺结婚。他继续征伐阿拉伯人。最后蛰居于布科利翁堡宫。969 年 12 月 10 日深夜为人刺杀。他的死使穆斯林世界称快，而使基督教世界震惊。后世许多诗人都曾以他的生平业绩作为诗歌的题材。

10 世纪钱币上的尼斯福鲁斯二世像
美国不列颠百科全书公司供图

● **Nicephorus III** Botaneiates **尼斯福鲁斯三世**（1001～1081） 拜占廷皇帝（1078～1081在位），利用突厥人之助获得帝位，却使塞尔柱突厥人加强了对安纳托利亚的控制。

美国不列颠百科全书公司供图

原为小亚细亚军事贵族，后任安纳托利亚省总督。1078年1月7日在迈克尔七世被废黜后被拥立为皇帝。在安纳托利亚塞尔柱人领袖苏莱曼的帮助下，3个月后进入君士坦丁堡，贵族和教士认可了他的君权。他打败与他争夺皇位的阿尔巴尼亚总督布里恩尼乌斯。其后又打败觊觎皇位的巴西拉齐乌斯。1080年另一争帝位者梅利塞努斯在小亚细亚称帝，随后向突厥人寻求支持，结果小亚细亚的大部分地区并入了以伊科尼乌姆为中心的塞尔柱鲁姆苏丹国。尼斯福鲁斯面对四分五裂的帝国和岌岌可危的帝位感到无可奈何，于1081年4月4日退位隐修。

牧 首

● **Nicephorus I**, Saint **尼斯福鲁斯一世，圣**（约758，君士坦丁堡～829-06-02，小亚细亚比希尼亚卡尔西登附近） Nicephorus 希腊语作 Nikephoros。希腊正教神学家、历史学家和君士坦丁堡牧首（806～815）。787年以拜占廷皇帝君士坦丁六世钦差名义参加尼西亚会议，这次会议批准在礼拜时使用圣像。退居隐修一段时期后，他于女皇伊林娜（797～802在位）即位时奉命主持君士坦丁堡难民收容所。806年未经过祝圣礼而被任命为君士坦丁堡牧首。815年，反对拜圣像的君士坦丁堡会议决定免除尼斯福鲁斯的牧首职务，把他放逐到卡尔西登附近一隐修院。从那时起他开始著述主张拜圣像的小册子和拜占廷历史。他的历史著作中有两部闻名，一是《尼斯福鲁斯简明历史》，叙事自602～769年，其中关于建立保加利亚人定居点的叙述很有价值；另一部是年表，列自亚当至829年行政职称和教会职称。

Nicephorus Bryennius **尼斯福鲁斯·布里恩尼乌斯** 参阅 **Bryennius, Nicephorus** 布里恩尼乌斯。

Nicephorus Callistus Xanthopoulos **尼斯福鲁斯**（约1256～约1335） 拜占廷史学家、文学家。他的诗文为13、14世纪方兴未艾的拜占廷人文主义的典型作品。所著23卷《教会史》是研究原始教会、基督教教义论争、种种异端思想以及在拜占廷文化基础上形成的圣徒传记、礼文和传说的重要参考文献。尼斯福鲁斯在君士坦丁堡圣索非亚教堂任职，教授修辞学和神学，晚年隐修。他利用大教堂所藏大量古籍手稿，撰写他的主要著作《教会史》，正文18卷，叙事自基督教起源起至610年暴君福卡斯被诛止。另有附录5卷，记912年皇帝利奥六世去世之前的历史事件。

Nicetas of Remesiana **尼塞塔斯（利米西亚纳的）**（活动时期5世纪初） 希腊教会主教、神学家、崇拜礼文撰写家。他的传教活动和作品使塞尔维亚斯拉夫地区人民信奉基督教，同时使多瑙河下游落后的蛮族接受拉丁文化。他在366年左右任利米西亚纳（后名贝拉帕兰卡，在尼什附近）主教。《洗礼前教程六卷》是他的主要著作，从其中《信仰的意义》、《圣灵的能力》、《论使徒-尼西亚信经》等卷的内容看，他强调正统的三位一体论，与4世纪大神学家西里尔（耶路撒冷的）意见一致。他反对阿里乌派和马其顿派。前者认为圣子是受造的，后者认为圣灵是受造的。此外，这批文献使用的"圣徒交通"一词在早期基督教显然是创举。20世纪学者认为，主要拉丁文圣咏《赞美颂》出自尼塞塔斯之手。

Nicetas Stethatos **尼塞塔斯（斯泰塔托斯）**（约1000～约1080） 拜占廷奥秘修行家、神学家。原是君士坦丁堡斯图狄乌斯隐修院的修士。11世纪希腊教会和罗马教会发生争执，尼塞塔斯作为君士坦丁堡牧首米恰尔（色路拉里乌斯）的神学辩士，辅佐他在1053～1054年间与罗马教皇使节枢机主教洪贝尔（锡尔瓦坎迪达的）辩论。尼塞塔斯批评西方教义中关于圣灵与圣父圣子的关系的提法以及教皇至上，强制神职人员独身，在分圣体时使用无酵饼等内容。

niche **壁龛** 墙上装饰性的凹入部分，用以陈列雕像、瓶、洗礼盘或其他物品。古罗马建筑的内墙和外墙面上广泛采用，法国尼姆的古罗马狄安娜神庙为现存的一例。哥特式建筑中也广泛使用，后来的建筑师，特别是意大利文艺复兴时期和17、18世纪欧洲的古典复兴时期，亦有采用。半圆形的壁龛颇为常见，其顶部多饰有贝壳状的凹槽。

1540年J.桑索维诺雕塑的阿波罗像壁龛
美国不列颠百科全书公司供图

niche **生态位** 生态学术语，指一个生物所占据的生境的最小单位。生境生态位指该生物占据的自然空间；生态学生态位则表示该生物在本生境的生物群落中所起的作用。一个生物的活动以及它与其他生物的关系，决定于它的具体结构、生理和行为。两个占据相似生态位、但分布在不同地理区域的生物，称为生态等值生物。

Nichinan **日南** 日本九州宫崎县城市。濒临太平洋。从19世纪初起便种植日本雪松，为发展造船、木材、造纸、制浆业提供基础。日南的油津和大堂津两个港口是九州南部主要近海渔业中心。农业有甘薯、大麦和烟草。风景如画的海滨区为日南海岸国家公园的一部分。人口47 596（1995）。

日南市海滨国家公园中的热带植物
美国不列颠百科全书公司供图

Nichiren **日莲**（1222-03-30，日本小凑～1282-11-14，池上） 日本镰仓时代（1192～1333）佛教高僧，俗名善日，又名生房莲长，敕谥立正大师；他为了彻底研究当时日本佛教各派于1233年到镰仓修阿弥陀宗，然后改修禅宗，继而到天台宗发祥地比叡山。他曾到秘宗中心高野山，又转往奈良研究律宗。1253年日莲断定，佛教真义端在《妙法莲华经》。1253年春，日莲返回清澄寺，向业师同窗宣布自己的信仰。当地僧人和贵族都反对他的主张。日莲被排斥出寺，住在镰仓一斗室之中，每日在该城闹市说法。当时日本为瘟疫、地震和内乱所扰。日莲于1260年著《立正安国论》，谓国难之源在于朝野耽于异端邪说而偏离佛法，主张唯有立日莲宗为国教、排斥诸宗才是抒难安民之道。1261年6月被流放到伊豆半岛，1263年获赦，返回镰仓，依旧抨击时弊。蒙古即将征服全中国，于1268年遣使要求日本纳贡。日莲认为此事即是应验他在1260年所发预言，再次向政教显要分送《立正安国论》。1271年再次被捕，判处死刑，后改判徒刑，流放佐渡岛，1272年在该处著《开目钞》。此时蒙古又再而三遣使抵日,以发兵讨伐威胁。由于日莲过去所发预言,又由于镰仓显要友人的要求,1274年政府赦免日莲。日莲返回镰仓,不久率少数弟子隐居身延山,说法著述终身。日莲宗具有日本特色,因为它不仅讲参悟和个人超脱,而且讲拯救社会,强调了解历史和人间事务。至今流行于日本的许多教派多少都以日莲的教义为本。

Nichiren Buddhism 日莲宗 日本佛教宗派,由13世纪僧人日莲创立,故名。本宗为日本佛教最大宗派之一。日莲认为佛陀教义的精华包含在《妙法莲华经》中,其他宗派都曲解真理。他宣称要救国必须归依《妙法莲华经》的真理。后来自命为菩萨。日莲认为,历史人物释迦牟尼和本初的永恒佛陀是一体,一切人都有佛性,都是永恒佛陀的表现。日莲死后,此宗分裂为许多支派,最著名的是日莲宗和日莲正宗。日莲正宗在家信徒组织创价学会,使该宗获得重大发展。日莲正宗在当前日本政界占有显著地位。美国日莲正宗,在1970年已有信徒6万户。

Nicholas 尼古拉 统治者之名,按国别、教皇或牧首系谱分列于后,并各以●为标记。

与此字相等之外语:

希腊语	Nicolaos 或 Nikolaos
拉丁语	Nicolaus
门的内哥罗语	Nikola
俄语	Nikolay 或 Nikolai

黑山

● **Nicholas I 尼古拉一世**(1841-10-07,黑山戈什～1921-03-02,法国昂蒂布) 黑山大公(1860～1910)、国王(1910～1918),他将他的小公国转变为欧洲的主权国家。1860年继大公位。曾留学巴黎和的里雅斯特。1862和1876年两次抗击土耳其人,并且最后取得辉煌胜利。根据柏林会议(1878)决定,其领土增加了一倍,并成为主权国家。1868年尼古拉一世访问圣彼得堡,与俄皇亚历山大二世结交,从此俄皇经常向他提供金钱和武器。1910年自立为国王。1912～1913年参加反对土耳其的巴尔干战争,但未达到扩大领土的目的。第一次世界大战中支持塞尔维亚反奥匈帝国。失败后,于1916年流亡意大利,1918年被国民议会正式废黜;后黑山并入塞尔维亚。

罗马教廷

● **Nicholas I, Saint 尼古拉一世,圣**(约819～822,罗马～867-11-13,罗马) 教皇(858～867在位)。在位期间曾发生三次具有历史意义的斗争。先是,拜占廷皇帝迈克尔三世不公正地侮辱并废黜君士坦丁堡牧首依纳爵,不合教会法命学者佛提乌继其位。尼古拉一世支持依纳爵,派遣使节前往君士坦丁堡调查此案。使节于861年证明处置依纳爵正确,尼古拉一世则予以驳斥。863年判处佛提乌以绝罚,867年佛提乌给予尼古拉一世同样处分。尼古拉一世未及得悉此事以及其导致东西方教会正式陷于分裂的后果而死。尼古拉一世的第二场重大斗争是针对洛林国王洛泰尔的。原来,洛泰尔诬告其妻泰特贝尔加乱伦,要把她休弃。泰特贝尔加向尼古拉一世申诉,而862年亚琛会议则批准洛泰尔另娶。在863年梅斯会议上任尼古拉一世使者的两个大主教(可能受洛泰尔之贿)肯定亚琛会议的决定。后来尼古拉一世将原案全部推翻,并创教皇革除大主教的先例。第三件教务纠纷是由兰斯大主教辛克马尔撤换苏瓦松主教洛塔德二世引起的。尼古拉一世坚持罗马教会首脑高于其他各地神职人员的原则,受理此案,下令进行调查,最后决定洛塔德二世复职。尼古拉一世指出,罗马教会首脑受权于上帝,是教会元首;基督将宗教和政治大权授予彼得,教皇自彼得一脉相传继承这种权力;皇帝掌握世俗权力,负责保护教会。他反对加洛林王朝操纵教务,并声称教皇有权为基督教世界制订法律。这样,他的学说中已包含教皇神权至上论的萌芽;而且,他鼓吹人人都要遵守教皇的决定,从而促进教皇凌驾于西方各地教会之上的局面的形成。

● **Nicholas II 尼古拉二世**(?,洛林～1061-08-27,佛罗伦萨) 原名勃艮第的热拉尔(Gerard of Burgundy)。教皇(1058～1061在位)。原为佛罗伦萨主教,1058年继教皇司提反十世(九世)之位,同时,反对教会改革运动的罗马贵族推选敌对教皇本尼狄克十世与他对立。次年本尼狄克十世被驱逐。1059年尼古拉二世在拉特兰会议上发布有关教皇选举的通谕,任命七位枢机主教主持选举,由他们提出候选人,召集全体枢机主教开会,然后将选举结果向其他神职人员和教徒公布,不受皇帝干涉。尼古拉二世派使节向德意志宫廷通报这一通谕。皇帝拒绝接见他的使节,并发布另一项关于教皇选举的谕令。德意志境内各主教在1061年会议上宣布他的通谕和有关文件一律无效。但尼古拉二世与占据意大利南部的诺曼人保持友好关系。

● **Nicholas III 尼古拉三世**(约1225,罗马～1280-08-22,教皇国维泰博附近索里亚诺-内尔奇米诺) 原名乔凡尼·盖塔诺·奥尔西尼。教皇(1277～1280在位)。在教务问题上,起初方济各会内部在如何解释教士安贫这一问题上发生争执,分成住院派与灵修派;1279年尼古拉三世发出通谕,使这一纠纷暂时获得解决。他继续奉行教皇格列高利十世遏止西西里国王查理一世(属安茹家族)的政策,不再让他继续担任托斯卡纳主教和罗马元老院议员。经过他的活动,德意志国王鲁道夫承认罗马涅省是教会所有(事实上该省许多年以后才并入教皇领地)。查理一世进犯意大利,得到当权的佛罗伦萨派的支持。尼古拉三世为了在鲁道夫和查理一世之间保持均势,1279年派遣自己的侄子枢机主教马勒布兰卡到佛罗伦萨进行活动,使佛罗伦萨政府改组。经过他的斡旋,1280年签订一项条约,结束哈布斯堡王朝与安茹王朝争夺西西里的斗争。尼古拉三世在政治上讲求现实主义,承认枢机主教都各自代表一种政治势力。他抬高自己所属的奥尔西尼家族,使他们在教会的大政方针和日常事务中发挥重大影响。

● **Nicholas IV 尼古拉四世**(1227-09-30,教皇国阿斯科利皮切诺附近～1292-04-04,罗马) 原名吉罗拉莫·马希。教皇(1288～1292在位)。第一位出身方济各会修士的教皇。他依赖意大利豪门科隆纳家族,增加该家族出身的枢机主教人数。与前代诸教皇尼古拉三世、马丁四世和洪诺留四世一样,他力图在哈布斯堡家族的德意志国王鲁道夫一世与安茹家族的西西里国王查理一世之间保持均势。尼古拉四世本人是西西里封建势力的最高权威,他要求阿拉贡王室将西西里归还安茹家族未果,1291年经过他的斡旋,法兰西与阿拉贡王国之间的冲突结束。尼古拉四世力图恢复十字军行动未成。1291年巴勒斯坦境内阿卡城堡被埃及苏丹马木路克率军摧毁。尼古拉四世本来希望西方国家与蒙古联合反对穆斯林势力,比至波斯国王伊尔汗·阿鲁浑紧急呼吁尼古拉四世、法兰西国王腓力四世和英格兰国王爱德华一世同他采取联合行动,这种希望前景乃趋于明朗。这项计划虽然未能实现,但尼古拉四世所派遣的方济各会传教士孟德高维诺却得以觐见忽必烈,其后在中国境内出现了第一处天主教堂。尼古拉四世还曾派人(主要是方济各会修士)到巴尔干和近东传教。

● **Nicholas (V) 尼古拉(五世)**(?,教皇国列蒂科尔瓦罗～1333-10-16,普罗旺斯阿维尼翁) 原名彼得罗·拉伊纳卢奇。最后一位皇帝推举的敌对教皇(1328～1330在位)。起初,在阿维尼翁掌握教权的教皇约翰二十二世绝罚神圣罗马帝国皇帝路易四世,路易四世即推举修士拉伊纳卢奇登位为敌对教皇,称尼古拉五世,但支持者甚少。1329年约翰二十二世判处他以绝罚,并保证如果他退位可以享受人身安全,1330年尼古拉五世退位,软禁终身。

● **Nicholas V 尼古拉五世**(1397-11-15,热那亚共和国萨尔扎纳～1455,罗马) 原名汤玛索·巴伦图切利。教皇(1447～1455在位),文艺复兴时期的重要教皇,梵蒂冈图书馆的创办人。他结束了教皇与公会议对立造成的分裂;1455年恢复了教皇国和意大利的和平,他开始重建罗马许多重大建筑物(包括圣彼得教堂)的计划;赞助许多艺术家和学者。由于他未能推动真正的宗教改革,结果导致了16世纪的宗教改革运动。巴伦图切利先在博洛尼亚学习,后因贫辍学,到佛罗伦萨任富家家庭教师,接触文艺复兴时期文化。从22岁起在博洛尼亚枢机大主教阿尔伯加蒂宅中供职,前后共20年,多次陪同他出使欧洲各国。阿尔伯加蒂死后,教皇尤金四世于1444年任命巴伦图切利为博洛尼亚主教,当时该城居民起事,要求摆脱教廷控制,他无法就任。1446年在法兰克福议会上施展外交才能,平息德意志各选帝侯的不满,于是三个月后即1447年3月当选为教皇。当时,主张由公会议而不是由教皇管理教会的在巴塞尔开会的主教抗命,以及其敌对教皇菲利克斯五世仍在与罗马对抗,尼古拉五世采取克己宽人的态度，终于使分裂局面宣告结束，恢复教廷领地内部的和平。他同罗马贵族求得和解，对骚乱的市民作出让步。尼古拉五世加强教会的立法措施，禁止鬻卖神职、不准神职人员娶妻，责成各主教改进教区管理。尼古拉五世对罗马当地的文艺复兴影响颇大。他曾修复或装饰许多建筑物，包括圣彼得教堂、梵蒂冈宫、卡皮托利尼山上的元老院等，但是他毁坏古建筑物以搜集石料供兴建新建筑物使用。晚年多次有人企图杀害他未遂。他对前两次的首犯宽大为怀；但于1453年处决第三次阴谋的主犯和从犯。同年，东派基督教中心君士坦丁堡为土耳其苏丹所占领，事先尼古拉五世曾派舰队前往支援被困军队，但为时已晚。

牧 首

● **Nicholas I** **尼古拉一世**（852，君士坦丁堡～925-05-15） 君士坦丁堡牧首（901～907；912～925）。拜占廷皇帝利奥六世第三次丧妻后要求尼古拉一世准许他第四次结婚，尼古拉一世以不合教会法和惯例为理由予以拒绝，并不愿同教皇塞尔吉乌斯三世磋商这一问题。利奥六世把他驱逐到君士坦丁堡城外一隐修院。尼古拉一世后来被召回，任君士坦丁七世的摄政。他曾同教皇约翰十世谈判东西方教会的合作关系，并就东方教会婚姻教规问题达成一项协议，使东西方教会之间出现难得的和谐时期。尼古拉一世在920年一次会议上颁发关于四次结婚问题的联合教令，一方面规定一般希腊正教教徒结婚不得超过三次，另一方面又承认利奥六世的第四次结婚合法，因为这一次结婚可以使皇帝有合法继承人，从而有利于国家。尼古拉一世曾从事外交活动，遗有关于拜占廷-保加利亚关系和意大利境内希腊人地产问题的书信。

● **Nicholas III** **尼古拉三世**（活动时期11世纪末） 东正教君士坦丁堡牧首（1084～1111）、神学家、礼文作家。他批判异端教义，经他执笔的礼文有洗礼、婚礼、告解、斋戒、圣体等场合所使用的祷词和应答词。拜占廷皇帝亚历克赛一世同教皇乌尔班二世谈判西方援助拜占廷抗击土耳其问题，同时就罗马教会与君士坦丁堡教会之间的关系问题征询尼古拉三世。尼古拉三世表示只要教皇提出正教信纲，他就赞成东西两派教会联合。先是，保加利亚出现鲍格米勒派，宣传二元教义，谓造物主生有基督、撒旦二子。尼古拉三世宣布该派首脑巴西耳等人为异端分子。巴西耳于1118年被皇帝亚历克赛一世以火刑处死。

俄 国

● **Nicholas I** **尼古拉一世**（1796-07-06，俄罗斯圣彼得堡附近的皇村～1855-03-02，圣彼得堡） 俄国皇帝（1825～1855）。通常被认为是独裁者的典型；由于其反动政策，被称为封冻俄国达30年之久的帝王。保罗大公之子。他出生后约三个半月，其父成为俄国沙皇，称保罗一世。1801年保罗一世在宫廷政变中被弑，长兄亚历山大登上皇位，其时尼古拉还不满5岁。他的第一位教师是苏格兰人保姆J.莱昂小姐。1802～1803年他开始接受正规教育，科目和课程很多，但他只爱军事科学，后来成为一位出色的军事专家。尼古拉的教育被1812～1815年俄国的反拿破仑

美国不列颠百科全书公司供图

战争打断。1814年获准参军。此后曾在巴黎以及西欧、中欧的一些地方逗留。1815年11月4日在柏林举行的一次国宴上，俄皇亚历山大一世和德皇威廉三世亲自宣布尼古拉与普鲁士公主夏洛蒂的婚约。1817年7月举行婚礼。1816年5～9月尼古拉漫游俄国，此后又去英格兰考察。回俄国后任工兵总监。以后几年又担任其他军职。1825年12月亚历山大一世在俄国南方突然死去，因无直系男嗣，而另一位兄长康斯坦丁因与波兰平民结婚(1820)而放弃了王位继承权，尼古拉遂成为俄国的新君。他是一个典型的独裁者。从儿时一直到死始终喜爱军队，几乎达到发狂的程度。他的一切活动包括日常生活在内，都很缜密和精确。他把一副几乎无法承受的重担压在自己肩上，足足支撑了30年。他采取纯粹军国主义和官僚主义的统治方法。他的周围都是军人，在位后期他的直接助手几乎没有一个文职人员。他派专使到俄罗斯各地去执行特殊使命，这些专使大都是跟随他左右的将军。但在这种铁的纪律的背后却是极端的腐败和混乱。尼古拉一世在处理国家事务时往往越过正式的渠道，他最讨厌审议、磋商或其他程序上的拖延。他严重地削弱了大臣会议、国家杜马和参政院的作用，愈来愈依赖于在他直接和绝对控制下能够立即执行他的意图的特殊官僚机构。他经常利用在正常国家机器之外的特别委员会，这些委员会总是由他最信赖的几名助手组成。若一个委员会未完成任务，他就建立另一个委员会取代之。在他统治期间先后有9个委员会研究农奴制问题。他专制独裁的癖好还表现在沙皇私人办公厅职能的扩展上。这个原先只是起草沙皇命令和监督命令执行的机构，后来逐步扩大，建立6个厅，分别管辖编纂法律、统领新建的宪兵团、处理外高加索事务……其中，第三厅是镇压革命运动的政治警察机构。他极力维护独裁统治，害怕废除农奴制，只在少数领域进行一些毫不触动帝国基本结构的变革，但即使这类有限的变革在1848年以后也变得不可能了。

● **Nicholas II** **尼古拉二世**（1868-05-18，俄罗斯圣彼得堡附近皇村～1918-07-16或17，叶卡捷琳堡） 俄国末代皇帝（1894～1917）。被评价为愚蠢而专制的君主。十月革命后，和皇后、子女一道被布尔什维克处决。亚历山大三世的长子。1894年11月1日继承父位，1896年5月26日在莫斯科加冕。他所受的教育和气质都承担不了治理这个庞大帝国的艰巨任务。他的军事知识只限于从老师那里学到的一点东西。他不善思考，但对体育活动和军队生活中的小事如军装、勋章、队列等则津津乐道。他不肯与臣民接触；只乐于在家中离群索居。在皇后亚历山德拉影响下，他接纳巫师、术士，宠信拉斯普廷（**Rasputin, Grigory Yefiomvich**）。即位以后不久他就在对自由派议员的演讲中表明他对地方自治会的毫不妥协的观点。他认为地方自治会渴望分享政府的权力是荒唐的梦想。他加强警察以镇压人民起义的风暴。他对国际事务的无知常常令俄国职业外交家瞠目结舌。例如，尽管俄国已与德国的宿敌法国结盟，而1905年7月他却与德皇威廉二世在比约克会

美国不列颠百科全书公司供图

谈中达成一项盟约。尼古拉二世是第一个对亚洲感到兴趣的俄国君主。1891年他访问了印度、中国和日本。后来他又担任西伯利亚大铁路建设工程的名誉总监。他企图加强俄国在朝鲜的影响，因而引起日俄战争（1904～1905）。俄国的惨败不仅粉碎了尼古拉二世要把俄国建成一个伟大的欧亚强国、并将中国和波斯置于俄国卵翼之下的迷梦，而且使他在国内面临十分严重的危机。俄国人民对他日益强烈的不满引起了1905年的革命运动。尼古拉二世认为所有反对他的人都是居心叵测的阴谋家。他拒绝向立宪党人和工人让步。1905年3月3日他勉强同意成立国家杜马。同年10月30日他发表宣言，同意实行立宪政体，即任何法律必须经杜马通过方能生效。然而，尼古拉二世无意遵守他的许诺，颁布《基本法》（1906-05）拼命恢复原有的权力。他大力扶植一个极右组织“俄罗斯人民同盟”。维特首相愤而辞职，两届杜马也因“不顺从”而被解散。俄国在被日本击败后，尼古拉二世把注意力转向巴尔干半岛。他煽动巴尔干半岛的斯拉夫人的民族观念，企图取得对土耳其海峡的控制权。奥地利皇太子斐迪南在萨拉热窝遇刺以后，尼古拉二世通过外交活动极力阻止爆发战争；迄1914年7月

30日为止，他一直抵制俄军要求发布总动员令的压力。第一次世界大战爆发后，尼古拉二世实际上已经陷入完全孤立的状态。杜马遭冷遇，自发的爱国主义组织受压抑，统治集团与民众间的鸿沟在扩大。尼古拉不断地干扰军事行动，皇后和佞臣拉斯普廷弄权，宫廷被广泛地怀疑从事叛国活动，反对王朝的情绪在增长，保守派策划废黜尼古拉以拯救专制制度。1917年3月8日彼得格勒发生暴动，尼古拉命令卫戍司令采取强硬手段，同时他还派遣军队去协助恢复秩序。但是为时已晚。内阁提出辞呈，杜马也在军队支持下要求皇帝退位。3月15日尼古拉二世在普斯科夫宣布放弃皇位，由弟弟米哈伊尔继承，但遭到后者的拒绝。李沃夫公爵的临时政府把尼古拉二世扣留在皇村，本来准备将他和他的家族送往英格兰，但由于彼得格勒苏维埃的反对，把他们改送到西伯利亚的托博尔斯克。1918年4月他们被押解至乌拉尔的叶卡捷琳堡。在白俄军队接近这一地区时，当地政权为了防止劫狱，将他们全部枪决。

Nicholas　尼古拉（1856-11-18，俄罗斯圣彼得堡～1929-01-05，法国昂蒂布）　俄国大公，军人。第一次世界大战初期俄军总司令，指挥对德意志、奥匈帝国的战争；后任高加索总督，对土耳其人作战的俄军司令。沙皇亚历山大二世的侄儿。参谋学院毕业。1877～1878年参加俄土战争。1895～1905年任骑兵总监时，曾在训练和装备方面进行重大改革。1905年任圣彼得堡军区司令和帝国国防委员会主席。第一次世界大战开始后任俄军总司令。尽管最初俄军获得一些胜利，但后来被德军击溃。1915年9月5日沙皇出任俄军最高统帅，派尼古拉去高加索。1917年再次任命他为总司令，但其任命几乎立即就被临时政府首脑G.Y.李沃夫撤销。两年后尼古拉乘英国军舰离开俄国。死前一直在法国进行纠集反共势力的活动。

Nicholas, Saint　圣尼古拉（活动时期4世纪，在小亚细亚吕西亚米拉[土耳其菲尼凯附近]）　关于是否真有尼古拉其人，无任何史料可证明。相传生于帕塔拉的古老海港城市吕西亚。瞻礼日为12月6日，是东、西方教会都纪念的小圣者之一，如今在传统上与圣诞节联系在一起。又称巴里的尼古拉（Nicholas of Bari）、米拉的尼古拉（Nicholas of Myra）或圣克劳斯（Santa Claus）。他或许曾于4世纪任米拉主教。罗马皇帝戴克里先迫害基督教时被监禁，君士坦丁大帝在位期间获释，参加第一次尼西亚会议(325)。他死后葬在米拉他的教堂，1087年意大利海员（或许是商人）从米拉窃走了据说是他的遗骸而移往意大利境内巴里；此举使巴里也成为参谒人数最多的朝圣中心之一。目前，尼古拉的遗体仍在建于11世纪的巴里教堂受人崇敬。尼古拉有慷慨慈善的名声。据说，他曾将黄金的妆奁赠给三个女子，使她们免于因贫穷所迫而沦为娼妓；他还曾使三个儿童复活，而这三个孩子是已被屠夫斫成肉块而放进腌肉盘中的。在中世纪，崇敬尼古拉之风传遍欧洲。他成了俄罗斯和希腊的主保圣人，以他为主保圣人的还有慈善社团和行业公会、儿童、海员、未婚女子、商人和典当业者，还有瑞士境内弗里堡和莫斯科等城市。欧洲有几千所教堂都以他为名，其中一处是早在6世纪由罗马皇帝查士丁尼一世建于君士坦丁堡（今伊斯坦布尔）的。尼古拉所行神迹是中世纪艺术家和宗教剧的常用题材，传统上他的瞻礼日也成了"孩童主教"典礼的日期。宗教改革运动以后，信奉新教的欧洲国家不再崇敬尼古拉；但在荷兰，他依然是家喻户晓，称为圣克拉斯。荷兰移民于17世纪把关于他的传说带到美洲殖民地的新阿姆斯特丹（即今纽约市）。后来，在美国占人口多数的操英语民族把圣克拉斯接过来，称为圣克劳斯，即"圣诞老人"，同时又把关于这位慈祥老者的传说与北欧的民间传说结合起来。那些传说中有一位魔术师，他惩罚顽皮儿童而以礼品奖赏好孩子。美国现在流行的圣诞老人像定型于19世纪。自那时起，他一直是馈赠礼品的节日圣诞节的主保圣人。圣克劳斯在荷兰、比利时和其他北欧国家改头换面而不离其基本形象，即仁慈和善，慷慨惠人。在英国，他被称为"圣诞老爹"。

Nicholas of Autrecourt　尼古拉（奥特库尔的）（约1300，法国凡尔登附近奥特库尔～1350后，洛林梅兹）　哲学家和神学家。主要因将中世纪的怀疑主义发展到极合乎逻辑的结论而知名，但这些结论却被谴责为异端。1320～1327年间当他是巴黎大学神学院文科与哲学的高年级学生时，已成为唯名论最有名的拥护者之一。其主要著作有：为彼得·隆巴德的12世纪《格言》（中世纪哲学神学的基本概述）和亚里士多德的《政治学》所作的评注；致方济各会派修士哲学家贝尔纳（阿列佐人）的9封信；一篇重要论文，其中包含的60条论点，于1340年教皇本尼狄克十二世在阿维尼翁召开的、审判尼古拉异端的会议上受到驳斥；论文通常以"Exigit ordo executionis"（"[欲求]万物有序[则必]"）为其开头语。尼古拉反对传统的亚里士多德的客观主义和它认为所有的人只有一种智力的说法。他提出智力的确实性只有两个基础：一是逻辑的同一性原则和与之相关的矛盾原则（这一原则认为一件事物不能同时是它本身又是另一事物）；二是感性材料的直接证明。按照他的唯名论学说，他否认通过经验能认识任何因果关系，并且告诉人们，因果关系的原则可以归纳为对前后衔接的两件事实作经验的陈述。他认为，这样一种因果关系概念的结果必然否认有任何合理的证据来证明上帝的存在，并且必然否认天地万物与任何神圣有什么关系。他认为世界多半是从亘古以来就存在着。他不接受经院亚里士多德派的哲学和物理学，相信物质的和精神的宇宙世界说到底是简单的、不可分的粒子或原子构成的。不过他声称，他的革新思想并不影响他对于基督教传统（包括道德的诫条和来世的信仰）的忠诚。他说，信仰和理性各自独立地起作用，人们可以赞成和理性相矛盾的宗教学说。由于感觉不可靠，而人们（甚至亚里士多德也是如此）又往往容易作出错误的判断，所以证据和真理并不总是一致的。哲学至多不过是使比较确实的事物能比不大确实的事物占优势而已。1346年他受到教皇克雷芒六世的谴责。1347年被迫辞去教授职务，宣布放弃他的错误主张，公开烧毁他的著作。1350年任梅兹地方大教堂主教，此后即默默无闻。他的"万物有序"论文手稿，后来由A.伯肯迈尔在牛津大学博德利图书馆发现，1939年由J.R.奥唐奈发表于《中世纪研究》杂志上。

Nicholas of Clémanges　尼古拉斯（克莱芒热的）（约1363，法兰西克莱芒热～1437，巴黎）　神学家、人文学家、教育家。他痛斥基督教会的腐败，主张全面整顿教会。在教皇暂驻阿维尼翁期间，努力调解西派教会的大分裂。1393年任巴黎大学校长，当时他已是闻名的开明人文学家，他根据诸同事的建议，设法解决两教皇分立的局面。因以精通拉丁文著称，于1397年任驻在阿维尼翁的敌对教皇本尼狄克十三世的秘书，当时教皇乌尔班九世驻在罗马。1408年法兰西不再支持本尼狄克十三世。尼古拉斯因不满长期分裂状态，也背弃本尼狄克十三世，退居阿维尼翁附近一处加尔都西会隐修院，向1414年康斯坦茨会议发出通信，表示赞成关于公会议高于教皇的理论。在1421年沙特尔会议上，他力辩高卢派教会应有自由权。1432年回到纳瓦拉学院重新执教。

Nicholas of Cusa　尼古拉斯（库萨的）（1401，特里尔库埃斯～1464-08-11，教皇国托迪）　拉丁语作Nicolaus Cusanus。天主教枢机主教、数学家、学者、实验科学家、有影响的哲学家。在1432年巴塞尔会议上，他反对教皇尤金四世为特里尔大主教一缺所提出的候选人。在会上提出《论公教和谐》一文，表示赞成公会议权力高于教皇。但到1437年，尼古拉斯转而积极拥护尤金四世。1440年受祝圣为司铎，后立为枢机主教。1450年任布里克森主教。尼古拉斯精通神学、数学、哲学、科学和艺术，1440年发表《论学而无知》，指出有学识之人是自知无知者。他还对诊断医学和应用科学有研究。强调知识来自实验。他觉察到宇宙（包括地球在内）在运动，这运动有一中心，但它不是地球，这一见解比天文学家哥白尼的发现还要领先。他观察植物的生长发育，断定植物从空气吸收营养，这是第一次的现代生物学实验，并第一次证明空气有重量。许多其他成就，包括一份欧洲地图的绘制，也有尼古拉斯的贡献。尼古拉斯收藏大量古籍手稿，曾将罗马作家普劳图斯的十几部失佚的喜剧剧本校勘复原。他所遗留的书籍甚多，藏于1458年他在故乡所创办的医院中，今日仍有许多人在该处从事考证研究。

Nicholas of Damascus　尼古拉斯（大马士革的）（活动时期公元前1世纪）　希腊历史学家和哲学家。他著有一部叙述从亚述帝国到他那个时代为止的通史。尼古拉斯曾教过希律大帝修辞学和哲学，而当他陪伴自己的保护人访问罗马时曾引起奥古斯都的注意。后来当希律的行为引起奥古斯都的怀疑时，他曾奉命前往进行调解。他活得比希律久，而正是由于他的影响才保证了希律·阿基劳斯的继位。他的通史、自传和奥古斯都传的片段主要在君士坦丁·波菲罗格尼图斯的引文中保存下来。

Nicholas OF FLÜE, SAINT 圣尼古拉斯（弗吕厄的）（1417-03-21？，瑞士上瓦尔登萨克瑟恩附近弗吕埃利～1487-03-21，朗弗） 别名克劳斯修士。瑞士隐士、有名的圣者和民间英雄，曾参加对苏黎世的战争（1436～1450），后当选为上翁特瓦尔登法官和议员（1448）。1467年抛开家庭，放弃公职，成为隐士。他曾调解各州之间在弗里堡和索洛图恩加入瑞士联邦问题上发生的冲突，结果防止了内战的爆发，加强了各州的团结，达成了施坦斯协定（1481-12-22）。由于劝导人们崇向温和手段，他在瑞士传统中成为主张通过调停解决争端的最早的鼓吹者。

Nicholas OF HEREFORD 尼古拉（赫里福德的）（？～约1420，英格兰沃里克郡考文垂） 基督教神学学者。1370年祝圣为司铎，1382年获牛津大学神学博士学位，在牛津接受罗拉德派即喃喃祈祷派创始人威克里夫的影响。尼古拉在讲道时进一步发展罗拉德派的改革主义神学，谴责教士穷奢极欲，宣传教徒人人可以独立思考经文而树立自己的信仰。尼古拉、威克里夫以及罗拉德派其他成员都受到绝罚。尼古拉向教皇乌尔班六世提出申诉，并亲赴罗马呼吁，结果再次受到谴责，被判无期徒刑。1385年6月发生反教皇起事，尼古拉趁乱越狱返回英格兰，被坎特伯雷大主教逮捕。1391年公开声明放弃罗拉德派思想，获得国王保护，任神学审查官，审理异端嫌疑分子。据同时代的史学家记载，他曾与罗拉德派分子进行激烈辩论。现存尼古拉最重要的著作是《威克里夫版圣经》。据传其中《旧约》部分是尼古拉所译，大部分完成于1382年。

Nicholas OF LYRA 尼古拉（里拉的）（约1270，诺曼底旧利尔～1349-10-16或23，巴黎） 中世纪最杰出的天主教方济各会神学家之一，是第一部印刷版的圣经评注的作者。他的50卷本《普世圣经评注》强调诠释词文而不重视灵意，不考究比喻暗示。某些学者认为这部著作对路德产生重大影响。

Nicholas OF VERDUN 尼古拉（凡尔登的）（活动时期约1150～1210，佛兰德） 12～13世纪最伟大的釉画艺人和金匠，也是晚期罗马风格向早期哥特风格转变时期的重要人物。他是登门制作的流动工匠，因此有关他生平的情况绝大部分是根据他的作品推断出来的。奥地利克洛斯特新堡隐修院教堂祭坛釉画（1181）是他最著名的作品，显示出他对金工和釉画的绝艺。这个祭坛釉画是把金属底板挖成空格，再填上透明的釉彩。画面的设计是12世纪这种祭坛画中最有雄心的，常常被认为是中世纪保存下来的釉画中最重要的作品。早期画面运用成熟的罗马风格，但后来的画面逐渐变为更加大胆、更加古典化的风格。比利时图尔奈大教堂里圣皮亚图斯和圣尼卡苏斯的圣骨箱（1205），把釉彩加工从属于锤打而成的金属加工。尽管在修复过程中损坏程度很大，但是它细长的身姿和柔和的衣饰，依然是早期哥特式雕刻杰作。在科隆大教堂库房中的三王圣骨匣，据传为他

凡尔登的尼古拉绘制的錾胎珐琅饰板画——《西奈山上的摩西》（1181）
美国不列颠百科全书公司供图

所作的科隆圣骨匣中最重要的一个。这个匣的大部分是助手作的，但总设计和先知们的身姿则出自尼古拉之手。这些先知像充满力量，富于表情，被人称为12世纪晚期最重要的金属雕刻。另有两件据称是他的作品：一件是齐格堡圣安妮圣骨匣，另一件是科隆圣潘塔利昂教堂的圣阿尔巴努斯圣骨匣。这些作品在修复前受到很大损坏，除总体设计外，已经看不出尼古拉的手迹。

Nicholas Brothers 尼古拉斯兄弟（F.A.尼古拉斯1914-10-20，美国亚拉巴马莫比尔～2006-01-24，加利福尼亚洛杉矶；H.L.尼古拉斯1921-03-17，美国北卡罗来纳温斯顿-塞勒姆～2000-07-03，纽约州纽约） 美国踢踏舞双人搭档。两人将爵士舞、芭蕾和杂技与踢踏舞结合，创造了"经典踢踏舞"形式。1932～1939年年轻的兄弟俩在哈勒姆区的棉花俱乐部演出，声名大噪，之后参与演出了《暴风雨》（1943）等电影，并在百老汇剧院和电视节目中登台。尼古拉斯兄弟开始踢踏舞生涯之时正值黑人表演艺术家工作机会渺茫、角色陈规老套之际，但他们依然在此种被排斥的情况下崛起，以他们优雅、潇洒的表演方式为踢踏舞艺术增光添彩。

Nicholls，（Erith） Gwyn 尼科尔斯（1874-06，英格兰格洛斯特塞文河畔韦斯特伯里～1939-03，威尔士） 威尔士英式橄榄球运动员。自1892年起先后4次任加的夫队队长。1899年英国橄榄球队远征澳大利亚，当时他是唯一威尔士队员。先后10次任威尔士队队长，率该队于1905年胜新西兰全黑队，并为英格兰国家队输送24名威尔士队员。

Nichols，Clarina Irene Howard 尼科尔斯（1810-01-25，美国佛蒙特西汤森～1885-01-11，加利福尼亚波特瓦利） 婚前名Clarina Irene Howard。19世纪美国新闻记者、改革

美国不列颠百科全书公司供图

家。1830年与浸礼会传教士J.卡彭特结婚。1839年返回佛蒙特家乡，翌年开始为《温德姆县布拉特尔伯勒民主党人》撰稿。第一次婚姻失败后，1843年与报纸出版商G.W.尼科尔斯结婚。同年开始担任《民主党人》编辑。1847年撰写一系列有关已婚妇女财产权的社论，促使佛蒙特州议会通过相关立法。1855年丈夫故去后迁居堪萨斯州怀恩多特县，不断就女权问题向报社投稿。1859年周游各地，代表新成立的堪萨斯女权协会发表演讲，并游说怀恩多特县宪法大会，最终使妇女在教育、子女监护、当地校务表决方面获得平等权利。还为争取通过州已婚妇女财产法积极活动（1867年立法）。1863年12月迁往华盛顿（哥伦比亚特区），担任军需部办事员。1865年在乔治敦一家由全国有色贫困妇女儿童救济会开办的收容所任主任。1866年返回堪萨斯。其后为堪萨斯州妇女争取正式选举权，但未能成功。

Nichols，John 尼科尔斯（1745-02-02，伦敦～1826-11-26，伦敦） 英国作家、印刷商、古物收藏家。他的多卷文坛轶事为后人了解英国18世纪文人的生平和著作作出了非常

美国国会图书馆供图

宝贵的贡献。1757年到人称"学者印刷商"的小威廉·鲍耶处当印刷学徒，1766年与他合股营业。他所从事的第一件文学工作就是担任斯威夫特著作的编辑（1775～1779）。1778年成为《绅士杂志》的部门经理，1792年任该杂志总编辑。在他的著作中，《不列颠地志书目》（1780～1790）和《莱斯特郡历史和古迹》（1795～1815）尤有价值，均为他本人细心观察和研究的成果。当时文学界大多数重要人物都是他的朋友，他出版了S.约翰逊的《英国诗人传记》，对该书的编辑影响很大并提供了大量基本资料。他的传记著作，从写对鲍耶的回忆录开始，后扩充为《威廉·鲍耶的传记和文学轶事》（1782），此书成为9卷《18世

纪文学轶事》一书的基础。

Nichols, Mike 尼科尔斯(1931-11-06,德国柏林～　　) 原名米哈伊尔·伊戈尔·佩什科夫斯基。美国电影与戏剧导演,他的作品集中表现现代生活中因人与人的关系所造成的怪诞与恐怖现象。7岁时举家自柏林移民美国。1950～1953年就读于芝加哥大学,后在纽约学表演,回芝加哥后组织一家即兴表演剧团,在全国巡回表演。1960～1961年在百老汇表演。他首次导演的百老汇舞台剧为《赤脚公园行》(1963),受到高度赞扬,继而导演了一系列票房收入与评论界反应俱佳的舞台剧,包括使他获最佳托尼导演奖的《古怪的一对》(1965)和《酒戏》(1977)等。他导演的影片有《谁害怕维吉尼亚·沃尔夫?》(1966);《毕业生》(1967)获得奥斯卡最佳导演奖;还有《二十二条军规》(1970)和《西尔克伍德》(1983)等。他的全部影片均带有他对当代生活冷嘲热讽的印记,而且往往用幽默方式表达强烈的社会意识。

Nicholson, Ben 尼科尔森(1894-04-10,英国白金汉郡德纳姆～1982-02-06,伦敦) 英国画家,其几何形绘画和浮雕是英国美术中最具影响的纯抽象作品。画家威廉·尼科尔森爵士之子,自幼接受艺术教育,并曾到斯莱德艺术学校短期学习(1910～1911)。1911～1914年在欧洲各国旅行,1917年访问了加利福尼亚,对建筑和风景作了很多速写。在20年代,与雕刻家巴巴拉·赫普沃思(后成为他的第二位妻子)及H.穆尔一道把欧洲大陆的现代艺术介绍到英国。其第一幅半抽象的静物画就反映出他对巴黎的综合立体主义的向往。1933年结识P.蒙德里安,在他的影响下,作品转向一种静的几何形体,这一时期的代表作品是由白色圆圈和长方形组成的浅浮雕(《白色浮雕》,1937～1938)。曾和N.加博及J.L.马丁一起主编《圆周》杂志。1937年出版的这份杂志促进了英国构成主义的发展。20世纪40年代,回归风景和静物的主题。晚期作品仍在抽象主义和表现主义之间变换。

Nicholson, Eliza Jane Poitevent Holbrook 尼科尔森(1849-03-11,美国密西西比汉考克县～1896-02-15,路易斯安那新奥尔良) 婚前名Eliza Jane Poitevent。美国诗人和新闻工作者,美国南方腹地报业中第一位女出版商。1867年毕业于路易斯安那州阿米特女子学校。随即开始写诗。1870年出任《新奥尔良小报》文学编辑。1872年5月与该报社老板A. M. 霍尔布鲁克结婚。1873年出版诗集《抒情诗》。1876年1月霍尔布鲁克去世后留下这家报社和沉重的债务。经过认真考虑,她决定接管这家小报。在业务经理G.尼科尔森的帮助下,她清还了债务,还使小报的销量增加了好几倍。1878年与尼科尔森结婚。在夫妻两人的经营下,这家小报成了一个很兴旺的企业。1884年当选为全国女子报业协会主席。在以后的岁月中她继续写诗歌。1893年和1894年先后出版长篇独角诗剧《夏甲》和《利厄》。

Nicholson, Jack 尼科尔森(1937-04-22,美国新泽西尼普顿～　　) 美国最有名望的电影演员之一,以惟妙惟肖地扮演不受传统束缚的粗俗人而著称。高中毕业后,参加舞台和好莱坞电影演出。50年代末和60年代,在那些成本低的恐怖片和摩托车匪徒片中扮演一般的角色,直到1969年和两名主角搭档扮演《逍遥骑士》一片中懒散的南方律师,才获得全国的赏识。随后他陆续在一些非常成功的影片中扮演主角,这些影片包括《五件易事》(1970)、《猎爱的人》(1971)、《最后行动》(1973)、《唐人街》(1974)及《飞越疯人院》(1975),最后这部影片使他赢得奥斯卡最佳男主角奖。中断数年后,东山再起,拍摄的影片有:《闪灵》(1980)、《邮差总按两次铃》(1981)、《普利奇家族的荣誉》(1985)及《紫苑草》(1987)等。他以《母女情深》(1983)一片获得奥斯卡最佳男配角奖。他曾导演影片《伊莱说,开车》(1971)和《飞越温柔窝》(1978)。到20世纪90年代,尼科尔森已成为银幕经典人物。出演的电影包括《血洗唐人街》(1990)、《最后巨人》(1992)、《义海雄风》(1992;第10次获奥斯卡奖提名)、《猫屎先生》(1997年;第3次获奥斯卡奖,也是他第2次获最佳男主角奖)、《代价》(2001)、《关于施密特》(2002;第12次获奥斯卡奖提名)。1994年,获美国电影学院颁发的终身成就奖。

Nicholson, John 尼科尔森(1821-12-11,都柏林～1857-09-23,德里) 英国军人,行政官员,1857年印度兵变中曾解德里之围。17岁在孟加拉军中当军官候补生。第一次阿富汗

美国不列颠百科全书公司供图

战争(1839～1842)中,他在伽色尼作战。后在喀什米尔和旁遮普任政务官,并参加第二次锡克战争(1848～1849)。1857年印度发生叛乱时他在平定旁遮普后快速向被叛军围困的德里进军,从而晋升准将。他在8月初到达德里并在纳杰夫格尔获胜,鼓舞了被围英军。9月14日攻克喀什米尔门。但他在战斗中负伤,不久毙命。

Nicholson, Reynold Alleyne 尼科尔森(1868-08-18,英国约克郡基斯利～1945-08-27,柴郡切斯特) 英国东方学专家,对伊斯兰教的研究有不可磨灭的影响。曾在阿伯丁大学和剑桥大学学习,后任剑桥大学波斯语讲师(1902～1926)及阿拉伯语教授(1926～1933)。在伊斯兰文学和神秘主义领域中,堪称首屈一指的学者。所著《阿拉伯文学史》(1907)依然是该学科中用英语写的标准著作。他发表了许多苏非派作品供教学用的版本和译本,极大地促进了对穆斯林神秘主义的研究。他既有很好的文学天赋,又有严格的治学精神。从他所译的一些阿拉伯语和波斯语诗歌来看,他完全有资格被称为诗人。他对伊斯兰教和伊斯兰民族的渊博知识令人更惊叹之处在于,他从未到过欧洲之外旅行。他生性羞怯、不爱交际,但却是一个谆谆善诱的教师和有创见的思想家。

Nicholson, Seth Barnes 尼科尔森(1891-11-12,美国伊利诺伊斯普林菲尔德～1963-07-02,加利福尼亚洛杉矶) 美国天文学家,因发现4颗木星卫星而闻名:1914年发现木卫九,1938年发现木卫十和木卫十一,1951年发现木卫十二。木卫九发现于加利福尼亚州哈密尔顿山的利克天文台,其余三颗均发现于威尔逊山天文台。他曾在艾奥瓦州得梅因的德雷克大学和加利福尼亚大学学习(1915年获哲学博士学位)。1915～1957年在威尔逊山天文台任职。他对太阳黑子,尤其是对黑子的磁性和黑子对地球的影响的研究比起他的卫星发现更具有天体物理学意义。他还曾同美国天文学家E.帕蒂特合作,用温差电偶对恒星和行星的辐射作过多次测量。

Nicholson, William 尼科尔森(1753,英国伦敦～1815-05-21,伦敦布卢姆斯伯里) 英国化学家,水电解的发现者。这一反应已成为化学研究和工业生产中的一种基本过程。尼科尔森在不同时期曾作过水利工程师、发明家、翻译家和科学宣传家。1790年他发明了比重计(测量液体密度用的仪器)。1800年当他得知意大利物理学家A.伏打发明电池后,也组装了自己的电池。后来他发现,当电池的两根导线放入水中时,水就分解为氢和氧,这两种气体分别集中在浸在水中的导线两端,形成气泡。由于此项发现,尼科尔森成为利用电流进行化学反应的第一人。1797年尼科尔森创办了《自然哲学、化学及工艺杂志》,这是第一份独立的科学杂志。这份期刊的成功,鼓舞了英国一些互相竞争的科学杂志的创立,它们最终将尼科尔森的杂志排挤到停业。尼科尔森所著《自然哲学导论》(1781)是他所发表的著作中最成功的一本。

Nicias 尼西亚斯(?～公元前413,西西里[今在意大利]) 雅典政治家和将领,在斯巴达和雅典间的伯罗奔尼撒战争(公元前431～前404)中,他曾率领一支雅典军队围攻西西里的叙拉古,围攻的失败大大地促成了雅典最后的失败。在冲突的前10年内,尼西亚斯表现出他长于领导进攻性的征战。公元前421年他谈判尼西亚斯和约以及与斯巴达结成同盟之事。但斯巴达盟邦的敌对态度和雅典将领亚西比德的反对使尼西亚斯的和平努力归于失败。战争重新爆发,公元前415年尼西亚斯在违背自己意愿的情况下和亚西比德与拉马科斯一道受命领导远征西西里。亚西比德被召回以及拉马科斯之死,使病中的尼西亚斯独自负责围攻叙拉古。他试图修筑一道墙把叙拉古围起来,但由于守城者极力破坏而未能完成。尼西亚斯请求免去自己

的统帅之职，然而在公元前413年年初狄摩西尼率领援军到来。当援军也未能扭转局面时，狄摩西尼也同意雅典撤军了。公元前413年8月27日发生月蚀，迷信的尼西亚斯听从预言者的意见推迟出发。不久之后叙拉古人迫使包括尼西亚斯在内的雅典军队投降，尼西亚斯被处死。

Nicias　尼西亚斯（活动时期公元前4世纪）雅典画家，以明暗对比法的技巧闻名（用光线和阴影描绘形象）。他能用明暗对比法使人物突出，最擅长描绘在戏剧性场面下的女性。他与雕刻家普拉克西特利斯同时代，年岁较轻，显然在后者的几件雕像上曾由他画过细部。罗马作家老普林尼写道，有人问普拉克西特利斯最欣赏他自己的哪一件大理石作品，普拉克西特利斯答道："那些经尼西亚斯的手彩绘过的。"普林尼还写道，埃及国王托勒密一世曾出高价购买尼西亚斯画的《奥德修斯在阴间讯问死者》，但是尼西亚斯宁可把它赠给他的故乡雅典。尼西亚斯的原作已无一传世。在普林尼所开列的清单中有《亚历山大像》、《伊俄》和《珀尔修斯和安德洛墨达》。

nickel　镍（Ni）　化学元素，周期表Ⅷ族中耐氧化、耐腐蚀显著的铁磁性金属。银白色、有韧性、比铁硬，因用于硬币中而为人们所熟知，但更重要的还是以纯金属或其合金的形式广泛用于家庭和工业中。少量的单质镍与铁共存于陆地矿床和陨石沉积中。该金属是瑞典化学家兼矿物学家A.F.克龙斯泰特分离出来的（1751），他由含红砷镍矿（砷化镍）的矿石制得不纯的镍样品。早先，这种类型的矿石被称为"魔鬼的铜"，因为虽然它像铜矿石，但能生成一种陌生的脆性金属。镍的丰度是铜的两倍，约占地壳的0.007%；为火成岩中相当常见的组分，不过在含量、规模和可开采性方面符合工业要求的却很少。镍的最重要资源是镍黄铁矿（与含镍的磁黄铁矿和黄铜矿共存）和含镍的红土矿，如硅镁镍矿。镍（原子序数28）在强度和韧性方面与铁（原子序数26）相似，但在耐氧化和耐腐蚀方面却更像铜（原子序数29）。镍兼有二者之长，所以用途很广。镍产量的一半以上用于镍铁合金（特别是不锈钢），其余大部分用于耐腐蚀的镍铜合金（包括蒙乃尔合金），以及用于耐热的镍铬合金。镍还用于电阻、磁铁和许多其他类型的合金，如镍银（镍铜锌合金，无银）。非合金的金属镍用于构成其他金属的保护层，特别是用电镀方法。细分散的镍用于催化不饱和有机化合物（例如油脂）的加氢反应。

天然镍由5种稳定同位素组成：镍58（68.27%）、镍60（26.10%）、镍61（1.13%）、镍62（3.59%）和镍64（0.91%）。它具有面心立方晶体结构。镍在358 °C（镍的居里点）以下具有铁磁性。镍是唯一耐碱作用的金属，常用于制造盛放浓氢氧化钠溶液的容器。在常温常压下，镍与强酸缓慢反应，放出氢气并生成Ni^{2+}离子。镍在其化合物中最常见的氧化态是镍（Ⅱ），但也呈现－1、0、＋1、＋3和＋4等氧化态。二价镍可形成大量的配合物，其配位数为4、5和6，主要的结构类型有正八面体、三角双锥体、四面体和平面正方形。镍（Ⅱ）化合物有广泛的工业用途。例如，氯化镍（$NiCl_2$）、硝酸镍[$Ni(NO_3)_2 \cdot 6H_2O$]和氨基磺酸镍[$Ni(SO_3NH_2)_2 \cdot 4H_2O$]主要用作镍电镀液。硫酸镍（$NiSO_4$）也可用于电镀镍，以及用于制备催化剂、搪瓷底层涂料和印染业的媒染剂（固定剂）。氧化镍（NiO）和三氧化二镍（Ni_2O_3）分别用于燃料电池和蓄电池。镍铁氧体用作天线和变压器等电器设备的磁心。工业上另一重要的镍化合物是羰基镍或称四羰基镍[$Ni(CO)_4$]。这种零价镍化合物主要用于由乙炔和醇类合成丙烯酸酯（用于制造塑料的一类化合物）中，作为一氧化碳的载体。这是最早（1890）发现的金属羰基化合物。通过一氧化碳与细镍粉作用，可以制得这种无色的挥发性液体。该化合物具有镍原子被36个电子围绕着的电子组态。这种电子组态与稀有气体原子的电子组态完全可比拟。镍原子序数28。原子量58、69。熔点1 453°C。沸点2 732°C。比重8.902（25 °C）。化合价0、1、2、3。电子组态2，8，16，2或(Ar)$3d^8 4s^2$。

Nicklaus, Jack (William)　尼克劳斯（1940-01-21，美国俄亥俄哥伦布～　　）　美国职业高尔夫球运动员。在俄亥俄州立大学求学期间获1959和1961年美国业余锦标赛冠军。1962年转为职业运动员后，先后获优秀选手

美国不列颠百科全书公司供图

赛（1963、1965、1966、1972、1975、1986）、美国公开赛（1962、1967、1972、1980）、美国职业高尔夫球协会锦标赛（1963、1971、1973、1975、1980）和英国公开赛（1966、1970、1978）冠军。到1986年为止在美国职业高尔夫球协会正式比赛中共夺标71次。在国外的战绩包括6次获澳大利亚公开赛冠军，6次（1963、1964、1966、1967、1971、1973）作为美国队成员夺得世界杯团体冠军，3次（1963、1964、1971）在世界杯赛中获个人冠军。到1986年为止，他共获18项职业冠军和2项业余冠军，这一成绩超过任何其他高尔夫球选手。5次（1967、1972、1973、1975、1976）被评为美国职业高尔夫球协会年度最佳球员。1978年被美国《体育画报》选为当年最佳运动员，并入选世界高尔夫球名人堂。

Nicobar Islands　尼科巴群岛　印度安达曼-尼科巴群岛中央直辖区的岛群。位于孟加拉湾。由于靠近安达曼群岛，合并而成为安达曼和尼科巴群岛中央直辖区（参阅 **Andaman and Nicobar Is-lands**）。尼科巴群岛包括卡尔尼科巴岛（北）、卡莫尔塔岛和楠考里岛（中）以及大尼科巴岛（南）。虽然很少知道该群岛的最早历史，但据焦尔王朝的坦贾武尔碑文（1050）记载为裸人之土地。1756年丹麦传教士访问该群岛。1869～1988年英国宣称该群岛属于英国，在此建立了流放地；在第二次世界大战期间日本人曾短期占领。卡尔尼科巴岛平坦、肥沃，楠考里岛、卡莫尔塔岛和大尼科巴岛多山；最高峰图伊利尔高642米，位于大尼科巴岛。岛上有茂密的椰子、槟榔、露兜、芒果、木麻黄树林。居民大部分为两个种族集团：尼科巴族和绍姆班族。经济以农业为主，产米、玉米、水果、蔬菜、椰子和槟榔。工业以生产椰干与椰油为主。卡尔尼科巴是唯一的重要城市。2004年12月，该群岛受到印度洋靠近印度尼西亚海域的大规模海啸的袭击，遭到严重破坏，多人死亡。面积1 841平方千米。人口约42 068（2001）。

Nicobarese languages　尼科巴诸语言　尼科巴岛约1.8万人所操的澳斯特罗-亚细亚语言。常分为4个语支：北尼科巴语，包括卡尔语、乔拉语、特雷萨语以及邦帕卡语；中尼科巴语，包括卡莫尔塔语、楠考里语、特林卡特语以及卡恰尔语；南尼科巴语，包括滨海大尼科巴语及小尼科巴语；内陆大尼科巴语，其中主要语言为尚彭语。尼科巴语有时也被分为6个语支。有些学者认为尼科巴诸语言是澳斯特罗-亚细亚语系孟-高棉语族的一个语支，而另一些人则认为它们是澳斯特罗-亚细亚语系的一个独立语支。

Nicodemus THE HAGIORITE, SAINT　**尼科迪默斯，圣**（1748，希腊纳克索斯岛～1809-07-14，希腊圣山）　希腊正教修士。原在士麦那学习，为逃避土耳其迫害而入圣山某隐修院。在同代人马卡里乌斯（科林斯的）的诱导下研究神学并为他所著《慕善集》进行编订。这部文集使静修主义重新为人所注意，其后尼科迪默斯又校订马卡里乌斯所写著有关圣餐祷词及其他礼文的论文。

Nicol, Davidson　尼科尔（1924-09-14，塞拉利昂弗里敦～1994-09-20，英国剑桥）　塞拉利昂外交家、医生、医学研究员、作家。他的短篇小说和诗歌都是迄今西非最优秀的作品。尼科尔原在塞拉利昂、尼日利亚和英国攻读医学和自然科学，后来在这些国家从事各种医务工作。他对胰岛素的结构有精湛研究，从此闻名。他任教并写过大量医学论著。曾任弗里敦的福拉湾学院院长、塞拉利昂大学副校长、驻联合国大使。1970年曾任联合国安全理事会主席，1972～1982年任联合国训练研究所执行所长，1983～1987年任联合

国协会世界联合会主席。尼科尔的短篇小说《非洲故事二则》(1965)、《一个真正结过婚的女人及其他故事》(1965)以阿比奥塞·尼科尔的名字发表,均描写塞拉利昂独立前政府机关工作人员的生活和非洲人与殖民官吏之间的相互影响。他的短篇小说和诗均发表在各种选集和杂志上。还写有《非洲,一个主观的观察》(1964),并编辑过非小说类作品。

Nicola DI LORENZO 尼古拉(洛伦佐的) 参阅 **Cola di Rienzo** 科拉(里恩佐的)。

Nicolai, Friedrich 尼古拉(1733-03-18,普鲁士柏林[德国]~ 1811-01-08,柏林) 德国作家、书商,他和莱辛、门德尔松都是德国启蒙运动的领袖。他是改革派杂志《德意志万有文库》的主编,对年轻作家歌德、席勒和康德都持批评态度。尼古拉曾去奥德河畔法兰克福学习其父的售书业务,并熟习了英国文学。1752 年回到柏林时,参加了一场关于弥尔顿的争论,为这位英国诗人辩护,锋芒指向语法学家戈特舍德。他的《关于德国纯文学近况的信》(1755)是匿名发表的,就是针对戈特舍德及其瑞士对手、批评家博德默尔和布赖丁格的。他热爱英国文学,使他结交了莱辛和门德尔松。他和门德尔松合办《纯文学文库》(1757~1760),又和莱辛、门德尔松合

美国不列颠百科全书公司供图

办《新文学书简》(1761 ~ 1766),他还主编"大众哲学"家的喉舌《德意志万有文库》(1765 ~ 1792),反对宗教上的权威和文学方面的浮夸作风。尼古拉对歌德、席勒、康德、赫尔德等作家代表的新思想运动表现完全不理解。尼古拉还写了许多单篇著作。他的《腓特烈二世的个性轶事》(1788 ~ 1792),描写腓特烈大帝二世的宫廷事件,富于历史价值。他写的长篇大多失传,但《塞巴达斯·诺磨克大师的生活和见解》、讽刺作品《少年维特的欢乐》在当时却都是脍炙人口之作。《德国和瑞士游记》(12 卷,1788 ~ 1796)发表了尼古拉对人物、科学、宗教、工业、道德状态的见解,反映了他晚年的狭隘保守思想。

Nicolai, Otto 尼柯莱(1810-06-09,普鲁士柯尼斯堡[今俄罗斯加里宁格勒]~ 1849-05-11,柏林[德国]) 全名 Carl Otto Ehrenfried Nicolai。德国作曲家,以根据莎士比亚喜剧所写喜歌剧《温莎的风流娘儿们》而闻名于世。1827 年在柏林学习,后又在罗马师从 G. 巴伊尼。从 1838 年开始在意大利和维也纳发表了一些成功的歌剧。1841 年在维也纳任宫廷音乐指挥。1842 年在维也纳建立爱乐协会。1847 年成为柏林歌剧院指挥,于 1849 年在该院演出《温莎的风流娘儿们》。该剧至今仍被公认为 19 世纪最流行喜歌剧之一。

Nicolas-Favre disease 尼古拉-法弗尔病 参阅 **lymphogranuloma venereum** 性病性淋巴肉芽肿。

Nicole, Pierre 尼科尔(1625-10-19,法国沙特尔~ 1695-11-16,巴黎) 法兰西天主教神学家、著作家、伦理学家、论辩家。曾在巴黎受教育,后来在波尔罗亚尔隐修院讲授文学

美国不列颠百科全书公司供图

和哲学。这个隐修院是詹森派的据点,因此尼科尔与詹森派领导人一起编写了几本教科书,包括 1662 年的《逻辑;或思考的艺术》。1655 ~ 1668 年通过他撰写或编辑的詹森主义小册子,他成为詹森派的重要代言人。从 1669 年起,尼科尔发挥自己的才能维护天主教教义,驳斥新教的责难。尼科尔最著名的著作是《道德论文集》(4 卷,1671),该书后来增补到 14 卷。他在这部书中论述人性与道德;认为人凭本性难行善事。

Nicolet, Jean 尼科莱(1598,法国瑟堡~ 1642-11-01,加拿大锡耶里) 法国对北美的探险家,是已知的第一位发现密歇根湖及今威斯康星州的欧洲人。20 岁到加拿大,深入渥太华河的阿吕梅特岛上一支友好的印第安部落,与他们生活在一起,学习他们的阿尔贡金语言和文化,并参与和易洛魁人的谈判。1620 年回魁北克,又被派往远方的尼皮辛部落中去熟悉生活,1624 年任他们的译员。9 年后回到新法兰西的三河拓居地当官方译员。1634 年参加休伦湖区探险队。他由休伦湖穿过麦基诺水道,发现了密歇根湖。但密歇根湖并非他所期望的通太平洋的西北水道。他继续航行到格林湾,在那里和温内巴戈部落缔结一份友好条约。于 1634 年秋返回魁北克之前他又短期间探查了今威斯康星州地区。回魁北克以后他仍任译员,获得法国移民和当地印第安部落的尊敬。1642 年在圣劳伦斯河上航行时突然遇到风暴,覆舟溺死。

Nicolle, Charles-Jules-Henri 尼科勒(1866-09-21,法国鲁昂~ 1936-02-28,突尼斯共和国突尼斯) 法国细菌学家。1909 年发现斑疹伤寒由体虱传播,因此获 1928 年诺贝尔生理学或医学奖。初在鲁昂从事细菌学研究,1902 ~ 1932 年,任突尼斯巴斯德研究所所长。并在该所创办了突尼斯巴斯德研究所档案馆,在他任职期间,该所成了细菌学研究和生产防治传染病的血清和疫苗的著名中心。后又将斑疹伤寒区分为虱传型和鼠传型。在牛瘟、布鲁斯氏杆菌病、麻疹、白喉及结核等疾病的研究方面均作出过贡献。

Nicollet, Joseph Nicolas 尼科莱(1786-07-24,法国萨伏依省克吕斯~ 1843-09-11,美国华盛顿[哥伦比亚特区]) 又名让-尼古拉·尼科莱,数学家、探险家。尼科莱早期在数学和天文学方面显露才华。他 19 岁时成为一名数学教师,1817 年开始同巴黎天文台的科学家拉普拉斯一起工作,并在 19 世纪 20 年代成为巴黎路易-勒-格朗学院的数学教授。1832 年尼科莱在法国遭受经济上的挫折之后移居美国。靠圣路易斯富有的舒托家族的资助,1836 ~ 1837 年尼科莱率领一支探险队考察密西西比河源头。1838 年他接受美国陆军工兵测绘部队的一个职务。1838 ~ 1839 年他在弗里蒙特的帮助下领导一支政府的考察队绘制了密西西比河、密苏里河上游之间地区的地图。后来,尼科莱又编制了一份该地区的详细地图,并撰写了一份关于考察队的报告,这些都在 1843 年他去世后出版。

Nicolls, Richard 尼科尔斯(1624,英格兰贝德福德郡安普希尔~ 1672-05-28,英格兰萨福克郡外北海) 美洲殖民地中第一个英国驻纽约殖民地总督。其父是律师。他本人是坚定的保皇党人。英国内战时期在军中服役,并随同斯图亚特王室流亡,其间开始为约克公爵詹姆斯服务。查理二世复辟后,他被委派为公爵卧室侍从。1664 年,查理二世决定夺取荷兰殖民地新荷兰(现纽约州),并将部分土地授予他的兄弟约克公爵。尼科尔斯被约克公爵委派为未来领地的总督。该年 5 月,他率领由 4 艘船和一支军队组成的船队出发,封锁了新荷兰的主要城市新阿姆斯特丹(现纽约市)。1664 年 9 月,新阿姆斯特丹的荷兰官员接受尼科尔斯的宽大条件,和平投降,他开始在该地建立英国式的统治。为了尊崇他的保护人约克公爵,他将该地及其主要城市命名为纽约(新约克),并为现奥尔巴尼市定名。他机智地、逐步地完成了从荷兰到英国统治的过渡,他随之建立的纽约政府有效率而公正,因此他在荷兰和英国殖民者中赢得了普遍的尊敬。1665 年他颁布了《公爵法令》,这是纽约的第一部法典,一直施行到 1683 年。尼科尔斯于 1668 年辞去总督职务,返回英国,恢复他约克公爵卧室侍从的职务。荷兰战争(或第三次英荷战争)爆发(1672)后,他志愿参加战斗,在索莱贝海战中阵亡。

Nicolson, Sir Harold (George) 尼科尔森(1886-11-21,伊朗德黑兰~ 1968-05-01,英国肯特锡辛赫斯特堡) 英国外交家和作家,著书 125 部以上,包括政论文章、游记和神秘小说。他的 3 卷《日记和书信》(1966 ~ 1968)是

关于1930～1964年英国社会和政治生活的宝贵文献。他生于伊朗，青年时代随其父(外交官)辗转欧洲中部、土耳其、马德里和俄罗斯各地。牛津大学巴利奥尔学院毕业后，1909年进入外交部，供职达20年之久，先后在马德里、德黑兰和柏林的使馆工作。1929年决定放弃外交官生涯。此前，已出版几部传记：《保罗·魏尔兰》(1921)、《丁尼生》(1923)、《拜伦》(1924)、《斯温伯温》(1926)和《了不起的人》(1927)；以及一部小说和其他作品。1930年1月1日，成为比弗布鲁克的《伦敦晚旗报》专栏作家，并同时在当天开始记日记。这部他每天都写的日记写至1964年10月4日。(60年代末由其子奈杰尔编为3卷出版。)在为报纸撰稿的同时，还写书评和在电台发表讲演。1935～1945年任国会议员。1953年被封为爵士。晚年著作有《寇松》(1934)、《火车上的政治》(1936)、《海伦塔》(1938)、《外交》(1939)、《维也纳会议》(1946)、《英王乔治五世》(1952)和《爪哇纪行》(1957)。

Nicomachus 尼科马科斯 (活动时期公元前4世纪，维奥蒂亚第比斯[希腊]) 希腊画家。罗马鉴赏家维特鲁威说过：如果说尼科马科斯的名声不如其他人那样大，那只是因为他的命运不佳，而不是由于他贡献少。其作品有：《珀耳塞福涅遭劫》、《战车上的胜利女神》、《阿波罗和阿尔忒弥斯群像》、《坐在狮子上的众神之母》等。据说他作画只用4种颜色。

Nicomachus OF GERASA 尼科马科斯(杰拉什的) (活动时期约公元100) 新毕达哥拉斯学派哲学家和数学家。著有《算术引论》。这是一部有影响的关于数论的书，1 000年来被视为标准的权威典籍。它陈述了数的基本理论和性质，并包含了最早的希腊乘法表。在《引论》中，尼科马科斯已不像欧几里得那样抽象地证明他的定理。他不只是宣布他的定理，而且还以一些特殊的数例来说明它们。此书的阿普列乌斯的拉丁文译本(约125)已佚失，但波伊提乌的译本流传了下来，直到文艺复兴时代还被用作教科书。他的《和声学手册》是论述毕达哥拉斯音乐理论的书。还著有《数的神学》(2卷)，论述数的神秘性质，但这本书只有片断流传下来。

Nicopolis, Battle of 尼科波利斯战役(1396-09-25) 土耳其击败欧洲十字军骑士联军的战役。这次战役结束了各国阻止土耳其向巴尔干和中欧扩张的行动。1395年苏丹巴耶塞特一世(1389～1402在位)围攻君士坦丁堡，拜占廷皇帝曼努埃尔二世呼吁欧洲的基督教统治者给予帮助。1396年7月，法国、勃艮第、英格兰、德意志和荷兰的骑士在布达同匈牙利国王西吉斯蒙德会合，组成十字军。他们包围土耳其在多瑙河上的要塞尼科波利斯，等待守军投降。巴耶塞特从君士坦丁堡率兵前来，屯军于离尼科波利斯几英里远的一个小山丘上。骑士们冲上小山，击溃前面几道防线上的土耳其骑兵和步兵。但巴耶塞特还有一支得到塞尔维亚军队增援的骑兵分队在后面严阵以待。9月25日，西吉斯蒙德试图援救盟军，但未能成功，土耳其人杀死大部分十字军骑士，并把残存者赶回多瑙河流域。包括西吉斯蒙德在内的小股联军得以逃脱，大部分被巴耶塞特俘获处死。由于尼科波利斯战役的胜利，土耳其使欧洲国家不再组成反对它的联盟。

Nicopolis Actia 亚克兴胜利城 希腊今称Nikópolis(尼科波利斯)，原名帕莱奥普雷韦扎。该城位于希腊西北部普雷韦扎以北约6千米处。公元前27年成为罗马皇帝奥古斯都的屋大维，为纪念在亚克兴战胜安东尼和克娄巴特拉而于公元前31年建立该城。亚克兴胜利城成了沿岸地区的首府，这一地区包括阿卡纳尼亚以及南部伊庇鲁斯(今伊庇鲁斯)。

Nicosia 尼科西亚 希腊语作Levkosía，土耳其语作Lefkoşa(莱夫科萨)。塞浦路斯共和国城市、首都。位于迈萨奥里亚平原中央，濒临派迪亚斯河。也是独立的塞浦路斯教会(有权选自己的大主教和主教)总主教的住地。历经拜占廷人(330～1191)、吕济尼昂诸王(1192～1489)、威尼斯人(1489～1571)、土耳其人(1571～1878)和英国人(1878～1960)的统治，该市反映出塞浦路斯的历史变迁和东西方的影响。城内圣索菲娅教堂1209年动工，1325年竣工，1571年成为塞浦路斯主要的清真寺，1954年为纪念征服塞浦路斯的谢里姆二世，改名为谢里姆清真寺。20世纪，该城已扩展至圆形城墙以外，旧城也已重建。1974年土耳其出兵以后，该市北部地区，包括原国际机场在内，归联合国驻塞浦路斯部队管辖，将塞浦路斯共和国(南)与土耳其塞浦路斯管辖区(北)分开。轻工业生产纺织品、香烟、面粉、糖果、软饮料、鞋靴和服装等，主要供应当地市场。有公路连接岛上其他主要城镇。1974年在该市东南34千米处建起新国际机场。市内塞浦路斯博物馆收藏许多考古珍品。周围地区大部居民从事农业。种植小麦、大麦、蔬菜、水果，亦饲养山羊与绵羊。人口：市(包括郊区)约166 900(1988)。

尼科西亚市的现代化住宅区
美国不列颠百科全书公司供图

nicotine 尼古丁 有机化合物，烟草中的主要生物碱(生物碱是对人体产生明显生理作用的一类含氮有机化合物)。存在于烟草全株，特别是烟叶中。该化合物约占烟草全株重量的5%。烟草的学名(*Nicotiana tabacum*)和尼古丁的名称都是以法国驻葡萄牙大使J.尼科的姓氏命名的，他于1550年将烟草种子送到巴黎。不迟于1571年得到粗尼古丁，1828年制得纯尼古丁，1843年确定其正确分子式，1904年报道了它的首次实验室合成。尼古丁是为数不多的液体生物碱之一。其纯净状态是无色、无嗅的油状液体，但当暴露在阳光下或空气中时则呈棕色并发出强烈的烟草味。尼古丁的化学式为$C_{10}H_{14}N_2$。尼古丁是纸烟、雪茄和鼻烟的主要上瘾成分。在对神经起显著作用方面，尼古丁是唯一具有双重性作用的物质，小量吸入后有兴奋作用，但大量吸入后，则有安定作用。这就是吸烟为何有时会感到提神，而有时似乎会阻滞强烈的刺激。但是尼古丁也是上瘾的药物，吸烟者在成功地戒烟一段时间后，通常有强烈的倾向要旧态复萌。大剂量摄入的尼古丁有剧毒，可引起呕吐和恶心、头疼和胃痛，严重时会导致惊厥、麻痹和死亡。工业上，尼古丁由碎烟草制取，用作杀虫剂和兽用驱虫药。硝酸或其他氧化剂可将尼古丁转化为烟碱酸，用作食品添加剂。

nicotinic acid 参阅 **niacin** 烟酸。

Nicoya, Gulf of 尼科亚湾 哥斯达黎加中西部太平洋海岸处一海湾，自相隔40千米宽的布兰科角与朱达斯岬向北和西北延伸约80千米，宽度减至20千米。有滕皮斯克、阿班加雷斯和塔尔科莱斯河注入。湾内有一些岛屿，最著名的是奇拉岛(最大岛)和圣卢卡斯岛。湾畔有许多居民点，最大港口城镇是蓬塔雷纳斯。

Nicoya Peninsula 尼科亚半岛 哥斯达黎加西部的半岛。西、南濒太平洋，东南临尼科亚湾。西北—东南长140千米，西南—东北宽65～96千米，为全国最大半岛。半岛基底在瓜纳卡斯特低地。但中部和南部有座山脉拔地而起，海拔在900米以上。当地村庄仍居住有哥伦布到达前的乔罗特加-曼圭斯印第安人的后裔，但他们已不讲墨西哥语而改操西班牙语。北部有采金业。主要城镇尼科亚有公路通瓜纳卡斯特省省会利韦里亚。

Niderviller ware　尼德维勒陶瓷器　洛林地区尼德维勒一家工厂于18和19世纪生产的法国彩陶(锡釉陶器)和瓷器。这类彩陶的生产可以分为3个时期。1755～1770年,其装饰多色,图案由花卉、鸟类和风景组成。1770～1790年,其装饰风格受画家尼古拉斯·朗克雷的影响。1790～1827年为朗夫兰时期,这是最有独创性的年代,此时期的制品绘画逼真,且富有立体感。瓷器生产的秘方

约1775年的尼德维勒陶瓷人物
美国不列颠百科全书公司供图

是由来自萨克森地区的一个工人引进的,但当这个城镇在1766年归属法国以后,由于皇族偏袒塞夫尔瓷厂,尼德维勒陶瓷器的生产遭到禁止。1770年,卡斯廷伯爵不顾禁令,恢复了该厂的生产。尼德维勒瓷器的装饰从总体上与其彩陶一致。

Nidularium　鸟巢凤梨属　凤梨科的一属。约25种,原产于南美。附生于树枝。有数种叶片美观,花鲜艳,红、白或淡紫色,栽作室内装饰植物。最著名的种是光亮鸟巢凤梨(*N. fulgens*),该种与 *N. innocenti* 均具白色花和鲜红色苞片。光亮鸟巢凤梨与卡罗来纳杂色叶凤梨(*Neoregelia carolinae*)均俗名羞赧凤梨。

Nidwalden　下瓦尔登　瑞士中部的半州,面积276平方千米,占有原翁特瓦尔登州的东部。下瓦尔登是从翁特瓦尔登州中分出来的两个半州之一,在1291年首先与乌里和施维茨结成永久同盟(瑞士联邦的核心)。自1803年以后是一个有独立主权的半州,首府施坦斯(**Stans**)。行政上与上瓦尔登分治。下瓦尔登半州在卢塞恩湖沿岸有冬季运动和旅游设施。居民讲德语,信天主教。人口约35 393(1994)。

Nie Er　聂耳(1912-02-15,中国云南昆明～1935-07-17,日本藤泽)　中国作曲家、音乐活动家。原名聂守信,字子义(又作紫艺)。少年读书时,课余学习民间乐器。后与友人组织"九九音乐社",经常参加音乐活动,并开始学习小提琴和钢琴。1930年夏离昆明到上海做店员。1931年考入黎锦晖主持的"明月歌剧社",任小提琴手。师从外籍教师普杜什卡学习小提琴,并自修钢琴和作曲。1932年认识了左翼剧作家田汉(**Tian Han**),与左翼文艺界建立了联系,不久进入联华影业公司,积极从事抗日救亡的左翼音乐、戏剧、电影等多

中国大百科全书出版社供图

方面工作。1934年进入百代唱片公司,与人共同主持音乐部,同时组建百代国乐队,选编并领导演奏录制了《金蛇狂舞》等7首民族器乐曲。1935年4月,因政治原因被迫出国,拟经日本前往苏联,7月17日在日本藤泽市鹄沼海湾游泳时溺水去世,年仅23岁。聂耳一生共创作了37首歌曲,有反映工人阶级生活和斗争的歌曲,如《开矿歌》(1933)、《开路先锋》(1934)、《大路歌》(1934)、《码头工人歌》(1934)、《新女性》(1934)等。影响最广的是几首进行曲风格的爱国歌曲,包括《毕业歌》(1934)、《前进歌》(1934)、《自卫歌》(1935),以及后来成为中华人民共和国国歌的《义勇军进行曲》(1935,影片《风云儿女》主题歌,田汉词)等。这些歌曲具有鲜明时代特色的鼓动性、号召性音调,有力地表现了中国人民不畏强暴、英勇战斗的革命精神。聂耳的一些抒情歌曲委婉深沉,具有民族特色,如《飞花歌》(1935)、《塞外村女》(1935)、《铁蹄下的歌女》(1935)、《告别南洋》(1935)、《梅娘曲》(1935)等,在倾诉中国人民的苦难和不平中蕴藏着坚韧的毅力,在抒情中含蓄着刚健的美感。聂耳还创作过一些儿童歌曲,其中的《卖报歌》从1933年流传至今。

Nie Rongzhen　聂荣臻(1899-12-29,中国四川江津～1992-05-14,北京)　又拼 Nieh Jung-chen。中国共产党第八、十一、十二届中央政治局委员,第四、五届全国人民代表大会常务

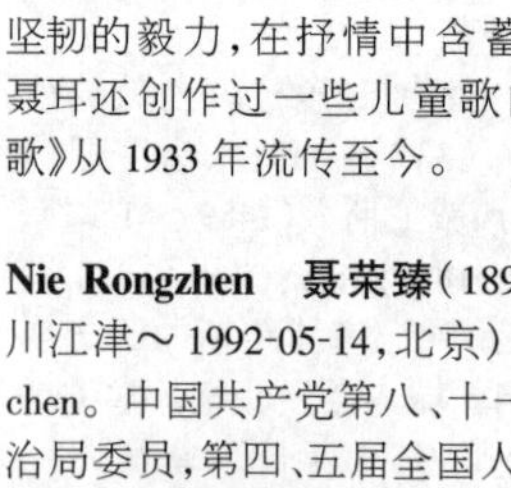

中国大百科全书出版社供图

委员会副委员长。1919年赴法国勤工俭学。1922年加入旅欧中国少年共产党(后改称中国社会主义青年团旅欧支部),次年转入中国共产党。1924年到苏联学习,1925年回国,任黄埔军校政治部秘书兼政治教官。1926年任中共两广区委军委特派员,参加北伐战争。1927年参加南昌起义,任第十一军党代表。同年底,参加领导广州起义。后在香港、天津、上海从事地下工作。1931年12月进入中央苏区,先后任红军总政治部副主任、第一军团政治委员,参加了第四、第五次反"围剿"作战和二万五千里长征。在1935年1月召开的遵义会议上,支持毛泽东的正确主张。抗日战争初期,任八路军第一一五师副师长、政治委员,同林彪一起指挥所部首战平型关,取得中国抗日战争的第一个大胜利。随后任晋察冀军区司令员兼政治委员,在华北敌后创建了第一个抗日民主根据地——晋察冀边区。解放战争时期,指挥晋察冀人民解放军转战华北,1947年在清风店击溃国民党军队,并占领战略要地石家庄。1948年任华北军区司令员,参加指挥了平津战役。中华人民共和国建立后,任人民革命军事委员会代总参谋长。1955年被授予中华人民共和国元帅军衔。1956年任国务院副总理,后兼国家科委、国防科委主任,主持现代科学技术研究工作,组织研制成功中、远程导弹和原子弹、氢弹。1959年起任中共中央军委副主席,在中国共产党第七至十二次全国代表大会上均当选为中央委员,在中共八届十一中全会、十一届一中全会和十二届一中全会上当选为中共中央政治局委员,任第四、五届全国人民代表大会常务委员会副委员长。著有《聂荣臻回忆录》等。

Nie Weiping　聂卫平(1952-08-17,中国北京～　　)　中国围棋"棋圣"。8岁进北京劳动人民文化宫举办的少年围棋班。10岁拜前辈过旭初为师,并曾接受过惕生、陈祖德和吴淞笙等高手的指导。他运思敏捷,灵活善变;棋风稳健,算路精确;临场沉着,不畏强手;开局虚实并重,中盘审局准确,收官算子精细;擅长利用劫棋取胜。1973年调入国家围棋培训班。1974年获全国围棋赛第3名。1975、1977、1978、1979、1981、1983年曾6次获全国围棋赛冠军。1979～1984年连获第1～5届"新体育杯"围棋赛冠军。1981年获第一届围棋国手赛冠军。1982年获九段证书。1977年战胜日本棋圣藤泽秀行,1979年在东京获第一届世界业余围棋锦标赛冠军。在1985年NEC杯日中围棋擂台赛决赛中以$1\frac{3}{4}$子战胜藤泽秀行,使中国队取得8∶7的最后胜利。他在1985、1986年两届中日围棋对抗赛中挂帅出战,取得了与日本高段棋手交手8连胜的优秀成绩;在3届以他为中方主帅的中日围棋擂台赛中,又取得了9连胜的辉煌成绩。他在中日超级围棋系列赛中,曾击败过日本一流棋手11名。被日本围棋界誉为"聂旋风"。他曾4次入选中国十佳运动员。1988年国家体委授予他"棋圣"称号。

Niebuhr, Barthold Georg　尼布尔(1776-08-27,哥本哈根～1831-01-31,普鲁士波恩)　德意志历史学家,所创原始资料鉴定法开创了历史研究的新纪元。丹麦探险家卡斯滕·尼布尔之子。早年任丹麦财政大臣希梅尔曼的私人秘书,1804年任国家银行行长。1806年

去普鲁士任同样职务。两年后辞职,任史官,并成为柏林科学院院士,在新成立的柏林大学授课。1810 年开始讲罗马史。1816 年任普鲁士驻梵蒂冈大使,1823 年回波恩退休,所著《罗马史》(3 卷,1811 ～ 1832)开创了这一领域研究工作的新纪元,并对总的历史观念有巨大影响。他的主要贡献是采取了新的科学鉴定法。

Niebuhr, Carsten **尼布尔**(1733-03-17,汉诺威吕丁沃特～ 1815-04-26,荷尔斯泰因梅尔多夫) 德国旅行家,是第一次去阿拉伯作科学考察的唯一幸存者及考察成果的汇编人。早

美国不列颠百科全书公司供图

年学习测量。1760 年被邀请参加由丹麦的腓特烈五世派遣的阿拉伯考察队,访问了尼罗河、西奈山、苏伊士及麦加的港口吉达,然后从陆路去阿拉伯西南部的穆哈(莫查)。考察队中的语文学家和博物学家在 1763 年 5 月和 6 月相继去世后,其余队员访问了也门首都萨那,然后返回穆哈。考察队后来航行去孟买,队中的艺术家和医生去世,剩下尼布尔一人。他在印度逗留 14 个月以后,取道马斯喀特(阿拉伯东南部)、波斯、美索不达米亚、塞浦路斯和小亚细亚,于 1767 年 11 月到达哥本哈根。著有《阿拉伯记述》(1772)和《穿过阿拉伯的旅行》(1774)。

Niebuhr, Helmut Richard **尼布尔**(1894-09-03,美国密苏里赖特城～ 1962-07-05,马萨诸塞格林菲尔德) 美国神学家、教育家,被认为是伦理学及美国教会史权威。他也是神学存在主义的重要首倡者。他是神学家 R.尼布尔的幼弟,曾就学于埃尔姆赫斯特(伊利诺伊州)学院、伊登神学院(密苏里州圣路易斯)、华盛顿大学、耶鲁神学院和耶鲁大学。1924 年,他成为耶鲁大学第一批神学博士之一。1916 年被任命为福音归正会牧师,1919 ～1922 年和 1927 ～ 1931 年两度在伊登神学院任教,1924 ～ 1927 年担任埃尔姆赫斯特学院院长。1931 年开始在耶鲁神学院讲授神学和基督教伦理学。尼布尔深受 K.巴特、S.克尔恺郭尔及 E.特勒奇尔等人的影响,支持有关宗教信仰的历史评判,坚持教会布道词的宣讲要与当代文化相结合。他的神学存在论提倡在一神论信仰的绝对框架之内,要对天启与各种价值观念作出相互关联的解释。他还认为,宗教信仰与世俗文化之间互相关联,教会必须对其所赖以存在的社会环境负有责任。尼布尔的主要著作包括:《宗派主义之社会根源》(1929)、《美洲的基督天国》(1937)、《天启之意义》(1941)、《教会的目的及其管理》(1954)、《激进神论与西方文化》(1960)和《明白是非的自我》(1963)等。有关研究尼布尔的作品有 J.W.福勒的《认识天国:H.R.尼布尔之神学观》(1974)和 L.克利韦的《H.R.尼布尔传》(1978)。

Niebuhr, Reinhold **尼布尔**(1892-06-21,美国密苏里赖特城～ 1971-06-01,马萨诸塞斯托克布里奇) 基督教神学家,对政治思想发挥重要影响。他对 20 世纪 20 年代的神学自由主义的批评影响了美国新教内的知识思潮。他的父母很早自德国迁居美国。青年时决定效法父亲榜样,从事宗教事业。1914 年在耶鲁大学获神学学士学位,1915 年又在该校获学硕士学位,同年任福音会牧师。自 1915 至 1928年任底特律市伯特利福音会牧师,1928 ～ 1960 年任纽约协和神学院教授。他鼓吹"基督教现实主义",着重讨论人类生活中的罪恶宿根。1932 年发表《道德的个人、不道德的社会》一书,指出民族和阶级都是自私、自大和伪善的。以后他指出,这些罪恶的根源在于人本身的有限性,它使人惶惶不安,

美国不列颠百科全书公司供图

岌岌自危,而这就是"原罪"。他早期信仰社会主义,曾参与创立社会主义基督徒团契,几次作为社会党候选人参加竞选。20 世纪 30 年代社会党在对外政策上主张和平主义或不干涉主义,尼布尔乃脱离该党。1940年成为反共的左翼民主党人。与他人共同创建美国民主行动会,一度任主席,又任纽约州自由党副主席。30 年代他颇受马克思主义影响,但反对马克思主义的专制主义,反对美国共产党的策略以及苏联的斯大林主义。他竭力劝说受和平主义影响的基督徒支持反希特勒战争。第二次世界大战后,对美国国务院决策人员颇有影响。他强烈支持以冷战抵制苏联在欧洲的政治扩张。很早就主张美国承认共产党中国,并且反对越南战争。他认为,把美国的办法强加于第二次世界大战后从各殖民主义帝国中分化出来的新国家,是个错误。

Niederbayern **下拜恩** 英语作 Lower Bavaria(下巴伐利亚)。德国东南部、拜恩州中东部的行政区。下拜恩东北邻捷克共和国,东南界奥地利,西南和西面接上拜恩(上巴伐利亚)行政区,北界上法尔茨(上帕拉蒂纳特)行政区。面积10 331平方千米,与上拜恩和上法尔茨一起构成历史上**巴伐利亚**(**Bavaria**)地区的大部分。该名称来自拜伐里或拜瓦里。这是一个日尔曼部落的混合体,这些部落于 488 ～ 520 年间从波希米亚向西迁移,在今雷根斯堡和菲尔斯霍芬间的多瑙河谷建立最初的定居地。1180 年维特尔斯巴赫家族的奥托公爵取得巴伐利亚土地的控制权,其领地以波希米亚森林、阿尔卑斯山和因河及莱希河为界。1255 年第一次将此领地分为西南土地(后称为上巴伐利亚)和东北土地(下巴伐利亚),分属奥托二世公爵的两个儿子。此后疆界变更频繁,1392 年巴伐利亚一分为三,形成以因戈尔施塔特、兰茨胡特和慕尼黑为中心的三块领地。位于伊萨尔河上的兰茨胡特曾是下巴伐利亚公爵的驻地,逐渐取得最重要地位,今天这座城市是下拜恩行政区的首府。

多瑙河流经下拜恩中部,从西北边境流向东南,在帕绍有因河和伊尔茨河汇入。帕绍是一个重要经济、文化、交通运输中心。因河自西南方向汇入多瑙河,构成该区与奥地利的东南边界。多瑙河南岸有宽 30 千米土地肥沃的高伯登平原,有拜恩粮仓之称。这里村庄连绵,田里种植着甜菜、小麦、大麦、黑麦和甘蔗。施特劳宾是该地区农产品的重要集散地,并生产电器和啤酒。

下拜恩区美因堡附近的啤酒花藤田

美国不列颠百科全书公司供图

多瑙河南面是下巴伐利亚高地,这是一个丘陵起伏的狭长地带,被伊萨尔河、菲尔斯河和罗特河所分割。沿河分布许多城市和村庄,兰茨胡特和丁戈尔芬等工业城市方兴未艾。主要工业有电机和机械制造业、汽车和纺织工业。高原上的农业人口住在小村庄或分散在农村地区的私营农场。小麦是主要粮食作物,畜牧业尤其是养马业,也占重要地位。兰茨胡特正西北是哈勒桃地区,德国最大的蛇麻草种植区。

在多瑙河北面沿该地区与捷克共和国交界的东部边境,巴伐利亚森林(拜恩森林)地势升高与波西米亚森林相连。这一带的景色主要是花岗岩和片麻岩丘陵,覆盖着由云杉、银枞和山毛榉构成的混合树林。丘陵上耸立着几座较大山峰,其中格罗瑟阿尔伯峰海拔1 456米。林区经济条件差,人口不断减少。这里气候严酷,土壤贫瘠,农场规模小,高原河谷地带只能生产少量黑麦、燕麦和马铃薯。此外,该地区传统的采石、木材、水泥、玻璃工业因第二次世界大战后丧失了传统的中欧市场而受到影响。但是旅游业日益发展,沿拜恩东部边境公路风景优美,拜恩国家森林公园占地131平方千米,98%以上地区森林茂密,有各种鸟类和小动物吸引游客。

下拜恩居民操巴伐利亚语,这是巴伐利亚三种主要德语方言之一。3/4以上的人信奉天主教。该行政区的高等教育中心是1972年设立的帕绍大学。每年8月在施特劳宾庆祝巴伐利亚第二大民间节日高伯登节。面积10 331平方千米。人口约1 078 110(1991)。

Niedere Tauern　下陶恩山　英语作Lower Tauern。奥地利中部东阿尔卑斯的山岭。位于恩斯河与穆尔河之间,从东向西延伸120千米,可达两河河源。山中景色秀丽,林木葱郁,最高点上戈灵峰海拔2 863米。山中有很多避暑胜地和冬季运动中心。也以其牧牛草地闻名。

Niederösterreich　下奥地利　英语作Lower Austria。奥地利东北部一州。北部与捷克共和国接壤,东部与斯洛伐克为邻,东南与布尔根兰州交界,南接施泰尔马克州(施蒂里亚州),西连上奥地利州。奥地利首府维也纳是全国最大城市,位于下奥地利,但不属该州,而系一独立的行政实体。

多瑙河由西向东贯穿全境,将下奥地利大致分为两半。边界西部为恩斯河口,东部为马尔希河口,两河汇合于多瑙河。下奥地利面积19 174平方千米。

西北部为森林区,河川深切,是称为米尔地区的花岗岩高原的一部分,向南延伸,跨过多瑙河。东北部的魏恩地区地势低平,多丘陵,覆盖大面积黄土,气候宜人。维也纳盆地位于维也纳东面,系低地区,奥地利最肥沃、产量最高的农田均在此处。维也纳之西为闻名于世的维也纳森林。州的南部有中阿尔卑斯山脉若干部分,许多山峰海拔1 980米以上。沿多瑙河及州的东南部有阿尔卑斯山前地区,面积虽小,但经济价值很大,灌溉便利,农业经常丰收。

多瑙河峡谷区、州的东南部及维也纳盆地均曾为史前人居住之处。此后,此地区成为诺里库姆罗马省的一部分,又曾系查理曼帝国的一部分。公元976年,这一地区被授予巴伐利亚的巴苯堡的侯爵们。"东区"之名由此时开始使用。约在1450年,上、下奥地利两个行政区作了永久性的划分。尽管到1918年为止,此州的正式名称一直是恩斯河下的奥地利,但一般通称为下奥地利。第一次世界大战后,格明德附近的一地区曾割让给捷克斯洛伐克。1918年下奥地利成为一个州;1920年维也纳脱离下奥地利,成为独立的行政区。1938～1945年,纳粹德国对奥地利吞并期间,该地区成为下多瑙河帝国区的一部分。1938年下奥地利曾割让土地给维也纳。1945年下奥地利恢复其州的地位。1954年根据地区调整法,收回了大部分失去的土地(800平方千米)。

下奥地利州多瑙河畔的迪恩施泰因
美国不列颠百科全书公司供图

绝大多数居民信奉天主教,也有少数新教徒团体。奥地利的城镇约有半数在该州境内,主要有圣珀尔滕、维也纳新城、克洛斯特新堡、巴登、克雷姆斯、默德灵、施韦夏特、阿姆斯泰滕及施托克劳。农民居住区主要为村庄及不足5公顷的小型农场。

人口约有一半从事农业和林业。全州面积有1/2以上为农地,1/3以上为林区。维也纳盆地和阿尔卑斯山前地区产粮食如小麦、黑麦、玉米、大麦和块根作物(马铃薯、甜菜、饲料甜菜)。在多瑙河峡谷区和魏恩地区,维也纳以东的多瑙河南岸,以及维也纳盆地的山坡上,均盛产葡萄。这些地区以及阿尔卑斯山前地区亦均盛产水果。家畜饲养很普遍,维也纳周围多菜园。

维也纳盆地北部产石油和天然气。位于多瑙河畔的伊布斯-佩森博伊格和位于恩斯河畔的圣潘塔里昂均建有水电站。格林巴赫附近产石膏;瓦豪河产石墨;曼讷斯多夫附近产石灰石,供应一家水泥工厂。主要工业有五金、纺织、食品加工、制糖、酿酒、锯木、造纸、纤维、化工等。在特赖斯基兴和温帕辛两地的森佩里特橡胶工厂均属于下奥地利的一家最大的工业公司。

在阿尔卑斯山区、各个矿泉疗养地以及多瑙河峡谷区,旅游业均颇发达。在下奥地利西部,位于梅尔克和克雷姆斯之间的一段长达30千米的多瑙河谷区尤为著名。瓦豪河以作为整个多瑙河谷区最美的部分之一而闻名。呈阶梯形的葡萄园和果树园环抱着坐落河畔的风景如画的村庄,峡谷顶端耸立着若干城堡遗址。被称为"瓦豪明珠"的迪恩斯泰因小镇完全保存了具有中世纪和巴罗克艺术风格的建筑。一座筑有工事的城堡遗址曾是英国国王查理一世被囚禁的地方(1192～1193)。

河道(多瑙河)、铁路、公路四通八达,商业极为繁盛。维也纳的施韦夏特机场是奥地利最大的机场。人口约1 505 236(1993)。

Niedersachsen(state, Germany)　参阅 **Lower Saxony** 下萨克森。

Niel, Adolphe　尼埃尔(1802-10-04,法国米雷～1869-08-13,巴黎)　法国陆军军官和元帅,他在1868年任陆军部长时曾企图改组法国陆军而未获成功。尼埃尔原来是学工兵的,1825年入伍后大半生都在军队服役。1849年在法国军队从共和党人手里收复罗马时他立有战功。1853年被任命为师长,在克里米亚战争期间曾两次指挥工兵。翌年他当了拿破仑三世的副官,1857年担任上议院议员。1859年1月赴都灵帮助法国和萨丁尼亚-皮埃蒙特结盟,接着发生对奥地利的战争,他在索尔费里诺之战中起了决定性作用,为此在第二天(1859-06-25)就被授予元帅军衔。1867年1月18日他当上陆军部长后计划对法国陆军进行彻底改组,但他遇到许多阻碍,未能在他活着时把计划付诸实施。

niello　黑金镶嵌　用银、铜、铅的硫化黑色合金镶嵌金属(通常为银)制品表面雕刻的图案。先将银、铜和铅熔化于一起,然后在熔化的合金中加硫即制成黑金。将制成的黑色硫化物研成粉末。在雕刻好的金属(通常为银)上涂以助熔剂,将干硫化物粉末铺在上面,然后用高温加热金属,黑金熔化后流入雕好的凹缝。随即将多余的黑金刮掉，直至镶满黑金的凹缝清晰可见为止。最后将表面抛光。黑色的镶嵌与银制品闪亮的表面互相映衬能产生富有魅力的装饰效果。

意大利黑金镶嵌雕刻图案的硫磺模板《圣母加冕礼》(约 1459 ～ 1464)
美国不列颠百科全书公司供图

以黑金镶嵌作装饰的物件称为黑金制品，通常尺寸较小。文艺复兴时期，黑金镶嵌最为流行之时，这一技术被广泛用于礼拜仪式用品和杯、盒、刀柄、腰带钩等实用物品的装饰。这一时期的金属工匠通常在将黑金嵌入雕好的图案之前，先将雕好的金属板上的图案用硫磺制成模板记录下来，或将图案印在纸上。黑金制品由罗马人制造，而陈列在不列颠博物馆的艾特尔伍尔夫(Aethelwulf)国王(839 ～ 858)的一枚戒指证明这一技术早已在英格兰确立。15 世纪意大利佛罗伦萨的金匠菲尼格拉(Maso Finiguerra)的作坊的黑金镶嵌艺术达到了顶峰。18 世纪后期俄国图拉(Tula)地区的金匠使这种手工艺术得以复苏，因而黑金镶嵌制品在俄国称为图拉工艺品。黑金镶嵌在东方被广泛采用。印度和巴尔干国家至今仍在生产质量精美的黑金镶嵌制品。

nielsbohrium　铍　参阅 **unnilpentium** 105 号元素。

Nielsen, A(rthur) C(harles)　尼尔森(1897-09-05，美国伊利诺伊芝加哥～ 1980-06-01，芝加哥)　美国市场调研工程师及企业高级管理人员，以其设计的“尼尔森收视率”(可提供全国的电视收视率)而最知名。父母皆为会计师。幼年时便对数学感兴趣。1918 年以全班第一名毕业于威斯康星大学工程学院，后曾短期任工程师。1923 年由于兄弟会会友们的财力支援，他创办了尼尔森公司；该公司最终成为世界上最大的市场调研企业。早年公司创业艰难，有两次濒于破产，但终于凭借分析零售食品及药物的销路而立足于商界。此后，这种分析一直是该公司最大的和最赚钱的业务。1942 年该公司加入广播节目收听率调查的行列，然而对于大众最知名的是该公司的电视收视率调查的服务，它自 1950 年起开始评估电视节目受欢迎的程度。它的评估系统是以抽样调查散布在美国各地的1 000多个收看电视的家庭为基础。每个样本家庭都在电视机上装有一个称为自动播音记录装置的小盒子。电视一打开，它便记录开机时间与收看的频道。这些资料传递到一个计算机中心。该中心还从一组为数较少的样本家庭的收视日志中收集资料。尼尔森公司的调查员按以上资料估测出每个节目共有多少观众收看以及观众的年龄与性别如何。尼尔森收视率20即表示有20％的美国家庭收看某个节目。

Nielsen, Alice　尼尔森(1870-06-07?，美国田纳西纳什维尔～ 1943-03-08，纽约)　美国歌唱家，在轻歌剧和大歌剧中都取得成功。自幼参加教堂唱诗班并接受声乐训练。1886 年参加歌剧《日本天皇》的演出。1892 年创立芝加哥教会合唱团，但并不成功。后加入斯坦利巡演歌剧团，1893 年在歌剧《日本天皇》中扮演雅姆。次年加入蒂沃利歌剧团，在大歌剧舞台上声名雀起。1896 年进入当时一流的波士顿人轻歌剧院，逐渐确立起女主角地位。1897 年建立了以自己名字命名的喜歌剧团，并在接下来的两年间演出 V. 赫伯特的两部作品《算命者》(1898)和《歌女》(1899)，大获成功。1901 年接受资助到罗马学习歌剧，并于 1903 年 12 月在那不勒斯演出《浮士德》(据她自己后来回忆是《茶花女》)。自 1904 年起在英国先后上演《唐·乔凡尼》、《费加罗的婚礼》、《塞维利亚的理发师》等剧目。1909 年在美国成功举办了巡回演出，并加入波士顿歌剧院。1910 年 11 月和 1911 年 3 月分别首演了 C. 德彪西的清唱剧《浪子》和 F. S. 康弗斯的歌剧《牺牲》。其间，偶尔也在大都会歌剧院演唱。1921 ～ 1923 年与波士顿交响乐团合作举办了一系列独唱音乐会，随后即告别舞台。

Nielsen, Carl (August)　尼尔森(1865-06-09，丹麦北灵德尔西附近索尔蒂隆～ 1931-10-03，哥本哈根)　小提琴家、指挥家和丹麦最杰出作曲家，其交响乐作品尤受推崇。

中国大百科全书出版社供图

1884 ～ 1886 年在哥本哈根皇家音乐学院求学。1886 ～ 1905 年间断断续续在哥本哈根宫廷乐队任小提琴乐师。其后在皇家剧院(1908 ～ 1914)和哥本哈根音乐协会(1915 ～ 1927)任指挥。1915 年起执教于皇家音乐学院，1931 年任院长，不久即去世。早期作品受浪漫主义影响，但后期作品风格则将变化音的不协和的和声、严密的对位结构、集中的主题处理、大胆的调性扩展(常间以多调性段落)融于一体，效果卓著。作于 1890 ～ 1925 年间的 6 部交响曲都是一些以明确表达的音调进行为特色的力作，其中以第 2 部《四质》(1902)、第 3 部《开阔交响曲》(1911)和第 4 部《不灭》(1916)最为著名。他还作有 3 部协奏曲：小提琴、长笛和单簧管各 1 部；歌剧《扫罗与大卫》(1902)和《假面舞会》(1906)；4 部弦乐四重奏、2 部五重奏，以及合唱与键盘乐曲。植根于丹麦民间传统的歌曲获得特别高的评价。

Nielsen, Morten　尼尔森(1922-01-03，丹麦奥尔堡～ 1944-08-29，哥本哈根)　丹麦诗人。第二次世界大战时成为他那一代人渴望自由的象征。由于参加丹麦抗德运动而惨遭杀害，时年仅 22 岁，但他在丹麦所起的作用并非一个鼓动者而是一个诗人。他能将他的同代人和同胞感到关注的事物用优美的诗的形式表达出来。所写诗作至今仍在丹麦流传。他的一部大型诗集在他死后 10 年出版。

Niemann-Pick disease　尼曼-皮克二氏病　一种遗传性代谢性疾病。因缺乏鞘髓磷脂酶，致使患者体内卵磷脂及神经鞘磷脂水解不全，并堆积于许多身体组织内。症状包括肝脾极度肿大、精神发育迟缓、皮肤呈棕黄色等。许多器官内可见含磷脂的泡沫细胞。该病可分五型：①急性婴儿型。最为常见，患儿生长发育迟缓、消瘦、智力及神经功能减退，多在 4 周岁前死亡。②慢性内脏型。出现肌肉共济失调和明显肝肿大前数年内生长发育正常，无精神及神经症状。③青少年型。症状和急性婴儿型类似，但在青春期发病。④新斯科舍型。新斯科舍是加拿大的一个省份，该型病例都有共同的新斯科舍祖先。症状特点同青少年型。⑤成人型。罕见，表现似慢性内脏型，但至成年后症状典型化。

Niembsch, Nikolaus Franz　尼姆伯施　参阅 **Lenau, Nikolaus** 莱瑙。

Niemcewicz, Julian Ursyn　聂姆策维奇(1757 或 1758-02-06，波兰斯科基～ 1841-05-21，巴黎)　波兰剧作家、诗人、小说家和翻译家。他的作品是出于爱国主义和对社会和体制改革的关注而作，反映了当时急风暴雨般的政治事件。他是第一位透彻了解英国文学

美国不列颠百科全书公司供图

的波兰作家。1794 ～ 1796 年坐牢期间，曾把德莱顿、蒲柏、弥尔顿等人的作品和一些历史小说介绍到波兰。在士官生学校受教育，1788 年当选为波兰议会议员。1790 年创作了政治喜剧《议员返乡》，当时极受欢迎。曾参加失败的 1794 年起义，在马切约维采被俘，被监禁在圣彼得堡 2 年。获释后游历英、美，1807 年返回波兰。1816 年出版诗集《历史之歌》，大获成功。1821 年出版《莱别和肖拉》，这是第一部探讨犹太人问题的波兰长篇小说。晚年在巴黎度过，依然为波兰的自由而奋斗。他的回忆录于 1848 年问世。

Niemeyer (Soares Filho), Oscar　尼迈耶尔（1907-12-15，巴西里约热内卢～2012-12-05，里约热内卢）　巴西建筑师，拉丁美洲现代建筑的早期代表人物，特别以他在巴西新都

《黑星》杂志社供图

巴西利亚的建筑闻名。曾在里约热内卢的国立美术学院学习。1934 年在 L. 科斯塔的事务所工作。1937 ～ 1943 年随科斯塔设计了教育卫生部大楼，公认是巴西现代建筑的第一件杰作。建筑师科比西埃曾担任该大楼的设计顾问。他们还设计了 1939 ～ 1940 年纽约世界博览会的巴西馆。他独自设计的第一项重要工程是贝洛奥里藏特郊外新住宅区工程，其中许多房屋以形式活泼、线条流畅著称。1947 年代表巴西参加了联合国大厦的设计。在建设巴西新都巴西利亚时，他设计了总统府、礼拜堂、教堂以及巴西利亚宫饭店等（1956 ～ 1961）。1961 年以后移居巴黎和以色列。1966 年设计了法国尼斯附近格拉斯的一片城市地区和法国共产党在巴黎的一座建筑。从 1968 年起，在里约热内卢大学任教。尼迈耶尔设计的其他建筑有巴西利亚的国防部大楼（1968）和阿尔及尔的国民党总部（1976）。他是许多国际建筑大奖的获得者，1963 年还获得过列宁和平奖。

Niemöller, (Friedrich Gustav Emil) Martin 尼默勒（1892-01-14，德国利普施塔特～1984-03-06，威斯巴登）　著名德国基督教反纳粹牧师、神学家。他于 1931 年在柏林市郊上层人士居住的达勒姆区任牧师，2 年后为了反对纳粹党干涉教会事务，创建牧师应变联盟。这个组织进行许多活动，包括反对歧视犹太裔基督教徒，他在其中发挥领导作用。在他的倡导下，信义会和归正会这两个福音派别合并成为宣信会，1934 年宣信会在巴门举行大会公开宣布反对希特勒政权控制教会。会后尼默勒继续在德国各地布道，1937

美国不列颠百科全书公司供图

年被秘密警察"盖世太保"拘捕，投入萨克森豪森集中营，后转到达豪集中营。1945 年再转蒂罗尔集中营，第二次世界大战结束时盟军将他自该处释放。1945 年参与重建福音会，1947 ～ 1964 年任黑森-拿骚地区教会监督。努力鼓吹和平主义，到处演讲，呼吁国际和解，反对军备。1961 年当选世界基督教协进会六位主席之一。他曾于 1952 年到莫斯科，1967 年到北越。

Nienhuys, Jacobus　宁黑斯（1836-07-15，荷兰雷能～1927-07-27，布卢门达尔）　荷兰商人和种植园主。1863 年去苏门答腊采购烟叶，但他发现那里的烟叶不能满足市场的需要。于是他就从新加坡运来华工，在今棉兰地区开始栽培烟草。他所生产的烟叶质量特佳，可用来做雪茄的外皮。宁黑斯于 1869 年创办德利公司，经营热带特产。次年因病返回荷兰。自 1880 年直至去世，他是该公司的高级代表。

Niepce, (Joseph-) Nicéphore　尼埃普斯（1765-03-07，法国索恩河畔沙隆～1833-07-05，索恩河畔沙隆）　法国发明家，第一个拍摄出永久性照片的人。1813 年，当石板印刷术在法国成为流行的业余爱好时，他开始对这个时兴的印刷技术进行实验。由于不会绘画，当地又得不到合适的印刷用的石料，所以他寻求一种自动提供图像的方法。他开始把各种感光物质涂在白镴上，企图利用阳光把放在它上面的雕版复制下来。1816 年 4 月，他用一架照相机进一步进行摄影上的尝试，他把这叫做"日光描绘法"。他用涂有氯化银的感光纸拍摄了一张照片，但只能部分地进行定影。接着他又试验了各种类型的物质，用作感光材料朱迪亚沥青（一种感光后能变硬的沥青）的片基。1822 年，他用这种材料成功地把一块附在玻璃上的雕版拍摄了下来。1826 或 1827 年，他用一架照相机从窗口把景物拍摄在白镴片上，这是对自然景物的第一次永久性定影。金属不易破碎，更适宜于用来蚀刻为印刷干板，这是他的最终目的。这张照片现藏在美国得克萨斯大学收藏馆。同年，他又拍摄了一张日光照片，内容是一幅巴黎雕刻家勒梅特尔刻的雕版肖像。这样，他不但解决了用光来再现自然的问题，而且发明了第一个照相工艺的印制方法。由于无法用化学或光学方法缩短过长的曝光时间，1829年尼埃普斯不得不多次向巴黎画家达盖尔提出合作的建议，以实现并完善"日光描绘法"。在尼埃普斯生前没有取得新的进展，但达盖尔以他所取得的知识和对材料的研究为基础，并通过发现经过短暂曝光即能显现潜影的化学方法，终于成功地大大缩短了曝光时间。

Nietzsche, Friedrich　尼采（1844-10-15，普鲁士萨克森勒肯[今在德国]～1900-08-25，图林根州魏玛）　19 世纪德国哲学家和作家弗里德里希·尼采是最有影响的现代思想家之一。他多次试图揭示对一代代神学家、哲学家、心理学家、诗人、小说家和剧作家有着深刻影响的支承传统的西方宗教、道德和哲学的根本动机。由于启蒙时期世俗主义的胜利，尼采认为"上帝已死"的言论所表达的思想，多少决定了在他 1900 年逝世后欧洲许多著名知识分子的议事日程。虽然他是民族主义、反犹太主义和强权政治的劲敌，他的名字后来却被法西斯分子用来推行正是被他所唾弃的东西。

早年生活　尼采的家乡是路德教徒根据地。祖父刊印过为新教辩护的书籍，曾任基督教会的监督；他的外祖父是一位乡村牧师；他的父亲卡尔·路德维希是普鲁士国王腓特烈·威廉四世任命的勒肯教区的牧师，为了纪念这位国王，他给儿子取名弗里德里希。尼采的父亲于 1849 年去世，当时尼采还不到 5 岁。他的早年就生活在由 5 个女人组成的家庭里：他的母亲弗兰西斯加、妹妹伊丽莎白、他的外祖母和两个尚未出嫁的姨。

1850 年，尼采全家迁往萨勒河畔的瑙姆堡，尼采在那里的一所私立预科学校上学。1858 年，他获得德国第一流的新教学校普福塔寄宿学校的奖学金。他在普福塔学习成绩优秀，接受了杰出的古典文学教育；1864 年毕业后，进入波恩大学学习神学和古典语言学。尽管他努力参加校内的社交活动，但主要由于他的两位著名的古典文学教授扬和里敕尔之间发生剧烈争吵，他在波恩学习的两个学期是一次失败。尼采在音乐中找到了庇护所，

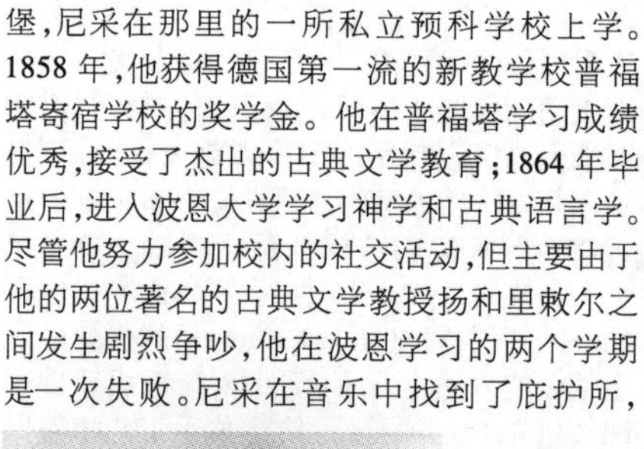

美国不列颠百科全书公司供图

创作了许多受德国浪漫主义作曲家舒曼强烈影响的乐曲。1865 年，他转学到莱比锡大学与里敕尔会合，后者在那里接受了聘任。

在里敕尔的指导下，尼采在莱比锡获得了成功。他成为唯一在里敕尔的定期刊物《莱茵河博物馆》上发表著作的学生。1867 年 10 月，他开始在一个炮兵团的骑兵连里服兵役；1868 年 3 月，在骑马时胸部严重摔伤；同年10月，在取得部队的延长病假后继续在莱

比锡学习。在这些年月里,尼采发现了叔本华的哲学,认识了伟大的歌剧作曲家瓦格纳,并和他的同学古典主义学者罗德(《灵魂》的作者)结为永世之交。

在巴塞尔的岁月(1869 ～ 1879) 1869年,瑞士巴塞尔大学有一个古典语言学教授职位空缺,里敕尔以无比的赞词推荐尼采。当时他既没有完成他的博士论文,也还没有完成一个德国学位所需的附加论文,但里敕尔仍然向巴塞尔大学作出保证说,在他40年的教书生涯中从来没有见到过像尼采这样的人物,他的才能是无限的。1869年,莱比锡大学根据他发表的作品,未经考试或提交论文便授予尼采以博士学位;巴塞尔大学则任命他为古典语言学特别教授。翌年,尼采成为一个瑞士公民,并被提升为正式教授。

普法战争发生后,尼采于1870年8月获准休假去充当一名志愿医务护理员。不到一个月,在陪同运送伤员的途中他患上了痢疾和白喉,这两种疾病从此损害了他的健康。10月回到巴塞尔,他重又担负起繁重的教学工作。早在1871年由于身体有病,促使他摆脱了一位古典语言学教授的荒谬杂务,他申请哲学教授的空缺职位并建议由罗德来接替他,但都没有成功。

在巴塞尔早期的岁月里,尼采与瓦格纳之间带有矛盾心理的友谊发展到顶峰,他利用一切机会去拜访瓦格纳及其妻子科西玛。瓦格纳赞赏尼采是一位卓越的传教士,但是瓦格纳愈来愈甚地非法利用基督教教义的准则,例如在《帕西发尔》中那样,再加上他的沙文主义和反犹太主义,使尼采感到无法忍受。直到1878年,二人的友谊终于破裂。

尼采的第一部著作《悲剧从音乐精神中诞生》(1872)标志着他从古典学术成就的装饰中获得解放。这是一部与其说评注不如说是纯理论的作品。它认为希腊的悲剧产生于他所称作为阿波罗精神与狄俄尼索斯精神的融合体——前者代表韵律、克制、和谐,后者代表放纵的激情——而苏格拉底的理性主义与乐观主义则造成了希腊悲剧的死亡。该书最后10节是一部关于悲剧从瓦格纳音乐精神中再生的狂想曲。这本书最初遭到无情的冷遇,接着又变成热烈争论的对象,因为有些人把它误认为是古典学术成就的传统著作。毫无疑问,"这部作品具有深刻的、想像丰富的洞察力,把一代人的学术成就远远抛落在后面",这是英国古典主义者康福特1912年所说的话。今天,在美学历史方面,它仍然是一部经典著作。

1876年10月,尼采提出请求并获准一年病假。1877年他与妹妹及P.加斯特住在一起。1878年,他的格言式作品《太有人性的人》问世。1879年6月14日,由于健康状况持续恶化,他辞去了教授职务,在6年内每年享有退休金3 000瑞士法郎。

独处和创作的10年(1879 ～ 1889) 尼采的生活,除了他自1879至1889年期间所撰写的著作外,是否还有任何其他的兴趣是一个疑问。他病得很重,视力已丧失大半,实际上遭受着缠绵的病痛折磨。他住过瑞士的寄宿公寓,法国的里维埃拉和意大利,只与少数几个人保持接触。他与雷的友谊后来终于破裂,原因是两人同时,即使没有承认,爱上了萨乐美(作家,后来为东方学家安德烈亚的妻子,诗人里尔克的情妇,弗洛伊德的知己)以及伊丽莎白·尼采出于忌妒而进行的干预。

尼采被公认的以圣经故事体形式所写的文学和哲学杰作《查拉图斯特拉如是说》,在1883与1885年间分4部分出版,最后一部分由尼采自费刊印。正像他的大多数作品一样,此书并未引起人们多大注意。在1886年出版的《善恶之彼岸》以及1887年的《道德渊源论》中,他试图用直率的散文形式来阐述他的哲学思想,但也没有得到读者的青睐。

1888年是尼采最后光辉的一年。在这一年里他的作品丰富多彩。他发表了《瓦格纳的境况》,撰写了他的哲学思想概要《偶像朦胧》、《反对基督者》、《尼采对瓦格纳》,以及《你们看这个人》等著作。后者是他对自己的作品和价值的反思。《偶像朦胧》发表在1889年,《反对基督者》与《尼采对瓦格纳》直到1895年才出版,前者被误认为是《权力意志》的第一部,而《你们看这个人》则被搁置到1908年,即该书写成后20年方才出版。

摔倒和作品被滥用 1889年1月,由于完全失去了精神控制,尼采摔倒在意大利都灵市的大街上。事情发生后,尼采立即发出古怪而意味深长的短简,把奥韦尔贝克请来意大利陪他回巴塞尔。尼采的最后11年完全陷入精神昏迷之中,先在巴塞尔的一家精神病院里,后在瑙姆堡由他的母亲照料。1897年母亲去世后,转到魏玛由他的妹妹照料。他于1900年8月25日逝世。关于尼采的病因,可靠的看法同意如下诊断:由潜伏的第三期梅毒导致的非典型性全身瘫痪。

尼采的名字之所以会与希特勒及法西斯主义联系在一起,在很大程度上是由于他的妹妹伊丽莎白滥用了他的著作。她嫁给一个沙文主义者和反犹太主义者的头子弗尔斯特,后者于1889年自杀后,她以弗尔斯特为典型,重新塑造了尼采的形象。伊丽莎白冷酷地掌握着尼采的文学遗产,在贪婪的驱使下,整理出版了被尼采抛弃掉的笔记如《权力意志》(1901)所组成的《尼采文集》。她也伪造了一些材料。几代的评论家都被引入歧途。同样重要的是,她对希特勒的热烈崇拜使尼采的名字与大家心目中的独裁者联结在一起了。

成熟的尼采哲学 尼采的作品可以明确划分为3个时期。早期的作品如《悲剧的诞生》和4册《背时沉思录》(1873),受叔本华和瓦格纳影响的一种浪漫主义观点所支配。中期的作品,从《太有人性的人》到《轻快的科学》,反映了法国箴言家的传统,颂扬理性和科学,运用文学风格,表达了尼采如何从早期浪漫主义、叔本华和瓦格纳的影响中解放出来。尼采的哲学在《轻快的科学》以后才显现成熟。

在他成熟的作品中,尼采专心从事研究人类生活价值的起源与作用。他相信,假如生活既不具有也不缺乏内在的价值而人们仍然不断对之进行评估,那么这种评估可以有用地看作是评估者的身份特征。所以他对西方的哲学、宗教和道德的基本文化价值进行调查、分析和评估特别感兴趣。他把这称作是禁欲主义观念的表现。

禁欲主义观念是在痛苦竟然具有莫大意义时产生的。例如尼采认为,犹太教——基督教的传统把痛苦说成是上帝的意图,是一种赎罪的机会,从而使之变得容易忍受。因此基督教之所以获胜,应归功于个人永生这一动听的教义,那就是指一个人的生死有着极其广泛意义的这种思想。同样,传统的哲学以灵魂高于肉体,精神高于感觉,责任高于欲望,实体高于现象,永恒高于瞬间来说明禁欲主义观念。基督教允许忏悔的罪人灵魂得救,而哲学为其圣贤提供现世得救的希望。传统的宗教和哲学的共同之处就是那种未经说明但具有强大动力的假定,即生存需要解释、辩护或赎罪。二者都诋毁有利于另一"真实"世界的经验。二者都可以看作是一个正在衰老的生命或苦恼中的生命的征兆。

尼采对传统道德的批判集中在"主人"和"奴隶"这对道德观念的范畴上。在研究德文的"好"、"坏"和"邪恶"的词源方面,尼采认为,好和坏的区分原来是形容性质的,系指那些有特权的主人及其对立面的卑贱奴隶之间的一种与道德无关的评介。当奴隶进行报复,将统治权的象征转变为丑角时,善与恶的对比就出现了。如果那些有特权的"好人"是强大的,据说温顺的人就会成为地球的主宰。骄傲变成了罪过。慈善、谦逊和服从替代了竞争、傲慢和自主。奴隶道德观念的胜利,关键在于要求其成为唯一的真正的道德观念。这样对绝对的坚持,对哲学伦理和宗教伦理是同样必要的。虽然尼采阐述了主奴道德观念的历史渊源,仍然强调这是存在于每一个人身上的一种没有历史记载的品质类型。

尼采惯于用"虚无主义"这个名词来描述为禁欲主义观念所假定的最高价值的贬值。他认为他所生活的时代是一个消极的虚无主义时代,亦即尚未发觉宗教和哲学的绝对概念已经融化在19世纪所出现的实证主义之中的时代。随着形而上学与神学基础的崩溃以及对传统道德的承认,遗留下来的只是无目的和无意义的普遍意识。无意义的胜利就是虚无主义的胜利:"上帝已死"。然而尼采认为,大多数人不能接受禁欲主义观念失去光辉和真实存在的无意义状态,但会去寻找取代的绝对观念来赋予生命以意义。他认为当代正在兴起的民族主义就代表了这样一位预示的代理神,它将赋予民族国家以卓越的价值和目的。正像教义的绝对性在哲学和宗教中所显示的那样,绝对性将转而带着传教热情依附于民族国家。残杀对手和征服地球将会在四海一家、民主和社会主义的旗帜下进行。尼采的这种先见之明特别尖锐,而后来有人利用他的哲学思想也特别令人厌恶。例如第一次世界大战期间,有两本书是德国士兵背包内不可或缺的标准读物:《查拉图斯特拉如是说》和《圣约翰福音释义》。很难说哪一位作者在这种姿态下受到了更大的损害。

尼采总认为他的作品是在向虚无主义挑战。除了评论宗教、哲学和道德之外,他发展了引人注意的早期论文,尤其是透视主义、权力意志、永久循环和超人。

透视主义是这样一种概念,认为知识永

远是透视性的；认为不存在纯粹的感觉作用；认为不从特定观点观察的知识就像不是从特定的有利地位观察的一种无条理的观念。透视主义也否认可能存在一种无所不包的观点，这种观点包罗万象，因此实物就在其本体之中。所谓包罗万象的这种概念，与同时从各个有利观点观察事物同样是语无伦次的。

尼采的透视主义有时被误认为等同于相对主义和怀疑主义。不过，他提出了这样一个问题：人们是如何理解尼采自己的论点的，例如所谓一般传统中的主要价值已被禁欲主义观念所接受的问题。这个论点是绝对正确还是只从某一特定角度作出的透视？也不妨这样问一下，是否可以肯定说透视主义并没有自相矛盾，因为透视主义必须假定在绝对概念中是真实的，那却是一种非透视性的意识。这些关切产生了许多丰富的尼采评论，也产生了认识论方面的有益作品。

尼采惯于将生命本身与"权力意志"等同起来，即生命具有生长和持久性的本能。这个概念也为解释禁欲主义观念提供了另一种方式，因为尼采的论点是："人类所有的最高价值缺乏这种意志——那些有着下降征兆的价值，虚无主义的价值，以最神圣的名义凌驾于这种意义之上。"因此，传统的哲学、宗教和道德已成为一种有缺陷的权力意志所加戴的许多假面具。西方文明的持久价值已是衰亡的纯化产物。据此，禁欲主义观念承认生存就是痛苦和煎熬。某些评论家试图把尼采的权力意志概念从人类生活扩展到有机体和无机体的领域，说成是他的权力意志的形而上学所使然。但是，参照尼采发表的作品，这种解释是不能成立的。

《查拉图斯特拉如是说》的基本概念——永久循环论提出这样的问题："一个人为了成为他自己，为了生活，强烈渴望每一瞬间毫无变化地进行无限次重复，对此他将如何妥善处理？"或许大多数人会，或者应当会发觉这种思想的破灭，因为他们往往会发现有这样的可能：宁愿生命在一种经过编排的形式下永远重复，而不希望每样可怕的事物循环不息。尼采说，能够不自欺或回避而接受循环论的人乃是超人；一个超人与普通人之间的距离远比人与猿之间的距离大得多。至于究竟有没有明确的性格特征足以界定信奉永久循环论的人，评论家们对此仍无定论。

尼采的影响 尼采曾经写道，有些人是死后才出生的，这对尼采本人来说确实如此。如果没有尼采，20 世纪的哲学、神学和心理学的历史就会难以理解。例如正像法国哲学家 A. 加缪、J. 德里达和 M. 傅科一样，德国哲学家 M. 谢勒、K. 雅斯贝斯和 M. 海德格尔，都曾在他的影响下进行工作。存在主义和解构主义作为哲学和文学评论中的一种运动，多半也应归功于尼采。神学家 P. 蒂利希和 L. 谢斯托夫承认他们受过尼采的影响。专门研究《上帝已死》一文的神学家 T.J.J. 奥蒂泽尔也是如此。20 世纪犹太教最伟大的思想家 M. 布贝尔认为，尼采是他一生中所受的三大影响之一，并将《查拉图斯特拉如是说》的第一部翻译成波兰文。心理学家 A. 阿德勒和 C. 容深受尼采的影响；弗洛伊德亦然，他说尼采对他自己有着透彻的理解，比过去任何人或将来可能有的人都要透彻。小说家 T. 曼、H. 海塞、A. 马尔罗、A. 纪德和 J. 加德纳受到尼采的鼓励，并撰写关于尼采的文章。诗人和戏剧作家萧伯纳、R.M. 里尔克、S. 格奥尔格以及 W.B. 叶芝等人也是这样。尼采当然是迄今最有影响的哲学家之一，这不仅是由于他的独创性，也是由于这样的事实：他是最杰出的德语散文作家。

Nieuw Nickerie 新尼克里 苏里南西北部港口。临尼克里河，距大西洋 5 千米。该地主要产稻谷，亦产可可、苏里南肉豆蔻，木材及制作高尔夫球原料的巴拉塔树胶等出口物资。小型海轮可以到达港口。与首都帕拉马里博有定期班轮来往。也通公路。人口约 6 078(1980)。

Nieuwland, Julius Arthur 纽兰德(1878-02-14，比利时汉斯贝克～ 1936-06-11，华盛顿[哥伦比亚特区]) 比利时出生的美国化学家。由于对乙炔的研究，发现一种化学战剂路易斯气和第一个工业上成功的合成橡胶氯丁橡胶。1880 年纽兰德随父母移居美国，1899 年毕业于印第安纳州圣母大学。1903 年任天主教司铎，曾在华盛顿美国天主教大学学习植物学和化学，1904 年获得博士学位。返回圣母大学后，于 1904 ～ 1918 年任植物学教授，1918 ～ 1936 年任有机化学教授。他的博士论文是关于他终生感兴趣的乙炔化学。在早期的研究中，他发现 2-氯乙烯二氯胂，但由于毒性大而中止研究。这种化合物后来被命名为路易斯气，曾被作为化学武器开发，但从未使用过。1920 年，纽兰德发现乙炔可聚合(乙炔分子结合成巨大分子)成一种类似橡胶的物质。11 年后，杜邦公司在 W.H. 卡罗瑟斯领导下工作的一组化学家成功地改进了纽兰德制造氯丁橡胶的聚合方法。

Nieuwpoort 尼乌波特 比利时西部西佛兰德省城市。位于伊瑟河畔。12 世纪时建为伊普尔的新港。1600 年荷兰人曾在此大胜西班牙人。第一次世界大战中是保卫伊普尔突出部的关键地区，该市的六座水闸放水淹没整个地区，阻止德军前进，也毁坏了整个城市。1918 年后重建。现为渔业和牡蛎养殖业重要港口，也是海滨游览地区。北海胜地尼乌波特巴德在该市西北3千米处。人口：城市区约9 718(1992)。

Nièvre 涅夫勒 法国中部勃艮第大区省份。由原尼韦奈省和奥尔良一小部分地区组成。面积6 817平方千米，东部为多山林的莫尔旺地区，中部有尼韦奈高原，西部为卢瓦尔河谷。卢瓦尔河从南部进入该省，经过古代城镇德锡兹时接纳阿龙河，流经省会讷韦尔时接纳小支流涅夫勒河（省名即由此河而来）。卢瓦尔河在讷韦尔西南与阿列河汇合向北流入卢瓦省。莫尔旺地区气候多样，冬季来临早，夏季炎热；尼韦奈高原属大陆性气候；卢瓦尔河谷较温和。省经济以农（牛、羊、谷物）、林业为主。工业有冶金和化工，分布在讷韦尔地区以及克拉姆西和德西兹等地。卢瓦尔河畔普伊的白葡萄酒在法国占有重要地位。卢瓦尔河畔拉沙里泰城镇有罗马式的隐修院教堂，其 16 世纪的石桥及其防御工事是法国中部最宜人的风景之一。莫尔旺山区荣纳河畔的古城镇希农城堡和克拉姆西吸引着众多游客。省下设讷韦尔、希农堡、克拉姆西和卢瓦尔河畔科讷-库尔 4 个专区。属第戎教育区。人口约230 800(1993)。

Niffer(ancient Mesopotamian city) **尼费尔** 参阅**Nippur** 尼普尔。

Niflheim 尼弗尔海姆 在古斯堪的纳维亚神话中，指海尔女神统治下的寒冷、黑暗、多雾的冥界。有些传说认为这里是九界中最后的一个，是坏人到达冥界(海尔)之后的去处。位于世界之树——伊格德拉西尔的一条根底下，那里有一水泉，名叫赫维尔盖尔米尔，是许多河流的发源地。在古斯堪的纳维亚的创世故事里，尼弗尔海姆是虚空(金侬伽裂缝，创世所在地)以北的多雾之地。

Nifo, Agostino 尼福(约1473，那不勒斯王国塞萨[意大利]～ 1538 后，萨莱诺?) Nifo 又拼 Nyphus。拉丁语作 Niphus Suessanus 或 Augustinus Niphus。文艺复兴时期哲学家，1490 年前后在帕多瓦大学研究阿威罗伊派亚里士多德哲学。这个学派根据 12 世纪阿拉伯哲学家和医学家阿威罗伊的理论解释亚里士多德哲学，认为世界是永恒的，人死后灵魂归入不灭的万有大智之中。但后来，尼福以批判的态度校订阿威罗伊对亚里士多德著作的注释，得出更加接近基督教教义的结论。1496 年任帕多瓦大学教授，后来先后在那不勒斯、罗马、萨莱诺等地任教，最后任比萨大学教授。修改亚里士多德学说而使之适应 13 世纪托马斯·阿奎那的基督教哲学体系。1518 年著《论灵魂不灭——驳蓬波纳齐》(蓬波纳齐认为灵魂本质上是物质的机体，人死时就解体消逝)。此书使尼福 1520 年被封为伯爵。1523 年剽窃了马基雅弗利的论统治伦理的《君主论》(1513)，以《论统治术》为题出书。有些评论家认为此举说明尼福已将对学术研究的兴趣改为想当趋势逢时的廷臣。

Niğde 尼代 土耳其中南部城市。位于一座小山脚下(山顶上有 11 世纪残存塞尔柱人堡垒)，地处阿达纳西北偏北，开塞利和奇里乞亚门(山口)之间的大道上，海拔1 250米。有些史学家认为该城即赫梯文献中所说的纳基达。10世纪时古代蒂安纳衰落后，该地及

土耳其尼代市
美国不列颠百科全书公司供图

其附近博尔成为控制山口的城镇，该山口是从奇里乞亚前往安纳托利亚内地和黑海之滨的锡诺卜（今锡诺普）北部的必经之路。15世纪后半期并入奥斯曼帝国版图。该市有中世纪建筑多处，包括13世纪阿兰丁清真寺、14世纪蒙古首领所建桑古尔贝伊清真寺和16世纪的迪斯清真寺。胡达汶德八角形陵墓为1312年建筑物。原伊斯兰经学校（1409）内辟有地区文物博物馆。工业有磨面、酿酒业，生产水泥、纺织品及各种工具。铁路通全国重要城镇。周围地区为半干旱草原。南部以托罗斯山脉的高山为界，西北部以梅伦迪兹火山为界。土壤经灌溉后颇肥沃，产马铃薯、洋葱、裸麦、水果和葡萄干，牲畜饲养也很重要。饲养安哥拉山羊，生产马海毛。矿藏有褐煤和锑。人口约54 822（1990）。

Niger 尼日尔 全称尼日尔共和国。非洲西部内陆国家。面积1 186 408平方千米。首都尼亚美。该国位于撒哈拉沙漠南缘，西北与阿尔及利亚接壤，东北与利比亚相连，东与乍得交界，南与尼日利亚和贝宁毗连，西与布

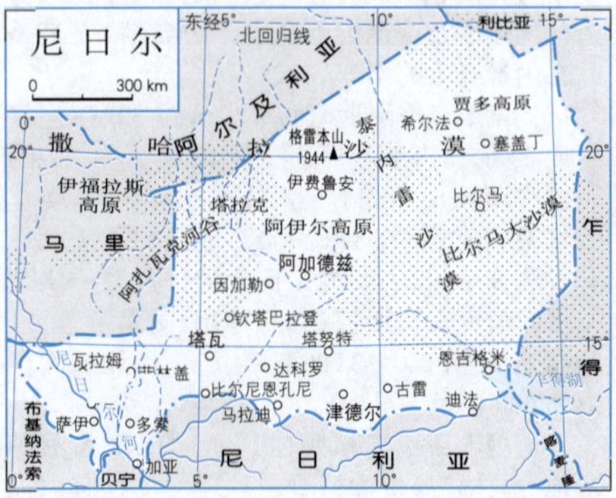

美国不列颠百科全书公司供图

基纳法索（旧称上沃尔特）和马里为邻。人口约8 516 000（1993）。

土地 尼日尔以北部干旱的高地及海拔约1 800米的阿伊尔山为主。该山丛包括一条南北走向、纵贯该国中部的山脉。全国最高峰格雷本山海拔1 944米。东北部有一系列大高原，构成阿尔及利亚的阿哈加尔山脉和乍得的提贝斯提山脉间的陆桥。尼日尔撒哈拉的砂质地区延伸到阿伊尔高原的两侧。在尼日尔河沿岸并向东沿南部与尼日利亚的边界有一些低高原，包括（由西向东）杰尔马地区、阿达尔丘陵与马吉亚地区的中部；东部则有达马加里姆、穆尼奥和库图斯等地区。乍得湖盆地位于东南端。

位于最西部的尼日尔河流域占全国土地总面积的2/5以上。尼日尔河流域和乍得湖盆地分别约有1/4和1/5的面积位于尼日尔境内。北部撒哈拉地区除少数绿洲外土壤贫瘠。南部地区土壤瘠薄并呈白色，覆盖有含盐沉积物，形成一层不毛的结壳。尼日尔河流域的土壤肥沃。

尼日尔南部6～10月为仅有的雨季。2～5月（最热的月份）气温上升，其间多数地方的下午平均气温在38 °C以上。雨季气温有所下降，但雨季过后又开始回升。1月份的月平均气温最低，但多数地方的午后气温仍达35 °C左右。然而沙漠地带的1月夜间气温可降至冰点。南部地区年平均降雨量约560毫米。尼日尔北部的2/3地区为沙漠，南部其余地区为热带稀树草原。沙漠地带的植被在绿洲周围地区生长，包括枣椰树和种植的玉米。热带稀树草原带有多种草本植物和桃花心木、木棉、猴面包树。南部地区的野生动物数量已有所减少，种类有狮子、水牛、大象和羚羊。尼日尔河中有鳄鱼和河马，时而还有海牛出现。

尼日尔仅约有3%的土地为可耕地，约7%的土地用于放牧牛群。然而，尼日尔是世界主要产铀国之一。磷酸盐、铁矿（含铁约50%）和煤的储量也很丰富。

人民 全国人口的分布很不均匀。大部分人口居住在南部，约占国土总面积的1/4。当地固定居民分3个族群：豪萨人、桑海-泽尔马人和卡努里人。豪萨人占全国总人口的一半以上，居住在南部中央地区。桑海-泽尔马人（约占总人口的1/5）为第二大族群，居住在西南部尼日尔河沿岸地区。卡努里人和曼加人居住在东部乍得湖附近地区。富拉尼人，即颇尔人，则散居在上述各地区内。除了少数绿洲外，尼日尔北部地区几乎无人居住。东北端的提贝斯提地区是游牧的特达人的地方；北部其他地区则是游牧的图阿雷格人的领土。游牧人口仍占总人口的1/6左右，但游牧民现已有定居的趋势。城市人口约占1/6，主要集中在尼亚美、津德尔、马拉迪和塔瓦4个城市。

尼日尔尚未感受到人口对土地的压力，但其人口增长率属西非各国最高之列。将近一半人口年龄不足15岁。外来移民很少，但外流到加纳、多哥、喀麦隆、尼日利亚和乍得等国充当农业季节工人和在工厂寻找工作的人却很多。旅居国外的尼日尔国民大约有50万人。

尽管法语是官方语言，但该国至少流行5种主要的地方语言。大多数人都懂豪萨语，这是一种拥有丰富文学作品的语言；第二大语种为桑海语；富拉尼人使用的语言为富尔富尔德语；图阿雷格人的语言则是塔马舍克语。该国还有许多人讲阿拉伯语。

城镇居民大多为基督教徒；农村居民大多为伊斯兰教徒。但许多黑非洲人仍坚持信奉万物有灵论的传统宗教。

经济 尼日尔属发展中经济，主要以农业和铀矿开采业为基础。20世纪80年代，世界铀的价格暴跌使得该国因铀矿开采带来的经济迅速增长势头放慢。整个80年代，国民生产总值有所减少，而人口却持续迅速增长；人均国民生产总值属世界最低之列。

农业占国内生产总值的2/5，占用约4/5的劳动力。粮食作物以粟和高粱为主；此外，还有木薯、青菜豆和水稻。粮食生产的增加幅度基本上和人口增长保持同步，但干旱年代除外；尼日尔的粮食基本自给。日益发展的畜牧业（牛、绵羊和山羊）在70年代中和80年代初曾因萨赫勒地区的干旱而严重受挫，但后来获得了大量的出口收益。最主要的出口作物为豇豆；花生和棉花也广泛种植。

工业约占国内生产总值的1/8，以铀矿开采为主。阿尔利特矿区的加工厂主要由法国人控制。第二矿区于70年代后期开采，由一国际财团经营，其中包括尼日尔政府、法国和西班牙的一些公司以及日本的股份。第三矿区于1987年开采，亦主要由法国人控制。制造业仅限于农产品加工和进口替代品的生产。用电量迅猛增长，国内发电量仅能满足部分需求，不足部分由尼日利亚供应。80年代初期，阿尔利特的一座以煤为燃料的发电站开始运行。

服务业（包括运输业、商业、金融业和公共管理事业），约占国内生产总值的2/5。尽管有巨额外援用于公路的建设，但运输系统仍不完善。通往多哥洛美港和其他港口的诸条公路均在改进。尼亚美和阿加德兹建有大型机场。

尼日尔的进口通常超过出口，进口花费较高，主要是由于石油价格较高以及采矿资本设备的投入较多。尼日尔接受的大量开发外援主要来自法国。其他援助者还包括各种多边机构和非共产党国家。法国、尼日利亚、科特迪瓦、西班牙和德国为主要贸易伙伴。

政体与社会状况 根据1999年宪法，尼日尔是共和政体。总统是国家元首，以普选方式每5年选举一次。由总统任命总理和部长理事会。立法权属于一院制的国民议会；议员通过普选产生，任期5年。尼日尔的司法体系由高等法院、最高法院、宪法法院和一审法院组成。下设7个省：阿加德兹、迪法、多索、马拉迪、尼亚美、塔瓦和津德尔，由省长领导。省又下设多个区，每个区设地方次级长官。

该国的社会福利制度为就业人员提供老年、残疾、患病、妊娠、工伤等津贴，家庭津贴法还为有一个或多个14岁以下子女的职工提供补助。

尼日尔的医疗卫生条件较差。尼亚美和津德尔设有大型医院，多索有一家小型医院，但农村居民接受治疗的机会很少。疫苗接种计划降低了麻疹患者的死亡率，并消灭了天花，但疟疾和砂眼仍是严重问题。平均预期寿命很短，只有46岁。婴儿死亡率甚高。

尼日尔人民的识字率属西非各国最低之列。但在法国和联合国教科文组织的援助下，该国教学设施不断得到扩充。约有1/4的小学学龄儿童可以入学；但12～17岁的少年升入中学的比率却不到10%。该国主要的高等学府有创办于1973年的尼亚美大学。1987年又在萨伊设立了尼日尔伊斯兰大学。

全国的新闻媒体均为政府所有和经营。

文化生活 尽管尼日尔境内伊斯兰的影响占优势，但伊斯兰教传入以前的文化传统也根深蒂固。自尼日尔独立以来，政府对文化传统，特别是传统的建筑、手工艺、舞蹈和音乐比较关注。尼亚美有一个区域性口述文学的中心和一个国家博物馆。主要文化庆祝活动是每年12月举办的全国青年周。

历史 比尔马地区发现的阿舍利文化时期（旧石器时代使用石器从事劳动的早期阶段）的石雕和稍晚发现的新石器时代的化石，均证实图阿雷格人很早就出现在撒哈拉地区。大约在11世纪，图阿雷格人在阿伊尔高原立足。阿加德兹的图阿雷格苏丹国约在15世纪兴起。17世纪，讲桑海语的泽尔马人

在尼日尔河畔建立了一个帝国。豪萨人可能由东北部进入该地区,并自14世纪起建立了若干王国,其中的戈比尔王国在18世纪领土迅速扩张,并取代了图阿雷格人。富拉尼人早就渗入了豪萨人的地盘。1804年,奥斯曼·丹·弗迪奥酋长自称为虔诚徒众的首领,竭力鼓吹发动反对豪萨人的圣战。他打败豪萨人后,在前豪萨各邦国建立起索科托帝国。

18～19世纪期间,F.霍尔内曼、M.帕克等欧洲人在该地区进行探险。19世纪后半叶,尼日尔成为法国势力范围的一部分。1904年正式成为法属西非领地。1958年成为法兰西共同体内的自治共和国。

1960年尼日尔宣告独立,退出法兰西共同体,并加入了联合国。迪奥里当选为该国首任总统。1974年一场军事政变将迪奥里赶下台,由孔切中校上台执政。1980年孔切释放了在1974年政变后一直被扣押的迪奥里。孔切死后,阿里·赛义布将军于1987年成为尼日尔的国家元首和总统。1991年8月,全国会议投票决定终止宪法。赛义布仍保留临时国家元首职务,但已无实权。1992年12月的全国公民复决通过了新宪法;1993年4月举行多党选举之后,乌斯曼成为总统。1996年发生军事政变,迈纳萨拉上校掌权。随后发生大规模政治动乱,学生和公务员举行示威活动,军队也发生兵变。1999年,迈纳萨拉遇刺,重新恢复民主政府,总统为马马杜·坦贾。

21世纪初,要求采用伊斯兰教教法的呼声日益高涨,这也成为伊斯兰活动分子和不主张严厉的宗教法律的尼日尔人之间冲突的根源。尼日尔一直努力维持本国脆弱的和平,并改善经济状况。坦贾的领导被认为给尼日尔带来了稳定的政局,2004年连选连任总统。

Niger 尼日尔 尼日利亚中西部一州。包括多树热带草原和卡杜纳河洪泛平原,西、南以尼日尔河为界。19世纪时孔塔戈拉、努佩两酋长国掠奴军队的扰掠和舌蝇的孳生使当地人口锐减。1908年由英国设为尼日尔省。1918～1926年改称努佩省。1967年属西北州,位于该州南部。1976年设为州(不包括新成立的联邦首都区)。南部居民多为努佩人,东部为瓜里人,北部有坎贝里、豪萨、富拉尼、卡穆库和达卡尔基人。居民多务农。该州出产棉花、牛油果、薯蓣、花生、高粱、粟、牛豆、玉米、烟叶、棕油、棕仁、可乐果、甘蔗和鱼类。尼日尔和卡杜纳两河平原产稻米。富拉尼人饲养牛羊和家禽。该州有金、锡、铁和石英矿开采业,主要供当地手工艺人。陶器、黄铜器、玻璃器皿、拉菲亚席及土法染布为主要出口物。卡因吉水坝(1969)及其水库、卡因吉湖部分在该州,除水力发电外,亦可用于灌溉。明纳和比达为该州主要城镇和教育中心。设有师范学院、工艺学校和妇女学院。还有水稻研究所和农业研究站。来自拉各斯的铁路穿过境内,公路网连接莫夸、孔塔戈拉、泰吉纳、卡加拉、库谢里基等市镇。面积76 363平方千米。人口约2 775 526(1995)。

Niger, Pescennius 尼格尔(?～194) 原名盖尤斯·佩斯塞尼乌斯·尼格尔·朱斯图斯。罗马皇帝(193～194)。原是意大利骑兵军官,约180年列为元老。早年大部分时间在东方各行省服役,185～186年间率远征军镇压夺取高卢南部许多城市的散兵游勇。约189年任执政官,后又任驻叙利亚总督。193年佩提纳克斯被杀后,由部下拥立为皇帝,并为亚洲诸行省所接受。194年秋在伊苏斯作战失败,被上潘诺尼亚军队拥立为帝的塞维鲁擒获后处死。

Niger-Congo languages 尼日尔-刚果诸语言 非洲大语系,拥有语言900余种,方言数千种,其使用范围北起塞内加尔北部和肯尼亚,南抵纳米比亚和南非开普省东部。撒哈拉沙漠以南、尼罗河以西所有非洲土著民族都使用尼日尔-刚果诸语言,例外情况只有最南端的几个民族使用科伊桑诸语言,而北部边缘地区有更多一些民族使用乍得诸语言或尼罗-撒哈拉诸语言。到20世纪末,使用尼日尔-刚果诸语言的人数超过3亿。语言学家通常把尼日尔-刚果诸语言划分为6个语组,即:西大西洋语组,曼德语组,伏塔语组或古尔语组,克瓦语组,贝努埃-刚果语组(包括班图语亚组),阿达马瓦-东部语组。若以语言使用人数计,主要语言情况如下:富拉尼语属于西大西洋语组,通行于塞内加尔、几内亚及其他西非国家。马林克语及其亲属方言属于曼德语组,通行于以马里西部为中心的地区。莫西语属于沃尔特或古尔语组,通行的主要地区是布基纳法索,亦即前上沃尔特。约鲁巴方言、伊格博方言及阿坎方言属于克瓦语组,通行的主要地区有尼日利亚、加纳和科特迪瓦。贝努埃-刚果语系的主要语言是斯瓦希里语、卢旺达语(又称班亚卢安达语或卢安达语)、刚果语、马夸语、科萨语、祖鲁语。斯瓦希里语通行于坦桑尼亚,并且是东非的共同语。卢旺达语通行于卢旺达、刚果(金)、乌干达、坦桑尼亚、布隆迪。刚果语通行于安哥拉、刚果(金)。马夸语通行于莫桑比克。科萨语和祖鲁语通行于南非共和国。所有这些语言都属于班图语亚组,这个亚组包括了绝大部分贝努埃-刚果语组的使用人数及语言数。贝努埃-刚果语组本身就有语言超过550种。有些学者把尼日尔-刚果语系的所有语言与很小的科尔多凡语组(通行于苏丹)合并起来,称为尼日尔-科尔多凡语系。

Niger River 尼日尔河 西非主要河流。非洲第三大河。源出几内亚富塔贾隆高原东坡,流经马里、尼日尔、尼日利亚,注入几内亚湾,全长4 200千米。上游有马富河、米洛河和桑卡拉尼河等支流汇入。中游主要支流为巴尼河。下游最大支流为卡杜纳河和贝努埃河。在尼日尔河三角洲(面积36 000平方千米)河流分成许多错综复杂的河道。流域内气候差异大,平均年降水量由三角洲地区的4 060毫米向北递减至廷巴克图的255毫米。由于气候不同,上中下游洪水出现时间各异。该河几乎穿过西非所有的植被区。主河及支流中有多种鱼类。尼日尔谷地人口稀少,但马里中部的湖区和尼日利亚的努佩地区人口比较集中。居民有班巴拉人、马林克人、桑海人和泽尔马人。尼日尔河可用于灌溉和水力发电。灌溉面积1 890 600平方千米。

Nigeria 尼日利亚 全称尼日利亚联邦共和国。西非南部沿海国家。南北宽约1 050千米,东西长约1 130千米。西南和东南分别濒临几内亚湾的贝宁湾和比夫拉湾(邦尼湾),北与尼日尔交界,东北与乍得湖相连,东与喀麦隆为邻,西与贝宁接壤。首都为新城阿布贾,位于联邦首都区。面积923 768平方千米。人口约123 338 000(2000),居非洲各国首位。

土地 全境地形包括数个侵蚀面,成为海拔600～1 200米的高原和位于其间的低地;低地大多为境内主要河流的流域。几内亚湾沿岸地区为起伏平缓的平原。西部和中北部地区的地形特征为高平原和宽浅谷地,其间穹形孤山和长长的山脊密布。其他突出地形还有中部的乔斯高原和东北部的比乌高原;两个高原上有大片熔岩地表,死火山星罗棋布。尼日尔河、贝努埃河流域占国土总面积的3/5,是该国主要的水文景观。乍得湖盆地的1/10位于尼日利亚境内。尼日尔河及其最大支流贝努埃河为主要河流。其他河流有索科托河、卡杜纳河和贡戈拉河。境内大部分土壤因过度淋溶而变得十分贫瘠,尤其是在雨量极大的南部。

南部海岸附近气温很少超过32 °C,但湿度极高,令人难忍;几乎全年均为湿季。内陆湿季为4～10月,干季11～次年3月;夏季气温常常超过38 °C。北部地区的干季几乎长达8个月,主要受来自撒哈拉沙漠干燥带沙的哈麦丹风所控制。平均降雨量不等,沿海地带为1 800～3 000毫米以上,极北地区仅约500毫米。

境内自然植被带由南至北依次为沼泽地、雨林和热带稀树草原。野生动物有黑猩猩、大猩猩、非洲野狗、豹、大象、长颈鹿、狮子、鳄鱼和蛇。可耕地占国土面积的1/3,牧草地另占2/5。20世纪后期该国估计石油储量约占非洲总储量的1/3。天然气储量估计亦约占非洲大陆总储量的1/3。该国还有丰富的铁矿。

人民 尼日利亚境内部族众多,文化多样,主要是因为该国地处非洲大陆多条移民路线交汇点的缘故。该国共有250多个族群,每个族群都有各自的习俗、传统和语言。豪萨-富拉尼人、约鲁巴人、伊格博(伊博)人3个族群共占全国人口的3/5左右。最北部的豪萨人在19世纪曾被少数民族富拉尼人征服,两者现已融为一体。另一重要族群系由尼日利亚西部讲约鲁巴语的各部族构成。东南部地区讲伊博语的各部族为第3大族群。为数不太多的族群有居住在伊博附近的伊比比奥人和贝宁市的埃多人。在不同部族分布最为集中的中部地区,蒂夫人和努佩人为最大的族群。

尼日利亚人口中有1/10信奉非洲本土宗教,其余人口的一半信仰基督教,另一半信奉伊斯兰教。约鲁巴人、豪萨-富拉尼人多为穆斯林。

豪萨语是尼日利亚最通用的语言;豪萨语普及的原因之一是豪萨-富拉尼族群在国家政治生活中长期占有支配地位。英语是官方语言,但主要在城市中使用。城市生活在尼日利亚已有悠久的历史，如卡诺、卡齐纳和孔里亚诸城市中心均于11世纪形成；贝宁市则于16世纪末期出现。

人口主要集中在中南部雨林带拉各斯港和哈考特港之间的沿海低地以及西北部地区。广阔的中部地带、乍得湖盆地以及克罗斯河流域等地则几乎无人居住。

该国的人口发展趋势与其他发展中国家近似，主要特点为人口出生率和死亡率均高，但从20世纪50年代以来，较高的婴儿死亡率已大大降低。该国人口自然增长率居世界最高之列；仅次于非洲撒哈拉沙漠以南地区的少数几个国家。境内人口流动量颇大，大多从北方迁往城市化程度较高的南方。由于20世纪80、90年代的军事统治，很多尼日利亚人被迫移民欧美。

经济 尼日利亚属发展中的混合型经济，主要以石油生产和农业为基础。20世纪80年代初，尼日利亚的原油价格大幅度下跌，使得迅速发展的经济受阻，于是政府采取了各种严格的紧缩措施，并扩大非石油产品的出口，尤其是农产品和工业品出口的计划。90年代初期有许多国有企业实行私有化。80年代中期，国民生产总值重新开始增长，但不如人口增长迅速。人均国民生产总值仍低于大多数其他西非国家的水平。虽然自然资源和矿产资源丰富，仍属于全球最贫穷的20个国家之一。

农业占国内生产总值的2/5，占用近1/2的劳动力。自20世纪60年代以来，由于旱灾、政府规定的农作物市场价格偏低以及其他经济部门在技术与劳力上的竞争，农业产量急剧下降。肉类产品基本上能够自给，但主要粮食作物（玉米、高粱、芋头、薯蓣、木薯和水稻）的生产却满足不了日益增长的人口需求；进口粮食数量仍然很高。在20世纪最后几十年，鱼类也成为重要食品来源。出口作物仅以可可和橡胶为主。该国约2/5的地区是森林保护区。保护区外的林木大部分被破坏。

工业和采矿业共约占国内生产总值的1/5，占用很小比例的劳动力，以石油生产为主。石油的勘探与生产主要在该国南部地区和几内亚湾近海地区进行。尼日利亚国家石油公司在所有大石油公司中均拥有股份。锡矿和石灰石的开采量甚大。天然气的生产尚在开发之中。

制造业虽然有所发展，但仍以小规模为主，尚不够发达。纺织品为主要制成品，但受到走私进口品的竞争，损失较大。尼日利亚的装机发电量中大部分来自火力发电。电力供应一直不足。

服务业、商业和运输业共占国内生产总值的1/3，占用2/5以上的劳动力。公路网较为发达（几乎一半已铺有路面）；主要港口在近几年中已经扩建和现代化；拉各斯和卡诺的机场均有飞往国内外的航班。

尼日利亚的预算主要依赖石油出口的收入。在石油价格居高的年代，该国外贸保持顺差，而油价一旦下跌，则出现逆差局面。主要进口商品有机械、运输设备、化学品、制成品和食品。进口主要来自英国、美国、中国、德国、法国和荷兰。出口产品主要流向美国、西班牙、巴西、印度和法国。

政体与社会状况 尼日利亚为一联邦共和国，共有30个州。1988年国家受军人统治期间制订的宪法，将权力分配给联邦政府和各州政府，并保留了总统制的政府形式。总统和武装部队执政委员会行使行政权。两院制国民议会行使立法权。1999年后，12个州建立了伊斯兰教法律。虽然这些州声称该法只适用于穆斯林，但非穆斯林，特别是妇女，也受到了影响。

尼日利亚的政治特征是政党倾向于按部族、地区或宗教组建。20世纪80年代后期，以巴班吉达总统为首的军人政府为缓和这种情况成立了两个新政党：中间偏右的国民共和大会党和中间偏左的社会民主党，并取缔了以前存在的所有政党。他的政府提出逐渐恢复文官民主统治；1991年举行了地方选举；1992年又举行了全国立法选举。1993年6月举行了总统选举，因有舞弊行为的指控，其后不久，选举结果被执政委员会宣布无效。同年8月，巴班吉达向文官占多数的过渡政府交权。1993年11月，军方夺取了政权，并将巴班吉达时期建立的机构解散；过渡政府为临时执政委员会所取代。

尼日利亚的医疗卫生条件较差。各州政府负责的医疗保健服务大多不够完备。许多医院缺少医务人员，药品也长期匮乏。估计400万～600万尼日利亚人为HIV阳性。由于政府能力和资源的缺乏，预计到2010年，感染人数还会再翻一番。全国仍有不少人死于疟疾、饮水引起的胃肠疾病、肺结核、脑脊髓膜炎和其他可预防的疾病。平均预期寿命较短，21世纪初期男性和女性均为51岁。

政府实行6年小学义务教育制。1970～1980年期间开展以普及小学教育计划为中心的教育发展工作之后，小学入学率大幅度增加。但中学入学率仍相对较低，因为中学教育设施的发展尚不足以容纳完成普及小学教育计划的学生。70和80年代该国创办了数所大学和学院，并以建立培训技术工人和师资的学校为重点。

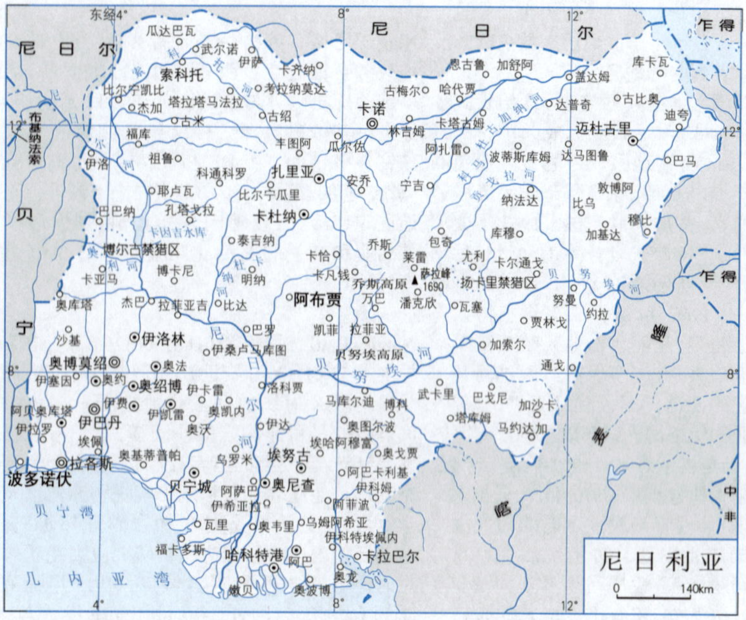

美国不列颠百科全书公司供图

尼日利亚大多数报纸为联邦政府或各州政府全部或部分拥有；少数几家私人报纸为私人或政党的新闻媒介工具。然而新闻自由是既定的传统，尽管有政府检查的事例发生，但意见表达一般说来还算自由。电视台和广播电台亦均为政府所拥有。

历史 尼日利亚经证实的最早文化属诺克族的文化，该族大约在公元前500年至公元200年活跃于乔斯高原尼日尔河和贝努埃河汇流处以北地区。博尔努地区的卡努里人以及豪萨人和富拉尼人也随后移居北部地区。到11世纪末，卡内姆帝国向乍得湖东西两边扩张，包括豪萨人的大部分土地；当时博尔努为该帝国的一个省，位于今尼日利亚东端。13世纪，伊斯兰教传入北部地区，影响了该地居民的社会与宗教生活。14世纪末，卡内姆帝国的势力衰落，版图缩小，只剩博尔努一省之地。同时，博尔努以西的豪萨人各国也由兴而衰。各国中最重要的有卡诺、扎里亚、道拉和卡齐纳，均始建于古代，常常为夺取霸权而相互争斗，或为共同防御而结成松散的联盟。这些国家先后被卡内姆、苏丹的桑海王国、博尔努以及凯比所征服，但他们的本性不改，仍继续进行相互残杀的战争。其时，富拉尼人早已迁入豪萨人的地区居住，大多数富拉尼人属游牧民族，仅部分定居城镇与豪萨人混居。19世纪初，富拉尼人的埃米尔被任命为数个豪萨邦国的统治者，因此出现了富拉尼帝国，其版图西起甘杜、东至阿达马瓦（不包括博尔努）。博尔努人和豪萨人的地区以南为约鲁巴和贝宁两王国，占据今尼日利亚的西部地区和伊格博，即今东部地区。

最早抵达尼日利亚海岸的欧洲人是15世纪的葡萄牙人。他们开始从贝宁各族群中获得奴隶，到17世纪，英国人的奴隶船也开始来到尼日利亚海岸。贩奴活动多在尼日尔河三角洲和其他河流沿岸地区与当地各部落和小头人间进行。奴隶通常来自内陆地区。在整个贩奴活动期间，欧洲国家并没有试图占领尼日利亚的任何地方。

1807年,英国取缔奴隶贩卖活动,但贩奴活动继续进行,因为仍有其他国家载有奴隶的船只越过大西洋。于是英国的一支海军分舰队驻扎在西非海岸以拦截贩奴者;英国商、船开始从事棕榈油及其他产品的买卖。当时对该国内地情况并不了解。但后来数名欧洲探险家终于深入到内陆地区。

1861年英国人兼并了拉各斯,开始正式控制该地区。1886年,尼日利亚成为单一的英国殖民地,1914年该地区成为尼日利亚殖民地和保护国。1960年,尼日利亚成为英联邦内的独立国家,并加入联合国。1963年成为共和国,将原有各地区划分为12个州(后于1976年进一步划分为19个州,1991年划分为30个州)。1966年,豪萨人与伊格博人两族之间发生冲突,在前北部地区酿成数千名伊格博人遭杀害,有许多伊格博人逃回其在前东部地区的部落。军人政府成立,一年后前东部地区的伊格博人宣布成立独立的比夫拉共和国,于是内战爆发。1969年,联邦部队占领比夫拉大部分土地;1970年,比夫拉人投降。其后,军人政府与腐败无能的短期文官统治在该国轮番出现。20世纪后期尼日利亚的主要问题,除了政局动荡不安和潜在的部族和宗教抗争外,还有迅速增长的人口(该国人口居非洲各国首位)、长期的政府腐败现象、70年代的石油收入遭挥霍所导致的巨额外债,以及令人沮丧的经济增长情况。1999年民选政府恢复,承诺修复基础设施,将军事政府抢去的资产物归原主,公平分配石油收入,并清除腐败官员。

Nigerian theatre　尼日利亚戏剧　尼日利亚西南部约鲁巴民族的民间歌剧的变体。产生于20世纪40年代初期。它把出色的滑稽剧感、鲜艳的服装、传统的击鼓、音乐以及民间传说融为一体。它面向当地群众,运用尼日利亚题材,其范围从现代讽刺到历史悲剧都有。虽然这些剧本全都以约鲁巴语演出,但非约鲁巴人仍能通过译出的简短剧情介绍获得了解和欣赏。尼日利亚戏剧有3种题材:民间幻想故事,社会讽刺喜剧,以及口头传说的历史或神话故事。一般地说,其音乐和歌词都是从各教派的祭礼仪式演变而来的。虽然共有十几个巡回演出剧团,其中主要的职业剧团有3个,即H.奥贡德(《约鲁巴人,想想吧》和《天堂之旅》的作者)、K.奥贡莫拉(《喝棕榈酒的醉汉》和《财迷》的作者)和D.拉迪波(《国王并未踌躇》、《每个人》的作者)的剧团。这些剧团的每一个创始者一般都创作改编并上演戏剧,配乐并担任主要角色,他的趣味形成了剧团独特的风格。当代的流行戏剧取材于《圣经》中的圣诞和耶稣受难故事。其中有些曾在国外演出,有名的如《国王并未踌躇》和《喝棕榈酒的醉汉》。奥贡德的一些剧本是对约鲁巴典型事物进行讽刺的,如妒忌的丈夫、吝啬的父亲、鲁莽的儿子;其他剧本写尼日利亚政治中引人关注的事件。奥贡莫拉歌剧的基本情节取材于《圣经》,显示了基督教的影响;他运用民间传说,把赞美诗、谚语、咒语纳入对话之中,如他上演的图托拉的小说《喝棕榈酒的醉汉》颇为有名,足以证明这一点。拉迪波利用历史材料编写文化剧。他无疑曾受前人的影响,在作品中运用宗教仪式中的击鼓、歌唱,以及专为表现他所演出的那些历史和宗教人物集团而设计的传统服装。

Nigg　尼格　苏格兰东北岸罗斯历史郡高地政务会辖区克罗默蒂湾小镇,属罗斯-克罗默蒂历史区。与沿海石油工业联系密切,经济对其依赖甚深。1972年为北海油田生产钻井平台而开始修建世界上最大的干船坞,占地80公顷。到20世纪末,随着平台建造业的衰落,工业趋向多样化,特别发展了炼油业和有关的石油化工业。人口380(最新统计)。

Niggli, Paul　尼格利(1888-06-26,瑞士措芬根～1953-01-13,苏黎世)　瑞士矿物学家,最先提出用X射线数据系统地推断出晶体空间群(230种可能的三维空间模式之一)的想法,得出一套完整的方案,以后一直用于确定空间群。他在瑞士联邦理工学院和苏黎世大学学习,他的论文是对片状岩的野外研究。这是把物理化学原理应用于研究应力变质作用的开端。结束研究生学习后,1915年到莱比锡大学任教,1918年又到蒂宾根大学。1920年在苏黎世大学任矿物学和岩石学教授。他将数学晶体学和实验X射线技术加以综合,形成了晶体结构分析的基础。所著《矿物学和晶体化学教程》(1920)为现代矿物学的成就树立了新标准,为它的内容开辟了新的前景。

Night and Fog Decree　夜雾指令　德语作Nacht-und-Nebel-Erlass。1941年12月7日A.希特勒颁发的密令,命令凡属德国及德占区内"危及德国安全的人"均应在"夜雾"掩护下(即秘密地)予以逮捕,或枪决,或偷偷地带走。这项命令是因法国抵抗运动的活动增多而颁发的。被带走的确切人数不能断定,已知约有7 000人被投入集中营。

night blindness　夜盲　又作nyctalopia。一种眼科病,表现为暗适应能力下降,因而在弱光下或夜间视力降低。见于引起视网膜杆状细胞退化的疾病、遗传性视紫质不足及维生素A缺乏之症等。先天性夜盲可为显性、隐性或伴性遗传,一般终生无变化;近视可有可无。青少年期发生的夜盲可能为色素性视网膜炎的早期症状,此时视力常不断恶化终至失明。维生素A缺乏症引起的夜盲,给予足量维生素A后视力即可恢复。维生素A缺乏时还可引起干眼症,在强烈阳光照射后可致暂时性夜盲。

night-blooming cereus　夜花掌　又称moon cactus(月光掌)。仙人掌科月光掌属(*Selenicereus*)植物,约20种,原产美洲包括西印度群岛在内的热带及亚热带。在美洲广为栽培,并已逸为野生。以夜间开白色芳香的大型花朵而著名,是仙人掌中花最大的一类。茎上有肋、具棱或扁平。匍匐地面或具气根缘树生长。夜皇后掌(*S. grandiflorus*),常在室内栽培。钩状月光掌(*S. hamatus*)有向后突出的裂片,以帮助攀附。

night fighter　夜间战斗机　装有瞄准、观测、航行专用仪器,因而能在夜间执行任务的战斗机(**fighter aircraft**)。

night monkey(primate)　参阅**durukuli**夜猴。

Night of Broken Glass(Germany)　参阅**Kristallnacht**水晶之夜。

nightclub　夜总会　参阅**cabaret**卡巴莱。

nightglow　夜气辉　夜间整个天空放射的稳定微弱光。参阅**airglow**。

nighthawk　美洲夜鹰　夜鹰科(Caprimulgidae)美洲夜鹰亚科(Chordeilinae)鸟类。与夜鹰、蛙嘴夜鹰同属夜鹰目,而非鹰类。淡黄、红褐或灰褐色,通常有淡色点斑或块斑,体长

小美洲夜鹰(*Chordeiles minor*)
美国不列颠百科全书公司供图

15～35厘米。夜间(尤其在傍晚和拂晓)飞出,捕食飞虫。小美洲夜鹰(*Chordeiles minor*)栖居于北美大部地区,冬季迁栖南美;体长约20～30厘米,灰褐色,喉白色,翅上有一白块斑;发声尖锐,带鼻音;求偶时迅速俯冲低飞,发出响亮的呼呼声。近缘种见于美国西南部、中美和南美。参阅**nightjar**。

nightingale　夜莺　又称歌鸲。雀形目鹟科数种旧大陆鸫的统称。因鸣声美而闻名,尤指欧亚夜莺(欧亚歌鸲,*Erithacus*[或*Luscinia*]*megarhynchos*)。体褐色。体长16厘米,尾赤

欧亚夜莺(*Erithacus megarhynchos*)
美国不列颠百科全书公司供图

褐色。昼夜在灌丛栖木上鸣叫,鸣声响亮,变化多,主要为渐强音。近缘种鸫歌鸲(*E. luscinia*)分布稍北,羽衣略黑,鸣声无渐强音。在英语中nightingale一词也指鸣声圆润的鸟类,如新热带区的夜莺鸫(**nightingale thrush**)、

中国夜莺(参阅 **Leiothrix**)和西印度群岛的嘲鸫(**mockingbird**)。

Nightingale, Florence **南丁格尔**(1820-05-12,意大利佛罗伦萨～1910-08-13,英国伦敦) 英国护士,妇女护士职业创始人。当时传奇式的人物,对和平时期和战时士兵的福利和

美国不列颠百科全书公司供图

卫生工作、英国的地区护理制度、助产士培训等也作出重大贡献。出身富家,生于意大利佛罗伦萨,主要从其父(旅意英侨)接受教育。1837年她认为听到了上帝的声音,告诉她有一个使命要完成。她曾打算到医院学习护理,遭到反对。1850年到德国凯撒斯韦特基督教女执士学校学护理。1853年任伦敦患病妇女护理会监督。1854年克里米亚战争爆发,法国军医院有护士,英军却无,且伤病员的医疗条件极差。她自愿率领护士奔赴前线。当时用品匮乏,水源不足,卫生极差,医生又有敌意,但她克服困难,使军医院面目改观,被士兵称为"提灯女士"。1856年任军医院妇女护理部总监,战后回国,被视为民族英雄。但她拒绝了官方的交通工具和所有招待会,决心为改善英军的卫生工作而努力。1857年她促成皇家陆军卫生委员会的成立,同年军医学校建立。1860年她用公众捐助的南丁格尔基金在圣托马斯医院内建立南丁格尔护士学校——世界上第一所护士学校。后又创建了助产士及济贫院护士的培训工作。1857年后身体不好,但仍忙于事务,接待各阶层的来访者。1901年失明,1907年被英王授予功绩勋章,成为第一个接受功绩勋章的妇女。逝世后,按其遗愿未举行国葬,亦未葬于威斯敏斯特教堂。

nightingale thrush **夜莺鸫** 鸫科夜鸫属(*Catharus*)11种新大陆鸟类的俗称。体苗条,

橙喙夜莺鸫(橙喙夜鸫,*Catharus aurantiirostris*)
美国不列颠百科全书公司供图

羽色较单调,鸣声圆润,使人联想到欧洲的夜莺。有些热带种类的眼眶、嘴和脚橙色,下体无点斑。哥斯达黎加到玻利维亚山林中的灰背夜莺鸫(灰背夜鸫,*C. fuscater*)长16厘米。一些较北方的种类(有时放在森鸫属[*Hylocichla*])眼眶稍白,嘴色深,下体有点斑。如隐士夜鸫(*C. guttatus*)长18厘米,是加拿大和美国针叶林中著名的歌鸟。美国东部阔叶林中常见的黄褐森鸫(*H. mustelina*)长20厘米,头铁锈色,有点斑。

nightjar **夜鹰** 夜鹰科夜鹰亚科(Caprimulginae)鸟类,约60～70种,有时nightjar一词也包括美洲夜鹰亚科(Chordeilinae)的种类(参阅 **nighthawk**),甚至指整个夜鹰目的种类(参阅 **caprimulgiform**)。真正的夜鹰除新西兰及大洋洲的一些岛屿外,几乎分布在全世界的温带和热带区。有灰褐或红褐的保护色。食会飞的昆虫,夜间在飞行中将其捕食。

正在降落的雄性普通夜鹰(*C. europaeus*)
美国不列颠百科全书公司供图

夜鹰属(*Caprimulgus*)是夜鹰目中最大的属,约有35个彼此近似的种。代表种是普通夜鹰(*C. europaeus*,即欧夜鹰)。特征为头形扁平;口大,基部有短硬毛;眼大;羽毛柔软,故飞行无声。长约30厘米,在整个欧洲和西亚繁殖,在非洲越冬。琴尾夜鹰(*Uropsalis lyra*)栖居于南美的西北部,其最外侧尾羽长60厘米,甚至更长,占体全长80%～90%。非洲的旗翼夜鹰(*Semeiophorus vexillarius*)翅黑白相间,极为醒目,最内侧初级飞羽极长,达50～70厘米,故得名。*卡罗琳夜鹰*(**chuck-will's-widow**)、*帕乌拉凯夜鹰*(**pauraque**)、*弱夜鹰*(**poorwill**)、*三声夜鹰*(**whippoorwill**)是北美洲的亲缘种。

nightshade **茄类植物** *茄科*(Solanaceae)茄属(*Solanum*)植物,约2 300种。亦指茄科其他属植物。在英语中nightshade一词亦可指其他科的植物。在北美和英国,nightshade一词通常指千年不烂心(*S. dulcamara*,即欧百英、蜀羊泉),其叶和卵形的红色浆果均有毒,有效成分是茄碱,可引起惊厥,若食量过大能致死。龙葵(*S. nigrum*)浆果黑色,通常亦认为有毒,但其充分成熟的果及叶在某些地区可烹食。*颠茄*(**belladonna**, *Atropa belladonna*)为茄科较高的灌木状草本植物,是几种医用生物碱的原料。Enchanter's nightshade指柳叶菜科露珠草属(*Circaea*)植物。Malabar nightshade

千年不烂心(*S. dulcamara*)
美国不列颠百科全书公司供图

指落葵科落葵属(*Basella*)缠绕草本植物。

nigun **尼根** 犹太教哈西德派用以举扬灵魂使之与上帝沟通的无词歌。因为无词,尼根使歌唱者感到超脱肉体和理性而进入神秘境界。它由一位拉比或其门徒自发地即兴领唱,然后由男性会众用齐唱反复。在曲调上受斯拉夫民歌的强烈影响,但在节奏上较自由。有许多尼根歌曲以记谱方式保存下来。

nihilism **虚无主义** 源于拉丁语nihil,意谓"无有"或"乌有"。一种怀疑主义哲学。产生于19世纪俄国亚历山大二世统治初期。这是一个古老的词,原指中世纪的某些异端。在俄国著作家中最早使用虚无主义一词的可能是N.I. 纳杰日金,他在《欧洲信使》上的一篇文章中用这个词指A. 普希金。纳杰日金和后来的V.别尔维把虚无主义和怀疑主义视为同等。这个词通过屠格涅夫的著名小说《父与子》(1862)中虚无主义者巴扎罗夫的形象而被广泛使用。后来,19世纪60和70年代的虚无主义者被看作是一些反叛传统和社会秩序、不肯循规蹈矩、不修边幅的人物。但是,N.G. 车尔尼雪夫斯基在他的小说《怎么办?》(1863)中却努力发现虚无主义哲学的积极方面。同样,俄国主要的无政府主义者P. 克鲁泡特金在他的《回忆录》中把虚无主义下定义为反对任何形式的专横和虚伪、争取个性自由的象征。虚无主义哲学从根本上否定任何形式的审美观念,主张功利主义和科学的理性主义。它完全摈弃社会科学和传统的哲学体系,代表一种粗俗的实证主义和唯物主义,反对现存的社会秩序。它反对一切权威,国家的、教会的,甚至家庭的。它只相信科学真理,认为只有科学能解决社会问题。虚无主义者视无知为万恶之源,唯有科学能战胜无知。虚无主义者深受L. 费尔巴哈、C. 达尔文、H.巴克尔和H. 斯宾塞的影响。他们否定二元论,不再将人看作身体与灵魂、精神与物质的结合体,因而与基督教权威相冲

突。他们对神授的权利提出怀疑，又与世俗的权力发生冲撞。他们也对社会的纽带和家长冷嘲热讽，父与子的冲突同样不可避免，这正是屠格涅夫小说反映的主题。拿恐怖主义者S.涅恰耶夫和L.安德列耶夫的剧本主人公萨瓦同屠格涅夫的小说主人公巴扎罗夫相比，可以看出虚无主义哲学的退化，它从信仰科学变为主张以恐怖和破坏活动作为达到既定目标的手段。

Nihon 参阅 **Japan** 日本。

Nihon Alps(Japan) 参阅 **Japanese Alps** 日本阿尔卑斯山。

Nihon keizai shimbun 《日本经济新闻》 日本声誉最广的日报，主要(但不仅是)报道商业、工业、金融、政府产业政策、世界贸易等新闻以及一般经济新闻。1876年创刊，最先称《国内外物价新报》；到1889年更名为《国内外商业新报》。现用名称始于1946年。该报实际上是两种报纸。它的全国性版分早晚两版在大阪、札幌、西部和东京发行，20世纪80年代初四地发行量超过280万份。单独发行的东京版早晚两版每天出180万份。它在世界主要都市设有办事处。

Nihon Shakaitō(Japan) **日本社会党** 参阅 **Japan Social Democratic Party** 日本社会民主党。

Nihon shoki 《日本书纪》 与《古事记》(**Kojiki**)同为日本最古史籍，神道教经典。该书是奉日本天皇敕令编纂的《六国史》中的第一部，720年成书，共30章，述自宇宙起源直到697年奈良时代前夕的日本历史，第一部分包括神话和传说，是神道教义的重要根据。以后各章叙约5世纪以后时期之事，比较忠于史实。所叙大事有佛教的传人和7世纪的大化革新。该书用汉字撰写，这反映了中国文明在日本的影响。

Niigata 新潟 日本本州中北部县份。濒临日本海。面积(包括佐渡岛和粟岛)12 579平方千米。信浓川和荒水的冲积区中部沿海地区构成越后平原，其余多为山地。为日本最大产稻区之一，沿海有渔业；内地山区丰富的水电资源促进了新潟、柏崎、直江津、三条、高田等城市工业(化工、金属加工、机械)的发展。该县亦出产石油和天然气。首府新潟为该县最大城市。1964年发生过强烈地震。人口约2 478 000(1993)。

信浓川河口畔的新潟市
美国不列颠百科全书公司供图

Niigata 新潟 日本本州岛中北部新潟县首府。位于信浓川口越后平原海岸边上。在封建时代为重要的稻米港口并仍旧是日本国沿着日本海的主要港口，从事与南朝鲜和俄罗斯的贸易。主要进口煤和原材料。亦是一个工业城市，生产化学品、棉织品、金属、机器、纸张和船舶。当地的天然气储藏和可利用的水力发电吸引了许多大工厂。1964年6月强地震袭击该市，生命财产遭到严重破坏。人口约490 237(1993)。

Niihama 新居滨 日本四国爱媛县城市。濒临濑户内海。原为小渔村，1691年后发展为向大阪转运铜矿石的港口。1883年建立冶炼厂，1913年建立水力发电公司，为工业化打下基础。港口为进口铜矿石进行了扩建。20世纪70年代成为东爱媛新兴工业城规划的主体部分。生产铜、铝、化工品和机械。人口约128 716(1993)。

Niihau 尼豪 美国夏威夷州考爱县的火山岛。面积186平方千米。在考爱岛西南27千米处。夏威夷群岛中人口最少的岛屿。该岛于1863年被卡米哈米哈四世以1万美元(可能还有一架钢琴)卖给苏格兰的E.辛克莱。其子孙一直力求在尼豪保留夏威夷文化。只许夏威夷土著人居住，禁止游客进人。1959年是唯一投票反对夏威夷成为美国一个州的岛屿。虽教授英语，但居民仍喜讲古老的夏威夷语。全岛大部为干旱低地，无法耕作。牧场经营为主要行业。主要村庄普韦位于西海岸。美国海军使用该岛进行武器试验。

Niislel Khureheh(Mongolia) **库伦** 参阅 **Ulaanbaatar** 乌兰巴托。

Niitsu 新津 日本本州新潟县城市。在东京东北的羽越干线上。17世纪发现石油，1898年始开采。随后三条铁路贯通于此。尽管石油产量逐年下降，但新津仍为重要运输、商业中心。所产郁金香、风信子等花卉球茎远销美国。20世纪60年代末发展成为新潟市居民卫星城。人口65 572(1995)。

新津市的郁金香种植园
美国不列颠百科全书公司供图

Nijhoff, Martinus 奈霍夫(1894-04-20，海牙～1953-01-26，海牙) 在荷兰，他是同代人中最伟大的诗人，其诗作以形象新颖独特，写诗技巧娴熟著称。在第一卷诗集《流浪汉》(1916)中，他用怪诞的形象表达出自己的孤寂和与世无争的消极情绪，其间还常常出现死神跳舞的诗句。在短诗剧《街灯下的丑角》(1918)中，他认为自杀是解除精神苦痛的唯一方法。他的最佳作品《新诗》(1934)表现出作者精神上的复活，及对丰富多彩的尘世生活的肯定。《零时》(1942)描写一个陌生人对一个自满自足的社会的毁灭性的影响，牢固地确立了奈霍夫作为欧洲20世纪杰出诗人之一的地位。

Nijinsky, Vaslav 尼任斯基(1890-03-12，基辅～1950-04-08，伦敦) 俄语全名Vatslav Fomich Nizhinsky。俄国出生的芭蕾舞舞蹈家，享有近乎传奇般的盛誉，以技艺精湛和弹跳惊人及对所饰角色细腻的表现著称。在学校时成绩优异，1907年在圣彼得堡玛丽亚剧院任独舞演员，演出古典芭蕾舞剧如《吉赛儿》、《天鹅湖》和《睡美人》等。1909年加入S.佳吉列夫的俄罗斯芭蕾舞团，舞团的舞蹈编导M.福金专为他创作了《玫瑰仙子》、《彼得鲁什卡》、《天方夜谭》等芭蕾舞剧。尼任斯基自己编导的作品有《牧神午后》和《春之祭》。尼任斯基父母都是著名舞蹈演员，其父尤以熟练技巧和有力的弹跳而著称。尼任斯基家有家庭舞团，在全俄罗斯演出。童年大部分时间住在高加索，自幼便和兄斯坦尼斯拉夫及妹布罗尼斯拉娃一同学舞。其父注意到尼任斯基具有很大的舞蹈天分，亲自担任他的启蒙教师。1898年8月底，尼任斯基9岁便进入圣彼得堡帝国舞蹈学校。该校教师都是当时最杰出的舞蹈家，他们很快便发现了尼任斯基非凡的天才。在其16岁时，他们便敦促他毕业进入玛丽亚剧院。尼任斯基没有同意而要继续完成规定的学业。但他在当时已被誉将成为"世界第八奇迹"和"北国的维斯特里斯(18世纪法国著名舞蹈家)"。在校期间,他在玛丽亚剧院演出,最初担任伴舞演员,后上演小角色。曾在圣彼得堡皇村的中国剧院和冬宫的隐修剧院为沙皇演出。尼任斯基1907年春毕业于舞蹈学校,同年7月14日进入玛丽亚剧院,为独舞演员。他初次演出的芭蕾舞是《泉源》,舞伴为俄国女芭蕾演员J.谢多娃。演出后轰动一时,舆论界与评论家交口称赞。他在玛丽亚剧院演出时3个最优秀的女舞伴分别是M.克谢辛斯卡、A.P.巴甫洛娃和T.P.卡尔萨温娜。尼任斯基获得苏联功勋演员称号,主演过许多芭蕾舞剧,其中有《伊凡诺奇卡》、《吉赛儿》、《天鹅湖》、《睡美人》及由肖邦乐曲改编的舞蹈。1907～1911年,玛丽亚剧院和莫斯科大剧院的芭蕾舞剧都是由尼任斯基主演,取得极大成功。

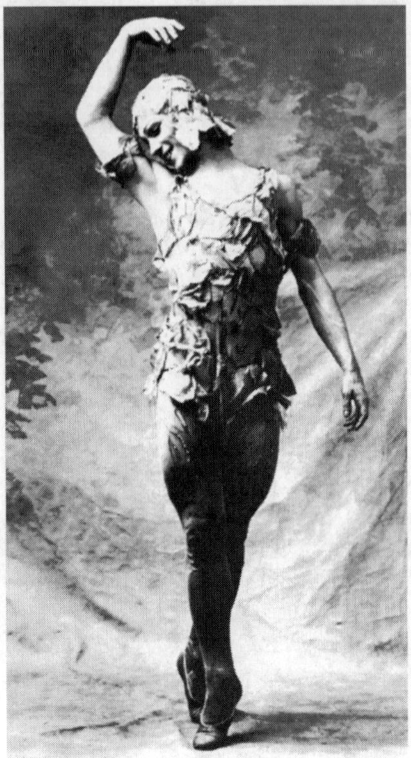

尼任斯基在《玫瑰仙子》中的舞姿
美国不列颠百科全书公司供图

1909年,原任帝国剧院副院长的佳吉列夫奉弗拉基米尔大公爵之命组集玛丽亚剧院和莫斯科大剧院的演员成立芭蕾舞团。佳吉列夫决定于当年春天携团至巴黎演出并邀请尼任斯基为主要演员。1909年5月17日,在城堡剧院首演。尼任斯基的演出使巴黎观众如醉如狂。他体型健美,表演传情达意;他身轻如燕而刚毅有力;他的升高、腾跃能力有如神授,使观众觉得他仿佛飘浮在空中。非凡的技巧和扣人心弦的动作表情使他确实不愧为一位芭蕾舞表演的天才。1907～1912年,尼任斯基与舞团编导福金合作。他具有表现角色性格的非凡天才,在表演福金所作的舞剧中创作了一些令人难忘的角色,如在《狂欢节》、《仙女》(由肖邦乐曲改编)、《玫瑰仙子》、《天方夜谭》、《彼得鲁什卡》、《蓝色的神》、《达美尼斯和克劳伊》和《纳喀索斯》中的角色。他后期的芭蕾舞有《墨菲斯托华尔兹舞》(由J.S.巴赫乐曲改编的舞蹈)、《夜蛾》和《游吟诗人》。1917年前,尼任斯基在欧洲各国、美国和南美洲演出。他被称为"舞圣"。1912年,他开始芭蕾舞编导生涯,为佳吉列夫的俄罗斯芭蕾舞团编导了《牧神午后》、《游戏》和《春之祭》,《梯尔·欧伦斯皮格尔》是他在美国创作的。他所编导的舞蹈被认为大胆而富有创造性。1913年9月10日尼任斯基在布宜诺斯艾利斯与普尔茨基-卢博西-捷尔法尔娃伯爵夫人罗莫拉结婚,在第一次和第二次世界大战期间,尼任斯基作为俄国国民,两次在匈牙利被扣押。1919年,年仅29岁的他便因患精神分裂症而退出舞台。从1919年到1950年,他先后居住在瑞士、法国和英国,1950年卒于伦敦。尼任斯基葬在巴黎蒙马特尔公墓的A.维斯特里斯的墓旁。

Nijlen, Jan van　尼兰(1884-11-10,安特卫普～1965-08-14,比利时福雷斯特)　比利时佛兰芒语杰出诗人。布鲁塞尔司法部高级官员。阴郁哀伤是他特有的笔调,反映出他对现代世界希望的幻灭。他的诗使人回想起浪漫主义作家逃避现实、过淳朴的自然生活的渴望。然而这些诗又有一种古典主义的清澈和优雅。范·尼兰还写文章研究法国作家C.贝玑(1919)和F.亚默(1918)。

Nijmegen　奈梅亨　德语作Nimwegen(尼姆韦根)。荷兰东部海尔德兰省城市。位于莱茵河支流瓦尔河畔。原是罗马人村落,为全国历史最悠久的城镇。历史上一直是边境军事重镇。1678～1679年路易十四、荷兰、西班牙、神圣罗马帝国间结束战争的条约在此签订。第二次世界大战德军占领时期遭严重破坏,1944年美军在此空降登陆。战后重建,现为工业中心、铁路枢纽和内河航运中心。市内历史遗址和古建筑有查理曼大帝的古堡遗址、一座16边形的洗礼坛(779)、12世纪古教堂的唱诗班座、文艺复兴时期圣斯蒂芬大教堂、市政厅(1554)、拉丁文学校(1544～1545)、过磅房(1612)。文化教育机构有奈梅亨公教大学(1923)、市立博物馆、海特·瓦尔克霍夫博物馆(1999)、剧院和音乐厅。人口:市约147 018;都会区约247 822(1994)。

Nijo Yoshimoto　二条良基(1320,日本～1388,日本)　日本室町时代(1338～1573)初期政府官员和连歌诗人,以改进连歌的写作规则闻名。其父是后醍醐天皇的"关白"(主要顾问)。良基也曾奉仕后醍醐,但在14世纪30年代中期以后,他效忠于"北朝"的天皇。他最初的一些关于连歌结构的文章出现于1345年,后来以修订形式出版。在诗人救济的协助下,他编纂了连歌最初的合集之一《菟玖波集》(1356)。1372年他同救济写成《应安新式》,该书内容为写作连歌的一些新规则。还写过一篇学术论文《筑波问答》(1372)。

Nika (people)　**尼卡人**　参阅 **Nyika** 尼伊卡人。

Nike　奈基　希腊宗教中的胜利女神,巨人帕拉斯与冥界之河斯提克斯的女儿。最初奈基在雅典可能没有对她的单独的崇拜。作为智慧女神雅典娜和主神宙斯的一个标志,奈

约公元前490年的奈基青铜像
美国不列颠百科全书公司供图

基在艺术中被表现为由那两位神领着的一个小人。雅典娜领着的奈基始终没有翅膀,但单独的奈基却是有翅膀的。她还以如下的姿态出现:有时她拿着棕榈枝或花环(有时是作为胜利使者的赫尔墨斯杖);有时她树起一项胜利的奖品;有时她又往往张开翅膀飞翔在一个比赛的胜利者的头顶上;因为她的职责不仅涉及战争的胜利,也涉及其他所有活动的胜利。

奈基在罗马被称为维多利亚,她从远古以来在那里便受到崇祀。她被认为是元老院的保护女神,而尤利亚元老院中她的雕像则是4世纪末基督教与异教之间最后战斗的起因。在表现奈基的艺术作品当中,有帕奥尼乌斯的雕刻(约公元前424)和"萨莫色雷斯的奈基"。后者是1863年在萨莫色雷斯发现的,现藏巴黎罗浮宫。这座像大概是公元前203年由罗得岛居民建立以纪念一次海战的。从考古发掘可以看出,雕刻原来是安放在一艘旗舰上的,而这艘旗舰又放在地上,看上去好像是浮在水上的样子。

Nike missile　奈基导弹　美国在20世纪40和50年代为防御空袭而设计的地对空导弹系列。初为奈基埃杰克斯型,长6.4米,直径30厘米,重1 114千克,液体燃料推进,雷达制导,射程40千米,最大时速超过音速两倍。1953年起,在美国各军事要地各城市以及美国在欧洲、亚洲的盟国部署。1958年,奈基赫尔克里士型取代埃杰克斯,采用固体火箭发动机,携带核或非核弹头,射程120千米。奈基宙斯型为美国第一种反导弹导弹,在1957年到1963年之间研制,但1967年放弃研制计划。

Nikephoros I, SAINT　参阅 **Nicephorus I, Saint** 尼斯福鲁斯一世,圣。

Nikisch, Arthur　尼基施(1855-10-12,匈牙利森特米克罗什莱贝尼伊～1922-01-23,德国莱比锡)　19世纪晚期最优秀的音乐指挥家之一。曾在维也纳学习音乐,1878年任莱比锡歌剧院合唱指导,1879年任该剧院首席指

中国大百科全书出版社供图

挥。1889～1893年，任波士顿交响乐团指挥，1895年直到去世任莱比锡布业会堂管弦乐团指挥。自1897年起还领导了柏林爱乐乐团，并率该团赴各地巡回演出。1897年继H.封·比洛而任汉堡爱乐乐团指挥。1912年随伦敦交响乐团赴美国巡回演出。1913年在科文特加登剧院指挥R.瓦格纳的歌剧《尼贝龙根的指环》。虽然他擅长表演瓦格纳的作品，但作为一位指挥家他的音乐趣味却是十分广泛的。他的风格以浪漫主义的激情见长，技巧的特点是准确精密和手势简练。

Nikkatsu Motion Picture Company　日活影片公司　日本最早的电影公司，1912年以日本活动摄影公司的名义独立创建，它的前身是大日本电影机械产品有限公司的一部分，该公司模仿美国电影专利公司试图垄断电影业。到1915年，日活公司掌握了三分之二的电影市场。管理不善最终导致经济困难，到1942年，它的制片设备并入新建的大映影片公司。日活只保留它的联号影院，直至1954年才恢复制片。日活至今广泛吸引各界观众，并开展电视广播业务。

Nikkō　日光　日本本州栃木县城市。为日本主要旅游、朝圣地之一。在东京市北，临大谷川。地处日光国立公园边缘。4世纪已有神社。766年建起佛寺。17世纪建立日本最大的寺院大东照宫，内有第一位德川将军德川家康陵墓。大猷陵为第三位德川将军德川家光陵墓。日光国立公园内有那须岳（山区多热矿泉）、男体山（死火山，顶部有二荒山神社）、华严瀑布（落差99米）和中禅寺湖（有娱乐中心和养鱼场）等名胜。人口20 128（1990）。

Nikolaev（Ukraine）　参阅 **Nikolayev 尼古拉耶夫**。

Nikolais, Alwin　尼古拉斯（1910或1912?-11-25，美国康涅狄格索辛顿～1993-05-08，纽约州纽约）　美国舞蹈编导、作曲家和舞美设计师。他编排的各种抽象舞蹈把不同形式的步态揉为一体，完全摆脱了技巧和固定模式的束缚。约在1935年开始向现代舞蹈家M.维格曼的早期学生T.卡斯奇曼学习舞蹈，领会维格曼怎样使用敲击乐器伴奏。1937年在康涅狄格州首府哈特福德创办舞蹈学校和舞团；1940～1942年，1946～1949年担任哈特音乐学校（现为哈特福德大学）舞蹈系主任。尼古拉斯在第二次世界大战中服役以后重新向H.霍尔姆学习舞蹈并成为她的助手。1948年加入纽约市亨利街文化馆，并为该馆办起一所现代舞学校，翌年成为该馆剧场的艺术指导。1951年创办尼古拉斯舞蹈剧院。1953年该剧院上演尼古拉斯第一批主要作品，如《假面》、《道具管理员》和《变》。在这些舞蹈中，舞者裹着宽衣长袍，创作出不同寻常、富于幻想的姿态。在后期作品中继续进行他称之为基本演剧艺术（即把动作、音响、体形和色彩聚积一起，平等对待）的实验，在这些作品中，有《万花筒》（1956）、《讽喻》（1959）、《图腾》（1960）和《意象》（1963）。他的后期作品还包括《帐篷》（1968）、《木偶戏》

美国不列颠百科全书公司供图

（1977）和《倒数计时》（1979）等。尼古拉斯常为这些作品创作电子乐曲。他的舞蹈设计虽然有时被说成“非人化”，但他坚信他的抽象舞蹈和那些无个性的表演者是完全能够起到交往作用的。70年代，尼古拉斯舞蹈团在欧洲、中东、南美和亚洲巡回演出。1978年，尼古拉斯舞蹈学校和舞团得到法国文化部和法国昂热市的资助。尼古拉斯生前得过许多奖和荣誉，包括1968年的埃米奖。他的作品被拍成电影，并在美、英电视台播出。

Nikolay Kasatkin, Saint　尼古拉·卡萨特金，圣（1836-08-13，俄罗斯斯摩棱斯克～1912-02-16，东京）　原名伊凡·德米特洛维奇·卡萨特金。俄罗斯正教会国外传教士。1861年任俄国驻日本函馆领事馆司祭。1873年日本废止禁止基督教的法律，次年统计日本东正教会共有教徒400名。1880年卡萨特金任日本东正教会主教。1904～1905年日俄战争使得俄罗斯正教会与日本东正教会关系紧张，但日本东正教会继续发展，尼古拉仍效忠于日本东正教会，1906年任大主教。1912年尼古拉死时，日本东正教会已实现自立自养，有教徒30 000多人。

Nikolayev, Andriyan Grigoryevich　尼古拉耶夫　（1929-09-05，楚瓦什苏维埃社会主义自治共和国什罗舍雷～2004-07-13，俄罗斯楚瓦什共和国切伯克萨瑞）　苏联航天员，驾驶“东方”3号航天飞船于1962年8月11日发射升空。P.R.波波维奇驾驶的“东方”4号紧接着在一天后发射升空，第一次在太空同时出现两艘载人飞船。两艘飞船进行无线电和目视联系，但是没有对接。它们都在8月15日返回地面。尼古拉耶夫系集体农庄工人之子，他于1950年参加苏联陆军。后调往空军，1954年任苏联空军飞行员，1960年3月开始接受航天员训练。1962年，成为第3位进行太空旅行的苏联宇航员。在他96小时

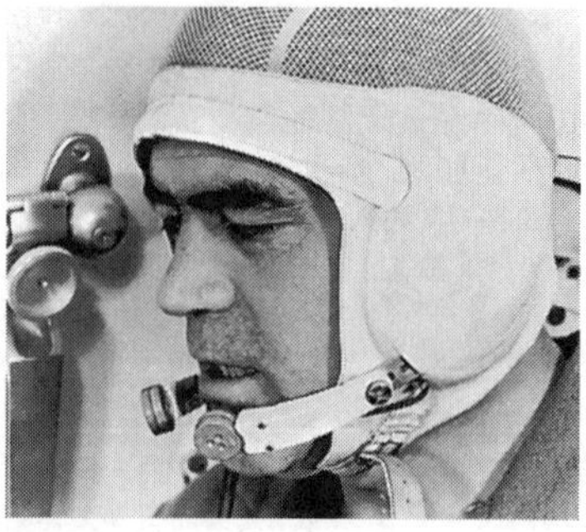

美国不列颠百科全书公司供图

的破纪录宇宙飞行中，共绕地球轨道航行64周。1964年起任苏联航天员分队队长。1963年11月3日他与第一位进入太空的妇女V.捷列什科娃结婚。他和V.I.谢瓦斯季诺夫于1970年6月1日乘“联盟”9号飞行，创造了在轨道上将近18天的太空飞行时间新纪录。这次飞行的目的主要是确定长时间的太空飞行对人体的影响，飞行于6月19日结束。两度被命名为“苏联英雄”。

Nikolayevsk-na-Amure　尼古拉耶夫斯克　又称庙街。俄罗斯远东哈巴罗夫斯克边区城市。位于黑龙江河口湾的顶端。建于1850年。曾是太平洋畔港口和海军基地，后因符拉迪沃斯托克（海参崴）和苏维埃港有铁路通往内地，并获发展而失去重要地位。现有修船厂和一些地方工业。为一渔船队的基地。人口约36 200（1993）。

Nikon　尼康（1605，俄罗斯费尔德马诺沃～1681-08-27，前往莫斯科途中）　原名尼基塔·米宁。俄罗斯正教会牧首，他倡导的改革导致俄罗斯正教会的分裂。自1634年至1664

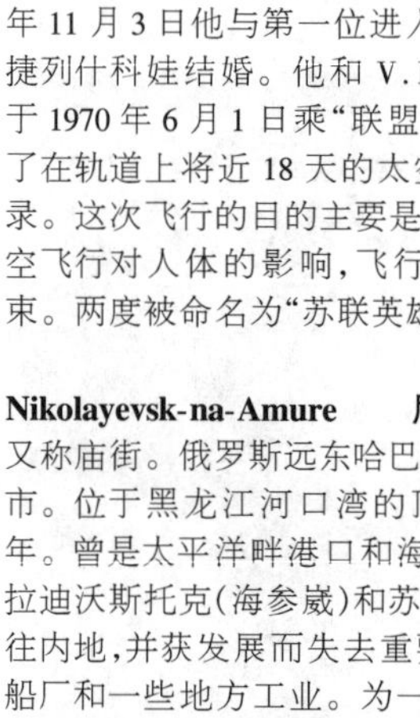

美国不列颠百科全书公司供图

年先后在俄国北方几个地方当修士、隐士和隐修院院长。1646年为隐修院事务赴莫斯科，受到青年沙皇阿列克谢和莫斯科牧首约瑟夫的赏识，遂被任命为沙皇罗曼诺夫家族陵墓所在的莫斯科新救主隐修院院长，1648年任诺夫哥罗德首任都主教，1652年任莫斯科及全俄罗斯牧首。1654年沙皇阿列克谢出发对波兰作战，要求尼康署理政务，保障皇室

安全。1657年沙皇再次同波兰作战，授予尼康全权治理国家。尼康任牧首后，请教在莫斯科任职的希腊学者并查阅牧首图书馆藏书，发现许多俄文书籍和礼文有严重讹误，沃尼法捷耶夫等人的修订本又有新的错误，于是根据希腊文本修订俄文书籍和礼文，以求与其他正教教会一致。过去的友人对他的改革提出疑问，立即遭到流放。他又在希腊和基辅的修士的协助与希腊教会神职人员的支持下进行其他若干方面改革。这些改革仅仅及于表面的传统形式，但一开始就受到信徒和许多神职人员的抵制。因此，俄罗斯正教会内部发生分裂。但是促使尼康倒台的真正力量则是沙皇家族和贵族，他们厌恶他在署理政务期间弄权专政。尼康还主张，教会可以干预政务而教会本身却不应受干涉，这种说法也遭到他们的反对。1658年尼康在盛怒之下在克里姆林宫圣母升天教堂宣布要辞职，然后退居沃斯克列先斯克隐修院。尼康与世隔绝数月，然后有悔意，希望求得和解。但沙皇不是拒不复信就是敦促他正式辞职。尼康拒绝辞职，说他只是辞去莫斯科主教之职，并未辞去牧首之职。1666年阿列克谢召集会议，邀请安提阿牧首和亚历山大牧首出席，阿列克谢在会上亲自指控尼康自称大君之类的所作所为，会议决定撤销尼康全部神职，贬为修士，安置在莫斯科以北约500千米的贝洛奥泽罗。但这次会议却保留尼康所倡导的改革，而且宣布绝罚反对改革的人们，称之为旧礼仪派。费多尔三世继位沙皇后，容许尼康返回莫斯科，尼康死于途中。

Nikopol 尼科波尔 保加利亚北部城镇，濒临多瑙河。公元629年拜占廷皇帝在此建造要塞。1393年被土耳其人占领。1877年被俄国人解放。作为港口，其地位已被索莫维特取代。居民主要经营农业、种植葡萄和捕鱼。人口约13 700(2001)。

Nikopol 尼科波尔 乌克兰中南部第聂伯罗彼得罗夫斯克州城市。位于第聂伯河卡霍夫卡水库北岸，在扎波罗热—克里沃罗格铁路线上。17世纪30年代始建于一战略渡口，有大型锰矿床，1886年即开始开采；锰含量高。有冶金工业，生产多种铁合金、钢管、起重机和农业机械。食品加工和酿酒业也很发达。地势低洼地区筑有防洪堤坝以防受淹。人口约136 280(2001)。

Nikópolis(Greece) **尼科波利斯** 参阅 **Nicopolis Actia** 亚克兴胜利城。

Nikšić 尼克希奇 黑山的城镇，位于泽塔河谷。1455～1877年为土耳其人占领。现为重要的工业中心，有炼钢厂、炼铁厂、酿酒厂、啤酒厂、锯木厂、木材加工厂和水电站。开采铝土，有欧洲最大铝矿之一。第二次世界大战后，经济落后的黑山有计划的发展，使尼克希奇有了新建筑物、公园和服务设施。泽塔河上有古罗马时代桥梁。当地犹存有古罗马时期阿纳加斯图姆营地和居民点的遗迹。建有一地方博物馆(1951)。黑山大学哲学系设在该城。人口57 600(2003)。

Nil Sorsky, SAINT **尼尔·索尔斯基，圣**(约1433～1508) 原名尼古拉·马伊科夫(Nikolay Maykov)。俄罗斯奥秘修行家，曾著书论默念修行并拟定达到灵性纯全境地的修养指南。曾前往君士坦丁堡和圣山，在索拉河畔创办隐修院(因而改名索尔斯基)。1503年在莫斯科会议上，他发言反对隐修院拥有财产，故史家称他为无财产派。他也反对修士从事社会福利和政治活动。

Nile, Battle of the 尼罗河战役(1798-08-01) 又称阿布吉尔湾战役。英国海军上将H.纳尔逊最伟大的胜利之一。1798年拿破仑计划入侵埃及，以切断英国的通商路线，威胁其对印度的占领。从法国地中海港口派出大规模海军远征舰队。英国海军上将纳尔逊奉命率舰队拦截。他率领14艘战舰与停泊在亚历山大港附近的阿布吉尔湾的法国海军上将F.-P.布律埃所率海军分遣队的13艘战舰相遇。尽管夜幕将垂，法舰又居有利地位，纳尔逊仍下令进攻。数艘英舰迂回进入法舰队阵地后方。激战中纳尔逊头部受伤。晚10时左右战斗最为激烈，布律埃的旗舰爆炸，布律埃阵亡。法舰除2艘外均被击毁或俘获；拿破仑在埃及陷入孤立无援的状态。此次战役保证了英国对地中海的控制。

Nile perch(*Lates niloticus*) **尼罗河鲈** 即尼罗尖吻鲈。鲈形目尖吻鲈科的大型食用和游钓鱼，产于尼罗河及非洲其他河流湖泊中。口大，体上部淡绿或淡褐，下部银白色，体长可达约1.8米，重达140千克，下颌突出，背鳍2个，尾鳍圆形。本科在非洲的河系以及亚洲和澳大利亚的沿海及河口，还有几个其他种类。尖吻鲈科成员有时与婢鲈和玻璃鱼一起划入婢鲈科(Centropomidae)。

Nile River 尼罗河 非洲和全世界最长的河流，源出赤道以南的高原，向北流经东北非，注入地中海。尼罗河流域占非洲大陆面积的1/10左右，分为7个大区：①东非湖区高原，②山岳河流区，③白尼罗河区，④青尼罗河区，⑤阿特巴拉河区，⑥喀土穆以北尼罗河区，⑦尼罗河三角洲。最远的源头是布隆迪东非湖区中的卡盖拉河，该河北流，经过坦桑尼亚、卢旺达和乌干达，从西边注入维多利亚湖。尼罗河干流源起该湖，称维多利亚尼罗河，穿过基奥加湖和艾伯特湖，流出艾伯特湖后称艾伯特尼罗河。该河干流在尼穆莱附近进入苏丹。与索巴特河汇合后，称白尼罗河，又与源出中央埃塞俄比亚高地的青尼罗河汇合，在喀土穆东北接纳最后一条主要支流阿特巴拉河。然后向西北绕一S形弧线，经过3个瀑布后注入纳塞尔湖(在苏丹称努比亚湖)。经开罗进入尼罗河三角洲，分成若干支流，然后注入地中海东端。在阿斯旺以下尼罗河的特点是每年有洪水泛滥。在苏丹北部通常5月即开始涨水，8月达到最高水位，以后水位逐渐下降，1～5月为低水位。虽然洪水是有规律的现象，但是水量及涨潮时间变化很大。洪水的起因是青尼罗河和阿特巴拉河，这两条河的水源来自埃塞俄比亚高原上季节性的暴雨。尼罗河的河水80%以上是由埃塞俄比亚高原提供的，其余的水来自东非的高原湖。

流经埃及阿斯旺的尼罗河

美国不列颠百科全书公司供图

尼罗河流域中几乎没有一个地区有着真正的赤道性气候。较大部分地区受信风影响，这是流域普遍干旱的原因。尼罗河干流自喀土穆向北至阿斯旺是在沙漠间穿行。两岸有狭长的植被带。在土壤条件允许时，河岸及邻近土地靠灌溉进行耕作，因而使一些居民得以维生。从阿斯旺向北至开罗，河两岸是肥沃冲积土的泛滥平原，宽度逐渐增加到19千米左右，全靠灌溉种植。过了这一段，两岸都是沙漠。尼罗河流域以外的沙漠地区从地中海向南延伸至苏丹中北部的阿特巴拉。这一地区大部分无雨水，无植被，星星点点的绿洲除外。南面为真正的稀树草原。再向南沿青尼罗河一带则有真正的雨林。尼罗河系鱼的种类很多。著名的品种有供人食用的罗非鱼、大尼罗河鲈鱼(有的可重达140千克)及多种鲇鱼。爬行动物有鳄鱼、软壳龟、巨蜥和多种蛇。尼罗河上游流域的居民称作尼洛特人。苏丹南部大部分居民是操尼洛特语和操班图语的人。苏丹中部是闪米特人，北部是穆斯林阿拉伯人和努比亚人。尼罗河为居住点供水至少已有5 000年，在19世纪末以前修成几座拦河坝，因而可以全年灌溉。至20世纪初，运河系统进行了改造，1902年阿斯旺第一座水坝建成。1959年至1970年又修建了**阿斯旺高坝**(**Aswān High Dam**)，可以控制尼罗河每年的洪水，保护了居民和农作物,还可提供很大的发电量。尼罗河还是运输旅客和货物的重要水道。尼罗河全长6 650千米,流域面积3 349 000平方千米,年平均流量3 100米^3/秒。

Niles 奈尔斯 美国密歇根州西南部贝林县城市。位于南本德北面16千米处,濒临圣约瑟夫河。是该州先后受法、英、西、美四国占领的唯一地方。1828年建为芝加哥和底特律间的公共马车站及居民点。1835年设村。1859年设市。为圣约瑟夫河流域农产品集散中心。人口12 204(2000)。

Niles 奈尔斯 美国俄亥俄州东北部特兰伯尔县城市。位于扬斯敦西北11千米处,临马霍宁河。为马霍宁流域工业联合体之一部分。1797年始有白人定居,并发现煤、铁矿、石灰石矿。1806年设镇,1843年称现名。1856年通铁路,促进了工业发展。工业制品有建筑材料、钢材、车床、工具和模具。为美国总统W.麦金利出生地(1843),市中心有麦金利纪念堂。1865年设村;1895年设市。人口20 932(2000)。

Niles, Hezekiah 奈尔斯(1777-10-10,美国宾夕法尼亚州切斯特县杰弗里斯福德~1839-04-02,特拉华威尔明顿) 报纸主编和发行人,是早期美国新闻界最重要的人物之一。公谊会教徒之子,17岁在费城当一名印刷业者的学徒,三年满师后,到特拉华州威尔明顿做过几种工作,包括出版一本短暂的文学杂志《太阳神》。1805年到巴尔的摩,担任《巴尔的摩晚邮报》的主编,直至1811年。之后,他为创办《一周纪事报》(后改称《奈尔斯一周纪事报》)发出倡议书,自任该报主编和发行人,直至1836年。该报为美国最有影响的报纸之一。奈尔斯赞成保护性关税与逐渐废除奴隶制,并为这两个目标不懈地进行宣传。他的报纸至今仍是研究当时美国政治和经济问题的极为宝贵的资料。

Niles, John Jacob 奈尔斯(1892-04-28,美国肯塔基路易斯维尔~1980-03-01,肯塔基列克星敦附近布特希尔农庄) 美国民歌手、民俗学家和独唱与合唱歌曲作曲家。出身音乐世家。在阿巴拉契亚山区做勘测员时被当地民歌所吸引。第一次世界大战服役后,在俄亥俄州的辛辛那提音乐学院、法国里昂音乐学院及巴黎圣歌合唱学校接受音乐教育。1921年在纽约市成为银舞鞋夜总会节目主持人,后与M.克尔比结伴以民歌手身份广泛地在美国及欧洲作巡回演出。他还自制诗琴和阿巴拉契亚大扬琴。是阿巴拉契亚山区民歌专家。他的歌谣集常常收有自己创作的(如《浪迹天涯,遐想联翩》和《我的心上人的乌发》)或改编的作品。出版的作品包括《我妈妈从未教我的歌》(1929),《山区老百姓的歌》(1934),《约翰·雅各·奈尔斯之歌》(1961)等。最后一部作品是1972年的奈尔斯-默顿声乐套曲。

nilgai(*Boselaphus tragocamelus*) **蓝牛** 又作bluebuck。偶蹄目牛科动物,羚的一种,分

蓝牛(*Boselaphus tragocamelus*)
美国不列颠百科全书公司供图

布于印度。单独或小群栖于开阔平原或稀疏树林中。由于雄体毛色浅蓝灰色而得名;雌体浅褐红色。成体肩高约1.4米。两性都有短鬃毛,腹、耳、面、喉部和蹄上方有白色斑块。雄体有短而稍弯的角,喉部有一撮黑毛。

Nīlgiri Hills 尼尔吉里丘陵 印度东南部泰米尔纳德邦山区。尼尔吉里诸峰从周围平原陡然耸起,海拔1 800～2 400米;其中多达贝达峰高达2 637米,为邦内最高峰。丘陵属西高止山脉一部分,北与卡纳塔克高原隔诺亚尔河相望,南与阿奈马莱和伯尔尼丘陵由巴尔卡德峡谷分开。气候较四周平原更为寒冷、潮湿。丘陵上部为起伏的草地。当地广泛种植茶、金鸡纳树(树皮可提取奎宁)、咖啡和蔬菜。

Nilo-Saharan languages 尼罗-撒哈拉诸语言 非洲大语群,某些学者认为应组成一个语系。这个假定语系包括桑海语、富尔语、科马诸语言、马巴诸语言、撒哈拉诸语言、沙里-尼罗诸语言。尼罗-撒哈拉诸语言通行地区西起马里,东抵埃塞俄比亚;北自埃及,南达坦桑尼亚。到21世纪初,由于一些小语种的使用者改为使用其他更广泛的语言,导致部分小语种处于消失的危险中。

Nilópolis 尼洛波利斯 巴西里约热内卢市郊卫星城,在市西北24千米处。海拔28米。20世纪60和70年代,工业大量集中在大里约热内卢都市区周围,该城市发展很快,现有冶金、肉类加工、制药、化工、肥皂、香精、蜡烛、塑料、皮革等工厂。远郊农业区有大面积橘林。有公路与铁路通往里约热内卢市和内地社区。市民乘电气公交列车可迅速到达里约热内卢市中心。人口约153 572(2000)。

Nilot 尼洛特人 又译尼罗人。非洲中东部诸民族,住在苏丹南部、乌干达北部和肯尼亚西部。因其居住区多在尼罗河上游及其支流地区,且语言亦有别于同文化、同体格的近邻,故取名尼洛特人(参阅 **Nilotic languages**),20世纪末约有700万人。尼洛特人亦牧亦农,兼捕鱼、狩猎和少量的食品采集。他们养牛并不专为食用,多用为嫁妆与赔偿之物。牛代表地位和财富。男子普遍整修和装饰其喜爱的公牛牛角。在许多场合下,牛的名字即是主人的称谓。尼洛特人中的努尔部落和丁卡部落随着季节驱赶畜群迁移,其他部落的居处较为固定。尼洛特人按父系相传,并热衷于祖先崇拜,也信奉至高神明。某些部落崇拜图腾,其中以丁卡人为最。

Nilotic languages 尼罗诸语言 通行于乌干达、肯尼亚、苏丹南部和坦桑尼亚北部的一个关系密切的语群。这些语言常被划入尼罗-撒哈拉语系沙里-尼罗语族东苏丹语支。从前主要根据种族和文化因素,把这个语群分为两个分支:尼罗语分支和尼罗-含米特语分支。现在有些学者常考虑到这些语言明显的相互关系,认为应把这两支语言看作一个语支,把尼罗诸语言划分为:西部分支,包括希卢克语、努埃尔语和卢奥语;东部分支,包括马萨依语和图尔卡纳语;南部分支,包括南迪语和苏克语。尼罗诸语言是声调语言,经常用声调来区分名词的单数和复数或者用以指明在特定句子里某个词的句法功能;句子中主句的主语位于动词前;也有些语言用后缀来标志复数。

Nilsson,(Märta) Birgit 尼尔逊(1918-05-17,瑞典西卡鲁普~2005-12-25,西卡鲁普) 母家姓Svennsson。瑞典歌剧女高音歌唱家。以表演瓦格纳作品和嗓音丰满洪亮而闻名。在斯德哥尔摩师从J.希斯洛普,后入皇家歌剧院,1946年初次登台演唱C.M.冯·韦伯《自由射手》中的阿加特。一年后在皇家歌剧院扮演G.威尔地的麦克白夫人获极大成功。随后又成功地在维也纳和拜罗伊特等剧院演出。1954～1970年间曾扮演R.瓦格纳的绮瑟、西格林德和布吕恩希尔德等角色。1957年初次登上伦敦科文特加登剧院舞台。1958年初次在米兰拉斯卡拉歌剧院露面。1959年赴美国纽约市大都会歌剧院演出。所唱其他重要角色有R.施特劳斯的莎乐美和厄勒克特拉,贝多芬的莱奥诺拉以及韦伯的黎恩济。1975年斯德哥尔摩首次上演施特劳斯的《没有影子的女人》时由她饰演染匠之妻一角。1969年,奥地利政府授予她"宫廷歌唱家"称号,1981年瑞典政府为她发行了纪念邮票。1984年退休。

Nilus of Ancyra, Saint **尼卢斯(安卡拉的),圣**(?～约430,加拉太安卡拉) 拜占廷隐修院院长,著有许多苦修文章。他是坚持正统教理而厉行改革的君士坦丁堡牧首圣约翰·克里索斯托(金口约翰)的追随者,一贯支持后者反对教会内的对手和帝国朝廷。尼卢斯在这种斗争的影响下,草成致哥特人书信数篇,批驳阿里乌主义,力辩基督是神人共在一位之中,圣母是"生神者"。后尼卢斯离开君士坦丁堡去隐修,最终任安卡拉附近一隐修院院长,曾施行神迹奇事,宣讲灵修之道,闻名一时。他撰写小册子多种,论述道德及隐修问题。除了这些篇幅较长的作品以外,尼卢斯还有致不同人物的书信共约1 000封,现仅存部分残篇。他往往在著作中注释经文,主要使用释义和历史方法,偶尔也用寓言法。他还有一篇文章论宗教艺术中的镶嵌工艺。

Nilus of Rossano, Saint **尼卢斯(罗萨诺的),圣**(约905,那不勒斯王国卡拉布里亚罗

萨诺[意大利]～1005-12-29,罗马附近圣阿加塔隐修院） 隐修院院长。他根据圣巴西勒(凯撒里亚的)的希腊隐修院制度在意大利卡拉布里亚地区建立隐修院,从此把希腊教会的隐修制度引进意大利。

Nīmach **尼默杰** 又拼 Neemuch。印度中部中央邦西部城镇。位于荒芜山脊上。手织机织布为其主要工业。为公路交叉点以及农产品和建筑石料的集散中心。设有维克拉姆大学的一所附属学院。四乡曾一度以猎虎区闻名远近。人口:城镇65 860;都会区68 853(1981)。

Nimba Range **宁巴山脉** 位于几内亚-科特迪瓦-利比里亚边界的山脉，呈西南-东北走向。最高峰宁巴山，海拔1 752米（几内亚境内）。山南为低地雨林，山北为热带草原。由山地发源的努翁河和卡瓦拉河构成利比里亚-科特迪瓦的边界。山地建有自然保护区和森林保护区。矿藏丰富。自1963年开始，利比里亚的美国-瑞典矿业公司大规模开采铁矿，并通过公司所属长270千米铁路线至大西洋布坎南港输出。在与利比里亚达成使用铁路的协议后，欧洲国际财团被授予开采该山脉在几内亚境内矿藏的特许权。

Nimbārka **宁巴尔迦**(活动时期12或13世纪?,南印度） 操泰卢固语的婆罗门、瑜伽师、哲学家和天文学家。他所创立的宁巴尔迦派又称尼玛伐特派,崇拜黑天及其配偶罗陀。该派又称尼曼陀派,在公元13、14世纪盛行于印度东部地区。根据该派的哲学,人处在肉体的羁绊和物质的制约之下,只有顺从罗陀和黑天,才能蒙恩而得解脱,死时即可舍弃肉体。由此可见,宁巴尔迦强调守贞专奉派的瑜伽。

nimbus(in art) 参阅 **halo** 光轮。

Nimeiri, Gaafar Mohamed el- **尼迈里**(1930-01-01,苏丹恩图曼瓦德努巴维～2009-05-30,恩图曼） 又拼 Ja'far Muḥammad an-Numayrī。Nimeiri 又拼 Nemery 或 Numeyri。苏丹陆军少将、武装部队司令、总统(1971 ～ 1985)。1952年苏丹军事学院毕业后任喀土穆警备司令,多次参加推翻苏丹前政权的活动。1966年毕业于美国堪萨斯州莱文沃恩堡陆军军官学院。3年后,他推翻了文官政府,成为总理和革命指挥委员会主席。1970年3月挫败萨迪克·马赫迪右翼叛乱。1971年7月共产党人政变后被赶下台。同年9月公民投票,他又以98.6%的绝对多数当选总统。他解散革命指挥委员会,于1972年建立苏丹社会主义联盟,任主席。他通过谈判解决了苏丹南部地区为期10年的冲突,从而赢得声誉。尼迈里任职初期执行社会主义经济政策,不久便改行有利于资本主义农业的路线,计划将苏丹变成非洲粮仓。他是第一个支持埃及总统萨达特与以色列媾和的穆斯林领袖。尼迈里统治期间发生过多次未遂政变。1985年4月,尼迈里在出国访问期间被国防部长发动的不流血政变所推翻。新政权转向与利比亚建立更亲密的关系。

Nîmes **尼姆** 法国南部朗格多克-鲁西永大区加尔省省会、城市。位于里昂西南偏南。城北和西面是有加里格山之称的荒丘,尼姆位于山脚向东、南延伸的产葡萄的平原上。早为高卢部落首府。公元前121年归降罗马。奥古斯都皇帝在此建立新城,授予其特权,使之迅速繁荣。公元5世纪遭到汪达尔人和西哥特人劫掠。后被萨拉森(阿拉伯)人占领,737年萨拉森人被逐。10世纪该城归属图卢兹伯爵。1229年并入法国王室领地。19世纪后期通铁路后,该城再次辉煌。罗马时期该城是最富有的高卢人城镇,现以众多罗马古迹著称。绝大多数古迹保存完好。有24 000个座位的圆形大剧场约建于1世纪,高21米,从外面可

尼姆城外山上的古罗马塔遗迹
美国不列颠百科全书公司供图

以看到上有顶楼的两排60个拱门,这是从附近采石场运来的大石块,未用灰泥而垒成的,5世纪被西哥特人用作要塞。中世纪在其内建有房屋,甚至教堂。1809年清除了建筑物后,现充作斗牛场用。尽管历史发生变化,它仍然是保存得最好的罗马圆形剧场之一,著名的卡雷尔神庙(1世纪)是罗马人在高卢建造的最华丽的庙宇之一。多年来一直充作市政厅、私人住房、马厩、教堂等用。城边上的喷泉花园设计于1745年。前耶稣会学院内有考古学博物馆,收藏许多珍贵的罗马和铁器时代文物。1960年后人口有很大增加,多来自农村移民和北非特别是阿尔及利亚的移民。传统纺织业和服装业仍繁荣。新兴工业有制鞋、食品加工(水果罐头、白兰地酒)及电器和农业设备制造等。尼姆也是一个重要集市城镇,以销售葡萄酒闻名。为重要的铁路商业运输枢纽。人口120 515(1982)。

Nimitz, Chester W(illiam) **尼米兹**(1885-02-24,美国得克萨斯州弗雷德里克斯堡～1966-02-20,圣弗朗西斯科附近） 第二次世界大战时期美国太平洋舰队司令、最优秀海军行政官和战略家之一,曾指挥太平洋区域的全部陆上和海上部队。1905年毕业于马里兰州安纳波利斯的美国海军学院。第一次世界大战中任美国大西洋潜艇部队司令的参谋长。1939年任美国海军航行局局长。1941年12月日本袭击珍珠港后他立即被提升为太平洋舰队总司令,统帅陆海两军。1942年6月他豪迈地宣告,中途岛和珊瑚海战役取得了决定性胜利,敌军蒙受的损失比美国在珍珠港蒙受的损失大10倍。以后几年他又指挥了所罗门群岛战役(1942～1943),吉尔

美国海军部供图

伯特群岛战役(1943),马绍尔群岛、马里亚纳群岛、帕劳岛、菲律宾群岛诸战役(1944),硫黄岛战役和冲绳岛战役(1945)。日本投降书是1945年9月2日在东京湾尼米兹的旗舰"密苏里"号上签署的。1944年12月尼米兹被授予海军最高军衔——海军五星上将。战后任海军参谋长(1945 ～ 1947),曾与E. B. 波特合编《海军史》(1960)。

Nimrod **宁录** 传说的圣经人物。《创世记》第10章8 ～ 12节说:"他为世上英雄之首,他在耶和华面前是个英勇的猎户。"《创世记》说,宁录的国开始是巴别、以力和亚甲,都在示拿地。相传宁录曾建尼尼微、卡拉(今尼姆鲁德)、利河伯(雷霍伯恩)、利鲜(雷森)等大城。许多圣经学者认为,宁录不是指个人而是指美索不达米亚的一个古代民族。

Nimrūd(ancient Assyrian city) **尼姆鲁德** 参阅 **Calah** 卡拉。

Nimwegen(The Netherlands) **尼姆韦根** 参阅 **Nijmegen** 奈梅亨。

Nimzowitsch, Aron **尼姆佐维奇**(1886-11-07,俄罗斯帝国拉脱维亚里加～1935-03-16,丹麦） 拉脱维亚出生的国际象棋大师,国际象棋理论家。虽多次参加比赛而未能赢得世界冠军,却以所著《我的着法》(1925)闻名于世。他8岁从父学棋,1904年入柏林大学,潜心钻研棋艺。他在《我的着法》一书中所提出的理论,后人称为超现代派学说,至今仍是权威。他的主要贡献在于,创造一套新的国际象棋语汇,把棋坛大师的战术讲得通俗易晓。此外他还提出尼姆佐维奇-印度防守术等几种国际象棋理论。

Nin, Anaïs **尼恩**(1903-02-21,法国讷伊～1977-01-14,洛杉矶） 法国出生的美国长篇和短篇小说家。因所出版的她的8部日记而享有文学声誉。她的作品反映了超现实主义运动的影响和她在O.兰克指导下所作的精神分析研究。1914年被母亲带至纽约受教育,后返回欧洲。她的文学生涯始于《D. H. 劳伦斯浅论》(1932)。第二次世界大战初,尼恩重返纽约,继续自费出版她的长篇和短篇小说。直至1966年她的第一卷日记问世后,

才被承认为重要作家。《日记》的成功使人们对其早期作品发生兴趣。其早期作品有《内地的城市》(1959)，是一部5卷集连续小说：《通向火的梯子》(1946)、《信天翁的孩子们》(1947)、《四心室的心脏》(1950)、《爱情之家的间谍》(1954)、《太阳舟》(1958)。她在文学方面的贡献，在她生前已有争议，逝世后仍然如此。很多评论家赞赏她表现女性的独特手法，以及她的抒情风格和心理洞察力。另一些评论家则把她的自我表现斥之为自我放纵和自我陶醉。她死后出版的《维纳斯的三角：色情作品集》(1977)进一步加深了分歧。该书收入她在40年代初经济拮据时受雇而写的未发表的色情故事。其他作品有短篇小说集《玻璃钟下》(1944)和小说《乱伦之家》(1936)、《弥诺陶洛斯的诱惑》(1961)、《大杂烩》(1964)，以及收入《计巧的冬天》(1939)的3部中篇小说。

Ninazu　尼纳苏　美索不达米亚宗教所崇奉的神灵，流行于苏美尔人中间，是南部盛产水果的拉尔萨和吾珥两地之间幼发拉底河畔城市恩内吉尔的护城神，又是埃什努那城(今伊拉克东部泰勒艾斯迈尔)的护城神。尼纳苏原为冥神，其职司不详。恩内吉尔人认为他是冥界女神厄里什基迦勒之子。又说，他是恩利尔(贝勒)和宁利尔(贝利特)之子。娶埃阿之女宁基达为妻。

Nine Men's Morris　九连棋　又作Morris，Morelles，Merelles，Merels，Mill或the Mill。古老棋类游戏。14世纪盛行于欧洲，现以不同形式流行于世界。棋盘上绘有3层同心方格，加上若干截线，形成24个交叉点。现代玩法一般不用斜线。2人对弈，每人9子，轮流将子置于交叉点上，力图使3子连成一线，称为三连，即可吃掉敌方1子，但不可吃已形成三连的子。9子都已用上以后，继续轮流走子，目的依旧。1子从三连中走出后，仍可回到原位组成新的三连。将敌子吃得只剩2子时即为胜。

9to5, National Association of Working Women　9比5全国职业妇女协会　1973年成立的组织，旨在改善美国女员工的工作条件并保障其权益。总部设在威斯康星州的密尔沃基。起源于1972年12月创刊的《9比5新闻通讯》。一年后其出版者宣布，为工资过低、缺少升迁机会的女员工组建基层集体组织"波士顿9比5"。该组织最初取得的胜利是共同起诉波士顿几家出版公司，使原告妇女获赔150万美元。1977年"波士顿9比5"与几个同类组织联合组建全国性组织"职业妇女组织项目"，由"波士顿9比5"创始人K.努斯鲍姆担任领导。经几次更名后，1983年采用现名，并成为美国最大的职业妇女会员制组织。20世纪80和90年代，该组织着力解决自动化影响、薪酬不公、病假、种族歧视和性骚扰等问题，并有效利用媒体及议员，促使公众注意视频显示终端带来的健康危险。90年代通过媒体引发公众对几起性骚扰案例的关注。1987年创办"工作保持计划"，帮助办公室工作人员提高时间安排、制定目标和解决问题的技能。此外，还出版《工作/家庭挑战：9比5指南》(1995)等情况介绍、业务通讯方面的书刊，使工作人员及时了解时事。

ninepins　九柱地滚球　地滚球的一种。可能源起于中世纪欧洲大陆。早期德国九柱地滚球道用泥土或煤渣铺成，后改用1英尺宽整块长木板铺设。球柱摆成方形，其中一角向着球员，这种特点仍由现代阿斯弗尔特球、博尔球和谢丽球所保留，并由国际地滚球联合会确定其为国际比赛的标准。

1901, Peace Treaty of　《辛丑条约》　又称《辛丑和约》、《北京议定书》。由英、美、德、法、俄、日、意、奥组成的八国联军强迫清政府签订的不平等条约。1900年八国联军攻占北京，12月24日，先由法国提出，继由英、俄、德、日、美等国补充的所谓"议和大纲"12条，清政府被迫全部接受。1901年9月7日清政府代表奕劻、李鸿章与英、德、俄、日、美、奥、法、意、西、荷、比11国代表在北京正式签订《辛丑和约》。共12款，附件19件。主要内容有：惩办肇事官员，向各国道歉；赔款白银4.5亿两，分39年还清，年息4厘，本息共9.8亿多两，以海关税、通商口岸常关税和盐税作抵押；划北京东交民巷为使馆区，由各国驻兵管理；拆毁大沽以及北京至海口诸炮台，北京到山海关铁路沿线要地12处允各国驻兵；总理各国事务衙门改为外务部，列六部之前，办理对外事务；永远禁止中国人成立或参加"与诸国仇敌"的各种组织，违者处死；各省官员对所属境内发生的"伤害诸国人民"事件必须立刻镇压，否则即行革职永不叙用；对附和过义和团的官员，监禁、流放和处死。《辛丑条约》加紧了西方强国对中国的统治，使清政府无力反抗。

1911, Chinese Revolution of　辛亥革命　1911年(辛亥)10月10日爆发的中国民族民主革命。革命结束了中国的君主专制制度，建立起第一个民主共和国——中华民国。1894年孙中山在檀香山火奴鲁鲁的华侨中建立第一个革命团体——兴中会。1895年2月，孙中山在香港建立兴中会总部。1903年黄兴在长沙建立华兴会，1904年上海成立光复会。1905年孙中山、黄兴等在日本东京成立中国同盟会，以"驱除鞑虏，恢复中华，建立民国，平均地权"为纲领，主张发动武装起义。1911年5月清政府向英、法、德、美四国银行团出卖粤汉和川汉铁路修筑权，此举立即激起民愤，在全国掀起大规模的保路运动，成为

武昌起义时，武昌城外革命军炮队隔江攻击敌军
中国大百科全书出版社供图

辛亥革命的导火线。10月10日武昌起义爆发，各省纷纷响应。湖北、湖南、陕西等14个省先后宣布独立、脱离清政府。后17个省代表会议推举孙中山为中华民国临时大总统，1912年1月1日在南京成立中华民国临时政府。武昌起义后，清政府起用袁世凯，企图以军事力量压制革命。袁世凯利用时机，与革命政府谈判，结果清帝于2月12日被迫退位，为了争取南北方达成协议，双方商定孙中山辞去临时大总统一职，革命党人同意选举袁世凯为大总统。但在政权交替前，革命政府颁布了"中华民国临时约法"，以限制袁的权力。后来张勋、袁世凯复辟帝制的企图都未能得逞。

1927, Generation of　二七年一代　指20世纪20年代晚期成名的一群西班牙诗人及其他作家。1927年他们之中有几位合出了一册纪念贡戈拉-阿尔戈特逝世300周年的诗集，极受推崇，因而得名。"二七年一代"与大多数散文体作家的"九八年一代"形成对比，其成员几乎毫无例外都是诗人，主要有F.G.洛尔卡、R.阿尔维蒂、J.纪廉、V.阿莱克桑德雷、L.塞尔努达、P.萨利纳斯、G.迭戈及D.阿隆索等。一般说来，这些诗人均受到较为广泛的欧洲文学运动诸如象征主义、未来主义及超现实主义的影响，并把这些运动的主张引入西班牙文学。他们拒绝使用传统的格律和押韵，在其诗作中摒弃了记事和严谨的逻辑描写，代之以经常出现的大胆创新的隐喻，并自创新词，注入高度象征性或揭示性的形象，以求表达个人内心体验的某些方面。他们也袭用谣曲、世代口传的歌谣与抒情诗以至贡戈拉的诗作的题材。"二七年一代"诗人的个人风格与关注的问题各各不同，但作为集体，他们成为20～30年代及40年代初期西班牙诗歌的主流。西班牙内战(1936～1939)及其余波对这些诗人进行的这类试验起了阻遏的作用。此后的西班牙诗作也摒弃了他们这种过分高雅深奥的美学思想。

1932, Revolution of (Thailand)　**1932年革命**
参阅 **Promoters Revolution** 促进派革命。

'98, Generation of 九八年一代 英语又作 Generation of 1898。西班牙语作 Generación del 1898 或 Generación del Noventa y Ocho。指在美西战争(1898)中活跃着的一批西班牙小说家、诗人、散文家、思想家,他们致力于复兴西班牙文学,使西班牙数世纪来在学术和文学方面失去的卓越地位得以恢复。西班牙在这场战争中的失败激起许多作家和思想家的思考和对西班牙的问题及它的命运的分析。"九八年一代"从未形成运动或流派,他们在不同的领域以不同的方式从事工作,在研究或解决西班牙的问题方面很少取得一致,但他们有着共同愿望,即要使西班牙人民从他们认为是冷漠的状况中惊醒,恢复民族自豪感。J.科斯塔、A.加尼韦特、M.德·乌纳穆诺,一般被认为是九八年一代的先驱,但是许多文学史家,却认为加尼韦特,通常还有乌纳穆诺,是该集团的成员。其他突出人物有阿索林、哲学家和评论家 J.奥尔特加-加塞特、小说家 P. 巴罗哈、V.布拉斯科·伊巴内斯、R. M. 德尔·巴列-因克兰、诗人 A. 马查多(鲁伊斯)和 M. 马查多(鲁伊斯)兄弟。他们促使西班牙文学复兴,给小说带来了新的目的性,使杂文上升到重要地位。同时,还把外国文艺界和思想界的动向介绍给西班牙,使西班牙人民从现代世界的角度出发,重新估价自己的价值,从而唤醒民族意识,为 20 世纪西班牙文化的发展铺平道路。

Ninety-five Theses 《九十五条论纲》 德意志宗教改革家路德就赎罪券问题用拉丁文撰写而于 1517 年 10 月 31 日张贴在维滕贝格城堡教堂大门上的辩论提纲。这一事件被认为是宗教改革运动之开端。将自己的论点张挂在教堂门上供大家议论,是当时流行的惯例,在一般情况下,路德的论点只有专业神学家才感兴趣。但由于当时政治和宗教上种种情况以及印刷术的发明,这份论纲在数周之内即传遍德意志全境。这份宣言书一出,公众对教廷推销赎罪券的抗议遂演变成为西派基督教会历史上最严重的危机。关于赎罪券的教义,在天主教会内并不明确,后来特伦托会议(1545 ～ 1563)才对它作出了说明并废止了它的滥用。人犯了罪,有时应受现世的惩罚,这种惩罚中的一部分可以用钱代替,这也可以说是以务实方法完成一部分悔罪圣事;这就叫做赎罪。赎罪券的待遇由教皇授权赐予,由受权的代理人分发。但赎罪券并不意味神的赦免可以买卖,也不是说,它适用于不悔罪、不认罪的人。但是在中世纪,教廷财务困难日益复杂化,就一而再,再而三地用以聚敛钱财,过分举措司空见惯。教皇西克斯图斯四世扩大赎罪券的范围,把炼狱中的灵魂也包括进去,引起了更多的误解。推销赎罪券的人员,往往过甚其辞的说法,也引起神学界的指责。1517 年的局势的近因是教廷为筹资重修罗马圣彼得大教堂而发行新的一批赎罪券。但是,根据或许包括路德本人在内的许多德意志人民所不知的秘密协议,销售这批赎罪券的所得,半数将付给美因茨大主教兼选帝侯阿尔贝特,供他偿债之用;原来,他为了运动教皇授予此项高职,曾向金融豪门富格尔借得巨款。九十五条论纲只是初步意见,路德对其中若干点尚无确定主张。他虽然批评教廷的政策,但并未否认教皇发售赎罪券的权利。他强调基督教具有属灵的、内向的性质。他指出,教会向穷人收敛金钱,付给富足的教廷;德国人早已有这种说法,他们对被迫向教廷输款,早已心怀不满。其后,美因茨大主教惊慌失措,于 1517 年 12 月把路德的这篇文章转呈罗马教廷,并请求对路德加以制止。有一位多明我会神学家写出反论纲,于 1518 年 1 月在法兰克福向一些多明我会会士宣读。路德既获悉他的这份论纲广泛引起注意,遂以拉丁文撰写长文,对这九十五点逐条详加阐述,此文于 1518 年秋出版。

Ninety Mile Beach 九十英里海滩 在新西兰北岛奥克兰半岛北端的奥波里半岛西岸。自斯科特角(西北)至阿希帕拉湾(东南)长 88 千米,邻接丛林地带和沙丘。现为游览区,可进行垂钓和在硬沙滩上进行赛车活动。

Nineveh 尼尼微 古代亚述帝国人口最多和最古老的城市。在底格里斯河东岸,与今伊拉克的摩苏尔隔河相望。当地最早居民点大致不晚于公元前 7000 年。公元前 700 年左右成为一个宏伟的城市,建起新街道、广场和号称"举世无双"的宫殿。当时尼尼微面积约 700 公顷,城墙开有 15 座巨大城门。前 7 世纪时,亚述王亚述巴尼拔建造了一座巨大的图书馆,馆内收藏有 2 万多块刻有楔形文字的泥版,内容涉及文学、宗教、政治以及数学、植物学、化学和词汇学。公元前 612 年,该城被巴比伦人、西徐亚人和米底人劫掠并焚毁,此后不再具有重要地位。1820 年开始考察发掘。1845 ～ 1851 年发现辛那赫里布宫和大图书馆。1929 ～ 1932 年发掘出亚述纳西拔二世宫。公元前 2 000 多年前的一座铜铸并经雕镂的君主头像在当地出土,工艺精美,被认为是美索不达米亚地区发现的最出色的金属雕像。其他出土物有陶器和晚些时候的瓷器等。根据现存遗物得知,早年的尼尼微城墙周长约 12 千米,宽达 45 米,墙外有护城河。15 座城门为圬石结构。奈迦尔门内有两座带翅膀的石牛像,城门附近有伊拉克文物局建立的博物馆。其中给人印象最深的太阳神城门已由伊拉克文物局全部挖掘。须经过两重护城河和一条水渠上的桥梁始能入城。城墙以石灰石为面,上端建有雉堞状胸墙。城门内侧有些刻制粗糙的石板,描绘一座燃烧的城楼。这些雕刻可能表示尼尼微的陷落,当属亚述以后时期的作品。

Ningbo 宁波 又拼 Ning-po。中国浙江省辖地级市,重要海港城市。简称"甬"。位于省境东北部,东海之滨,甬江及其支流余姚江、奉化江汇合处。自秦初置县,历代有鄮县、鄞县、明州等称呼。明洪武十四年(1381)改明州府为宁波府,因当时辖有定海县,取"海定则波宁"之义。1912 年废府存鄞县。1949 年析鄞县城区置宁波市。辖海曙、江东、北仑、江北、镇海、鄞州 6 区及宁海、象山 2 县,并代管余姚、奉化、慈溪 3 县级市。面积 9 365平方千米,其中市区面积2 560平方千米。地处浙东丘陵东北部和宁绍平原东部,西、南

宁波市三江口的甬江斜拉桥
中国大百科全书出版社供图

有四明山、天台山,河流以甬江水系为主。海岸线曲折,有北仑、象山等良港。海上有舟山群岛屏障。沿海有从南方来的北赤道暖流,冬季又有自北而南的近岸寒流。每年 6 ～ 10 月多东南偏南风,10 ～ 2 月多西北偏北风。定向的洋流与转换的季风有利海上航行,因此自唐、宋以来便是中国沿海重要的对外贸易港口、军港和造船中心。北宋淳化元年(990)已在此设市舶司。清道光二十二年(1842)辟为商埠,为中国沿海五个通商口岸之一。此后由于甬江航道淤浅,铁路兴起,经济腹地缩小,被后起的上海港所取代。宁波早在 1887 年就建有机械轧棉厂,后又兴办纱厂、榨油厂等近代工业,但发展缓慢。1949 年后原有的轻纺、食品工业增长较快,机械、造船工业也有较大发展,并新建了化工、电子、冶金等工业以及橡胶、变压器、搪瓷、石棉、塑胶、制药等工厂。镇海石油化工总厂是浙江石油化工基地,镇海发电有限责任公司是浙江最大的火力发电企业,发电能力为 150 万千瓦。手工业品有骨木镶嵌的家具,沥粉制作的屏风,以及绣服、竹器、宁席等。农业除种植水稻、小麦外,慈溪、镇海等地盛产棉花,为浙江重要产棉区。奉化水蜜桃、余姚杨梅为传统名产。沿海海产捕捞和养殖业发达。宁波为中国沿海中部重要良港,有宁波、镇海、北仑 3 个港区,其中北仑港建有 10 万吨级现代化大型深水码头。有定期海轮通达上海、舟山、温州等,并有不定期货轮来往大连、秦皇岛、天津、青岛、广州、厦门等地。1979 年 6 月,宁波港重新对外开放。萧甬铁路、宁波至北仑港铁路、杭甬公路等与海运相连。民航班机通北京、广州、深圳及香港等地。市区有宁波大学、宁波师范学院等高等院校。主要名胜古迹有天一阁、保国寺、阿育王寺、天童寺、东钱湖等。人口:全市5 520 000(2005);市区2 080 000(2004)。

Ninghe 宁河 中国天津市辖县。地处市境东部,濒临渤海,跨蓟运河、潮白新河下游。县府驻芦台镇,距天津 80 千米、北京 185 千米。铁路、公路交通方便。清雍正九年(1731)从宝坻县析出,置宁河县。原属河北省,1973 年划归天津市。面积1 414平方千米。有煤、石油、天然气、地热等矿产资源。境内地势低平,是中国北方著名的"鱼米之乡"。小站稻、银鱼、紫蟹、对虾等为传统特产。1949 年以来,经过治理河道,改造洼地,进行农田基本建设,农业生产条件改善,农业生产稳步提高,逐步向商品型、外向型发展。1985 年被农牧渔业部定为国家水稻基地县,1990

年被定为国家棉花生产基地县。有纺织、印染、酿酒、食品加工、机械、化工、电子、制革、印刷、服装、制鞋、建材、精密铸造等工业。名胜古迹有"天津古海岸与湿地"国家自然保护区、丰台天尊阁、芦台镇方舟公园。人口 360 000(2005)。

Ningirsu(Mesopotamian god) **宁吉尔苏** 参阅 **Ninurta** 尼努尔塔。

Ningishzida 宁基什西达 美索不达米亚宗教所崇奉的神灵。流行于苏美尔人中间,是南部盛产水果地区吾珥城附近吉什班达城的护城神。宁基什西达在阴间负责抬扶阴间之王的宝座。此神原为蛇形,如画成人形,则除人头之外还生有两蛇头,驾龙而行。

Ningre-Tongo(creole language) **宁格雷-汤加语** 参阅 **Sranantonga** 斯拉南汤加语。

Ningxia 宁夏 又拼 Ningsia。中国宁夏回族自治区的简称。中国回族的主要聚居区。位于中国西北部,黄河上游。介于北纬 35°14′～39°23′,东经 104°17′～107°39′,东邻陕西,西、南接甘肃,北和内蒙古自治区相连。面积66 000平方千米,在全国各省区中仅大于台湾省和海南省。居民中回族占 32.4%,汉族占 67.3%。另有满、蒙古、壮、朝鲜、苗、东乡、藏等 20 多个民族。辖 5 个地级市、8 个市辖区、2 个县级市、11 个县。自治区首府银川市。

自然条件和资源 自治区北部为宁夏平原,即著名的西套平原。这里有黄河斜贯,在沿岸形成狭长的平原,海拔1 090～1 300米,镶嵌在贺兰山与鄂尔多斯高原之间。青铜峡以南的部分平原坡度较大,引水排水方便。青铜峡以北部分地形开阔,土层深厚,坡降较小,土质黏重,透水性差,排水困难,土壤盐渍化比较普遍。平原西部是巍峨的贺兰山地,南北绵亘 150 多千米,海拔多在2 000米以上,最高峰达3 556米,减弱了寒风侵袭,阻挡了内蒙古腾格里沙漠的东侵。宁夏平原南部是黄土高原以及固原和银南地区的山区,海拔 1 600～2 200米,黄土一般厚 20～90 米,沟壑纵横,水土流失严重。六盘山突起于黄土高原上,海拔2 700～2 900米,是区内南北河流的分水岭。因深居内陆,属温带大陆性半湿润干旱气候。其特点是干旱少雨,风大沙多,夏少酷暑,冬寒漫长,日照充足,气温年、日较差大。年平均气温 5～9 °C。冬季长达半年以上,1 月平均气温 -10～-4 °C,最低达 -25～-30 °C。7 月平均气温 17～24 °C,最高为 35～38 °C。无霜期 103～162 天,早霜对农作物形成威胁。年降水量 200～600 毫米,由南向北递减。山地雨量较多,尤其是六盘山以东和以南的迎风坡上。黄河是自治区最主要的河流,境内全长 250 多千米,水量充沛。此外还有发源于六盘山的泾河、葫芦河、清水河等,是南部山区的主要水源。草原面积约占总面积 30%以上,鄂尔多斯高原边缘有良好的天然牧场。森林面积占 20%左右,主要分布在比较湿润的山区。矿产资源有煤、石油、磷、石灰石、石膏等。煤炭分布普遍,储量丰富,品种齐全,质量优良。汝箕沟无烟煤质量冠中国。石炭井煤是西北目前唯一的焦煤资源。石膏储量居中国前列。

沿革 春秋为羌、戎游牧地。公元前 215 年秦始皇派蒙恬领兵 10 万来到宁夏平原,沿黄河两岸开渠灌田,发展农业,开创了农垦和农田水利事业的历史。11 世纪初,党项族在此建立西夏国,以兴庆府(今银川)为国都,与宋、辽、金鼎立几达 200 年之久,创造了灿烂的西夏文化。元灭西夏后设宁夏路,明、清设宁夏府。各代不断由秦、晋、江、淮等地移民来此屯垦戍边,人口不断增加,耕地不断扩大。各代所建的大小渠道长千余里,构成了比较完整的灌溉系统,使宁夏平原成为稻麦丰饶的"塞上江南"。1928 年成立宁夏省。1935 年中国工农红军曾经过该区西吉、固原、海原、同心、盐池等县,建立了盐池、预旺(今同心县东南)红色政权,成为陕甘宁边区的一部分。1958 年成立宁夏回族自治区。

经济 1949 年以前,全区几乎没有现代工业,手工业也很不发达。灌溉渠道因年久失修,许多地方有灌无排,以致湖泊密布,盐碱丛生,严重影响了农业生产。1949 年后工业迅速发展,已建立起初具规模的煤炭、石油、电力、有色金属冶炼、机械、化工、建材、轻纺等工业部门。其中煤炭、机械是自治区的支柱工业。主要煤田分布在包兰铁路沿线,运输方便,每年向区外输出大量煤炭。机械工业的骨干企业主要是 60 年代从沿海地区迁来,技术力量和设备较好,所产重型机械在全国占有一定地位。纺织工业以毛纺织最为重要。传统工艺品有银川提花毛毯、仿古地毯、贺兰石刻等。由于大力植树造林,在黄河上兴建了青铜峡水利枢纽,并大规模整修了农田水利设施,已基本控制了涝洼盐碱灾害,扩大了耕地面积,农牧业发展得到保障。全区农业以种植粮食作物为主,有小麦、水稻、玉米、糜子、马铃薯等,主要经济作物有胡麻、大麻、芸芥、油菜、甜菜等。宁夏平原是中国西北地区重要的商品粮基地,并盛产名贵药材枸杞。甜菜种植发展较快,单产水平和含糖率均居全国前列。畜牧业中养羊业占重要地位。滩羊和沙毛山羊是名贵的优良品种,滩羊的二毛皮更是裘中珍品。滩羊主要分布在盐池、贺兰等县。其他特产还有发菜、甘草等。

1958 年在克服了流沙等困难以后,修通了包兰铁路,它横穿自治区北部、中部,宝中电气化铁路纵贯自治区中部、南部山区,并连通了兰新、兰青、陇海、京包等铁路干线,还有平汝、甘武等铁路支线。成为西北的重要交通大动脉,铁路营运里程达 790 千米(2005)。公路运输以银川为中心,通达区内各市、县,109、110、211、307、309 等国道过境,石中高速公路已建成通车,公路里程达 13 078 千米(2005)。民航已开通银川至北京、上海、广州等国内多个大、中城市的航线。从中卫到石嘴山的黄河河段可通木船,航程近 400 千米,主要运输煤炭、粮食、矿建材料等。有宁夏大学等高等院校、数十所科研机构。人口 5 900 000(2005)。

Ningxia carpet 宁夏地毯 中国宁夏回族自治区产地毯。图案设计独具风格,擅长运用蓝、红和米色。有时也用几何图案,毯上毛

宁夏地毯
中国大百科全书出版社供图

绒修剪后图案更为清晰美观。毛毯地衬用棉线织成。

Ninhar 宁哈尔 美索不达米亚宗教所崇奉的神灵。流行在苏美尔人中间,是南部牧区吾珥附近基亚布里格的护城神。宁哈尔司雷电风雨,每逢春天使旷野牧草复苏;其像为吼牛。

Ninhursag 宁呼尔萨格 阿卡德语拼作 Belit-ili。美索不达米亚宗教所崇奉的神灵。流行于苏美尔人和阿卡德人中间,是北部畜牧地区阿达布、基什(奇什)两城的护城女神;司掌多岩石地面,能使丘陵和沙漠地带孳生野生动物。其像有时为一母畜,因丧仔而作悲戚之状,但她不仅保祐母畜产仔,而且还是人类的圣母,即一切儿童之母。

Ninian, Saint 尼尼安,圣(约360,不列颠～约432,不列颠) 又作 Nynia, Rigna, Trignan, Ninnidh, Ringan, Ninus 或 Dinan。据传最早到苏格兰传教而使大批凯尔特人改信基督教的主教。关于尼尼安的生平活动,现存两种原始资料都不太可靠。12 世纪里沃隐修院院长埃尔雷德认为,尼尼安是信奉基督教的不列颠人酋长之子,前往罗马朝圣,在罗马受祝圣,立为主教,归程经过高卢,与图尔的圣马丁建立友谊。更早一些的资料是 8 世纪比德的《英格兰人教会史》,该书表明尼尼安曾劝化皮克特人,此点所根据的较早的叙述不甚可靠。较为肯定的是,尼尼安是第一任加洛韦主教。至于他在喀里多尼亚惠特霍恩建立主教公署之说,只是现代人类学者的一种推测。约在 397 年他在该地兴建石结构白色教堂,不同于不列颠人通常的木结构教堂。尼尼安在惠特霍恩所建隐修院到 6 世纪已成为盎格鲁-撒克逊人的主要隐修中心。

Ninigi 琼琼杵尊 日本传说中的神,太阳女神天照大神之孙,第一代天皇神武天皇的

曾祖。天照大神遣他降世治理苇原中国(日本),赠他三种神器即八咫镜、天丛云剑、八坂琼曲玉。琼琼杵尊降在九州,与统治当地的神明大国主神求得妥协,由他掌管政务,大国主神分掌宗教。今日大国主神仍为民间重要神祉,琼琼杵尊则不再受崇敬。

Ninlil 宁利尔 美索不达米亚宗教所崇奉的女神。是比勒的配偶,司掌命运。她的崇拜中心在尼普尔和舒鲁帕克,据说是月神辛的母亲。阿卡德人称她为比利特,为谷物之神,号称彩穗(指大麦之穗)。她是仓神哈伊阿与宁什巴古努所生之女。

Nininsina(Mesopotamian deity) **尼宁辛娜** 参阅**Bau** 普。

Ninnidh, SAINT 参阅 **Ninian, Saint** 尼尼安,圣。

Niño, El(oceanic phenomenon) 参阅 **El Niño** 厄尔尼诺。

Ninomiya Sontoku 二宫尊德(1787-09-04,日本旧相模国～1856-11-17,旧下野国今市)日本土地改革家,促进了农业技术的改良和农村生活的提高,有"日本农民圣人"之称。家境贫寒,完全靠自学成才。由于勤奋努力和善于规划,发展和增多了自己家里的田地。这一成功引起地方官员的注意,不久被邀参加政府工作。他教育农民怎样安排农活,计划消费,极力提倡互助合作。所采取的方法在改进日本农业方面取得显著成绩。在1836年全国大饥馑中,他所发展的地区受害极微,因而其名声大振。他相信艰苦工作的价值和体力劳动的高贵,能使农民为自己的职业自豪。要求追随者以他为榜样,致力于增进共同的福利。长期以来,他的思想激发着对更加平等的社会秩序的向往。

Ninsei 仁清 日本陶师野野村清助的假名,又称清兵卫或清右卫门,江户时代的明历时期(1655～1657)与元禄时期(1688～1703)间活跃于京都。曾在京都的粟田口窑和美浓的濑户窑做工,学会制陶艺术。经其赞助人仁和寺(位于大室涡町)主持(皇族)允许,在寺院前建了一座窑炉,专门研制茶道用具。所制茶具形式精美,釉质优良,并饰以传统的图案花纹,因而著名。其最佳代表作中有一些是茶叶罐。

仁清制作的紫藤纹案陶罐(17世纪末)
美国不列颠百科全书公司供图

Ninsun 宁松 美索不达米亚宗教所崇奉的神灵。流行在苏美尔人中间,是南部畜牧地区城市库拉布的护城女神,其像原为母牛,"完美的母牛"体现牧人希望自己的母牛应具有的各种优点。她有时也呈人形,并能生儿育女,繁衍后代。相传野牛坦木兹是她的儿子,她每年如期为他的死举哀。

Ninth of Av(Judaism) 参阅 **Tisha be-Av** 阿布月初九。

Ninurta 尼努尔塔 又作 Ningirsu。美索不达米亚宗教所崇奉的神灵,是拉伽什地区城市吉尔苏的护城神。农民认为他是司掌春季雷雨之神,兼司春汛、犁和春耕。其像最初为象征雷雨云的张翼盘旋的玄鸟,狮头,振喉作雷鸣。后来逐渐改为人形,原有形象即作为其徽号。

Ninus 尼努斯 又译尼诺斯。希腊神话中的亚述国王,尼尼微城的创建者。尼尼微城本身有时也叫尼努斯。据说他是柏洛斯或称柏尔的儿子,在阿拉比亚国王阿里阿欧斯的帮助下用17年的时间征服了整个亚洲西部。围攻巴克特拉城时,他遇到一名下属军官昂涅斯的妻子塞弥拉弥斯,于是从昂涅斯手中把她夺走并同她结婚。婚后生的孩子就是尼尼阿斯,意为尼尼微人。

Ninus, SAINT 参阅 **Ninian, Saint** 尼尼安,圣。

Niobe 尼俄柏 希腊神话中吕底亚的西皮罗斯王坦塔罗斯的女儿,第比斯王安菲翁的妻子。她是因失去孩子而哀泣的母亲的原型。据荷马的《伊利亚特》,她有6子6女,并且因自己的生育能力超过只有两个孩子的提坦神勒托(生阿波罗和阿耳忒弥斯)而自诩。为了对她的骄傲进行惩罚,阿波罗杀死了尼俄柏的所有儿子,而阿耳忒弥斯杀死了她的所有女儿。他们的尸体在9天内得不到埋葬,因为宙斯把所有的第比斯人变成了石头,到第10天他们的尸体才被诸神掩埋,而尼俄柏则回到她在弗里吉亚的家中,在那里被变成西皮罗斯山(土耳其伊兹密尔东北的亚曼拉尔山)上的一块石头,当它上面的雪溶化时,它便继续哭泣。尼俄柏的故事说明了希腊人喜爱的一个题材,即诸神对于人类的自满情绪和妄自尊大很快便给予报复。尼俄柏是埃斯库罗斯和索福克勒斯的已经失传的悲剧的主题,奥维德在《变形记》里则记述了她的故事。她的子女的数目在不同作家的作品中并不相同,而在荷马后的作品中通常是7子7女。尼俄柏这个名字的起源无法确定,它的起源可能是非希腊的,也许来自小亚细亚,她的故事似乎也源自小亚细亚。

Niobid Painter 尼俄柏画匠(活动时期约公元前475～前450) 希腊花萼形陶瓶画匠,其名不详,因画有《尼俄柏子女之死》陶杯得名。此杯现藏巴黎罗浮宫博物馆。在画面上,他采用纤细的白线条将其人物安排在各种位置上,看起来就像处在不同的水平面。在风景的处理上,使人认为雅典娜和赫拉克勒斯好像是站在一个丘陵上。显然,他力求表现空间和深度。

尼俄柏画匠绘制的《尼俄柏子女之死》陶杯,约公元前455～前450年
美国不列颠百科全书公司供图

niobium 铌(Nb) 化学元素,周期表Ⅴb族耐熔金属,用于合金、工具、模具和超导磁体等。铌与钽的矿石共生,二者的性质非常相似。1801年,英国化学家C.哈切特在新英格兰的一种矿物中首先发现铌,并称为钶(columbium)元素。1844年,德国化学家H.罗泽再次发现并命名为铌。1950年前后,经各国化学家协商同意,最后确定该元素的名称为铌,但美国冶金界仍称之为钶。在地壳中,铌比铅丰富,但比铜少。除了极少数矿物外,铌的存在是很分散的。铌的主要工业来源是铌铁矿和烧绿石。天然铌全部为同位素铌93。用溶剂萃取法可分离铌与钽。分离出的铌再进行沉淀,并焙烧为五氧化二铌,后者再经金属热还原法和氢化法还原为铌粉。然后用电子束熔炼法使铌粉固结和进一步纯化,也可采用真空粉末烧结法进行固结。纯金属铌质地柔软并具有延展性,外观像钢,抛光后很像铂。铌虽然具有良好的耐腐蚀性,但在约400℃以上时易氧化。铌与铁完全互溶。将铌铁合金加入某些不锈钢中,可提高其焊接和热处理稳定性。铌是镍基高温合金中的主要合金元素,是高强度低合金钢很重要的微量添加剂。由于铌与铀物理性质相近,可耐熔融碱金属冷却剂的腐蚀,而且热中子截面小,已单独地或以铌锆合金形式用于核反应堆的堆芯。加入铌可使热压模和切削刀具所用渗碳硬质合金变得更硬,更耐冲击和腐蚀。铌适用于制造低功率的低温电子器件。铌锡合金 Nb_3Sn 在温度低于18.45K时,以及铌金属本身在温度低于9.15K时均为超导体。铌的化合物价值较小。自然界存在的是5价铌,但已制备出铌的低价(2～4)化合物。例如,碳化物NbC中铌为4价,这种化合物已用于制造渗碳硬质合金。铌的原子序数41。原子量92.906。熔点2468℃。沸点4927℃。比重8.57(20℃)。化合价2、3、4、5。电子组态2,8,18,12,1或(Kr)$4d^4 5s^1$。

Niobrara Limestone 奈厄布拉勒灰岩 美国白垩纪晚期(9750万年前至6640万年前)的地层单元。因内布拉斯加州诺克斯县奈厄布拉勒河口附近沿密苏里河所研究过的露头而得名。该灰岩分布包括:内布拉斯加州、堪萨斯州、北达科他州、南达科他州、明尼苏达州、蒙大拿州、怀俄明州、科罗拉多州和新墨西哥州的广阔地区。其厚度60～270多米,由白垩、页岩、灰岩、许多薄层膨润土(外观像肥皂的蚀变火山灰堆积黏土)组成。该层表明白垩纪的海从落基山地槽区退出。其中已发现水生爬行类,例如长约4.5米的沧龙类耀炬龙属(*Clidastes*)和飞行爬行类,例如翼展7.5米的无齿翼龙(*Pteranodon*)。

Niobrara River 奈厄布拉勒河 美国河流。源出怀俄明州拉斯克附近,东流在内布拉斯加州靠近南达科他边界的奈厄布拉勒村注入密苏里河。河名源出印第安语,意为"自来之水"或"蔓延之水"。因多条支流注入,流量稳定;下游河面宽,河水浅。全长720千米,流域面积达31 080平方千米。博克斯比特水坝(1946)在内布拉斯州马斯兰附近。

Niort 尼奥尔 法国西部普瓦图-夏朗德大区德塞夫勒省省会、城镇。位于普瓦特万沼泽地和普瓦图地区农地之间,建在塞夫尔尼奥尔泰斯河左岸两处小山的坡地上。为农产品市场和商业中心。15、16世纪的圣母教堂建在要塞南面。16世纪的旧市政厅建在对面小山上。英王亨利二世于12～13世纪建造的城堡内现有一博物馆。有传统麂皮加工业,也生产胶合板。建有电力、化工和手套工厂。人口58 660(1990)。

Niphus Suessanus 参阅 **Nifo, Agostino** 尼福。

Nipigon Lake 尼皮贡湖 加拿大安大略省中部偏西桑德贝区的湖泊。在桑德贝东北130千米。长约110千米,宽约80千米,面积4 848平方千米,海拔260米,最深处为165米。湖名是印第安语,意为"清澈的深水"。湖中岛屿密布,岬、湾交错。湖水经尼皮贡河向南流入苏必利尔湖,尼皮贡河到尼皮贡湾48千米内落差达76米。建有水力发电站,为采矿业和整个湖区提供电力。

Nipissing, Lake 尼皮辛湖 加拿大安大略省东南部湖泊。在渥太华河和乔治亚湾之间。面积831平方千米。最长处80千米,最宽处48千米。湖名意为"小水域"。约1610年被法国探险家E. 布律莱发现。其后为渥太华河与上五大湖之间毛皮贸易通道。湖水现经弗伦奇河流入乔治亚湾。

Nipkow, Paul Gottlieb 尼普科(1860-08-22,波美拉尼亚地区劳恩堡[德国]～1940-08-24,德国柏林) 德国工程师。发现电视扫描原理,即把一幅图像分解成许多不同亮度的小光点,依次发送出去。1884年他发明了尼普科扫描盘,盘上的小孔排成一条或几条螺线,小孔连续掠过图像,就成了机械电视系统。尼普科扫描盘在1934年被电子扫描装置所代替。

Nipmuc 尼普穆克人 操阿尔冈昆语的印第安诸部落。曾占据今马萨诸塞州中部高原的伍斯特县南部地区,后扩展至今罗得岛州北部及康涅狄格州。他们以种植玉米及渔、猎为生,按季节奔走于固定居地之间寻找食物资源。尼普穆克人分为若干地区性宗族,宗族是有亲缘关系的各家庭的联合体,住在一个村落或几个村落,由一名首领领导。各村庄在政治上并不联成一体,不同地区可以依附于更大的强邻,如马萨诸塞人、万帕诺亚格人、纳拉甘塞特人及莫希甘人。1674年前后,新英格兰地区的教团已把改信基督教的尼普穆克人组成7个村庄,但翌年许多人参加菲利普王及其他印第安人反对白人的战争。战后他们逃往加拿大或与哈得孙河地区的其他部落结合起来。参阅 **King Philip's War**。

Nippon(country, Asia) 参阅 **Japan** 日本。

Nippon Hoso Kyokai(NHK) **日本广播协会** 又译日本放送协会。英语作Japan Broadcasting Corporation。日本公共的广播和电视系统,运作两个电视网和3个广播网,以高清晰度电视方面的革新而闻名。日本广播协会成立时是由日本运输省控制的国家公用公司。1926年兼并东京、大阪、名古屋的广播电台后开始运作。从1930年起,日本广播协会成为日益军国主义化的政府的喉舌。随着1950年新广播法的颁布,日本广播协会解散,成立一个新的公共广播公司,名称不变;该法禁止政府干涉节目筹划,也第一次允许民间广播电台的竞争。1953年日本广播协会开始电视广播。日本广播协会不播放广告,完全由观众付费来支持。电视网之一提供教育节目,另一个电视网提供一般节目,包括新闻(特别出名的节目)、文化节目、体育(特别是相扑和排球)和娱乐等。日本各主要岛屿均可看到两个电视网的节目。日本广播协会实验室发展出一种使用1 125条扫描线的电视系统,其卫星节目有些每日使用这种高清晰度系统。1951年以来,该网路一直赞助日本最大、最古老的古典音乐合奏团——日本广播协会交响乐团。

Nippon Kōkan KK 日本钢管公司 日本大钢铁制造商。1912年成立,在福山和川崎设有大钢铁厂。重工业分部生产钢管、辊轧钢、钢轨、钢锭、生铁等,设计并建造工厂、重型设备、桥梁、其他大型钢结构及产品。造船分部建造、修理和改装油轮、客轮及其他远洋船只。总公司设在东京。在日本各城市及冲绳设有分公司,在海外设有营业处。

Nippon Steel Corporation 新日本钢铁公司 又译"新日本制铁公司"。日本最大的工业公司,也是全世界最大的钢铁公司之一。1970年由八幡钢铁公司和富士钢铁公司合并而成。总公司设在东京,海外设有几个办事处。1896年日本政府设钢铁局,1901年日本帝国政府钢铁厂在八幡(今北九州的一部分)投产。此后30年间,几家私人钢铁厂相继成立,但都从国营的八幡钢铁厂接受技术指导。1934年,议会通过法案,将八幡钢铁厂和其他6家私人钢铁厂(轮西、釜石、富士、九州、东洋、三菱)合并起来成立日本钢铁公司。到1939年底,这家大托拉斯已建立起好几家大规模的、近代化的综合钢铁厂,在先进的技术水平指导下,转向战时生产。战时遭到破坏,轰炸和原料匮乏使公司在战争结束时基本停产。战后,该公司被占领军当局解散,1950年分成八幡、富士等4家新私营公司。1950年朝鲜战争爆发后,日本经济开始欣欣向荣。50和60年代世界性繁荣造成了对廉价钢铁的巨大需求,用以制造机械、汽车、建材和船只。在此形势下,八幡和富士两公司连续执行现代化计划,结果建成许多大型综合钢铁厂,提高了生产效率,改进了原料的加工工艺。1970年两公司合并为新日本钢铁公司,加强了该公司的实力。

Nippon Telegraph and Telephone Corporation(NTT) **日本电报电话公司** 日语拉丁字母转写作Nihon Denshin Denwa Kōsha(日本电信电话公社),简称电电公社。日本的电信公司,实际上垄断日本国内的电子通信工业。它是日本最大的公司,也是全世界最大的公司之一。日本电报电话公司是1952年由政府创立的公共企业。电话业务的收入约占公司总收入的90%。1968年,该公司也展开数据通信业务。由于它需要日益精密的电子设备,又有能力利用大量资金支持技术的研究和发展,遂成为日本控制电子计算机集成电路工业的一个主要因素。20世纪80年代,该公司致力于发展用于电子计算机数据系统的非电话连接系统和光学纤维通信系统。日本电报电话公司于1985年私有化,但不允许外国人投资。80年代末,这个经营成功而且势力极大的公司卷入一场影响很大的丑闻。当时正考虑把公司分成独立的地方公司和长途业务公司,但由于国民经济起伏不定,未能按此方针采取实际行动。

Nippur 尼普尔 美索不达米亚古城。即今尼费尔或努法尔。在今伊拉克东南部。尽

约公元前2700年尼普尔城神坛用带金面具的石膏女像

美国不列颠百科全书公司供图

管不是政治首府，但在美索不达米亚的宗教生活中占有重要地位。在苏美尔神话中为恩利勒的家乡。恩利勒是风暴神，代表力量，执行尼普尔众神大会的命令。1889 ～ 1900 年，美国第一个美索不达米亚考古队在尼普尔进行发掘，1948 年再次发掘。东区因发现大量苏美尔文泥版而称为"书记区"，尼普尔的出土物事实上是苏美尔文献的主要来源。该城史前情况不详，到公元前 2500 年大概已具有现存遗址的规模，并已成为设防城市。

Niraṅkārī　尼朗迦利派　印度锡克教一改革派，即神无形派。为出身于白沙瓦的半锡克教、半印度教社会的达亚尔·达斯（？～1855）所创。达斯认为神没有形态，该派以此得名。该派对锡克教的主要贡献是根据锡克教经典规定出生、婚配、丧葬等教礼。该派中央机构设在旁遮普邦昌迪加尔。

Nirenberg，Marshall Warren　尼伦伯格（1927-04-10，美国纽约州纽约～2010-01-15，纽约）　美国生物化学家，在破译遗传密码方面作出重要贡献，证明出现于脱氧核糖核酸（在某些病毒中为核糖核酸）中的 4 种不同的含氮碱基以不同的顺序排列成遗传密码，经转录为三联体密码（密码子），除"无意义密码子"外，最终支配与之相应的氨基酸的合成。1957 年获密歇根大学博士学位，同年在马里兰州贝塞斯达国立卫生研究院工作。由于研究有成效，1965 年获国家科学奖章。1968 年因其对遗传学的研究而与 R. W. 霍利、H. G. 科拉纳共获诺贝尔生理学或医学奖。

Nirgal Vallis　尼尔格峡谷　在火星纬度 -25°、经度 40°处观察到的火星地貌，为一约 400 千米长、5 千米宽的弯曲峡谷。峡谷的轮廓使人联想到地球上许多原来平坦的河谷由

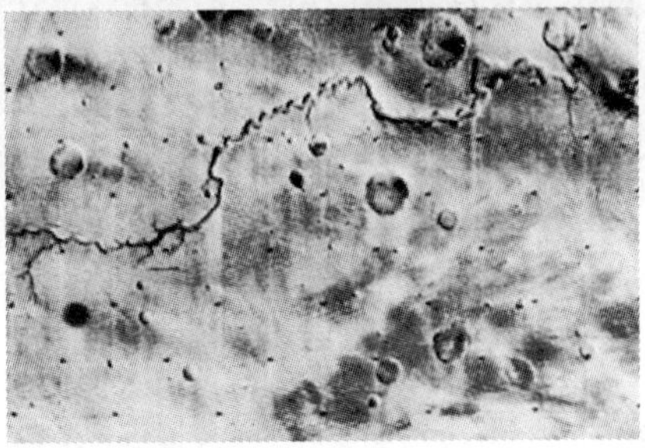

火星上弯曲的尼尔格峡谷
美国不列颠百科全书公司供图

于水的侵蚀而形成的蜿蜒地貌。类似的地貌在月球上也有发现。

nirguṇa　无德　梵语，意为"无特性"，正统的印度吠檀多哲学中的一个重要概念。它提出这样一个问题，即梵（最高的存在）究竟应当认为是没有特性的（无德），还是有特性的（有德）。吠檀多的不二论派根据《奥义书》的某些章节，认为梵是超越极性的，因此不能用人类的推论思想所常用的词语加以形容。正因为如此，所以梵不可能具有使自己区别于所有其他数量的性质，因为梵不是一种数量而是一切。这一论点的主要经文是《广林奥义书》给梵所下的定义为"非此！非彼！"（第二篇第三章第六节）。在不二论派看来，经文给梵规定性质，形成有特性的梵（有德）的概念，只是帮助人进行沉思的一种阶梯。另一些人，特别是吠檀多的有神论派（例如适任不二论派）则认为神（梵）具有一切完美，那些否定特性的经文章节只是否定不完美的特性。

nirjarā　灭业　印度耆那教名词。指业（善业与恶业）的消灭。为了使灵魂获得解脱，摆脱生死轮回，就必须消除已有的业并防止积聚新业。为了达到灭业境地，要在肉体和心灵上苦修，如禁食、折磨肉体、认罪忏悔、尊敬长辈、乐于助人、默念学道、忘却肉体需求。最后一条的极端形式就是绝食致死。

Nirmala　无瑕会　印度锡克教的苦行团体。像厌世派一样，无瑕会会员也四出宣传锡克教义，并在庙宇中担任祭司。

Nirvana　涅磐乐队　美国另类摇滚乐队，1991 年的专辑《别在意》一炮打响，并宣告了一种新摇滚风格（垃圾摇滚）的诞生，并表明后婴儿潮 X 一代的成长。其成员为 K. 科本等。最初属后朋克风格。在第一张单曲《爱的蜂音》和专辑《漂白》中融合了 20 世纪 60 年代的流行乐风格和 70 年代重金属/硬摇滚风格，并进一步精练。在他们的音乐中，速度和音量的极端变化用来表现愤怒的心情和错乱的神经。然而，功成名就，科本却被看成自甘堕落的摇滚明星。第三张唱片《在子宫内》登上了美国唱片排行榜首位。该唱片表达了对现实生活的失望，同时科本对毒品海洛因的依赖也越来越严重，1994 年在西雅图家中用手枪结束自己的生命。乐队后来发行的演唱会专辑主要有《纽约不插电音乐会》（1994）和《来自威什卡河的泥泞河岸》（1996）。2002 年推出乐队的同名精选专辑，轰动一时，其中收录了过去从未发表的单曲《你知道你是正确的》。

Nirvāṇa　涅槃　梵语。巴利语作 Nibbāna。根据印度宗教思想，涅槃是修持的最高目标。佛教最强调涅槃，认为它是通过一切烦恼和我的寂灭而达到的超然自由状态。根据佛教对人的处境的分析，以自我为中心的烦恼和因烦恼产生的欲使人陷入不断转生的轮回而至于苦。涅槃就是解脱这种束缚，也就是彻悟。解脱转世轮回并不是肌体的顿时死亡，罗汉或佛的死一般叫作"般涅槃"，即圆寂——完全的寂灭。根据大乘佛教教义，菩萨出于慈悲，延缓达成涅槃以普救他人。佛教各部派对涅槃的理解不尽相同。上座部认为，它是寂静平安；大乘佛教认为，它与"空"、"法身"和"法界"同义。

Niš　尼什　塞尔维亚共和国城镇。濒尼沙瓦河，地扼中欧通往爱琴海的两条主要通道（摩拉瓦-瓦尔达尔走廊和尼沙瓦河走廊），地位重要。始自贝尔格莱德及其以北的铁路干线，在尼什分岔通往希腊的塞萨洛尼基及保加利亚的索非亚。尼什也是几条公路的枢纽。古罗马时期城市名为奈苏斯，托勒密在《地理学指南》中称之为公元 2 世纪时的要地，河右岸的古要塞被认为即筑于该地。尼什为康斯坦丁大帝诞生地。5 世纪匈奴人迁徙时城镇被毁，此后曾数度短期复兴。土耳其人对该城的统治长达 500 年。尼什在 1877 年由塞尔维亚军队解放，按照《柏林条约》（1878）划给塞尔维亚人，第一次世界大战中一度为塞尔维亚首都。现存古建筑包括 5 世纪拜占廷教堂的墓窟等。工业产品有纺织品、啤酒、烟草制品、机车、家用器具及电子设备。1965 年开办一所大学。1977 年在城东的尼什矿泉疗养地开设一现代医学中心。该矿泉疗养地为心血管病治疗中心。人口 173 724（2002）。

Nisa　尼萨　又称帕尔萨乌尼萨。安息人最初的首都，在今土库曼斯坦阿什哈巴德附近。传统认为，它由阿萨息斯一世（约公元前 250～约前 211 在位）所建。经考古发掘，

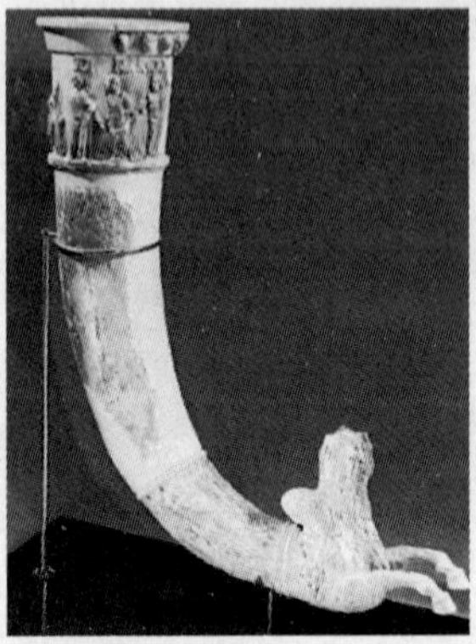

尼萨出土的公元前 2 ～前 1 世纪的象牙角形饮器
美国不列颠百科全书公司供图

出土有建筑物、铭文、战利品仓库、希腊式工艺品、象牙角形饮器等。尼萨发掘出的艺术品和建筑物事实上几乎都显示出西方风格与伊朗风格的融合。

nise-e　似绘　即写真。日本的一种速写肖像画，12 和 13 世纪在日本宫廷里很受欢迎。这种肖像画原属宗教性质的，直至 12 世纪，写实艺术还不是日本肖像画的传统。12 世纪后半期，描绘现实生活插曲的画卷兴起，肖像画方面也出现新的变化。写真的巧妙手法在于能用几根简单的线条勾画出一个人的特征，但对服装的处理较生硬，和对脸部写实的处理形成明显的对照。此派代表人物有藤原隆信（1142 ～ 1205）及其子藤原信实。

Nisei　二世　在美国的第二代日本人。1941 年 12 月 7 日日本袭击珍珠港后，美国政府声称它迫于公众舆论和军方压力，决定设立战时疏散管理局，负责大规模疏散"二世"。1942 年春夏两季，有 11 万日裔美国人（包括一批未入籍的日侨）被迁移到从内华达山到密西西比河之间的 10 个战时疏散中心。在中心对个人进行忠诚审查后，有 1.76 万"二世"获准在美军服役，其中许多人表现英勇。1988 年美国政府对战时采取的拘留行动表示了道歉，国会也通过法令对仍健在的 6 万名被拘留过的美籍日裔给予部分金钱补偿。

Nīshāpūr(Iran) 参阅 **Neyshābūr** 内沙布尔。

Nishapur pottery 内沙布尔陶器 穆斯林陶器,产于内沙布尔(现属伊朗)。制品风格豪放,看得出它与萨珊和中亚细亚技艺有联系。其风格起源于9世纪时的河间地带(伊朗一个古老的地区),其明显的特点是用黑色和赭色绘画鸟类时,以白色和绿色进行点缀。也有的在装饰背景上画有粗犷的人物和动物图像。

Nishi Amane 西周(1829-03-07,日本石见国津和野~1897-01-30,东京) 日本哲学家、作家和出版家。在向日本引进西方哲学方面颇有贡献,尤以引进英国经验主义哲学为多。曾在荷兰莱顿大学留学。回国后在东京开成所任教授。他同后来担任文部相的森有礼(1847~1889)共同创办了著名的"明六社"。该社出版的刊物刊载介绍英国哲学家J.S.穆勒和H.斯宾塞及英国史学家H.巴克尔的文章,而且刊登介绍18世纪法国哲学家卢梭和孟德斯鸠及19世纪哲学家和生物学家E.海克尔的文章。该出版社还将西方文明的其他方面介绍到日本。西周不仅翻译了穆勒的《功利主义》一书,还写了关于西方哲学的许多评论。他是日本创制现代哲学术语的第一位哲学家。他所创造的哲学术语使日本哲学家有可能将东西方思想加以比较。

Nishida Kitarō 西田几多郎(1870-06-17,日本石川县金泽附近~1945-06-07,镰仓) 近百年来日本杰出的哲学家。在此期间,日本人努力吸收西方哲学,并且创造基于东方精神传统的独创性成果。西田在这股文化发展潮流中树立了出色的范例,并对这股潮流产生过影响。他的父亲曾任小学教师,他的母亲是佛教净土宗的虔诚信徒。西田自幼接受儒家教育并受教于第四高等学校教师北条。后与著名佛学家铃木大拙终生为挚友。在金泽和山口任教时,西田经常打坐参禅,沉思冥想。1911年,他的处女作《善之研究》出版。曾在京都大学任教授。将近退休时,他的哲学达到成熟阶段,可以称为"无之场所的哲学"。在第二次世界大战期间他的哲学遭到国家主义者和军国主义者抨击,理由是他

东京国际教育情报学社供图

的哲学思维方法是西方的。后来,虽然马克思主义哲学家和反形而上学的唯理论哲学家因为他忠于祖国并且实行所谓形而上学的蒙昧主义而批判他,但是这种批判由于缺乏可靠的根据而日益减少。在哲学上更重要的是高桥里美和田边元提出的批判。西田的哲学第一阶段,是从长期参禅中获得他的基本思想。他还从詹姆斯的哲学和心理学得到很大启发。纯粹经验是西田把自己从参禅中培养出来的宗教经验倾注于西方哲学模子形成的。在他的哲学的第二阶段中,西田受了法国哲学家柏格森哲学的影响,试图把这种哲学和当时在日本哲学界流行的新康德主义综合起来。1917年出版《自觉中的直观和反省》一书。虽然他的基本想法没有改变,但是他试图用另一种方式去表述他曾经称之为纯粹经验的东西。因此,作为思维和直觉的统一体,自我获得了神秘的背景。西田哲学第三阶段的特点是他把他的整个程序颠倒过来,这一点表现在《从作用者到见者》一书中。他从前总是把自我作为自己哲学思想的出发点,这时他却与先验唯心主义决裂;或者说,突破这种主义以便在它的背后找到一个与他自己的神秘经验相符合的实在领域。这个领域可以称之为"无"。西田的这个"无"是克服了主观和客观分裂的、终极的实在。唯心主义的"纯粹自我",作为普遍意识或一般意识,仍然是抽象的,而西田的"无"却把自己确定为"绝对无"中的真实个体。在他的思想发展的第四阶段中,西田用"无之场所"思想说明他的"历史世界"。

Nishikawa Sukenobu 西川祐信(1671,京都~1750-08-20,京都) 别名孙右卫门。日本浮世绘画家,亦系京都-大阪地区的书籍插图画家。西川从侧重中国题材、技法的狩野

西川祐信绘《美女梳妆图》
美国不列颠百科全书公司供图

派学画,也师从面向日本的土佐派学画,但最后给他影响最深的是浮世绘派(特别是菱川师宣)。其风格优雅,杰作为两卷插图画册《百型美女图》(即《绘本百人女郎品定》)。

nishiki-e 锦绘 日本浮世绘(Ukiyo-e)画派中的多色套印木版印刷品,首见于1765年。

Nishinomiya 西宫 日本本州兵库县城市,阪神工业区的一部分。在武库川河口,濒临濑户内海。地处大阪湾和内地六甲山之间的狭窄低地。以出产优质清酒闻名。沿海为工业区,生产金属制品、机械、化工品、橡胶制品、肥皂、化妆品等。市内有职业棒球场。公路、铁路交通发达。人口426 919(1990)。

Nishio 西尾 日本本州爱知县城市。位于矢作川下游。德川时代(1603~1867)为以城堡为中心的城镇和商业中心。1911和1928年修通两条铁路,促进了纺织和金属铸造业的发展。城市西区山区有种茶业。人口95 198(1990)。

Nishiyama Sōin 西山宗因(1605,日本肥后~1682-05-05,京都?) 日本德川时代(1603~1867)初期连歌诗人。原名西山丰一。曾创立俳谐诗歌的谈林派。宗因的俳谐(滑稽连歌)是松永贞德的轻松幽默的俳谐与松尾芭蕉的比较严肃和优美俳句之间的过渡作品。在青年时代,宗因原是九州一个大名的武士家臣,但是他的主公鼓励他发展自己的文学才能。宗因于1622年前往京都,到1633年已经成为一个职业连歌师。他对俳谐的兴趣发展得很慢,一直到1673年才刊印他的第一部俳谐诗集《宗因千句》。该书所录的诗篇虽以贞德风格写成,但显示出比早期俳谐有更深一层的含义。一些不满足于旧派的青年学子(包括井原西鹤和冈西惟中在内)云集到宗因门下。西山宗因的诗集很多,包括《宗因五百句》(1676)和《梅翁宗因发句集》(1681)。

Nisibin(Turkey) **尼西宾** 参阅 **Nusaybin** 努赛宾。

Nisibis, School of 尼西比斯学院 5~7世纪叙利亚基督教(聂斯脱利派)的学术中心。起初,埃德萨(今在土耳其境内乌尔法)学院的教师和领导人纳尔赛和他的同事由于神学争论而被逐出该地。471年以后不久,他们和以往在埃德萨学院的师生在尼西比斯(今土耳其境内努赛宾)成立这个学院。在亚伯拉罕(贝特拉班的)主持该学院期间(约569以前),该学院有重大发展。该院教师在文学、历史、语言学及神学领域内都有著作,把各种希腊文著作译成古叙利亚文。阿拉伯人了解希腊思想主要是通过许多书籍的古叙利亚文译本。自570年前后到609年前后赫纳纳主持尼西比斯学院,他推崇3世纪基督教神学家奥利金,抛弃聂斯脱利派神学权威狄奥多尔(莫普苏埃斯蒂亚的)的学说,该院的聂斯脱利派神学传统被破坏。学生忿而策划暴乱,赖政府支持赫纳纳才渡过危机。尼西比斯学院后来声誉日降,被塞琉西亚-泰西封学院取代。

niṣprapañca 究竟实体 梵语。佛教中观和唯识二派哲学理论中的概念。参阅 **prajñapti**。

Nissaba 尼萨巴 美索不达米亚宗教所崇奉的神灵。苏美尔人信奉她,是农业地区中古幼发拉底河畔埃里克附近乌鲁克城的护城女神,司掌芦苇和粮食作物。且为人们提供芦笔,因此便成为保祐写作、书写艺术和算术的女神。

Nissan Motor Co., Ltd. 日产汽车公司 日本汽车制造企业。1933年成立于横滨,称

汽车制造公司，次年采用今名。该公司的主要产品为轿车、卡车和公共汽车，用“日产”和“达善”两个牌名，也生产用火箭推进的人造卫星、游船和机器。总公司现设在东京。从1938年起的战争年代，该公司完全转向生产卡车和军用车辆。1945年美国占领军接管该公司各主要工厂，仅准许一家工厂生产日产牌和达善牌汽车。直到1955年，占领军才交还其他各厂。此后，特别是20世纪60年代，该公司打进世界市场后，汽车的产量和销售额均大为增长。在外国，如澳大利亚、秘鲁、墨西哥、美国和德国，设有汽车装配工厂。

Nistrul River(Ukraine and Moldova) **尼斯特鲁尔河** 参阅 **Dniester River** *德聂斯特河*。

Nisus 尼索斯 希腊神话中迈加拉国王潘狄翁之子。迈加拉的一个港口尼塞亚即因他得名。尼索斯有一绺具有魔力的紫色头发，只要保有这绺头发，就可以保证他的生命，并继续享有他的土国。克里特国王弥诺斯围攻迈加拉时，尼索斯的女儿斯库拉爱上了弥诺斯(据某些说法，她受了他的贿赂)；她割掉了她父亲那绺紫色头发，出卖了她的城市。尼索斯被杀死(或自杀)并变成一只海鹰。斯库拉后来可能被弥诺斯溺死，并变成一只经常受到海鹰追逐的海鸟，可能是苍鹭。

NIT(basketball) 参阅 **National Invitation Tournament** *全国邀请赛*。

Niten(Japanese artist) **二天** 参阅 **Miyamoto Musashi** *宫本武藏*。

niter 参阅 **saltpetre** *硝石*。

Niterói 尼泰罗伊 巴西里约热内卢州城市。位于瓜纳巴拉湾口。与里约热内卢隔海湾相望。两地有渡轮和铁路相通，1974年建有一座科斯塔-席尔瓦总统桥相连。1671年

尼泰罗伊市的海滨景色
美国不列颠百科全书公司供图

建居民点。1819年建村。1835年为里约热内卢州首府。1836年建市，改名尼泰罗伊。1975年后不再为州首府。现为里约热内卢的住宅区。工业发达，有巴西主要造船厂和修船船坞，也有冶金、机械、制药、食品、纺织等工业。市内有弗卢米嫩塞联邦大学(1960)。人口382 736(1980)。

Nithard 尼塔尔(790?～844-06-14) 法兰克伯爵和历史学家。他的著作利用重要史料和官方文件为西法兰克国王查理二世统治时期的各种事件提供了极宝贵的第一手材料。他是查理曼的女儿贝尔塔与著名诗人、帝国首相昂吉尔贝尔之子，在宫廷中长大。皇帝虔诚者路易一世卒时(840)他成为路易最小的儿子秃头查理二世的顾问。在丰特努瓦战役(841)中他为查理作战。同年查理要求他写出最近发生的种种事件，结果就产生了4卷《历史》，又称《虔诚者路易的儿子们的纷争》。843年出任圣里基耶修道院院长，后在与阿基坦的丕平二世的作战中阵亡。

Nithsdale 尼思河谷 苏格兰西南部邓弗里斯-盖洛韦区尼思河的河谷。1975年设置，包括原邓弗里斯郡的西部和柯库布里郡东部的一小部分。北部海拔610米，尼思河从北部向东南流经宽阔的低地注入索尔韦湾。经济以农业为主，有牧羊业。尼思河边的邓弗里斯是该地区最大的城市，为商业和工业中心。北部产煤。

Nitra 尼特拉 匈牙利语作Nyitra。德语作Neutra(诺伊特拉)。斯洛伐克共和国西斯洛伐克州城镇。濒临尼特拉河。9世纪初为尼特拉公国首镇，后为要塞和宗教中心。830年建有基督教堂，为现今斯洛伐克的最古老的教堂。1248年设镇。主要名胜有古要塞大门和中世纪城堡围墙。为重要公路枢纽和食品加工中心。1946年建有尼特拉农学院。人口87 548(1998)。

nitrate 硝酸盐(酯) 由硝酸衍生的两类化合物硝酸盐和硝酸酯的总称。硝酸盐是离子化合物，含有硝酸根离子 NO_3^- 和另一正离子，如硝酸铵中的 NH_4^+ 离子。硝酸酯是共价化合物，具有 $R—O—NO_2$ 结构，式中R为有机基团，如硝酸乙酯中的乙基(C_2H_5)。参阅 **nitro compound**。

nitrate and iodate minerals 硝酸盐和碘酸盐矿物 一小部分天然存在的无机化合物，实际上只限于出现在智利北部阿塔卡马沙漠，主要产地是安托法加斯塔。这些矿物在松散土壤下呈2～3米厚的淡灰色硝结层(一种由硝酸盐、硫酸盐、卤化物和砂组成的胶结的硬质混合物)的矿床。最罕见的碘酸盐矿物零星地混杂于硝酸盐中，以其黄色与硝酸盐相区别。硝结层是由于排水而积聚起来的。因为这些化合物的大多数是可溶的和不稳定的，所以实际上它们只出现于干旱区和具有少量微生物的土壤中。第一次世界大战以前，智利几乎垄断了硝酸盐生产，有多达100家工厂。20世纪初期，实用固氮法的采用导致了天然硝酸盐市场的衰落。硝酸盐和碘酸盐矿物在结构上与碳酸盐矿物有关。最重要的硝酸盐矿物是钠硝石、硝石(硝酸钾)、钠硝矾和水硝碱镁矾。重要的碘酸盐矿物是碘钙石和碘铬钙石。

nitre 参阅 **saltpetre** *硝石*。

nitric acid 硝酸(HNO_3) 无色、发烟、腐蚀性很强的液体(冰点 -42 °C，沸点 83 °C)。实验室常用试剂和工业上制造肥料和炸药的重要化学药品。硝酸有毒，并能造成严重灼伤。早期炼金术士就已知道制造和使用硝酸。德国化学家J.R.格劳贝尔于1684年提出加热浓硫酸与硝酸钾制取硝酸，这是一种使用了多年的实验室常用方法。1776年，A.L.拉瓦锡证明硝酸含氧。1816年，J.-L.盖-吕萨克和C.-L.贝托莱确定了硝酸的化学组成。氨的催化氧化是生产硝酸的主要方法。在德国物理化学家W.奥斯特瓦尔德于1901年发展的方法中，氨气是在铂丝催化剂存在下，被空气或氧气连续氧化成一氧化氮和二氧化氮的。二氧化氮被水吸收形成硝酸。所得水溶液中的硝酸(酸重约占50%～70%)可和硫酸一起蒸馏而脱水。硝酸会分解为水、二氧化氮和氧气，变成棕黄色溶液。硝酸为强酸，在水溶液中完全电离成氢离子和硝酸根离子；它还是强氧化剂(作氧化-还原反应中的电子接受体)。硝酸的重要反应有：与氨中和以生成作为肥料主要成分的硝酸铵；使甘油和甲苯硝化，分别生成硝化甘油和三硝基甲苯炸药；制备硝基纤维素以及使金属氧化成相应的氧化物或硝酸盐。

nitric oxide 一氧化氮(NO) 无色有毒气体。由氮气和氧气在电火花或高温作用下形成；更便利的方法是由稀硝酸与铜或汞反应制取。约在1620年，比利时科学家J.B.van海尔蒙特首次制出一氧化氮。1772年，英国化学家J.普里斯特利对其进行了研究，并称之为“亚硝气”。一氧化氮在 -151.8 °C液化，-163.6 °C固化。固态和液态一氧化氮均为蓝色。此气体几乎不溶于水，但在亚硫酸钠的弱碱性溶液中迅速溶解，生成化合物二亚硝酰亚硫酸钠 $Na_2(NO)_2SO_3$。它和氧迅速反应，生成二氧化氮 NO_2。一氧化氮是少数几个含有奇数电子的稳定化合物之一，它可获得或失去1个电子形成离子 NO^- 或 NO^+，这些离子存在于亚硝酰基中，亚硝酰化合物有点类似于由一氧化碳和过渡金属形成的羰基化合物。一氧化氮与氢气在催化剂存在下进行的反应，是羟胺工业生产方法的基础。硝酸和汞生成一氧化氮的反应，已用于硝酸及其盐类的容量分析方法中。

nitride 氮化物 氮与一种或多种其他元素化合而成的一类无机化合物的总称。有些金属氮化物是不稳定的，而且大多数与水反应生成氨和相应的金属氧化物或氢氧化物。然而，硼、钒、硅、钛和钽的氮化物极难熔化，耐化学腐蚀且质硬，用作磨料或用来制造坩埚。在表面硬化过程中，钢制的物体与氨一起加热形成氮化物，加热温度通常在500～550 °C，加热时间取决于所需硬化壳的厚度，可为5～100小时。参阅 **surface hardening**。

nitrifying bacterium 硝化细菌 英语复数为nitrifying bacteria。硝化杆菌科(Nitrobacteriaceae)种类不多的需氧细菌，能以无机化合物为能源。是在氮循环中起重要作用的微生物，能把土壤中的氨转变为可被植物利用的硝酸盐。硝化过程需要以下两组细胞的中介：一类把氨转变成亚硝酸盐，如亚硝化单胞菌属(*Nitrosomonas*)、亚硝化螺菌属(*Nitrosospi-*

ra)、亚硝化球菌属(*Nitrosococcus*)、亚硝化叶菌属(*Nitrosolobus*);另一类把对植物有毒的亚硝酸盐转变成硝酸盐,如硝化杆菌属(*Nitrobacter*)、硝化刺菌属(*Nitrospina*)、硝化球菌属(*Nitrococcus*)。在农业上,灌溉稀释的氨溶液,通过硝化细菌的作用使土壤中硝酸盐增加。参阅 **nitrogen cycle**。

nitrile 腈 又称氰化物。分子结构中含有与碳原子(C)相连的氰基(—C≡N)的一类有机化合物的总称。腈类是无色的固体或液体,具有独特气味。丙烯腈用称为氨氧化的方法大量生产,该法依靠丙烯在氨和一种催化剂的存在下进行氧化。丙烯腈是丙烯酸纺织纤维、合成橡胶以及热塑性树脂等聚合物的重要组分。某些腈是在催化剂存在下,由羧酸与氨加热制得的,此法用于由天然脂肪和油类制取腈类化合物。这些腈类化合物在合成橡胶、塑料及纺织品中用作软化剂,也用于制取胺类化合物。腈类还可由酰胺与五氧化二磷共同加热生成。它们可与氢化铝锂反应而还原为伯胺,或者在酸或碱的存在下水解为羧酸。

nitrite 亚硝酸盐(酯) 由亚硝酸衍生的两类化合物的总称。亚硝酸盐是离子化合物,含有亚硝酸根离子 NO_2^- 和另一正离子(如亚硝酸钠 $NaNO_2$ 中的 Na^+ 离子)。亚硝酸酯是共价化合物,具有 R—O—N—O 结构,其中 R 为含碳的基团,如亚硝酸乙酯中的乙基 C_2H_5。共价的亚硝酸酯是硝基化合物如硝基乙烷的异构体,后者被认为是硝酸的衍生物,而不是亚硝酸的衍生物。参阅 **nitroso compound**。

nitro compound 硝基化合物 分子结构中含有硝基(NO_2)的一类化合物的总称。最常见的例子是分子中一个碳原子以共价键与硝基的氮原子相连的有机物质。硝化纤维和硝化甘油都不是硝基化合物而是有机硝酸酯。硝基化合物是极性的,不含其他化学反应基团的硝基化合物为无色或浅黄色液体,仅微溶于水。工业生产的许多硝基化合物用作炸药、溶剂或化学中间体(在进一步化学处理中作为原料的重要物质)。硝基化合物通常由硝酸与一种有机化合物靠称为硝化的反应来制备。芳香族化合物如苯或甲苯,在 100 ℃或更低的温度用硝酸和硫酸的混合物处理,通常能使它们有效地硝化。这些条件不适用于硝化脂肪族化合物。然而在工业上丙烷在 400 ℃左右与硝酸蒸气反应变成硝基甲烷、硝基乙烷、1-硝基丙烷和 2-硝基丙烷的混合物。然后用分馏法将混合物分离成它的组分。硝基化合物最重要的反应是由各种还原剂所引起的还原反应。如果还原介质呈酸性,还原几乎总是产生胺;在中性介质中,还原产生羧胺;在碱性溶液中,生成含有氮-氮键的化合物(偶氮、氢化偶氮或氧化偶氮化合物)。

nitrobenzene 硝基苯 最简单的芳香族硝基化合物。用于制苯胺、联苯胺及其他有机化合物,还用于香料中,称为密斑油。硝基苯为浅黄色油状液体,苦杏仁味,毒性强。硝基苯最初于 1834 年由德国化学家 E.密切利希用发烟硝酸处理苯制得。工业上用硝酸和硫酸混合酸以间歇的及连续的两种操作法制硝基苯。硝基苯分子式为 $C_6H_5NO_2$,其硝化、卤化和磺化反应比苯慢得多。硝基苯在不同反应条件下,可被还原成多种化合物。生产的硝基苯大部分被还原成苯胺,少量变成偶氮苯、氢化偶氮苯(生产联苯胺的中间体)和苯基羟胺。硝基和苯环同时被还原则得到环己胺。在合成喹啉和碱性品红中,硝基苯用作温和氧化剂。

nitrocellulose 硝化纤维 又称硝酸纤维素。不同纤维素硝酸酯的混合物,为高度易燃化合物,也是现代火药的主要成分。硝化纤维是松散的白色物质,保留了一些未经处理的纤维素的纤维结构。它对热不稳定,即使是仔细制备的样品,只要短暂加热到温度超过 150 ℃,就会着火。硝化纤维分解时形成可催化进一步分解的产物;此反应如果不及时停止,则会引起爆炸。1838 年 T.-J.佩卢兹发现棉花浸入浓硝酸后可爆炸。1845 年,C.F.舍恩拜因改进了该制造方法,他将棉花浸于硝酸和硫酸的混合液中,然后洗去多余的酸。19 世纪 60 年代,称为火棉的一种硝化纤维形式用作火药的一种成分。但是,其早期的应用史上经历过多次灾难性的爆炸。1868 年 F.A.阿贝耳指出,当时通用的那种在硝化后清洗硝化纤维的方法未能彻底清除酸。P.维埃耶在硝化纤维中加入特殊的稳定剂,用以中和有催化作用的分解产物。从他的研究中首次制成稳定可靠的发射药,即无烟火药,它成为火药的主要形式。其制造方法用棉绒或木浆作纤维素的来源,将这些原料用硝酸和硫酸的混合酸按照 1 份纤维素 30 份酸的比例进行处理。将湿的硝化纤维用大量的水进行洗涤和离心以除去大部分废酸,然后将硝化纤维在酸化的水中煮沸以除去硝化后残余的不稳定副产物。然后将产物捣成浆以分离出纤维素纤维,接着洗涤除去最后的痕量酸。木浆是用作枪炮发射药的硝化纤维的优良原料。如果棉花被处理得几乎所有的纤维素分子的羟基均已被酯化而分子的结构尚未被破坏,则结果生成火棉。这种形式的硝化纤维含氮 13%以上,可溶于丙酮,但不溶于乙醚和乙醇。它可单独或与硝化甘油混合作发射药。不完全硝化的纤维素称为胶棉或焦木素,在爆炸性能上不如火棉。含氮量不超过 12%的胶棉,主要用于漆和赛璐珞塑料。含氮量约为 11.5%的胶棉曾一度用来制造人造丝,但已被其他材料如黏胶人造丝所代替。这种材料在醋酸纤维塑料安全胶片通用前,也曾用来制造照相胶片。

nitrogen 氮(N) 周期表Va族非金属元素。无色、无嗅、无味的气体。地球大气中含量最多的元素。一切生命物质都含氮。1772 年,英国爱丁堡一位医学大学生 D.拉瑟福德首先发表关于发现氮的报告,因而通常将氮的发现归功于他。然而,几乎同时,英国化学家 J.普里斯特利、H.卡文迪什和瑞典化学家 C.W.舍勒也发现了氮。法国化学家 A.拉瓦锡首次鉴别出氮气为一种元素,因其不能维持生命而定名为氮(azote)。现用名是 1790 年确定的,说明此元素存在于硝石(硝酸钾 KNO_3)中。氮的宇宙丰度居第6位。在地球大气中按体积计占 78%,按重量计占 75%。在很多陨石中,在火山、矿井和一些矿泉的气体中,在太阳、星球和星云中,都可找到游离的氮。化合态的氮存在于硝石和智利硝石(硝酸钠$NaNO_3$)中,以氨和铵盐的形式存在于大气、雨水、土壤和鸟粪中。并以铵离子 NH_4^+、亚硝酸根离子 NO_2^-、硝酸根离子 NO_3^- 等形式存在于海水中,以及以蛋白质等复杂有机化合物的形式存在于生物有机体中。动物从其食用的植物或其他动物蛋白质中得到它们细胞组织蛋白质的氮,而植物则利用土壤中的无机氮化合物或在某种程度上利用空气中的非化合态氮来合成蛋白质。在豌豆、蚕豆、三叶草、苜蓿、花生等豆科植物根中生活的细菌能够吸收空气中的氮。某些独立生存的厌氧细菌和海藻也能从空气中汲取氮。土壤中另一些微生物能把铵盐转化为硝酸盐。闪电和阳光都能使一部分氮气与大气中的氧气化合,形成几种氮的氧化物,以硝酸和亚硝酸形式随雨水进入土壤,被中和后变为硝酸盐和亚硝酸盐。通常施用含硝酸盐和铵盐的肥料,可人为地使耕作土壤中的氮含量增加和更新。动植物通过排泄和腐烂又将氮化合物送回土壤和空气。土壤中的某些细菌将氮化合物分解,使氮气重新返回空气。吸入的氮气微溶于血液和其他体液中,在增高的压力下,溶解量变大。当潜水员、飞行员和深潜箱中的工作人员所受空气压力降低过快时,便有氮气泡从这些人员的血流中逸出,这是引起潜水病或减压病的主要原因。工业上制取氮,几乎完全采用液态空气分步蒸馏法。氮的沸点(-195.8 ℃)比氧(-183 ℃)低,将首先蒸发。小规模制备纯氮,是以氮化合物作为原料,例如加热亚硝酸铵 NH_4NO_2 或叠氮化钡 $Ba(N_3)_2$。

在化学上,尤其是在常温下,氮气很不活泼。因此,化学工业中用氮作稀释剂或隔断空气与潮气的覆盖气。由于液氮温度很低并且很不活泼,因而适用于冷冻干食品以及在易腐烂商品的运输中作冷冻剂。在低温实验研究中液氮也很有用。地球上天然氮由两种稳定同位素组成:氮 14(99.63%)和氮 15(0.37%)。1919 年,英国物理学家 E.卢瑟福发表了关于第一个人工引发核嬗变的报告,他用 α 粒子轰击氮 14,得到了氧 17 的核和质子。已知有其他 3 种放射性同位素:氮 12、氮 13 和氮 16。大多数单质氮用于制造氮的化合物。大量氮气与氢气在一起用于生产氨 NH_3,氨是一种带有刺鼻的刺激臭味的无色气体。合成氨的主要工业方法是**哈伯-博施法**(**Haber-Bosch process**)。氨是两种主要商业氮化合物之一,在制造其他重要氮化合物中有许多用途。工业上合成的氨大部分转变成硝酸 HNO_3 和硝酸盐(即硝酸盐类和硝酸酯类)。较多的氨用于**氨碱法**(**ammonia-soda process**)生产纯碱 Na_2CO_3;氨也用于制备肼 N_2H_4,肼是一种用作火箭燃料和用于许多工业过程中的无色液体。硝酸是氮的另一种主要工业用的化合物，为无色腐蚀性很强的液体。它广泛用于生产肥料、染料、药品和炸药。氨与硝酸生成的盐为硝酸铵NH_4NO_3，是人造肥料最常见的氮的组分。氮与氧形成数种氧化物，其中包括氧化亚氮N_2O、一氧化氮NO和二氧化氮NO_2。许多氮的氧化物都极易挥发，它们是大气污染的主要来源。氧化亚氮又称笑气，有时用作麻醉剂，吸入它会引起轻微的癔病。一氧化氮迅速与氧反应形成二氧化氮，它是制造硝酸的中间体和用于化学过程的强氧化剂，以及火箭燃料。通常在高温下，某些金属与氮直接化合形成也相当重要的氮化物固体，包括在氨气氛中加热合金钢（所谓渗氮工艺）所产生的硬化剂。硼、钛、锆和钽的氮化物具有特殊的用途，例如氮化硼BN的一种同素异形体几乎和金刚石一样坚硬而且不易氧化，所以用作高温磨料。无机氰化物含CN^-基团。氰化氢或氢氰酸HCN是易挥发和极毒的气体，用于熏蒸消毒、矿物富集和其他各种工业过程。氰$(CN)_2$也用作化学中间体和熏蒸剂。叠氮化物可以是无机化合物或有机化合物，均含有3个氮原子以$-N_3$表示的基团。大多数叠氮化物是不稳定的，并对震动很灵敏。其中一些叠氮化物如叠氮化铅$Pb(N_3)_2$用于炸药和雷管。像卤素化合物一样，叠氮化物靠取代所谓的叠氮基易与其他物质反应产生许多化合物。氮形成无数有机化合物。大多数已知的化合物可认为由氨、氰化氢和亚硝酸或硝酸衍生而来。例如，胺、氨基酸和酰胺都是由氨衍生的或与氨有密切关系的；硝化甘油和硝化纤维是硝酸酯类；硝基化合物是由硝酸与一种有机化合物之间的反应（称为硝化反应）生成的；腈类是由亚硝酸衍生的；亚硝基化合物是由亚硝酸与一种有机化合物作用生成的；嘌呤和生物碱是一些杂环化合物，其中的一个或更多的碳原子被氮所取代。氮原子序数7。原子量14.0067。熔点－209.86 °C。沸点－195.8°C。密渡（1大气压，0°C）1.2506克/升。常见氧化态－3、＋3、＋5，电子组态2,5或$1s^2 2s^2 2p^3$。

nitrogen cycle　氮循环　各种形式的氮在自然界的循环。氮是蛋白质和核酸的基本元素，为地球上的生物所不可缺少。大气的80%是氮气，虽然十分丰富，但处于不能为大多数生物利用的形式。然而，经由微生物引起的一些复杂转化反应，使氮能为植物所利用，进而维持所有动物的生命。这种循环步骤虽无一定顺序，但可分为下列阶段来研究：氮的固定、氮的同化、氨化、硝化和反硝化。氮的固定就是使氮气转化为无机氮化合物的过程，在很大程度（90%）上由某些细菌和蓝绿藻（参阅 **nitrogen fixation**）完成。由闪电、紫外辐射、电气设备等非生物途径以及使用*哈伯-博施法*（**Haber-Bosch process**）的氮肥工业固定的氮气只占很小比例。由氮固定过程得到的硝酸盐和氨，被水藻和更高级植物同化为特殊的组织化合物。动物随后食用水藻和更高级植物，转化为它们体内的化合物。所有生物的遗体及排泄物，均在产生氨的氨化过程中被微生物分解。在厌氧和无氧条件下，虽会生成恶臭腐败产物，但它们最后也要氧化为氨。氨是离开土壤还是转化为其他含氮化合物，部分取决于土壤条件。在*硝化细菌*（**nitrifying bacterium**）存在下发生的硝化反应，将土壤中氨转化为能被植物利用并结合到其组织中的硝酸盐。在浸透水的缺氧土壤中特别活泼的*脱氮细菌*（**denitrifying bacteria**），能使土壤中的硝酸盐产生代谢作用转化为大气中的游离氮。

nitrogen euphoria（medicine）　**氮欣快**　参阅 **nitrogen narcosis** *氮麻醉*。

nitrogen fixation　固定氮　使空气中丰富的不活泼气体游离氮与其他元素化合而生成较活泼化合物的自然或工业过程。这些化合物通常是氨、硝酸盐或亚硝酸盐。在自然界中，氮不与其他元素反应。但是，含氮化合物存在于所有的土壤、所有的生物、许多粮食、煤和硝酸钠（硝石）、氨等天然存在的化合物中。氮还作为DNA的化学组分之一存在于各个活细胞的细胞核中。

氮在自然界中可被闪电和紫外线所固定即化合成一氧化氮，但是更大量的氮被土壤微生物以氨、亚硝酸盐和硝酸盐的形式所固定。90%以上氮的固定是依靠微生物的作用。一般认为有两种固氮细菌：第一种是自由生活（非共生）的细菌，包括各种藻青菌（或蓝藻），如鱼腥藻属、念珠藻属以及固氮菌属、拜耶林克氏菌属和梭状芽孢杆菌属等；第二种是共生细菌，如与豆科植物共生的根瘤菌属和与谷类植物共生的含脂螺菌。共生的固氮菌侵袭宿主植物的根毛，并在此繁殖和促进根瘤的形成、植物细胞和亲密共生细菌的扩大。根瘤内的固氮菌将游离氮转化为硝酸盐，被宿主植物在发育中利用。为了保证根瘤的充分形成和荚果（如苜蓿、豆类、车轴草、豌豆、大豆）的最宜生长，通常将种子与适当根瘤菌的商业培养物接种，特别是在根瘤菌贫乏或缺少的土壤中。参阅 **nitrogen cycle**。

含氮物质在人类的农业中久已用作肥料，在19世纪，固定氮对于生长中植物的重要性逐渐被认识。因此，炼焦时从煤中逸出的氨被回收并用作肥料，智利的硝酸钠（硝石）矿床也用作肥料。在实行集约农业的地方，呈现出对氮的需求，以补充土壤中的天然供氮。同时，用于制造火药的智利硝石量增加，导致世界性的对这种氮化合物天然矿床的勘探。到19世纪末人们明白，煤干馏工业中回收氨和进口智利硝石都不能满足未来的需求。此外还认识到，在大型战事中，一个被切断智利硝石供应的国家将很快不能制造适量的军火。

在20世纪第一个10年内，大量的研究力量集中于开发若干工业固氮方法。三种产量最大的方法是氮与氧直接化合、氮与碳化钙反应和氮与氢直接化合。在第一种方法中，将空气或任何其他未化合的含氧混合物与氮一起加热到很高的温度，一小部分混合物反应形成一氧化氮气体。然后将一氧化氮化学转化为硝酸盐，用作肥料。1902年，在纽约州尼亚加拉瀑布利用电流使氮与氧在电弧的高温下化合，这次冒险在商业上失败。但是1904年挪威的C.比克兰德和S.埃代在一个小工厂中采用了电弧法，该工厂是后来在挪威和其他国家建造的若干工业上成功的较大工厂的先驱。但是，电弧法昂贵，并且其能量的利用效率从根本上不会高，不久即被更好的方法所取代。这些方法之一利用氮与碳化钙在高温下生成氰氨化钙的反应，然后氰氨化钙水解生成氨和尿素。在第一次世界大战前和大战期间，若干国家大规模采用氰氨化钙法，但是它的能量消耗太大，于是到了1918年哈伯-博施法使它被废弃不用。

哈伯-博施法（**Haber-Bosch process**）由氮和氢直接合成氨，是已知最经济的固定氮方法。德国化学家F.哈伯在1909年确定，来自空气中的氮可与氢在极高的压力和适度的高温及一种有效催化剂的存在下生成极高比率的氨。氨是生产范围广泛的多种氮化合物的起点。此法后来被C.博施改进成工业上可行的方法，遂被称为哈伯-博施法或合成氨法。德国在第一次世界大战中成功地依靠此法，导致战后该工业的迅速扩大和在许多其他国家兴建类似的工厂。哈伯-博施法现在是全世界化学工业中最大的和最基本的方法之一。

nitrogen group element　氮族元素　构成周期表Va族的化学元素，包括氮（N）、磷（P）、砷（As）、锑（Sb）和铋（Bi）。所有氮族元素都在地壳中存在。氮是大气中含量最丰富的元素，所有活生物体内存在的复杂化合物——蛋白质的平均含氮量约16%（重量）。磷在地壳中居最丰富元素的第12位，而且是分布最广泛的元素之一；因为磷化学反应能力强，故不能以非化合态存在。这一族的其他3个元素事实上含量都比较少，它们可以天然状态和化合物两种形式存在。在周期表中，氮族元素是物理状态范围最宽的一族元素。例如氮是气体，约在－210 °C液化；而铋是固体，在271 °C熔化。氮和磷是非金属，砷和锑是准金属，铋是典型的金属。这一族的元素在外观上也显著不同。氮在气态和液态时均为无色。磷有各种各样的同素异形体，包括常见的活性高的白磷，活性小得多的红磷和最稳定的黑磷。砷通常是暗灰色金属状的固体。锑是银灰色性脆的金属。铋是银白色稍带有粉红光泽的金属。氮族元素在化学上彼此虽有明显的差别，但它们在化学性质上还有某些一般的相似性。这些相似性反映它们原子的电子结构有共同的特征。每一个氮族元素最外层都有5个电子，有2个电子完全占据s轨道，并在3个p轨道上各分配1个电子。所以氮族元素原子中外层电子的排列提供了3个半充满的轨道，这些轨道与其他元素原子的半充满轨道相互作用形成3个共价键；形成3个共价键后，剩余一个未共有的电子对，或称孤电子对。除氮外，此族所有的其他元素还能形成5个共价键。

nitrogen narcosis　氮麻醉　又称氮欣快、深水销魂。在压力增高的条件下吸入体内的氮气产生的生理效应。氮是惰性气体，因此未被利用即进入体液和组织。尽管氮在维持人体功能上不起作用，但在大气压力下氮吸入过多仍可对组织产生影响。潜水员及在加压环境中生活的人极易发生氮麻醉。潜水员需要呼吸压缩空气。潜水时身体所受的压力随水深而成比例增加,为了能正常地呼吸,压缩空气的压力必须与深水环境的压力相等。在水深30米处,潜水员所呼吸的空气密度比海平面的空气密度高4倍,含氮量亦同样增加4倍。人体的某些组织(如脂肪组织)对氮有较强的吸收能力。脑和其他神经系统富含脂类,当吸入高浓度的氮气后,氮分子便在神经组织内聚积直至饱和,结果使神经功能受到损害。每个人的耐受阈不同。一些潜水员在水深15米时即出现麻醉,而另一些潜水员在水深60米时可仍无明显反应。但氮麻醉症状通常在下潜到10米时开始出现。潜水员下沉愈深则症状愈严重。潜水员浮出水面后,症状随即消失而且不留有后遗症或持久的伤残。轻度氮麻醉开始发病时有头晕、欣快、麻木、无忧无虑等醉酒感,继之思维及手脚活动变得迟钝,其后可有情绪不稳、逻辑混乱,严重者发生抽搐、神志丧失。潜水员在清澈、温暖的水中游泳感到愉快,而在黑暗、寒冷的水中会感到惊慌、恐惧、焦虑和抑郁。在麻醉不严重时,潜水员的躯体活动可无障碍,也不能完全意识到自己的逻辑思维在受到损害。而逻辑混乱可使潜水员上升过急或不能意识到空气供应已经竭尽,从而使自己的身体受到损害。因为氦较之氮更不易被溶于机体组织,故可用氦-氧混合气体取代氮-氧混合气体给深水潜水员配带工作。参阅 **decompression sickness**。

nitroglycerin　硝化甘油　又名甘油三硝酸酯。一种烈性炸药,也是多种类型**达纳炸药**(**dynamite**)的重要组分,与硝化纤维一起用于火箭和导弹的推进剂中。也是一种血管扩张药,用以减轻心脏病痛。纯硝化甘油为无色油状液体,有甜而辣的味道,稍有毒性。硝化甘油最初于1846年由意大利化学家A.索布雷罗把甘油加到浓硝酸和浓硫酸混合液中而制得。由于普遍采用连续硝化法,使大量生产硝化甘油的爆炸危险大为减少。硝化甘油的分子式为 $C_3H_5(ONO_2)_3$,含氮量高(18.5%),所含氧原子,在释放氮时,足以氧化所有碳原子和氢原子而有余,所以是已知爆炸性最强的炸药之一。硝化甘油爆炸产生的气体,在室温常压下,其体积大于原体积的1 200倍,而且放出的热量能使温度升至大约5 000°C。其爆炸总效果是:瞬间产生20 000个大气压的压力,所产生的爆震波速度每秒约7 700米(超过了17 000英里/小时)。硝化甘油对碰撞和骤热极为敏感,50～60 °C开始分解,218 °C爆炸。硝化甘油可增塑硝化纤维成为爆炸胶(一种很强的炸药)。诺贝尔所发现的这种作用发展成为无烟火药、第一个双基推进剂与无烟线状火药。在硝化甘油的使用中,由于其凝固点高(13 °C),而固化后对撞击比液体更敏感而产生了严重问题。这个缺点,可使用硝化甘油与其他多元硝酸酯的混合物,例如,硝化甘油和乙二醇二硝酸酯(其凝固点为-29 °C)的混合物,加以克服。

nitromersol　硝甲酚汞　一种人体消毒剂,用于皮肤、黏膜及外科器械的消毒。商品名为米他芬。硝甲酚汞是一种含汞有机化合物,和汞溴红(红汞)、硫柳汞属同类人体消毒剂;作用机制是其分子中的汞可以沉淀微生物体内的酶,从而阻断其代谢过程。纯品硝甲酚汞为黄色粉末或颗粒,易溶于碱性溶剂。常用剂型为0.5%酊剂(酒精溶液)或0.2%水溶液。

nitroso compound　亚硝基化合物　分子结构中含有与一个碳或氮原子相连的亚硝基(—N=O)的一类有机化合物的总称。亚硝基与氧原子相连的物质称作亚硝酸酯。亚硝基与一个金属离子相连的物质称亚硝酰化物。亚硝基化合物通常是用亚硝酸或其衍生物与含有易于取代的氢原子的物质作用而制备的。有些亚硝基化合物可由胺氧化或硝基化合物还原而制得。亚硝基化合物的例子有:用于生产染料的亚硝基二甲基苯胺和亚硝基苯酚。酰胺的亚硝基衍生物受热分解产生氮气,可用作发泡剂。如在碱存在下受热,则发生另一种方式的分解,生成重氮化合物。

nitrous acid　亚硝酸(HNO_2)　一种不稳定的弱酸性化合物,只能在冷而稀的溶液中制得。可用于将胺转化为重氮化合物的化工过程,重氮化合物可用于生产重氮染料。亚硝酸盐(参阅 **nitrite**)比较稳定,一般可将亚硝酸盐酸化制取亚硝酸。亚硝酸会分解成一氧化氮 NO 和硝酸 HNO_3。亚硝酸既可起氧化剂的作用,也可起还原剂的作用。即当它与其他物质反应时,亚硝酸的氮原子既可得到电子也可失去电子。如亚硝酸可将碘离子氧化为元素碘,也可将元素溴还原为溴离子。

nitrous oxide　氧化亚氮(N_2O)　又称一氧化二氮或笑气。氮的几种氧化物之一。无色气体,有令人愉快和微甜的气味。人吸入时,先表现出轻微歇斯底里,然后使人丧失疼痛的感觉,有时发出笑声。氧化亚氮是1772年由英国化学家J.普里斯特利发现的,后来另一位英国化学家H.戴维将它命名为氧化亚氮,并证明它有生理效应。主要用作短时间外科手术的麻醉剂,长时间吸入能致死,也可作为粮食的烟雾喷射剂。氧化亚氮可用锌与稀硝酸反应,或盐酸羟胺 $NH_2OH \cdot HCl$ 与亚硝酸钠 $NaNO_2$ 反应制取,但最常用的制取方法是使硝酸铵 NH_4NO_3 分解。

Nitta Yoshisada　新田义贞(1301,日本旧上野国～1338-08-17,旧越前国)　日本镰仓时代末期武将。他支持后醍醐天皇复辟,对于摧毁镰仓幕府起了决定性作用。他的最终失败导致天皇复辟结束,使足利家族得以掌权。1331年后醍醐天皇第一次讨伐镰仓幕府时,他作为镰仓家臣协助幕府击败天皇的军队。第二年,他举起叛旗,率兵推翻了幕府。在新的天皇政府中,他成为最有权势的人物之一。但在不久以后,便与另一名倒戈幕府的朝臣足利尊氏发生冲突。由于后醍醐天皇的支持,他于1335年把尊氏赶出京城。一年后,尊氏统率从地方武士中征募的大军卷土重来,打败天皇军队。义贞护驾逃走。尊氏在京都拥立一个傀儡天皇,而义贞则在中日本南部的吉野山扶植后醍醐天皇的政权,形成了南北朝对峙的局面。1338年重新当政,数月后在敌人突然袭击时中流箭而死。

Nitti, Francesco Saverio　尼蒂(1868-07-19,意大利梅尔菲～1953-02-20,罗马)　意大利政治家,曾在第一次世界大战结束后极为危急时出任首相。早年当新闻记者和经济学教

美国不列颠百科全书公司供图

授。1904年当选众议院议员。属自由党左派。曾任农业部长、工业部长、商业部长和国库部长。1919年6月出任意大利总理,面对因领土要求与盟国发生争执而产生的内政、外交危机和战争、复员引起的财政与经济问题。他采用的"比例代表制"使社会党和天主教民主党议员人数大为增加。1920年因工人罢工和新法西斯党的骚乱而被迫辞职,意大利的民主制度也遭到破坏。1921年再度被选入议会。法西斯分子当权后他流亡法国,从事写作。在第二次世界大战期间被德国人逮捕,囚禁在奥地利。1945年获释。1948年6月成为参议员。

Nitti, Frank　尼提(1896?,意大利那不勒斯～1943-03-19,美国伊利诺伊里弗赛德)　原名尼托(Francesco Raffele Nitto),别名执法人(the Enforcer)。美国芝加哥匪徒,卡彭黑帮的执法长,1931年卡彭入狱,尼提接管了他的犯罪帝国。原是理发匠,后来成为赃物买卖人,1920年加入卡彭黑帮。1930年因逃避所得税被判有罪,入狱18个月,嗣后成为操纵芝加哥的赌场、妓院和其他犯罪活动的盗魁集团的名义首领。1943年3月,他和其他8人(包括"侍者"里卡)被控以"联合骚扰"相要挟,企图勒索4家电影公司(洛氏、派拉蒙、二十世纪福斯和华纳兄弟公司)100万美元。在纽约联邦大陪审团宣布起诉书前数小时,尼提酗酒后,在芝加哥郊外的铁路旁自杀。

Niuafo'ou　纽阿福欧岛　太平洋西南部汤加王国最北端岛屿。陆地面积49平方千米。岛上多树木,有火山峰(260米)、火山口湖和多处温泉。1946年火山爆发,岛民被迫撤出,1958年始重返。因岛民用罐头装信件靠来往船只运送交换,有"锡罐岛"之称。人口约763(1986)。

Niuatoputapu　纽阿托普塔普岛　又称克佩尔岛。太平洋西南部汤加最北端岛屿之

一。为火山岛,面积 19 平方千米,海拔 110 米。虽缺乏适宜的锚地,但仍为汤加和萨摩亚航线上一停留港。产椰仁干和面包果。人口1 616(1986)。

Niue 纽埃 与新西兰自由联合的内部自治岛邦。位于太平洋中南部奥克兰东北2 156 千米,汤加瓦瓦乌群岛东方 385 千米。首都阿洛菲。陆地面积 260 平方千米。纽埃为珊瑚岛,略呈椭圆形,岛的周长约 64 千米。地势截然分为两层:上层为中央高地,高约 63 米,四周斜坡陡降至下层;下层为沿海台地,约 0.5 千米宽,25 ～ 27 米高;下层台地向海倾斜,与海面相接处有小型峭壁。岛四周有礁石。年平均雨量2 000毫米,多降于 12 ～ 4 月。当地泥土极多孔,因此需利用屋顶储水备用。植被稀疏,但有大乔木榕树、塔希提栗,小乔木椰子树、扇叶葵、露兜树,灌木木槿,以及蕨类和攀缘植物。绝大多数居民为波利尼西亚人,使用与汤加语及萨摩亚语近似的一种波利尼西亚方言纽埃语,英语也广泛地被使用。居民以基督徒居多。居民大多住在肥沃的沿海地带,密集种植作物。阿洛菲是人口最多的地区。经济以农业为主。可耕地占1/4,依传统为家族所拥有。该岛土地不可卖给外国人。经济农作物为西番莲果、椰子、巴婆和酸橙,自给农作物则有芋、薯蓣、香蕉、甘蔗、木瓜、番石榴和柑橘。主要的家畜有猪、鸡和牛。渔业主要供应境内所需。森林占地约1/5。制造业以农作物加工为主,输出品有酸橙汁、西番莲果、椰干、蜂蜜、皮货、手工艺品等。旅游业也有所发展。主要港口是阿洛菲。岛上有一座小型机场。新西兰为主要的贸易伙伴和主要的经济援助来源。依据 1974 年的自治宪法,纽埃人仍保持新西兰公民的身份。英国君王是该邦元首,政府首脑为总理,由立法议会选出。立法议会有 20 名成员,由成年人普选产生。总理自立法议会选出成员 4 人组成内阁。

依据 1974 年的考古调查发现,萨摩亚人约于 900 年到纽埃定居。传说还有一支汤加部队在 16 世纪左右来到此地。1774 年,库克船长登上纽埃岛,因纽埃人持敌对态度,而命名该岛为蛮人岛。19 世纪 30 年代伦敦传教士会的成员抵达该岛。1852 年起,岛上的居民开始信基督教。1900 年,纽埃作为萨摩亚割让的一部分为英国所兼并。1901 年作为库克群岛的一部分归属于新西兰。但在 1904 年,它分立于新西兰之外,有自己的行政长官和议会。第一届立法议会于1960年选出;1966 年该行政长官的部分职权已为立法议会取代,由纽埃人领导的政府由此产生。1974 年岛上居民投票通过新宪法,成立与新西兰联合的自治政府,新西兰同意提供防御、照管外交事务,并保持纽埃人的新西兰公民身份。人口约2 200(1994)。

Niulang and Zhinü 牛郎织女 中国民间传说人物。牛郎和织女是从牵牛星和织女星的星名衍化而来。两星于汉魏间开始被人格化,民间便有了口头叙事作品。汉应劭《风俗通义》逸文引《岁华纪》载:"织女七夕当渡河,使鹊为桥。"南朝梁宗懔《荆楚岁时记》云:"天河之东有织女,天帝之子也。年年织杼劳役,织成云锦天衣。天帝哀其独处,许配河西牵牛郎。嫁后遂废织纴。天帝怒,责令归河东,唯每年七月七日夜渡河一会。"这大约是传说的较早面貌。后来故事中的天帝被说成是王母娘娘,织女则成为她的外孙女,牛郎是人间的看牛郎。织女下凡与牛郎婚配,并生一男一女,最后王母将织女捉回,用发簪在她和牛郎之间画出一道天河。牛郎携儿女追逐,被河所阻,只能在每年七夕时靠喜鹊架桥相会。牛郎织女传说,千余年来家喻户晓。作品在流传演变中,由原来的隔河相望变成七夕鹊桥相会,溶进了人们对牛郎织女的同情,增加了理想成分。牛郎织女传说与七月七日的乞巧风俗结合非常紧密。

Nivelle, Robert-Georges 尼韦勒(1856-10-15,法国蒂勒～ 1924-03-23,巴黎) 第一次世界大战最初 5 个月的西线法军总司令,因 1917 年春的反攻失败而断送了前程。1878 年毕业于综合工科学校,曾在印度支那、阿尔及利亚和中国任炮兵军官。1914 年 10 月升准将。他曾指挥一个旅(1914)和一个军(1915),1916 年 5 月在凡尔登接替 P. 贝当将军为第 2 集团军司令。他运用炮兵进行两次战绩辉煌的反攻(1916-10-12)以后,他越过许多前辈,被擢升为法军总司令,以接替 J.-J. 霞飞将军。他声称采用他在凡尔登的作战方法可以打赢这场战争。英国首相劳合·乔治相信了他的理论,将驻法国的英军交给他指挥,以发动他的大规模攻势。然而,在 1917 年 4 月埃诺战线的最后一次反攻中,他未能突破德军防线。翌月法军广泛发生哗变。1917 年 5 月 15 日贝当接替他为总司令。1917 年 12 月他被调往北非。

Niven, David 尼文(1909-03-01,苏格兰安格斯区基里缪尔～ 1983-07-29,瑞士厄堡) 英国戏剧和电影演员。出生于军人世家,30 年代中期到好莱坞做临时演员。第一次参加拍摄的是《荣光》(1935)。在《黎明巡逻》(1938)和《呼啸山庄》(1939)中开始扮演主要角色。第二次世界大战期间在英国军队服役,战后继续拍片。尽管他擅长表演喜剧性的角色,但在《分离的桌子》(1958)中的生动表演使他获得奥斯卡奖。他最著名的影片有《蓝色的月亮》(1953)、《80 天环游世界》(1956)、《纳瓦隆大炮》(1961)和《尼罗河惨案》(1978)等。

Niven, Frederick John 尼文(1878-03-31,智利瓦尔帕莱索～ 1944-01-31,加拿大不列颠哥伦比亚省温哥华) 加拿大乡土文学小说家,写有 30 多部小说,许多是以苏格兰和加拿大为背景的历史传奇故事。其中最著名的 3 部小说《飞逝的岁月》(1935)、《矿山继承权》(1940)、《移植》(1944),组成描写加拿大西部殖民地的开拓的三部曲。曾在苏格兰受教育,并在格拉斯哥和爱丁堡的图书馆工作。约 1900 年前往加拿大,在加拿大西部的建设营中干活。后来他作为记者和作家返回英国,第一次世界大战后永久定居于加拿大的不列颠哥伦比亚。还发表过两本诗集,一本自传《有色眼镜》(1938),这是一本根据个人经历写成的散文集。

Nivernais 尼韦奈 位于法国,该地区在旧政权期间由讷韦尔管辖,迄至法国大革命前,仍未并入法国王室的最后一个大采邑。西南与波旁交界,西邻贝里,北接奥尔良,东界勃艮第。1790 年成为尼韦奈省。讷韦尔伯爵领地(即尼韦奈)属勃艮第公国后,于 987 年由亨利一世公爵赐给其前妻带来的儿子 O. 威廉,5 年后又由威廉转给公爵的女婿朗德利。经过几次联姻,终于落入东齐、夏蒂荣和波旁家之手。后转入勃艮第公爵、佛兰德伯爵手中,最后归克莱弗家族。查理(1665 卒)于 1659 年将尼韦奈卖给枢机主教马萨林。枢机主教又把它遗赠给他的侄子 P.-J. 曼奇尼;直至法国大革命为止,曼奇尼的后裔一直拥有该地。最后一位尼韦奈公爵死于 1798 年。

Nivkh(people) 尼夫赫人 参阅 Gilyak 吉利亚克人。

nix 水怪 日耳曼神话中的水中精灵。半人半鱼,住在美丽的水下宫殿里,能变化各种人形(如仙女、老妇人),也会隐身,以与人群混杂。她们爱音乐,善舞蹈,能预言。这三种

H.J. 福特所绘插图画中的水怪
美国不列颠百科全书公司供图

属性中的任何一种都可使人认出其为水怪。虽然往往抱有恶意,但可轻易地用礼物使之息怒。有些地区传说,水怪会拐走儿童或把人们诱至深水而溺死。据某些资料称,水怪可与人类婚配并能生育子女。

Nixon, Richard M(ilhous) 尼克松(1913-01-09,美国加利福尼亚约巴林达～ 1994-04-22,纽约州纽约) 美国律师、共和党政治家,第 37 任总统(1969 ～ 1974),因肯定将被国会弹劾,成为美国历史上第一个辞职的总统。他曾在艾森豪威尔总统时代任副总统达 8 年(1953 ～ 1961)之久。

1934 年从加利福尼亚州惠蒂尔学院毕业,1937 年又从北卡罗来纳州杜克大学法学

院毕业。1937年开始在惠蒂尔当律师。第二次世界大战爆发后不久，一度在华盛顿（哥伦比亚特区）的物价管理局任职。1942年8月加入海军，在太平洋战区任航空地勤军官。复员后两次选入美国众议院（1947、1949），并在

美国不列颠百科全书公司供图

参议院工作两年。他以反共出名，因此在1952年竞选运动中成为艾森豪威尔最中意的竞选伙伴，因为正巧当时反共成为一个重要问题。在1960年总统选举和1962年加利福尼亚州长选举中失利后，他宣布退出政界，迁往纽约市当律师。

1968年尼克松又重返政坛，在竞选总统中击败汉弗莱。1969年就职后，宣布所谓尼克松主义，即减少美国驻外部队，通过军事和经济援助使较小国家得以自卫。在他第一届任期内逐步撤回大量美军，以结束越南战争。美国地面部队的作战任务交给南越军，当时南越军队全仗美方提供补给和空中支援。

在内政方面，尼克松面临的最持久经济问题是通货膨胀，开始他试图削减联邦的开支，但他的政府预算赤字每年都在增长，成为到当时为止历史上最大的赤字。1971和1973年他的政府两次使美元贬值，企图达到贸易平衡。尽管他一向反对政府管制，1971年8月15日仍然开始实行新经济政策，其中就包括在和平时期对工资物价实行控制。他得到机会任命4名最高法院法官，使总统得以令法院支持他倡导的“紧缩机构”方案。

在外交方面，尼克松最重要行动是经过21年隔阂后，同中华人民共和国开始直接交往。1972年2月他前往中国进行国事访问。在远东方面的和解使他5月出访莫斯科时增强了地位。这是美国总统首次访问苏联。访问结束时美国与苏联签署了限制战略核武器协定和双边贸易协定以及联合进行科学和太空合作计划。

1972年尼克松被提名竞选连任，他击败了民主党对手参议员麦戈文，是美国竞选史上最压倒性胜利的一次。他的第二任期开始后就于1973年1月结束了越南战争。但在他的国家安全顾问基辛格与越南积极磋商之后，对越南邻国柬埔寨仍然未停止轰炸，直到8月15日政府在受到抨击后才中止。7月间曾透露美国空军1969年和1970年初都暗中轰炸过柬埔寨，国防部为了掩盖事实作了不实报告。

然而，尼克松第二任期最引人注目的事件却是所谓的水门丑闻，起因是对于争取总统连选连任共和党委员会和财政委员会的调查。随着调查牵涉有人私入民主党全国委员会总部并装置窃听器，丑闻扩大。到1974年7月，总统的几名亲密助手，包括两名前内阁阁员被指控犯刑事罪，其中数人已被判罪。同月众议院司法委员会通过了弹劾总统的三条罪状。

8月4日尼克松透露了他和他的助手过去一直拒不承认的事实；指出他实际上参与了掩盖水门事件真相的行径，事件发生几天内他曾把联邦调查局的视线，引向离开白宫。这次透露引起共和党内和全国对尼克松支持的瓦解。他于8月8日晚宣布辞去总统职位，从8月9日生效，并由副总统福特继任总统。尼克松并未以涉嫌卷入水门丑闻定罪，而于1974年9月获得福特总统大赦。

此后尼克松便到加利福尼亚的圣克里门蒂自己家园里隐居。1976年纽约州也取消了他的律师资格，因为以前他已在加利福尼亚辞去了律师职位。后尼克松撰写了《尼克松回忆录》（1978）和另外几本关于国际问题与美国外交政策的书。到80年代后期，他又恢复了老资格政治家和外交政策专家的地位。

Niyamānanda（Hindu philosopher） **尼曼陀派** 参阅 **Nimbārka** 宁巴尔迦。

Niza, Marcos de **尼萨**（约1495，萨伏依尼斯［今在法国］～1558-03-25，墨西哥） 法兰西方济各会修士。1531年去美洲，先后在秘鲁、危地马拉和墨西哥任神职。1539年按照总督A.de门多萨的命令，他和一名叫埃斯特万的摩尔人率探险队穿过沙漠到达锡沃拉诸城。埃斯特万被杀，尼萨却声称看到了一些宝石和金银遍地的大城镇。次年F.de科罗纳多发现所谓7座黄金城原来是贫穷的印第安人小村庄。1541年尼萨成为方济各会驻墨西哥大主教。

Niẓām al-Mulk **尼札姆·穆尔克**（1018或1019，伊朗呼罗珊图斯～1092-10-14，内哈万德附近） 真名叫阿布·阿里·哈桑·伊本·阿里。“尼札姆·穆尔克”意为“全国行政长官”。突厥塞尔柱苏丹的波斯族首席大臣（1063～1092），以论述王权的巨著《王术》闻名于世。尼札姆·穆尔克是伽色尼王朝的收税官之子。由于父亲的地位，他在波斯官宦阶级的有文化的环境中长大，这一背景形成了他的态度并决定了他的事业。在塞尔柱突厥开始扩张初期的混乱年代，他父亲为躲避战乱，逃到伽色尼（在今阿富汗），尼札姆·穆尔克因此也曾效力于伽色尼。但他很快返回呼罗珊，为当时统治呼罗珊的塞尔柱人艾勒卜-艾尔斯兰效力。艾勒卜-艾尔斯兰的大臣死后，尼札姆·穆尔克被任命接替他。1059年艾勒卜-艾尔斯兰继承父位后，尼札姆·穆尔克掌握了呼罗珊的全部行政权。他的才能得到他主人的很高赏识，艾勒卜-艾尔斯兰在1063年成为塞尔柱统治者中的最高统治者时，尼札姆·穆尔克被委任为首席大臣。

他在两位杰出的统治者手下担任此职达30年，这个帝国的版图东从奥克苏斯河到花剌子模和南高加索，西到安纳托利亚中部。这30年是塞尔柱帝国的鼎盛时期，尼札姆·穆尔克支配着苏丹的各个决定，有时甚至军事活动也受他的影响。他对中央和地方行政当局进行严格控制，并通过他的许多侍从和亲戚贯彻这些决定。他的影响在马里克·沙苏丹统治时期特别明显，后者是在仅18岁时继承塞尔柱王位的。他的声望使得同时代人把他比作8世纪的哈里发·哈伦·赖世德朝中的巴尔马克家族的大臣们。他像其他波斯大臣一样，努力使那些远非老练的土库曼统治者了解波斯文明及其政治智慧的优越性。他的社会观部分地基于他所继承的关于秩序和等级制度的波斯传统的理想，这是远在阿拉伯人于7世纪征服波斯以前的萨珊社会已经达到了的。统治者是神挑选的，他的主要任务就是维护王国的稳定和社会的传统风范。他的权力是绝对的，无须认可，行政权集中于他一人。尽管尼札姆·穆尔克有无限的权力和威望，他也只能用这一王权的理想部分地影响两位苏丹。他死前不久，在马里克·沙的要求下，在《王术》中写下了自己对治理国家的观点。在这部非凡的著作中，他公开提出组织行政机关，因为他已经能够借助他挑选的仆人去控制这个机关并使其符合传统方式。但是他从未在宫廷中拥有这种权力，并发现有很多应该批评的地方：如苏丹对礼仪的漫不经心，宫廷缺少豪华气派，重要官员威望的下降和忽视情报工作。

他在书中最严厉地批评了那些持异端宗教观点的什叶派，尤其是伊斯玛仪派。他用该书的最后11章专门谈论他们。他拥护“正确的宗教”，即逊尼派，不仅出于执政者的理由，而且也出于自己的热烈信念，这对他社会观的形成产生过重大影响。

他还用其他方式表达了自己的宗教信仰，那就是更有效地促进逊尼派的复兴。他在全国许多主要城镇创办了尼札姆高等学院，以便同什叶派的宣传进行斗争，提供受过自己本派伊斯兰法训练的可靠的有能力的行政官员。苏非教派中那些较少正统色彩的宗教团体也因他的慷慨大度获得好处。救济院、穷人养老金、组织公众去麦加和麦地那朝圣的大量公共设施，都是由于他的支持而得以实现并继续下去。特别是他在世的最后几年，当时伊斯玛仪派的威胁变得更严重，它的信徒在阿萨辛派的堡垒阿拉模特建立了避难所，他不顾一切地亲自投身于与他们的影响进行的斗争中。

1073年艾勒卜-艾尔斯兰去世，由于王位的继承者马里克·沙此时还年轻，尼札姆·穆尔克掌握了更广泛的权力。但1080年马里克·沙已不再一切都听从他，尼札姆·穆尔克还和苏丹的宠臣泰吉-穆尔克对敌，并且因为他推荐苏丹另一位妻子生的儿子继承王位，使苏丹的妻子突根-哈通成了自己的敌人。

1092年尼札姆·穆尔克在从伊斯法罕去巴格达的路上遇刺身亡。这次暗杀事件可能是来自阿拉模特的伊斯玛仪派干的，也可能是泰吉·穆尔克和突根-哈通共谋干的，即便马里克·沙本人没有参与。可是不到一个月，苏丹也死了，庞大的塞尔柱帝国的瓦解也从此开始。

作为一位杰出的伊朗大臣，尼札姆·穆尔

克引人注目地显示了一位首席大臣的调解人角色，一边是专制君主，外来的突厥人，一边是自己的波斯臣民。尼札姆·穆尔克收容同塞尔柱人一起进入伊朗并在境外进行征战的土库曼移民；他用反复灌输皇室的行为规范和礼仪成规来提高塞尔柱人的尊严和威信；他用审慎的宽厚和安抚来软化军人的冷酷。他以苏丹作为一个完整的行政机构的支柱，来加强塞尔柱的力量，并鼓励承认地方上的统治者为尊敬的诸侯。对同时代人以及读过他的《王术》的后世人来说，尼札姆·穆尔克是一位堪称典范的大臣：贤明、审慎、足智多谋、卓有成就，他也是一位虔诚的穆斯林。他通过自己的生活和工作，一度使波斯文化和伊斯兰文化更紧密地融合在一起；其时，中世纪的伊斯兰教达到了自己的顶峰。

nizam-ı cedid　新秩序　原指奥斯曼苏丹谢里姆三世（1789～1807 在位）实行的西方化改革计划，后来专指根据这一计划建立的新式正规军。1792～1793 年谢里姆三世颁布一系列改革计划，其中最主要的是建立西方式的正规步兵军团。改革受西方模式的启迪，在实施中主要依靠法国帮助。法国的影响和改革引起保守派联盟的强烈反对。1807 年终于发生兵变，迫使谢里姆废除"新秩序"，他本人也被废黜。

Niẓām Shāhī DYNASTY　尼查姆·沙希王朝　1490～1633 年印度德干高原艾哈迈德讷格尔王国的统治者世系。创始人为马利克·艾哈迈德。1490 年建造都城艾哈迈德讷格尔。王国位于德干高原西北部的古吉拉特国和比贾布尔国之间。1499 年占领道拉塔巴德大城堡，1574 年又夺取贝拉尔。这一王朝经常打仗。布尔汉·沙（1509～1553）同印度教国家维查耶那加尔结盟，其继承人胡赛因（1553～1565）却与人勾结把维查耶那加尔推翻（1565）。来自北方莫卧儿人的进攻受到比贾布尔王太后昌德·比比的勇猛抵抗，但贝拉尔被攻陷（1596）。太后死后（1600），艾哈迈德讷格尔亦被莫卧儿人攻陷。1633 年道拉塔巴德陷落，王朝灭亡。

Niẓām-ul-Mulk　尼查姆-乌穆尔克　阿拉伯语，意为"王国的统治者"。印度穆斯林王公使用的称号。这个名词也译作"整个帝国的代表"。1713 年，莫卧儿皇帝把它授与钦·基利奇·汗（阿萨夫·贾赫），并被他的后代——海德拉巴土邦的统治者们所继承，直到 20 世纪中叶。一个统治家族的首领一般称为"尼查姆"。

Nizāmābād　尼扎马巴德　又称因杜尔。印度南部安得拉邦西北部城镇，位于中央铁路海德拉巴至哥达瓦里河谷线上，地处海德拉巴西北偏北。具有历史意义的重要地点有一庙宇（现内装有一供水柜）、因杜尔要塞和一所文理学院。尼扎马巴德位于甘蔗与水稻种植区，并为地方公路中心。人口：城市 241 034（1991）。

Niẓāmī（Persian poet）　参阅 **Neẓāmī** 内扎米。

Nizhegorod　尼热哥罗德　旧称高尔基（1932～1990）。俄罗斯西部一州。位于伏尔加河流域中部。被伏尔加河分为两半。北半部为低平原，密布针叶林（云杉、松树、冷杉）和少量桦树林，较低处多沼泽，土地贫瘠；南半部为绵延起伏的冰碛丘陵（有橡树等落叶林）以及开阔的森林草原。土壤为灰色森林土。伏尔加河沿岸及奥卡河下游地区（包括州首府下诺夫哥罗德及其卫星城镇）工业高度发达，生产多种商品。其他地方有一些小型工业，如库列巴基和维克萨有钢厂。林区有发达的木材加工业。在下诺夫哥罗德上游的扎沃尔日耶的伏尔加河上建有水电站。农业区主要分布在伏尔加河以南地区，农作物以黑麦、燕麦、春小麦和荞麦为主，但马铃薯和亚麻也很重要。面积74 800平方千米。人口约3 734 000（1995）。

Nizhnekamsk　下卡姆斯克　俄罗斯西部鞑靼斯坦下卡姆斯克区城市和首府。位于卡马河左岸，在卡马河畔切尔内以西。为重要的石油化工中心，1970 年建成世界最大的合成橡胶厂之一，另有大型轮胎厂和塑料厂，1979 年有一座炼油厂投产。人口约 209 500（1995）。

Nizhnevartovsk　下瓦尔托夫斯克　俄罗斯中西部秋明州汉特-曼西自治区城市和港口。位于鄂毕河右岸。由于附近发现大油田，城市发展迅速（尤其是 20 世纪 70 年代）。与苏尔古特市同为鄂毕河中游油田的主要管理中心。建有天然气加工厂。人口约 237 900（1995）。

Nizhny Novgorod　下诺夫哥罗德　1932～1990 年称为高尔基，为俄罗斯西部尼热哥罗德州城市和行政中心。位于伏尔加河和奥卡河交汇处。

尽管有些权威说该城的创建年代较早，但据某一重要编年史称：当俄罗斯殖民化进展到伏尔加河而到达以前由摩尔多瓦人占据的地区时，1221 年弗拉基米尔亲王尤里·弗谢沃洛多维奇创建该城。它地处波罗的海至中亚地区的大伏尔加水道上，战略位置重要。经奥卡河（可通航）可通往弗拉基米尔-莫斯科地区，经卡马河至乌拉尔山区和西伯利亚。1392 年该城镇合并到莫斯科大公国，并很快成为反抗伏尔加鞑靼人的据点。1469 年伊凡三世大帝、1552 年伊凡四世雷帝都从此出发远征鞑靼人的首都喀山。16 世纪中叶俄罗斯征服伏尔加河地区使下诺夫哥罗德的贸易得以增加。1817 年该市创办一年一度的交易会，成为俄罗斯最大和最重要的交易会，从全欧洲和亚洲吸引来客商和货物。交易会一直续办到 1917 年俄罗斯的十月革命时为止。1868 年著名作家高尔基出生在下诺夫哥罗德，1932 年苏维埃政权为纪念他将下诺夫哥罗德更名为高尔基，1990 年又恢复原名。

该市的贸易数额巨大，导致该市早年在制造业中使用农奴劳工，促使其较俄罗斯其他大部分地方（尤其是在重工业和机械工程方面）早日开始工厂工业化。由于第一、二次世界大战中该城以西的工厂被毁，该城工业的重要性稳步增长。现今的下诺夫哥罗德是俄罗斯的最大城市之一，也是伏尔加河流域和奥卡河下游的广阔的大都会区域的中心。该市本身生产汽车、各种船舶、柴油发动机、机械和机床、各式各样的化工产品和消费品。在其卫星城镇之中，伏尔加河对岸的博尔制造玻璃，著名的是小汽车用安全玻璃；捷尔任斯克制造化工产品和化肥；巴拉赫纳和普拉夫金斯克造纸；博戈罗德斯克生产皮革和鞋靴；克斯托沃有一座大型炼油厂。大都会所用之电力来自该市的两座热电厂——巴拉赫纳火电站（烧泥煤）和扎沃尔热水电站。下诺夫哥罗德是河运、公路、铁路和航空的极佳交通枢纽。铁路将其与莫斯科、基洛夫和跨西伯利亚铁路线上的阿尔扎马斯相连接。大都会内有市郊电气化铁路线为之服务。

下诺夫哥罗德有国立洛巴切夫斯基大学（1918 年创建）和其他高等院校（包括农业、医学和机械工程等方面的院校）。市内还有一所国立艺术博物馆和一所 1798 年设立的剧院，它是俄罗斯最古老的剧院之一。具有历史意义的建筑物有 16 世纪的城堡和 17 世纪的天使长教堂。人口约 1 382 500（1995）。

Nizhny Tagil　下塔吉尔　俄罗斯西部叶卡捷琳堡州城市。位于塔吉尔河畔。1725 年由于以维索卡亚山铁矿石为原料创办了冶金厂而建立，为乌拉尔山区最早的冶炼中心之一。1917 年建市，现为重要钢铁工业中心。以冶金和机器制造著称，生产机床、铁路车辆和建筑材料。有师范、矿业和实用美术学院以及地志博物馆。人口约404 000（1997）。

Nizhnyaya Tunguska River　下通古斯卡河　又拼 Nižn'aja Tunguska。英语作 Lower Tunguska River。位于俄罗斯西伯利亚西部境内，系叶尼塞河右岸支流。流经克拉斯诺雅尔斯克边区及伊尔库茨克州。长2 989千米，流域面积 471 300平方千米。此河发源于勒那河流域与叶尼塞河流域之间的分水岭附近，先向北，再向西，流经中西伯利亚高原。河的上游部分，河谷宽、多沙洲；向西流以后，河谷狭窄，多险滩、急流。流域内有大面积通古斯卡煤田。

Nizhyn　涅任　俄语作 Nezhin。乌克兰中北部切尔尼戈夫州城市。历史可上溯到 11 世纪。1781 年设市。现保存有几所 17 和 18 世纪建筑物，如圣尼古拉斯教堂和圣母领报教堂。1917 年革命前为一个小工业中心，现有机械和食品工业。有一所以小说家果戈理姓氏命名的师范学院。果戈理曾在涅任一所书院学习过。人口约83 000（1994）。

Nizip, Battle of　尼济普战役（1839-06-24）　Nizip 又拼 Nezib。奥斯曼帝国的军队和埃及总督穆罕默德·阿里帕夏的军队在尼济普（在今土耳其东南部）进行的战斗。根据 1833 年的《屈塔希亚条约》，奥斯曼人把叙利亚诸省和阿达纳让给穆罕默德·阿里。但双方都不满意，于是又发生一次战争。奥斯曼陆军在尼济普遭到惨败，奥斯曼舰队在亚历山大投降。英国、奥地利、俄国和普鲁士进行干涉，迫使埃及人于 1840 年撤出叙利亚。1841 年 2

月3日苏丹阿卜杜勒-迈吉德一世签署命令，正式委任穆罕默德·阿里为埃及世袭总督。

Njáls saga 尼雅尔萨迦 13世纪冰岛“家族萨迦”中最长并被公认为最优秀的作品之一。它描写两个英雄——巩纳尔和尼雅尔。前者是一个勇敢、诚实、慷慨的青年；后者是个聪明、谨慎的人，并具有先知的天赋。由于巩纳尔曾在盛怒之下打过美丽而任性的妻子霍尔吉德一记耳光，为了报复，她不肯把自己的一束头发给他做弓弦，使巩纳尔死于敌手。尼雅尔则由于他儿子的任性行为而卷入一场家族宿仇。他泰然自若地承受了这个后果。他和家人被一个为维护自己的荣誉而需要复仇，但又不忍下手的仇人烧死在自己家里。第三部分描述这个家族的唯一幸存者，尼雅尔的女婿考利为尼雅尔报仇的故事。作品中的人物刻划得极为生动，从富于喜剧性的到凶险邪恶的都有。在和平吉祥的年月举行的众英雄聚集的会议上可以看到冰岛生活的兴旺发达。然而那种独特的生活方式必然要付出的高昂代价却时时在暗处威胁着人们，因而其压倒一切的气氛不能不是一种凄惨的悲观情绪。

Njemen River(Belarus and Lithuania) 参阅 **Neman River** *涅曼河*。

Njörd 尼约尔德 在古斯堪的纳维亚神话中，指风和海洋及其财富之神。他同亲姊妹生下了弗雷和弗蕾娅。据传说，他所属的瓦尼尔神族把他作为人质交给敌对的埃西尔神族，女巨人斯卡狄选他为丈夫。但他宁愿住在诺阿图恩，即他海边的家中，而斯卡狄喜欢她父亲的山中住所，因此未能结婚。有些传说认为他是瑞典人的统治神，他的名字出现在斯堪的纳维亚的许多地名里。

Nkayi 恩卡伊 旧称雅各布。刚果西南部城镇。在首都布拉柴维尔以西，黑角港的东北，布拉柴维尔—黑角铁路线上。有机场。为制糖中心。有面粉厂、锯木厂以及生产花生油和饲料的工厂。人口约42 465(1992)。

Nkhotakota 恩科塔科塔 旧称Nkota Kota或Kota Kota(科塔科塔)。马拉维中部城镇。濒临尼亚萨湖。19世纪原是一群村落，为阿拉伯奴隶贩子的中转站，并成为全国最大的非洲传统城镇。周围地区物产的贸易中心。有天然温泉和疗养所，发展旅游业。附近有2 100平方千米的恩科塔科塔野生动物保护区(建于1954年)。人口约12 149(1987)。

Nkole 恩科勒人 又拼Nkore或Ankole，又称尼扬科勒人(Nyankole)。居住在乌干达西南部爱德华湖、乔治湖和坦桑尼亚边界之间的地区，是湖间班图族群体。20世纪末人口约139万。他们讲同一种班图语，但分为两个不同的社会群体：放牧的希马人(约占10%)和务农的伊鲁人(约占90%)。两者在传统上严禁通婚，但都广泛地吸收了对方的文化；都分为父系氏族和群体，通行一夫多妻制。希马人居处分散，村与村间往往相距一英里，各村拥有若干不同家庭；伊鲁人的住区拥有家宅40～100之多。

Nkomo, Joshua 恩科莫(1917-06-19，罗得西亚马塔贝莱兰塞莫奎保留地[今津巴布韦]～1999-07-01) 津巴布韦民族主义领袖、津巴布韦非洲人民联盟领袖，后成为罗伯特·穆加贝总理的长期对手。虽然人们经常认为他是恩德贝勒族人(津巴布韦南部主要种族)，但事实上是卡伦加族人。他在罗得西亚接受初等教育，后到南非去完成学业。1945年回到罗得西亚，在罗得西亚铁路任职，但很快就成为罗得西亚铁路非洲雇员协会的领导人。同时仍继续学习，1951年取得南非大学国外的文学士学位。后愈益倾向于政治，1957年当选为非洲人国民大会党主席。1959年初该党被取缔时，恩科莫出走英国以逃避监禁。1960年回罗得西亚，建立民族民主党。1961年该组织被取缔，他又建立了津巴布韦非洲人民联盟。1964～1974年一直被罗得西亚白人少数政府监禁。释放后，为了促进民族主义事业，游历了许多非洲和欧洲国家。1979～1980年白人统治的罗得西亚成为黑人统治的津巴布韦之后，多数民族绍纳人支持的穆加贝的非洲民族联盟得势，恩科莫和他的由恩德贝勒人支持的非洲人民联盟影响下降。1980年议会选举中津巴布韦非洲民族联盟击败津巴布韦非洲人民联盟。1982年穆加贝把恩科莫排挤出内阁后，绍纳人和恩德贝勒人之间的民族冲突加剧。1987年两位领导人同意将两党合并以求得国内的民族团结，恩科莫成为穆加贝之下的副总统。自传《恩科莫，我一生的故事》出版于1984年。

Nkonde(people) **恩孔德人** 参阅 **Nyakyusa** *尼亚库萨人*。

Nkongsamba 恩康桑巴 喀麦隆西部城镇。在马嫩古巴山(2 396米)山麓。为铁路终点站。公路四通八达。有棕榈油、香蕉和咖啡种植园，因而成为商业中心。北方产的咖啡和烟草由此地经铁路被运往杜阿拉出口。有锯木厂、食品加工厂、师范学校、银行、保险公司、机场和医院。人口85 560(1987)。

Nkore(people) 参阅 **Nkole** *恩科勒人*。

Nkosi, Lewis 恩科西(1936-12-05，南非纳塔尔德班～) 南非作家、评论家、新闻工作者和播音员。在祖鲁兰多种地方学校完成早期教育。在德班的一家技术学院学习一年后，成为新闻工作者。1955年先在祖鲁语-英语周报《纳塔尔太阳报》社工作，1956～1960年为《鼓声》杂志工作，任其星期日副刊《金城邮报》首席记者。1961年接受尼曼奖学金赴哈佛大学攻读新闻专业，遂被南非政府放逐。恩科西从此为美国、英国和非洲的期刊撰稿，其中包括《纽约人》。他的许多评论文章发表在《故园与流亡》(1965)。剧本《暴力的节奏》(1965)以60年代初期的约翰内斯堡为背景，其主题从思想和实践两方面论述了种族关系。1965～1968年任《新非洲》的文学编辑。后期著作有关于南非的论文集《被移植的心脏》(1975)、《任务与面具：非洲文学的主题与风格》(1981)以及一部文集《故园与流亡及其他》(1983)。

Nkota Kota(Malaŵi) 参阅 **Nkhotakota** *恩科塔科塔*。

Nkrumah, Kwame 恩克鲁玛(1909-09，黄金海岸恩克鲁富尔[今加纳]～1972-04-27，罗马尼亚布加勒斯特) 加纳民族领袖，他领导黄金海岸脱离英国的独立运动，在加纳成为新国家后执政。从1957年独立起他领导该国直至1966年被政变推翻。

美国不列颠百科全书公司供图

早年时期 父为金匠，母为零售商贩。受洗为天主教徒，曾在阿哈夫阿西尼附近一所天主教小学学习9年，1930年毕业于阿奇莫塔学院后，开始在埃尔米纳和阿克西姆的天主教学校及一所书院当教师。

由于日益倾向政治，恩克鲁玛决定去美国深造。他于1935年进入宾夕法尼亚的林肯大学，1939年毕业，获林肯大学和宾夕法尼亚大学的硕士学位。他研究社会主义学说，特别是马克思和列宁的理论；还研究民族主义，尤其是20年代美国黑人领袖贾维的理论。后来，他自称为“无教派的基督徒和马克思主义的社会主义者”。他还全身心投入政治活动，改组在美国和加拿大的非洲学生组织，并出任主席。1945年5月他离开美国前往英国，在曼彻斯特组织第5届泛非大会。

同时期，丹夸已在黄金海岸组建了企图通过宪法手段进行自治的统一大会党。他被邀担任总书记，遂于1947年后期回国。作为总书记，他在黄金海岸各地的集会上发表演说，并开始为新运动建立群众基地。1948年2月各地发生群众暴动，英国人曾短期扣押恩克鲁玛和大会党其他领导人。

当党内中产阶级领袖和支持恩克鲁玛的激进派发生分裂时，他于1949年6月另建人民大会党。该党以群众为基础，提出“立即自治”纲领。1950年1月，他发动一场非暴力抗议、罢工、与英国殖民当局不合作的“积极行动”运动。

从囚犯到总理 在随后的动乱中，全国的经济活动中断，恩克鲁玛再次被捕，判刑一年。但1951年2月8日黄金海岸举行的第一次普选显示人民大会党已获胜。他被选入国会，出狱后成为政治领袖，1952年出任黄金海岸总理。

1957年3月,黄金海岸和英国多哥托管地独立,改国名为加纳,为英联邦成员国,他成为新国家的首任总理。1958年恩克鲁玛政府将不经审讯,扣押认为对安全有危害的公民的做法合法化,很快证实他的政府正走向极权统治。但随着建公路、办学校、设医院、实行非洲化政策,使加纳人有较好的就业机会,他在国内得到拥护。

1960年加纳通过公民投票成为共和国,他当选为总统。在新宪法中,总统有广泛的立法和行政权力。恩克鲁玛致力于黑非洲的政治团结,开始和加纳的现实减少接触。他的政府陷入于宏伟但经常是灾难性的发展计划中,一度是繁荣的国家为外债所困。1959年宣布政府的第2个发展计划,由于收支中赤字上升超过1.25亿美元,1961年被迫放弃该计划。经济收缩导致广泛的劳工骚动,1961年9月发展为总罢工。从此时起,恩克鲁玛开始推行严厉的政治控制手段,并更加转向共产党国家寻求支持。

加纳总统及后来 1962年8月他在库卢贡古遭到未遂的暗杀(数次暗杀中的第一次),随后深居简出,热衷于个人崇拜,同时加强内部保安部队。1964年初宣布加纳为一党制国家,恩克鲁玛为终身总统和党的主席。当政务日益落入谋求私利和腐化的该党官员手中时,恩克鲁玛自己正忙于对黑非洲新一代政治活动分子进行思想教育。当时加纳经济危机恶化,食品和其他物品长期短缺。1966年2月24日,恩克鲁玛正访问北京,军队和警察在加纳夺取了政权。后来他返回西非,在几内亚寻求避难,度过余生。

NKVD　内务人民委员部　苏联的秘密警察机构*克格勃*(**KGB**)的前身。

NLF (Vietnam)　参阅 **National Liberation Front** *民族解放阵线*。

NLRB　参阅 **National Labor Relations Board** *全国劳工关系局*。

Nmai Hka　恩梅开江　缅甸北部河流。起源于兰格拉冰川,一般地向南流与迈立开江汇合为伊洛瓦底江。水流湍急不能通航。全长约480千米。

NMR　参阅 **nuclear magnetic resonance** *核磁共振*。

nō theatre　能剧　nō又作noh。日本的传统戏剧形式,也是世界上现存的最古老的戏剧形式之一。"能"具有才能或技能的意义。与西方的叙事体戏剧不同,能剧的表演者并非西方意义上的演员或"扮演者",而只是讲故事人,他们通过面部表情和形体动作来暗示故事的本质,而不是把它表现出来。能剧中极少"发生事件",更多的是形象化的明喻或暗喻,总体效果很少是一种行动表现。受过教育的观众能够很好理解故事情节,因此他们所欣赏的是包含在台词和动作中的日本文化史的象征意义和微妙暗示。

能剧源于古代舞蹈戏剧形式和12世纪或13世纪出现的在神社和寺院举行的各种节庆戏剧。在14世纪能剧成为一种有特色的戏剧样式,直到德川时代(1603～1867),它仍连续不断地得到完善。它成为一种仪式戏剧,在吉庆场合里由专业演员为武士阶层演出,作为对和平、长寿和社会名流的繁荣昌盛的一种祈祷。可是,在贵族豪门之外,也有供普通观众出席观赏的演出。明治维新(1868)之后,封建制度衰败,威胁了能剧的存在,但有几个著名演员保留了其传统。第二次世界大战后,大量受过教育的青年对能剧产生兴趣,导致这种戏剧形式的复兴。

能剧的类型有5种。第1种是神能,涉及神道教神社的神圣故事;第2种是修罗能,以武士为题材;第3种类型是假发能,以女性人物为主角;第4种类型范围较广,包括现代剧("写实的"而不是传说的或超自然的)以及疯女剧(其中女主角由于失去爱人或孩子而变疯);第5种类型是尾能或鬼能,多以魔鬼、怪兽或超自然事物为主题。典型的能剧均较短,对话稀少,仅作为动作和音乐的框架。标准的能剧演出是从5种类型中选出3部剧构成,以便能达到艺术的统一和理想的情调,并且总是以第5种类型的戏作为结束,幕间穿插诙谐短剧狂言。一场演出可以用"翁"开始,这是一种舞蹈形式的表演,基本上是一种对和平与昌盛的祈求。现存有3种主要能剧角色:主要演员或仕手、次要演员或胁以及狂言演员,其中有一个常常在能剧中任叙事人。每个都有着几种表演者的"行当",每个在舞台上都有自己的"表演场地"。次要角色包括侍从、小厮和没有台词的"龙套"。伴奏由一个4人乐师组成的乐队担任,分别为笛师和3个鼓师(司小手鼓、大手鼓和大鼓),并由8～10个歌唱者组成的合唱队担任伴唱。朗诵是演出中最重要的成分之一。能剧的舞台立有5根柱子,即主角柱、配角柱、栓场柱、目标柱和笛柱。舞台下有许多起共鸣作用的空瓮,整个舞台还包括戴面具用的镜室、演员化妆的乐屋、上场时经过的桥廊,舞台后壁则是绘一老松和一些竹子的松壁及合唱队坐的地谣座。能剧的服装色彩鲜艳,质料上乘,所穿戏装并无真实的含义(如穷困只以上身衣服、头饰和手拿的道具的各种不同安排方式来表示)。除戏装、头饰和手拿的道具外还有面具。

能剧遗留下来的完整剧本约有2 000个,但成为现代保留剧目的则只有约230个。世阿弥(1363～1443)及其父观世弥(1333～1384)写了其中大部分杰出而典型的能剧剧本,包括观世弥的《松风》和世阿弥的《高砂》。世阿弥总结能剧的演出原则,写出《花镜》(1424)一书,对后来许多世纪的演员都具有指导作用。书中详细阐述了能剧创作、演员的朗诵、哑剧表演、舞蹈和能剧演出原则。世阿弥将能剧最早的主要原则形容为"事物的模仿"。他劝告说要从传说或生活中选择适当的正统人物加以塑造。

能剧虽经代代相传,却依然十分接近其较早期的形式,其中有两个因素:首先保存有完整的剧本,包括详细的朗诵词及舞蹈、哑剧动作和音乐的规定;其次保存有直接传授和相当准确的表演技巧。另一方面,能剧容易接受观众新的影响,不可避免地吸收新的风格和样式,进而不断完善已有的形式。至20世纪,有人对能剧进行过一些实验,创作过一些新内容的剧本,但在演出中依然固守传统的习惯。实验也改善了诙谐的狂言插剧,并尝试(以歌舞伎戏剧的样式)在舞台上加一个长长的通道进入观众席中,还在主角演员身上打强聚光灯,但很少得到观众的接受。在战后时期,由于戏剧爱好者又开始欣赏能剧

能剧演出场面:左图为作老翁、老媪形的松树精,右图为作官员形的松树神

美国不列颠百科全书公司供图

而使其得以继续维持，这不仅是因为它具有“古典戏剧”的地位或由于它的革新，还因为它是一种完美而精巧的当代舞台艺术。

no-till agriculture 参阅 **till-less agriculture** 免耕农业。

Noachian Laws（Judaism） 参阅 **Noahide Laws** 挪亚律法。

Noah 挪亚 又拼Noe。《旧约·创世记》关于洪水的圣经故事中的主人公；葡萄种植术的发明人，闪米特世系谱中三位代表人物闪、含和雅弗的父亲。据《创世记》第5章第29节载，挪亚是拉麦之子，是亚当的第九代孙。挪亚因虔诚无瑕，被上帝选定，在他罪恶深重的同时代人死于洪水之后作为家长延续人类。上帝指示挪亚建造方舟，并命他把地上凡有血肉的活物每样两个，一公一母，带进方舟，保全其类。据这段叙述，整个人类都是挪亚三个儿子的后代。这种谱系使后世以色列宗教之祖亚伯拉罕占有适当的地位。在巴比伦关于洪水的故事的传说中，与挪亚相对应的人物叫作兀那毗希汀。洪水之灾的宗教意义在挪亚英勇地生存下来之后显示出来。灾后挪亚建造祭坛，向上帝献燔祭，上帝遂与挪亚立约：从此再不为了人的缘故咒诅大地。上帝在空中安排彩虹，作为实践的可见保证诺言。上帝重申他在创世之初所发的诫命，但有两点更动：人可以宰杀动物而食其肉，杀人者偿命。美索不达米亚的和《圣经》的两种洪水神话相似之处赫然在目，但是《圣经》的说法有着独特的希伯来观点。《创世记》第9章第20～27节的叙述属于另一体系，似乎与洪水故事无关。在洪水故事中，挪亚的儿子们都有妻室同他们一起上了方舟，但是在这一段中，他们似乎并未娶妻，而且，挪亚赤身醉卧之事也与洪水故事中他的虔敬性格不太吻合。从这一段经文可以推出三个主题：①农业的起始，特别是葡萄的栽培，原是挪亚的功劳；②指出挪亚的三个儿子——闪、含、雅弗——是人类三个种族的祖先，并略述各种族的历史关系；③由于挪亚酒后失态引起他的儿子含（即迦南）的失敬，结果挪亚咒诅含和他的后代。这隐隐间为后世希伯来人征服迦南人进行辩护。挪亚这个具有象征性的人物在古代以色列——“摩西五经”成书之前——即为人所知。《以西结书》（14：14～20）以他为以色列人中仅有的能免受上帝惩罚的正直人的典范。

Noahide Laws 挪亚律法 又作Noachian Laws。犹太教《塔木德》学者所用名词，指上帝在西奈山向摩西发出启示之前授予亚当和挪亚的、因而对全人类都有约束力的七条律法。巴比伦《塔木德》对《创世记》第2章第16节提出：不许拜像、不许亵渎上帝、不许杀人、不许奸淫、不许偷盗等五条禁诫和建立法庭以申张公义一条训诫。洪水灭世以后，上帝又增加一条禁诫，即不许食用从活着的动物身上割下的肉，律法后增为30条，加上的条款包括不许阉割、不许玩弄巫术等，但上述七条，虽略有异动，却一直为人所重视，认为权威诫命，其他律法无不以之为根本。

Noailles, DUKES AND VISCOUNTS OF **诺阿耶公爵和子爵** 法国一大家族，即诺阿耶家有称号的贵族，其先人可追溯到13世纪。按年代顺序分列于后，并各以●为标记。

● **Noailles, Anne, 1er duc de 诺阿耶公爵（第一）**（?～1678-02-15，巴黎） 诺阿耶伯爵，1663年晋封为第一代诺阿耶公爵和法国贵族院议员。曾在投石党运动中起重要作用，并成为枢机主教马萨林的亲信。1648年任路易十四的近卫队长。后任新征服的鲁西永省总督，其后代大都承袭此职。

● **Noailles, Anne-Jules, 2e duc de 诺阿耶公爵（第二）**（1650-02-05，巴黎～1708-10-02，法国凡尔赛） 公爵、法国元帅。第一代诺阿耶公爵之子，23岁即为陆军元帅。1682年任朗格多克总督和总司令。当时已为法国最著名将领之一。1689年召募诺阿耶团后，他在西班牙王位继承战争中前往西班牙指挥作战。1693年晋升法国元帅。

● **Noailles, Adrien-Maurice, 3e duc de 诺阿耶公爵（第三）**（1678-09-29，巴黎～1766-06-24，巴黎） 第二代诺阿耶公爵安纳-朱尔之子。曾参加路易十五时代在意大利和德意志的历次最重要战争，1734年升为元帅。他最后一次的指挥作战是在奥地利王位继承战争期间，1743年在代廷根战役中被英军击败。他同路易十四王后的侄女结婚，生有二子，均位至法国元帅。

● **Noailles, Louis, 4e duc de 诺阿耶公爵（第四）**（1713-04-21～1793-08-22，法国圣日耳曼昂莱） 艾扬公爵，1766年其父死后他成为诺阿耶公爵。曾参加18世纪的大多数战役，虽无特殊勋绩，但于1775年晋升法国元帅。法国大革命期间未流亡国外。在极端恐怖时期来临之前去世，因而逃脱了大多数贵族的厄运。1793年热月4日（7月22日），他的妻子，年迈的诺阿耶公爵夫人及其媳艾扬公爵夫人、其孙女诺阿耶子爵夫人均被处决。

● **Noailles, Jean-Paul-François, 5e duc de 诺阿耶公爵（第五）**（1739-10-26，巴黎～1824-10-20，法国丰特奈-特雷西格尼） 法兰西科学院院士、中将。第4代诺阿耶公爵路易之子。他虽然在军中服役，兴趣却在科学。他是杰出的化学家，1777年被选入科学院。1766年其祖父死时他承袭艾扬公爵，1793年其父死时他承袭诺阿耶公爵。为逃避法国大革命于1792年移居瑞士。直至1814年复辟后方才回国，任贵族院议员。

● **Noailles, Louis-Marie, vicomte de 诺阿耶子爵**（1756-04-17，巴黎～1804-01-09，古巴附近海上） 法国诺阿耶家族的显赫成员。穆希元帅的次子。美国独立战争中曾在拉斐德麾下服役，战功卓著；作为军官签署约克敦降约。1789年选入三级会议。翌年6月他同艾吉永一起提议废除爵位和侍从。大革命日益临近时，他移居美国，成为费城宾厄姆银行的合伙人。后离开银行，去圣多明各指挥攻打英国人，并防守圣尼古拉防波堤，后与警卫队逃往古巴。途中为英船截击，在奋战中受重伤后殒命。

Noailles, Anna de 诺阿耶（1876-11-15，巴黎～1933-04-30，巴黎） 全名Anna-Élisabeth de Noailles, Princesse Brancovan, comtesse (countess) Mathieu。布兰科万公主诺阿耶的安娜。法国女诗人，第一次世界大战前夕法国文坛要人。父为罗马尼亚王子，外祖父为土耳其帕夏。她在与法国伯爵结婚之前，即为其生活和写作选择了法国和法语。她的朋友中有小说家普鲁斯特、科莱特和诗人瓦莱里、让·科克托。她以无比的语言魅力在其文学沙龙里吸引了同时代大多数作家。诗集《诉不尽的衷情》（1901）、《眼花缭乱》（1907）和《受苦的荣幸》（1927）充满自然的爱情。她的抒情诗是从19世纪浪漫派诗人维尼、拉马丁的作品中汲取题材。其后期作品展现了她对精力必然衰竭的恐惧。曾获荣誉勋位，并当选为比利时皇家法语语言文学院院士。

Noailles, Louis-Antoine de 诺阿耶（1651-05-27，法国欧里亚克附近泰西埃尔堡～1729-05-04，巴黎） 法国枢机主教和巴黎大主教，同他的兄弟诺阿耶公爵（第二）一起使诺阿耶家族名闻法国，受到很高尊敬。在巴黎大学获神学博士学位。先后任卡奥尔主教（1679）、沙龙主教（1680～1695）和巴黎大主教（1695年起），1700年任枢机主教。曾卷入关于詹森教派教义的争论，赞成P.凯斯内尔在《道德思考录》中宣扬的詹森派教义。1713年他强烈反对最坚决的反詹森派教义的耶稣会士。他反对教皇克雷芒十一世的反詹森派的通谕，但1728年突然停止反对，无条件地加以接受，而在这之前他曾签署抗议书，拒绝接受任何这样的通谕。

Noākhāli 诺阿卡利 孟加拉国南部港口城市，位于孟加拉湾梅克纳河口附近的诺阿卡利水道上。有公路和铁路与库米拉连接，有轮船航线与博里萨尔相通。工业有棉织工艺。该市有达卡大学的3个学院。主要农作物有水稻、黄麻、油籽、豆类、槟榔、辣椒和甘蔗。人口：市约73 766（1991）。

Nōami 能阿弥（1397，日本～1494） 原名中尾新之。日本诗人、画家与美术评论家，作中国风格水墨画的第一位非僧侣画家。他为日本幕府军事专政者足利义满编撰的藏画目录《君台观左右帐记》（1476），是日本早期评价中国艺术家的宝贵资料。其画存世很多，其中最有名的两幅：《美保之松》为淡墨风景屏风，模仿牧溪法常技法；另一幅是《白衣观世音图》。其儿孙也在足利幕府为画师和美术顾问，人称其祖孙为三阿弥。

Noatak National Preserve 诺阿塔克国家禁猎区 美国阿拉斯加州禁猎区。东邻北极门国家公园，南接科伯克河谷国家公园。1978年成为国家保护区，1980年调整地界并改现名。全部在北极圈内,含有美国最广阔的原始江河流域,有数百个考古遗址。区内的诺阿塔克大峡谷长105千米,是极地和副极地植物群和动物群的迁移路线和过渡地带。野生动物包括驯鹿、灰熊、绵羊、麋、狼、水鸟、猛禽等。面积26 607平方千米。

Nobel, Alfred Bernhard　诺贝尔(1833-10-21,斯德哥尔摩~1896-12-10,意大利圣雷莫)瑞典化学家、工程师和实业家。发明达纳炸药及其他威力更大的炸药,是诺贝尔奖的创

美国不列颠百科全书公司供图

立人。母亲是以发现淋巴管(约1653年)而著名的瑞典博物学家O.鲁德贝克的后裔。他从父亲I.诺贝尔那里学习了工程学基础,也像父亲一样有发明才能。诺贝尔一家于1842年离开斯德哥尔摩同当时正在圣彼得堡的父亲团聚。年轻的诺贝尔,主要受家庭教师的教育,16岁就成为有能力的化学家,能流利地说英、法、德、俄、瑞典等国语言。1850年离开俄国赴巴黎学习化学,一年后又赴美国在J.埃里克森(装甲舰莫尼特号的建造者)的指导下工作了4年。诺贝尔返回圣彼得堡后,在他父亲的工厂里工作,直到1859年该工厂破产为止。重返瑞典以后,诺贝尔开始制造液体炸药硝化甘油。在这种炸药投产后不久的1864年,工厂发生爆炸,诺贝尔的最小的弟弟埃米尔和另外4人死亡。瑞典政府禁止重建这座工厂,早已被认定为"科学疯子"的诺贝尔,只好在湖面的一只驳船上进行实验,以寻求减小搬动硝化甘油时发生危险的方法。他偶然发现硝化甘油可以被硅藻土(一种含硅的填充物质)吸干,这种混合物可以安全运输。上述发现使他得以改进达纳炸药和必要的雷管。达纳炸药在英国(1867)和美国(1868)取得专利之后,他进而实验并研制成一种威力更大的同一类型的胶质达纳炸药,于1876年取得专利。大约10年后,又研制出弹道炸药——最早的硝化甘油无烟火药之一和柯达炸药的前身。诺贝尔声称他的专利权要包括后来的发明,这就是他与英国政府间在1894和1895年发生激烈诉讼争论的起因,但最终诺贝尔遭到法庭否决。他在全世界都有炸药制造业的股份,加上他在俄国巴库油田的产权,所拥有的财富是巨大的,必须在世界各地几乎是不停地到处奔波。但是,他却有隐士的气质并且终身未婚。他虽本质上是一位和平主义者,希望他发明的破坏性炸药有助于消灭战争,但他对人类和国家的看法是悲观主义的。他对文学有长期的爱好,在青年时代曾用英文写过一些诗。后人还在他的遗稿中发现他写的一部小说的开端。他对各种人道主义和科学的慈善事业捐款很慷慨,把大部分财产交付信托,设立了后来成为国际最高荣誉的奖项——诺贝尔奖。

Nobel Prize　诺贝尔奖　根据A.B.诺贝尔遗嘱所设基金提供的奖项(1969年起由5个奖项增加到6个),每年由4个机构(瑞典3个,挪威1个)颁发。1901年12月10日即诺贝尔逝世5周年时首次颁发。诺贝尔在其遗嘱中规定,该奖应每年授予在物理学、化学、生理学或医学、文学与和平领域内"在前一年中对人类作出最大贡献的人"。瑞典银行在1968年增设一项经济科学奖,1969年第一次颁奖。

诺贝尔在其遗嘱中所提及的颁奖机构是:位于斯德哥尔摩的瑞典皇家科学院(物理学奖和化学奖)、皇家卡罗林外科医学研究院(生理学或医学奖)和瑞典文学院(文学奖),以及位于奥斯陆的、由挪威议会任命的诺贝尔奖评定委员会(和平奖)。瑞典科学院还监督经济学的颁奖事宜。为实行遗嘱的条款而设立的诺贝尔基金会,是基金的合法所有人和实际的管理者,并为颁奖机构的联合管理机构,但不参与奖的审议或决定,其审议完全由上述4个机构负责。每项奖包括一枚金质奖章、一张奖状和一笔奖金;奖金数字视基金会的收入而定(2005年每奖项奖金为130万美元)。经济学奖的授予方式和货币价值与此相同。

评选获奖人的工作是在颁奖的上一年的初秋开始的,先由发奖单位给那些有能力按照诺贝尔奖章程提出候选人的机构发出请柬。评选的基础是专业能力和国际名望;自己提名者无入选资格。候选人的提名必须在决定奖项那一年的2月1日前以书面通知有关的委员会。

从每年2月1日起,6个诺贝尔奖评定委员会——每个委员会负责一个奖项——根据提名开始评选工作。必要时委员会可邀请任何国家的有关专家参与评选。在9~10月初这段时间内,委员会将推荐书提交有关颁奖机构;只是在少有的情况下,才把问题搁置起来。颁奖单位必须在11月15日以前作出最后决定。委员会的推荐,通常是要遵循的,但不是一成不变的。各个阶段的评议和表决都是秘密进行的。该奖只发给个人,但和平奖例外,也可以授予机构。候选人只能在生前被提名,但正式评出的奖,却可在死后授予,如D.哈马舍尔德的1961年和平奖和E.A.卡尔弗尔特的1931年文学奖。奖一经评定,即不能因有反对意见而予以推翻。对于某一候选人的官方支持,无论是外交上的或政治上的,均与评奖无关,因为该颁奖机构是与国家无关的。

一笔奖金,或者完全发给一个人,或者最多在两种成果之间平分,或者由两个或更多人(实际上从未多于三人)一起分享。有时一笔奖金要保留到下一年度颁发;如果下一年仍不颁发奖金,则退回基金会。当出现奖金既不颁发,也不保留的情况时,也要退回基金会。这样,在同一学术领域内,一年中能有两笔奖金,即上年留下来的奖金和本年的奖金。如果在规定日期以前获奖者拒受或未能领取奖金时,则奖金退回基金会。曾有过拒受奖金及政府禁止本国人领取诺贝尔奖的情况,然而获奖人仍被列入诺贝尔奖获得者名单中,注明"拒受奖金"字样。不接受奖的动机可能互不相同,但真正的理由大都是外界的压力;例如,希特勒于1937年颁布的法令,禁止德国人领取诺贝尔奖,因为他认为1935年颁发给C.奥西埃茨基的和平奖是一种侮辱。不论何种原因过期不领,已拒受者在说明其情况并提出申请时,均可领取诺贝尔金质奖章和奖状,但不能领取奖金,因为该奖金已退回基金会。

如果没有人能符合诺贝尔遗嘱中所要求的那些条件或世界局势有碍于收集评选资料时(如第一次世界大战期间和第二次世界大战期间),则将奖保留或停止颁奖。该奖对所有的人开放,不论其国籍、种族、宗教信仰或意识形态如何。同一获奖者可以多次获奖而不受限制。物理学、化学、生理学或医学、文学以及经济学的颁奖仪式在斯德哥尔摩举行,而和平奖的颁奖仪式则在奥斯陆举行,时间为12月10日,即诺贝尔逝世周年纪念日。获奖者通常亲自去受奖。

支配奖项的总则已载于诺贝尔的遗嘱中。1900年,由遗嘱执行人、颁奖单位的代表及诺贝尔家族共同就解释和执行遗嘱的补充规定达成协议,并由瑞典国王在枢密会议上予以批准。这些规章大体上保持不变,仅在实际应用上有些修改;评议经济学奖的基础是科学的,即数学的或统计学的,而不是政治的或社会的。最早两名经济学奖获得者经济学家弗里希和丁伯根,因他们在计量经济学方面的工作,即利用数学式进行的经济活动分析而被授予该奖。

科学奖和医学奖已证明很少引起争论;而文学奖与和平奖,则因其本身性质特殊,最易导致意见分歧。和平奖常常保留。关于历届诺贝尔奖获得者,参阅附表(214~222页)。

nobelium　锘(No)　周期表ⅢB族锕系人工合成化学元素,原子序数102。在自然界不存在。1958年4月,A.吉奥索、T.赛克兰德、J.R.沃尔顿和G.T.西博格在伯克利加利福尼亚大学用重离子直线加速器加速的碳离子(原子序数6)轰击锔(原子序数96)的产物中发现了锘(同位素254)。在这之前不到一年,在斯德哥尔摩诺贝尔物理研究所工作的国际科学家小组已经声称合成了这种元素并命名为锘(为了纪念诺贝尔)。但是,在苏联莫斯科I.V.库尔恰托夫原子能研究所和杜布纳联合核子研究所以及美国伯克利加利福尼亚大学所做的实验都未能证实这一发现。稍后,伯克利和杜布纳的科学小组制备出6种以上锘的同位素,其中最稳定的是锘255(半衰期3分钟)。放射化学家用痕量锘255所做实验表明,锘在水溶液中呈+2和+3氧化态。其+2氧化态很稳定,比根据同族的镧系元素镱(原子序数70)所预期的更稳定。锘原子序数102。最稳定同位素锘255。化合价2、3。电子组态2,8,18,32,32,8,2或(Rn)$5f^{14}7s^2$。

诺贝尔奖获得者

	物理学奖	化学奖
1901	伦琴(Wilhelm Röntgen)(德国) 发现X射线	范托夫(Jacobus van't Hoff)(荷兰) 化学动力学和渗透压定律
1902	洛伦兹(Hendrik Antoon Lorentz)(荷兰)、塞曼(Pieter Zeeman)(荷兰) 研究磁性对辐射的影响	费歇尔(Emil Fischer)(德国) 糖和嘌呤合成方面的工作
1903	贝可勒尔(Henri Becquerel)(法国) 发现自发放射性	阿伦尼乌斯(Svante Arrhenius)(瑞典) 电离理论
	P. 居里(Pierre Curie)(法国)、M. 居里[2](Marie Curie)(法国[3]) 研究H. 贝可勒尔发现的辐射现象	
1904	瑞利(Lord Rayleigh)(英国) 发现氩	拉姆齐(Sir William Ramsay)(英国) 发现惰性气体元素及其在周期系中的位置
1905	勒纳(Philipp Lenard)(德国) 阴极射线方面的研究	拜耳(Adolf von Baeyer)(德国) 有机染料、氢化芳族化合物方面的工作
1906	汤姆孙(J.J.Thomson)(英国) 研究气体的电导率	穆瓦桑(Henri Moissan)(法国) 分离元素氟并发明穆瓦桑电炉
1907	迈克耳孙(A.A.Michelson)(美国[3]) 光谱学和气象学方面的研究	布希纳(Eduard Buchner)(德国) 发现非细胞发酵
1908	李普曼(Gabriel Lippmann)(法国) 彩色照片复制法	卢瑟福(Ernest Rutherford)(英国) 研究元素的蜕变和放射性物质化学
1909	马可尼(Guglielmo Marconi)(意大利)、布劳恩(Ferdinand Braun)(德国) 发展无线电报术	奥斯特瓦尔德(Wilhelm Ostwald)(德国) 催化、化学平衡和反应速度方面的开创性工作
1910	范德瓦耳斯(Johannes van der Waals)(荷兰) 研究气体和液体的状态方程	瓦拉赫(Otto Wallach)(德国) 脂环族化合作用方面的开创性工作
1911	维恩(Wilhelm Wien)(德国) 发现热辐射遵从的定律	居里[2](Marie Curie)(法国[3]) 发现镭、钋;分离镭
1912	达伦(Nils Gustaf Dalén)(瑞典) 发明航标灯自动调节器	格利雅(Victor Grignard)(法国) 发现格利雅试剂
		萨巴蒂埃(Paul Sabatier)(法国) 氢化有机化合物的方法
1913	昂内斯(Heike Kamerlingh Onnes)(荷兰) 研究物质在低温下的性质;制得液氦	韦尔纳(Alfred Werner)(瑞士[3]) 分子中原子键合方面的工作
1914	劳厄(Max von Laue)(德国) 发现晶体的X射线衍射	理查兹(Theodore Richards)(美国) 精确测定众多元素的原子量
1915	W. 布拉格(William Bragg)(英国)、L. 布拉格(Lawrence Bragg)(英国) 用X射线分析晶体结构	威尔施泰特(Richard Willstätter)(德国) 研究植物的色素,特别是叶绿素方面的开创性工作
1916	无	无
1917	巴克拉(Charles Barkla)(英国) 发现各种元素的标识X辐射	无
1918	普朗克(Max Planck)(德国) 发现基本作用量子	哈伯(Fritz Haber)(德国) 氨的合成
1919	斯塔克(Johannes Stark)(德国) 发现正离子射线的多普勒效应和光线在电场中分裂	无
1920	纪尧姆(Charles Guillaume)(瑞士) 发现合金中的反常性质	能斯脱(Walther Nernst)(德国) 热化学方面的工作
1921	爱因斯坦(Albert Einstein)(瑞士[3]) 理论物理的成就	索迪(Frederick Soddy)(英国) 放射性物质化学;同位素的存在和性质
1922	玻尔(Niels Bohr)(丹麦) 研究原子结构和辐射	阿斯顿(Francis Aston)(英国) 质谱仪方面的工作;整数定则
1923	密立根(Robert Millikan)(美国) 基元电荷和光电效应方面的工作	普列格尔(Fritz Pregl)(奥地利) 有机物的微量分析法
1924	西格班(Manne Siegbahn)(瑞典) X射线谱学方面的工作	无
1925	夫兰克(James Franck)(德国)、赫兹(Gustav Hertz)(德国) 发现原子受电子碰撞的定律	席格蒙迪(Richard Zsigmondy)(奥地利) 阐明胶体溶液的多相性质
1926	佩兰(Jean Perrin)(法国) 物质结构的不连续性方面的工作	斯韦德贝里(The Svedberg)(瑞典) 分散体系方面的工作
1927	康普顿(Arthur Holly Compton)(美国) 发现漫射X射线的波长变化	维兰德(Heinrich Wieland)(德国) 研究胆汁酸成分
	威尔孙(C.T.R.Wilson)(英国) 记录带电粒子径迹的方法	
1928	里查孙(Owen Richardson)(英国) 热金属发射电子方面的工作	温道斯(Adolf Windaus)(德国) 甾醇的结构及其与维生素的联系
1929	德布罗意(Louis-Victor de Broglie)(法国) 发现电子的波性	哈登(Arthur Harden)(英国)、奥伊勒-凯尔平(Hans von Euler-Chelpin)(瑞典[3]) 研究糖的发酵和酶在发酵中的作用
1930	拉曼(Sir Chandrasekhara Raman)(印度) 光散射方面的工作;发现拉曼效应	费歇尔(Hans Fischer)(德国) 研究血红素和叶绿素;合成血红素
1931	无	博施(Carl Bosch)(德国)、伯吉尤斯(Friedrich Bergius)(德国) 发明和发展化学上应用的高压方法
1932	海森伯(Werner Heisenberg)(德国) 创立量子力学	朗缪尔(Irving Langmuir)(美国) 发现并研究表面化学
1933	狄拉克(P.A.M.Dirac)(英国)、薛定谔(Erwin Schrödinger)(奥地利) 建立量子力学的波动方程	无
1934	无	尤里(Harold Urey)(美国) 发现重氢
1935	查德威克(James Chadwick)(英国) 发现中子	F. 约里奥-居里(Frédéric Joliot-Curie)(法国)、I. 约里奥-居里(Irène Joliot-Curie)(法国) 合成新的放射性元素
1936	赫斯(Victor Hess)(奥地利) 发现宇宙辐射	德拜(Peter Debye)(荷兰) 对偶极矩、X射线衍射及气体中电子衍射的研究
	安德森(Carl Anderson)(美国) 发现正电子	
1937	戴维孙(Clinton Davisson)(美国)、汤姆孙(George Paget Thomson)(英国) 用实验演示晶体受到电子束照射的干涉现象	霍沃思(Norman Haworth)(英国) 研究碳水化合物和维生素C
		卡勒(Paul Karrer)(瑞士) 研究类胡萝卜素、黄素和维生素
1938	费米(Enrico Fermi)(意大利) 用中子辐照生产人工放射性元素	库恩(Richard Kuhn)(德国[5]) 研究类胡萝卜素和维生素
1939	劳伦斯(Ernest Lawrence)(美国) 发明回旋加速器	布特南特(Adolf Butenandt)(德国[5]) 性激素方面的工作
		卢齐卡(Leopold Ruzicka)(瑞士[3]) 聚亚甲基和高级萜类方面的工作
1943[6]	斯特恩(Otto Stern)(美国) 发现质子磁矩	赫维西(George de Hevesy)(匈牙利) 在化学研究中用同位素作示踪物

续表 1

	物　理　学　奖	化　学　奖
1944	拉比(Isidor Rabi)(美国[3])　用共振法精确测定原子核的磁性	哈恩(Otto Hahn)(德国)　发现重原子核的裂变
1945	泡利(Wolfgang Pauli)(奥地利)　发现电子的不相容原理	维尔塔宁(Artturi Virtanen)(芬兰)　发明酸化法贮存鲜饲料
1946	布里奇曼(P.W.Bridgman)(美国)　高压物理学领域的一系列发现	萨姆纳(James Sumner)(美国)　发现酶结晶 诺思罗普(John Northrop)(美国)、斯坦利(Wendell Stanley)(美国)　制得酶和病毒蛋白质纯结晶
1947	阿普顿(Sir Edward Appleton)(英国)　发现大气上层的阿普顿层	罗宾森(Sir Robert Robinson)(英国)　研究生物碱和其他植物产品
1948	布莱克特(Patrick Blackett)(英国)　核物理和宇宙辐射领域的一些发现	蒂塞利乌斯(Arne Tiselius)(瑞典)　研究电泳和吸附分析;血清蛋白
1949	汤川秀澍(Yukawa Hideki)(日本)　预言介子的存在	吉奥克(William Giauque)(美国)　对极低温下物质性质的研究
1950	鲍威尔(Cecil Powell)(英国)　以照相法研究核过程;发现了一些介子	狄尔斯(Otto Diels)(德国)、阿尔德(Kurt Alder)(德国)　发明和发展了双烯合成法
1951	考克饶夫(Sir John Cockcroft)(英国)、瓦耳顿(E.T.S.Walton)(爱尔兰)　用加速粒子使原子核嬗变	麦克米伦(Edwin McMillan)(美国)、西博格(Glenn Seaborg)(美国)　发现并研究超铀元素
1952	布洛赫(Felix Bloch)(美国[3])、珀塞耳(E.M.Purcell)(美国)　发现固体的核磁共振	马丁(A.J.P.Martin)(英国)、辛格(R.L.M.Synge)(英国)　发明分配色谱法
1953	泽尔尼克(Frits Zernike)(荷兰)　相衬显微法	施陶丁格(Hermann Staudinger)(德国)　大分子方面的工作
1954	玻恩(Max Born)(英国[3])　原子波函数的统计研究 博特(Walther Bothe)(德国)　发明符合计数法	泡令[7](Linus Pauling)(美国)　研究化学键的性质
1955	兰姆(小)(Willis Lamb,Jr.)(美国)　氢光谱中的一些发现 库什(Polykarp Kusch)(美国[3])　测量电子磁矩	迪维尼奥(Vincent Du Vigneaud)(美国)　第一次合成多肽激素
1956	肖克莱(William Shockley)(美国)、巴丁[9](John Bardeen)(美国)、布拉顿(Walter H.Brattain)(美国)　研究半导体并发明晶体管	谢苗诺夫(Nikolay Semyonov)(苏联)、欣谢尔伍德(Sir Cyril Hinshelwood)(英国)　化学反应动力学方面的工作
1957	李政道(Tsung-Dao Lee)(中国)、杨振宁(Chen Ning Yang)(中国)　发现宇称原理的破坏	托德(Sir Alexander Todd)(英国)　在核苷酸和核辅酶方面的工作
1958	切伦科夫(Pavel A.Cherenkov)(苏联)、夫兰克(Ilya M.Frank)(苏联)、塔姆(Igor Y.Tamm)(苏联)　发现并解释切伦科夫效应	桑格[10](Frederick Sanger)(英国)　确定胰岛素分子结构
1959	塞格雷(Emilio Segrè)(美国[3])、张伯伦(Owen Chamberlain)(美国)　确证反质子的存在	海洛夫斯基(Jaroslav Heyrovský)(捷克斯洛伐克)　发明并发展极谱法
1960	格拉泽(Donald Glaser)(美国)　发明气泡室	利比(Willard Libby)(美国)　创立放射性碳测年法
1961	霍夫斯塔特(Robert Hofstadter)(美国)　确定原子的核子的形状与大小 穆斯堡尔(Rudolf Mössbauer)(德国)　发现穆斯堡尔效应	卡尔文(Melvin Calvin)(美国)　研究光合作用中的化学过程
1962	朗道(Lev D.Landau)(苏联)　对物质凝聚态研究的贡献	肯德鲁(John C.Kendrew)(英国)、佩鲁兹(Max F.Perutz)(英国[3])　确定血红素蛋白的结构
1963	延森(J.Hans D.Jensen)(德国)、梅耶夫人(Maria Goeppert Mayer)(美国[3])　创立原子核结构的壳模型理论 维格纳(Eugene Paul Wigner)(美国[3])　原子核中质子和中子相互作用遵循的原则	纳塔(Giulio Natta)(意大利)、齐格勒(Karl Ziegler)(德国)　合成高分子塑料并研究其结构
1964	汤斯(Charles H.Townes)(美国)、巴索夫(Nikolay G.Basov)(苏联)、普罗霍罗夫(Aleksandr M.Prokhorov)(苏联)　从事量子电子学方面的工作导致制成微波激射器和激光器	霍奇金(Dorothy M.C.Hodgkin)(英国)　测定抗恶性贫血的生化化合物的基本结构
1965	施温格(Julian S.Schwinger)(美国)、费因曼(Richard P.Feynman)(美国)、朝永振一郎(Tomonaga Shin'ichirō)(日本)　量子电动力学的基本原理	伍德沃德(R.B.Woodward)(美国)　人工合成甾醇、叶绿素和其他物质
1966	卡斯特勒(Alfred Kastler)(法国)　发明研究原子中赫兹共振的光学方法	马利肯(Robert S. Mulliken)(美国)　化学键和分子中电子轨道方面的工作
1967	贝特(Hans A.Bethe)(美国[3])　发现恒星的能量来源	艾根(Manfred Eigen)(德国)、诺里什(Ronald G.W.Norrish)(英国)、波特(George Porter)(英国)　研究极快速化学反应
1968	阿耳瓦雷茨(Luis W. Alvarez)(美国)　在基本粒子研究方面发现共振态	昂萨格(Lars Onsager)(美国[3])　不可逆过程的热力学理论
1969	盖耳-曼(Murray Gell-Mann)(美国)　发现亚原子粒子及其相互作用分类法	巴顿(Derek H.R.Barton)(英国)、哈塞尔(Odd Hassel)(挪威)　测定有机物分子的三维构象
1970	阿耳文(Hannes Alfvén)(瑞典)、奈耳(Louis Néel)(法国)　在磁流体动力学和反铁磁性及亚铁磁性方面的工作	莱洛伊尔(Luis F.Leloir)(阿根廷[3])　发现糖核苷酸及其在碳水化合物的生物合成中的作用
1971	伽柏(Dennis Gabor)(英国[3])　发明全息术	赫茨伯格(Gerhard Herzberg)(加拿大[3])　研究分子结构
1972	巴丁[9](John Bardeen)(美国)、库珀(Leon N.Cooper)(美国)、施里弗(John R.Schrieffer)(美国)　创立超导电性理论	安芬森(Christian B.Anfinsen)(美国)、穆尔(Stanford Moore)(美国)、斯坦(William H.Stein)(美国)　在酶化学方面的基础工作
1973	江崎玲於奈(Leo Esaki)(日本)、加埃沃(Ivar Giaever)(美国[3])、约瑟夫森(Brian D.Josephson)(英国)　半导体和超导体的隧道效应	菲舍尔(Ernst Fischer)(德国)、威尔金森(Geoffrey Wilkinson)(英国)　有机金属化学
1974	赖尔(Sir Martin Ryle)(英国)、休伊什(Antony Hewish)(英国)　在射电天文学方面的工作	弗洛里(Paul J.Flory)(美国)　研究长链分子
1975	玻尔(Aage N.Bohr)(丹麦)、莫特森(Ben R.Mottelson)(丹麦[3])、雷恩沃特(L.James Rainwater)(美国)　对原子核的理论研究,弄清了核聚变	康福思(John W.Cornforth)(英国)、普雷洛格(Vladimir Prelog)(瑞士)　立体化学方面的工作

续表 2

	物理学奖	化学奖
1976	里克特(Burton Richter)(美国)、丁肇中(Samuel C. C. Ting)(美国) 发现一类新的基本粒子(Ψ 或 J)	利普斯科姆(William N. Lipscomb)(美国) 研究硼烷的结构
1977	安德森(Philip W. Anderson)(美国)、莫脱(Sir Nevill F. Mott)(英国)、范扶累克(John H. Van Vleck)(美国) 认识磁性非晶态固体中电子的性状	普里果金(Ilya Prigogine)(比利时) 创立热力学的耗散结构理论
1978	卡皮察(Pyotr L. Kapitsa)(苏联) 发明并应用氦的液化器 彭齐亚斯(Arno A. Penzias)(美国[3])、威耳孙(Robert W. Wilson)(美国) 发现宇宙微波背景辐射,为大爆炸理论提供支持	米切尔(Peter D. Mitchell)(英国) 研究生物体系中的能量传递过程
1979	格拉肖(Sheldon Glashow)(美国)、萨拉姆(Abdus Salam)(巴基斯坦)、温伯格(Steven Weinberg)(美国) 提出亚原子粒子的弱相互作用和电磁相互作用的统一理论	布朗(Herbert C. Brown)(美国[3])、维蒂希(Georg Wittig)(西德) 在有机物合成中引入硼和磷
1980	克罗宁(James W. Cronin)(美国)、菲奇(Val Logsdon Fitch)(美国) 验证电荷共轭和宇称反演对称性的同时破坏	伯格(Paul Berg)(美国) 首次制备混合 DNA 吉尔伯特(Walter Gilbert)(美国)、桑格[10](Frederick Sanger)(英国) 创立 DNA 结构的化学和生物分析法
1981	西格班(Kai M. Siegbahn)(瑞典) 用于化学分析的电子能谱学 布洛姆伯根(Nicolaas Bloembergen)(美国[3])、肖洛(Arthur L. Schawlow)(美国) 在光谱术中应用激光器	福井谦一(Fukui Kenichi)(日本)、霍夫曼(Roald Hoffmann)(美国[3]) 化学反应中轨道对称性的解释
1982	威耳孙(Kenneth G. Wilson)(美国) 提出一种改进连续相变理论的数学分析方法	克卢格(Aaron Klug)(英国[3]) 测定生物物质的结构
1983	钱德拉塞卡(Subrahmanyan Chandrasekhar)(美国)、福勒(William A. Fowler)(美国) 对恒星演化和崩坍认识方面的贡献	陶布(Henry Taube)(美国) 金属配位化合物的电子转移机理研究
1984	鲁比亚(Carlo Rubbia)(意大利)、范德米尔(Simon van der Meer)(荷兰) 因领导发现 W 和 Z 粒子,从而支持了电弱理论	梅里菲尔德(Bruce Merrifield)(美国) 发展多肽合成方法
1985	克利青(Klaus von Klitzing)(西德) 发现量子化霍耳效应,使精确测量电阻成为可能	豪普特曼(Herbert A. Hauptman)(美国)、卡尔勒(Jerome Karle)(美国) 发展测绘小分子化学结构的方法
1986	鲁斯卡(Ernst Ruska)(西德)、宾尼希(Gerd Binnig)(西德)、罗雷尔(Heinrich Rohrer)(瑞士) 发展特殊电子显微镜	赫希巴赫(Dudley R. Herschbach)(美国)、李远哲(Yuan T. Lee)(美国)、波拉尼(John C. Polyani)(加拿大) 发展了分析基本化学反应的方法
1987	柏诺兹(J. Georg Bednorz)(西德)、缪勒(K. Alex Müller)(瑞士) 发现新的超导材料	克拉姆(Donald J. Cram)(美国)、佩德森(Charles J. Pedersen)(美国)、莱恩(Jean-Marie Lehn)(法国) 开发出能与其他分子连接的分子
1988	莱德曼(Leon M. Lederman)(美国)、施瓦茨(Melvin Schwartz)(美国)、斯泰因贝格尔(Jack Steinberger)(美国) 研究亚原子粒子	戴森霍弗(Johann Deisenhofer)(西德)、胡伯尔(Robert Huber)(西德)、米歇尔(Hartmut Michel)(西德) 发现光合作用所需蛋白质的结构
1989	拉姆齐(Norman F. Ramsey)(美国) 发展原子钟 德梅尔特(Hans G. Dehmelt)(美国)、保罗(Wolfgang Paul)(西德) 发展分离原子和亚原子粒子的研究方法	奥尔特曼(Sidney Altman)(美国)、切赫(Thomas R. Cech)(美国) 发现 RNA 的某些基本性质
1990	弗里德曼(Jerome I. Friedman)(美国)、肯德尔(Henry W. Kendall)(美国)、泰勒(Richard E. Taylor)(加拿大) 发现原子夸克	科里(Elias James Corey)(美国) 发展合成复杂分子的反合成分析法
1991	德热纳(Pierre-Gilles de Gennes)(法国) 发现分子性态普遍规律	恩斯特(Richard R. Ernst)(瑞士) 改进核磁共振波谱学
1992	沙帕克(Georges Charpak)(法国) 发明追踪亚原子粒子的检测计	马库斯(Rudolph A. Marcus)(美国[3]) 解释分子间电子传递
1993	赫尔斯(Russell A. Hulse)(美国)、泰勒(Joseph H. Taylor, Jr.)(美国) 发现脉冲双星	穆利斯(Kary B. Mullis)(美国)、史密斯(Michael Smith)(加拿大) 创立基因研究及使用的方法
1994	布罗克豪斯(Bertram N. Brockhouse)(加拿大)、沙尔(Clifford G. Shull)(美国) 发展中子散射技术	奥拉(George A. Olah)(美国[3]) 发展研究碳氢化合物分子的方法
1995	佩尔(Martin L. Perl)(美国)、莱因斯(Frederick Reines)(美国) 分别发现亚原子粒子 τ 和中微子	克鲁岑(Paul Crutzen)(荷兰)、莫利纳(Mario Molina)(美国[3])、罗兰(F. Sherwood Rowland)(美国) 解释地球臭氧层减少的过程
1996	李(David M. Lee)(美国)、理查森(Robert C. Richardson)(美国)、奥谢罗夫(Douglas D. Osheroff)(美国) 发现氦 3 的超流体现象	柯尔(Robert F. Curl)(美国)、斯莫利(Richard E. Smalley)(美国)、克罗托(Sir Harold W. Kroto)(英国) 1985 年发现碳的球状结构
1997	朱棣文(Steven Chu)(美国)、科昂-塔努吉(Claude Cohen-Tannoudji)(法国)、菲利普斯(William D. Philips)(美国) 共同发明了用激光冷却和俘获原子的方法	博耶(Paul Boyer)(美国)、斯科(Jens C. Skou)(丹麦)、沃克(John E. Walker)(英国) 在酶的研究方面作出开创性工作
1998	劳克林(Robert B. Laughlin)(美国)、施特默(Horst L. Störmer)(德国)、崔琦(Daniel C. Tsui)(美国) 发现分数量子霍尔效应	科恩(Walter Kohn)(美国)、波普(John A. Pople)(英国) 提出密度泛函理论,发展了量子化学的计算方法
1999	霍夫特(Gerardus't Hooft)(荷兰)、韦尔特曼(Martinus J. G. Veltman)(荷兰) 阐明了物理中电镀弱交互作用的定量结构	泽维尔(Ahmed H. Zewail)(美籍埃及人) 使用毫微微秒化学技术对化学反应过程进行研究
2000	阿尔费罗夫(Zhores I Alferov)(俄罗斯)、克勒默(Herbert Kroemer)(美国)、基尔比(Jack S. Kilby)(美国) 半导体研究的突破性进展	黑格(Alan J. Heeger)(美国)、麦克迪尔米德(Alan G. MacDiarmid)(美国)、白川英树(Hideki Shirakawa)(日本) 发现具有导电性的聚合塑料
2001	康奈尔(Eric A. Cornell)(美国)、克特勒(Wolfgang Ketterle)(德国)、维曼(Carl E. Wieman)(美国) 在"碱性原子稀薄气体的玻色-爱因斯坦凝聚态"以及"凝聚态物质性质早期基础性研究"方面取得成就。	诺尔斯(William S. Knowles)(美国)、野依良治(Ryōji Noyori)(日本)、夏普莱斯(K. Berrt Sharpless)(美国) 在"手性催化氧化反应"领域的研究成果

续表 3

	物理学奖	化学奖
2002	贾科尼(Riccardo Giacconi)(美国)、戴维斯(Raymond Davis Jr.)(美国)、小柴昌俊(Masatoshi Koshiba)(日本) 在天体物理学领域作出先驱性贡献,其中包括"探测宇宙中微子"和"发现宇宙 X 射线源"方面的研究,并导致中微子天文学的诞生	芬恩(John B. Fenn)(美国)、田中耕一(Koichi Tanaka)(日本)、维特里希(Kurt Wüthrich)(瑞士) 发明对生物大分子进行确认和结构分析、质谱分析的方法
2003	阿布里科索夫(Alexei A. Abrikosov)(俄罗斯和美国双重国籍)、金茨堡(Vitaly L. Ginzburg)(俄罗斯)、莱格特(Anthony J. Leggett)(英国和美国双重国籍) 在超导体和超流体理论上做出的开创性贡献	阿格雷(Peter Agre)(美国)、麦金农(Roderick MacKinnon)(美国) 在细胞膜通道方面作出的开创性贡献
2004	格罗斯(David J. Gross)(美国)、波利策(H. David Politzer)(美国)和维尔切克(Frank Wilczek)(美国) 在夸克粒子理论方面所取得的成就	切哈诺沃(Aaron Ciechanover)(以色列)、赫什科(Avram Hershko)(以色列)和罗斯(Irwin Rose)(美国) 发现泛素调节的蛋白质降解
2005	霍尔(John L. Hall)(美国)和亨施(Theodor W. Hänsch)(德国) 在基于激光的精密光谱学的发展方面作出杰出贡献;格劳贝尔(Roy J. Glauber)(美国) 在对光学相干的量子理论研究上作出突出贡献	肖万(Yves Chauvin)(法国)、格拉布斯(Robert H. Grubbs)(美国)和施罗克(Richard R. Schrock)(美国)在烯烃复分解反应研究方面的贡献
2006	马瑟(John C. Mather)(美国)、斯穆特(George F. Smoot)(美国) 发现黑体形态和宇宙微波背景辐射的扰动现象	科恩伯格(Roger D. Kornbery)(美国) 在"真核转录分子基础"研究领域所出的贡献

	生理学或医学奖	文学奖	和平奖
1901	贝林(Emil von Behring)(德国) 血清疗法方面的工作	普律多姆(Sully Prudhomme)(法国) 诗人	杜南(Jean-Henri Dunant)(瑞士) 帕西(Frédéric Passy)(法国)
1902	罗斯(Ronald Ross)(英国) 发现疟疾以疟蚊为媒介进入有机体	蒙森(Theodor Mommsen)(德国) 历史学家	杜科蒙(Élic Ducommun)(瑞士) 戈巴特(Charles-Albert Gobat)(瑞士)
1903	芬森(Niels R. Finsen)(丹麦) 光辐射疗法治皮肤病	比昂松(Bjørnstjerne Bjørnson)(挪威) 小说家、诗人、剧作家	克里默(Randal Cremer)(英国)
1904	巴甫洛夫(Ivan Pavlov)(俄国) 消化生理方面的工作	米斯特拉尔(Frédéric Mistral)(法国) 诗人 埃切加莱-埃萨吉雷(José Echegaray y Eizaguirre)(西班牙) 剧作家	国际法学研究所(Institute of International Law)(1873 年成立)
1905	科赫(Robert Koch)(德国) 结核病的研究	显克维奇(Henryk Sienkiewicz)(波兰) 小说家	祖特内尔(Bertha von Suttner)(奥地利)
1906	戈尔吉(Camillo Golgi)(意大利)、拉蒙-卡哈尔(Santiago Ramón y Cajal)(西班牙) 神经系统构造方面的工作	卡尔杜齐(Giosuè Carducci)(意大利) 诗人	罗斯福(Theodore Roosevelt)(美国)
1907	拉韦朗(Alphonse Laveran)(法国) 发现疟原虫和对原虫病的研究	吉卜林(Rudyard Kipling)(英国) 诗人、小说家	莫内塔(Ernesto Teodoro Moneta)(意大利) 雷诺(Louis Renault)(法国)
1908	埃尔利希(Paul Ehrlich)(德国)、梅奇尼科夫(Élie Metchnikoff)(俄国) 在免疫学方面的工作	倭铿(Rudolf Eucken)(德国) 哲学家	阿诺德森(Klas Pontus Arnoldson)(瑞典) 巴耶(Fredrik Bajer)(丹麦)
1909	柯赫尔(Emil Kocher)(瑞士) 对甲状腺的生理学、病理学和外科学的研究	拉格洛夫(Selma Lagerlöf)(瑞典) 小说家	康斯坦(Baron d'Estournelles de Constant)(法国) 贝尔纳特(Auguste Beernaert)(比利时)
1910	科塞尔(Albrecht Kossel)(德国) 研究细胞化学	海泽(Paul von Heyse)(德国) 诗人、小说家、剧作家	国际和平署(International Peace Bureau)(1891 年成立)
1911	古尔斯特兰德(Allvar Gullstrand)(瑞典) 在眼的屈光方面的工作	梅特林克(Maurice Maeterlinck)(比利时) 剧作家	阿塞尔(Tobias Asser)(荷兰) 弗里德(Alfred Fried)(奥地利)
1912	卡雷尔(Alexis Carrel)(法国) 血管缝合和器官移植	霍普特曼(Gerhart Hauptmann)(德国) 剧作家	鲁特(Elihu Root)(美国)
1913	里歇(Charles Richet)(法国) 过敏性方面的工作	泰戈尔(Rabindranath Tagore)(印度) 诗人	拉丰泰因(Henri-Marie Lafontaine)(比利时)
1914	巴拉尼(Robert Bárány)(奥地利) 前庭器官方面的工作	无	无
1915	无	罗曼·罗兰(Romain Rolland)(法国) 小说家	无
1916	无	海登斯塔姆(Verner von Heidenstam)(瑞典) 诗人	无
1917	无	吉勒鲁普(Karl Gjellerup)(丹麦)、彭托皮丹(Henrik Pontoppidan)(丹麦) 小说家	国际红十字委员会[4](International Red Cross Committee)(1863 年成立)
1918	无	卡尔弗尔特(Erik Axel Karlfeldt)(瑞典) 拒绝受奖	无
1919	博尔德(Jules Bordet)(比利时) 在血清中发现免疫因子	施皮特勒(Carl Spitteler)(瑞士) 诗人、小说家	威尔逊(Woodrow Wilson)(美国)
1920	克罗伊(August Krogh)(丹麦) 发现毛细血管的运动调节机理	汉姆生(Knut Hamsun)(挪威) 小说家	布尔茹瓦(Léon Bourgeois)(法国)
1921	无	法朗士(Anatole France)(法国) 小说家	布兰廷(Karl Branting)(瑞典) 兰格(Christian Lous Lange)(挪威)
1922	希尔(A.V. Hill)(英国) 发现肌肉生热 迈尔霍夫(Otto Meyerhof)(德国) 肌肉中的乳酸代谢方面的工作	贝纳文特-马丁内斯(Jacinto Benavente y Martínez)(西班牙) 剧作家	南森(Fridtjof Nansen)(挪威)

续表 4

	生理学或医学奖	文学奖	和平奖
1923	班廷(F.G.Banting)(加拿大)、麦克劳德(J.J.R.Macleod)(英国)　发现胰岛素	叶芝(William Butler Yeats)(爱尔兰)　诗人	无
1924	埃因托芬(Willem Einthoven)(荷兰)　发现心电图机制	莱蒙特(Władysław Reymont)(波兰)　小说家	无
1925	无	萧伯纳(George Bernard Shaw)(爱尔兰)　剧作家	张伯伦(Sir Austen Chamberlain)(英国) 道威斯(Charles G.Dawes)(美国)
1926	菲比格(Johannes Fibiger)(丹麦)　癌症研究方面的贡献	黛莱达(Grazia Deledda)(意大利)　小说家	白里安(Aristide Briand)(法国) 斯特来斯曼(Gustav Stresemann)(德国)
1927	瓦格纳-尧雷格(Julius Wagner-Jauregg)(奥地利)　通过人工诱发疟疾治疗麻痹性痴呆的工作	柏格森(Henri Bergson)(法国[3])　哲学家	比松(Ferdinand Buisson)(法国) 奎德(Ludwig Quidde)(德国)
1928	尼科尔(Charles Nicolle)(法国)　斑疹伤寒方面的工作	温塞特(Sigrid Undset)(挪威)　小说家	无
1929	艾克曼(Christiaan Eijkman)(荷兰)　发现抗神经炎的维生素 霍普金斯(Sir Frederick Hopkins)(英国)　发现数种促进机体生长的维生素	曼(Thomas Mann)(德国)　小说家	凯洛格(Frank B.Kellogg)(美国)
1930	兰斯坦纳(Karl Landsteiner)(美国[3])　人体的血型分类	刘易斯(Sinclair Lewis)(美国)　小说家	瑟德布洛姆(Nathan Söderblom)(瑞典)
1931	瓦尔堡(Otto Warburg)(德国)　发现呼吸酶的性质和作用	卡尔弗尔特(Erik Axel Karlfeldt)(瑞典)　诗人(去世后获奖)	亚当斯(Jane Addams)(美国) 巴特勒(Nicholas Murray Butler)(美国)
1932	艾德里安(E. D.Adrian)(英国)、谢灵顿(Sir Charles Sherrington)(英国)　发现神经元的功能	高尔斯华绥(John Galsworthy)(英国)　小说家	无
1933	摩尔根(Thomas Hunt Morgan)(美国)　染色体的遗传传递功能	布宁(Ivan Bunin)(苏联)　诗人、小说家	安吉尔(Sir Norman Angell)(英国)
1934	迈诺特(George R.Minot)(美国)、墨菲(William P.Murphy)(美国)、惠普尔(George H.Whipple)(美国)　发现肝质食物治疗贫血	皮兰德娄(Luigi Pirandello)(意大利)　剧作家	亨德森(Arthur Henderson)(英国)
1935	施佩曼(Hans Spemann)(德国)　发现胚胎的诱导效应	无	奥西埃茨基(Carl von Ossietzky)(德国)
1936	戴尔(Sir Henry Dale)(英国)、勒维(Otto Loewi)(德国)　神经脉冲的化学传递方面的工作	奥尼尔(Eugene O'Neill)(美国)　剧作家	拉马斯(Carlos Saavedra Lamas)(阿根廷)
1937	森特-哲尔吉(Albert Szent-Györgyi)(匈牙利)　发现某些有机化合物(特别是维生素 C)在营养素的细胞内氧化过程中的作用	马丁·杜·加尔(Roger Martin du Gard)(法国)　小说家	切尔伍德的塞西尔子爵(Viscount Cecil of Chelwoood)(英国)
1938	海曼斯(Corneille Heymans)(比利时)　发现与颈动脉和主动脉弓有关的感受器官对呼吸的调节作用	赛珍珠(Pearl Buck)(美国)　小说家	南森国际难民机构(Nansen International Office for Refugees)(1931 年成立)
1939	多马克(Gerhard Domagk)(德国[5])　发现磺胺的抗菌作用	西伦佩(Frans Eemil Sillanpää)(芬兰)　小说家	无
1943	达姆(Henrik Dam)(丹麦)　发现维生素 K 多伊西(Edward A.Doisy)(美国)　发现维生素 K 的化学性质	无	无
1944	厄兰格(Joseph Erlanger)(美国)、加塞(Herbert S.Gasser)(美国)　对神经纤维分化功能研究	延森(Johannes V. Jensen)(丹麦)　小说家	国际红十字委员会[4](International Red Cross Committee)(1863 年成立)
1945	弗莱明(Sir A.Fleming)(英国)、钱恩(Ernst Boris Chain)(英国[3])、弗洛里(Sir Howard Florey)(澳大利亚)　发现青霉素及其临床效用	米斯特拉尔(Gabriela Mistral)(智利)　诗人	赫尔(Cordell Hull)(美国)
1946	马勒(Hermann J.Muller)(美国)　发现 X 射线辐照可诱发突变	海塞(Hermann Hesse)(瑞士[3])　小说家	巴尔奇(Emily Greene Balch)(美国) 穆德(John R.Mott)(美国)
1947	科里(Carl F.Cori)(美国[3])、科里(Gerty T.Cori)(美国[3])　发现糖原如何催化转变 奥塞(Bernardo Houssay)(阿根廷)　糖代谢过程中垂体激素的作用	纪德(André Gide)(法国)　小说家、小品文作家	美国公谊服务委员会(American Friends Service Committee)(美国) 公谊服务理事会(Friends Service Council)(英国)
1948	米勒(Paul Müller)(瑞士)　滴滴涕的性质	艾略特(T.S.Eliot)(英国[3])　诗人、批评家	无
1949	赫斯(Walter Rudolf Hess)(瑞士)　发现大脑的某些部位在决定和协调内脏器官功能时所起的作用 埃加斯·莫尼兹(António Egas Moniz)(葡萄牙)　脑白质切除术治疗精神病的疗效	福克纳(William Faulkner)(美国)　小说家	博伊德-奥尔勋爵(Lord Boyd-Orr)(英国)
1950	亨奇(Philip S. Hench)(美国)、肯德尔(Edward C.Kendall)(美国)、赖希施泰因(Tadeus Reichstein)(瑞士[3])　研究肾上腺皮质激素及其结构和生物学效应	罗素(Bertrand Russell)(英国)　哲学家	本奇(Ralph Bunche)(美国)

续表 5

	生理学或医学奖	文学奖	和平奖
1951	泰累尔(Max Theiler)(南非)　研究黄热病	拉格尔克维斯特(Pär Lagerkvist)(瑞典)　小说家	儒奥(Léon Jouhaux)(法国)
1952	瓦克斯曼(Selman A. Waksman)(美国[3])　发现链霉素	莫里亚克(François Mauriac)(法国)　诗人、小说家、剧作家	施韦策(Albert Schweitzer)(阿尔萨斯)
1953	李普曼(Fritz A. Lipmann)(美国[3])、克雷布斯(Hans A. Krebs)(英国[3])　发现碳水化合物代谢中的辅酶 A 柠檬酸循环	丘吉尔(Sir Winston Churchill)(英国)　历史学家、演说家	马歇尔(George C. Marshall)(美国)
1954	恩德斯(John F. Enders)(美国)、韦勒(Thomas H. Weller)(美国)、罗宾斯(Frederick Robbins)(美国)　在非神经组织培养物上培养脊髓灰质炎病毒成功	海明威(Ernest Hemingway)(美国)　小说家	联合国难民高级专员署[8](Office of the United Nations High Commissioner for Refugees)(1951 年成立)
1955	泰奥雷尔(Axel Hugo Theorell)(瑞典)　氧化酶的特性和作用方式	拉克斯内斯(Halldór Laxness)(冰岛)　小说家	无
1956	福斯曼(Werner Forssmann)(德国)、理查兹(Dickinson Richards)(美国)、库尔南(André F. Cournand)(美国[3])　发明和改善心导管插入术	希梅内斯(Juan Ramón Jiménez)(西班牙)　诗人	无
1957	博维(Daniel Bovet)(意大利[3])　人工合成箭毒	加缪(Albert Camus)(法国)　小说家、剧作家	皮尔逊(Lester B. Pearson)(加拿大)
1958	比德尔(George W. Beadle)(美国)、塔特姆(Edward L. Tatum)(美国)　化学过程的遗传调节 莱德伯格(Joshua Lederberg)(美国)　遗传重组	帕斯捷尔纳克(Boris Pasternak)(苏联)　小说家、诗人(拒绝受奖)	培尔(Dominique Georges Pire)(比利时)
1959	奥乔亚(Severo Ochoa)(美国[3])、科恩伯格(Arthur Kornberg)(美国)　人工合成核酸	夸齐莫多(Salvatore Quasimodo)(意大利)　诗人	诺埃尔-贝克(Philip Noel-Baker)(英国)
1960	伯内特(Sir Macfarlane Burnet)(澳大利亚)、梅达沃(Peter B. Medawar)(英国)　发现对组织移植的获得性免疫耐受性	佩尔斯(Saint-John Perse)(法国)　诗人	卢图利(Albert Lutuli)(南非)
1961	贝凯西(Georg von Békésy)(美国[3])　内耳功能	安德里奇(Ivo Andrić)(南斯拉夫)　小说家	哈马舍尔德(Dag Hammarskjöld)(瑞典)
1962	克里克(Francis. H. C. Crick)(英国)、沃森(James D. Watson)(美国)、威尔金斯(Maurice Wilkins)(英国)　发现脱氧核糖核酸的分子结构	斯坦贝克(John Steinbeck)(美国)　小说家	泡令[7](Linus Pauling)(美国)
1963	埃克尔斯(Sir John Eccles)(澳大利亚)、霍奇金(Alan Lloyd Hodgkin)(英国)、赫胥黎(Andrew Huxley)(英国)　研究神经冲动沿神经纤维的传递	塞菲里斯(George Seferis)(希腊)　诗人	国际红十字委员会[4](International Red Cross Committee)、红十字会协会(League of Red Cross Societies)(总部均在日内瓦)
1964	布洛赫(Konrad Bloch)(美国[3])、吕南(Feodor Lynen)(德国)　发现胆固醇和脂肪酸的代谢	萨特(Jean-Paul Sartre)(法国)　哲学家、剧作家(拒绝受奖)	马丁·路德·金(Martin Luther King, Jr.)(美国)
1965	雅各布(François Jacob)(法国)、莫诺(Jacques Monod)(法国)、利沃夫(André Lwoff)(法国)　发现体细胞的规律性活动	肖洛霍夫(Mikhail Sholokhov)(苏联)　小说家	联合国儿童基金会(UNICEF, United Nations Children's Fund)(1946 年成立)
1966	哈金斯(Charles B. Huggins)(美国[3])、劳斯(Francis Peyton Rous)(美国)　研究致癌原因及其治疗	阿格农(Shmuel Yosef Agnon)(以色列[3])　小说家 萨克斯(Nelly Sachs)(瑞典[3])　诗人	无
1967	哈特兰(Haldan Keffer Hartline)(美国)、沃尔德(George Wald)(美国)、格拉尼特(R. A. Granit)(瑞典)　发现眼中的化学和生理视觉过程	阿斯图里亚斯(Miguel Ángel Asturias)(危地马拉)　小说家	无
1968	霍利(Robert W. Holley)(美国)、科勒拉(Har Gobind Khorana)(美国[3])、尼伦伯格(Marshall W. Nirenberg)(美国)　译解遗传密码	川端康成(Kawabata Yasunari)(日本)　小说家	卡森(René Cassin)(法国)
1969	德尔布吕克(Max Delbrück)(美国[3])、赫尔希(A. D. Hershey)(美国)、卢里亚(Salvador E. Luria)(美国[3])　研究并发现病毒和病毒病	贝克特(Samuel Beckett)(爱尔兰)　小说家、剧作家	国际劳工组织(International Labour Organisation)(1919 年成立)
1970	阿克塞尔罗德(Julius Axelrod)(美国)、卡茨(Sir Bernard Katz)(英国[3])、奥伊勒(Ulf von Euler)(瑞典)　发现神经传递的化学机理	索尔仁尼琴(Aleksandr Solzhenitsyn)(苏联)　小说家	博劳格(Norman E. Borlaug)(美国)
1971	萨瑟兰(小)(Earl W. Sutherland, Jr.)(美国)　激素的作用	聂鲁达(Pablo Neruda)(智利)　诗人	勃兰特(Willy Brandt)(德国)
1972	埃德尔曼(G. M. Edelman)(美国)、波特(Rodney Porter)(英国)　研究抗体的化学结构	伯尔(Heinrich Böll)(德国)　小说家	无

续表 6

	生理学或医学奖	文学奖	和平奖
1973	弗里施(Karl von Frisch)(奥地利)、洛伦茨(Konrad Lorenz)(奥地利)、廷伯根(Nikolaas Tinbergen)(英国[3]) 发现动物行为型式	怀特(Patrick White)(澳大利亚) 小说家	基辛格(Henry Kissinger)(美国) 黎德寿(Le Duc Tho)(越南)(拒绝受奖)
1974	克劳德(Albert Claude)(美国[3])、德迪韦(Christian R.de Duve)(比利时)、帕拉德(Geoge E.Palade)(美国[3]) 研究细胞的结构和功能组织	雍松(Eyvind Johnson)(瑞典) 小说家 马丁松(Harry Martinson)(瑞典) 小说家、诗人	佐藤荣作(Satō Eisaku)(日本) 麦克布赖德(Seán MacBride)(爱尔兰)
1975	杜尔贝科(Renato Dulbecco)(美国[3])、特明(Howard M.Temin)(美国)、巴尔的摩(David Baltimore)(美国) 研究肿瘤病毒和细胞遗传物质之间的相互作用	蒙塔莱(Eugenio Montale)(意大利) 诗人	萨哈罗夫(Andrey D.Sakharov)(苏联)
1976	布卢姆伯格(Baruch S.Blumberg)(美国)、盖达塞克(D.Carleton Gajdusek)(美国) 研究传染病的起因和传播	贝洛(Saul Bellow)(美国[3]) 小说家	科里根[11](Mairead Corrigan)(北爱尔兰) 威廉斯[11](Betty Williams)(北爱尔兰)
1977	耶洛(Rosalyn S.Yalow)(美国) 创立放射性免疫检验术 吉耶曼(Roger Guillemin)(美国)、沙利(Andrew Schally)(美国) 研究垂体激素	阿莱克桑德雷(Vicente Aleixandre)(西班牙) 诗人	大赦国际(Amnesty International)(1961 年成立)
1978	阿尔伯(Werner Arber)(瑞士)、内森斯(Daniel Nathans)(美国)、史密斯(Hamilton O.Smith)(美国) 发现限制酶并将其应用于脱氧核糖核酸分子内遗传信息的研究	辛格(Isaac Bashevis Singer)(美国[3]) 小说家	贝京(Menachem Begin)(以色列) 萨达特(Anwar el-Sadat)(埃及)
1979	科马克(Allan M.Cormack)(美国[3])、豪恩斯费尔德(Godfrey N.Hounsfield)(英国) 发明计算机化轴向层析 X 射线摄影诊断法	埃利蒂斯(Odysseus Elytis)(希腊) 诗人	德肋撒修女(Mother Teresa of Calcutta)(印度[3])
1980	贝纳塞拉夫(Baruj Benacerraf)(美国[3])、斯内尔(George D.Snell)(美国)、多塞(Jean Dausset)(法国) 研究免疫系统对外来物质反应的遗传控制	米沃什(Czesław Miłosz)(美国[3]) 诗人	埃斯基韦尔(Adolfo Pérez Esquivel)(阿根廷)
1981	斯佩里(Roger W.Sperry)(美国) 研究大脑半球的功能 维厄瑟尔(Torsten N.Wiesel)(瑞典)、休伯尔(David H.Hubel)(美国[3]) 发现脑对视觉信息的加工过程	康内蒂(Elias Canetti)(比利时) 小说家、小品文作家	联合国难民高级专员署[8](Office of the United Nations High Commissioner for Refugees)(1951 年成立)
1982	伯格斯特龙(Sune K.Bergström)(瑞典)、萨米尔松(Bengt I.Samuelsson)(瑞典)、文(John R.Vane)(英国) 前列腺素的生物化学与生理学研究	加西亚·马尔克斯(Gabriel García Márquez)(哥伦比亚) 小说家、新闻工作者、社会批评家	米达尔(Alva Myrdal)(瑞典) 罗夫莱斯(Alfonso García Robles)(墨西哥)
1983	麦克林托克(Barbara McClintock)(美国) 发现影响遗传的可移动植物基因	戈尔丁(William Golding)(英国) 小说家	瓦文萨(Lech Wałęsa)(波兰)
1984	耶纳(Niels K.Jerne)(英国-丹麦)、克勒(Georges J.F.Köhler)(西德)、米尔斯坦(César Milstein)(阿根廷) 生产单克隆抗体的原理和技术	塞费尔特(Jaroslav Seifert)(捷克斯洛伐克) 诗人	图图(Desmond Tutu)(南非)
1985	布朗(Michael S.Brown)(美国)、戈尔茨坦(Joseph L.Goldstein)(美国) 发现与胆固醇新陈代谢有关的细胞感受器	西蒙(Claude Simon)(法国) 小说家	世界医生反对核战争组织(International Physicians for the Prevention of Nuclear War)(1980 年成立)
1986	科恩(Stanley Cohen)(美国)、莱维-蒙塔尔奇尼(Rita Levi-Montalcini)(意大利) 发现有助于调节细胞生长的化学试剂	索因卡(Wole Soyinka)(尼日利亚) 剧作家、诗人	韦塞尔(Elie Wiesel)(美国[3])
1987	利根川进(Tonegawa Susumu)(日本) 研究抗体的遗传问题	布罗茨基(Joseph Brodsky)(美国[3]) 诗人、小品文作家	阿里亚斯·桑切斯(Oscar Arias Sánchez)(哥斯达黎加)
1988	布莱克(Sir James W.Black)(英国)、埃利翁(Gertrude B.Elion)(美国)、希钦斯(George H.Hitchings)(美国) 开发出对抗疾病的新药种类	马哈福兹(Naguib Mahfouz)(埃及) 小说家	联合国维持和平部队(United Nations peacekeeping forces)
1989	毕晓普(J.Michael Bishop)(美国)、瓦尔姆斯(Harold E.Varmus)(美国) 研究称为肿瘤基因的致癌基因	卡米洛·霍塞·塞拉(Camilo José Cela)(西班牙) 小说家	达赖喇嘛(Dalai Lama)(中国)
1990	默里(Joseph E.Murray)(美国)、托马斯(E.Donnall Thomas)(美国) 发展肾和骨髓移植	帕斯(Octavio Paz)(墨西哥) 诗人、小品文作家	戈尔巴乔夫(Mikhail Sergeyevich Gorbachev)(苏联)
1991	内尔(Erwin Neher)(德国)、扎克曼(Bert Sakmann)(德国) 发现细胞如何传染上疾病	戈迪默(Nadine Gordimer)(南非) 小说家	昂山素季(Aung San Suu Kyi)(缅甸)

续表 7

	生理学或医学奖	文学奖	和平奖
1992	费希尔(Edmond H. Fischer)(美国)、克雷布斯(Edwin G. Krebs)(美国)　发现称为蛋白激酶的酶类	沃尔科特(Derek Walcott)(圣卢西亚)　诗人	门楚(Rigoberta Menchú)(危地马拉)
1993	罗伯茨(Richard J. Roberts)(英国)、夏普(Phillip A. Sharp)(美国)　发现断裂遗传结构	莫里森(Toni Morrison)(美国)　小说家	德克勒克(F. W. de Klerk)(南非) 曼德拉(Nelson Mandela)(南非)
1994	吉尔曼(Alfred G. Gilman)(美国)、罗德贝尔(Martin Rodbell)(美国)　发现 G 蛋白质及其在细胞中传递信息的作用	大江健三郎(Oe Kenzaburo)(日本)　小说家	阿拉法特(Yāsir 'Arafāt)(巴勒斯坦) 佩雷斯(Shimon Peres)(以色列) 拉宾(Yitzhak Rabin)(以色列)
1995	刘易斯(Edward B. Lewis)(美国)、尼斯莱因-福尔哈德(Christiane Nüsslein-Volhard)(德国)、维绍斯(Eric F. Wieschaus)(美国)　为早期胚胎发育的基因控制理论奠定了基础	希尼(Seamus Heaney)(爱尔兰)　作家	罗特布拉特(Joseph Rotblat)(英国[3]) 帕格沃什科学和世界事务会议(Pugwash Conferences on Science and World Affairs)(1957 年成立)
1996	青克纳格尔(Rolf Zinkernagel)(瑞士)、多尔蒂(Peterr Doherty)(澳大利亚)　机体识别被病毒感染的细胞	申博尔斯卡(Wislawa Szymborska)(波兰)　诗人	贝洛(Carlos Belo)(东帝汶) 拉莫斯-奥尔塔(Jose Ramos Horta)(东帝汶)
1997	普鲁西纳(Stanley B. Prusiner)(美国)　在毒蛋白领域的开拓性发现,可能有助于防止"疯牛病"流行的致病因子	福(Dario Fo)(意大利)　著名作品是《一个无政府主义者的意外之死》	乔迪(Williams Jody)(美国) 国际禁雷运动组织(International Campaign to Ban Landmines)(1992 年成立)
1998	弗奇格特(Robert F. Furchgott)(美国)、伊格纳罗(Louis J. Ignarro)(美国)、穆拉德(Ferid Murad)(美国)　发现一氧化氮在人体循环系统中具有传递信息的作用	萨拉马戈(José Saramago)(葡萄牙)　作家	休姆(John Hume)(北爱尔兰)、特林布尔(David Trimble)(北爱尔兰)
1999	布洛贝尔(Günter Blobel)(德裔美国科学家)　发现了蛋白质内控制蛋白质在细胞内传输和定位的信号	格拉斯(Günter Grass)(德国)　作家	无国界医生组织(Doctors Without Borders)(法国)
2000	卡尔松(Arvid Carlsson)(瑞典)、格林加德(Paul Greengard)(美国)、坎德尔(Eric Kandel)(美国)　在人类"神经系统信号传送"方面获得重要发现	高行健(Gao Xingjian)　华裔旅法作家	金大中(Kin Dae Jung)(韩国)
2001	哈特韦尔(Leland H. Hartwell)(美国)、亨特(R. Timothy Hunt)(英国)、纳斯(Paul M. Nurse)(英国)　发现细胞分裂过程中的关键调节器	奈保尔(V. S. Naipaul)(英国)　作家	联合国、安南(Kofi Annan)(加纳)
2002	布伦纳(Sydney Brenner)(英国)、苏尔斯顿(John E. Sulston)(英国)、霍维茨(H. Robert Horvitz)(美国)　选择线虫作为新颖的实验生物模型,找到了对细胞每一个分裂和分化过程进行跟踪的细胞图谱	凯尔泰斯(Imre Kertész)(匈牙利)　作家	卡特(Jimmy Carter Jr.)(美国)
2003	劳特布尔(Paul C. Lauterbur)(美国)、曼斯菲尔德(Sir Peter Mansfield)(英国)　在核磁共振成像技术领域的突破性成就	库切(John Maxwell Coetzee)(南非)　作家	伊巴迪(Shirin Ebadi)(伊朗)
2004	阿克塞尔(Richard Axel)(美国)、巴克(Linda B Buck)(美国)　在气味受体和嗅觉系统组织方式研究中作出的贡献	耶利内克(Elfriede Jelinek)(奥地利)　女作家	马塔伊(Wangari Maathai)(肯尼亚)
2005	马歇尔(Barry J. Marshall)(澳大利亚)和沃伦(J. Robin Warren)(澳大利亚)　发现幽门螺杆菌及其导致胃炎、胃溃疡与十二指肠溃疡等疾病的机理	品特(Harold Pinter)(英国)　剧作家	国际原子能机构、穆罕默德·巴拉迪(Mohamed EiBaradei)(埃及)
2006	法尔(Andrew Fire)(美国)、梅洛(Craig C. Mello)(美国)　发现 RNA 干扰机制	帕穆克(Orhan Pamuk)(土耳其)　作家	尤努斯(Muhammad Yunus)(孟加拉)、孟加拉方村银行(Grameen Bank)(孟加拉)

	经济学奖		经济学奖
1969	弗里希(Ragnar Frisch)(挪威)、丁伯根(Jan Tinbergen)(荷兰)　计量经济学方面的工作	1974	默达尔(Gunnar Myrdal)(瑞典)、海克(Friedrich von Hayek)(英国)　对经济、社会、习俗等现象相互依赖关系的开拓性分析
1970	萨缪尔森(Paul A. Samuelson)(美国)　经济理论的科学分析方面的工作	1975	坎托罗维奇(Leonid V. Kantorovich)(苏联)、库普曼斯(Tjalling C. Koopmans)(美国[3])　资源最佳配置理论方面的贡献
1971	库兹涅茨(Simon Kuznets)(美国[3])　国家经济增长的广延研究	1976	弗里德曼(Milton Friedman)(美国)　消费分析、货币理论和经济稳定性
1972	希克斯(Sir John Hicks)(英国)、阿罗(Kenneth J. Arrow)(美国)　对一般经济均衡理论和福利理论的贡献	1977	奥林(Bertil Ohlin)(瑞典)、米德(James Meade)(英国)　对国际贸易理论的贡献
1973	列昂捷夫(Wassily Leontief)(美国[3])　投入-产出分析		

续表 8

	经济学奖		经济学奖
1978	西蒙(Herbert A. Simon)(美国) 经济组织中的决策过程	1996	米尔利斯(James Mirrlees)(英国)、维克里(William Vickrey)(加拿大) 对在不对称信息条件下经济理论做出了贡献
1979	刘易斯(Sir W. Arthur Lewis)(英国)、舒尔茨(Theodore W. Schultz)(美国) 发展中国家的经济开发过程的分析	1997	默顿(Robert C. Merton)(美国)、斯科尔斯(Myron S. Scholes)(美国) 共同创造了如何估价股票的期权交易和其他金融衍生产品的复杂理论
1980	克莱因(Lawrence R. Klein)(美国) 商业波动经验模型的发展和分析	1998	阿马蒂亚·森(Amartya Sen)(印度人) 对福利经济学的贡献
1981	托宾(James Tobin)(美国) 有价证券选择投资理论	1999	蒙代尔(Robert A. Mundell)(加拿大) 对不同汇率体制下货币与财政政策以及对最适宜的货币流通区域所作的分析
1982	施蒂格勒(George Stigler)(美国) 政府干预对经济的影响	2000	赫克曼(James J. Heckman)(美国)、麦克法登(Daniel L. McFadden)(美国) 发展了分析选择性经济案例的理论和方法;发展了分散经济案例的理论和方法
1983	德布勒(Gerard Debreu)(美国) 供求理论的数学证明	2001	阿克尔洛夫(George A. Akerlof)(美国)、斯彭斯(A. Michael Spence)(美国)、斯蒂格利茨(Joseph E. Stiglitz)(美国) 在"对充满不对称信息市场进行分析"领域所作出的重要贡献
1984	斯通(Sir Richard Stone)(英国) 发展国民收入会计体系	2002	卡尼曼(Daniel Kahneman)(拥有美国和以色列双重国籍)、史密斯(Vernon L. Smith)(美国) 在不确定情况下的人为判断与决策方面和在选择性市场机制的研究
1985	莫迪利亚尼(Franco Modigliani)(美国) 分析家庭储蓄和金融市场	2003	恩格尔(Robert F. Engle)(美国)、格兰杰(Clive W. J. Granger)(英国) 在"分析经济时间数列"研究领域所作出的突破性贡献
1986	布坎南(James M. Buchanan)(美国) 确立将经济学和政治学结合起来的公众选择理论	2004	基德兰德(Finn E. Kydland)(挪威)、普雷斯科特(Edward C. Prescott)(美国) 对动态宏观经济学所作出的贡献
1987	索洛(Robert M. Solow)(美国) 对经济增长理论的贡献	2005	奥曼(Robert J. Aumann)(以色列、美国)和谢林(Thomas C. Schelling)(美国)在博弈论领域作出的贡献
1988	阿莱(Maurice Allais)(法国) 对市场和资源有效利用理论的贡献	2006	费尔普斯(Edmund Phelps)(美国) 在加深人们对于通货膨胀和失业预期关系的理解方面所作出的贡献
1989	哈韦尔莫(Trygve Haavelmo)(挪威) 发展经济预测的统计技术		
1990	马科维茨(Harry M. Markowitz)(美国)、米勒(Merton H. Miller)(美国)、夏普(William F. Sharpe)(美国) 研究金融市场和投资决策		
1991	科斯(Ronald H. Coase)(美国) 用经济原理研究法律		
1992	贝克尔(Gary S. Becker)(美国) 将经济理论应用于社会科学		
1993	福格尔(Robert W. Fogel)(美国)、诺思(Douglass C. North)(美国) 对经济史的贡献		
1994	豪尔绍尼(John C. Harsanyi)(美国[3])、纳什(John F. Nash)(美国)、泽尔敦(Reinhard Selten)(德国) 对博弈论的发展		
1995	卢卡斯(小)(Robert E. Lucas, Jr.)(美国) 将合理预期运用于宏观经济理论之中		

1 表中给出的国籍是颁奖时受奖人的公民身份。
2 两次获诺贝尔奖:物理学奖(1903),化学奖(1911)。
3 入籍公民。
4 三次获诺贝尔和平奖(1917、1944、1963)。
5 希特勒禁止德国人接受诺贝尔奖(1937 年 1 月)。
6 1940 ~ 1942 年未颁奖。
7 两次获诺贝尔奖:化学奖(1954),和平奖(1962)。
8 两次获诺贝尔和平奖(1954、1981)。
9 两次分获诺贝尔物理学奖(1956、1972)。
10 两次分获诺贝尔化学奖(1958、1980)。
11 迟一年(1977)宣奖。

Nobeoka 延冈 日本九州宫崎县城市。在五濑川三角洲。12 世纪为以城堡为中心的城镇。18 世纪中叶起成为渔港。现为该县最大工业城市。有数座大型化工厂,生产化肥、药品和化纤。沿海养殖珍珠,四周地区产甘薯、谷物、烟叶。人口约 136 255(1983)。

Nobile, Umberto 诺毕尔(1885-01-21,意大利萨莱诺附近劳罗～1978-07-30,罗马) 意大利航空工程师和北极飞行的先驱。1926 年同挪威探险家 R. 阿蒙森和美国探险家 L. 埃尔斯沃斯乘飞船"诺尔基"号从挪威北面的斯匹次卑尔根(今在斯瓦尔巴)岛飞越北极,到达阿拉斯加。1928 年任意大利空军将官和那不勒斯大学航空工程学教授时,驾驶同"诺尔基"号类似的飞船开始一系列飞越未经考察的北极地区的飞行。在第三次飞行中,飞船在斯匹次卑尔根的东北偏北方向触冰,他和 7 名同伴获救,其他 17 人丧生。他在一个意大利调查委员会认定他对这次灾难负有责任后辞去职务。1931 年参加苏联组织的北极航行。第二次世界大战后,原调查委员会报告被推翻,他在空军中复职。恢复在那不勒斯的执教,并任意大利立宪会议代表(1946)。著有《我的极地飞行》(意大利文版 1959 年,英文版 1961 年)。

Nobility, Charter to the(Russian history) 参阅 **Gentry, Charter to the**《贵族宪章》。

Noble, Sir Andrew, 1ST BARONET 诺布耳(1831-09-13,苏格兰伦弗鲁格里诺克～1915-10-22,阿盖尔) 苏格兰物理学家和火炮专家,被认为是弹道学的奠基人,他对发射火药的开创性研究常常是和英国化学家 F. 阿贝耳共同进行的,其成果对火炮的进步作出了重大贡献。曾在爱丁堡学院和伦敦伍利奇皇家军事学院受训,1849 年参加皇家炮兵。19 世纪 50 年代研究滑膛炮和来复线膛炮的优劣时,发明了一种比较两种炮射击精度的方法。1859 年任炮兵副总监,但是后来离开军职,参加 W. 阿姆斯特朗爵士的工程和军械企业,1900 年升任总经理。1862 年前后,把所发明的计时镜用来测定炮膛内炮弹的速度。这是一种测量微小时间间隔的装置。所作各项实验有助于弹道学的建立,导致了各种火药的新类型和火炮的重新设计以及新的装药方法。1870 年当选为皇家学会会员。1893 年受封爵士,1902 年封为准男爵。

noble gas 稀有气体 构成周期表 0 族 6 种化学元素,包括氦(He)、氖(Ne)、氩(Ar)、氪(Kr)、氙(Xe)和氡(Rn)。所有稀有气体都存在于地球的大气中。除了氢以外,氦是宇宙中含量最丰富的元素,几乎占宇宙总质量的 25%。在通常条件下,稀有气体均为无色、无气味和不可燃的。它们的原子具有稳定的电子组态,因而不易得到或失去电子、很少与其他元素共有电子。"稀有"是就这些气体非常有限的反应能力而言。同理,有时将它们称为惰性气体。1962 年发现较重的稀有气体氪、氙和氡能与氟(所有元素中对电子吸引能力最强)形成化合物。由于核外电子对核的屏蔽作用,这三种气体原子的外层电子被核吸引不太牢固,比氦、氖和氩的电子容易从原子中除去。稀有气体比其他物质易吸收和发射电磁波,这些气体(放射性强的氡除外)被用于制造荧光照明装置和放电管。如将任何一种稀有气体在低压下封闭于玻璃管内,并通以电流,气体就会发光。稀有气体的熔点和沸点非常低,在研究极低温度下的物体时可用作制冷剂。

noble metal 贵金属 甚至在高温下也具有突出耐氧化性的金属元素。这个分类并不严格,但通常认为应包括:铼、钌、铑、钯、银、锇、铱、铂和金,即周期表中第二、第三过渡系的 Ⅶb、Ⅷ和 Ⅰb 族金属。含铜的银和金常称作货币金属;铂、铱和钯称作珍贵金属,用于珠宝饰物。

noble savage 高尚的野蛮人 文学中对未开化人的理想化概念,象征没有受到文明社会腐败影响的人的先天美德。在 18 世纪及 19 世纪的浪漫主义作品,尤其是卢梭的作品中,对高尚的野蛮人的赞扬是主要的主题。例如,《爱弥儿,又名论教育》(4 卷,1762)是论传统教育的腐败影响的长篇论著;自传性质的《忏悔录》(写于 1765 ～ 1770)重申了人的先天美德这一基本信条;《一个孤独的步行者的梦》(1776～1778)包含对大自然的描写及人对大自然的自然反应。从15世纪至19世纪,高尚的野蛮人的形象突出地出现在广泛流行的游记和偶尔出现在英国戏剧中。高尚的野蛮人一词在德莱顿的剧本《格拉纳达的征服》(1672)中首次出现,在T.萨瑟恩的《奥鲁诺科》(1696)一剧中也有高尚的野蛮人出现。《奥鲁诺科》是根据A.贝恩写的关于一位尊贵的非洲王子在英属殖民地苏里南被奴役的小说改编的。夏多布里昂在其作品《阿达拉》(1801)、《勒内》(1802)和《纳切兹人》(1826)中均为北美印第安人而感伤。与此相同的有J.F.库珀的《皮袜子故事集》(1823～1841),该书塑造了高尚的酋长钦加奇古克和他的儿子安卡斯的形象。其他例子有梅尔维尔的《白鲸》(1851)中"皮阔德"号捕鲸船上的3个鱼叉手奎凯格、达古和塔什特戈。

noblesse de robe　穿袍贵族　17～18世纪法国的一个世袭贵族等级。他们充当高官,身穿长袍,故名。16世纪末就已经存在这一等级。到17世纪,他们取得将官职传给后嗣的权利。17世纪40～50年代是该等级发展的关键时期。路易十四将各种贵族特权授予司法官员。最初,穿袍贵族由于出身于市民而受到佩剑贵族(noblesse d'épée)和名门贵族(noblesse de race)的鄙视。到18世纪,他们与佩剑贵族之间的区别已经逐渐模糊,两者都反对国王进行改革,极力维护自己的特权。但是穿袍贵族比较富有,而且掌握大权,所以在反对国王的改革活动中起领导作用。

Noboribetsu　登别　日本北海道西南沿海城市。德川时代(1603～1867)后期发现温泉,成为游人最多的温泉疗养地之一。第二次世界大战后,受其西面室兰郊区城市化和扩展的影响,工业取代农业成为主要经济项目。生产水泥、陶器、化工产品和食品。为前往支笏洞爷国家公园旅游的基地。人口55 575(1980)。

Nobre, António　诺布雷(1867-08-16,葡萄牙波尔图～1900-03-18,福什-杜杜罗)　葡萄牙诗人。他的作品标志着脱离客观现实主义和社会责任向主观抒情和唯美观点的转变。诺布雷出身于富家。1890～1895年在巴黎学习政治,在那里吸收了法国象征主义诗人的影响,写出他生前出版的唯一作品《孤独》(1892)的大部分。该书回忆在葡萄牙北部农民和水手中度过的童年时代,并把葡萄牙传统诗歌的朴素抒情同更加精美的象征主义感受结合起来。作品获得很大成功。追随他和模仿他的诗人被称为"孤独的一代"。两本诗集《告别》(1902)和《第一批诗歌》(1921)在其死后出版。

Nóbrega, Manuel da　诺布雷加(1517-10-18,葡萄牙～1570-10-18,里约热内卢)　巴西耶稣会传教团创始人,1549～1570年巴西教会活动领导人。1549年他和其他5名耶稣会传教士从里斯本航抵巴伊亚(今巴西的萨尔瓦多)。他关心保护印第安人,劝化他们信教。1553年在圣保罗附近建立一所学校,抵制了捕捉印第安人为奴的种植园主的敌对态度。他也谴责非洲奴隶制度,但耶稣会会士们最后接纳了这一制度,甚至他们自己也拥有黑奴。1553～1559年任巴西大主教。1555年当N.D.德·维尔盖尼翁率领包括许多胡格诺派信徒在内的法国人到里约热内卢定居时,他竭力驱逐他们。基督教新教徒在1563年被赶走。由此他确保了巴西南部成为天主教和葡萄牙人的势力范围。

nocardiosis　诺卡尔氏菌病　人及多种动物的慢性系统性霉菌性疾病。原发于呼吸道,通过血流传布其他器官,尤其是脑。病原为正常存在于泥土及肥堆的星状诺卡尔氏菌,被吸入或自皮肤侵入机体。初起病时表现为不适、体重减轻、发热及盗汗,常致咳嗽、脓痰、血痰(假结核病)。以前病死率达75%左右,使用磺胺药,尤其早期用药后多能痊愈,但若病变已蔓延,尤其蔓延到脑,则预后仍差。环丝氨酸亦有良效。

Nocera Inferiore　下诺切拉　意大利南部坎帕尼亚区萨莱诺省城镇和主教区。位于萨莱诺市西北的萨尔诺河谷。原为奥斯坎人和古罗马城镇。公元前216年被迦太基人洗掠后由奥古斯都皇帝重建。现有几个古老教堂和女隐修院,附近村镇有5世纪的圣马利亚圆顶大教堂。下诺切拉基本上是一座现代城镇,为全省最重要的经济中心之一。输出农产品,有木材、食品加工、纺织等工厂。人口:城市区约46 540(2000)。

noctilucent cloud　夜光云　可能由冰晶和流星尘埃组成的一种稀薄的云,出现的高度(约82千米)高于其他任何云。呈银白色或淡蓝色,只出现在高纬度夏季夜空。尽管空气稀薄,水汽很少,但由于这一层在整个高层大气中最冷,即使极少量的水汽也能冻结成冰晶。云常呈稀薄波状型,表明在这一高度上有强风存在。

noctule　山蝠　蝙蝠科山蝠属(*Nyctalus*)约6种哺乳动物的统称。分布于欧洲和亚洲。浅黄至深褐色,体长5～10厘米,尾长3.5～6.5厘米。飞行迅速,飞行方向飘忽不定,通常在日落时或日落前离开栖息处(山洞、建筑物等)。食昆虫,尤喜甲虫。最熟知分布最广的种类是欧亚大陆的*N. noctula*,体浅红褐色,在森林地区栖居。

nocturne　夜曲　在音乐中,产生于19世纪的一种由夜激起灵感的或使人感受到夜的情趣的作品,主要为钢琴特性曲。这种形式始于爱尔兰作曲家J.菲尔德(1814年他出版了第一套夜曲),并在F.肖邦的19首夜曲中达到了顶峰。在德国,夜曲引起从R.舒曼到P.兴德米特(《钢琴组曲》,1922)等作曲家的兴趣。C.德彪西的3首优秀管弦乐《夜曲》是把这种类型的乐曲转变为管弦乐曲的最成功作品。20世纪,B.巴尔托克发展了一种具有令人毛骨悚然的特点的独特夜曲风格,例如《在室外》(第4乐章)和《第四弦乐四重奏》(第3乐章)。

Noda　野田　日本本州千叶县城市。在江户川和利根川之间。德川时代(1603～1867)为重要河港,以造酱油闻名,现在市中心区仍多酱油厂。第二次世界大战以来逐渐发展成

野田市的酱油厂
美国不列颠百科全书公司供图

为东京-横滨都市区的住宅郊区,有铁路相通。人口119 790(1995)。

node　交点　天文学名词,指月球、行星、彗星等天体的轨道面与黄道(太阳在恒星背景上的视轨迹)面在天球上投影的交叉点。其中一个为升交点,即天体由南到北穿过黄道的一点;相对的一点为降交点。只当月球在交点及其附近时,才能发生日食和月食。类似地只当内行星在交点及其附近时,才能出现凌日现象。参阅**orbit**。

Nodier, Charles　诺迪埃(1780-04-29,贝桑松～1844-01-27,巴黎)　法国作家。他本人对浪漫主义运动的影响较其作品更大。早年生活经历丰富,曾因一篇讽刺拿破仑的散文而与官方发生冲突。1824年,被任命为阿塞纳尔图书馆馆长,定居巴黎,不久便成为巴黎文学界领袖之一。在他的阿塞纳尔的客厅中聚集了后来成为浪漫主义运动中心人物的青年人雨果、缪塞和圣伯夫。作为歌德和莎士比亚热烈的崇拜者,他鼓励法国浪漫主义作家向国外寻求灵感。留有大量的作品,但仅有几部以德国浪漫派作家霍夫曼文笔写成的梦幻小说今日仍拥有读者。诺迪埃揭示梦的创造力量,将某些通常称之为疯狂的状态称之为纯真,以此对抗"常识"这个暴君,为后代开辟了一个新的文学领域。1833年当选为法兰西学院院士,从而表明官方正式承认浪漫主义已成为一个重要的、应受尊重的文学运动。

Nodosaurus　结节龙属　北美晚白垩世(从9500万年前到9000万年前)披甲恐龙类的绝灭属。体笨重,约5.5米长,具长尾,头小,脑极小。靠沉重的骨质厚板及覆盖后背的

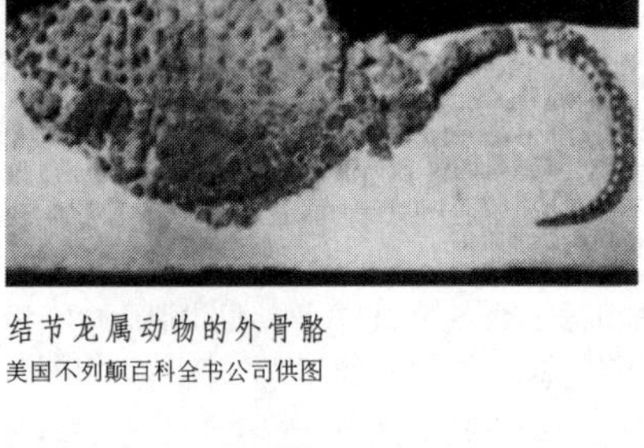

结节龙属动物的外骨骼
美国不列颠百科全书公司供图

骨节戒备捕食者。前肢比后肢小得多，背部呈弯弓形。

nodule 矿瘤 又称矿结核。圆形的矿物结核。它与它所在的岩层有区别，而且可以把矿瘤与岩层分开。矿瘤一般是长条形，具疙疙瘩瘩的不规则表面；它们排列的方向经常与层面平行。燧石和黑燧石经常呈近乎纯的二氧化硅的致密和无构造的矿瘤产在石灰岩或白垩中，在这里它像是二氧化硅交代了碳酸盐岩石。黏土铁质岩是黏土和菱铁矿的混合物，有时呈深灰色至棕色细粒状的矿瘤层覆在煤系上面。磷灰岩（块状的磷酸盐岩石）经常产于磷酸盐矿床、一些石灰岩和白垩中，在近代海底上，它呈黑色细粒的和致密的椭圆形和无构造的矿瘤。

Noe 参阅 **Noah** 挪亚。

Noel-Baker (of the City of Derby), Philip John Noel-Baker, Baron **诺埃尔-贝克**（1889-11-01，伦敦～1982-10-08，伦敦） 英国政治家、世界裁军的倡导者，1959年诺贝尔和

美国不列颠百科全书公司供图

平奖获得者。曾在英国、美国、德国和法国接受教育。作为著名运动员曾参加1912、1920和1924年奥林匹克运动会，曾获1 500米跑银牌。1924～1929年在伦敦大学任国际关系教授。1919年作为英国代表团成员出席巴黎和会，后进入国际联盟秘书处。1929～1931年和1936～1970年在英国议会下院任工党议员，1945～1961年任国务大臣、航空大臣、联邦关系大臣和燃料及动力大臣等职。诺埃尔-贝克参加起草联合国宪章，作为英国代表团成员出席1946～1947年联合国大会。1960～1982年担任联合国教科文组织的国际体育运动理事会主席。著作有《军备竞赛：争取世界裁军的方案》（1958）。1977年受封为贵族。退休后仍为世界裁军事业奔走。1981年91岁高龄时曾写作并录制一首以裁军为主题的流行歌曲。

Noether, (Amalie) Emmy **诺特**（1882-03-23，德国埃朗根～1935-04-14，美国宾夕法尼亚布林莫尔） 德国女数学家。由于在高等代数方面的创新被认为是现代最有创见的抽象代数学家。1907年以关于代数不变量的论文获埃朗根大学的博士学位。从1913年起常临时代替她的父亲马克斯·诺特（Max Noether，1844～1921）在埃朗根讲课。1915年到格丁根大学，著名的数学家D.希尔伯特和F.克莱因劝她留在该校。尽管系内有人反对并排斥女教师，她在1919年仍成为正式讲师。她和格丁根的同事W.施迈德勒合作的关于非交换域（特别是微分和差分项）中模的

美国不列颠百科全书公司供图

论著（1920）在《数学杂志》的发表使她成为公认的杰出数学家。以后6年她集中研究理想（环的特殊子集）的一般理论，其中她的剩余定理是一个重要内容。她在公理化的基础上发展了所有情形下的理想的一般理论。她的抽象理论有助于把许多重要的数学发展联系起来。1927年起诺特集中研究非交换代数（一种乘数的次序影响结果的代数）及其线性变换，并将它们应用于交换的数域。她用新的统一的和纯概念的方法建立起非交换代数的理论。她与H.哈塞、R.布劳尔合作，研究了非交换代数的构造，并通过向量积（用在两个向量之间的一种乘法形式）把它们应用于交换域。这时期她的重要论文有《超复数系及其表示》（1929）和《非交换代数》（1933）。除研究和教学外，诺特还参加《数学年刊》的编辑。1930～1933年她是格丁根数学活动的中心人物。她工作的广度和意义难以从她的论文来准确判断。她的许多研究成果出现在她的学生和同事发表的著作中。常常是她的一个提示，甚至随便一句谈话都显示出惊人的洞察力，能启发别人去完善某种思想。1933年德国纳粹执政时，诺特和格丁根许多其他犹太教授被解职，10月她到美国，成为布林莫尔学院客座数学教授，还在普林斯顿高级研究院讲课和指导研究。

Nofretete (Egyptian queen) 参阅 **Nefertiti** 奈费尔提蒂。

Nogal Valley (Somalia) **诺加尔河谷** 参阅 **Nugaaleed Valley** 努加尔河谷。

Nogales (Mexico) **诺加莱斯** 参阅 **Heroica Nogales** 诺加莱斯英雄城。

Nogales 诺加利斯 美国亚利桑那州南部城市，圣克鲁斯县县城（1899）。为边境入口港，与墨西哥索诺拉州诺加莱斯英雄城毗连。1882年通南太平洋铁路。附近有图马卡科里布道团国家纪念馆和亚利桑那州最早白人定居点的遗址。经济以畜牧、采矿和边境贸易为主。人口20 878（2000）。

Nogaret, Guillaume de **诺加雷**（1260或1270，图卢兹圣费利克斯-德卡拉芒［今在法国］～1313-04） 法国国王美男子腓力四世统治时期的行政官员，国王在教会事务方面最得力的法律顾问之一。在腓力与教皇卜尼法斯八世的冲突中，他在执行国王对教皇的报复措施时起了直接作用。诺加雷是市民的儿子，1291年任法理学教师，约在1294年开始为国王效劳，不久即成为国王会议成员。诺加雷是一个真诚的基督教徒，希望使教会摆脱他所认为品格卑劣的卜尼法斯八世教皇的控制，但在1304年他却被卜尼法斯的继承者本尼狄克十一世革出教会之门。腓力四世对诺加雷仍恩宠有加，在诺加雷大力帮助他推行反圣殿骑士团的措施后，设法使诺加雷获得赦罪，条件是诺加雷以朝圣者身份前往圣地。但他于两年后此事尚未实现时便去世。

Nogaret de la Valette, Jean-Louis de **诺加雷·德·拉瓦莱特** 参阅 **Épernon, Jean-Louis de Nogaret de la Valette, Duke d'** 埃佩尔农公爵。

Nōgata 直方 日本九州福冈县城市。在远贺川和英彦山川汇流处。1626年建立以城堡为中心的城镇。约100年后衰落，仅保持其农产品贸易和销售中心的地位。19世纪后期随筑穗煤田的开发而复兴。第二次世界大战后，矿井逐渐关闭。现为商业中心，生产机械和其他工业品。地处北九州工业区，现正逐步成为北九州市的卫星城。人口62 532（1990）。

Noginsk 诺金斯克 俄罗斯西部莫斯科州城市。位于莫斯科以东克利亚济马河畔。原为亚马村。1781年设镇，改称博戈罗茨克。1930年改用今名。现为俄罗斯最大的纺织工业中心之一，棉布为主要产品。人口约122 700（1991）。

Nógrád 诺格拉德 匈牙利一州。在外多瑙山脉延伸的柴尔山丘陵上，面积2 544平方千米。砂质黏土地带耸立着一些残丘和孤立的火山侵入体。原有森林地区多辟为农田。农业不及其他各州，而罂粟籽和小扁豆产量甚大。霍洛克城镇周围是保洛茨人的聚居地区，他们以传统的编织、刺绣、木雕和华丽的农民服装著称。州首府绍尔戈陶尔扬（**Salgótarján**）位于陶尔扬河河谷。人口约227 180（1990）。

Noguchi, Hideyo **野口英世**（1876-11-24，日本猪苗代～1928-05-21，黄金海岸殖民地阿克拉［今加纳］） 日本细菌学家，最先从据信因患梅毒而出现麻痹症状的患者的中枢神经系统中分离出梅毒病原体。完善了瓦色曼氏反应的技术和理论，并改进了检验梅毒的瓦色曼氏皮肤试验。还培养出奥罗亚热和秘鲁疣的病原体杆菌状巴尔通氏体。1897年从东京一所医校取得行医证书。1899年到宾夕法尼亚大学研究蛇毒。1904年入纽约洛克菲勒医学研究所。曾设计培养过去从未在试管中生长的微生物的方法，成功地培养了梅毒螺旋体。研究过脊髓灰质炎、沙眼以及黄热病疫

美国不列颠百科全书公司供图

苗和抗血清。1928 年在非洲研究黄热病时感染该病去世。

Noguchi, Isamu 野口勇（1904-11-17，美国加利福尼亚洛杉矶～1988-12-30，纽约州纽约） 美国雕刻家和设计家，在 20 世纪的美国雕刻中最强烈地鼓吹有机抽象形式表现力的雕刻家之一。早年在日本度过，后在纽约求学，在巴黎当布朗库西助手 2 年，结识吉亚科梅蒂和考尔德，并受到毕加索和米罗的超现实主义作品的影响。从此热心于抽象雕刻。其作品如《飞鸟 C(MU)》（1952～1958），以在磨光的石头上精心雕刻抽象形式组成。

野口勇的《黑太阳》（1960～1963）

美国不列颠百科全书公司供图

有的作品如《欧里庇得斯》（1966），采用了粗凿重锤的大块石料，其雕刻带有古代艺术（尤其是日本古陶器）的风格和神秘感。野口曾在哥伦比亚大学医学预科学习，注重骨骼与岩石形状之间的关系和实体比较解剖学。他的《青年雕像》（1945）就表现出这一点。1938 年作纽约美联社大楼浅浮雕。1939 年为纽约世界博览会福特馆设计喷泉。1958 年为巴黎联合国教科文组织设计建造花园。他在夏威夷建造的球场，以及他的家具设计，都赢得了国际上的声誉。1985 年，位于纽约州长岛市的野口勇花园博物馆开放。博物馆及露天雕刻园中共安置了大约 500 件雕刻作品、模型以及照片。

noh theatre（Japanese theatre） 参阅 **nō theatre** 能剧。

noiade 诺亚德 北欧拉普人宗教中的一种萨满（巫师），他在他所服务的人与精灵之间作中介。如有人求告，诺亚德就行礼如仪，逐步动作，先是祈祷，继而进入通神状态，同精灵相对，或与它争斗，或求它佑助。如所求的是医病，则专对病人施以医疗术。诺亚德兼能善恶，人们畏惧他们的权能，他们也借此在政治上和经济上谋利。

noise 噪声 声学中指任何一种不需要的声，它或者是本质上令人生厌的声，或者是对所听的声进行干扰的声。在电子学与信息论中，噪声是掩盖需要的信息内容的那些无规则的、无法预测的、不合需要的信号或信号变化。无线电传递中的噪声称为天电干扰，电视中的噪声则称为"雪花"干扰。白噪声是复杂的信号或声，它包含全部频率成分或纯音，而且所有信号或声的强度完全相等。

Nok culture 诺克文化 古代铁器时代文化，约在公元前 500～公元 200 年间存在于尼日利亚贝努埃高原。最早 1928 年在一个小锡矿村诺克村发现一些具有相似特点的人

尼日利亚杰马附近出土的诺克文化赤陶头像

美国不列颠百科全书公司供图

工制品，出土范围东西达 480 千米，南北有 320 千米。最有代表性的人工制品有动物泥塑和刻板化的泥人（大都是头像），眼睛呈椭圆形或三角形，在头像上穿孔，是其典型的形制。此外还有铁器、石斧和其他石器以及石质装饰品。

Nola 诺拉 意大利南部坎帕尼亚区那波利省城镇和主教区。位于那不勒斯东北偏东遍布农田的肥沃的坎帕尼亚平原。初为奥隆奇人、奥斯坎人、埃特鲁斯坎人和萨谟奈人的城市。公元前 313 年并入古罗马。奥古斯都皇帝公元 14 年死于此。现保存有古罗马圆形剧场和墓地以及 4～5 世纪长方形会堂和其他建筑的遗迹。哥特式大教堂（1395～1402）据说建在纪念该镇第一任主教圣费利克斯的教堂的原址上。其他著名建筑有奥尔西尼宫（1461）和哲学家 G. 布鲁诺（1548 年诞生于此）的纪念碑。地当那不勒斯—阿韦利诺—福贾铁路线上，现为农业和商业中心。生产蔬菜、水果、玉米和大麻。人口：城镇区约32 573（1991）。

Nolan, Sir Sidney (Robert) 诺兰（1917-04-22，澳大利亚墨尔本～1992-11-27，英国伦敦） 画家，以澳大利亚民间传说为背景作画。21 岁开始绘画，未受过正规美术训练。此前做过自行车赛车手、厨师、金矿矿工。早期作品显示 P. 克利和 L. 莫霍伊-纳吉风格的影响，如他有争议的抽象作品《男孩与月亮》（1940），画面是在粗糙的蓝色背景上泼溅黄色。不过，历经多年实践，诺兰形成了一种更富表现力的风格。除风景画外，其作品大多

诺兰绘《绿林好汉凯利》（1954）

美国不列颠百科全书公司供图

与澳大利亚历史及传说中的人物和事件有关，其中尤其是绿林好汉 N. 凯利。其画风别具一格，所用作画材料亦很独特，如用瓷漆利波灵（ripolin）和聚乙烯醋酸酯在纤维板、玻璃、画纸或画布上作画。1955 年诺兰迁往英国。1941 年为 S. 里法尔的芭蕾舞剧《伊卡卢斯》、1962 年为 K. 麦克米伦在科文特加登剧院上演的《春之祭》以及 1981 年为在同一剧院演出的 C. 圣-桑的歌剧《参孙与达莉拉》设计布景和服装。其作品曾在国际上展出。伦敦的塔特陈列馆和纽约市现代艺术博物馆设有其永久性展室。1981 年封为爵士，1983 年获荣誉勋章。

Noland, Kenneth 诺兰德（1924-04-10，美国北卡罗来纳阿什维尔～2010-01-05，缅因克莱德港） 美国抽象表现派画家。用油画色稀释涂抹在画布上，又用色彩画成同心圆和平行线，其形状和比例与画布相适应。曾在北卡罗来纳的黑山学院学习，又在巴黎受教于法国雕刻家 O. 扎德基恩（1948～1949）。1949 年在巴黎举行首次个人画展。诺兰德和 M. 路易在华盛顿共同创造了用稀释油画色作画的技巧。他于 1950～1952 年在当代艺术学院、1951～1960 年在公教大学、1968 年在贝宁顿学院任教师。

美国不列颠百科全书公司供图

Nolascan (Christian order) **诺拉斯科门徒** 参阅 **Mercedarian** 慈爱圣母会会士。

Nolasco, Saint Peter 参阅 **Peter Nolasco, Saint** 彼得·诺拉斯科，圣。

Nolde, Emil 诺尔迪(1867-08-07，德国博霍尔特附近诺尔迪～1956-04-15，联邦德国尼比尔附近塞比尔) 原名埃米尔·汉森。德国表现派油画家、版画家和水彩画家，以画狂热的

诺尔迪绘《围绕金牛犊舞蹈》(1910)
美国不列颠百科全书公司供图

宗教画和预示不祥的风景画知名。生在农民家庭，青年时作木雕；1906 年参加桥社，一年半后脱离。热心信仰宗教。其作品有《围绕金牛犊舞蹈》(1910)、组画《关于圣马利亚在埃及的传说》(1912)、九折联画《基督的一生》(1911～1912)等。1914 年后在德国波罗的海岸过与世隔绝的生活。1916 年后所作风景画比早期作品的色调要冷，但花卉画依然保持了早期作品的明亮色彩。诺尔迪是一位多产的艺术家，尤以木刻闻名。纳粹党掌权后，宣布其作品为“颓废”，禁止他作画。他最后的一幅画是《自画像》(1947)。

Nöldeke, Theodor 内尔德克(1836-03-02，汉诺威哈尔堡[德国]～1930-12-25，德国卡尔斯鲁厄) 德国东方学家，以其对闪语和伊斯兰教的研究而著名，撰有《古兰经史》(1859)。历任几个学术职位后，1872～1906 年任斯特拉斯堡大学东方语言教授，著有语法数种，对闪语史的研究贡献甚大。另有《到萨珊王朝时期止的波斯和阿拉伯史》(1879)，是塔巴里的阿拉伯编年史的德语译本。通俗读物有《东方史随录》(1892)和《穆罕默德传》(1863)。

Nolichucky River 诺利查基河 美国河流。源出北卡罗来纳州西部的蓝岭山脉，西北流，进入田纳西州折向西，汇入弗伦奇布罗德河。全长 241 千米。格林维尔南侧河段有水坝拦成的戴维克罗凯特湖。诺利查基原为切罗基人(**Cherokee**)一村庄名，意为“云杉之地”。

Noll, Chuck 诺尔(1932-01-05，美国俄亥俄克利夫兰～) 美国职业橄榄球运动员、教练。在他指挥全国橄榄球联盟匹兹堡钢铁工人队期间(1969～1991)，该队共获 4 次超级邀请赛冠军(1975～1976，1979～1980)。1953～1959 年在全国橄榄球联盟克利夫兰布朗队担任右卫，1954、1955 年该队获联赛冠军时都有诺尔上场。1960～1965 年在美国橄榄球联盟洛杉矶冲刺队(后迁到圣迭戈)任卫线教练，后提升为全面的防卫教练，1966～1968 年在全国橄榄球联盟巴尔的摩马驹队任防卫教练。

nolle prosequi 撤诉 在英美法中，指民事诉讼原告人或刑事诉讼起诉人请求停止对案件的起诉。撤诉可以针对部分的或者全部的罪状提出，也可以针对部分的或者全部的被告人提出。撤诉通常是由于证据不足难以保证胜诉，或者双方当事人在法庭外和解的情况下提出。在英国刑法中，决定撤诉的权力归总检察长，而且很少使用。在美国，撤诉权一般是由检察官，特别是地方检察官自行裁量行使。在刑事审判工作上，撤诉是一种重要的补充手段，尤其是在大城市，因为那里刑事起诉的数量大大超过可审判力量，撤诉可以成为一种筛子，地方检察官用来控制刑事诉讼案件。撤诉还常常用以促成非正式的和解，比如小偷同意偿还失主。有一些州仍然实行普通法的通例，即撤诉完全由地方检察官自行裁量。但在另一些州里，地方检察官的决定还必须经法院的同意。审判前作出的撤诉并不妨碍以后根据新的起诉或告发提起诉讼。

Nollekens, Joseph 诺勒肯斯(1737-08-11，英国伦敦～1823-04-23，伦敦) 新古典主义雕刻家，他所雕刻的半身像使他成为当时英国最走红的肖像雕刻家。13 岁入著名的陵墓和胸像雕刻家 P.舍梅克斯的工作室，学会鉴赏古代雕刻。1760 年赴罗马，在那里曾为一些英国来访者作雕像，其中有D.加里克和

诺勒肯斯的莫宁顿伯爵(第三)W. 韦尔斯利-波尔大理石胸像
美国不列颠百科全书公司供图

L.斯特恩。1770 年返回英国后成为皇家美术学院院士(1772)，并得到乔治三世的庇护。著名肖像作品中有乔治三世、W.皮特、C.J.福克斯和 B.韦斯特等人的雕像。许多作品受到古罗马共和国晚期风格胸像的影响。他个人则喜欢雕刻以古代原型为基础的神话作品，特别是娴雅而性感的维纳斯像，几乎完全袭用洛可可风格。

Noma Hiroshi 野间宏(1915-02-23，日本神户～1991-01-02，东京) 日本小说家。作品《真空地带》(1952)被认为是第二次世界大战后出版的最佳战争小说之一。父亲为日本佛教一个派别的教祖，野间宏自幼即受继承乃父衣钵的教育。但是到青年时代，他日益醉心于马克思主义。他对法国象征派诗很感兴趣，显示出受到乔伊斯、纪德和普鲁斯特的强烈影响。1935 年入大学以前，曾师从象征派诗人竹内胜太郎。1938 年从京都帝国大学法文科毕业。在校期间积极参加地下学生运动“核心”以及关西劳工运动。第二次世界大战期间应征入伍，被送往菲律宾和中国北部，但后来作为思想犯关入大阪陆军监狱(1943～1944)。战后，野间宏以长篇小说《阴暗的图画》(1946)和《脸当中的红月亮》(1947)引人注目，两者均描写主人公在自我意象和肉欲之间的矛盾。长篇小说《阴暗的图画》运用意识流散文体，把象征主义的技巧与日本“普罗文学运动”的手法结合到一起。《真空地带》以日本战时陆军为广阔背景，描绘两名士兵——一个有文化的中产阶级理想主义者和一个茫然不知所措的青年农民——的共同命运。1950 年以后，野间宏的作品使用比较直述的散文体。多卷本作品《青年的环》于 1949 年刊印第一部，1971 年出齐，同年获谷崎奖金。其他晚期作品有自传性的《我的塔立在那儿》(1961)、《亲鸾》(1973)和《佐山案件》(1976)。这些作品一方面反映出他对佛教的浓厚兴趣，同时也表明他继续关心社会问题。他还写过许多评论文章，包括探讨纪德和萨特的文章。野间宏 1947 年加入日本共产党，但于 1964 年被开除党籍。

nomadism 游动生活 不是总在同一地区生活，而是周期性地或定期地迁移的生活方式。游动与迁徙不同，迁徙不是周期性的而是生境的完全变更。游动生活不是不受限制和无方向的漫游，而总是以一个地区作暂时的中心。这个中心的稳定程度有赖于获得食物的可能性和获取食物的技术。过游动生活的人包括 3 种类型：狩猎采集者，畜牧者，工匠或小贩。尽管狩猎和采集通常给一个民族带来一定程度的游动生活，但居住地的转移可按日(如卡拉哈里桑人)、按月、按季或半年而变化。在资源丰富和贮藏方便的地方，人口比较稳定。游动的狩猎者和采集者通常组织成独立的小群体，在固定的地区内活动，他们熟悉该地区水源、植物方位和猎物栖息处。依靠驯养家畜生活的游牧民族，在固定的地域内迁徙，以便为牲畜寻找牧场。大多数群体都占有使用季节相当长的中心基地。放牧者可完全依靠他们的牧群，也可进行狩猎或采集，从事某些农业，同农业民族交换谷物和其他物品。西南亚和北非的一些半游牧群体，在季节性迁移期间种植谷物。畜牧民族迁移的类型是很多的，往往依牲畜种类、地势和气候的不同而分，参阅 **transhumance**。有的游动群体虽然与较大社会联系在一起，却保持其迁移的生活方式。其中包括小手工业者和小商贩，他们也可以制作和出卖简单的产品、打猎或出卖劳动力。吉普赛人是这种游动生活的最著名的典型。一些游牧民族从

事种类有限的农业，为了寻找种植谷物的新地域，从一个地方迁移到另一地方。他们经常将农业和狩猎、采集结合起来。人类学家把他们划归园艺民族，以与定居的农业民族相区别。20世纪由于经济和政治的原因，如系统农业的推广、工业的发展，以及政府反对与现代生活不相适应的游动生活的政策，游动生活已趋减少。

nomarch 省长 古埃及省(nome)行政区首长。

Nome 诺姆 美国阿拉斯加州西部港口城市。在苏厄德半岛南岸，濒临白令海。1898年9月在附近安维尔河发现沙金后，当地出现采金热。1900年时采金者营地安维尔城人口达2万，1903年锐减，至1920年只剩852人。1849年称现名。1901年设市。1962年以前，采金业仍是主要行业。现经济支柱包括运输、旅游、市政建设、捕鱼、养鹿和爱斯基摩人手工艺品。诺姆同北极苔原通飞机、船(夏季)和公路。人口3 505(2000)。

nome 省 古埃及的行政区域。自古王国时期(约公元前2575～前2130)就已经实施把国家划分为省的制度，直至穆斯林征服(公元640)之前曾不断进行修改。古埃及后期，全国共划分为42个省，上埃及22个，下埃及20个。在古王国和中王国时期，各省设省长一名，掌管税收、司法和军队。

nomenclature 命名法 生物分类上给生物体定名的体系。生物所属的物种由属名和种名两个字源庞杂的拉丁化词汇来标明，这就是林奈双名法体系，18世纪50年代由C.林奈创立。此后，由于新物种的确立和更高级分类阶元的形成，双名名称大量增加；结果，到19世纪后期许多组生物的命名十分混乱。近年来，动物学界、植物学界、细菌学界和病毒学界的国际委员会制定了各种命名规则，才改进了这种情况。一般认为学名应是稳定和普遍适用的，但事实与此相反，人们持续研究了生物间的关系，探索了辞源，加之科学家们对某些名称是否恰当意见分歧，结果某些熟知的物种定了多个名称。然而，国际法规减少了名称的改变，使用了标准方法以建立新名称，深孚众望的国际委员会又对争论作出裁定，使许多生物组的分类渐趋稳定。

nominalism 唯名论 哲学中，在关于共相争论中所持的一种观点。共相即可用于具有某些共同点的个别事物的词。唯名论在中世纪晚期特别盛行。它否认共相的存在，理由是一个一般的词(例如"人")的运用并不表示被它所命名的那个一般的东西真正存在。不过它并不否认被一个一般的词所指称的特殊事物之间必定有某些相似性。彻底的唯名论者则连这一点也不承认；据说中世纪的唯名论者洛色林便是如此。但是，除非承认这种相似性，否则将一般的词应用于特殊事物就似乎纯属武断。在中世纪，当柏拉图和亚里士多德的唯实论和正统的宗教信仰相联系时，唯名论似乎被视为异端。撇开宗教的牵连不谈，唯名论实际上不承认柏拉图的唯实论是用一般的词进行思考和谈话的必要条件。尽管唯名论似乎也否认亚里士多德的唯实论，但有些温和的唯名论者，如17世纪哲学家T.霍布斯，却断言有某种相似之处存在于特殊事物之间，而一般的词则可应用于这些特殊事物，否则，思考和谈话都将成为不可能。在现代逻辑中，唯名论的影响反映在全称量词形式中。现代逻辑学家用"对于任何x来说，如果x是一个人，它就终有一死"这种说法，而不用"人是要死的"或"一切人都是要死的"等说法，以避免共相量词。新实证主义在排斥形而上学时经常直截了当地采取唯名论立场，坚决主张只存在着观察和实验的"事实"。20世纪中叶，科学哲学家和语言哲学家N.古德曼和逻辑学家维拉特·凡欧曼·奎因都主张一种明确否定类的现代唯名论：古德曼认为类是"非个体"，而奎因则认为类是"抽象实体"。

Nomo, Hideo 野茂英雄(1968-08-31，日本大阪～　) 绰号"龙卷风"。日本职业棒球运动员。第一个参加美国职业棒球联合会的日本人。高中毕业后在日本工业联盟当投手，同时也是日本国家队队员，获得1988年奥运会亚军。1989年被太平洋联盟的大阪近铁野牛队选中，5个赛季中78胜46负，投手防御率3.08。1995年被洛杉矶道奇队选中，头一个赛季13胜6负，被评为国家联盟年度新人，并且代表国家联盟参加全明星赛。他右手投球，其龙卷风般的挥臂动作和杰出的快速指叉球引起球迷们极大的兴趣。1996年赛季战绩也很好，16胜11负，投手防御率3.19，并且在9月16日投出一次无安打。3个赛季后，1998年转会到国家联盟的纽约大都会队。1999年到密尔沃基酿酒人队，2000年到美国联盟的底特律老虎队，2001年到波士顿红袜队。在这几个赛季中都成绩可观，投手防御率达到4.675。2001年4月4日在对巴尔的摩金莺队的比赛中投出了第二个无安打。1997年曾经受伤，康复后仍雄踞棒坛。2002年重返洛杉矶队。

nomocanon 东方教会法纲要 一种法律汇编，兼收拜占廷帝国的教会法和与教会有关的民法。它从内容到形式都反映政教合一精神。6世纪有两种纲要同时流行，一是《五十题教会法纲要》，另一是《十四题教会法纲要》。到了18世纪编集帝国法典已属不必要，于是出现仅收录教会法的专集，以取代过去的纲要和它的古斯拉夫文节本《舵手之书》。在从东方教会法纲要摘编而成的教会法汇编中，最重要的有希腊正教会的《舵书》和俄罗斯正教会的《法规书》。

nomograph 诺谟图 又称列线图。具有包含三个或多个数学变量值的刻度的计算图，广泛应用于工程、工业、自然科学、物理科学。在最普通的形式中，诺谟图由三条平行的带刻度的线组成，任何两条刻度线上的已知值决定了一条直的指标线(横截线)，它通过第三条直线上的值正是要求的解。有些诺谟图使用一条或几条有刻度的曲线；或者，若是直线的话，也可能是排列成N的形状而不是平行的。

nomos 诺莫斯 在音乐中，古希腊史诗演唱者使用的传统旋律类别，常由里尔琴伴奏。这种旋律类别是专业独唱者所用的一种重要艺术形式，尤其是在音乐比赛中。它有3个、5个或7个乐章，原先都用同一个调，无分节歌式的反复。它亦可用基萨拉琴(一种里尔琴)及奥洛斯管(一种双管双簧的乐器)来演奏。最著名的是公元前586年在德尔斐用奥洛斯管演奏的一首描写阿波罗战胜神龙的业绩的5乐章诺莫斯。

nomos 诺莫斯 希腊语，意为"法律"或"惯例"。指古希腊哲学中关于法律的概念。政治权威和公民的权利与义务问题，是公元前5世纪末4世纪初希腊主要的智者派关心的事。他们区分自然与习俗，把法律归入习俗一类中。一般认为法律是人类创造出来的，是经人们一致同意而形成的，目的是限制谋求方便和私利的天赋自由。然而，这种把法律看成是武断的和强制的观点，无助于社会的稳定，因而由柏拉图和其他哲学家加以修改。他们声称，法律是，或至少可能是，以一个推理的过程为基础，通过这一过程可以发现不变的道德行为准则，这些准则可以用具体的法律表示。对待法律的这种消极观点和积极观点的二分法，从来没有真正得到解决。

non-Euclidean geometry 非欧几里得几何 在更改欧几里得几何公理系统中所谓的平行公设的基础上，研究点、线、角、面和体的学科。欧几里得几何的重要意义，与其说在于它所包含的实际数学内容，倒不如说在于欧几里得所使用的表现和发展数学的系统方法。这个方法称为公理演绎方法，它在2 000多年中已成为许多其他数学学科领域发展的典范。欧几里得从10条公理和公设出发，推演出465条定理(或命题)。这首次显示了公理化方法的威力，这种方法可以从公理和公设的真实性推导出定理的真实性。因为公理和公设是不证自明的真理，所以欧几里得的同时代人认为，导出的定理构成对世界的准确描述，也是研究世界的有效的工具。但欧几里得几何中的平行公设几乎从《几何原本》一问世，就立即引起人们的关注，因为它看上去比其他公设不那么"不证自明"。平行公设最为流行的等价形式为：通过不在直线l上的一给定点P，在l和P的平面上存在一条也只存在一条直线与l不相交。人们试图从其他公设推导出平行公设，而使它变为一条定理，或用两条其他的公设(即不存在这样的直线或存在不止一条这样的直线)来替换它，然后导出矛盾的结果。但是出人意料，无论从两条替代公设的哪一条出发都没有得出矛盾的结果；反而产生了两种新的非欧几里得几何，它们同欧几里得几何一样合理和无矛盾。不久就弄明白，在3种几何中不可能说出哪一种几何是现实世界最准确的数学描述。因此，数学家们就不得不放弃他们所珍爱的观念，而用其他同样无矛盾的和合理的几何来替代唯一正确的几何。他们还不得不认识到,数学系统不仅仅是有待发现的自然现象;数学家们也可以通过选择无矛盾的公理和公设以及通过研究由它们导出的定理来创造这种系统。这种观点的改变可以证明是欧几里得的知识遗产中最重要和最有深远意义的部分。

non expedit 不参政 拉丁语,意为"不便",指19、20世纪之交天主教会禁止意大利信徒参与政治的规定。这种规定突出地表明,教宗庇护九世和其后的几代教宗不承认新成立的意大利国家(意大利国家剥夺了教廷在意大利中部的土地)。在19世纪60年代初,都灵新闻记者马尔戈蒂首先提出"不参加选举也不竞选"一语,号召虔诚天主教徒抵制选举以抗议政府夺占教廷土地。1868年罗马教廷正式将"不参政"列为教规,它后来在19世纪屡次获得重申(特别是1874年教宗庇护九世的重申)。遵守此项规定的天主教徒甚多,足以使政治受到严重的冷落,因而在意大利民族政治生活中未能组成强大的保守政党。地方政府不在此项禁令范围之内,这是为了防止左翼势力增强。在1904～1905年间,教宗庇护十世为了改善同意大利政府的关系,实际废止了"不参政"规定。教宗本笃十五世于1919年正式废止了它,并支持意大利人民党,此举表明意大利天主教徒作为一支有组织的力量进入了政治生活。

Non-proliferation of Nuclear Weapons, Treaty on the 《防止核扩散条约》 1968年7月1日由英国、美国、苏联和其他59个国家签订的条约。根据条约,3个主要签字国同意不帮助无核爆炸物的国家获得或制造核爆炸物。条约于1970年3月生效。后来又有一些国家批准了该条约,包括世界另外两大核国家法国和中国于1992年加入。1995年174个国家在纽约联合国总部一致投票将该条约无限延期。

nonbiting midge(insect) 参阅 **midge 摇蚊**。

Nonconformist 不从国教派 英格兰基督徒中间不遵从国定教会圣公会的教义或习俗的人。此词最初出现于王政复辟(1660)后的刑事法案和《划一法案》(1662)中,指脱离圣公会(分离派)的崇拜场所。不从国教派又称"不顺从派"(dissenters;此词最初于1643～1647年间在威斯敏斯特神职人员大会上用于五位不顺从国教兄弟会成员)。19世纪末不从国教派的不同派别联合起来组成自由教会联合会,因此他们又叫作自由教会派。此词在英格兰和威尔士泛指所有叛离安立甘宗的基督教各派,包括浸礼宗、公理宗、长老宗、循道宗、上帝一位论派以及公谊会(贵格会)、普利茅斯弟兄会、英格兰摩拉维亚会、基督会、救世军等。在苏格兰,国定教会是长老会,因此其他教会,包括圣公会都属于不从国教派。

Noncooperation Movement 不合作运动 (1920-09～1922-02) 甘地所组织的要求印度的英国政府准许印度自治的运动。未获成功。1919年4月英国人在阿姆利则血案中杀死印度人400多名。不合作运动由此兴起。这个运动采取非暴力方式,包括退回封号,不上公立学校,不参加法院和政府的工作,抵制外国货,不参加选举,不付租税等。1920年9月印度国大党代表大会对不合作运动表示赞同。1921年英国政府第一次面临一个统一的印度阵线,显然发生动摇。1922年2月,一群愤怒的群众在乔里乔拉杀死警官后,甘地宣布停止该运动。次月甘地被捕。不合作运动标志着印度民族主义从中产阶级发展到了群众的范围。

nondirective psychotherapy 非指导式心理治疗 又称来访者中心式心理治疗。一种心理治疗方法,通过帮助患者领悟自己的情感和行为,促进其整个人格的成长,从而达到治疗心理障碍的目的。治疗者的作用是始终热情地、无条件地、积极地关心来访者(避免用消极的"病人"一词),通过重复叙述来访者自己说过的挂心的事情,使他对自己有更为清楚的认识,并对治疗者和其他人更为开诚布公。整个治疗中来访者自身决定着治疗的进程、方向及结束时间,治疗者只起一种促进其成长的作用。非指导式治疗于20世纪40年代由美国临床心理学家C.罗杰斯创立,此疗法对其后的个别及集体心理治疗均具有很大影响。参阅 **psychotherapy**。

nonfiction novel 非虚构小说 以激动人心的小说技巧讲述的真人真事。美国作家T.卡波特自称其小说《凶杀》(1966)首创了这一体裁。该书是描写堪萨斯一农家全家被残酷谋杀的真实故事,系根据6年的精心调查和对受害者的邻居、朋友及两个被捕凶犯的采访写成。故事由不同"人物"以不同的观点讲述,而作者努力避免加进自己的评论或歪曲事实。评论家则指出早在他以前就出现了属于这种类型的新闻体小说。例如,J.赫西的《广岛》(1946)便是通过6个幸存者的经历叙述了第二次世界大战期间这个日本城市所遭到的轰炸。N.梅勒的《刽子手之歌》(1979)重现了这一体裁。

Nong Khai 廊开 泰国东北部城镇。廊开城是湄公河港口,与老挝首都万象附近交通往来的主要泰国港口。通曼谷铁路的北方终点站。临曼谷—万象公路。人口约26 381(1992)。

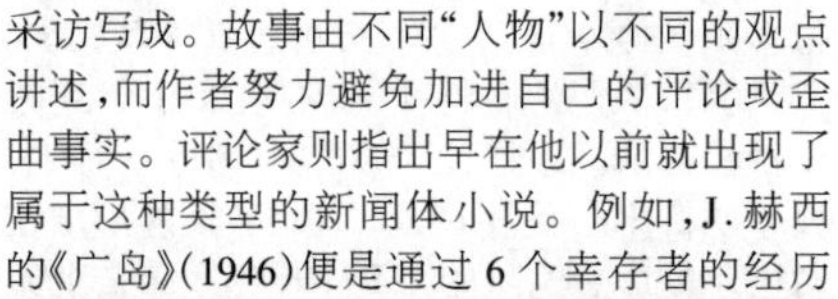

廊开镇的寺庙

美国不列颠百科全书公司供图

Nong Sa Rai, Battle of 廊沙赖战役(1593) 东南亚历史上泰人的大城王国与缅甸的东吁王朝间的军事冲突,它结束了缅甸人对泰国的侵略。1569年缅甸东吁王朝征服泰人的大城王国,将其贬为臣藩。莽应龙之后,其子莽应里继承缅甸王位(1581～1599)。莽应里较为无能,大城王国的实际统治者纳腊萱王子认为争取独立的时机已经成熟。1584年,他拒绝承认大城王国为缅甸的附庸。从此,莽应里就不断发动进攻。1592年末,缅甸王储明吉斯伐率军侵略大城王国,决战于廊沙赖。1590年已就任国王的纳腊萱杀死明吉斯伐,缅军败退。其后150年间,缅甸未再对泰国的独立构成威胁。

nongovernmental organization(NGO) **非政府组织** 个人或团体以提供服务或拥护某项公共政策为目的而组建的志愿组织,通常与政府无关。绝大多数非政府组织属非营利性。独裁国家的一些非政府组织可能由政府组建或受政府控制。按照最普通的定义,政党、违法分子或暴力游击队等组织不属于非政府组织。非政府组织提出的问题均与人类有密切关系(如人权、环保、救灾、发展援助),活动范围有地方、全国或全世界之分。其经费来自私人捐赠、国际组织或政府。非政府组织在若干世纪之前就有,但非政府组织一词则是1945年联合国成立之际创造出来,用以区别民间组织和政府间组织。大赦国际、国际红十字会与红新月会等许多大型国际非政府组织都是跨国非政府组织,绿色和平组织和峰峦俱乐部等其他国际非政府组织则为大众组织。但大多数非政府组织均为小型基层组织,不从属于任何国际团体。非政府组织履行多种职能,包括向政府和国际组织提供有关各种国际问题的信息和专门技术知识、主张某一特定政策、提供人道主义救济和发展援助、监督人权状况或环保条例落实情况等。第二次世界大战后,尤其自20世纪70年代以来,全国性的和地方的非政府组织猛增,关注人权、女权和环保问题的国际非政府组织大量涌现。在国际事务中,国际非政府组织已成为联合国及其专门机构和其他论坛的主要参与者。非政府组织得以发展的因素是:全球化、跨国问题的日益突出,联合国主持的大量全球会议,通信革命以及民主的传播。21世纪初公认的国际非政府组织已达6 000个左右。在反对奴隶制、象牙贸易、捕鲸、强暴妇女、南非种族隔离以及核武器扩散等全球活动中,非政府组织发挥着重要作用。非政府组织通过评论和参与各种会议对政府和政府间组织的政策和计划施加影响。联合国宪章第71条授权经社理事会给非政府组织以顾问身份。21世纪初有2 000多个非政府组织正式获此顾问身份。非政府组织之所以具有影响力是因为它们能够获得重要的信息资源,提供专家意见。相当数量的发展援助和人道主义救济出自此类组织。但有时由于组织繁多,以致对某些问题难取得协调一致的解决办法,而制约其效能的另一因素则是缺乏代表性。自20世纪末开始,一些政府已对非政府组织日益增长的势力及影响有所回应,指责它们不民主,只对向它们提供资金的人负责。另一些政府则试图阻止某些非政府组织参与国际性决策论坛。但对制定跨国问题的全球标准与规章,非政府组织仍起着重要作用。很多非政府组织,如国际红十字委员、大赦国际、国际防止核战争医生组织和国际反地雷运动组织,曾获得诺贝尔和平奖。

Nonimportation Agreements 抵制英货公约(1765～1775) 美国殖民史上,向英国施加经济压力、迫使它承认政治权利的一种措施。为抗议《印花税条例》(1765)和《汤森条例》(1767),殖民地自由之子社和辉格党商人组织各种协会抵制英国商品,促使蒙受损失的英国商人和厂主向国会提出抗议。1774年英国颁布《不可容忍法》时,第一届大陆会议立即成立抵制进出口委员会。但由于英国已在欧洲开辟新市场,未能产生预期的效果。于是,殖民地人民放弃这一和平手段,开始进行武装抵抗。

Nonius, Petrus 参阅 **Nunes, Pedro 努内斯**。

Nonjuror 不矢忠派 英国历史名词。在1688年的革命中国王詹姆斯二世被废之后,有许多英格兰圣公会和苏格兰圣公会的领俸神职人员拒绝宣誓效忠于威廉三世和玛丽二世,他们就是不矢忠派。他们约有400人,包括8位主教和圣公会内一些最笃诚信教而博学多识之士,就中最著名的有坎特伯雷大主教桑克罗夫特、品德高雅的赞美诗作家肯、宗教论辩家柯里尔、史学家多德韦尔和海德伯爵。他们认为威廉三世和玛丽二世是篡位者,继续忠于詹姆斯二世,但对于当权者采取不抵抗策略。该派自1694年起维持独立的教会法统,后来在礼仪问题上发生分化,人数在18世纪逐渐减少,该派最后一位主教死于1805年。在苏格兰,圣公会于1690年丧失国定教会地位,大多数神职人员脱离圣公会。苏格兰的不矢忠派与英格兰的不同,他们积极拥护斯图亚特王室,参加1715和1745年的詹姆斯党人起义,后遭残酷镇压。1788年查理·爱德华(小王位觊觎者)死,苏格兰各主教承认国王乔治三世。苏格兰长老会许多人士,主要是卡梅伦派,也拒绝向威廉三世和玛丽二世宣誓效忠;由于他们是根据其他理由拒绝的,通常不称为不矢忠派。

nonliterate society 无文字社会 没有书面语言的民族或文化。"无文字的"这个术语,与"不识字"有别,不识字是指一个有文字社会中没有学会读和写的那种人。"无文字"这个术语虽然主要以书面语言作为区别不同社会的唯一标准而不够完美,但较之"原始的"、"前文字的"、"前都市的"、"未开化的"等比较笼统的术语,优点较多。

nonmetal 非金属 不具有像金属那样的特性(如坚硬、机械加工性或导电性)的物质。这类化学元素一般包括:碳、氮、磷、氧、硫、硒、氟、氯、溴、碘和稀有气体。它们几乎没有共同的物理性质,大部分是气体,仅一种(溴)是液体,其余是固体。非金属原子一般较小,而最外电子层中含有的电子数目较多。稀有气体原子中的电子层完全充满,故这类元素几乎是完全惰性的。其他非金属原子的电子层接近充满,只需增加很少的电子就会使其呈现稳定的稀有气体的电子组态。因此,当有其他原子存在时,非金属原子就强烈地趋向于往自己一边吸引电子(电负性强)。非金属从电负性较低的其他原子中夺取电子或与电负性相近的原子共用电子,而生成化合物。虽然非金属元素为数不多,但地壳的大部分是由它们构成的,且对生物的生存和生长是必不可少的。

Nonnus 农诺斯(活动时期5世纪,生于埃及帕诺波利斯) 罗马时期最著名的希腊史诗诗人。主要作品有48卷的六音步叙事诗《狄奥尼索斯纪》。主题是酒神狄奥尼索斯远赴印度,但该书旁枝横生,情节杂沓。作者具有非凡的构思能力和善于描述的想象力,加上语言运用极为熟练,文学知识极为丰富,因而最后的希腊史诗诗派的这位领袖常常被人模仿。他的那种带有不断重现的、往往是大胆的比喻和始终是夸张的语调的风格是迎合当时的口味的。他后改信基督教,作了一部六音步的《约翰福音释义》。这一作品表现了他早期风格上的缺点,没有他那起补偿作用的描述才能。

Nono, Luigi 诺诺(1924-01-29,意大利威尼斯～1990-05-08,威尼斯) 意大利最重要的电子音乐、偶然音乐和系列音乐作曲家。1941年在威尼斯音乐学院学习音乐。后在帕

美国不列颠百科全书公司供图

多瓦大学攻读法律,获博士学位,同时又师从杰出先锋派作曲家B.马代尔纳和著名指挥家H.谢尔欣。1950年因根据A.勋伯格的12音主题创作管弦乐变奏曲《卡农变奏曲》令公众瞩目。1955年与勋伯格之女努丽亚结婚。后继续探讨先锋派技巧,并在欧美各地广泛讲学。1957年起在德国达姆施塔特的克拉尼希施泰因音乐学院新音乐暑期学校任教。诺诺的音乐以曲式清晰著称。在为7件乐器而作的《复调-单旋律-节奏》(1951)一曲中以直截了当的方式对复调音乐(几条旋律线同时进行)、单旋律音乐(没有和声的旋律)和节奏进行探索。《中断的歌》(1955～1956)是根据纳粹主义受害者的书信而作的系列谱曲,由独唱、合唱和管弦乐队演出,旋律在乐器和人声中此起彼伏,但每一演唱(奏)者每次所唱(奏)的往往不多于一个音。诺诺还在几首包含人声与打击乐器的作品中采用这一分割技巧。为庆祝女儿生日而作的《给巴斯蒂雅娜太阳城》(1967,根据一首中国民歌而作)颇有偶然音乐韵味,要求3组乐器按1/4音的音程演奏,并采用磁带录音。诺诺公开宣布他是共产党人,常常发表具有政治内容的作品,其中许多引起争论和抵制。当诺诺称之为"壁画"的歌剧《偏执1960》(1960)于1961年在威尼斯首演时,演出受到新法西斯分子猛烈袭击,导致一场与共产党人之间的冲突。作品抨击法西斯主义、原子弹和种族隔离,最后以洪水泛滥、世界毁灭这一象征性结局告终。该剧后经修订,改名《偏执1970》(1970)。迫于社会压力,米兰拉斯卡拉歌剧院于70年代初委托诺诺创作一部新歌剧。《在爱心振奋的炽烈阳光下》(1972～1975)的剧名取自兰波的诗作《让娜-玛丽的手》,内容讲述1871年的巴黎公社。主题思想是阶级斗争,剧中没有常规的情节或出场人物,表现出勋伯格在第一次世界大战前的表现主义的影响。不过,该剧首演不是在拉斯卡拉歌剧院,而是在抒情剧院。拉斯卡拉歌剧院于1978年上演它的修订本。诺诺受到西班牙诗人F.G.洛尔卡的启迪,于1954年根据他的一首诗创作《红外套》。《费迪利柯·加西亚·洛尔卡墓志铭》(1952)被称颂为一部力作,由纪念洛尔卡的3首作品组成。其他具有政治内容的作品还有讲述核战争问题的戏剧康塔塔《在广岛的桥上》(1962)、为《共产党宣言》谱曲的人声与乐队曲《一个幽灵在欧洲徘徊》(1971)和《越南之歌》(1973)。诺诺是意大利共产党的老党员,1975年被选入共产党中央委员会。

Nonomura Seisuke(Japanese potter) **野野村清助** 参阅 **Ninsei 仁清**。

Nonpartisan League 无党派联盟 又称农场主无党派联盟。1917年以后称全国无党派联盟。美国农场主的联盟,1915年社会党人A.C.汤利在北达科他州创立。它要求磨坊、谷仓、银行和雹灾保险公司归州所有。1916年该联盟竟选人L.J.弗雷泽在北达科他州州长选举中获胜。1919年州议会全部批准了联盟纲领。20年代后联盟走向衰微,1956年与民主党合并。

nonsense verse 胡闹诗 诙谐的或怪诞的诗。它同其他滑稽诗的不同之处在于,难以对它做任何合理的或比喻的解释。虽然它常常使用毫无意义的自造词,但与儿童唱着数数的惯常无意义的韵文不同,它使这些词听来意味深长。技巧高妙的胡闹诗是罕见的。这种诗大都为儿童所写,且为近代的,年代从19世纪初起。1846年可以认为是一个最重要的年份,这一年艺术家E.利尔出版了他的五行打油诗集《胡闹集》。利尔最初在19世纪30年代为德比伯爵的孩子写下这些诗。在这之后,则有L.卡罗尔的富有灵感的幻想作品。他的《艾丽丝漫游奇境记》(1865)和《镜中世界》(1872)里都有十分出色的胡闹诗。卡罗尔的另一首诗《斯纳克之猎》(1876)被认为是英语中最长和最经久不衰的胡闹

诗。H.贝洛克的《坏孩子的野兽故事书》(1896)在英语胡闹诗的杰作中占有显赫地位。而在美国,儿童读物的多产作家L.E.理查兹于1932年在《蒂拉·利拉》中发表的诗被认为可与E.利尔的作品媲美。

nonstandard analysis 非标准分析 微积分理论的一种现代的重新阐述,它提供了用无穷大量和无穷小量做计算的逻辑上严格的工具。非标准分析,也叫无穷小计算,是20世纪60年代由耶鲁大学的逻辑学家A.鲁宾孙发明的,当初是回答微积分基础中的主要理论问题:怎样去定义*无穷小*(**infinitesimal**)这种不可思议的数,它们被认为是绝对值大于零而小于任何正数的数。这个理论现在已经应用到理论物理和数理经济,甚至已经包括在一些教科书中了。在微积分中处处要碰到无穷小,像导数(dy/dx)和积分($\int y dx$)中的dx和dy。确实,用无穷小进行推理恰恰是牛顿和G.W.莱布尼兹的微积分不同于其代数先驱者的地方。然而无穷小如此有用的精确性质却使得无穷小不能出现在普通的实数轴上。

在非标准分析中,实数轴以两种方法增加了内容:加进无穷小数和无穷大数。非标准数轴比之于普通数轴就像宇宙比之于我们所在的银河系:在普通数轴的"端点"之外,非标准数轴包含了无穷多个所谓的普通数轴的"副本",用非标准分析的术语,就是有无穷多个银河系。在微观的水平上也碰到类似的结构。在鲁宾孙数轴的非标准模型中,每一个点不仅仅是一个点,而是整个数轴的一个微型"副本"。在非标准分析中,数轴上的"原子"不是不可分的。构成每个非标准实数的这个微型数轴"副本"叫做"单子"(这是为了纪念莱布尼兹在他的哲学著作中引进了"单子"这个术语)。两个单子之间的距离是用无穷小来度量的,而银河系之间的距离则用无穷小的倒数——无穷大——来度量的。所以非标准实数轴可以从几何上形象化地想象为世界中的世界这样一种复杂的结构。然而这只是关于非标准宇宙怎么能出现的一种想象,就同把原子设想为一个太阳系的模型一样,是有用的,当然也是有局限性的。非标准分析的实质所在是模型论,它是当代数理逻辑的一个主要组成部分。

鲁宾孙构造这个非标准模型的办法是在普通实数系的公理(例如像$x+y=y+x$这样的法则)中加进无穷小数和无穷大数所必须满足的某些性质,然后运用数理逻辑中一条强有力的定理来证明确实存在这样一个模型,它对于普通数和无穷数来说都满足扩大了的公理系统。作为这种构造法的基础的这个定理被数学家和逻辑学家叫做紧性定理,而被其他在研究工作中要引用非标准模型的科学家通俗化地称为转移原理。紧性定理"创造"无穷模型的能力是由于形式数学语言没有能力去识别无穷集合的每一个细微差别。因为数学中的定义和证明总是有限的,就数学的形式语言来说,可能有不同的数学模型是不可区分的。一组公理可以有许多模型,从形式公理系统以外的观察者看来好像是不同的;但从这个系统中看,这些模型都是一样的,因为基于这些公理的形式推理是没有能力区分这些模型的。

非标准分析展示了这种不同而又相同的性态:即使在大多数方面非标准分析表现出完全不同于标准分析,但是在标准分析中正确的每一命题在非标准分析中也是正确的,反之亦然。所以与其说非标准分析是新的真理的源泉,不如说它是用新的方式来表达已有的真理。非标准分析表达关于无穷小和无穷大的真理的独有的能力已经导致在传统数学问题以及在经济学和物理学中的理论问题中能成功地应用。例如,它提供了建立有许多小商人的经济市场的模型,每个小商人只对市场产生无穷小(微乎其微)的影响。类似地,也已用于建立在边界在无穷远的非常大的容器中,在压力作用下气体的热力学过程的模型。

早在18世纪发明微积分之后不久,人们就开始关心微积分的逻辑基础。1734年贝克莱主教毁谤无穷小为"逝去的量的鬼魂"。19世纪,法国的A.-L.柯西和德国的K.维尔斯特拉斯等数学家们建立了关于无穷小的一套复杂的定义和定理(现在通常叫做ε-δ理论),旨在把微积分的基础建立在算术理论上。这个工作导致了*极限*(**limit**)理论,直到鲁宾孙的模型出来以前,这是微积分唯一的合理的理论。现在非标准分析作为微积分的另一种有效基础而与极限理论共存。

nonstoichiometric compound 非整比化合物 又称非化学计量化合物。所含各元素原子数不能以几个简单的整数比表示的固态化合物。为了与道尔顿体(其中原子数比率等于几个简单整数比)相区别,有时称它们为非定比化合物。非整比化合物在过渡元素中最常见,其中一些很重要,可用于固态电子设备元件,如整流器、温差电池、光检测器、热敏电阻器和高频电路中的磁铁等。非整比化合物的存在与结晶物质点阵结构中存在着缺陷有关,诸如在正常情况下应被离子占据的位置现在却被空着,等等。例如,缺一个钠离子和一个氯离子的氯化钠晶体虽有缺陷,但仍为整比化合物,因为钠离子和氯离子数目相同;然而,当钠离子的位置为一中性钠原子占据,然后该原子给出其价电子去占据氯离子的位置时,晶体缺陷虽已被补偿,但晶体现已是非整比的,因为这时钠离子比氯离子多。大多数非整比化合物的组成与整比化合物相近,可用下式WO_{3-x}、$Co_{1-x}O$或$Zn_{1+x}O$等来表示,式中x为比1小很多的正数。在某些情况下,由于整比化合物同系列的存在而产生表观非整比现象,如化学式为Mo_nO_{3n-1}的钼的氧化物系列,其中$n=8$、9、10、11、12和14的化合物是已知的。在真正的非整比化合物MoO_{3-x}中,x值可在一定范围内连续变化,并且不存在可检测的分立的型体。

Nonthaburi 暖武里 泰国中南部城市。为曼谷市北部郊区,在湄南河东岸,有公路和河船通往都市区。有素可泰·塔马提拉德开放大学和一座大监狱。水稻种植和果蔬栽培业为重要经济活动。人口261 335(1993)。

nontropical sprue 非热带性口炎性腹泻 参阅 **celiac disease** *乳糜泻*。

noodle 面条 欧洲和东方食谱中著名的面食,用蛋和面粉制成,形状与其他*面食*(**pasta**)不同,呈长条形。常和调味品一起加入肉汤中食用,也可将其煮熟或用油嫩煎后调以酱油和肉块共食。东方面条最初不用面粉而用淀粉制作。在烹调中国式东方锅炸面条或煎炒面条时,常用小麦粉的面条。如用米粉或豆粉做的粉条,则要用水泡软,然后煮沸,捞出滤干,备煎炒或汤煮。

Noord-Brabant 北布拉班特 英语作North Brabant。荷兰第二大省。从比利时边境向北伸展至马斯河和梅尔韦德河,西临泽兰省,东界林堡省。面积4 947平方千米。境内有马克河和多默尔河及南威廉斯运河和威廉敏娜运河。省会斯海托亨博斯。新石器时代、青铜器时代和铁器时代的遗迹证明该省早有人居住。居民现几乎均为天主教徒。肥沃的沿海土地出产小麦和甜菜,沿河干旱的酸性土壤地带多为牧场,南部荒地有树林、小湖和泥炭沼泽。19世纪时大片荒地得到开垦,在填平的德佩尔沼地上兴建了若干新居民点。除出卖泥炭外还经营园艺和畜牧业。1900年后农村人口大量迁至城市,现今全省1/2以上人口为城市居民,人口最稠密地区是在蒂尔堡和艾恩德霍芬的工业中心。人口约2 259 779(1994)。

Noord-Holland 北荷兰省 英语作North Holland。荷兰西北部沿海省份。面积为2 667平方千米的半岛。西临北海,北濒瓦登海,东靠艾瑟尔湖。省境包括其北端沿海西弗里西亚群岛中的泰瑟尔岛。境内有赞、阿姆斯特尔和费赫特3条河流。省会哈勒姆。荷兰首都阿姆斯特丹在该省内。沿海有一条平缓连绵的沙丘带,为内陆地区的屏障。海滨胜地有赞德福特、滨海贝亨、滨海埃赫蒙德和滨海韦克。北海运河西端阿姆斯特丹的外港艾默伊登是该省重要渔港。北海运河地区已发展为工业区,生产钢制品、纸张、化肥和化工品。位于西海岸的佩滕是荷兰原子能研究中心。从哈勒姆以南到南荷兰省的沙土高地是荷兰著名的球茎花卉产地,盛产风信子、郁金香、水仙花、藏红花。阿尔斯梅尔有花卉拍卖厅。北海运河以北的沙土高地主要生产蔬菜。名胜有哈勒姆附近的布勒代罗德古堡红砖废墟、埃赫蒙德伯爵古堡遗址等。全省大部地区均与海面相平甚至更低。在北海运河以北地区,排干湖水围垦海滩开拓圩田,其上有74千米长的北荷兰运河在阿姆斯特丹和登海尔德之间穿过。北海运河以南的哈勒姆湖圩地于1840～1852年开垦,出产蔬菜、谷物和甜菜。但主要从事牧业和乳制品业。该省经济集中于阿姆斯特丹和赞斯特雷克工业区(特别是在赞丹)。多湖泊和林地的霍伊地区已成为规模可观的旅游、住宅和工业区。人口约2 468 400(1996)。

noösphere 智慧圈 理论生物学名词,指生物圈中受人类智力活动强烈影响的部分。

某些学者认为智慧圈与人类圈的范围相同。智慧圈一词源出希腊语 noös(智慧),由科学理论家 P.T. 德夏尔丹、V.I. 维尔纳茨基和 E. 勒鲁瓦提出,意指智力境界,以与地圈(非生命世界)和生物圈(生命世界)相区别。

Noot, Henri van der　诺特(1731-01-07,奥属尼德兰布鲁塞尔[今在比利时]～1827-01-12,荷兰施特龙贝克)　比利时律师和政治活动家。曾领导 1789 年比利时反对神圣罗马帝国皇帝约瑟夫二世政权的起义。他原在布拉班特当律师。1787 年开始组织民众反对约瑟夫二世违反地方传统特权的宗教和政治改革。在推动布拉班特各行会组成民兵后,1788 年 8 月因避免被捕而逃往联省共和国(荷兰共和国)的布列达。1789 年在那里与梅尔斯统率的军队汇合。起义者打败奥地利人以后,他于 1789 年 12 月凯旋布鲁塞尔。但他未能统一国家,1796 年被法国督政府监禁,从此在政界未能东山再起。1814 年他主张恢复奥地利对比利时的统治。

Noot, Jan Baptista van der　诺特(约1540,安特卫普附近布雷赫特[今在比利时]～约1595,安特卫普)　荷兰第一位充分理解法国文艺复兴新诗体的诗人。对当时英国和德国诗人有一定影响。1567 年因政治问题流亡国外,在英国发表第一本诗集《小树林》(1570),其风格与形式仿效意大利诗人彼特拉克与法国诗人龙萨。1568 年出版的散文《酒色之徒的舞台》是其主要作品之一,为加尔文派的美德辩护,抨击荷兰社会的庸俗市侩习气。史诗《奥林匹亚》是诺特的主要诗作,在这部作品中,他以明快朴素的语言描写梦游圣地奥林匹亚的故事,中间夹有许多十四行诗。

Nootka　努特卡人　北美西北太平洋沿岸印第安人,聚居于温哥华岛西南岸及华盛顿州西北顶端的弗拉特里角。住在温哥华岛西南端的是尼蒂纳特人,住在弗拉特里角的是马卡人。努特卡语属瓦卡什诸语言。努特卡人在文化上与*夸扣特尔人*(**Kwakiutl**)接近。在努特卡人地区的中部和南部,地方居民集团在社会组织上和政治机构方面都是独立的。在北部地区,他们通常组成较大的部落,并有共同聚居的冬季村落。还有几个部落联盟,可溯至史前时期,拥有海岸附近的夏季村落和渔、猎区。努特卡人根据季节的变换迁往便于渔猎的地方居住,到冬季生产活动减缓时,再回其主要居住地。努特卡人长于捕鲸,使用诸如大型独木舟、长绳鱼叉及海豹皮筏子等特殊装备进行作业。持鱼叉者为一地位较高的成员,还有一名猎鲸仪式的主持人员。许多复杂仪式说明努特卡人在古代即已同爱斯基摩文化及阿留申文化有密切关系。努特卡人的最重要的礼仪是巫医舞蹈,由此仪式确定每个人的社会地位,并以*散财宴*(**potlatch**)告终。

Nootka Sound　努特卡湾　太平洋的一个小海湾,位于加拿大不列颠哥伦比亚省温哥华岛的西海岸,在维多利亚西北约 270 千米。该湾宽 10 千米,形成一个很好的港口,有 3 条分支,其中之一将努特卡岛与温哥华岛分开。1778 年库克船长来到该海湾,取名乔治国王湾,后又改名为努特卡湾,认为这是它的印第安名称。

Nootka Sound controversy　努特卡湾争端(1790)　英国与西班牙关于在温哥华岛西海岸努特卡湾扣留船只的争端,几乎酿成战争。争端的解决结束了西班牙对北美洲西海岸的贸易和移民垄断权,并使加拿大诸省向太平洋沿岸延伸成为可能。争端起因是 1789 年西班牙人扣留了英国米尔斯船长及其同伙拥有的 4 只商船。1790 年 4 月米尔斯向英国政府申诉,要求西班牙赔偿。西班牙则说根据 1493 年罗马教皇的授权,他们拥有美洲的整个西北沿海地区。英国争辩说只有实际占领土地才能对它拥有主权。英国人扬言要以战争解决努特卡湾事件。由于西班牙军力薄弱以及普鲁士在外交上支持英国,西班牙在 1790 年 10 月 28 日签订的《努特卡湾协定》中屈服于英国的要求。协定承认每个国家均可任意在太平洋上航行和捕鱼以及对尚未被占领的土地进行贸易和在那里建立移民点。

Nor-bu-gling-ka　罗布林卡　中国西藏著名园林,位于拉萨市西郊。罗布林卡意为宝贝园。七世达赖喇嘛常来此沐浴治病。18 世纪中期在清朝驻藏大臣协助下在此建格桑颇章(宫殿),后经历世达赖不断扩建,成为达赖的夏宫。每年藏历四至九月在此处理政教事务、举行庆典、进行考取格西(宗教上的最高学位)等活动。罗布林卡建在平地上,占地 36 万平方米。全园分宫区、宫前区、森林区 3 个部分,道路系统明确,均可环行。园内有格桑颇章、金色颇章、达旦明久等华美宫殿和亭阁水榭,以及供举行庆典和演出的广场等。园内水面小,无山石,有大片林木、草地,其间放养鹿、马等动物,极富草原情趣。

Nora　诺拉　撒丁岛上卡利亚里(又名卡拉利斯)市西南约 35 千米处的古代遗址。尽管传说为来自塔特苏斯的伊比利亚人所建,但是这处位于陡壁悬崖边三角形海岬之上的遗

撒丁岛诺拉遗址上的罗马剧场废墟
美国不列颠百科全书公司供图

址却具有腓尼基的特征。除了一个撒丁塔形纪念碑遗迹之外,在诺拉发现的最早古迹是腓尼基人的,时间始自公元前 7 世纪。罗马人兼并撒丁后,诺拉在共和时期曾为其首府,公元前 27 年后成为罗马帝国统治下的城市(其公民享有罗马公民权利的市)。1952 ～ 1954 年的考古发掘表明诺拉是建于一典型的腓尼基港口之上的一座富有而壮丽的罗马城市。这座腓尼基城市有狭窄弯曲的街道和具有典型迦太基结构的建筑。在一座小山丘上留有第一次布匿战争(公元前 264 ～前 241)暴行的证据,在那里被焚烧的儿童遗体装在大坛子里,埋在刻有庙宇正门和女神坦尼特雕像的石碑下面。其作为罗马城市的历史可上溯至公元前 1 世纪。已经发现了一座精美的剧场、一条输水管道、一座朱诺神庙、一座水神庙、一些浴池和私人别墅。

noradrenaline(hormone)　**去甲肾上腺素**参阅 **epinephrine and norepinephrine** *肾上腺素及去甲肾上腺素*。

Noranda　诺兰达　加拿大魁北克省西部城市,西北行政区行政中心。南邻奥西斯戈湖西岸的鲁安市。诺兰达基本上为住宅区。唯一重要工业企业是诺兰达矿大型炼铜厂。其姊妹城市鲁安(Rouyn)是铜矿、金矿区,也是两市的工商业区。两市合称西北魁北克都会区。市内有两座天主教主教座堂。居民大部分是法裔加拿大人。1922 年由诺兰达矿业公司所建,1926 年设镇,1948 年设市。人口 8 870(1986)。

Norbert OF XANTEN, SAINT　**诺贝尔特,圣**(约1080,下洛林公国克桑滕[德国]～1134-06-06,萨克森马格德堡)　马格德堡大主教。他在 1120 年率领门徒于格和厄弗模德创建普雷蒙特雷修会(诺贝尔特会或白衣修会)。该会的任务是传教、推行教区工作和办教育。诺贝尔特于 1126 年被选为马格德堡大主教。4 年后,有些人不承认教皇英诺森二世,诺贝尔特坚决支持英诺森二世。通过诺贝尔特的斡旋,德意志教会转而拥护英诺森二世;德意志国王洛塔尔二世(或三世)也在他的影响下拥护英诺森二世。

Norbertine(religious order)　**诺贝尔特会会士**参阅 **Premonstratensian** *普雷蒙特雷会会士*。

Norcross, John(American author)　**诺克罗斯**参阅 **Conroy, Jack** *康罗伊*。

Nord　北部省　法国北部北加来海峡大区省份。有 320 千米地段与比利时交界,有 32 千米临多佛尔海峡。面积5 742平方千米,人口是法国最多的一个省,是法国工、农业最发达的省份之一。主要由古代佛兰德和埃诺省法国部分组成。全境从西北到东南有围海填造的海岸平原(包括敦刻尔克港),延伸至阿尔芒蒂耶尔的佛兰德平原,人口稠密的里尔、鲁贝和图尔宽工业区,杜埃、德南和瓦朗谢讷三地(有斯海尔德河流经)四周的煤炭盆地,康布雷四周地区,穿经莫伯日的桑布尔河谷以及阿登高原西部的埃尔普河畔阿韦讷地区。全省有错综复杂的运河化的河流网、运河和公路,包括将省会里尔与巴黎连接起来

的高速公路。法国最大的煤田亦呈东西向带状穿过本省。该省气候潮湿温和，集约地种植谷物、马铃薯、甜菜、亚麻和蛇麻子。乳制品业和商品菜园高度发展。有特别密集的牲畜。鲁贝-图尔宽的传统纺织业在该省仍很重要，生产羊毛线、棉织品及合成纤维织物。除采煤、炼焦和蒸馏酒工业外，还有几处钢铁厂。煤田东面瓦朗谢讷附近的钢铁企业始于1834年，现仍在生产钢。敦刻尔克的大型联合企业有1933～1973年投产的四座高炉，生产技术现代化。其他工业有机械、化工、食品加工、玻璃制造和大理石加工等。敦刻尔克地区还发展起炼油和矿石加工业，建有一座造船厂。省下设里尔、康布雷、杜埃、敦刻尔克、瓦朗谢讷和埃尔普河畔阿韦讷6个专区。属里尔教育区。人口约2 532 900(1992)。

Nord-Norge　北挪威　英语作Northern Norway。挪威的地理区域。从诺尔兰向北延伸925千米，至欧洲最北点北角。面积112 918平方千米，包括诺尔兰、特罗姆斯及芬马克诸郡。因有北大西洋洋流经过，属温和的海洋性气候。夏季长达5个月(5～9月)，远北地区自5月中旬至7月下旬太阳终日不落。有“午夜太阳之乡”之称。东北属拉普兰苔原。其余地区多山，森林密布，河流众多。全区湖泊星罗棋布，多达数千。因多峡湾，海岸线呈锯齿状。近海有成百个岛屿。北挪威与南挪威间有沿岸航运和载客轮渡来往。公路和铁路与本地区中部的博德相连。主要经济活动有渔业、农业(北至北纬70°)、航运(特别是经纳尔维克运输瑞典铁矿石)及旅游业。博德、纳尔维克、特罗姆瑟、哈默费斯特、哈尔斯塔、瓦尔德及希尔克内斯为主要城镇和港口。人口约465 089(1992)。

Nord-Ostsee-Kanal(Germany)　**北海-波罗的海运河**　参阅 **Kiel Canal** 基尔运河。

Nord-Pas-de-Calais　北加来海峡　法国大区。范围包括法国最北部的北部省和加来海峡省。首府里尔。面积12 413平方千米。西北濒英吉利海峡，东北与比利时接壤。北部地势平坦，大片地区低于海平面。西南和东南有丘陵，但海拔很少高于200米者。莱茵、默兹、斯海尔德等河流贯境内。气候温和湿润。人口稠密。1801～1911年间人口几乎增加了140%，多数为来自比利时的移民，后又从波兰和南欧迁来移民。1950年后人口增长低于全国平均水平，反映了工业的相对停滞。4/5以上为城市人口。农业机械化程度高，只雇用了少量劳动力。主要作物为小麦、大麦和马铃薯。经济作物有亚麻、蔬菜和蛇麻草。猪肉产量居全国之首。纺织业集中在里尔、鲁贝、图尔宽和阿尔芒蒂耶尔。自动化使雇工大量减少。煤矿减产严重影响了金属加工业，仅能通过进口天然气得到部分补偿。人口3 996 588(1999)。

Nord-Trøndelag　北特伦德拉格　挪威中部一郡。西起挪威海，东至瑞典边境。南面边界在特隆赫姆峡湾以南，大体呈西北-东南走向。面积22 463平方千米。首府斯泰恩谢尔(Steinkjer)。特隆赫姆与北挪威之间的主要公路和铁路穿过中北部狭长的纳姆谷。南部丘陵地区为挪威最好的农业区之一，种植谷物、牧草和马铃薯。沿海许多小港和岛屿有捕鱼业和鱼类加工业。纳姆谷地和瑞典边境附近开采黄铁矿。特隆赫姆峡湾以西开采铁矿。斯泰恩谢尔、纳姆索斯、格龙和莱旺厄尔等城镇为制造业中心。人口约127 450(1993)。

Nordal, Sigurdur Jóhannesson　诺达尔(1886-09-14，冰岛瓦滕希斯拉瓦滕斯达卢尔～1974-09-21，雷克雅未克)　冰岛语言学家、文艺批评家及多种文学体裁的作家，20世纪冰岛文化生活的中心人物。诺达尔于1914年写出了论述圣奥洛夫传奇逸事的论文，因而获得哥本哈根大学博士学位，后去柏林与牛津研读哲学。1918年返国后在冰岛大学(1918～1945)讲授冰岛语言与文学。他既在国内又在国外广泛地讲授冰岛语言、文学和语言学。1951～1957年任冰岛驻丹麦大使，其后在欧洲与美国若干大学任教。他曾发表过论述古冰岛诗集“埃达”中的首篇《沃卢斯帕》的著作(1922～1923)以及论述许多冰岛“萨迦”的重要著作。作为“萨迦”研究家，诺达尔在对这些作品的看法上完成了一次革命。通过缜密的内部结构分析，他证明了这些典籍与其视为与史实相符的民间口头传说的产物，不如看作由个别作者撰写的文学作品更为允当。诺达尔也从事历史著作，包括中世纪作家S.斯图鲁松的传记(1920)和《冰岛文化》(1942)。他还出版过小品文集和长、短篇小说以及诗歌集。短篇小说集《旧恋》(1919)促进了冰岛现代短篇小说的发展。所辑《冰岛诗文选，1400～1900》(1924)也颇有影响。

Nordau, Max　诺尔道(1849-07-29，匈牙利佩斯[今布达佩斯]～1923-01-23，法国巴黎)　医生、论辩家、早期犹太民族主义者。他促使犹太复国主义者接受以移民方式将巴勒斯坦

美国不列颠百科全书公司供图

变为犹太人国家的主张。1880年定居巴黎，著作甚丰，有游记、剧本、诗歌和论文。1892年结识犹太民族主义者赫茨尔，其后热心于犹太复国主义，并在赫茨尔手下任几个犹太复国运动大会的副主席，发表演说，介绍世界犹太人的处境。1904年赫茨尔死，犹太复国运动务实派(一群年轻人主张移居巴勒斯坦但不保证政治的主权)在各大会中取得主导地位。诺尔道同他们决裂，1911年后拒绝参加他们的会议。

Nordenflycht, Hedvig Charlotta　诺登弗利克特(1718-11-28，瑞典斯德哥尔摩～1763-06-29，斯德哥尔摩附近)　瑞典女诗人。被认为是瑞典第一位女权主义者，并以其动人

美国不列颠百科全书公司供图

的爱情诗闻名。虽然受当时启蒙运动思潮影响，但她主要是自学成才，并且有明显的虔敬派教徒的多愁善感的一面。理智的和高昂激情的倾向均见于其诗作中。1737年她未婚夫的去世和1741年她丈夫(婚后7个月)的死亡，激发她写出许多早期的诗作，其中一部分收在《悲伤的斑鸠》(1743)中出版。她定居于斯德哥尔摩，并成为文坛上一位著名人物。其后6年中出版了4本诗集。18世纪50年代期间，她同芬兰出生的诗人古斯塔夫·菲利普·克雷伊茨和古斯塔夫·弗雷德里克·于伦博里一起创建了一个文学会“思想建设会”。他们的文学合作成果是两套文丛，第一套(3卷)的书名是《我们的尝试》(1753，1754，1756)，第二套(2卷)的书名是《文学工作》(1759，1762)。1761年，她爱上了一个比她年轻得多的人。这是一次单恋，诺登弗利克特这一时期的诗作是充满柔情的和克制的，被认为是她在文学上的最高成就。她的《全集》(3卷，1924～1938)由希尔马·博雷柳斯编辑出版。

Nordenskiöld, (Nils) Adolf Erik, Frihere　诺登舍尔德(1832-11-18，芬兰赫尔辛基～1901-08-12，瑞典达尔宾)　瑞典地质学家、矿物学家、地理学家和探险家。曾从挪威穿过北冰

美国不列颠百科全书公司供图

洋亚洲部分航行到太平洋，第一次成功地进行了东北航路的航行。1858年定居斯德哥尔摩，参加位于挪威和格陵兰之间的北极岛屿斯匹次卑尔根的探险，成为瑞典国家博物馆

馆长和矿物学教授。1861年返回斯匹次卑尔根，领导1864、1868及1872～1873年在当地的探险，增加了对该地区的地质学知识。1870年又率领对格陵兰西部的探险，考察内陆冰原。试航东北航路之前，他于1875和1876年进行了预航，深入到西伯利亚以北的卡拉海，到达叶尼塞河口。1878年7月21日乘轮船“维加”号从挪威的特罗姆瑟出发，8月19日到达西伯利亚的切柳斯金角。9月底至翌年7月18日，船只被冻结在白令海峡附近。后于7月22日到达阿拉斯加的克拉伦斯港。继而取道中国广东、锡兰（今斯里兰卡）和苏伊士运河回到欧洲。于1880年4月24日抵达斯德哥尔摩时，国王奥斯卡赐予男爵爵位。1883年他在深入格陵兰西部的内陆冰原返回，成为穿过格陵兰东南海岸的巨大海上冰障的第一人。他在地图学方面也有重大贡献。

Nordenskiöld, (Nils) Erland (Herbert) 诺登舍尔德（1877-07-19，瑞典斯特罗姆～1932-07-05，斯德哥尔摩） 瑞典人种学家和考古学家，有关南美印第安文化的杰出学者。

美国不列颠百科全书公司供图

1924～1932年任瑞典哥德堡大学美洲人种学和比较人种学教授，对瑞典和丹麦人类学的发展有重大影响。1899年曾去巴塔哥尼亚进行动物学考察，1901～1902年又去阿根廷和玻利维亚考察。但到1904～1905年在秘鲁和玻利维亚山区调查时，便转向考古研究，随后又去玻利维亚和巴西交界的森林地带进行考察。一项引人注目成果便是他那篇论述玻利维亚境内坟墩和瓮棺墓葬的文章（1912）。1913年任哥德堡博物院人种学博物馆馆长，1927年到哥伦比亚和巴拿马的乔科印第安人和库纳印第安人中间作生平最后一次考察。他首创用地图表示南美不同文化分布状况的方法，从而使颇为复杂地区的文化史得以清晰地重新构拟出来。除用半通俗文笔写成的旅途纪要外，还写了许多科学文章和书籍，如插图精美的《亚马孙盆地考古》（1930）。主要作品是《比较人种学》（共10卷，1918～1938），该书对玻利维亚各部落的物质文化作了分析，并且力图把自然环境和对文化模式的其他影响结合起来加以分析。他对“文化圈”的理论表示怀疑。

Nordenskjöld, (Nils) Otto (Gustaf) 诺登舍尔德（1869-12-06，瑞典斯莫兰～1928-06-02，哥德堡） 瑞典地理学家和探险家。1894年任瑞典乌普萨拉大学地质矿物学讲师。1895～1897年率领一支地质考察队去南美南部进行地质考察，他在巴塔哥尼亚及火地岛的发现，是对世界冰川地质学的重要贡献。1901年10月16日乘“南极洲”号船从哥德堡出发，次年2月在格雷厄姆海岸外斯诺希尔

美国不列颠百科全书公司供图

岛上建起南极研究站，并和5名同伴在那里过冬。他们的船只在南乔治亚岛（在南纬54°，火地岛正东方）过冬后，于1903年2月返回接应他们时触冰。诺登舍尔德等人被迫再次在南极洲过冬，1903年11月被阿根廷船“乌拉圭”号救出。他的大量发现都记录在《1901～1903年瑞典南极科学考察结果》一书中。随后任哥德堡大学地理学教授（1905）和高级商业学院第一任院长（1923）。

Norderney 诺德奈 德国北海岸外东弗里西亚群岛的一个岛屿。属下萨克森州。长13千米，宽2千米，有高达21米的沙丘。属下萨克森瓦顿海国家公园。北岸临海，南岸与大陆之间有浅滩。居民大部分住在诺德奈小渔港，该渔港为德国最早的海滨游览地（1797），以美丽的海滩和温和的气候闻名。有轮渡通大陆的诺登。人口：镇约6 095（1999）。

Nordfriesische Inseln(German) **北弗里西亚群岛** 参阅 **Frisian Islands** 弗里西亚群岛。

Nordhausen 北豪森 德国中部图林根州城市。在哈茨山南坡，濒措尔格河，位于肥沃的戈尔德讷奥低地。公元927年首见记载。1290年成为帝国自由城市。1522年接受宗教改革。1802～1945年并入普鲁士，构成普鲁士萨克森的一部分（其间1807～1813年为威斯特伐利亚的一部分）。在第二次世界大战中遭猛烈轰炸。存留下来的古建筑有17世纪市政厅（有一尊象征市民自由的罗兰栎木雕像，1717）、晚期哥特式大教堂（具有罗马式地下室）和13世纪圣布拉西乌斯教堂（藏有画家克拉纳赫父子的作品）。建有博物馆、剧场、师范学院、农业技术学院和体育学校。工业有酿造啤酒、蒸馏酒，生产咀嚼烟丝、机械、服装、化工品和木制品，还有凿井业。人口约44 311（2003）。

Nordheim, Sondre 努尔海姆（约1825，挪威泰勒马克莫尔日代赫勒～1897） 挪威滑雪运动员，雪板设计和滑雪设备的革新者，并为把滑雪运动某些方面规格化出过力。1860年率先用柳条、藤条和桦树根把靴子固定在雪板上，以进行跳台滑雪，使滑雪技术前进一大步。1866年于挪威泰勒马克获跳台滑雪冠军，这是这项运动已知的最早纪录。所设计的两侧中段内曲的雪板，是现代雪板的原型。滑雪运动的几项基本转弯动作也是他创造的，这些基本动作逐步发展成为标准化的半犁式转弯、制动转弯和半犁式接平行式转弯。1850年创平行式转弯。1868年与友人从泰勒马克滑雪322千米到克里斯蒂安尼亚（今奥斯陆），在该地纵身跳过18米。

Nordhorn 诺德霍恩 德国西北部下萨克森州城镇。在费希特河河岸，阿尔默洛-诺德霍恩运河、埃姆斯湾-费希特湾运河和南北运河3条运河的汇合处，离荷兰边境6千米。公元1000年始有记载，1379年特许成立自治城镇。15、16世纪间因瘟疫流行，又经火灾与兵燹，该城破坏严重。但建于1394年的奥古斯丁·弗伦斯韦根大教堂的一部分，以及建于15世纪的新教教堂保存至今。现代的诺德霍恩是纺织业中心，附近有油井。20世纪20年代因邻近地区并入该城，面积有所扩大。人口约48 556（1989）。

Nordic Council of Ministers 北欧部长会议 由北欧国家丹麦、芬兰、冰岛、挪威和瑞典组成的组织，旨在对有关共同利益的事务进行协商与合作，根据北欧国家之间签订的《赫尔辛基公约》（1962）的一项修正案于1971年2月成立。由成员国国务部长及主管所讨论的事务的部长组成。正式通过的决定通常对成员国政府具有约束力。它在投资筹款、科学研究与开发、文化、教育、社会福利与卫生等方面为众多的北欧联合机构和项目提供资金。有关组织北欧理事会为其咨询机构。

Nordic skiing 北欧滑雪 又称古典滑雪（Classic skiing）。在挪威和斯堪的纳维亚地区其他国家丘陵地带兴起。在现代由15公里越野滑雪和特定跳台滑雪两项组成。两项成绩换算得分决定名次。1924年列入首届冬季奥运会比赛项目，阿尔卑斯山项目（速降滑雪和回转滑雪）于1936年列入。管理机构是国际滑雪联合会。参阅 **Sporting Record**：Skiing，并参阅 **Olympic Games**。

Nordica, Lillian 诺狄卡（1857-05-12，美国缅因法明顿～1914-05-10，荷属东印度群岛爪哇巴达维亚[今印度尼西亚雅加达]） 原名Lilian Norton。美国女高音歌唱家，以嗓音丰润、舞台风度优美著称，尤擅演瓦格纳歌剧。曾就读于波士顿新英格兰音乐学院，后在美国和伦敦举行独唱音乐会，旋又赴米兰深造。1879年首演于米兰，在W.A.莫扎特《唐·乔凡尼》中饰埃尔维拉一角，同年又在布雷西亚首次扮演G.威尔地《茶花女》中维奥莱塔一角。继在意大利、德国和俄国各地演唱后，于1882年首次登上巴黎歌剧院舞台，扮演C.古诺《浮士德》中玛格丽特一角。1887年在伦敦科文特加登剧院首演，其后直到1893年一直在该剧院和特鲁里街剧院演唱，扮演露契亚、埃尔维拉和阿伊达等角色。1894年应聘在德国拜罗伊特剧院——她是第一位获此殊荣的

美国人——扮演 R. 瓦格纳《罗恩格林》中的埃尔萨，受到狂热欢迎，她从此集中精力专演瓦格纳的角色。1895 年在纽约市大都会歌剧院扮演伊索尔德，在该院一直演唱到1909

诺狄卡在《非洲女郎》(1892)中饰塞利卡的剧照

美国不列颠百科全书公司供图

年，演唱布伦希尔德和孔德里可称出类拔萃。自大都会歌剧院退休后，开始作全球性告别演出，1913 年乘船在爪哇附近失事遇难。

Nordjylland　北日德兰　丹麦日德兰半岛北部一州。1970 年由过去的奥尔堡州和约灵州合并而成。面积6 173平方千米。包括希默兰半岛大部地区，一直延伸至日德兰半岛的最北端斯卡恩。土壤较贫瘠，南部多高沼地，北部多沙丘。经济大部依赖乳制品业和农业。北部有海滨胜地和渔港。首府奥尔堡港。其他重要中心有约灵、腓特烈港和斯卡恩。人口约483 754(1989)。

Nordland　诺尔兰　挪威北部一郡。临挪威海，沿海岛屿众多(罗弗敦群岛和西奥伦群岛大部分隶属该郡)；包括北部的岛屿在内，面积38 327平方千米。全郡约2/3位于北极圈以北。海岸崎岖不平，峡湾犬牙交错，延伸约500 千米。人口多分布于沿海低地和内陆狭谷。城市有纳尔维克和博德(首府)，其他城镇有斯沃尔韦尔和摩城。经济主要依赖渔业(特别是捕鳕鱼)、畜牧业(牛羊)、农业(稞麦和马铃薯)及矿业。纳尔维克港与瑞典富饶的基律纳-耶利瓦勒铁矿区有直达铁路线相连。摩城和叙利切尔马附近有黄铁矿，敦讷尔兰河谷有铁矿石开采。水电事业普遍发达，为金属加工业(摩城的钢和莫舍恩的铝)提供了基础。人口约239 571(1990)。

Nördlingen　讷德林根　德国南部巴伐利亚州城市。临埃格尔河。公元 898 年为雷根斯堡主教驻地。1215 年成为帝国自由城市。旧城周围现仍环绕着中世纪城墙。著名建筑有后期哥特式市政厅、圣乔治教堂(1427 ～ 1505)和圣萨尔瓦托教堂(1381 ～ 1422)。每年在此举办的赛马会在该国历史最悠久。生产服装、精密仪器和纸张等。人口约19 548(2003)。

Nördlingen, Battle of　讷德林根战役(1634-09-05 ～ 06)　三十年战争中在德国南部讷德林根附近的一次战役。结果是神圣罗马帝国和西班牙彻底战胜了瑞典人，导致海尔布隆联盟(1633)解散，结束了瑞典人对德国南部的控制，并逼迫枢机主教黎塞留不得不使法国积极参战。由加拉斯统率的帝国和西班牙联军与瑞典军队交战。由霍恩和萨克森-韦默的伯恩哈特共同指挥的瑞典军，由于大批部队被调去与波兰人作战而受到削弱。瑞典人虽然在战役第一天暂占优势，由于两位领导人存在深刻矛盾，最后霍恩被俘，瑞典军队被彻底击溃。

Nordraak, Rikard　诺德罗克(1842-06-12，挪威克里斯蒂安尼娅[今奥斯陆]～ 1866-03-20，柏林[德国])　挪威作曲家。挪威国歌《是的，我们热爱这片热土》(1864)的作曲者，这也许是他最著名的作品。童年即开始作曲。15 岁被送往丹麦哥本哈根习商，同时也学习音乐。1859 年中辍学商，赴柏林继续音乐学习历时 6 个月，回挪威后再深造两年。在此期间与"新挪威协会"发生联系，结识了 O. 布尔，热中于当时在文学和其他艺术领域盛极一时的民族主义运动。为钢琴而作的《舞曲四首》发表于 1859 ～ 1860 年。继又在柏林工作两年后，诺德罗克前往哥本哈根，与 E. 格里格等人一起创办"欧忒耳珀社"(Euterpe)，这是一个音乐团体，旨在演奏斯堪的纳维亚青年作曲家的作品。1864 年诺德罗克为其表兄 B. 比昂逊的词谱曲的国歌发表。1865 年 5 月诺德罗克再度去柏林工作和学习；在柏林感染肺结核，不治而亡。作品包括戏剧配乐《玛丽亚·斯图尔特在苏格兰》和《西居尔·斯伦姆贝》、几首无伴奏男声合唱曲、若干歌曲与器乐曲，均以纯朴简约见长。作品深受他所收集的挪威民间音乐的影响。

Nordrhein-Westfalen(Germany)　参阅 **North Rhine-Westphalia** 北莱茵-威斯特伐利亚。

Nordström, Ludvig Anselm　诺兹特勒姆(1882-02-25，瑞典海讷桑德～ 1942-04-15，斯德哥尔摩)　又译努智斯特勒姆。瑞典作家。他的现实主义的、颇具社会意识的作品均以

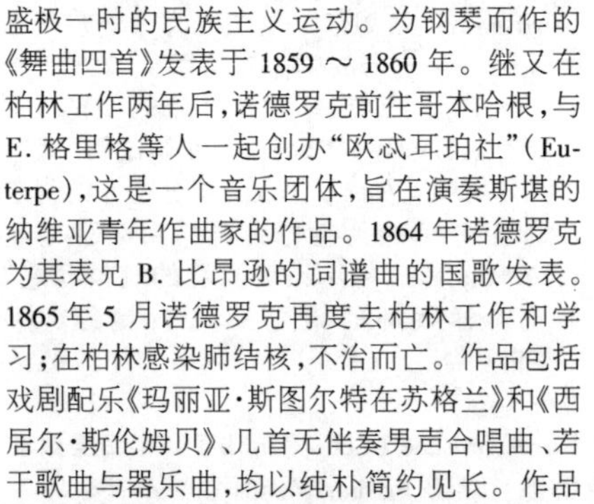

美国不列颠百科全书公司供图

北欧地区为背景，这里是他成长起来的地方。父亲是瑞典人，母亲是英国人。因此，他受英国作家的影响很深。对他影响特别深的有狄更斯、卡莱尔、斯特恩、威尔斯及切斯特顿。所著短篇小说，如《渔夫们》(1907)、《市民》(1909)、《先生们》(1910)、《捡破烂的》(1910)均深受读者喜爱。这些作品使用了道地的民间语言，文字清新，描写生动。其主要著作为三卷本的《彼得·斯文斯克传》(1923 ～ 1927)。这部作品宣扬了他的观点，描写一个他称之为"极权主义"的、反个人主义的工业社会。这个社会强调的是集体和社区的价值。在这部三卷本以及在其他长篇著作中，作者经常突出其社会政治观点，从而降低了作品的艺术水平，以致其长篇小说大都不受重视。两篇报道性文章《农民的苦难》(1933)及《污泥浊水中的瑞典》(1938)涉及瑞典农民生活的局限性，揭露了号称"清洁"的瑞典农村的真相，因而产生了一定的政治影响。这两篇文章引起了人们广泛的讨论，与当时贡诺尔和米达尔对经济的研究共同促进了瑞典后来的社会改革。诺兹特勒姆的长篇小说中，仅《波希米亚小镇》(1928)及《猴子行星》(1937)被认为是有价值的作品。

Nore, The　诺雷　英格兰东南部肯特郡泰晤士河口湾一段沙岸。在舒伯里内斯(北)和希尔内斯(南)之间。舒伯里内斯东南 6 千米处的诺雷灯船是全国第一个灯船(1732)。当地泊位在 17 和 18 世纪的战争中多次被英格兰舰队使用。1961 年以前，英国东部地区的海军司令部一直使用诺雷这个名字。大体与海军港口希尔内斯相等同的河口湾地区也使用这个名字。

norepinephrine(hormone)　**去甲肾上腺素**　参阅 **epinephrine and norepinephrine** 肾上腺素及去甲肾上腺素。

Norfolk　诺福克　英格兰东部一行政、历史郡。南接萨福克郡，西邻剑桥和林肯两郡，东和北濒北海。行政郡下设布雷克兰、布罗德兰、大雅茅斯、北诺福克、诺里奇、南诺福克和金斯林-西诺福克 7 区。历史郡范围与行政郡大致相似，但大雅茅斯自治市的一小部分地区属萨福克历史郡。面积5 372平方千米。地处低地，大部分在注入北海的文瑟姆河、耶尔河、比尔河及其支流流域，西北角则处于注入沃什湾的乌斯河流域。诺福克为富庶的农业区。海岸线长 145 千米，北岸有沙丘。也有盐碱滩。耶尔和比尔两河谷地多沼泽。西南部为沙质荒地。许多地方生长着针叶树。该郡发现有旧石器、中石器、新石器和青铜器时代的遗物。公元前 3 世纪爱西尼人从欧洲大陆移居至此。该部族后来出了著名的王后布狄卡。罗马时期当地有两个城镇。盎格鲁-撒克逊人侵入后成为东英吉利亚王国的一部分。该地区屡遭丹麦人袭掠，最终被并入实施丹麦法地区。据《末日裁判书》记载，该郡当时是英格兰人口最多和最富庶的地区之一。中世纪的繁荣主要靠羊毛生产。在 17 世纪中叶内战时期幸免兵燹之患。现诺福克郡经济以农业为主，产大麦、小麦、甜菜、

燕麦和蔬菜。大面积种植豆类并在大雅茅斯等地加工成罐头。饲养各种禽畜,并以当地特产火鸡闻名。沿海多以渔业为主。诺里奇等地有重要的靴鞋制造业和其他轻工业。人口约790 300(1998)。

Norfolk 诺福克 美国内布拉斯加州东北部麦迪逊县城市。濒临埃尔克霍恩河北支流。1866年威斯康星州的德裔农民来此定居。1881年设村,1886年建市。经济主要是农业(粮食和牲畜)和食品加工,其次还有医疗设备、电子电阻和电子电路制造业。有内布拉斯加基督教学院(1932),东北社区技术学院(1973)。附近有格文波音水坝和内布拉斯加桑德-希尔斯游乐区。人口约21 476(1990)。

Norfolk 诺福克 美国弗吉尼亚州东南部泰德沃特地区的独立城市和入口港。位于切萨皮克湾口。与西面的朴次茅斯、南面的切萨皮克、东面的弗吉尼亚比奇和北面汉普顿锚地港口以北的纽波特纽斯以及汉普顿组成都市联合区。遵循弗吉尼亚议会一项决议(1680),每一个县必须建立一贸易中心,遂于1682年设镇,并以英格兰的诺福克郡命名。这块土地是以1万磅(4 500千克)的烟草向一位木匠N. 怀斯购得。长期作为北卡罗来纳州东部的焦油、木材、兽皮和烟草的出口地。后来造船和修船业也渐趋重要。同英国和西印度群岛的有利可图的贸易发展起来,因其在商业方面的重要地位,1753年副总督R. 丁威迪授予诺福克银权杖以资褒奖。在美国独立战争时期,英王弗吉尼亚殖民地总督邓莫尔勋爵将这里作为其总司令部(1775-12),并宣布军事管制法,在附近的肯普斯维尔击败弗吉尼亚民兵。后半月W. 伍德福德上校和他的弗吉尼亚步兵在大桥击溃英兵,占领了诺福克。这个城镇在1776年1月1日曾遭到停泊在伊丽莎白河的邓莫尔舰队的炮轰。弗吉尼亚人后来把全镇付之一炬(仅存圣保罗教堂,至今在它的墙上仍留有一颗炮弹),以防被英军利用。诺福克的复苏由于英国人阻挠其与西印度群岛的贸易而受挫,另外在拿破仑战争中欧洲列强限制船运和掠捕敌方商船及1799年的大火以及城市间的对抗等都阻挠了诺福克的恢复。在1812年的战争中,两次摆脱了英国的侵入:一次是当地民兵击退了向朴次茅斯的陆地进攻,一次是R.B. 泰勒将军守卫克莱尼岛阻挡了舰艇的入侵。随着运河和铁路的兴建,繁荣昌盛的日子重降诺福克,可惜1855年又遭黄热病时疫的袭击,夺去了10%人口的生命。美国南北战争期间,诺福克于1862年5月落入J.E. 伍尔将军所率领的联邦军手中直至战争结束。1870年铁路在该港口会合之后,以及两次世界大战中,装备了庞大的海军和海空军设施,诺福克又恢复了繁荣。诺福克与朴次茅斯现在都是美国大西洋舰队的司令部和北大西洋公约组织大西洋盟军最高司令部驻地。海运(煤、烟草、食品生产、粮食等)、造船业和轻工业是主要的经济活动。建有弗吉尼亚大学(1930)、诺福克州立学院(1968)和弗吉尼亚卫斯理学院(1966,部分在弗吉尼亚比奇)。诺福克市的名胜有植物园、美国将军D. 麦克阿瑟的墓地和纪念馆,还有文化和会议中心。每年为北大西洋公约组织举办国际杜鹃花节。1736年建自治城镇,1845年建市。人口:市234 403;诺福克-弗吉尼亚比奇-纽波特纽斯都会统计区1 569 541(2000)。

诺福克市的港湾

美国不列颠百科全书公司供图

Norfolk, EARLS AND DUKES OF 诺福克伯爵和公爵 英格兰封爵贵族,有几个家族有此称号,著名的为莫布雷家族和霍华德家族。诺福克是英格兰第一个非王室成员的公爵爵位。按年代顺序分列于后,并各以●为标记。

● **Norfolk, Thomas of Brotherton, Earl of 诺福克伯爵**(1300-06-01,英格兰约克郡庞蒂弗拉克特~1338-08) 即托马斯(布拉泽顿的)。英格兰国王爱德华二世的异母兄弟。1312年封诺福克伯爵,得到英格兰、威尔士和爱尔兰的大片采邑。爱德华二世又任命他为英格兰元帅,使他享有更大的荣誉。1326年伊莎贝拉王后在英格兰登陆后,他却成为逼迫爱德华二世退位的贵族中的一员。爱德华三世执政后,他成为国王的亲密助手。

● **Norfolk, Thomas Mowbray, 1st Duke of 诺福克公爵(第一)**(约1366~1399-09-22,威尼斯[意大利]) 即T. 莫布雷。英格兰贵族。第4代莫布雷勋爵约翰之子。1383年封诺丁汉伯爵。数年后参加有势力的贵族集团,这个集团在1387~1389年迫使理查二世听从他们的指挥。尽管如此,理查重掌朝政后,仍然委派诺福克去完成军事和外交的任务。1397年,理查逮捕3名首要贵族。虽然当时诺福克已被封为公爵,但是害怕国王也逮捕他。他把这种恐惧心情吐露给赫里福德公爵博林布鲁克(后成为国王亨利四世),后者立即向理查告发说他是一个叛逆分子。诺福克否认这一指控,准备与博林布鲁克进行决斗。理查出面干预,将2人放逐出境(1398-09-16)。博林布鲁克迫使理查退位前不久,诺福克在意大利死去。

● **Norfolk, John Howard, 1st Duke of 诺福克公爵(第一)**(约1430~1485-08-22,英格兰沃里克郡马基特博斯沃思附近) 即J. 霍华德。英格兰贵族,玫瑰战争中约克家族国王的支持者。R. 霍华德爵士之子。1455年进入议会,1461年封爵士。虽然他始终是约克派,但1470年亨利六世封他为男爵。1467~1474年任王室财务主管。1475年随同爱德华四世去法国。爱德华死后,他拥护理查三世。理查三世封他为诺福克公爵,1483年6月任命他为纹章局长。后在博斯沃思原野为理查作战时阵亡。

美国不列颠百科全书公司供图

● **Norfolk, Thomas Howard, 2nd Duke of 诺福克公爵(第二)**(1443~1524-05-21,英格兰萨福克郡弗拉姆灵厄姆) 即T. 霍华德。英格兰国王亨利七世和亨利八世时期的著名贵族。第1代诺福克公爵之子。早年曾在巴尼特为爱德华四世作战。1483年任王室事务总管,封萨里伯爵。后在博斯沃思原野为理查三世作战时被俘。1489年获释。1501年任财政大臣和枢密官。他协助安排亨利七世之女玛格丽特与苏格兰国王詹姆斯四世结婚。亨利八世也任用他处理公务。1513年9月率兵在弗洛登击败苏格兰人。次年2月受封诺福克公爵。1520年亨利在法国期间由他守护英格兰。

● **Norfolk, Thomas Howard, 3rd Duke of 诺福克公爵(第三)**(1473~1554-08-25,英格兰诺福克郡肯宁霍尔) 即T. 霍华德。英格兰国王亨利八世时期有权势的贵族。第2代诺福克公爵托马斯之子。1513年5月任海军大臣,同年9月9日在诺森伯兰郡弗洛登原野击退苏格兰人。1520年任国王驻爱尔兰代表,不久指挥舰队与法国作战。1524 年继承其父的公爵爵位。领导一派人反对亨利的首席大臣 T.沃尔西。沃尔西倒台后,诺福克1529年任王室会议主席。他支持其外甥女安

美国国会图书馆供图

妮·博林与亨利八世结婚,但又被任命主持对安妮的审判和处决。他曾镇压英格兰北部所谓"求恩巡礼"的天主教徒叛乱而再度获得国王的宠信。在宗教方面他是一个保守派,成为两个有影响的教会改革派国王的首席顾问 T.克伦威尔和坎特伯雷大主教克兰麦的对手。1540 年克伦威尔被处决后,他成为英格兰第二号权力人物。但 1542 年他的侄女,亨利的第 5 个妻子被处死,他的地位再次削弱。1546 年 12 月因被指控与其子萨里伯爵同谋叛国而判刑,长期坐牢。1553 年 8 月玛丽女王即位后获释。

● Norfolk, Thomas Howard, 4th Duke of 诺福克公爵(第四)(1538-03-10,英格兰诺福克郡肯宁霍尔～1572-06-02,伦敦) 即 T.霍华德。英格兰贵族,因支持苏格兰女王玛

美国不列颠百科全书公司供图

丽·斯图亚特,策划反对伊丽莎白一世女王的阴谋而被处死。萨里伯爵 H.爱德华之子。1554 年继承祖父爵位,得宠于玛丽·都铎女王和伊丽莎白一世。1559 ～ 1560 年指挥英军侵入苏格兰。1568 年负责调查玛丽·斯图亚特与苏格兰新教贵族的争吵。

在玛丽逃到英格兰被伊丽莎白囚禁后,苏格兰政治家 W.梅特兰等向他提出:如果他与玛丽结婚,宣布玛丽为伊丽莎白的继承人,则英格兰和苏格兰之间的争端就会解决。但是他既没有足够的勇气向伊丽莎白请求批准,也没有不忠不义到发动叛乱的地步。这时英格兰北部却有几名天主教贵族发动叛乱,企图使苏格兰女王恢复自由并与诺福克结婚。叛乱被平息后,1569 年诺福克遭逮捕。次年获释不久,他参加意大利商人 R.里多尔菲让西班牙入侵英格兰和拥立玛丽为英格兰女王的阴谋,事泄被处死。

● Norfolk, Thomas Howard, Earl of 诺福克伯爵 参阅 **Arundel, Thomas Howard, 2nd (or 14th) Earl of** 阿伦德尔伯爵(第二或第十四)。

Norfolk and Western Railway Company 诺福克-西方铁路公司 美国最大的承运烟煤的铁路企业。最早,在 1838 年通车时,仅为连接彼得斯堡和锡蒂波因特(现名霍普韦尔)长 8 英里的单轨线路。1870 年波因特城铁路与其他铁路合并,名为大西洋一密西西比一俄亥俄铁路。1881 年改组成诺福克-西方铁道公司,1896 年又改组成股份有限公司,取现名。铁路经扩建后可通达芝加哥、圣路易斯、堪萨斯城、奥马哈、底特律和蒙特利尔,贯穿东西 16 州和加拿大的 2 省。1959、1964 年兼并 4 条铁路,1982 年又合并南方铁路公司。货运收入主要靠承运西弗吉尼亚州所产的大量煤炭,也运粮食、化学制品、汽车和汽车零件。

Norfolk four-course system 诺福克四区轮作制 17世纪末叶在英格兰诺福克郡和其他几个郡创造的农业耕作法,其特点在于强调种植饲料作物以及废除早期使用的休闲年耕作法。诺福克四区轮作制是:第一年种小麦;第二年种芜菁;第三年种大麦;第四年种苜蓿和黑麦草,进行放牧或将其收割作为饲料。芜菁用于冬季喂牛和绵羊。这种耕作制的效果是累积性的:饲料被家畜吃掉而得到大量原来就很缺乏的动物粪肥,家畜被饲养得较好又可使粪肥更丰富。当绵羊在地里放牧时,其粪便给土壤施了肥,使以后有较好的谷物收成。到 1800 年新圈起的农庄就相当普遍地采用这种耕作制。而在整个世纪的绝大部分年代中,大多数英国农庄仍然保留了这种耕作制。在 19 世纪头 75 年中,欧洲大陆多数国家也都采用了这种耕作制。

Norfolk Island 诺福克岛 太平洋西南部的澳大利亚海外领地,位于悉尼东北1 676千米处。面积 35 平方千米。岛长 8 千米,宽 5 千米。原为火山岛。地势崎岖,平均高度为 110 米,贝特斯山高 319 米,皮特山高 318 米。南部的金斯敦是主要居民点和行政中心。该岛是海底山脊陡然突起的部分(有些断崖高度超过 90 米),由水平方向的玄武岩熔岩流构成,砖红壤覆盖大部分地区。金斯敦和该岛北面的卡斯克德登陆地点是少数沿岸未与断崖连结的地方。土壤虽然肥沃,但如除去地表的植被,则极易受到侵蚀。平均气温为 15 °C,年平均雨量逾1 300毫米。南方海面上有两座较小的岛屿,分别是菲利普岛(为 275 米高的火山尖顶)和尼培恩岛(由石灰岩层构成)。虽然大部分土地都已开垦作耕种与放牧之用,但曾经是该岛主要植物的诺福克岛松仍是当地的著名景观。岛上植物种类繁多,动物则包括壁虎、蝙蝠、龟、各种鱼类及大量的海鸟。该岛居民包括 1856 年自皮特凯恩岛迁来的"邦蒂"号船叛变海员的后裔,以及晚些时候来自澳大利亚、新西兰的移民的后裔。现有人口中,约有1/3是皮特凯恩岛居民的直系后裔。岛上还有浓厚的波利尼西亚人的特点和遗风。一种以和睦、自立和尊重权威为基础而建立的有特色的社会得到发展,实行以货易货的经济生活方式。目前已严格限制移民进入该岛。自 20 世纪 60 年代中期以来,旅游业一直是诺福克岛的主要经济活动。岛民大多受雇于旅馆、免税商店和其他与旅游业有关的行业。每年约有30 000名以上的旅游者到岛上游览,他们大多来自

诺福克岛上看守罪犯人员的住所遗址
美国不列颠百科全书公司供图

新西兰。诺福克岛从事自给农业,生产肯特氏棕榈种子、谷物、水果和蔬菜。牲畜饲养和渔业对当地来说也很重要。食品自澳大利亚和新西兰进口,主要供应旅游业需要;燃料和消费品也需进口。出口商品则有诺福克岛松的种树;现在推动森林计划,以增加岛上的松树资源。预算收入主要来自邮票销售、海关关税及酒类销售(政府独占专卖)。该岛有约 80 千米的汽车道路,一座机场(提供往返澳大利亚与新西兰的空中客运和货运服务)。诺福克岛的行政官由澳大利亚的总督派任。根据《1979 年诺福克岛法》,该领地设有一个民选的 9 人立法议会。再由立法议会的执行委员组成行政委员会,这些人员有类似部长的职责。《诺福克岛法》重申澳大利亚对作为其领地的诺福克岛的责任,并规定要考虑扩大立法议会的权力。司法机关包括该岛的最高法院和小治安裁判法庭。6 ～ 15 岁的儿童接受免费的义务教育。师资由新南威尔士教育部提供。岛上有一座小型医院。

1774 年英国库克船长发现了这个无人居住的小岛,该岛生长着丰富的亚麻(新西兰麻属),当地可供制造船上桅杆的松树亦有很大发展潜力,他便以诺福克公爵的名字为该岛命名。1788 年新南威尔士的澳大利亚殖民政府宣称拥有该岛主权,于是诺福克岛成为英国在太平洋的第二个属地。此时仅有为数不多的人在此居住,其中有 15 名囚犯。该岛作为英国的罪犯流放地达 26 年之后,于 1814 年将居民及囚犯撤离。囚犯及自由居民人数最多时有1 100名。岛上人口大多数迁至现今的塔斯马尼亚岛,当时称做范迪门地区。1825 ～ 1855 年,诺福克岛再度成为罪犯流放地,收容最严重的罪犯,他们来自英国在澳大利亚的各个罪犯拘留地。由此诺福克岛以实

行冷酷无情的惩罚而闻名。其后,所有的罪犯再次撤离诺福克岛回到塔斯马尼亚岛,这样做既是由于管理囚犯困难,也是由于监督管理人员困难。1856年,皮特凯恩岛居民("邦蒂"号叛变船员的后裔)移居诺福克岛。但并非所有的移民都在诺福克岛生活得愉快,有少数人分两批返回皮特凯恩岛。1856年6月24日,诺福克岛首次成为有别于大陆殖民地的一个"独特的殖民地"。岛民迅速建立自己的土地使用权制度和一般的社会制度。1897年英国政府授权新南威尔士总督对诺福克岛进行行政管理,尽管该岛仍为一个单独的英国殖民地。1913年,根据《诺福克岛法令》(1914年生效),诺福克岛成为澳大利亚领地,但其与澳大利亚明确的宪法上的关系却一直未达成完全一致的意见。第二次世界大战期间,岛上建造了机场,使其与外界有了联系。1975年,由一皇家委员会承担了明确诺福克岛地位的任务。1979年建立了目前的行政体系。人口约1 900(1992)。

Norfolk Island pine (*Araucaria excelsa*, or *A. heterophylla*) **诺福克岛松** 即高南美松或异叶南美松。南美杉科的一种常绿针叶乔木。可供观赏和材用。原产于南太平洋新喀里多尼亚和新西兰之间的诺福克岛。在自然

诺福克岛松(*Araucaria excelsa*)
美国不列颠百科全书公司供图

界中,株高可达60米,直径有时可达3米。木材可用作建筑和造船材料及制做家具。世界各地都用其幼树为室内观赏植物,在地中海气候地区,可种作室外观赏植物。

Norge 参阅 **Norway** 挪威。

Norge, Géo **诺赫**(1898-06-02?,比利时布鲁塞尔~1990-10-25,法国穆然) G.莫金的笔名。比利时诗人,他用一种简洁的,经常是嬉戏的方式表达了他对语言的热爱。20世纪20年代写了几部结构松散的、实验性的剧本,并参加了R.鲁洛创立的实验戏剧文学小组——自由小组。他善意的嘲弄手法在他早期诗篇中很明显。诗集《天空大道》(1929)表明诗坛出现了一位在20世纪30年代成长的天才。诗集《粗锉刀》(1949)开始表明他相信可以用简单的方式来表达日常生活。之后的40多年中出版了诗集《洋葱》(1953;1956年和1971年两次增加内容)等。1954年定居法国尼斯附近的圣保罗·德旺斯艺术家村。

nori(algae) **海苔** 参阅 **laver** 紫菜。

Noric Alps **诺里克阿尔卑斯山** 德语作Norische Alpen。东阿尔卑斯山的一段,绵亘于奥地利南部,西起上陶恩山与卡奇山口,东迄穆尔河岸的格拉茨城,其南面为德拉瓦河,北面为穆尔河上游。有高2 441米的艾森胡特峰,还有几条支脉,其中最高的是西面的古尔克塔尔山。山中多避暑胜地,还有几个滑雪中心。

Noricum **诺里库姆** 欧洲一地区,在今意大利北,大体上包括现代的奥地利中部和德国巴伐利亚若干地区。诺里库姆原为由凯尔特联盟控制的王国,该联盟统治着早期的伊利里亚居民。早期的诺里库姆幅员辽阔:东面包括卡农图姆(距文多博纳[今维也纳]东约32千米)、萨瓦里亚(匈牙利的松博特海伊)、普埃图维奥(斯洛文尼亚的普图伊)及埃莫纳(卢布尔雅那),以及一部分陶里斯奇部族的居住地,该部族住在萨瓦河发源地附近。约在公元前15年,诺里库姆被罗马兼并,显然这是一次不流血的征服。作为罗马的一个新省,它由一位善于马术的地方长官管辖,最初称做执政官,从罗马皇帝克劳狄开始,改称地方财务长官。诺里库姆的西部边界与腊埃提亚紧邻,大致以因河为界,南部以卡尔尼克阿尔卑斯山脉的山顶与意大利交界。其东面,至少到了罗马皇帝提比略时期,与潘诺尼亚交界,其界线是由文多博纳以西的某处向南延伸的一条线。公元前2世纪末期,诺里库姆受到罗马的保护,并由于拥有矿藏资源(铁和黄金)而致富,因而得以发展其显著的罗马化的文化(从其硬币上的拉丁文铭文及其他拉丁文铭文可证明这一点)。有5处聚落被皇帝克劳狄(公元41～54年在位)划为罗马自治城市。诺里库姆为罗马军团和禁卫军提供了大量兵员。所产的生铁向意大利特别向阿奎莱亚输出。但省内也有钢产品,所产刀剑闻名于贺拉斯。公元167年蛮人入侵后,边界重新划定。在后来的帝国统治下,诺里库姆深受阿拉曼尼人及其他部族的掠夺之害。法兰克人和鲁吉人在公元5世纪末以前定居在诺里库姆。

Noriega (Morena), Manuel (Antonio) **诺列加**(1938-02-11,巴拿马巴拿马城～) 巴拿马军事领导人,巴拿马国防军司令(1983～1989),他在指挥军队期间,是文职总统幕后掌握实权的人物。出身于一个具有哥伦比亚血统的贫苦家庭。就读于巴拿马最大的中学之一,获得奖学金去秘鲁利马乔里略斯军事学院学习。回到巴拿马后,被任命为国民警卫队少尉,驻在科隆,在那里结识了奥马尔·托里霍斯上尉。诺列加被晋升为中尉,并在推翻阿努尔福·阿里亚斯的军事政变中,以及随后在粉碎企图推翻托里霍斯的政变中有功。由于他的忠诚,被晋升为中校,任军事情报处处长。在这一职位上,他与美国情报部门建立了关系。他对理查德·尼克松政府的帮助——例如帮助两名美国运输机机组人员从哈瓦那获释——被关于他卷入毒品贩卖的持续不断的报道所渲染。作为巴拿马情报部门的首脑,他以针对反对派及其领导人采取恫吓与折磨的手段而闻名。20世纪70年代后期,他被认为是巴拿马最可怕的人。1981年托里霍斯在飞机失事中丧生,军队领导人和文职领导人竞相争夺领导权。1983年接任国民警卫队司令,将军队统一组成巴拿马国防军,自己晋升为将军。80年代中期,对诺列加与明目张胆地野蛮杀害敢于直言的反对派人士胡戈·斯帕达福拉有关的指控日益增多。关于吞没贩卖毒品所获金钱的更多的证据,以及出售限制极严的美国技术和秘密情报,特别是根据《巴拿马运河条约》所同意的权力移交日益临近,这些不可避免地造成美国政府与诺列加之间的冲突。1989年企图推翻诺列加的军事政变失败后,美国入侵巴拿马,其目的主要是为了逮捕诺列加(1990年1月3日逮捕成功),并把他带至美国审讯。1992年他在美国联邦法院被判犯有贩卖可卡因、敲诈勒索和洗钱罪,在美国服刑。

Norilsk **诺里尔斯克** 俄罗斯中部克拉斯诺亚尔斯克边疆区城市。位于普托拉纳山雷布纳亚河谷。建于1935年。地处北极圈以北,现为世界最著名的镍和铂的生产中心之一,也出产铜。汉泰卡河和库列伊卡河上的两座水电站提供电力,由秋明州北部地区经管道输送天然气。有铁路通往叶尼塞河畔的杜金卡港。人口约169 000(1991)。

norito **祝词** 日本神道教祭典上祀官向神发出的祷祝之词。据说祝词的灵验在于有"言灵"即神力。古代日本人认为,美而正的言词致吉,丑而俗的言词招祸。因此,祝词用语典雅,以10世纪所辑50卷《延吉式》所载内容为典范。祝词中往往包括颂神之词、供物清单和祈愿之词。政治当局控制国家神道时代,神社拜神祝词由政府审定。目前,神社的主词官代表信徒诵祝词,其内容和措词可以更动。

norm **规范** 又称社会规范(social norm)。一个社会群体诸成员共有的行为规则和标准。规范可以内化,即可以化入个人的意识,因此,即便没有外部的奖惩他也会遵从;规范也可以因外部的正面裁决或反面裁决而得到遵守。有特定规范的社会单位可能很小(例如一伙朋友),也可能囊括全社会所有的成年人。规范比价值或理想更具体:诚实是一种普通的价值,而在特定情况下确定诚实行为的各项标准就是规范。关于为什么人们遵循规范的问题,存在两个学派。社会学的功能主义学派认为规范反映了一种共同意见,即一个在社会化过程中发展起来的共同的价值体系,而所谓社会化过程,就是每个个人学习他所在群体的文化的过程。规范有助于社会

系统的功能发挥作用，而被认为还要发展以适应社会系统所提出的某些"需要"。冲突论者则认为规范是处理循环往复出现的社会问题的一种机制。马克思主义的斗争理论主张，规范反映社会一部分人统治其他各部分人的权力，而以强制和裁决维护这些准则。规范被认为是一个阶级或等级统治和剥削其他阶级的手段。哪种学派也没有确切解释清楚社会之间或社会内部的种种差别。规范也用来表示一种在统计上确定的标准或社会群体的普通行为、态度或观点。在这个意义上讲，规范是对实际行为而不是对预期行为而言。

Normal 诺默尔 美国伊利诺伊州中部麦克莱恩县城镇。因毗邻布卢明顿(南)，1857年前称北布卢明顿。1857年建诺默尔大学后得以发展。1865年设建制。地处世界最丰饶的玉米产地之一。以农业为主，也有些制造业，其中轮胎生产较著名。设有伊利诺伊州士兵与海员子弟学校(1869)。人口：镇45 386；布卢明顿-诺默尔都会统计区150 433(2000)。

normal distribution 正态分布 又称高斯分布。概率论中的一种最重要的分布函数。正态分布是正态密度函数的不定积分，正态密度函数的图形是标准的钟形正态曲线。正态密度函数的规定形式是一个常数 k 乘 $\exp[-(x-x_0)^2/2\sigma^2]$。其中，$x_0$ 是这个分布的均值(或期望)，也对应于这个密度函数取极大值的点；σ 是标准差，它刻画这个分布的宽度；一个给定值落在区间 $x_0-\sigma$ 到 $x_0+\sigma$ 内的概率约是0.68；常数 $k=1/\sigma\sqrt{2\pi}$ 称为正规化系数，它的作用是使得这个分布在 x 的所有可能值上的和或积分的全概率为1。

normal school 师范学院 又作teachers' college。培训师资的机构。1794年在巴黎创建的高级师范学院是最早以师范命名的学校之一，旨在为其他培训师资的学校树立楷模。美国第一所公立师范学院于1839年建于马萨诸塞州列克星敦。师范学院主要培训小学教师，一般由各州资助；学生在中学毕业后再在此类学校学习2年。20世纪，师资培训期限有延长到至少4年的趋势，特别是第二次世界大战后，要求这类学校扩充课程。因此，到20世纪60年代，过去的师范学院大多被并入大专院校，成为教育系或教育学院。19世纪初，教学任务是指派给最优秀的8年级毕业生担任的，而师范学院制度则较之前进了一步。20世纪，对于教师在公共教育系统从业须有许可证的要求变得相当强硬，加薪和晋级往往要靠取得高级学位。

Norman 诺曼人 北欧维金人的一支，曾占据法国(或法兰克王国)北部，其后裔遂生活于该地。诺曼人建立诺曼底公国，派出远征军，征服意大利南部和西西里以及英格兰、威尔士、苏格兰和爱尔兰，并向这些地区移民拓殖。北欧维金人侵扰欧洲大陆沿海地区始于查理大帝时期，加洛林王朝日益削弱之时，他们深入内地。最后法王查理三世与诺曼人最大宗族的首领罗洛双方妥协，承认罗洛为其封臣，领有部分疆土(911年《埃普特河畔圣克莱尔条约》)。在100年之内，诺曼人在此地区遍设永久居民点，信奉基督教，采用法语，放弃其海上骚扰行动，改为法兰克式的骑兵作战方式。诺曼人并未发明堡垒构筑的方法，但善于筑堡，此时采用高地围墙堡垒，简易而有效，为后来诺曼城堡之雏形。他们还广设教会及隐修院，进行宗教改革。最后，他们采纳加洛林王朝封建制度的原则，使诺曼底(Normandy)公国在11世纪时成为西欧封建制高度发展的国家之一。诺曼人在阿普利亚及西西里的统治，以其军事优势的信念，利用堡垒、港口等战略设施的信念以及采用封建制以控制宫廷与臣民之间的关系的信念为基础，但在行政方面，却采用希腊人和萨拉森人高度先进的和大体上是文牍形式的种种管理方法。尽管他们拥护教廷，但保留了当地的信仰自由传统，在民族关系上，也完全是一视同仁的。诺曼人在英吉利海峡之北，同样采取了许多当地的制度和风习。他们在英格兰所建王国的政府，基本上袭用盎格鲁-撒克逊人的那一套制度。如君主政体、耆老会议、枢密院、郡建制以及两税制(即王室庄园收成以现金计算岁入，而对地主则课以直接税)，均一仍旧贯。但在诺曼人统治下，也有许多新政，如设置度支部、建立巡回审判制，改用誓证法，这些制度在1066年后效果更为显著，而同样重要的一点是，英格兰由此安如盘石，已无外族侵凌之苦。诺曼人的影响对英格兰教会也很大，使教会机构及戒律方面益臻完善。

Norman 诺曼 美国俄克拉何马州中部城市，克利夫兰县县城(1907)。濒临南加拿大河，在俄克拉何马城东南。1889年向白人定居者开放，建起帐篷城市。1891年设市。1892年市民捐地建立俄克拉何马大学，城市随之不断繁荣，成为周围广大农区的农产品集散地。有轻工业，附近有油气井。设有俄克拉何马中心精神病研究院和廷克空军基地。人口95 694(2000)。

诺曼市俄克拉何马大学的比泽尔纪念图书馆
美国不列颠百科全书公司供图

Norman, Jessye 诺曼(1945-09-15，美国佐治亚奥古斯塔～) 美国歌剧女演员及音乐会歌唱家。自幼即非正式演唱，后获奖学金，赴华盛顿(哥伦比亚特区)霍华德大学研习声乐。1967年毕业后，转至密歇根大学深造。1968年获巴伐利亚无线电台国际音乐比赛奖，1969年至柏林首演歌剧，饰演瓦格纳的歌剧《汤豪塞》中伊丽莎白一角。诺曼洪亮的女高音优美宽广并富有弹性，使得她一再获得歌剧演出的合同，其中最著名的是在柏林和米兰拉斯卡拉歌剧院演出的《阿依达》中扮演剧名主角和1972年在科文特加登剧院演出的柏辽兹的歌剧《特洛伊人》中饰演卡桑德拉一角。除了参加歌剧演出外，整个70年代也经常巡回演唱，在音乐节和音乐会中与各大管弦乐团合作演出瓦格纳、舒伯特及马勒等作曲家的作品。诺曼控制嗓音的技能日益发展，至80年代中期，成为全世界最受欢迎与重视的戏剧女高音之一。

Norman Conquest 诺曼征服 诺曼底公爵威廉对英格兰的军事征服，结果使不列颠群岛在政治、行政和社会方面发生了深刻变化。英格兰老王系最后一位国王忏悔者爱德华，曾于1051年指定威廉为其继位者。但他逝世(1066-01-05)后，韦塞克斯伯爵哈罗德自立为王。1066年9月，威廉率军入侵英格兰，10月14日在黑斯廷斯战役(**Hastings, Battle of**)中大败英军，击毙哈罗德，进军伦敦。在伯克姆斯特德，英格兰的主要领袖们都向他投降。1066年圣诞节，他在威斯敏斯特大教堂加冕。就政治上讲，威廉的胜利割断了英格兰与斯堪的纳维亚的联系，而建立了与西欧的密切接触。在国内，他推行军事封建主义，封4 000骑士为封建主，彻底改变社会上层结构；他又把英格兰分配给约180个诺曼大承租人，结果英格兰的贵族几乎完全被诺曼贵族所取代。威廉保持并利用盎格鲁-撒克逊英格兰有高度组织的中央和地方政府以及有效的司法制度。行政区划与司法管辖权均沿用旧制。在各法庭，包括国王法庭，继续实行英格兰的习惯法。主要的改变是教会案件不再归世俗法庭审理，结果教会法在英格兰得以实行。除剥夺旧英格兰贵族外，诺曼征服另一憾事是完全废除在文献、法律和行政方面使用当地语言。官方文件和其他记录均改用拉丁文，以后逐渐在各个领域使用诺曼-法语。书面英语到13世纪才得以恢复。

Norman River 诺曼河 澳大利亚昆士兰州的河流。源出东高地格雷戈里岭，流向西北，注入卡奔塔利亚湾。全长420千米。河口至诺曼的88千米河段通小船。注入诺曼河的河流有卡伦河、亚珀河和克拉拉河。仅最下游常年有水。

Norman style 诺曼风格 11～12世纪间在诺曼底和英格兰发展起来的一种罗马式建筑。当时两国都采用了哥特式建筑，诺曼人征服英格兰初期，两国的建筑物极其相似，但到后来，两国的建筑风格终于分道扬镳。诺曼底的建筑在形式上接近典型的法国罗马式，而英格兰的盎格鲁-诺曼建筑则更具有显著的民族传统。两国共同的早期诺曼风格仿效罗马式的厚实结构，以圆形拱门和内部空间分隔为基础；建筑型式是罗马式的早期基督教长方形教堂平面布置（纵向边廊，东面的凸形后殿或半圆形凸室，或中央走廊尽头的内殿）——有高耸的中堂（中央走廊），内部空间划分为中堂与两侧较低的连拱廊侧堂三个

法国康城的诺曼风格圣艾蒂安大教堂中堂
美国不列颠百科全书公司供图

部分（连拱廊将侧堂与中堂分开），侧堂之上建有拱廊（将中堂上部空间与侧堂之上的柱廊分开），另外在中堂高出于侧堂之上的部分开高侧窗，并设有十字形耳堂（在内殿前面形成交叉的十字形走廊）和由两座塔楼组成的西立面。诺曼底公国后期的建筑，则以精细的结构组合和塔楼与塔尖著称。后期的盎格鲁-诺曼建筑虽基本上仍延续早期诺曼风格，但受到来自其他地区的建筑影响，日益明显地与当地建筑结构靠拢。此时英国建筑的主要特征是：大而长的教堂平面布置，给人以厚实感与庄严感（特别是在中堂下层的连拱廊上，常常采用巨大的圆柱，圆柱的直径有时与柱子间的空隙相等），不大注意结构的合理性，表现在一些非主要结构的细部变化过大（如变动中堂三层空间的比例，有时还加上第四层），以及建筑表面的镶石装饰倾向，采用浅薄的几何形和交错图案，使基本结构晦涩不明。除规模较小的教区教堂和撒克逊人所保留的传统装饰外，盎格鲁-诺曼建筑很少人像雕刻。大部分教堂采用木造屋顶，一反罗马式建筑采用圆石拱顶的习惯。东端的方殿取代了原来的半圆形后殿，是英国哥特式建筑的常见形式。

Normanby Island　诺曼比岛　太平洋西南部所罗门海巴布亚新几内亚当特尔卡斯托群岛中一火山岛。隔戈申海峡与巴布亚新几内亚东端相距 16 千米，与弗格森岛隔道森海峡相望。长 72 千米，宽 19～24 千米。东、西岸分别有塞瓦泰泰湾和塞瓦湾。陆地面积1 000 平方千米。最高点普雷沃斯特山海拔1 100 米。一度产金。现出口椰干和木材。岛北多布岛上的居民是人类学家研究的对象。人口（包括多布岛）约12 817（1980）。

Normand, Mabel　诺曼德（1892？-11-09/10，美国纽约斯塔藤岛～1930-02-23，加利福尼亚蒙罗维亚）　全名 Mabel Ethelreid Normand。美国电影女演员，默片时代最伟大的喜剧演员之一。作为“美国甜心”与璧克馥齐名。其早期经历鲜为人知。15 岁成为美术模特。1910 年在纽约比沃格拉夫影片公司做临时演员，有时也在维塔格拉夫制片厂工作。在此期间饰演了一些喜剧角色和舞台角色。1912 年离开比沃格拉夫影片公司，加入导演 M. 塞纳特在加利福尼亚新建的启斯东电影公司，诺曼德以娇小动人、欢快活泼的形象树立起一种新的喜剧风格，同时也参加一些粗鲁的喜剧表演。在塞纳特导演的一部影片中，将奶油蛋糕扔向本·特平，这一情节成了经典的喜剧片段。1913 年，卓别麟加入启斯东电影公司，与诺曼德在 11 部影片中搭档，包括《赛车手梅布》（1914）。他们还共同导演了几部影片，其中有《梅布忙碌的一天》（1914）和《梅布的婚姻生活》（1914）。他们最著名的合作是第一部喜剧片《蒂莉被戳穿的罗曼史》（1914），该片的成功使诺曼德渴望超越塞纳特的闹剧短片。1916 年，塞纳特为她建立了梅布尔·诺曼德故事片公司并制作了喜剧《米基》，但推迟到 1918 年才发行，取得了巨大成功。诺曼德 1917 年加入了新建的高德温电影公司，拍摄了《普拉茨堡的琼》（1918）、《维纳斯模特》（1918）、《西斯·霍普金斯》（1919）和《楼上》（1919）。1920 年，由于吸毒和酗酒，高德温公司与她解约。她重新与塞纳特合作，拍摄了《莫莉欧》（1921）。1922 年她的演艺事业开始下滑。

Normandes, Îles　诺曼底群岛　参阅 **Channel Islands** *海峡群岛*。

Normandie, Louis-Charles, duc de（duke of）**诺曼底公爵**　参阅 **Louis**（France）*路易*（法国）项下的 **Louis XVII** *路易*（十七）。

Normandy　诺曼底　法国历史上的文化地区，包括法国北方的芒什、卡尔瓦多斯、奥恩、厄尔和滨海塞纳诸省，相当于过去的诺曼底省。

古代历史　塞纳和厄尔自从旧石器时代起就有人居住。公元前 56 年，凯撒征服了此地，该地区终于成为罗马一省。3、4 世纪这里的居民都信仰了基督教。5 世纪后期归墨洛温王朝法兰克人统治，成为纽斯特里亚法兰克王国的一部分。自从 8 世纪起北欧维金人不断蹂躏诺曼底沿海地带，由于卡洛林王朝统治者们渐趋衰弱，维金人一路劫掠深入到内陆。法王查理三世（傻瓜查理）终于将鲁昂周围的土地和塞纳河口让与维金人中最大一伙的首领罗洛，根据《埃普特河畔圣克莱尔条约》，罗洛的斯堪的纳维亚同胞大量地移民到这个国家，他们采用了法语，并接受了法国的生活习惯和宗教。后来这些维金人就被称为诺曼人，他们所居住的区域就称为诺曼底。罗洛的诺曼底公国继承人通过一系列战争攫取了邻近的许多土地，他们很强大。把这些土地牢牢地掌握在自己统治下从而脱离了法国王室而独立。罗洛的一个远房后代，诺曼底公爵威廉，于 1066 年入侵英格兰，成为英格兰威廉一世（征服者），置诺曼底和英格兰于自己统治之下。威廉卒于 1087 年，诺曼底和英格兰的个人合一统治制也就结束。其儿子们为继承王位问题争吵得不可开交，兄弟之争于 1106 年结束。在坦什布赖战役中，英王亨利一世挫败其兄弟诺曼底公爵罗伯特，于是诺曼底就暂时归属英王属下。但是 1144 年，金雀花王室的杰弗里（安茹伯爵），征服了诺曼底。1150 年他将公国让与其子亨利，1154年亨利即成为英王亨利二世。就这样，

1789 年的诺曼底省
美国不列颠百科全书公司供图

诺曼底成为安茹帝国，成为由亨利二世及其后继的一系列国王统治下的辽阔领土。但是诺曼底也就此成为法国卡佩王朝的国王们和英国金雀花王室的安茹公爵们争夺的对象。1259 年的《巴黎条约》使亨利三世代表英国王室正式宣称放弃对诺曼底的领土要求，将该公国交给法国。然而在 15 世纪初期的百年战争中英国又重新征服诺曼底，接着法国又收复了它，在福尔米尼战役后的 1450 年法国成功地永久控制了这块土地。

法国行省　1465 年法国的路易十一将诺曼底公国交与其兄弟查理，但不久又收回，并最后说服于 1468 年在图尔召开的法国三级会议宣布诺曼底不得从法国王室分离出去。从此诺曼底就作为法国的一个省来管理。于是路易十四的历任省长们均努力使诺曼底的体制相等同于法国者以促进其商业和海事活动。《南特敕令》的撤销曾使对经济和海军做出过重大贡献的胡格诺派大批向外移民，但 18 世纪诺曼底很快恢复了繁荣。法国大革命政府于 1791 年将诺曼底旧省划分成下列 5 个省：芒什、奥恩、尼尔、卡尔瓦多斯和滨海塞纳。在第二次世界大战中诺曼底是 1944 年盟军在德国占领下的法国的登陆地点，其名字将永垂青史。诺曼底是个草原与田野相间的地区，中夹有小丘陵和树篱作为划分田地用。主要经济活动有农业、养牛业、捕鱼业和旅游业。历史上的省会鲁昂生产纺织品，瑟堡和勒阿弗尔两港口则有造船、纺织和炼油等工业。诺曼底东部农村人口多集中在大村庄里。尽管农村人口的外流导致农田的合并，但农田一般是小块的。居民多信奉天主教，1528 年后有不少人改信基督教新教。在鲁昂、卡昂及滨海塞纳省的吕讷赖村仍留有新教飞地。传统罗马天主教会的影响在宗教传统生活中仍到处可见。诺曼底有许多传统的商品交易会和节庆日，包括 7 月初举行的

国际音乐会和民间演出会。诺曼的地名和人名表现出受北欧人、盎格鲁-撒克逊人和法兰克人的影响。诺曼人的烹调极大地依赖于奶油，用于调制鸡蛋、鱼、禽肉和蔬菜。卡尔瓦多斯生产超级苹果酒，为与坚果一起保存在小橡木桶中的陈年老酒，至为著名。

Normandy, HOUSE OF **诺曼底王朝** 英格兰的王朝，曾产生3位国王：征服者威廉一世（1066～1087在位）、其子威廉二世鲁弗斯（1087～1100在位）和亨利一世博克莱尔（1100～1135在位）。在他们及他们直接继承人的统治期间，英格兰处于被征服地位，国王的个人利益集中于法国，行政权主要掌握在亲法派手里。威廉为诺曼底公爵魔鬼罗贝尔一世的独生（和私生）子，1035年继承公爵领地，并在其后某一年（可能是1051年）从其英格兰亲属忏悔者爱德华国王得到继承英格兰王位的许诺。两年后，由于他娶了佛兰德的玛蒂尔达（阿尔弗烈德大王母系后裔），从而增强了其继承王位的权利。约1064年，另一个可能要求继承王位的人哈罗德访问了诺曼底宫廷，通过许诺支持威廉对英格兰王位的继承权而进一步加强了同他的联系。然而，在爱德华于1066年去世时，哈罗德却自己登上了国王的宝座。威廉兴兵讨伐，在哈斯丁斯战役中大败哈罗德（10-14），同年圣诞节在威斯敏斯特教堂举行加冕典礼。他死后，由两个儿子相继继承王位，但是亨利一世在其独生子威廉溺毙（1120）以后，立女儿玛蒂尔达公主为继承人。但亨利于1135年死时，威廉一世的外孙布卢瓦的史蒂芬（通过其母阿德拉）要求继承王位。史蒂芬在位期间（构成英格兰的布卢瓦王朝）一直与玛蒂尔达派作战。最后根据《沃灵福德条约》（1153），史蒂芬终身保持王位，但死后须由玛蒂尔达之子安茹的亨利继承，后者于1154年成为亨利二世，他是金雀花（或安茹）王室的第1代国王。

Normandy Invasion 诺曼底登陆 又称霸王计划。1944年6月6日盟国开始的在法国北部的登陆战役。第二次世界大战的形势转为对盟国有利后，艾森豪威尔将军受命组织历史上规模最强大的舰队，以实行在法国北部海岸两栖登陆，随后便可挥师向东越过法国直捣纳粹德国心脏。当英美两国指挥官在英国制订这一计划时，德军司令兼陆军元帅隆美尔则正在法国海岸线上构筑防线，以抵挡这一预料中的登陆。这次行动没有按计划人员所拟定的在5月发动，而是在6月6日，这就是第二次世界大战著名的“D日”。当时集结了一支强大的部队，包括1 200艘战舰，1万架飞机，4 126艘登陆艇，804艘运输舰，数以百计的两栖或其他特殊用途的坦克；15.6万人（7.3万名美军，8.3万名英军和加拿大军）在诺曼底登陆，其中13.25万人海运过海峡，2.35万人空降。选定登陆的海滩从奥恩河的河口湾延伸到科唐坦半岛的东南边，英军与加拿大军攻击东海滩，美军攻击西海滩。实施突破的地面部队由英军上将蒙哥马利统率。这次登陆因受25年中英吉利海峡最恶劣的天气的影响，推迟了24小时，于6月6日黎明前开始，由美军第82和第101空降师的部队在圣梅勒厄利瑟城附近实行夜间登陆，同时由英国突击部队夺取重要桥梁，破坏纳粹通信联络。清晨，盟军突击部队在沿诺曼底海岸的5个滩头登陆。到夜晚，盟军在5个登陆地区占领了相当大的滩头堡，从而开始了打败德国的最后战役。盟军的空中优势起了决定性的作用。空军炸毁东面塞纳河上和南面卢瓦尔河上的大部分桥梁，使德军无法迅速增援被围困在滩头的部队。按原计划，英军在登陆的第一天要占领卡昂。上午9时突破海岸防线，但直到下午才开始向卡昂推进，部分是由于海滩上车辆拥挤，部分是由于现场指挥官过于谨慎。当他们终于开始向卡昂推进时，德军一个装甲师——登陆地

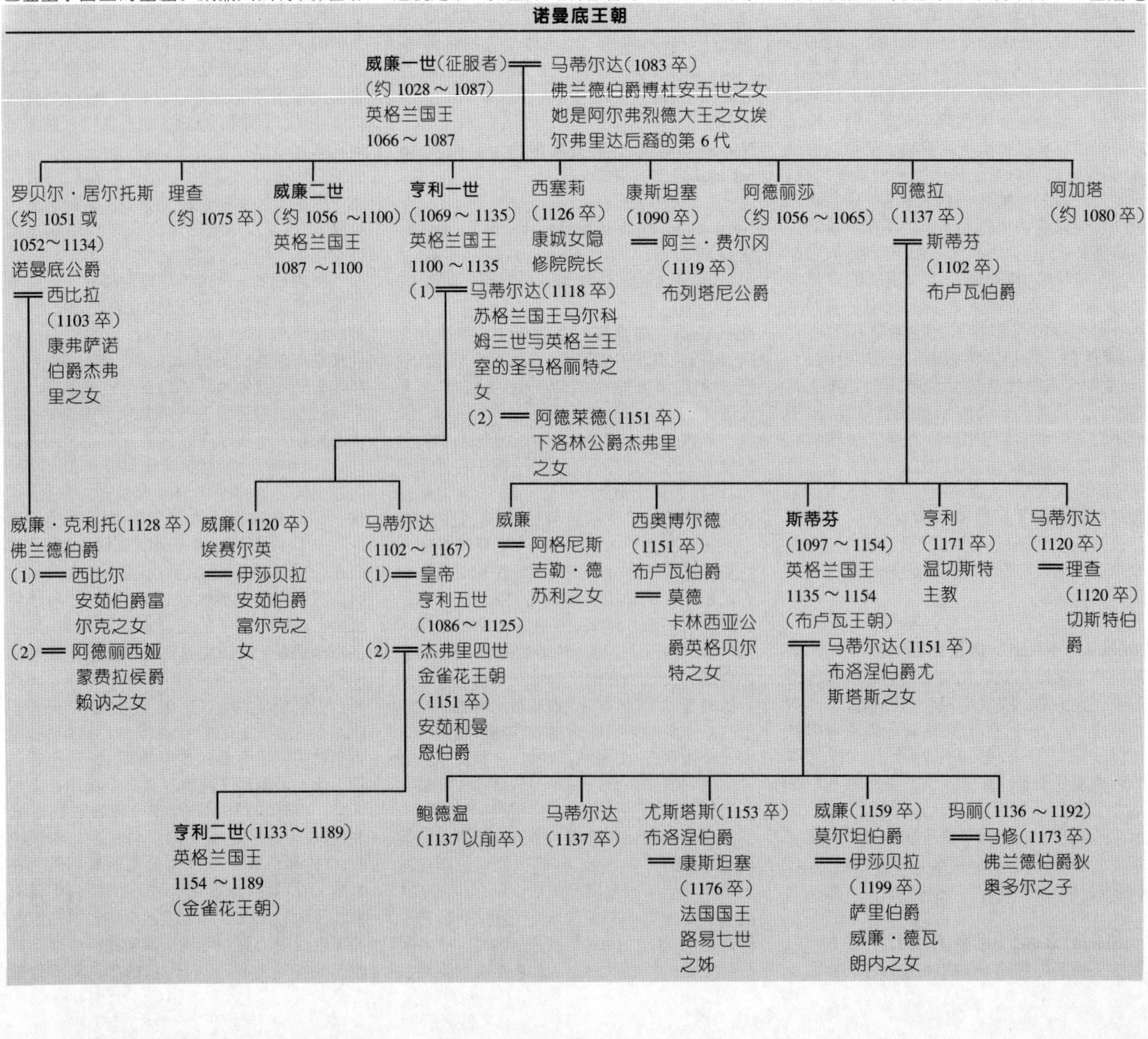

区唯一的一个——来到，阻挡了他们前进。次日，德军又调来一个装甲师。经过一个多月的激烈战斗，7月9日才拿下了卡昂，并肃清了敌人。与此同时，在西段，美军在科唐坦遇到顽强的抵抗，但终于在6月26日占领了重要港口瑟堡。德军的主要不利条件是他们需要防守长达3 000英里的西欧海岸线。他们在西欧的59个师被牢牢拴在如此漫长的海岸线的各个区段。但另外有一半野战师和10个装甲师具有高度的机动性，所以他们有可能集中优势兵力在登陆部队立住脚跟之前把他们赶回海上。但由于德军高层指挥人员在预测登陆地点和选择最佳迎击方法上存在分歧，以致未能实施强大而及时的反击。事前，希特勒凭直觉倒是比他的将军们更准确地料到了登陆地点。登陆开始后，他又不断直接插手强硬控制，使他的将军们无法挽回局面，终于使盟军突破他们的坚固防线，迅速横扫整个法国。

normative ethics　规范伦理学　道德哲学（即伦理学）的一部分。它致力于道德上对与错的标准。包括制定道德规则，直接规定人的行为、制度以及生活方式应当如何。规范伦理学专门探讨如何获得道德标准，如何证明其合理性。答案分两大类：义务论的和目的论的。二者主要区别在于：义务论在确立道德标准时不要求价值的考虑，目的论则要求。换言之，义务论主张按原则行事，所以这样做是因为它们本来是对的；目的论则认为，某种行为的对错取决于行为结果的好坏。规范伦理学不同于比较伦理学，它不是社会科学家的研究领域，而是哲学家和神学家的研究领域。哲学家和神学家的任务是建立客观的道德原则、道德理想和道德价值。将规范的理论和标准用于实际道德问题是应用伦理学的事情。

Norn　诺恩　在日耳曼神话中，指相当于希腊的摩伊拉的任何一群神灵，她们通常象征编织人类命运的三位少女。据史料记载，她们的名字分别是“过去”、“现在”和“未来”。她们被描述为住在世界之树伊格德拉西尔旁边的乌尔德泉之底，同善、恶都有关联。因为经常在妇女分娩时显现，所以又同接生有联系。诺恩之名只出现在斯堪的纳维亚的资料中，但对与诺恩相似的神灵的崇拜可见于一些欧洲的民间传说中。

Norodom　诺罗敦（1834，柬埔寨～1904-04-24，金边）　柬埔寨国王（1860～1904）。他在位时被迫于1863年将柬埔寨置于法国控制之下。国王东的长子，曾在泰国曼谷接受教育，先后曾学习巴利语、梵语佛经和佛教教规。1860年东去世，他被选为继承者。1863年法国强迫他接受法国保护。同时法国采取行动反对泰国对柬埔寨拥有更多的权力，迫使泰国归还象征王权之物。1864年6月在法泰两国官员出席之下加冕，1866年在金边登基。次年，泰国正式承认柬埔寨为法国的保护国。法国敦促他实行土改，改组军队，废除奴隶制。诺罗敦在位期间，法国人不断加强对柬埔寨的控制。

Norodom Sihanouk, Prince (Samdech)　诺罗敦·西哈努克（1922-10-31，金边～　　）柬埔寨国王、首相、国家元首和总统，1941-1955，1993-2004两度成为柬埔寨国王。在20世纪60～90年代的国内战争和涉外战争中曾试图走中间路线。西哈努克按母系为莫尼翁国王（1927～1941年在位）之外孙。他继承外祖父王位时年18岁。第二次世界大战期间，在日本人的鼓动下，这位年轻的国王最初曾试图宣布柬埔寨脱离法国独立，但当法国军队重返该地区时，他决定等待法国由印度支那撤退。1954年法军退出印度支那。1955年1月他创建人民社会主义党，2月公民

中国大百科全书出版社供图

投票批准其施政纲领，3月2日让位给他父亲诺罗敦·苏拉玛里特，他出任新王国的首相、外交大臣，后任驻联合国常驻代表。5年后，父亲去世（1960-04-03），他出任国家元首（06-13）。西哈努克在外交政策上采取中立主义的路线。为了回报北越不支持高棉共产党（红色高棉），他允许越南共产党人从柬埔寨东部境内的基地进行隐密活动。他设法避开美国的支援和帮助，而依靠其个人在柬埔寨人民中的赫赫声誉，控制了左、右两派的激进分子。在他的良好统治下，柬埔寨经历了15年的脆弱和平和轻度繁荣，而当时大多数东南亚国家都处于动乱状态之中。西哈努克在越南战争中保持的柬埔寨中立到1970年宣告结束，因为朗诺将军在美国支持下发动政变将他废黜。其后他留住北京为转入地下的红色高棉进行活动。1975年红色高棉接管柬埔寨，他返回祖国，却被红色高棉政府软禁。后因红色高棉在与越南军队作战中失利，需要有人在联合国为之辩护，他才于1979年1月获释。在谴责越南侵略后，他也宣布与红色高棉脱离关系。1982年，他成为柬埔寨反抗越南支持的高棉军队的3个主要党派勉强拼凑的联合流亡政府的总统，这3个主要党派是：红色高棉、反共的高棉人民民族解放阵线和他的中间路线政党。他保持作为抵抗运动的领袖直至1991年被选为作为临时行政机构的柬埔寨全国最高委员会主席。1993年5月，柬埔寨国民议会表决恢复王国，西哈努克再次成为国王。其子诺罗敦·拉那烈担任首相。1997年，洪森发动政变，推翻拉那烈，但保留了西哈努克的王位。2004年，西哈努克退位，开始从事电影制作和作曲。

Norrbotten　北博滕　瑞典北部省份。濒临波的尼亚湾。与芬兰和挪威相邻。面积98 911平方千米，是瑞典最大和位置最北的

北博滕省首府吕勒奥的主要街道
美国不列颠百科全书公司供图

省，其领土延伸到北极圈内，由沿海升至挪威边境的荒芜山区，有瑞典最高的凯布讷山（2 111米）。夏季短暂，谷物难以成熟，树木生长缓慢。有丰富的矿藏。在基律纳、耶利瓦勒和马尔姆贝里耶大面积开采铁矿，矿石运到吕勒奥冶炼。人口约256 238（2000）。

Norris　诺里斯　美国田纳西州东部安德森县城市。濒临克林奇河，东南距诺克斯维尔30千米。1933～1934田纳西河流域管理局为诺里斯大坝建筑工人住宿所创建。1948年这个公司城镇拍卖给私人投资者，后又转卖给企业家。1949年建市。主要为住宅区，禁止使用交通灯、霓虹灯招牌、广告牌，并禁止卡车通行。市西北8千米的诺里斯大坝（1936）高81米，长567米，拦蓄克林奇河和鲍威尔河的河水以供防洪、发电和游乐之用。人工湖的岸线长达1 300千米。人口1 446（2000）。

Norris, Frank　诺里斯（1870-03-05，美国伊利诺伊芝加哥～1902-10-25，加利福尼亚圣弗朗西斯科）　美国小说家，美国最早的重要自然主义作家。曾在巴黎学画，后就读于加利福尼亚大学和哈佛大学。1895～1898年任记者和编辑。1899年进入纽约市的出版社道布尔戴-佩奇公司。死于阑尾炎手术之后。他的第一部重要小说《麦克提格》（1899）是一部以圣弗朗西斯科为背景的自然主义小说。故事写一愚蠢和残忍的牙医杀害了他不幸的妻子，而自己潜逃途中穿过死亡河谷时也死去。该书及后来出版的著作，使诺里斯与德莱塞一起跻身于美国第一流小说家之列。其杰作《章鱼》（1901）是他计划写作的三部曲《小麦史诗》中的第1部，描写参与小麦的生产、分配和消费的经济和社会势力。小说以象征主义的大胆手法描写了加利福尼亚的小麦种植，以及当地种植者与垄断的铁路公司的斗争。三部曲的第2部《陷阱》（1903）写芝加哥谷物交易所中的小麦投机的情况。而诺里斯死前未完成的第3部小说《狼》计划写美国生产的小麦救济欧洲一遭受饥荒的村庄。《凡陀弗与兽性》（1914）探讨了人的堕落。诺里斯以E.左拉等欧洲自然主义作家为榜样，在《麦克提格》中以真实的细节描写了遗传和环境对人生的影响。从《章鱼》之后，他接受了一种更人

道主义的理想并开始把小说看作改善社会的适宜手段。在《章鱼》和其他小说中，他努力使当时以历史小说为主的美国小说回到更为严肃的主题。尽管他的小说有浪漫化的倾向，但它们描绘了 19 世纪末加利福尼亚生活的一幅生动真实的画面，可读性很强。作品集 10 卷 1928 年出版。

Norris, George W.　诺里斯（1861-07-11，美国俄亥俄桑达斯基～1944-09-02，内布拉斯加麦克库克）　美国参议员，以主张政治改革和水电站公有知名。主要靠自学，后在北印第安纳师范学校（现瓦尔帕莱索大学）读法律。1883 年取得律师资格，两年后迁居内布拉斯加州开业。1902 年作为共和党人选入众议院后，又 4 次连选连任，成为改革派领袖。他在 1910 年迫使众议院修改议事规则，削弱了议长独断专行的权力。1912 年选入参议院，连任至 1943 年，以具有独立见解著称。他具有强烈的反战信念，曾投票反对美国参加第一次世界大战，并谴责战后签订的《凡尔赛和约》。他是美国宪法第 20 条修正案的起草人，该修正案取消国会的所谓再选失败的现任议员会议。他为实现总统预选制和直接选举美国参议员而斗争。他的最大贡献之一是提出设立田纳西河流域管理局的法案。他是

美国国会图书馆供图

《诺里斯-拉瓜迪亚法案》的共同起草人之一，该法案限制在劳工纠纷中使用禁令。尽管他是共和党人，但支持进步党人 T.罗斯福（1912）、R.M.拉福莱特（1924）、民主党人 A.E.史密斯（1928）和 F.D.罗斯福竞选总统。

Norris, John　诺里斯（1657，英格兰威尔特郡科林伯恩-金斯顿～1711，威尔特郡贝默顿）　英国基督教圣公会牧师和哲学家，以阐述剑桥柏拉图主义（17世纪时柏拉图思想的复活）和作为法国笛卡儿派哲学家 N.马勒伯朗士（1638～1715）的唯一英国信徒而知名。1680 年被选为牛津大学万灵学院研究员。1689 年任萨默塞特区牛顿圣洛的牧师，两年后又调至贝默顿教区，在那里度过余生。其著作甚多，有诗歌、翻译、神学与哲学以及一篇政治短文。有关道德的和神秘主义的著作很明显地是受剑桥柏拉图主义的影响。第一部重要哲学著作为《对最近一篇有关人类悟性论文的看法》，附加在《基督教的幸福》第 1 版的后面。在这一著作中，他对 J.洛克的主要哲学著作《人类悟性论》（1690）进行评论，成为后来许多批评的前奏。但他确实同意洛克对天赋观念说（这一学说认为人生来就有观念）的否定。他接受了马勒伯朗士的神启说，也使他卷入了同公谊会信徒发生的争论，

美国不列颠百科全书公司供图

著有《关于神光的两篇论文》（1692）以反对他们的“内心之光”这一概念。他的《论理性与信仰》（1697）被认为是对英国自然神论者 J.托兰德的《基督教并不神秘》的较好的答复之一。按照他的看法，神的理性同人的理性只有程度区分，并无本质差别。最重要的著作《对于理想的或可以理解的世界学说之意见》（1701～1704）把可以理解的世界分为两部分：第一部分是世界本身，第二部分则涉及它同人类悟性的关系。这一著作全面阐述了马勒伯朗士的观点，驳斥洛克等人强调感性经验在取得知识方面的重要性等论点。

Norris-La Guardia Act　《诺里斯-拉瓜迪亚法案》（1932）　美国历史上的立法法案，它废除了立法上和司法上给有组织的劳工活动设置的某些障碍。该法案宣称，工会会员应有不受雇主干涉的“充分的结社自由”，并宣布强迫工人声明不参加工会的“黄狗合同”是非法的。该法案禁止联邦法院为支持此类契约而发布禁令或阻止劳工团体举行罢工、设置罢工纠察线或集体抵制。《诺里斯-拉瓜迪亚法案》由乔治·诺里斯和菲奥雷洛·拉瓜迪亚共同在国会中提出。它是在大萧条最严重的时候获得通过的，当时的公众舆论已经转向反对那些力求阻止工人参加工会的雇主和反对那些想要禁止正常的工会活动的法官。该法案是范围更广的 1935 年《瓦格纳法案》的前驱。

Norrish, Ronald George Wreyford　诺里什（1897-11-09，英国剑桥郡剑桥～1978-06-07，剑桥）　英国化学家，因研究极快化学反应，与英国 G.波特、西德 M.艾根共获 1967 年诺贝尔化学奖。诺里什与波特两人于 1949～1955 年间共事，他们能以接近 10^{-9} 秒的间隔停止化学反应，以研究该反应进行性变化的中间阶段。诺里什在剑桥大学获得学士与博士学位，并在该校伊曼纽尔学院任研究员，并领导物理化学系达 28 年之久。1963 年诺里什荣誉退休，但仍个别指导学生，并担任工业顾问。

Norristown　诺里斯敦　美国宾夕法尼亚州东南部自治镇，蒙哥马利县县城。在费城西北 27 千米处，斯库尔基尔河北岸。1730 年设乡。1776 年地产归属费城学院，美国独立战争中又转归新建的宾夕法尼亚大学。1784 年蒙哥马利县成立时成为县城；1812 年设自治镇。斯库尔基尔河与特拉华河实现运河化和通往费城的铁路建成后，发展成工业中心。生产化学品、机械、金属制品、塑料、钢材、

诺里斯敦自治镇镇政府
美国不列颠百科全书公司供图

橡胶和纺织品。现经济主要以服务业为主，兼有一些轻工业、机械制造业、装配业、仓储业。附近有福吉谷国家历史公园、华盛顿的冬季兵营（1777～1778）。博物学家 J.J.奥杜邦的故居已扩建为博物馆和野生动物保护区。人口31 282（2000）。

Norrköping　诺尔雪平　瑞典东约特兰省港口城镇。濒临斯德哥尔摩西南的穆塔拉河。约建于 1350 年，1384 年设镇。穆塔拉河的瀑布为该城原主要工业（纺织业）提供了动力。20 世纪 50 年代以来，机器制造业已成为主要工业部门。1961 年修通林德运河，港口可停泊吃水 9 米的船只。现为斯德哥尔摩与瑞典南部、西部之间铁路和公路交通的枢纽。郊区有一机场。人口：城市区约 120 798（1993）。

Norrland　诺尔兰　瑞典北部一地区。面积 242 733 平方千米，约占瑞典领土面积的 60%。有广袤的森林、连绵的群山（包括瑞典最高峰凯布讷峰）、众多的河川（翁厄曼河、于斯南河、吕勒河和卡利克斯河）。当地河流原为流放木材水道，现用于水力发电。有少量农业。丰富的木材、铁矿和水力资源使得该地区的林业、采矿和水力发电成为主要行业。有铁路、公路及航空线。人口约 1 207 518（1993）。

Norse language, Old　参阅 **Old Norse language古诺尔斯语**。

Norseman　古斯堪的纳维亚人　参阅 **Viking北欧海盗**。

Norske folkeeventyr　《挪威民间故事》（1841～1844）　一部由P.C.阿斯布约恩森

和 J. E. 穆合编的民间故事和传奇文学集。它们是从存在于挪威山区和峡湾地带的方言中的古老挪威异教神话中发展起来的。由于对挪威历史的兴趣复萌，这两位作家受到鼓舞，搜集有关鬼、神、精灵和石窟巨人等传说，并把它们编写成精彩的故事。

Norske Kirke（Norwegian Lutheran church）参阅**Norway, Church of** 挪威信义会。

Norskehavet（Europe） 参阅 **Norwegian Sea** 挪威海。

Norstad, Lauris **诺斯塔德**（1907-03-24，美国明尼苏达明尼阿波利斯～1988-09-12，亚利桑那图森） 美国空军上将，1961 年东德筑起柏林墙导致发生柏林危机期间，任北大西洋公约组织（NATO）驻欧洲武装力量司令。诺斯塔德 1930 年毕业于纽约州西点军校。他被委任为骑兵军官，但于 1931 年转入陆军航空队。第二次世界大战期间在各个不同的指挥岗位上工作：1943 年被任命为地中海盟军空军作战部主任，1944 年任第 20 航空队参谋长。在被晋升为少将后，负责向日本投掷两颗原子弹的计划工作。诺斯塔德于 1947 年转入新成立的美国空军，于 1952 年成为四星上将。1956 年被任命为北约驻欧洲武装力量最高司令，1963 年退休，成为欧文斯-科宁玻璃纤维公司总裁，1967～1972 年任该公司总经理兼董事长。

Norte de Santander **北桑坦德** 哥伦比亚东北部省份。1910 年建。面积21 658平方千米。主要森林为雪松和松树。卡塔通博河地带是一个重要的石油产区。蒂武城有一个炼油厂。输油管从油田向西和西南方向延伸。在凉爽的高地，主要作物有谷物、薯类和马蚕豆。在半山坡和较低的谷地以及省会*库库塔*（**Cúcuta**）郊区，种植甘蔗和咖啡。全省公路四通八达，库库塔有一机场。人口约 1 022 816（1993）。

North, Douglass C. **诺思**（1920-11-05，美国马萨诸塞剑桥～ ） 全名 Douglass Cecil North。美国经济学家。1993 年与 R. W. 福格尔同获诺贝尔经济学奖，在历史计量学领域中做出开创性的工作。历史计量学又称新经济史学，是运用经济学理论和统计学的方法研究历史的科学。诺思在伯克利加利福尼亚大学攻读经济学。1942 年获硕士学位，1952 年获博士学位。1950 年在华盛顿大学教授经济学。1983 年离开该校转入密苏里州圣路易斯市的华盛顿大学任教。1960～1966 年任经济研究所所长。1967～1987 年任全国经济研究局局长。诺思还担任过俄罗斯、阿根廷、秘鲁和捷克共和国政府的经济顾问。诺思的研究主要是理论性的。他认为仅靠技术革新还不足以推动经济的发展，为使市场经济繁荣，必须有某些恰当的法律和社会制度，如财产权利等。他的思想表述在他的一些著作中，如《经济史的结构与变迁》（1981）和《制度、制度变革与经济成果》（1990）。

North, Sir Dudley **诺思**（1641-05-16，英格兰威斯敏斯特［今在伦敦］～1691-12-31，伦敦） 英国商人、公务员和经济学家，后来被称为自由放任主义的早期倡导者。早年到地中海东部地区经商，在士麦那和君士坦丁堡居住多年，1680 年返回英格兰时已是富翁。后在查理二世朝中任伦敦市行政司法长官，获爵士头衔；詹姆斯二世时任海关税务司长。他是道地的托利党人，1688 年革命后不久辞去公职退休。其声誉主要来自其著作《贸易论》（1691 或 1692 年匿名出版）对政治经济所作的贡献。这部著作，直到 J. 穆勒从诺思的兄弟罗杰所著的传记（1744 年出版）中看到诺思的主要思想并力陈其重要性后，在 1822 年再版时，才引起人们的注意。这部《贸易论》言简意赅，可能是 17 世纪阐述自由贸易最透彻的著作。较早的重商学派认为生产国把不需要的产品与他国交换才叫贸易；《贸易论》则主张"就贸易的必要性而言，全世界不过如同一个国家或民族，而世界上的国家也如同国家中的个人"。诺思认为节约法令及限制利率的规章都是有害无益的；他进而主张货币供应可由自由市场的力量来决定，"毋须政客们的任何协助"。

North (of Kirtling), Frederick North, Lord **诺思勋爵**（1732-04-13，伦敦～1792-08-05，伦敦） 又称吉尔福德伯爵（第二）。英国首相（1770～1782）。贵族家庭出身，父为托利党人。曾在伊顿公学和牛津大学三一学院学

美国不列颠百科全书公司供图

习。22 岁起任议员近 40 年之久。1759～1765 年任财政委员会委员。1766 年任枢密顾问官和主计长。1767 年任财政大臣。1770 年 2 月接任首相。在职 12 年是英国历史上的多事之秋。辉格党政府倒台后，乔治三世认为他是最佳的托利党人和首相。但其政府在议会中举步维艰。E. 伯克和 C. J. 福克斯都反对他，他执政时期最重要的事态发展与美国独立战争有关。他的政府坚持保留茶税，并于 1774 年通过五项强制法令对付波士顿茶党，但对待战争则犹豫不决。局势逆转便意气消沉。英军在约克敦投降后他辞去首相职（1782-03）。1783 年 4 月与著名的辉格党人 C. J. 福克斯组成联合政府。波特兰公爵任名义上的首相，他和福克斯任国务大臣至 1783 年 12 月联合政府下台。后因失明而退出政界。1790年继承其父的吉尔福德伯爵爵位。

North, Roger **诺思**（1653-09-03，英格兰萨福克托斯托克～1734-03-01，萨福克鲁厄姆） 英国律师、历史学家、传记作家。主要以所写他的 3 个兄弟弗朗西斯、达德利和约翰的传记以及他本人的自传闻名于世。按家族的传统，他就读于剑桥大学耶稣学院，打算成为一名律师。但中途离开剑桥，后在伦敦中殿律师学院完成学业，于 1675 年开业当律师。1678 年被任命为坎特伯雷大主教教区的主管。1684 年约克公爵（后来的詹姆斯二世）任命他为副检查长，次年进入议会。1690 年，诺思在诺福克买下一座庄园，6 年后结婚，后退居乡间过绅士生活。为纠正对他兄弟弗朗西斯的不公正描绘，他写了《掌玺官诺思勋爵的生平》，随后又写有达德利·诺思和约翰·诺思的传记。这些传记和他的自传，均在他死后出版。

North, Simeon **诺思**（1765-07-13，美国康涅狄格柏林～1852-08-25，康涅狄格米德尔敦） 美国手枪和步枪制造商。与美国发明家 E. 惠特尼大约同时在制造业采用可互换的零件。少年时代务农，1795 年在他的农田附近开设制造镰刀的铁匠店。4 年后接到政府第一份订货合同，要求一年内提供 500 支骑兵用的手枪。他以精湛的技艺赢得更多的订货合同，仅 1813 年 4 月 16 日的一份合同就向他订购手枪 2 万支。为了履行合同，他根据每支枪结构和规格相同的特点，建议在手枪生产中进行成批组装。1823 年 12 月 10 日他签订了第一份制造步枪的合同，5 年内制造并交付6 000支步枪。在 1850 年以前，他向美国政府继续提供步枪和卡宾枪。1825 年他设计了连发步枪，可以连射10发而不需中间装弹。

North, the **北部** 指美国北部地区。相当于历史上南北战争时期反对奴隶制度并与南部邦联对立的废奴派诸州。这场反对奴隶制度、反对美国南方 11 州脱离联邦的南北战争使人们忽视了一个现实，即北部实际上是 4 个分离的、互不相似的地区：新英格兰、大西洋海岸中部诸州、老西北部（东北中部诸州）和大平原（西北中部诸州）。其范围包括康涅狄格、伊利诺伊、印第安纳、艾奥瓦、堪萨斯、缅因、马萨诸塞、密歇根、明尼苏达、密苏里、内布拉斯加、新罕布什尔、新泽西、纽约、北达科他、俄亥俄、宾夕法尼亚、罗得岛、南达科他、佛蒙特、威斯康星，共 21 个州。其中，内布拉斯加、北达科他和南达科他 3 州在南北战争时期尚未设州，而密苏里州虽系北部联邦之一部分，但属蓄奴州。故南北区域的界限划分当时并不清楚，至今也不明确，然而区域的差别确实存在。早在 1796 年美国总统 G. 华盛顿使用北部、南部这样的名词时，就曾告诫人们防止将政治分歧按地域划分。不过，在此之前的 1787 年，最重大的地区差别已为人们所承认，即西北准州已禁止蓄奴。美国独立战争后不久，在梅森-迪克森线以北各州都已取消蓄奴，该线为宾夕法尼亚与马

里兰之间的州界。北部发展的特点是普遍实行自由劳工制度、商业上具有活力及农业的多种经营。19世纪东-西线路的交通有显著发展。1825年凿伊利运河以沟通大湖区。1852年纽约与芝加哥有铁路连接。移民和贸易使北部各州的联系趋于紧密,在思想意识、政治、教育、文化及经济等方面统一成一体。19世纪50年代,是否把蓄奴制扩大到西部,是一个至关重要的问题,它既使北部团结起来,又使南北冲突激化。在南北战争前夕(1861),北部19州实行自由劳工,南方15州蓄奴,南北的界线有梅森-迪克森线、俄亥俄河及纬度36°30′(密苏里州除外)。南北战争期间,北部作为一个地区极其自觉地维护了联邦的利益,使北部成为联邦的同义词。包括4个边界州在内,此时北部人口达2 200万,产值占全国的75%,拥有全国81%的工厂。重建时期(1865～1877),北部曾企图在南方保证给予黑人政治上的公民权和社会经济上的平等,但大部分未能成功。与此同时,北部本身则在经济上空前增长并实行了工业化。随着19世纪岁月的推移,北部特别是大西洋海岸中部各州和中西部大湖区的大城市、大商业和大工业联合企业的特点日益显著。由于自然资源丰富、内地水系发达和铁路日益增加,北部地区成为全国经济中心。而密西西比河两岸广大的草原和平原使其西部地区在农业上拥有优势,成为全国的粮仓。然而这种优势不是没有代价的。先是南部和东部的欧洲移民大量涌入北部各城市,人口因之激增。虽然提供了低廉的工业劳力,但也产生了住房、卫生和教育等诸方面的问题。1920年以后,这次移民浪潮明显地趋于缓慢。但在20世纪后半期,南方黑人、拉丁美洲人和东亚人又形成了第2次移民浪潮。20世纪50年代后期,南部曾是民权运动的开创地,但到了20世纪60年代后期及70年代,北部也和南部一样面临着少数民族要求参加到国家的政治和经济主流中来的挑战。高度工业化破坏自然环境,污染水和空气。北部各市中心贫民区黑人集中也加深了种族之间的紧张关系并引起暴力行动,还严重地影响了住房、教育、就业、公共卫生等问题。这些困难,加上外国资本的竞争等因素引起的北部工业衰退,导致进一步的人口转移,主要是北部居民大量向南部各州和西部各州迁移。1939年,北部地区工业占全国的70%。20世纪70年代后期,下降到50%左右。1940年北部的人口占全国总人口的58%,到了80年代中期仅占45%。北部许多城市已着手进行经济复苏和恢复元气的工作,收到了不同程度的效果。

North, Sir Thomas 诺斯(1535-05-28,英格兰伦敦～1603?) 英国翻译家,所译普卢塔克的《比较列传》成为莎士比亚许多剧本的素材。诺斯可能曾就读于剑桥大学彼得豪斯学院,1557年,他进入伦敦的林肯律师学院,并参加一个爱好翻译的年轻律师小组。1574年随兄出使法国。诺斯从事过广泛的军事活动:他以舰长的身份两次在爱尔兰作战(1582,1596～1597),为保卫荷兰人抵抗西班牙人供职于低地国家(1585～1587),并于1588年训练民兵以防西班牙无敌舰队对英格兰的入侵。1596～1597年间被封为骑士,任剑桥保安官,1601年由女王赐赠养老金。1557年,诺斯从法文转译格瓦拉翻译成西班牙文的马可·奥勒利乌斯的《沉思集》,英译名为《王子的日晷》,既保留了格瓦拉的特有风格,又使之完全成为另一种作品。他从意大利语转译的东方动物寓言《多尼的伦理哲学》(1601),行文通俗流畅。他于1579年从阿米欧的法译本转译的普卢塔克的《比较列传》,英译名为《希腊罗马名人列传》,被誉为早期英语散文的伟大杰作之一。莎士比亚在自己的戏剧中从诺斯的《列传》中借用了《安东尼和克娄巴特拉》、《尤利乌斯·凯撒》、《雅典的泰门》和《科利奥兰纳斯》,实际上,他将诺斯的一些散文只作小小改动,就直接放进无韵诗中。

North Adams 北亚当斯 美国马萨诸塞州西北部伯克希尔县城市。南距皮茨菲尔德29千米,位于胡萨克隧道(长8千米)和莫霍克小道的西端,濒临胡西克河。1745年始建,为一要塞。18世纪70年代始有永久居民。原为亚当斯一部分,1878年设镇。1895年设市。1873年开始工业化。现有皮革、纺织、造纸和电机工业。设有州立北亚当斯学院(1894)和威廉斯学院(1793)。市内有一座天然石桥。市南和西南为格雷洛克山(1 064米,全州最高点)公园和萨沃伊山森林保护区。人口14 641(2000)。

North Africa 北部非洲 非洲北部地中海沿岸地区,自西面的大西洋延伸至东面的埃及沙漠,按通常的划分包括(自东向西)利比亚、突尼斯、阿尔及利亚和摩洛哥。北部非洲地区所含4国的面积总共约为4 753 000平方千米。整个地区可分为几大地理区(自西向东):摩洛哥大西洋沿岸地区;阿特拉斯山脉,呈西南-东北走向,从摩洛哥延伸至突尼斯,并被分成若干不相连的小山脉,其中大阿特拉斯山脉和撒哈拉阿特拉斯山脉为主要地形特征;最东部起伏不大的低高原,构成利比亚的大部分地区。上述诸地理区的南面均背靠着茫茫的撒哈拉砾漠和沙海。北部非洲各国的居民以阿拉伯人和穆斯林为主,还杂居着柏柏尔人或其他一些较小种族;其中大部分种族在他们居住的地区仍保持着独特的文化特色。19世纪和20世纪初期,欧洲移民开始在摩洛哥、阿尔及利亚、突尼斯和利比亚定居,但第二次世界大战结束后,前法属和意属领地纷纷独立,成为主权国家,许多欧洲人便离开了这些国家。北部非洲居民主要居住在地中海沿岸的狭长地带和分散的长有枣椰树的撒哈拉绿洲。北部非洲的大部分地区有明显的干季,农业耕作依赖频繁的密集灌溉,种有小麦、大麦、马铃薯、橄榄、番茄、柑橘、枣椰和葡萄,但作物产量往往很低。该地区主要牲畜有绵羊和山羊。主要矿藏有铁矿、磷酸盐、石油和天然气。阿尔及利亚和利比亚为世界石油和天然气的重要生产国。在该地区迅速扩大的诸城镇中,制造业并不太发达,以农产品加工和建筑材料以及粗钢生产为主。旅游业为外汇收入的重要来源,主要在摩洛哥和突尼斯。阿尔及利亚、利比亚和突尼斯均为共和制国家,各国在独立后的大部分时期里曾由单一政党执政。摩洛哥为君主立宪制国家。人口约64 205 000(1991)。

North America 北美洲 世界第三大洲,大部地区位于北极圈和北回归线之间,南北延伸8 000多千米,距北极和赤道不出800千米。面积24 230 000平方千米。除伸向东南、与南美洲哥伦比亚相连的狭窄的巴拿马地峡外,该洲形状略似一倒置三角形,完全被海水所环绕。该洲西部濒临太平洋,狭窄的白令海峡将其与西北部的俄罗斯及亚洲分隔,北部有北冰洋和该洲的几个主要岛屿,东部濒大西洋,东南部濒加勒比海与墨西哥湾。全洲人口约424 523 000(1990),约占世界人口的1/12。

土地 北美洲是第一块达到其目前近似面积和形状的大陆。该洲的地质构造是围绕被称为加拿大地盾的前寒武纪岩稳固台地形成的。其东南有古老的阿巴拉契亚山脉,西有较年轻和高得多的科迪勒拉山脉。

科迪勒拉山脉纵贯北美大陆,从西北部的阿留申群岛经南部的巴拿马进入南美洲,约占该洲陆地总面积的1/3。复杂的科迪勒拉山脉包括两个主要分支:西科迪勒拉山脉(或海岸山脉)与东科迪勒拉山脉。海岸山脉包含该洲的一些最高山脉,其最高点阿拉斯加的麦金利山海拔6 194米。海岸山脉的连绵群山是地质极为活跃的地区,特别是在墨西哥南部和中美洲大部地区沿东西走向延伸的部分最为显著。该区域的主要城市几乎全部都遭受过严重的地震破坏,而且大多数坐落在活火山附近;最突然的一次喷发是1982年墨西哥南部的埃尔奇琼火山喷发。

落基山脉与北部育空地区的马更些山脉会合并与墨西哥的东马德雷山脉及中美洲的非火山喷发山脉形成南向山脉,构成该洲的东科迪勒拉山脉。虽然东科迪勒拉山脉的山峰没有海岸山脉的山峰那样高,但也有几座超过4 270米。东部山脉形成一个流域分界线,将西部的太平洋的流域与北部的北冰洋流域和东部的大西洋和加勒比海流域隔开。

在北美洲科迪勒拉山脉的范围之内散布着几处高原、盆地和谷地。美国西部与墨西哥北部的大片高原地区由哥伦比亚高原、科罗拉多高原、盆地和山脉区以及墨西哥中央高原组成。该地区还包括一个广阔的内陆流域(大盆地),内有大盐湖、被科罗拉多河流域分割的壮观峡谷和该洲主要荒漠地区。

北美洲东部的2/3地区主要有4个低地区:东北部的加拿大地盾、从该地盾区向西和向南伸展的大平原区与内陆低地区、从美国新英格兰主要沿该洲东海岸延伸至墨西哥尤卡坦半岛的海岸平原区。碗状的加拿大地盾占该洲的整个东北部,其中心有部分沉入水中,形成哈得孙湾。地盾的南部与西部边界是五大湖和一些较小水域,劳伦太德陡坡向南沿圣劳伦斯河及休伦湖、苏必利尔湖北岸急剧下降达610米。西面为一系列较小湖泊,以北部的大熊湖为主。湖系以西为大平原区,从北极圈向南延伸至里奥格兰德。五大湖区以南为内陆低地区,从大平原区向东延伸至阿巴拉契亚山脉。大平原区从东向西逐渐升高，至落基山脉突然终止，该山脉沿平原区的整个最西部隆起。内陆低地区为阿巴拉契亚山脉以西残存的地势低洼地带，包括美国的"玉米带"和加拿大安大略省低地区这两个世界上产量最高的农业区。

海岸平原为美国东海岸的溺岸平原，以泛滥的河流流域及大片的砂质结构为特点，沿皮德蒙特高地逐渐升起，与阿巴拉契亚陡崖相连。平原的其余部分包括佛罗里达半岛，并继续向西延伸，在沿墨西哥东海岸向南转折之前，与大平原的较低部分和内陆低地区相会。阿巴拉契亚山脉从加拿大的纽芬兰省向西南延伸至美国的亚拉巴马州。加勒比海群岛构成北美洲陆地面积的其余部分，实际上包括部分从中美洲向东伸延及从南美洲向北伸延的没入海中的山脉。

密西西比河流域，包括其主要支流密苏里河和俄亥俄河，面积约3 250 000平方千米，占北美洲总面积的1/8以上，并占该大陆径流总量的1/5左右。马更些河、育空河和纳尔逊河在北纬55°以北有河口，3条河的流域总面积大于密西西比河的流域面积，径流总量几乎与密西西比河相等。密西西比河及其各支流提供的内陆航道，连同五大湖和圣劳伦斯河的内陆航道，在世界上是无与伦比的。大致沿加拿大地盾周边，有一系列湖泊，包括西面的大熊湖、大奴湖和温尼伯湖以及南面的五大湖，容纳了大量的淡水；这些湖泊的总面积——包括苏必利尔湖的82 100平方千米（水面面积最大的淡水湖）——几乎与德国的全部土地面积相等。美国西部的哥伦比亚河与科罗拉多河已被治理，可用于农田灌溉和水力发电。格兰德河构成墨西哥与美国之间的部分边界。中美洲的马那瓜湖和尼加拉瓜湖，海拔仅为30米，是该大陆地势最低的湖泊。

在中美洲潮湿、炎热的天气情势和酷寒的北极荒漠两种极端气候条件之间，哈得孙湾至墨西哥大部分地区通常以温和的气候条件为主。虽然各地年平均温度主要随纬度和高度而变化，但降水量主要取决于区域的气候变化。多雨地区的年平均降水量超过1 600毫米（但常常是季节性的），主要位于西北部的太平洋沿岸、中美洲大部地区以及加勒比海群岛中的多米尼加共和国。最干旱地区（年平均降水量不足 250 毫米，甚至更少）位于穿过美国西部和西南部大盆地区域并伸入墨西哥北部（包括下加利福尼亚州）的西部沙漠，以及该洲极北部地区，包括大部分北极岛屿。比较潮湿的地区（年降水量在1 300～1 600毫米之间）位于美国东南部和加勒比海的许多岛屿。内陆低地区与加拿大地盾区的许多地方年降水量在 500 ～1 300毫米之间。大平原和加拿大北部大部分地区的降水量为 250 ～ 500 毫米，降下的大多是雪，且年年都有变化。无霜期在美国-加拿大边境沿线一带，约为 90 ～ 120 天，在墨西哥-美国边境沿线一带，则约为 240 ～ 270 天。墨西哥大部地区和佛罗里达半岛，霜冻并非每年都有，且时间很短。

在加拿大最北部和阿拉斯加，有一大片长有苔类植物的沼泽区。在其南部，世界最大的共生林之一——北美洲的北部林（泰加林）——从纽芬兰穿越加拿大北部，向阿拉斯加伸展。其他森林密布的地区有沿太平洋海岸从加利福尼亚至阿拉斯加的太平洋针叶林，其中包括无边无际的杉树和枞树，北美洲西部山区以针叶树为主的科迪勒拉森林、北美大陆中东部和东南部各种阔叶树与针叶树混生的森林，以及墨西哥南部和中美洲的热带雨林。大平原与内陆低地区西部曾一度被广阔的大草原所覆盖，现在主要是农田和牧草地。西部沙漠区有独特的仙人掌、山艾和牧豆树属植物，而从墨西哥至著名的佛罗里达大沼泽地的大部墨西哥湾海岸，则有许多美洲红树沼泽。

北美洲的野生动物包括生活在最北部的大群驯鹿和狼，马更些山脉和落基山脉的麋鹿、羚羊和灰熊，遍布加拿大地盾区大部分地方的驼鹿和河狸，美国东南部的鳄鱼和蛇等爬行动物，中美洲雨林中的各种动物，其中有鹦鹉、猴子、怪异的爬行动物和两栖动物及豹。大批野牛曾自由自在地在大平原的草地上生活，现在数量已经不多，只能在动物保护区中见到。该洲辽阔的淡水水域中鱼产丰富。鸟类包括留鸟和候鸟，数量极大。

人民 当地最早居民为印第安人，在总体上曾一直是一片人烟稀少、经济欠开发的土地，但是，随着欧洲人（特别是西班牙人、法国人和英国人）与作为奴隶被引进的非洲人的到来，该洲经历了深刻变化。欧洲殖民者认为北美洲大部地区杳无人烟，有待开发，因此他们收买或排挤印第安人，并接管了这片土地。把印第安人赶出其在美国的故土的过程曾引起激烈争论，并导致印第安人"地区"的设立，这些地区最后缩减成相对狭小，且被隔离的"居留地"，大多数位于密西西比河以西。居留地制度在加拿大很早就被采用，对该国整个东部地区，甚至富裕农业区的印第安人村落起到保护作用。白种人（尤其是法国人）与印第安人的通婚，在加拿大比在美国更为普遍，并出现了规模很大的法国人-印第安人混血种人社区。在墨西哥，种族之间相互通婚更是习以为常，白人与印第安人结婚所生的后代称梅斯蒂索人，现在约占该国人口的3/5。自从西班牙人征服中美洲以后，那里的欧洲移民一直很少，印第安人在当地人口中数量较多（在危地马拉高达 50%）。

加拿大人口在北美洲总人口中约占6%，其总体人口密度相对较低。作为英联邦的一个成员国，加拿大近一半人口为英国人后裔，3/5以上的人会讲英语。约1/4的人口能讲法语，另有约1/5的人口惯常只讲法语。加拿大大部分人口出生在当地，但不断有外来移民进入该国，如今该国的非英国人已多于英国人。美国人口占该洲总人口的一半以上，拥有很大优势。英语为官方语言。在美国的总人口中，约 12%是非洲人后裔，约 6%具有西班牙人血统。平均人口密度高于加拿大，但与西欧国家相比仍很低。

墨西哥、加勒比海诸岛屿和中美洲的全部人口占北美洲总人口的1/3以上（墨西哥一国即约占1/5），并且仍在迅猛增长。出生率一直很高，而死亡率却已显著降低。因此，该区域大多数国家的年人口增长率最少是美国的2倍，而且经常超过3倍。

每个北美洲国家至少已建立了一种初步的社会福利救济制度。加拿大和美国拥有最先进的制度，其救济制度惠及穷人、病人、残疾人、工伤者、产妇、失业者、老年人以及居孀者。

各个国家的医疗保健水平有所不同。在北美洲，加拿大和美国的保健与卫生状况最佳。其他地方的状况则不尽相同，百慕大、哥斯达黎加、古巴、格林纳达、瓜德罗普、牙买加和马提尼克属于良好，危地马拉、海地和尼加拉瓜属于极差。在加拿大和美国，人口最主要的致死原因是心脏病；而在危地马拉和海地这类不发达国家中，传染病与寄生虫病仍然是最棘手的保健问题。由于医生严重缺乏，许多病人在萨尔瓦多、危地马拉、海地和洪都拉斯只能得到很少或根本得不到现代化的医疗护理。海地、尼加拉瓜、洪都拉斯和多米尼加共和国的婴儿死亡率最高，加拿大、荷属安的列斯、百慕大、巴巴多斯和美国最低。北美洲人口的平均预期寿命，在加拿大、古巴、哥斯达黎加和美国为 70 岁以上，而在危地马拉、海地、洪都拉斯和尼加拉瓜则不到 60 岁。

经济 北美洲既有发达经济（加拿大和美国）、部分发达经济（墨西哥、中美洲许多国家及较大的加勒比海岛屿），也有发展中经济（该地区其余国家）。经济发展的幅度可从各国人均国民生产总值的比较中看出，北美洲有一些世界水平最高的国家（百慕大、美国和加拿大），也有一些水平最低的国家（海地和洪都拉斯）。发达国家的国民生产总值主要来自制造业与服务业，而在部分发达和发展中国家，矿业或农业则是国民生产总值的主要组成部分。美国的经济规模比所有其他北美洲国家加在一起的总和还要大。

北美洲的大多数金属资源储量丰富，镉、铜、铅、钼、银和锌的储量居世界首位。该洲几乎没有铬、锰、铂、金红石、钽和锡，而这些矿物都是技术先进的工业所必需的。北美洲的石油与天然气估计储量各约占全球估计储量的1/10。据估计，世界1/3具经济开采价值的煤储量及可观的铀储量均在该洲。北美洲的水力发电装机容量大约相当于世界总量的1/3。其巨大的泥炭储量、地热资源和可使用各种太阳能转换系统（包括生物量生产）的广大地区，极大地丰富了该洲潜在的能源储量。

北美洲的可耕地约占该洲全部土地面积的1/8。该洲由于有得天独厚的肥沃土壤与相对稳定的气候条件，许多农田的产量居世界前列。

北美洲是世界最重要的粮食生产地，主要原因是美国和加拿大普遍实行了机械化和科学耕种。在美国西部、墨西哥和古巴，农作物的灌溉十分重要。该洲大约生产世界谷类作物产量的1/5，玉米、大豆、高粱、柑橘及葡萄柚的产量处世界首位。该洲的小麦、大麦、燕麦、水稻、甘蔗、甜菜、马铃薯、甘薯、番茄、棉花、香蕉、大蕉、葡萄、柠檬、酸橙、干豆、葵花籽和花生的产量也居领先地位。其他重要农产品的加工生产出原糖及精制糖、酒和烟草制品。

牧草地约占该洲全部土地面积的1/6，大

多位于加拿大、美国和墨西哥。主要牲畜有牛、猪、绵羊、马和山羊。乳制品生产在加拿大和美国是一个重要行业,这两个国家都是乳制品的输出国;牛肉及猪肉的生产在加拿大、美国和墨西哥亦颇重要。在其他较小国家中,乳制品和肉类生产主要靠本国一些生产力低下的企业,经常不能满足国内需求,因此必须进口。

虽然北美洲的森林比其原有规模大为减小,但仍大约覆盖了1/3的面积。加拿大、美国、伯利兹、危地马拉、洪都拉斯、尼加拉瓜、巴拿马、多米尼加、圣文森特以及特立尼达和多巴哥均为木材生产国。尽管该洲约占世界木材年产量的1/5,但因加拿大和美国高度发展的工业以及一些小国家中的林业资源不足,使该洲成为原木的纯进口地区。美国和加拿大是世界主要的木质纸浆、锯木、板材、胶合板及纸制品的生产国;家具制造是一项重要行业。

每个北美洲国家都拥有海岸,渔业在整个大陆都很重要,美国、加拿大、墨西哥均为世界重要渔业生产国。许多较小的加勒比海国家依靠鱼和有壳水生动物的出口赚取收入。

采矿及采石业在北美洲大部地区居重要地位。矿物燃料的生产包括煤、天然气和石油,主要集中在加拿大、美国、墨西哥、危地马拉、特立尼达和多巴哥;其余国家缺少这类矿物,能源燃料必须进口。在其他矿物中,北美洲的锂、钼、铀、镁产量高于世界其余地区的总和,开采的磷酸盐、硒、钾碱、镍、银、钛铁矿(钛矿石)、铋、铅、锌、碲、铜、萤石及镉占世界总产量的1/5或以上。几乎所有这些矿物都是由美国、加拿大和墨西哥生产的;其他在世界上居前列的重要矿物生产国有牙买加(铝土矿)和古巴(钴及镍)。该洲在其他替换能源(如地热能、太阳能、农业副产品能及燃料)的开发方面,也居世界领先地位。

制造业在发达的北美洲国家具有重要地位,重工业和技术复杂的工业均集中于此,而轻工业和农产品加工业则在较小国家中占优势,只有牙买加与特立尼达和多巴哥除外,那里轻重工业兼而有之,另一个则是古巴,该国有少量重工业。在20世纪后期,加拿大和美国一面保持其基础金属制品、机械、运输设备、石化产品、塑料制品、消费器具、棉织品及服装的重要制造国地位,一面迅速转向航天、电子、通信系统、计算机及软件等方面的产品制造。金融服务业、保险业和法律服务业亦迅猛发展,而一些传统重工业,如造船和钢铁工业则停滞不前或开始下降。由于发达国家的市场开放,发展中国家扩大了其传统的制造工业。

接待来自国外和本洲的内部观光者的旅游业是一项重要的收入来源,对较小的加勒比海岛国更是如此。大部分加勒比海诸岛、墨西哥、夏威夷、佛罗里达和加利福尼亚都是美国、加拿大和欧洲的冬季游客最喜爱去的地方。美国本土和加拿大有良好的冬季运动设施和许多历史遗迹、景色秀丽的国家公园及自然奇观。

该洲的运输网络在美国和加拿大的大部分地区十分完善,在中美洲和加勒比海的大部分地区也相当不错。内陆航道主要分布在美国、加拿大、墨西哥和尼加拉瓜。最重要的航道是在加拿大和美国之间运行的圣劳伦斯-五大湖系统,以及连接大西洋与太平洋的巴拿马运河。

该洲有一个非常明显的贸易模式:加拿大为食品、原料、工业品的主要输出国;美国为重要的食品及制成品输出国,但也是燃料、原料和工业品的主要输入国;墨西哥、特立尼达和多巴哥为石油输出国,牙买加则为铝矾土输出国。巴哈马和巴拿马是国际上重要的银行业和金融服务业中心。中美洲和加勒比海地区的其余国家主要依赖当地特有的热带作物、木材、纺织品及鱼产品的输出,并且必须进口许多工业品。这些小国与加拿大和美国之间有非常重要的区域性贸易和开发援助计划。在加勒比共同体和共同市场、英联邦或法国海外省中的地位为这些小国开辟了更加广阔的市场,并使它们在与大国和发达国家的竞争中处于更有利的位置。

文化背景 北美洲从北至南可分为5个文化区域:加拿大文化区、美国文化区、墨西哥文化区、加勒比文化区和中美洲文化区。在加拿大,加拿大的英语文化控制着除魁北克省以外的所有各省的生活,在魁北克省,一种独立的法国文化依然十分活跃。在美国,有由英国和其他欧洲人的影响、该国自己的拓荒传统,以及来自拉丁美洲、非洲和亚洲的文化特点混合而成的独具特色的美国文化。在墨西哥,文化的形成主要是受西班牙和印第安文化传统的影响。在加勒比海地区,尽管各个岛国的人口血统、语言和历史不尽相同,但各国都有一种共同文化中的许多基本要素,有过作为以非洲和亚洲劳工为主体的种植园殖民地并一直受遥远的欧洲经济和政治强国控制的类似经历。中美洲的文化生活则主要受印第安文化、西班牙文化和非洲黑人文化的影响而形成。

北美洲各国均实行义务教育,小学学龄儿童的入学率在巴巴多斯、加拿大、古巴和美国超过90%,这些国家的中学入学率超过60%。北美洲小学学龄儿童最低的入学率为60%左右,主要出现在危地马拉、萨尔瓦多和海地这些缺少教师与教学设施的国家。该洲有许多重要的高等学府,其中最著名的包括墨西哥的国立自治大学,加拿大的多伦多大学和麦吉尔大学,美国的哈佛大学、耶鲁大学、普林斯顿大学、斯坦福大学、芝加哥大学以及像加利福尼亚大学那样的一些重要的州立大学系统。

北美洲的新闻自由仅限于诸如加拿大、哥斯达黎加和美国这样一些民主制国家。最自由与最有影响的新闻业(包括广播媒体)出现在美国,那里的新闻自由受到宪法的保障,而新闻媒体又经常对政府权力进行制约。加拿大的新闻业,包括其国有广播媒体也是自由的。相比之下,古巴的新闻界一般总是维护政府的政策与立场。萨尔瓦多、危地马拉和墨西哥的媒体虽为私人所有,但很少对政府行为进行批评。

历史 北美洲的最早居民美洲印第安人,据信来自亚洲,大部分人从西伯利亚东部经白令海峡陆桥来到北美洲。具体移居的时期不详,但很可能发生在3万至2万年以前的最后一次间冰期,历时数千年。这些移民一直过着石器时代捕鱼和狩猎的生活;当首批欧洲人见到他们时,有许多人确实仍生活在这种状况之中。

最重要的北美洲前哥伦布文化出现在中美洲。奥尔梅克文化最早,约始于公元前1150年。奥尔梅克文化发展于今墨西哥的韦拉克鲁斯与塔瓦斯科南部一带,以雕刻著称。危地马拉和尤卡坦半岛的马雅人(公元前300～公元900)曾掌握着西半球最伟大的文化之一。他们从事农业,建造用巨石堆砌成的建筑和金字塔形庙宇,制造金器和铜器,发展出一种精确的历法,并使用象形文字书写。托尔特克人(约10～12世纪)据信曾在墨西哥中北部建立了一个大帝国,该帝国至14世纪已成为阿兹特克人的帝国,以特诺奇蒂特兰城(今墨西哥城)为中心。所有这些中美洲民族都达到了较高的文明水平。但是,阿兹特克人敌不过工业技术占优势的西班牙人,后者到16世纪中叶已征服整个中美洲。

前哥伦布时期的墨西哥和中美洲人口估计约为500万人,北美洲墨西哥以北的人口在60万至120万之间。墨西哥以北的印第安人没有发展集约化农业或城市化的生活方式,但是半定居的民族已在整个密西西比-俄亥俄和五大湖-圣劳伦斯河下游地区以及墨西哥湾沿岸和大西洋海岸平原建起村落,而到欧洲人与其有所交往时,切罗基人和易洛魁人中已出现强大的部落联盟。

欧洲人原本渴望找到一条向西通往东方的航道,结果却发现了美洲。当意识到北美洲同样可以开发利用时,这块大陆遂吸引了那些对帝国和商业贸易有兴趣的欧洲列强的注意。从16世纪开始,西班牙人首先在新大陆开拓殖民地。1605年,法国人在新斯科舍的罗亚尔港建立起他们的第一个殖民地,1607年英国人在詹姆斯敦也建立了殖民地。荷兰人和瑞典人也分别建立过殖民地,但维持的时间很短,而俄国人则在18世纪后期在阿拉斯加建立殖民地。英国人成为北美洲北部的霸主,特别是1763年在法国和印第安人战争中,在军事上战胜法国人之后,1783年,英国人又反过来被正式成为美利坚合众国的13个殖民地逐出。加拿大仍然被英国人统治(直至1926年独立),而墨西哥和中美洲则已在1821年脱离西班牙独立。到向西迁移的美国人于1848年正式获得墨西哥北部地区时,现在的北美洲政治边界大部已被确立。北美洲的生活方式在格兰德河以南具有浓厚的拉丁-美洲(西班牙)色彩,北部则为盎格鲁-美洲风格,但在魁北克(加拿大)和路易斯安那(美国)有两块飞地受法国人控制。16～19世纪实行的奴隶制及其留下的影响,又增加了一种不容忽视的起源于非洲的少数民族文化,特别是在美国和加勒比群岛。

由于这种丰富多彩和经常动荡的历史,北美洲成为具有世界影响的一个强大中心。美国在19世纪末和20世纪初实现了工业化,到第二次世界大战结束时已成为世界上最强大的国家。这个新强国的地理位置处在地球上两个人口密度最高的地区——西欧与东亚——之间,给北美洲及其人民以很大的世界影响。

北美洲诸国作为美洲国家组织成员，寻求西半球的联合，该组织也包括各南美洲国家。美洲国家组织旨在增强西半球的安全，促成和平解决成员国之间的争端，提供集体安全，鼓励经济、社会和文化事务上的合作。

3个北美洲国家——加拿大、古巴和美国——向该洲之外派有军队。加拿大在西欧派有驻军作为对北大西洋公约组织所承担的一部分义务。古巴在非洲部署有军队，不过至90年代初，其影响已大大缩小。美国拥有大量先进的核武器，属于北大西洋公约组织，在西欧、日本和韩国都驻扎着军队。

North American Desert 北美沙漠 位于北美大陆西部的生态情况复杂的地区。由墨西哥北部到爱达荷州和俄勒冈州南部，绵延近3 200千米。总面积约为1 300 000～1 900 000平方千米。按纬度、高度、气候、地形、植被、土壤等地理因素的不同和人类的使用情况之差异，北美沙漠可划分为中纬度冷沙漠（北部）和中纬度热沙漠（南部）。大盆地沙漠为中纬度冷沙漠。它包括俄勒冈州东南部的大沙沙漠、南爱达荷州的斯内克河平原、内华达州的绝大部分地区、犹他州的大部分以及亚利桑那州北部的佩恩蒂德沙漠和怀俄明南部的雷德沙漠（后二者被认为是大盆地沙漠的延伸）。内华达州的大盆地沙漠在内华达山脉的南端周围与中纬度热沙漠结合。中纬度热沙漠主要有莫哈维沙漠，东面有科罗拉多河，西南面为干旱的科罗拉多沙漠和多沙的尤马沙漠。索诺兰沙漠向内地延伸，由墨西哥西部的海岸向东与南部的亚利桑那高地沙漠结合。再往东即为奇瓦瓦沙漠，此沙漠跨墨西哥的奇瓦瓦州、科阿韦拉州、圣路易斯波托西州。由于长期的侵蚀作用，北美沙漠的地形表现为轮廓特别鲜明，富于棱角，并有若干美丽的景色。绝大部分土壤属旱成土，但各个地区有差异，表现在它们含有不同程度的盐和矿物质成分，以及有无有机物质。北美沙漠的植被包括旱生植物、灌木丛、盐沼灌丛、约书亚树、木榴灌丛。亚利桑那高地沙漠以产大仙人掌著称。北美沙漠的动物群有：小狼、美洲野猫、狐、臭鼬、各种蜥蜴、蛇以及大量的各种昆虫。

North American Free Trade Agreement (NAFTA) 《北美自由贸易协议》 由加拿大、美国和墨西哥签署的贸易条约。1992年签署，1994年起正式生效。受欧洲共同体在其成员国之间成功地减少贸易障碍的启示，北美自由贸易协议创立了世界上最大的自由贸易区。该协议大体上是将1988年加拿大与美国签署的自由贸易协议条款扩展至墨西哥，主张在一个以15年为期的时段内取消所有的贸易壁垒，允许美国和加拿大的企业进入墨西哥的相关市场。协议条款同时也将有关的劳工和环境问题列入其中。

North American Indian Women's Association (NAIWA) 北美印第安妇女协会 旨在增进美国印第安妇女间的友谊，发挥美国印第安妇女会员特有作用的非营利性组织。1970年由M.考克斯等人组建，美国印第安事务局资助；加拿大分会会员众多。协会会员均为联邦政府承认的美国印第安部落妇女。其主要工作为提高全美印第安妇女地位并为之争取更多机会，但基本目标则是促进美国印第安人及部落之间的交流沟通，增进人们对美国印第安文化的了解。每年召开各地方和区的联谊会，讨论医疗、教育、经济与社会进步等问题。

North American Nebula 北美星云 天鹅座中的一个电离氢区，又称NGC 7 000。它是被云中的一些年轻热星电离的星际气体云。云中各处的星际尘粒吸收了原子复合过程中所发的光。由于部分尘区状似墨西哥湾，使星云的外形有点像北美洲，故名。星云距太阳约700秒差距（2 300光年）。直径约20秒差距（65光年），总质量相当于8 000个太阳。

North American Review 《北美评论》 美国杂志（1815～1940），是19和20世纪美国主要文学杂志之一。创刊于波士顿，由《每月文选》（1803～1808）主办，是反映波士顿和新英格兰知识分子的思想与情趣的地区性杂志。歌德和席勒的作品最初是通过它的篇幅介绍给美国读者的。迁至纽约后成为一种为当时公共事务提供公正论坛的全国性刊物。1891年发行量达7.6万份。它的批判影响和有关社会政治问题的文章颇负盛誉。为该刊撰稿的有H.乔治、D.D.菲尔德、W.菲利普斯、W.惠特曼、W.格莱斯顿、O.W.霍姆斯和H.G.威尔斯等众多杰出作家。1940年停刊。

North American Rockwell Corporation 北美罗克韦尔公司 参阅 **Rockwell International Corporation** 罗克韦尔国际公司。

North Atlantic Current 北大西洋洋流 北大西洋中顺时针洋流系统的一个组成部分。从加拿大纽芬兰岸外的格兰德浅滩东南，流向欧洲西北部岸外的挪威海。流速大约为每小时0.2海里，而相邻的墨西哥湾流流速为每小时1～6海里。北大西洋洋流的特点是水温高，盐度大，表面有时被变化不定的漂流所掩盖。在西北欧的海岸和岛屿附近，与北极的冷水混合，形成优良的渔场。大西洋温暖的洋流和盛行的西风相结合维持了西北欧温和的气候。主要分支有伊尔明厄洋流（**Irminger Current**）、挪威洋流（**Norway Current**）和加那利洋流（**Canary Current**）。

North Atlantic Treaty Organization (NATO) 北大西洋公约组织 为履行1949年4月4日签订（1949年8月24日起生效）的《北大西洋公约》所建立的一个组织，公约目的是针对苏联战后在东欧的兵力建立起一种抗衡力量。此后北大西洋公约组织一直是西方各国对抗欧洲共产党武力最主要的集体防御机构。成员国包括比利时、加拿大、丹麦、法国、德国（或西德，1955～1990）、希腊、冰岛、意大利、卢森堡、荷兰、挪威、葡萄牙、西班牙、土耳其、英国和美国。希腊和土耳其于1952年2月加入；西德于1955年5月加入；西班牙于1982年5月加入；1999年，波兰、捷克、匈牙利加入；2004年，保加利亚，爱沙尼亚、拉脱维亚、立陶宛罗马尼亚、斯洛伐克、斯洛文尼亚加入；除此之外，其余各国均为原公约签署国。法国于1966年退出北约联合军事指挥部，但仍为北约的成员国。

历史背景 1945年第二次世界大战结束后，西欧经济衰竭，士气消沉，内部政治衰弱。西方军事上的孱弱，使法国和意大利共产党新近强大起来的幽灵形成更复杂的形势，因为西方战时盟国（美国、英国和法国）在第二次世界大战结束后急剧地减少了他们的军队。相反，苏联军队在战后控制着中欧和东欧各国，1946～1948年在莫斯科主导下，共产党人巩固了对那些国家政府的控制，镇压了一切非共产党政治活动。“铁幕”垂落在东欧，常驻东欧的庞大苏联军队朝西方投出长长的令人不安的阴影。与此同时，西方同盟国与苏联的战时合作完全崩溃，对被占领的德国双方各自组织防区，以致事实上出现了一西一东两个德国。

1948年美国开始实行马歇尔计划，给予西欧和南欧国家大量经济援助，条件是它们相互合作，联合规划以加快共同的恢复。至于军事上的恢复，1948年3月，英国、法国和低地国家依据《布鲁塞尔条约》缔结集体防御联盟。但是，在这以前已经认识到，《布鲁塞尔条约》国家没有美国支援，便不可能对苏联构成适当抗衡。仅一个月内，《布鲁塞尔条约》国家已开始与美国和加拿大谈判一项扩大的集体防御安排。于是，北大西洋公约组织创始成员国1949年在华盛顿签署了《北大西洋公约》。

条约内容 《北大西洋公约》的重点，也即北约联盟的重点在第5条：各缔约国“同意，对欧洲及北美洲任何成员国之武装攻击，将视同对全体成员国之攻击。各成员国亦同意，若武装攻击发生时，成员国为行使联合国宪章第51条承认的个别或集体自卫之权利时，将个别或配合其他成员国，断然采取必要之行动，包括使用武装力量，协助遭受攻击之成员国以恢复并维持北大西洋地区之安全”。

第6条界定条约涵盖的地理范畴，包括“武装攻击欧洲或北美洲……任何成员国之领土。”依据第3条，美国提供欧洲各北约组织成员国的军事援助和其他防御协助，在联盟建立后的最初20年中总值逾250亿美元。依据第9条，设置了联盟的集中行政与领导机构，许多文职机构、军事指挥部、参谋单位及各项活动遂发展起来。

北约组织 1949年《北大西洋公约》签署后，美国采取各项措施加强欧洲的军事力量，并于1950年1月给予北约组织成员国第一批军事援助，价值为10亿美元。美国受到1950年6月朝鲜战争爆发的刺激，遂进一步采取行动，表明美国将对抗苏联在欧洲的任何军事扩张或压力。1950年12月，北大西洋会议（北约组织领导机构）任命第二次世界大战中西方盟军领导人艾森豪威尔将军为欧洲最高盟军统帅。此后曾有多位美军将领相继任欧洲最高盟军统帅。

公约生效后旋即设立的北大西洋会议系由各成员国的部长级代表组成，每年至少集会两次。会议主席由各成员国轮流选出,同时执掌北约国际秘书处——一个基本上是文职的组织。

至于北约的军事组织,建立了一套完整的指挥系统,以供战时使用。军事委员会由各成员国的参谋总长组成,其下设有3个主要的指挥部:①欧洲指挥部,正式名称为欧洲盟军最高司令部,由欧洲最高盟军统帅指挥;②大西洋指挥部,由大西洋最高盟军统帅指挥;③海峡指挥部(负责英吉利海峡),由海峡总司令指挥。这些指挥部平时的作用不在实际指挥盟军部队,而在拟定各该地区的防御措施及督导训练成员国的部队。

北约联盟成立后,最初20年北约各国花费30多亿美元,共同筹建北约部队的"永久性防御设施",如基地、机场、管线、通信网络、补给站等,其中约1/3的资金由美国提供。

德国的作用　50年代早期和中期,北约组织遇到的一个严重问题是就西德加入联盟进行谈判。德国重新武装的前景在西欧广泛地招致不安和犹豫,这是可以理解的,但是长久以来西德的力量已被公认为对于一支足以抗衡苏联的欧洲军事力量是必要的。于是,为西德"安全"地参加联盟作了安排,这是1954年10月《巴黎协议》的一部分。《巴黎协议》结束了西方同盟国对西德的占领,既限制西德的军备又让西德加入《布鲁塞尔条约》。1955年5月,西德加入北约组织。1955年苏联在东欧建立华沙条约联盟,是对西德进入北约组织的直接反应。后来,西德向北约联盟提供了许多个师和大量空军,到冷战结束时,北约部队有90万人驻扎在西德。

法国的作用　1958年以后,戴高乐总统日益抨击美国控制北约组织,抨击北约组织的许多国际幕僚和活动侵犯法国主权,法国参加北约组织变得有些牵强。他辩称"整体化"会使法国在外来者的决定下"自动"卷入战争。1966年7月,法国正式不再参与北约组织"整体性"的军事指挥结构,要求北约部队与总部撤离法国国土,但是戴高乐宣称一旦出现"无端的侵略",法国仍将继续遵守《北大西洋公约》。作为回应,北约组织其他成员国将北约总部自巴黎迁往布鲁塞尔。法国与北约组织整体性军事幕僚仍维持着一种"联络"关系,继续出席北大西洋会议,继续维持部署在西德的地面部队,但这是基于与西德达成的双边协议,而非基于北约组织的权限。

冷战时期　从一开始,北约组织的主要目的就是,一旦苏联及其华沙条约组织国家侵犯西欧以扩展共产主义,便统一并加强西方同盟国的军事反应。为对付苏联庞大得多的地面部队,50年代初,北约组织部队仰仗美国会进行大规模核报复以威慑苏联侵略。北约组织自1957年起在西欧基地部署美国核武器(在美国控制下),以配合这一政策。整个50年代后期及60年代,北约组织的军队有步骤地得到加强,虽然在数量上一直少于华沙条约组织庞大的地面部队,北约组织部队的武器和训练优势使之与其潜在的对手大致势均力敌。

这种情况延续到80年代,此时北约组织的部队已得到(在美国控制下)装有核弹头的中程导弹及大批常规部队。约30万美国军队仍驻扎在西德和西欧其他地方作为北约组织部署的一部分,而北大西洋公约组织与华沙条约组织在冷战中的对峙势将继续几十年。但是,苏联领导人戈尔巴乔夫在80年代后期进行的广泛改革,从根本上影响了冷战和北约组织。1989年苏联默认了整个东欧共产党各国政府的垮台,同意代之以自由选举产生的(而且是非共产党的)政府。莫斯科放弃对东欧的控制意味着《华沙条约》以往对西欧的军事威胁大大消散,而这又令人怀疑是否需要保持北约组织作为一个军事组织。1990年西、东德的统一以及该新统一的国家对北约组织的依附,为之创造了新机会,有的国家建议将联盟由军事组织转变为政治组织,致力于维护欧洲的国际稳定。

冷战后　冷战后,北约被重新定位为"合作安全"机构。有两大任务:与原华沙组织中的成员建立对话、合作;"管理"欧洲外围区域,例如巴尔干的冲突。为了实现第一目标,北约建立了北大西洋合作理事会(1991年后被欧洲-大西洋伙伴关系理事会取代),作为就政治安全问题交流意见的平台;还成立了和平伙伴关系(pfp)项目,通过与北约内国家以及非北约国家,包括前苏联共和国及其盟国,进行联合军事训练的方式来加强欧洲安全和稳定。北约同俄罗斯和乌克兰建立了特殊的合作关系。为了实现第二个目标,1995年,北约首次使用武力空袭萨拉热窝附近波斯尼亚塞族军事设施。1999年3月,对塞尔维亚发动大规模空袭,迫使米洛舍维奇的南斯拉夫政府接受保护科索沃阿族穆斯林的外交协议。

科索沃危机刺激欧盟建立新的危机干预部队决心。其目的是减少欧盟对北约和美国的依赖性。人们开始讨论欧盟防御力量的加强是否有利于北约。同时,一些观察家认为,既然北约原本针对的敌人已经不复存在,北约也应该被解散。另外一些观察家则认为应该增加北约成员,将俄罗斯也纳入北约组织。而大部分人则希望北约发挥维和等作用。20世纪90年代,美国积极领导北约的扩张,将前苏联的一些盟国也纳入北约组织。

North Auckland Peninsula　北奥克兰半岛　位于新西兰北岛北部,范围几乎与行政上的北部区(**Northland**)相同。

North Ayrshire　北艾尔郡　苏格兰西南部政务会辖区。包托艾尔历史郡内的坎宁安历史区,以及克莱德河湾中多个岛屿(包括阿伦岛和坎布雷斯,两岛属比特历史郡)。面积879平方千米。阿伦岛经济以畜牧和旅游业为主,并有丰富的猎物和鱼类。海港和工业城镇阿德罗森有炼油和造船业。西基尔布赖德附近的亨特斯顿是深水港,铁矿的集散地,并有核电站。区首府为新建的欧文(**Irvine**)镇,有各种轻工业。区南部有苏格兰主要国际机场普雷斯蒂克。人口约139 410(1999)。

North Bay　诺斯贝　加拿大安大略省东南部城市,尼皮辛区行政中心。在多伦多以北330千米。因位于尼皮辛湖北湾,故名。1882年为加拿大太平洋铁路调车场。现为安大略北方铁路的南终点站和总公司所在地,也是两条横贯大陆铁路线上的重要车站。现已成为重要的物资集散中心和著名的避暑胜地。工业有伐木、乳制品、毛皮加工、印刷和采矿机械制造。大型喷气飞机基地和加拿大第一个导弹基地。1925年设市。人口52 771(2001)。

North Brabant (The Netherlands)　参阅 **Noord-Brabant** 北布拉班特。

North Canadian River　北卡内丁河　卡内丁河主要支流。源出美国新墨西哥州尤宁县高地。东流经得克萨斯州,进入俄克拉何马州,在尤福拉水库汇入卡内丁河。全长1 223千米,流域面积37 011平方千米。干、支流上有水坝拦成的灌溉湖。在其支流沃尔夫河口上游,北卡内丁河有时称比弗河。

North Canton　北坎顿　美国俄亥俄州中东部斯塔克县城市,处于坎顿正北。1831年规划,因多数居民为德国后裔,故称新柏林。1873年建立的胡佛制革厂,现仍为该市最大企业。1905年设村。1918年改称现名。1961年设市。人口约15 357(1994)。

North Cape Current　北角流　海洋表面水流。为挪威洋流(湾流之一部)最北延伸部分。流经挪威、芬兰和俄罗斯科拉半岛的北部海岸。以温度4～12 °C和平均含盐度(34‰～35‰)较高为特点,流速约0.5～0.8节。流入北冰洋巴伦支海时,温度降低,含盐量减少,分成许多支流。这种情况的结合造成气候很不稳定,且多风暴。同时,洋流水温较高,使冬季气温亦高,降水量高于平均值。

North Carolina　北卡罗来纳　美国最初13州中的第12个州,位于大西洋沿岸,与纽约和佛罗里达的距离大致相等。该州是大西洋沿岸南部诸州中最发达的工业州。该州约有一半居民住在城市以外,为全国农村人口最多的州之一。

北卡罗来纳早期历史与英国最初开拓新世界的努力紧密相关。位于东北部近海岛屿密布、蜿蜒曲折海岸线的罗阿诺克岛是著名的"消失了的殖民团"的所在地,因为1587年英国人第一次登陆该岛后不久这些人便不知去向。东部地区尚保留有许多殖民地时期的生活情调,而以首府罗利为中心的皮德蒙特高原地区已成为该州工业和人口集中地区。西部山区仍为充满生机的民间文化中心和北美洲印第安人一个群体的家乡。

北卡罗来纳北接弗吉尼亚州,东濒大西洋,南与南卡罗来纳州和佐治亚州交界,西邻田纳西州,面积136 420平方千米。该州内陆水面3 826平方英里,是内陆水面第5大的州,沿海潮泛区有大面积沼泽,皮德蒙特和阿巴拉契亚地区有湖泊和水库。这3个地理区域决定着该州人民生活方式的主要差异,造就了境内3种不同文化。

自然地理和人文地理

土地　北卡罗来纳地跨美国3个主要自

然地理区——海岸平原、皮德蒙特高原和阿巴拉契亚山脉。这种差异不仅赋予该州以壮丽的景观，而且影响了该州的气候、土壤、植物及人文地理的性质。

地形 陆地从海平面起向西延伸，缓慢升至瀑布线，这是一个宽30英里(48千米)的地区，将海岸平原与皮德蒙特高原分隔开来。皮德蒙特高原地形不规则，至阿巴拉契亚山麓约140英里距离间每英里升高约5英尺(1.5米)。山区多处高于6 000英尺，有磨损的、滚圆的外貌，显示其地质起源早于美国西部的崎岖山峰。米切尔山高6 684英尺，是密西西比河以东最高峰。

土壤 北卡罗来纳的土壤一般根据地区不同分类。沿海土壤肥沃，富含腐殖质，再往西的沙丘地带多为沙质，且大多不含有机物质。皮德蒙特地区以黏土为主，山区土壤则为黏土、沙和淤泥结合的产物，通常称为壤土。北卡罗来纳全部土壤均受过多的淋滤影响，致使矿物质高度消失，要成功地经营农业，必须添加大量石灰和肥料。

气候 北卡罗来纳山区为温度适中的大陆性气候(虽然夏季较凉爽且雨量较大)，东南角为亚热带气候。生长期自沿海的275天至山区的175天不等。年平均气温东部地区19°C，中部16°C，山区13°C。7月和8月最潮湿，10月和11月最干燥。平均年降水量在沿海地区为46～54英寸(1 170～1 370毫米)，皮德蒙特高原44～50英寸，山区40～80英寸。强风暴少见，但常下大雪。沿海有时有飓风，内陆发生过龙卷风。

动植物 全州植被主要因3个主要地区的地理与气候不同而有很大差异。但是因人类定居影响而发生的变化大概已同等重要，例如，过去森林茂密的地区已遭砍伐焚烧，如今仅占该州面积的50%左右。树木的消失不仅改变了重要栖息地而影响了动物界，而且加重了土壤的侵蚀和淋滤。

北卡罗来纳较北美东部其他各州植物种类更为繁多。这里有许多硬木树种。山区有红云杉和香脂冷杉，南部沿海地区生长有亚热带扇形叶棕榈和食肉的捕蝇草。

北美地区常见的动物，如兔、松鼠、浣熊、负鼠、鹿以及熊和野猫等，在该州均有。最常见的鸟是主教雀、鹌鹑、嘲鸫、山雀以及各种啄木鸟和莺。蓝鳃太阳鱼、莓鲈、巴司鱼和太阳鱼等内陆水域鱼类很常见。山区有溪鲑和虹鳟。

住区模式 海岸平原约占该州面积的45%，为一片起伏不大、排水良好的内地和海岸线附近一片潮水泛滥的沼泽区。沼泽地区是最早由人们开发和定居的地带。称为"外滩"的一长串岛屿从弗吉尼亚绵延至南卡罗来纳，一般布满数英尺到100英尺以上的沙丘。有哈特勒斯、卢考特和菲尔3个海岬伸入大西洋。这一带海域因有许多船只沉没在险恶的海水中，故被称为"大西洋坟场"。整个地区平均海拔不足20英尺。港湾水浅而多污泥，仅可通行小型船只。外滩与大陆之间有一条近岸水道，从新泽西曲折蜿蜒通至墨西哥湾。海岸平原的内地部分向西至皮德蒙特高原宽120～140英里。

自从罗利殖民梦神秘终止之后，北卡罗来纳东部一直是该州历史的圣地。紧靠罗阿诺克岛便是基蒂霍克沙丘，1903年莱特兄弟在此地迎来了动力飞行时代。许多传说表明外滩沙丘下面埋有海盗船的财宝。许多生锈的烟囱、桅杆和锅炉露出近岸水面，证明有2 000只以上船只在此沉没。附近的纳格斯黑德因传说而得名，因为不道德的殖民者把灯笼系在马颈上，赶着马沿海岸走，以此引诱轻信的水手触礁。奥克拉科克岛上的游客会因岛上居民的伊丽莎白时代发音的言语而惊讶，他们把"high tide"(高潮)读作"hoigh toide"。

新伯尔尼是该州第二个最古老的城市，由瑞士殖民者命名。这里的特赖恩大厦是一座修复的宫殿和花园，被称为美洲殖民地最美的建筑。沿南部海岸有渔船出发去捕捞墨西哥湾流中的大型深水鱼，在伊登顿人们仍然纪念殖民地妇女举办第一批茶会以反对英国课税一事。莫尔黑德城和威尔明顿是该州两座深水港，在世界贸易中占有重要地位，当地的重要军事设施使该州的经济生活更具活力。

北卡罗来纳皮德蒙特高原是一个起伏不平的长满森林的丘陵地区。皮德蒙特高原东部明显的山岭和丘陵可能是与阿巴拉契亚山脉平行的古老山系的残存部分，其支脉伸入皮德蒙特西部。该地区河流众多，均流入海岸平原或南卡罗来纳。卡托巴河和亚德金河上的大坝是重要的水力发电资源。

这一地区是新南方的最好象征，这里现代工业已基本上取代了传统的农业。从罗利向西再向南到该州最大城市夏洛特以南的一个弯弯的新月形地带是工业集中的地区。达勒姆、格林斯伯勒和温斯顿-塞勒姆等城市使北卡罗来纳成为美国烟草工业之都，在纺织品和家具的生产方面也占有重要地位。在该州历史上有重大影响的学院和大学也集中在这一地区。

尽管有发达的工业，这些城市中许多南北战争前的建筑保留着一种宁静的氛围，城边附近仍有农田。湖泊和河流的上游是垂钓和野营的好地方，许多小镇中的杂货铺仍在为农业人口服务。美国独立战争时期知名的英国将领康华里勋爵描写为"偏僻小地"的夏洛特街道下面，有曾经生产出许多吨黄金的早期矿井的遗迹。

西部山区是一片极为干旱的山间高原，两侧为阿巴拉契亚山脉南部的两座山岭。东部为蓝岭山脉，自皮德蒙特高原陡升至3 000～4 000英尺的山峰，其中有数座高达6 000英尺，甚至更高。更西部的尤内卡山脉包括大雾山脉，向西绵延进入田纳西州。这

北卡罗来纳州牛津市的烤烟市场

美国不列颠百科全书公司供图

一地区可分为几座交错山岭和若干小高原和盆地。其中一个主要山岭由布莱克山群构成。北卡罗来纳西部共有43座山峰高度超过6 000英尺，82座超过5 000英尺。

北卡罗来纳西部山区的生活方式改变缓慢。许多社区从该州早期起就相对孤立，直到最近才结束了自给自足的生活方式。技艺世代相传的家庭手工业有木雕、编筐、刺绣、小地毯和被褥绗缝、制陶。但在山区以及阿什维尔休闲地这种孤立已被打破。山坡地带的冬季和夏季运动已很普及，皮斯加国家森林和大雾山国家公园是吸引越来越多的人前来观光和野营的两个地区。

人民 考古学家已发现该州有1.6万年前人类居住的遗迹。据估计，在第一批欧洲探险者到来时，这一地区有3.5万至5万印第安人。19世纪30年代末，剩下的人数最多的印第安族群是切罗基人，他们大部被迫迁往密西西比河以西地区，这次大迁徙史称"眼泪之路"(1838 ～ 1839)。20世纪后期约有6.5万印第安人住在该州，是密西西比河以东最大的族群，也是全国第5位人数最多的族群。

白人永久移民于17世纪50年代从弗吉尼亚州詹姆斯敦的英国殖民地进入北卡罗来纳。另一些从宾夕法尼亚州沿马车大道穿过谢南多厄河谷进入皮德蒙特高原。少数从欧洲乘船而来，他们都渴望得到一小块土地和逃避严厉的等级和宗教约束。早期北卡罗来纳州人种族混杂，有不同的宗教信仰、民族、经济和社会等级。18世纪初根据法律建立了英国圣公会，但是这里也有长老会、贵格会、摩拉维亚教会、信义会、归正会、浸礼会、循道宗和少量犹太教徒。人口大多来自英格兰、苏格兰、爱尔兰、威尔士、瑞士、法国和德国。

黑人是早期北卡罗来纳州人口的重要组成部分。劳动密集型作物水稻、木蓝、烟草及棉花的种植，尤其是轧棉机改进之后，使该州奴隶制普遍存在。今天，黑人约占该州人口的1/4。尽管白人和黑人的生活条件一直十分悬殊，但是在20世纪期间黑人已在教育、艺术、体育运动、商业及政治方面取得了引人注目的成绩。

北卡罗来纳的农村和城市人口大致相等，尽管工业雇佣了大量劳动力。许多工厂设在小镇，工人大多住在农村地区，每日乘公交车辆上班。一方面是城市建设加快，另一方面是极富农村特色的地区保持不变，这更强烈地突出了该州人口状况的差别。自给农耕和小农场的传统模式日益让位于联合农场，租种土地和用谷物交租的佃农人数也有明显减少。人口8 407 248(2003)。

经济 北卡罗来纳的经济主要依靠工业和农业，但旅游业的地位已日益重要。

工业和农业 在20世纪前半叶，该州非农业劳动力将近一半受雇于制造业，主要是纺织、家具和卷烟工业。现在，制造业提供约1/3非农业就业机会，工业基础更加多样化。计算机、电子通信设备、化学制品、机械及许多其他工业已有长足增长。达勒姆、罗利和查珀尔希尔三角地研究园区和夏洛特的大学研究园区已成为工业研究与开发的主要核心。经济增长对大城市都有强烈影响，尤其对夏洛特和罗利。到20世纪80年代末，夏洛特已成为全国最大的金融中心之一。

农业仍是该州重要的行业，尽管从业人数持续减少。北卡罗来纳的烟草、甘薯和火鸡生产在全国居领先地位。其他主要农产品包括花生、玉米和蛋类。农业收入在海岸平原中部和南部各县几乎是第一位的。林产品用于制造家具，也是生产纸浆的来源。一项大力开展的植树计划已收成效，森林面积开始增长。

旅游业有丰富的资源，包括海滨和山区的胜地，以及该州的历史纪念地。

运输 从地理上讲，该州距纽约市或迅速扩大的佛罗里达市场为一天汽车路程。在该州境内，公路系统承担了80%以上的货运量，其余大部由铁路运输。罗利-达勒姆和夏洛特机场为国内航班的地区枢纽，可直飞美国许多城市和一些国际大都市。北卡罗来纳有两个通向世界市场的大西洋门户。威尔明顿和莫尔黑德城有现代港口，其设备能装卸任何类型的货物。

行政与社会状况 *政府* 北卡罗来纳的政府结构以1776、1868和1971年宪法为根据。选举产生的行政长官包括州长和副州长(均任期4年，仅限两届，无论是否连任)和州机构主管(有些由选举产生，任期4年，有些是任命的)，他们负责监督州的管理工作。州长有很大的任命权，但从20世纪80年代末便失去了对立法机关的否决权，是全国唯一不享有这种权利的州长。州议会由有50名议员的参议院和有120名议员的众议院组成。参议员和众议员任期均为2年。

该州分为30多个司法辖区。区法院审理较小的民事和刑事案件。各区选举任期4年的区法院法官和一名区检察官代表该州参与一切刑事案件。高级法院审理较大的刑事和民事案件。高级法院法官在全州范围选出，分配到各区，任期8年。高级法院受上诉法院和最高法院管辖。后者是最高一级的州法院，该法院有7名法官，均由选举产生，任期8年。上诉法院根据1965年宪法修正案设立，以减轻州最高法院的负担，有12名法官，均由选举产生，任期8年。

北卡罗来纳分为100个县。县政府代表州提供教育、保健和福利服务。地方选举的官员包括县长、县司法行政官、契据登记官、高级法院书记官和地方教育委员会。与其他州政府相比，北卡罗来纳的政体并不复杂。一般来讲，县提供适用于该州所有公民的服务，市政府则提供适于城市地区的补充服务。随着城市的继续发展，县已受权提供供水和垃圾收集等类似市政府提供的服务。由于北卡罗来纳宪法限制在现有城市附近设自治市，故与许多州不同，该州没有发生城市地区自治市政府设置过多的现象。

在20世纪的大部分时间里，北卡罗来纳州一直由民主党占主导地位。州和地方的政府职位多由民主党人占据，但来自对立的共和党的候选人已有重大收获。自1970年以来该州在总统选举中经常投共和党人的票，已有数名共和党人被选入美国参议院和众议院，并两次选举共和党人担任州长。

教育 公立学校系统自1933年以来一直受到该州的支持，现已有稳步发展，但仍低于全国水平。其他问题有教师薪金较低，用于每个学生的支出也低于全国平均数。

但在高等教育方面，北卡罗来纳却有许多全国知名的院校。北卡罗来纳大学于1795年在查珀尔希尔开始招生，为美国第一所州立大学。1972年后所有16所公立高等学校已成为北卡罗来纳大学的一部分，所有上述学校均由州议会选举的单一委员会管理。除查珀尔希尔的学校外，该州其他大学还包括罗利的北卡罗来纳州立大学和温斯顿-塞勒姆的北卡罗来纳艺术学院，这是第一所州资助的提供住宿的表演艺术学院。该州社区学院体系包括58所学院，是美国最大的社区学院体系之一。该州境内数十所私立学院多数由各新教教派所设，其中达勒姆的杜克大学以其大学本科生课程和研究生课程颇负盛名。

保健与福利 由州出资办的医院涵盖许多专门的领域，如儿童整形、酒精中毒、精神病、智力迟钝、大脑性麻痹和结核病等。从1877年起开始执行一项有效的全民保健计划，各县均设有一个地方保健部。州政府援助款还为老年人或残疾人、有被抚养子女的家庭和各种咨询及其他社会服务计划提供帮助。但该州的社会支出仍远低于全国平均水平。

文化生活 1964年设立的一个艺术委员会目前是该州文化资源部的一部分，帮助将最高水平的艺术带给该州最广大的民众，还帮助扩大艺术的作用。该委员会通过向许多计划提供政府拨款进行资助。北卡罗来纳是全国第一个拨出政府基金购买艺术收藏品的州。罗利的北卡罗来纳艺术博物馆的收藏品涉及上下5 000年，从古埃及的艺术品到当代作品应有尽有。

北卡罗来纳交响乐团以全国第一个州立交响乐团而闻名。该乐团自9月至次年5月在全州巡回演出。许多演出是为儿童举行的免费日场。

北卡罗来纳出色的领域是民间艺术和以历史事件为背景的古装表演。西部山区许多家庭手工业与沿海社区的家庭手工业都是美国极丰富的民间文化的一部分。每年举行长达一个夏天的露天史诗戏剧表演，在罗阿诺克岛上的曼蒂奥演出格林的戏剧《消失的殖民地》，再现W. 雷利在伊丽莎白一世宫廷和在罗利当地为开拓殖民地而进行的努力；在布恩演出的《西方的号角》创造了布恩等人物的性格；在切罗基，由切罗基印第安人后代演出的《到山里去》是根据他们的历史写的英雄故事。

北卡罗来纳与田纳西共同拥有大雾山国家公园，这里有近46.1万英亩(18.7万公顷)山林，还有博物馆、天然小道和露营地。阿巴拉契亚国家风景小道穿过公园，蓝岭国家林荫公路起于公园内，通至弗吉尼亚州谢南多厄国家公园。哈特勒斯角和卢考特角有国家海滨。其他国家公园中的遗址用来纪念罗阿诺克岛上第一个英国居民点(罗利堡国家历史遗址)、莱特兄弟在基尔德弗尔山的第一次飞行(莱特兄弟国家纪念碑)、C.桑德堡在亨德森县的故居(卡尔·桑德堡故居国家历史遗址),以及吉尔福德郡府战役和穆尔河桥战役。

历史

特许殖民地和皇家殖民地 16世纪80年代雷利及其他人在伊丽莎白女王一世特许下,在沿岸地区尝试开拓殖民地之后,几十年间该地区仍为印第安人的领土。1629年查理一世国王将弗吉尼亚以南土地加以封赐,于是有了卡罗来纳一词,但仍无人定居,至17世纪50年代才有农人和商人从弗吉尼亚迁入阿尔伯马尔地区。结果1663年查理二世对卡罗来纳加以封授,但是若干年间移民拒绝英国领主强加于他们的无能的政府。1712～1729年北卡罗来纳这一单独殖民地由成为特许殖民地政府中心的查尔斯敦派出代表治理,1735年商定南、北卡罗来纳之间的边界,但到1821年才最后勘定。

北卡罗来纳的发展受到如下因素的阻碍:弗吉尼亚对其烟草作物外运加以限制;与在外领主的经济与宗教纠纷导致数次起义;1711～1713年与图斯卡罗拉印地安人发生战争;蒂奇(绰号"黑胡子")和其他人在沿海进行海盗活动。与在沿海城镇(代表第一批殖民拓居地)周围发展起来的其他殖民地不同,北卡罗来纳在1705年获准建立巴斯镇以前没有城镇。到1729年,该殖民地由皇家治理,又特许建立几座城镇。

在皇家治理的几十年间该殖民地的命运发生了转变。人口迅速增长,居住区扩及皮德蒙特高原,财富增加,生活质量提高。大量奴隶从事以烟草、稻米种植和该州大面积松林提供的松脂制品为基础的农业经济。美国独立战争前,东-西紧张敌对状态的初期曾发展为数次起义,但对英国统治的共同不满使北卡罗来纳人团结起来并迫使皇家总督于1775年逃离。

建州时期 北卡罗来纳的战争不仅包括新成立的州中许多亲英派卷入的小规模战争,而且还包括对西部切罗基人起义的镇压。该州花费了许多精力去解决东部各县与西部的利益冲突,直到1835年宪法改革才打破了东部的优势。最初在辉格党领导下,1850年后又在民主党领导下经济和社会曾有过一段进步时期,后因关于奴隶制问题发生公众骚动而减慢,美国南北战争爆发后,进步时期终止。

南北战争及战后时期 北卡罗来纳直到最后一刻仍在寻求妥协,脱离联邦十分勉强,这与南卡罗来纳不同,那里是主张奴隶制的强烈呼声导致了脱离联邦。然而该州一旦承担义务便同邦联联合作战,并遭受了战败的耻辱,而战后重建时期整个南方又经历了贪污腐化与不稳定的年代。1868年重新加入联邦后控制该州的"极端保守的民主党人"只注重铁路和工业建设,而忽视小农利益。1900年宪法修正案实际上剥夺了该州黑人居民的公民权利。

20世纪及以后 北卡罗来纳在20世纪与全国一起经历了经济的周期变化。第一次世界大战后有10年的重要经济、社会发展,但30年代的大萧条带来了全面困苦与教育及其他公共服务的严重减缩。在某些历史学家看来,联邦政府的"新政"计划对促进该州持久变化是比历史上任何其他力量都更为重要的原因。在20世纪40年代,国防计划和第二次世界大战影响了北卡罗来纳。美国一些最大的军事设施设在该州,著名的有布拉格堡。北卡罗来纳为工业战争物资的一个主要供应地,为军队提供的纺织品比其他任何州都要多。

第二次世界大战后,该州开始了一个迅速变化的时代。修建了许多公路,更多的工业和人口迁至该州,城市随之得到发展。对政治的关心得到恢复,到70年代该州又有了一个有活力的两党体系。始自50年代公立学校和1961年格林斯伯勒午餐桌的消除种族隔离制的痛苦斗争,耗去了该州数十年的精力。到80年代后期种族隔离制已大部结束时,该州继续背负着早期歧视做法和歧视态度残留的沉重负担。

北卡罗来纳面临着将教育和经济繁荣的利益惠及全体公民,保护环境免受发展带来的压力和消除残留的种族歧视的众多挑战。该州经济的繁荣、受到广泛重视的高等教育体系及对其居新南方领先地位的日益增长的信心,使它有能力乐观地面对上述挑战。

North Cascades National Park 北喀斯喀特国家公园 美国华盛顿州西北部公园。建于1968年。目的是保护喀斯喀特山北部的大部壮丽雪原、冰川、草场、瀑布和其他自然风景(海拔2 440～2 740米)。面积2 043平方千米,被罗斯湖国家游览区分为南北两部分。北部延至加拿大边境,南部毗连奇兰湖国家游览区。

North Channel 北海峡 连接爱尔兰海和北大西洋的海峡。在苏格兰和北爱尔兰之间,西北-东南延伸,最窄处(21千米)在金泰尔角(苏格兰)和托尔海角(爱尔兰)之间。海峡中有阿伦、吉厄和艾尔萨岩等岛,岛上设有灯塔。海峡两岸多峡湾。

北爱尔兰托尔海角以南的北海峡沿岸
美国不列颠百科全书公司供图

North Channel 北水道 加拿大安大略省中南部、休伦湖北部的水湾。长195千米,宽1.6～32千米。西面经圣约瑟夫水道与圣玛丽斯河相连,东面通乔治亚湾。湾内多小岛。

North Chicago 北芝加哥 美国伊利诺伊州东北部莱克县城市。临密歇根湖。1891年设市,称南沃基根,1909年改现名。1937年制造业工厂大罢工导致美国最高法院1939年宣布静坐罢工为非法。重工业和制药业中心。市南有大湖区海军训练站和退伍军人管理局医院。人口35 918(2000)。

North China Plain 华北平原 中国北部的大平原。由黄河、淮河、海河等冲积而成,又称黄淮海平原。北抵燕山南麓,南达大别山北侧,西倚太行山,东临渤海和黄海,跨越京、津、冀、鲁、豫、皖、苏7省市,面积30万平方千米。海拔多不及百米,地势平坦,河流众多,交通便利,经济发达,自古以来为中国政治、经济、文化中心。由于黄河挟带大量泥沙,河床逐年淤高,下游河床高出两岸地面3～4米,有的地方高出10米,而历代对黄河疏于治理,以致黄河决口、泛滥、改道频繁。黄河下游河道的改道迁徙又影响海河水系和淮河水系的宣泄,使华北平原形成许多大小不等的浅平洼地,排水不畅,加重了洪涝威胁。低平洼地还容易使土壤盐碱化。华北地区春雨只占全年降水10%左右,春旱时有发生,因此旱、涝、碱是华北平原的主要治理问题。中华人民共和国建立以来,进行大规模治理。加高培厚黄河下游1 800千米长的大堤,保证了黄河40多年的安全行洪。在黄河两岸修建引水工程,可灌溉农田66.67万公顷。淮河、海河也得到相应的治理。现华北平原已是中国小麦、棉花、花生、芝麻、烤烟等作物种植面积最大的农业区,也是苹果、梨、柿、红枣等的主要产区。目前兴建的"南水北调"水利工程已于1990年完成一期工程,引长江水到华北平原,根本解决华北平原干旱问题。华北平原及周边富产煤、铁、石油,拥有开滦、峰峰、徐州、淮南、淮北等大煤矿,已建成大港、胜利、华北、中原等油田。以北京为中心的铁路、公路、航空等交通网辐射全国。重要的工业城市有北京、天津、郑州、石家庄、邯郸、济南、徐州等。

North Chŏlla(South Korea) 参阅 **Chŏlla-puk** 全罗北道。

North Ch'ungch'ŏng (South Korea) 参阅 **Ch'ungch'ŏng-puk** 忠清北道。

North College Hill 北科利奇希尔 美国俄亥俄州西南端哈密尔顿县城市,为辛辛那提北郊住宅区。1795年始有人定居。1916年由三个小区合并而成北科利奇希尔村,名称取自现已关闭的农民学院(1846)。1940年设市。市北有1903年设立的盲人之家。人口10 082(2000)。

North Cornwall 北康沃尔 英格兰西南部康沃尔行政郡一区。面积1 195平方千米。地处郡的东北部，为一片开阔高地，南缘的中央为博德明穆尔。东南部和西南部有饲料作物种植业和奶牛饲养业，东缘的泰马河谷出产水果和蔬菜，北部沿岸和博德明穆尔地段辟为最佳风景区。滨海旅游地帕德斯托、比尤德、博斯卡斯尔和廷塔杰尔亦为登山者和徒步旅行者频顾的胜地。廷塔杰尔镇传说为亚瑟王的诞生地。该区西南的首府博德明和东南的朗斯顿是农业和轻工业中心。北端比尤德附近的威德茅斯湾有泛大西洋电话电缆通加拿大和美国。人口约80 700(1998)。

North Dakota 北达科他 1889年11月2日被接纳为联邦第39州，是美国中北部偏西的7个州之一。这里通常天空晴朗，谷物农场一望无际，牧场面积很大，是一个有乡村特点的以农业为主和人口稀少的州。其地形自东至西经3个地区升高，包括分为阿巴拉契亚山系和落基山系两大地貌区的部分地区。该州名称源于苏族印第安人的达科他分支，在欧洲人到来之前他们已在平原上居住。

北达科他州北邻加拿大，东接明尼苏达州，南连南达科他州，西与蒙大拿州交界。面积183 119平方千米。最大城市是法戈，俾斯麦是位于中心地带的州首府。

作为美国边疆需要殖民的最后一些地区之一，这个成为北达科他州的地区基本上没有经历过战争、目无法纪的时期和淘金热，而这些令人兴奋、刺激的因素在其他边疆地区则留下了丰富多彩、有时又过分渲染的历史。这个地区最初开发为靠狩猎和农耕为生的印第安人家园，后来成为白人毛皮商和从圣路易斯往密苏里河上游行驶的轮船的贸易区，然后是白人移民的富饶农田。该地区的凉爽和半湿润气候对春小麦种植和牧牛很理想。该地区后来形成了一种依赖外部人口、工业和经济力量中心的生活方式。但随着对环境的适应，北达科他州人对造成该州的依附状况的那些条件做出了积极的反应。

北达科他州西南部西奥多·罗斯福国家纪念公园中小密苏里河两岸的不毛之地

美国不列颠百科全书公司供图

自然地理和人文地理

土地 *地形* 北达科他州的东半部位于从阿巴拉契亚山脉向西展开的中央低地，其西半部则位于向落基山延伸的大平原，该州形似向西升高的三级广阔台阶：雷德河流域，海拔250～300米；冰碛草原，海拔400～490米；密苏里高原，海拔550～760米。怀特峰，海拔1 069米，为全州最高点。中央低地部分包括雷德河流域，即北部雷德河两岸向外延伸16～64千米的一个平坦的冰川湖床，以及冰碛草原，即一个覆盖冰碛、绵延起伏的地域。在西部，密苏里陡崖把冰碛草原与大平原分隔开。在北达科他的这部分大平原称为密苏里高原。在密苏里河以东和以北，覆盖着一厚层冰川漂砾。这个地区的阿尔塔蒙特冰碛是野生候禽飞行的主要固定路线之一，此处有无数竖井状洞穴、湖泊和沼泽。德弗尔斯盐湖是一个浅冰海的残留部分，为该州最大的自然水域，自19世纪80年代以来其水平面曾经历异常的变动，迄今未完全得到解释。这是当地，特别是印第安人许多传说的话题。同冰碛草原一样，该地区有一幼年水系，地质晚近时期一度为几个大冰原所覆盖，河流很少。

全州约2/5的面积属雷德河和苏利斯河流域，两河最终汇入哈得孙湾。密苏里高原和詹姆斯河系形成密苏里河流域的一部分，该河流经全州2/5地区，然后汇入密西西比河，最后再注入墨西哥湾。密苏里河以西的地形是由流水冲走了多达305米的沉积层形成的。在有些地方，特别是小密苏里河沿岸一带，流水切割的壮观悬崖、孤山和山谷，形成了称之为“北达科他崎岖地区”的景观。

气候 北达科他位于北美大陆中心，属大陆性气候。夏热冬冷，夏季昼暖夜凉，湿度低，降水少，多风，多日照。该州西部湿度更低，降水更少，冬季较东半部温暖。全州年平均降水量约430毫米。7月平均白昼高温在南方为31°C，北方为28°C。1月平均最高气温，西南部为－3°C，东北部为－12°C。北达科他州的生长期差别很大，西北部威利斯顿为134天，东北部兰登为104天。

动植物 在殖民拓居之前，该州95%的面积被草地覆盖，降水少、干旱和草地失火限制了树木生长。生命期长的多年生禾本科植物于初春开始生长，迅即结籽，于旱季进入休眠状态。它们保护土壤不受冲蚀，并为放牧畜类提供食物。雷德河流域和冰碛草原上厚实的禾本科植物覆盖层形成了黑土，而密苏里高原较薄的禾本科植物覆盖层则形成了较轻较薄的深棕色土壤。草原曾是大群野牛和羚羊自然栖息之所。河流沿岸的林地和灌木地带为白尾鹿、麋鹿和熊的生长地。幸存的小群野牛在公园中受到保护。在该州的可耕地上，农田替代了原始草原。

住区模式 各地区在人民的性格上都有某种程度的反映。密苏里高原居民的举止和服装往往较接近西部，而雷德河流域居民则接近东部。在这方面，冰碛草原是一个过渡区，在气候模式和动植物分布上也如此。

北达科他到处是大农场和大牧场，辽阔空旷的农村很少有围栏。大片田野与牧场、寥廓的天空、一望无际的平坦或起伏的草原、犁过的地上翻起的黑土、新庄稼的绿苗或成熟的黄色麦田，构成一幅美景。洁净干燥的空气、灿烂的阳光，使大地散发出健康的气息，但是，平均在480公顷以上的大块土地，使乡间显得孤独，几乎渺无人迹。

随着反映20世纪后半叶特点的农业人口的减少，许多小镇也消失了，而在其他一些小镇，商店和房屋空空如也。较大的城市则以新的商店、公共建筑、住房开发和繁荣兴旺的气象形成鲜明对照。人口稀少不仅影响该州经济，也影响人们的性格，他们都很友好，乐意助人和正直。距离造成隔绝，但电子媒介和运输条件的改善已缩减了不少隔绝造成的影响。

人民 当白人商人到达今北达科他州的地区时，当时已有几个印第安部族在该地区居住：密苏里河沿岸有曼丹人、希达察人和阿里卡拉人，东北部有奇佩瓦人和克里人，北部有阿辛内本人，东南部有扬克托尼亚苏人和华佩顿达科他人，西部有特顿苏人和克劳人。毛皮交易带来了法国人、苏格兰人、英格兰人、加拿大人和美国人。到1800年，白人和印第安人混血的梅蒂斯人已是定居的成员。

最早的白人移民包括许多挪威人、加拿大人和早先移居俄罗斯的德国人。到1890年，在外国出生的人约占总人口的43%，这一比例高于其他各州；在1920年的人口调查中，其时殖民拓居已完成，仅有32%的白人的父母是在本地出生的。然而到1980年，大规模移民已经中止，该州在外国出生的人口已不到5%。

美洲印第安人是该州最大的少数民族。他们约占总人口的3%。北达科他州印第安人的失业和健康不良的比例仍稍高于非印第安人。但许多印第安人是成功的农场主、牧场主、自由职业者、运动员和政治家。该州4处居留地各有一所两年制学院。

大多数北达科他州人信仰宗教。约有一半人是基督教信义会教徒，1/3以上是天主教徒，其余大多数人分属其他基督教教派。犹太教徒在州成立以前即已存在。人口642 200(2000)。

经济 北达科他州凉爽和半湿润的气候,以及远离该国商品行销地区的位置,促成了其经济的发展方向。在中北部偏西的各州中,北达科他属农业收入最低之列,平均降水量和气温最低,生长期最短,制造业最少。

农业 该州生产菜牛、小麦、裸麦和燕麦;大麦、葵花籽和亚麻籽的产量居全国首位。它还把乳制品、甜菜、马铃薯等农业产品销往外地市场,并从那里购置农业机器、建筑材料、卡车、汽车和大部分消费品。小麦是最重要的农业收入来源。

虽然农业生产大部分用来支付北达科他州人从外地市场购买的货物,但是它仅雇用了不到1/5的劳动力。自从第二次世界大战以来,农业生产迅速提高,致使农场更大,数目更少,直接供养的人口减少。农场主的资本财富在土地和机械方面往往很大,但基于这种财富的年收入却是不成比例的。

工业 1951年在泰奥加发现了石油,使北达科他州成为美国最大的原油产地之一,而且在20世纪中叶以后电力生产也大增。在此期间,经济也受到加里森水坝、空军基地和公路建设以及农村电气化的刺激。制造业仅约占该州收入的10%。它的褐煤在美国是供应量最大的固体燃料,在该州经济中起较次要的作用。

运输 在北达科他,州内和州际交通主要是东西走向和东南-西北走向的路线,其次是南北走向的路线。法戈是州内交通枢纽。州际交通是在法戈及北达科他其他贸易中心与最近的大都市区明尼阿波利斯-圣保罗之间,以及与西北方的太平洋沿岸地区之间运行。北达科他有发达的铁路系统,航空公司有飞往一些城市的定期航班。

行政与社会状况 *政府* 1889年宪法规定政府的组成为:一名由选举产生、任期4年的州长,13名选举的行政部门首长,一个有53名参议员和106名众议员的两院制议会,以及几级州法院。约有150个部、会和机构以及两个州政府拥有行业。在财产税和所有人均税收方面,北达科他州属美国较低的州之列。

北达科他州53个县的人口相差较大,有的不到1 500人,有的在8万人以上,都选举产生委员会和某些官员。大多数县进一步划分为镇,镇总共有1 300多个,各镇选举产生行政官员。在360多个自治市(依法定为城市,不论其大小)中,绝大多数设市长-政务会主持的政府。约有500多个学区和700多个特殊目的区。北达科他州约有3 000个地方政府单位,按人口计算多于其他州。

统一的法院系统包括由5名法官组成的最高法院、7个司法区中的26个区法院、26名县法院法官,有些法官同时为几个县服务,还有约140个自治市法院。法官由选举产生。

北达科他州人参加政党候选人选举的人数相对较少。共和党候选人在总统选举和州立法选举中一直占支配地位,州长和美国国会议员为民主党人也非罕见。

教育 绝大部分北达科他州人都读完了初中,他们大多数继续在本州接受高中教育。然而,许多农村的小学和中学总是太小,不能开设全部课程。例如,20世纪80年代末,有12所中学招收20名或更少的学生。

人们一直十分珍视上政府资助的高等学府的机会,所以,尽管人口少,该州还是向两所学科齐全的大学提供了经费,它们是位于大福克斯的北达科他大学(建于1883年)和位于法戈的北达科他州立大学(建于1890年)。两所大学都提供研究生课程和专业培训,共招收超过半数以上的该州高中毕业生。私立学院(最著名的有詹姆斯敦学院[成立于1883年]和在俾斯麦的玛丽大学[成立于1959年])的学生只占大学生总数的一小部分。

保健与福利 尽管该州人口密度低,但北达科他州人可享受优越的医疗条件。虽然有些不到1 000人口的镇有一名医生,但医生开业主要集中在4个大城市——法戈、俾斯麦、大福克斯和米诺特,通常是在设备良好的门诊所集体行医,很少人住在距离一个中心城市驾车需两小时以上的地方。该州有50多所综合性医院、一个康复中心、几个地区性精神病保健中心、一所州立精神病医院、州卫生部和较小的卫生区提供公共卫生服务。北达科他大学的医学院与护士学院培养开业人员,该大学及其他大学培训另外的卫生人员。

经济援助和各种社会服务是由州公众服务部、县社会服务局和私人福利机构特别是教会团体提供的。州公众服务部对老年人、盲人、残疾人和无依无靠的儿童提供援助,也指导地区的公众服务中心。县服务局管理对老年人的一般性援助和医疗援助。联邦来源为福利受惠者提供了2/3以上的经费。健壮的成年人需要或请求援助者较少。

文化生活 北达科他州传统的自力更生与自愿合作精神反映在该州的文化生活中。由于没有一个中心大都市,设有大学或学院的市和镇在该州的文化生活中起到了重要作用。在法戈、米诺特和大福克斯都有交响乐团,它们在全州各地演出。北达科他芭蕾舞团设在大福克斯,北达科他大学于1971年在那里创设了该州第一所美术学院。大多数社区艺术协会、公共音乐协会和剧团也设在有学院或大学的城镇。一所夏令美术学校设在国际和平花园,该公园位于北达科他与马尼托巴之间的边界,靠近特特尔山区。

该州的艺术事业有部分经费由联邦政府援助,但大部分其他艺术经费,除了由教育机构开支的以外,都必须来自公共捐款。然而,1971年州给了分配联邦艺术经费的北达科他艺术与人文学科委员会一小笔拨款,这被认为是州政府长期支持艺术事业的开端。

北达科他州的文化生活最薄弱的一个环节是图书馆服务。因为大部分人口住在乡间或小村庄里,约1/5的人口事实上与图书馆设施毫无接触。拥有5 000或更多人口的镇的图书馆设施有很大差异。城市领导者已谋求以县和地区的图书馆以及流动图书馆来满足农村人口的需求。

受欢迎的北达科他州作家包括L.P.赫德森、L.沃埃沃德和L.厄尔德里奇。E.汉普斯顿在《仅供你自己阅读:中西部妇女私下的写作,1880～1910年》(1982)等著作中收集了先前未曾出版的北达科他州妇女在殖民年代的作品。

在该州托顿堡和斯坦丁·洛克印第安人居留地的各苏族人中,在特特尔山印第安人居留地和地区的平原奥吉布瓦(当地称奇佩瓦)人中,以及在伯索德堡的3个部族——阿里卡拉人、希达察人和曼丹人中,仍保留着固有的民间传统。传统的音乐与舞蹈以及镶缀小珠的装饰品和手工艺品吸引了许多艺术爱好者来到该州。3个印第安部族制作的耐用而诱人的陶器特别受到人们的喜爱。

斯堪的纳维亚的文化传统依然活跃。虽然在1878～1955年出版的50种挪威文报纸已不复存在,但北达科他大学和几所小学仍教授挪威语言和文学。挪威人后裔在该州约有8 000人。在许多场合,特别是在5月17日挪威制宪日,人们仍保持着挪威服饰、习俗和烹饪。冰岛、捷克和德国血统的北达科他州人也保留着一些民族习俗。许多家庭仍讲祖先的语言。

北达科他州有几个每年吸引约100万游客的州立公园和西奥多·罗斯福国家纪念公园。该州的几处历史遗址也被列入全国历史名胜的名单。设在俾斯麦的北达科他遗产中心是该州最全面的博物馆,但在全州各地,有时在人口很少的小地方,也可以找到许多较小的很有趣味的博物馆。

北达科他州人的个人主义特性反映在他们的运动和消遣中,包括钓鱼、打猎和捕兽。公众喜爱的冬季运动包括驾摩托雪橇、滑冰、滑雪和打冰球。

历史

美国根据1817年《拉什-巴戈特协议》获得雷德河和苏里斯河流域的土地(自1670年起是鲁伯特的部分土地),并根据1803年"路易斯安那购地"条款从法国购得后来成为北达科他州的其余部分土地。该州有文字记载的历史分为3个时期:约从1738～1871年为印第安人贸易时期,从1871～1915年为白人拓居时期,1915年以后为适应时期。

探险者与商人 已知的第一个来到北达科他的白人是皮埃尔·戈提耶·德·瓦雷纳,即凡郎德赖伊勋爵。他是加拿大人,于1738年访问了今俾斯麦附近一簇有土房舍的村落,虽然在他到达之前,欧洲货物已在各印第安族人中进行交易。来自哈得孙湾和蒙特利尔的商人在18世纪90年代开始定期进入这个地区。早期最有名的来访者是M.刘易斯和W.克拉克,他们的探险队于1804～1805年在今斯坦顿附近扎下冬令营。

19世纪20和30年代,美国商人把上密苏里地域作为去圣路易斯的腹地。他们带给当地枪支、水壶、毯子和斧头,以及烈性酒和疾病。白人的货品使印第安人依赖这些商人,白人的烈性酒使他们道德败坏,白人的疾病置他们于死地。1837年,一艘航行在密苏里河上游的轮船上的乘客携带的天花病毒使曼丹人口在数月内从1 800人减至125人。1862年在蒙大拿州发现黄金后轮船航行次数增多,美国军队又沿河筑堡,这些都使印第安人的敌意随之滋长。1876年,卡斯特中校和第7骑兵队从今曼丹以南的亚伯拉罕·林肯堡出发,在蒙大拿的小比格霍恩河上与苏人和切延内人进行决战。

开拓和建州时期 19世纪60年代毛皮交易衰落,白人拓居于1871年真正开始,当时铁路已从明尼苏达州的圣保罗和德卢斯修到雷德河。大批开拓者根据《宅地法案》获得土地,成为小麦种植者。在"达科他繁荣时期"(1878～1886),许多超大型农场引起了公众对这块新地方的注意,北达科他出产的小麦使明尼苏达州的明尼阿波利斯在19世纪80年代成为美国的面粉加工业中心。北太平洋铁路和大北铁路公司竞相把铁路修到几个最富饶的谷物中心。对小麦的依赖使农民联合起来,并加强了反对东部垄断之风的平民主义反叛。1889年达科他准州被一分为二,北达科他和南达科他两州于1889年11月2日加入联邦。

现代州 开拓者拓居时期于1915年结束后不久,反抗外来剥削的叛乱便达到了顶点。无党派联盟在1918年选举以后控制了州政府,制订了一项社会主义规划,其中包括州政府拥有的一个银行和一座面粉厂及谷物仓库。该联盟不久失去了政治控制,但北达科他农场主联合会(1927年成立)展开了强大的合作运动来控制谷物的出售和农场供应品的购买。这种激进的农业运动使许多北达科他州人反对美国人在两次世界大战中的干预活动,因为他们认为参战即为华尔街牟取战争利润。

1915年以来,北达科他州历史上的特点是继续适应凉爽、半湿润的草原环境,其中最重要的是增加农业机械化程度、扩大农场、农村人口的减少和广泛使用汽车。第二次世界大战后,农村实现了电气化,土壤得到保护,公路建设普遍展开。20世纪50年代,北达科他成为一个产油州,60年代,在当地又修建了空军基地、导弹发射场和反弹道导弹设施。

此后数十年中,该州经济及其人口水平与分布对外界力量,尤其是对矿物燃料和农产品的价格变动、气候变化、联邦支持计划和国际货币反应敏感。与人口较多和税收基础较广的州相比,在北达科他州,这些支配力甚至对占比例很小的制造业和旅游业的收入的影响也是很大的。北达科他州人一般保持基本稳定,以长期的乐观主义来均衡现实主义,保持着他们对土地和土地所给予的一切的热爱,同时寻求经济发展的新形式。

North Devon 北德文 英格兰西南部德文行政、历史郡一区。西、北两面濒布里斯托尔湾。面积1 086平方千米。地处沟壑纵横的高地,自东北部的埃克斯穆尔高地(海拔约455米)向西南和西部倾斜。西岸的托河河口湾外有沙丘。北岸有120～150米高的嵯峨峭壁,散布着森林茂密狭窄峡谷的陆岬,这里坐落着林茅斯和伊尔弗勒科姆旅游胜地。境内大部分地区为羊、奶牛和菜牛的牧场。区首府和最大城镇巴恩斯特珀尔濒临托河,是英格兰最古老的自治市之一(约公元930年获特许状)。18世纪诗人和剧作家J.盖依以及20世纪冒险家F.奇切斯特均出生于该城。人口约87 100(1998)。

North Dorset 北多西特 英格兰中南部多西特行政、历史郡的一个区。面积609平方千米。境内地势起伏不平,高达120～275米的白垩开阔高地由东北至西南分布其间,斯陶尔河流域由西北向东南穿插经过。大部分地区土地肥沃,有奶牛饲养和谷物种植业。开阔高地的北段原为王家猎场的一部分,现仍有许多种类的落叶属森林。该区最大的农业中心为沙夫茨伯里和区首府布兰德福德福鲁姆,均为旧城镇(堂区),19世纪前为主要的纽扣产地。布兰德福德福鲁姆现已发展为一轻工业基地,产品包括医疗设备和钢制品。镇东北3千米处有军营。人口约60 500(1998)。

North Down 北唐 北爱尔兰的一个区。1973年设建制。面积74平方千米。位于贝尔法斯特海湾南岸地势起伏平缓的低地。原在唐郡境内。有奶牛饲养业和轻工业。主要为住宅区和游乐区,劳动人口大部在贝尔法斯特城工作。旅游业发达。区行政中心班戈镇是北爱尔兰最著名的海滨游览胜地之一。沿海岸有一条公路由贝尔法斯特通向班戈。人口73 500(1998)。

North East Derbyshire 东北德比 英格兰德比行政和历史郡一区。面积276平方千米。东部和北部有煤田。克莱克罗斯、德朗菲尔德、埃金顿和雷尼绍等地为钢铁工业和重型机械工业区。部分土地在皮克区国家公园内。西部和南部为农业地区。人口约98 300(1998)。

North East Fife 东北法夫 苏格兰原法夫行政区的一个区(1975～1996)。现属法夫政务会辖区。

North East Frontier Agency (India) **东北边区** 参阅 **Arunāchal Pradesh 阿鲁纳恰尔邦**。

North East Lincolnshire 东北林肯郡 英格兰林肯地理、历史郡单一政区,中心位于北海亨伯河河口格里姆斯比镇。格里姆斯比是英国重要渔港和食品加工中心。沿亨伯河河口有化工厂及其他工业企业。格里姆斯比也是单一政区的行政中心,并为该单一政区及其北部周边地区提供购物、教育设施。单一政区还包括以东的沿海度假地克利索普斯和伊明赫姆港,及以西的其他工厂。面积192平方千米。人口约156 200(1998)。

North Frisian Islands 北弗里西亚群岛 **弗里西亚群岛**(**Frisian Islands**)的一部分,在北海,近北欧海岸,分属德国和丹麦。

North German Confederation 北德意志联邦 1867年美因河以北的德意志各邦所组成的联盟,以在七周战争(1866)中打败奥地利的普鲁士为盟主。北德意志联邦首府设在柏林。普鲁士国王是联盟的主席。普鲁士首相即联邦首相。该邦宪法成为德意志帝国宪法的样板。1871年北德意志联邦并入德意志帝国。

North German Plain 北德平原 德国北部的低地地区。北起北海和波罗的海,南至中德高原前沿,为欧洲大平原的一部分。北德平原几乎全部都在海拔100米以下。有莱茵、埃姆斯、威悉、易北、奥得等河向北流经本地区,各河之间有东西向运河相连。因冰川作用形成3种类型的地貌:下莱茵兰的冲积层、易北河西下萨克森的冰成砂和砂砾、波罗的海沿岸从石勒苏益格-荷尔斯泰因至东部的冰碛高地和地槽。属海洋性气候,冬暖夏凉,有相当大的降水量,多西北风。

North Haven 诺斯黑文 美国康涅狄格州中南部纽黑文县城镇。位于纽黑文东北,临昆纳皮阿克河。约1650年创建。1786年设镇。仍有18世纪建筑。原有制砖和造船业。现经营多种制造业,生产飞机引擎零件、化学制品、机器和工具。此地设有盖特韦社区技术学院的诺斯黑文校区。面积54平方千米。人口约23 035(2000)。

North Hempstead 北亨普斯特德 美国纽约州拿骚县城镇,位于长岛西部。面积139平方千米,包括30个有建制村庄和几个大的无建制社区。1784年从**亨普斯特德**(**Hempstead**)镇划出。18世纪时仍保持农村风貌。各港湾船运繁忙。考内克的沙岬灯塔(1806)依然引人注目。普兰多姆、罗斯林及萨德尔罗克有殖民地时期的典型磨坊。曼哈西特有革命前的S.L.米奇尔(1764～1831)住宅。长岛铁路修成后城市迅速发展。百万富翁兴建大宅院。许多文人定居本镇。有自然神论诗人W.C.布赖恩特旧居等。美国商船学院建于1943年。第二次世界大战期间,本镇引入许多新工业,著名的有华盛顿港的飞机制造厂等。较大的村有**格雷特内克**(**Great Neck**, 1921)、**米尼奥拉**(**Mineola**, 1906)、韦斯特伯里(1932)及伊斯特希尔斯(1931)。未设建制的村镇有曼哈西特、北新海德帕克及**华盛顿港**(**Port Washington**)。现服务业为当地经济支柱。人口222 611(2000)。

北亨普斯特德镇的W.C.布赖恩特旧居
美国不列颠百科全书公司供图

North Hertfordshire 北哈福德夏尔 英格兰东南部哈福德行政、历史郡一区。面积376平方千米。地处高原,海拔120米,该高原为奇尔特恩丘陵东北延伸段。西部希钦周围的沃土和砾石地带生产小麦和大麦等谷物。区首府莱奇沃思是最大城镇,为1903年E.霍华德所建世界上第一个**花园城市**(**garden city**)。希钦和鲍尔多克两集镇有针织、羊皮纸制造和面粉加工等多种轻工业。莱奇沃思生产机器,有数据处理设备、移动式起重机和汽车排挡齿轮等。19世纪发明廉价炼钢法的发明家H.贝塞麦出生在希钦附近的查尔顿。罗伊斯顿是区东部的集市中心。人口约116 700(1998)。

North Holland (The Netherlands) 参阅**Noord-Holland 北荷兰省**。

North India, Church of 北印度教会 基督教的6个派别——北印度归一会,印度、巴基斯坦、缅甸及锡兰圣公会,英澳循道会,北印度浸礼联会,兄弟会,使徒会——在1970年合并而成的教会。关于合并的谈判始于1929年,1947印度实现非殖民地化,促使谈判加紧进行。合并计划于1965年通过。北印度教会除培训神职人员外还进行教育和医疗卫生工作,救济并关怀孤儿、寡妇、老人和残疾人。总会设在新德里。

North Indian temple architecture 北印度寺庙建筑 散布在印度北部各地,最南到比贾布尔地区的建筑形式。其特色是具有一个独特的尖塔——希诃罗。北印度典型的印度教寺庙,包括一个正方形的小圣殿("发源"室),内放主要神像;殿前有一个或几个相连的以石柱支承的门廊或厅堂,有一条露天的或有顶的连廊通向圣厅。圣厅入口门廊雕饰富丽,有江河女神、花卉、人物和几何图案。圣殿周围常有回廊环绕。在主圣殿上矗起一个尖塔,其轮廓多呈曲线形。在门廊或厅堂顶端,常有波姆萨那式尖塔。整座建筑坐落于一块平台上,四角配有神龛。如果是奉祀湿婆神的神庙,湿婆的坐骑牛像难底面朝圣殿。如果是奉祀毗湿奴神的,旗标就竖立在庙前。正方形圣殿每边中央,各有一列逐渐外延的突出建筑物,形成独特的十字形平面。外墙通常雕有神像或半神像。主神刻在主要建筑物上雕出的神龛里。内部雕饰丰富,多种式样石柱支承着的天花板,镶嵌得尤为精美。北印度寺庙的原型,早在6世纪就已出现,到8世纪已很完善。各种寺庙的类别以尖塔的不同形式为依据,如直线形的波姆萨那式,曲线形的拉提那式及其两种变异体(即色诃里式和布米迦式,参阅**śikhara**)。从奥里萨早期的寺庙可以看出北印度建筑的一种典型风格。如造于8世纪的波罗奢那美斯伐罗寺庙,坐落在布巴内斯瓦尔城。此城当时是寺庙建筑的巨大中心。从10世纪起,一种特殊的奥里雅建筑形式发展起来,特点是墙垣比较高大,尖塔更加精巧。此城中的林格拉迦寺建于11世纪,是奥里雅式建筑最盛时期的范例。戈纳勒克的太阳庙,大殿已毁,是奥里雅式寺庙中最大、最著名的建筑。由较简单的建筑形式向较高、较复杂的形式发展,在中印度是明显的。只有那具有多种旨趣的顶端尖塔建筑,从10世纪以后,越来越为人厚爱。寺庙内部和柱上雕饰比奥里萨的寺庙更为丰富多彩。中印度建筑形式发展的顶峰出现在卡杰拉霍,如建于约11世纪的甘达利亚大天庙。外墙雕饰虽过于繁复,可仍不失和谐与庄严。在古吉拉特保存着大量的寺庙,可是多数已经毁圮。在摩德拉,有建于11世纪早期的太阳庙,是最优美的寺庙建筑之一。

印度卡尔纳克邦帕塔达卡尔的8世纪初期北印度寺庙建筑

美国不列颠百科全书公司供图

North Island 北岛 新西兰两个主要岛中较小者。在南太平洋。与南岛相隔库克海峡。面积114 489平方千米。中央山脉与东岸平行,最高点为鲁阿佩胡火山(2 797米)。岛上人口占全国的半数以上,并不断增加,主要集中在惠灵顿(首都)、奥克兰等几大都市区周围。人口约2 866 300(1998)。

North Karelia(Finland) **北卡累利阿** 参阅**Pohjois-Karjala 北卡尔亚拉**。

North Kesteven 北凯斯蒂文 英格兰中东部林肯行政、历史郡的一个区。面积923平方千米,在林肯市的南面。有低洼冲积平原和已经开垦的沼泽地。中西部有一狭长石灰岩高原,植被稀少,高原两侧地区有农业之利,东南部经过排水和系统灌溉的原沼泽地区农业最发达。生产谷物、马铃薯和商品菜园的产品等。工业有石灰石开采、酿酒、农机和电器制造业。东南部的区首府斯利福德附近有皇家空军学院训练空军军官。全区到处有盛饰的哥特式教堂(1250～1375)。人口约87 600(1998)。

North Kingstown 北金斯敦 美国罗得岛州中南部华盛顿县城镇。临纳拉甘塞特湾。1641年始有移民。1674年设镇。1723年分为北金斯敦和**南金斯敦**(**South Kingstown**)两镇。该镇包括阿伦顿、达维斯维尔、汉密尔顿、拉斐特、阔塞特角、桑德斯敦、斯洛库姆和维克福德(行政中心)8村。早期有纺织、农业、渔业和造船业。现以机床和机器制造业为主。1942年起达维斯维尔为一海军机动建筑营基地,阔塞特角现为近海采油区。维克福德有1707年教堂及约1678年所建城堡。桑德斯敦为华盛顿肖像画家G.斯图尔特出生地。拉斐特有国营鱼苗场。面积113平方千米。人口约26 326(2000)。

North Kyŏngsang Province (South Korea) 参阅**Kyŏngsang-puk 庆尚北**。

North Little Rock 北小石城 美国阿肯色州中部珀拉斯凯县城市。隔阿肯色河与小石城相望。1812年始设居民点。1853年通铁路后发展迅速,有铁路分货场和维修厂。1891年并入小石城。1901年设镇称现名。1904年设市。1946年北面莱维镇并入本市。市北有鲁宾逊军用地和康韦湖。该城多元化的经济以交通运输(铁路和卡车运输)、保健服务、食品加工和农业产品物流为基础。制造业生产化妆品和木制品。人口:市约60 433;小石城-北小石城都会统计区约583 845(2000)。

North Minch(Scotland) **北明奇** 参阅**Minch, The 明奇**。

North Norfolk 北诺福克 英格兰东部诺福克行政、历史郡的一个区。东北和北部临北海,海岸线长达89千米。面积966平方千米。西北部的费克纳姆和东北部的北沃尔舍姆两个集市贸易中心四周为富庶农区。中北部有一系列低岭。东部布罗兹地区有许多湖泊和苇沼地,在此盛行划船运动。农区产大麦、小麦、甜菜。首府克罗默和谢灵厄姆有虾蟹捕捞业。中北部和西部沿海有以夏季旅游业为主的海滨名胜。区内沃尔辛厄姆隐修院是天主教和安立甘宗的共同朝圣地。东北沿海的小镇巴克顿为北海天然气主要输送站。人口约98 382(2001)。

North Ossetia 北奥塞梯-阿拉尼亚 又作North Ossetia-Alania。Ossetia又拼Ossetiya或Osetiya。俄语作Severnaya Osstiya-Alania。俄罗斯西南部的共和国。位于大高加索山脉北侧。南部与格鲁吉亚接界,北部以孙札山脉和捷列克山脉为界。

境内多山,有格拉夫内(意为"主干")山脉主峰吉马拉山,海拔4 780米。另两座山峰乌伊尔帕塔山和捷普利山海拔4 250米以上,与最高的格拉夫内山脉走向平行,有一系列较低的山脉,其间河流深切,峡谷秀丽。支脉中最高的是佩列多沃伊山,位于脊脉的北部。全境地处捷列克河上游流域,该河支流阿尔东、吉泽利东、乌鲁赫和菲亚格顿诸河均发源于山区,水流湍急,汇合后向北穿过孙札山脉,流入另一深峡谷。北部有一狭长地带穿过孙札山脉和捷列克山脉,将捷列克平原中部靠近莫兹多克的一部分包括进去。

气候、土壤和植被随地形起伏而有明显差别。最低处肥沃的黑土上覆盖有草原植被,较高处有茂密的落叶林(橡树和山毛榉),

更高处是针叶林(云杉、冷杉和松树等),再高处有高山草甸,最高处则为裸露的岩石和冰雪。气温和降水状况随高度增加而变化。盆地年降水量600毫米,较高地带达900毫米。

奥塞梯人为伊朗-高加索混合血统,语言属印欧语系的伊朗语族。从公元前7世纪至公元1世纪,奥塞梯先后为西徐亚-萨尔马特人和好战的阿兰人统治。后者被认为是今奥塞梯人的直系祖先。后来,13世纪的鞑靼帝国的势力范围扩张到整个奥塞梯,而阿兰人被迫转入山区。1784年在弗拉季卡夫卡兹设置要塞之后,俄国人在北奥塞梯亚建立了殖民地。

除奥塞梯人和俄罗斯人外,北奥塞梯还有英古什人、亚美尼亚人、格鲁吉亚人和乌克兰人。最大的城市是首府*弗拉季卡夫卡兹*(**Vladikavkaz**)。

工业集中在弗拉季卡夫卡兹,有冶金、建筑材料和食品工业。开采铅、锌和硼。山地采伐木材,尤其是山毛榉。在捷列克河(位于弗拉季卡夫卡兹)和吉泽利东河上建有水电站。农业集中在较低的坡地和莫兹多克附近。灌溉区种植小麦、玉米、马铃薯、大麻和水果。较高的坡地放牧牛羊。

19世纪俄国征服高加索期间建成的越过高加索至格鲁吉亚和奥塞梯的两条军事公路通过境内。20世纪末期建筑一条新的全天候公路,以取代上述两条公路作为主要运输通道。弗拉季卡夫卡兹有公路与格洛斯尼、里海和顿河畔罗斯托夫相连。境内有罗斯托夫—巴库铁路线。20世纪90年代,很多英古什人被迫逃往邻近的英古什共和国。在格鲁吉亚的南奥塞梯地区因为奥塞梯人争取独立或与北奥塞梯合并的争执爆发了冲突。北奥塞梯东北地区的比斯兰市在2004年爆发民族冲突,车臣武装分子劫持了一所学校,包括1 200名人质,其中大部分是儿童。武装分子与俄罗斯安全部队之间的战斗导致325人死亡,700多人受伤。面积8 000平方千米。人口约710 275(2002)。

North Platte River　北普拉特河　普拉特河的两条主要支流之一。源出美国科罗拉多州中北部。向北流经怀俄明州折向东南进入内布拉斯加州西部,与南普拉特河汇合形成普拉特河。全长1 094千米。河上有多座水坝、水库,是密苏里河流域灌溉、水力发电、治洪配套工程的组成部分。其主要支流包括斯威特沃特河、拉勒米河及梅迪辛博河。

North Polar Basin　北极海盆　北冰洋海底巨大而深陷的凹地。四周为欧亚和北美大陆架。被海底山脊分为中极海盆和挪威海盆两个主要部分。中极海盆较大,最大深度5 180米,呈三角形。挪威海盆较浅,在斯堪的纳维亚半岛、格陵兰岛和冰岛之间。大致为长方形。两海盆间海底山脊中部有裂隙,使深处海水可在两盆地之间自由流动。北极区有大陆架极其广阔的延伸部分,几乎占去北极海盆底部的2/5。

north polar sequence　北极星序　在约1900～1950年间,用作测量恒星星等和颜色标准的北天极附近的96颗恒星。这一系统是美国天文学家E.C.皮克林首先提出的,现已基本被*UBV系统*(**UBV system**)所取代。

North Pole　北极　地轴的北端,位于格陵兰以北大约725千米的北冰洋中。地理北极与罗盘磁针所指的北磁极并不一致。后者21世纪初位于加拿大极北端伊丽莎白女王群岛以北(大约在西经112°30′、北纬82°15′,一直在稳步向西北移动)。地理北极同地磁北极即地球磁场的北端(约在西经71°30′、北纬79°30′)也不一致。地理北极位于北冰洋中一点,海深4 080米,覆盖浮冰,每年有6个月全为白昼,6个月全为黑夜。1909年首次为美国探险家R.E.皮里乘狗拉雪橇到达,1926年美国探险家R.E.伯德乘飞机到达。同年为R.阿蒙森、L.埃尔斯沃思和U.诺毕尔组成的国际小组乘飞艇到达。此后,曾多次有人到达。美国核潜艇"魟鱼"号(1958)和"鳐鱼"号(1959)也曾到此。

North Rhine-Westphalia　北莱茵-威斯特伐利亚　德语作Nordrhein-Westfalen(北莱茵-威斯特法伦)。德国中部偏西的州。与荷兰及比利时(西)、下萨克森州(北)、黑森州(东)和莱茵兰-帕拉蒂纳特州(南)接壤。该州在全国经济上处于主导地位。莱茵-鲁尔位于州的中部,是德国最重要的工业区,文化、经济最为发达。工业区外是古迹众多的乡村,景色秀美,与工业区适成对比。州面积34 070平方千米,州首府为杜塞尔多夫。南部的波昂为国家政府所在地。北莱茵-威斯特伐利亚州是德国人口最稠密的州。

自然地理与人文地理　该州南部为北艾弗尔高原,东南部有绍尔兰山脉。莱茵河东岸七峰山地区间或有火山岩。东部的威悉贝格兰山区在威悉河沿岸,有一些悬崖和狭长的山脊。西北部是低地,逐渐与高地地区相连接。莱茵河流经该州大部分自然地区。西部边界上有马斯河,北部有埃姆斯河,东北部有威悉河。全部水系都注入北海。

由于地近北海,受湾流影响,低地地区冬季气候温和,1月平均气温为1 °C,7月平均气温17 °C。莱茵河流域降水量不足762毫米,山区气候凉爽,降水量较多,高山地带森林密布;低地则只是在荒凉的地方或沙地地区才有大片森林。

州居民点的分布反映了其自然条件和历史状况。旧贵族领地对贸易发展起过重要作用,从各处的地名可以看出。前宗教地区经济发展缓慢,大面积的地区仍然以农业为主。工业,尤其是炼铁和金属工业集中在山区。莱茵兰-威斯特伐利亚从西北到东南的边界相当于前萨克森人和法兰克人之间的边界。在宗教改革运动中,各贵族领地居民有的信奉罗马天主教,有的信奉基督教新教。目前这种区别仍然存在,州内半数以上居民信奉罗马天主教,但每个地区信奉一种占主导宗教的人常在75%以上。这种文化上的差异在农业区表现得更为明显。

该州半数以上土地为商品作物农场、果园和菜园。南部低地多种植小麦与甜菜,北部则种蔬菜与水果。在明斯特兰和莱茵河下游地区主要牧养牛和喂养生猪。森林覆盖面积占全州陆地面积近1/4。本州是德国最重要的采矿和能源生产地区。

州内有数百英里联邦级的高速公路,数千英里联邦级的、州级的及县级的公路。莱茵河是世界上最繁忙的内陆航道之一,与州的重要运河共同组成大宗生产货物的主要运输线。鲁尔河口的杜伊斯堡-鲁罗尔特是欧洲最大的内陆港口。

历史　北莱茵-威斯特伐利亚州是1946年由前普鲁士的威斯特伐利亚省和普鲁士莱茵省的北部合并而成的,利珀州于1947年并入该州。参阅 **Lippe; Rhineland; Westphalia**。人口约17 679 200(1993)。

North Sea　北海　大西洋东北部的一个浅海。由挪威海向南延伸,位于挪威与不列颠群岛之间,连接斯卡格拉克湾(挪威与丹麦之间)和英吉利海峡(法国与英国之间)。北为设得兰群岛,西为英国及奥克尼群岛,东为挪威和丹麦,南为法国、比利时、荷兰和德国。面积57万平方千米。很少部分深于90米。北部海底深陷,地形复杂,南部水深不足40米。可能原为冰川的较浅沙洲,经潮汐流的冲刷,滩礁复杂,难以航行。靠近英格兰北岸的广大冰碛层称为多格滩,水深只有15～30米,是良好的渔场。相反,与挪威南部海岸平行,北起卑尔根,直到奥斯陆的挪威海沟则海水很深。海的西部也有许多深沟,爱丁堡以东的德弗尔斯海穴深达450米。北海的含盐度通常较相连的西大西洋为低,因为有较冷的、盐分较低的水由波罗的海流入,并有泰晤士河、莱茵河、易北河以及其他北欧河流的大量淡水注入。由于北大西洋洋流经挪威海流入而水温较高。挪威、丹麦、德国、荷兰和英国是20世纪70年代后期发展起来的大片北海油气田的主要受益者。

North Sea Canal　北海运河　荷兰阿姆斯特丹与艾默伊登间的东西向水道。运河长24千米、深15米、宽235米,能通海洋航轮。建于1865～1876年,为此阿姆斯特丹成为一重要海港。

North Semitic alphabet　北闪米特字母　最早发展得很完善的字母文字体系。早在公元前11世纪就通行于叙利亚。除南闪米特文字(如埃塞俄比亚文字、古也门文字)外,它可能直接或间接地是后来一切字母文字的祖先。北闪米特字母显然同迦南、西奈碑铭字体有关。由北闪米特字母衍生出腓尼基字母和阿拉米字母,后者则发展成欧洲、闪米特和印度的各种字母。北闪米特字母由右往左书写,有22个全代表辅音的字母。其后许多闪米特字母的特征大多类此,例如希伯来字母和阿拉伯字母。

North Shore　北岸　新西兰北岛北部北奥克兰都市区的城市。位于奥克兰市北面约3千米的一个半岛上,在斯坦利海湾对岸,东濒朗伊托托海峡。1989年设市,包括原德文波特和塔卡普纳两城镇。南面的德文波特是奥克兰省最古老的城郊,有奥克兰富人们的海滨区和别墅。北面的塔卡普纳有一些奥克兰最有名气的海滩，该城镇通过奥克兰海港桥与北岸连接。人口约155 500(1993)。

North Shropshire 北希罗普 英格兰中西部希罗普行政郡一区。西北邻威尔士。面积680平方千米。北希罗普的地区几乎都属希罗普历史郡，仅有德雷顿以南的一小部分地区属斯塔福德历史郡。基本上是一个农业区。几乎全部是起伏的平原。北部多风景优美的浅湖，尤其在埃尔斯米尔附近更是秀丽无比。该区经济以乳牛饲养业为主，并生产谷物和甜菜。区首府韦姆。人口约54 600(1998)。

North Siberian Lowland 北西伯利亚低地 俄罗斯中东部低地。西起叶尼塞河下游，东至科雷马河下游地带，南以中西伯利亚高原为界，北抵泰梅尔半岛的贝兰加山脉，更东为拉普捷夫海。西部有时称泰梅尔平原，勒拿河以东称亚纳-因迪吉尔卡平原和科雷马平原。该低地东—西延伸达3 000千米，宽600千米，海拔50～70米，有低山、丘陵，多沼泽，植被为苔原或森林苔原。

North Somerset 北萨默塞特 英格兰西南部萨默塞特地理、历史郡单一政区。濒临布里斯托尔海峡。面积372平方千米。东郊为海拔150米高的低矮高地，地势向西下降为沿岸沼泽地和泥滩。东部土壤肥沃，生产谷物、菜牛和乳牛。沼泽地主要用作牧场。朗阿什顿镇是苹果汁生产中心。行政中心滨海韦斯顿以及克利夫登和波蒂斯黑德三城镇于19世纪发展为海滨胜地。在布里斯托尔海峡的小岛上的稀有植物(如野芍药)受到保护。人口约188 700(1998)。

North Star 指北星 参阅 **polestar** 极星。

North Sumatra(Indonesia) 参阅 **Sumatera Utara** 北苏门答腊。

North Tonawanda(New York, U.S.) **北托纳旺达** 参阅 **Tonawanda-North Tonawanda** 托纳旺达-北托纳旺达。

North Tyneside 北泰恩赛德 英格兰东北部泰恩-韦尔都会郡的都会自治市。属诺森伯兰历史郡。在泰恩河畔纽卡斯尔市东北。东临北海，南滨泰恩河。面积84平方千米。范围包括北希尔兹和沃尔森德工业集合城市和北海沿岸的泰恩茅斯及惠特利贝两海滨旅游社区。北希尔兹有石油贮存设施、船舶修造厂和鱼罐头厂，沃尔森德有造船厂和制造船舶部件的工厂。西北和东北部为郊区。人口约194 000(1998)。

North Vancouver 北温哥华 加拿大不列颠哥伦比亚省西南部城市，临乔治亚海峡的巴拉德湾。有两座桥通往温哥华。1863年设为居民点，多年来是此湾内最大的一个。1907年设市，更今名。经济主要靠海运(谷物、木材和矿砂)、造船与锯木业。还有一些轻工业。钓鱼、登山和滑雪吸引许多旅游者和运动员。人口38 436(1991)。

North Warwickshire 北沃里克 英格兰中部沃里克行政、历史郡的区和自治市。面积284平方千米。主要为农业区。中部有一段海拔150米的高原，南北26千米，系沃里克郡煤田的延伸部分。该区农牧业生产多种农作物和饲养牲畜。位于东部的区首府阿瑟斯通有鞋帽和针织工业。该区许多居民在附近包括伯明翰和考文垂在内的许多大都市工作。人口约61 900(1998)。

North West Company 西北公司 18世纪末在加拿大建立的毛皮贸易公司。1783年成立，发展很快。最初，其业务范围只限于苏必利尔湖地区，以及雷德河、阿西尼博因河和萨斯喀彻温河等河谷。但后来向北西两方发展，直至北冰洋和太平洋的海岸。在英国政府的压力下，老西北公司同哈得孙湾公司于1821年合并，并采用后者的名称。新西北公司(即XY公司)存在时间较短(1798～1804)，是老西北公司的竞争对手，但被后者吞并。

North-West Frontier Province 西北边境省 巴基斯坦最北部的省。西部和北部与阿富汗为邻，东北系查谟和克什米尔，东南为旁遮普省，西南为俾路支省。其面积包括由中央政

西北边境省兴都库什山的洛瓦里山口
美国不列颠百科全书公司供图

府管辖的部落族区在内，为101 743平方千米。古代的甘德哈拉国包括白沙瓦及其邻近地区。这个王国因其位于开伯尔山口的东端，具有战略意义，因而显得重要。该国在公元前6世纪初被波斯的阿契美尼德帝国吞并，到公元前327年一直是波斯的一个省。其后陆续受希腊人、印度人、印度-大夏人、塞族人、安息人及贵霜人的统治。土耳其统治者赛布克特勒于988年控制了白沙瓦，首先对此地区实行穆斯林统治。他的儿子伽色尼的马哈茂德于1001～1027年期间数次侵入印度北部，将现在的省区的一大片土地划入其伽色尼帝国的疆域。由12世纪末期开始，这个地区先后由古尔人、各个穆斯林阿富汗朝代、莫卧儿人占据。波斯统治者纳迪尔·沙阿于1738年入侵后，这一地区一直处于阿富汗杜兰尼人的宽松统治之下。约从1818年开始，印度旁遮普地区的锡克人开始入侵边境省的土地，并取得控制权，直到1849年英国人来此。1849年第二次锡克战争后，英国将西北边境地区并入印度。从此，这一地区的领土成为旁遮普的一部分，直到1901年西北边境省成立。这个新成立的省以白沙瓦为首府，1947年巴基斯坦独立后，这个地区继续作为一个单独的省存在。与阿富汗交界的最西部地区的部落居民仍不受巴基斯坦法律的约束。20世纪80年代，苏联占据阿富汗期间，大批阿富汗难民曾涌入西北边境省，寻求避难和救济。西北边境省的地形分山脉、山前地带和山间平原。北部的山脉作南北走向。喀布尔河将全省由东到西截分为二。在此河以南的山脉则转为东西走向。北部的兴都库什区一向以风景优美著称。这一地区由库纳尔河贯穿其间，河之两侧分别为北兴都库什山及兴都拉杰。蒂里杰米尔山高7 690米，为北兴都库什山的最高峰。北兴都库什山地为积雪与冰川所覆盖。兴都拉杰山以南为崎岖的班杰戈拉河、斯瓦特河、根迪亚河流域。省的东部有小喜马拉雅山及喜马拉雅山山前地带，此处有多丘陵的地区及小块平原。肥沃的白夏瓦谷地沿喀布尔河向北延伸，其面积不到全省的1/10，但人口约占全省的一半。谷地覆盖着冲积土，易受侵蚀。首府白沙瓦市区位于谷地的西部。白沙瓦以西，有历史上闻名的开伯尔山口。这一具有战略意义的山路是阿富汗与印度次大陆之间最易通行的路线。喀布尔河以南有东西走向的白山。边境省的南部有古勒姆、多吉、古马勒3条河。印度河则成为西北边境省东部边界的一部分。该省气候因地势而异。北部山地冬季寒冷多雪，夏季凉爽。年平均气温向南递增。本省的降水量各地有所不同，但平均大约每年400毫米。1月到4月，水量最多。北部山坡生长常青橡树和松树。树叶很宽的西洋梧桐和白杨则生长在光照较多，气候较暖的山坡。还有广阔的山间草地。南部的山上覆盖着矮灌木、刺槐及青草。约有1/10的未开垦地区已成为森林地带。

西北边境省的主要居民为普什图人，富于独立性。普什图人由许多部落及氏族组成。每个部落，每个氏族，都以其本系统自豪。普什图语为该省的主要语言，但还有若干地区则操旁遮普语。全部居民实际上均为穆斯林。城市居民占全部人口的比例很小。西北边境省的城市人口增长率小于巴基斯坦的全国人口增长率。该省有白沙瓦和马尔丹两城市。本省自然资源颇为缺乏。经济主要为农业，尽管多山的地形并不适宜于大面积耕种。约有1/3的已耕土地能得到灌溉。主要农作物是小麦、玉米、甘蔗和烟草。本省的主要工业为制糖、水果与蔬菜罐头、烟叶加工、小型武器及附件的制造业。其他产品有棉纺织品、水泥、液体奶油、家具及粮食加工。普什图的部落制度根深蒂固，不能适应社会的变革。本省的教育发展甚为缓慢。全省人口的识字率低于巴基斯坦全国人口的平均识字率。卫生设施不完善。地处本省西部边陲的部落族居民，可以按照其自身的风俗习惯实行自治。政治和军事的代理人只对中央政府负责。他们有权发放或扣留奖励金(津贴)，有权控制人们出入部落区域。白沙瓦位于一条东西走向的公路，此路连接阿富汗的

喀布尔与巴基斯坦首府伊斯兰堡。有一条主要的南北走向的公路,横跨全省。东西走向的铁路由阿富汗边境经白沙瓦,通往旁遮普省的拉合尔。白沙瓦有一大型机场。白沙瓦有白沙瓦大学、白沙瓦博物馆,以及若干学院和文化机构。在博物馆中,收藏有大量的古甘德哈拉国的佛教圣物。人口(包括由中央政府管理的部落地区)约13 987 000(1983)。

North West Leicestershire 西北莱斯特希尔 英格兰中南部莱斯特行政、历史郡一区。面积279平方千米。大部为高地草原,西南部和北部索尔河流域有谷物种植业。该区为全国最早的采煤区之一(13世纪),至今区首府科尔维尔、伊布斯托克和莫伊拉附近仍有采煤业,但产量日益下降。该区的主要城镇科尔维尔和阿什比德拉祖什在查恩伍德森林边缘。产业革命某些最初事实便发生在该区内及附近地区,如开凿运河(至考文垂的阿什比运河)和修筑铁路。W.司各特小说《艾凡赫》中所描写的比武场就在阿什比德拉祖什的北面1.5千米处。科尔维尔镇有多种工业,生产砖瓦和金属制品,阿什比德拉祖什镇生产饼干和肥皂等。该区北部的东米德兰兹国际机场为大德比、诺丁汉和莱斯特服务。人口约85 000(1998)。

North Wiltshire 北威尔特 英格兰南部威尔特行政、历史郡一区。面积766平方千米。位于郡的西北部,在布里斯托尔以东约32千米,跨埃文河谷上游,是一肥沃的黏土平原。西部伸入科茨沃尔德丘陵,东界莫尔伯勒丘陵陡崖,北部是泰晤士等河发源地。区内有许多教堂建于1500年前,约有500座建筑被正式定为历史文物。附近的科茨沃尔德丘陵是建造本区的许多建筑物的鲕粒石灰石来源。区南部的拉科克是英国最美的村庄之一。其13世纪的隐修院被保管得很好。1975年开放的博物馆展示塔尔博特的先驱性摄影技术。区内有小麦和大麦集约种植业及牛、羊、猪饲养业。马姆斯伯里和伍顿巴西特是当地集市中心。卡恩有熏肉厂。区首府奇彭纳姆有农产品加工业和与铁路有关的工业。人口约125 370(2001)。

North Wolds(England) **北沃尔兹** 参阅 **East Yorkshire** *东约克夏*。

North York 北约克 原加拿大安大略省东南部城市(1979～1998),与多伦多、斯卡伯勒、约克、埃托比科克及东约克自治镇共同组成多伦多市。1967年北约克镇(1922年从约克镇产生)建制为自治镇,1979年升格为市。第二次世界大战以来,该地一直有计划地发展了工业与住宅。市内公园及空地面积逾1 620公顷。北部边界一部分为约克大学(1959)校园,占地192公顷。布莱克克雷克拓荒者村庄反映出早期开拓者的生活方式。面积177平方千米。人口约608 288(2001)。

North Yorkshire 北约克郡 英格兰北部的一个行政、地理郡。属约克历史郡。全郡分8个区,有两个单独分开的高地区域。西部为奔宁山脉,英格兰北部的主要高地,其西北部的佩尼根特山等海拔670米以上。东部为皮克灵高沼地。两高地间为约克谷地。东部高地多史前遗迹。罗马军事占领时总部设在埃博拉库姆(今约克)。史迹表明南部有埃尔米特王国生存到7世纪。8世纪约克成为繁荣的盎格鲁文化中心,后被斯堪的纳维亚人侵者摧毁。中世纪时为英格兰边缘地区。在15世纪玫瑰战争和17世纪内战中作用重要。现经济以农业为主。约克谷地是主要粮食产区,奔宁山谷西部和坡地有乳品业。两高地区域均放养绵羊。制造业与农业关系密切,但仅限于较大城镇,在经济中不重要。首府约克有轻机械和食品加工工业。哈罗盖特和斯卡伯勒镇为发展中的旅游中心,常作为政治会议的地点。伦敦至爱丁堡的公路和铁路干线穿过郡内。面积:行政郡8 034平方千米;地理郡(除提兹河畔斯托克顿)8 600平方千米。人口行政郡约569 660(2001);地理郡(除提兹河畔斯托克顿)约1 025 800(1998)。

Northam 诺瑟姆 澳大利亚西澳大利亚州西南部城镇。位于埃文河(斯旺河的上游)和莫特洛克河汇合处。该州最早的居民点之一。建于1833年。19世纪90年代是通东部采金场的中途站,由州长斯特灵以英格兰境内德文郡的诺瑟姆镇为之命名。现为东面小麦和畜产品产区的加工运销地。有面粉、金属加工、石膏灰泥板和冷藏工厂,也生产砖瓦和炭。地处铁路公路交会处。设有穆雷斯克农学院、霍尔登移民中心和一个军事训练营地。沿阿龙河有包括稀有白天鹅在内的多种鸟类禁猎区。人口约6 527(2001)。

Northampton 北安普敦 英格兰中部行政区北安普敦行政、历史郡新城镇和自治市。面积81平方千米。1100年建立带城墙和城堡的城镇。1189年获自治市特许状。1675年大部毁于大火。重建延续到18世纪末,形成以大集市广场为中心的新建筑群。1850年设天主教主教管区。现以制鞋和皮革业著称,也有电子和酿酒等轻工业。作为重要的零售和集市中心,为北安普敦郡和白金汉郡服务。1965年被指定为新镇后开始扩建。人口:新镇和区约194 472(2001)。

Northampton 北安普敦 美国马萨诸塞州中西部城市,汉普夏县县城(1662)。位于斯普林菲尔德西北偏北27千米处,临康涅狄格河。1654年始建。1655年设镇。1883年设市。1809年建立毛纺业。1834年通运河,1845年通铁路;后发展为工业中心(丝织)。史密斯学院(1875,妇女学校)的建立促进了该城发展。现工业多样化,生产不锈钢餐具、袜子、刷子、塑料、银器、木制品、纸制品、光学仪器、精密仪器和电子设备。C.柯立芝总统曾在此当律师、任市长(1910～1911),在此逝世(1933)。福布斯图书馆(1895)收藏有柯立芝的纪念品。人口29 287(2003)。

Northampton, EARLS AND MARQUESSES OF **北安普敦伯爵和侯爵** 英格兰封爵贵族,包括帕尔、霍华德和康普顿等家族,按年代顺序分列于后,并各以●为标记。(1812年安普顿伯爵升为侯爵。)

● Northampton, William Parr, Marquess of, EARL OF ESSEX, BARON PARR **北安普敦侯爵** (1513-08-14,英格兰威斯特摩兰郡肯德尔城堡?～1571-10-28,沃里克郡沃里克) 即W.帕尔。英王亨利八世的内弟,简·格雷郡主和伊丽莎白一世女王的新教支持者。1537年参加镇压英格兰北部的起义。后成为议员,1539年封帕尔男爵。其姊凯瑟琳成为王后以后,晋封他为埃塞克斯伯爵。爱德华六世时代仍受重用,1547年封侯爵,任东部5郡总督。1550～1553年任掌礼大臣。北安普敦侯爵支持简·格雷郡主继承英格兰王位的要求。因此,玛丽一世女王即位后很快便剥夺了他的一切权利(1553);虽被判死刑,但受赦免,年底获释。后来得到伊丽莎白一世的宠信,1559年恢复侯爵爵位。

● Northampton, Henry Howard, Earl of, BARON OF MARNHULL **北安普敦伯爵**(1540-02-25,英格兰诺福克郡肖特沙姆～1614-06-15,伦敦) 即H.霍华德。英格兰伊丽莎白一世和詹姆斯一世时期的天主教阴谋家,以鲜廉寡耻和背信弃义而闻名。诗人H.霍华德之子。由于其兄诺福克公爵(第四)T.霍华德阴谋与苏格兰女王玛丽结婚之事被发现,他自己也与苏格兰女王玛丽通信,有图谋不轨嫌疑,曾一再被捕。伊丽莎白一世在位末年,他向詹姆斯六世写过许多长信,讨好詹姆斯并陷害W.雷利爵士等人,因而在詹姆斯即位后得到许多恩惠。1603年任枢密官,1604年任五港地区地方长官并被封为伯爵。1603年参加审判雷利和科巴姆勋爵,1605年参加审判G.福克斯,1606年参加审判加尼特,他对每个被告都坚持定罪。他帮助埃塞克斯勋爵夫人与丈夫离婚,使她嫁给情夫R.卡尔。卡尔为宠臣,他迫切希望与卡尔结成联盟。当T.奥弗伯里爵士阻止卡尔的婚事时,他将奥弗伯里关进伦敦塔。不久,埃塞克斯勋爵夫人又遣人用毒药把奥弗伯里害死。

● Northampton, Spencer Compton, 2nd earl of, LORD COMPTON **北安普敦伯爵(第二)** (1601-05～1643-03-19,英格兰什罗普郡霍普顿希思) 即S.康普顿。英国内战期间保王军司令。伯爵(第一)威廉之子。他热烈拥护查理一世。内战爆发后受命在沃里克郡部署军队。曾参加埃奇丘陵战役。1642年11月受命监督班伯里及周围地区的军事。12月22日在班伯里遭到议会军的攻击。1643年3月占领斯塔福德。3月19日与J.盖尔和W.布里尔顿交战,因拒绝投降被杀。

Northampton, Assize of 《北安普敦法令》 (1176) 英格兰国王亨利二世和权贵们在北安普敦会议中批准的一些法令,作为发给各由3名法官组成的6个参加巡回审判的审判委员会的指示。第1部分重申《克拉伦登法令》(1166)某些规定,但有一些修改。第2部分界定了继承人、封建主,以及自由承租人的遗孀的某些权利，以保护继承人继承土地的权利。《北安普敦法令》其余部分包括对法官的行政、政治、司法和财政各方面的责任所作的指示。

Northamptonshire 北安普敦郡 英格兰东米德兰地区的一个行政、历史郡。面积2 367平方千米。形状椭圆，西南-东北走向，长约90千米。一条山岭沿长轴线延伸，南为宁河流域，北为韦兰河流域。两条河流均向东流入沃什湾。当地林木丘陵和水源丰富的谷地早年便有居民。现保存有前凯尔特和古罗马时代遗迹以及7世纪或更早建立的教堂。该郡有不少诺曼和早期英格兰风格建筑，但主要建筑特色是大量的宅第、村舍和城堡等。苏尔格雷夫庄园是乔治·华盛顿家族的故居。内战（1642～1645）中该郡支持国会。1645年查理一世战败的决定性战役就发生在郡北缘附近的内兹比北面。从产业革命起便以制做鞋靴闻名。后起工业有机械和食品加工。有两条主要铁路线和一条高速公路线贯穿境内。主要城镇有北安普敦、科比、凯特林和韦灵伯勒等。

北安普敦郡有大庄园和园林、绵延起伏的牧场以及本国最有名的猎狐场，具有英格兰昔日乡村风情。人口约615 800（1998）。

Northavon 北埃文 英格兰西南部埃文郡的一个区。面积462平方千米。在布里斯托尔市东北面。大部处在塞文河口湾以东肥沃谷地。东端有科茨沃尔德丘陵陡崖（180米）。谷地养牛、种植小麦和大麦，小型奶牛场向当地城市提供大量牛奶。该区部分处在已枯竭的布里斯托尔煤田范围内。布里斯托尔东北的堂区（城镇），如亚特、奇平索德伯里、韦斯特利等，住宅日益增多。老工业中心菲尔顿有英国航空和航天公司和罗尔斯-罗伊斯公司的飞机制造厂。区西北角的塞文河口湾潮汐水库附近有奥尔德伯里核电站。亚特附近开采天青石。桑伯里为区首府和西部的集市中心。人口约124 100（1985）。

Northbrook, Thomas George Baring, 1st earl of, Viscount Baring of Lee, Baron Northbrook of Stratton 诺思布鲁克伯爵（第一）（1826-01-22，伦敦～1904-11-15，英格兰汉普郡斯特拉顿帕克） 英国政治家，曾任印度总督。F. 巴林爵士之子。牛津大学基督教会学院毕业。1857～1866年为下院议员。历任海军部部务委员（1857～1858）、印度事务部次官（1859～1861，1868～1872）和陆军部次官（1861～1866）。1872年任英国驻印度总督。他的总政策是薄赋税，减少立法，养护土地。他主张自由贸易，取消了绝大部分出口税和减少了进口税。1874年孟加拉饥馑期间，他批准把开凿索内运河和修筑北孟加拉铁路作为赈灾工程。后在一些政策问题上与印度事务大臣索尔兹伯里勋爵的见解多不一致，遂于1876年辞职。1876年封诺思布鲁克伯爵。1880～1885年任海军大臣。1886年在爱尔兰问题上与格莱斯通分道扬镳，他捍卫联合，反对内部自治。

Northcliffe (of Saint Peter), Alfred Charles William Harmsworth, Viscount 诺思克利夫子爵（1865-07-15，都柏林附近查珀利佐德～1922-08-14，伦敦） 即A.C.W.哈姆斯沃思。又称诺思克利夫男爵。英国新闻史上最成功的报纸发行人，大众化现代新闻业奠基人。

美国不列颠百科全书公司供图

在贫困的童年和几次迅速致富的尝试后，年轻的诺思克利夫开始当自由撰稿人，向报纸投稿，后升任编辑。新闻文摘周刊《点滴》的成就，鼓励他决定创办自己的周刊《回答读者》。在克服了若干财政困难后，周报开始出版，不久又把刊名简化为《答问》。由于周报深受群众喜爱，他弟弟哈罗德也与之合作。哈罗德的理财能力和吸引广告的才能与诺思克利夫本人洞悉读者兴趣的天赋相结合，使周刊大获成功。接着又出版了另一些廉价期刊，以适应新的女性读者如《开心片刻》、《毋忘草》等，从而奠定了日后成为世界最大的报业帝国联合报业集团（1959年起为舰队街报业集团）的基础。1894年诺思克利夫进军报业。他收购了濒临破产的《伦敦晚报》，并把它改造成为以短新闻、当天新闻和妇女专栏见长的大众化报纸。当年发行量增至16万份，利润丰厚。他构想创办一系列半便士一份的外郡早报，收购了两家格拉斯哥的报纸，合并成《格拉斯哥每日记事报》。接着，他决定在伦敦试办全国性日报。《每日邮报》于1896年5月4日问世后，大获成功。这份被称为"售半便士的便士报"、"最忙人的报纸"，非常适合新的读者群。简练的新闻、特写、妇女园地，以及政治和社会漫议、连载小说等构成报纸的固定特色。大小适度的新闻标题，远比先前的报纸使用得广泛。《每日邮报》从创刊起，就在日报发行量上创造了世界纪录，在创办人在世时，始终保持领先地位。接着，他又收购了面临破产的《每周快讯报》，并把它办成全国销售最好的星期日报纸：《星期日快讯报》。1903年创办《每日镜报》，作为插画的报纸成功地开拓了新的市场，《镜报》的发行量堪与《邮报》匹敌。1905年他为《观察家报》偿清债务；是年，他被封为男爵。1906年他成功地控制了《泰晤士报》，从而达到他梦寐以求的事业顶峰。他把《泰晤士报》从19世纪遗风中改造成一份现代报纸。

诺思克利夫对第一次世界大战中英国军队的显著贡献，是在《每日邮报》上最先披露军队缺乏弹药。由于他作为英国战时驻美使团团长的工作，1917年他被晋封为子爵。1918年，他领导了英国政府对敌国的宣传工作。尽管诺思克利夫渴望政治权力，但他的报纸对公共事务的影响一般来说低于他的期望。他的实际影响在于改变了新闻界的方向，使之从传统的传播和解说新闻转向商业广告和娱乐性的大众出版物。晚年，他成为损害其判断力的自大狂的受害者，最后因身体日益衰弱、精神崩溃而死亡。

Northcote (of Exeter), Henry Stafford Northcote, Baron 诺思科特男爵（埃克塞特的）（1846-11-18，伦敦～1911-09-29，英格兰肯特郡阿什福德） 英国外交官和行政官员，曾任澳大利亚总督（1904～1908）。诺斯科特爵士（后成为伊德斯莱第1代伯爵）的次子，曾就读伊顿学院和牛津大学默顿学院。1868年在外交部任办事员，1871年以助手身份陪同父亲去美国华盛顿解决"亚拉巴马"号索赔案。1876年在君士坦丁堡任索尔兹伯里勋爵的私人秘书。1877～1880年任当时为财政大臣的父亲的私人秘书。1880～1899年任下院议员。这一时期，他曾在索尔兹伯里第1届及第2届内阁中任次要职位。1887年在其父去世后封准男爵。1899年被任命为孟买总督，起程（1900-01）前封男爵。当时包括古吉拉特邦的孟买地区正为饥荒和瘟疫所苦，他设法改善医疗条件，并实行土地改革以加惠小自耕农。由于政府基金不足，他自己提供部分援助资金。1903年8月被任命为澳大利亚总督，任内足迹遍及澳大利亚各地，每年平均海陆行程约达1万英里。

Northcote, (Thomas) James 诺思科特（1746-10-22，英格兰德文普利茅斯～1831-07-13，伦敦） 英国肖像画和历史画家。父亲是个穷钟表匠。他从父学徒，业余时间用来习画。1769年离开父亲开始画肖像画。4年以后到伦敦，成为J.雷诺兹爵士的学生和助手（1771～1775）。约两年后到意大利学习。3年后回到英格兰，后在伦敦定居。1786年被选入皇家艺术学院，第二年春天成为正式院士。他最早的重要历史画作始自1786年。他除了绘有许多肖像画外，也有一些动物题材的作品。著有回忆他的老师的《回忆乔舒亚·雷诺兹》（1813）和《提香传》（1830），以及两辑自画插图的寓言集。

Northcote, Sir John, 1st Baronet 诺思科特（1599～1676-06-24入葬） 英国内战及共和时期的政治人物。德文郡大乡绅之子，一度就读牛津大学埃克塞特学院，1618年转到伦敦中殿律师学院学法律。1640年参加皇家陆军，可能担任诺森伯兰伯爵的助理或秘书，1641年封准男爵。他参加英国长期议会后，转变立场，输财从戎帮助议会派。当他指挥一个团时，在埃克塞特被击败，成为皇家军队的俘虏，囚禁一年后在战俘交换时才获得自由。后重返议会（1645～1648，1654～1660），并为促成查理二世复辟的非常议会（1660-04～1660-12）议员，1661年落选，到1667年才重返议会，一直至死。1887年根据他残存的手稿出版《约翰·诺思科特爵士笔记》。

Northcote, Sir Stafford Henry, 8TH BARONET **诺思科特**（1818-10-27,伦敦～1887-01-12,伦敦） 英国政治家、保守党领袖。牛津大学巴利奥尔学院毕业。1843年在贸易部任W.格莱斯顿的私人秘书,后任贸易部的司法秘书。1851年担任大博览会秘书后,与特里维廉爵士共同起草了使文官的任命情况发生根本变化的调查报告。1851年继承祖父为第8代准男爵。1855年进入国会,一直坚决支持保守党。1866年任贸易大臣,1867年任印度事务大臣,1874年任财政大臣。1876年任下院保守党领袖。他在担任财政大臣时因设立新的偿债基金(1876)出名。但作为领袖他的性格过于温和,因而保守党的核心集团于1885年决定把他调到上院。他在获得伊德斯莱伯爵和圣赛雷斯子爵爵位后,参加内阁任财政委员会首席委员。1886年任外交大臣,次年初突然死去。著有《二十年来的财政政策》(1862)和《演讲随笔集》(1887)。

Northeast Caucasian languages 东北高加索诸语言 参阅 **Nakho-Dagestanian languag-es 纳克-达吉斯坦诸语言**。

northeast European local race 东北欧地域人种 高加索(欧洲)地理人种的一个亚群。大致相当于一个遗传隔离种群,包括俄罗斯西北部、立陶宛、爱沙尼亚以及波兰等地的居民。东北欧洲人的主要体征是:肤色白;浅褐色头发、灰眼睛的人出现率高;多数人为短头型,即颅骨的前后径较短;ABO血型系统的B型血型出现率相当高——这被某些权威认为是蒙古(亚洲)人种遗传影响的证据,但蒙古人种其他方面的体质特点并不普遍,故不足以证实这种理论。

Northeast Passage 东北航路 沿欧亚大陆北岸,主要为俄罗斯西伯利亚北部岸外的一条海上航路。这个地区出色的早期探险家有W.巴伦支和O.布鲁奈尔。在沙皇彼得大帝赞助下,S.日尼奥夫(1648)和V.白令(1728)航行通过了白令海峡。J.库克舰长(1778)第一个考察了白令海峡的两岸,并证明亚洲和美洲是两个分隔的大陆。经过多次尝试后,东北航路于1878～1879年为瑞典探险家B.A.E.诺登舍尔德首次航行。自20世纪60年代后期以来,在空中观察、雷达和声呐协助下使东北航路在夏季保持通航。

Northeast Plain 东北平原 中国最大的平原。在中国东北部。由松嫩平原、辽河平原和三江平原组成,又称松辽平原。位于大、小兴安岭和长白山之间,南北长约1 000千米,东西宽约300～400千米,面积约35万平方千米,海拔200米左右。松嫩平原和辽河平原在地形上连成一片,原来水系相通,后由于地壳运动,长春、长岭、通榆一带隆起,形成西北-东南走向的松辽分水岭,截断河流南北通道。但松辽分水岭地势低缓,海拔200～300米,高出两侧平原不过几十米。三江平原位于中国东北角,由黑龙江、松花江、乌苏里江三江流经得名。大部分海拔不足50米,地势低平,排水不畅,形成大面积的沼泽地。东北平原属温带湿润、半湿润气候,冬季气温低,封冻期长,但夏季气温高,年降水量350～700毫米。南部辽河平原可二年三熟,其他为一年一熟。土壤肥沃,是著名的"黑土"分布区,腐殖质含量多,通气和蓄水性能好,是大豆、高粱、玉米、小麦、甜菜、亚麻的重要产区。也可以种植水稻,是中国早熟粳稻的重要产区之一。

东北平原的农田
中国大百科全书出版社供图

旧时松嫩平原和三江平原大部分是人烟稀少的荒地,称为"北大荒"。辽河下游也多未开垦的沼泽地,称为"南大荒"。中华人民共和国建立后大面积排干沼泽,建立大型国营农场,出现许多村镇和工厂;"北大荒"变成"北大仓","南大荒"也成为稻田遍布的盘锦垦区。东北平原的丰饶农产有力地支援着东北地区规模巨大的工业。平原石油储藏丰富,周边低山丘陵富含煤、铁、铜等矿藏,现已大规模开采,成为中国重要的石油、煤炭、铁砂生产基地。重要的工业城市有沈阳、长春、哈尔滨、大庆、抚顺等。

Northeast Svalbard Nature Reservation 东北斯瓦尔巴自然保护区 位于北冰洋中挪威斯瓦尔巴群岛。1973年建立。面积19 030平方千米。其范围包括东北地岛等3个岛屿和周围几个小岛及附近海域。东北地岛为斯瓦巴德东北部最大地区,终年为冰川、冰帽覆盖。公园内有北极狐、驯鹿、北极熊、海象、海豹等野生动物。

Northeastern school 东北地区派 1930年以后涌现出的一批巴西地区作家。其小说主要描写巴西东北部腹地的文化和社会问题。这些作家受20世纪20年代现代主义作家所倡导的民族主义复苏的刺激,在巴西的各人种和种族的文化中寻找灵感。该派最有才能和贡献的散文作家,包括G.弗雷里、J.林斯·多·雷戈和J.亚马多。G.拉穆斯和R.德·克罗斯也属这个派别。

Northeim 诺特海姆 德国下萨克森州的城镇,临莱讷河,南距格丁根19千米。有两条高速公路和一个铁路枢纽。该镇历史可溯至9世纪。1252年获得城市自治权(当时是诺特海姆伯爵的行政中心)。后相继成为市集村落和汉萨同盟的一员。因为诺特海姆在宗教改革时期为新教城镇,1627年被皇室军队洗劫,三十年战争期间又惨遭灾祸。曾先后受汉诺威和普鲁士(1866)统治。虽然历经战乱,该镇仍尽力保存了中世纪的建筑风格,有许多半露木架的房屋和大段的古老城墙。1080年创立的圣布莱斯本笃会隐修院在宗教改革时期解散,现只残存一个小礼拜堂、一些办公室和修士宿舍。其他遗迹尚有重建的圣西克斯图斯教堂和各式各样的中世纪屋宇。工业有机器制造、五金、制糖、预制房屋以及各种以当地农产品为原料的食品加工。人口约32 476(1995)。

Northern 北部省 南非东北部省份。南非最北部的一个省,北接津巴布韦,东邻莫桑比克,南界东德兰士瓦、高滕和西北部等省,西和西北与博茨瓦纳为界。北部省是1994年从德兰士瓦省分出来的。省会彼得斯堡。该省是一辽阔的大平原,在南部和中部有从大高原拔地而起的几座山岭。其中有森林覆盖的索特潘山脉,自东至西绵亘130千米。西南部的瓦特山海拔2 000米,覆盖着荆棘树和灌木丛。大平原占据本省东、北和西部,为副热带疏树草原,生长猴面包树等。林波波河形成该省北部和西部的界河。克鲁格国家公园的一部分坐落在东部边界上。该省北部是炎热的副热带气候,年降雨量300～500毫米。南部山区气候较温和,年降雨量760毫米左右。本省的人口多数为佩迪人(北索托人)、聪加人、文达人及其他操班图语的农村黑人。白人少数民族大多讲阿非利堪斯语(南非荷兰语)。许多黑人依赖自耕农场或打散工为生。主要作物有玉米、高粱、马铃薯、烟草、花生和葡萄,还生长有柑橘和其他水果。广泛饲养牛,也放牧山羊和绵羊。矿藏开采的有石棉和锡,另外还蕴藏有铬、铂、铁、铜和煤。省内唯一大城市彼得斯堡有公路和铁路通比勒陀利亚。全省面积119 606平方千米。人口约5 201 630(1994)。

Northern Cape 北开普省 南非西部一省。北界纳米比亚和博茨瓦纳,东为西北部省、奥兰治自由邦和东开普省,南和西南接西开普省,西濒大西洋。1994年由好望角省的北部和中部组成。北开普省的东半部和西南部形成高原的一部分,干旱的高原逐渐耸起成大陡崖,在南部边界海拔达1 900米以上。西北部则为大沙漠,包括卡拉哈里大羚羊国家公园的沙丘。奥兰治河自东至西横贯该省,为灌溉提供了水源,在东部道格拉斯附近,其主要支流瓦尔河汇入。荆棘树是本省的天然植被。气候炎热干燥。年降雨量从西部的100毫米增加至东部的350毫米。北开普省是南非最大,然而人口最稀少的省份。人口中大约一半是混血种。黑人占全省人口的30%,多操茨瓦纳语。白人占15%左右,多讲阿非利堪斯语(南非荷兰语)。主要的都市中心为金伯利和阿平顿。该省南部饲养美利奴羊,北部饲养卡拉库尔羊,全省饲养牛,此外还养猪、养马。农作物有小麦、苜蓿、棉花、花生、柑橘和葡萄。主要铜矿在普里斯卡和奥基厄普附近。在西部大西洋沿岸的干旱纳马夸兰地区发现钻石。在不同的地方提炼钨、锌、铅、石棉、铁和锰。全省面积361 830平方千米。人口约902 300(2005)。

Northern Dvina River　北德维纳河　俄语拉丁字母转写作 Severnaya Dvina。俄罗斯欧洲部分北部的最大和最重要河流之一。苏霍纳河和尤格河在沃洛格达州的大乌斯秋格市汇合后形成北德维纳河。流向西北,在阿尔汉格尔斯克城南注入白海的德维纳湾。全长744千米。流域面积357 000平方千米,比整个波兰面积还大。北德维纳河在支流维切格达河汇入前的一段亦称小北德维纳河,其余部分称作大北德维纳河。主要支流有苏霍纳河、维切格达河、瓦加河和皮涅加河,亦均为大河。北德维纳河河口三角洲面积1 100平方千米,支汊河道密布。北德维纳盆地的地形为起伏的低洼平原,向白海倾斜。东面以季曼岭(维切格达河及其支流的发源地)、南面以北乌瓦利山(与伏尔加河流域之分水岭)为界。北部与中部覆盖着茂密的针叶林。南面虽是混合林,却仍以针叶树为主。总的看来,流域的一半以上为森林所覆盖。左岸一带有许多低洼沼泽和湖泊(其中包括较大的库别纳湖),常是一些支流的源头。只有泛滥平原上是开阔的草甸。北德维纳河水源主要来自溶雪。上游11月开始封冻,至翌年4月底解冻,下游结冰期稍长。春季冰凌壅塞,河水泛滥。该河大部河道可通航,为俄罗斯欧洲部分北部的主要航道。今通过苏霍纳河与伏尔加-波罗的海重要水道相接。该河主要运送木材,编成木伐流经沿河各锯木中心,其中主要是大乌斯秋格、科特拉斯及阿尔汉格尔斯克(俄罗斯最大锯木中心)。阿尔汉格尔斯克是一个主要木材出口港和北海航线西部终点港口之一。该河三角洲西端有北德文斯克港。

Northern Dynasties　北朝(439～589)　中国历史上在北方建立的与南朝相峙并存的5个王朝,包括北魏、东魏、西魏、北齐、北周。5个王朝的统治者都出自塞北的鲜卑族或与鲜卑族有着密切的关系。北魏拓跋珪于386年重建代国,改国号为魏(因区别于三国时的魏,史称北魏或后魏)。534年分裂为东魏和西魏。550年高洋取代东魏,建齐(因区别于南朝的齐,史称北齐),共历28年(550～577)。557年宇文觉取代西魏,建立周(史称北周),于577年灭北齐。581年外戚杨坚自立为帝,改国号隋,是为隋文帝。589年隋灭南朝陈,结束南北朝的分裂局面,统一全国。

Northern Expedition　北伐战争(1926～1927)　中国共产党和国民党合作为推翻北洋军阀的统治而进行的革命战争。1924年国民党进行了改组,实现了国共两党合作,在广州创设了黄埔军校。1925年成立了广州国民政府和国民革命军,统一和巩固了广东革命根据地。随后在中国共产党的倡议和推动下,国民政府决定进行北伐战争。1926年7月,国民革命军第四、第七、第八军在湘鄂两省工农革命运动的支援下,以先期入湘的叶挺独立团为先锋,攻入湖南、湖北。7月中旬攻占长沙,8月下旬在湖北咸宁汀泗桥、贺胜

1926年9月7日,国民革命军攻克汉口
中国大百科全书出版社供图

桥战役中,击溃了北洋军阀直系首领吴佩孚的主力,接着进占武胜关,10月中旬占领武昌,吴佩孚残部退往鄂西和河南境内,两湖战场的作战胜利结束。在此期间,退处西北的国民军冯玉祥部在苏联和中国共产党的帮助下,也展开了反攻,有力地配合了北伐进军。1926年9月,国民革命军第二、三、六军对"苏浙闽赣皖五省联军总司令"孙传芳部发起进攻,北伐战争的主要战场由两湖转到江西。11月,北伐军在江西工农革命运动的支援和第四、第七军一部的策应下攻占九江、南昌,打垮了孙传芳在江西的主力部队,继于1927年3月进占安庆、芜湖和南京。与此同时,攻入福建、浙江的北伐军于12月先后占领福建和浙江一部分,1927年3月中旬抵达上海附近。同年3月下旬,中国共产党领导上海工人举行了第三次武装起义,解放了上海,北伐军随即进驻上海市区。至此,国民革命军控制了长江以南多数省份,北伐战争取得了决定性胜利。在革命的紧急关头,国民党内的蒋介石和汪精卫集团相继于1927年4月12日和7月15日叛变革命,国共合作破裂,北伐战争中途夭折。

Northern Ireland　北爱尔兰　联合王国(英国)的一个组成部分,位于爱尔兰岛的东北部。南和西与爱尔兰共和国交界,东濒爱尔兰海及北海峡,北临大西洋。面积14 120平方千米。人口约1 691 800(1999)。北爱尔兰常被称作阿尔斯特省,然而它只包括历史上的阿尔斯特的部分地区。

自然地理和人文地理　从地形上看,北爱尔兰酷似一个浅碟,以内伊湖为中心,四边向外翘起,形成该省的高地。以前的6个郡中有5个(安特里姆郡、唐郡、阿马郡、蒂龙郡和伦敦德里郡)辐辏于内伊湖,每个郡都占有碟边高地的一部分。北面及东面的安特里姆山脉(地形上为一高原)向海岸逐渐隆起,在特罗斯坦山处海拔554米。东南的圆形鼓丘景观(由冰川作用形成的圆丘)升为克鲁布山(535米),并继续升入莫恩山脉,至多纳德山已高达852米。

北爱尔兰气候温和,属海洋性。来自西南方的一系列低气压形成多雨多云的天气,成为当地景观的一个特色。降雨量由西向东逐渐减少,春季相对干燥,夏季潮湿,冬季则更加潮湿。每日天气变化无常,但无酷热和严寒。全境受北大西洋洋流的影响,年平均气温变化很小。1月气温在北部沿海为3 °C,东北沿海为2 °C。7月气温常可达到18 °C。晚秋及初夏时节,东部气温稍低,伴有哈雾(一种海雾)。

北爱尔兰的经济已与英国经济结为一体。贸易以对英国其他地区的进出口为主。北爱尔兰工业发达,出口商品中大部分为制成品。工业包括机械制造、造船、车辆制造、纺织、食品及饮料加工和服装制作等。服务业从业人员占劳动力总数的2/3,制造业从业人员则不及劳动力总数的1/5。伦敦德里以生产衬衫和睡衣颇负盛名。首府贝尔法斯特的造船厂闻名世界。贝尔法斯特还建有化工厂及制绳厂。该市为不列颠群岛的主要港口,其他重要港口为拉恩和伦敦德里。

北爱尔兰矿产资源匮乏。电力生产依靠进口的煤和石油,然而当地出产白垩、黏土、石灰石和砾石尚能供石灰、砖和水泥的生产之用。尤为重要的是,北爱尔兰拥有相当可观的农业资源,正在作为其经济的主要部分加以开发。自20世纪70年代以来,农场的数目已有所下降,合并已为少数农民带来较好的生活。混合耕作占主导地位,农户收入的大部分来自畜牧业。内伊湖以南地区有许多丰产的果园。

在艺术和文化生活中,一般很难区别哪一种出自本土,哪一种属于外来。16世纪都铎入侵和17世纪苏格兰人被迫来此定居以前的文化遗迹,现在已很少见到。只有在传统的娱乐(卡列)中才偶尔可以听到盖尔语。同样,流浪演员和韵诗歌手也已消失。民间的活动和娱乐集中在定期举办的喧闹而丰富多彩的宗教节日和游行中。在其他方面,北爱尔兰的文化背景已与不列颠群岛其他地方融为一体。英语中所带有的口音是仅有的真正明显的地区特点。

阿尔斯特大学(校园分布在科尔富恩、乔丹斯敦、伦敦德里和贝尔法斯特)建于1984年,系由新阿尔斯特大学与阿尔斯特理工学院合并而成。该校是主要的高等学府。北爱尔兰设有一个艺术委员会,鼓励各种艺术的发展。该委员会的活动集中在贝尔法斯特,因为只有这个城市能独立维持芭蕾舞团和歌剧团。贝尔法斯特有多所剧院、一个以阿尔斯特大学为基地的巡回演出团、一个交响乐团和一个青年交响乐团。此外,贝尔法斯特还和伦敦德里一样,建有一个永久性美术馆。阿尔斯特电视公司,与英国广播公司竞争,为当地提供电视节目。阿尔斯特博物馆是国家博物馆,而阿尔斯特民俗与运输博物馆的展品则十分有趣,大多与北爱尔兰的当地农民有关。

历史　20世纪以前,北爱尔兰的历史是整个爱尔兰历史的一部分。尽管如此,一种称作阿尔斯特的带有明显特征的基督教文化,自5～6世纪即在北部地区发展起来。有关阿尔斯特历史的最早文字资料可追溯至7世纪。

至8世纪,该岛的部族已集合成为5个省,其中以尤伊尼尔王朝治下的阿尔斯特最具实力,直至11世纪。12世纪中叶,来自英

北爱尔兰贾恩茨考斯韦角附近的邓卢斯堡
美国不列颠百科全书公司供图

格兰、南威尔士和欧洲大陆的诺曼冒险家们得以在爱尔兰立足。但到1205年，金雀花王室的英王约翰控制了此地，建立起阿尔斯特伯爵领地。

16～17世纪，英格兰和苏格兰移民来到爱尔兰，主要居住在阿尔斯特，并带来了基督教新教的信仰。阿尔斯特的新教人口在18世纪又有所增加，当时这一地区成为胡格诺派的避难地，他们因1685年南特敕令的废除而不得不背井离乡。移民带来的商业及工业技术大有助于亚麻布制作的发展。这项产业后来成为19世纪贝尔法斯特和拉根谷地工业化的基础。

1801年《合并条例》创立了大不列颠与爱尔兰在立法上的联合，称作联合王国。然而19世纪发生的几次危机，包括40年代的大饥荒，掀起了爱尔兰内部自治运动的势头。第1个内部自治法案的提出是在1886年，第2个是在1893年，第3个即最后一个自治法案的提出是在1912～1914年间，但第一次世界大战的爆发使该法案的实施一直推迟到战争结束。1920年，爱尔兰政府法案规定，设立两个大体上自治的单位，一个由阿尔斯特9个郡中的6个郡（今北爱尔兰）组成，另一个由南爱尔兰的23个郡与阿尔斯特的3个郡共同组成（今爱尔兰共和国）。南爱尔兰于1916年复活节举行起义，态度激进，完全拒绝内部自治而要求彻底独立，而阿尔斯特的6个郡则满足于内部自治，甚至愿与大不列颠联合。

1921～1940年，北爱尔兰成为一个公开的教派国家，受占多数的新教徒控制，他们按照自己的意志进行统治。占少数的天主教徒尽管遭到歧视，但还是从乡村涌入各工业城市，特别是贝尔法斯特，因为那里的纺织和造船业可以提供工作机会。

60年代中期，北爱尔兰脆弱的稳定开始崩溃。1968年多次发生民权抗议和暴力事件。70年代初奉派前往维持和平的英国军队不久即被天主教徒一派仇视。爱尔兰共和军（IRA）发动恐怖主义活动以迫使英军撤离，并将此作为北爱尔兰与爱尔兰统一的前奏。1972年，英国首相E.希思中止了北爱尔兰的宪法和议会。此后，恢复地方自治和实现和解的努力持续不断。1985年签署《英国-爱尔兰协议》，给予爱尔兰在北爱尔兰事务中的协商权。1993年又制定了《唐宁街宣言》，建立各方和平谈判的框架。1994年，爱尔兰共和军和各支持北爱统一的准军事组织纷纷宣布停火。1998年4月签署《贝尔法斯特协议》（也称"美好星期五协议"）。根据该协议，地方政府的责任被转移到一个选举产生的议会。爱尔兰和北爱尔兰的选民批准了该协议后，进行了北爱尔兰议会选举，新教政党北爱统一党领袖D.特林布尔被选为"首席部长"。国际调停者暂时解决了半军事组织（包括爱尔兰共和军）的武装解除问题后，权力于1999年12月正式移交给议会。但爱尔兰共和军始终未成功解除武装，导致英国在不到3个月的时间内停止权力移交，恢复直接统治。2000年5月，北爱尔兰议会得以恢复。

Northern Kantō 北部关东 日本中东部工业区，包括群马、栃木、琦玉三县的各一部分。南接京滨（东京、横滨）工业区。地形以平原为主，有关东、越后山脉。工业以电机、金属制品、运输设备和采矿业（铁、铜、锌）等为主。其他经济部门有林业和蚕丝业。早在1912年和1914年，群马县的丝织、造纸业已机械化。1939年在小山创办钢铁工业。1946年建立了精密机械制造业。1950年上尾建立了柴油机、卡车和公共汽车制造业。第二次世界大战中太田市成为汽车和飞机制造中心。1959年邑乐发展了电器设备制造业，并在足利、桐生市创办了纺织工业。尽管北部关东的重工业和日本其他工业区相比规模较小，但在轻工业品的制造上却有很强的实力。京滨工业区生产的照相机和电器设备的零件被送到这里组装，然后又被运回京滨工业区销售。北部关东的农副产品有米、桑葚、梨、栗子和牲畜等。

Northern Kyūshū 北九州 日本西南部以北九州港市为中心的工业区。西北临玄界海，东临濑户内海。包括福冈、佐贺、大分、长崎等县各一部分。境内有远贺河、筑后河与山国河。当地以发展重工业（特别是钢铁）和化学工业为主，亦有运输设备、机械、电器和纺织等工业。农产品有米、柑橘及鱼类。北九州市1963年由若松、山田、户畑、小仓、门司等市组成。德川时代（1603～1867）开始开采石灰石（制造化肥及水泥）和烟煤。明治时代（1868～1912）煤炭生产发展较快。1901年在八幡开办了国营铁厂和化工厂。昭和时代初（1926～1945）水俣的化学工业和大牟田与大分的重工业大为扩展。第二次世界大战后，经济停滞。地面下沉和煤产下降，以及日本工业转向以石油为能源，加速了该区衰退，许多工业迁往京滨和京阪神。为了改变这一状况，在福冈建立了消费品工厂，并在大分建立石油化工联合企业。20世纪70年代，东京和北九州之间建立了航空线和铁路，有助于恢复该地区的经济发展。

northern lights 北极光 又作aurora borealis。出现在北半球的大气发光现象。参阅**aurora**。

Northern Mariana Islands 北马里亚纳群岛 全称北马里亚纳群岛自由联邦。与美国结成政治联盟的自治政区，位于西太平洋，由关岛（不包括关岛）以北的22座岛屿组成，南北呈弧形，长720千米。陆地面积477平方千米。塞班（122平方千米）、蒂尼安（101平方千米）和罗塔（83平方千米）3个主要岛屿及阿拉马甘和阿格里汉等岛均有人居住。另一个岛屿帕甘在一次强烈的火山爆发后，居民于1981年撤出。除关岛以外，最近的岛屿有北边的小笠原群岛和东南面的密克罗尼西亚联邦。首府是塞班岛上的查兰卡诺阿。人口约71 900（2000）。

土地 马里亚纳的景观多种多样。最南端的罗塔岛在火山基之上冠以珊瑚石灰岩，外观呈阶地形。南端4个岛屿（梅迪尼利亚、塞班、提尼安和阿吉关）均为石灰岩构成，地形起伏不大，无高山。更北的岛屿皆为火山岛。80年代帕甘火山曾几度喷发。马里亚纳群岛最北边的岛屿帕哈罗斯和亚松森岛亦为活火山，最近一次喷发的时间分别为1969年和1906年。北马里亚纳群岛的最高峰为阿格里汉火山，海拔965米，最近一次喷发时间为1917年。

当地属热带气候，塞班岛年平均气温为26～28 °C，降雨量约为1 800毫米。最北端的岛屿雨量较少。南部石灰岩岛屿的高地有热带雨林或灌木林，沿岸地区有椰子树和木麻黄树。只有梅迪尼利亚岛为不毛之地。平坦地区或缓坡可以放牧牛。古关岛以北的陡峭火山岛均为荒芜地区。沿岸地区常见粗牧草、椰子树、面包果树和木麻黄树。土壤通常稀薄贫瘠。

人民 北马里亚纳群岛的土著人为密克罗尼西亚人。3/5的人口为土著马里亚纳人与欧洲人、亚洲人的混血种查莫罗人，约14%为菲律宾人，另外12%为加罗林人（其祖先于19世纪从东加罗林群岛移居来此）。亦有少数欧洲人和亚洲人（菲律宾人除外）。北马里亚纳的居民已丧失了太平洋群岛的原有文化，他们的生活方式为西班牙罗马天主教的生活方式，但自1947年开始受到美国文化的影响。他们居住在村落里，以种植蔬菜为主业。另一主要收入来源是在塞班岛的政府机构任职。塞班岛居民占总人口的85%以上。查莫罗语（与印度尼西亚语相近）和英语为主要语言。

经济 现金收入主要来自旅游业，但生存农业,例如种植芋头、木薯、山药、面包果和香蕉,亦相当普遍。椰干生产、捕鱼、养猪、养牛和手工艺品制作为其他收入来源。出口商品包括蔬菜、牛肉和猪肉。进口商品包括食品和制造品,大多来自美国。

岛屿间的交通靠船和飞机。提尼安和塞班为主要港口。塞班建有一座国际机场、柏油路、一座电视台和数座电台。罗塔亦有一座国际机场。

政体与社会状况 北马里亚纳群岛为1947年联合国委托美国治理的太平洋岛屿托管地的一部分。1975年,北马里亚纳群岛居民投票赞成成为美国的一个自治政区。1977年通过了一部宪法,选举了总督、副总督以及由参众两院议员构成的两院制立法机构。1978年北马里亚纳群岛实行内部自治;1986年11月3日正式成为美国自治政区,其居民也随之成为美国公民。

北马里亚纳群岛中凡有人居住的岛屿至少建有一间诊所。塞班岛有一所公立医院,罗塔岛和提安尼岛各有一所附属医院。所有有人居住的岛屿都建有小学。塞班岛上建有公立中学和教会中学。北马里亚纳学院建于1976年,为公立初级学院。有两家地方周报,登有某些当地新闻的关岛日报亦在当地发行,所有报纸均以英语出版。岛上还有几家电台和电视台。

历史 1521年麦哲伦发现马里亚纳群岛后,西班牙人便经常来到此地,但直到1668年才占领马里亚纳群岛。该群岛原名为拉德罗内斯群岛(即贼岛),后来为纪念当时西班牙的摄政王马里亚纳王后,将该群岛命名为马里亚纳群岛。北马里亚纳群岛(不含关岛,该岛于美西战争后归属美国)于1899年售给了德国。1914年群岛被日军占领,成为国际联盟的日本托管地,直到第二次世界大战被美军攻占。

northern Mongoloid local race 北方蒙古地域人种 蒙古(亚洲)地理人种的一个亚群。大致相当于一个遗传隔离种群,包括中国北方、蒙古、西伯利亚东北部、朝鲜以及日本等地的居民。其特征是:皮肤色浅黄,色素较少;发黑,粗而密,面须或体毛较稀;颅骨前后长度较短或者适中;内眦褶出现率高;与肢体的长度相对照,躯干显得长;面庞扁平,鼻子较小,铲形门齿;ABO血型系统的B型血型出现率高。对于中等程度的寒冷气候乃至严寒气候,具有明显的适应性。参阅 **local race**; **Mongoloid geographic race**。

Northern Norway(region) 参阅 **Nord-Norge** 北挪威。

Northern Pacific Railway Company 北太平洋铁路公司 美国北部横跨大陆的铁路之一,经营圣保罗和西雅图之间的铁路,1970年被伯灵顿-北方铁路公司所兼并。1864年为修筑从苏必利尔湖到太平洋海岸港口的铁路,经国会特许而成立北方太平洋铁路公司,接受赠地1 620万公顷。修建中数次遭受财政困难。于1883年向西修至海伦娜,与俄勒冈铁路接轨,通至西雅图。19世纪90年代又碰到财政困难,由J.P.摩根接收改组,他与J.J.希尔分享其控制股权。希尔打算将该铁路与大北铁路、芝加哥一伯灵顿一昆西铁路合并,但1904年最高法院宣布这违反《谢尔曼反托拉斯法》,直至1970年三铁路才获准联合,取名为伯灵顿-北方铁路公司。1980年连同圣路易斯一旧金山铁路一起,公司共有线路48 000千米,从西海岸横贯落基山脉,到大湖区,下抵墨西哥湾。

Northern Penner River(India) **北本内尔河** 参阅 **Penner River** 本内尔河。

Northern Plateau(Mexico) 参阅 **Mesa del Norte** 北部高原。

Northern Rhodesia (Africa) **北罗得西亚** 参阅 **Zambia** 赞比亚。

Northern Sarkārs 北沙卡尔 沙卡尔是印度苏尔王朝皇帝舍尔·沙所划定的县区。北沙卡尔起初包括4个,后来包括5～6个沙卡尔,大致相当于今安得拉邦东北部的斯里加古兰县、维沙卡帕特南县和东西哥达瓦里两县。1753年被割让给法国东印度公司,1758年又由英国占领。

Northern Sotho(people) **北索托人** 参阅 **Pedi** 佩迪人。

Northern Tableland(Australia) **北部台地** 参阅 **New England Range** 新英格兰岭。

Northern Territory 澳北区 又译北部地方。澳大利亚北部的自治领地,在大陆北部的中央部分。面积1 346 200平方千米。北滨帝汶海和阿拉弗拉海,东临昆士兰州和卡奔塔利亚湾,南接南澳大利亚州,西界西澳大利亚州。沿海地区与许多近海岛屿的海岸线平直,周围大都是沼泽地,生长着红树林。从海岸地带向内地和阿纳姆地高原逐渐升高,直到滕南特克里克镇(375米)。该镇位于辽阔的、向西和向南延伸到邻近各州的前寒武纪高原。该区的植被大部分为开阔的林地,生长着低矮的桉树和营养价值不大的高茅草。在艾丽斯斯普林斯地区,多岩石的山上长着硬挺的刺草。在山坡较低处的砂石上和河谷地带,生长着无脉相思树和短草,这是有价值的饲料资源。哺乳动物有针鼹和若干种有袋动物,包括袋鼠、岩袋鼠、大袋鼠、黑大袋鼠。在全澳电报公司建设期间,人们认识到当地具有发展畜牧的潜力。1872年,电报公司建设完成时,艾丽斯斯普林斯和达尔文的附近地区已成为放牛的场所。19世纪80年代,在巴克利台地出现了一些放牛的牧场。

目前主要的出口商品有牛肉、活牛、虾。矿产品有锰矿、铜、金矿、铀矿、氧化铝、铝土矿(矾土)等。澳大利亚中部的阿马戴岛斯盆地产石油和天然气。制造业仅有一些能满足当地需要的小型服务工业。澳北区有一条单轨铁路,由艾丽斯斯普林斯通到南澳大利亚州的阿德莱德。澳北区人口极其稀少。大约3/4为欧洲人血统,1/5为土著居民,其余人口由70个民族的人组成。大部分白人住在城镇,大部分土著居民住在农村。1976年通过了土著居民土地权法,使土著居民得到了澳北区的大片土地。1978年的澳北区(自治)法令规定设立地方行政长官和议会,议会的议员任期4年。在首府达尔文及其附近设有若干医院。政府为居民提供医疗及牙科服务,还为澳大利亚皇家飞行医疗队提供人员。教育科学部开设函授学校,并辅之以广播学校。学生可以通过使用无线电收发机参加广播学校学习。采取这些措施可以满足居住分散的人口需要。尽管在阿纳姆地的传说中记录了以航海为业的人们很早就来到此地,但与非土著居民首次经确认的交往却是在1605年。这一年,一艘荷兰船只考察了卡奔塔利亚湾的一部分。其他荷兰船接踵而至。印度尼西亚各民族也随即来到此地。但直到19世纪初期,由弗林德斯开始对澳北区进行多次调查,才算完成了对这一地区情况的了解。澳北区于1825年开始成为澳大利亚领土的一部分。此时新南威尔士的殖民者的移居范围向西延伸到东经129°线。1863年,澳北区并入南澳大利亚州,主要是着眼于便于牧牛。澳北区曾经历过一次淘金热和牛牧场的分割。土著居民的土地曾经一度遭到没收征用。当土著居民起来反抗时,遭受到白人的残酷屠杀。1911年该区归新成立的澳大利亚联邦政府管理。土著居民继续遭受白人压迫,发展缓慢。1947年澳北区获得权利,成立部分民选的议会。1974年,获得权利成立全部民选的议会,并在澳大利亚上议院派有代表。1978年,澳北区获得自治权,从此享有与澳大利亚其他各州地位相等的待遇。人口约210 664(2001)。

Northern War, First 第一次北方战争 (1655～1660) 波兰瑞典王位继承斗争的最后阶段。1655年瑞典国王查理十世古斯塔夫对波兰宣战,借口是波兰的约翰二世卡齐米日·瓦扎拒绝承认他,实际上则是希望扩大波罗的海的领土。瑞典与勃兰登堡结盟后侵犯波兰,取得初步胜利。但不久俄国、丹麦和奥地利对瑞宣战,勃兰登堡又背弃瑞典加入联盟。瑞军被逐出波兰后,两次侵犯丹麦。战争结束时,波兰王室放弃对瑞典王位的需求,而瑞典则从丹麦获得斯科纳。

Northern War, Second 第二次北方战争 (1700～1721) 又称大北方战争。俄国、丹麦-挪威和萨克森-波兰对瑞典在波罗的海称霸提出挑战而引起的武装冲突。结局是,瑞典势力削弱和俄国成为该地区的大国。16和17世纪瑞典在波罗的海沿岸的扩张导致与其邻国的冲突。1697年瑞典国王查理十一世去世,继位的查理十二世当时年仅14岁。丹麦-挪威趁机组成反瑞典联盟(1698～1699)。此时,波兰国王和萨克森选帝侯奥古斯特二世于1700年2月向里窝那进攻,丹麦-挪威国王腓特烈四世于1700年3月进入石勒苏益格-荷尔斯泰因,俄国沙皇彼得大帝于1700年10月包围纳尔瓦。瑞典查理十二世首先作出反应,集中军队,对付丹麦。他在距哥本哈根几千米处登陆,迫使腓特烈退出反瑞典同盟，并签订特拉文塔尔条约(1700-08)，恢复战前局势。第二步查理与俄国抗衡，在纳尔瓦成功地发起攻击(1700-11-30)；接着把矛头指向波兰人和萨克森人，占领库尔兰，并迫使奥古斯特退入波兰。查理决心废黜奥古斯特，同他作战6年，奥古斯特终于同意放弃波兰王位并废除与俄国的联盟(阿尔特兰施泰特条约，1706-09)。此时，俄国利用这段时间重整军队并在东部波罗的海沿岸站稳脚跟，建立了圣彼得堡和军港喀琅施塔得。当查理(1707年下半年)重新向俄国进攻时，彼得大帝在列斯纳亚击败了查理的援军(1708-10)，接着在波尔塔瓦彻底击败瑞典主力(1709-07-08)。查理逃到土耳其，并说服土耳其人向俄国宣战(1710)。但在普鲁特河一役(1711)取胜后，土耳其人同意媾和，取得对亚速海的控制权而退出战争。同时，波尔塔瓦战役(**Poltava, Battle of**)后，复活的反瑞典联盟于1709年秋开始侵占波罗的海沿岸的瑞典领土。1713年5月联军在荷尔斯泰因的特宁击败了1712年募集的瑞典驻防军。1714年俄国人在汉科击败了瑞典舰队，并在占领奥兰群岛之后，威胁斯德哥尔摩。同年11月查理回到瑞典。此时普鲁士的腓特烈·威廉一世和英国的乔治一世也参加了反瑞典联盟。1717～1718年查理一面开始和谈，一面重整军队准备再战。1718年9月他入侵挪威东南部，但同年11月战死。他没有子嗣，王位传给他的妹妹乌尔丽卡·埃莱奥诺拉及其丈夫腓特烈(瑞典的腓特烈一世)。腓特烈于1719～1721年进行了一系列议和谈判。根据斯德哥尔摩条约(1719～1720)，瑞典、萨克森和波兰都恢复战前状况，丹麦将其征服的土地归还瑞典，为此获得一笔巨款。瑞典将不来梅让给汉诺威，将什切青和波美拉尼亚的一部分让给普鲁士。根据尼斯塔得条约(1721-09-10)，瑞俄战争宣告结束，瑞典将英格里亚、爱沙尼亚、里窝那和芬兰的卡累利阿的一条狭长地带割让给俄国。

Northern warlords　北洋军阀　中国清代末期以袁世凯为首建立的和民国初期控制北方地区的军阀集团。1901年袁世凯出任北洋大臣，所辖军队称北洋军。1912～1928年的

袁世凯(中)与北洋将领合影
中国大百科全书出版社供图

17年间北洋军阀的各派系控制北京政府。历届总统、执政、大元帅和各省督军、省长等多出身于这个集团。1911年辛亥革命爆发，袁世凯所控制的北洋军阀分裂为三大派系：以安徽人段祺瑞为首的皖系，以直隶(今河北)人冯国璋为首的直系，以奉天(今辽宁)人张作霖为首的奉系。各系拥有自己军队，形成地方割据，为争夺对北京政府的控制权不断爆发战争。北洋军阀统治时期，中国政局极端混乱。随各系军阀势力的消长，北京政府内阁总理更迭频繁，1916～1928年间共有38届内阁，最短两届任期各6天。当时日本及欧美列强根据不平等条约在华享有种种特权，力图控制北京政府。各军阀分别投靠外国势力，取得借款和军火，巩固本系势力。列强也通过军阀扩展其在华权益。1924年孙中山在广州建立革命政府，并与中国共产党建立国民革命联合战线，1926年皖系军阀段祺瑞被直系战败下台，直系军阀被国民革命军击败。1928年奉系军阀张作霖因战败退回东北，在皇姑屯被日本关东军炸死，从此北洋军阀政权在中国覆灭。

Northern Wei DYNASTY　**北魏**(386～534)又作Bei Wei dynasty。中国古代王朝之一。由拓跋氏(Tabgatch)建立，故又称拓跋魏，亦称后魏。是隋唐统一前北方鲜卑拓跋族建立的最强大而又历时最久的王朝。

拓跋为北方氏族的一种。语言为突厥语。学者认为拓跋祖先可远溯到古突厥和古蒙古与匈奴人。4世纪后期拓跋人征服中国北方诸小国是明显的异族入侵。拓跋人侵入山西后，即建立北魏，定都平城(今山西大同)，与其腹地紧相邻近。不久他们兴兵远征，侵占黄河流域大部分地区。但在扩张领土战争中，北魏也受到蛮族的攻击。经几次战乱，北魏于429年向外蒙蛮族大举反攻，到439年时北魏便将攻战得来的土地，在北方创建了一个统一的王国，北朝(**Northern Dynasties**)从此开始。

北魏军事上虽然兵强马壮，但因出身游牧，毫无治理国家的经验，也无文官制度，只好沿用汉人官员治理王朝。最早沿用的大臣崔浩(381～450)，官至司徒，参与军国大计。他将汉族的政制与刑法引入北魏。由于北魏经济开始转向农业，不再以游牧劫掠为生，牧民生活趋向定居。当时出现了中国历史上常见之事，即征服民族反过来却被汉人文化与社会同化。由于汉族文化的优越素质，加上经济基础的变化和佛教的影响，使拓跋部族的游牧生活完全改观。到495年，北魏采取更积极的汉化政策，把首都迁往古城洛阳。这一政策使北魏统治阶级迅速学会汉人的仪礼习俗。拓跋与汉人士族通婚受到鼓励，在下层社会中通婚也增加。许多拓跋世家，包括皇亲国戚，都改用汉姓，甚至重修史书，禁止拓跋语和拓跋装束。

随着北方的统一，北魏控制了通向中亚的沿途贸易中心和主要绿洲。当时南北朝贸易兴盛。但北魏最大变革在于实行均田令。战乱后人口大部南流，留下大片荒地。北魏采取大量移民屯垦政策，取得了多重效果：社会生产力得到恢复和发展，自耕农民显著增加，商业逐渐活跃起来，人口大量迁徙也使汉族文化在北朝广为传播，同时限制了大地主依仗奴隶进行巧取豪夺。人口迁徙的影响极为深远，仅魏道武帝拓跋珪(386～409)时期人口迁动即达46万人。485年北魏实行均田令，此项制度后世许多朝代均曾效法。根据均田令，土地均归君主所有，由他分与成年男性农民耕种。耕者死后土地复归君主，另行分配。这种政策首先保证了土地得以合理平均分配，政府又能控制豪强地主，而在此之前豪强大户几乎处于自主的状态。土地改革中间虽有过若干例外，但总的说来它达到了预期的目的。

北魏君主都信奉佛教，因此佛教得以在北方广为流传。但为避免产生政教冲突。北魏在佛教管理上与行政采行同样办法，即指定一高僧为僧人之长。寺院也不再允许庇护逃税或逃避兵役者。但上述措施未能平息各种宗教争执。寺院和僧人拥有大量土地，对国家构成威胁。成千上万依附寺庙的僧民成为国家的沉重负担。

北魏太武帝(423～452)及其重臣崔浩引进道教，438年开始灭佛，从446～452年对国内佛寺严加镇压，僧尼一律处死。佛教艺术典籍、寺院建筑全遭焚毁。太武帝去世后镇压才告结束，文成帝对此次浩劫，曾提出慷慨补偿。佛教再度成为国教。国都迁往洛阳后势力大盛。洛阳则成北方佛教中心。许多寺院以富贵华丽闻名遐迩。

北魏在文化上的最大贡献是佛教艺术。最著名的造像艺术有大同云岗石窟和495年开凿的洛阳龙门石窟。这些精美造像显示希腊的自然主义色彩，兼有印度官能主义气息。这种异域风格不但影响中国的艺术，并使日本和朝鲜的艺术也受到影响。北魏时期还把两个国都加以扩大加固，洛阳成了变革纷起的地区，著名的建筑随处可见。

但是，随着生产的发展和鲜卑贵族汉化的加深，北魏统治者日趋腐化，吏治逐步败坏。胡太后在佛寺建造上奢侈靡费，引起暴乱。524年发生军事叛变，随之是十年内战，胡太后遣人暗杀孝明帝(528)，拥其子就帝位，但因无力平定反叛，母子同遭杀戮，葬身黄河，2 000朝臣全部遇难。北魏王朝从此宣告崩溃(534或535)。此后帝国分为东西两部，即东魏与西魏，享国虽不长，但东西魏的政治、经济、社会成就大大有利于后来南北朝的重新统一。

Northern Wei sculpture　北魏造像　始于六朝(220～589)北魏时代(386～534/535)

约530年的北魏造像——弥勒石雕像
美国不列颠百科全书公司供图

的中国雕刻,它们也意味着佛教对中国的早期影响。当时中国北方被入侵的异族占领和统治,并很快接受了佛教信仰;造像和中国原有王朝统治下的南方传统艺术有明显的差异。446～452 年间,佛教一度遭受严重迫害,以前的造像鲜少留存。不久佛教即以惊人的速度复兴,佛教艺术的黄金时代也随之开始。北魏艺术——主要为雕刻,也包括一些壁画——可以区分为两个重要时期:第一个时期从佛教遭受迫害时期之后到 494 年,当时北魏将首都由北方的平城(今山西大同)迁往文化中心洛阳(河南省境内)。第二个时期从 494 年到北魏结束。前一时期的艺术风格可追溯至印度的佛教艺术,是一种接受外来影响所产生的奇特混合,这种注重塑造结实精悍的躯体,雕像均具有某种拙稚和古朴的特质(参阅 **Yungang caves**)。这种风格到后期被全然不同的中国(龙门)风格所取代。后期北魏造像为佛像穿上中国学者的服饰,并且在雕像衣幔上刻画迂曲多姿的流水纹(参阅 **Longmen caves**)。

Northland 北部区 新西兰北岛最北部的地方行政区。与北奥克兰半岛的大部分疆界相同。该区从凯帕拉港向西北延伸约 250 千米至雷英加角和北角。西濒塔斯曼海,东临太平洋。行政区面积12 604平方千米。北奥克兰半岛宽不到 80 千米,总体上低于北岛其余部分,但在杜塔莫依和芒阿塔尼哇火山脉,高度则达 760 米左右。半岛西部沿岸为沙壤,有霍基昂阿和凯帕拉两大浅水港,东部沿岸多岩石,在帕伦阿伦阿和朗奥努港、道特利斯湾、岛湾和布里姆湾均有优良锚地。虽然欧洲人来此定居较早,第二次世界大战后农业亦有所发展,但该区仍然欠发达。该区有畜牧业。除旺阿雷外,城镇规模很小。居民大部分为毛利人。人口约134 000(1993)。

Northman 北方人 参阅 **Viking** 北欧海盗。

Northrop, John Howard 诺思罗普(1891-07-05,美国纽约扬克斯～1987-05-27,亚利桑那威肯堡) 美国生物化学家,因成功地将某些酶提纯并结晶以确定其化学性质而于 1946 年与 J.B.萨姆纳和 W.M.斯坦利共获诺贝尔化学奖。他曾于哥伦比亚大学学习,1915 年获化学的博士学位。第一次世界大战期间任美军化学战勤务处的上尉军官,并研究适于丙酮和乙醇工业生产的发酵过程。进而研究消化、呼吸,以及一般生命过程中必需的酶。当时酶的化学性质未明,他通过研究查明酶也服从化学反应的规律。1930 年他将胃液中的消化酶——胃蛋白酶——结晶,发现它是蛋白质,从而解决了关于酶本质的争论。他于 1938 年应用同样的化学方法分离出第一种细菌病毒(噬菌体),证明其成分为核蛋白。又帮助将胃蛋白酶无活性的前体——胃蛋白酶原、胰脏的两种消化酶——胰蛋白酶和糜蛋白酶及其无活性前体——胰蛋白酶原和糜蛋白酶原分离并制备成结晶形式。1916～1961 年他在纽约市的洛克菲勒医学研究所任职,先任助理研究员,后为研究员至退休,退休后为荣誉退休教授。他也是伯克利加利福尼亚大学细菌学和生物物理学客座教授(1949～1958)和该校唐纳实验室住校生物物理学家(1958～1959)。1934 年被选入全国科学院。其著作《结晶酶》(1939)是一本重要的教科书。

Northrop, John Knudsen 诺思罗普(1895-11-10,美国新泽西纽瓦克～1981-02-18,加利福尼亚格伦代尔) 美国飞机设计师,全金属结构和飞翼设计的早期倡导者。1913年高中

诺思罗普公司供图

毕业,1916 年为在加利福尼亚州圣巴巴拉制造水上飞机和双翼体育运动飞机的洛克希德(旧名拉菲德)兄弟担任绘图员和设计师。1923～1927 年,在圣莫尼卡为道格拉斯飞机公司设计了油箱,后进入艾伦·洛克希德的公司,成为设在好莱坞的洛克希德飞机公司的总工程师。在该公司,他设计并制造了织女星型飞机,这是一种上单翼、胶合板硬壳式机身(或应力蒙皮结构)的飞机,它用胶合板硬壳而不是沉重的内部构架作为结构支架。1928 年诺思罗普与人合作在伯班克附近创建阿维永飞机公司,在该公司他研制成功一种重量轻、强度高的多隔结构机翼,它由许多盒状小隔舱组成,外面有薄壳套。1929 年,阿维永公司被联合飞机与运输公司收购,更名为诺思罗普飞机公司。该公司在这种安排下生产出一种铝质的下单翼阿尔法飞机,用于运送邮件和旅客。1932 年,他与道格拉斯合作组建诺思罗普公司,将他的多隔结构机翼用于著名的 DC-3 型客机和货机上。1939 年,他建立诺思罗普飞机公司,并领导该公司直至 1952 年退休。诺思罗普一生的兴趣都在飞翼上,其构型基本上是一个短而非常宽的机翼,没有机身和尾翼。20 年代起试验了几种小型原型机,第二次世界大战中设计了一种 52 米宽,16 米长的轰炸机。XB-35 于 1946 年首次试飞,动力装置为推进式螺旋桨,其喷气发动机改型为 YB-49,1947 年首次试飞。第二年美国空军放弃了飞翼计划,原因之一是该机无垂直尾翼而带来的不安定性。但 40 年后,诺思罗普公司在设计先进技术轰炸机或"隐身"轰炸机时,采用了诺思罗普的设计以适应新的操纵机构和反雷达材料。

Northrop Grumman Corporation 诺思罗普-格鲁曼公司 原称诺思罗普飞机公司(1939～1958)或诺思罗普公司(1958～1994),生产军用飞机、制导与导航系统、电子对抗设备和精密仪表的美国航空航天公司。公司总部设在洛杉矶。该公司于 1939 年在加利福尼亚州的霍索恩由航空工程师的先驱 J.K.诺思罗普创造。第二次世界大战中,他设计出了第一种夜间截击机 P-61"黑寡妇"型。1959 年,T.V.琼斯任公司总裁,诺思罗普公司的产品多样化了,既生产各种导弹,又制造各种军用飞机系列及其零部件。50 年代,该公司研制出一种重量轻、超音速而且维护简便的喷气战斗机 N-156。如同 T-38 高级教练机,N-156 成为美国空军使用的一种标准教练机。同时,该公司制造的 F-5 自由战士型和 F-5E 虎Ⅱ型战斗机销往世界各地。诺思罗普公司还制造了 F-89 截击机和斯纳克导弹系列。70 年代,该公司曾参与麦克唐纳-道格拉斯公司共同研制F/A-18喷气式战斗机。诺思罗普公司还是许多战术和战略导弹制导系统的主要供应商。到了 80 年代,该公司研制 B-2 隐形轰炸机。1994 年,诺思罗普公司购下格鲁曼公司,那是另一家美国国防部的重要合同商,由 L.R.格鲁曼于 1929 年开办,专门生产军用飞机。冷战中,格鲁曼公司的主要产品有 A-6 攻击机、F-14 舰载喷气战斗机以及 E-2C 预警机。到 1994 年诺思罗普公司购下时,格鲁曼公司已将其业务转向战场监视及电子系统。1996 年,公司兼并了威斯汀豪斯电气公司的防御和电子系统业务。一年后收购防御信息技术公司逻辑根公司。2000 年,将商务飞机结构业务卖给了凯雷投资集团,将重心放在防御电子和信息技术业务。2001 年收购 1953 年成立的利顿工业公司。

Northumberland 诺森伯兰 英格兰最北部的行政、历史郡。北接苏格兰,东濒北海,西邻坎布里亚,和南邻达勒姆郡。行政郡下设 6个区:阿尔尼克、特威德河畔贝里克、布

诺森伯兰郡阿尔尼克堡的城门
美国不列颠百科全书公司供图

莱斯谷、莫珀斯堡、泰恩代尔和旺斯贝克。面积5 032平方千米。东部为沿海平原,西部为人烟稀少的崎岖丘陵和沼地,南部是人口稠密的煤田和泰恩河谷。冬季寒冷,春季到来较晚,夏季凉爽。气温很少超过 16 ℃,年降雨量沿海区 635 毫米,但山地可达1 270毫米。沿海海雾影响较大。该郡以荒野和裸露景观著称,一半面积是山地、高沼地和森林。郡内发现多处史前人类居住遗址。公元 122 年当地为罗马人统治。547 年不列颠国王艾达建

立伯尼西亚王国。605年后福斯和亨伯之间的地区成为诺森布里亚王国，是7世纪最强大的盎格鲁-撒克逊国。郡内的霍利岛(林迪斯凡)曾是该王国的基督教传播中心。诺曼人肆意蹂躏了北部并修筑城堡以防范来自苏格兰和北海的入侵。直至1603年英格兰与苏格兰合并，长期为边界纠纷的战场。中世纪时当地有繁荣的羊毛和皮革生产和出口。其采煤业始于罗马时代。与伦敦和泰恩的煤炭贸易自13世纪起开展迅速。后来造船业日益发展，现为全郡的经济支柱。19世纪30年代由于制造铁船，铸铁业兴起。17世纪晒盐业和玻璃制造业亦发达。约一个世纪以来，泰恩塞德的化学工业曾是全国重要工业项目之一，现已衰落。12～19世纪，诺森伯兰郡内的艾伦代尔有铅、银和铁矿开采业。濒临泰恩河和布莱斯河的现代工业联合企业生产重型电动机械、陶器和肥皂。该郡直至18世纪末尚无定居的农民，18世纪70年代一半地区均为荒地。泰恩和特威德两河一带有传统的捕鲑鱼业。行政郡面积5 026平方千米。人口：行政郡约309 600(1998)。

Northumberland, EARLS AND DUKES OF **诺森伯兰伯爵和公爵** 英格兰封爵贵族，有几个家族获此称号，最著名的是珀西家族。按年代顺序分列于后，并各以●为标记。

● **Northumberland, Henry Percy, 1st Earl of**, BARON PERCY OF ALNWICK **诺森伯兰伯爵(第一)**(1341-11-10～1408-02-20，英格兰约克郡塔德卡斯特附近布拉默姆穆尔) 即H.珀西。英格兰政治家，国王理查二世和亨利四世在位时期的主要人物。阿尼克的珀西男爵(第三)之子。18岁即统率在法国的英格兰军队，两年后任英格兰和苏格兰边境地区的军事长官，1376年成为英格兰元帅。1377年封诺森伯兰伯爵。曾多方为理查二世效劳，充任军事、外交和行政要职。1398年后拥护赫里福德公爵(即后来的亨利四世)，对理查的退位和亨利四世获得王位起过重要作用。1400～1403年的苏格兰战争逐渐使诺森伯兰父子反对国王。他与威尔士的领袖O.格伦道尔结为同盟，招募军队进行反对亨利的叛乱。但后来与亨利相见，重新发誓效忠国王。1405年2月，他又与格伦道尔和其他心怀不满的贵族结为同盟，再次发动叛乱，被国王的军队击溃，先后逃往苏格兰与荷兰。1407年夏又返回苏格兰招兵，次年2月率兵向南方推进，后在作战中阵亡。

● **Northumberland, John Neville, Earl of**, LORD MONTAGU **诺森伯兰伯爵**(1428至1435～1471-04-14，英格兰赫特福德郡巴尼特) 即J.内维尔。英格兰玫瑰战争中的主要人物。索尔兹伯里伯爵理查德之子。他是1453年内维尔家族与珀西家族发生冲突的罪魁祸首。这场冲突是玫瑰战争的真正开端。作为东部边境地区长官，他于1464年将兰开斯特家族的反抗彻底镇压下去，特别是在赫奇利穆尔(4月)和赫克瑟姆(5月)。为此，他于同年5月被封为诺森伯兰伯爵。此前，这个爵位属于珀西家族。他虽然未参加1470年夏沃里克反对爱德华四世的阴谋，但国王对他怀疑，把诺森伯兰伯爵的称号重新封给了H.珀西，而改封他为蒙塔古侯爵，只有称号，没有领地。他参加叛乱，把爱德华赶到国外(1470-10)，但1471年3月爱德华在约克郡登陆时，他却没有对之进行袭击。最后他在巴尼特战死。

● **Northumberland, John Dudley, Duke of**, EARL OF WARWICK, VISCOUNT LISLE, BARON LISLE **诺森伯兰公爵**(1502～1553-08-22，英格兰伦敦) 即J.达德利、沃里克伯爵(第

美国不列颠百科全书公司供图

一)。英格兰政治家和军人，1549～1553年爱德华六世未成年时期英格兰的实际统治者。几乎所有史料都认为他是不讲廉耻的阴谋家。1538年在英格兰占领的法国加来港当地方长官。1542年封利勒子爵并任海军大臣。1544年9月占领法国布洛涅城。1546年封沃里克伯爵。1547年1月亨利八世逝世后，他成为摄政会议成员。当时萨默塞特公爵赫特福德掌握最高权力。1549年他趁萨默塞特的政策引起群众骚乱之际，与有产阶级和天主教徒结成联盟，将萨默塞特罢黜并监禁。到1550年他已完全把持朝政。他极力镇压反对圈地的农民。1551年自封公爵。1553年爱德华六世临终前，他使儿子吉尔福德与简·格雷郡主结婚，并要国王立下遗嘱，把王位传给格雷郡主，以后由她的男嗣继承。不久爱德华逝世，他宣告简·格雷为英格兰女王。但伦敦议会和人民群众则支持玛丽·都铎。后来他以叛逆罪被处死。

● **Northumberland, Thomas Percy, 7th earl of** **诺森伯兰伯爵(第七)**(1528～1572-08-22，英格兰约克郡约克) 即T.珀西。英格兰伊丽莎白一世在位时期的阴谋家，曾企图解救苏格兰女王玛丽和争取信奉天主教的自由。其父托马斯(第五代伯爵之子)因参加1536年的求恩巡礼(**Pilgrimage of Grace**)被褫夺权利并处决。他因忠诚地在军中服役而于1557年被封为第七代伯爵；但因信奉天主教，在伊丽莎白宫廷中不得提升。苏格兰女王玛丽到英格兰后被囚，他对此深表同情。1569年串通西班牙使节并与一些贵族发表声明，提出释放玛丽和恢复天主教信仰。政府军队不久即平定叛乱，诺森伯兰逃往苏格兰。1572年，苏格兰人以2 000英镑的代价将他引渡给伊丽莎白的军官。他在约克的市场上被斩首。

● **Northumberland, Henry Percy, 8th earl of** **诺森伯兰伯爵(第八)**(1532?～1585-06-21，伦敦) 即H.珀西。英格兰信奉罗马天主教的珀西家族中的基督教新教徒，但为天主教献出生命。他是第七代伯爵之弟，在玛丽一世和伊丽莎白一世时代担任过各种职务。在北部发生由其兄领导的叛乱时，他站在女王伊丽莎白一边，积极打击叛乱分子。1572年其兄被处决后，伊丽莎白允许他继承伯爵爵位。但他在家庭的影响下，开始策划营救苏格兰女王玛丽出狱，因而被关进伦敦塔18个月(1571～1573)。获释后又逐渐得到女王的宠信。1582年因参与思罗克莫顿(**Throckmorton, Francis**)等天主教分子的阴谋，再次关入伦敦塔(1582-09)，数周后获释。因参与策划新阴谋，第3次被囚伦敦塔(1584-12)，6个月后死于该处，据认为是自杀。

● **Northumberland, Henry Percy, 9th earl of** **诺森伯兰伯爵(第九)**(1564，英格兰诺森伯兰郡泰恩茅斯城堡～1632-11-05，萨塞克斯郡佩特沃思) 即T.珀西。英格兰天主教徒，因被怀疑参与火药阴谋(**Gunpowder Plot**)而于1605～1621年被囚于伦敦塔。1585年继承其父的爵位，定居伦敦。他希望英格兰容忍天主教徒，因而热烈拥护苏格兰国王詹姆斯一世即英格兰王位。但由于天主教徒不断受到迫害而与国王发生争执。他究竟在多大程度上卷入火药阴谋，并未查明，但于1606年被关入伦敦塔。1621年获释，此后未参加政治活动。

● **Northumberland, Algernon Percy, 10th earl of** **诺森伯兰伯爵(第十)**(1602-10-13受洗，伦敦～1668-10-13) 即A.珀西。英格兰查理一世时期天主教温和分子。1632年继承其父的伯爵爵位。内战前为海军上将，曾努力改革海军。1637年任海军大臣。1639年查理一世任命他为特伦特河以北地区军队司令、摄政会议成员。内战爆发后成为上院中议会派领袖。他积极谋求与国王达成协议，1643年曾去牛津会见国王。他参加建立新模范军。他是上院中反对审判国王查理的一派人的领袖。共和国时期没有参加政治活动。王政复辟后任枢密官。

Northumbria **诺森布里亚** 盎格鲁-撒克逊英格兰最主要的王国之一，位于亨伯河以北。在全盛时期，该王国版图西至爱尔兰海，东至北海，北界由艾尔郡海岸与福斯河口之间形成的东西线，南界由里布尔河(即默西河)与亨伯河之间形成的东西线。7世纪时，王国的军事力量极为强大。7世纪晚期和8世纪，王国的文化在宗教、艺术和学术方面有突出的成就。这个时期常被称作黄金时代。韦尔茅斯隐修院和贾罗隐修院，不仅在英格兰而且在西欧的宗教生活中占有杰出地位。国际知名的神学家和历史家比德(735卒)就是贾罗隐修院的修士。贾

罗、赫克瑟姆、惠特比和林迪斯凡等地的隐修院都有丰富的藏书。林迪斯凡的福音书(现藏不列颠博物馆)显示出诺森布里亚在书写和插绘方面的成就;从比尤卡斯尔和拉斯韦尔的石制十字架,可以看到诺森布里亚雕塑家的卓越技巧。诺森布里亚是由两个原来独立的国家——伯尼西亚和德伊勒——合并而成。伯尼西亚王艾特尔弗里思取得对德伊勒的控制权,从而建立诺森布里亚王国。他在一次战争中被杀,由德伊勒王室取而代之。但不久以后,王国又由伯尼西亚王室进行统治。诺森布里亚的文化生活和政治统一为丹麦人的入侵所破坏。866年丹麦大军占领约克,很多丹麦军人定居于此。10世纪初斯堪的纳维亚人跨过爱尔兰海,向诺森布里亚移民。此时新成立的苏格兰王国从北方把诺森布里亚的边界推回到特威德河。最后,南方的韦塞克斯王国又君临整个英格兰。944年,在约克的最后一名斯堪的纳维亚统治者被赶走后,就不再有独立的诺森布里亚国王。诺森布里亚成为英格兰王国内的一块伯爵领地。

Northwest 西北部 美国西北部地区,又称西北太平洋海岸区。范围包括俄勒冈、华盛顿和爱达荷(部分)州。先后属西班牙、英国和俄国,后由英、美共同占有。1846年确定北纬49°线为美加边界时,划归美国。1804～1806年M.刘易斯和W.克拉克首次考察,还有一些捕兽者和皮货商前来勘探。19世纪40年代移民沿俄勒冈小道纷至沓来。初期经济以农业、狩猎业为主,后木材、捕鱼和采矿业相继发展。该地区虽风光绮丽,自然资源丰富,但因气候潮湿,吸引移民不多。现经济依靠华盛顿州的木材和航空等少数大工业,经济增长率虽高,但水平仍低于西南各州。政府对环境问题非常重视。

Northwest Airlines, Inc. 西北航空公司 美国航空公司,1926年建立时称西北航运公司,1934年4月16日注册时改为今名。原只经营芝加哥和明尼苏达州明尼阿波利斯-圣保罗之间的一条邮政航线。此后数十年不断扩大,终于建成一个遍及国内外的航运网,以芝加哥、明尼阿波利斯-圣保罗和华盛顿州西雅图为中心,直达美国其他各地、加拿大、远东和欧洲。公司的商号名称是"西北东方"。西北(航空)公司的控股母公司为NWA股份有限公司,它是1984年公司改组中建立的,总部设在明尼阿波利斯-圣保罗国际机场。1928～1933年间,西北公司不断向西扩展,从一个城市到另一个城市,经过达科他、蒙大拿和华盛顿等州。第二次世界大战期间,公司曾在北方和太平洋各战场为美国政府服务,因此1945年获准延长东方航线,从明尼阿波利斯-圣保罗至纽约市,中经密尔沃基和底特律。从此成为全国第四家横贯大陆的航空公司,它和其他3家公司(即环球航空公司[TWA]、联合航空公司和美国航空公司)不同,最初并不经营加利福尼亚航线。次年它获准飞行远东,于1947年开始营业。1958年获准开辟从中西部至佛罗里达的获利甚丰的航线。1979年和1980年又分别开设至比、卢、荷3国和伦敦的航线。1982年建立至南美和中国的航线;当时,中国与美国断航已30多年。1986年西北航空公司购入共和航空公司,从而获得了至墨西哥和加勒比地区的航线。

Northwest Caucasian languages 西北高加索诸语言 参阅 **Abkhazo-Adyghian languages** 阿布哈兹-阿迪格诸语言。

Northwest Coast Indian 西北海岸印第安人 美洲印第安土著民族,居住在狭长而肥沃的海岸地带和沿岸岛屿,北起阿拉斯加边界附近的亚库塔特湾,南至加利福尼亚州西北部的门多西诺角。由北至南,语言可分下列数种:特林吉特语、海达语、钦西安语、北夸扣特尔语或海尔楚克语、贝拉库拉语、南夸扣特尔语、努特卡语、沿海萨利什语、基卢特-奇马孔语、夸尔希奥夸语和奇努克语。俄勒冈州沿岸和加利福尼亚西北部一带尚有较小的分支如蒂拉穆克语、阿尔塞亚语、休斯劳语、翁普夸语、库斯语、图图特尼-托洛瓦语、尤罗克语、维约特语、卡罗克语和乌帕语。

西北海岸区印第安人以狩猎采集为主,大都依赖捕捞鲑鱼和采集软体动物等海洋动物为生。由于当地资源丰富,西北海岸区印第安人人口较其他区域密集。有些村落居民达到数百人。村落都是永久性的,房舍用木板构建,为长方形,每一房舍通常可容纳数个家庭同时居住。随鲑鱼鱼汛和收获期的变动,他们可能在某些季节迁徙他处,但最后总要回到原来的永久住所。在某一族群之中,酋长的地位最高,由直系子嗣继承。酋长为一族的管理者,他安排捕捞的时间,决定新季节首度捕获鲑鱼时举行祭典时参加仪式的人选,并领导族人冬、夏季迁徙。酋长亦须决定"散财宴"的时间。这是一种节日庆宴;如遇本族群某些重大场合(如酋长去世,权位授予或新酋长继位),皆邀请其他族群参加此种庆宴。

西北海岸区印第安人的经济是以渔业为主的多种经济。捕鱼是主要经济活动,效率很高,不仅捕捞,并要加工防腐和储藏。因此,构筑鱼梁和建造熏制、干燥、储存鱼干的大型房屋亦很重要,可视为第二种经济活动。第三种经济活动与水路运输的建设和经营有关。这些印第安人大都使用独木舟,有些独木舟很大,饰有雕刻和彩绘,用以载送酋长及其随从人员。其他则用来运输木材(当地盛产西洋杉和松树)、鱼类和粮食。西北海岸区印第安人也是熟巧的工匠。他们的大部分家庭器具都用木料雕制而成。著名的图腾柱以高度符合传统风格的手法表现动物和祖先的容貌,这仅是精致木制装饰品中的一项。

Northwest Ordinances 《西北法令》(1784,1785,1787) 美国国会通过的几项立法,旨在为西北地区(即位于宾夕法尼亚以西、俄亥俄河以北、密西西比河以东和五大湖以南的那部分美国边疆)的拓居和政治组合确立有条理和公平合理的程序。《1784年法令》由T.杰斐逊起草,国会通过,将这一地区划为几个自治区。法令规定每个区可在人口达到2万后向国会选派一名众议员,当其人口与人口最少的现有州相等时,也将有资格成为一州。《1785年法令》规定对这一地区的土地进行科学的测量并作系统的划分。土地按长方形格状系统划分,基本单位为区,呈正方形,边长6英里。每区可再划分为若干长方形小区。出售土地的最低限额为1平方英里(640英亩),每英亩最低售价为1美元。区可建一所学校。这3项法规以《1787年西北法令》最为重要,该法令为西北地区的治理及其组成部分作为州加入联邦奠定了基础。根据这项法令,每区将由国会任命的区长和法官进行治理,直至该区成年自由男性的数目达到5 000人;届时该区将变为准州,可成立众议院。西北地区最终将由最少3个最多5个州组成,各准州在人口达到6万后可在联邦中取得州的地位。法令规定,奴隶制在西北地区永为非法;确保宗教信仰自由和其他公民自由;保证印第安居民获得体面的待遇,并提供教育。这项法令确立了新州与原有各州地位平等的原则。

Northwest Orient 西北东方 西北航空公司(Northwest Airlines, Inc.)的商号名称。

Northwest Passage 西北航道 北美大陆有历史意义的海上通道,是数个世纪以来努力寻找一条从大西洋经加拿大北极群岛至太平洋的航线的结果。航道位于北极圈以北800千米,距北极不足1 930千米,是世界最险恶的海上航线之一。它由北极群岛之间的一系列深海峡组成,从巴芬岛北部至阿拉斯加的波弗特海沿岸,东、西相距1 450千米。从大西洋进入西北航道的航行条件恶劣,须穿越约5万座高达90米、不断在格陵兰与巴芬岛之间向南漂移的巨大冰山。阿拉斯加北岸的浅水区常年受北极冰盖的影响,大量冰块流入阿拉斯加与西伯利亚之间的白令海峡,因此,通向太平洋的出口也同样危险。自15世纪末以来,西方探险家希望绕美洲大陆的西、北部建立一条海上贸易航线,经过多次探险,均告失败。挪威探险家R.阿蒙森为了躲债,乘一艘47吨改装的渔船秘密出航,经过3年艰苦的航行,终于1906年驶完全部航程。1944年,加拿大的S.H.A.拉森乘一艘多桅帆船首次在一个季度里完成上述航行。西北航道的商业性通航,对世界范围内的自然资源开发、交通运输、国际贸易等具有重大的经济意义,不仅对美国和加拿大的影响最为显著,而且从波斯湾到巴拿马、从智利到斯堪的纳维亚都要受到它的影响。但竞争的加剧、各国政府的政策和许多复杂的经济问题,将决定还要多久以及在多大程度上能利用这条航道。具有防冰能力的船舶造价昂贵以及船舶在北极航行的保险价格可能很高,这些都是使西北航道成为通商航线的障碍。但它可极大地缩短航程,例如它使伦敦与东京之间的航程从绕非洲航行(在1967～1975苏伊士运河关闭期间)的23 600千米减少到不足12 870千米;而且西北航道比巴拿马和苏伊士运河能通过大得多的船舶。加拿大自1880年对北极群岛享有主权,但包括美国在内的一些国家力主西北航道为国际水域。

Northwest Spitsbergen National Park 斯匹次卑尔根岛西北国家公园 北冰洋中挪威斯瓦尔巴群岛斯匹次卑尔根岛西北角的国家公园。1973年建。面积3 283平方千米。具有极地冻原、冰封高地与近海岛屿等自然特征。公园中鸟类繁多,建有5处鸟类保护区。野生动物有北极狐、驯鹿等;海象多聚居在公园最北端的莫芬岛。

Northwest Territories 西北地区 加拿大北部和西北部地区,包括大片的森林和苔原地区。在20世纪的大多数时间里,西北地区占加拿大领土的1/3以上。它几乎从该国的最东端延伸到最西端,横跨北美大陆顶端。1999年努纳武特(原为西北地区东部部分)建立,使得西北地区的面积减少了一半以上。西北地区东邻努纳武特,南面是萨斯喀彻温省、艾伯省和不列颠哥伦比亚省,西面是育空地区。北部深入北极圈,包括许多岛屿,最大的岛屿是班克斯岛和帕特里克王子岛。有几个岛屿分属西北地区和努纳武特,如维多利亚岛和梅尔维尔岛。首府和最大的城市为耶洛奈夫。

居民有1/4以上是美洲印第安人,因纽特(爱斯基摩)人约占1/10,剩下的3/5人口主要为欧洲人后裔和梅蒂斯人(即欧洲人与土著人的混血儿)。主要工业是采矿,以西部北极沿岸地区的石油和天然气为中心。耶洛奈夫有金矿。土著居民以设陷阱捕猎毛皮兽为生。森林稀少,木材加工仅供本地需要。农业不发达,多数食品靠输入,运费甚高。几乎所有客运及大多货运都靠空运,重型货运多从水路。冬季陆地往来原用的狗拉雪橇大都为雪地汽车替代。因使用枪炮和船舶燃油渗漏,地区生态平衡受严重威胁。居民点附近的燃料和狩猎资源用竭之后,居民纷纷在贸易站和传教点周围聚居,现在多数居民住在马更些河和北极沿海岸的小村落中。18世纪使用阿萨巴斯卡语的印第安人在马更些地区从事毛皮行业,但未设印第安人居留地。20世纪毛皮贸易衰落后,许多印第安人失业。住在该地区的因纽特人的历史可追溯至史前的滨海文化(图勒文化),19世纪因欧洲各种疾病传入,人数减少。因纽特人于20世纪从事毛皮行业,生活必需品依靠外来资源。建造旅馆和开辟伍德布法罗、纳汉尼和奥伊图等大国家公园后旅游业增加。当地政策促进恢复与发展传统因纽特艺术、手工业。18世纪中,哈得孙湾公司雇员S.赫恩和西北公司的A.麦肯齐曾进入内陆。最早设置的欧洲居民点是捕鲸船队基地。20世纪20年代发现石油,加拿大政府始设此地区政府,前此该地区由毛皮商、传教士和警队辖治。每个地区政府各有一19人组成的立法会议,由成年人普选产生。行政长官是加拿大政府任命的专员,对印第安人事务和北方发展部负责。地区政府领袖有省督职权,负责行政工作。每个地区选出一位代表参加加拿大议会。西北地区的司法系统包括地区法院、警务司法官以及治安法官。警务工作由加拿大皇家骑警队负责。地区政府享有与其他各省政府同等权利,但加拿大中央政府控制、管理除猎物、林业和森林火势控制以外的各项资源。地区政府提供住宅、保健、社会和教育等服务,但大部分依靠国家的资金。公立中、小学12年学习为义务教育,还有多种专科和成人教育,适应特殊需要。地区内无大学,优秀学生可在各省立大学就学,由政府全部资助。20世纪80年代起,因纽特人开始为建立一单独的地区进行谈判,最终于1999年建立起努纳武特地区。面积1 526 3000平方千米。人口41 400(1998)。

Northwest Territory 西北地区 美国大陆会议在1787年所划定的美国领土,包括宾夕法尼亚州以西,俄亥俄河以北,密西西比河以东和五大湖以南的地区。弗吉尼亚、纽约、康涅狄格和马萨诸塞诸州均曾声明对此地区拥有所有权,但于1780～1800年间相继放弃,让与中央政府。1785和1787年的《西北法令》确立了这一地区的土地政策和地方政府的建制。最后此地区共建立5个州:俄亥俄、印第安纳、伊利诺伊、密歇根和威斯康星;另将圣克鲁瓦和密西西比河之间的小块地区并入明尼苏达州。

Northwestern National Bank of Minneapolis 明尼阿波利斯西北国民银行 西北银行公司(**Norwest Corporation**)主要的子公司。

Northwich 诺斯威奇 英格兰柴郡行政、历史郡皇家谷自治市的堂区(城镇)。当地的盐泉自从罗马时代起就产盐,但是采盐现已造成当地建筑物的严重下陷。现在的大规模化学工业就是从古时盐贸易发展起来的。其他制造业有钢铁、革制品、地毯和服装业。人口34 520(1991)。

Northwood, John 诺思伍德(1836,英格兰斯塔福德郡沃兹莱～1902) 英国玻璃制作师和技术革新者,他重新激起了英国人对希腊、罗马的古典玻璃制作方法,特别是对宝石玻璃工艺的兴趣。先在其兄的木器作坊工作,后到理查森的工厂工作。理查森对古代玻璃制品的仰慕,以及他希望生产出能与之媲美的现代产品,激励诺思伍德大胆探索刻磨、腐蚀玻璃的新技术。他在不列颠博物馆研究埃尔金大理石雕品及波特兰花瓶后,即着手制作玻璃工厂厂主斯通定制的埃尔金水瓮(1873)。这种双耳水瓮——有带状浮雕装饰环绕,并有蚀刻的古典花纹——引起许多英国玻璃工人利用诺思伍德研制的玻璃蚀刻机,以同样的方式装饰他们的制品。其杰作有波特兰花瓶(1876完成),是直接仿制公元1世纪期间的罗马原作,耗时3年多,受到各国玻璃制作师普遍赞扬。

Norton 诺顿 美国马萨诸塞州东南部布里斯托尔县城镇。位于布罗克顿西南23千米处。相传1669年始有人定居。1711年设建制。18世纪初当地巫术盛行。以设有惠顿学院(1834,为最早女校之一)闻名。现生产珠宝首饰、纺织品、漂白粉和光学仪器。人口18 036(2000)。

Norton 诺顿 津巴布韦中部偏北城镇。位于哈拉雷(前索尔兹伯里)西面46千米处。20世纪60年代发展成为有规划的工业城镇。有公路和铁路通往布拉瓦约。毗邻工业区建有奇贝罗农学院(1961)。北面有水坝、湖泊和公园。人口约20 405(1992)。

Norton, Caroline (Elizabeth Sarah) 诺顿(夫人)(1808-03-22,英国伦敦～1877-06-15,伦敦) 母家姓 Sheridan。英国女诗人、小说家。她的婚姻纠纷和她以后为了给已婚妇女争取法律保护而做的努力,使她成为维多利亚时代中期的社会著名人物。剧作家R.B.谢里丹的三个孙女之一。十几岁时即开始写作。1827年同G.诺顿结婚,婚后生活很不美满,3年后离异。G.诺顿为了报复,控告她的朋友梅尔本勋爵引诱他的妻子。这次诉讼可能是使梅尔本(当时任首相)名誉扫地的一次政治行动。1836年,当法庭审理此案件时,因证据不足,法官没有离开法庭就驳回了G.诺顿的上诉。诺顿随后又不让妻子看望他们的孩子,她强烈抗议这种不公正的行为,她的抗议对于未成年人保护法案的提出起了促进作用,该法案最终在1839年付诸实行。1855年她再次卷入一场诉讼,因为她的丈夫不仅拒绝给她赡养费,还要索取她的稿费。她给维多利亚女王写了一封很有说服力的抗议信,这对于1857年的《婚姻和离婚法》起了很大作用,该法案废除了已婚妇女所受到的一些不公正待遇。她在当时颇有文学声誉。诗集《梦及其他诗篇》(1840)博得批评家的好评。她给侄儿、侄女写的《卡里姑姑民谣》(1847)亲切、优雅。长篇小说《邓利思的斯图尔特》(1851)、《失去的和保留的》(1863)、《老道格拉斯爵士》(1867)都以她自己的不幸遭遇为题材。1875年丈夫死后,她同W.斯特林-麦克斯韦爵士结婚。

美国不列颠百科全书公司供图

Norton, Charles Eliot 诺顿(1827-11-16,美国马萨诸塞剑桥～1908-10-21,剑桥) 美国学者,一位理想主义者和改良派。1846年毕业于哈佛大学,南北战争时期从事编辑工作,热情拥护联邦事业。曾任《北美评论》的合作编辑(1864～1868),参加过《民族》周刊(1865)的创办工作。1874～1898年间,在哈佛大学讲授艺术史,是当时颇受欢迎的教师之一。诺顿同T.卡莱尔、R.W.爱默生、J.罗斯金、H.W.朗费罗和J.R.洛威尔等文豪都是好友,曾设法编印他们的书信和其他传记

美国国会图书馆供图

材料。还写过一些美术论文，编印过一些人的诗集，特别是J.多恩（1895～1905）的诗集。他最佳的文学作品应为他用散文形式翻译的但丁的《神曲》（1891～1892）。

Norton, Eleanor Holmes 诺顿（1937-06-13，美国华盛顿［哥伦比亚特区］～ ） 婚前名Eleanor Holmes。美国律师、政治人物。曾获俄亥俄州安提克学院文学士（1960），耶鲁大学硕士（1963）、法学博士（1964）。1964年末在费城担任联邦法官书记员，后移居纽约，任美国公民自由联盟助理法律主任5年，专门办理言论自由案件。1968年因抗议亚拉巴马州前州长G.华莱士而闻名全国。1970年成为纽约市人权委员会首位女主席。3年后帮助组建全国黑人女权组织，1975年与他人合著《性别歧视及法律：诉讼与纠正》。1977年任平等就业机会委员会主席至1981年。1982年任乔治敦大学法律中心教授。1991年任众议院哥伦比亚特区无表决权议员，是当时美国国会中仅有的三名非洲裔美国妇女之一。她提出的议案大多成为法律。1993年作为哥伦比亚特区议员为争取议员席位表决权游说获成功。1995年其表决权被取消，但仍为恢复此项权利而积极活动。

Norton Sound 诺顿湾 白令海海湾，位于美国阿拉斯加州西岸。北有苏厄德半岛，南为育空河三角洲。长200千米，宽115千米。5～10月可通航。北岸城市诺姆为阿拉斯加西北部商业中心。1778年由J.库克海军上校命名。

Nōrūz 诺鲁兹节 琐罗亚斯德教和帕西人的新年。伊朗、伊拉克、印度和阿富汗等许多国家都庆祝这个节日。通常从3月21日即新年的第一天开始。这一天除举行宗教仪式外，帕西人还要互相行哈马左尔礼，即一人合掌，另一人伸右手穿过第一人两手掌之间，然后互相问候祝福。

Norwalk 诺沃克 美国加利福尼亚州西南部洛杉矶县城市。1868年始建。1957年设建制。1875年南太平洋铁路通此后，诺沃克成为伐木业、乳制品业和牧业的服务点。因是公路枢纽，第二次世界大战后工业发展迅速。1964年后每年举办空间、科学和技术展览会。设有塞里托斯社区学院（1955）。人口约103 298（2000）。

Norwalk 诺沃克 美国康涅狄格州西南部费尔菲尔德县城市。范围同诺沃克镇。位于诺沃克河口，濒临长岛湾。1651年设镇。1913年设市。独立战争中，该居民点被亲英效忠派军队焚毁（1779），战争英雄N.黑尔是从该地出发去长岛侦察敌情的。制帽业和牡蛎采集业一度是经济支柱。现工业多样化，除制帽业外，还有纺织、机械和金属器具制造业。由于过度采集和水污染，牡蛎资源已告枯竭。亦为避暑胜地。设有诺沃克社区工学院（1961）。附近有西尔弗迈因艺术家公会。人口：市约82 951；斯坦福-诺沃克主要都会统计区约353 556（2000）。

Norwalk 诺沃克 美国俄亥俄州北部城市，休伦县县城（1818）。位于克利夫兰西南偏西95千米处。原是西部保留地（1792年为独立战争中被亲英派烧毁家园的康涅狄格居民所设）之一部分。1817年建立居民点，1828年设村，1881年设市。许多19世纪初的建筑至今犹存。费尔兰博物馆（1836）收藏有印第安人和拓荒者的文物。第二次世界大战以来，人口和工业稳步增长。工业制品有金属丝制品、汽车座、卡车司机室、恒温装置、糖果等。人口约15 204（1994）。

Norway 挪威 全称挪威王国，挪威语作Kongeriket Norge。欧洲第5大国，位于斯堪的纳维亚半岛西部，面积323 878平方千米。首都奥斯陆。这个多山的国家共有大小湖泊16万个以上，介于北纬58°～72°之间（东北偏北至西南偏南约长1 753千米），东经4°～32°之间（东南偏东至西北偏西宽约430千米）。北濒巴伦支海，西临挪威海和北海，南濒斯卡格拉克海峡，东与瑞典、芬兰和俄罗斯交界。人口约4 355 000（1995）。

土地 一半以上国土海拔不足500米，仅有约15%的国土海拔超过975米。地质主要是地球上一些最古老的岩石（有10亿～20亿年之久）。其山系为不列颠群岛喀里多尼亚山系的延续。最高峰加尔赫峰（2 469米）位于南部。主要河流为格洛马河（长599千米），最大湖为米约萨湖（368平方千米）。挪威在第四纪（始于160万年以前）曾经历多次冰河期，现仍有约1 700处冰川；北部和西部海岸多峡湾。

挪威与阿拉斯加几乎处于同一纬度。墨西哥湾流使该国气候较为温暖，也使峡湾不致结冰。7月平均气温由南方的17 °C至北方的10 °C不等，1月平均气温则介乎东南沿海的－2 °C与内陆山谷的－10 °C之间，年平均降水量各地差异很大，东部不足750毫米，西部约达2 052毫米。该国常受旋风侵袭，天气多变。挪威北部为子夜太阳之地：自5月中至7月末，太阳不落；相反，自11月末至1月末，太阳不会从地平线升起。

较低地区有落叶林（橡树、白蜡树、榆树及枫树），高达850米的地区有针叶林（云杉和松树），更高处则有柳树和矮桦树。北极圈以北，松树主要生长在内陆谷地。境内各处均可见驯鹿、狼獾、旅鼠、狐、貂和獭。濒临绝灭的动物有狼和北极熊。

挪威历来是渔业和林业国家，但自从第二次世界大战结束以来，该国的采矿与制造业均大有发展。现在挪威已是世界上最大的铁合金与各种合金出口国之一。挪威有欧洲最大的近海油气田和欧洲最大的钛铁矿蕴藏，其水力发电及镁的产量也属于世界最高之列。

人民 该国的绝大部分人口（98%）具有日耳曼血统。人口最多的少数民族是拉普人，约占人口的0.6%。90%的人口信奉基督教信义宗。挪威语为官方语言，挪威人口密度相对较低。15岁以下人口约占总人口的1/5，60岁以上者亦约占1/5。平均预期寿命相当高，男性为74岁，女性为80岁。第二次世界大战以来，人口出生率已有所下降，由于卫生条件的改善，减少了婴儿死亡率和结核病，人口死亡率也有所下降。第二次世界大战后，乡村人口大批向城市迁移，21世纪初，有3/4的人口居住在城市和城镇。外来移民与向外移民的比例基本持平，有助于保持该国人口总体增长处于较低水平。

经济 挪威属发达的混合型经济，主要以服务业、石油天然气生产和轻、重工业为基础。国民生产总值的增长远远快于人口的增长，人均国民生产总值属世界最高之列。

农业在国内生产总值中所占比重不到3%，占用了5%的劳动力。可耕地只占总面积的3%左右，且集中在谷地及湖泊周围和峡湾附近。主要作物有大麦、马铃薯、燕麦和小麦，主要牲畜有绵羊、牛和猪。人工饲养的狐狸（蓝狐和银狐）和貂主要用来生产毛皮。

森林覆盖面积占国土的1/4以上。林业为重要的产业，以针叶林居多。

挪威渔业以捕捞鲱鱼、牙鳕、毛鳞鱼、大西洋鳕、对虾和虾为主，冻鱼和鱼罐头均供出口。自20世纪70年代起，政府开始发展鱼类养殖。

自1975年起，挪威北海油田的石油便有大量出口。然而政府一直限制其近海油田的开发，以促进经济平衡增长，并通过国家石油公司（挪威政府的石油公司）参与油田的勘探和生产。挪威是世界上主要的产铝国之一，并大面积开采铜矿。铁的产量因欧洲联盟（前欧洲经济共同体）的配额限制而有所减少。挪威与欧洲联盟之间订有自由贸易协定。

工业约占国民生产总值的1/7，雇用的劳动力比例也大致相等。制造业主要以本国原料为基础，如铁、木材和鱼等。充足的水力发电有助于扩大制铝业。计算机服务以及纸、家具、硅合金和电子技术产品的制造已成为重要产业。电力大部由水电站供应。

挪威的商船队是世界上最大和最现代化的商船队之一，但由于1975年以后航运业遭遇经济困难，一部分船只出售给外国公司，致使本国船舶数量减少，造船业本身亦开始走向衰退。

挪威的工会组织自19世纪末以来即很活跃。劳资双方达成的协议通过给低工资工人增加较多的工资以使工资水平趋于平衡。

税收主要采取累进税制。公共事业开支约占国内生产总值的1/4，自20世纪60年代起，社会保险的支出不断增加。

挪威的主要贸易伙伴有瑞典、英国和德

美国不列颠百科全书公司供图

国。主要进口产品包括机械和运输设备、原料(包括燃料)和各类金属。出口产品有石油、天然气、铝和钢铁。

政体与社会状况 挪威为世袭君主立宪政体。1814年通过的宪法，赋予经改革的一院制议会以立法权。议员按比例代表制选出，任期4年。选举完成后，1/4的议员组成上院，其余议员组成下院。两院根据立法的议题可分别开会或举行联席会议。行政权在名义上归属国王，他的职权多属礼仪性质。行政权由以首相为首的国务委员会行使。国王与议会协商后在名义上任命首相和国务委员会成员。主要政党有挪威工党和保守党。

司法系统包括最高法院(法律问题的最后裁决者)、上诉法院和地方法院。挪威是北大西洋公约组织的成员国。

挪威完善的福利制度提供疾病和生育津贴、家庭补助，对老年、残疾或失养者给予津贴，保证其生活水平接近个人工作期间所能达到的水平。全国义务保健制度提供免费医院治疗并给予医师以补偿。人员配备齐全的保健设施，加上周全的疾病防治计划，已基本根除了大多数严重的传染性疾病，特别是结核病。第二次世界大战造成的全国住房短缺现象已不复存在。政府的住房补助包括房租津贴和为建造及修缮住房发放的低息贷款。

挪威100%的识字率反映出其完善的教育制度。政府对7～16岁未成年人实行义务教育，几乎所有学龄儿童均进学校学习。普通基础教育之后是进行各种技术培训的专业中等教育，或继续攻读普通中学的课程，为升入大学做准备。高等教育已大为扩充，以适应学生人数的增长。

挪威的出版界水准很高，其编辑人员的独立性为世人所公认。大多数报纸归属某一政党。电视与广播为国家所垄断。教育与信息节目比娱乐节目更受重视。

文化生活 工艺美术与工业设计的发展并驾齐驱，创作灵感经常来自北欧海盗时代的考古发现、北部的拉普文化以及各种超前的设计流派。家具、搪瓷器皿、纺织品、餐具及珠宝款式无一不反映出历史的、种族的或先锋派的风格。

虽然挪威语在世界上的使用范围较小，但其出版业仍居世界前列。大多数新出版的书籍均为挪威人的作品。挪威作家曾在文学方面做出过重要贡献。最著名的作家为剧作家H. 易卜生。其他世界知名的作家包括B. 比昂松、K. 汉姆生和S. 温塞特。一些城市建有永久性剧场，国家旅行剧团(里克斯剧团)组织在全国各地的巡回演出。

挪威20世纪的画家在壁画方面有杰出表现，仅有墨西哥画家能与之一争短长。其他艺术家则以其多媒体组合、织画以及雕塑和绘画中的抽象艺术享誉全球。E. 蒙克可能是挪威最著名的画家，他被认为是表现主义的创始人之一。G. 维格兰的许多作品集中在奥斯陆的维格兰雕塑公园。建筑设计的灵感有的来自中世纪的直条木教堂(以直立圆木建成)，有的来自圆木横搭而成的四角榫合房舍。私人住宅几乎全是木结构，与四周地形浑然一体。

科学与研究的经费有限，但在自然科学方面某些个人的成就已备受人们推崇。自北欧海盗时代的埃里克及其子L. 埃里克松起，直至近代的F. 南森、R. 阿蒙森及T. 海尔达尔，挪威人一直以探险家辈出而闻名于世。

历史 人类在挪威居住的最早遗迹，是在沿海一带发现的大约公元前7000至前6000年的石器。公元前3000至前2500年间又有人移居挪威东部。公元初4个世纪，挪威人曾到过罗马人占领的高卢。西罗马帝国衰亡时期(公元400～600)挪威最突出的特征是酋长坟墓中埋有精致的武器和金器。800～1500年是北欧海盗的时代，当时斯堪的纳维亚人时常出海进行劫掠。挪威人的后裔在格陵兰定居，并曾远征文兰(纽芬兰海岸)。

哈拉尔一世于9世纪末控制着西海岸地区，在传统上被认为是挪威最早的国王，不过其他地方仍受当地首长的统治。奥拉夫二世于1015年成为在整个挪威实行有效统治的国王。奥拉夫从英格兰返回挪威，深受基督教信念的影响，并使许多挪威人改宗基督教。1130～1240年间，挪威各派势力为争夺王位而发生内战。内战后期，王室权力得以巩固，挪威即由一位国王哈康四世(1217～1273)统治。13世纪的其余岁月及14世纪的大半时期，王室的财富和权力大有增长。1389年，波美拉尼亚的埃里克加冕为挪威国王，后来(1397)又成为瑞典和丹麦国王。1442年埃里克被废黜后，挪威便由丹麦国王统治，直至1814年它与瑞典联合，不过仍保留了一定程度的独立性并接受了一部新宪法。瑞典王室的统治一直延续到1905年，当时瑞典国王奥斯卡二世放弃了挪威王位，挪威人投票赞成重建自己的君主政体而不成立共和国。丹麦的查理王子被选为国王哈康七世。

1905～1914年间，挪威的经济迅速增长。国家制定了一些社会改革措施，如健康保险、10小时工作日和每周工作48小时。1913年妇女获得了选举权。

第一次世界大战期间挪威保持中立，但其船运业在这场战争中曾起到重大作用。战后，政府实行自由经济政策。到1927年，挪威的失业率高达20%，在大萧条期间更升至33%。尽管有这些经济困难，两次世界大战期间该国经济仍有所发展，工业也有增长。

1939年第二次世界大战爆发时，挪威宣布中立，但1940年德军入侵并击败了挪威军队。国王及政府流亡英国。德军对挪威的占领一直持续到战争结束，当时德军几乎未作抵抗即行投降。

1945～1965年，挪威工党一直在台上执政，几乎从未间断。30年代制定的许多社会计划得以实施。1965年右翼联盟组织使工党政府下台，并执政至1971年。此后，工党又多次上台执政，直至1981年。在这一期间，挪威第一任女首相G.H.布伦特兰曾出任过领导。1981～1986年，挪威保守党50多年来第一次掌权；但嗣后即为工党和保守党轮流上台执政，有时不得不领导一个少数派政府。挪威至今尚未加入欧盟，而只是加入了影响日益缩小的欧洲自由贸易联盟（EFTA）（还包括冰岛、列支敦士登和瑞士），但由于属于欧洲经济区（EEA），与欧盟保持密切的经济联系。

Norway, Church of　挪威信义会　挪威语作Norske Kirke。受国家资助的挪威国定教会，在16世纪宗教改革运动中放弃天主教信仰而改奉信义宗。在10世纪，多次有人要在挪威劝人信奉基督教，都没有成功；11世纪，国王奥拉夫一世（995～约1000年在位）和国王奥拉夫二世（1015～1030年在位）——两人都在登位以前在国外受洗——迫使许多臣民信奉基督教。奥拉夫二世从英格兰带进神职人员组建教会。他战死疆场之后，成为民族英雄，最后被追谥为挪威的主保圣人（1164）。11世纪末，挪威已基本上成为基督教国家。1152年，国定教会组成，大主教驻在尼达罗斯（今特隆赫姆）。丹麦及挪威国王克里斯蒂安三世（1534～1559年在位）青年时代即已改奉信义宗，他把宗教改革引进挪威。挪威人于1539年正式接受新信仰。不愿改奉信义宗的天主教主教和其他神职人员被迫退出教会，教会财产由政府接收。到了16世纪末，教会改组完成，信义宗信仰已为大多数人民和神职人员所接受。在17世纪，正统信义宗控制挪威，但是在18世纪挪威信义会受到虔敬主义影响。丹麦-挪威信义宗教授和监督（主教）彭托皮丹于1737年出版《敬畏上帝真义》，解释路德的《小教理问答》。此书大讲虔敬主义，在大约200年间对挪威的宗教生活发挥深远的影响。1797～1804年的虔敬主义奋兴运动是由豪盖领导的，豪盖是农人之子，25岁经历一次悔悟。尽管平信徒依法不得讲道，但是豪盖在全国讲道，建立兄弟会，信徒们聚在兄弟会中学习教义和祈祷。许多神职人员反对他，他也几次因为自己的活动被囚，但是他和他的一派人仍然留在挪威信义会内，施加重大影响。约翰松（1849～1873年任神学教授）融合信义宗学说与虔敬主义，他的活动也影响了神职人员和一般信徒，并且促进了海外传教计划的建立。在20世纪，挪威信义会内开明派和保守派发生了神学上的分歧。在第二次世界大战期间，纳粹在打败挪威之后企图控制挪威信义会，该会的监督和其他神职人员领导抵抗运动。监督放弃国定教会职位，牧师们基本上都离职而去，但他们继续工作，继续受信徒们的支持。德国战败后，牧师们返回自己的教堂，国定教会恢复正常活动。挪威全国分为若干教区，各教区设监督一人，奥斯陆监督是全国各监督之首。国王和议会有权决定挪威信义会的组织机构、习俗、教义和教育事业。国王可以自由任命监督和牧师；监督们曾要求进行改革，使教会获得更多的自主权，但遭到政府的批驳。从1845年起，依法挪威人可以退出国定教会而加入另一教会，也可以不加入任何教会，但是目前将近90%的挪威人仍是国定教会的教友。

Norway Current　挪威洋流　北大西洋洋流的一支，有时被当作墨西哥湾流的延续。在苏格兰北方进入挪威海，沿挪威海岸向东北流，进入巴伦支海。水面下的温度从南部的8℃到北部约为4℃。对挪威和北欧的气候有调节作用。该洋流主流流速大约为0.5海里/时并向西分散为许多涡，这些涡与向西南流的东格陵兰洋流的那些涡相遇。海水的冷热混合形成了良好的渔场，尤其是在法罗群岛和设得兰群岛周围以及挪威沿海海域。

Norway lobster　挪威龙虾　参阅scampi挪威海螯虾。

Norwegian elkhound　挪威猎犴狗　数千年前起源于挪威西部的一种猎狗，用于牧羊、守卫和作伴。勇敢，精力旺盛。善于追猎欧洲犴（驼鹿），也可用以猎熊、猞猁和狮。体中等

挪威猎犴狗
美国不列颠百科全书公司供图

大小，耳直立而尖，体短而壮，被毛厚而平滑，灰色，毛尖黑色，尾卷于背上。体高48～53厘米，体重22～25千克。

Norwegian language　挪威语　属北日耳曼语支西斯堪的纳维亚语分支，有两种相互匹敌并有较大差别的形式：丹麦挪威语和新挪威语。丹麦挪威语源于丹麦书面语，是丹挪联盟时期（1380～1814）引进的。新挪威语是语言学者I.奥森于19世纪中叶创制的，主要根据西部农村方言设计，以便继承古诺尔斯语传统。丹麦挪威语比新挪威语使用得更广泛，所有挪威全国性报刊和大多数文学著作都使用它。这两种能相互听懂的语言，现都用于政府机构和学校中；因而有各种计划，使他们更趋接近，逐渐变成共同挪威语，不过遭到强烈抵制。古挪威语是在斯堪的纳维亚共同语末期（600～1050）从其他斯堪的纳维亚语言分离出来的，但因14世纪中叶鼠疫大流行后的文化衰退，以及先后和瑞典（1319）、丹麦（1380）结成政治联盟，未能发展成为国语。未受丹麦语影响的纯粹挪威语文献溯源至1450～1500年间。

Norwegian literature　挪威文学　挪威人创作的文学作品总称。它在现代欧洲各国文学中兴盛的时间如此之迟，但植根却如此之深，令人瞩目。1814年挪威从丹麦脱离出来以后，才有纯正的挪威文学；但它的根源却可追溯至1 000多年前古代异教的挪威。在其演变过程中，挪威文学先后同冰岛文学和丹麦文学交织在一起。然而，明白无误的挪威文学起于H.韦格朗（1808～1845）。他以热情洋溢的革命诗歌和演说在挪威开创了一个"民族浪漫主义"的时期。到19世纪末，主要由于易卜生的巨大成就，挪威文学在西方文学中才占据有影响的地位。20世纪的优秀挪威作家中有K.汉姆生和S.温塞特，两人都曾获诺贝尔文学奖。

Norwegian Sea　挪威海　瑞典语作Norskehavet。北大西洋之一部。西北连格陵兰海，东北接巴伦支海；东界挪威；南邻北海、设得兰群岛、法罗群岛和大西洋；西接冰岛和扬马延岛。最深点约3 970米。含盐度约35‰。一条连接格陵兰岛、冰岛、法罗群岛和苏格兰北部的海岭把挪威海与大西洋分开。挪威海北部位于北极圈内，因此也常被划入北冰洋。由于挪威暖流从挪威海岸向东北流，所以挪威海一般不封冻。暖流与寒流混合后，在冰岛、挪威、设得兰群岛和法罗群岛等沿海水域形成极好的渔场（主要产鳕、鲱和白鲑）。

Norwest Corporation　西北银行公司　英文旧称Northwest Bancorporation（至1983）。美国的多银行控股公司，在明尼苏达、艾奥瓦、南达科他、北达科他、内布拉斯加、蒙大拿和威斯康星都拥有附属的商业银行。总部在明尼阿波利斯。1929年为控制中北部地区的一些银行、信托公司及其他金融机构而创立。公司通过其附属银行办理一般银行业务，提供各种商业银行业务，许多附属银行还办理信托服务。公司通过其最大的附属银行——明尼阿波利斯西北国民银行——办理国际银行业务。该行1934年由西北国民银行（1872）和明尼苏达贷款信托公司（1883）合并组成，原名明尼阿波利斯西北国民银行信托公司，1943年更现名。公司还通过联号经营其他业务，如抵押、担保贷款、租赁、农业贷款、都市债券等。

Norwich　诺里奇　英格兰诺福克行政、历史郡一城市（城市）。位于温瑟姆河沿线至其上游与耶尔河汇流处，在伦敦东北160千米处。面积39平方千米。创建于撒克逊时代，到1004年发展为重要的商业中心。1004年遭丹麦人洗劫。"诺曼征服"（1066）后不久，温瑟姆河附近修建起大教堂和本笃会隐修院。城镇主要市场的东面有12世纪的诺曼城堡，自1894年起成为该市的主要博物馆和美术馆，收藏有考古文物和19世纪流行的诺里奇派的绘画。1158年首次获许设建制。中世纪时成为繁荣的毛织业城镇。15世纪时在市场广场旁建起燧石料的会馆。内战期间（1642～1651）居民多支持国会军。18世纪时因北部新兴工业中心的崛起而逐渐衰落。现为英格兰最大鞋靴制造业中心之一，机械、

印刷和芥末加工工业亦重要。也是英格兰主要农牧市场、商业和娱乐中心。作为东英吉利亚传统地区的首府，该市现仍为重要的行政中心，是该郡及布罗德兰、诺里奇市、南诺福克3区的政府机关所在地。市内设有东英吉利亚大学(成立于1964年)、中央图书馆。人口约124 000(1998)。

Norwich 诺威奇 美国康涅狄格州东南部新伦敦县城市。范围同诺威克镇(乡)。位于扬蒂克和希特克特两河汇为泰晤士河处。1659年始建。1662年成为法定乡。18世纪经济以造船、船舶运输及棉花、纸张和铁钉生产为主，美国独立战争至南北战争期间亦生产枪支。1784年设市。直到1912年后都是以纺织业为主。1912年后出现多样化经济的趋势。有莱芬韦尔旅馆(独立战争多次会议会址)、印第安部落首领墓地、亨廷顿家族宅第、州立托马斯瓦利理工学院(1963)和莫希甘社区学院(1969)。1952年与镇合并。人口：市约36 117；新伦敦-诺威奇都会统计区约293 566(2000)。

Norwich school 诺里奇画派 颇有影响的英格兰地方风景画家团体。1803年成立诺里奇艺术家协会，19世纪上半叶活跃在诺福克郡的诺里奇。该团体主要画家J.克罗姆和J.S.科特曼的创作受荷兰风景画家及英格兰画家T.庚斯博罗的启发。诺里奇画派的其他画家有科特曼的两个儿子M.E.科特曼和J.J.科特曼、克罗姆的儿子J.B.克罗姆，以及G.文森特、J.斯塔克、J.瑟特尔、J.斯坦纳德、J.米德尔顿、R.狄克逊和H.布赖特。

Norwich terrier 诺里奇㹴狗 源出英格兰的短腿㹴狗。1880年左右育成后，剑桥的学生争相饲养。后许多美国狩猎俱乐部纷纷采用，以善猎兔著称。体矮小壮实。耳直立或悬垂。被毛厚而硬直，不畏风雨，多红棕色。理想体高最好不超过25厘米，体重4.5～6.5千克。耐劳，忠实。

Norwich ware 诺里奇陶器 产于英格兰诺福克郡诺里奇的代尔夫特精陶(锡釉)陶器，人们对诺里奇陶器所知甚少。约于1567年，两名佛兰芒陶工J.安德里斯和J.布·詹森从安特卫普移居到诺里奇，可能制造了铺地砖和药用及其他用途的容器。但到目前为止，尚未鉴别出由他们在诺里奇制作的任何制品。约于1570年，这两名陶工移居伦敦。1696年时，制陶业仍活跃于该镇。然而，尽管已发现了一些牛奶甜酒罐和其他白色陶器，以及一种往往在前面饰有一支郁金香的用途不明的壶，但这些陶器也许是从荷兰代尔夫特或从安特卫普进口的。有些这类器皿上带有诺福克郡的地名。

Norwid, Cyprian Kamil 诺尔维德(1821-09-24，俄罗斯帝国波兰华沙附近拉斯科沃-格武黑[今在波兰]～1883-05-23，法国巴黎) 波兰19世纪最富独创和革新精神的诗人。他的天才到20世纪才重新得到评价。1830～1831年抗俄起义遭到镇压后，一直过流亡生活。1842年起，先后旅居意大利、巴黎、美国。1854年取道英国到巴黎，在那里过着穷困潦倒、默默无闻的生活至去世。在世时，由于文风独特、不易理解，在文学事业上屡受挫折。著有诗集《诗歌》(1863)、剧本《克娄巴特拉》(1904)和论文等。

Norwood 诺伍德 美国马萨诸塞州东部诺福克县的城镇。位于波士顿西南方的尼庞西特河畔。1678年始拓居，1872年建镇(从戴德姆和沃尔波尔各划出一部分)。最初只适宜于居住，后发展了多元化的经济，很多公司在这里开设办事处。主要生产电脑元件、成像系统、钻床、泵和电子设备。工程设计研究在当地创造了很多就业机会。诺伍德城镇纪念馆有一座高耸52米的钟楼，内有一组52个钟的大钟琴。面积27平方千米。人口约28 587(2000)。

Nosaka Sanzō 野坂参三(1892-03-30，日本山口地区～1993-11-14，东京) 20世纪50年代末到60年代的日本共产党领袖，致力于通过和平地参与议会政治以实现其革命目标。十月革命后开始对共产主义发生兴趣。庆应大学毕业。曾参加铃木文治成立的劳动组织友爱会。曾去英格兰留学，1920年加入英国共产党。几个月后被驱逐出境。1922年回国，在创建日本共产党时起过很大作用。1923年被捕，同年末获释，积极从事工人运动。1928年再次被捕，后因病开释。1931年去苏联，任共产国际执行委员。他受共产国际派遣在30年代曾两次前往美国，进行向日本偷运共产主义书刊等秘密工作。1940年到达中国共产党解放区延安，从事反对日军侵华的宣传活动。1946年回国，当选为重建后的日本共产党中央委员和国会众议员。作为日本共产党的主要理论家，曾因倡导和平长入共产主义的学说受到共产党情报局的批评。50年代冷战时期，美国占领军当局禁止日本共产党参加政治，他为了避免逮捕，转入地下活动。1955年任日本共产党第一书记和领袖。1956年被选为参议员，后连选连任至1977年。1958年任党的中央委员会的主席，1982年以90岁高龄离职退休。后来日共领袖声称发现他在30年代曾向苏联当局诬告一名日本共产党领导人，于1992年免除他的日共名誉主席。

nose 鼻 两眼之间的突出结构，呼吸道的入口，内含嗅器。功能为通过空气及司嗅觉，吸入的空气在此过滤、加温、加湿，其中所含颗粒被清除。鼻有两腔，由软骨隔开。鼻的外孔称为鼻孔。口盖和鼻底称为腭。腭的前部称为硬腭，由腭骨构成，后部称为软腭，延伸入鼻咽腔。吞咽时软腭向上抬起，封闭鼻咽通路，因此食物不会达到鼻后部。鼻腔形状复杂，其前部(即鼻孔里面及上边的部分)称为鼻前庭。前庭后有三个鼻甲沿鼻腔外侧壁前后走行，悬在气道上方。上鼻甲的侧方及上方为嗅区。鼻腔的其余部分则为呼吸道的一部分——呼吸区，衬以湿润的黏膜，上有纤毛，用以阻挡灰尘。黏膜分泌黏液，亦有助于黏着尘埃、炭屑、煤烟及细菌等。鼻窦位于鼻两侧的颅骨内。嗅区的大部分表面覆以黏膜，小部分表面含有神经细胞，有树突突入鼻腔内，上面仅覆以薄层液体。空气中有气味物质的微粒溶解在液体中，便对嗅神经细胞产生化学刺激作用。

nose ring 鼻环 佩戴在鼻子不同部位的饰物，有时也用以表明社会地位。鼻饰多见于印度、新几内亚、波利尼西亚、哥伦布前的美洲、澳大利亚、非洲一些地区。有时鼻翼和鼻中隔都被穿透。戴在鼻子上的并不只是金珠宝贝，在新几内亚，尤其在图布里人和所罗门群岛人中间，有的男子在鼻上横插着的是尖头棍棒或野猪牙。

nosebleed 鼻出血 又作epistaxis。一种常见于儿童的症状，往往无关紧要。亦见于局部炎症、小溃疡、息肉、颅部严重损伤、血管疾病(如高血压)、坏血病、血友病等。经休息、冷敷及压迫即可控制。偶需专科治疗。

nosegay 花束 又作tussie-mussie或posey。流行于19世纪中叶维多利亚时代英国的手执小型花束，为时髦女子随手携带的装饰品。由花卉和香草混合组成，周围有纸制褶边或绿叶花环，有时也插入银丝插座中。若由爱慕者赠献，则花束即成为“爱情的语言”。例如，红色郁金香是爱的表示，少女回敬一小枝山茱萸是冷淡的表示，而一束杂色的石竹花则意味着拒绝追求者的爱情。

O.T.埃迪绘《格里菲思夫妇的孩子》(1844)中手持花束的少女
美国不列颠百科全书公司供图

noselite 黝方石 又作nosean。似长石类矿物*方钠石*(sodalite)的一个亚种。

Nosema 微粒子虫属 原生动物微孢子虫目的一个属，寄生性，在寄主细胞中进行反复无性分裂，随后形成孢子。蚕微粒子虫(*N. bombycis*)在蚕中引起蚕孢子虫病的流行；侵袭从胚胎到成虫各发育阶段的一切组织。在疾病晚期蚕全身布满棕色小斑点。病蚕不能吐丝结茧，或结茧松散，不化蛹而死。L.巴斯德在1865年鉴定其病因为微粒子虫的孢子,建议通过销毁感染的蚕群和改善环境卫生来控制此病。蜜蜂微粒子虫(*N. apis*)侵袭蜜蜂(特别是工蜂)的肠道上皮,引起一种重型痢疾(称微粒子虫病)。

Noshiro 能代 日本本州秋田县城市。在日本海米代河口。德川时代(1603～1867)为米代平原的贸易中心和转运港。明治时代(1868～1912)末伐木业兴起。南部沿海地区产梨。人口59 170(1985)。

Noske, Gustav 诺斯克(1868-07-09,普鲁士勃芝登堡[德意志]～1946-11-30,德国汉诺威) 德国右翼社会民主党政治家、魏玛共和国国防部长(1919～1920),因残暴镇压柏林共产党起义而臭名昭著。原为社会民主党国会议员,因支持帝国军事和殖民计划而在党内引起争议。1914年与保守的社会主义者一道支持德国参加第一次世界大战。1918年10月在基尔的水兵叛变后,他受帝国政府之命去恢复秩序。12月被选入6人执政会议。1919年1月残暴镇压柏林共产党起义。1919年2月就任魏玛共和国第一任国防部长,1920年3月在右翼企图推翻政府(卡普暴动)后辞职。后任汉诺威州州长(1920～1933),1944年7月曾参与反对希特勒的未遂政变。

Nossi-Bé(Madagascar) 参阅 **Nosy-Be 贝岛**。

Nossob River 诺索布河 纳米比亚中部偏东间歇河。由源出首都温得和克东北面的白诺索布和黑诺索布两条间歇河在伦纳德维尔北面汇合而成。向东南流过卡拉哈里(沙漠)西部。出了纳米比亚,即构成博茨瓦纳和南非之间部分边界,并把卡拉哈里大羚羊国家公园分为两部分。在公园南端,该河接纳阿沃布间歇河,然后向南流入奥兰治河支流莫洛波间歇河。全长(包括黑诺索布到莫洛波河汇流处)约740千米。流域面积约为10万平方千米。由于降水量变率大和流经沙漠时水量消耗,下游宽阔河床在过去的100年中只有几次有流水,但地下水位较高,供植物生长,河床水穴为羚羊等动物提供了饮水。

Nostoc 念珠藻属 蓝绿藻的一个属。细胞排列呈念珠状,群集于胶团中,从小到肉眼不能见至大如胡桃。见于土表,也浮于静水。行裂殖。其厚壁孢子能长期耐旱。有报道某

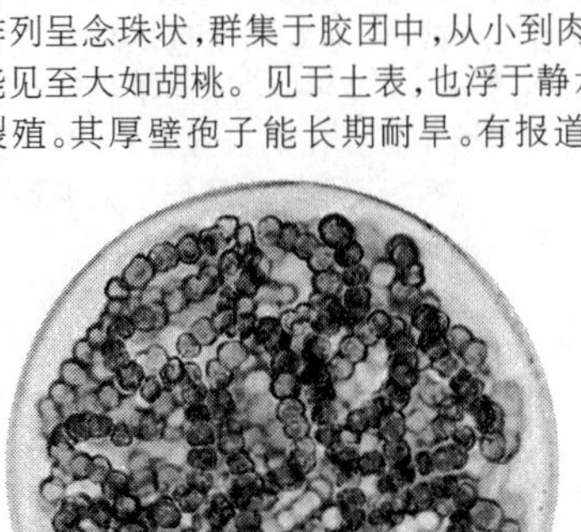

念珠藻群落(高倍放大)
美国不列颠百科全书公司供图

种念珠藻的厚壁孢子经干燥贮藏70年之久,湿润后仍能萌发。与大多数蓝绿藻一样,念珠藻含有蓝色的藻蓝素与红色的藻红素,并有固氮能力。该属藻类有一陆生种在东方用为食物。

Nostradamus 诺斯特拉达穆斯(1503-12-14,法国圣雷米～1566-07-02,萨隆) 法国占星学家、医学家、预言家。约于1547年开始说预言,1555年出版预言集,题为《世纪连绵》。由于一些预言似乎应验,他的名望流传甚广,连法兰西国王亨利二世之妻卡特琳也请他去为子女占卜。1560年查理九世即位时,被任命为侍从医官。1781年天主教会禁书目录部谴责他的预言。

Nosy-Be 贝岛 又作Nossi-Bé。马达加斯加西北岸外5英里(8千米)处的火山岛。岛长19英里,宽12英里,面积120平方英里(300平方千米)。气温18～35°C,年降雨量

贝岛海滨风光
美国不列颠百科全书公司供图

1 975～3 000毫米。产食糖、香料油、朗姆酒、香精、黑胡椒和苦橘。首府埃尔维尔是马达加斯加西海岸贸易港和旅游胜地。在7英里外的法斯赛内有机场。1840年帕索特海军上校的战舰到达这里。埃尔维尔镇即以帕索特所在舰队的总司令埃尔命名。自1896年后,该岛即为马达加斯加的一部分。人口约39 000(最新统计)。

Not-Being, denial of 对非存在的否认 属埃利亚哲学。埃利亚的一元论哲学家巴门尼德断言:只有存在物是存在的,非存在则不存在,而且绝不可能存在。存在必然也被描述为一个、独一无二、不生、不灭、不动。存在的对立面是非存在。对埃利亚学派说来,它意味着绝对的无,意味着对存在的整个否定。因此,非存在绝不可能存在。巴门尼德知道,断言非存在也存在必定是错的,尽管没有一种形式逻辑能使他说清楚错在哪里。但他仍然确信:因为你无法知道非存在,甚至不能谈它。绝对的无或"虚空"的存在问题对古希腊原子论的理论基础相当重要。这种理论不管埃利亚派貌似严格的逻辑,断言"无"事实上必定存在。20世纪德国存在主义哲学家海德格尔以革命性的方式重新讨论这个问题,将非存在的功能概括为"无物则无存在"(das Nichts nichtet)。

Notabile(Malta) **诺塔比莱** 参阅 **Mdina 姆迪纳**。

notary 公证人 又作notary public,是公职人员之一。在普通法国家里,公证人的主要任务是以盖有公证印章的适当证明文件来证明契约、契据和其他文件的真实性。在罗马法中,公证人最初是指制作庭审记录的奴隶或自由民。但是,现代公证人的工作更像罗马的搜集和保存证据的档案保管人。在中世纪时,公证人是一个保存证据的教会官员,但他主管的主要是非宗教性事务。现代公证人由本人申请,经一位世俗官员任命;这种任命通常在公证人缴纳一笔费用和举行任职宣誓后生效。在美国许多地方,公证人要缴纳一笔保证金,保证自己正当地履行职责。在美国,担任这个职务所需的资格,各州之间没有多大的差别,一般地说,一个公证人必须是一个达到法定年龄的公民,并且是他希望得到任命的那个地区的居民。公证人职务的管辖范围限于本州内;而在有些州里,仅限于他居住的县。但是,在法国和意大利等国家里,以及在遵守民法法系传统的魁北克省(加拿大),公证人所需的教育程度与律师所需的教育程度相类似。在西欧民法法系国家、拉丁美洲以及北美洲的法语地区,公证人这一职务的地位比在美国和英国更为重要。民法法系的公证人大体上也可以称之为律师,他们熟悉有关不动产、买卖、抵押和解决地产问题的法律,但是他们不能出庭。在这些国家里,由公证人起草或以适当的方式加以证明的文件,法庭可予以采纳而不必进一步证实其真实性;公证人可以证明当事人的身份。另一方面,在英美法系国家里,法庭不认为公证人证明的情况就是事实,只有在汇票遭到国外拒付的情况下例外。公证人也不能在收费的条件下为人起草遗嘱、契约、抵押和契据之类的法律文件,因为这种工作是律师业务之一。许多法令要求一些特定文件的真实性要由公证人加以证明,在美国,这种情况最常见的是转让土地的契据。在这种情况下,公证人不应对一个未在他面前出现或他不认识的人予以确认,除非提出了身份证明。法令也可以指定其他某些官员执行公证人的任务,例如治安法官、领事官、某些军官和各级法院的官员等。

note 音符 在西方音乐记谱法中,以这种符号在谱表上所处的位置表示音高,以它的形状表示时值。音符于13世纪从**纽姆符(neume)**演变而来。最早的音符有"长音符"和"短音符"以及由它们派生而得的"倍长音符"和"微音符"。在现代记谱法中,短音符和微音符相当于两个全音符𝅜和全音符𝅝。其他的现代音符(时值自大而小)则可分为2分音符𝅗𝅥;4分音符♩;8分音符♪;16分音符𝅘𝅥𝅯;32分音符𝅘𝅥𝅰和64分音符𝅘𝅥𝅱。

Noth, Martin 诺特(1902-08-03,德国德累斯顿～1968-05-30,以色列希夫塔遗迹) 德国圣经学者,精通犹太人古史。诺特年仅28岁即已发表《以色列十二支派系谱》一书,他在该书中提出的理论是,以色列众支派在迦南的示剑举行誓约大会以前(见《约书亚记》24),统一

的以色列族并不存在，各支派仅以共同的习俗传统保持松散的联系，并接受约书亚为他们规定的对耶和华的崇拜与誓约。此后，各支派的口传资料融合成《旧约》前5卷，到了以斯拉时代才定稿。因此，此事的叙述往往糅进不同的资料，诺特自1945～1965年任波恩大学神学教授，退休后仍然从事研究工作。

Notharctus 假熊猴属 原始灵长类假熊猴科(Notharctidae)的绝灭属。见于欧洲和北美的始新统(始于5 400万年前，延续1 600万

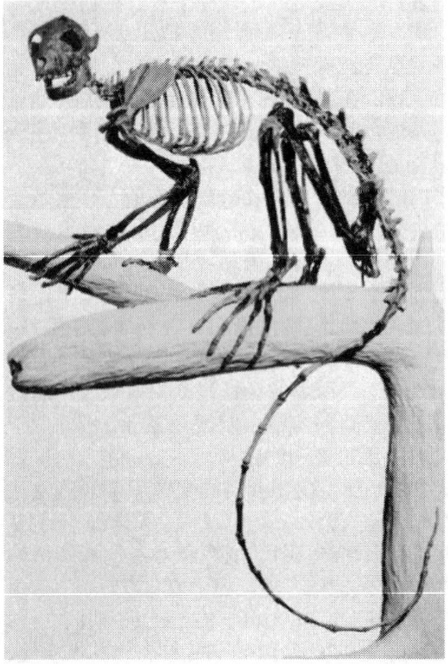

假熊猴(*Notharctus osborni*)骨骼
美国不列颠百科全书公司供图

年)。个体小，类似马达加斯加的现代狐猴类。犬牙仍然原始，保持4个前磨牙而不是3个，但上切牙较进步。

nothingness(mysticism and religion) 参阅 **emptiness** 空。

Nothosaurus 幻龙属 原始海生爬行动物的属。该属化石见于亚洲西南部和东部，非洲北部，尤其是欧洲的三叠系岩层(2.48亿年前至2.06亿年前)。幻龙属的特征是：身长，颈长，尾长，四肢长。即使趾间很可能有蹼，但四肢并没有因水中生活而特化。该属及与之近缘的类型(通称为幻龙)在许多方面很类似更进化的蛇颈龙类，但不是蛇颈龙类的祖先。幻龙的腭闭合，气管与食管隔开(有助于在水中进食的一种适应变化)。沿颌部边缘有许多尖齿。幻龙属动物很可能会游泳，并摆动其细长的颈部追捕鱼类。该属与近缘的类型可能是由陆上爬行类演化而来。

Notitia Dignitatum 百官志 古罗马的文武百官职名表。原件失传，现存1551年抄本。它是了解罗马帝国后期(公元4世纪末至5世纪初)行政组织的主要史料，分为东罗马帝国和西罗马帝国两部分。

Notke, Bernt 诺特克(约1430或1440，波美拉尼亚拉萨恩～1509-05-12前，吕贝克) 雕刻家、油画家和铜版画家，15世纪德国东部及周围地区最重要的艺术家之一。其作品热情洋溢而富有表现力，对德国雕刻艺术发展有重大影响。1505年被任命为吕贝克彼得教堂工程主任。15世纪80～90年代，断断续续住在瑞典。1489年，在斯德哥尔摩创造了大型群雕《圣乔治、龙与利比亚公主》。他虽是一个多产艺术家，但作品被保存下来的很少。其他有记载的作品有：塔林的《死亡舞蹈》祭台雕刻和横饰带(1482)、丹麦奥胡斯的高祭台(1479)及吕贝克大教堂内的《凯旋十字架》(1477)等。

Noto 诺托 意大利西西里岛东南部锡拉库萨省城镇和主教区。位于伊布莱山南坡，锡拉库萨市西南面。建于1703年。有许多精美的巴罗克式教堂和宫殿，其中最著名的

诺托镇的教堂
美国不列颠百科全书公司供图

是18世纪的大教堂和杜卡齐奥宫。1837～1865年间诺托曾取代锡拉库萨成为省府。现为农业中心。有食品加工等轻工业。人口：城镇区约21 811(1993)。

Noto Peninsula 能登半岛 日本本州北部的半岛。位于石川县，向北伸入日本海，环抱富山湾，长约80千米，宽约30千米，为本州北岸最大半岛。与本州本土之间隔有邑知潟湖地堑，境内多山，地形与东北的佐渡岛相

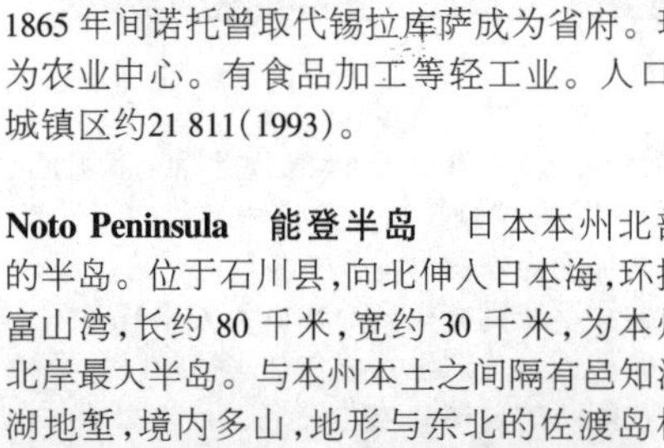

能登半岛上的梯田
美国不列颠百科全书公司供图

似。很早便同对马岛、朝鲜北部以及中国的东北地区有来往。北端轮岛町(镇)以妇女潜海采珠和制作精致漆器闻名。1968年，半岛部分地区划为国立公园。

notochord 脊索 一种由中胚层细胞构成的可弯曲杆状胚胎结构；在脊索动物，它始终是机体一条主要的纵向支持轴；而在脊椎动物，只见于胚胎早期，到了胚胎晚期，脊索并入脊柱。脊索还参与脊索动物和脊椎动物的神经系统的胚胎发育。脊索形成于原肠形成期(囊胚内折)，其细胞来源是位于囊胚内外两层之间、沿中线分布并向前移动的细胞。这些细胞在发育中的中枢神经系统的直下方会聚。随着脊柱的胚胎发育逐渐成形，脊索就以椎间盘之髓核的形式被并入脊柱。髓核的主要功能是缓冲椎体之震荡。

notopterid 驼背鱼 又作 knife fish 或 featherback。又称弓背鱼。驼背鱼科(弓背鱼科，Notopteridae)约5种呼吸空气的淡水鱼类的统称，见于非洲至东南亚的静水中。体长，

黑光背鱼(*Xenomystus nigri*)
美国不列颠百科全书公司供图

鳞小；无背鳍或有小背鳍；臀鳍狭长，沿腹缘之大部延伸并与尾鳍相连。波状运动沿臀鳍的全长进行，鱼体即可向前或向后游动。为夜间活动的掠食性鱼，在一些地区可供食用。最大者为大口驼背鱼(*Notopterus chitala*)，可长达约80厘米。黑光背鱼(*Xenomystus nigri*)有时养在水族馆中供观赏。

Notoungulata 南方有蹄目 哺乳动物的绝灭类群。其化石大部分发现于南美古新世晚期(6 640万年前至5 780万年前)地层。已知最老的类型可能来自东亚。渐新世(3 660万年前至2 370万年前)达到演化顶峰；到上新世(530万年前至160万年前之间)，数目和种类已减少，原因可能是气候变化。在南美，南方有蹄目能够演化并向多样化发展，不受在别处演化的、更进步的类型竞争的影响。上新世晚期，北美和南美再度联结时，它们不能与来自北美的能力更强类型竞争而绝灭。在其生存的时代，南方有蹄目包括各种与其他地区更进步的类型平行演化的有蹄动物。有一种箭齿兽相当笨拙而粗大，站立时肩高约2米。其他南方有蹄类的演化系列类似兔类和啮齿类。

Notre Dame, University of 圣母大学 美国印第安纳州南本德附近圣母院地区一所附属于天主教会的私立高等学府。原为一所男子大学，1972年改为男女合校。该校建于1842年，由司铎E.索兰(1842～1865年任校长)领导的法国宗教团体圣十字架会创办。它包括一所男子学院、一所小学、一所大学预备学校、一所职业("手工劳动")学校和一所修士见习院。1843年，开办女子学校圣玛利学院，成为圣母大学的姊妹学校。19世纪60和70年代增加了自然科学、法律和工程诸

系,以及一个学术出版社和一个图书馆。20世纪20年代,该校重新组建,设立人文学科和文学、自然科学、工程及商业管理等学院。大学还设有研究生院和一所法学院。在著名教练K.罗克尼的指导下,圣母大学于20世纪20年代首次在校际橄榄球比赛中赢得声望。在校长T.M.赫斯伯格牧师领导下(1952～1987),该校的本科和研究生课程都得到加强。

Notre-Dame de Paris　巴黎圣母院　又称圣母大教堂。法国巴黎的大教堂。它是最著名的中世纪哥特式大教堂,以其规模、年代和在建筑上的价值而著称。圣母院位于斯德岛东端,建在两座较早的教堂(以前曾是供奉

巴黎圣母院
美国不列颠百科全书公司供图

朱庇特的高卢-罗马神庙)的废墟上。建大教堂是巴黎主教M.德绪利发起的,他1160年设想将两座较早的巴西利卡式教堂的废墟改建成一座大型教堂。1163年大教堂由教皇亚历山大三世奠基,高圣坛于1189年举行奉献仪式。1250年唱诗班席、西立面和中堂竣工,西门廊、祈祷室和其他装饰在其后的100年中陆续建成。圣母大教堂包括一个唱诗班席和后堂、一个短的耳堂和中堂,中堂的侧面有双侧堂和方形的小礼拜堂。中央尖顶是19世纪修复时增建的。圣母大教堂的内部平面130米×48米,屋顶高35米。两座巨大的早期哥特式塔(1210～1250)矗立在西立面之顶,西立面分为三层,门上装饰有精美的早期哥特式雕刻,并且上面有一排《旧约全书》中的国王雕像。两塔高68米,塔最上面的尖顶始终未建。在大教堂的东端,后堂装有大型高侧窗(1235～1270年增建),支持它们的是比较大胆的辐射形哥特式单拱式扶垛,后者以其大胆和优美特别引人瞩目。只有大教堂的三个巨大的圆花窗保留着13世纪的玻璃。圣母大教堂在数世纪中遭受破坏而衰损;在法国大革命后,它得到拿破仑的挽救,免于可能的破坏,1804年他在此大教堂中为自己成为法国皇帝而举行加冕。19世纪中叶法国建筑师E.-E.维奥莱-勒-杜克对圣母院进行了重大修复。巴黎圣母院是V.雨果的历史小说《巴黎圣母院》(1831)的故事背景。

Notre-Dame-des-Ermites(Switzerland)　**埃尔米特圣母村**　参阅 **Einsiedeln** 艾因西德伦。

Notre Dame Mountains　圣母山　加拿大魁北克省东部山脉,为美国佛蒙特州格林山脉的延续与阿巴拉契亚山脉北部露头。由法国探险家S.de尚普兰命名。山脉向东北延伸800千米,横越加斯佩半岛,平均海拔1 070米。延长部分的希克肖克峰构成加斯佩半岛的主脊,沿圣劳伦斯河南岸绵亘160千米,在省立加斯佩公园内的雅克·卡捷峰为最高峰,海拔达1 268米。

Notre-Dame school　圣母院乐派　12世纪末至13世纪初在巴黎圣母院庇护下的一群重要作曲家及歌唱家。圣母院乐派在音乐史上的重要地位,是由于它创作了得到国际声誉和普遍流行的最早的复调音乐作品而获得的。它的4种主要形式是:奥加农(**organum**),这是根据圣咏旋律编写成的二至四声部歌曲;克劳苏拉(**clausula**),它实际上是"奥加农"中的一段,相当于圣咏中的一段花唱,其特点为该圣咏所在的声部和速度越来越快;孔杜克图斯(**conductus**),这是一种和弦风格的队列行进时唱的作品,而且不是根据一首现成的圣咏写成;经文歌(**motet**),它和"克劳苏拉"类似,但在上方声部中加入新的唱词,通常为世俗内容。圣母院乐派作曲家除莱奥南(**Léonin**)和佩罗坦(**Pérotin**)外,都没有留下姓名。二人是在巴黎学习的一位轶名英国学者写的一篇13世纪的论文中提到的。据该文记载,莱奥南擅长写作"奥加农",《奥加农大全》是他创作的。佩罗坦是莱奥南的继承者,以其三声部或四声部"奥加农"和"替补性克劳苏拉"著称;后者指新创作的克劳苏拉,供补入较老的"奥加农"之中作为替代旧曲之用。

Nottawasaga Bay　诺特瓦索加湾　加拿大安大略省东南部乔治亚湾(和休伦湖)的大港湾。凹入格雷县和锡姆科县境内,有诺特瓦索加、比格赫德、比弗和普雷蒂诸河注入。入口在里奇角(西)和克里斯琴岛(东)之间。沿岸(尤其是瓦索加比奇镇附近)苹果园甚多,是著名的避暑胜地。湾名是印第安休伦族语,意为"易洛魁人的河口"(易洛魁人的盟友曾在此河攻打休伦人)。

Nottaway River　诺特韦河　加拿大魁北克省西部河流,在西北行政区。源出海拔233米的马特加米湖。向西北流225千米,注入詹姆斯湾南端的鲁珀特湾。源流贝尔、希布加莫和瓦斯瓦尼皮河全都注入马特加米湖。河水湍急,利于水力发电,由19世纪70年代加拿大政府的地质学家R.贝尔进行过考察。

Nottely River　诺特利河　美国河流。源出美国佐治亚州北部尤宁县蓝岭山脉;北流,在北卡罗来纳州切罗基县墨菲附近注入海沃西水库。全长40英里(64千米)。在佐治亚州布莱尔斯维尔西北9英里处的河上有田纳西流域管理局修建的诺特利水坝(1942),用以蓄水防洪。

Nottingham　诺丁汉　英格兰诺丁汉地理、历史郡一单一政区(城市)。濒临特伦特河。6世纪时为盎格鲁-撒克逊人的村庄。9世纪时由丹麦人占据,并成为丹麦区五城镇之一。"诺曼征服"(1066)后在撒克逊旧城以外建镇。约1300年两镇合一。1449年亨利六世允准其享有郡级行政权。1155年特许状中提到的集市广场建在诺曼人和撒克逊人居住区

诺丁汉城市一角
中国大百科全书出版社供图

之间的小谷地,占地面积2公顷,现为诺丁汉中部城市的一大胜景。东侧有1928年的议会大厦,广场四周都是店家,但中央留作步行区。斯坦达德山上的诺丁汉城堡现为这座撒克逊城市的标志,1642年内战爆发之际查理一世曾在此举旗起事。该市现位于东米德兰兹煤田的中央。重要交通枢纽。有传统的针织和编织业,生产药品、烟草和自行车。大学学院(1881)于1928年迁至位于城西的现址。有两家重要剧院:皇家剧院(1865)和大剧院(1963)。格林古堡上立有纪念侠盗罗宾汉的塑像。面积75平方千米。人口约266 995(2001)。

Nottingham, EARLS OF　**诺丁汉伯爵**　英国封爵贵族,属莫布雷(Mowbray)、霍华德(Howard)和芬奇(Finch)家族。按年代顺序分列于后,并各以●为标记。

● Nottingham, Thomas Mowbray, earl of　诺丁汉伯爵　参阅 **Norfolk, Thomas Mowbray, 1st duke of** 诺福克公爵(第一)。

● **Nottingham, Charles Howard, 1st earl of 诺丁汉伯爵(第一)**(1536～1624-12-14,英格兰萨里克罗伊登附近) 即C.霍华德。又称埃芬汉的霍华德男爵(第二)。英格兰海军

美国不列颠百科全书公司供图

大臣,曾指挥英格兰舰队打败西班牙无敌舰队。伊丽莎白一世女王的表弟。1569年帮助镇压英格兰北部信奉天主教的贵族叛乱。1585年任海军大臣。1588年抗击西班牙无敌舰队时,他以"方舟"号为旗舰,驶至英格兰西南海岸附近,与德雷克爵士的先遣舰队会合(1588-05)。西班牙舰队接近时,他先用远程炮进行骚扰,把西班牙舰队赶入英吉利海峡。这一谨慎战略取得成功。1596年与第2代埃塞克斯伯爵罗伯特指挥舰队远征,劫掠西班牙的加的斯。1597年封伯爵。1599～1619年任英格兰军事长官。1601年平息埃塞克斯伯爵的叛乱并主持对其审判。伊丽莎白临死前面嘱以詹姆斯一世继其王位。

● **Nottingham, Heneage Finch, 1st Earl of, Baron Finch of Daventry 诺丁汉伯爵(第一)**(1621-12-23,英格兰肯特～1682-12-18,伦敦) 英格兰大法官(1675～1682),人称"衡平法之父"。出身旧族,家中许多成员在法律方面均有很高地位。他是伦敦记录官H.芬奇爵士之长子。曾经受教育于威斯敏斯特学院及牛津大学基督堂学院,1638年成为内殿律师学院学员,1645年取得律师资格,随即得到一份待遇优厚的工作。他是1660年4月召开的非常议会的议员,旋被任为副检察长,封从男爵。翌年5月,他当选为议会中牛津大学的代表。1670年任首席检察官,1675年升任大法官。1674年封为芬奇男爵,1681年5月封为诺丁汉伯爵。《防止诈欺法规》是他对法令全书的最大贡献。在首席检查官任内,他监督出版了霍巴特爵士的《论文集》(1671)。他还出版了《审判国王查理一世的法官们的一些演说和论述》(1660)、《在议会上下两院的讲话》(1679)、《在判决斯塔福德子爵时的发言》(1680)。

Nottinghamshire 诺丁汉郡 英格兰东米德兰兹的行政、地理和历史郡。与莱斯特、德比、亨伯塞德和林肯等郡以及南约克地区相邻。行政郡面积2 085平方千米,地理郡面积2 160平方千米。下设阿什菲尔德、巴塞特洛、布罗克斯托、格德林、曼斯菲尔德、纽瓦克、拉什克利夫和诺丁汉市8个区。呈椭圆形,南北长82千米,东西宽41千米。境内有南北向的交通干线贯穿。该郡位于奔宁山脉东坡,西部为产煤区,有多条铁路线和多座采煤城镇。中部为宽阔的卵石和沙土带,土地贫瘠,为森林和石南属植物覆盖的荒原;中世纪时当地森林是侠盗罗宾汉出没之处。东部为特伦特和贝尔沃河流域低地,属黏土和泥灰质土壤。西南部是人口稠密的重工业区和产煤地,有采矿、炼钢、机械、化工和纺织(编织和针织)工业,为诺丁汉市的所在地。该郡有多种经营的农业,生产乳制品、谷物和甜菜(在纽瓦克制糖)。人口约1 015 498(2001)。

Nouadhibou 努瓦迪布 旧称艾蒂安港。毛里塔尼亚西北部城镇。在努瓦迪布角半岛上,为渔业中心。1964年港口修成专用码头和长674千米的铁路通达铁山后,又成为高品位铁矿石运往欧洲和美国的输出港。建有国际机场。人口约74 414(2000)。

Nouakchott 努瓦克肖特 毛里塔尼亚首都、城市。位于靠近西非大西洋海岸的高原上。原为达喀尔(塞内加尔)东北435千米的沿海村庄。1960年毛里塔尼亚独立后作为首都发展起来。位于南北公路干线上。连接人口较多的南方农业区和人口稀少但矿产丰富的北方。城市以独立广场为中心,建有机场和工业区。城西约8千米处建有输出石油和铜的港口设施。城东北的阿克茹特附近开采铜矿。20世纪70年代撒哈拉旱灾期间为主要难民中心,移民和城市化使该城迅速发展起来。1981年建立了努瓦克肖特大学。人口约611 883(2000)。

nougat 牛轧糖 以多种果仁或水果碎片与糖膏混合制成的加气糖果。其成分随食用要求不同而有变化,分为质地柔韧和松脆的两种。牛轧糖起源于地中海国家,用蜂蜜、杏仁或其他果仁与蛋清搅打后晒干制成。现代牛轧糖的制作方法,是将蜂蜜或糖与蛋清混合加热到略低于蛋清凝聚的温度,而后在温热情况下调入煮得很老的糖和淀粉糖浆并硬化到需要的程度。常加入少量植物油脂如椰子油,以利切块和食用。制牛轧糖的传统方法要用杏仁或阿月浑子果仁调味,有时还掺入蜜饯果片。

Nougé, Paul 努热(1895-02-13,比利时布鲁塞尔～1967-11-06,布鲁塞尔) 比利时诗人和理论家,与R.马格里特同为比利时超现实主义者布鲁塞尔小组内最重要的人物。其职业是生物化学家,作为打破传统信仰的杂志《通信》的编辑之一,1924年首先发展了更为广泛的知识分子读者群。由于早年在笛卡儿哲学的精确性方面的训练,他强调语言准确以及在艺术和诗歌方面做科学实验的重要性。相信超现实主义与其说是一种主义,还不如说是一种看法。因为对名人和文学认同问题不感兴趣,他对巴黎超现实主义者非常挑剔。后来对巴黎超现实主义者的认同也是由于其朋友超现实主义者M.马里安的努力,因他的许多著作都是由马里安编辑出版的。努热著名的《沙勒罗瓦的讲座》(1929)概述了其美学理论,主张艺术要从语言的转换生成中解脱出来。文集《不引人发笑的故事》(1956)收集了他30年间(1924～1954)写的文章。诗集《持续的经历》(1966)中包含了他对其他作家写的诗歌进行的创造性的修改、对广告语言的探索和对语音学的实验。去世后出版的作品包括《日志》(1968)、《下棋笔记》(1969)和《透明的牌》(1972)等。

Nouméa 努美阿 又拼Numea。新喀里多尼亚领地首府、城市和海港。在太平洋西南部新喀里多尼亚岛西南角。临深水良港。港外有努岛和一岛礁。该市有现代化建筑、大型公共市场和圣约瑟夫大教堂、拉佩鲁兹学院、珊瑚水族馆、水力发电厂、镍提炼厂等。建有通图塔和马真塔两座机场。人口65 110(1989)。

noumenon 本体 复数作noumena。18世纪康德的哲学名词,即"物之自体"(das ding an sich),与他所称的现象(显现于一位观察者的事物)相对立。尽管本体包含着可理解的世界的内容,但康德却主张人的思辨理性只能知道现象,绝不能透入本体。不过,人也不是完全与本体相脱离,因为假如不设定一个含有自由、上帝和不朽性的本体世界,那么实践理性(即人作为一个道德者所具有的能力)就会讲不通了。康德哲学中本体与现象的关系问题使哲学家讨论了将近两个世纪,有人断言康德的论述前后不一。事实上,这种其存在不为人的理智所把握的本体被康德的后继者德国唯心主义抛弃。不过,康德对这种抛弃早有防范,因为他拒斥唯心主义,坚持本体的绝对实在性,认为现象世界是能力的表达,而能力的源泉只能是彼岸的本体世界。

Nourrit, Adolphe 努利(1802-03-03,法国蒙彼利埃～1839-03-08,那不勒斯) 法国戏剧男高音歌唱家,在法国歌剧中塑造了许多新的角色。其父是巴黎歌剧院的主要男高音、钻石商人。努利从当时著名的男高音歌唱家M.加西亚学习声乐,19岁在巴黎歌剧院首次登台,成功地演唱了C.W.格鲁克的《伊菲姬尼在陶里德》中的皮拉德斯。不到5年就继其父成为该剧院的主要男高音演员。随后10年在法国几家第一流歌剧院塑造了许多新角色,诸如G.罗西尼《摩西在埃及》法文版中的阿梅诺菲斯、《威廉·退尔》中的阿诺德、F.阿列维的《犹太女》中的以利扎等。还为4部芭蕾舞剧写了剧情说明,并翻译了F.舒伯特的一些歌曲在法国演唱。1837年离开巴黎歌剧院,后因病赴意大利疗养并投于G.唐尼采蒂门下。曾在那不勒斯演出,但因健康原因嗓子受到影响,在意大利未获成功。最后因绝望,在那不勒斯的一家旅馆跳楼身亡。

Nouveau Parti Démocratique (Canada) 参阅 **New Democratic Party 新民主党**。

Nouveau-Québec 新魁北克 英语作New Quebec。加拿大魁北克省北半部行政

区。1927年魁北克与纽芬兰省界划定后，新魁北克仅限于魁北克省北部地区。1967年成为魁北克省的一个行政区，行政机关设在魁北克市。在魁北克省的10个区中，新魁北克区面积最大，人口最少。20世纪50年代开始开发纽芬兰边界上的大铁矿，因而建立谢弗维尔镇。该镇是该行政区最大的居民点，也是新魁北克行政区仅有一条铁路的北端终点站。人口约36 000(1985)。

nouveau roman　新小说　参阅 **antinovel** *反小说*。

Nouvelle Amsterdam　新阿姆斯特丹　南印度洋中的岛屿。行政上为*法属南方和南极领地*(**Terres Australes et Antarctiques Françaises**)的一部分。面积47平方千米。为一火山岛，死火山锥海拔911米，1522年由F.麦哲伦的同伴发现。1843年连同圣保罗岛一起被法国吞并。1949年在岛上建立了永久性研究和行政管理站，称为奥尔坦营。

Nouvelle-Calédonie, Territoire de la　参阅 **New Caledonia** *新喀里多尼亚*。

nouvelle cuisine　新烹饪法　20世纪60～70年代国际间发展起来的高级烹饪术。注重新鲜、清淡、味道纯正。针对法国高级烹饪术菜肴脂肪含量过高、热量过高的情况，它注重于食品的自然风味、质地及色泽。当意识到食品中脂肪、糖、精制淀粉和盐的含量过高对健康不利时，它减少了这些成分的用量。新烹饪法的根本特点是：使用的酱汁并非用油面糊(面粉和脂肪经熬煮而成的混合物)，而是用蔬菜泥或水果泥调稠；各种少量食品经新颖组合排放在大盘内；恢复重视食品的采购；非常注意食品的质地和细节。高级菜制作考究，造型别致，不拘一格地使用季节性的新鲜水果和蔬菜。基维水果、悬钩子、芒果等外来水果常与肉类和海味相配伍。有水果味的醋是常用的调味品。新烹饪法一词是法国食品评论家C.米劳和H.戈尔创造的。

Nouvelle Revue française, La(NRF)　**《新法兰西评论》**　法国的文学和文艺评论杂志。由包括A.纪德、J.科波和J.施卢姆贝格尔在内的一个小组于1909年2月创办(在1908年11月违犯规定创办之后)。《新法兰西评论》的创办者们希望着重评论美学问题，保持独立于任何政党、道德流派和知识分子流派之外。在两次世界大战之间，在主编J.里维埃尔(1919～1925)和J.保兰(1925～1940)的领导下，《新法兰西评论》成为法国主要的文学杂志，发表了许多知名作家的作品。1940年德国占领法国后，P.德里欧·拉罗谢尔任主编，该刊成为亲法西斯的刊物。它于1943年停止出版。1953年，在保兰和M.阿尔兰的领导下，该刊复刊，取名《新新法兰西评论》。1959年恢复原名。加利马尔出版社作为《新法兰西评论》的分支于1911年创立。

Nouvelle Vague(cinema)　参阅 **New Wave** *新浪潮*。

Nouvelles-Hébrides(Pacific Ocean islands)　**新赫布里底群岛**　参阅 **Vanuatu** *瓦努阿图*。

nova　新星　一类能爆发的恒星，爆发时，光度能暂时上升到原来正常光度的数千乃至十万倍。在爆发后的几个小时内，新星的光度就能达到极大，并在数天内(有时在数周内)一直保持很亮，随后又缓慢地恢复到原来的亮度。能变成新星的恒星在爆发前一般都很暗，肉眼看不到。然而，光度的突增有时会使它们在夜空中很容易被看到，因而对观测者来说，这种天体就好像是新诞生的恒星。据认为大多数新星都存在于两颗子星彼此靠得很近并互相绕转的双星系中。这种通常被称为密近双星的系统由两颗年龄不同的子星构成，一颗是红巨星，一颗是白矮星(一种临近恒星演化终点的致密星)。在某些情况下，红巨星会膨胀到子星的引力范围以内。这样，引力场很强的白矮星就会把红巨星外层大气中的富含氢物质吸引到较小的星上去。这种物质在白矮星表面积累到一定程度以后，就会发生核爆炸，导致相当于一万分之一太阳质量的表面热气体被抛出。爆炸后，白矮星又恢复平静，但引起爆炸的过程则一直重复下去。结果是，再过1 000年、1万年或者10万年又会触发新的爆炸。参阅**supernova**。

Nova, João da　诺瓦(15世纪，西班牙加利西亚～1509，印度科钦)　西班牙航海家。在为葡萄牙服务时发现非洲西南海岸外的阿森松岛和圣赫勒拿岛。1501年率领四艘船的船队离开葡萄牙去印度。水手中有一人叫亚美利哥·韦斯普奇，后来亚美利加洲就是以他的名字命名的。此行途中发现阿森松岛。诺瓦在印度建立了葡萄牙第一个商业租借地，作为他在坎纳诺尔王公军队中任职的回报。回葡萄牙的途中发现圣赫勒拿岛。抵达葡萄牙时大受欢迎。

Nova Cassiopeiae 1572　仙后座新星1572　参阅 **Tycho's Nova** *第谷新星*。

Nova Friburgo　新弗里堡　巴西东部里约热内卢州中东部城市。在新弗里堡山中，临格兰德河，海拔846米。有纺织厂。以建有瑞士阿尔卑斯山风格的高山避暑地著称。铁路和公路通西南的尼泰罗伊和州首府里约热内卢。人口：城市区约166 941(1991)。

Nova Herculis　武仙座新星　又称武仙座DQ，20世纪最亮的新星之一。它是英国天文爱好者J.P.M.普伦蒂斯于1934年12月13日在武仙座中发现的。目视星等达1.4等，而且在数月内肉眼仍可见。在中心处是由一对小质量恒星组成的食双星，彼此以4小时39分的周期互相绕转。

Nova Iguaçu　新伊瓜苏　巴西里约热内卢州城市。在里约热内卢市的西北郊。地处萨拉普伊河谷。海拔26米。工业有果酱和橘汁、蔬菜罐头、化工产品和药品制造。农业区有大片橘林。在圣保罗一里约热内卢铁路和公路干线上。人口915 364(2000)。

Nova Lamego(Guinea-Bissau)　**新拉梅戈**　参阅**Gabú** *加布*。

Nova Lima　新利马　巴西米纳斯吉拉斯州中东部城市。临克里斯泰斯河，海拔745米。1891年为城市区所在地。1936年建市。以英国人1834～1959年拥有的"老山矿"而著名。1959年该地被售与巴西一家公司。有气冷式矿井，深达2 591米，是美洲最深矿井之一。生产巴西金产量的一半以上。矿石经铁路和公路运到附近的州首府贝洛奥里藏特及其他地区。人口约62 951(2000)。

Nova Lisboa(Angola)　**新里斯本**　参阅 **Huambo** *万博*。

Nova Ophiuchi 1604　蛇夫座1604新星　参阅**Kepler's Nova** *开普勒新星*。

Nova Persei　英仙座新星　绝对星等曾达-9.2等的亮新星。它出现在1901年，通过对它进行分光观测，获得了许多有关星际气体的重要资料。从这颗爆发恒星抛出的气壳呈反常的不对称状，而且在恒星附近的亮雾状云似乎以令人难以置信的高速(实际上达到光速)向外膨胀。据信这种表观的速度是由原先就存在于恒星周围的暗云的反光造成的。从这种现象(有时称为"回光")可求出新星到地球的距离为650光年。

Nova Scotia　新斯科舍　加拿大滨大西洋四省之一，亦是加拿大自治领最初成员(1867)。面积55 490平方千米，由新斯科舍半岛、布雷顿岛角(东北)及附近几个小岛组成。

新斯科舍省布雷顿岛角上的渔村——圣劳伦斯湾

美国不列颠百科全书公司供图

北临诺森伯兰海峡及圣劳伦斯湾，南面与东面濒大西洋，西临芬迪湾，西北部与新不伦瑞克省为邻，这是该省与大陆相连的唯一地方。省会哈利法克斯。

米克麦克印第安人最初定居于此。约在1000年，古代斯堪的纳维亚海盗首先到过这里。1497年J.卡伯特发现该地并宣布归英国所有。1605年到来的法国移民则采用米克麦克名字，称其为阿卡迪亚(Acadie或Acadia)。1621年后苏格兰殖民者到达，导致长期冲突，直至1713年签订《乌得勒支条约》将该区判与英国，改名新斯科舍。首批法国定居者的后裔拒不宣誓效忠英国，英总督便将他们驱逐出该地。这段故事在美国诗人朗费罗的《伊凡吉林》一诗中得到生动描绘。该省对 17 世纪阿卡迪亚的感情至今仍有所保留。

苏格兰高地人多为圈地运动的受害者。无偿提供土地不仅吸引了来自苏格兰及不列颠群岛其他地方的移民,而且吸引了来自新英格兰的移民。新英格兰人促成了首届选举议会的产生。在美国独立战争期间及以后,来自南部的移民中又增加了约35 000名亲英分子。许多黑人亲英分子定居在谢尔本附近的伯奇顿。社区为其1 200名居民争取正义、平等而斗争,结果推动了宗教与市民领导层的形成,有些领导人在此后英国及非洲历史上起了作用。约卢巴的水磨匠 T.彼得斯即为社区领袖(先在弗雷德里克顿,后移至伯奇顿)和主要废奴论者,后来帮助缔造了塞拉利昂。据说他是唯一在英国国会演讲的非国会议员。1769 和 1784 年爱德华王子岛先后脱离新不伦瑞克和新斯科舍,而布雷顿岛角则于 1820 年并入新斯科舍。1848 年该省成为第一个行使自治特权的英国殖民地。尽管遭到反对,新斯科舍于 1867 年实现了与多伦多、魁北克和新不伦瑞克的联盟。

东北部的布雷顿角高地海拔 520 多米。境内3 000多个湖泊和数百条短河,在崎岖不平的高地和低地上被蓄起或被截断。新斯科舍为温和的大陆气候,沿海地带海洋气候特点显著。省内温度极少超过 31 °C或低于 -10 °C。降雨量南部为1 400毫米,且多雾,其他地区为1 000毫米。森林面积约占陆地面积的4/5,以胶枞、云杉、铁杉、松树等软木林为主。

新斯科舍是加拿大沿海诸省之一,经济历来与渔业、造船业和远洋运输业紧密相关。在"木材、风力和水路"时代,该省即以造船著称。如今,出口贸易——尤其在有新集装箱码头的哈利法克斯港——是重要的收入来源。在哈利法克斯-达特茅斯地区,造船厂、海军船坞、建筑业及装配厂亦提供大量就业机会。虽因同美国港口竞争而经济受挫,但哈利法克斯似乎正在恢复其一度在航海时代和西印度群岛主宰世界经济时代所具有的重要性。渔业仍为主要行业,所捕种类以龙虾、鳕鱼、扇贝、小口鳕和鲱鱼为主。在卢嫩堡有北美最大的水产加工厂。广阔森林资源为纸浆造纸厂、众多锯木厂及日益扩张的制作圣诞树和枫树汁的企业提供原料。煤是主要矿产,可满足全省约3/4的能源需求。盐、重晶石、硬石膏及石膏是重要矿产。锡矿位于东肯普特维尔。在塞布尔岛附近,沿海石油及天然气在继续开采。大陆第一个潮汐能源工程正利用芬迪湾潮水发电。全省公路、铁路和航空线四通八达,与新不伦瑞克、爱德华王子岛和美国的缅因州之间均通渡船。

境内约有1/10土地适于农业,故种植的各种作物主要用于自给。奶制品业为重要行业,水果是主要商品作物。

新斯科舍于 1848 年建立代议制政府,1867 年加入加拿大联邦。此后便成立一院制立法议会,由全民普选产生。总理为议会多数党领袖,选任及主持政府内阁。代理总督代表王室,由加拿大总督任命。法官由联邦政府任命。

小学和中学,包括技术及职业教育,均为免费义务教育。所有儿童均接受幼儿教育。省内有数所大学,包括哈利法克斯的达尔豪西大学,下设贝德福德海洋地理学院及与市内医院合作的医学研究中心。

阿卡迪亚人和苏格兰高地人的文化遗产至今仍存。安纳波利斯罗亚尔居民村、路易斯堡要塞、哈利法克斯城堡、罗斯农场、舍布鲁克庄园和其他地方的古迹已由省博物馆和加拿大公园管理局共同修缮并联合管理。哈利法克斯是尼普顿大戏院和大西洋交响乐团的所在地。安蒂戈尼什的圣弗朗西斯泽维尔大学开设凯尔特文化研究课程。布雷顿角圣安妮盖利克学院则大力培植民间文化,如吹奏、唱歌、舞蹈和手工艺品等。盖利克学院每年举行部落聚会,许多社区举办夏季节庆活动,多以舞蹈、提琴比赛、斗牛和滚木比赛为内容。关心传统文化的延续推动了社区生活。圣弗朗西斯泽维尔大学的成人教育通过合作社和互助会等自助方式已培育出一批社会中坚,受到国际上的关注。人口 940 825(1999)。

Nova Sofala (Mozambique) **新索法拉** 参阅 **Sofala** 索法拉。

novaculite 均密石英岩 非常致密的浅色沉积岩,具均一的结构,是一种层状燧石,其中石英形态的微晶质二氧化硅(SiO_2)远多于玉髓形态的二氧化硅。均密石英岩沉积显示成层现象。不过,这一名称主要用在阿肯色州、俄克拉何马州和得克萨斯州的地层。参阅 **chert and flint**。

Novaës, Guiomar 诺瓦埃斯(1896-02-28,巴西圣若昂-达博阿维斯塔～1979-03-07,圣保罗) 巴西女钢琴家,以演奏 F. 肖邦和 R. 舒曼的作品闻名。早年在圣保罗师承 L. 希亚法雷利,后被巴西政府送往巴黎音乐学院学习,1909 年入学考试名列前茅。在该校师承 I.菲利普,1911 年毕业获一等奖。她在巴黎(1911)、伦敦(1912)和纽约(1915)首次演出受到普遍赞扬。她的音乐会演出生涯延续 50 余年之久。她推崇演奏巴西作曲家,包括她丈夫 O.平托的作品。在 20 世纪 20 年代初期以后所录制的许多唱片中,只有几张能充分表现其优美、富于诗意和强烈的抒情演奏风格。

Novaia Zemlia(Russia) 参阅 **Novaya Zemlya** 新地岛。

Novák, Vítězslav 诺瓦克(1870-12-05,奥匈帝国波希米亚利波河畔卡梅尼采[今在捷克共和国]～1949-07-18,捷克斯库泰茨[今在捷克共和国]) 捷克作曲家,捷克民族主义乐派的主要支持者之一。20 世纪许多捷克作曲家均出其门下。在布拉格音乐学院师从 A. 德沃夏克,1909 年开始在该校任教。早期作品受德国浪漫主义音乐影响。对摩拉维亚的一次访问后开始创作反映其故土精神的作品,并采用本国民间音乐。他还受 C. 德彪西和 R.施特劳斯的影响。作品有 4 部歌剧、2 部芭蕾舞剧和管弦乐《塔特拉山中》及《斯洛伐克组曲》。为管弦乐队写的《从深处》和《5 月交响曲》等均创作于第二次世界大战期间。还写有室内乐、歌曲和合唱作品。

Novalis 诺瓦利斯(1772-05-02,普鲁士萨克森上维德尔施泰特[今德国]～1801-03-25,萨克森魏森费尔斯) 真名弗里德里希·莱奥波尔德·封·哈登贝格。德国早期浪漫派诗人和理论家。他的作品和理论极大地影响了后来的浪漫派思想。生于下萨克森贵族之家,"诺瓦利"是他的家族过去曾用过的名字。1790 年在耶拿,后来又在莱比锡攻读法律,与席勒和施莱格尔结成友谊,得以了解康德和费希特的哲学思想。1793 年在符腾堡完成学业,1796 年任盐场查账员。1794～1795 年与 14 岁的苏菲相恋并订婚。1797 年未婚妻苏菲去世,他写了优美的《夜颂》(1800),以表达他的悲伤情绪。这是中间插有诗句的 6 篇散文诗,把黑夜,即死亡颂赞为到上帝面前过一种更高尚的生活。他盼望着在死后能同苏菲以及整个宇宙结合成一体。1797 年去弗赖堡学院学习矿业。1798 年与朱丽叶·封·卡彭梯尔订婚。1799 年任魏森费尔斯盐场技术监督。1801 年未及结婚便因肺结核病去世。在其最后几年中显示出惊人的创造力,研究多种学科,在唯心主义基础上描画出了一个哲学体系,并同时致力于真正的诗创作。《花粉》(1798)和《信仰与爱情》(1798)两文集大部分都是片段,力图把诗、哲学和科学结合起来,以隐喻解释世界。著名神话传奇故事《亨利希·封·奥弗特丁根》(1802),以理想化的欧洲中古时代景象为背景,描写一个年轻诗人的神秘和浪漫的追求。他幻想中的中心意象是一朵蓝花。与诺瓦利斯同一代的浪漫派人士广泛地接受这朵蓝花为浪漫主义追求的象征。短论《基督教或欧罗巴》(1799)鼓吹建立包罗一切的基督教教会,以便在新时代中恢复一个在文化、社会和知识方面统一的欧洲,而这种中古时期的统一已被宗教改革和启蒙运动破坏了。

美国不列颠百科全书公司供图

Novara 诺瓦拉 意大利西北部皮埃蒙特区诺瓦拉省省会。位于米兰西面,临阿戈尼亚河。原为凯撒大帝建的古罗马殖民地。5 世纪被毁。6 世纪建起新社区。1110 年被神圣罗马皇帝亨利五世焚毁。1167 年恢复,后成为伦巴第联盟成员。曾先后属于米兰、奥地利和萨伏伊。著名建筑有带古代洗礼堂的大教堂(1863～1869 年重建)、圣高登齐奥教堂(1577～1659 年重建)以及中世纪斯福尔扎家族城堡的遗迹和市博物馆、美术馆等。为重要农产品集散地,主要销售稻米。工业发达,有棉纺、丝织、化工、印刷、干酪、饼干等工厂。设有阿戈斯蒂尼地图绘制与地理研究所。人口:城市区约 102 473 (1991)。

Novara, Battle of 诺瓦拉战役(1849-03-23) 第一次意大利独立战争中的一次战役。J.拉德茨基元帅率领7万名奥地利军在诺瓦拉彻底打败撒丁-皮埃蒙特国王阿尔贝特率领的10万名未经严格训练的意大利部队。阿尔贝特撕毁了1848年8月在库斯托扎战役战败后所签署的停战协定,从而引起这场战争。1849年8月9日签订条约,意大利向奥地利赔款6 500万法郎。这次失败也导致阿尔贝特逊位,由他的儿子维克托·伊曼纽尔二世即位。

Novartis AG 诺华公司 瑞士公司,是世界最大的医药生产商之一。1997年由瑞士两大医药公司西巴-盖吉公司和桑德斯公司组建而成。总部设在巴塞尔。西巴-盖吉公司由西巴公司和盖吉公司合并组成。西巴公司由A.克拉维尔开设的一家小型染丝厂发展而成。克拉维尔 1859 年开始制造合成染料品红,1873年将工厂出售给一家合营公司——宾德舍德勒-布施公司。该公司增加了生产染料的品种。公司 1884 年改组成为股份有限公司,取名巴塞尔化学工业公司。西巴(Ciba)便是从德文名称最后数词的首字母拼成并变成人们熟知的名称(1945 年西巴公司成为该公司的法定名称)。除染料外,从 1900 年起西巴公司开始生产药品,并逐渐发展为瑞士最大的医药公司。盖吉公司的历史可追溯到 1758 年。当年 J.R.盖吉在巴塞尔开设一家医药杂品店,其儿孙将业务扩张到经营纺织业应用的染料上。1859 年工厂交由米勒-帕克经营管理。1868 年盖吉家族重掌财务管理职权,创业人的曾孙 J.R.盖吉-梅里安担任领导职务,创建一家兴旺的染料公司,1901 年发行上市股票,1914 年命名为盖吉公司。该公司在 20 世纪 30 和 40 年代发展农用化学品和医药,公司的研究人员 P.米勒因开发杀虫剂 DDT 而荣获诺贝尔奖。桑德斯公司成立于 1886 年,总部设在巴塞尔,以生产染料为主。从 1895 年起生产药品,转为合股公司。20 世纪 20 ~ 30 年代起开始生产洗涤剂等家用产品。西巴、盖吉和桑德斯三大公司占领了整个瑞士的化工业。1918 年三家公司组成巴塞尔企业联合组织,共同对抗德国的法本化学工业公司。三家公司还在欧洲多国和美国设分支机构。1929 ~ 1932 年巴塞尔企业联合组织与法本公司、法国和英国一些化工公司联合,这几方联合的关系一直持续至 1939 年第二次世界大战爆发时。在战后的十年中三大公司发展迅速,且实现多样化经营。1970 年西巴公司和盖吉公司合并成立西巴-盖吉公司,1996 年与桑德斯公司合并成立的诺华公司为世界最大的医药公司之一。这在当时属最大的合并案例之一。诺华公司在全世界 140 多个国家设有分支机构,研制、生产和销售医药品、除草剂、杀虫剂等。近 50%的年收入依靠美国市场。

Novatian 诺瓦替安(约200,罗马[意大利]~约 258) 历史上第二代敌对教皇,251 年登位。他是第一个用拉丁文写作的罗马神学家,是诺瓦替安派分裂的先驱。诺瓦替安在罗马受祝圣,约 250 年成为罗马神职人员中的领导人物,他曾两次写信给迦太基主教圣西普里安,讨论如何对待在受迫害期间变节的教徒。起初,他代表神职人员与西普里安一致主张宽容这些人,251 年科尔内留斯当选教皇后,诺瓦替安主张严格主义,并自立为敌对教皇。251 年科尔内留斯召集会议将诺瓦替安及其追随者处以绝罚。这些人形成一派,传播到罗马帝国各地,延续了几个世纪后始衰落。251 ～ 253 年当局迫害基督教,诺瓦替安逃离罗马。诺瓦替安约在 258 年殉教,1932 年在罗马圣洛伦佐教堂墓地发现"殉教士诺瓦替安"铭文,足证此说是真实的。

Novato 诺瓦托 美国加利福尼亚州西部马林县城市。位于圣巴勃罗湾(东)和雷伊斯角国家海滨(西)之间,临诺瓦托河。1888 年始建为社区,1960 年设建制。原为小农业村落。1935 年建哈米尔顿空军基地。第二次世界大战后新建了许多住宅。市内主要公司为麦格劳-希尔书籍发行中心。人口约47 630 (2000)。

Novaya Zemlya 新地岛 Novaya又拼Novaia。俄罗斯西北部群岛。位于北冰洋,介于巴伦支海与卡拉海之间。主要由南、北两大岛组成,加上另外一些小岛从东北向西南延伸达1 000千米。南、北两大岛之间是马托奇金海峡,宽仅 1.6 ~ 2.4 千米。南端的库索瓦地岛隔卡拉海峡与瓦伊加奇岛及大陆相望。总面积为82 600平方千米。群岛为乌拉尔山系延续部分,因此大部为山地,南岛南部仅为丘陵。最高点海拔1 590米。该岛面积的 1/4(尤其是北部)有冰盖,大部分北岛和部分南岛为极地荒漠带。气候严寒,冬季平均气温 - 16 ~ - 22 °C,夏季 2 ~ 7 °C,多雾和大风。无冰盖地区有沼泽和苔原,河谷有灌丛。有海豹、北极狐和海象等动物。新地岛的历史可以追溯到中世纪,但直到 18 ～19 世纪才有人来此探险。人口 400(最新统计)。

Nove ware 诺韦陶器 18世纪产于意大利诺韦,主要是马约利卡陶器或锡釉陶器。生产这种陶器的工厂由乔万尼·巴蒂斯塔·安东尼邦建于1728年。18世纪后期,该厂与附近的两个世纪前即已生产马约利卡陶器的巴萨诺厂多有来往。大部分诺韦陶器是流行的洛可可式。从 1752 年起该厂也生产深红色和黄绿色彩绘的瓷器。诺韦还生产一种优质的奶油色陶器。

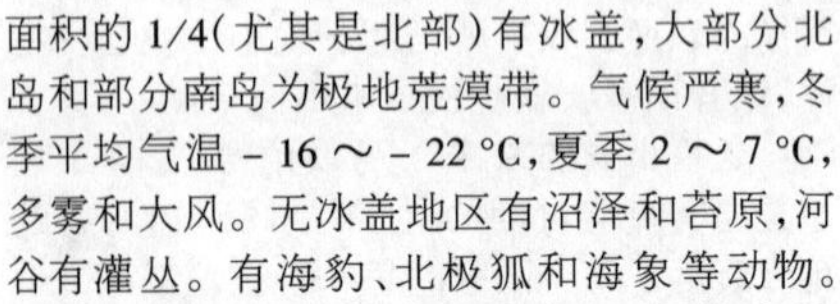

约 1750 年的诺韦陶器——马约利卡陶盘

美国不列颠百科全书公司供图

Novecento movement 二十世纪运动 意大利画家团体。1922 年成立于米兰,鼓吹恢复过去意大利的伟大具象艺术。其民族主义倾向导致了对法西斯主义的支持。

novel 长篇小说 一种小说体裁。小说的定义可以说是一种艺术或技巧。它通过文字对人类生活作有教育作用或娱乐作用的表现,或者作两者兼而有之的表现。小说所采取的不同形式,不应被视为一些没有联系的范畴,而应被看作是一种连续物,更准确地说,一架梯子。在梯子的一端,是逸事一类的短篇;在梯子的另一端,是可以想象得出来的最长的长篇小说。当一篇小说长得能印成一整本书而不只是一本书的一部分的时候,它就可以算是长篇小说。但长篇小说在量的方面有自己的伸缩余地。比较短的长篇小说可以称之为中篇小说,而非常之长的长篇小说可能会超出一卷书的篇幅而成为长河大川式的小说。篇幅的长度,是判别长篇小说的极为重要的标准之一。

长篇小说的构成因素 **情节** 故事或情节是使长篇小说能写上千百页的一种手段。它往往被小说家用异常简洁的措辞写下来,作为小说的核心。情节有独创性的,也有借用性的。

人物 低级的长篇小说家往往沉溺于情节的铺陈,高超的长篇小说家则着重精细地选择生活体验,围绕着人的性格做文章。过去曾经认为,没有人物,便没有小说。第二次世界大战以来,那些法国新小说的创作者故意贬低人物这一因素,主张优先考虑对象和过程。但是真正的长篇小说家依旧是人物的塑造者。

场景或背景 小说中人物的性格和举止决定于环境和个人动机。小说的全部情节往往决定于它的地点。但长篇小说的背景并非总是取自现实生活中的一个地点。优秀的写作艺术家能够创造小说的全景。

叙述方法和观点 有故事,就有讲故事的人。传统上,史诗和仿史诗的叙述者起人物和读者中介人的作用。书信体叙述法的优点是,让人物用自己的话来讲故事。把叙述者当作故事中一个人物的缺点在于,使可供叙述用的材料受限制。最客观的叙述法,是作者假装自己也弄不懂他所讲的故事。这是《好兵》的作者福特所运用的"不可靠观察者"的手法。令人满意的叙述观这一问题几乎是无法解决的。

篇幅 从理论上说,长篇小说不能写得过长,但若写得过短,它就不是长篇小说。长度和有分量的题材本身并不能保证写出伟大的小说。不过,作者若是企图表现整个社会或历史时期的话,长度是至关重要的。

神话、象征主义、意义 长篇小说的美学价值往往由下意识的力量决定。这些力量似

乎脱离作者独立地起作用,使表面上的故事有更深一层的含义。因此,长篇小说与神话相近,小说中的人物成了永恒的人类状态或冲动的象征,以及一般真理的体现。

长篇小说的功用 长篇小说有六大功用。它们是:作为对人生的一种解释的表现;娱乐或逃避;宣传;报道;改变一种文化的语言和思想;创造生活方式和评判趣味。

风格 *浪漫主义* 欧洲文学的浪漫主义运动往往同为法国大革命扫清道路的那些社会倾向和哲学倾向有联系。浪漫主义小说应主要被看作是一种历史现象,浪漫风格和浪漫精神一出现,就始终是强有力和吸引人的。浪漫小说的目的,主要不是表现真实的生活图景,而是通过强烈情感的抒发,来使人产生激情,或以异国的、令人恐怖的或奇妙的场景和事件去引人遐思。

现实主义 19世纪的某些主要长篇小说家对浪漫主义潮流作出反应,他们在作品中排斥柔情、理想主义、骑士热情等"比较软"的东西。在他们看来,这些东西以梦幻般的烟雾遮蔽生活中严酷的现实。他们中有些人拚命地反对浪漫主义,结果走到使"现实主义"成为冷酷无情的悲观主义的另一极端。在20世纪,长篇小说中的现实主义一直是一种持续不断的搏动。现实主义常常被用来为改造世界的目的服务。在战争小说、写被压迫者的苦难小说及研究人类堕落的小说中,现实主义手法是不可避免的。

自然主义 自然主义长篇小说是从现实主义中产生和衍化的,两者难以区分。不过,自然主义不仅以悲观宿命为特征,而且更注重表现人类生活的生理方面和生物方面。自然主义作家认为,人主要是自然力、遗传和社会影响的产物,小说家的任务是表现人的生理本质和人所处的环境。

印象主义 20世纪早期的一些小说家,企图用坦率的客观性来表现生活,遇到了久已接受的常规叙述法是否有效的问题,如果求真是小说家的目标,那么,无所不知的叙述传统就应扬弃,代之以一个易犯错误和有些无知的人物重述他们的见闻的做法。德国作家T.曼和H.海塞从现实主义传统出发,追求一种更简略的和轻快的明朗风格。他们被人称为印象主义者。内心独白可以被看作是印象主义技巧的发展。印象主义的手法在于,把杂乱无章的思想、情感和感性认识表现在理性的和"文学的"序列之中,这种手法曾服务于极为重要的小说。

表现主义 表现主义是德国的一种倾向,它在绘画和戏剧方面找到了最适宜的媒介。艺术家的目的是着重表现一个特殊的主题的精髓,而不在于忠实于生活。奥地利的卡夫卡是最伟大的表现主义长篇小说家,他力求表述人如何疏远于自己的世界。他的影响一直很大。

先锋派 小说领域的许多革新都可归于上述各流派。乔伊斯的小说《为芬尼根守灵》试图表现一场梦的本质,可以视为印象主义,但它走得很远,已近似超现实主义。先锋派的技巧是数不清的,这些技巧并非都是行得通的。长篇小说家可以随意对待自己的技法,只要他能解释或仅仅表现一件事,使读者承认它是存在着的、能存在的或能够作为存在的东西加以想象的。

长篇小说的种类 长篇小说的种类有历史小说,流浪汉小说,感伤小说,哥特式小说,心理小说,社会风俗小说,书信体小说,田园小说,教育小说,真人真事小说,反小说,崇拜小说或朋党小说,侦探、神秘和惊险小说,西部小说,畅销小说,幻想和预言小说,无产者小说。其他还有色情小说、讽刺小说、滑稽小说、儿童小说、宗教小说、寓意小说等。有些类别已无人尝试,如殖民地小说。

社会与经济方面 长篇小说家应考虑市场需求,并在他想写的东西和读者想买的东西之间进行协调。写电影脚本是可赚大钱的事,但写电影脚本主要是写对白,而写长篇小说主要是叙事,写对白容易而叙事难,写小说的人若转向去写电影,就会损害自己的写作技巧。长篇小说家应立足于本国,把在国外的名气只看作一种变化莫测的褒奖。长篇小说家常常需要对付公共道德和法律。在努力用传统的艺术家的诚实精神表现社会生活的腐败时,往往要受到残酷打击。长篇小说家需小心翼翼地描写纯系想象的人物和场合,因为一个人名、一项职业和一处地点的安排,均可招致诉言。

另外,也应考虑到小说发行平装本的重要性,因平装本售价低廉。一位小说家如果不能争取到平装本的发行,他将失去大批的读者,这肯定会给他带来极大的经济损失。

评价和研究 认真对长篇小说进行美学评价以便制定小说理论,是近代才有的事。对小说的批评,可能永远也不能成为一门严格的科学。真正的批评极为不同,作家所敬畏的批评家的议论和总结能根本改变作家对写作的态度。没有哪一部长篇小说能逃脱批评,但有很多长篇小说根本不值一评。

长篇小说的未来 可以预料,长篇小说也是会有衰落时期的,但不是同时在所有的地方衰落。每个国家的每一种艺术都有一个循环过程。在衰落时期,必须保持沟通的线路畅通,及产生次要的艺术品,以便有一天能突然转变为主要艺术品。在某一地方长篇小说似乎要衰亡,但在别的地方,它仍会保持生命力和势头十足。重要的是,要相信长篇小说是有前途的,虽然不会同时在所有的地方都是这样。

novel of sensibility 情感小说 参阅 **sentimental novel** *感伤小说*。

novella 中篇小说 短小精悍、结构紧凑的故事,语调现实而又尖刻,对整个欧洲的长短篇小说的发展都有影响。它起源于中世纪的意大利,依据本地事件写成,内容具有幽默、政治或艳情的色彩;单个故事常与逸事、传说或传奇故事一起汇集成册。G.薄伽丘、F.萨凯蒂和稍后的M.班戴洛把这类小说发展为在心理上敏感和组织上细密的短篇故事,他们常常使用框形结构故事,把围绕一个共同主题的许多故事连为一体。乔叟以《坎特伯雷故事集》把中篇小说引进英国。在伊丽莎白时代,莎士比亚和其他剧作家均从意大利中篇小说中选取戏剧情节。这些故事的现实主义内容和形式,影响了英国18世纪长篇小说和19世纪短篇小说的发展。在德国,中篇小说全盛时期为18、19世纪和20世纪初,可见于亨利希·冯·克莱斯特、霍普特曼、哥德、托马斯·曼和卡夫卡一类作家的作品中。德国的"中篇小说"常被纳入以一个引人注目的新闻(时疫、战争或水灾)为基础编成的框形结构小说里,这个新闻可以是真实的,也可以是想象的。单个的故事则由各种各类的讲故事者讲述,使听众忘记他们正在经历的不幸。这些故事的特点是简洁洗练,情节独立、完整,以讥讽语调结束,其风格显出写作的娴熟,文笔流畅,不感情用事,陈述凭客观而非主观。这些故事成为德国近代短篇小说发展的主要刺激因素。

Novello, Antonia 诺维洛(1944-08-23,波多黎各法哈多～) 婚前名 Antonia Coello。医师,公职人员。担任美国卫生局局长的第一位女性和第一位拉美裔美国人。生来患有结肠病,18岁时手术治疗。由此决心学医,帮助他人减轻病痛。在波多黎各大学完成本科学业(1965)及医学培训(1970)后,与J.R.诺维洛结婚,移居美国密歇根州安阿伯,在密歇根大学医疗中心小儿科实习并任住院医师,从事儿科肾病研究。1974～1975年在乔治敦大学医院完成研究项目,1982年获霍普金斯大学公共卫生专业硕士学位。1978年到美国国家卫生研究院工作,1986年任全国儿童健康与人类发展协会副主任。1982～1983年任劳工与人力资源委员会委员,就健康问题议案向国会议员提供咨询。1990年任卫生局局长。1993年任驻联合国儿童基金会代表。

Novello, Ivor 诺维洛(1893-01-15,威尔士格拉摩根郡加的夫～1951-03-06,英国伦敦) 原名戴维·艾弗·戴维斯。威尔士演员-经理、作曲家和剧作家。以其丰产而多情善感的浪漫歌舞剧闻名。

威尔士著名声乐教师C.诺维洛之子,曾在牛津大学马格达伦学院学习。第一次世界大战期间在皇家海军航空兵部队服役,以一首空前成功的爱国战歌《让家中炉火熊熊燃烧》(1915)而一举成名。1919年复员后,应邀在影片《血的召唤》中担任角色。在他整个艺术生涯中曾参加许多部影片的演出,但他真正热爱的事业仍为戏剧。

他于1921年首次登上舞台,1924年写出第一部剧本《老鼠》(与康斯坦斯·科利尔合写)。虽然他并不是非常杰出的演员,但他的多才多艺和使人倾心的性格使他取得很大的成功。此后,他编写、制作和演出多部成功的喜剧,如《真理游戏》(1928年首演)、《两个降号的交响乐》(1929年首演)、《聚会》(1932年首演)和《清新的田野》(1934年首演)。不过,他最知名的还是具有浪漫特点的音乐剧,尤其是《迷人之夜》(1935年首演)、《无忧无虑的狂喜》(1936年首演)、《舞蹈年代》(1939年首演)、《偶然一梦》(1945年首演)和《国王狂想曲》(1949年首演)。这些剧均由克里斯托弗·哈索尔作词。

Novello, Vincent 诺维洛（1781-09-06，英国伦敦～1861-08-09，法国尼斯） 英国作曲家、指挥家和诺维洛出版公司的创建人。1797～1822年在葡萄牙大使馆小教堂任管风琴师，在此指挥了J.海顿和W.A.莫扎特弥撒曲的英国首演专场。1812年成为伦敦市意大利歌剧院的钢琴家和指挥家。1840～1843年任伦敦穆尔菲尔兹的天主教礼拜堂的管风琴师。作为爱乐协会的创始人，他的朋友中有很多名人，其中包括兰姆一家、L.亨特、P.B.雪莱和J.济慈。他虽是一位多产作曲家，但他的编辑和出版工作却更有意义。他的《圣乐集》(1811)标志着诺维洛出版公司的建立。1849年退隐到尼斯。

novelty song 新奇歌曲 流行歌曲，以新奇形式写成或演唱，或脱离原创而成为一首新奇歌曲。不论是何种形式，新奇歌曲之所以流行是因为它们唱起来和正在播放的其他歌曲不同。第一次显得很独特，但再听几次就不新奇了。不过新奇歌曲能够改变了人们的聆听成见。此外，热卖的新奇歌曲往往预示着新的音乐风格。以新奇形式写成或演唱的新奇歌曲通常是滑稽类歌曲，例如B.布坎南与D.古德曼的《飞碟》(1956)和S.伍利的《紫色食人兽》(1958)。此外，在摇滚乐刚开始出现时，P.塞勒斯等喜剧演员创作了不少摇滚风格的新奇歌曲。20世纪50年代以后，滑稽类歌曲受欢迎的程度已大不如前。首先，50年代的孩子由于长大而对卡通及相关滑稽歌曲逐渐失去兴趣，其次，喜剧演员的表演节目从电台转向电视台并将目标瞄准青年人，但节目中的滑稽歌曲的电台点播率或唱片销量却很少，导致喜剧和滑稽音乐的分离。第三，随着摇滚乐成为主要流行乐，模仿摇滚乐的滑稽歌曲就不再受欢迎。非滑稽类新奇歌曲不是为了表现与音乐本身无关的事情（例如世界杯期间会涌现出一批与足球有关的歌曲），就是为了炫耀新的乐器音调。此外，在新背景下新奇歌曲也受人关注：例如具有异国情调的歌曲（如南非和日本风格的歌曲），而其他流派的曲子也会受到意想不到的欢迎，如L.安德森的表演艺术作品《噢，超人》(1981)等。这些被认为是新奇歌曲作品在流行乐的发展史上没有留下很大影响。有些歌曲起初被认为是新奇歌曲，后来就变得正常化。有些录音乍听起来很特别，而一旦懂得他们的语言也就不再稀奇了。从这一点上讲，新奇歌曲作为一个起点，在摇滚史上起过重要的作用。

November 十一月 格雷果里历的第11月。参阅 **month**。

November Insurrection 十一月起义（1830～1831） 波兰人为推翻俄国在波兰会议王国以及在俄国西部的波兰诸省的统治而举行的一次不成功的起义。1830年7月巴黎发生革命后，沙皇尼古拉一世拟派波兰军队前去镇压。11月29日波兰的步兵士官学校学生在华沙发动起义。他们从军火库中夺取武器，武装人民群众，控制了华沙的北半部。起义者既没有明确的目标和统一的步调，又没有坚强的领导，结果一些温和派政客窃取了对事态发展的控制权。他们恢复城内秩序，企图通过谈判促使沙皇让步。1831年2月沙皇派遣大军进攻波兰。波军英勇奋战，但仍阻挡不住俄军向华沙进军。2月25日双方在格罗霍夫打了一次大仗，未分胜负。俄军随即进入冬营驻守。1831年春受俄国控制的立陶宛、白俄罗斯和乌克兰都发生了同情波兰人的武装起义。但波兰的司令官们先是犹疑不决，后又仓皇撤退。另外那些政治领袖既不争取农民的支持，又没有得到外国的援助。结果起义军一筹莫展。1831年5月26日俄军在奥斯特罗文卡一役取得重大胜利后，波军元气大伤，一蹶不振。9月6日俄军猛攻华沙。波军坚持了两天，然后向北溃退，10月5日进入普鲁士，不久投降。起义终告失败。

Novembergruppe 十一月集团 1918年11月M.佩希施泰因和C.克莱因在柏林组成的表现主义艺术家团体。这个团体以魏玛革命的月份命名，其目的是在绘画、雕刻、手工艺以及城市规划中促成一种新的统一，并使艺术家和劳动者密切接触。十一月集团为力求接近劳动群众，于1919年成立了劳动者艺术会议；但其支持者还是中产阶级人士。最重要的活动是公开的展览会（整个20年代都在举行）；也主办演讲会、先锋派音乐会和电影放映会。十一月集团对社会主义的支持及其艺术统一的理想，曾是这一时期普遍关心的问题，也是其他一些组织的目的，其最著名者就是W.格罗皮厄斯1919年创立的魏玛包豪斯设计学校（参阅 **Bauhaus**）。

Noventa y Ocho, Generación del（Spanish literature）参阅 **'98, Generation of 九八年一代**。

Noverre, Jean-Georges 诺维尔（1727-04-29，巴黎～1810-10-19，法国圣日耳曼昂莱）法国杰出的舞蹈编导。他的主张革新的论著《舞蹈和舞剧书信集》(1760)至今仍有价值。它曾在芭蕾创作中引起几次较大的改革，强调他称之为"情节芭蕾"的戏剧动机的重要性，谴责过分重视娴熟技巧的做法。他在编导方面的第一部成功作品《中国的节目》(1754)引起D.加里克的注意，并于1755年在伦敦上演。诺维尔在创作了《美狄亚与伊阿宋》和《灵魂与爱情》(1760～1767)后，1776年被委任为巴黎歌剧院舞剧编导。

Novgorod 诺夫哥罗德 俄罗斯西北部一州。面积55 300平方千米。西部有瓦尔代冰碛丘陵（海拔296米）和伊尔门湖低地，东部属伏尔加河上游流域，境内多泥炭沼泽、芦苇水草沼地和许多小湖，其余地区（约60%）多为混交林。土地大部分贫瘠，耕地占土地面积的1/10，农业不发达。乳品业是主要经济部门，也种植些亚麻、燕麦和马铃薯。1870年以来许多沼泽地已排干水，辟为牧场和林地。出产大量泥煤用作燃料。现有机械、冶金、化工、食品加工等工业。除博罗维奇、旧鲁萨和首府诺夫哥罗德市外均为小居民点，从事木材和亚麻加工。人口约754 600(1991)。

诺夫哥罗德州首府诺夫哥罗德市的俄国开国1 000年(1862)纪念塔

美国不列颠百科全书公司供图

Novgorod 诺夫哥罗德 俄罗斯西北部诺夫哥罗德州城市和首府，滨临沃尔霍夫河伊尔门湖出口处下游。俄国最古老的城市之一。859年首见于史籍。882年诺夫哥罗德公国大公奥列格占领基辅后迁都于此镇。989年弗拉基米尔统治时期该城居民被迫受洗。1019年基辅大公雅罗斯拉夫一世准许该镇自治。曾为东欧最大的贸易中心之一。有水路通往波罗的海、拜占廷、中亚和整个俄罗斯欧洲地区。14～15世纪与莫斯科公国为争取霸权而进行艰苦长期的战争。1471年被伊凡三世战败，北部大量土地被兼并。1478年该城被迫承认莫斯科公国的统治地位。该城市民对莫斯科公国的反抗持续到1570年，许多市民残遭杀害和放逐。1611年起被瑞典人占领8年。彼得大帝在位期间(1682～1725)该城失去重要地位。1727年为州首府。第二次世界大战中，遭严重破坏，战后，许多历史建筑物（如沃尔霍夫河左岸的内城）得到

诺夫哥罗德市的圣索菲娅大教堂

美国不列颠百科全书公司供图

修复。现为重要旅游胜地和化肥产地，并有无线电和木材加工业。人口约216 856(2002)。

Novgorod, Treaty of **《诺夫哥罗德条约》** (1326-06-03) 结束俄国和挪威在今挪威极北地区和俄国科拉半岛的数十年敌对行动的和约。该条约并未划清挪威和诺夫哥罗德公国之间的边界，而只建立了一个缓冲地区。缓冲地区的主权名义上归属挪威，但挪威人、瑞典人、芬兰人和俄国人都有向土著拉普人课税以及在境内捕鱼和狩猎的自由。这种状况一直持续到1826年挪威和俄国划定现有边界为止。

Novgorod school **诺夫哥罗德画派** 俄罗斯中世纪圣像画和壁画的重要学派，12～16世纪活跃于西北部城市诺夫哥罗德一带。在13和14世纪，蒙古人占领了俄罗斯的其余大

诺夫哥罗德画派的圣像画《圣乔治战龙圣迹》，15世纪初叶
美国不列颠百科全书公司供图

部分领土，商业繁荣的诺夫哥罗德曾是俄罗斯的文化中心。它保存了作为俄罗斯艺术的基础的拜占廷传统，并推动了独特而又生机勃勃的地方风格的发展。这种风格已包含了俄罗斯民族艺术的大部分因素，在16世纪，这一民族艺术终于在莫斯科获得发展。诺夫哥罗德画派的第一个重要阶段是从12世纪到13世纪上半叶，湿壁画是其主导的艺术形式。12世纪下半叶，基辅的教会贵族艺术传统被抛弃，采取了一种比较不拘一格的方法，把拜占廷风格的严谨同姿态的温柔和一种趣闻般的画意结合在一起。13世纪后期，诺夫哥罗德迫于应付蒙古人的威胁，艺术发展陷于停滞。14世纪初威胁减轻，圣像屏的传入又提供了新的艺术动力。圣像屏是一种置于祭坛前的饰屏，先前散置于教堂墙上的圣像，此时已可依次挂于屏上。前期艺术活动中受湿壁画支配的风格倾向，这时用于处理圣像屏所造成的视觉问题，终于形成明确的诺夫哥罗德风格。15世纪末，诺夫哥罗德绘画变得有点千篇一律。质量优秀的作品虽然仍有出现，但已缺乏早期绘画的生气。16世纪，俄罗斯绘画的领导地位转移到**莫斯科画派**(**Moscow school**)的更为世界化的艺术上。诺夫哥罗德的1547年火灾之后，画家们被迫从这个首府迁往莫斯科，诺夫哥罗德画派终告解体。

Novgorod-Seversky **诺夫哥罗德-谢韦尔斯基** 乌克兰北部切尔尼戈夫州城市。历史可追溯到11世纪初，1098年为诺夫哥罗德-谢韦尔斯基公国的都城，曾捍卫俄罗斯民族不受草原地区游牧部落的侵犯。现市内有许多古代建筑，为旅游中心。人口约14 300(2004)。

Novi Ligure **诺维利古雷** 意大利西北部皮埃蒙特区亚历山德里亚省城镇。位于热那亚北面。是1799年奥俄联军击败法国军队的古战场。现为重要公路、铁路枢纽。有钢铁、食品和纺织工业。人口：城市区约27 223(2001)。

Novi Pazar **新帕扎尔** 塞尔维亚南部城镇。位于拉什卡河谷。有罗马时代浴室和塞尔维亚最古老的教堂之一的圣彼得教堂(7或8世纪，是早期斯拉夫建筑的引人入胜的范例)。15世纪奥斯曼土耳其人占领后曾进行重建。巴尔干战争(1912～1913)后的布加勒斯特条约(1913)使该镇成为塞尔维亚的一部分。经济以农业贸易为主。1945年以来工业发展集中于服装和鞋业。4/5以上居民是穆斯林。人口54 604(2002)。

Novi Sad **诺维萨德** 德语作Neusatz(诺伊萨茨)，匈牙利语作Újvidék(乌伊维代克)。塞尔维亚的伏伊伏丁那自治省省会。为贝尔格莱德西北多瑙河上繁忙的转运港口，位于贝尔格莱德—布达佩斯铁路线上。巴奇卡运河与多瑙河连接于此。是自治省北部以及当地匈牙利少数民族(占省人口的1/5左右)的经济和文化中心。该省有许多民族，诺维萨

诺维萨德市一角
美国不列颠百科全书公司供图

德广播电台的节目用塞尔维亚-克罗地亚语、匈牙利语、斯洛伐克语、罗马尼亚语及鲁德尼亚语广播。18世纪以前诺维萨德仅是一个小渔村，后发展为塞尔维亚文化中心，1826年创立的塞尔维亚文化协会一直出版各少数民族语言教科书。该城现又是丰饶的伏伊伏丁那农业区的中心，每年举办一次国际农业博览会。工业有食品加工、磨粉、纺织、瓷器、肥皂、油料、电器及牙科设备。也有大型炼油厂。文化机构包括大学、艺术学院、塞尔维亚国家剧院(1861)、博物馆等。人口191 405(2002)。

Novial **新为语** 1928年丹麦语文学家O.耶斯佩森创造的一种人造语言。原拟用作国际辅助语。但除作试验外，较罕用。其语法在类型和范围上类似世界语和伊多语。只有一个定冠词，除表示人的名词外，普通名词无性的区别。名词复数以-s结尾。有一个所有格(生格)和一个宾格(对格)(虽然这些格并不需要)，形容词的形式不变化。动词无人称和数的变化。新为语与世界语或伊多语的主要区别在于大量使用日耳曼语的词根和语法结构(如助动词 *sal*(shall, will)，*vud*(would)；*ha*，*had*(have, had)；还有表示动词不定式的 *tu*(to)，如 *tu perda*(to lose，丢失)。

Novikov, Nikolay Ivanovich **诺维科夫** (1744-05-08[旧历04-27]，俄罗斯莫斯科附近布龙尼茨基～1818-08-12[旧历07-31]，布龙尼茨基) 俄罗斯作家、慈善家和共济会会员。他以提高俄罗斯人民的教育和文化水平为目标，一方面写讽刺文章，一方面创办学校和图书馆。在共济会纲领影响下，他把自己的刊物和经营的出版事业作为宣传自由思想的工具，甚至批评女皇叶卡捷琳娜二世。女皇查禁了他的刊物，1792年把他投入监狱。1796年保罗皇帝将其释放，但不准他再从事新闻出版工作。

Novo Hamburgo **新汉堡** 巴西南部南里奥格兰德州东部城市。由德国人建于1927年。海拔35米。现为工业城市。制造靴鞋和皮革等。有铁路和公路通南面州首府阿雷格里港。人口约199 479(1991)。

Novo-Mariinsk(Russia) **新马林斯克** 参阅 **Anadyr** 阿纳德尔。

Novo Mesto **新梅斯托** 斯洛文尼亚共和国南部城市。濒临克尔卡河。建于1365年。15世纪成为土耳其人的重要军事基地。两次毁于战火(1576和1664)，一次毁于瘟疫(1599)，但仍发展为附近地区的中心城市。现有水电、纺织、汽车和医药化工等工厂。附近发现铀矿。人口约22 760(1992)。

Novocherkassk **新切尔卡斯克** 又拼Novočerkassk。俄罗斯西南部罗斯托夫州城市。位于图兹洛夫河与阿克赛河汇流处。原建于16世纪的旧切尔卡斯克亚镇，位于顿河畔，但因常被水淹而于1805年迁现址。曾长期作为顿河哥萨克地区的首府，1917～1920年俄国国内战争时期曾为反抗布尔什维克的中心。生产电力机车、采矿机械、机床，以及制造塑料和合成纤维用的化学制品。有多所高等学校和研究所。人口约188 000(1993)。

Novograd-Volynsky **沃伦斯基新城** 乌克兰西部日托梅尔州城市。位于斯卢奇河与斯莫尔卡河汇流处。1257年首见记载。原称兹

维亚格尔。1795年设市,改用今名。有14世纪城堡遗迹。现有机械制造业和木材加工业。人口约56 100 (1991)。

Novokuybyshevsk 新古比雪夫斯克 俄罗斯西部萨马拉州城市。靠近伏尔加河。由于发展石油工业,1948年建居民点,1952年设市。因地处伏尔加-乌拉尔石油区,工业有石油加工、石油化工及相关工业部门。还生产合成酒精、合成橡胶和塑料。人口约115 600 (1993)。

Novokuznetsk 新库兹涅茨克 俄罗斯中南部克麦罗沃州城市。原名库兹涅茨克(1931～1932),1932～1961年称斯大林斯克,后改用今名。位于库兹涅茨克煤田,托木河与孔多马河汇流处下游。1617年建库兹涅茨克村(位于托木河右岸),1926年人口只有4 000。1929年(苏联第一个五年计划期间)在托木河左岸建钢铁厂,嗣后,在其附近出现了新的城镇,迅速发展成为苏联最大的钢铁联合企业。1960～1968年建第二座大型钢铁厂。除钢铁外,生产铁合金和铝,还有利用副产品的化学工业。重型机械产品主要有采矿机械和桥梁。附近有大型煤矿。设有冶金学院和师范学院。人口约597 500(1993)。

Novomoskovsk 新莫斯科斯克 俄罗斯西部图拉州城市。1934年前名博布里基,1934～1961年称斯大林诺戈尔斯克。位于顿河上游。1930年建立时称博布里基镇。现为大型化工中心,生产化肥、塑料,并开采褐煤。人口约145 000(1993)。

Novomoskovsk 新莫斯科斯克 1934年前称博布里基。乌克兰中东部第聂伯罗彼得罗夫斯克州城市。该市位于萨马拉河畔,距萨马拉河与第聂伯河汇流处上游几英里。在哈尔科夫—第聂伯罗彼得罗夫斯克铁路及莫斯科—克里木公路线上。工业生产金属管、铁道枕木及家具。新莫斯科斯克的历史名胜有18世纪教堂。人口 76 600 (1991)。

Novorossiysk 新罗西斯克 又拼Novorossijsk或Novorssiisk。俄罗斯西南部克拉斯诺达尔边疆区城市。位于黑海东北部沿岸特谢梅斯湾顶端。1838年建为要塞,1888年铁路通达后成为海港。革命前曾为仅次于敖德萨的最大谷物输出港。现仍为主要港口和海军基地。有造船厂、冷藏厂、谷物起卸设备和石油管道终点站。现为俄罗斯最大的水泥产地之一。人口约191 600(1993)。

Novoshakhtinsk 新沙赫京斯克 俄罗斯西南部罗斯托夫州城市。位于小涅斯维塔伊河畔。1939年建市,为大型无烟煤采掘中心。1939～1959年人口增长一倍;20世纪60年代石油和天然气在燃料中的地位日益比煤重要,导致1959～1970年人口略有下降。人口约107 200(1993)。

Novosibirsk 新西伯利亚 俄罗斯中南部一州。位于西伯利亚西部。面积178 200平方

州首府新西伯利亚市附近的科学卫星城

美国不列颠百科全书公司供图

千米。北部是平坦的巴拉巴草原,南为库伦达草原,多沼泽和湖泊。有鄂毕河及额尔齐斯河各支流流经其间。主要湖泊是恰内湖。植被北部是沼泽森林或泰加林,向南过渡到森林草原和草原。首府新西伯利亚市是范围远超过州界的西伯利亚一个地区的经济和文化中心。其余均为小城镇。农业经济占绝对优势。北部种植小麦、黑麦和亚麻;南部垦殖率高,主要种植春小麦、燕麦、大麦和向日葵。乳品业主要分布在巴拉巴草原。新西伯利亚州的恰内湖区渔业重要。人口约2 744 000 (2000)。

Novosibirsk 新西伯利亚 俄罗斯中南部新西伯利亚州城市和首府,西伯利亚西部主要城市。临鄂毕河,地处该河与西伯利亚大铁路的交叉处。1893年,当地的河畔小村庄克里沃什切科沃村被定为西伯利亚大铁路桥桥址后得以发展。1897年桥梁竣工。1903年设镇。该镇由于地处库兹涅茨克煤田附近,铁路干线建成通车而继续发展。1925年该镇改为今名。第二次世界大战期间,因俄国欧洲部分许多工厂迁至该地区而促进工业发展。现为西伯利亚最大城市之一。作为最重要的制造业中心之一,该市的工业项目以冶金和机械制造为主。建有现代化库兹明炼钢厂、炼锡厂、炼金厂、重型机械厂、液压机厂和电机厂,生产炼钢电炉、采矿机械、农业机械、精密机床和仪器、收音机和自动织机;还有大型机车修配厂和船舶修理厂。化学工业发展迅速。消费品有家具、钢琴、靴鞋、纺织品、针织品和食品。由一座水电站和数座火力发电站提供电力。交通运输除了几条铁路大干线以外,城郊之间亦通电气火车,建有两座飞机场,较大的一座与莫斯科和俄国各大城市之间有直飞航线。鄂毕河可通航。公共汽车、有轨电车和无轨电车为市内交通工具。该市为西伯利亚主要的文化、教育中心,建有歌剧芭蕾舞剧院、植物园、美术馆、博物馆和交响乐团。教育机构包括国立新西伯利亚大学(1959)、铁道工程学院、电工技术学院、医学院、农学院和师范学院。市南的科学卫星城,是俄罗斯科学院西伯利亚分部的所在地。人口 1 402 400 (1999)。

新西伯利亚市的歌剧芭蕾舞剧院

美国不列颠百科全书公司供图

Novosibirskye Ostrova (Russia) 参阅 **New Siberian Islands 新西伯利亚群岛**。

Novosiltsev, Nikolay Nikolayevich, Count (Graf) **诺沃西利采夫伯爵**(1768～1838-04-20[旧历04-08],俄罗斯圣彼得堡) 俄国政治家,沙皇亚历山大一世的密友,曾被任命为计划改革的秘密委员会成员,俄罗斯波兰的行政长官。自幼在侍卫军军官学校受教

育,1783～1796 年在陆军中任职。1803 年任圣彼得堡科学院院长。1804～1809 年间出使欧洲一些国家,1813 年任管理华沙公国的临时会议副主席,以对波兰人进行残酷统治闻名。1832 年任国务会议主席和内阁首相,1833 年受封伯爵。

Novotný, Antonín　诺沃提尼(1904-12-10,奥匈帝国波希米亚布拉格附近莱特纳尼[在今捷克共和国]～1975-01-28,布拉格)　捷克共产党斯大林派领袖,在 1968 年改革运动中被赶下台。作过锁匠学徒。1921 年加入共产党。1938 年被德国占领军逮捕,关入毛特豪森集中营(1941～1945)。1946 年选入党中央委员会,1948 年 2 月斯大林派共产党人接管捷克政府时起过主要作用。1951 年进入政治局,1953 年任共产党第一书记。1957 年任总统,1964 年再次当选,任期 5 年。由于继续与莫斯科密切合作,他不得不遭受党内较多民族主义和较少教条主义的改革派的日益强烈的批评。1968 年 1 月被迫把党的领导权让给 A.杜布切克,3 月末由 L.斯沃博达将军接替他任总统。同年晚些时候,他的党内职务和党员资格被撤销。1971 年 5 月召开的党代表大会达成一项妥协:恢复了诺沃提尼在党内的地位,以换取对被赶下台的杜布切克的宽大处理。

Novotroitsk　新特罗伊茨克　俄罗斯中西部奥伦堡州城市。濒乌拉尔河。属南乌拉尔的奥尔斯克-哈利洛沃工业区。为地区黑色金属冶炼中心,拥有大型钢铁联合企业,是 20 世纪 50 年代在当地铁矿的基础上发展起来的。化工产品亦重要。人口约 109 700 (1999)。

Novy Chardzhuy(city, Turkmenistan)　**新查尔朱**　参阅 **Chardzhou 查尔朱**。

Novy Margelan(Uzbekistan)　**新马尔吉兰**　参阅 **Fergana 费尔干纳**。

Novy Mir 《新世界》　在莫斯科发行,具有很大影响力的文学月刊。创刊于 1925 年,为苏联作家协会的正式机关刊物,刊载过苏联许多重要作家的作品,其中多人因表达不被允许的政治观点,而受到恶意批评,或不准继续发表作品。在持有自由主义观点的特瓦尔多夫斯基主持编辑工作期间(1958～1970),《新世界》曾率先发表索尔仁尼琴的小说《伊万·杰尼索维奇一生中的一天》(1962)。该刊在 70 年代和 80 年代遭受的新闻检查导致在苏联境内出现人数众多的地下新闻界。《新世界》的特色仍为文学批评及有关当代俄罗斯文学问题的评论,偶尔也分析国内及国际的政治问题。

Novykh, Grigory Yefimovich(Russian mystic)　**诺维克**　参阅 **Rasputin, Grigory Yefimovich 拉斯普廷**。

Nowa Huta　新胡塔　波兰南部克拉科夫市的工业区。濒临维斯图拉河。1949 年建立作为社会主义波兰标志性企业的现代化列宁钢铁联合企业(今森吉米尔钢铁公司),人口激增。原为位于克拉科夫以东的独立城市,后并入(1951)克拉科夫。

Nowa Sól　新苏尔　德语作 Neusalz。波兰中西部鲁布斯卡省城市。奥得河畔港口和铁路枢纽。有金属制造、造纸、纺织、化工、胶水和炼油厂。建有一个博物馆,收藏当地人种学与历史展品。人口约 42 367 (2000)。

Nowell, Alexander　诺埃尔(约1507,英格兰兰开夏沃利～1602-02-13,伦敦)　英格兰基督教圣公会牧师、学者。1551 年任威斯敏斯特教堂名誉受俸牧师;1553 年信奉天主教的女王玛丽一世即位,诺埃尔被免职,逃往欧洲,在斯特拉斯堡和法兰克福接受清教主义观点。1558 年女王伊丽莎白一世即位,诺埃尔返回英格兰任圣保罗教堂会吏终生。他的讲道多次激怒伊丽莎白,例如,1564 年他批评崇奉耶稣受难像,伊丽莎白就认为是针对她个人礼拜堂中所设受难像而发。他所撰《简明教理问答》收进 1549 年版《公祷书》,附于坚振礼文之前,1604年经过增补,至今仍是安立甘宗的正式文献。

Nowgong(Assam state, India)　参阅 **Nagaon 瑙贡**。

Nowgong　瑙贡　又作 Naogaon。印度中部中央邦北部城镇。有公路与其他城市相通,为重要农产品集散地。主要工业有化工、医药和酿造业。也是重要民政中心和兵站。设有一所医院、一所公立理工研究所和阿瓦德希-普拉达布-辛格大学的一所学院。人口约 33 024 (2001)。

Nowra-Bomaderry　瑙拉-博马德里　澳大利亚新南威尔士州东南部伊勒瓦拉区的城市区。位于肖尔哈文河三角洲。瑙拉于 1857 年设镇,其命名土著语言意为"黑色凤头鹦鹉"。1871 年成为自治市,1948 年并入肖尔哈文郡,1979 年改为市。博马德里镇在肖尔哈文河北岸,与瑙拉隔河相对。瑙拉-博马德里临王子公路,是由悉尼(东北 121 千米)至此的铁路终点。现为附近生产奶制品、猪、蔬菜和硬木地区的服务中心。制造业有纸和橡胶制品。附近河川、海滨和树林风景优美,旅游业日益发展。每年10月举行琴鸟节。人口 19 553 (1986)。

Nowshera　瑙谢拉　又拼 Naushahra。巴基斯坦北部西北边境省城镇。位于喀布尔河畔群山环绕的沙地平原。是商业和工业中心,有铁路和公路与达尔盖(马拉根德山口)、马尔丹、白沙瓦、拉瓦尔品第相通。工业有棉纺、毛纺、纸板、化学药剂和造纸等部门,由马拉根德-达尔盖和沃尔瑟格两个水电站供电。设有白沙瓦大学的一所政治学院。人口 74 913 (1981)。

Nowy Sącz　新松奇　波兰南部小波兰省城镇。濒临维斯图拉河支流杜纳耶茨河。地处富饶的松台奇卡谷地。周围地区风光秀丽,镇内多历史建筑,为一旅游中心。现为该地区的行政、经济和文化中心。1990 年后计算机技术成为当地重要的经济产业。有地区博物馆。人口约 84 477 (2002)。

Noyes, Alfred　诺伊斯(1880-09-16,英格兰斯塔福德郡伍尔弗汉普顿～1958-06-28,怀特岛)　英国诗人。他是一个传统主义者,以其抒情诗为人熟知。第一部诗集《朦胧岁月》(1902)发表于在牛津大学求学期间,此后又发表了一些其他诗歌,反映了作者的爱国热情和对海洋的迷恋。曾在普林斯顿大学教授现代英国文学(1914～1923)。后期作品以史诗三部曲《火炬手》(1922～1930)最为杰出,该书以科学历经各个时代所取得的进步为主题。自传《两个世界的回忆》于 1953 年出版。

Noyes, John Humphrey　诺伊斯(1811-09-03,美国佛蒙特布拉特尔伯勒～1886-04-13,加拿大安大略尼亚加拉瀑布城)　美国最成功的空想社会主义社团奥奈达社团的创立者。富商之子。1830 年在达特茅斯学院毕业。后来入耶鲁大学进修,在校中宣布他的至善主义信仰,即通过信奉宗教和坚强的意志力来摆脱今世的罪恶。他宣布自己已经摆脱了罪恶,进入至善的境界。由于他的观点与正统的加尔文主义相矛盾,他被拒绝授与神学位而不得不离开耶鲁大学。后来他在东北地区漫游,宣传至善主义和社会改革。1836 年他在佛蒙特州帕特尼组织一个名为圣经共产主义者的团体,实行群婚制度。他因通奸罪被捕,后在保释中逃亡。1848 年在纽约州另建一个**奥奈达社团**(**Oneida Community**)。1879 年社团放弃了群婚制。1881 年这个社团改成股份公司,生产银质餐具。诺伊斯为了逃避法律的制裁,被迫远遁加拿大。著有《圣经共产主义》(1848)、《科学的繁殖》(1873)和《美国社会主义史》(1870)等。

Noyon　努瓦永　法国北部皮卡第大区瓦兹省城镇。位于巴黎东北偏北。坐落在一个山脚低坡上,跨韦斯河(瓦兹河支流)两岸。初为一重要基督教会中心。当地圣母大教堂为传统的 12 世纪晚期罗马-哥特式建筑。日内瓦神学家 J.加尔文出生(1509)地住宅现已修复并辟为纪念馆。768 年,查理曼(后为神圣罗马帝国皇帝)在此加冕为纽斯特里亚西法兰克王国的国王。987 年,法国国王和卡佩王朝创始人 H.卡佩也在此加冕。现有金属加工和食品加工厂。人口 14 426 (1990)。

Noyori Ryōji　野依良治(1938-09-03,日本神户～　)　日本化学家,因首先研制手性催化剂,与 K.B.夏普莱斯和 W.S.诺尔斯共获 2001 年诺贝尔化学奖。1967 年获京都大学博士学位,翌年到名古屋大学任教,2000 年任该校材料科学研究中心主任。他根据诺尔斯的研究,在 80 年代开始研制比较通用的不对称氢催化剂。他的催化剂应用较广,能生产出较大份额的对映体,适用于大规模工业生产,已在抗生素等药物方面得到广泛应用。

Nozick, Robert 诺齐克（1938-11-16，美国纽约布鲁克林～2002-01-23，马萨诸塞剑桥） 美国哲学家。1963年在普林斯顿大学获哲学博士学位，1969年起在哈佛大学任教，直至去世。在其最著名的著作《无政府、国家和乌托邦》(1974)一书中捍卫了自由主义的“最低限度的国家”概念（即国家权力局限于用来保护公民，使他们免受暴力、盗窃和诈骗），并对哈佛大学的同事J.罗尔斯的社会-民主的自由主义观点进行批判，其论证严谨，极有创见。诺齐克反对无政府主义，他争辩说，最低限度的国家是正确的，因为通过不会破坏任何个人的自然权利的相互作用会形成一种自然状态，国家的形成便源自这种自然状态；他还反对自由主义和更左的思想，认为只有最低限度的国家才是正确的，因为如果任何国家都被授予更广泛的权力，公民的自然权利就会被破坏。诺齐克强调说，他所想象的最低限度的国家可以包括更小的社区。在这种社区中，中央的公共权威会拥有大于最低限度的权力，因为每一个这样的社区都可以自由地实现其自己的公正社会的主张。所以根据诺齐克的说法，最低限度的国家构成了一个“有利于乌托邦的框架”。

Np-complete problem NP-完全性问题 一类计算上的问题，对于它还没有找到一个在计算机上高效率的算法。很多重要的计算机科学的问题都属于这一类。例如旅行推销员问题（**traveling salesman problem**）、可满足性问题和图形覆盖问题等。所谓容易的或易处理的问题能够用在多项式时间中运行的计算机算法解决，即对于一个规模为 n 的问题，其求解时间或步数是一个 n 的多项式函数。另一方面，对于困难的、难揣理的问题，所需要的时间则是问题规模 n 的指数函数。多项式-时间算法是高效率的，而指数-时间算法则是低效率的，因为后者的执行时间在问题的规模增加时将增加得更快。如果一个问题的解法（如果存在一个解法的话）能被推测或被证实在多项式时间中，这个问题就称为NP（非确定性多项式）。非确定性的意思是进行推测不需要遵循特别的规则。如果一个问题是NP，且所有其余的NP问题都能用多项式-时间归约到该问题，则这个问题就是NP-完全性问题。这就是说，找到一个对任一NP-完全性问题的高效率的算法就意味着可能找出对于所有这些问题的一个高效率的算法，因为属于这一类问题中的任何问题都能够重新铸造成为该类的任何其他一个成员。不知道能否找到NP-完全性问题的任何多项式-时间算法和决定这些问题是否为易处理的或难处理的，已成为理论计算机科学中的最重要的问题之一。当必须解一个NP-完全性问题时，一个方法是用多项式算法去逼近这个解法，这样得到的答案将不一定是最佳的，但将是适当接近的。

NRA（sport organization） 参阅 **National Rifle Association 全国步枪协会**。

NRA（U. S. government agency） 参阅 **National Recovery Administration 国家复兴署**。

Nsanje 恩桑杰 旧称赫勒尔德港。马拉维南部城镇。濒临希雷河西岸，位于恩迪恩迪湿地的北部、该城镇是全国最南部的城镇，为莫桑比克边界上的关税站，是1935年建成的布兰太尔至贝拉的南北铁路运输中心。周围是肥沃的希雷河流域，主要产棉花、烟草、稻米等。人口约10 042（1987）。

Nsenga 森加人 又拼Senga。又译恩森加人。操班图语的民族，居住在赞比亚东南部卢安瓜河流域一带。不易区分森加人同其他赞比亚东部诸民族，因其与北面的诸邻族有许多社会风俗相同，而又与东部诸邻族操同一种语言。看来森加人在历史上是切瓦人的支族，而反过来切瓦人又源出于卢巴人诸民族的综合体马拉维人。早先马拉维人在刚果建立了部落联盟，其中有些群体在15世纪时开始南迁至现今赞比亚地区，最终产生了赞比亚东南部操尼扬扎语的所有民族（内有切瓦人和森加人）。开始是本巴人的侵扰，然后是恩戈尼人的抢掠，使得森加酋长们筑起坚实的围栏，以期自卫。19世纪60和70年代恩戈尼人征服森加人，索取贡赋，定居于森加人的土地上，与森加人通婚。而且采用了森加人的语言和文化。殖民时期前的森加人喜好打猎，猎物既为其生活所需，又可与葡萄牙人进行象牙交易。森加人是葡萄牙人与诸如兰巴人的北方部落之间的中介人。森加人也种植棉花，纺织布匹。后来英国殖民者禁止在森加人的家园狩猎，现在该地划有数处重要的动物保护区，其中有大象、野牛、弯角羚、斑马、狮子等。森加人奉行母系制。部落酋长们自一些氏族内的某些特定家系中遴选，而此特定家系必须是氏族内分派土地的管理者。不过，氏族之间的族外婚制已使情况有所改变，根据新条件，大多数氏族都可在部落之中拥有代表人物。尽管所有前殖民时期的森加酋长之间并无尊卑之分，英国人还是指定一名高级酋长，以便集中权力并总揽行政事务。森加人多在马拉维及其他南部非洲各地寻找职业，或是到他们居住区以西的赞比亚铜矿带地区去谋生。卢安瓜河流域的冲积土异常肥沃，而且气候温和。森加人在河边的永久性种植园里种植玉米，一年四熟；其他田地则由灌丛垦荒而获得，可以施用堆肥。烟草和稻谷长期以来都是经济作物。当地的采采蝇为害甚大，使得人们无法养牛。

Nsukka 恩苏卡 尼日利亚埃努古州大学城。位于海拔396米的乌迪丘陵上。为伊博人的农产品销售中心。编织为传统地方工艺。城东有煤矿。当地的尼日利亚大学(1960)为该国第一所国立大学，在首府埃努古设有分校(1962)。还设有师范学院和农业气象站及医院。人口约52 780（1991）。

Nu 怒族 中国少数民族。分布在云南西北部怒江、澜沧江两岸。人口28 759(2000)。语言属汉藏语系藏缅语族。分怒苏、阿侬、柔茗三个支系，不同支系分别使用不同语言，怒苏、柔茗接近彝语支语言，阿侬接近景颇语支。通过背诵记录的氏族世系可追溯到60余代。始见于唐代的庐鹿蛮，元称“路蛮”，明清称怒人，元明以后其地属丽江木氏土司统治，清属维西厅。辛亥革命后当地成立殖边公署，后改为设治局。“怒江”即因居民是怒人而得名。江岸崖洞保存有若干处用红色颜料作的原始壁画。主要经营农业。男女都穿麻布衣。住房有干栏式木板房和竹篾房两种。婚姻行一夫一妻制。男子婚后，在父母住房附近另建新房，并分得少量财产。贡山怒族有重葬习俗。行火葬和土葬。信仰原始宗教，相信万物有灵。部分人信仰喇嘛教、天主教或基督教。1956年建立了贡山独龙族怒族自治县。

怒族青年
中国大百科全书出版社供图

Nu（Egyptian mythology） **努** 参阅 **Nun 努恩**。

Nu, U 吴努（1907-05-25，缅甸瓦溪码～1995-02-14，仰光） 缅甸独立运动领袖，缅甸联邦总理（1948～1958，1960～1962）。仰光大学毕业，1929年获文学学士学位。在班德瑙任数年国立中学校长。1934年又回仰光大学学习法律，成为仰光学联主席，参加学生的政治活动。1936年大学把他和昂山开除，引起学生罢课，从而使吴努蜚声全国。第二年，他加入我缅人党，并在争取独立的斗争中起过重要作用。1940年英国人以煽动叛乱的罪名把他关入监狱。日本人入侵缅甸后将其释放。1943年他在巴莫的亲日政府中任外交部长，但他对日本人的幻想很快便破灭了。1947年民族主义主要领导人昂山被暗杀后，他担任政府首脑和缅甸主要政党反法西斯人民自由同盟领袖。1948年1月缅甸宣布独立，他成为第一任总理，任职10年。虽然吴努是一位有能力并很受尊重的政治家，但其政府困扰于共产党和少数民族的反抗，经济衰退，治理无能。1948年他提出包括土地国有化在内的比道达（福利）纲领。但他提高人民生活水平的努力因战争的蔓延和大米出口的下降而失败。他的党在1952、1956年两次大选中保持了胜利。吴努是50年代不结盟运动的创建人之一。1958年辞职，由奈温的“看守内阁”接管。1960年恢复议会政体，他再度任总理。1962年3月奈温发动政变，建立军政府，将他监禁。1969年出狱后即离开缅甸，开始组织反对奈温政府的抵抗运动。运动失败后，他继续留居印度，1980年应奈温邀请回国。同年6月回到仰光成为佛教僧侣。1988年奈温政府倒台后，他竞选未果。

Nu Chiang (China) **怒江** 参阅 **Nu Jiang 怒江**;**Salween River 萨尔温江**。

Nu Jiang 怒江 又拼 Nu Chiang。中国西南地区大河。又称潞江。发源于青藏边境唐古拉山南麓,由西北向东南斜贯西藏自治区东部,入云南省折向南流,经怒江傈僳族自治州、保山市和德宏傣族景颇族自治州流入缅甸后称萨尔温江(**Salween River**),最后于毛淡棉注入印度洋安达曼海。全长2 820千米,中国部分2 013.4千米;流域面积32.4平方千米,中国部分12.5平方千米。径流总量约700亿立方米。上游除高大雪峰外山势平缓,河谷平浅,湖沼广布;中游处横断山区,山高谷深,水流湍急。两岸支流大多垂直入江,干支流构成羽状水系。水量以雨水补给为主,大部分集中在夏季,多年变化不大,水力资源丰富,中国境内干流蕴藏量约为3 550万千瓦。

Nü Kua (in Chinese mythology) 参阅 **Nüwa 女娲**。

Nuʿaymah, Mikhāʾīl 参阅 **Naʿīmah, Mikhāʾīl 纳伊迈**。

Nuba 努巴人 苏丹科尔多凡省南半部努巴山区的居民。讲几种努比亚语言,它们都属于尼罗-撒哈拉语系沙里-尼罗语族东苏丹诸语言。努巴人住在山上或山区附近(大部

努巴人摔跤手
美国不列颠百科全书公司供图

分平原为巴加拉阿拉伯人占据)。很多部落群在形体和文化上不同。大致说来,南方按母系相传,其他地区按父系相传。努巴人是农民,耕种地区以平原为主,山区梯田次之,兼饲养牛、绵羊、山羊、驴、鸡和猪(伊斯兰地区除外)。宗教活动与农事祭典相关,祭祀祖先使用祭牲。聘礼为家畜、武器、其他物品,还包括农田劳务。在偏远山区,男子依然裸体,妇女佩戴珠饰和唇饰。某些地区拔去男女的下门齿。现代努巴人更广泛地实行男子割礼。摔跤和棍棒比武为主要体育活动项目。他们的伊斯兰化程度不尽相同,阿拉伯语是通用交际语。

Nubar Pasha 努巴尔帕夏(1825-01,奥斯曼帝国士麦那[今土耳其伊兹密尔]～1899-01-14,法国巴黎) 亚美尼亚血统的埃及政治家,在同欧洲国家谈判重要条约和在划分英埃两国权力方面起过促进作用。他第一项重要工作是处理苏伊士运河有关问题。土耳其

美国不列颠百科全书公司供图

驻埃及总督伊斯梅尔帕夏亟欲加速苏伊士运河工程。努巴尔帕夏代表埃及政府与运河公司谈判废除有争议的条款,并设立混合法院(1875起)审理涉及埃及人和欧洲人的案件。他建议法院由埃及法官和外国法官组成,执行以法国法律为基础、由国际委员会编纂的法规。1878年在英国和法国的压力下,伊斯梅尔提名努巴尔帕夏任政府总理,后因与他发生权力冲突,不久又把他解职。英国占领埃及(1882)后,努巴尔于1884年再任总理,坚持由埃及人控制司法和内政两部获得成功,从而确立英埃两国权力的划分,使英国人的统治得以和平延续下去。但他试图使自己凌驾于地方警察权力之上时,英国即在1888年将其解职。1894年又出任首相,但因健康不佳和不能容忍英国人的统治,翌年即行引退。

Nubia 努比亚 非洲东北部古代地区名,大体上北起尼罗河谷(靠近上埃及第一瀑布),东至红海之滨,南达喀土穆(今苏丹境内),西接利比亚沙漠。其南半部一直到尼罗河第二瀑布的南端,在古代埃及第18王朝法老的统治下称为库施,古代希腊人则称之为埃塞俄比亚。其北半部直达阿斯旺的尼罗河第一瀑布,称为瓦瓦特。

尼罗河第一和第二瀑布之间的下努比亚地区是世界上最早形成国家的地区之一。20世纪60年代,芝加哥大学东方研究所在古斯塔尔发掘出A群文化统治者的墓地。他们发现,这些统治者所采用的象征王权的符号类似于同时代的埃及奈加代二世和三世时期国王的象征。随着埃及第一王朝的兴起(约公元前2950年),A群文化遭到灭绝,努比亚失去独立。至今的考古活动尚未发现有关下努比亚土著人在此后500年间的遗迹。

约公元前2575年,法老斯奈夫鲁对努比亚发动突然袭击,并在布亨建立起埃及军事基地。随着对矿产资源的进一步开发,尼罗河西岸开办起片麻岩采石场。第6王朝时期,埃及阿斯旺的省督们开始远程贸易探险,有时伴以武装掠夺。其中最著名的省督哈尔胡夫向南深入到尼罗河第二瀑布以外的地方,并将该地命名为雅木。他曾在此得一黑人侏儒呈献给佩皮二世。哈尔胡夫任职末期,努比亚的土酋们联合起来,使阿斯旺远征队的安全受到威胁。当现今所称的卡尔马文化的群落占领库施时,另一批人(考古学家称之为C群)涌入瓦瓦特。在埃及古王国与中王国交替时期,有许多努比亚人到埃及当雇佣兵。

约在公元前1915年,第12王朝塞索斯特里斯一世入侵努比亚,他将第二瀑布以南的土地命名库施。公元前1826年左右,塞索斯特里斯三世试图占领萨伊岛,却被迫退到塞姆纳。他在塞姆纳修筑一系列坚固堡垒,禁止库施人穿过塞姆纳向北旅行,只允许他们到第二瀑布北端的主要商业中心伊肯(米尔吉萨)经商。塞姆纳也是中王国时期埃及人记录尼罗河洪水水位的地方。

在第13王朝末期埃及势力衰微的时候,库施王国趁机开疆辟土。他们攻占布亨,并于公元前1650年北进至阿斯旺。在西克索人入侵埃及前后,他们袭击上埃及,抢夺了许多中王国的精美纪念物带回首都卡尔马。在发掘库施首领的大型古墓时,考古学家发现了这些物品。他们还发现库施首领是躺在床上入葬的,周围是数百名随葬的侍从。一些埃及侨民充当了库施统治者的雇佣兵,另一些则可能在卡尔马的釉作坊作工。从卡尔马墓地发现的西克索印鉴表明库施王子与西克索人之间有交往。当埃及底比斯第17王朝的卡莫斯进攻西克索时,西克索统治者阿波皮一世曾寻求与库施结为同盟。然而卡莫斯截住信使,挫败了这一计划。

在驱逐西克索人的同时,底比斯人也开始入侵努比亚,并在雅赫摩斯的率领下,对努比亚发动全面进攻。阿孟霍特普一世(公元前1514～前1493)征服卡尔马,摧毁了库施王国。努比亚沦为殖民地,库施总督成为代表埃及的最高行政长官。图特摩斯一世将埃及对努比亚的控制扩大到尼罗河第四瀑布上游的凯尼塞-库尔吉斯。黄金是埃及人掠夺的主要资源,而库施正大量出产这种贵重金属。C群的努比亚人逐渐埃及化,到第18王朝中期,他们的文化已经消失。第19到20王朝时期,干旱缺水造成瓦瓦特的人口减少,但是在第20王朝末期的内战中,库施总督仍发挥了重要作用。赫里霍尔控制上埃及以后,努比亚摆脱埃及统治,尽管底比斯人为此发动一场耗资巨大的持久战,但也无济于事。

公元前800年左右,库施地区出现一个新的王国。它在其统治者克什台的治理下,开始迅速埃及化,并占领上埃及。库施统治者皮安希完成了埃及化的进程,并于公元前730年前后进攻下埃及。作为阿蒙神的狂热崇拜者,库施人认为利比亚化的下埃及人在文化上退化了,而对同样崇拜阿蒙的底比斯人却有一种强烈的亲情。沙巴卡继承皮安希的王位之后,于公元前715年前后征服整个埃及,结束了第22、23和24王朝。他把首都迁到孟斐斯,建立埃及的25王朝,即国王名册上的库施王朝。公元前701年,沙巴卡支持希伯莱国王希西家反叛亚述。亚述国王辛那赫里布进军巴勒斯坦,在埃尔特科击败埃及-库施军队,但因为塔哈卡王子带援军赶到,未能占领耶路撒冷。此后直到亚述国王从撒哈顿开始进攻巴勒斯坦之前,埃及和亚述一直和平相处。公元前674年,亚述人入侵埃及遭到失败,但在公元前671年却成功地将塔哈卡赶出孟斐斯。塔哈卡曾断断续续

收复过埃及,但公元前663年,亚述国王亚述巴尼拔将他和继承人塔努泰蒙赶出了埃及。并将底比斯洗劫一空。亚述人任命塞斯王子们为埃及总督。到公元前656年,塞斯王子萨姆提克一世不但摆脱亚述为埃及赢得独立,而且挫败库施人的计划,夺取了上埃及。

约公元前592年,由于继续不断的阴谋,埃及的一个远征队洗劫了库施首都纳帕塔。此后库施王朝把首都迁至麦罗埃,在那里幸存达900年之久。有人认为波斯人也曾入侵过努比亚(公元前522年)。

与埃及相隔绝后,努比亚的埃及文化越来越非洲化,直至公元前45年阿玛尼莎赫特女王就位。她和她随后的几位继承人曾暂时阻止了埃及文化的失落,但此后这种趋势便一发不可收拾。与此同时,盖尤斯·佩特罗尼乌斯率领的一支罗马军队于公元23年摧毁了纳帕塔。

3世纪时,东部沙漠或阿拉伯沙漠的布伦米人摧毁下努比亚的麦罗埃文化,而麦罗埃本身也在320～350年间被阿克苏姆国王艾伊札尼斯的远征军摧毁。在努比亚,纳巴泰人取代了北纳帕塔王国,可能是他们的文化继麦罗埃文化之后占据了主导地位。大约在540年,纳巴泰人皈依基督教,此后不久,他们的国王西尔科击败布伦米人和上纳巴泰人。这时纳巴泰首都似乎已经迁到帕乔拉斯(或法拉斯),直到后来在6世纪与马库拉合并为栋古拉王国。栋古拉之南是阿尔瓦王国,或称阿罗迪亚,该国于580年皈依基督教。652年,一支由穆斯林组成的埃及军队攻占栋古拉,迫使该王国向埃及纳贡。但直到14世纪被来自埃及的马木路克军队接管此地之前,栋古拉一直信基督教。阿尔瓦首都苏巴幸存到16世纪,后让位于森纳尔的穆斯林芬吉王朝。

Nubian Desert　努比亚沙漠　苏丹东北部沙漠。西以尼罗河谷地与利比亚沙漠隔开,北邻埃及,东濒红海,南又以尼罗河为界。地表崎岖,多岩石,有沙丘散布其间,从西坡向红海方向缓升,东部陡升至红海山高地(2 217米)。基本上是一砂岩高原。年降雨量不足125毫米。

Nubian languages　努比亚诸语言　通行于埃及和苏丹的语支,其中尼罗-努比亚语主要通行于尼罗河两岸第一至第四瀑布之间的地区,山地努比亚语通行于苏丹西部努巴山区若干孤立地区。山地努比亚语由关系不密切的米多比语和比尔克德语组成。有些学者把尼罗-努比亚语划为3个分支,每个分支只有一种语言(北部分支或克努齐语,中部分支或马哈斯语,南部分支或敦戈拉语),另外的学者则把北部和南部分支划在一起。很多学者以前把它看作含米特语或苏丹-几内亚语,现在大多数人都把努比亚诸语言划入尼罗-撒哈拉语系沙里-尼罗语族东苏丹语支。努比亚诸语言使用后缀比前缀和中缀为多,特别是在名词的曲折变化上更是如此。有些语言的名词有主格、呼格、宾格、属格、方位格、工具格以及离格,集合名词作主语时后面动词既可用单数,又可用复数。古努比亚语文献似为现代中部努比亚语的母语,其年代约从8世纪末至14世纪初期。多为希腊语基督教文献的努比亚语译本,所用文字是稍加改变的科普特字母。现代操努比亚诸语言者多为穆斯林,因此引入许多阿拉伯语借词。

nuclear clock　原子核钟　以在呈现穆斯堡尔效应的特定原子核(如^{57}Fe)中γ发射和吸收的极锐频率为基础的频率标准。发射精确频率γ辐射的原子集合体可以称为发射体钟;吸收这一辐射的原子集合体就是吸收体钟。两个钟只有在所发射的γ辐射(光子)的单个脉冲的内禀频率与所能吸收的频率一样时,调制或同步才得以维持。发射体钟相对于吸收体钟的细微运动,都会产生足够大的频移而破坏共振,或使两个钟失调,以至吸收无法实现。这就使非常低速的多普勒效应(由于观测者相对于振动源运动而导致所观测到的振动频率的变化)的精密研究成为可能。置于吸收体之上几层楼的发射体发出的γ光子,它的能量会显出细微的增大;按照广义相对论的预言,将出现朝较短波长、较高频率的引力移位。用一对这样的原子核钟,能测量到能量变化的10^{-14},比最好的原子钟灵敏1 000倍。

nuclear energy　核能　原子核变化过程中所释放的巨大能量,也称为原子能。它与其他原子现象(比如通常的化学反应)截然不同,后者只涉及轨道电子。释放核能的方法之一是利用核反应堆中的受控核裂变。当前全世界有许多反应堆(参阅 **nuclear reactor**)在运转。另一种得到核能的方法是利用受控核聚变,但这一方法在20世纪90年代中期仍未完善。核能还可以用核裂变(**nuclear fission**)炸弹和核聚变(**nuclear fusion**)炸弹的方式释放。

nuclear engineering　核工程　生产与应用核能的工程领域。主要包含核反应堆系统的研制、设计、建造、运转与维护,核燃料的制造与后处理,核反应堆运转所生成的放射性废物的安全处理与处置;也包含聚变反应堆的研究与开发,该系统可控制高温等离子体中的热核反应速率,使核能的释放维持在可有效地转换为电能的程度。第二次世界大战后,由于计划将生产第一颗原子弹的核武器计划中所获得的新知识转用于和平用途,核工程遂成为独立的学科。参与核武器计划的工程师与物理学家,在美国原子能委员会的实验室开始进行反应堆实验时,便投入这项和平利用计划。美国海军上将H.里科弗以发展核潜艇为目标,制订了美国海军建造核反应堆计划,并因迅速推进了轻水反应堆的建造,对商业反应堆的发展产生了深远的影响。根据这个计划,1958年核潜艇"鹦鹉螺"号在北冰洋冰帽下作了历史性的航行,并使美国在1956～1957年于宾夕法尼亚州的希平波特建成第一座完整规模的实验核电站。核工程的基础学科为物理学,尤其是核物理学。此外,工程科学的知识也属必需。核工程师无论是为政府、公用事业或大学工作,都是反应堆技术整体工作必不可少的成员。核工程的重要性日益增长。至20世纪末期,许多国家有核能计划,数以百计的核反应堆在运转或建造中,或在最后计划阶段。有些国家(如法国)打算利用核裂变反应堆生产50%以上的所需电力。

nuclear family　核心家庭　又称基本家庭(elementary family)社会学及人类学术语,是由婚姻关系和父母关系或养父母关系组成的,包括一个男子,一个妇女及其为社会承认的孩子们。与流行的核心家庭在形式上密切相关的有夫妇家庭和血亲家庭。夫妇家庭主要由婚姻纽带联系在一起,由母亲、父亲、他们的子女以及某些近亲组成;血亲家庭则按血统或世系把被称为血缘亲属(参阅 **descent; lineage**)的成员组合起来,由父母亲、子女、子女的子女及子女的配偶组成。从血亲的意义来说,这些配偶也可属于另一个家庭。

nuclear fission　核裂变　在一定条件下,原子核可以分裂为质量相近的两个碎片核,它们均含有中子和质子,而二碎片质量之和小于裂变前核的质量,其差值按爱因斯坦质能公式变成巨大能量释放出来,这种现象称为核裂变。核裂变是三种核反应之一,另外两种是放射性衰变和核聚变(**nuclear fusion**)。通常只有重核(如铀、钚等核)较易发生裂变。裂变反应由于释放巨大能量有着极其重大的意义。1克铀235全部裂变,释放出约23 000千瓦小时的能量。自然界蕴藏着极为丰富的裂变能源。裂变现象最早由德国科学家O.哈恩和F.斯特拉斯曼于1938年从实验中发现。丹麦的N.玻尔和美国的J.A.惠勒研究发现,在铀中观察到的裂变涉及的是一种同位素铀235,而不是丰度大得多的铀238;这种同位素在天然铀中只占1/140。他们的预测后来得到实验证实。1942年由E.费米等在美国芝加哥大学建成了第一个核反应堆,首次产生了受控的自持续式裂变反应。但是裂变能的开发首先被用于军事目的。1945年7月美国试验成了第一颗原子弹,1954年第一艘核动力潜艇建成下水。第二次世界大战后,裂变能在经济中的应用也得到很大发展。目前已建成了大量核电站。用反应堆生产的各种放射性同位素已广泛应用于工业、农业、医学和生物学等方面。反应堆产生的大量中子也是极宝贵的一种科学研究手段。

核裂变现象可用核的液滴模型来说明。这时核被看作一个均匀带电的不可压缩的液滴。核子间的短程引力产生表面张力使核保持稳定。核内质子间的正电荷产生静电斥力,作用方向与表面张力相反。对于稳定核,张力强于斥力,核紧缩成球形。若用中子轰击液滴,表面张力比斥力减弱得快,达到一定点后,斥力强于张力,液滴即开始分裂。二力平衡点称为跃迁态。理论计算表明:当核发生形变(例如伸长成椭球形)时,随着形变程度增长,核的势能先是增大,在一定的临界形变时达到极大值。一旦形变超过这一临界点(叫鞍点),核就在静电斥力的作用下分裂。这一势能的极大值叫裂变势垒。核电荷愈多,库仑斥力越大,裂变势垒越低,就越容易发生裂变。核克服裂变势垒有两个途径。第一种是通过核反应,例如用中子、带电粒子、电子或α射线轰击核,使核获得的激发能超过势垒而裂变,这称为感生裂变。由核反应使核发生裂变的概率用裂变截面计量,是裂变反应的一个重要参量。中子不带电荷,无需克服库仑势垒,能量很低的中子也非常容易穿入核内,因而裂变截面大,是感生裂变的最有效的手段。第二种是由于量子力学*隧道效应*(**tunnelling**),未被激发的核也可以穿透势垒发生裂变,称为自发裂变。在自然界中这个过程进行得极为缓慢。如铀238自发裂变的半衰期为10^{16}年。

每次裂变中生成的一对碎片的质量和原子序数不是固定不变的,而是有一定的概率分布,叫做质量和电荷分布。质量分布的形状依赖于裂变元素和裂变方式。较重的锕系元素如铀235为热中子裂变,是非对称裂变,质量分布是不对称的双峰形状,生成质量约为99和133的一对碎片的概率最大。而较轻的元素如镭226由11兆电子伏质子引起裂变的质量分布有三个峰,除了非对称裂变外还有对称裂变方式。瞬发中子是裂变的最重要的产物。每次裂变发出的瞬发中子平均数目通常用$\bar{\nu}$表示。铀235在热中子裂变时$\bar{\nu}$的值约为2.5。瞬发中子的平均动能大约为2兆电子伏。一次裂变放出的中子在一定条件下可以进入周围的可裂变核,使它们裂变,从而释放出新的一代中子,新一代中子又可以产生新的裂变。由于$\bar{\nu}$值比1要大得多,这就有可能使得第二代中子所引起的裂变数等于或大于上一代中子所引起的,于是这个过程可以继续不断地进行下去,因之就形成自续的链式反应。这是大规模利用裂变能的基础。除了瞬发中子,在裂变产物的β衰变过程中还发出几组缓发中子。它们的半衰期在0.2秒到5.6秒之间。这部分中子虽然比较少,每次裂变约0.02个中子,但是它们大大增加了链式反应中两代中子倍增之间的时间,从而对核反应堆的控制起着重要的作用。

nuclear fusion　核聚变　轻元素之间发生核反应而形成较重元素(直至形成铁)的过程。若相互作用的核是属于低原子序数的元素,则此过程会释放出可观的能量。1939年,物理学家H.A.贝特提出,太阳和其他与之相当的恒星的能量输出,主要来源于放能的聚变反应;在反应过程中,4个氢核结合在一起形成一个氦核。20世纪50年代初期,美国的研究人员通过在重氢同位素氘和氚的混合物中诱发聚变反应而造出了氢弹,其聚变反应是由一枚原子弹裂变所产生的极端高温点火引发的。近年来,科学家们则一直在刻意寻求一种实用的受控核聚变方法,使得氘核和氚核在受控的高温下而非在起爆原子弹的非受控热量下结合成为氦核。受控核聚变将能为电力生产提供一种相当廉价的替代能源,从而有助于保存世界上迅速衰落的化石燃料(例如石油、天然气和煤)资源。核聚变还会比*核裂变*(**nuclear fission**)更具优越性。后者是另一种放能的核反应,当同位素铀235等的重核因吸收一个中子而变得不稳定并分裂成两个较轻的核时,就发生这种反应。聚变动力系统的主要原料氘可以从普通的水中提取出来,因而它比裂变反应所需的任何材料都丰富得多也便宜得多。8加仑的水中含有约1克的氘,其中所含的能量相当于9 500升(2 500加仑)汽油。不过,许多专家认为,由于存在各种各样技术上的困难,受控核聚变在若干年内还难以实现。

仅当两个核在10^{-13}厘米量级的距离以内互相接近时,才能发生聚变反应。在这样短的距离上,核引力有可能克服因两个核都带有正电荷而引起的静电斥力。由于斥力能非常有效地使核保持分离,看来能用于受控聚变的反应主要限于氘和氚的反应,因为其核可能带的电荷最低。受控放能反应可以通过把一个氘-氚混合物的等离子体加热到许多百万开的温度而产生。如此之高的温度不仅能诱发而且能保持热核反应,从而能产生足够的能量用来发电。但是已经证明,在实现自持聚变反应所需的高温下,要封闭住等离子体是极端困难的,因为热气体要膨胀并从封闭结构中逸出。为了找出一种克服上述困难的手段,美、苏等国都曾做过大尺度*聚变反应堆*(**fusion reactor**)的实验。激光技术的发展为实现受控热核反应提供了另一个可能性——激光束加热。现代激光技术能产生聚焦良好的、能量巨大的脉冲光束,其持续时间小于10^{-9}秒。由于时间短促,用这样的光束加热等离子体,热传导和扩散造成的能量损失不明显。

nuclear magnetic resonance (NMR)　**核磁共振**　又称磁共振成像(MRI)。在适当强度的稳定磁场作用下某些原子核对甚高频无线电波的选择性吸收。这种现象是1946年初次发现的。只要原子核内至少有1个质子或中子是不成对的,这个核就像是1个小磁体,并在外加强磁场的作用下产生旋进,其方式与陀螺在地球引力场中的旋进有些类似,它的轴线要扫描出1个圆锥面。当核磁体旋进的固有频率与投射在物质上的外来弱无线电波的频率一致时,核磁体就吸收无线电波能量。调节核磁体的固有频率或弱无线电波的频率使两者相一致,都可以发生选择性吸收,也就是共振。核磁体的频率由外加的恒定强磁场决定。

核磁共振常用来测量核磁矩,后者是各种特定原子核的特征磁性态。不过,核磁矩值会因周围的化学环境而显著改变,因此,测量核磁共振可据以了解各种固体和液体的分子结构。到了20世纪80年代初,核磁共振技术已开始应用于医学。通过测量人体内水和脂肪中普通氢核的核磁矩,核磁共振为取得人体薄片的可视图像展现了一条无害的、非侵袭性的途径。核磁共振图像在区分正常组织与患病的或被损伤的组织方面具有很高的灵敏度。到了20世纪80年代末期,核磁共振已被证明在为脑、心、肝、肾、脾、胰、乳房等器官提供影像方面优于多数其他成像技术。它能提供反差相当高的、色调可以改变的图像,从而能够显示出肿瘤、缺血组织和由多种硬化症引起的神经斑。这种技术未见有已知的对健康的损害,但不能用于体内植有心脏起搏器或者带有其他金属装置的病人。

nuclear medicine　核医学　使用放射性同位素诊疗疾病的医学专科。E.费米于1935年发现中子撞击可使稳定元素产生放射性后,该专科才开始发展。元素的原子经过这样的撞击,捕捉到中子,致显出不同的核型,惟仍属相同元素。这些放射性同位素具不稳定的核,并自发地放射出γ射线或其他射线,以耗散大量的能量。进行同位素扫描,是将放射性同位素导入体内(通常以静脉注射方式),随后不同器官吸收不同量的同位素,记录各器官发出的辐射可定出同位素的分布情形,记录到的图形上器官各部分辐射浓度不同,借此可确认体内器官是否存在异常及其大小和形状。所发出的辐射系借闪烁计数器探测,即将计数器置于接受扫描的器官上,来回移动;所获信息以电子学技术记录下来,供临床医师研究。放射性同位素的半衰期一般较短,故在放射性给患者造成损伤前已完全衰变。不同的同位素往往集中于各具体器官,如碘131集中于甲状腺,抑制甲状腺的多种功能。碳14为医学上另一有用的同位素,可用以研究造成糖尿病、痛风、贫血和肢端肥大症等的代谢异常。目前包括γ照相机、好多种*体层摄影*(**tomography**)与核磁共振在内的种种扫描装置与技术已研究成功。参阅**radiology**。

nuclear model　原子核模型　对原子核的描绘,包括假设、实验数据和通常用数学表述的推理。通过合理的类推,把大量信息联系起来,对原子核的结构和功能提供一定程度的满意说明,使人能预测核的性质。原子核模型可分两大类。第一类叫独立粒子模型,它的主要假定是构成原子核的单个粒子(即质子和中子)之间很少或没有相互作用,每个粒子在自己的轨道上运动,不受其他粒子影响;*壳层核模型*(**shell nuclear model**)及其各式变种属于这一类。第二类是强相互作用模型或统计模型,主要假定是质子和中子都是互相耦合的,具有协同的性状,反映相互间的短程强核力;*液滴模型*(**liquid-drop model**)和*复合核模型*(**compound-nucleus model**)是此类的实例。另外还有把这两类的某些方面结合起来的其他模型,例如*集体模型*(**collective model**)就是壳层模型和液滴模型的结合。

nuclear reaction　核反应　原子核受高能粒子轰击而变为他种核或改变其特性的过程。施轰粒子可以是α粒子、γ光子、中子、质子、氘核或重离子。在任何情况下,施轰粒子必须有足够的能量逼近在很强核力范围内的带正电的核。典型的核反应包括两个反应粒子,一个重的靶核和一个轻的施轰粒子。反应产生两个新粒子,一个较重的生成核和一个较轻的出射粒子。在第一个观察到的核反应(1919)中,E.卢瑟福用α粒子轰击氮,判明出射的轻粒子是氢核或质子($^1_1$H或p),生成核是氧的稀有同位素。这个反应可以写成方程式

$$^{14}_{7}\mathrm{N} + ^{4}_{2}\mathrm{He} \longrightarrow ^{1}_{1}\mathrm{H} + ^{17}_{8}\mathrm{O}.$$

由于核子(质子和中子)守恒,方程式一侧的上标质量数之和与另一侧上标质量数之和相等;由于电荷守恒,方程式一侧下标原子

序数之和与另一侧下标原子序数之和相等。这个方程通常简写为$^{14}_{7}N(\alpha,p)^{17}_{8}O$,施轰粒子和出射粒子的符号放在靶核和生成核的符号之间的括弧里。核反应常常以施轰粒子和出射粒子来命名,因此,第一个观察到的核反应是α-质子反应,或称(α,p)反应。有些核反应产生两个以上粒子,例如,核裂变产生两个质量几乎相等的核和几个中子。在第一个用人工加速粒子产生的核反应(1932)里,英国物理学家J.D.考克饶夫和E.T.S.瓦耳顿用加速的质子轰击锂,从而产生两个氦核或α粒子。随着人们得以把带电粒子加速到日益增大的能量,已经观察到许多高能核反应,产生各种亚原子粒子,如介子、重子和共振态粒子等。

nuclear reactor　核反应堆　可控的、自持链式核裂变反应装置,用于产生热能、生产放射性同位素或钚、产生强辐射场以及其他目的。某些可裂变的原子核在中子的轰击下分裂成两个与原核全不相同的核,并放出巨大热能,伴随β、γ射线以及放出两三个中子,这一现象叫做*核裂变*(**nuclear fission**)。裂变中产生的中子如引起更多的核裂变就可能引起链式反应。链式反应在原子弹中是不受控制的,而在反应堆中则是要缜密调节的。

反应堆的原理　反应堆运行要求满足实现自持链式反应的条件(涉及燃料成分、临界质量、中子慢化、反应堆控制等),同时还需要解决安全问题。发生链式反应的条件是每次裂变产生的中子中至少有一个能引起另一次裂变。满足这个条件并不容易,因为许多中子从装置中泄漏出去;另外,有一些中子被吸收不引起裂变。自然界中只有铀235能维持原子核的链式反应,它仅仅占天然铀的0.7%,天然铀中大部分原子是铀238。低能中子引起铀235裂变的概率比高能中子大,可是裂变过程中产生的中子能量比较高,为了使链式反应更容易发生,常常要设法使中子慢化;增大燃料中铀235的比例(称浓缩)也能使链式反应较易发生。用足够浓缩的铀235,中子不慢化也能够发生链式反应。此外,堆芯要足够大,中子泄漏要尽量小。对一定型式的堆芯有一个临界质量,小于临界质量,链式反应就不可能发生。提高铀235的浓度和采用反射层可减小临界质量。慢化材料应当是俘获截面小的轻原子。普通水、重水和石墨均为有效的慢化剂。氘是一种极好的慢化剂。从原子质量考虑,氢也是较好的,但它的吸收截面比氘大。如果堆芯有铀238存在,则需要考虑它对中能中子的吸收。为此把铀棒有规则地布置在慢化剂中(栅格布置),使裂变中子迅速从铀棒逸出,慢化到一定能量后返回铀棒。反应堆的控制由控制棒实现。用镉、硼等强烈吸收中子的材料调节链式反应的速度。反应堆的功率和裂变率低时,堆芯微热,不需要采取散热措施。但功率高时,则要求堆芯有专门的散热措施。冷却剂及其循环系统是反应堆的重要组成部分。冷却剂材料应具有合适的核性质,不能吸收太多中子,还要具有一定的流动性和良好的导热性。轻水、重水、液态金属(如钠)、氦以及一些其他物质均曾被用作冷却剂。为了保护反应堆附近的工作人员免遭辐照,在堆芯周围安装屏蔽设施以吸收泄漏中子、裂变γ射线和裂变碎片。屏蔽层的厚度决定于堆的功率水平。

反应堆的发展　世界上第一座核反应堆是在E.费米的领导下在美国芝加哥大学建造的,1942年12月2日达到临界。该反应堆由400吨石墨、6吨金属铀、50吨氧化铀组成,控制棒是镉。这个实验成功以后,美国立即制订了建造四座反应堆的计划。1946年人们认识到了快堆的优越性——生产钚的速度大于消耗铀235的速度,因而可以充分使用铀资源。1951年建成第一座实验增殖堆,证实了上述的认识。第二次世界大战后,为了军事目的,美国扩大了钚的生产,建造了一批石墨慢化堆和一系列大型重水堆。重水堆还用于从锂生产热核武器中所需的氚。1952年建成了第一座材料试验堆,为实验中子辐照对材料性质的影响提供高的中子通量。从第二次世界大战以后到1961年开展了作为飞机动力的反应堆的研究。1946年开始研究作为潜水艇动力装置的反应堆。现在核潜艇已成为现代海军的主力之一。1952年一座小型均匀型实验堆建成并运行。20世纪60年代初建造了一批工业规模的原型核电站。1962年在美国核电成本已低于火电。现在轻水堆、石墨气冷堆、重水堆等电站堆型工业上已成熟,轻水堆得到最广泛的应用。

反应堆的类型　堆型的最基本区别在于中子能量。根据中子能量反应堆可分为热中子堆、中能中子堆和快堆。根据用途又可分为动力堆、生产堆、研究试验堆、特殊用途堆。根据燃料布置可分为均匀堆、非均匀堆。还可以根据燃料(天然铀、浓缩铀、钚239、纯裂变材料)、慢化剂(石墨、水、重水、铍等)、冷却剂(气体、液体、液态金属)进行分类。

反应堆的安全问题　反应堆不会像原子弹那样爆炸,但为保证安全必须采取严格措施。反应堆工作状态的偏差总是可能发生的。例如冷却剂流失,这时会立即停堆,可是余热能熔化燃料使大量放射性物质逸出。20世纪70年代后期以来,美国宾夕法尼亚州哈里斯堡附近的三英里岛核电站和苏联的切尔诺贝利核电站的重大事故,就引起了公众对核动力的巨大恐惧。又如,在大功率正常运行期间,可能发生少量裂变产物泄漏。故反应堆的冷却回路总配备有冷却剂净化系统。

反应堆的应用　除了建造反应堆用于发电和推动核潜艇以外,世界上建造了许多反应堆用于其他目的。为了教学、培训和进行物理和生物领域的研究,设计和建造了研究堆。研究堆比动力堆小,中子从堆芯引出可直接利用;为了利用裂变碎片放出的γ射线,可将碎片从堆芯取出。试验堆的主要目的是试验中子对用于动力堆的材料的影响,因有较高中子通量,不需要在实际运行条件下长时间等待辐照。小型核电站在常用燃料难于到达的地方特别实用。美、俄、德、日等国建造了核动力商船、航空母舰、破冰船,证明了技术上的成功。利用核动力淡化海水在有些地方是获得淡水比较便宜的办法。20世纪70年代作为航天飞行的辅助热能源和电源,发展了多种小型反应堆。

核燃料　最重要的天然核燃料是铀。铀矿石大都是铀的氧化物。少数地区的高品位铀矿石含铀1%～4%,中品位的铀矿石(含铀0.1%～0.5%)分布于全世界,海水中存在大量的铀,但是浓度极低。开采出来的矿石经破碎磨细、化学提纯、同位素浓缩,最后转化成金属铀、铀合金、氧化铀或其他形式的化合物,制成燃料元件。燃料元件在反应堆里消耗一部分铀235,产生裂变产物,剩下铀238,生成一部分钚。在经过一定时间(最佳燃耗)之后,燃料从反应堆中取出,送去后处理,除去裂变产物,提取钚和其他超铀元素,回收未燃烧的铀。某些裂变产物制成放射源,是反应堆运行的副产品。另外一些裂变产物作为放射性废物加以处理或贮存起来。钚是人工制造的核燃料,也是一种副产品。钍是铀以外的另一种天然核燃料资源。独居石含二氧化钍1%～5%。钍的提取和纯化方法与铀相似。天然钍是单一的钍232。在反应堆中在中子的轰击下钍232转化成裂变燃料铀233。

Nuclear Regulatory Commission(NRC)　核管理委员会　一个独立的管理机构,负责监督美国核原料的民用情况。该委员会由G.福特总统于1974年10月11日所设立,是接替同日结束的原子能委员会(AEC)的两个机构之一。核管理委员会接管AEC的以下工作:负责监督民间核原料和核装置的使用是否安全,是否影响大众健康与环境质量。其工作重点放在美国众多的用来以工业规模发电的核反应堆上。它核发执照给新建的核反应堆,并监督其连续的操作。它监督核原料的加工和使用,以及核废物的处理和处置;视察核电站,检查其安全操作规程与措施;加强对已建安全标准的遵守;调查核事故等。NRC的委员均由美国总统任命。

Nuclear Test-Ban Treaty　《禁止核试验条约》　全称《禁止在大气层、外层空间和水下试验核武器条约》。1963年8月5日,美、苏、英3个发起国在莫斯科签订的条约。该条约禁止在大气层、外层空间和水下试验核武器,但允许地下试验,不要求设立控制点、现场核查和国际监督机构。条约没有规定减少核武器储备,停止制造核武器,或在战时限制使用核武器。在几个月内有100多个国家的政府签署了这个条约。美、英、苏3个发起国有权否决对条约的修改。任何修改都必须得到包括3个发起国在内的多数签约国的同意。

nuclear weapon　核武器　又称原子武器(atomic weapon)或热核武器(thermonuclear weapon)。爆炸力来自原子核裂变或聚变,并用飞机、导弹、人造地球卫星或其他战略运载系统来投送的炸弹或其他弹头。它的破坏力来自原子核中包含的能量。这一能量由两种核反应方式释放出来,一是裂变,重元素核分裂成碎片(实际上是形成较轻的元素);另一是聚变,最轻的元素(氢)的原子核在高温下压挤在一起形成氦核。因而核武器可分为裂变(原子)弹和聚变(氢或热核)弹两大类。裂变装置用铀或钚为燃料,如果足够数量的燃料突然合拢在一起，一个核的裂变会引起其他核的裂变，然后由此及彼，直至全部燃料燃尽为止。此过程称为链式反应，产生反应所需的燃料量称为临界质量。临界质量取决于燃料的种类和纯度，也取决于出现的燃料质量。在枪型装置中，一个次临界大小的燃料块经由一个枪管状的东西射入另一个燃料块，在撞击时形成超临界量，从而起动链式反应。在内爆型装置中，炸药裹在裂变燃料的空心球外面，炸药爆炸时，裂变燃料挤成超临界质量。这种内爆技术较有效而且需要的燃料较少。聚变装置比单用裂变的威力大得多。裂变弹用来作为起爆器或雷管，以产生使氢同位素(氘和氚)原子核结合所需的极高温度。在弹内有特制的辐射反射器，用于控制裂变弹产生的 X 射线和 γ 射线的辐射压力，以防止其向外辐射。反射器将辐射压力引导到从各个方向同时挤压一个燃料柱。这件事必须在其他移动较慢的爆炸碎片破坏屏蔽和炸弹别的部分之前完成，只要在辐射与爆炸碎片在引起裂变的赛跑中，辐射走在前面，相差百万分之一秒就可以了。核装置的爆炸力或 TNT 当量以产生相当爆炸力的千吨或百万吨 TNT 计。裂变弹通常以千吨计，聚变弹以百万吨计，曾试验过高达6 000万吨 TNT 当量。

发展史 从发现裂变到用它的能量来破坏日本城市广岛只有 6 年时间。早在 1939 年，几位物理学家断定铀的某种同位素的原子受中子轰击时，便会分裂，释放能量和更多的中子，铀原子吸收一个中子后，再发射少量中子。这一发现增加了实现释放能量的链式反应的可能性。美国总统罗斯福意识到核裂变的军事价值，决定制订著名的曼哈顿计划，给予设计和制造第一颗原子弹的任务。1942 年 12 月 2 日该计划所属的芝加哥的科学家完成了自持的链式反应，是里程碑式的突破。1945 年 7 月 16 日洛斯阿拉莫斯的研究员试验了第一颗原子弹，试验弹的 TNT 当量为 2.1 万吨的内爆型钚燃料式弹。1945 年 8 月 6 日 B-29 轰炸机在广岛投下的原子弹是未经试验的枪型铀弹，在此弹毁坏了该城市的 2/3，3 天以后又在长崎投一颗试验弹钚弹的复制品。此后，其他几个国家都研制原子弹，苏联在 1949 年试验了第一颗裂变弹，英国在 1952 年、法国 1960 年、中国 1964 年、印度 1974 年都研制成原子弹。以后据报道又有几个国家已掌握生产核武器的足够的知识和材料。聚变弹的研制跟在裂变弹之后，部分原因是制造聚变弹要有比现有更先进的计算机来进行繁重的计算工作。1952 年 11 月 1 日美国在太平洋一海岛上成功地试验了第一个热核聚变装置。苏联则在 1953 年试验了它的第一个这种装置。以后英国在 1957 年、中国在 1967 年、法国在 1968 年都试验成功。

效果和影响 核武器的冲击波只是其破坏作用之一，其他还有致盲的光和产生的高热以及致命的辐射。这种辐射可以剧毒的放射性同位素的形式保留在环境中达数百甚至数千年。这种“沉降物”或放射性尘埃由爆炸波带进大气中，随风带到很远的地方，造成长期的放射性危险。核武器的战略效应最终不完全取决于爆炸威力而取决于其运载系统的隐蔽性和命中精度。广岛和长崎的炸弹是用大型的易遭攻击的飞机携带的。现在核装置已经很小型化了，可以装在导弹甚至炮弹内。计算机化的导弹制导系统的发展使有可能造出多弹头分导式重返大气层运载工具，即携带弹头的导弹在开始重返大气层之际，释放出若干个单独制导的弹头，奔向不同的目标。导弹也可从潜艇、陆上移动式发射架或有核防护设施的发射井中发射。50 年代中期苏联和美国进行第一轮限制核武器试验的会谈，1963 年美、苏、英谈判成《禁止核试验条约》，这一条约除少数几个国家外，几乎各国都签了字。

nuclear winter 核冬天 某些科学家坚信在一次核战争中数百次核爆炸可能造成的环境浩劫。科学家虽然早就知道核爆炸产生的光、热、冲击波与辐射的破坏效应，但是这样的爆炸对于环境的间接影响，数十年来却甚受忽视。20 世纪 70 年代的若干研究断定，平流层中为生物挡住大部分太阳有害紫外线辐射的臭氧层，可能被核爆炸所产生的大量氧化氮耗尽。进一步的研究还推测，核爆炸所产生的大量尘埃涌进大气，可能阻断太阳光射达地球表面，导致空气的暂时冷却。科学家随后开始虑及核火球使广大森林着火时产生的烟，1983 年一项规模庞大的称作TTAPS 的研究(以发起人 R.P.特科、O.B.图恩、T.P.阿克曼、J.B.波拉克和 C.萨根等姓氏的首字母命名)对在核毁坏城市中燃烧的石油和塑料产生烟尘这个重要因素加以考虑(这类物质产生的烟比燃烧的木材所产生的能更有效地吸收阳光)。该项研究创造了“核冬天”这个术语；其有关核战争环境效应的先兆性假说，受到美、苏科学界的重视并对之作深入的研究。根据研究者的假说，核弹头爆炸产生的无数巨大火球为形成核冬天的基本原因。这些火球会在其范围内的所有城市和森林中引燃无法控制的大火(火风暴)。这些大火所扬起的巨大烟柱、烟黑柱与尘柱则由于本身的高温而升至高处，在该处漂流数星期再降回地面或被雨水由大气中冲洗到地面。数亿吨烟和烟黑被强劲的西风吹走，最后在北纬 30°～ 60°之间形成环绕北半球的均匀粒子带。这种沉厚的黑云能数星期遮住阳光，仅让一部分通过，结果使地球表面的温度骤降，持续数周，降幅可能高达 11 ～ 22 °C。部分黑暗、致命寒霜和零下温度的条件与核爆炸沉降物的高剂量辐射结合起来，会阻碍植物的光合作用而毁灭地球的许多动植物。严寒、高度辐射和对工业、医疗、交通等基层部门以及食品供应和作物的大范围破坏，也会引起饥馑、无衣物、无居室和疾病，导致大量死亡。因此一次核战争可使地球人口减少到原来数目的一小部分。许多科学家对原来计算的结果提出质疑；虽然这样一场核战争无疑会是破坏性的，但其对地球上生命的损害程度则仍在争论之中。

nuclease 核酸酶 能水解核酸的酶类，有多种，见于动、植物体内。通常具有作用专一性，如核糖核酸酶只作用于核糖核酸(RNA)，而脱氧核糖核酸酶只作用于脱氧核糖核酸(DNA)。某些具有一般作用的酶(如水解磷酸酯的磷酸酯酶)亦能水解核酸，故亦可称为核酸酶。限制酶是一种核酸酶，只切割带有它们能识别的特殊亚单位的 DNA 分子。有些在任意位点上切割靶 DNA 分子(Ⅰ型)，另一些则只在它识别的位点上(Ⅱ型)或在离识别位点一个固定距离上(Ⅲ型)切割 DNA 分子。Ⅱ型和Ⅲ型限制酶是阐明 DNA 分子碱基序列的有力工具，在 DNA 的重组中起着重要作用。

nucleation 成核 从一种溶液、液体或蒸气中生成晶体的起始过程。成核过程中，少数离子、原子或分子按将要结晶的固体的特有图样进行排列，先形成一个点阵座，其他粒子就围着这一点阵座而逐渐淀积，形成晶体生长。成核过程分非均匀成核和均匀成核两大类。非均匀成核中，一些各不相同的物质表面，如尘埃颗粒的表面或容器壁，成了成核的中心，围绕此中心晶体的第一批原子、离子或分子严格按一定取向集结；均匀成核中，有一些颗粒在穿行液体所作的无规运动过程中正确地并置起来。非均匀成核更为常见。可是在溶液的过饱和或过冷程度加大时，均匀成核的机制的可能性就变大。许多物质在晶态是固有的稳定态的条件下，其结晶的可能性大不相同。甘油就是一种人们熟知的容易过冷的化合物的例子。

nucleic acid 核酸 由活细胞的遗传物质组成的一类物质。核酸主管蛋白质合成的历程，因此控制着所有细胞的活性。另外，通过自一代到下一代的传送，核酸成为遗传特征的运载工具。核酸分子是由重复出现的结构单元(叫做核苷酸)所构成的长键，每一个核苷酸由与磷酸酯基及有机氮碱相连的中心糖基所构成。虽然以上描述过于简单化，但有助于设想到磷酸酯基和氮碱相互垂直，核酸分子的骨架是通过一个核苷酸的糖基与下一个核苷酸的磷酸酯基成键而形成的，氮碱则从骨架突伸出来。核酸有两种：核糖核酸(RNA)和脱氧核糖核酸(DNA)。两者的区别在于 RNA 的糖为核糖而 DNA 则为脱氧核糖；两者的区别还在于所含的氮碱：DNA 和 RNA 均含腺嘌呤、鸟嘌呤和胞嘧啶，但尿嘧啶只见于 RNA 而胸腺嘧啶则只见于 DNA；另外，RNA 还可能含有某些附加的非寻常的碱。DNA 是所有细胞(包括细菌和蓝绿藻)染色体的主要成分，还存在于某些细胞类脂质如线粒体和叶绿体中。RNA 通常存在于细胞核和细胞质中，多数的细胞质型 RNA 与小颗粒的核糖体结合，后者是蛋白质合成的部位。非细胞的病毒只含单一的核酸(RNA 或是 DNA)分子。DNA 的生物学功能是保存和传送遗传信息，后者是根据其所含的碱的顺序编码的。1953 年 J.D.沃森和 F.H.C.克里克宣称 DNA 分子含有两股多核苷酸链，相互盘绕成双螺旋形，其中一股链的碱通过氢键与其他链的互补碱基弱结合。腺嘌呤和胸腺嘧啶成对而胞嘧啶和鸟嘌呤成对，整个构型犹如捻合的梯子，两边由糖和磷酸酯基组成而梯阶由成对的碱构成。沃森-克里克模型有助于表明 DNA 如何从一代细胞向下一代细胞传递编码信息:在细胞分裂(有丝分裂)之前,双链分离开,每个分离的链充当一个模板,据此形成新的与之互补的链。因此,一个 DNA 分子形成两个等同的 DNA 分子,每一个 DNA 含有一股来自原来的 DNA 分子的链和一股新合成的链。当细胞分裂成两个时,每个子细胞接受一个同样的复制品。DNA 的复制同样优于减数分裂(性细胞——精子与卵子——的生成过程),然而减数分裂有两次分裂,因此每一个精子或卵子与原细胞的半个 DNA 缠绕。一个精子和一个卵子的结合表明一个新个体的诞生,这个新的生物体具有完整的 DNA 补体,其中的一半来自雄性母体的贡献,另一半来自雌性母体的贡献。多数的 DNA 分子共同承担一个普通遗传功能和结构型式,而 RNA 分子在细胞中却完成多种功能,其性质也随之改变。RNA 在细胞中有三种形态,三者均参与蛋白质合成。信使核糖核酸(mRNA)是一种单链分子,它将遗传编码信息从 DNA 带往核糖体。mRNA 分子是通过转录形成的,在这一过程中,双链的 DNA 分子的某部分解链,其氮碱显露出来,mRNA 的互补链便沿着解链的 DNA 单链而形成,这个 mRNA 分子携带 DNA 的指令合成特定的蛋白质(或蛋白质的一部分),该 mRNA 分子脱离开其 DNA 模板而移向核糖体。核糖体由各种蛋白质组成,而 RNA 的第二种形态为核糖体 RNA(rRNA),它的确切功能未知,但缺乏它蛋白质的合成不能进行。RNA 的第三种形态为转移核糖糖酸(tRNA),负责向沿着 mRNA 的适宜部位转送氨基酸。氨基酸是蛋白质的结构组分。mRNA 分子内的三碱基联体为特定的氨基酸编码,这些三碱基序列叫做密码子。tRNA 具有与 mRNA 中的密码子互补的三联体,叫做反密码子,后者发出所携带氨基酸的识别信号,这些反密码子与 mRNA 上适宜的密码子相连接,一旦就位,许多氨基酸就连接在一起。按照 mRNA 的编码合成蛋白质的过程叫做转译。在遗传信息的复制、转录和转译过程中,会发生种种错误。DNA 结构中的突变发生变化并传递给细胞的后代。一种碱基可能取代另一种碱基,或者可能加入(插入)或失去(删去)一种或更多的碱基。

nucleon 核子 组成原子核的质子和中子这两类亚原子粒子中的任一种。处于短程核力影响下的质子和中子,其性状无论在被束缚于原子核中或互相散射中都相同。这种强相互作用与电荷无关。比核子重的不稳定亚原子粒子(超子和重子共振态)在其最终衰变产物中有一个核子,因而核子是重子的基态。反核子包括反质子和反中子。

nucleophile 亲核试剂 化学术语。带有可用于成键的电子对,在化学反应中,寻求正电中心(如原子核)的原子或分子。例如卤素阴离子(I^-、Cl^-、Br^-)、氢氧根离子(OH^-)、氰离子(CN^-)、氨(NH_3)和水。参阅 **electrophile**。

nucleoprotein 核蛋白 蛋白质连接于核酸(DNA[脱氧核糖核酸]或 RNA[核糖核酸])而成的结合蛋白质。与 DNA 结合者常为组蛋白或鱼精蛋白,所形成的核蛋白存在于染色体中。许多病毒只不过是由脱氧核糖核蛋白有规律地排列而成的集合体而已。与 RNA 结合的蛋白质所知甚少,其内似含色氨酸,这点与鱼精蛋白及组蛋白不同。

nucleoside 核苷 活细胞中控制遗传的核酸的一个结构亚单位。由1个糖分子与1个含氮有机环状化合物相连而成。在最重要的核苷中,糖为核糖或脱氧核糖,而含氮化合物为嘧啶(胞嘧啶、胸腺嘧啶或尿嘧啶)或嘌呤(腺嘌呤或鸟嘌呤)。核苷一般由核酸经化学分解或酶分解获得。1891 ～ 1911 年间测定了几种天然核苷的详细结构,证实了各种糖和含氮化合物的结构、糖分子环的大小及这两个组分的接合点。1948 年实现了腺苷和鸟苷的化学合成。此后,核苷的合成以及用核苷合成核酸得到迅速发展。嘌呤霉素和其他某些抗菌素就是由霉菌或真菌产生的核苷。

nucleosynthesis 核合成 在宇宙规模上由大约一二种简单原子核合成为各种化学元素的过程。这需要大规模的核反应,包括在太阳和其他恒星中还在进行的反应。化学元素各不相同的原因在于原子核中的质子数不同;同一元素有各种同位素是因为核内的中子数不同。通过核反应改变核内的质子数和中子数,就能使一种原子核转化为另一种原子核。序数大到铁(原子序数 26)的许多化学元素的形成及其现有的宇宙丰度,可认为是由于连续的核聚变反应所形成,反应是从氢或某些原初的氦开始。重复进行核聚变使 4 个氢核合成 1 个氦核;随后,氦核能合成碳(3 个氦核)、氧(4 个氦核)以至其他更重的元素。比铁重的元素以及某些较轻元素的同位素则可能是由于连续俘获中子所造成。俘获中子就增加了核的质量,随后发生的放射性 β 衰变使中子转变成质子(同时放出 1 个电子和 1 个反中微子),而质量实际没有改变。质子数增多,就构成原子序数较高的核。

nucleotide 核苷酸 分子结构由含氮单元(碱基)与糖、磷酸酯基相连接组成的一类有机化合物。核苷酸是控制所有遗传特征的核酸的基础材料,因此对活生物体非常重要。在核糖核酸(RNA)和脱氧核糖核酸(DNA)两种核酸中,各种核苷酸在 DNA 或 RNA 内的顺序是为细胞中合成蛋白质的结构指定遗传密码。核苷酸腺苷三磷酸(ATP)为代谢过程提供推动力。有几种核苷酸是辅酶,它们与酶作用以加速(催化)生物化学反应。几乎所有的核苷酸的含氮碱基都是三种杂环化合物(嘧啶、嘌呤和吡啶)的衍生物,最常见的氮碱为嘧啶类(胞嘧啶、胸腺嘧啶和尿嘧啶)、嘌呤类(腺嘌呤和鸟嘌呤)以及吡啶烟酰胺。核苷类似于核苷酸只是前者缺磷酸酯基,核苷本身很少参与细胞的新陈代谢。腺苷-磷酸(AMP)是 DNA 和 RNA 的组分之一,又是载能分子 ATP 的有机组分。在某些生命代谢过程中,AMP 与无机磷酸盐结合形成 ADP(腺苷二磷酸)然后形成 ATP。ATP 内磷酸酯键的断裂释放出大量能量,被正在进行的化学反应或正在收缩的肌肉纤维所消耗。其他核苷酸即环腺苷酸参与控制细胞新陈代谢的许多方面,如糖原的分解。一种二核苷酸即烟酰胺腺嘌呤二核苷酸(NAD)作为载电子体与相关化合物即烟酰胺腺嘌呤二核苷酸磷酸(NADP)一起参与许多氧化反应,这些物质充当某些酶的辅助因素。

nucleus 细胞核 除细菌和蓝绿藻外见于大多数细胞(**cell**)内的一种特化结构,以双层构造的核膜与细胞其他成分隔开。核膜可能与内质网相延续。核膜上有孔,可使一些大分子通过。细胞核控制、调节细胞的活动(如生长、代谢),并携带有基因。核仁位于细胞核内,在核糖核酸和蛋白质的合成中起重要作用。核质呈胶冻样,其中悬浮有细胞核成分。一个细胞通常只有一个细胞核,但在某些情况下,细胞核可分裂成为多个而细胞质不分裂。这样形成多核细胞(合胞体),如骨骼肌纤维。一些细胞(如人类红细胞)在成熟后核消失。

nucleus, atomic 原子核 原子的中心有一个小而重的带正电的核心,其直径仅占原子直径的1/10 000,但几乎集中了原子的全部质量。核外有电子绕核不停地旋转,就像行星绕太阳一样。原子核由质子和中子组成。中子和质子通称核子。原子的化学性质和它在周期表中的位置取决于核外电子数 Z(即原子序数)。原子核内质子数目也等于 Z,所以在正常情况下原子就整体而言呈电中性。Z 从 1 到 92($Z = 43$ 和 61 除外)的原子在自然界都存在;$Z > 92$ 的原子仅在实验室里人工制得。核子总数 A 叫质量数。核的质量近似于 A 个质量单位。同一元素的原子其 Z 相同,但 A 不一定相同。Z 相等而 A 不等的核称作同位素。因此,A 和 Z 是识别核素的标志,习惯上把它们同时标在元素的化学符号上。比如 $Z = 2$, $A = 4$ 的氦原子核记作 ${}_2^4He$。

核的自旋是原子核的基本特征之一。根据量子力学规则,核自旋取 $h/2\pi$ 的半整数或整数倍。凡质子数和中子数都是偶数的核,其自旋为零;两者都为奇数的,其自旋为 $h/2\pi$ 的整数倍。这两类核都遵从玻色-爱因斯坦统计法(**Bose-Einstein statistics**)。其余的核自旋取值 $h/2\pi$ 的半整数倍(由 1/2 到 13/2),遵从费米-狄拉克统计法(**Fermi-Dirac statistics**)。自旋不为零的核,其磁矩也不为零。

核的形状通常近似球形或椭球形。核半径略小于 10^{-12} 厘米。球形核因电荷分布对称,电四极矩为零;长椭球(像橄榄球)形核的电四极矩为正;扁椭球(像门把手)形核的电四极矩为负。

核子的体积正比于其质量,因此它的密度为常数。分散的核子组成原子核时要放出能量,使组成的核处于稳定状态。组成原子核时放出的能量叫结合能。核的质量小于组成它的核子的质量总和,所短少的那部分就叫质量亏损,根据质能相当原理,结合能来自核的质量亏损。除少数较轻和较重的核外,对于大多数核，每个核子的平均结合能大体相等，约为8兆电子伏。

核子之间由于短程的核力作用而相互吸引。核力的作用范围约为10^{-13}厘米，它和核子是否带电无关，即无论作用于中子或质子的都是同样性质的核力。核力最主要的特征是它的饱和性：每个核子只和它邻近的三个核子相互作用。核物质的密度为常数以及大多数原子核中每个核子的平均结合能相等，这些实验事实都可以借核力的饱和性得到解释。核力是一种交换力，通过交换介子发生作用。此外近距离相吸的两个核子靠到一起后，核力便改变性质而使两者相互排斥。核力的细节还有待深入研究。

由于核力的问题还没有全部弄清，目前只能借助各种模型探讨原子核的结构。原子核的壳层模型认为单个核子是在核内其余核子所形成的平均势场中运动，各个核子运动是独立的，和其他核子运动状态无关。和原子中电子的运动一样，单个核子在核内既有自旋，又绕共同的核心按一定轨道运动。不同轨道具有不同能量，并按角动量量子数分成壳层。每个壳层只容纳一定数目的核子。中子和质子分别有自己的壳层，并按能量顺序由低到高逐一填充各壳层。中子或质子正好使某个壳层填满的叫满壳核或闭壳核。满壳核的结合能大于一般核，其基态与第一激发态的间距较大，因而比较稳定。实验上曾经发现中子或质子数为2，8，20，50，82及126等“幻数”的核比较稳定。这和壳层模型的计算是一致的。所谓“幻数”正好是填满壳层的中子或质子数，而“幻核”即都是满壳核。除此以外，壳层模型预言的核的基态自旋、磁矩和某些核的能谱等也和实验相符。但壳层模型忽略了核的集体运动，因而无法说明某些实验事实。综合模型对此作了一些改进，假定原子核由满壳层的“核实”和它外部的粒子组成。外部粒子在核实的势场中运动仍然表现出壳层模型中独立粒子运动特征。然而满壳层的核实犹如一个表面张力很大的、不可压缩的液滴，不仅其表面可以产生振动，而且外部粒子还可以引起核实形变。变形后的核实反过来又影响外部粒子的运动。平均场的方向的变化相当于核的整体转动。这就使与原子核的集体运动相关的转动、振动等特性得到了解释。

原子核的能级、自旋等性质，可以通过核反应从实验上予以测定。中子和带电粒子，如质子、氘核(^2H)、氚核(^3H)、氦核(^3He和^4He)以及更重的离子如碳核等都可用作入射粒子轰击靶核产生反应。除中子外，带电粒子都要加速到足够能量才能克服库仑势垒实现核反应。能量不太高时，入射粒子首先和靶核结合形成不稳定的复合核，粒子带来的能量通过碰撞而在所有核子之间重新分配。直到某个或某几个核子集中了足够的能量从复合核中发射出来，复合核才衰变为出射粒子和余核。复合核反应呈共振性质，当入射粒子能量恰好和复合核的某一个能级符合时，反应截面出现峰值。精确测定共振峰位置和出射粒子能量常可获得核的若干知识。另一种反应机制是直接反应，它没有形成复合核的中间阶段。入射粒子（如氘核或氚核）飞近靶核时，其部分核子被靶剥下和靶结合形成反应产物，或入射粒子从靶核中掇拾部分核子形成其他核。前者称作“剥裂反应”，后者称作“掇拾反应”。中子打到某些重核上可以使靶核分裂为两个近乎相等的碎片，这类反应叫做**核裂变**(**nuclear fission**)。

原子核反应中产生的核常处于激发态。受激的原子核从高能态跃迁到较低的能态时，以γ辐射或级联γ辐射的方式放出能量。γ跃迁过程需要遵守选择定则。受激的原子核有时也放出β辐射或β-γ级联辐射。在核物理实验中常利用这些级联辐射进行符合测量。

nuclide　核素　又称核类。具有特定质子数、中子数和核能态的一类原子。因此，核素是被质量数(A)和原子序数(Z)所表征。核素必须具有足能量测的寿命（一般长于10^{-10}秒）的能量。核素与同位素不是同义的；同位素是具有相同原子序数和不同质量数的一组核素中的任一成员。氯37的核由17个质子和20个中子组成，与钠23（核有11个质子和12个中子）或氯35（核有17个质子和18个中子）是不同的核素。核同质异能素的质子和中子数相同，但所具能量及放射性不同，也是截然不同的核素。核素通常表示为${}^{A}_{Z}X$的形式，其中A为质子和中子的总数，Z为质子数，A与Z之差为中子数。因此，${}^{37}_{17}Cl$表示氯37。核素与放射性衰变联系在一起，可以是稳定的，也可以是不稳定的。已知约1 700个核素中，大约有300个是稳定的，其余是放射性的。

nudibranch　裸鳃类　又作sea slug。又称海蛞蝓。腹足纲后鳃亚纲裸鳃目(Nudibranchia)的海洋动物。特征为无壳、鳃和外套腔。体色鲜艳美观，有奇特的体外生长物，称露鳃，可能是呼吸器。头部有触角样的器官——嗅角。体长可达43厘米。生活在世界各大洋的浅水中，主要取食海葵。泳海牛科(Tethyidae)的种类能游泳。在海底匍匐生活的种类如北部冷海中的灌丛背海蛞蝓（多叶枝背海牛，*Dendronotus frondosus*），褐色和黄色，有树枝状带花哨图案的露鳃，故名。生活在各地暖海中的种类如蓝海蛞蝓（海神鳃，*Glaucus marina*或大西洋海神鳃，*G. atlanticus*）以及海牛科海牛属(*Doris*)和舌尾海牛属(*Glossodoris*)。参阅**gastropod**。海蛞蝓一词又泛指后鳃亚纲(Opisthobranchia)的所有种类——后鳃类（参阅**opisthobranch**）。

舌尾海牛属(*Glossodoris*)海蛞蝓
美国不列颠百科全书公司供图

nudism　裸体主义　以健康或舒适为理由不穿衣服便外出的一种行为方式。常是一种男女都参加的社交活动，届时两性自由接触，但不从事性活动。20世纪初，人们叛离上世纪末僵化的道德观念，在德国产生了裸体主义。裸体主义在第一次世界大战后传遍欧洲，并于30年代传入北美；然而在美国和加拿大这种活动仍被限制在少数偏远的营地和海滨。这些营地的气氛一般是非色情的，而且人们的举止多受严格的纪律所约束。尽管在20世纪后半期不同程度的公开的裸体行为变得日益普遍，但裸体主义仍未被广泛接受。虽然有时整个家庭都参加裸体活动，但多数裸体主义者是成人。实行裸体主义的成人在心理上是健康的，但裸体主义对儿童的影响则一直是心理学家争论的课题。

nuée ardente　炽热火山云　法语，意为火烧云、发光云。与培雷式火山喷发相关联的、包围在瓦斯之内的炽热火山微粒气团。有时被称为发光“雪崩”，它可以沿着缓倾的山坡很快地向下运动，其速度可达160千米/小时。这种火山气体的温度可达约600～700°C。炽热火山云是具有异乎寻常破坏力的，会杀灭它们路径上的一切生物。这些炽热微粒的气团和升到气团之上的尘埃形成的惊人的旋卷状云，两者都剧烈地释放出更多的瓦斯。这一系列膨胀的瓦斯包囊造成气团几乎无摩擦的流动性质，也造成其极大的流动性和破坏力。大多数炽热火山云出现在被称作“火环”的环太平洋地区，但它们也可以出现在其他地方的火山喷发之中。1902年，与发光“雪崩”相伴随的炽热火山灰云向下横扫了西印度群岛培雷山麓的圣皮埃尔城，约3万居民，除两人外全部死亡。

Nuer　努埃尔人　居住在苏丹南部尼罗河两岸沼泽地和热带草原地区的民族，讲属尼罗-撒哈拉语系沙里-尼罗语族的东苏丹语。努埃尔人以养牛为业，辅以渔、农。政治上，努埃尔人形成很多自治社区，彼此仇视，经常发生凶杀事件；事件由祭司从中调停，以赔偿若干只牛的方式解决。努埃尔人基本社群是父系氏族，但基本社群的成员是少数；多数人口是其他氏族或其邻族**丁卡人**(**Dinka**)的后裔。这些人现已被努埃尔人制服并融入努埃尔社会。努埃尔人实行一夫多妻制，婚姻由男方送牛给女方亲属，并举行订婚、结婚等仪式。如果男方在婚前亡故，习惯上由亲属为死者代娶，子女属于死者，称为“鬼婚”。努埃尔人崇拜和祀祭与上天有关的神灵，而认为这种神灵像空气一样，是到处存在的。

Nu'ergan dusi　奴儿干都司　英语作Governorate of Nu'ergan。中国明朝政府设于东北的最高地方军政机构。全称奴儿干都指挥使司。1409年设置。都指挥使、同知、佥事等职用流官，所统卫所的指挥、千户、百户等职用土官。治所在今俄罗斯境内黑龙江下游东岸特林地方。地处要冲，原是元朝征东元帅府旧址。辖境西起斡难河，北抵外兴安岭，南接图们江，东至海并越海而有库页岛。下属卫所依土建置。先后设立384卫、24所，以土官管辖吉烈迷、苦夷、女真诸族人民,征收贡赋。1413、1432年于都司西北江岸石崖上两次修建永宁寺时,曾先后在寺前立《敕修奴儿干永宁寺碑记》、《重修永宁寺碑记》,记述设置奴儿干都司经过和辖区各族人民生活生产情况。俄国侵占该地区后,1904年将两碑移至海参崴博物馆,后又移至伯力博物馆。

Nueva Esparta 新埃斯帕塔 委内瑞拉阿拉亚半岛岸外的岛州。面积1 150平方千米,包括最大岛屿**玛格丽塔岛(Margarita Island)**和邻近库瓦瓜和科切两小岛。该地区还有其他许多小岛,多数无人居住,行政上直接属于联邦政府。玛格丽塔岛是全州经济生活中心。居民大多居住在该岛。州首府**拉亚松森(Asunción, La)**,有许多著名建筑物。最大城镇波拉马尔。费明港为重要渔港,有许多渔村。主要经济活动为捕鱼、采珍珠、金枪鱼和沙丁鱼罐头加工和旅游业。自哥伦布发现美洲以来,采珍珠一直为重要的行业,但许多牡蛎养殖场有衰竭之势。淡水供应靠海底管道自大陆输入。人口316 776(1994)。

Nueva Gerona 新赫罗纳 古巴城市和位于加勒比海中的青年岛(1978年更名,以前称皮诺斯岛)省省会。在拉斯卡萨斯河西岸,距岛北岸的河口约10千米。该城及其港口为岛上农产品柑橘类水果(葡萄柚、橘子、蜜柑)、芒果、甜瓜和其他热带水果的主要市场和输出中心。当地亦出产大理石块和制瓷器用的高岭土。该岛有300年为各国海盗出没之地,直到1830年才由F.D.比维斯建立新赫罗纳市。市区南部不远处有一座博物馆和天文馆,陈列有关该岛历史的考古资料。附近水域可捕贝类和金枪鱼。人口约39 500(1989)。

Nueva Ocotepeque 新奥科特佩克 又称奥科特佩克。洪都拉斯西部奥科特佩克省省会。位于伦帕河畔,海拔805米。在伦帕河支流马查拉河1935年泛滥后迁此。为周围肥沃农业区的贸易中心。人口6 667(1988)。

Nueva Rosita 新罗西塔 墨西哥东北部科阿韦拉州中北部城市。濒临萨维纳斯河。海拔430米。因为地处萨维纳斯煤区,城市得以发展。20世纪30年代起成为重要工业中心,有炼锌厂,生产硫化锌、硫酸和焦炭。人口36 300(1990)。

Nueva San Salvador 新圣萨尔瓦多 又称圣特克拉(Santa Tecla)。萨尔瓦多中西部城市。1854年建于圣萨尔瓦多火山南麓。东面11千米的首都圣萨尔瓦多遭受地震破坏时,曾短期作为首都。1859年政府迁回圣萨尔瓦多。在泛美公路的中美洲公路上。地处人口稠密的农业区。设有萨尔瓦多咖啡研究所。人口98 392(1992)。

Nuevitas 努埃维塔斯 古巴中部偏东卡马圭省东北部港口城市。在努埃维塔斯湾畔半岛上。1492年C.哥伦布的船只驶入该湾登陆。殖民时期经常受到海盗骚扰,但仍很繁荣。腹地出产的甘蔗、糖蜜、咖啡等农产品经铁路、公路运到这里。主要工业产品有木材、绳索、化肥、咖啡和纺织品等。附近有榨糖厂和一座热电厂。人口约41 391(1990)。

Nuevo Casas Grandes 新大卡萨斯 又作Nueva Casas Grandes。墨西哥北方奇瓦瓦州北部城市,濒临大卡萨斯河,位于华雷斯城西南约210千米处。耶稣基督后期圣徒教会(摩门教)于1886年建此城市;现仍是摩门教活动地点。海拔1 473米,新大卡萨斯距哥伦布到达美洲以前的巨大多层废墟7千米,17世纪在此定居的西班牙人称该废墟为大卡萨斯。人口54 200(2000)。

Nuevo Laredo 新拉雷多 墨西哥东北部塔毛利帕斯州北部城市和港口。与美国拉雷多隔格兰德河相望。为养牛业和天然气生产中心。20世纪50年代以后,水利灌溉使周围地区发展富裕起来。有吸引游客的斗牛场。公路和铁路可通往墨西哥城和美国得克萨斯州的圣安东尼奥。人口309 000(2000)。

Nuevo León 新莱昂 墨西哥东北部一州。北邻美国。东马德雷山脉(平均海拔1 500米)贯穿州境。面积64 924平方千米。有多种气候和植被。矿物很少。产棉花、柑橘、甘蔗、谷物和蔬菜。经济以工业为主。当地的炼铁、炼钢和冶炼厂属拉丁美洲最早的重工业企业。还有纺织、啤酒等厂。1824年设州。在墨西哥战争期间(1846～1848)被美军占领。首府**蒙特雷(Monterrey)**,有铁路、公路和机场。人口3 826 240(2000)。

nuevo sol 新索尔 西班牙语,意为"旭日"。秘鲁货币单位。1新索尔等于100分。索尔是19世纪60年代秘鲁采用的通货,但在智利占领时期被取代。20世纪30年代重又采用,80年代中期该国发生严重通货膨胀时,曾由印蒂取代。1991年为新索尔取代,按100万印蒂兑换1新索尔。秘鲁中央储备银行是该国唯一有权发行纸币和硬币的银行。硬币面值由5分～5新索尔不等。纸币面值为10～200新索尔。纸币正面印有历史人物像。

Nuffar(ancient Mesopotamian city) **努法尔** 参阅 **Nippur 尼普尔**。

Nuffield, William Richard Morris, Viscount, BARON NUFFIELD OF NUFFIELD **纳菲尔德子爵**(1877-10-10,英格兰伍斯特郡～1963-08-22,牛津郡泰晤士河畔亨利城镇亨特康比附近) 即W.R.莫里斯。英国工业家和慈善家,他的企业生产了莫里斯牌汽车。15岁开始做工,开设过自行车修理店,制造并出售自行车,这些车常在竞赛中获胜。后来他转而销售和维修摩托车,很快就对汽车发生了兴趣。1903年与他人合办汽车修理厂,不久破产。1904年重新创业,这时他只剩下工具和一笔50镑的债务。他在考利开办工厂,1913年制造出第一辆8.9马力双座莫里斯-牛津牌汽车。在访问美国时,他购买美国发动机,然后装在英国汽车底盘上,造出同样出名的11.9马力的莫里斯-考利牌汽车。鉴于大批量生产可以制造出价格低廉、性能可靠的小型汽车,他彻底改革了英国的汽车工业。1919年

英国莱兰汽车公司供图

创办的莫里斯汽车公司,用大幅度削价的办法度过了1920～1921年的困难。从此企业不断扩大,1923年莫里斯汽车修理厂造出第一辆MG汽车。同年,他创办莫里斯商用汽车公司,1927年又购进沃尔斯利汽车公司。1935～1936年将上述3家公司合并为莫里斯汽车公司,1938年又将考文垂的赖利公司并入。1952年与奥斯汀汽车公司合并成英国汽车公司后,成为世界上第3家最大的汽车公司。他办的慈善事业包括牛津大学纳菲尔德医学研究所、牛津纳菲尔德学院和纳菲尔德基金会。1934年受封为男爵,1938年受封为子爵。

Nuffield Radio Astronomy Laboratories (Cheshire, England) **纳菲尔德射电天文实验室** 参阅 **Jodrell Bank Experimental Station 焦德雷尔班克实验站**。

Nugaaleed Valley 努加尔河谷 又作Nogal Valley,又拼 Nugaal Valley;索马里人称之为Dooxo Nugaaleed。索马里东北部的河谷。这条长而宽的浅河谷中有很多季节性河川,形成广泛的河道网。努加尔河谷的主要河流为努加尔河及更西边的迪尔河,这些河流仅在暴雨期间(4～6月)和雨季过后短时期有水,并注入印度洋。努加尔河谷北、西与南三面都是高原,海拔由500米逐渐升至1 000米。东面为狭窄低下的沿海平原。河床上有一些永久性水井,供主要过游牧生活的人在旱季回来时使用。稀少且不稳定的雨量(年降雨量约125毫米)以及含盐量高的土壤使作物耕种受到限制。谷中大多数居民主要以游牧为生。畜养山羊及骆驼构成谷区的经济基础。还从野树采集乳香和没药。

Nuhayyan, Sheikh Zayed bin Sultan Al (Abu Dhabi emir) 参阅 **Nahyān, Shaykh Zāyid ibn Sulṭān Al 阿勒纳哈扬**。

nuisance 妨害行为 法律名词,指有害或侵犯他人、从而构成诉讼理由的一种人的活动或实际状况。在公共场所或公共土地上发生的,或者影响社会道德、安全或健康的妨害公共利益的行为,被认为是一种对国家的不

法行为。这些活动,诸如阻塞公共道路,污染大气和水,开设妓院和存放爆炸物,都是妨害公共利益的行为。妨害私人利益的行为是指一种干扰邻近私人拥有的土地的使用和享用的一种活动或状况,但还没有构成对该土地的实际侵入。因此,过分的噪声,有毒的气体以及令人憎恶的气味和振动,对邻近的土地所有者来说就可能构成妨害私人利益的行为,尽管没有实际侵犯他们的土地。对妨害公共利益的行为本身,只能由国家起诉,或是通过刑事诉讼程序、禁令,或是实际予以消除;但是,同一活动或行为对邻近的土地所有者来说也可以同时构成妨害私人利益的行为,从而引起民事诉讼。一个企业违反城市分区法令的行为可以构成妨害公共利益的行为,但也可以同时由那些能够证明其房产的市价因此遭到贬值的邻居,作为一种妨害私人利益的行为而提起诉讼。由于妨害私人利益的行为是以干扰对土地的使用和享用为基础,因此只有在这种土地上有财产利益的人才能提起诉讼。如果这种干扰仅仅是在使用和享用上造成不便,而没有给土地造成实际损害,法院就要考虑互相邻近这一特点以判断是否有不合理的干扰活动或状态。然而,给邻近土地造成实际损害的活动,将被认为是不顾互相邻近这一特点可以提起诉讼的妨害行为。这种情况通常包括造成墙壁裂缝的振动和危害蔬菜种植的有毒气体。在妨害私人利益的行为的案件中可能利用的法定补救办法是禁止这种妨害活动或状况的存在或继续,或者要求金钱赔偿。如果用禁令来消除妨害行为将给社会带来极大的困难(关闭工厂将会使社会上的工人丧失生计)时,法院通常的做法是不下禁令而给受损害者以金钱赔偿。

Nujoma, Sam 努乔马(1929-05-12,西南非奥万博[今在纳米比亚]~) Samuel Shafiihuma Nujoma 的别名。1990～2005 年任独立的纳米比亚第一任总统。努乔马生于偏僻的奥万博(奥万博兰)翁甘杰拉地区一个贫穷的农民家庭,幼年照看家里仅有的几头牛和羊。在夜校接受初级教育,16 岁离开学校,成为铁路餐车上的服务员。由于企图组织铁路工人工会而被解雇,随后当过管理员和店员。50 年代后期,他帮助创立奥万博兰人民组织,这是西南非洲人民组织(SWAPO)的前身。1959 年被放逐,1960 年 4 月 19 日西南非洲人民组织成立,他被任命为主席。在数年来请求联合国迫使南非放弃对西南非洲的管辖毫无结果之后,西南非洲人民组织于 1966 年开始进行武装斗争。虽然它的游击队没有能够解放任何地区,但它却成功地促使国际上集中注意力于纳米比亚问题。1973 年联合国大会承认西南非洲人民组织为纳米比亚人民的唯 一合法代表,1978 年安理会通过 435 号决议,阐明纳米比亚最后独立的条件,该决议于 1988 年最终为南非所接受。1989 年 9 月,在流放了约 30 年之后,努乔马回到纳米比亚,领导西南非洲人民组织在联合国监督下的 11 月大选中获胜。在纳米比亚独立的这一天——1990 年 3 月 21 日,努乔马宣誓就任总统。努乔马虽常被指责为马克思主义者,但他自称被更多地吸引到斯堪的纳维亚民主社会主义的实用主义这一边。他发誓要为民族和解而工作。虽常被指责为马克思主义者,他自称更倾向于北欧民主社会主义的实用主义。1994 年,再次当选总统,1998 年,西南非洲人民组织控制的议会同意修改宪法,使他能够有资格第 3 次竞选总统。该举动遭到国际国内社会的批评,但努乔马仍在 1999 年轻松当选。随后他宣布不会第 4 次参选,2005 年下台,促成了向他的民选接任者希菲凯普涅·波汉巴的和平权力过渡。

Nûk (Greenland) 参阅 **Nuuk** 努克。

Nukha (Azerbaijan) **努哈** 参阅 **Sheki** 舍基。

Nuku'alofa 努库阿洛法 南太平洋汤加王国首都和主要港口。位于汤加塔布岛北岸。其深水港有礁岩作为屏障。出口椰仁干、香蕉和香草,出售传统手工艺品。名胜有

努库阿洛法的王宫
美国不列颠百科全书公司供图

王宫(1865～1867)、教堂(1862)和王室陵墓等。设有几所中学(称学院)、一所师范学校、韦奥拉医院和一所卫斯理会教堂。镇外有房建、细木工和椰板企业。东南 22 千米处有富阿阿莫图国际机场。人口 21 383 (1986)。

Nukus 努库斯 乌兹别克斯坦卡拉卡尔帕克斯坦城市和首府。位于阿姆河三角洲顶端。原为一小居民点,1932 年建市,1939 年建为卡拉卡尔帕克苏维埃社会主义自治共和国首府,以取代一直受阿姆河水冲蚀的特鲁特库尔。现有若干食品加工业和其他轻工业。设有乌兹别克科学院卡拉卡尔帕克分院,并有国立努库斯大学(1979)、博物馆和剧院。人口约 199 000(1999)。

Nullarbor Plain 纳拉伯平原 澳大利亚广阔的石灰岩高原。从南澳大利亚州的欧尔丁向西延伸 650 千米至西澳大利亚州,从大澳大利亚湾向北延伸 400 千米至维多利亚大沙漠,面积 260 000 平方千米,岩床表面大致平坦。平均海拔 180 米,有些地方达 300 米。植物多为盐碱灌木丛和蓝色灌木。罕有的冬雨(年均降水 250 毫米或更少)过后则有少量花草长出。纳拉伯国家公园有珍稀动植物。平原多见石灰岩洞穴,其中有重要的考古遗址库纳尔达石洞。纳拉伯一词源自拉丁语 nullus arbor,意为"无树"。1841 年英国殖民地行政官 E. J. 埃尔曾穿越该平原。如今世界最长的直线铁路(530 千米)穿过平原深入内地达 160 千米。沿海岸附近有埃尔公路穿越。沿平原边缘散布着牧羊场,使用自流井水源。

nullification 否认原则 美国历史上,主张州有权宣布联邦政府法令在其境内无效的官方声明。1798 年 T. 杰斐逊和 J. 麦迪逊在《弗吉尼亚和肯塔基决议》中宣称:联邦是各主权州的一种紧密的结合体,联邦政府是拥有某些特定权力的代理机构,当联邦政府越权时,各州可保留自己的决定权,并可宣布联邦政府法令在其管辖范围内"无效和无约束力"。1829 年 J. 卡尔霍恩撰文发展了这一原则。他主张:州有权拒绝执行联邦的法律。只有经 3/4 的州批准的法律,各州才必须遵从。南卡罗来纳州议会于 1832 年 11 月召开特别代表大会,通过《否认法令》,宣布 1828 和 1832 年的联邦关税法规"无效,对本州及本州官员或公民均不成为法律,亦不具有约束力"。同年 12 月,A. 杰克逊总统发表《致南卡罗来纳人民公开信》,声称联邦政府拥有最高权力。他警告说:"用武力肢解联邦是叛国行为。"1833 年 3 月 1 日美国国会通过《强制法》,授权杰克逊在必要时可动用军队征收关税。3 月 15 日南卡罗来纳代表大会作出反应,废除《否认法令》。

Numa Pompilius 努马·庞皮利乌斯(活动时期约公元前 700) 罗马传说中在共和国成立前统治罗马的 7 代国王的第 2 代。据传公元前 715～前 673 年在位,曾创立宗教历法和制定各种宗教制度。

Numan 努曼 尼日利亚贡戈拉州城镇和贝努埃河河港,与贡戈拉河口相对。可能为恩杰伊人所建。19 世纪初为巴塔人占据。19 世纪 50 年代成为巴塔人小王国的首邑。1885 年国家非洲公司(后为皇家尼日尔公司)准备在此建商站,但因公司的商船受到巴查马人的攻击,1891 年该公司将城焚毁。后又逐渐重建。1903 年城镇为英军占领。1912 年是努曼区首府。1951 年成为努曼联邦。现为地方政府机构所在地。是花生和棉花的收购点以及农产品销售中心。有西非最大蔗糖生产联合企业之一(1971)。设有几所中学,还有师范学院、政府工艺中心和医院。人口 24 498 (最新统计)。

Numantia 努曼提亚 位于今西班牙索里亚省附近杜罗河上游的凯尔特伊比利亚人城镇。大约公元前 300 年侵入凯尔特高原的伊比利亚人在早期聚居的遗址上重建村落,后来形成了凯尔特伊比利亚人抵御罗马的中心,经受住多次进攻。最后,公元前 133 年小西庇阿(努曼提努)在其周围建造壁垒,连绵 10 千米,以封锁该处。包围 8 个月后,努曼提亚为饥饿所迫,居民大批死亡,幸存者投降。此地陷落后,凯尔特伊比利亚人反罗马的抵抗活动乃告结束。后来奥古斯都皇帝曾重建该城,但已不再具有重要性。

Numayrī, Ja'far Muḥammad an- (president of The Sudan) 参阅 **Nimeiri, Gaafar Mohamed el-** 尼迈里。

Numazu 沼津 日本本州静冈县城市。位于狩野川口，濒临骏河湾。16 世纪初是以城堡为中心的城镇，后为东海公路上的驿镇。因地处海陆交通枢纽，是地区商业和行政中心。20 世纪 60 年代工业发展迅速，生产机械、胶卷、化工品、金属制品和纺织品，原有渔业和旅游业正在减少，被工业所代替。名胜有沼津公园(内建市水族馆)和千松海滩(有带树瘤的古木)。人口约 212 245 (1995)。

numbat (*Myrmecobius fasciatus*) **袋貂** 又作 banded anteater。又称袋食蚁兽、条纹食蚁兽。袋鼬科有袋兽类。或列为袋貂科(Myrmecobiidae)。产于澳大利亚西南部，白天

袋貂(*Myrmecobius fasciatus*)
美国不列颠百科全书公司供图

在森林里觅食白蚁。从前广泛分布于澳大利亚南部，今仅限于澳大利亚西南一隅，是濒危种。体小而短粗，体长约 20 厘米，头小而尖，尾多毛，长 15 厘米。毛色从灰褐至淡红褐色，脊背至臀部有 8 条白色横纹。牙小，有附加的磨牙，共有牙齿 50 ～ 52 颗。舌长而有黏性，前足的爪锐利而有力，用以挖掘。袋貂无育儿袋，每年正常产 4 仔。是西澳大利亚州的正式标志动物。

number game 数字游戏 有关数学方面各类测验性的谜题或游戏。数学游戏源自古希腊和古罗马，到中世纪又引起人们的兴趣，当初主要分为实物操作游戏和计算游戏两类。最早纯粹关于消遣性数学问题的书籍出现于 17 世纪，其后 200 年中，数学游戏及谜题的种类和数量大增。在此时期人们的兴趣大都集中在数字的奇特性、单纯的几何谜题、算术故事问题、魔(术)方(块)等游戏。此外尚有角的三等分、立方倍数和圆变方等传统性游戏。迄 20 世纪中叶，人们的兴趣开始转向更复杂微妙的数学范畴，如密码、模数算术、数底、数论；线图和网络；格、群论；拓扑学的奇特性；折纸、几何图形的操作；组合问题；概率论；推理问题；逻辑悖论；逻辑谬论及无限大小的矛盾等。现代数学游戏可归纳为以下几大类：算术或代数方面的趣味游戏[如数字模式、密码、完全数和魔(术)方(块)等]；几何学和拓扑学方面的趣味游戏(包括几何学谬论、七巧板与迷宫和地图着色法等问题)；技巧性的趣味游戏(有关排布问题、棋盘问题、陀螺组合游戏)；还有逻辑推理问题(如复叠群和悖论等逻辑上的谜题)。

number system 数系 围绕着确定的符号和运算的规则而建立的、为人类活动数量化所必需的系统。以此为基础的活动有：计数、比较数量、实施演算、确定次序、进行测量、表示数值、估计范围、传递数据，以及量的抽象和信息编码。

数系的基 又称记数根。它是一个任意选定的数，使得任何一个数都能用它表示出来。位值记数制要求一个基和一个符号的集合(一个表示 0，一些表示小于基的整数)以及一个法则，用以规定一个数字如何按照它在表示一个数的序列里的位置来确定它的值。在最普通的十进位值记数制里，基是 10；符号是 0，1，2，3，4，5，6，7，8，9；位值法则是：某一位数字的值要按照该数字在小数点以左的位置来乘以 10 的相应的方幂。因此，在十进制数系里数1 234表示和数$(4\times10^0)+(3\times10^1)+(2\times10^2)+(1\times10^3)$，或 $4+30+200+1\,000$；小于 1 的数被记成类似的序列，其中 10 的方幂从小数点起向右逐一减少，例如小数 0.567 等于$(5\times10^{-1})+(6\times10^{-2})+(7\times10^{-3})$，或 $0.5+0.06+0.007$。一般地讲，在基是 b 的位值记数制里，需要 n 个数字的序列用于表示 b^{n-1} 到 b^n 之间的一个数。例如，二进制数系(基是 2)的五位数10 000直到11 111表示从 2^4 直到 2^5-1(即十进制数的 16 到 31)；八进制数系(基是 8)的四位数1 000到7 777对应于十进制数 512 (8^3) 到 4 095 (8^4-1)。

历史的回顾 古代用一堆树枝或石头记录数量的有形的方式产生了表示数量的最初等的形式，即筹码或单一的记号系统，它由单个的一划组成，并且使它们同要计数的东西建立一一对应(//////…)。后来，又把它们组合成 5 个一组或更多个一组(~~////~~…)。现代数系(基为 10)的起源能够追溯到5 000年前古代埃及人、巴比伦人(苏美尔人)以及中国人的祖先。据说，基为 10 的数系的一种类型可能在公元前 1 万年前后在非洲就使用了。但基为 10 的数系的大部分贡献要归功于公元 8 ～ 11 世纪的印度人和阿拉伯人，而现代记号的起源则归功于比萨的莱奥纳尔多(斐波那契)1202 年出版的著作《算盘书》。

很长时期中，数 10 有多种表示形式，例如

埃及的象形文字	∩	约公元前 3400 年
巴比伦的楔文字	<	约公元前 3000 年
古代中国	+	约公元前 2500 年
克里特的碑文	–	约公元前 1200 年
古希腊数字	△	约公元前 400 年
希伯来数字	ㄣ	约公元前 250 年
罗马数字	X	约公元前 100 年
马雅人的记号	=	约公元 500 年
印度-阿拉伯的符号	ㄱ0	约公元 700 年

古埃及人的数系本质上是基为 10 的系统，它用不同的符号表示 10 的每一个方幂直到 10^6，但是缺少位值记法和一个明确的数“0”。古代中国、克里特、希腊、希伯来和罗马的数字系统也有类似的缺点。另一方面，巴比伦的系统是一个不完善的 60 进位的位值记法。它仅用两个符号代替应该用的 60 个不同的符号。玛雅人的系统名义上是 20 进位的系统，但是为了适应他们的 360 天的历法，不用严格的 20 的方幂($20^0=1,20^1=20,20^2=400,20^3=8\,000,\cdots$)，而是用如下的位值记法：$20^0=1,20^1=20,18\times20^1=360,18\times20^2=7\,200$，等等。

零 零作为一个数字的用法偶尔出现在埃及的数系里，然而只局限于放在两个数中间，指出一个空的位置，从来不出现在一个数的末尾。尽管古代中国人没有零的符号，但是他们的算盘的发明和使用，表明他们已隐约地意识到位值记法和零是一个数。玛雅人确有一个零的符号，但是他们在位值记法中缺乏连贯性，因而实际上对于计算没有用处。首先使零在位值记法里当作一个位置的大概归功于花拉子密(公元 825 年)。零的这个用法和阿拉伯数字的用法一起在 10 世纪被传播到整个欧洲，主要是由于格尔贝(后来的教皇西尔维斯特二世)的努力。

现代数系 从只是符号地表示数量到现代数系的转变促进了作出更加符合要求的测量、分析和定量化以及复杂的计算。现代数系的显著的特征是它要求：位值记法、零作为一个数、将数的大于 1 和小于 1 的部分分开的“小数点”的使用。在达到这些要求之前，像乘法、除法和开方这些运算只有少数能手会做。符合上述要求的数系的发展和普遍使用，极大地提高了天文学、制造业、航海业等领域里所需要的演算的精确度和简便程度。这终于导致了处理数据的效率更高的方式：对数、计算尺、机械的和电动的计算机，以及电子计算机。

一般的记数法 若采用基数 b 记数，任意一个数可以写成：

$$c_n b^n + c_{n-1} b^{n-1} + \cdots + c_2 b^2 + c_1 b^1 + c_0 b^0 .$$

$$d_1 b^{-1} + d_2 b^{-2} + \cdots + d_n b^{-n},$$

其中 c_i 和 d_i 是位值系数，中间那个点相当于通常的小数点。这种数系表示法有下列性质：①点(小数点)左边的每个位置是从 b^0(单位)开始递增的某个基数方幂；②点右边的每个位置是从 b^{-1}开始递减的某个基数方幂；③可以围绕着小数点对数字直接进行组合和演算而不必考虑符号次序如何影响数值；④基本数字符号的个数要等于基数的值，它们从 0 开始，到其值比基数小 1 为止(例如，对于基数6 就是：0，1，2，3，4，5)；⑤基数没有单独的符号而总是用“10”表示，例如对于基数 2，“10”等于 2；对于基数 12，“10”等于 12，等等；⑥每个数的值等于它的各系数分别与相应的基数方幂的乘积之和，例如在基为 10 的数系里，$983.75=9\times10^2+8\times10^1+3\times10^0+7\times10^{-1}+5\times10^{-2}$。

基数 2 二进制数系(和它衍生的八进制数系)的使用促成了计算机的能力获得巨大进展。它仅有两个基本符号(0，1)，极大地简化了十进制里必须的 10 个基本符号(0，1，2，…，9)；虽然这个简化带来了记数法的位数的增加，但这被计算机的高速度和庞大存储所补偿了。例如虽然 10 变成1 010(2^3+2^1)，1 866变成11 101 001 010($2^{10}+2^9+2^8+2^6+2^3+2^1$)，17.687 5变成10 001.101 1($2^4+1+2^{-1}+2^{-3}+2^{-4}$)，而计算机对它们进行运算仍是很快的。二进制加法和乘法表如下

+	0	1
0	0	1
1	1	10

×	0	1
0	0	0
1	0	1

数的分类 数能用许多方式分类。最简单的形式是自然数(1,2,3,…),它和零一起被称为正整数;直到16世纪才广泛认可和使用负整数(一般负数)。有理数(分数)属于最早的数系,它们可以定义成表示整数之比的数,可以表示成有尽小数或循环小数($4=4/1=8/2=\cdots$; $3\frac{1}{7}=22/7$; $2.5=25/10$; $0.333\cdots=1/3$)。无理数不可定义成表示为整数之比的数,可表示为无限不循环小数($\sqrt{2}=1.4142\cdots$; $\pi=3.14159\cdots$; $e=2.71828\cdots$)。有理数和无理数一起覆盖了整个数轴,形成实数系。实数系,不管它的表示的基数如何,都有下述几个性质:对于加法和乘法封闭,有0和1作为单位元素,有对于加法和乘法的逆运算、交换律、结合律以及乘法对于加法的分配律。

虚数 负数的偶次方根($\sqrt{-3}$, $\sqrt[4]{-16}$, $\sqrt[6]{-5}$等)不是实数,这样的数被定义为虚数。它们首先被希罗(公元100年)所认识,但在19世纪中叶以前它们在极大程度上被忽视或者被认为无意义。虚数系的基本单位是不可约形式$\sqrt{-1}$,记为i。每个虚数可以分解出$\sqrt{-1}$并写成$b\mathrm{i}$,所以虚数系等同于实数系附加上一个例外的i。两类数合在一起进行代数运算,总可以化成$a+b\mathrm{i}$的形式,称为**复数(complex number)**,其中,实数成分a称为实部,虚数成分$b\mathrm{i}$称为虚部;从而实数和虚数分别构成复数系的两个部分。复数的第一个清楚而又完全的表示是C.韦塞尔和J.阿尔甘两个人大约在1800年独立地得到的,到19世纪后半叶才被广泛使用。

number theory 数论 研究整数性质的数学分支,这些性质曾经是几千年来令人着迷和探讨的对象,人们对自然数的兴趣跟人类文化本身同样悠久。现代数论已深入到数学的几乎每一个角落,成为解决问题的工具。

初等数论 大于1的整数p,如果除去1和本身外,没有其他任何正整数因数,就称为素数;否则称为合数。算术基本定理说:每个大于1的整数可以唯一地表示成一些素数的乘积(不计因子的排列顺序)。公元前4世纪希腊数学家欧几里得证明了有无限多个素数。大约公元前250年,希腊数学家阿基米德的同时代人厄拉多塞,提出了找出不超过任一给定数n的所有素数的下述程序,现在称之为厄拉多塞筛法:如果要找出所有小于200的素数,从2起写下所有不超过200的数,从2开始,留下2,划去所有2的倍数,下面第一个未划去的数是3,留下3,划去所有3的倍数,再留下5,划去所有5的倍数,依此下去,最后得到2,3,5,7,11,13,…,197,199,这里剩下的都是素数。这个筛法的效率很高,它只需要用素数2,3,5,7,11,13来筛选;因为13是$\leqslant\sqrt{200}$的最大素数,而任一整数n如果它不是素数则必定有一个素因子$\leqslant\sqrt{n}$。这个简单的原理一直被精练、改进并且推广成数论里的一个极其有力的工具。对于任一非负整数,数$F_n=2^{2^n}+1$称为**费马素数(Fermat prime)**。1640年法国数学家P.de费马指出$n=0,1,2,3,4$时的5个数都是素数,于是猜想对于所有的n,F_n都是素数。然而后来被L.欧拉证明并非如此。费马素数与用直尺和圆规作正多边形的古典问题有着有趣的联系:古代人知道当$m=3$或5时,正$2^k m$边形能用尺规作出,C.F.高斯在18岁时证明了这样的作图是可能的,当且仅当m是不同的费马素数的乘积。数论里最著名的一个问题是**费马大定理(Fermat's last theorem)**:如果n是大于2的整数,则方程$x^n+y^n=z^n$在非零整数范围内没有解。这是一个**丢番图方程(Diophantine equation)**,它的解要求为整数。

如果两个整数a、b被正整数m除以后有相同的余数,则称a、b模m同余,记作$a\equiv b(\bmod m)$。与一个给定整数a模m同余的整数组成的集合称为模m的一个剩余类;显然有m个模m剩余类。欧拉用$\varphi(m)$表示不超过m且与m互素的正整数的个数。能够证明,如果m,n互素,即$(m,n)=1$,则$\varphi(mn)=\varphi(m)\varphi(n)$;若$p$是素数,则$\varphi(p^r)=p^{r-1}(p-1)$。显然有$\varphi(m)$个与$m$互素的模$m$剩余类。欧拉定理说:若$(a,m)=1$,则$a^{\varphi(m)}\equiv1(\bmod m)$。这推广了费马的一个定理:若$p$是素数并且不能整除$a$,则$a^{p-1}\equiv1(\bmod p)$。如果对于给定的数$m$,存在一个数$a$使得集合$\{1,a,a^2,\cdots,a^{\varphi(m)-1}\}$恰好包含$\varphi(m)$个与$m$互素的模$m$剩余类的每一类里的一个数,就称$a$为模$m$的一个本原根。高斯证明了,当且仅当$m$是2,4,$p^k$或$2p^k$($p$为某个奇素数)时,本原根存在。

设m是一个正整数,则对于一个与m互素的整数a,如果存在一个整数x满足$x^2\equiv a(\bmod m)$,就说a是m的一个二次剩余。关于二次剩余有许多有趣的结果。最著名和最重要的定理是二次互反律。这个重要定律的简洁叙述可以由使用勒让德符号$(a|p)$得到,$(a|p)$定义为:当a是p的二次剩余时,它等于1;当a不是p的二次剩余时,它等于-1;当$p|a$时它等于0。这样,二次互反律可写成

$$(p|q)(q|p)=(-1)^{\frac{1}{2}(p-1)\frac{1}{2}(q-1)}。$$

代数数论 普通数论研究整数;代数数论研究更广的一类数。一个复数称为代数数,如果它是一个整系数多项式方程的根;如果方程中变量的最高次幂的系数为1,则这个代数数称为一个代数整数。例如$\sqrt{2}$是一个代数整数,因为它满足方程$x^2-2=0$。自从大约1830年开始形式地研究代数数论以来,代数数论已经被应用到其他几乎每一个数学分支。用Z表示普通整数组成的集合。除了Z以外,最简单的一类代数数是形如$a+b\mathrm{i}$的复数,其中a、b都是整数,这种数被高斯在1828年首先深入研究,因此称为高斯整数。代数数论的一个重大进展是E.E.库默尔在研究费马大定理时得到。问题是要证明:对于$n\geqslant3$,在Z中求解方程$x^n+y^n=z^n$不可能。库默尔的方法是把这方程写成新形式:$(x+y)(x+uy)\cdots(x+u^{n-1}y)=z^n$,其中$u=e^{2\pi i/n}$是本原$n$次单位根。他用新的方法在费马大定理上作出了大量的进展。德国数学家D.希尔伯特于1897年发表了一个关于代数数论的详尽的报告,以巧妙的方法概括了直到那时为止这个领域的所有著作,成了这个领域所有工作者的"圣经",它定下了使用的记号、主要的名词和证明的型式。

解析数论 这个数论分支涉及分析与数论的相互作用,它所研究的问题分成三类:第一类是用分析证明(普通的或代数的)整数的一些定性的性质。最著名的一个例子是哥德巴赫猜想,这是普鲁士诞生的数学家哥德巴赫于1742年提出的,他猜想:每个大于或等于4的整数能表示成两个素数之和。这种定性的问题还有18世纪英国数学家华林的问题,即求解丢番图方程$x_1^k+\cdots+x_s^k=n$的问题;以及在算术级数里无限多个素数的存在性问题等。第二类问题包括用分析建立定量的结果,例如素数序列里小于或等于x的素数的个数;在整数n的素因子分解式中n的因子的个数;算术级数里素数的个数;各种指数和的大小的估计;代数数域的类数的数值;丢番图方程的解的个数;圆内格点的数目等。第三类问题是用算术性质分析和阐明解析的问题,例如在有理数域和代数数域上的模函数等。

素数分布是数论的最重要的问题之一。在小于100的整数中有25个素数;在1 000到1 100之间有16个素数;在10 000到10 100之间有11个素数;在100 000到100 100之间有6个素数。这说明在一个给定长度的区间里素数的数目趋向于减少。高斯在1792年给德国天文学家恩克的信中提出,在$x(\geqslant2)$开始的每单位区间里素数的数目是:$1/\ln x$。从而他提出了关于小于或等于x的素数个数$\pi(x)$的一个近似公式,即$\pi(x)=\int_a^x\frac{\mathrm{d}t}{\ln t}$。法国数学家A.-M.勒让德在1798年的一篇论文中提出:对于充分大的x,小于或等于x的素数的个数$\pi(x)$有这个特殊形式

$$\pi(x)=\frac{x}{\ln x-1.08366}。$$

但他未能给出证明。俄罗斯数学家П.Л.切比雪夫1851年试图证明这样一个极限关系

$$\lim_{x\to\infty}\frac{\pi(x)\ln x}{x}=1,$$

但是没有成功。1859年德国数学家B.黎曼开创了素数分布理论的一个新阶段。他考虑函数$\zeta(s)=\sum_{n=1}^{\infty}\frac{1}{n^s}$,其中$s$是复变量:$s=\sigma+it$。他用复变函数的理论首先导出了一个关于$\zeta(s)$的泛函方程,用$\zeta(s)$表达$\pi(x)$,用$\zeta(s)$的根(零点)写出$\zeta(s)$。20世纪集中在素数分布的许多工作一直涉及它们的分布的比较精细的性质。

几何和概率方面的某些方法和观点应用到整数的问题上也发展成了相应的数论分支——几何数论和概率数论。

Numbers 《民数记》 希伯来语作Bemidbar,意为"在旷野中";又称《摩西第四书》,《圣经》中的第四卷。此书第1至4章叙统计以色列各支派人口之事,七十子希腊文本遂名之为《民数记》。该书的内容基本上是宗教史,叙述以色列人离开西奈山前往迦南途经旷野之事,描述他们如何艰苦,如何埋怨上帝。该书还写百姓不忠而悖逆,上帝仍然养

活他们。关于上帝许诺以色列人居住迦南的故事,始于《创世记》,亘《出埃及记》和《利未记》而未见结果。根据今本《圣经》的编排,上帝的这一诺言在《约书亚记》中得到落实。许多学者认为《旧约》前六卷书,包括《民数记》在内,是一个单元,此书中原曾有进占迦南的记事,但在"四经"(《创世记》、《出埃及记》、《利未记》和《民数记》)与《旧约》其他史书归类时删除。

numbers game　数字彩票赌博　曾在美国流传甚广的一种抽彩赌博。赌者主要来自低收入阶层。赌者一般只交不足 1 美元的赌金,从 000 ～ 999 任选一个 3 位数字为自己的号码。中彩号码每天从赌博承办人不能控制的来源(如银行帐目或赛马赌金总额)中抽取。

numbfish　参阅 **electric ray** 电鳐。

Numea (New Caledonia)　参阅 **Nouméa** 努美阿。

Numedalslågen (Norway)　**尼默达尔河**　参阅 **Lågen** 洛根。

Numenius OF APAMEA　**努墨尼奥斯(阿帕梅亚的)**(活动时期2世纪后期)　希腊哲学家。其主要功绩在于使柏拉图唯心主义转化为希腊化的、波斯的和犹太的思想体系之新柏拉图主义的综合,特别注意到终极存在或神的概念及其与物质世界之关系。出生于阿帕梅亚(现叙利亚的霍姆斯附近),对犹太教的知识很渊博,对基督教可能也很熟悉。打算从古代东方的学说中寻求柏拉图思想的根源。他看到了更加古老的闪米特人的宗教对希腊思想的影响,因此,称柏拉图为"文雅的摩西"。他对原始形式的神学之探究后来引起了文艺复兴时期人文主义者的兴趣。他的中心思想是一个永恒的神同永恒的物质相对立的二元论。上帝是绝对不变的完美的最高的神,不能同下级的存在物发生接触;因此需要有第二个神、一个具有双重性格的造物主,它是同上帝和物质都有关系的"世界灵魂",这样完成三位一体的等级制度。人不仅具有同灵魂相对立的身体的两重性,还有一个具有理性的和非理性的双重灵魂。因而生活就是一个摆脱这种两重性的过程,也就是说,将精神从限制它的物质桎梏中解放出来。据说努墨尼奥斯的思想通过 3 世纪新柏拉图主义学派最著名的代表人物柏罗丁而对该学派的发展起了很大的影响。努墨尼奥斯所撰《论柏拉图与其徒众之异同》、《论善》及《灵魂不灭说》等论文之现存片断,已由 F.特丁加整理出版(1875)。

numeral system　记数制　一组不同的符号以及用这些符号表示"数"的规则所构成的系统。所谓"数"是指在一个已知集合中物件的多少。因此,"一"的概念可以用罗马数字 Ⅰ、希腊文第一个字母 α(读作 alpha)、希伯来文第一个字母א(读作 aleph)或现代数字 1(它源自印度-阿拉伯数字)来表示。现代记数制是位值制,即符号的值同它在表示式中的位置有关。例如,2 在 20 和 200 中分别表示两个"十"和两个"百"。古代埃及、罗马、希伯来和希腊的记数制都没有这种位值制的特征,这对于算术计算很不方便。最常用的记数制是用 0,1,2,3,4,5,6,7,8,9 等 10 个符号构成所有数的十进位值记数制。

Numerian　努梅里安(?～284)　罗马皇帝(283 ～ 284)。283 年罗马与萨珊人交战,他在戎马倥偬中与其兄弟同继承父位,分治东部和西部。率兵回国途中染严重眼疾。284 年底全军到达博斯普鲁斯后,人们发现他已死去。

numerical analysis　计算数学　又称数值分析。数学中,研究求问题的数值解法的分支。其内容包括插值法、逼近、求函数导数、求积分值、解线性和非线性方程组、解常微分方程和偏微分方程等。计算数学之所以重要,是因为近代数学虽趋向抽象化和一般化,但在许多科学技术领域,人们不能缺少定量的结果。例如,不作出宇宙飞行运动方程的准确数值解,就无法作宇宙飞行。计算数学的现代发展一直受到电子计算机发展的极大影响。

一个构造性方法的数学描述是一个算法,由一系列代数运算、算术运算和逻辑运算所构成。特殊的算法语言(如 FORTRAN 和 ALGOL 等)都是为了描述算法而发展起来的、可编译为机器识别的语言。有的问题可用只含有限步的算法完成;另一些问题则要做无限多步,但实际上都只能做有限步。对于一个收敛的算法,所作步数越多,结果也越精确。在研究一个新的高效率的算法时,都要伴随着研究用该算法时的数值误差。这包括截断误差与舍入误差。截断误差由无限步算法只做有限步引起,舍入误差则因参加计算的数和计算结果都要舍入成有限位小数而来。舍入误差的积累可以很快,以致影响结果的正确性,可靠的算法要能自动避免它,这就是数值稳定性。

函数的差分　给定函数 $f(x)$ 在诸点 $x = a, a+1, a+2, \cdots$ 处的值,定义:

一阶差分　$\Delta f(a) = f(a+1) - f(a)$　(1)

二阶差分

$$\Delta^2 f(a) = \Delta f(a+1) - \Delta f(a) = f(a+2) - 2f(a+1) + f(a) \quad (2)$$

n 阶差分　$\Delta^n f(a) = \Delta(\Delta^{n-1} f(a)) =$

$$\sum_{s=0}^{n} (-1)^{n-s} \binom{n}{s} f(a+s) \quad (3)$$

n 次多项式的一阶差分为 $(n-1)$ 次多项式,其 n 阶差分为常数,$n+1$ 阶差分为 0。

差商　给定函数 $f(x)$ 在诸点 $x = x_0, x_1, \cdots, x_n$ 处的值,定义:

函数值 $[x_s] = f(x_s)\quad (s = 0,1,\cdots,n)$　(4)

$$\left.\begin{aligned} \text{一阶差商}\ [x_0, x_1] &= ([x_0] - [x_1]) \div (x_0 - x_1), \\ [x_1, x_2] &= ([x_1] - [x_2]) \div (x_1 - x_2) \end{aligned}\right\} \quad (5)$$

二阶差商　$[x_0, x_1, x_2] = ([x_0, x_1] - [x_1, x_2]) \div (x_0 - x_2)$　(6)

n 阶差商　$[x_0, x_1, \cdots, x_n] = ([x_0, x_1, \cdots, x_{n-1}] - [x_1, x_2, \cdots, x_n]) \div (x_0 - x_n)$　(7)

直接表示函数值(4),便有

$$\left.\begin{aligned} [x_0, x_1] &= \frac{f(x_0)}{x_0 - x_1} + \frac{f(x_1)}{x_1 - x_0}, \\ [x_0, x_1, x_2] &= \frac{f(x_0)}{(x_0 - x_1)(x_0 - x_2)} + \frac{f(x_1)}{(x_1 - x_0)(x_1 - x_2)} + \frac{f(x_2)}{(x_2 - x_0)(x_2 - x_1)}, \\ [x_0, x_1, \cdots, x_n] &= \frac{f(x_0)}{(x_0 - x_1)(x_0 - x_2)\cdots(x_0 - x_n)} + \frac{f(x_1)}{(x_1 - x_0)(x_1 - x_2)\cdots(x_1 - x_n)} + \cdots + \frac{f(x_n)}{(x_n - x_0)(x_n - x_1)\cdots(x_n - x_{n-1})} \end{aligned}\right\} \quad (8)$$

可见差商的值与 $x_0, x_1, \cdots, x_n$ 的次序无关,这也叫差商的对称性。

插值法　插值法就是对函数 $f(x)$ 作一个 $(n-1)$ 次多项式 $p(x)$ 使在互不相同的 n 个插值结点 x_s 上有 $p(x_s) = f(x_s)\ (s = 1,2,\cdots,n)$。若在差商定义中改写 x_0 为 x,可推出牛顿插值公式

$$f(x) = f(x_1) + (x - x_1)[x_1, x_2] + (x - x_1)(x - x_2)[x_1, x_2, x_3] + \cdots + (x - x_1)(x - x_2)\cdots(x - x_{n-1})[x_1, x_2, x_3, \cdots, x_n] + R_n \quad (9)$$

其中余项 R_n 有两种表达式:

$$R_n = (x - x_1)(x - x_2)\cdots(x - x_n)[x, x_1, \cdots, x_n] \quad (10)$$

$$R_n = (x - x_1)(x - x_2)\cdots(x - x_n) f^{(n)}(\xi)/n! \quad (11)$$

(9)的右边前 n 项之和是 $f(x)$ 以 $x_1, x_2, \cdots, x_n$ 为插值点的 $(n-1)$ 次多项式,它也有另一种形式表现在拉格朗日插值公式中:

$$f(x) = \sum_{s=1}^{n} \frac{f(x_s)}{(x - x_s)} \frac{\phi(x)}{\phi'(x_s)} + R_n \quad (12)$$

其中　$\phi(x) = \prod_{s=1}^{n} (x - x_s)$。

由基本公式(9)可得适合不同用途、插值点等距的插值公式,如牛顿公式,高斯公式等。

差分方程　常系数 n 阶线性差分方程是

$$\sum_{i=0}^{n} p_i \Delta^i u(x) = 0 \text{ 或 } \sum_{i=0}^{n} q_i u(x+i) = 0 \quad (13)$$

其中 q_i 都是常数,q_0、$q_n \neq 0$。代入 $u(x) = \rho^x$ 并消去 ρ^x,即得其特征方程

$$\sum_{i=0}^{n} q_i \rho^i = 0 \quad (14)$$

若(14)有一个 m 重根 ρ_1,$m \leqslant n$,则(13)有 m 个线性无关的特解 $\rho_1^x x_s\ (s = 0,1,\cdots,m-1)$;若(14)的根互不相同,则(13)有 n 个线性无关的特解 $\rho_s^x\ (s = 1,2,\cdots,n)$,而它的一般解为

$$\sum_{s=1}^{n} \pi_s(x) \rho_s^x \quad (15)$$

其中 $\pi_s(x)\ (s = 1,2,\cdots,n)$ 均为以 1 为周期

的周期函数。

逼近 用较简单的函数 $A(x)$ 逼近给定的函数 $f(x)$，是计算数学中广泛使用的思想。基本要求是，逼近的误差 $|f(x)-A(x)|$ 在论及的区间上应合理地小。插值就是一种逼近，它的误差在插值结点上为零，但在结点之间不见得小，且插值函数的导数和 $f(x)$ 的导数可以完全不同；所以最好把区间分成一串子区间 $[x_i, x_{i+1}]$ $(i=0,1\cdots,n-1)$，而在每个子区间上用低阶多项式去逼近。如果都用一阶多项式，则得一分段线性函数 $P_1(x)$（它在每个小区间上为直线，在结点上取函数值）。然而这种逼近可能只使得函数在小区间上拟合得好，一阶导数都未必拟合得好；所以又可构造在结点上和 $f(x)$ 具有相同的函数值和一阶导数值、在小区间上为三次多项式的函数 $P_3(x)$，它在整个区间上连续且有一阶连续导数，称为分段埃尔米特插值。但有些问题中，不要求逼近函数 $S(x)$ 在结点上取已知导数值，只要求它取值 $f(x_i)$ 并在小区间上为三次多项式，而在整个区间上有连续的一阶、二阶导数，这种 $S(x)$ 叫做三次样条函数（易知要唯一确定 $S(x)$，还要再指定两个参数值）。最后，逼近函数本身也不必在结点上取函数值，而在作逼近的区域 R 上用度量 $\int_{x\in R}|A(x)-f(x)|^2\mathrm{d}x$ 或 $\max_{x\in R}|A(x)-f(x)|$ 衡量逼近函数 $A(x)$ 的误差，这时的逼近分别称为最小平方逼近或最佳逼近。有理函数也可作逼近函数，可较好地逼近有极点的 $f(x)$，但应把极点取得和 $f(x)$ 的一样。

数值微分与数值积分 前者指用 $f(x)$ 的逼近（或插值）多项式的导数作 $f(x)$ 的导数的近似，一般不精确；后者指用逼近被积函数的多项式的积分值作原积分的近似值，一般很有效。如用分段线性函数逼近 $f(x)$，就得出梯形公式

$$\int_{x_0}^{x_n} f(x)\mathrm{d}x \doteq \frac{h}{2}\{f_0+2f_1+2f_2+\cdots+2f_{n-1}+f_n\},\ h=(x_n-x_0)/n \qquad (16)$$

如用分段二次函数逼近 $f(x)$，就得出辛普生公式

$$\left.\begin{aligned}&\int_{x_0}^{x_{2n}} f(x)\mathrm{d}x \doteq \frac{h}{3}\{f_0+4f_1+2f_2\\&+4f_3+\cdots+2f_{2n-2}+4f_{2n-1}+f_{2n},\\&h=(x_{2n}-x_0)/2n\end{aligned}\right\}\qquad (17)$$

它们都是积分区间等分点上 $f(x)$ 的值 f_i 的线性组合 $\sum_{i=0}^{n}A_if_i$。若同时允许选择 x_i 和 A_i，可使积分公式 $\sum_{i=0}^{n}A_if_i$，当 $f(x)$ 为次数 $\leqslant 2n+1$ 的多项式时还绝对精确，这就是高斯积分公式。

线性代数的计算方法 许多科学技术问题化为求解线性方程组，其方阵形式为 $A\boldsymbol{x}=\boldsymbol{b}$，其中 A 为 $n\times n$ 阵，$\boldsymbol{x}$、$\boldsymbol{b}$ 为 n 维列向量。设已知 A、$\boldsymbol{b}$ 和 $\det A\neq 0$，要从 $A\boldsymbol{x}=\boldsymbol{b}$ 求 $\boldsymbol{x}$，这问题貌似简单，有时却也困难。解法有两类，即直接法和迭代法。前者用有限次运算求出其解；后者先猜取一个近似解，再反复运用相同的一组运算使近似解能逐次逼近真解。迭代法常用于 A 的结构特殊并具有大量零元素时。最常用的直接法是高斯主元素消去法。若 A 对称、正定，可有分解 $A=LL^{\mathrm{T}}$，L 为下三角形阵，L^{T} 为 L 的转置阵。迭代法中，先把 A 分解成 $A=D-L-U$，其中 D 为 A 的对角线元素组成的对角阵，L、U 分别是 $-A$ 主对角线以下和以上的元素组成的严格下、上三角形阵。设 $\det D\neq 0$，最简单的迭代法有雅可比法

$$\boldsymbol{x}^{k+1}=D^{-1}(L+U)\boldsymbol{x}^k+D^{-1}\boldsymbol{b}\quad (k=0,1,2,\cdots)\qquad (18)$$

还有近年来公认为最好的超松弛法(SOR)

$$\boldsymbol{x}^{k+1}=(D-\omega L)^{-1}\{\omega U+(1-\omega)D\}\boldsymbol{x}^k+\omega(D-\omega L)^{-1}\boldsymbol{b}\quad (k=0,1,2,\cdots)\qquad (19)$$

其中 ω 为参数 $(1\leqslant\omega\leqslant 2)$，使迭代收敛最快的 ω 往往要凭经验试出来。$\omega=1$ 时，就是高斯-赛德尔法。

另一个重要问题是求特征值的问题：设 A 为实矩阵，求使 $(A-\lambda I)\boldsymbol{x}=\boldsymbol{o}$ 有非零解 $\boldsymbol{x}$（称特征向量）的 λ（称特征值）。若只求几个特征值，一般用迭代法。对于对称矩阵，常用的直接法是吉文斯法和豪斯霍尔德法，它们都把矩阵化成三对角线阵。求三对角线矩阵的特征值现在已有标准程序。

非线性方程组 对于单个的非线性方程 $f(x)=0$，先把它写成 $x=g(x)$，即可用迭代法

$$x^{k+1}=g(x^k)\quad (k=0,1,2,\cdots)\qquad (20)$$

x^0 为解的初始近似。若在包含解 X 和初始近似 x^0 的区间 I 上 g 满足 $|\mathrm{d}g(x)/\mathrm{d}x|\leqslant k<1$ 且 $g(x)$ 把 I 映射到 I 本身，则迭代序列 (20) 收敛到解 X，常用的是二阶收敛的牛顿法

$$x^{k+1}=x^k-\left(f(x)\Big/\frac{\mathrm{d}f(x)}{\mathrm{d}x}\right)_{x=x^k}\quad (k=0,1,2,\cdots)\qquad (21)$$

解非线性方程组更困难，但实际很有需要。设方程组为 $f_i(x_1,x_2,\cdots,x_n)=0$ $(i=1,2,\cdots,n)$，f_i 的雅可比矩阵为

$$J(\boldsymbol{x})=J(x_1,x_2,\cdots,x_n)=\left[\frac{\partial}{\partial x_j}f_i(x_1,\cdots,x_n)\right]=[f_{ij}(\boldsymbol{x})]\quad (i,j=1,2,\cdots,n)\qquad (22)$$

牛顿法可推广到方程组（设 $\det J(\boldsymbol{x})\neq 0$）

$$\boldsymbol{x}^{k+1}=\boldsymbol{x}^k-J^{-1}(\boldsymbol{x}^k)f(\boldsymbol{x}^k)\quad (k=0,1,2,\cdots)\qquad (23)$$

以 J 左乘两边得到一组含 x_i^{k+1} 的线性方程组，可据以求解。

常微分方程组 许多物理问题化成没有分析解的微分方程，它的数值解法就很重要。可概括为初值问题和边值问题。高阶方程的初值问题都可化成一阶方程组的初值问题。单个方程的初值问题

$$\frac{\mathrm{d}y}{\mathrm{d}x}=f(x,y),\ y(x_0)=y_0\qquad (24)$$

可用龙格-库塔法求解：

$$\left.\begin{aligned}&k_1=hf(x,y),\\&k_2=hf\left(x+\frac{h}{2},y+\frac{k_1}{2}\right),\\&k_3=hf\left(x+\frac{h}{2},y+\frac{k_2}{2}\right),\\&k_4=hf(x+h,y+k_3),\\&y(x+h)=y(x)+\frac{1}{6}(k_1+2k_2+2k_3+k_4)\end{aligned}\right\}\qquad (25)$$

其他还有线性多步法、预估校正法等解法。许多解单个方程的方法都可推广到方程组。但若方程组是刚性的，求解则较难。设 A 为 $n\times n$ 矩阵，若 $\mathrm{Re}\lambda_j<0$，$j=1,2,\cdots,n$ 且 $\max_{1\leqslant j\leqslant n}|\mathrm{Re}\lambda_j|/\min_{1\leqslant j\leqslant n}|\mathrm{Re}\lambda_j|=s\gg 1$，则线性方程组 $\boldsymbol{y}'=A\boldsymbol{y}+\phi(\boldsymbol{x})$ 称为刚性方程组。对于刚性方程组，可用梯形方法求解。边值问题如有唯一性，可用打靶法求解。例如对 $y''=f(x,y,y')$，$y(a)=y_a$，$y(b)=y_b$ $(b>a)$，可在一个边界条件 $y(a)=y_a$ 之外，人为地加一个条件 $y'(a)=c$，以得到一个初值问题；再不断改变 c，使其数值解满足右边条件 $y(b)=y_b$，从而得到要求的解。

偏微分方程 线性的或非线性的各类偏微分方程都能用差分方法求解。椭圆型方程只含空间变量，在求解区域的边界上还要适合边界条件。对于抛物型和双曲型方程除空间变量外还依赖于时间 t。除边界条件外还要在 $t=0$ 时适合在空间区域上的初始条件。差分方法解题时，先把求解区域用格线与坐标轴平行的矩形网格覆盖，空间各方向步长可均用 h 表示，时间步长则记作 k。对椭圆型问题，在每个格点上用相容的差分方程代替微分方程，在边界格点上把边界条件改成格点上的函数值之间的关系。全体内部格点与边界格点上的方程合成一组线性的或非线性的方程组。然后可用 SOR 法或牛顿法求解，当 $k\to 0$ 时，这组方程的理论解应以微分方程的解为极限，这就是收敛性问题。对于含 t 的问题，一维热传导方程 $\frac{\partial u}{\partial t}=\frac{\partial^2 u}{\partial x^2}$，可用显式格式

$$U_m^{n+1}=(1+r\delta_x^2)U_m^n\qquad (26)$$

或隐式 C-R（克伦克-尼可尔森）格式

$$\left(1-\frac{1}{2}r\delta_x^2\right)U_m^{n+1}=\left(1+\frac{1}{2}r\delta_x^2\right)U_m^n\qquad (27)$$

求解，其中

$$r=k/h^2,\ \delta_xU_m=U_{m+\frac{1}{2}}-U_{m-\frac{1}{2}},$$

U_m^n 为差分方程在 $x=mh$，$t=nk$ 处的解。显式格式计算是直接的，隐式格式则每步要解一个线性方程组。计算从 $t=0$ 算到 $t=k$，然后从 $t=k$ 算到 $t=2k$，等等。这样一步一步计算要冒舍入误差积累使解失真的危险，这就是不稳定性。(26) 的稳定性条件是 $0<r<1/2$，(27) 则是无条件稳定的。二维热传导方程可用 P-R（皮斯曼-雷奇福德）格式

$$\left.\begin{aligned}&\left(1-\frac{1}{2}r\delta_x^2\right)U_m^{n+\frac{1}{2}}=\left(1+\frac{1}{2}r\delta_y^2\right)U_m^n,\\&\left(1-\frac{1}{2}r\delta_y^2\right)U_m^{n+1}=\left(1+\frac{1}{2}r\delta_x^2\right)U_m^{n+\frac{1}{2}}\end{aligned}\right\}\qquad (28)$$

此法称为交替方向法(ADI)，因为由 $t=nk$ 至 $t=(n+\frac{1}{2})k$ 是沿 x 方向直线上的格点解方程组，由 $t=(n+\frac{1}{2})k$ 至 $t=(n+1)k$ 则沿 y 方向解方程组(28)。计算双曲型方程时，差分方程的依赖区域要包含微分方程的依赖区

域,例如对$\frac{\partial^2 u}{\partial t^2} = \frac{\partial^2 u}{\partial x^2}$用显式格式

$$U_m^{n+1} = 2(1-p^2)U_m^n + p^2(U_{m+1}^n + U_{m-1}^n) - U_m^{n-1} \qquad (29)$$

$p = k/h$时,这条件就是$0 \leqslant p \leqslant 1$,叫做CFL条件。差分方法之外,也广泛使用有限元方法,它把区域分成若干三角形(即元素),用分片线性函数逼近未知函数使它在三角形的公共边上保持连续。这个逼近函数以三角形网格顶点上的值为参数。由于许多椭圆型问题的解是某个变分问题的解,即令某个泛函取极值,因此可利用这性质求出参数值,从而得到原椭圆型问题的近似解。该方法称为里茨方法。

积分方程 主要有两类:

弗雷德霍姆型

$$\alpha(x)y(x) = F(x) + \lambda\int_a^b K(x,\xi,y(\xi))\mathrm{d}\xi \qquad (30)$$

沃尔泰拉型

$$\alpha(x)y(x) = F(x) + \lambda\int_a^x K(x,\xi,y(\xi))\mathrm{d}\xi \qquad (31)$$

其中α, F, K为已知函数,λ, a, b为已知数,$y(x)$为要求的函数。对于(30)一般解法是分$[a,b]$为n等分,$b-a=nh$,用一个数值积分公式把方程变成方程组

$$y(a), y(a+h), y(a+2h), \cdots, y(b) \qquad (32)$$

再用前几节方法求解。对于(31),依次取积分上限为$a+h, a+2h, \cdots$,得一系列方程组,逐步可解得$y(a+h), y(a+2h), \cdots$。

numerical taxonomy(biology) **数值分类学** 参阅 **taxímetrics** *分类测度学*。

numerology 数字命理学 用数字解释人的性格或占卜祸福。其理论根据是古希腊哲学家毕达哥拉斯的思想,即万物都可以用数字表明,因为万物最终都可以分解为数。现代数字命理学家采用与希腊字母表和希伯来字母表(每个字母分别代表一个数字)相类似的方法,把问卜者的名字和生辰附以一系列数字,加以运算,从而算出问卜者的真正性格和前途。

Numeyri, Gaafar Mohamed el-(Sudanese president) 参阅 **Nimeiri, Gaafar Mohamed el-** *尼迈里*。

Numic languages 努米克诸语言 旧称高原肖肖尼诸语言。北美印第安语言,通行于内华达州、犹他州,以及加利福尼亚、俄勒冈、爱达荷、怀俄明、亚利桑那、科罗拉多、俄克拉何马等州的部分地区。现在可分为3个语支:西努米克语支,包括莫诺语和北派尤特语;中努米克语支,包括帕那明特语、科曼奇语和肖肖尼语;南努米克语支,包括卡瓦伊苏语、犹他语和南派尤特语。努米克语是犹他-阿兹特克语系最北部语言,但在犹他-阿兹特克语系内的准确类属关系,尚属不清。

Numidia 努米底亚 罗马共和国和帝国时代非洲撒哈拉沙漠以北部分地区的名称,其疆界有时大致相当于今阿尔及利亚。早期居民分为部落和氏族,人种上与早期北非的柏柏尔人不同。公元前6世纪起迦太基人占领沿岸的一些据点,到公元前3世纪,他们已深入内地,远达泰贝萨。迦太基的军队常由努米底亚人组成。马西里部落的酋长马西尼萨执政之前,当地居民一直过着半游牧生活。第二次布匿战争中,马西尼萨起初与迦太基结盟,公元前206年因投靠罗马而获得许多土地。公元前148年马西尼萨死后,罗马人将他的王国分给几位酋长。公元前118年努米底亚一位非婚生王子朱古达篡夺王位,重新统一努米底亚。公元前105年努米底亚再度归罗马人统治。朱巴一世在公元前49～前46年再次企图建立努米底亚王国,最后被凯撒打败。凯撒在努米底亚地区建新行省,称新阿非利加。后来,奥古斯都将新阿非利加同旧阿非利加合并。塞维鲁正式建立努米底亚省。公元初期,罗马第3军团常驻兰贝西斯,使努米底亚安定繁荣,但大多数居民与罗马文化很少接触。3世纪基督教迅速传播。4世纪它成为多纳图斯运动的中心,这个分裂教派特别流行在努米底亚农民中间。429年被汪达尔人征服之后,这一地区的罗马文明迅速衰落。

Numidicus, Quintus Caecilius Metellus(Roman general) 参阅 **Metellus Numidicus, Quintus Caecilius** *梅特卢斯(努米底亚的)*。

numismatics 参阅 **coin collecting** *钱币收藏*。

nummulite 货币虫 已绝灭的较大的透镜状有孔虫类,有数千种。富存于第三纪(6 640万年前至160万年前)海洋,始新世(5 780万年前至3 660万年前)尤其显著。撒哈拉的第三纪石灰岩,因含大量货币虫化石,被称为货币虫灰岩。

Nun 努恩 又称努。古代埃及宗教所信奉的诸神中最古老者,他是太阳神瑞的父亲;象征太初浑沌中的众水。努恩的本性是无边、黑暗和风云纷乱。这些特性分别由三对男女神体现。埃及创世神话内容纷纭,但都说努恩的浑沌众水漾出泥浆,形成原丘。

nun 修女 天主教隐修院或其他隐修团体中的女性成员。参阅 **monasticism**。

Nun River 农河 葡萄牙语作Rio Nun。尼日利亚南部河流,被认为是尼日尔河的直接延续。尼日尔河下游距阿博32千米处分为农河和福卡多斯河。农河流经人口稀少的淡水沼泽、红树林沼泽及海岸沙脊注入几内亚湾,全长160千米。19世纪为通商河道,当时伊格博王国控制着商业,尼日尔河三角洲的伊乔人直接与欧洲人交往。19世纪初期以奴隶贸易为主。后农河又成为出口棕榈油的主要通道。1900年河口淤塞,商业地位遂被福卡多斯河所取代。1963年农河沿岸发现石油,1965年横穿尼日尔河的输油管道建成。农河油田的石油可输送到鲁穆克佩。21世纪初,对尼日利亚沿农河地区的石油财富的控制成为暴力不断发生的根源。

nunatak 冰原岛峰 一度突出于大陆冰盖或阿尔卑斯型冰帽之上的孤立的山峰。由于常出现于冰盖边缘,过去认为岛峰是冰期时植被的避难所和以后陆地恢复的中心。后来的研究表明,植被有其他更为可能的"避难所",而岛峰上面的冰川遗迹可能已因风化作用而销蚀殆尽。这样一来,真正的岛峰的鉴定是困难的,这类岛峰通常不能用来确定原来冰的厚度。

Nunavut 努纳武特 加拿大北部的大片领土,范围包括加拿大北极区的一大部分。努纳武特地区是1999年从西北地区的东部划分出来而成立,包括了加拿大北极区原住民因纽特(爱斯基摩)人的传统土地;Nunavut在因纽特语的意思是"我们的土地"。首府为伊魁特,位于巴芬岛南部。努纳武特的陆地疆界只有南面的马尼托巴省,以及西南和西面的西北地区;北面是北冰洋,东面是格陵兰,东南面隔着哈得孙海峡,与魁北克相望。努纳武特构成了加拿大北极群岛(包括最大岛巴芬岛)的大部分。面积1 900 000平方千米。人口约27 146(1999)。

加拿大努纳武特巴瑟斯特岛白熊山口处散布着岩石的冻原

美国不列颠百科全书公司供图

努纳武特包含了两个截然不同的自然地理区:一个是加拿大地盾,包括大陆和哈得孙湾周围的岛屿;另一个是北部的北极群岛。埃尔斯米尔岛北部的巴尔博峰是该地区的最高点,海拔2 616米。群岛的大部分终年被冰雪覆盖,尤其是在北部和东部。该地区整体都处于北极气候带里,冬季酷寒,夏季凉爽甚至寒冷。事实上,努纳武特整个地区下面都是连续的永冻土。

地处树木生长的北方界线之上,林木线是北方因纽特文化区与南方北美印第安人(登人)之间的传统边界。冻原植被包括地衣、苔藓、各种显花植物,以及小而耐寒的灌木,主要为矮桦木。这些植物供养了一些小

型哺乳动物、北美驯鹿和麝牛。陆上的掠食动物包括红狐、北极狐、狼和灰熊。海豹、海象和北极熊栖息在沿海地区,而白鲸、弓头鲸和独角鲸则生活在沿海水域。

因纽特人占了努纳武特人口的4/5还多;其余人口几乎都是欧洲人后裔。由于因纽特人的自然出生率高,因此他们在该地区人口中的比例不断增加。其人口的年龄结构比起加拿大其他地方要年轻得多,1/3以上的人口不足15岁。广泛使用由若干个方言群组成的因纽特语。它有两种书写系统:罗马字母以及在19世纪由欧洲传教士发展起来的音节系统。生活在加拿大的因纽特人起源不详,但他们在努纳武特地区已生活了4 000多年。19世纪时他们与探险者和捕鲸人员的早期接触患上了新的疾病,人口骤减。但因纽特人迅速适应,大部分的生活必需品依赖于外部资源。第二次世界大战期间以及战后的建设活动进一步影响了他们的生活方式。因纽特人欣然适应了偶尔的就业机会,在定居点的许多人迅速放弃了半游牧和狩猎的谋生手段。20世纪50～60年代加拿大政府的政策也鼓励这一种趋势。

努纳武特最大的经济资源是矿物,包括铁矿和有色金属矿、贵金属和钻石,以及石油和天然气。然而,由于生产成本过高,加上运输困难,开发矿产受阻。采矿是该地区的主要工业。捕猎依然为一些因纽特人提供收入,捕鱼和猎杀海洋哺乳动物也提供了一些就业机会。游钓鱼和捕猎吸引了每年来这里旅游的为数不多但逐年增加的游客。几乎所有的旅客和大多数的货运都靠航空运输。重型货物的地面运输主要靠水运。

政府对该地区的最终宪法责任落在渥太华的联邦政府身上,不过大部分的省级责任由伊魁特地方行政部门承担。行政部门包括1名专员以及19名由民选产生的议员组成的立法议会,议员任期5年;第一届议员选举于1999年2月举行。在加拿大议会里有1名选举产生的议员代表努纳武特。由皇家加拿大骑警队负责执法。联邦政府的印第安事务及北方发展部控制所有的自然资源,联邦所有土地上的狩猎活动除外。

20世纪50年代以前传教士提供了该地区几乎所有的教育和医疗服务,但50年代以后这两项都成为政府的主要责任。联邦政府的印第安事务及北方发展部与地区的教育部门合作,提供小学和中学教育,以及帮助本地学生在外地继续求学。伊魁特的努纳武特北极学院提供一些高等教育课程。通过综合性的地区医院以及医疗保险计划提供医疗服务。

现代化的交通与通讯打破了北方与世隔绝的生活方式,到处都有明显的当代北美流行文化。卫星电视甚至对最偏远的居民点提供各种娱乐和教育节目。区内大块面积被划作保护区,包括埃尔斯米尔岛国家公园保护区、巴芬岛上的奥于伊托国家公园保护区,以及陆地上的毛德皇后湾鸟类禁猎区和塞隆野生动物禁猎区(后者与西北地区共有)。因纽特文化的许多元素都已被保留了下来。20世纪后几十年的公共政策一直在鼓励发展因纽特的艺术和手工艺传统,为一些因纽特居住区提供重要的收入来源,并使因纽特文化为全世界的收藏者们所熟悉。

中世纪时维京人可能到过现今的努纳武特,但在1576年英国海员佛洛比西尔到达巴芬岛南部寻找通向东方的西北航道之前,史上并无有关探索该地的记载。对这块陆地最早的记录是英国探险家赫恩写的,1770～1772年他从哈得孙湾的西海岸航行到北部沿海科珀曼河的入口处。对内陆地区的其他探险主要是以蒙特娄为基地的皮毛商人的工作。19世纪时重新燃起对探索西北航道的兴趣。首先建立的居民点是为捕鲸船队和皮毛商人服务的。19世纪晚期传教士在北极区东部开始活跃。20世纪以前在今努纳武特地区内没有建立居民的行政管理机构。把伸入哈得孙湾的大陆地区的管理职责授权哈得孙湾公司。大陆地区的剩余部分名义上归英国统治,1870年割让给了加拿大。1880年英国宣称拥有所有权的北极群岛也归加拿大管辖。皇家加拿大骑警队负责在该地区维护法律和秩序,并提供政府当局需要的任何服务。

20世纪20年代以前,一直由皮毛商人、传教士和警察主导着西北地区的生活,20年代在马更些河畔的诺曼堡附近发现了石油,促使加拿大政府在该地区成立地区行政管理部门。30年代马更些区的采矿业取代了皮毛贸易成为最重要的工业。第二次世界大战为该地区带来了许多政府出资的建设活动,在北极区东部修建了若干大型机场,使加拿大的北部走向进一步的探索和发展。政府资助的卫生、教育和福利服务的大规模扩展使整个北方的生活和社会条件发生了转变。

然而,因纽特人长期的目标是更大的自治权,从20世纪70年代中期开始,他们与地区和联邦政府谈判,要求建立一个独立的因纽特人地区。1982年在西北地区举行的公民投票通过了地区分治。在这一授权下,最终达成协定,1993年产生出两个议会法案。第一个法案是《努纳武特土地所有权法》,给予因纽特人对35万多平方千米领土的完全控制权,联邦政府在14年内要向因纽特人提供现金支付;第二个法案是《努纳武特法令》,在西北地区的东部建立努纳武特地区。1999年4月1日努纳武特地区正式成立。

nunbird 修女鴷 某些膨羽鴷的统称。参阅 **puffbird**。

Nunc Dimittis 《西面颂》 又作 Song of Simeon。《新约》所载老人西面吟诵的赞美诗。圣灵曾许诺西面在他死前得见弥赛亚。马利亚和约瑟按照犹太教的律法和习俗把婴儿耶稣带到耶路撒冷圣殿行洁净礼,西面正在圣殿。他认出这个男婴即是上帝许诺的救世主,于是将耶稣抱在怀中,吟诵此诗(《路加福音》2:29～32)。该诗开头一句为:"主阿,如今可以照你的话,释放仆人安然去世。"

nuncio 教廷大使 梵蒂冈教廷派驻已与宗座建立正式外交关系的各国政府的代表。其中只在遵守1815年维也纳会议决议而承认教廷代表为各国外交使团之首的国家驻有教廷全权大使。教廷公使相当于全权公使。

Nuneaton and Bedworth 纳尼顿-贝德沃思 英格兰中部地区沃里克行政和历史郡一区(自治市)。面积79平方千米。早期在12世纪的本笃会女隐修院四周发展起居民点。13世纪以来即有采煤业,在20世纪末停止。现也有其他工业。纳尼顿是铁路枢纽,有M6高速公路通过。纳尼顿与相邻的贝德沃思已发展成为单一的组合体。人口约118 500(1998)。

Nunes, Pedro 努内斯(1502,葡萄牙萨尔堡～1578-08-11,科英布拉) 拉丁文作 Petrus Nonius。葡萄牙数学家、地理学家、航海学界的主要人物。因对地球,包括海洋的研究而闻名。曾是里斯本大学和科英布拉大学数学教授。1529年成为皇家宇宙志学家。其时,正值西班牙对香料群岛的位置发生争执,而地图上的经度与之不符。他便献身于此问题,并研究地图和地图投影问题。1538年去西班牙,1544年回到葡萄牙,成为研究西班牙和葡萄牙一些新发现的见识广博的权威人物。

Núñez, Rafael 努涅斯(1825-09-28,新格拉纳达卡塔赫纳～1894-09-12,哥伦比亚埃尔卡夫雷罗) 三度任哥伦比亚总统,自1880年起在政界中起主导作用,实行独裁统治直至去世。在法律学校读书时便投身政治,加入自由党。在任国会议员期间,1853年参加起草哥伦比亚第一部自由主义的宪法。自由党长期执政时,他在数届总统的内阁中供职。1863年赴欧洲研究其他各种政府制度,并与政治思想家交往,结果放弃了自己许多激进观点。1875年回国,次年竞选总统,因激进党拒绝支持而失败。1880年在自由党和保守党温和派的支持下竞选获胜,任总统(1880～1882)。1884年发生激进党和自由党的叛乱,迫使他进一步与保守党结盟,得以第2次当选总统(1884～1886)。1886年宪法稳固了他的政权,开始保守党长达50年的统治。努涅斯进行了称为复兴的一系列改革,包括由中央政府代替各州行使最高权力、恢复天主教会的权力等。作为公认的哥伦比亚重要文人,他不仅从事政治和经济政策方面的写作,还著有数册诗集。

Núñez Cabeza de Vaca, Álvar 努涅斯·卡韦萨·德巴卡(约1490,卡斯蒂利亚的埃斯特雷马杜拉[在今西班牙]～约1560,西班牙塞维利亚) 西班牙探险家。曾在今美国得克萨斯海湾地区生活了8年。他记述的锡沃拉七座黄金城的故事,可能激起H.德索托和F.科罗纳多对北美南部和西南部进行广泛探险的兴趣。在P.纳瓦埃斯率领的西班牙探险队中任司库,探险队于1528年到达佛罗里达坦帕湾。至9月,除他带领的60人外全部死亡;他们到达靠近今得克萨斯的加尔维斯海岸。次年春,60人中仅存15人,最后只剩下努涅斯和另外3人和游牧的印第安人生活在一起。尽管他的流浪生活艰苦贫困,而1536年在墨西哥北部碰见一伙西班牙强人时,他满腹都是描绘新埃尔多拉多(即锡沃拉七座黄金城,他认为就在他所经过的地区附近)的惊人财富的动人故事。1542年写有《船难》一书,记述他的冒险经过。后被任命为拉普拉塔联邦总督。1541年11月到1542年3月,他开辟从巴西桑托斯到巴拉圭亚松森的通道。他的权力被一叛逆者篡夺,人被监禁后被遣返西班牙(1545)。在西班牙被判以渎职罪,放逐到非洲服役。所著《报告和评论》(1555)记述从桑托斯到亚松森的途程,为一部有价值的地理著作。

Núñez de Arce, Gaspar 努涅斯·德阿尔塞 (1832-08-04,西班牙巴利阿多利德～1903-06-09,马德里) 西班牙诗人、政治家。曾从事新闻工作,任自由党众议员,参加过1868年的革命。王政恢复后,曾短期任殖民地大臣。作为戏剧家,他略有成就。最佳剧作是历史剧《一把柴禾》(1872),描写唐卡洛斯的被囚。诗集《战斗的呼唤》(1875)是他的成名作,他在这部集子里企图以诗歌语言探讨宗教信仰问题,以及当时流行的自由与秩序的政治性问题。

Nunivak Island 努尼瓦克岛 美国阿拉斯加州西南沿海岛屿。位于白令海中,与大陆隔埃托林海峡相望。长88千米,宽64千米,为白令海第二大岛。现为国家野生动物保护区,主要有驯鹿、麝牛、滨鸟。人口177(1990)。

nunlet 小修女䴕 某些膨羽䴕的统称。参阅 **puffbird**。

Nuoro 努奥罗 意大利撒丁岛中东部努奥罗省城市、省会。史前就有人类居住,但直至12世纪才首见记载。1927年设立努奥罗省时,即为该省省会。四周都是撒丁岛主山脉高地,为该岛最贫穷的地区,经济以养羊业为主。1950年后修建50千米新公路,广泛改良山区牧场,嫁接200万棵野橄榄树。现为集市中心和山区避暑地。人口:城市区约37 487(1991)。

nuowu 傩舞 英文作 exorcising dance 或 nuo dance。中国古代大傩祭典中的仪式舞蹈,后世逐渐发展成娱神兼娱人的民间舞蹈。广泛流行于江西、湖南、湖北、贵州、安徽、山东等地。各地区有不同的名称,如鬼舞、跳傩、傩戏、傩堂戏、跳神等。表演者戴木质假面,扮作鬼神歌舞,驱恶鬼逐瘟疫,表现神的身世事迹。粗犷强悍、面具狰狞恐怖的特点保留至今。中国殷墟甲骨卜辞中的寇字,是在室内以殳(古代兵器)击鬼之形,这是关于傩祭的最早史料。《后汉书·礼仪志》中有相关傩的详细记录,汉画像石上保存有傩舞的形象资料。自汉至唐,傩舞的基本面貌无大变化。到宋代,傩舞中增加了娱人成分,逐渐向戏剧方向发展。现代傩舞已被改造成为一种农村娱乐活动,形式多为表现古代传说、历史故事的单人舞和双人舞,情节简单,形式质朴自然。现存剧目有《盘古开山》、《纺织娘》、《孟姜女》、《李斯操兵》、《关公斩貂蝉》、《西游记》、《封神演义》等。

Nupe 努佩人 居住在尼日利亚中西部尼日尔河和卡杜纳河汇合处附近地区的民族。语言属尼日尔-刚果语系克瓦语支。他们组成许多有密切亲属关系的区域性群体,其中以贝尼人、赞人、巴塔其人和克德人最为重要。克德人和巴塔其人是水上人家,主要靠捕鱼和做生意为生;其他是农民。主要作物有黍类、高粱、薯蓣、稻谷、花生、棉花和牛油果。铜铁匠、纺织工、裁缝和其他手艺人都有高度发展的同业行会组织。努佩人的玻璃珠串、精美的皮革和草席制品、铜盘和精制布匹闻名全尼日利亚。村镇大小不一:小者仅有数户,大者可达数千人。各村有村长一人,根据家长议事会的意见管理全村。现在多数努佩人是穆斯林,但仍奉行一些古老的祭礼。当地的宗教信仰一位至高神明、祖灵以及与自然物有关的神灵。

Nuqrashi, Mahmud Fahmi al- 努克拉希 (1888,埃及亚历山大～1948-12-28,开罗) 又拼 Mahmoud Fahmy Nokrashy。埃及政治人物,首相(1945～1946,1946～1948)。在英国诺丁汉大学学院(今诺丁汉大学)接受教育。1920年任农业部司长之前在学校执教。后任交通部长(1930、1936～1937),1938～1940年任内务、教育、财政部长。1938年被开除出华夫脱党,转而加入萨德党。1945年担任萨德党主席。在艾哈迈德·马希尔被杀后于1945年2月出任首相,但其领导的政府在1946年2月12日的开罗反英示威一周后倒台。1946年12月9日西德基领导的政府垮台后重新担任首相。1948年5月14日埃及军队进入巴勒斯坦并宣布戒严状态后出任埃及军政府首脑。1948年遭暗杀,据信是被取缔的穆斯林兄弟会成员所为。

Nūr ad-Dīn (Muslim ruler) 参阅 **Nureddin** 努尔丁。

Nūr al-Hilmī, Burhanuddin bin Muhammad 努尔·艾尔-希勒米 (1911,马来亚哥打巴鲁[今在马来西亚]～1969-10-25,马来西亚太平) 马来民族主义领袖,第二次世界大战后数十年间领导主要反对党。曾就读于国内及苏门答腊的伊斯兰教学校,1928年赴印度求学。回国后,在新加坡任教,加入激进的青年马来联盟。日本占领期间,任军政府的马来风俗和文化顾问。后当选左翼的马来国民党主席,成为一名主要的民族领袖。在他领导下,国民党与其他左翼组织联合制定马来亚多种族独立的宪法草案。1948年爆发"共产党紧急事件",导致马来亚宪政的中断。他本人因有参与新加坡反英暴动嫌疑而自1950年起入狱两年。这时国民党已解散,努尔·艾尔-希勒米成为没有得力政党支持的政治家。1956年成为泛马伊斯兰党主席,该党的起源可溯至国民党及40年代后期有关的民族主义团体。在他领导下,泛马伊斯兰党成为马来西亚政界的主要反对党,赢得大量马来人的选票(他本人于1959年被选入议会),并以土地民有和反殖民为号召,特别针对马来的中间党派展开猛烈的攻击。1965年印尼和马来西亚"对峙"期间,他又涉嫌从事亲印尼活动而被拘禁,1966年获释,但健康一直不佳,政治上也受到严密监视。生前一直任泛马伊斯兰党的名誉主席。

Nureddin 努尔丁 (1118-02～1174-05-15,大马士革[叙利亚]) 即 Nūr ad-Dīn。穆斯林统治者,他改组叙利亚军队,为萨拉丁的成功奠定了基础。1146年继父位,为阿勒颇的艾塔伯克(统治者)。他曾率兵攻打十字军,企图把他们赶出叙利亚和巴勒斯坦。即位后不久即收复埃德萨,1149年占领军事要地安塔基亚,1154年攻克大马士革。1169～1171年间兼并埃及。他能征善战,治国公正,不以战利资财自肥,而用来修建许多清真寺、学校、医院和商队客店。他去世之前叙利亚、埃及以及伊拉克和小亚细亚的部分地区都接受他的统治。

Nurek Dam 努列克水坝 填土坝,1980年建成,为世界最高水坝之一。位于塔吉克斯坦-阿富汗边界附近的瓦赫什河上,高300米,顶部宽704米,建筑在不透水混凝土坝心上,坝心深入河床16米到达岩床。该坝有9个发电机组,设计容量为270万千瓦。蓄水可灌溉65万公顷农田。

Nuremberg (Germany) 参阅 **Nürnberg** 纽伦堡。

Nūrestān 努里斯坦 又拼 Nūristān,1895年前称卡菲里斯坦。阿富汗东部历史地区。面积约13 000平方千米,范围包括阿林加尔、皮奇、朗代信德等河上游河谷及河谷之间的山地。北界兴都库什山脉主脉,东邻巴基斯坦,东南至科纳尔河谷,西及潘杰希尔及内吉拉布河谷上游诸山。当地多雨,有森林。由于该区位置偏僻并有着独特的文化,因而形成与阿富汗其他地区不同的地区性实体,以农为本,种植谷类和水果,并饲养牲畜。居民珍视独立,组成氏族组织并有村政府,使用各种卡菲尔方言。该地区直到19世纪90年代才成为阿富汗的一部分。居民改信伊斯兰教。全国木材大部分产自当地山区。

Nureyev, Rudolf (Hametovich) 努里耶夫 (1938-03-17,俄罗斯伊尔库茨克～1993-01-06,法国巴黎) 芭蕾舞演员,他的悬空跳跃和快速旋转可与V. 尼任斯基传奇式的绝技媲美。努里耶夫祖先是鞑靼人。他11岁开始学跳芭蕾舞,15岁离校,以跳舞谋生。17岁人列宁格勒芭蕾舞学校,师从亚历山大·普希金,是个成绩优异但难于管教的学生。他拒绝参加共产主义青年组织共青团,不服从校规,私自学习英语。1958年毕业后,他成为列宁格勒基洛夫芭蕾舞团的独舞演员,并在该团的巡回演出中担任主角。1961年6月随同舞团至巴黎演出时,在机场避开了苏联保安人员的监视,要求在法国政治避难。事后他说苏联的芭蕾舞组织得太刻板,使他不能经常演出,对他扮演各种角色多加限制。努里耶夫逃离苏联后,参加了居瓦侯爵大芭蕾舞团,并于1962年首次在美国电视屏幕上露面,还参加了R.佩奇的芝加哥歌剧院芭蕾舞团的舞蹈演出。同年下半年他参加伦敦的皇家芭蕾舞团，成为该团永久特邀艺术家。作为M. 芳廷喜爱的舞伴，他声名大噪；他扮演《吉赛儿》中的阿尔贝特、《茶花女》中的亚芒和《天鹅湖》中的齐格弗里德王子。他曾是一位在世界各国大、小舞团中备受欢迎的特邀艺术家。努里耶夫也是一位舞蹈编导，他改编了《天鹅湖》（1964 年于维也纳），使男舞蹈演员成为剧中主角。1977 年他改编了普罗科菲耶夫的《罗密欧与朱丽叶》，由伦敦节日芭蕾舞团演出；1979 年改编的《曼弗雷迪》由巴黎歌剧院芭蕾舞团演出。1980 年努里耶夫为柏林芭蕾舞团演出了《胡桃夹子》。1981 年，由于意大利对舞蹈的兴趣进一步恢复，在拉斯卡拉歌剧院与芳廷同台演出了他改编的

努里耶夫与芳廷
美国不列颠百科全书公司供图

《罗密欧与朱丽叶》，芳廷饰凯普莱特夫人。努里耶夫还有表演现代舞剧的才能，他表演过M. 格雷厄姆、M. 路易斯和P. 泰勒的作品。1975 年格雷厄姆为他创作了《路济弗尔》，1978 年在路易斯为他而作的《卡纳西·维纳斯》和《轻快舞剧》在美国的首演式中演出。他的自传《努里耶夫》于 1962 年出版。1973 年他与R. 赫尔普曼共同导演电影《堂吉诃德》，由他饰主角。在电影《厄伦铁诺》（1977）、《暴露》（1983）中担任主角。努里耶夫 1982 年成为奥地利公民。1983 ～ 1989 年任巴黎歌剧院芭蕾舞团的艺术指导。

Nurhachi 努尔哈赤 参阅 Qing——：清朝帝王序列下 **Qingtaizu Nurhachi** 清太祖努尔哈赤。

Nuri as-Said 努里·赛义德（1888，巴格达～ 1958-07-14，巴格达） 伊拉克军官、政治家和政治领袖。他与英国保持紧密联系，并为阿拉伯的团结而努力。1909年在土耳其军队中任职。第一次世界大战期间（1914 ～ 1918）参加土耳其对英军的战役，不久被英军俘虏。1916 年加入费萨尔一世领导的阿拉伯军队。这支军队在英国支持下反抗奥斯曼帝国对阿拉伯人地区的统治。努里屡立战功。战争结束后费萨尔建立一个以大马士革为中心的阿拉伯国家，努里在政府部门积极工作。1921 年费萨尔成为伊拉克国王。努里担任一系列要职，1930 年成为首相。任内与英国谈判，订立为期 20 年的英伊条约，使伊拉克赢得独立。他曾 14 次担任首相，但始终坚持两项主要政策：一是亲英，一是支持哈希姆王朝。这两项政策都遭到青年军官的反对。第

美国不列颠百科全书公司供图

二次世界大战开始后双方发生公开冲突。努里为了支持英国，就对德国宣战，与意大利断绝外交关系。而反对他的军官们则支持由拉希德·阿里发动的政变。他与国王逃往国外。后来，英国公开派兵，摧毁了拉希德·阿里的政府。于是他又回伊拉克，1941 ～ 1944 年在英国监督下担任首相，主张把几个阿拉伯国家合成单一的国家。1945 年成立阿拉伯联盟，伊拉克为成员国之一。他镇压批评伊拉克王室的人们，千方百计不使军人干政。1955 年美国倡导订立《巴格达条约》。努里希望邀请其他阿拉伯国家参加这一条约，以便保持他在阿拉伯统一运动的领导地位，并在国内取得广泛的支持。但是由于人民对西方普遍不满，《巴格达条约》无法达到这些目的。1958 年 2 月伊拉克军队在卡塞姆领导下推翻王国政权，紧接着 1958 年 7 月革命，努里被暴乱的群众暗杀。

Nūristāni 努里斯坦人 又名努里人或卡菲尔人（阿拉伯语，意为“异教徒”）。阿富汗兴都库什山区和巴基斯坦奇特拉尔地区的民族。他们居住区原名卡菲里斯坦，20 世纪初他们改信伊斯兰教后，住地更名为努里斯坦（意为“光明之地”）。目前居住在阿富汗楠格哈尔省北部的约65 000人，只有约3 000人居住在巴基斯坦。卡菲里语（或努里斯坦语）属于印欧语系印度-伊朗语族的印度雅利安语支。努里斯坦人名义上为逊尼派穆斯林，实则继续保持 1895 年被阿富汗人征服前流行的许多传统生活方式。他们的早期历史是结伙抢劫；但一贯对本族极忠诚，非常珍视其独立。他们采用氏族组织，并设有乡村政府。现在已是定居农民，主要农作物是小麦，也种大麦、黍类、豆类。在地势较低地区种植葡萄和桑。牲畜主要是山羊；在地势较高和较为宽广的山谷里，他们还饲养少量的牛和绵羊。

Nurmi, Paavo (Johannes) 努尔米（1897-06-13，芬兰图尔库～ 1973-10-02，赫尔辛基） 芬兰径赛运动员。在 3 次奥运会上（1920、1924、1928）共获 6 枚长跑金牌。保持 4 分 10.4 秒的1英里赛跑世界纪录达8年（1923～1931）。起初，他曾在 1920 年安特卫普奥运会上获 10 000 米长跑和 10 000 米越野赛跑冠军。1928 年在阿姆斯特丹奥运会上再获 10 000米长跑金牌。1924年7月10日在巴黎

美国不列颠百科全书公司供图

奥运会上冒酷暑在一个多小时内创1 500米和5 000米奥运会纪录。两天后，天气还是那么闷热，他再获1920年的胜利，在10 000米越野赛中夺冠，翌日又在3 000米非正式团体比赛中获第一名，代表芬兰队获胜。1928 年创一小时跑19 210米的世界纪录。在他的职业生涯中，共打破了 25 项世界记录。

Nürnberg 纽伦堡 英语作 Nuremberg。德国南部巴伐利亚州第二个重要城市（仅次于慕尼黑），跨佩格尼茨河。起源于 1040 年由德皇亨利三世在当地建造的城堡，纽伦堡之

纽伦堡市的中世纪城墙与旧城区
美国不列颠百科全书公司供图

名 1050 年首次见于官方记载。城堡周围发展为居民区。1219 年获城市特许状，后成为帝国独立的自由城市。13 世纪向工匠和贵族的城市转化，制造业、商业成为主要收入来源。画家 A. 丢勒（1471 生）时期，在纽伦堡历史上文艺最繁荣。1525 年该城采纳了基督教新教的信条。学者、新教领袖 P. 梅兰希顿等人为纽伦堡在发展中的西方世界获得学术中心的声誉奠定了基础。17 世纪初，经济、文化臻于极盛。及至 1806 年已失去帝国自由城市地位，从属于巴伐利亚王国。1835 年通铁路，开始成为现代工业中心之一。20 世纪

30年代是纳粹党的一个中心,1935年反犹的纽伦堡法令于此得名。城市在第二次世界大战期间受到严重破坏,被美国军队攻克,盟国对德国战犯的审判就在此举行。内城被佩格尼茨河分为两部分,四周的围墙建于1452年。现存主要古建筑有圣塞尔巴德和圣洛伦斯两座哥特式大教堂,弗劳恩教堂和圣神教堂以及海关、酒库、市政厅、喷池和帝国城堡等。全市面积134平方千米,仅有40%的土地经过建设,余为农田和林区。西与菲尔特市毗连,两地街区相通,形成联合城。北与埃朗根(大学城和电业中心)为邻。居民一半从事工业,除传统金属制造业外,生产机械精密仪器、光学器件、电器、自行车、办公器具,其他工业项目有汽车、印刷、化工、造纸、纺织等。曾举办过国际玩具博览会,并成为世界玩具制造业中心。该市目前公路网四通八达,港口与莱茵河、美因河和多瑙河沟通。市北有机场。高等教育机构有埃朗根-纽伦堡大学分部和欧姆综合技术学院。创立于1662年的美术学院在德国历史最悠久。其他文化机构设施有文学协会(1644)、公共图书馆(建馆600余年)和国立日耳曼文化博物馆。人口约491 307 (2002)。

Nürnberg faience　纽伦堡彩陶　1712～1840年间产于纽伦堡的德国锡釉陶器。纽伦堡早在16世纪已是制陶业中心,因此纽伦堡彩陶是最早的德国彩陶。早期制品现已极少,其风格与现代意大利马约利卡陶器一致。

Nürnberg Kleinmeister (artists' group)　**纽伦堡细密铜版画家**　参阅 **Kleinmeister** 细密铜版画家。

Nürnberg Laws　纽伦堡法令　由希特勒谋划并经纳粹党纽伦堡会议批准的两项法令(1935-09-15)。《帝国公民法》剥夺了犹太人的德国公民身份,使之沦为"属民"。《日耳曼种族及荣誉保障法》简称《种族保障法》禁止犹太人与"德国公民或日耳曼血统公民"结婚或发生性关系。1935年11月14日第一项补充法令具体规定谁是犹太人(有犹太人祖父或祖母者),并明确宣布:"犹太人不得成为德意志帝国公民。不得行使选举权;不得担任公职。"为实现对犹太人的种族隔离而制定的其他法令,包括禁止犹太人雇佣45岁以下日耳曼血统女仆。不久以后,犹太人护照加盖红色"J"(犹太人)的字样,犹太人被迫只能取"犹太"名字。1938年3月28日的法令剥夺了犹太人居民区的合法地位,并采取措施把犹太人完全排除于医药业之外。

Nürnberg Rally　纽伦堡大会　德国纳粹党1923、1927、1929年以及1933～1938年每年在巴伐利亚州纽伦堡举行的大会。主要是精心安排的宣传活动,目的在于提高人们拥护纳粹党的热情和向国内外显示国家社会主义的力量。大会通常在8月底或9月召开,会期数天至一星期,吸引成千上万党员和旁观者,包括数以百计的外国记者。大会包括"元首"的慷慨激昂的演说,同时还宣布纳粹党的一些新政策,例如1935年在大会上宣布了反对犹太人的《纽伦堡法令》。大会的鼓动效果在莱尼·里芬施塔尔记录1934年大会的著名影片《意志的胜利》(1935)中可见一斑。1939年原定的所谓和平大会因准备入侵波兰的战争而取消。

Nürnberg trials　纽伦堡审判　1945～1946年欧洲国际军事法庭在纽伦堡对作为首要战犯的前纳粹领导人所进行的控告和审判。起诉书控告他们犯有4项罪行:①反和平罪,即破坏国际条约和协定,策划、发动和进行侵略战争;②反人道罪,即杀害、驱逐和灭绝种族的罪行;③战争罪,即破坏战争法规的罪行;④为从事上列3项罪行而犯下的"共同策划或共谋罪"。欧洲国际军事法庭是根据1945年8月8日美、英、苏、法4国在伦敦签订协定中的《欧洲国际军事法庭宪章》设立的,后来又有19个国家参加这项协定。国际军事法庭受权判定任何个人犯有战争罪(上列1～3项罪行)和宣布任何团体或组织具有犯罪性质。如果一个组织被判定为犯罪组织,起诉方可以将曾是该组织的成员的个人交付审判,不再追问该团体或组织的犯罪性质。被告人有权得到一份起诉书的副本,对指控他的罪行提出任何有关的说明,而且可以由律师代表和与证人对质及盘问。国际军事法庭由英、美、苏、法4国各派1名法官及1名预备法官组成。第一次审判于1945年10月18日在柏林举行,由苏联代表尼基钦科将军主持。前纳粹24名领导人被指控犯有战争罪行,一些团体(例如盖世太保)被指控为犯罪组织。从1945年11月20日开始,每次开庭都是在纽伦堡举行,由英国代表劳伦斯大法官主持。经过216次开庭,于1946年10月1日,对原来的24名被告中的22名宣布了判决(R.莱伊在狱中自杀,G.克虏伯因精神和身体状况不能受审):3名宣告无罪;12名(包括被缺席审判的M.博尔曼)判处绞刑;3名(包括R.黑斯)无期徒刑;4名(包括A.施佩尔)10～20年有期徒刑。在作出上述判决的过程中,法庭驳回了被告人提出的主要辩护:第一,法庭驳回了只能指控国家而不能指控个人犯战争罪的论点;法庭认为,破坏国际法的罪行是由人犯下的,只有惩治犯下这种罪行的个人,国际法的规定才得以维护。第二,法庭驳回了所谓审讯和判决都是"咎既往"的论点。法庭认为,这些行为在第二次世界大战以前就已经被认定是犯罪的。

nurse　护士　熟练掌握护理知识或受过护理学(**nursing**)训练的人员,尤指在医师指导下从事工作的人员。

Nurse Sir Paul M.　纳斯(1949-01-25,英格兰诺福克诺里奇～　)英国科学家,因发现细胞周期的关键调节因子而获得2001年诺贝尔生理学或医学奖。与他同时获奖的还有L.哈特韦尔和R.T.亨特。1973年毕业于东安格利亚大学,并获博士学位。1987～1993任牛津大学教授。在英国皇家癌症研究基金会领导细胞周期实验室(1984～1987年,1993年至今);1996年出任皇家癌症研究基金会总干事。20世纪70年代中叶,纳斯用酵母做生物模型发现了cdc-2基因。他的研究显示:基因作为关键环节,调控着细胞周期各环节(如细胞分裂)的时间。1987年,他成功地分离出人类相应的基因片段,命名为CDK-1,属细胞周期蛋白激酶(CDKs)。这些蛋白激酶参与细胞功能的诸多环节。截至2001年,已确定的人类CDKs还不到十种。纳斯的工作有助于人们加深对癌症的认识和理解。1999年被授予爵位。

nurse shark (*Ginglymostoma cirratum*)　**护士鲨**　即卷须铰口鲨。须鲨科大西洋种。体黄褐或灰褐色,有时具黑点,可长达4米以

护士鲨(*Ginglymostoma cirratum*)
美国不列颠百科全书公司供图

上。被激怒时,可袭击游泳者。与澳大利亚的沙鲨(**sand shark**)无亲缘关系。

nursery rhyme　儿歌　讲给或唱给小孩子听的诗歌。自古就有儿歌流传,新歌词更不断出现。类似《9月有30天》的一支法语歌,13世纪见于记载。后来的《闪烁吧,闪烁吧,小星星》(安·泰勒与简·泰勒姐妹作,1806)和《玛丽有一只小羊羔》(S.J.黑尔作,1830),也是久盛不衰。大多数儿歌起源于16和17世纪,频现于18世纪。显然,大多数儿歌原是为成人娱乐而创作的。其中许多曾是流行的谣曲和歌曲。最早出版的儿歌集是两卷本的《汤姆歌曲集》(伦敦,1744),包括《小汤姆·塔克》、《唱一支六便士的歌》和《谁杀了雄知更鸟?》。最有影响的是1781年纽伯里公司出版的《鹅妈妈歌》,共51首,其中有《杰克和吉尔》、《叮当铃》和《让树梢上的宝宝快入梦乡》。1785年I.托马斯在美国再版了这本歌集。这些诗歌至今在美国还被通称为"鹅妈妈歌"。这一事实足以证明这本歌集的流行。参阅 **alphabet rhyme**; **counting-out rhyme**; **Mother Goose**。

nursery school　幼儿园　参阅 **day nursery** 白天托儿所。

nursery-web spider　育儿网蛛　蜘蛛目盗蛛科动物的俗称。雌体能为幼蛛织网,并在近旁守护。体中型到大型,许多见于水边。狡蛛属(*Dolomedes*)为常见的北美属,步足伸展时可达7.5厘米。雌蛛携带卵袋(含数百个卵),直到幼蛛快孵出时为止,然后把卵袋附在植物上,周围包以叶子,继续守护,以防敌害。

nursing　护理学　医疗保健专业,旨在向病人、残疾者提供生理和精神、情绪方面的照顾,并促进、保持和恢复所有人的健康。护士的工作内容十分繁杂,其中包括研究工作、健

康教育和咨询服务。护理工作常常需和医生以及其他相关医务工作者的工作密切配合。作为一门专业技术，护理学出现在19世纪后期。在历史上，女性在护理学的发展史上占有特殊地位，她们主要是在病人家中开展工作。但宗教势力，尤其是基督教也曾对护理学的发展做出过重要贡献。早在中世纪，教会就已经在致力于救助病、困者方面形成了特殊的宗教制度和传统。但直到19世纪，护理学才开始作为一个独立的学术专业得到世人的认同。对护理学在学术地位上的这个根本变革做出杰出贡献的人是英国护士F.南丁格尔。1860年她在伦敦圣托马斯医院建立了世界第一家科学概念上的护士培训学校。这家学校后来成为整个西方世界的护理学教学发展的基础；它通过建立客观的学术标准来规范护士的专业资格，从而成为现代护理学开始起步的标志。20世纪后期，大多数国家的护士学校的教学体制大致可分为二类：①正规护士学校：课程设置包括基础教学和临床实践二部分，学制2～4年，毕业时授予资格证书或学位证书；②助理护士的培训课程：课程和学制都较短，毕业后承担的工作也比较简单。很多护士都有她们的专业方向，如儿科护士、精神病科护士、老年病科护士、急诊护士等。高等护理学教育的学生大多是未来的护理学教师、护士长以上的护理主管和专家。特殊的护理学教育对象还有私人执业护士、多科护士、护士麻醉师、护士助产士等，目的旨在帮助护士从事某些传统上是医生的工作。为使护理工作标准化和便于管理，执照和注册制度是十分重要的。在很多国家，护士必须通过资格考试、领到执业执照后才能上岗。《美国护理学会》是护士们的专业学会组织，成立于1896年，学会的目的旨在规范行业标准、实施资格考试、保证继续教育和促进专业立法。在美国，具有合法资格的护士有如下二种人：注册护士（有正规学历、学位证书，并通过执业考试者）和执业护士（完成一年以上学历、并当过注册护士的助手）。护理工作的工作环境多种多样，医院、社区护士站、学校、军队、工矿企业、私人诊所、医务所和私人家庭都有护士的身影。医院护士是一个等级群体，从一般护士到主任护师，各负其责。病人出院后，护士可以继续关注病人的情况，或通过社区门诊为他们服务，或通过收容院对病人进行家庭式的临终关怀服务。公共卫生护士的工作主要有：关于妇幼保健、疾病预防等问题的宣传教育和咨询服务。

Nusa Tenggara Barat　西努沙登加拉　英语作 West Nusa Tenggara。印度尼西亚省份，包括西部小巽他群岛的龙目、松巴哇、莫约和桑厄昂诸岛。努沙登加拉是印度尼西亚语，意为东南群岛。南临印度洋，西北为巴厘海，东北濒弗洛勒斯海，西达龙目海峡，东抵萨佩海峡。面积为20 177平方千米。龙目岛有两条平行崎岖山脉，北部火山山脉的林贾尼山海拔3 726米，是印度尼西亚最高山峰。松巴哇岛也是多山岛屿，活火山坦博拉山（2 851米）为最高峰。沿海平原狭窄，岩岸多悬崖峭壁。山丘两侧有灌木植物，在季风季节，偶有溪流下注。特别龙目岛南方有大片干旱、贫瘠的石灰岩区。萨利赫湾几乎把松巴哇岛分割为两半。该省经济主要是农业，农作物有水稻、咖啡、玉米、甘蔗、棉花、靛蓝植物和烟草。饲养牛马，深海渔业也是重要经济活动。工业有碾米、制糖、加工烟草和咖啡等部门，还生产饮料、布匹、药品、运输设备。诸岛有东西走向的公路，大都与海岸平行。省会马塔兰在龙目岛，建有一个机场；松巴哇岛上的大松巴哇和拉巴也有机场。居民主要是萨萨克人，龙目岛上有些巴厘人，松巴哇岛上有松巴哇人。人口约3 654 800（1995）。

Nusa Tenggara Timur　东努沙登加拉　英语作 East Nusa Tenggara。印度尼西亚省份。包括东部的小巽他群岛（松巴、弗洛勒斯、索洛、阿洛、萨武、罗地、塞毛、帕尔、阿多纳拉、科莫多、林卡、龙布陵、潘塔尔、韦塔等岛屿）和帝汶岛的西半部。努沙登加拉是印度尼西亚语，意思是东南群岛。该省西北临弗洛勒斯海，东北临班达海，南临印度洋，东临帝汶海并与东帝汶省接壤，西临松巴海峡。东努沙登加拉由环绕萨武海的群岛组成。陆地面积为47 876平方千米。群岛呈火山的分裂地形，这些火山如弗洛勒斯的门达萨武山海拔7 814英尺（2 382米），西帝汶的穆蒂斯山海拔7 962英尺。该省西北部群岛山峰较低。狭窄的沿海低地的大部分边缘是珊瑚环礁和暗礁，岛屿之间较狭窄的海峡急流构成航海中的险阻。群岛有一漫长的旱季。檀香木和桉树林地、灌木丛和草地很普遍。终年溪流极少，亦无较大的河流。农业是重要的生活来源，主要产品有稻米、玉米、椰子、檀香木、棉花、咖啡和玳瑁壳。饲养马，深海捕鱼占有重要地位。工业有纺纱、织布、印染、制药和鞣革。公路交通主要局限于所有岛屿的沿海低地。居民主要是巴布亚人和马来人，在帝汶的一些马来人是基督教徒。帝汶的古邦是省会，弗洛勒斯的英德是另一大的城镇。人口约3 582 800（1995）。

Nusaybin　努赛宾　前称尼西宾。土耳其东南部城镇。位于格尔加博尼兹拉河畔，邻近叙利亚的加米什利镇。地扼小亚细亚山口至上叙利亚平原的入口，战略意义重大，亚述帝国时期为边界哨所。13世纪后由于内乱外侵而衰落。北非旅行家伊本·拔都塔14世纪路过该地时见其衰微情况，认为是强迫种小麦代替水果所致。该城曾是古代重要贸易中心。现因位于伊拉克摩苏尔的北面贸易通道和伊斯坦布尔—巴格达铁路线上，仍未失其重要性。人口50 605（1990）。

Nusku　努斯库　美索不达米亚宗教所崇奉的神灵，流行于苏美尔人和阿卡德人中间，司掌火与光。据闪米特文古卷，努斯库是夜之神，照亮黑暗之处，祛除黑暗之鬼。巴比伦人在界石刻以明灯，作为他的象征。每月之末是他的圣日，因而称他为月神。

Nüsslein-Volhard, Christiane　尼斯莱因-福尔哈德（1942-10-20，德国马格德堡～　）德国发育遗传学家。与遗传学家E.F.维绍斯及E.B.刘易斯一起因早期胚胎发育机制的研究而获得1995年诺贝尔生理学或医学奖。尼斯莱因-福尔哈德与维绍斯合作，在刘易斯利用果蝇作实验物的先期工作的基础上再行拓展，取得进一步成果。她的研究与所有多细胞生物机体（包括人的发育）有关。尼斯莱因-福尔哈德于1968年在德国蒂宾根埃贝哈德-卡尔大学获得生物化学的学士学位。1973年在该校获博士学位。在取得巴塞尔和弗赖堡的研究职位后，她与维绍斯一起并以她为主于1978年进入设在海德堡的欧洲分子生物学实验室。1981年她回到蒂宾根，并于1985年成为马克斯·普朗克发育生物学研究所的所长。在海德堡，尼斯莱因-福尔哈德与维绍斯用了一年多时间杂交繁育了4万个果蝇科，用双重显微镜系统地观察了它们的基因构造。他们采用的试错法导致一个发现，在2万个果蝇基因中，约5 000个对早期发育有重要作用，其中约140个是最基本的。他们将胚胎发育按基因划分为3类：阻断基因，由它们给出从头到尾的机体构架；成对基因，它们决定机体的分段；极性基因，由它们在各分段中建立重复的结构。

Nusu language　怒苏语　中国怒族语言之一，属汉藏语系藏缅语族彝语支。分布在云南省怒江傈僳族自治州福贡、泸水等县。使用人口约9 000人。中国以外主要分布在缅甸北部。怒苏语内部差别较大，分南部、中部和北部3个方言，方言间均不能通话。怒苏语（知子罗）语音特点是：有45个单辅音声母，双唇、舌尖中、舌根塞音各分清、浊、清送气3套；舌尖前、卷舌、舌面前塞擦音分清、浊、清送气3套，唇齿、舌尖前、卷舌、舌面前擦音也分清、浊、清送气3套，有舌根清、浊擦音和喉门擦音；双唇、舌尖中、舌面前、舌根塞音分清、浊；有边音、边擦音和卷舌半元音各1个。15个复辅音声母分两类，一类由塞音、擦音、鼻音带卷舌半元音构成，另一类由鼻音、边音带前喉塞音构成。有39个单元音韵母，是汉藏语系中单元音韵母最复杂的语言，它们是基本元音12个；紧喉元音8个；鼻化元音10个；卷舌元音3个；鼻化卷舌元音4个；紧喉卷舌元音1个；紧喉鼻化卷舌元音1个。有37个后响复元音韵母；无辅音韵尾；有高平、高降、高升、低降4个声调。词类有名词、数词、量词、代词、动词、形容词、副词、助词、情感词、连词10类，语法上主要以虚词和词序表示句子成分的各种关系。名词有数、指小和人称领属范畴；人称代词有格（主格、领格）的范畴；第一人称双数和复数有包括式和排除式的区别；疑问代词重叠表示复数；动词有体（将行体、进行体、持续体、已行体、完成体）、态（自动态、使动态）、式（陈述式、命令式、祈求式）、方位等范畴；存在动词有类别（有生命、无生命、所有者）范畴；语序是主语在谓语前，宾语在动词前，名词、代词作定语在中心词前，形容词、数量词组作定语在中心词后；状语多数在中心词前，少数在中心词后。借词主要来源于汉语和傈僳语。

Nut　努特　埃及宗教所奉祀的女天神，代表诸天苍穹，其形象是一女子，拱盖大地之神盖布。作为天神,努特在晚上吞食太阳,早晨再使太阳升起。有时努特之像为头顶水罐或梨形器皿的女子,她的名字的象形文字即是如此。有时她形如母牛,因为她就是以母牛

刻于古埃及第26王朝时期一石棺棺盖内侧的努特女神像
美国不列颠百科全书公司供图

的形状把创造太阳之神瑞驮上天的。努特在新年之前的5个特别日子先后生出俄赛里斯(**Osiris**)、何露斯(**Horus**)、塞特(**Seth**)、伊希斯(**Isis**)和奈普提斯等神。

nut　坚果　一种坚硬的干果,成熟后果皮不开裂。似瘦果,只含一粒种子,但由多心皮发育而成。通常比瘦果大,且有一层坚硬的木质果壁。如栗子、榛子和橡子。虽然英语中花生(peanut)、椰子(coconut)和巴西坚果(Brazil nut)亦称为 nut,但实际上花生是荚果,椰子是核果,巴西坚果是种子。许多坚果是人和动物的重要食物,还有许多坚果可制活性炭,用于吸收气体,如制造防毒面具和工业过滤物质。

nut　螺母　紧固件,一般是中心有阴螺纹孔的方形或六角形金属件,以便与同其配对的螺栓或螺钉上的阳螺纹配合。螺栓或螺钉与螺母一起,广泛用于紧固机器和结构件。除了标准的方形和六角形螺母外,尚有许多特殊型式。有几种如图示,包括带槽螺母或槽顶螺母;当这种螺母在紧固螺栓时,槽与螺栓上的孔要对准,并用一开口销或钢丝锁紧,以防止松开。也可用锁紧螺母压紧在标准螺母上防松。另一种防松螺母在靠近其顶端处有一个纤维或塑料垫圈,当螺母拧紧而且垫圈对螺栓的螺纹有压紧力时产生锁紧作用。翼形螺母用于需要经常调整和用手锁紧的场合。自锁定螺母已成为许多形式的薄形材料强力永久性的紧固件,这种螺母固定在特制的围件(外壳)内,后者用焊接、铆接、螺纹连接等方法或搭锁件系结在零件上。单螺纹螺母是在一块金属片上压印螺纹而成。

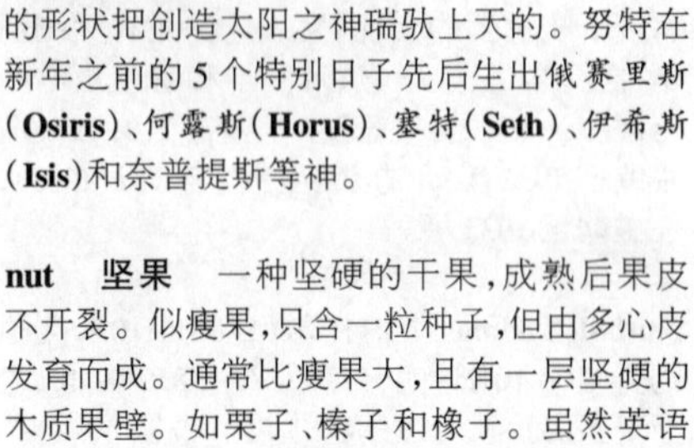

几种型式的螺母

nut-bearing torreya (tree)　参阅 **Japanese torreya** 日本榧。

nut weevil　坚果象甲　参阅 **acorn and nut weevil** 槲果和坚果象甲。

nutation　章动　天文学名词,指岁差进动中的微小不规则性。自转着的地球有缓慢的陀螺式摆动,称岁差进动,周期大约是26 000年。章动是叠加在极其缓慢的进动上面的小振动,周期为18.6年,振幅为9.2″。产生章动的原因主要是月球绕地球运动的轨道面同地球绕太阳运动的轨道面有一个约5°的倾角。由于月球轨道面绕地球轨道面以18.6年为周期作进动,月球对岁差进动的效应也按同一周期变化。英国天文学家J.布拉得雷于1748年宣布发现章动。

nutcracker　星鸦　雀形目鸦科(**Corvidae**)两种尖嘴短尾的鸟,见于针叶林中。欧亚星鸦(*Nucifraga caryocatactes*)分布在斯堪的纳维亚到日本,并在更南面的山中有隔离的种群。

克拉克氏星鸦(*N. columbiana*)
美国不列颠百科全书公司供图

长32厘米,体浅褐色,带有白色条纹,尾端白色。北美西部的克拉克氏星鸦(*N. columbiana*)淡灰色,翅和尾黑色,在飞行时显出白色块斑。这两种鸟主要食种子和坚果,常把这些食物贮藏在地下准备过冬用。

nuthatch　䴓　䴓科(Sittidae)䴓属(*Sitta*)鸟类,约22种。形小,尾短,颈短,在树干和岩石间觅食,常头朝下地降落。基本上食虫,但也吃种子,也贮存种子过冬。持续地发出铿锵的鸣声或鼻音。往往群居。其巢通常是一个腔洞,内垫有草或毛发。常见于欧亚大陆,东到日本、菲律宾和苏门答腊;北美洲有4种。多数种类体上面淡蓝,下面白或淡红色,可有一黑色眼纹或头顶黑色。珊瑚钩嘴䴓

欧洲䴓(*Sitta europaea*)
美国不列颠百科全书公司供图

(*Hypositta corallirostris*)产于马达加斯加,常被视为钩嘴鵙科(Vangidae)不典型的种。

nutmeg　肉豆蔻　由芳香肉豆蔻(肉豆蔻,*Myristica fragrans*)种子制成的香料。该植物为热带常绿乔木,雌雄异株。原产于印度尼西亚的摩鹿加群岛(即香料群岛)。肉豆蔻有

芳香肉豆蔻(*Myristica fragrans*)
美国不列颠百科全书公司供图

独特的刺激性芳香及温和稍甜的味道。通常用于多种焙烤食品、糖果、布丁、肉类、香肠、酱汁、蔬菜和蛋酒等饮料调味。磨碎的肉豆蔻可制香粉,罗马人用以制熏香。约1600年左右,肉豆蔻在西方贸易中成为重要的昂贵香料。荷兰人设法保持高价,而英、法则设法获得能育的种子以将其移植。成粒销售的肉豆蔻浸过石灰以防止发芽。主要栽培在摩鹿加、西印度群岛,其他各地栽培后也取得不同程度的成功。植株可高达20米,雌雄异株,播种后8年结果,25年后为生长盛期,结果期长达60余年。核果下垂,外形似杏,成熟时裂为2果瓣,露出深红色的假种皮(肉豆蔻干皮),包裹一颗亮棕色种子。当地居民食其果肉。采集后,把假种皮剥下压平晒干。种子经6～8周的日晒,每日翻动2次,干后种仁缩小而与硬种皮分离,摇动时内部作响,用木棒将外壳打碎,即可拣出种仁,此即肉豆蔻。干肉豆蔻灰棕色,卵形,表面有皱纹,大者可长3厘米,直径1.8厘米。肉豆蔻和其干皮含7%～14%的香精油,主要成分是蒎烯、莰烯和二戊烯。压榨肉豆蔻能产生24%～30%固定油(肉豆蔻脂或肉豆蔻干皮油),其主要成分是三肉豆蔻精,用为辛辣调味品、驱风药、香水或肥皂的香料等。一种肉豆蔻脂软膏用作抗刺激药,并用以治疗风湿病。有些国家把其他植物的果实或种子也称为肉豆蔻:牙买加肉豆蔻(或葫芦肉豆蔻)取自番荔枝科的 *Monodora myristica*;巴西肉豆蔻取自麝香厚壳桂(*Cryptocarya moschata*);秘鲁肉豆蔻取自 *Laurelia aromatica*;马达加斯加肉豆蔻(或丁香肉豆蔻)取自 *Ravensara aromatica*;加

利福尼亚肉豆蔻(或臭肉豆蔻)取自加利福尼亚榧(*Torreya californica*)。

nutmeg melon 参阅 **muskmelon** 香瓜。

nutria(*Myocastor coypus*) **河狸鼠** 又作 coypu。南美洲半水栖啮齿动物。常和硬毛鼠列入硬毛鼠科(Capromyidae),有时单列为河狸鼠科(Myocastoridae)。体强健似麝鼠;眼

被饲养的河狸鼠(*Myocastor coypus*)
美国不列颠百科全书公司供图

和耳都小;尾圆,具鳞片;后脚部分具蹼;门牙宽,橘黄色。连同长尾统长约1米,体重8千克,毛浅红褐色,针毛下有一层柔软的绒毛。居于水塘和河流沿岸的浅穴里。主要以水生植物为食。1年产3窝,每窝2～8仔;妊娠期约135天。河狸鼠毛皮相当贵重,由于19世纪和20世纪早期不断猎捕,数量已减少。后来引入北美洲和欧洲饲养。一些个体逃往或被放回野地,在许多国家因毁坏作物或与其他野生动物竞争而成害兽。

nutriculture **营养栽培** 参阅 **hydroponics** 溶液栽培。

nutrient **营养素** 为了维持生命并进行生长发育,生物体必需从环境中获取的物质。若食物中缺乏则生物能在细胞内自行合成的营养素称为非必需营养素;而必需营养素则不能在生物体内合成,必需从食物中获取。对大部分生物体来说,营养素不但能够提供进行某些生命活动所必需的能源,还提供了用以合成身体结构、完成生理功能所必需的物质。一些动物体内的微生物为动物合成重要营养素,通过血液传输给动物。

nutrient broth **营养肉汤** 参阅 **growth medium** 生长培养基。

nutrition **营养** 活生物吸收和利用食物的过程。食物有3个主要功能:产生能量供生长、维持生命和活动之用;提供还原因子以利酶的制造,后者为完成细胞过程所必需;提供构建细胞的材料。有些生物系自养生物(如绿色植物),只需一些无机营养素,而其他生物(如真菌)则为异养生物,需要无机和有机营养两者。绿色植物还是无机营养生物(由无机来源如水取得还原因子),而动物则为有机营养生物(由摄入的有机物质中取得还原因子)。此外,绿色植物还是光能营养生物(其生命过程所需能量取自阳光),而动物则为化能营养生物(其生命过程所需能量取自摄入的物质)。最初的生物也许是异养生物,而随着地球上有机营养物的供应开始缺乏时,某些生物就进化出借助光合作用由无机成分自己合成食物的本领。由于这些生物可以补充有机营养素的供应,异养生物才得以繁生。

人类必需的营养素有蛋白质、矿物质和维生素;膳食中缺乏上述任一营养素或身体吸收有缺陷都会造成营养缺乏和疾病。蛋白质在消化时要分解为氨基酸,后者再用来构建组织,作为遗传信息的递质,以及提供能量。正在生长的儿童和青少年的蛋白质需要量大于成年人。在某些贫穷国家中,因缺乏氨基酸而造成的恶性营养不良病是儿童死亡的常见病因。矿物质对一些身体过程很重要。铁用于制造血红蛋白;缺铁性贫血在妇女更为多见,因为经血过量及生育都可造成贫血。钙对于骨骼和牙齿的生长都很关键;缺乏时可造成儿童的佝偻病和成人的骨软化症。钠和钾都是细胞外液中的主要离子;缺乏任一种都会导致内环境稳态平衡的紊乱。经利尿或腹泻丢失钾会造成组织兴奋性的丧失和肌肉瘫痪。过高的钠水平会引起高血压,而钠缺乏会造成低血压及癫痫样抽搐。碘用于合成甲状腺激素。体内还有其他微量元素,但它们的功能还不完全知道。维生素是人体需要的有机物质,但人体自身不合成或合成的量不敷机体需要。维生素常作为细胞反应中的酶辅助因子。因维生素缺乏造成的主要营养障碍有:脚气病(维生素 B_1 即硫胺缺乏),糙皮病(烟酰胺缺乏),坏血病(维生素C缺乏),干眼症(维生素A缺乏),以及佝偻病和骨软化症(维生素D缺乏)。所有这些障碍在19世纪都很流行,那时可能是因大量人放弃农业而进城谋求工业职业。现在只有干眼病还未得到控制;干眼症可造成儿童的角膜软化和失明。

人类食物可分成17组,包括:谷物;淀粉质植根;豆类;其他蔬菜;水果;糖类;禽兽肉类;鱼;蛋;奶和干酪;动植物油;酒精性饮料;非酒精性饮料;坚果和种子;香料;特种膳食用品和杂项(如盐和醋)。一个基本的营养目标就是得到平衡饮食,要包括上述各组中的食物。不过某些膳食(例如为了减肥或其他治疗目的)也可以从某一组中多取一些或少取一些食物。业已建立有几个国家的组织和国际组织,负责调查人群的营养需要并探寻满足这些需要的途径。这些单位制定了营养需要量和推荐标准,还制定了检查食物和分配食物的程序。但向全民提供充足的食物供应和营养教育,仍然是个重要的问题。

nutritional supplement **营养增补剂** 食品加工中添加的维生素和痕量元素,以改善营养价值,并可提供居民缺乏的特殊养分。面粉及面包常以铁质、维生素B、硫胺素、核黄素、烟酸增补。本来就含有维生素C的柑橘饮料可添加维生素C以增加含量。食盐中加碘,可消除某些地区常见的甲状腺肿大。婴儿食品中添加维生素D,以预防佝偻病。

nutritional type **营养型** 按所需营养物质的化学性质进行分类的生物类型。这种分类有3个方案:①按所需营养物质的化学性质分类——绿色植物、某些细菌只需无机物,称为自养生物;所有动物、真菌及大部分细菌既需要无机物,也需要有机物,称为异养生物。②按生物体所利用的能源的性质分类——攫取光能并将它转化为ATP(腺苷三磷酸)形式的化学能的生物称为光养生物或光合生物;化养生物(或称化能合成生物)则利用有机或无机化合物(如氧)以满足其对ATP的需要。③按合成某些细胞成分时利用的电子供体物质分类——矿物质养生物在合成某些细胞成分时消费无机物(如对大多数植物来说,水是其所需电子的基本来源);有机物养生物则以有机物质(如糖类)为其所需电子的基本来源。每种生物均可按一种以上的方案进行分类。因此,绿色植物是光养-矿物质养生物,某些细菌是光养-有机物养生物,另一些细菌是化养-矿物质养生物。动物、大部分细菌、酵母菌是化养-有机物养生物。

Nuttall, George Henry Falkiner **纳托尔**(1862-07-05,美国加利福尼亚旧金山～1937-12-16,英国伦敦) 美国出生的英国生物学家、医师,对生物学的许多分支学科作出重大贡献,并在剑桥建立莫尔特诺生物学和寄生虫学研究所(1921)。曾在美国(1884年获伯克利加利福尼亚大学医学博士学位)、法国、德国和瑞士学习。1900年获得英国国籍并任剑桥大学细菌学和预防医学讲师。1906年被选为剑桥大学生物学第一个奎克讲座教授。在免疫学、无菌条件下的生物、血液化学以及由节肢动物,尤其是蜱传染的疾病等方面都有创新和重要的发现。发表过许多有关细菌学、血清学、卫生学、热带医学和寄生虫学的专著和论文。创办《卫生学杂志》(1901),任主编至1937年;创办《寄生虫学杂志》(1908),任主编至1933年。

Nuttall, Thomas **纳托尔**(1786-01-05,英国约克塞特尔附近朗普雷斯特～1859-09-10,兰开夏圣海伦斯附近纳特尔格罗夫霍尔) 英国博物学家、植物学家,以在北美植物方面的

美国不列颠百科全书公司供图

发现闻名。纳托尔在兰开夏布莱克本长大。曾受雇于其叔,为熟练的印刷工。22岁时(1808)离英赴美。在费城定居后,成为植物学家B.S.巴顿的挚友,并向他学习植物学一般原理。巴顿鼓励他投身科学。他一边讨教,一边自学。在这种准备的基础上,他多次到北卡罗来纳、弗吉尼亚、密苏里和阿肯色等地旅行,搜集和鉴定各种植物,并根据所得到的资料写成其主要著作《北美植物属志》

(1818)。1822 年就任哈佛大学博物学讲师,并开始研究鸟类学。1832 年出版其《美国和加拿大鸟类学手册》第一卷(1840、1891、1896、1903 年再版),这是第一本规模和价格都适中的研究美国鸟类的书籍。后辞去哈佛大学的职务,随考察队去哥伦比亚及夏威夷,再事搜集植物。1842 年返回英国。余生从事农业及园艺。

Nuttall, Zelia Maria Magdalena 纳托尔 (1857-09-06,美国加利福尼亚州旧金山～1933-04-12,墨西哥科约阿坎) 美国考古学家,因对古代墨西哥所做的大量调查研究而被人们所铭记。因母亲是墨西哥后裔,她很早便对墨西哥产生兴趣。1886 年,她根据在特奥蒂瓦坎发掘出来的赤陶头颅撰写的学术论文发表在《美国考古期刊》上,引起学术界关注。1886～1899 年住在欧洲,以德国德累斯顿为中心,在各地做研究工作和参加学术会议。根据广泛的调查研究,她先后写成的专著有:《古代世界文明与新世界文明的基本原则》(1901)、《纳托尔法典》(1902)和《古代墨西哥人的生活》(1903)。1899～1902 年在美国作短暂逗留,后定居墨西哥城郊科约阿坎的卡萨阿尔瓦拉多。在此继续做调查研究工作。1908 年受聘任为墨西哥国家博物馆的名誉教授。1911～1917 年墨西哥革命期间在国外。此间出版了《研究德雷克的新信息:有关德雷克的环球航行(1577～1580)的文件》(1914)。

Nutting, Mary Adelaide 纳丁(1858-11-01,加拿大东部地区弗罗斯克村[今在魁北克]～1948-10-03,美国纽约怀特普莱恩斯) 美国护士、教育家。以其在提升护理学高等教育

美国不列颠百科全书公司供图

和医院管理质量,以及相关领域中所作出的杰出贡献而永远被人们所铭记。童年在加拿大安大略省沃特卢度过。1889 年进入马里兰州巴尔的摩新建的约翰斯·霍普金斯医院护士学校,1891 年毕业后即出任该医院护士长,两年后升任护理部副主任,1894 年任护理部主任兼护校校长。当时,护校学生是医院主要的廉价人力资源,每人每周的工作时间长达 60～105 小时,远远超过上课时间。纳丁雷厉风行地扭转了该校的这种现象。1895 年,她向学校理事会提出一份报告,详细分析了当前严重的护校学生受雇现象,并要求批准一项确保三年学制、取缔雇用薪金并向贫困学生发放奖学金制度的计划。1900 年,在她的帮助下《美国护理学杂志》创刊。此后数年,纳丁为新生开办了半年的预科,主要内容有卫生学、护理学入门、解剖、生理和药理学,帮助学生做好进入病房工作的准备。还在约翰斯·霍普金斯医院创办一家护理专业图书馆。与 L.L.多克在 1907～1912 年间合作完成的 4 卷《护理学史》。她是美加护理学校长联合会美国分会(后更名为全美护理学教育联合会,现名全美护士联合会)的早期会员之一并两度出任该联合会主席。1899 年,纽约哥伦比亚大学师范学院开办有关医院经济管理的实验班课程,纳丁 1899～1907 年在此兼职授课,后离开约翰斯·霍普金斯医院,出任师范学院经济管理的全职教授。1910 年出任新成立的护理与健康系主任。她是出任这两个职位的首位护士,一直到 1925 年退休。至此,她在医院管理、护理学教育、公共卫生等学科开设的课程已经使她的院系闻名国际。1934 年她被任命为佛罗伦斯·南丁格尔国际基金会名誉主席;1944 年,全美护理学教育联合会设立玛丽·阿德莱德·纳丁奖,并将第一枚奖章颁发给她本人。

Nuuk 努克 又拼 Nûk。又称戈特霍布(Godthåb)。格陵兰首府和主要港口。在岛的西南岸。现代化城市。1721 年由挪威传教士 H.埃格德在这里建立殖民点。现为地方议

努克一角
印度《电影行列》杂志社供图

会和最高法院所在地。设有外国领事馆、师范学院、医院和电台。居民主要从事行政事务和狩猎、捕鱼、制作鱼罐头、养殖驯鹿及养羊。交通以舟船为主。有直升飞机通往岛上其他城镇和南斯特伦菲尤尔的机场,该机场有飞往哥本哈根的班机。20 世纪 70 年代后期在努克修建了一个机场。人口 13 566 (1999)。

Nüwa 女娲 又拼 Nü Kua。中国神话中的女神。毕生功业是造人和补天。传说上古时天崩地裂、洪水滔天。女娲炼五色石补天。斩大龟足为天柱,以支撑天空。又杀水怪黑龙以平洪水。女娲与伏羲原为兄妹。洪水后两人仅存,后结婚生子繁衍人类。汉石刻和砖画多有其造像,人身蛇尾,两尾交缠。后世因奉女娲为建立婚姻制度的女神。

Nuwara Eliya 努沃勒埃利耶 斯里兰卡中南部城镇。海拔 1 889 米,北面紧贴该岛最高峰皮杜鲁塔拉格勒山(2 524 米),位于康堤东南 40 千米处。由于地势高,植被属温带类型,种植欧洲水果和蔬菜。虽为主要产茶区之一,也是橡胶、蔬菜、水稻和鱼类的销售中

努沃勒埃利耶的采茶妇女
美国不列颠百科全书公司供图

心。气候宜人、有益健康,因而发展成为山区旅游胜地和疗养地。建有气象站。人口约 27 000 (1991)。

Nuwe (ancient Egypt) **努韦** 参阅 **Thebes 底比斯**。

Nuwe Republikeinse Party (South African political party) 参阅 **New Republic Party 新共和党**。

Nuzu 努祖 美索不达米亚古城,即今约尔安提普,位于伊拉克的基尔库克西南。根据 1925～1931 年美国人考古发掘,它在阿卡得时代(公元前 2334～前 2154)称格苏尔;在公元前 2 千纪初期为美索不达米亚北部的胡里人所占,改称努祖;公元前 16～前 15 世纪成

绿釉赤陶努祖器皿
美国不列颠百科全书公司供图

为繁荣的居住地和重要的行政中心。经考古发掘,发现了研究胡里人制陶和雕刻艺术的极好材料。还发现 4 000 多块楔形文字泥板,其中大部分虽是用阿卡得文字写成,但多数人名是胡里人的,而且所使用的阿卡得文常常表现出胡里人的强烈影响。努祖材料使人有可能深入了解胡里人特殊的家庭法和社会制度,澄清《创世记》中关于当时族长所叙述的许多难懂的段落。

Nwapa, Flora 姆瓦帕(1931-01-03,尼日利亚奥古塔～1993-10-16,埃努古) 尼日利亚女小说家,因从女人的观点对伊博人的生活和习俗进行再现而为人们所熟知。1953～1957 年在尼日利亚伊巴丹上大学,后去英国就读于爱丁堡大学。从 1959 年起

到1967年爆发比夫拉内战，她一直在尼日利亚当教师和行政管理人员。战后出任东中央州卫生和社会福利部部长。后来创建塔娜出版社和姆瓦帕公司，专门出版有关非洲的书籍。第一部小说《伊福茹》（1966）是基于一个妇女被神挑中的古老的民间故事。《伊杜》（1970）集中描写一个妇女的一生是如何与丈夫密切结合在一起，丈夫去世后她又是如何去阴间寻夫的故事。在《这是拉各斯及其他故事》(1971)、《一个足矣》(1981)和《妇女是另一种人》(1986)这三部书中她继续以富于同情心的态度描写现代尼日利亚社会的妇女。《决不重演》(1975)和《战时妻子及其他故事》(1980) 描写比夫拉冲突之事。她出版的唯一一部诗集是《木薯和大米之歌》(1986)。

Nyack 奈阿克 美国纽约州罗克兰县的一个村庄。在哈得孙河西岸。1684年始有人定居。原以农业、捕鱼和采石为主。1874年通铁路后兴起轻工业，与邻近各村形成纽约市的住宅区。有塔潘泽桥(1956)通往河对岸的塔里敦。人口6 737 (2000)。

Nyakyusa 尼亚库萨人 又称索基勒人(Sokile)、恩贡德人(Ngonde)或恩孔德人(Nkonde)。居住在马拉维和马拉维湖北面的坦桑尼亚姆贝亚地区、操班图语的民族。居住在马拉维的尼亚库萨人称恩贡德人(或恩孔德人)。传统的主食为大蕉，以玉米、谷子、豆类和一些乳类为辅。稻米和咖啡已成为主要经济作物。在地方经济中牛起着非常重要的作用，男女共同耕作，但男人单独放牧。传统上尼亚库萨人住在独特的年龄村里：一个地区所有年龄为11～13岁的男孩，都要离开他们父母，建立自己的新村，最后娶亲并将妻子接到本村来。各村都有一名头人，由地区的最高首领甄选并予以任用。若干村庄组成一个独立的酋长领地，可有人口数千人。尼亚库萨人盛行一夫多妻制，娶亲用彩礼。从前奴隶制曾一度流行。传统宗教的主要特征是祀奉祖先。

Nyala 尼亚拉 苏丹西部城市，位于卡杜格利西北544千米处。海拔673米。工业生产纺织品，加工食品和皮革制品。阿拉伯树胶的贸易中心。铁路和公路的终点站，有国内机场。设有苏丹农业银行和人民合作银行的分行。向尼亚拉市由农民、消费者、手工艺人和渔民组成的合作社发放贷款。人口59 852 (最新统计)。

nyala (species *Tragelaphus angasi*) **白斑羚** 即安加斯氏林羚。偶蹄目牛科动物。体细长，独栖或小群栖息在非洲东南部森林。肩高107厘米，从头到尾沿背部有一列颜色与全身不同的脊毛。雄体有略带螺旋的角，喉部和腹部有一列长穗状毛；全身深褐色，下腿浅褐红色，面部和颈部白色，身上有垂直的白色条纹。雌体浅褐红色，白色条纹更为明显。大林羚(山地林羚、巴克斯顿氏林羚，*Tragelaphus buxtoni*)与之有亲缘关系，是罕见种，栖息在埃塞俄比亚中部兹瓦伊湖附近山区；浅灰

白斑羚(*Tragelaphus angasi*)
美国不列颠百科全书公司供图

褐色，头、颈和身体带白色；雄体有分叉的、略带螺旋的长角。

Nyamulagira, Mount 尼亚穆拉吉拉火山 非洲中东部维龙加山脉的火山。在刚果(金)维龙加国家公园的火山区内，萨凯东北24千米。海拔约3 055米。最近一次喷发在1938年。西南坡迸开，岩浆喷到南面的基伍湖。

Nyamwezi 尼扬韦齐人 又称巴尼扬韦齐人(Banyamwesi)。居住在坦桑尼亚西部广大地区、操班图语的民族。语言和文化与**苏库马人(Sukuma)**有密切关系。尼扬韦齐人以种植粮食作物为主，有高粱、黍类和玉米。稻米为重要经济作物。他们以在国外谋生著称，以勤杂工闻名整个东非。娶亲须有聘礼并承担女家劳务。允许一夫多妻，但实际有所限制。按母系血统传代。许多秘密会社都有入会仪式。祀奉祖先是宗教活动的最重要方面。基督教和伊斯兰教对他们影响甚微。

Nyang Qu 年楚河 又拼 Nianchu He。中国雅鲁藏布江的重要支流。在西藏自治区南部。藏语称酿曲。全长217千米，流域面积

年楚河大桥
中国大百科全书出版社供图

11 130平方千米。源出喜马拉雅山北坡冰川，西北流至日喀则境内汇入雅鲁藏布江。下游地区为西藏重要的耕作区。

Nyankole (people) **尼扬科勒人** 又拼 Nyankore。参阅 **Nkole 恩科勒人**。

Nyanza Province 尼安萨省 肯尼亚西南部省份。面积16 162平方千米，包括维多利亚湖3 636平方千米的水域。人口密度为每平方英里440人。主要经济作物是棉花，东北部还出产咖啡和茶。西部居民多为卢奥人，东部多为古西人。首府**基苏木(Kisumu)**是肯尼亚西部主要的城市中心。西南部的马卡尔德尔开采少量的铜和金。该省有一些轻工业工厂和农产品加工厂。人口4 041 000 (1993)。

Nyasa, Lake 尼亚萨湖 又称马拉维湖，为东非大裂谷最南面的湖泊和第三大湖泊。湖的中线、北岸和东岸形成马拉维与坦桑尼亚、莫桑比克的边界。南北长363英里，宽10～50英里，面积11 430平方英里。湖面海拔1 550英尺，靠近北端处湖水深达2 310英尺。北端东面是林木覆盖的利文斯敦山脉，西面是尼卡高原和维皮亚高地。当地5～8月盛行清新的东南风。湖中部有利科马岛，岛上

在尼亚萨湖沿岸筑巢的鸬鹚
美国不列颠百科全书公司供图

有传教机构和一座圣公会大教堂(1911)。在人口稠密的马拉维湖岸的曼戈切、恩科塔科塔、恩卡塔贝和卡龙加有政府管理站。有14条常年河水注入湖中,最大的是鲁胡胡河;湖水唯一出口是赞比西河的支流希雷河。湖中约有200种鱼类,其中80%是当地特有品种。湖南端有商业性渔业。马拉维铁路公司经营客、货轮运输,把棉花、橡胶、稻米、桐油和花生运到奇波卡铁路起点,再经铁路运往莫桑比克的贝拉。葡萄牙人博卡罗在1616年宣布发现该湖。英国探险家利文斯敦1859年自南方到此。

Nyasaland　尼亚萨兰　参阅 **Malawi** 马拉维。

Nyāya　正理派　梵语,意为"规律"或"方法"。印度六派正统哲学体系之一,以其逻辑分析和认识论而著称。其主要贡献是提出详细而透辟的推论方法(参阅 **anumāna**)。正理体系从乔达摩起,据传此派重要典籍《正理经》即出于其手,此后经由他重要的早期注释家筏差耶那(约450),直至乌陀衍那迦利耶(10世纪),均被称为旧正理派。11世纪,在孟加拉出现新正理派。新正理派的重要人物和现代印度逻辑的奠基人是恒积沙(12世纪)。正理派认为有4种可靠的知识手段:感觉(现量)、推理(比量)、比喻(喻量)和言词证据(声量)。不可靠的知识包括回忆、怀疑、谬误和假证。正理的因果理论把原因解释为结果的无条件的和不变的前件。有3种不同的原因:固有的或物质的原因(结果所由产生的实体);非固有原因(协助原因的产生);效力因(协助物质因产生结果的力量)。神不是宇宙的物质因,而是效力因,因为原子和灵魂也是永恒的。

Nyborg　尼堡　丹麦菲英州城市和港口。位于菲英岛东部,濒临大贝尔特海峡和尼堡湾。1292年设市。1282～1413年政务会议的集会地点。丹麦的第一部宪法大宪章在此颁布。克里斯蒂安二世国王的诞生地——城堡已于1923年修复为博物馆。该市有造船和纺织工业,建有大型石油储备设施。人口:市15 466(1981);城市区18 765(2000)。

Nyctaginaceae　紫茉莉科　石竹目的一科,约30属,300种,草本、灌木或乔木。原产全

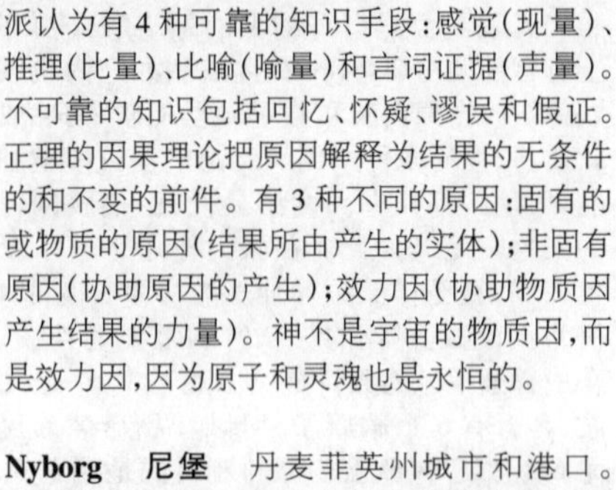

光叶子花(*B. glabra*)
美国不列颠百科全书公司供图

生,形如花瓣;干果小,具沟或翅。紫茉莉(四点钟花,*Mirabilis jalapa*)、粉红叶子草(*Abronia umbellata*)及叶子花属(*Bougainvillea*)均作为观赏植物广为栽培。叶子花属原产南美,藤本,花有彩色鲜艳的苞片,悬挂于长而下垂的小枝上。光叶子花(*B. glabra*)的茎在温暖的气候条件下,可长18～30米,而且几乎全年开花。奇观叶子花(*B. spectabilis*)的茎有许多短毛,花期较短。

nyctalopia　参阅 **night blindness** 夜盲。

Nye, Bill　奈(1850-08-25,美国缅因雪莉～1896-02-22,北卡罗来纳阿登)　美国新闻记者,19世纪后半叶美国幽默大师之一。1852年随家移居威斯康星州,后在当地教过书和

美国国会图书馆供图

学过法律。1876年移居怀俄明州拉勒米,任邮政局长和治安法官,并为《丹佛论坛报》和《夏延太阳报》撰稿。1881年协助创办《拉勒米飞镖》,该刊发表的他的幽默短文和故事受到读者普遍欢迎,并被许多报刊转载。这些文章后来汇编成册,从《比尔·奈与飞镖》(1881)到《比尔·奈笔下的美国历史》(1894),先后出版了好几本。后来,奈迁回威斯康星,为《纽约世界报》撰稿数年。1886年,与J.W.赖利一道讲演,他的妙语与赖利的情趣相结合证明极受欢迎。当奈以他本人而不是扮作一个愚蠢人物写作时,他表现出自己善良而好开玩笑的性格。

Nyerere, Julius(Kambarage)　尼雷尔(1922-03,坦噶尼喀布蒂亚马～1999-10-14,英国伦敦)　坦噶尼喀独立后的第一任总理(1961),新成立的坦桑尼亚国家的第一任总统(1964),非洲统一组织主要领导人之一。生于部族首长家庭,曾在乌干达马凯雷雷学院就读,受洗为天主教徒,后在英国爱丁堡大学学习。1952年获历史与经济学学位后回国任教。尼雷尔参加政治活动时联合国已将坦噶尼喀交英国托管。他希望国家尽快解放,加入了坦噶尼喀非洲人协会,并当选为主席。1954年他将协会改组为坦噶尼喀非洲民族联盟,倡导和平转变、社会平等和种族和睦,反对部族制和一切种族与民族的歧视。1955年和1956年他到联合国托管理事会和第4委员会提出独立申请。在申诉中他要求确定独

美国不列颠百科全书公司供图

立日期,遭到英国当局拒绝,但双方的对话从此开始,这使他成为卓越的坦噶尼喀民族主义的发言人。尔后他被英国当局任命为坦噶尼喀立法院议员。因独立进程缓慢,于1957年愤而辞职。1958～1959年选举中坦噶尼喀非洲民族联盟获众多议席;1960年8月新立法议会选举中又获得71席中的70席。1960年9月坦噶尼喀建立自治政府,尼雷尔任首席部长。1961年坦噶尼喀独立,他就任总理。1962年坦噶尼喀共和国成立后当选为总统,1964年坦噶尼喀与桑给巴尔合并,又被选为坦桑尼亚联合共和国总统。1965年再次当选,并连任3届,直到1985年辞职。同时任坦桑尼亚唯一政党革命党的主席。在国内,致力于把坦桑尼亚建成平等的社会主义社会,实行农业集体化,开展扫盲运动和普及教育。强调经济自给,不依赖外援和外资。作为当代泛非主义运动领导人和非洲统一组织创建人之一,他是20世纪70年代非洲事务中的重要人物。他是5个前线国家总统小组的主席,力主推翻罗得西亚(今津巴布韦)、南非和西南非(今纳米比亚)的白人统治。

Nyeri　涅里　肯尼亚中南部城镇。地处阿伯德尔山麓,海拔约1 750米。附近土地肥沃、草原丰茂,山坡有桉树属林木。与纳纽基和内罗毕通公路、铁路。主要工业产品有皮革、肥皂、家具、食品、软饮料、软木塞、绳索和农具等。附近有机场。人口约39 200(1983)。

Nyika　尼伊卡人　又称米吉肯达人(Mijikenda)或尼卡人(Nika)。操东北班图语的诸民族,包括迪戈人,居住在蒙巴萨南至潘加尼之间的肯尼亚和坦桑尼亚沿海地区;吉里亚马人,居住在蒙巴萨以北;杜鲁马人、吉巴纳人、拉拜人、里贝人、乔尼人、考拉人和坎贝人,居住在迪戈人和吉里亚马人西面的干旱灌丛草原上(斯瓦希里语称此种草原为"尼伊卡")。所有的尼伊卡人都讲一种班图语,也有一些人把曾经一度是他们第二语言的斯瓦希里语作为第一语言。尼卡人社会曾受阿拉伯很多影响。他们主要从事农业,畜牧业(尤其是在杜鲁马人中)也颇为重要。迪戈人的经济则侧重渔业。尼伊卡人普遍实行一夫多妻制,婚媾需下聘礼。大多数尼伊卡人循父系血统。很多尼伊卡人是穆斯林,也有一些

人是基督教徒。大约1/4的人保持传统的宗教信仰。

Nyika Plateau 尼卡高原 马拉维北部的高草原台地。有草原和小片常绿林。台地四周为1 676米高的坡面。降雨量很大,形成一些常年河。主要河流有北龙皮河、切林达河等。较高地区土壤贫瘠,实际无人定居。尼卡国家公园(1965年建,面积3 134平方千米)里有羚羊、斑马,狮和鳟。

Nyilaskeresztes Párt(Hungarian fascists) 参阅 **Arrow Cross Party** 箭十字党。

Nyingchi 林芝 又拼 Linzhi。中国西藏自治区林芝地区辖县。地区行政公署驻县境内八一镇。位于自治区东部,雅鲁藏布江与尼洋曲汇合口。川藏公路横穿境内。1959年9月则拉宗、德林宗和贡穆宗合并设林芝县,县政府驻尼池村。1964年划归拉萨市管辖。1986年林芝行署成立。县政府驻林芝镇,2005年迁往八一镇。面积10 237平方千米。是1950年以后西藏新建的重要工业基地之一,有毛纺、电力、木材加工、火柴、造纸、印刷、建材、电池等工厂,多集中于八一镇。林芝毛纺厂1965年建成投产,现产毛线、毛毯、呢料、氆氇等280多种产品。毛线、毛毯还销往中国其他省区。林芝是"西藏的江南",地处色齐拉山下,海拔2 600多米,因太阳辐射强和受印度洋季风影响,气候比同纬度地区温暖湿润。月平均气温值都高于零度,年平均降水量达650毫米以上。盛产青稞、小麦、豌豆、油菜籽、松、杉、竹、核桃和灵芝等,古柏、巨杉尤为普遍。巴结乡已建立自然保护区,其中一棵巨柏胸径4.5米,树龄达千年以上,为世界罕见。林芝还是西藏最早引植中国东部水果的试验基地之一。目前已产苹果、水蜜桃、苹果梨等,是高原上发展果林的理想生产基地。学校有西藏农牧学院。县南本日山保存有吐蕃时期的摩崖石刻。1956年和1977年先后在林芝附近发现新石器时代的古人类化石和古文化遗址。人口40 000(2005)。

Nyingmapa(Buddhist sect) 参阅 **Rnying-ma-pa** 宁玛派。

Nyiragongo, Mount 尼拉贡戈火山 非洲中东部维龙加山脉的活火山。在扎伊尔靠近卢旺达边境的维龙加国家公园的火山区内。海拔3 470米,主火山口宽2千米,深250米。山上的一些老火山口以其植物闻名。

Nyíregyháza 尼赖吉哈佐 匈牙利东北部索博尔奇-索特马尔州首府,蒂萨河上游地区重要的居民点。最近发现天然气,农田又可灌溉,从而改善了该地区经济前景。当地多孤立的小农户或农户群,沙质土壤适于种植马铃薯、烟草,也出产向日葵、罂粟籽、西瓜、杏、葡萄、苹果等。饲养大批猪和牛。该城为周围农产品的贸易中心。第二次世界大战后,建起罐头食品厂、酒厂、苹果加工联合企业等,并成为公路和铁路枢纽。也是疗养胜地和游乐中心。人口114 596(1991)。

Nyiri Desert 尼里荒漠 又称塔鲁荒漠。肯尼亚中南部荒漠。邻近坦桑尼亚边界,在马加迪湖以东约80千米。包括安博塞利国家公园、安博塞利湖北半部,北端有内罗毕国家公园,南端有察沃西国家公园。部分地区长有浓密的矮树丛,时逢短暂的雨季,则枝繁叶茂,花蕾绽开;但到旱季,光秃的树木爬满灰绿色的藤蔓。境内除少数大泉源和广阔的河床外,其他地方缺水。坦荡的大地上,岩石丘陵星罗棋布。荒漠中生长着猴面包树,有些是2 000年的古树,树干直径达3米。当地动物有象、长颈鹿、犀牛、狮、豹、小捻角羚羊和黑斑羚。

Nyitra(Slovakia) 参阅 **Nitra** 尼特拉。

Nykänen, Matti 尼凯宁(1963-07-17,芬兰于韦斯屈莱~) 芬兰跳台滑雪运动员,堪称是此这项运动最优秀的表演者。他在雪坡上滑降的速度并不特别快,非正统的跳跃姿势在造型上也不占优势;然而总能完美地起跳,在空中飞行很远的距离。跳台滑雪的专家们认为他有非同一般的体格,体宽而削瘦,滑翔起来就像是乘风飘行,超过其他跳台滑雪者。他9岁开始练跳台滑雪,一年跳2 000~3 000次。17岁获世界少年组冠军和芬兰大跳台锦标赛冠军。第二年在霍尔门科伦年度滑雪大赛中获大跳台冠军,并获1983、1985、1986和1988年世界杯冠军。尼凯宁酗酒无度,行为野蛮。1986年因偷香烟和啤酒被判缓刑,在国家队因行为恶劣被两度开除。尽管如此,他在盛行跳台滑雪的芬兰还是被视为英雄。1984年奥运会获得两枚金牌和标准跳台银牌。1988年奥运会获得标准跳台、大跳台和团体跳台滑雪3枚金牌。

Nyköbing Falster 尼克宾法尔斯特 丹麦斯托海峡州城市和首府。位于法尔斯特岛西部,濒临古尔堡海峡。围绕一12世纪的城堡而建立。1539年设市。现为工商业中心,有制糖、卷烟、造船等工厂,也有渔业。中世纪遗迹包括城堡废墟和15世纪的哥特式教堂。1716年彼得大帝住过的房子现为地方博物馆。人口18 937(1990)。

Nyköping 尼雪平 瑞典南曼兰省省会和港口城镇。位于波罗的海岸的尼雪平河口。1250年前为一高地附近的集市。尼雪平城堡约建于1260年,后成为瑞典最重要的要塞之一,现为南曼兰博物馆。工业源于以瀑布为动力的青铜器和铁器生产,后建有面粉加工、纺织、家具等厂。人口:城市区47 754(1992)。

Nykvist, Sven 尼奎斯特(1922-12-03,瑞典穆海达~2006-09-20,斯德哥尔摩) 瑞典电影摄影师,因其在I.伯格曼的影片中的精致明快的摄影而闻名。1945年任电影摄影师,1953年第一次为伯格曼的影片《木屑与金属丝》摄影。1960年担任伯格曼的影片《处女泉》的摄影,自此以后成为这位导演在斯文斯克电影公司的专任摄影师。他曾为伯格曼拍过10多部影片,其中包括《喊叫与低语》(1972)和《芬妮和亚历山大》(1983),这两部影片先后获得奥斯卡最佳摄影奖。

Nylands län(Finland) 参阅 **Uusimaa** 新地省。

nylon 尼龙 又称耐纶、锦纶。合成塑料,通常指由高分子量的聚酰胺制成的纤维。系20世纪30年代杜邦公司的美国化学家W.H.卡罗瑟斯领导的研究小组研制成功的。他们利用易于从空气、水、煤或石油得到的化合物,用化学方法合成了有用的纤维,这一成就促进了聚合物研究工作的开展,导致合成材料品种急速增长。尼龙有良好耐磨性、耐热性及耐化学性。可拉伸、铸塑,或由熔体(或溶液)经过喷丝头挤出形成纤维、长丝、鬃丝或薄片,进一步加工成纱线、织物及绳索。经冷拉伸处理的尼龙具有韧性、弹性和高强度。产品大部分是细单丝和粗单丝,主要用于制造袜子、降落伞和刷子。尼龙也用于生产模塑制品,特别是注塑制品,其突出优点是韧性及在注塑时熔体能良好地流过分流锥。聚酰胺可由二元羧酸和二元胺或由能自身缩聚的氨基酸或由环上有官能团—CONH—的内酰胺如己内酰胺制得。改变原料酸和胺可制得硬质、韧性或软质、弹性的多种产品。无论单丝或模塑制品,聚酰胺都具有高度结晶性,由伯胺制得的聚酰胺尤其如此。在张力作用下分子发生取向,直至样品拉伸伸长约为原长度的4倍为止,这是单丝的一个特别重要的性质。合成普通尼龙的原料是己二酸和1,6-己二胺,各含有6个碳原子,所以产品命名为尼龙66。以己内酰胺为原料制得的是尼龙6。因为其基本单元有6个碳原子。

nymph 仙女 希腊神话中指一大类低级女神的属名。她们通常同能繁育、生长的事物,诸如树木或水有联系。虽然不能长生不死,但寿命极长,并且总的说来待人友善。她们按照同她们有联系的自然界的不同而有所区分。比如:俄刻阿尼得斯(海中仙女)、涅瑞伊得斯(住在咸水和淡水里的仙女)、那伊阿得斯(主持水泉、河流和湖泊的仙女)、俄瑞阿得斯(高山和洞窟的仙女)、那帕埃阿伊和阿尔塞得斯(峡谷和小树林的仙女)、得律阿得斯或哈玛得律阿得斯(司森林和树木的仙女)。意大利有当地的泉水与河流之神、水之女神(林法伊),人们倾向于将她们同希腊的仙女等同。

nymph 若虫 蝗虫、螽斯、蜚蠊等昆虫的幼体,外形和生活方式像成虫。经不完全变态或半变态而发育为成虫。若成虫有翅,则自最初几次蜕皮后于体表形成的翅芽长出。最初数个龄期的若虫,其身体各部位的形态、比例与成虫迥异。随虫龄的增加外形与成虫渐近似。若虫均陆生,而蜻蜓、石蝇及蜉蝣的幼体水生,有时称为稚虫。有鳃等适应水中生活的构造,在水面滑行。其变态较为复杂,体形变化以适应完全不同的生活环境。成熟时浮出到水面或爬出水面，最后一次蜕皮变为具翅的成虫。若虫是鳟鱼重要的食物，垂钓者使用人造的蝇和若虫为鱼饵。

Nymphaeales 睡莲目 双子叶植物纲的一目，含 5 科，8 属，70 种。均为草本，多年生。分布于世界各地的平静的淡水中。睡莲科种类很美观，尤其是睡莲属（*Nymphaea*）和王莲属（*Victoria*），世界各地均有栽培。睡莲科约 50 种，其他四科是：巴克利氏草科（Barclayaceae），水盾草科（Cabombaceae），金鱼藻科（Ceratophyllaceae）及莲科（Nelumbonaceae）。睡莲目种类均为水生。金鱼藻属（*Ceratophyllum*）种类或以根固着于水底，或漂浮而沉于水面之下；其他各属的种类则以根固着于池塘或溪流的底部，但花和叶可为沉水、浮水或挺水。本目种类的大小差异甚大，水盾草属（*Cabomba*）种类株形小，脆弱，其浮水叶直径不足 0.3 厘米；金鱼藻属种类的茎分枝极多，长度可达 3.5 ～ 4.5 米；王莲属种类的浮水叶圆形，盾状，直径达 2 米，花的直径 40 厘米。某些睡莲属种类的叶直径 50 厘米，一个植株经过一个夏天即可覆盖直径 2.5 米的面积。许多睡莲科种类因花、叶美观适于栽培在池塘、水上花园及水族池。有史以来，一些大型种类的沉水叶，富含淀粉、水平生长的匍匐根茎和富含蛋白质的种子，可用作人类的食物。其叶柄为鱼类提供遮蔽，鱼卵亦可黏附其上；野生有蹄动物也常以这些植物为食；露出水面的叶为水鸟提供隐蔽处；许多种类的种子为鱼类和禽类所食。一些种类在植物演替（从池塘到沼泽到潮湿的草原）中是必不可少的一环。某些睡莲科种类生长得极为茂盛，以至堵塞湖泊和灌溉渠道。睡莲目有些属具延伸到很大范围的、埋于泥中或卧于水底淤泥表面的匍匐茎。另一些种类具基部埋于泥中的直立的短茎，有或无浮水的水平分枝。叶从根茎生出，形状各异，可覆盖一片水面，或借细长的叶柄直立于水面。睡莲属 35 种和许多杂交种有栽培，其花是睡莲科中最美者。香睡莲（*Nymphaea odorata*）具芳香，原产于美国东部，花白色，直径 13 厘米，其栽培品系大量生长于暖温带地区的公园、花园和天然池塘。萍蓬草属（*Nuphar*）亦属睡莲科，俗称黄睡莲，以萼片显著和花葶高而著称。巴克利氏草科原产于热带亚洲和印度尼西亚，仅一属——巴克利氏草属（*Barclaya*），4 种；与睡莲科不同之处为从子房顶端着生开展的花被管，而且雄蕊基部连合。水盾草科包括莼菜（*Brasenia schreberi*）和水盾草属的 7 个种。水盾草属数个种分布于北美东部和东南部以及南美北部许多地区。莲科仅两种：荷花（莲）和美洲莲，有些人将莲科从睡莲目分出，单独列为莲目（Nelumbonales）。金鱼草科仅金鱼草属一属，特征为叶似蕨类，在茎上以一定的间隔生长；花无萼片和花瓣，且雄蕊与雌蕊分处于不同的花中及不同的植株上（这在睡莲目中仅见）；雄花位于植株的较高部位，花粉落入水中，流到雌花的一条沟槽中，从而促进花粉萌发。睡莲目所有各属均为多年生。睡莲目中墨西哥睡莲（*Nymphaea mexicana*）借长匍茎蔓延，西非的小花睡莲（*N. micrantha*）在叶柄与叶片连接处生出可分开的小植株。但有性繁殖是本目主要的繁殖方式。花单生，从沉水的节上生出。除借水传粉的金鱼藻和在闭合的花中进行自花受粉的睡莲科芡实属（*Euryale*）种类外，其他种类的花均伸至水面或高出水面，为虫媒传粉。所有的花均为辐射对称。本目的果有三种类型。金鱼藻的果为带刺的小坚果，水盾草科种类具一枚心皮，果为蒴果，成熟时从一侧裂开。睡莲科和巴克利氏草科种类的果为浆果，革质，分数室，在水下成熟，种子最后散出。所有各

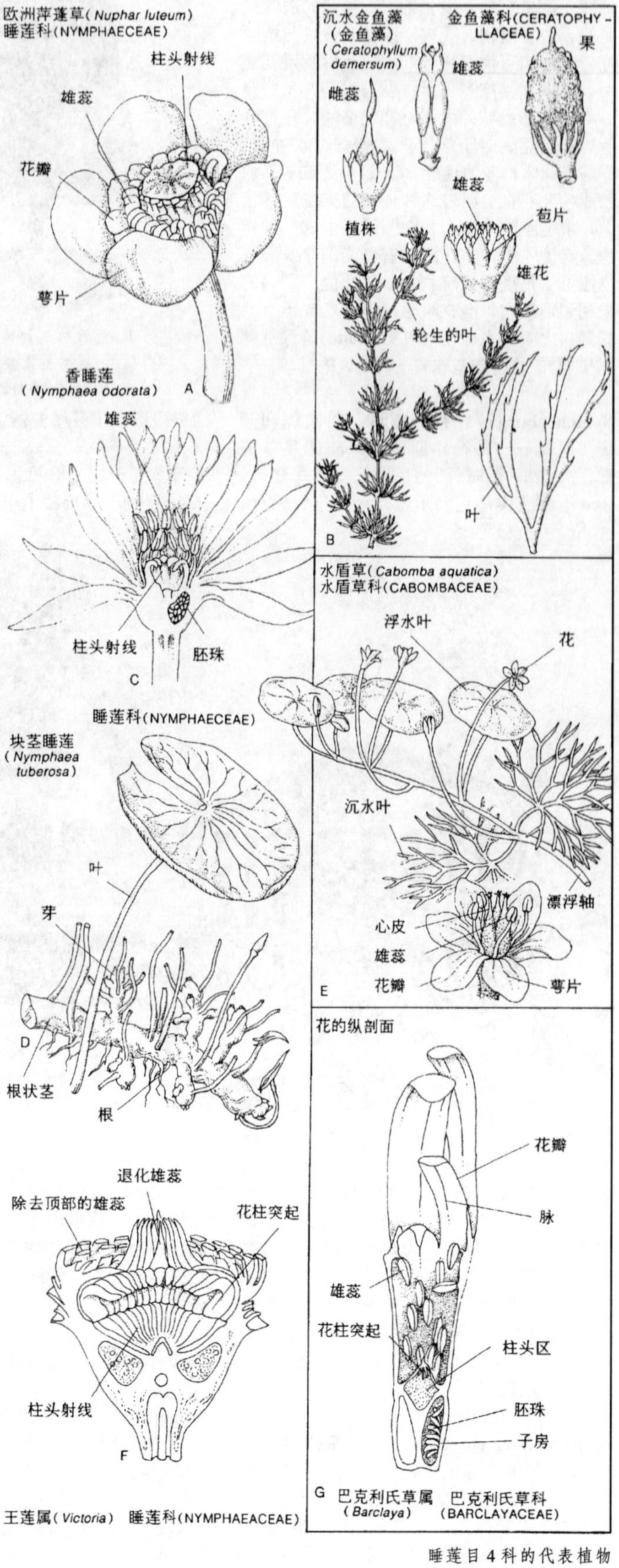

睡莲目 4 科的代表植物

属的种子均以被动的方式散布，大部分释入水中漂浮，直到落到水底的泥中。参阅 **fanwort; hornwort; water lily**。

nymphaeum 水神庙 古希腊、罗马奉祀水神的神庙。得名于有泉水的天然洞穴，传说是仙女栖息之地。现代指人工建造的洞穴或建筑，内有植物、花卉、雕塑、喷泉与绘画等。水神庙可供祭祀、贮水以及举行婚礼之用。圆顶水神庙多见于古罗马时期，是仿照古希腊以弗所城的大水神庙建造的，在科林斯、安条克、君士坦丁堡都曾有过水神庙。罗马发现水神庙遗址近 20 处；小亚细亚、叙利亚与北非也发现过这种神庙的废墟。16 世纪，水神庙成为意大利庭园建筑中的一种特色。典型的水神庙花园都有一泓清泉。泉眼往往位于正规的建筑物内，例如位于罗马的朱利亚别墅内，但有时也位于天然或半天然的洞穴之中。水神庙与洞室（**grotto**）的区别并不显著，但水神庙意味着一种传说的仙境。

R. 莱希纳制作的宁芬堡瓷塑《奥格斯堡贵族》
美国不列颠百科全书公司供图

Nymphenburg 宁芬堡府邸 原巴伐利亚统治家族——维特尔斯巴赫家族的夏季别墅，位于慕尼黑城外，为后期巴罗克式建筑。1664年由选侯马克西米连二世所建，马克西米连三世在位时（1745 ～ 1777）扩建和增建。著名的花园为勒诺特尔的学生卡保奈于 1701 年所设计，勒诺特尔曾为路易十四布置凡尔赛宫的花园。园中有许多著名的后期巴罗克式的亭阁，包括塔堡（1716 ～ 1719）、巴登堡（1718 ～ 1721）和阿马林堡（1734 ～ 1739），其中 F. de 居维利埃设计的室内装潢是洛可可式装饰的杰作。

宁芬堡府邸
美国不列颠百科全书公司供图

Nymphenburg porcelain 宁芬堡瓷器 约于 18 世纪中叶直至今日产于巴伐利亚的德国硬质瓷器。第一家工厂于 1747 年建在慕尼黑郊外。宁芬堡出产的餐具和花瓶，甚至所使用的编织纹图案镶边，都使人们联想到迈森瓷器。宁芬堡瓷器中最有独创性的是火锅，或称为暖锅。该瓷器以其雕塑，尤其以布斯泰利塑成的洛可可式雕像而获声誉。后来 D. 奥利采克接替了布斯泰利，他把新古典主义风格引进宁芬堡产品中，其最佳作品是动物雕塑和狩猎群雕。1797 年，新古典主义的代表人物 J. P. 梅尔希奥加入宁芬堡工厂，接替奥利采克。1800 ～ 1810 年，他制作了许多精美的雕塑，从而获得声誉。

Nynia, Saint 参阅 **Ninian, Saint** 尼尼安，圣。

Nyong River 尼永河 喀麦隆西南部的河流。发源于阿邦姆邦以东 25 英里处。全长 400 英里，与萨纳加河下游大致平行，西流至小巴汤加注入几内亚湾。每年 4 ～ 11 月，阿邦姆邦和姆巴尔马约之间 155 英里河段通小型汽船。

Nyoro 尼奥罗人 又称班尼奥罗人（Banyoro）。散居于湖泊间的一种班图民族，他们居住在乌干达中西部，介于艾伯特湖以东及维多利亚尼罗河以西的地区。前殖民地时期，尼奥罗人在这一地区曾建立一强大国家，称为本约罗王国，拥有今乌干达大部地区，18 ～19 世纪衰落，代之而起的是干达王国。尼奥罗人族源复杂，为许多民族的后裔构成，主要有：矮小、黑肤色、以农为业的伊鲁人，他们占尼奥罗人中的最多数。身材修长、浅肤色希马人，以放牧为业；在历史上曾统治本约罗南部的伊鲁人。操卢奥语的比托人，是北部拥有特权的部落，国家领袖“穆卡马”即来自这个群体，比托王国统治本约罗至 1966 年，才被乌干达政府宣布废除。今天尼奥罗人主要从事农业，种植高粱、黍类、大蕉、甘薯、豆类、棉花和烟叶；出口鱼类，饲养家畜。他们住在分散的村庄中，地处水源充足的肥沃高原。人口密度似较邻近居民为小，部分原因是莫奇森（卡巴雷加）瀑布国家公园设于他们住地的北部。当地采采蝇成灾，昏睡病的出现率较高，影响人口的增长。尼奥罗人实行一夫多妻制。约有 150 个父系氏族。禁止族内通婚。过去尼奥罗人是猎手（主要捕象）和铁工（制作工具及武器），交易以宝贝贝壳为货币。现在多项技术与制度早已湮没无闻。

nyout 高丽古棋 朝鲜古老的棋戏。棋盘通常在纸上画成，上面有 29 个标记，排成十字形，周围有一个圆圈。棋子称为“马”，用木、石或纸制成。下棋者掷骰子决定走步，骰子 4 枚，每 1 枚相对的两面分别涂成黑色和白色。掷 3 次，黑面朝上总次数即为应走步数。依次将事先规定数目的“马”走到圆周上并在特定点上走出圆周。现代有类似的一种棋戏，是朝鲜酒店中的赌博游戏。

Nyphus Suessanus 参阅 **Nifo, Agostino** 尼福。

Nyquist, Harry 尼奎斯特（1889-02-07，瑞典尼尔斯拜～ 1976-04-04，美国得克萨斯哈灵根） 美国物理学家和电子通信工程师，对电信的基础理论和应用作出贡献的多产发明家。1907 年移居美国，在北达科他大学获学士学位（1914）和电子工程硕士学位（1915），1917 年在耶鲁大学获物理博士学位。后进入美国电话电报公司研发部门工作，1934 年进入贝尔实验室，直至 1954 年退休。退休后继续担任军事通信的政府顾问。他最著名的一些著作完成于 20 世纪 20 年代，受到了当时电报通信问题的启发。由于他的作品的精确性和普遍性，其中有许多到现在仍被引用。例如他 1924 年发表的《影响发信速度的必然因素》和 1928 年发表的《电报传输理论中的某些主题》。1927 年为 J. B. 约翰逊研究的出乎意料强的热噪声提供了一个精确解释。解释噪声对通信系统有重大的价值。1932 年发现了怎样确定负反馈放大器是稳定的。这一标准通常被称为尼奎斯特稳定性定理。除理论工作之外，尼奎斯特还是一位多产的发明家，拥有 138 项与电信相关的专利。

NYSE 参阅 **New York Stock Exchange** 纽约证券交易所。

nystagmus **眼球震颤** 眼球不自主的往返及上下或圆周运动。其运动方式可分两型:①摆动型眼球震颤,其运动匀称而有节奏;在幼年即失去中心视力,可引起摆动型眼球震颤;并有一亚型称为点头状痉挛,伴有点头及颈部扭曲,见于婴儿,一般在数月内可恢复。②跳动型眼球震颤,其运动不平稳,在某一方向上较另一方向快;较常见;正常人因旋转而头晕后,或由行驶的车辆中向外看时即可发生:眼球注视某一目标时出现震颤的慢相,而当眼球转回到原始位置时出现震颤的快相;跳动型眼球震颤亦可见于巴比妥酸盐类中毒、内耳平衡器疾病或脑干疾病。

Nyuserre(Egyptian king) 参阅 **Neuserre** 纽塞里。

Nyx **尼克斯** 希腊神话中夜之女性化身,又是宇宙起始时期的一位重要人物,甚至众神之王宙斯都惧怕她。一说她是卡俄斯(即混沌)的女儿,又是许多原始力量(包括睡眠和死亡)的母亲。一说她是创造之神法尼斯的女儿和继承者;通过她的预言天赋,不断向她的继承者(她同法尼斯所生的儿子乌拉诺斯;乌拉诺斯最小的儿子克洛诺斯以及宙斯)提出忠告。在整个古代,她曾激起诗人和艺术家们的想象,但很少成为崇拜对象。

Nzekwu, Onuora **恩泽库**(1928-02-19,尼日利亚卡凡钱～) 尼日利亚教师、作家和编辑。对受过教育的伊博人与其传统文化之间的关系、固有的内在冲突进行探索。第一部小说《权杖》(1961),以感人的语言描述了在处理非洲传统宗教信仰造成的问题上,西方实用主义方法的无济于事。《害群之马》(1962)通过对主人公的塑造,表明传统习惯和信仰最终仍优于生吞活剥而来的欧洲和基督教价值观念。他还著有小说《蜥蜴之舞》(1965)和儿童读物《埃泽求学记》(1963,与迈克尔·克劳德合著)。1962年任《尼日利亚杂志》编辑助理和编辑。1970年任坐落在尼日利亚拉各斯的联邦新闻部副主任。

Nzérékoré **恩泽雷科雷** 几内亚东南部城镇。是通往甘塔(利比里亚)、达纳内(科特迪瓦)、康康和马森塔的公路交点。为格尔泽人、马诺人和科诺人种植的大米、木薯、胡椒、烟草、可乐果和棕榈油及棕榈仁销售中心。输出木材、棕榈产品和咖啡。有锯木厂和胶合板厂。设有医院、天主教传教机构。人口55 356(1983)。

Nzinga Mbemba **恩辛加·姆维姆巴** 参阅 **Afonso**(Kongo)阿丰索(刚果)项下的 **Afonso I** 阿丰索一世。

O

O Canada 《美哉加拿大》 加拿大国歌。1980年7月1日被正式宣布为加拿大国歌，英国国歌《**神佑女王**》(**God Save the Queen**)仍为加拿大皇家颂歌。《美哉加拿大》的乐曲是1880年加拿大总督洛恩勋爵(即以后的阿盖尔公爵)偕妻子路易丝公主(维多利亚女王的女儿)访问魁北克时，委请魁北克韦谢尔的钢琴演奏家C.拉瓦雷(1842～1891)谱曲，原法语歌词由后任魁北克首席法官的A.B.路特耶爵士(1839～1920)写成。英语歌词于1908年由蒙特利尔律师兼法院推事R.S.韦尔(1856～1926)作成(并非译自法语歌词)。歌词全文如下：

啊，加拿大！我们的祖国，
万千儿女热爱你，
满怀欣喜，看你茁壮成长。
泱泱北国，自由强盛！
我们捍卫你！啊，加拿大！
我们捍卫你！
啊，加拿大！自由壮丽的国度！
我们捍卫你！我们捍卫你！
啊，加拿大！我们捍卫你！
啊，加拿大！松枫生长的地方，
草原千里，江河常流，
幅员广袤，由东到西，
勤奋儿女的希望之乡！
泱泱北国，自由强盛！
啊，加拿大！自由壮丽的国度！
啊，加拿大！灿灿的晴空下，
热血男儿，柔情少女，
岁岁年年，保乡卫国。
由东到西，屹立不摇。
挚爱的祖国，
泱泱北国，自由强盛！
啊，加拿大！自由壮丽的国度！
浩浩苍天，慈晖普照，
听我祈祷，佑我家邦。
上帝助我，捍卫乡土。
国富民乐，日盛一日。
啊，加拿大！自由壮丽的国度！

O Ceallaigh, Sean Thomas 参阅 **O'Kelly, Sean Thomas 奥凯利**。

O Dalaigh, Cearbhall 奥戴莱(1911-02-12，都柏林附近布雷～1978-03-21，爱尔兰凯里郡斯尼姆) 英语拼作Carroll O'Daly。爱尔兰最高法院首席法官(1961～1974)、第5任总统(1974～1976)。双亲积极参加爱尔兰的独立斗争。1931年，他在都柏林大学学院获得凯尔特学学位。1931～1942年任《爱尔兰新闻》的爱尔兰语主编。1935年成为律师。1945～1948年和1951～1953年任爱尔兰总检察长。1953年任最高法院法官，1961年升首席法官。1974年任爱尔兰总统，后因行使总统权力搁置旨在阻止爱尔兰共和军恐怖活动的立法，与国防部长P.S.多尼根发生意见冲突而辞职。

O-erh-ku-na Ho(Asia) 参阅 **Ergun He 额尔古纳河**。

O-mi-t'o(in Buddhism) 参阅 **Amitābha 阿弥陀佛**。

Ó Nuallain, Brian 奥努亚兰 参阅 **O'Brien, Flann 奥布赖恩**。

Oadby and Wigston 奥德比-威格斯顿 英格兰莱斯特行政、历史郡一区(自治市)。奥德比和威格斯顿原为莱斯特市郊外的村庄，近年被其郊区蚕食。它们分别位于市中心的东南和南面，奥德比几乎全部都是居民区，威格斯顿靠近运河、铁路和河道，有一些工业。面积24平方千米。人口约55 795(2001)。

Oahu 瓦胡岛 美国夏威夷州火奴鲁鲁县火山岛。与考爱岛(西北)和莫洛凯岛(东南)以考爱海峡和凯维水道相隔。面积1 547平方千米，在夏威夷群岛居第三位；人口居首位。中央高原两侧有平行的科奥劳岭和怀厄奈岭。岛上有该州首府火奴鲁鲁及珍珠港和怀基基海滩。主要城市还有艾亚、凯卢阿、卡内奥赫和瓦希阿瓦。军需服务、旅游、菠萝和糖为重要经济项目。

oak 栎树 又称橡树。山毛榉科栎属(*Quercus*)植物。约450种，乔木或灌木，可供观赏和材用。分布于整个北温带和热带高海拔地区。该属植物的特征是单叶互生，脱落

黑栎树(*Q. velutina*)
美国不列颠百科全书公司供图

或常绿，深裂、齿裂或全缘。花单性同株，雄花着生于下垂的黄色柔荑花序上，与叶同时出现或在叶后出现。雌花单生或二至多朵组成花穗；每一朵花都有重叠的鳞片组成的外壳，果实成熟时外壳扩大，称为壳斗，包在果实外面。果为槲果，1～2个季节方成熟。栎树可分为3组(有时视为亚属)：白栎组(*Leucobalanus*)和红栎组(黑栎组，*Erythrobalanus*)，此2组槲果壳斗的鳞片螺旋状排列；第3组为环栎组(*Cyclobalanus*)，鳞片融为同心环。白栎组的叶尖端平滑，无毛，叶缘偶具腺体；壳斗的鳞片螺旋状排列，槲果在一个季节后成熟；种子味甜，脱落后数天内即萌发。红栎组叶尖，具刚毛；壳斗具毛，鳞片亦螺旋状排列，果味苦，在第二个生长季末方成熟。北美的**针栎**(**pin oak**，沼生栎，*Q. palustris*)和北方的**赤栎**(**red oak**，*Q. rubra*)等有观赏价值。**白栎**(**white oak**，*Q. alba*)和**刺果栎**(**bur oak**，大果栎，*Q. macrocarpa*)在美国中西部局部地区形成景色如画的栎林。原产于地中海地区的许多栎树具有经济价值；阿勒颇栎(染色栎，*Q. infectoria*)小枝上的虫瘿可提炼阿勒颇丹宁，用于制造墨水；商业木栓取自栓皮槠(*Q. suber*)的树皮；而富有丹宁的胭脂栎(*Q. coccifera*)是胭脂虫的寄主，胭脂虫的体液一度用作染料。两种东亚栎树也有经济价值：蒙古栎(*Q. mongolica*)可供材用，东方栎(栓皮栎，*Q. variabilis*)是黑色染料的来源，同时是受人喜爱的观赏植物。其他栽培的观赏植物有亚美尼亚栎(黑海栎，*Q. pontica*)、栗叶栎(*Q. castaneaefolia*)、金栎(桤叶栎，*Q. alnifolia*)、冬青栎(圣栎，*Q. ilex*)、意大利栎(*Q. frainetto*)、黎巴嫩栎(*Q. libani*)、马其顿栎(特洛伊栎，*Q. trojana*)及葡萄牙栎(*Q. lusitanica*)。受人欢迎的亚洲观赏种包括蓝色日本栎(槠、青冈树，*Q. glauca*)、大名栎(柞栎、槲树，*Q. dentata*)、日本常绿栎(*Q. acuta*)和锯齿栎(麻栎，*Q. acutissima*)。英国栎原产于欧亚大陆和非洲北部，为材用树，在世界其他地区也栽培供观赏。栎树的槲果为小型狩猎动物的食物，也用作猪和家禽的育肥饲料。红栎和白栎的木材用于房屋、地板、家具、门窗、桶、枕木、坑木等。栎树易以槲果繁殖，在肥沃、湿度适当的土壤或干燥的沙质壤中均生长良好。许多栎树树桩的萌条也能长成树木。栎树耐寒，长命，但不耐荫，易受虫害，易受栎树萎蔫病真菌的侵害。属下分类因有许多自然杂交种而十分混乱。

许多植物俗称为"栎"，但非栎属植物，如非洲栎、澳大利亚栎、牛栎、耶路撒冷栎、毒栎、河栎、丝栎、牝栎、褐皮栎、塔斯马尼亚栎及郁金香栎。

Oak Bay 奥克贝 加拿大不列颠哥伦比亚省西南部区属自治镇，位于温哥华岛东南部。为省会维多利亚东郊的住宅区，也是有名的退休人员居住社区，加拿大65岁以上人口百分比最高的社区之一。1906年建制。人口约17 815 (1991)。

oak moss(*Evernia prunastri*) **橡苔** 即栎扁枝衣。一种灌木状分枝地衣，分布北半球大部分山区。因具有浓郁的东方情调的香气而颇受香水业的珍视，又常用作固着基质。原植体长3～8厘米，掌状分枝，枝端尖细，上表面绿色，因生有淡灰色繁殖体(粉芽)而呈瘤状。有性繁殖体(子囊盘)罕见。下表面

白色,有不明显的网状图纹。另一个较为少见的种糠秕状扁枝衣(*E. furfuracea*)与其性状相似,也常使用同一俗名。橡苔在16世纪便用于香水业。在埃及古皇陵中曾发现装有橡

橡苔(*Evernia prunastri*)
美国不列颠百科全书公司供图

苔的篮子,但不知系用为香料抑或用为食物。橡苔含有一种可食的淀粉类物质。从中提取的酸类混合物用于治疗外部创伤和感染。

Oak Park 奥克帕克 美国伊利诺伊州东北部芝加哥西郊村庄。1833年设居民点,为农产品进芝加哥的中途站。1871年芝加哥大火后人口剧增。1901年设村。现主要为住宅区,亦有轻工业。有建筑设计师F.L.赖特的许多作品。为小说家E.海明威的诞生和成长地,建有海明威博物馆。人口50 824(2003)。

Oak Ridge 橡树岭 美国田纳西州东部安德森县和罗安县的城市。在坎伯兰山和大雾山之间、黑橡树岭南坡。为诺克思维尔都会区的一部分。1942年被选为曼哈顿计划(美国战时原子能计划)总部驻地。由美国工程兵部队建起筑有安全栏栅的城镇。1945年人口多达7.5万。橡树岭现已很少战时兴旺迹象。1953年通往厂区的道路对外开放。1959年设市。现经济以核能研究和生产为主。有多种核工业和电子工业。生产放射性药物、电子检测仪器、机器和工具。设有橡树岭联合大学(美国南部约50所大学合办的非营利教育研究机构)。有美国原子能博物馆和橡树岭国家石墨反应堆实验中心。西南建有梅尔顿希尔大坝。人口27 338(2003)。

Oakland 奥克兰 美国加利福尼亚州城市,阿拉梅达县县城(1873)。在圣弗朗西斯科湾东岸。1851年与圣弗朗西斯科湾通轮渡。次年设镇,1854年设市。1869年成为第一条横贯大陆铁路的终点站后,兴建海港。1872年布鲁克林并入。1906年旧金山大地震后,大批难民涌入。1936年圣弗朗西斯科-奥克兰海湾大桥(13千米)建成及军事设施的建立促进城市发展。工业多样化。深水港区长达31千米。1989年10月17日一场里氏7.1级地震,桥和880号州际公路均受极大损坏。港西南有奥克兰大都会国际机场。梅里特咸水湖为猎鸟保护区。市内有杰克·伦敦广场。设有米尔斯学院(1852)、圣名学院(1868)、加利福尼亚工艺美术学院(1907)、梅

奥克兰城貌,左为市政厅
奥克兰市立公共图书馆供图

里特学院(1964)和奥克兰-阿拉梅达县体育中心。城市面积202平方千米。人口:市约398 844(2003);奥克兰主要都会统计区2 392 557;旧金山-奥克兰-圣何塞联合都会统计区7 039 362(2000)。

Oakley, Annie 奥克莉(1860-08-13,美国俄亥俄达克县～1926-11-03,俄亥俄格林维尔) 美国女神枪手。幼年精于枪法,在辛辛那提与第一流射手F.E.巴特勒比赛获胜后,成为全国著名人物。后与巴特勒结婚,一同参加杂技团巡回演出,1885年参加西大荒演艺会。她能在距离30步远的地方打穿纸牌的狭窄边缘,击中抛在空中的一角银币或者巴特勒叼着的纸烟烟头。在柏林演出时,威廉皇太子(后来的威廉二世)亲自叼着纸烟,请她表演枪击烟头的绝技。多少年来,美国人民为了纪念她的技艺,一直把免费招待券叫作"安妮·奥克莉",因为这种招待券上通常打有小孔,像她击穿纸牌的弹孔。

Oakley, Kenneth (Page) 奥克利(1911-04-07,英格兰白金汉郡阿默舍姆～1981-11-02,阿默舍姆) 英国体质人类学家、地质学家和古生物学家。以根据含氟量推断化石的相对年代的研究著称。还研究考古学和民俗学,主要是从古生物学的观点研究化石人类的文化问题,曾在东非和南非做实地调查工作。1938年获伦敦大学学院博士学位,1935～1969年在不列颠自然历史博物馆工作。1953年在揭露"皮尔唐人"科学骗局时,他发挥了法定性作用,赢得声誉。所谓皮尔唐人,就是在英格兰萨塞克斯郡出土的头盖骨化石,自1912年发现以后,一直被学术界认为是人和猿之间的一个过渡缺环,没有异议。奥克利运用含氟量年代测定法对这一遗存进行鉴定,证实其为伪造。著有《人类:工具制造者》(1949)、《化石人年代测定法》(1964)、《欧洲人科化石之相对年代测定法》(1980)等。

Oaks 欧克斯赛 英国马赛。与德比马赛、圣莱杰赛、二千畿尼赛、一千畿尼赛共列五大传统马赛。创始于1779年,与德比马赛共用一个场地,即萨里郡埃普瑟姆丘陵草原,赛程1½英里(2 400米),参赛马限于3龄母驹。

Oakville 奥克维尔 加拿大安大略省东南哈尔顿区属自治镇。在多伦多西南32千米。临安大略湖,在奥克维尔溪出口。1830年初建。1857年设镇。1962年与特拉法尔加合并成奥克维尔。面积138平方千米。为工业社区,建有加拿大最大汽车厂之一。人口144 738(2001)。

Oamaru 奥马鲁 新西兰南岛东南部港口城市。1866年建市。濒临一小海湾。为渔业中心和附近滨海平原和怀塔基河流域(绵羊、牛、谷类、水果产区)的主要港口。位于克赖斯特彻奇至达尼丁的公路线和南岛铁路干线上。有乳品、毛纺、水泥制品、汽车车体、家用器具等工厂。科连代尔绵羊的最早产地。1852年W.曼台尔曾在此发现恐鸟(已绝种的巨鸟)化石。人口约13 750(1992)。

Oannes 奥安尼斯 古代美索不达米亚神话中的半人半鱼。他向人类传授智慧。根据公元前3世纪巴比伦祭司贝罗索斯的描述,奥安尼斯形如鱼,鱼头下生有人头,鱼尾下生有人脚。他白昼出水,到波斯湾岸边,教授人类写作、艺术和科学。

oarfish(*Regalecus glesne*) **皇带鱼** 月鱼目皇带鱼科长带形的大型鱼。广布于热带及亚热带深海。体长,侧扁,可弯曲,长可达约9米,重约300千克。体亮银色;腹鳍红色,

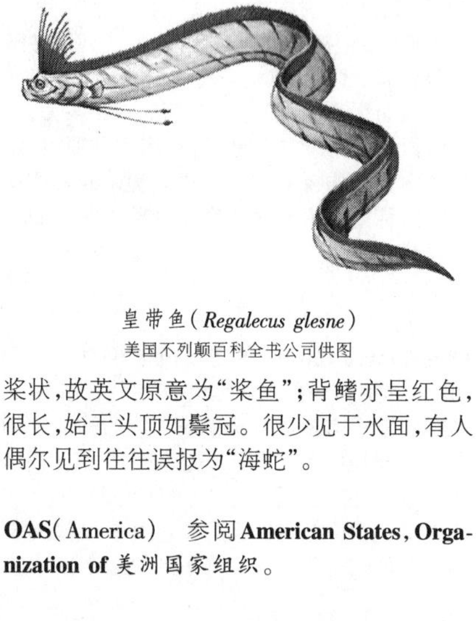

皇带鱼(*Regalecus glesne*)
美国不列颠百科全书公司供图

桨状,故英文原意为"桨鱼";背鳍亦呈红色,很长,始于头顶如鬃冠。很少见于水面,有人偶尔见到往往误报为"海蛇"。

OAS(America) 参阅**American States, Organization of 美洲国家组织**。

oasis 绿洲 沙漠中的沃土，出现于终年淡水源不断之处。绿洲大小不一，从小泉水周围一公顷左右到大面积有天然水或灌溉的土地。绿洲的水源大多来自地下；泉和井（有些是自流井）由砂岩含水层补给，其受水区可能远在800多千米以外，例如利比亚荒漠的哈里杰绿洲和达赫拉绿洲。撒哈拉2/3的人口在绿洲定居，并依靠灌溉，这些地区有适于植物迅速生长的温度。在撒哈拉所有的绿洲，枣椰树是主要的树木和食物的来源，在其荫影下生长着柠檬果、无花果、桃、杏、蔬菜和小麦、大麦、粟等谷物。

Oastler, Richard 奥斯特勒（1789-12-20，英国约克郡利兹～1861-08-22，约克郡哈罗盖特） 英国工业改革家，在英国北部有"工厂之王"之称。1830年在约克郡经营大型农庄。1831年起致力于缩短工时的斗争。他在报刊上批评工厂雇用童工的弊端，并极力提倡实行10小时工作日。1847年议会终于通过了《十小时法》（又称《阿什利法》）。曾因债务问题入狱（1840-12～1844-02）。在狱中著有《弗利特监狱文集》（3卷，1841～1843），详细阐述他的社会学说。

oat grass 燕麦草 早熟禾科燕麦草属（*Arrhenatherum*）和扁芒草属（*Danthonia*）植物，为多年生禾草。燕麦草属约有6种，植株高，原产于欧洲和亚洲温暖地带。高燕麦草（*A. elatius*）已引入许多国家作为牧草，但在

高燕麦草（*A. elatius*）
美国不列颠百科全书公司供图

许多地方野生，被认为是杂草，尤其其变种鳞茎燕麦草（*A. elatius* var. *bulbosum*，因茎基部鳞茎状通称洋葱草）。扁芒草属100多种，大部分原产南半球温带地区，是澳大利亚、新西兰和南美洲的重要饲草。澳大利亚的各种扁芒草俗称沙袋鼠草。瘠地燕麦草（*D. spicata*）灰绿色，垫状丛生，产于北美洲许多干旱、贫瘠地区。

Oates, Joyce Carol 欧茨（1938-06-16，美国纽约洛克波特～ ） 美国小说家和散文作家。以揭露现代社会的暴力行为和罪恶知名。欧茨是位多产作家，且作品涉及类型广泛。欧茨在锡拉丘兹大学攻读英语，1960年获文学士学位，1961年获威斯康星大学文学硕士学位。她的第一本短篇小说集《北门边》出版于1963年。她的第一部长篇小说《打着寒颤摔下来》出版于1964年。此后她发表了大量作品，短篇小说集在25本以上，长篇小说在15部以上。她的较为重要的长篇小说有《寻欢作乐的花园》（1967）、《他们》（1969，获全国图书奖）、《随你怎样打发我》（1973）、《黑水》（1992）、《狐火：一个女子帮会的忏悔》（1993）、《蛇神》（1995）、《破碎的心在悲伤》（1999）。2001年出版短篇小说集《不忠：犯罪故事》。她也写剧本、小品文和文学评论。1961～1967年，她在密歇根州的底特律大学教授英语，1967～1978年，在加拿大安大略的温莎大学任教。欧茨的许多长篇小说的历史背景各有不同，且有意与其他文学体裁相比拟。她笔下的个别美国人经历坎坷，生活中有隐痛，由于非他们所能左右的巨大势力的作用，最后往往以流血和自我毁灭而告终。她的作品中既有对日常平凡生活的现实主义描绘，也有对各种形式的暴力作令人心悸、甚至耸人听闻的渲染。

Oates, Titus 欧茨（1649-09-15，英格兰拉特兰奥克姆～1705-07-12或13，伦敦） 英国基督教圣公会的叛徒，天主教阴谋叛逆假案的捏造者。出身浸礼会牧师家庭，他设法成为圣公会牧师。1674年因作伪证受监禁。越狱后加入海军，任随军牧师，不久因行为不端被撤职。1677年为信奉天主教的诺福克第6代公爵霍华德宅中的一批新教徒当牧师，广泛接触天主教人士。同时，结识了反耶稣会人士I.顿奇，顿奇唆使他出卖天主教人士以牟利。于是欧茨搜集有关天主教人士活动的材料，并于1677年加入天主教会，先后赴西班牙和法国受天主教教育，但都受到开除处分。1678年返回伦敦，与顿奇合谋诬指大批耶稣会人士阴谋暗杀英格兰国王查理二世以扶持其弟、信奉天主教的约克公爵詹姆斯登位。此后伦敦出现恐怖浪潮，约有35人被处决，詹姆斯于1684年控告欧茨犯诽谤罪，结果詹姆斯胜诉，获得10万英镑赔款。詹姆斯于1685年继位，称詹姆斯二世，欧茨因伪证罪被带枷示众、鞭笞并投入监狱。1688年詹姆斯被废，欧茨获释，享受年金。1693年入浸礼会，又于8年后被逐出。后默默无闻死去。

oath 宣誓 由自愿而发的神圣或严肃的诺言。宣誓者往往表示如违誓愿受神灵惩罚；诉讼程序中常包含宣誓。宣誓原为宗教习俗，现代已成为非宗教领域中公认的做法。在英美司法制度下，证人出庭常要宣誓："我宣誓：我即将提供的证据是事实，全部是事实，绝无谎言。愿上帝助我。"现在宣誓常由证人在合法的司法侦讯中作出，表明愿意提供全部有关情况而所言均为事实。宣誓具体措辞不同，通常由法令规定。根据英美司法惯例，证人必须先表示如说谎愿受制裁才能做证，这种表示的方法可以是宣誓，也可以是提出誓言以示确认。法律规定，经过宣誓而提出假证据，即构成伪证罪。实行罗马法的国家一般不允许案中各方在作证前宣誓，但他们在作证后可以自愿宣誓，其他许多人也可自愿宣誓。参阅 **affirmation; vow**。

oats（*Avena sativa*） **燕麦** 禾本科一种谷类作物，广泛种植于世界温带地区。花序多分枝，颖果。野燕麦最初见于欧洲西部，形似杂草，与大麦混生，以后散布到世界其他地区。普通燕麦生长于凉温带地区。红燕麦较耐热，主要种植于较暖地区。燕麦适应贫瘠

成熟的燕麦（*Avena sativa*）
美国不列颠百科全书公司供图

土壤的能力仅次于黑麦，只要有足够的水分，便能生长于沙地、肥力低的土地或高酸性土壤。燕麦主要作饲料，但加工后也供人类食用，尤其做早餐，碾压使扁平并去皮的种仁称为燕麦片，可做燕麦粥。去壳而不压扁的种仁亦可用于早餐。一般认为燕麦粉不适于做面包，但可用来做小甜饼和布丁。燕麦含丰富的碳水化合物，约含13%的蛋白质和7.5%的脂肪，还含有钙、铁、维生素 B_1 和烟酸。燕麦粒单用或与其他成分混合用作牲畜饲料。燕麦秆也可作饲料和铺草。燕麦植株是优良的干草原料，在适宜条件下，也是优良牧草或青贮饲料（植株经发酵而成）。其壳在工业上用制糠醛（用于多种溶剂的化合物）。主要生产国是美国、白俄罗斯、俄罗斯、哈萨克斯坦、加拿大、法国、波兰、芬兰、德国和澳大利亚。由于杂交玉米和苜蓿的竞争，对燕麦的需求量已有所下降。

OATUU 参阅 **African Trade Union Unity, Organization of** 非洲工会统一组织。

OAU 参阅 **African Unity, Organization of** 非洲统一组织。

Oaxaca 瓦哈卡 墨西哥南部一州。南濒太平洋。面积93 952平方千米，包括特万特佩克地峡太平洋一侧的大部分。地峡地势低，气候炎热干燥。但全州大部地区气候温和宜人。印第安人后裔占居民多数，分为15个以上大部族。是墨西哥印第安人最集中之地。为农业区和矿区，物产多样，有玉米、小麦、咖啡、甘蔗、烟草、纤维和热带水果。生产香烟、肥皂和印第安毛毯供当地消费。有金、银、铀、金刚石、缟玛瑙等矿。铁路网不完善。但航空线很发达。还有几个太平洋港口。泛美公路穿过全州，经过州首府瓦哈卡。人口约3 432 180（2000）。

Oaxaca　瓦哈卡　墨西哥南部瓦哈卡州首府。在富饶的瓦哈卡谷地。海拔1 550米。1486年建立，为阿兹特克人守军哨所。在墨西哥历史上起重要作用，因这里是墨西哥两位最著名总统B.胡亚雷斯和P.迪亚斯的

瓦哈卡市集市上的陶器
美国不列颠百科全书公司供图

故乡。以16世纪艺术和建筑、米斯特克人和萨波特克人遗迹以及五颜六色的手工艺品（特别是当地手织的纺织品）市场闻名。1827年建瓦哈卡贝尼托华雷斯自治大学。经济主要依靠服务业，包括教育、政府管理和旅游业。轻工业有建材生产、食品加工和饮料生产。有公路、铁路和航空线。人口：市251 846；大都会区472 624（2000）。

Ob, Gulf of　鄂毕湾　卡拉海深入俄罗斯中北部西伯利亚西北部的大海湾。位于亚马尔半岛与格达半岛之间。是鄂毕河的出海口。长约800千米，宽32～97千米，水深10～12米。东岸高峻崎岖，西岸低凹多沼泽。诺维港是主要港口。

Ob River　鄂毕河　俄罗斯境内大河。源出中亚阿尔泰山脉，曲折流向西北，穿越西伯利亚西部，经鄂毕湾，注入北冰洋喀拉海。河的长度若按鄂毕河本身发源地（即比亚河和卡通河合流处）至喀拉海上鄂毕湾上端计算，则为3 650千米；若按其最大支流黑额尔济斯河源头至鄂毕湾底端计算，则为5 410千米。鄂毕河其他主要支流有丘雷姆河、克季河、瓦赫河、瓦休甘河、卡济姆河和北索西瓦河。主支流全部流域面积约2 975 000平方千米，全流域共有河流1 900余条。鄂毕河流域约85%为西西伯利亚平原，其余为：南部是图尔盖阶地平原和哈萨克斯坦最北部的小丘陵；东南是库兹涅茨克山、萨莱尔山脉、绍里亚山，还有在这些山背后的阿尔泰山脉。自南至北，鄂毕河流域体现着中亚和北亚的典型地理图景：在最南部（斋桑湖附近）是干燥的半荒漠带；在西西伯利亚平原中部地区主要为泰加林带，内有大片大片的沼泽地，长有针叶树林；在北部为冰天雪地的没有树木的辽阔平原，称之为冻原带。鄂毕河年平均流量为12 700米^3/秒。河水大部分来自季节性的融雪和来自降雨；中下游的春汛和夏洪可持续四五个月。一般整个河流到11月底便冻成坚冰，上游冻冰期150天左右，下游冻冰期约220日。鄂毕河是西伯利亚西部主要交通手段之一；它在无冰期可以通航，可供进出口两方面运输。鄂毕河水力发电总潜力很大，估计为2 500亿千瓦/小时。

Ob-Ugric languages　鄂毕-乌戈尔诸语言　为乌拉尔语系芬兰-乌戈尔语族的分支，包括曼西语（沃古尔语）和汉提语（奥斯加克语），它们与匈牙利语最相近，共同组成芬兰-乌戈尔语族的乌戈尔语支。鄂毕-乌戈尔诸语言通行于俄罗斯中部的鄂毕河及额尔齐斯河地区。1930年以前无文字传统或文学语言。1937年开始使用经过改变的西里尔字母，但未产生重要文学作品，政府机构及教育方面也很少使用它。参阅 **Finno-Ugric languages**。

Oba（Vanuatu）　参阅 **Aoba 奥巴岛**。

Obadiah, Book of　《俄巴底亚书》　《旧约》中的一卷，犹太教正典列为《十二小先知书》的第四卷。此书仅1章21节，是《旧约》中最短者，叙“俄巴底亚所见异象”。作者不详，仅知其名意为“雅赫维的仆人”。此书严责长期与以色列为敌的以东不援助以色列以致使耶路撒冷沦陷于异族。学者认为，由此可见此书写成于公元前586年巴比伦灭亡以色列以后。也有人根据《列王纪下》第8章第20至22节所表现的仇恨以东的情绪，判断《俄巴底亚书》的成书年代在公元前9世纪。此书宣告：最后审判日临近万国，善恶皆有所报。在最后几节中预言犹太人必将重返故土。

O'Bail, John（Seneca Indian leader）　**奥贝尔**　参阅 **Cornplanter 种玉米人**。

Ōbaku　黄檗宗　威妥玛拼音作Huang-po。日本佛教禅宗三派之一。1654年由中国僧人隐元创立。此宗在建筑、宗教仪式和教义方面，仍保持中国传统风格。黄檗宗僧人一方面修持临济宗的顿悟法，另一方面也念诵阿弥陀佛名号。该宗本寺为京都万福寺。

Obama, Barack, Jr.　奥巴马（1961-08-04，美国夏威夷檀香山～　　）美国政治人物，第一位非洲裔民主党人，为重建时期结束后（1877年）当选参议员的第三位非洲裔美国人。其父原为肯尼亚牧羊人，获奖学金到美国读书，成为肯尼亚政府高级经济学家。奥巴马成长于夏威夷和印度尼西亚，1983年获得哥伦比亚大学学士学位，1991年获哈佛大学法学学位，是担任《哈佛法律评论》社长的首位非洲裔美国人。后迁往芝加哥，在民主党中积极活动，并在芝加哥大学讲授宪法，还担任民权事务律师。1996年当选伊利诺伊州参议员。2004年当选国会参议员。1995年出版回忆录《父亲的梦想》。

Obando, José María　奥万多（1795，新格拉纳达考卡～1861-04-29，哥伦比亚索巴乔克）哥伦比亚总统（1853～1854），其粗暴的个性和经历在19世纪哥伦比亚军政界领袖中颇具代表性。他在拉丁美洲独立战争时期为西班牙国王效力，后来参加S.玻利瓦尔的革命军队。但在哥伦比亚独立后，他反对玻利瓦尔的中央集权政府。19世纪30年代，他成为新格拉纳达副总统和陆军部长。他发动反对保守党政府（1838～1840）的政变，失败后逃往秘鲁；自由党竞选胜利（1849）后返回新格拉纳达。1853年他当选总统，采纳自由党宪法。由于激进党和保守党的反对，他于次年倒台，再次流亡国外。1860年返回新格拉纳达，死于内战。

O'Bannion, (Charles) Dion　奥巴尼恩（1892，美国伊利诺伊奥罗拉～1924-11-10，芝加哥）　19世纪20年代早期美国私酒犯，芝加哥一凶恶匪帮的首领，仅次于他的死敌J.托里奥和A.卡彭。从小规模犯罪活动开始，在禁酒时期逐步扩大势力，变成芝加哥私酒酿造集团的头目，垄断了芝加哥北区的私酒供应。后被他的敌手卡彭的手下人在办公室（芝加哥北州大街738号一家鲜花店里）枪杀。参加其葬礼的约有1.5万人，其中包括托里奥和卡彭。

Obasanjo, Olusegun　奥巴桑乔（1937-03-05，尼日利亚阿贝奥库塔～　　）　尼日利亚将军，政治人物，外交家。是非洲第一位把权力移交给给民选政府的军队首领。1976～1979任国家元首。1999年至今任总统。在浸礼会男子中学读书，后担任教师。1958年参军，到英国接受军官训练。比夫拉冲突（1967～1970）中指挥尼日利亚东南部比夫拉前线的突击师。1970年1月比夫拉军队投降。1975年穆罕默德推翻戈翁领导的政府，但许诺1979年前还政于民选政府。次年，穆罕默德遭暗杀，领导权掌握在奥巴桑乔手中。在其当政的3年间，继续推进穆罕默德的还政时间表，而且不参加1979年的总统竞选。其后几年间，奥巴桑乔在伊巴丹大学执教，并在联合国及其他组织内担任若干外交职务。1993年阿巴查夺取政权，建立军政府。1995年奥巴桑乔因被控策划政变遭监禁，1998年阿巴查死后获释，并加入人民民主党。临时领导人阿布巴卡尔保证举行民主选举，奥巴桑乔宣布竞选总统，1999年以63%的选票获胜，成为15年来首位民选的尼日利亚元首。他致力于减轻贫困、打击腐败，建立民主制度，保证实行军队和警察改革。但宗教及种族冲突成为其任内的首要问题。2003年4月再度当选总统。

obbligato　助奏　意大利语，意为“必不可少的”。音乐中的重要但又处于从属地位的器乐部分。以18世纪用小号助奏的咏叹调为例，虽然小号部分是用作声乐的伴奏，但它可以写得同声乐部分一样华丽辉煌。“助奏式伴奏”一词在某些18世纪音乐中有着更加特定的意义。参阅 **accompaniment**。

O.B.E.　大英帝国四等爵士　officer of the British Empire的简写。英国爵士勋位的阶级之一，此职位不赋予爵士身份。参阅 **British Empire, The Most Excellent Order of the**。

obeah（in folklore）　参阅 **obia 奥比亚**。

O'Beel, John（Seneca Indian leader）　**奥贝尔**　参阅 **Cornplanter 种玉米人**。

Obeid, el-(The Sudan) 参阅 **Ubayyiḍ, al-**欧拜伊德。

Obelia 薮枝螅水母属 刺胞动物门水螅纲的一属。种类多，广泛分布各大洋。树枝状水螅型群体以根状的螅根固着在海底或其他硬物上。螅茎上有许多水螅型，水螅型口的周围有触手。另有子茎，为特化的水螅体，无口及触手，能出芽生成水母型。水母型脱离子茎，自由游动，产生精和卵。受精卵发育成有纤毛的浮浪幼体，自由游动一段时期以后固着下来，以出芽方式生成许多水螅型，水螅型又出芽，形成新的树枝状群体。

obelisk 方尖碑 最早成对地耸立在古埃及神庙前的锥形石碑，以整块石料凿成，通常用阿斯旺产红花岗岩，平面为正方或长方形，下大上小，顶为方锥形，覆以金银合金。碑四

埃及凯尔奈克阿蒙神庙的约公元前1500年方尖碑，左为女王哈特谢普苏特方尖碑，右为图特摩斯一世方尖碑

美国不列颠百科全书公司供图

面均刻有象形文字，包括宗教性题字(常用以奉献太阳神)和纪念统治者生平的文字。已知早在古埃及第四王朝时(约公元前2613～前2494)即有方尖碑，但当时遗物无存，第五王朝时太阳神庙的方尖碑比较矮(不超过3.3米)。现存最古实物属于塞索斯特里斯一世王朝(公元前1971～前1928)，位于今开罗郊区赫利奥波利斯的瑞神庙遗址前。图特摩斯一世(约公元前1525～前1512)所建的一对方尖碑之一，高24米，底部1.8米见方，重143吨，位于凯尔奈克。凯尔奈克的哈特谢普苏特(埃及女王)方尖碑底座上的刻文，记载从石矿中开采该碑的整块碑身共历时7个月。在底比斯的哈特谢普苏特神庙中，绘有用驳船在尼罗河上运送石碑的场景。石碑运抵目的地后，工人将碑身沿临时堆起的土坡向上斜拉，然后竖立在基座之上。在罗马帝国时期，埃及的许多方尖碑被搬到意大利，仅罗马城即有12座以上，其中之一现在拉特兰的圣乔瓦尼广场，原为图特摩斯三世(公元前1504～前1450在位)建于凯尔奈克，高32米，底部2.7米见方，顶部1.88米见方，重约230吨，是现存最大的方尖碑。19世纪晚期埃及政府将一对方尖碑分赠给美国(现存纽约市中央公园)和英国(现存伦敦泰晤士河河堤)。这一对方尖碑虽被称为克娄巴特拉方尖碑，但与这位女王并无关系，系约公元前1500年由图特摩斯三世立于赫利奥波利斯，碑文述及图特摩斯三世及拉美西斯二世(约公元前1304～前1237)的事迹。碑用典型的红花岗岩凿成，高21.2米，底部2.36米×2.33米，重180吨。开凿和树立这种方尖碑的艰巨工程说明了古埃及人在力学上的高度智慧和无穷的劳动力。其他民族，包括腓尼基人和迦南人，也仿效埃及人制作方尖碑，但通常不是用整块石料凿成。美国华盛顿市的华盛顿纪念碑是一座有名的现代方尖碑，完成于1884年，高169米，设有瞭望台和内部的楼梯和电梯。

Oberbayern 上拜恩 德国南部拜恩州东南部的行政区。东和南邻奥地利。面积17 529平方千米，为全州7个行政区中最大的。行政和文化中心慕尼黑为拜恩州首府，也是全州最大城市。全区大部分处于莱希河以东阿尔卑斯前沿地区。伊萨尔河、因河和萨尔察赫河流经上拜恩冰碛高地，汇入多瑙河；冰碛丘陵间遍布森林、湖泊和沼泽；群山环抱的阿默湖、施塔恩贝格湖、基姆湖都是理想的游乐区。这一带土地肥沃，但气候恶劣，农业仅适于饲养奶牛。首府周围的慕尼黑平原是沼泽地和泥炭沼。平原以北是下拜恩高地；哈勒陶为当地最富饶的农业区，蛇麻子产量居全国第一位。多瑙河流域为肥沃的农田，主要农作物有甜菜、小麦、裸麦、马铃薯。工业主要集中在慕尼黑、因戈尔施塔特周围以及因河、芒法尔河、伊萨尔河、多瑙河沿岸小城市。慕尼黑是全州最大的工业中心、主要交通枢纽，生产精密光学和电气设备、机械、汽车、飞机、服装和啤酒。因戈尔施塔特生产机械和汽车。拜恩州的化学工业集中在因河和萨尔察赫河汇合处以及沿多瑙河的因戈尔施塔特、福堡和诺伊施塔特之间。上拜恩人操巴伐利亚语。高等教育以慕尼黑为中心，有路德维希·马克西米连大学(1472)和慕尼黑工科大学(1868)等。居民大部分信天主教。人口约3 801 448(1991)。

Oberfranken 上弗兰克 德国中东部拜恩州东北部的行政区。北为图林根和萨克森州。东接捷克共和国，东南为上普法尔茨行政区，南为中弗兰克行政区，西为下弗兰克行政区。面积7 231平方千米。1806年拿破仑重组德国的时候，东弗兰克由巴伐利亚王国、符腾堡王国和巴登大公国所分。现在拜恩州的上弗兰克、中弗兰克和下弗兰克行政区是1837年由路易一世创建的巴伐利亚王国省份。西部为中弗兰克盆地北部，主要是农业区，其中有班贝格水果产区。东部有弗兰克侏罗山。弗兰克侏罗山以东为上美因高地，有罗特美因和魏瑟美因河流经其间，高地土地肥沃，主要城市有拜罗伊特和库尔姆巴赫，拜罗伊特为上弗兰克首府。东北部为弗兰克林山，其间有美因河支流哈斯拉赫河、罗达赫河，还有塞尔比茨河和萨勒河流经。该地主要工业原为纺织、陶瓷业、木制品等。现正集中力量发展新兴工业如电气设备、精密机械等；工商业中心霍夫生产纺织品、服装、金属制品和啤酒。在弗兰克林山与厄尔士山会合处为一长方形的菲希特尔山高原。山间低地人口较密，经济以畜牧业为主，另有陶瓷、伐木和采石工业，近年发展起旅游业。当地主要城镇塞尔布是德国瓷器工业的中心。上弗兰克的行政中心、最大城市班贝格为主要工业城市和重要交通枢纽，制造电气设备、纺织品、服装、机械和橡胶制品，酿酒厂甚多。在上美因高地拜罗伊特生产纺织品、机械和电气产品，库尔姆巴赫生产纺织品、机械和酒。当地的居民操德国三大方言之一的弗兰克语，多信奉基督教新教。高等教育中心有拜罗伊特大学(1972年成立)、班贝格理工学院。拜罗伊特因1872～1876年建成作曲家瓦格纳的节日戏院而闻名，每年7月底至8月在此举行瓦格纳音乐节。人口约1 039 232(1989)。

Oberhausen 奥伯豪森 德国西部北莱茵-威斯特伐利亚州城市。濒莱茵-黑尔讷运河，在高度发达的鲁尔工业区。是汉诺威-柏林铁路干线上的重要枢纽，与荷兰有优良高速公路相通。奥伯豪森是威斯特伐利亚煤矿和褐铁矿区交通网络的中心。19世纪中叶在无人居住却有丰富矿藏的利珀荒原建起火车站后工业始迅速发展。1874年设建制。1929年纳入附近的施泰克拉德和奥斯特费尔德镇。保存有施泰克拉德修道院(1150)等古迹。市内有艺术博物馆、市剧院和几所技术学校。重工业以煤炭和钢铁为基础，当地圣安东尼炼铁厂为鲁尔区最早的钢铁企业(1758～1876)。奥伯豪森还有炼锌厂、铁路修配厂和一所大热电厂，工业品有蒸汽锅炉、钢索、玻璃、化学品、食糖、陶瓷和雪茄等。人口约220 033(2003)。

Oberlin 奥伯林 美国俄亥俄州北部洛雷恩县城市，在克利夫兰西南偏西56千米处。1833年建立社区，开办奥伯林特别中学培训西部的圣职人员和教师(1850年后改为学院)。1886年该院校友C.M.霍尔发明铝电解法。该城为帮助黑奴逃亡去加拿大的地下铁路的一站。反沙龙联盟1893年建于此地。1950年设市。四周为肥沃农田。经济和文化生活以奥伯林学院和著名的音乐学院为中心。人口8 191(1990)。

Oberlin, Johann Friedrich 奥伯林(1740-08-31，法国斯特拉斯堡～1826-06-01，巴伐利亚瓦尔德巴赫) 基督教信义宗牧师和慈善家，毕生致力于将法国极其贫困的农村教区建成精神和物质都丰富的社区。1758年毕业于斯特拉斯堡大学，先任教师，1767年任瓦尔德巴赫教会牧师。关心提高教区居民生活水平，他创办农村学校以及照管劳动者幼儿的事业。他循循善诱，成年人也来求教于他。奥贝尔林从其中挑选青壮年来筑路修桥，以结束该地区的闭塞状态。鼓励改进农作物，交流农业知识的活动，成批购买新式农具而

美国不列颠百科全书公司供图

按成本出售,自立银行以提供资金。他先资助青年到斯特拉斯堡学习工艺,然后在本地开设工厂。奥贝尔林主张各教派合一,欢迎加尔文宗人士与天主教人士到他的教会礼拜。他在讲道中兼及理性主义和神秘主义,可以看出他对法国哲学家卢梭和瑞典神秘主义者斯维登堡的景仰。他本着人道主义精神热情欢迎法国革命,受到法国革命政府和帝制政府的敬重。

Oberlin College 奥伯林学院 美国俄亥俄州奥伯林的一所私立男女同校高等学府。设文科和音乐课程。建于1833年,旨在为西部培养牧师和教师。得名于阿尔萨斯牧师J.F.奥伯林。该校从建校时起就是男女同校,设有选修的"女士课程",其中包括从正规课程中抽出来的自然科学、文学和哲学,减去希腊语和拉丁语,增加法语和绘画。1838年开始允许妇女学习学位课程。奥伯林学院还曾在与白人学生同等条件下录取黑人学生,并成为"地下铁道"(一译地下交通网)的一站,逃亡奴隶由此前往加拿大投奔自由。现代系科有:科学、通信、人文学科(包括音乐)、外语、法律、文学、数学、心理学、公共服务研究和社会科学。

Oberon 奥伯龙 中世纪法国诗歌《波尔多的于翁》中的小精灵之王。在墨洛温王朝的传奇历史中,奥伯龙是个魔术师,是墨洛温之弟;在中世纪德国史诗《尼贝龙根之歌》中的奥伯龙是个矮人,守卫着尼贝龙根的地下宝物,但后为齐格弗里德所击败。在另一中古高地德语诗歌《奥尔特尼特》中,他是矮人之王和奥尔特尼特的父亲。他还为莎士比亚的《仲夏夜之梦》(1595～1596年首演)、本·琼森的宫廷假面剧《精灵王奥伯龙》(1611)和维兰德的传奇故事《奥伯龙》(1780)提供了神话素材。韦伯的歌剧《奥伯龙》(1826)再次提到他。在瓦格纳乐剧中,他是从莱茵仙女处偷走了魔力黄金的矮人。

J.M.史密斯为1906年版的《仲夏夜之梦》所绘插图画,图中左下为奥伯龙

美国不列颠百科全书公司供图

Oberon 天卫四 天王星5个大卫星中最靠外围的一个。英国天文学家赫歇尔爵士于1781年发现天王星。随后,他于1787年又发现天卫四。它距天王星中心的平均距离约是583 520千米,其轨道周期为13.46日。天卫四的直径估计是1 630千米,质量为天王星质量的6.9×10^{-5}。现认为天卫四的成分中有水冰,可能还有小量的冻结甲烷和岩石物质。美国"旅行者"2号飞行器于1986年传送回来的照片图像显示,天卫四的表面像月球那样遍布陨击坑。在众多的亮陨击坑中,有少数几个被某种暗黑的熔岩物质淹没。

Oberon, Merle 奥勃朗(1911-02-19,印度孟买～1979-11-23,美国加利福尼亚洛杉矶)英国和美国电影女演员,演过30多部影片,最知名的是1939年主演的经典片《呼啸山庄》。她出生于印度,到英国后曾在舞台和影片中扮演小角色,后被制片人A.柯尔达发现,以自己在英国和好莱坞的业绩登上明星宝座。在《亨利八世》(1933)中扮演安妮·波琳,还演出《唐璜秘史》(1934)和《一曲难忘》(1945)等片。

Oberösterreich 上奥地利 英语作Upper Austria奥地利北部一州。西面和北面与德国、捷克接壤。东为下奥地利州,南为施泰尔马克(施蒂里亚)和萨尔茨堡州。在因河及恩斯河之间有多瑙河横贯全境。面积11 980平方千米。地势自西北向东南缓缓降低,地面起伏不平,土质贫瘠但遍布森林,低处有许多牧场。南部为阿尔卑斯山区,包括**萨尔茨卡默古特(Salzkammer-gut)**游览区的大部分,游览区内湖泊众多,高峰林立。高地荒芜,低坡地有成片森林和草场,山谷内有可耕地。多瑙河与阿尔卑斯山之间为经济上的重要地区。豪斯鲁克和科伯瑙斯森林有褐煤矿。史前时期,特别是哈尔施塔特文明时期和以后的罗马帝国时期,当地盐矿引来许多居民。1192年特劳恩高(现上奥地利的核心地区)臣属奥地利公国。约1450年上奥地利与下奥地利分开,1490年林茨为上奥地利首府。德国兼并奥地利时期(1938～1945),上奥地利成为上多瑙河赖希专区,后又恢复为州。第二次世界大战后,因收容10万多名难民,人口大增,其密度居于各州最高之列。居民为日耳曼人,90%左右信奉天主教。主要城镇有林茨、韦尔斯、施泰尔、特劳恩、布劳瑙、巴特伊施尔、格蒙登、里德、弗克拉布鲁克、恩斯、莱昂丁及安斯费尔登。农业占土地1/2强,林业约占1/3。农田多种植饲草。阿尔卑斯山前沿普遍饲养家畜。也产粮食(小麦、裸麦)、甜菜、马铃薯及水果。大片森林归国家所有。萨尔茨卡默古特产食盐,豪斯鲁克产褐煤,再往西有花岗岩和石灰石采掘场。里德附近的油井1959年开始产油。

德国兼并时期及第二次世界大战以后,工业有巨大发展,主要有林茨化学工业(制氮)和钢铁工业,伦青的人造纤维和兰斯霍芬的炼铝。其他有奶制品、食品加工、甜菜制糖、酿酒、农机、纺织、制革和锯木业(有木材工业和造纸及纤维素工厂)。多瑙河在贸易方面保持着它在中世纪的作用。铁路与公路四通八达。林茨机场则处于次要地位。人口1 340 076(1991)。

Oberpfalz 上普法尔茨 德国南部拜恩州中东部的行政区。东邻捷克共和国。面积9 691平方千米。纳布河发源于菲希特尔山和波希米亚林山的上普法尔茨部分的北部,向南流经本区,在行政区中心雷根斯堡以北注入多瑙河。纳布河谷一带现存有中世纪末期的城堡100座左右,河谷盆地宽处还有大城镇如魏登等。魏登以产瓷器和工业陶瓷而地位重要。安贝格为有城墙的古城,1810年前为上巴拉丁领地首府,位于纳布河支流菲尔斯河肥沃的河谷内。上普法尔茨西部有法兰克侏罗山,它是侏罗纪石灰石和白云石的广阔高原。这一带人口密度为全州密度最低的地区之一。纳布河河谷以东上普法尔茨林山山脉沿德捷边境隆起,海拔700～900米。森林从本区北部边界的菲希特尔山脉向南延伸约90千米至菲尔特洼地。当地人烟稀少、土壤贫瘠、气候恶劣,生产季节短,农产品有限。伐木、玻璃、陶瓷等工业因当地有高岭土和瓷土而发展为经济支柱。上普法尔茨工业集中在雷根斯堡、安贝格及沿纳布河和菲尔斯河的小城市。雷根斯堡为重要交通枢纽,生产电气设备、钢、汽车、纺织品、服装、木材等;安贝格的工业有电气机械、铁矿石采掘、炼钢、玻璃研磨、机械制造等。苏尔茨巴赫-罗森贝格、施万多夫、马克斯许特-海德霍夫等是较小的钢铁工业中心。高等教育集中在雷根斯堡,有雷根斯堡大学(1962)和一所州立工学院。雷根斯堡是拜恩州的哥特风格建筑的中心,有著名的圣彼得大教堂(1275～1524)和两座托钵僧团教堂。居民操巴伐利亚语,有3/4以上信天主教。人口约1 008 999(1991)。

Oberth, Hermann (Julius) 奥伯特(1894-06-25,奥匈帝国大塞本[今罗马尼亚锡比乌]～1989-12-29,西德纽伦堡) 德国科学家,现代航天学的奠基人之一。奥伯特是一位富裕的内科医生的儿子,曾在慕尼黑攻读医学,但因第一次世界大战中在奥匈帝国陆军中服役而中断学业。他在战争中负伤,才有时间从事航天学的研究。他进行了模拟失重试验,设计出了远程液体推进剂火箭,他的上司将这种火箭呈送陆军部。这种设计被当作神话而弃之一旁。战后,奥伯特根据他设计的火箭撰写论文,向海德堡大学申请博士学位。1922年这一要求遭该大学拒绝,但奥伯特自己承担部分出版费用,出版了名为《飞往行星际空间的火箭》(1923)一书,该书从数学上阐述火箭如何获得摆脱地球引力的速度。这本书使奥伯特受到学术界的普遍重

美国史密森学会国家航空和航天博物馆供图

视。在1922年以前,他并不了解美国的R.戈达德的工作成就;在1925年以前,他也不了解苏联的K.齐奥尔科夫斯基的工作成果。经过与他们通信,奥伯特认识到他们在推导与航天有关的方程方面处于领先地位。奥伯特所著《通向航天之路》(1929)获第一届罗伯特·埃斯诺-佩尔蒂埃-安德烈·希尔施奖,奖金1万法郎,从而为他进行液体火箭发动机的研究提供了资金。这本书提前30年预测了电推进和离子火箭的发展。1931年奥伯特在罗马尼亚专利局获得液体推进火箭发明专利,1931年5月7日,第一枚火箭从柏林附近发射。

1938年奥伯特执教于维也纳工科大学,1940年成为德国公民,1941年调往位于佩讷明德的德国火箭发展中心,为他过去的助手韦恩赫·冯·布劳恩工作。1943年他被派往另一地从事固体推进剂防空火箭的研制工作,战后他作为火箭顾问在瑞士工作了1年,1950年迁居意大利,为意大利海军研制固体推进剂防空火箭。1955年起在美国为美国陆军从事尖端空间研究工作,1958年退休后返回西德。1962年以后,奥伯特在纽伦堡附近的芬希特镇定居,他将退休后的时间都用于进行理论研究。1959年出版《物质与生命》一书,他在书中断定,作为共产主义理论哲学基础的唯物主义是不正确的,并进一步断定,诸如精神那样的人类生命的某些方面是不能用物质原因来加以解释的。

Oberto I　奥贝托一世(?～975-10-15)　意大利10世纪时有权势的封建领主,东利古里亚侯爵和卢尼伯爵。他可能是随查理曼从巴伐利亚进入意大利的。951年取得热那亚、卢尼和东利古里亚。后与意大利国王贝伦加尔二世反目,于960年前往德意志,请求奥托进兵意大利。962年奥托成为神圣罗马帝国皇帝,他封奥贝托为享有王权的伯爵,在意大利的地位仅次于奥托。据信意大利的四大家族:埃斯泰、马拉斯皮纳、帕拉维奇尼和马萨帕罗迪均是他的后人。

obesity　肥胖症　又作 corpulence 或 fatness。身体脂肪过度蓄积的一种病态,通常因身体所进食物的热量超过所能利用的热量而引起。脂肪是热量的贮存形式。一个人的体重稍微超过正常,尤其是肌肉发达或骨骼粗大者,不一定就是肥胖症。一般情况下,体重超过标准的20%以上多考虑为肥胖症。身体根据需要调节食物摄取量的能力可受许多因素的影响。其中,因激素平衡失调和内分泌腺缺陷造成者只占全部肥胖症患者的5%。虽然肥胖症可有家族性,具遗传倾向,但有证据表明,患有肥胖症的母亲对其子女的早期喂养方式对肥胖症的发生起着重要作用,这种作用与其说是遗传性的,不如说是社会文化的。从更广泛的角度看,一个民族独特的生活方式,以及所属成员对这种方式在行为上和情绪上的反应,均对该民族成员中肥胖症的普遍发生起着明显的作用。在生活水平较高的人群中,由于有着各种丰富的高热量食物和饮料,同时日常体力活动日趋减少,结果,所进食物的热量大大超过了人体对热量的需要。现代生活过于紧张,亦使一些人喜欢从饮酒、进食中求得"轻松"。肥胖不仅从美学观点上说一无可取(尤其在崇尚苗条的地区),从医学观点上看亦是严重的问题。一般说来,胖人的寿命较短,与体重正常的同龄人相比,他们常常较早地就患有许多疾病,发病率较高,病情亦较严重。胖人容易过早地死于心脏、动脉及肾脏的变性性疾病;亦容易死于各种意外事故及糖尿病;对手术的耐受性亦差。肥胖对人的精神亦可产生影响,可造成神经症和精神病,表现症状多样,从自卑、不敢坚持己见到鲁莽、专断、一意孤行。肥胖症的治疗主要有两方面:一是去除引起肥胖的因素,如果这种因素是情绪或心理性的,则去除比较困难;二是减少摄食以减少多余的脂肪。用减少热量的方法恢复正常体重最好在医务人员监护之下进行。片面追求减少食物以求迅速减轻体重,其效果可疑,而且在很多情况下会损害健康。肥胖症应与各种疾病引起的浮肿相鉴别。参阅 **dieting**。

obi　和服腰带　用挺括的绸缎制成的宽腰带,自古代起日本人用来束紧和服。妇女和服腰带长约370厘米,宽约25厘米;男子

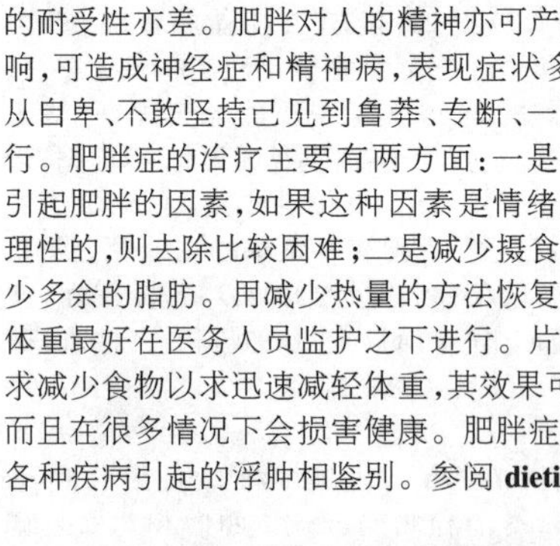

鸟居清长绘《茶见世·中景》(1789)中的妇女所用和服腰带
美国不列颠百科全书公司供图

和服腰带长约为妇女的3/4,宽约为妇女的1/6。缠绕于腰部,再在背后打一考究的结子。现在的和服腰带是18世纪早期演变成的,多为织花或绣花的。

Obi Islands　奥比群岛　又称翁比群岛(Ombi Islands)。印度尼西亚马鲁古省群岛。为北马鲁古岛群的一部分,位于哈马黑拉岛以南、塞兰岛以北、苏拉群岛以东。主岛奥比岛长84千米,宽47千米,岛上唯一村庄莱韦位于东北岸,与比萨岛隔海相望。奥比岛多山,有海拔1 611米的山峰,该岛周围的大部分是海滨平原。其余较大岛屿有比萨、奥比拉图及托巴莱岛。群岛出产西米和林产品。人口12 437(最新统计)。

obia　奥比亚　又拼 obeah。西非民间传说中,一种体型庞大的动物,它偷偷溜进村里,为女巫诱拐年轻姑娘。在某些加勒比人的文化中,奥比亚表示各种形式的巫术,这些巫术通常威力极大而且极端邪恶。为给某一方带来不幸而埋藏起来的有效验的或被施以魔力的物体有时便被称作奥比亚。在某些地区,法律明文规定禁止使用该词。使用奥比亚之力的专业人士被称为奥比亚马或奥比亚人。

Óbidos　奥比杜斯　巴西北部帕拉州中西部城镇。1697年建为一个要塞城镇。在亚马孙河左岸。港口可泊内河航轮和快艇,装运烟草、可可、咖啡、蔗糖、木材和牛。有水果罐头厂和黄麻制品厂。贝伦-马瑙斯航空线的中继站。人口约22 977(2000)。

Obihiro　带广　日本北海道南部城市。濒临十胜川。建于1883年。20世纪初通铁路后成为四周农产品的贸易中心。有食品加工业和日本最大甜菜糖厂之一。建有带广畜牧学院。人口约171 714(1995)。

object constancy(psychology)　**对象恒常性**　参阅 **perceptual constancy** 知觉恒常性。

object language　对象语言　在语义学和逻辑学中,人们用以谈论世界上的事物或对象的普通语言。它和元语言不同,元语言是语言学家和其他人使用的人工语言,用以分析或描述对象语言本身的句子或句子成分。这个概念由20世纪的逻辑实证主义者发明,如A.塔斯基和R.卡纳普等均是。

object reading(parapsychology)　参阅 **psychometry** 物卜。

objectivism　客观主义　客观艺术或文学的理论或实践。20世纪30年代诗人W.C.威廉斯首次使用该词,用以形容一种运动:强调将诗歌视为可按照其机械特征进行反复思考和分析的事物。按照威廉斯的观点,这意味着审视诗的结构,并考虑它是如何构成的。

oblate　修道人　天主教名词,专指:①与某修会或宗教团体有联系并遵守该会规章的在俗教徒;②由父母奉献出来按照本笃会会规

修道的少年;③无原罪圣母修道会和方济各修道会的会员。

Obodrite 奥博德里人 中世纪欧洲斯拉夫族最西北部波拉布人的一支,有时被称为博德里其人,居住在易北河下游与波罗的海之间的地区,即今德国石勒苏益格-荷尔斯泰因州汉堡以北和东北的地方。奥博德里人于9世纪初建立独立的王国,12世纪中叶为萨克森公爵狮子亨利所征服。在此期间,奥博德里非基督徒的末代大公尼克洛特(1160卒)曾长期抵抗,但其子普日贝斯瓦夫(?～1178)即位后即接受了基督教并承认德意志的宗主权,1170年受封为神圣罗马帝国诸侯之一。他的后代成为梅克伦堡公爵,同时奥博德里人最终为德意志民族所同化。

oboe 双簧管 双簧片圆锥形体的高音木管乐器。虽然主要是管弦乐队乐器,但它也有相当多的独奏曲目。双簧管原是户外举行仪式用的一种喧嚣的双簧乐器名称。正规的双簧管(即管弦乐队中的双簧管)为17世纪

(自左至右)约1775年的双簧管、现代奥地利双簧管和吉莱双簧管
美国不列颠百科全书公司供图

中叶两个法国宫廷音乐家J.奥特泰尔和M.菲利多尔发明。它比现代双簧管柔和,音质较暗。到17世纪末,它已成为管弦乐队和军乐队的主要乐器和仅次于小提琴的重要独奏乐器。早期双簧管只有两个键。它的音域起初从中央C向上两个8度,但不久就向上扩展到F。19世纪初,音乐风格的改变同木管乐器键结构的某些改进在时间上是一致的。至1839年在法国,键的数量已逐渐增至10个。法国演奏家在1800年以前就已经采用现代类型的狭窄簧片。19世纪60年代,G.特里埃贝尔和他的儿子弗雷德里克发明了一种乐器,与20世纪的富于表现力的、灵活的、尤其是法国型双簧管相似。1906年F.洛雷和G.吉莱制造的指孔用穿孔板遮盖的双簧管,现在在美国和法国广泛采用。在德国和奥地利,多键的双簧管出现得比较早,其管体和簧片的改进使音量增加。这一变化使双簧管在这两个国家一度被弃置不用,直到19世纪末,由于R.施特劳斯的努力,双簧管才重新受到重视。约1925年德、奥两国普遍采用法国型双簧管。双簧管在意大利的历史与上述国家类似。双簧管演奏中的主要因素是簧片制作和唇口对它的控制。虽然可以买到现成的簧片,但大多数认真的演奏者都自制。双簧管有几种大型变种。**英国管(English horn)**是一种比双簧管低5度的F调乐器,并且被认为最接近J.S.巴赫所用的"双簧猎角"。A调的"抒情双簧管"比双簧管低小3度,有一个像英国管那样球形的喇叭口,是巴赫多次采用的,也用在一些20世纪的作品中。**黑克尔管(heckelphone)**有一个比上低音管大的簧片和管体,有独特的音色,低音区相当深沉。任何民间或非欧洲地区的双簧片木管乐器也可统称为双簧管。

Obolus 圆货贝 寒武纪(5.7亿年前至5.05亿年前)腕足动物的绝灭属。呈球形的小动物。贝壳一瓣比另一瓣大。它与跟它亲

在美国蒙大拿州洛根发现的中寒武纪圆货贝(*Obolus ella*)化石
美国不列颠百科全书公司供图

近的舌形贝类不同,壳由碳酸钙组成。该属栖居浅海水域。

Obote, Milton 奥博特(1924-12-28,乌干达兰戈阿科罗科村～2005-10-10,南非约翰内斯堡) 乌干达政治家、总理(1962～1970)和两任总统(1966～1971,1980～1985)。他在1962年领导国家走向独立,但他的两度任职均被军事政变推翻,且均为乌干达南北两方的种族斗争而耗尽精力。出身于农民家庭。1948～1949年在坎帕拉的马凯雷雷学院读书,因参加政治活动被开除。殖民政府不许他接受美国和西德给他的奖学金。1950年他去肯尼亚,投身独立运动,参加肯尼亚非洲人联盟。1957年返回乌干达,加入乌干达国民大会党。1958年选入立法议会,在议会中他坚定地批评英国政府。国民大会党分裂后,他组织乌干达人民大会党,主要依靠北方阿乔利族和兰戈族的支持,反对穆特萨二世国王统治的强大的布干达国存在于乌干达内。1962年成为总理后,他接受一部给5个传统王国(包括布干达在内)在乌干达内以联邦地位的宪法。从而能够组成乌干达人民大会党与布干达国王党的联合统治。1963年在奥博特支持下穆特萨当选总统(主要是礼仪性的)。1966年,他与布干达的矛盾达到顶点,遂派兵攻打穆特萨的王宫,穆特萨逃往英国。随即他发布新宪法,废除所有的王国及其他封建残余。设立执行总统,由他出任并继续担任总理。但他益加依赖军警力量来恫吓南方的政治反对势力,他允许阿明在其部族中招募新兵。1971年初,他被阿明领导的一次军事政变推翻。奥博特定居邻邦坦桑尼亚,保有一小股由T.奥凯洛统领的流亡军队。1979年这股军队在坦桑尼亚军队支援下推翻了阿明。在奥凯洛的支持下,回国的奥博特重新当选总统(1980-05)。就任后他寻求外援企图复兴经济,但他未采取措施防止阿乔利族和兰戈族军人在南方和阿明家乡的抢劫与滥杀。1985年10月,奥凯洛逼迫他下野。此后,他定居赞比亚。

Obraztsov, Sergey (Vladimirovich) 奥勃拉兹佐夫(1901-07-05,俄国莫斯科～1992-05-08,莫斯科) 苏联木偶戏大师及木偶艺术开创人,20世纪最杰出的木偶戏演员之一。父母为中学教师和铁路工程师,最初曾学习绘画。1922～1930年在莫斯科涅米罗维奇-丹钦科音乐剧院当演员,1930～1931年在莫斯科艺术剧院。从1931年起一直担任莫斯科国立中央木偶剧院院长。其表演特点为技巧高超和风格严谨。在多达几十次的出国演出中,特别是1953年去英国和1963年去美国巡回演出,所表演的一些著名木偶人物,如一对男女舞伴(它们的探戈舞步需要7名有技巧的木偶演员来表演)和唱男低音的吉普赛女郎,使国外观众为之倾倒。在他巡回演出影

慕尼黑木偶剧博物馆供图

响下,已成立了几座杖头木偶剧院。讽刺蹩脚演员的《不平凡的音乐会》(1946)和《阿拉丁的神灯》(1940)则在全世界流行。木偶戏《唐璜》于1976年上演。他还以创造一种手指木偶(称为拇指球木偶)和能用两只空手作木偶表演而闻名。1950年出版《我的专业》一书,并被译成几种文字。

Obrecht, Jakob 奥布雷希特(1452-11-22,布拉班特贝亨奥普佐姆[今在荷兰]～1505,费拉拉[意大利]) Obrecht 又拼 Hobrecht。作曲家,与欧克赫姆和若斯坎·德普雷都是文艺复兴音乐中占统治地位的法兰克-佛兰德斯(或称法兰克-尼德兰)风格的主要作曲家。1485年任布鲁日大教堂唱诗班助理指挥。1487年访问意大利,与费拉拉公爵埃尔科莱一世结交。公爵对他的音乐备加赞誉,设法在教皇宫廷中为他谋求一官半职。谋职未成,奥布雷希特于1488年返回贝亨奥普佐姆。1504年又去费拉拉旅行,因染瘟疫而亡。其乐曲风格以温暖而优美的旋律、清晰而接近于现代调性意识的和声著称,现存作品有

27 首弥撒曲，19 首经文歌和 31 首世俗乐曲。所作弥撒曲大多为四声部，每每采用一个借自素歌或世俗歌曲的固定旋律。其经文歌多采用颂扬圣母马利亚的歌词。

Obregón, Álvaro　奥夫雷贡（1880-02-19，墨西哥阿拉莫斯～ 1928-07-17，墨西哥城）　墨西哥军人、政治家、改革家。在任总统期间，使墨西哥摆脱了1910年革命之后长达10年

美国不列颠百科全书公司供图

的政治动乱和内战。他几乎未受过正规教育，曾当过农民和雇工，深知墨西哥穷人的要求和愿望。1912 年率一批志愿军支持 F. 马德罗总统，反对 P. 奥罗斯科领导的叛乱。1913 年 2 月马德罗被 V. 韦尔塔推翻和谋杀。他与 V. 卡兰萨共同反对韦尔塔，击败韦尔塔的军队，不断显露出军事才干。1914 年 8 月 15 日攻占墨西哥城。此后，他继续支持卡兰萨反对反叛头目 P. 比利亚和 E. 萨帕塔。在 1915 年的战斗中失去右臂。在对比利亚作战中，他在占领地区颁布了反教权的法令和劳工法。他操纵 1917 年的立宪会议，在制定内容激进的文件方面起了主要作用。1917 年他在卡兰萨的内阁中任职，但不久即回到自己在索诺拉的农庄，脱离政治活动两年。1920 年 4 月，他看到卡兰萨日趋反动的政策和扶植傀儡继承人的企图，遂领导起义，很快推翻了卡兰萨政府。1920 年 12 月 1 日当选总统，努力使经过 10 年内战的国家出现相对的和平与繁荣，他宣布工人和农民的组织为合法；任命 J. 巴斯孔塞洛斯为教育部长，开始对学校教育进行重大改革。由于给人以过激的印象，直到 1923 年他在布卡雷利会议上作出不没收美国石油公司的保证后，他的政府才得到美国的承认。1924 年 12 月 1 日，他在镇压一次士兵哗变后辞职，由 P. E. 卡列斯继任总统。退职后在北方大量收购土地，垄断鹰嘴豆的生产。1928 年底再度当选为总统。重新当选后不久，从索诺拉回到墨西哥城参加一个小型的胜利庆典，与友人共餐时，被枪击身亡。凶手名叫 J. de L. 托拉尔，是天主教徒，他指责奥夫雷贡迫害宗教人士。

Obrenović DYNASTY　奥布廉诺维奇王朝　1815 ～ 1903 年统治塞尔维亚的家族，共 5 代。王朝的缔造者米洛什于 1815 ～ 1839 和 1858 ～ 1860 年为大公；长子米兰三世 1839 年即位仅 26 天便死去；次子米哈依洛三世于 1839 ～1842 和 1860 ～ 1868 年为大公；继位者米兰四世 1868 年为大公，后为国王（1882 ～ 1889）；其子亚历山大 1889 年继位，1903 年遇刺身死，王朝随即灭亡。

O'Brien, Edna　奥布赖恩（1932?-12-15，爱尔兰克莱尔郡特瓦姆格兰内～　　）　爱尔兰小说家和电影编剧。她以塑造妇女形象、能调动起读者想象的文笔和大胆的性爱描写而知名。她的作品在爱尔兰被禁止发售，其命运与她的前辈詹姆斯·乔伊斯和弗兰克·奥康纳相同。奥布赖恩年幼时即开始写作随笔和故事。她受严格的爱尔兰天主教修道院教育，后去都柏林专攻药学，1950 年获从业执照。1952 年，她和小说家格布勒结婚，生有二子。1959 年，全家移居伦敦，从此她以全部时间从事写作。20 世纪 60 年代中期，与格布勒离婚。奥布赖恩最初的一部受欢迎的小说名为《乡下姑娘们》（1960），小说主人公是两个离开了管教严格的家庭和修道院学校的爱尔兰姑娘，她们来到都柏林追求感官刺激和谈情说爱的机会。《孤独的姑娘》（1962）和《沉醉于婚后幸福中的姑娘》（1964）记述了这两位姑娘后来的生活。她们定居伦敦，最后对婚姻和男人感到幻灭。以后发表的小说有《八月是个坏月份》（1965）、《和平的代价》（1966）、《异教之地》（1971）、《夜》（1972）、《强尼，我简直不认识你》（1977）、《高速路》（1988）和《岁月流逝》（1992）。奥布赖恩的小说表达了她对当代社会中妇女处境的绝望，对妇女在种种压制下成长这种状况的抨击尤其不遗余力。她笔下的女主人公在她们与男人的关系中寻求实现自我价值的途径而不得，于是在与毫无希望结合的情人幽会中排解自己的孤寂感和感情上的苦闷。然而她的小说的惨淡情调时而被一些抒情描写以及女主人公获得暂时幸福的篇章所冲淡。奥布赖恩的短篇小说集有《爱的对象》（1968）、《荡妇及其他》（1974）、《狂热的心》（1984）和《幻灯片》（1990）。她也创作戏剧、电视电影剧本和非小说类文学作品。

O'Brien, Fitz-James　奥布赖恩（约1828，爱尔兰利默里克郡～ 1862-04-06，美国马里兰坎伯兰）　美国新闻记者、剧作家、作家。他打动人心的伪科学和令人毛骨悚然的故事使他成为现代科学幻想小说的先驱者之一。律师之子，在伦敦两年之内就把遗产挥霍光，于是开始从事新闻写作。1852 年，移居纽约靠写作为生，并很快成为纽约放荡不羁的文化人中的重要人物。他的作品虽然发表在当时的著名刊物上，但既未给他带来他认为应该得到的声誉，也未给他带来他所渴望的经济保障。美国南北战争爆发后，志愿参加联邦军队，在战争的第一年因负伤致死。他最著名的故事有：《金刚钻透镜》，描写一个人爱上了他从显微镜的一滴水中看见的一个生物；《这是什么?》叙述一个人受到一样东西的袭击，他从各个方面都感觉得到这个东西的存在，可是却看不见它；《神铁匠》，描写机器人造好以后，却袭击那些制造它们的人。这 3 个故事 1858 ～ 1859 年在杂志上发表。

O'Brien, Flann　奥布赖恩（1911-10-05，爱尔兰蒂龙郡斯特拉班～ 1966-04-01，都柏林）　又名布赖恩·奥努亚兰。爱尔兰小说家和剧作家。曾以迈尔斯·纳·格科帕林之名任《爱尔兰时报》的专栏作家达 26 年。他的奇特小说《双鸟戏水》最负盛名，于 1939 年初版，但 1960 年再版时始获名声。该小说是一次意味深长的文学尝试，融爱尔兰民间传说、英雄传奇、幽默和诗歌于一体。奥布赖恩曾在都柏林求学，后任公务员。小说《艰难的生活》（1961）和《达尔基档案》（1964；改编成剧本时题名《当圣徒骑车行进时》，1965 年上演）虽然广度不如他的杰作，但被认为同样有趣。另一部小说《第三个警察》（1967）风格较严肃。

O'Brien, James Bronterre　奥布赖恩（1805，爱尔兰朗福德郡格拉纳德～ 1864-12-23，英格兰伦敦）　爱尔兰出生的英国激进分子，宪章派工人阶级运动的领导人，有时被称为“宪章派教师”。奥布赖恩在都柏林三一学院接受教育，1829 年移居伦敦，原想在英国开业当律师。不久即在伦敦参加激进派活动，后从事工人阶级新闻工作，1831 ～ 1835 年任激进的《穷人卫报》主编，1838 ～ 1840 年在《北极星报》工作。他是 1839 年全国宪章派大会最重要和最有影响力的宪章派分子之一。1850 年成为“全国改革联盟”的共同创办人，该联盟鼓吹社会主义目标。晚年撰写政治诗篇。

O'Brien, (William) Parry　奥布赖恩（1932-01-28，美国加利福尼亚圣莫尼卡～　　）　美国铅球运动员。1953 ～ 1959 年铅球世界纪录保持者，将铅球世界纪录由 18 米提高至 19.30 米。在南加利福尼亚大学一年级学习时获全校铅球第一。创造的投铅球姿势要求运动员背向投掷圈，从投掷圈后部开始动作，在投掷前转身 180°。此种姿势尔后被所有铅球运动员采用。1952 年在芬兰赫尔辛基奥运会上获金牌，以 17.41 米的成绩创奥运会纪录。50 年代连续在 116 次正式比赛中获胜，1956 年成为第一个突破 19 米的铅球运动员。1953 ～ 1959 年 16 次破世界纪录。1956 年在墨尔本奥运会上获金牌。1966 年他将纪录提高至 19.69 米。

O'Brien, William　奥布赖恩（1852-10-02，爱尔兰科克郡马洛～ 1928-02-25，伦敦）　爱尔兰新闻记者，一度是仅次于 C. S. 巴涅尔的爱尔兰民族主义领袖。他最重要的作用是 1886 年提出“斗争计划”，要求爱尔兰佃农拒绝向不降低租金的地主缴纳租金，而将这笔钱交给互相保护基金，供被收回租地的佃农使用。1869 年起从事新闻工作，1881 年任《联合的爱尔兰》周刊编辑。同年 10 月被英国当局投入都柏林的监狱。1882 年获释后，重又担任《联合的爱尔兰》周刊的编辑。1883 年选入英国下院。1887 年英国政府通过《强制法》，镇压爱尔兰自治运动，他再次被捕。1898 年创立联合的爱尔兰同盟。1910 年当 P. J. 雷德蒙控制这个团体以后，他又成立“一切为了爱尔兰同盟”。第一次世界大战结束时，他的追随者大多参加了新芬党。

O'Brien, William Smith　奥布赖恩（1803-10-17，爱尔兰克莱尔郡德罗莫兰～ 1864-06-18，威尔士卡那封郡班戈）　爱尔兰爱国者，青年爱尔兰运动领导人。1828～1848年为

美国不列颠百科全书公司供图

英国下院议员。他主张保持英爱在立法上的联合。1843年英国监禁奥康内尔，激起他的不满，于是年10月参加了反对英爱合并的取消合并法协会，任副领袖。1846年领导青年爱尔兰党人退出这一协会。1847年组织爱尔兰人联盟。1848年前往巴黎，向新的法兰西共和国的领袖们表示祝贺，后以煽动叛乱罪名受审，但不了了之。后来，他鼓吹进行暴力革命。同年在蒂珀雷里郡的巴林加里领导农民起义，以失败告终。他以叛国罪被判处死刑，后减为终身流放塔斯马尼亚。1854年获释，住在布鲁塞尔，直至1856年被赦免。

Obscene Publications Act 《禁止淫秽出版物法》 英国有关禁止色情出版物的法规，于1857年由坎贝尔男爵提出，故又称《坎贝尔法规》，1959年重加修订，再度公布实施。《坎贝尔法规》不仅宣布淫秽出版物为非法，且规定警方有权对贮存淫秽书刊以供销售之处所进行搜查；邮政、海关当局可以扣留含有淫秽内容的邮件和货物和对寄运者提出控告，并销毁淫秽书刊。1857年法规往往使人感到迫使作者隐匿社会真相，因而经常受到作者及自由意志论者之攻讦。此法之实施，导致文学作品的标准降低到只能适合于年轻人的水平，亦为人所诟病。此法在具体案件中的运用也受到攻击，因为法官们往往准许根据孤立的段落起诉。法官们也拒绝接受关于作者的意图或目的或他的文学声誉的证明，拒绝听取知名的文学批评家的证词。此法还因起诉往往针对书商进行而受到批评，书商对书的命运是无动于衷的。1868年在希克林判例中，规定检验文学作品的道德标准是以“做父亲的能在其家庭中高声朗读”为原则。尽管有很多成功的对色情书刊起诉的事例，但此法也被用来针对一些有文学价值的作品和有社会的或道德的意义的作品。英国议会于1954年开始进行修改《坎贝尔法规》的努力，结果于1959年颁布了一项新的禁止淫秽出版物法，其重要条款有：①如作品有利于科学、文学、艺术或某一知识领域者，作者不应视为犯罪；②有关专家对出版物的文学、艺术、科学及其他方面价值之鉴定，可成为合法读物的证据；③对作品应作全面观察，不能断章取义；④作者及出版商虽未被传出庭，亦可对作品进行申辩。1964年该法再度修订，其范围包括批发商及任何“以刊行淫秽书刊进行营利”之个人，但如能“证明事前对书刊未经审查或有正当理由证实其非有意触犯刑律者”，则免予追究。1977年，该法范围进一步扩大，规定发行色情影片，亦属违法。

obscenity 淫秽 一般指触犯公众礼仪感的东西。社会对它的重视，可从禁止淫秽行为，特别是从禁止淫秽出版物的检查制度和立法的沿革看出。淫秽，像美观一样，产生于接触者的心目中，这可以从对淫秽很难作出令人满意的定义来证明。在大多数现代国家里，把生产或传播有关性关系的淫秽材料视为犯罪行为，乃是晚近的现象。英国于1857年首次通过《禁止淫秽出版物法》（Obscene Publications Act）之后，单纯描写性活动的材料正式被取缔。但此法并未对“淫秽”这一概念作出确切定义。到1868年的“女王诉希克林”一案中，才对此作出解释，即所谓“淫秽”者，是指有意“剥夺并腐蚀那些受到这种邪恶影响人们的心智”的行为；并被理解为应该适用于作品的个别章节。这一观点成为美国反淫秽（出版物）立法的先例，结果形成著名的1873年康斯托克法。该法扩大了1865年的邮政法，使之基本上具有现在的形式，对任何邮寄或接受“淫秽”、“猥亵”或“色情”出版物者，规定了罚款和监禁的条文。美国的案例充分说明定义的可变性。1934年在“合众国诉《尤利西斯》一书”的讼案中，一纽约巡回上诉法院认为，淫秽的标准不是孤立的淫秽段落的内容，而是“出版物从整体看是否引起淫荡的效果”。1957年，在“罗思诉合众国”的讼案中，美国最高法院对淫秽提出了一个基本新的定义：“对普通人来说，按照社会标准，材料的主题思想从整体看是否会引起淫欲。”但1966年，最高法院对《范妮·希尔》一书作出的裁决中宣布，一部作品只有当它“丝毫没有可取的社会价值”时才能称为色情文学。1973年，在裁决“米勒诉加利福尼亚州政府”的案件时，最高法院放弃了1966年的裁决，并宣布，对于具有“某些可取的社会价值”的作品，将无所辩护，各州可以禁止下列著作的印刷和销售：“那些显然令人生厌地描绘性行为的，以及从整体看没有严肃的文学、艺术、政治或科学价值的”著作。许多国家通过立法，禁止淫秽的东西。因此，就通过刑法进行基本的法律控制，但是大多数国家还规定由海关、邮政和全国或地方部门制定关于发给电影或舞台演出许可证的管理条例。50多个国家参加了联合国禁止淫秽出版物流通和交易公约。饶有趣味的是，这个公约的实施并没有对淫秽下任何定义，因为大家都认为各国有各国的定义。

Observer, The 《观察家报》 1791年创刊的英国第一家星期日报纸，是英格兰最好的报纸之一，长期以来以重视国际新闻报道而闻名。它用大量篇幅报道文艺、政府、教育和政治的动态，以严肃负责的新闻报道而享有世界声誉。它还拥有一批驻外记者，提供消息和背景材料，主要面向受过良好教育的读者，包括大量国外读者。1976年该报一度售给美国大西洋里奇菲尔德公司，1981年由R.罗兰购回到英国人手中。

obsessive-compulsive disorder（OCD） 强迫性神经官能症 又作obsessive - compulsive neurosis。一种精神病，症状表现为强迫性观念，亦可表现为强迫性行为；亦或二者兼而有之，或同时，或先后。所谓强迫观念，其性质多是一些并非是患者自愿产生的思想、意象和冲动，这些观念会反复地或持续不断地进入患者的意识，而且挥之不去、控制不住；其内容大多是一些不健康、不道德、互相矛盾、十分乏味的想法（如向往暴力行为、和别人握手怕被污染的洁癖、总是怀疑没关煤气的疑癖等）；其思维方式多是漫无目的，且伴有不同程度的焦虑情绪。约80%的强迫性思维患者同时伴有强迫性行为。所谓强迫性行为，是指一些毫无意义的、俗套的、仪式性的重复动作。患者的行为驱力并非是为了寻求其行为之结果，而是试图以此作为营造某种氛围的手段；其实，患者自己也明白这二者之间并没有什么逻辑上的因果关系。强迫性行为大多是一些很简单的动作，如反复洗手、来回计数、一次次地查对、触摸、唠叨一个字或一句话；偶尔也可见到设计精巧而且费时的仪式性强迫行为。强迫性行为患者常常是明知其行为无益而强为之，因为拒之可致焦虑、顺之可解其忧。如果此类患者的强迫性行为被强行制止，他就会产生极度的焦虑情绪。强迫性神经官能症患者约占人口总数的2%～3%，无性别差异，任何年龄均可患病。抗抑郁药氯丙咪嗪和氟苯氧丙胺可明显缓解患者的症状（有效率约为60%），故为治疗首选。这两种药可影响大脑的神经介质5-羟色胺的代谢过程，研究者据此认为：强迫性神经官能症主要是由于大脑神经化学功能缺陷所致，而不是由于单纯的心理障碍。不过，这种精神疾病的高危人群是情绪紧张者，如年轻人、离婚者和失业者等。

obsidian 黑曜岩 起源于火山的天然玻璃，它由黏滞熔岩的快速冷凝而形成。黑曜岩极富含二氧化硅（大约为35%～80%），含水分很少，具有相似于流纹岩的化学成分。

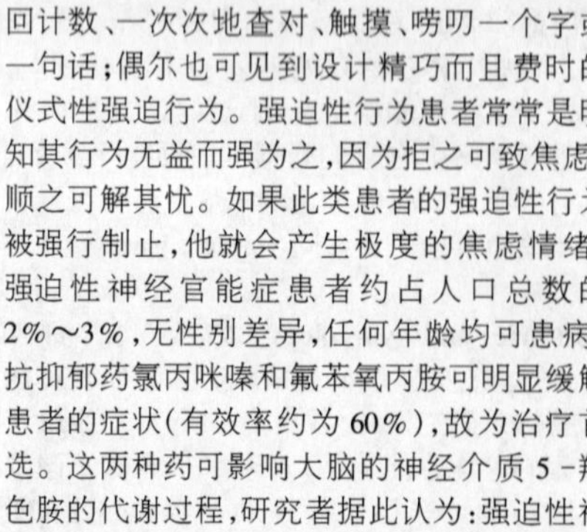

产自黄石国家公园的黑曜岩
美国不列颠百科全书公司供图

黑曜岩具有玻璃光泽，比窗玻璃稍硬。虽然黑曜岩在典型情况下颜色似煤精黑色，但赤铁矿（氧化铁）的存在产生红色及褐色变种，微小气泡包裹体可以造成黄金光泽。具有暗色条带或灰、绿、黄色斑块的其他类型也被人们认识到了。黑曜岩所含水分按重量一般不多于1%。在地下深处的高压下，流纹岩质熔岩可以含高达10%的水分，这帮助它甚至在低温下也保持液体状态。喷发到地表时，因地表压力低，挥发性的水分得以迅速逸散，从而增加了熔浆的黏度。熔浆黏度增加却妨碍了结晶作用，于是熔岩凝固成为玻璃。不同的黑曜岩由不同的结晶物质组成。它们密集的、丰富的雏晶（显微状胚胎形晶体生长物）是那样多，以至于这种玻璃除薄的边缘外都不透明了。很多黑曜岩标本含有称为团簇粒的，放射状排列的针状晶体组成的球形团块。长石的微晶（微小的偏光晶体）和石英的显晶（大的、形状很好的晶体）也可能存在。大多数黑曜岩与火山岩共生，并形成流纹岩质熔岩流的上部；其次它是作为岩墙和岩床的薄边缘出现。著名的黑曜岩产地有冰岛的海克拉火山，意大利海岸外的埃奥利群岛，以及美国怀俄明州黄石国家公园的黑曜岩峭壁。黑曜岩被美洲印第安人及很多其他原始人用作武器、家具、工具和装饰品；被古代的阿兹特克人和希腊人用作镜子。因为它具贝壳状断口（光滑的、弯曲的断面和尖锐的棱），所以最锋利的石器都是用黑曜岩精工制作的。这些石器（大多数是箭头）中的有一些，可以用水化层测年法来测定年代，这些水化层是长时间中在它们暴露的表面上形成的。具有吸引人的斑驳颜色的黑曜岩有时可以用作半贵重的宝石。参阅 **volcanic glass**。

obstetrics and gynecology 妇产科学 以女性生育全过程（产科）和女性生殖系统疾病（妇科）为研究目的，并集内、外科治疗手段于一体的医学分支学科。妇科和产科有不同的发展历程。产科曾经是助产学（参阅 **midwifery**）的同义语，接生婆的工作就是产科学的全部内容。直到17世纪，欧洲医生才开始参与贵族和皇室的正规接生，后又将其业务向中产阶级扩展。但产科学真正得到发展的主要标志是产钳的发明、产褥热病因的阐明和消毒技术在产房的推广（塞麦尔维斯）。无菌技术进而使得剖腹产成为一种可供选择的分娩方法，如果婴儿不能经自然分娩顺产落地，医生就可以从腹壁和子宫前壁做一切口，直接将婴儿娩出。19世纪初，产科学就已经作为一个独立的医学学科在欧、美得到确立。20世纪产科学的发展主要集中在控制生育和促进健康妊娠方面。为减少新生儿缺陷和各种分娩障碍的发生率，人们在1900年前后开始加强对产妇的产前教育和保健措施，且其有效性迅速得到世界范围的认同。50年代，激素型避孕药问世，妇产科医生开始对妇女生育的调控负有越来越大的责任。随着羊膜穿刺、超声波诊断及其他新生儿畸形的产前诊断技术的发展，妇产科医生能及早地对那些畸形胎儿施行人工流产，并可中止意外妊娠。另一方面，妇产科医生还能将受精卵人工植入到子宫，从而使那些患有不孕症的父母生下自己的孩子。产科医生的主要责任包括妊娠诊断、孕期疾病的防治、安全分娩和保证产后母亲的健康。最大的产科手术就是剖腹产手术。常见的还有外阴侧切术，即分娩前须在外阴之一侧做一切口，扩大阴道口径，以防产道撕裂，并便于婴儿之娩出。作为一个医学分支学科，妇科学的历史起码可以追溯到古希腊-罗马时代的文明。1566年苏黎士的C.沃尔夫出版了一本《妇科大百科全书》，它反映出妇女疾病又重新引起了人们的重视。19世纪中叶以前，卵巢和子宫的手术基本上都是由内科医生做的，手术种类虽然有限，但大多是成功的。美国外科医生J.M.西姆斯和其他手术妇科学的先驱们还必须和那种激烈反对暴露、检查女性性器官的社会偏见作斗争。当然，他们是最后的胜利者，可这种胜利还要归功于两项伟大的科学进步：麻醉技术和无菌操作。到了1880年，妇科学独立的学科体系就已基本完成，但由于妇科和产科的研究范围有很多重叠之处，故于19世纪末二者便开始结合，统称为妇产科学，并延续至今。妇科医生通常把宫颈和阴道分泌物视为检查常规，宫颈涂片是妇女防癌普查的基本检查项目。妇科手术大致分为二类：产伤（含阴道、子宫、膀胱和尿道）修复术；女性生殖器（子宫、宫颈、卵巢等）肿物（各种囊肿、良性和恶性肿瘤等）切除术。现代妇科医生不仅要熟练掌握盆腔手术技巧，而且必须掌握女性泌尿科知识，因为女性泌尿道和生殖道疾病的症状多有相似之处。此外，精神和心理障碍也是常见的妇科症状，妇产科医生也必须熟练掌握这方面的临床知识。不育症的诊断和治疗需要妇科和产科医生的密切合作。

Obstfelder, Sigbjørn 奥布斯特费尔德（1866-11-21，挪威斯塔万格～1900-07-29，哥本哈根） 挪威象征主义诗人。其无韵诗以及散漫缥缈的形象标志着挪威诗人与自然主义诗歌的决定性的决裂。他的著作都是在19世纪90年代发表的，其中包括《诗集》第一卷（1893），剧本《红色的酒》（1897），两本独幕剧《在春天》（1898）和《以斯帖》（1899），以及一些散文、随笔、论文、手稿、回忆录等；有些作品自称为“散文诗”。

Obuasi 奥布阿西 加纳阿散蒂地区城镇。1897年发现大型金矿和1902年与塞康第通铁路后得以发展，奥布阿西金矿（1965年后为私人公司在加纳经营的唯一矿山）仍为本国主要产金地和世界上最富的金矿之一。有商业和可可生产等其他经济项目。周围地区的农业以经济作物为主，所需食品及其他产品依赖进口。有一座清真寺。人口约60 617（1984）。

Obuchi Keizo 小渊惠三（1937-06-25，日本群马县中之条～2000-05-14，东京） 日本政治人物，曾担任日本首相（1998-07～2000-04），任职期间扭转了日本经济下滑的局面。1962年获东京早稻田大学的英国文学学位。次年赢得他父亲在众议院占有的席位，成为有史以来被选入国会的最年轻的议员。虽然常被人说成是温和派，表现也不突出，但他的政治生涯还是成功的。1973年被任命为首相府总务副长官，1987年任内阁官房长官。随着他在执政的自由民主党内步步高升，他在促成党内各派系之间妥协和解方面的能力也越来越知名。1984年他成为该党的副干事长，1993年任干事长。1997年担任外务大臣。自民党在大选失利后，1998年7月24日接替桥本龙太郎出任党总裁。7月30日任首相，采取明快的态度处理国家的经济问题。他获得国会的批准，对那些有呆账的银行进行紧急援助，削减所得税并增加支出。这些政策已短期奏效，到1999年中期日本经济再次增长。然而，2000年4月2日他因中风而陷入昏迷。他的自民党总裁和首相之职被取代，6周后去世。

obversion 换质 在三段论或传统逻辑中，把一个直言命题或陈述转换成一个新的命题。其中：①主项不变；②谓项由它的反对项代替；③命题的质从肯定改变成否定，或者由否定而肯定。因此，例如“凡人皆有死”的换质是“无人能不死”。因为任何直言命题的换质都和它自身在逻辑上等价，所以换质是一种直接推理的形式。参阅 **conversion**。

Obwalden 上瓦尔登 瑞士中部的半州。面积491平方千米，为前翁特瓦尔登州的西部。萨尔内阿河流过。自1803年以后是一个有独立主权的州，行政上与下瓦尔登半州分治。首府**萨尔嫩**（**Sarnen**）。为乳品产区，州内有阿尔卑斯牧场。有几处游览地，其中以恩格尔贝格最著名。居民讲德语，信天主教。人口约30 200（1993）。

Ocala 奥卡拉 美国佛罗里达州中北部城市，马里恩县县城（1846）。位于盖恩斯维尔以南61千米。在奥卡拉国家森林正西。1827年建城堡，后在其周围兴建城市。塞米

奥卡拉市的种马场
Shostal 供图

诺尔战争后发展成为综合农业中心。美国内战后重建。1885年设市。当地产纯石灰石。有畜牧（养牛、培育良种马和猎犬）、柑橘、蔬菜种植、食品加工、旅游和轻工业。设有国家和州森林管理局地方机构、中佛罗里达社区学院（1957）和早期美国博物馆。在市郊的银泉（东）和虹泉（西）可乘玻璃底船观赏海生生物。人口：市约45 943；奥卡拉都会统计区约258 916（2000）。

Ocaña 奥卡尼亚 哥伦比亚北部北桑坦德省城市。建于1570年左右。有一座凯旋门纪念1828年在此举行的一次独立会议。经济以开采钡矿和种植洋葱为主。设有贝拉斯艺术宫（与波哥大的哥伦比亚国立大学合办）。人口51 443（1985）。

ocarina 小鹅笛 又称“甘薯”（sweet potato）。球形笛。意大利狂欢节使用的传统陶

制哨笛在19世纪末的一种发展，只发一两个音。系陶土制或金属制的或(作为玩具)塑料制的蛋形容器，按哨笛的原理发音。通常有8个指孔和两个拇指孔，可能还有一个调音

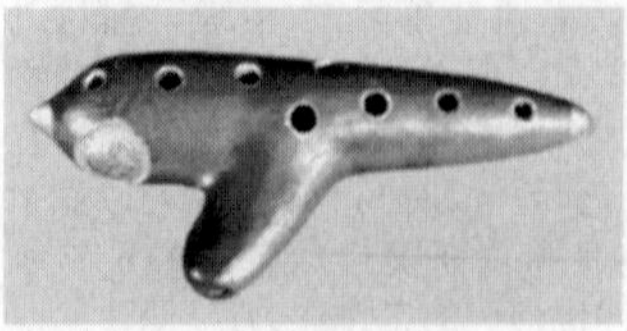

20世纪的意大利彩绘小鹅笛
美国不列颠百科全书公司供图

柱塞。20世纪30年代它得到专业性的普及，当时称"甘薯"，有大小不同型号，在美国流行音乐中奏和声。小鹅笛是闻名的欧洲球形笛，见于许多古代和现代文化中。

O'Carolan, Turlough　奥卡罗兰(1670，爱尔兰米斯郡诺伯附近～1738-03-25，罗斯康芒郡奥尔德福德)　又名Terence Carolan。爱尔兰竖琴家和作曲家。他的大量歌曲保存至今，词曲俱全(现存约有220首)。18岁双目失明，得其父的雇主之妻麦克德莫特·罗资助，跟一位竖琴师学艺，3年后，在爱尔兰进行广泛的旅行演出。虽未被公认为演奏大师，但作为作曲家他却受到人们高度重视。其歌曲被收入18世纪的许多歌曲集中。

O'Casey, Sean　奥凯西(1880-03-30，爱尔兰都柏林～1964-09-18，英格兰德文托基)　原名John Casey。爱尔兰剧作家，以创作反映战争和革命时期都柏林贫民窟生活的现实主义戏剧而闻名。他的悲剧和喜剧并存的形式是当时一种新颖的戏剧表现方法。生于爱尔兰一个信仰基督教新教的中下层阶级家庭，6岁丧父，此后家境更日趋贫困。仅受过3年正规教育，以后靠读书自学。14岁开始工作，主要干体力劳动。

美国不列颠百科全书公司供图

奥凯西后来投入到爱尔兰民族主义事业之中。他把名字改成爱尔兰样式，并努力学习盖尔语。在都柏林贫民窟里亲眼见到的穷困肮脏，以及爱尔兰劳工领袖吉姆·拉金对他的影响，促使他的态度发生重大变化。他积极参加劳工运动，并开始为《爱尔兰工人报》撰稿。他参加了爱尔兰公民军(爱尔兰劳工同盟的准军事性组织)，并于1914年起草了该组织的宪章。这时他开始对爱尔兰民族主义运动感到失望，因其领导人把民族主义理想置于社会主义理想之上。奥凯西没有参加1916年反对英国当局的复活节起义。

由于对当时的几个政党感到厌恶，奥凯西转而把全部精力投入戏剧。其悲喜剧部分地反映出他对同住贫民窟的人们的复杂情感，既对他们无力给爱尔兰事业以社会主义方向感到失望，同时又对他们不屈不挠的精神深感钦佩。

在几部剧本接连被拒绝之后，都柏林阿比剧院上演了他的《枪手的影子》(1923)，剧本以爱尔兰共和军与英国军队之间的游击战为背景。1924年阿比剧院又上演了他最著名的剧本《朱诺与孔雀》，该剧以因爱尔兰独立条件未获满足而爆发内战的时期为背景。《犁与星》(1926)描述了1916年的复活节起义，在阿比剧院演出时曾引起骚动，观众中的爱国者认为此剧诋毁了爱尔兰英雄们的名誉。20世纪20年代这些戏首次在阿比剧院上演时在观众中产生了轰动性效果，帮助扩大了这所剧院的声望。

奥凯西于1926年去英格兰，结识了爱尔兰女演员艾琳·凯里·雷诺兹，并与之结婚，从此定居英格兰。他决定离开爱尔兰，部分原因是阿比剧院拒绝上演他的反战题材的表现主义剧本《小银杯》，该剧于1929年在英格兰上演。继而又发表另一表现主义剧本《大门内》(1934)，以一个公园里所发生的事情象征现代世界。《星儿变红了》(1940)是一个反法西斯题材的剧本，而《给我红玫瑰》(1946)则是个半自传体作品，以1911年爱尔兰铁路大罢工时的都柏林为背景。

后期戏剧作品多为奇幻剧和宗教礼仪剧，其内容直接反对他认为笼罩着爱尔兰的那种摒弃生活乐趣的清教徒教义。这些剧本包括《大公鸡》(1949)、《主教的祝火》(1955)和《内德神父的鼓》(1958)。他最后一部多幕剧《绿帷幕的后面》(1961发表)是讽刺都柏林知识分子的戏。

奥凯西3部无可争辩的杰作是《枪手的影子》、《朱诺与孔雀》和《犁与星》，均为以爱尔兰战争和革命时期都柏林贫民窟为背景的悲喜剧。剧作者在这些戏中以鲜明的手法描绘了贫民区的日常生活现实和暴力死亡，刻画出为爱尔兰的独立而斗争的人们的爱国意志。喜悲剧因素并存的结尾反映出战争的无益消耗和贫困所造成的腐蚀性效果。奥凯西的贡献还表现在生动的人物性格刻画和下层人民语言的运用，尽管他描绘了战争和贫穷，但也写出了现代戏剧中最有趣的场景。人们认为他晚期作品不及早期现实主义剧本那么有力和感人。他在后期作品中倾向于放弃人物性格的着力刻画，而热衷于使用表现主义和象征主义的手法并且有时还在剧中进行说教。

1939～1956年先后出现6卷奥凯西自传，后来结集出版。在美国出版时书名为《我屋中的镜子》(1956)，在英国出版时则题为《自传集》(1963)。奥凯西1910～1941年的书信由戴维·克劳斯编成两卷集，分别于1975和1980年出版。

Occam, William of(theologian)　参阅**Ockham, William of**奥康姆。

occasionalism　机缘论　盛行于17世纪后半期笛卡儿派形而上学的理论。主张心与身的一切交感关系，都是经上帝作中介，不广延的心和广延的身处在不直接交感的地位。直接交感的现象靠上帝来维持。上帝在心灵意愿的时候移动身体，在身体和其他物体相遇的时候，把观念投入人的心灵中。例如，一个人要实现摘苹果的愿望，他的心灵绝不直接推动他的身体，而是他的行动的意愿使上帝有机会让他的手伸出去。当他的手握着了苹果，这苹果也绝不直接影响他的心灵，而是这种接触使上帝有机会让他感到苹果的凉爽性和柔软性。机缘论最初由17世纪荷兰哲学家海林克斯和17～18世纪法国哲学家马勒伯郎士所发展，用以解决笛卡儿形而上学中的一个特殊问题。机缘论曾遭受17世纪法国柏拉图主义者富歇和其他人的批评，他们指出：一个属于心灵本体的上帝，其自身如何能和物质的本体(即身体)交相感应？这个问题的一个答案是：因为上帝创造了人。富歇深信德国哲学家兼数学家莱希尼兹之说能解答这个问题，其说认为上帝创造诸单子于先定的和谐状态之中，故单子似乎相互影响而实际则否。如此，则身心交会亦属前定的结果。这种把上帝安排的诸机缘减至仅为单一的创造机缘于是既成为机缘论的逻辑推理的结果，又成为反对机缘论的一项归谬论点。

Occidental Petroleum Corporation　西方石油公司　美国公司。是世界上生产石油和天然气的最大公司之一，还经营采煤及化工产品制造。总公司在洛杉矶。1920年创立，一直是规模小且赢利少的钻探公司。正是由于公司不景气，跨国经营成功的商人A.哈默想利用它逃税。1957年他购得西方石油公司的控股权。当公司在加利福尼亚南部打出储量丰富的油井时，他随即放弃逃税的打算，开始执行一项进取性战略计划，兼并其他与石油有关的公司。利比亚发现大油田后，西方石油公司1961年获得了那里的石油开采权，从此成为主要的国际性石油公司。1982年因国内石油资源日益减少，为弥补其减少的业务，该公司又收购了城市服务公司。1986年该公司收购美国拥有最大天然气输送管道的米德康公司，业务趋向国内。该公司还经营煤矿，生产化学品、农用肥料以及加工并销售肉制品。

occipital　枕骨　形成颅底后部和背部的骨，有一大圆孔——枕大孔，延髓即由此通过，连接脊髓和脑。枕骨与形成脑颅的七块骨中的五块相毗连：在头背部与两块顶骨相连；在侧面与两块颞骨相连；在前面与组成颅底一部分的蝶骨相连。枕骨内面呈凹形，包住脑的后部，外部有为项肌附着的项线。由膜内成骨和由软骨成骨二种方式形成的二部分枕骨在儿童早期即融为一体。枕骨与蝶骨间的骨缝在18～25岁封闭，枕骨与顶骨间的骨缝在26～40岁封闭。四足动物的头悬挂在脊柱的头端，枕骨大孔位于后部。项部肌肉发育强健以牵吊头部，枕骨上的项线粗大。类人猿采取半直立姿势，枕骨大孔略向下向前移。项部肌肉有力，就附着点较高，在靠近顶枕骨缝(人字缝)的枕骨上，有时形成人字形嵴。在进化过程中，人的枕骨大孔继续向前移，以适应两腿行走。直至今日头平

衡地垂直位于脊柱顶端。同时项部肌肉的附着线,从人字缝下移至头背面低处。在南方古猿和直立人等人类祖先,项线有时甚粗甚至形成隆凸,适在类人猿的高位和现代人的低位之间。

Occitan language 奥克西坦语 又称郎格多克语或普罗旺斯语。属罗曼语族。通行于法国南部约150万人中。操此语者都把法语作为官方语言和文化语言,而把奥克西坦语方言作为日常生活用语。它至今没有消亡的迹象。奥克西坦语一名源于地名奥克西坦尼亚,这个地区,是仿照阿基坦尼亚命名的,包括利穆赞、郎格多克、原阿基坦和法国境内阿尔卑斯山南部,这些地区的居民都操奥克西坦语。奥克西坦语的另一名字朗格多克语源于 *langue d'oc*(奥克语)这个术语,此种语言以“*oc*”作为“是”,表示肯定或赞成之意,源自拉丁语 *hoc*,以与法语的 *langue d'oïl*(奥依语)相对照,后者是用 oïl(现代则用 *oui*)作为肯定之意的,系源自拉丁语 *hoc ille*。故此,朗格多克语亦可称为“奥克”语。朗格多克一名系指法国中央高原南部一个语言的和政治地理区域。奥克西坦语的又一名字普罗旺斯语,原指普罗旺斯地区的一种奥克西坦语方言,也用作以普罗旺斯方言为基础的中世纪规范的文学语言之名。奥克西坦语文献很多,因为普罗旺斯语是12～14世纪时法国和西班牙北部的规范的文学语言,广泛用于诗歌创作,是中世纪行吟诗人的主要语言。奥克西坦语最早文献是10世纪一篇拉丁语诗歌的副歌。主要方言有:利穆赞语、奥弗涅语、普罗旺斯语、朗格多克语。法国西南部罗曼语方言加斯科涅语也常被划为奥克西坦语方言,但因彼此差异很多,不太一致,有时也被视为不同的语言。奥克西坦语与加泰隆语关系密切,虽然不久前受过法语强烈影响,可是它的语音和语法却与西班牙语更为相近。

Occleve, Thomas 参阅 **Hoccleve, Thomas 霍克利夫**。

occultation 掩 又称掩星,它发生在当一天体(如行星、小行星或月球)“遮住”另一天体(通常多指恒星)时。因此,日食就是月球“掩”太阳。通过精确测定较大的恒星消失于月球背后时的光度下降,天文学家能求出它们的角直径和发现新双星。根据行星、小行星和月球掩恒星的观测,天文学家能求出它们的准确大小和形状以及行星大气的温度。在1977年3月10日的一次掩星中,天文学家意外地发现了天王星环。

occultism 神秘学 以奥秘知识特别是关于灵界和未知宇宙力量的知识为依据的理论、习俗和礼仪。一般称之为神秘学的信仰和习俗有:点金术;万灵秘方;长生秘方;占卜;法术;巫术。西方的神秘学传统即古代的“奥秘哲学”源出希腊化世界的法术和点金术,主要根据是据说赫耳墨斯·特里斯美吉斯托斯所撰的《赫耳墨斯秘义书》以及犹太教喀巴拉派的奥秘修行法。

occupational disease 职业病 与特定的职业或行业有关的疾病。其种类在不断增加。职业病的研究可追溯到16世纪,当时冶金学家G.阿格利科拉写过萨克森金属矿内通风不良问题的著作。同时,医生帕拉切尔苏斯于1567年报道说,所谓“矿工病”并非如一般所认为的那样是由于罪孽而受到的神谴,其实是因吸入金属蒸气而引起的疾病。1700年B.拉马齐尼发表《工人的疾病》,使工业卫生成为医学科学的一个分支,后拉马齐尼被认为是工业医学的奠基人。19世纪发生了工业革命,这使人们意识到存在着与工作场所有关的疾病,并对之采取认真的态度。工作时间过长、光线昏暗、缺乏新鲜空气、环境不卫生及可能危害人体的机械设备,都会造成伤残及使人对结核病之类疾病的抵抗力降低。妇女,儿童加入劳动大军,造成一些社会及心理学的后果。18～19世纪之交人们开始将某些疾病与某些具体职业联系起来,如炼铜工人易患阴囊癌、制帽工人易患汞中毒、纺织工人易患肺癌,其间的因果关系均最早得到确认。到20世纪,制造业得到革新,又采用许多新的毒性较大的原材料,使职业卫生问题更加复杂化。接触放射性物质;用以制造颜料、塑料、除莠剂、建筑材料等的化学原料;电磁辐射(X射线、紫外线、微波、红外线等)都会危害健康,这是19世纪的工人做梦也想不到的。业已证明,许多人类恶性肿瘤与职业有关:接触苯胺的工人可患膀胱癌;吸入铬化合物、有放射性的矿石、石棉、砷、铁可致肺癌;制造含镭夜光表盘的工人可患骨骼恶性肿瘤;经常处理煤、石油、页岩及褐煤等制品的工人以及接触紫外线较多的人(如农民、海员及其他户外工作者)可患皮癌;接触镭及X射线的人可患皮癌及白血病。肺尘埃沉着病也与职业有关。工作场所的物理条件不良,如过冷过热、长期过强或高调的噪音、工具及机械的震动,亦与某些疾病或某些慢性卫生问题有关。最后,与工作有关的情绪紧张、心理应激以及因此而造成的医学问题,都与职业病的形成有关。参阅 **industrial medicine**。

occupational psychology 职业心理学 参阅 **industrial psychology 工业心理学**。

occupational therapy 职业疗法 利用选定的自理性生活技能、劳动技能和游戏活动来康复和维持健康、防止病废、评估行为、治疗和训练肉体或精神疾病患者的方法。这种疗法基于下述认识:工作能帮助患有精神或肉体病痛的人恢复健康(尤其是在疾病的急性期过后)。因为任何一种治疗方式都要依赖于其他的治疗方法,所以职业治疗为患者设计治疗方案时均应与医师、护士和其他有关专业人员的工作相协调。长期以来,一些患者受雇于精神病院做勤杂工。19和20世纪之交,就作过一些实验,让精神病患者参加手工劳动。这导致成立了第一批职业治疗车间,以后又成立了培养职业治疗师的学校。进一步的发展包括解题技术、做手工和给年轻患者安排做工活动,在医院里则让患者从事工业和其他职业性活动。1952年成立了世界职业治疗师联合会,1954年在爱丁堡召开了第一届职业治疗师的国际会议。职业疗法作为一种特殊的治疗手段,用于恢复患者的功能和培养尽可能自理生活的能力(如吃饭、穿衣、书写等)。职业治疗师为执行医师指定的治疗方案,必须具备解剖、生理、内科、外科、精神病学及心理学足够的知识,还要掌握治疗中所用各种技艺的知识。通常还需要在上级监督下进行一段时间的临床实习以积累经验。为康复和重新安排病废患者的正常生活,必须先评估他们的工作能力,从简单的活动试验到全面的工作试验和精神病学鉴定。鉴定后需要进行某种预备性训练。许多职业治疗部门教患者做手艺(如木工)、轻的工业劳动(如组装)和办公室劳动(如打字)等,让他们学会使用工具,积累经验。许多患者经初步训练后转往高一级的训练中心或直接派往工作部门;其他患者则受雇于政府或志愿机构设立的带保护的车间;还有一部分留在家里工作。对长期住院或长期未能就业的患者来说,职业疗法对他们今后生活的安排是至关紧要的。职业疗法还有另一个同样重要的作用:恢复正常的家务活动。大多数现代化的职业治疗部门配有设备齐全的厨房,许多中心还有模拟的生活套间,家庭主妇在碰到严重事故或久病之后,可先在模拟生活间里练习操作,然后恢复正常的家务活动。当把患者训练得能自理生活之后,对慢性病患者的护理也就不那么困难了。职业不仅能训练患者进行日常的起居活动,而且能提供帮助,使有病的或上了岁数的人在自理生活(吃、穿、梳洗)方面不感到十分劳累。参阅 **physical medicine and rehabilitation**。

occupational training 职业训练 参阅 **employee training 员工培训**。

Ocean City 大洋城 美国马里兰州东南部伍斯特县游览地。西距索尔兹伯里47千米,在大西洋沿岸16千米长的滨外沙埂上,形成一系列小海湾。作为该州最大海滨胜地,夏季游人多达15万。1872年落成大西洋旅馆后发展起来。1878年通铁路,后通公路,成为游人众多的消夏地。海湾有泛舟、深海捕鱼、海水浴和冲浪场。赛马场以两轮马车赛闻名。阿萨蒂格岛国家海滨区即是大洋城滨外沙埂的向南延伸。人口7 173(2000)。

Ocean City 大洋城 美国新泽西州东南部开普梅县旅游胜地。在大埃格港与大西洋之间的沙洲上。东北距大西洋城12英里(19千

大洋城的木板路

Senior Studio 供图

米)。1879年循道宗美以美会基督徒把这里划为海滨休养地,至今仍恪守创建者的规定严禁出售酒类。现已发展成垂钓和夏季旅游地,有小船坞、小船修造厂、8.5英里长的公共海滩以及2.5英里长的木板铺成的海滨散步道。一些著名大厦展示了维多利亚时代的建筑风格。市内有大洋城历史博物馆。南部为马莫拉沿海沼泽地,港口以东为鱼类及野生动物保护区。除旅游业外,小船制造业及帆布制品业亦为该市经济支柱。1897年设建制。人口15 378(2000)。

ocean current **大洋环流** 由重力、风的摩擦力和海洋不同部分水的密度差异产生的海洋水的水平和垂直循环系统。

大洋环流的方向和形式为很多自然力所制约,主要包括:水平压力梯度力;由温度和盐度变化引起的海水密度变化所产生的力;旋转着的地球施加给地球表面上或其附近一切运动物体的科里奥利力;掠过洋面的风引起的摩擦力和海水不同层之间的摩擦力。科里奥利力使得大洋环流在北半球作顺时针方向(反气旋方向)运动,而在南半球作反时针方向(气旋方向)运动,并使其偏于风向约45°。这种运动造成特别的洋流单元,叫做流涡(gyre)。旋转模式使得反气旋流涡显示出它们的中心向着西方,形成朝着大陆东海岸的强大的西界洋流,如大西洋中的墨西哥湾流-北大西洋-挪威洋流和太平洋中的黑潮-北太平洋洋流。在南半球,反时针的环流造成朝着大陆西海岸的强大的东界洋流,如南美洲外的秘鲁(洪堡)洋流、西部非洲海岸外的本格拉洋流和西澳大利亚洋流。南半球的洋流受到强大的、向东流动的南极附近的南极环流的影响。它是很深的、寒冷的且流动较慢的洋流,但是它携带了很大的水体,大约等于墨西哥湾流水流体积的两倍。秘鲁洋流和本格拉洋流从南极洋流引来水,所以是寒冷的。北半球没有与北极连界的连续开放的水,所以,没有相应的强大的绕极环流,但是,却有较小的寒冷洋流,向南流过白令海峡,形成俄罗斯东部外的奥雅洋流和安纳德尔洋流,以及北美洲西部外的加利福尼亚洋流;其他的洋流向南流,绕过格陵兰,形成寒冷的拉布拉多洋流和东格陵兰洋流。黑潮-北太平洋洋流和墨西哥湾流-北大西洋-挪威洋流通过白令洋流、开普洋流和西斯匹茨卑尔根洋流把较温暖的水推送入北冰洋。

在热带,巨大的顺时针和反时针流涡向西流动,如太平洋北赤道洋流与南赤道洋流、大西洋北赤道洋流与南赤道洋流,以及印度洋南赤道洋流。由于印度洋北部交替的季风气候,在印度洋北部和阿拉海中,洋流发生交替。在这些强大的洋流之间,有着狭窄的向东流动的逆流。

垂直的大洋环流很少惹人注目,但因为它把大洋深处的水带上来,又把表层水带下去,所以也是重要的。风推动的洋流局限于埃克曼层,即大洋上部100米;在此层之下,洋流就大大减慢。它们是由表层洋流引起的对流模式产生的。在由于遇到海岸线或者碰到来自相反方向的风而洋流汇合的地方,水倾向于堆起,但也被重力拉向下沉。在水离散的地方,海面失去了水,大洋深处的水向上涌到洋面以取代离散的水。这种模式造成推动下层洋流的对流。

因为咸水比不太咸的水密度更大,盐度差异也就会产生垂直环流;由于暖水倾向于上升,冷水倾向于下沉,也会产生垂直环流。咸水输入来自地中海,较少程度来自红海和波斯湾。这些海位于蒸发超过降水和流入量的地区。净蒸发产生的较高咸度的水在东地中海下沉,以称为"上部深层水"的深层底流的形式,通过直布罗陀海峡而流入大西洋,而在表面,咸度较小的大西洋水向东流入地中海。相似的原理也在红海和波斯湾起作用。太平洋缺乏相似的输入流,但却从"上部深层水"获得了它的盐分,这"上部深层水"进入南极绕极环流,并从那里逐渐到达太平洋。其他深洋流是由寒冷的格陵兰洋流和白令海峡洋流造成的,这些寒流下沉而形成"中部深水团"和"下部深水团";在南极,很冷的水从冰帽附近下沉而形成南极过渡带水,向北扩散到700~1 000米深处。这些北极洋流和南极洋流很冷,且盐度相当低,因为有冰架和冰川融化的淡水注入。

除了大的大洋流涡之外,还有存在于一些封闭海和大洋区域的较小的洋流系统。它们的循环模式受到水流入方向的影响比受科里奥利力的影响要大。这样的洋流存在于塔斯曼海,在那里向南流的东澳大利亚洋流产生反时针方向环流;这样的洋流也存在于太平洋西北部,在那里向东流的黑潮-北太平洋洋流在阿拉斯加洋流和近北极洋流中引起反时针方向环流;这样的洋流还存在于孟加拉湾和阿拉伯海。

当18世纪海洋航行普遍兴起时,为了航海的利益,洋流的研究发展起来了。随后人们发现洋流深刻地影响到天气和气候,所以继续进行研究。墨西哥湾流-北大西洋-挪威洋流把温暖的热带水向北携带,使北美洲东部、不列颠群岛及爱尔兰,以及挪威大西洋岸冬天的气候变得温暖,黑潮-北太平洋洋流对日本和北美洲西部也起了同样作用,那些地区也出现了较暖和的冬季气候。较温暖的水在它们帮助产生的较暖的温度下蒸发也较及时,又增加了这些沿岸地区的降水。相反,在南半球,寒冷的秘鲁洋流和本格拉洋流阻碍了蒸发,当它们沿着南美洲和西南非洲较温暖的海岸流动时,产生雾而不是产生降水,从而产生秘鲁、智利和纳米比亚的超干旱沙漠;还由于这些寒冷洋流也从大洋深处向上涌,所以它们富含营养物,它们中就存在一些世界上最好的渔场。

大洋环流与大气环流相互影响。例如,当西太平洋上空温暖潮湿的风周期性循环向东转移时,东太平洋的水变暖,产生厄尔尼诺效应,广泛地影响到气候和天气,使澳大利亚干旱,使加利福尼亚州产生风暴,使北美洲中部冬季温暖,并扰乱了秘鲁和智利的捕鱼业。

Ocean Island(Kiribati) **大洋岛** 参阅**Banaba** 巴纳巴岛。

ocean liner **定期远洋船** 在指定的港口间,按规定的时间表航行的商船。因创办人英国的S.丘纳德而著名的第一批北大西洋定期航船于1840年始航。不久,法、德、美等国的船在政府的资助下参加进来,在船的大小、速度和住宿条件方面进行竞争,但丘纳德的定期航船继续处于领先地位。定期远洋船的全盛期由19世纪后期延续到20世纪中期。最著名的有:"毛里塔尼亚"号,它是命运不济的"卢西塔尼亚"号的姊妹船,因其横渡大西洋的速度最快而保持蓝色绶带达23年之久;"阿基塔尼亚"号,它也属丘纳德所有,是最后一艘四烟囱轮船;德国的"祖国"号,于1917年在纽约被缴获,后改名为"利维坦"号,很多年间都是最大的船;8万吨的"玛丽皇后"号和"伊丽莎白女王"号,分别是20世纪40和50年代的巨轮;法国轮船公司的"诺曼底"号,它创造了横渡大西洋的速度纪录——4天多一点,该船于1942年在纽约港毁于火灾;还有"美国"号,它于1952年创横渡大西洋的纪录——3天10小时,平均速度35节,即41英里/时。由于空中旅行的兴起,横渡大西洋定期航船作为世界上富有魅力的船只而居于统治地位的时代已渐告结束。不过,全世界仍有一支庞大的定期商船队,其范围从客轮直至冷冻货轮。

ocean perch **大洋鲈** 鲉科的重要食用经济鱼,又名红鲉(**redfish**)。

ocean ranching **海洋水产养殖** 在人工控制的条件下在海中放养海洋鱼类和贝类的产业。参阅 **aquaculture**。

Ocean Springs **欧申斯普林斯** 美国密西西比州东南部杰克逊县旅游城市。濒临比洛克西湾。1699年创建为密西西比河下游谷地中第一个永久性欧洲居民点。1854年称现名。1892年设镇。1947年设市。原为渔村。19世纪80年代成为植棉者的著名海滨胜地。设有海湾岛屿国家海滨区管理总部。当地梅尼橡树庄园中有以英国作家和艺术家J.罗斯金的名字命名的巨大橡树。2005年飓风卡特里娜毁掉了城市的部分地区。人口17 225(2000)。

ocean sunfish 参阅 **mola** 翻车鲀。

oceanarium **大型海洋水族馆** 展出海洋动、植物,特别是海洋或远洋的鱼类及哺乳动物的咸水水族馆。它是公众娱乐、教育和科学研究的中心。大多数大型海洋水族馆均位于沿海地区。世界上第一个大型海洋水族馆是海洋世界(**Marineland**),该馆于1938年在美国佛罗里达州的圣奥古斯丁附近落成。大型海洋水族馆比淡水水族馆更难维护。盐浓度一旦改变,就会搅乱整个水系统的温度、酸度和氧气含量等之间的关系。为了使敏感的鱼类和其他生物始终处在健康状态,需经常解决复杂的维护问题。大型海洋水族馆也有某些有利的条件,海水鱼的种类比淡水鱼多,所以能举行各种各样的海水鱼展出。此外,在咸水环境里可以放养吸引观众的大动物,如鲨鱼、魟鱼、海龟和形态奇特的哺乳动物(海豚、鲸和海牛等)。许多大型海洋水族馆还充分利用鲸和海豚具有能接受训练的能力，训练它们为观众作各种特技表演。许多馆还同大学、生物站、海洋研究机构的研究工作或教育活动有业务联系。这种联系是互惠的，大型海洋水族馆为学生提供训练或实验的设备，高等院校或研究单位则捐赠海洋生物标本，并提供管理海洋生物的专业性指导。参阅 **aquarium**。

Oceania 大洋洲 太平洋大部分水域的岛屿总称。广义指亚洲和美洲之间的全部岛区。通常不包括琉球群岛、千岛群岛、阿留申群岛和日本列岛。也不包括印度尼西亚、中国台湾和菲律宾，因为从历史上看这些岛屿的人民和文化更接近亚洲大陆。因此，狭义指这一水域中的1万多个岛屿，总陆地面积（不包括澳大利亚，但包括巴布亚新几内亚和新西兰）约82.1万平方千米。传统上分为4部分：澳大拉西亚（澳大利亚和新西兰）、美拉尼西亚、密克罗尼西亚和波利尼西亚。人口（包括澳大利亚）约31 377 000（2001）。

Oceanic arts 大洋洲艺术 包括澳大利亚、波利尼西亚、美拉尼西亚和密克罗尼西亚在内的太平洋诸岛的文学、表演和视觉艺术。在这些岛群中，有许多被辽阔的海域隔开。现有居民为高加索种、尼格罗种和蒙古种的混血儿。

大约公元前2000年，有一个航海并从事农业的民族进入美拉尼西亚，这由拉皮塔陶瓷可以证实，这种陶瓷在风格上近似早期的摩鹿加陶制品，由此有人推断说，印度尼西亚人与大洋洲人可能有血缘关系。这一民族又向东去，在汤加群岛和萨摩亚群岛定居，与世隔绝1 000年，孕育出一种独特的波利尼西亚文化。当萨摩亚的航海者到达马克萨斯群岛时，此地遂成为波利尼西亚文化的传播中心。公元1000年结束前，这一文化区已涵盖了新西兰。然而，马克萨斯群岛的居民在迁徙途中失掉了许多作物和牲畜，同时由于异域风土的限制，被迫放弃耕作而从事狩猎。到1400年，新西兰典型的武士成群深入内陆找寻猎物。澳大利亚土著仍保留相同的生活方式，与多数大洋洲岛民以农业为生计形成强烈的对比。歧异的文化发展是千百年来鸡犬不相闻所带来的无可避免的副产品。大洋洲一词只不过是个地理学上的称呼而已。不但文化集团错综复杂，语言也是多种多样。因此，我们很难确立任何具有普遍意义的大洋洲行为与信仰的固定特征或模式。大洋洲的艺术传统必然是大不相同，甚至在当地也是如此，这是不足为奇的。不同文化间也不是没有交流的情况，但是外来的艺术品在新的环境中必定具有新的功能和价值。新的审美因素的吸收和扩散是如此迅速，人们对主题和技法的分类系统不得不经常重新审核。尽管如此，有些象征具有超区域性的意义，"鸟"就是象征大丈夫气概和权力的普通的主题。人们有时也抛弃物体的固有特征，然后再任意地将其组合起来。

这也是地方文化迅速接受基督教的部分原因。成群涌入教堂的波利尼西亚人同样能够在数十年后恢复地方信仰。群众改信基督教也可以说是一种策略性的行动，他们用伪装的方式掩蔽了狂热的传教士们攻击异教徒的目标。18世纪太平洋诸岛和欧洲人确立和平共存关系之后，当地的美学成就的确如百花齐放一般。100年后的种种事件使得门户开放政策看起来势所难免。武力殖民和强制信奉基督教实际上摧毁了当地的视觉艺术，严重破坏了表演艺术的完整性。

由于资料缺乏，所以人们对大洋洲艺术的研究收获不大。欧洲人的统治是造成这种结果的唯一因素，特别是波利尼西亚，由于19世纪50年代开始剧烈的文化转变，现在西方文化的特质占有极大优势。传统音乐已为西方世俗乐风所取代。夏威夷的尤克莱利琴乃是葡萄牙布拉卡琴的变种，完全不适应当地的音乐形式。编辑加工和翻译已经歪曲了口头艺术的传统。想要恢复19世纪以前的具象艺术，实际上已经不可能，因为它们大部分是脆弱的，是用破损的材料制成的。只有极少数作品被喜好研究艺术史的传教士保留下来。

大洋洲艺术常被称为"原始艺术"，这一名称恰如其分，丝毫没有贬意，因为就整个地区来说，迄今只有一些原始文字，当地居民对技术毫无所知。不过，那些隐藏在艺术品背后的神话体系和宇宙观往往相当复杂。艺术品的制作并不是为了欣赏，而是用来担负某些功能：强化社会等级或政治影响；取悦神明、精灵和祖先；鼓舞丰收或狩猎的胜利；庆贺社团中重大事件。

由于当地文学为口头相传，为了帮助记忆，必须应用音韵格律和语言公式。喜爱的题材是神鬼故事和创世神话。自然物和地名提供不少意象，它们给外地人造成相当大的困惑，但对岛民而言，却是具有确切含意的象征，他们很容易明白内在的社会的、政治的、宗教的甚至色情的意义。一些在公众场合的吟诵已经有固定的格式，因而适于作为舞蹈的伴唱。政治和庆典的演说只有框架流传下来，留有插入新的素材的余地。波利尼西亚和密克罗尼西亚的文学包括整套的传说性的神话人物，他们具有普遍的和地域的象征意义。狡猾的马尼-蒂吉-蒂吉就是这样一个人物。他是一个发现用火的渔夫，但在各种地方传说中又是丰产之神。

大洋洲音乐风格多种多样。各地强调利用乐器制作优于嗓音的声乐作品（只有美拉尼西亚部分地区例外）。大多数乐器在技术上都制作得很粗糙，不过外观却往往装饰得十分华丽，以便完成作为礼品或祭品等非音乐性的功能。所罗门岛民的排箫合奏通常带有歌舞。波利尼西亚的歌舞来源于社会结构，当用歌曲赞颂酋长或贵宾时，舞蹈者以动作叙述（而非表演出）颂歌的意义。妇女的舞蹈本质上与此相似，但是以优美的姿态而不是以解释的力量作为评价的标准。美拉尼西亚的舞蹈也促进了文身艺术。澳大利亚和美拉尼西亚的舞蹈都具有描述神明和祖先活动的历史性功能，在表演祖先的活动时，舞蹈者穿戴精致的服装和面具。"大人"是美拉尼西亚社会的最高层人物。举办大型庆典是他维持地位和显示财富的手段之一。相互竞赛的因素使得各种表演更加别出心裁和生动活泼，其成就远高于酋长极权的社会。在所有这些岛屿中，舞蹈都用上半身来表示有意义的动作，两脚只用来打拍子。

太平洋诸岛的视觉艺术显示出其对环境可塑性的巧妙运用；应用的素材范围之广令人咋舌，常以拼贴的方式组合在一起。大洋洲并没有任何值得注意的大型建筑，但景观建筑是该地区的少数共同趋势之一。将自然物赋以象征性的共同偏好并未造成风格上的雷同，人工制品的制造与装饰的情况也是一样。相同的材料被制成完全不同形状的物品，不同社会所应用的共同图案通常也不太能辨认出来。精巧惊人的浮雕和巨大的石雕和木雕并存。从新西兰的哈奈柳条编器可以看到地方工匠的超凡技艺，柳编面具和斗篷都很精致。新西兰岛民利用各种工具的基本性质制作出技术圆熟且手工精巧的作品。同样，马克萨斯群岛岛民在装饰艺术上的精巧程度也显示出其悠久和丰硕的手工艺传统。岛上岛民或许知道许多先进的技术，然而他们审慎地避免使用那些可能不适宜其环境的技术。岛民充分利用所有他们能够取得的素材来创作艺术的情形，可以在复活节岛上以火山凝灰岩刻成雕像所费的庞大心血得到明证。

Oceanic languages 大洋洲诸语言 又称东澳斯特罗尼西亚语，属澳斯特罗尼西亚语系。通用地域很广，差异很大，是有争议的一个语族。通行于大洋洲，其地区从新几内亚起，到夏威夷、复活节岛等岛屿。有些语言共同的基础词汇非常少，以致使某些语言学家主张把它们划作更小的、结合紧密的分支。这个语族的共同特点是：使用独立词而不用词缀来表示语法关系，有基本的五元音体系，还有原澳斯特罗尼西亚语音体系的若干共同的语音简化现象。大洋洲语族约有450种语言，其中400种以上通行于美拉尼西亚，其余的则通行于波利尼西亚和密克罗尼西亚。

oceanic plateau 海底高原 又称海下高原（submarine plateau）。高出周围深海底至少200米的大面积的海底高地，主要特征是顶面辽阔、相对平坦或微倾。大多数海底高原在20世纪早期发明声呐测深法之前都命名了，其中许多经现代测深资料证明是洋底隆起的组成部分。例如赤道太平洋东部的阿尔伯特罗斯海台现在被认为属于东太平洋隆起，而其顶部比早期资料表明的更为不规则。大多数海底高原都是大陆坡的阶梯状断块，似乎是原大陆架向下翘曲或断裂下降的块段。这些高原可以美国东南岸附近的布莱克海底高原为例，其平坦表面位于海平面以下700～1 000米，宽300多千米，面积将近13万平方千米。高原下面的地壳，尽管比较薄，并且覆盖着平坦的海相沉积物，但其他方面特征却是大陆性的。其他如南中国海的具珊瑚礁盖层的高原，主要出现在大陆边缘以外的大洋之中。它们作为孤立的高地形屹立在深海底；其核部为大陆型岩石，上面覆盖着平缓的海相沉积物。据推测，这些洋中的高原是在大陆漂移和海底扩张期间脱离下来的较小的大陆碎块。

oceanic ridge 洋脊 即大洋山脊，又译“洋中脊”、“海底山脉”或泛称“海岭”。世界各大洋中海底绵延的山链，总长度将近80 000千米。洋脊把大洋分隔成许多海盆，有的洋脊有地震活动，有的洋脊没有地震活动。

有地震活动的洋脊长度将近60 000千米，贯穿整个大西洋中轴，经过非洲与南极洲之间的中轴线，折而向北进入印度洋中部，在此分成数支，主脊则在澳大利亚、新西兰和南极洲之间的中轴线上继续延伸，然后穿过太平洋盆地东侧，直达加利福尼亚湾口。这条洋脊基本上是一条宽阔而宏伟的隆起，从边缘海盆水下6 000多米的深度成斜坡上升到脊顶，脊顶上升的高度几乎各处都不及4 000米，洋脊的山峰一般都升到水下2 000～3 000米深度，有时也高出海平面。洋脊每隔一定距离被巨大的横向(通常呈垂直正交)破裂带作水平断错，这种水平断错称为转换断层。沿着洋脊峰顶分布浅震源，其中沿洋脊轴线分布的浅震源是正断层引起的，而位于破裂带上的浅震源则由剪切断层产生。洋脊体系是地球表面仅次于大陆和海洋盆地的最大构造，它的体积超过1亿立方千米。

从洋脊轴线上耸起的岛屿开始、全部或部分地延伸到邻近大陆沿岸的无地震活动的洋脊(很少地震或完全没有地震)称为侧向洋脊。一端以年轻的或者是活火山的岛屿为结尾、几乎近于直线形的洋脊称为线形山链。

洋脊的类型很有规则，它们的性状是恒定的，这些构造不可能是偶然产生的。能够满意地解释洋脊特征的唯一理论是板块学说。根据这个理论，地球外层50～100千米处是一层脆性的岩壳或岩石圈，破裂成12个大板块及若干小板块。地表下面熔融的地幔(地球内部地壳下面的地层)对流运动使这些岩石圈板块相互间缓慢移动，这些移动就产生了洋脊。洋脊体系及其支脊标志着岩浆上涌的边界线，岩浆沿着洋脊及其支脊往上涌动(熔融的岩石从地壳深处往上涌)，把洋脊顶部涨裂开，沿着板块之间的边缘产生新的大洋海底。洋脊下面某些地方特别活跃的上涌运动标志着活火山的存在，从而形成像冰岛这样的岛屿。

侧向洋脊被认为是这类局部活动长期作用的产物，它们是在洋盆扩展的全部过程中熔岩外涌所形成的，从而标志着两个板块在这里从洋脊顶部分离开去。线形洋脊的成因也相类似，但是熔岩的源头不是在扩展中的洋脊的轴线位置上，而是一个单独的板块在热点(地壳深处地幔中的岩浆发生中心)上面浮动，熔融的岩石物质从热点往上涌，穿过板块到达地表，然后这些物质产生一条连续分布的较古老的火山链，这条火山链标志着板块在热点上面移动的走向。

oceanic trench 大洋沟 参阅 **deep-sea trench** 深海沟。

oceanic trough 海槽 海底长形凹陷，特征是比海沟浅、短、窄，在地形上也平缓些。最深区域为－2 300米(巴布亚海槽)至－7 440米(班达海槽)。更典型性的深度在海面以下4～5千米。最知名的25条海槽的长度在270～2 300千米之间，平均约700千米；宽度为20～100千米，平均约50千米。与海沟不同，海槽的起源大概归因于多种多样的地质机制。

oceanography 海洋学 研究世界海洋所有各个方面的学科，包括海洋的物理和化学特性，海洋里的动植物以及海洋的起源和地质结构。传统上将海洋学分为4个互有区别而又互相关联的分支：物理海洋学、化学海洋学、海洋地质学和海洋生态学。物理海洋学研究诸如海水的温度、密度和压力等特性，波浪、水流和潮汐等海水运动，以及海水与大气的各种相互作用。化学海洋学研究海水的化学成分以及对它发生影响的各种生物化学循环过程。海洋地质学则研究洋盆的地质构造、特征及其演化过程。海洋生态学(或称生物海洋学)则涉及对海洋中动植物的研究，包括生命循环和食物的产生。今天的海洋学是上述几个分支学科的总称，其每一分支学科都是根据海洋实地考察或其他手段收集到的资料建立起来的。现代海洋学研究需要对海水和海洋生物进行采样细察，利用飞机和轨道卫星对海洋过程进行遥感测量，以及通过深海钻探和地震剖面测量对海底下面地壳进行勘探。对世界的海洋有了更多的了解之后，科学家们就能够对诸如天气和气候的长期变化等预测得更加精确和更有效地开发地球的资源。面对人类日益增长的对取之于海洋的资源的需求，海洋学对于人类了解污染物对海水的影响以及保护海水质量也是至关重要的。

oceans and seas 洋和海 洋和海覆盖着地球表面的71%。远离大陆、面积广阔的深水域称为洋；邻近陆地、深度较浅、面积远较大洋为小的水域叫做海。通常认为世界上有三个大洋：太平洋、大西洋和印度洋。北冰洋是大西洋的一个附属海。有时将环绕南极大陆的连续水域——南大洋，分别划属三个大洋。洋和海的边界已被习惯地固定了下来，如下图所示。各大洋及其附属海的面积、体积和平均深度见表1。

表1 洋和海的面积、体积和平均深度

名称	面积 (10^6平方千米)	面积 (10^6平方英里)	体积 (10^6立方千米)	体积 (10^6立方英里)	平均深度 (米)	平均深度 (英尺)
大西洋						
不含边缘海	82.440	31.830	324.600	77.900	3 930	12 890
包括边缘海	106.460	41.100	354.700	85.200	3 330	10 922
太平洋						
不含边缘海	165.250	63.800	707.600	169.900	4 280	14 038
包括边缘海	179.680	69.370	723.700	173.700	4 030	13 218
印度洋						
不含边缘海	73.440	28.360	291.000	69.900	3 960	10 037
包括边缘海	74.920	28.930	291.900	70.100	3 900	12 792
北冰洋	14.090	5.440	17.000	4.100	1 205	3 952
地中海和黑海	2.970	1.150	4.200	1.000	1 430	4 690
墨西哥湾和加勒比海	4.320	1.670	9.600	2.300	2 220	7 282
澳大利亚海	8.140	3.140	9.900	2.400	1 210	3 969
哈得孙湾	1.230	0.470	0.160	0.040	128	420
波罗的海	0.420	0.160	0.020	0.005	55	180
北海	0.570	0.220	0.050	0.010	94	308
英吉利海峡	0.075	0.029	0.004	0.001	54	177
爱尔兰海	0.100	0.040	0.006	0.001	60	197
鄂霍茨克海	1.530	0.590	1.300	0.300	838	2 749
白令海	2.270	0.880	3.300	0.800	1 440	4 720
世界大洋	361.100	139.400	1370.000	329.000	3 790	12 430

被浅水淹没并与大陆相连的台地称为大陆架，习惯上认为陆架边缘为180米等深线。坡折为大陆架和大陆坡的分界。大陆坡向下伸延到水深4 000米，其特点是分布着一些陡峭的海底峡谷。第三个区域是大陆起坡，宽0～600千米与较为平坦的深海平原合为一体，平均深度约为4 000米。整个海洋的平均深度约为3 790米，最大水深出现在狭窄的海沟中，大部分与太平洋岛弧有联系，最深达到11 034米，出现在马里亚纳海沟。在广阔而深邃的海底还分布着许多海岭、海槛台地、海盆、海槽和海沟等。

海洋的理化性质变化范围不大，是地球上最稳定的环境。海洋上部透光层的均匀性有利于光合作用及营养盐的利用，促使决定海洋生产力的动植物迅速生长。这些动植物死亡后向下沉降又形成大洋深层水中营养盐

表2 海水的主要成分(氯度为19‰)

成分	每千克海水的克数	占总盐含量比例(%)
氯化物(Cl^-)	18.980	55.044
硫酸盐(SO_4^{2-})	2.649	7.682
重碳酸盐(HCO_3^-)	0.140	0.406
溴化物(Br^-)	0.065	0.189
氟化物(F^-)	0.001	0.003
硼酸(H_3BO_3)	0.026	0.075
钠(Na^+)	10.556	30.613
镁(Mg^{2+})	1.272	3.689
钙(Ca^{2+})	0.400	1.160
钾(K^+)	0.380	1.102
锶(Sr^{2+})	0.013	0.038
合计	34.482	100.000
水(包括其他痕量物质)	965.518	—
总计	1000.000	—

的储备。

海洋生产力可根据水体的生物耗氧量和营养盐浓度来判断。大洋营养盐浓度分布的差异极大地依赖于深层水团在发源地的组成及以后由环流和生物过程引起的变化。海洋总生物量可能远大于陆地和淡水的生物量。

人们每年从海洋中得到6 000万吨食物，但海洋食物生产潜力比这个数字大几百倍。海水淡化是解决天然水资源缺乏的重要途径。目前全世界海水淡化装置不下数百台。

自从有文字记载的历史以来，人类就已经通过海洋进行运输。海洋提供了最廉价的运输方式。今天运输船舶的规模已达到50万吨（石油），超级油轮的运费仅为陆运的1%。

海洋能源是一种可更新资源。人们已经能够利用海洋潮汐能量进行发电。但波浪能利用的规模较小。海水温差也可能转化成电能。

20世纪50年代中期，海洋的石油和天然气的产量是微不足道的。到70年代已占石油产量的16%，1980年达到35%。近岸石油储量大约为已知内陆潜在储量的一半。墨西哥湾（3 000～4 000米）深水油藏的发现使人们确信，不仅陆架区，而且大陆坡及其邻近海底也有巨大的石油储藏。

从经济观点来说，深海锰结核是最有意义的大洋沉积物。据估计仅太平洋底就有1 500亿吨，而且大约每年还可成矿1 000万吨。锰结核平均含铜2.5%、镍2%、钴0.2%和锰35%。开采和加工锰结核的预算成本表明利用这项资源生产铜、钴、镍和其他金属是经济可行的。

把海洋当作垃圾场是人类最不经心但也是最为严重的问题之一。从前，海洋可以吸收工业和生活污物而无明显的污染效应。但是近来社会排污量剧增，超过海洋的净化能力，造成了边缘海区的严重污染。一些外观上不明显的污染物如核废料、化学废料和废热也造成海洋污染。石油从运输船舶和油井的冒漏油污是世界性的海洋污染源。铅、汞等有毒物质已按某种形式污染环球水域。人们应控制各种污物的入海途径和数量以保持海洋的水质处于良好状态。

海水组分包括溶解的无机物、溶解气体

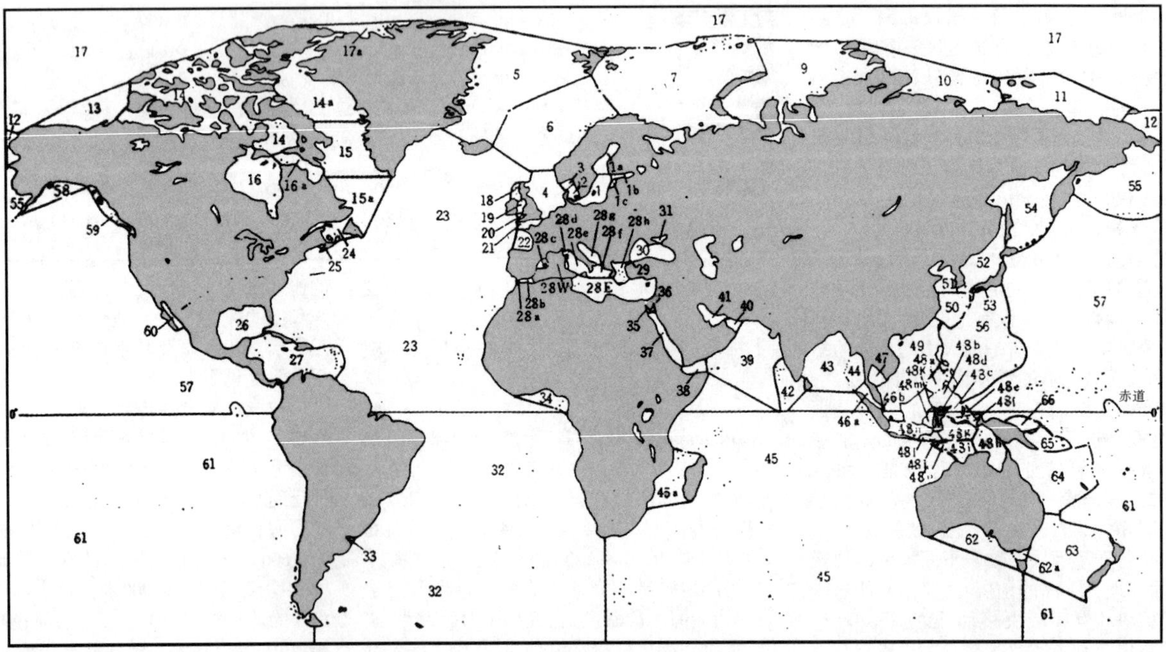

世 界 大 洋 和 海 的 边 界

1.波罗的海
a.波的尼亚湾
b.芬兰湾
c.里加湾
2.卡特加特海峡
3.斯卡格拉克海峡
4.北海
5.格陵兰海
6.挪威海
7.巴伦支海
8.白海
9.喀拉海
10.拉普捷夫海
11.东西伯利亚海
12.楚科奇海
13.波弗特海
14.西北航道（福克斯湾）
a.巴芬湾
15.戴维斯海峡
a.拉布拉多海
16.哈得孙湾
a.哈得孙海峡
17.北冰洋
a.林肯海
18.内海（苏格兰西海岸外）
19.爱尔兰海和圣乔治海峡
20.布里斯托尔海峡
21.英吉利海峡
22.比斯开湾
23.北大西洋
24.圣劳伦斯湾
25.芬迪湾
26.墨西哥湾
27.加勒比海
28.W.地中海（西海盆）
E.地中海（东海盆）
a.直布罗陀海峡
b.阿尔沃兰海
c.巴利阿里海
d.利古里亚海
e.第勒尼安海
f.爱奥尼亚海
g.亚得里亚海
h.爱琴海
29.马尔马拉海
30.黑海
31.亚速海
32.南大西洋
33.拉普拉塔河
34.几内亚湾
35.苏伊士湾
36.亚喀巴湾
37.红海
38.亚丁海
39.阿拉伯海
40.阿曼湾
41.波斯湾
42.拉克代夫海
43.孟加拉湾
44.安达曼湾
45.印度洋
a.莫桑比克海峡
46.马六甲海峡和新加坡海峡
a.马六甲海峡
b.新加坡海峡
47.暹罗湾
48.东印度群岛（印度尼西亚）
a.苏禄海
b.西里伯斯海
c.摩鹿加海（马鲁古）海
d.托米尼湾
e.哈马里拉海
f.塞兰海
g.班达海
h.阿拉弗拉海
i.帝汶海
j.佛罗勒斯海
k.波尼湾
l.巴厘海
m.望加锡海峡
n.爪哇海
o.萨武海
49.南海
50.东海
51.黄海
52.日本海
53.内陆海
54.鄂霍次克海
55.白令海
56.菲律宾海
57.北太平洋
58.阿拉斯加湾
59.西南阿拉斯加和不列颠哥伦比亚沿岸水域
60.加利福尼亚湾
61.南太平洋
62.大澳大利亚湾
a.巴斯海峡
63.塔斯曼海
64.珊瑚海
65.所罗门海
66.俾斯麦海

和溶解的有机物以及颗粒状的悬浮物等。溶解无机物有 70 多种，表 2 列出几种主要的无机物含量。海水溶解了大气中含有的各种气体。海洋对大气和海水中的二氧化碳有巨大的贮存和调节作用。海水中溶解有机物来自生物体死亡后的分解作用。

Oceanside　欧申赛德　美国加利福尼亚州南部圣迭哥县城市。临太平洋，在圣路易斯雷河口处。南界卡尔斯巴德，东邻维斯塔。1883 年南加利福尼亚铁路通车后，成为海滩游览地和农贸中心。1888 年设市。1942 年建成的彭德尔顿营地（美国海军陆战队基地）促进了该市的发展。设有米拉科斯塔初级学院（1934）。人口约161 029（2000）。

Oceanus　俄刻阿诺斯　据希腊神话，指围绕大地（当时被认为是扁平的）流动的河流。河流以西则是辛梅里安人的没有太阳的国土，是梦幻之国和冥府的入口处。据赫西奥德的《神谱》，俄刻阿诺斯是乌拉诺斯（天）和该亚（地）的儿子，提坦神忒提斯的丈夫，3 000 个河中精灵和3 000个海中仙女的父亲。在荷马作品中，他是诸神的本源。作为普通名词时，它几乎包括今日海洋的含义。

ocelot（*Felis pardalis*）　**豹猫**　猫科美洲动物，分布在由得克萨斯向南到阿根廷北部一带。成体长 90 ～ 130 厘米，尾长 30 ～ 40 厘米，肩高约 45 厘米，体重 10 ～ 16 千克。雌小于雄。背部毛色从浅灰至深褐，头部有小黑

豹猫（*Felis pardalis*）
美国不列颠百科全书公司供图

斑点，面颊有两条黑纹，颈上有 4 ～ 5 条纵向黑纹。体上有些长形黑缘斑点，排列成长形的链状条带。体下部灰白色，有黑色斑点。尾上面有些黑条或黑斑。善攀缘，栖息在森林或灌丛地带。主要于夜晚猎食中小型兽类、鸟类和爬行类。据信四季都能生育。每窝 2 ～ 3 仔，幼仔毛色略深，但花纹与成体类似。豹猫常被捕养。有些豹猫易于驯服，但长大后在激动时却可能有危险。在大部分布区其数量正在下降，其中一亚种，即得克萨斯小豹猫（*F.p.albescens*）已濒于绝灭。美国及该动物分布区内的大多数国家已禁止猎捕和买卖其毛皮。**虎猫**（**margay**）外形和分布与小豹猫极近似，但毛色不同。

ochetus（music）　参阅 **hocket** 交替进行。

Ochino，Bernardino　奥基诺（1487，锡耶纳［意大利］～ 1564，摩拉维亚奥斯特利茨［今捷克共和国布尔诺附近斯拉夫科夫］）　基督教人士。原为天主教徒，1504 年前后参加方济各会，1534 年参加会规更为严格的嘉布遣会。在受命审读并批判宗教改革家的著作以及 1536 年在那不勒斯会见西班牙宗教作家巴尔德斯以后，改奉新教。1542 年罗马异端裁判所传讯他，遂越过阿尔卑斯山逃到日内瓦，参加加尔文派并结婚以表明信仰新教。1545 年在奥格斯堡任牧师，在从事金融业的德侨青年中传教。1546 ～ 1547 年的施马尔卡尔登战役中奥格斯堡陷落，奥基诺逃到英格兰，在英格兰国王爱德华六世时期的宗教改革运动中发挥重要作用。1553 年信奉天主教的女王玛丽一世即位，他返回欧洲大陆，在苏黎世为意大利难民做牧师。他以尖刻笔调抨击天主教关于炼狱的教义，并尽力调和加尔文和路德在圣餐问题上的分歧，因此为市政当局所憎恨。1563 年发表《三十篇对话》（此书为了逃避审查而在巴塞尔出版）。其中一篇有主张一夫多妻制的倾向。为了这一点以及所谓反三位一体论的观点，他被逐出苏黎世。1563 年 12 月前往波兰，由于波兰天主教会的活动，他又被驱逐。在前往摩拉维亚途中死于鼠疫。

Ochnaceae　金莲木科　山茶目最原始的一科。含约 30 个热带乔木或灌木属，430 种。少数属为草本。许多种原产于巴西。最大的属是赛金莲木属（*Ouratea*），约200种。原产

暗紫色金莲木（*Ochna atropurpurea*）
美国不列颠百科全书公司供图

于非洲以及亚洲热带的金莲木属（*Ochna*）有近 90 种。金莲木科植物通常为单叶互生，具平行的侧脉；花成簇，通常花瓣及萼片各 5 枚。多花金莲木（*O. multiflora*）俗称狂欢节树，高 1.5 米；常绿；花黄色，似毛茛花，萼片缩存，在花瓣脱落后变为深红色；种子 3 ～ 15 粒，乌黑发亮，突出。金莲木属和赛金莲木属的一些种可供观赏。

Ochoa，Ellen　奥乔亚（1958-05-10，美国加利福尼亚洛杉矶～　　）　美国工程师，第一个西班牙裔女航天员。在斯坦福大学学习电子工程专业，获得硕士学位（1981）和博士学位（1985）。她在桑迪亚国家实验室和国家航空航天局埃姆斯中心担任研究工程师的工作。

美国不列颠百科全书公司供图

她协助发明了几种对象识别系统和方法。1990 年被选中作为航天员。1993 年 4 月她作为"发现"号航天飞机的任务专家，成为第一个漫游太空的西班牙裔女性。1994 年 11 月她参加了"亚特兰蒂斯"号的飞行任务，并且是 1999 年首次停靠国际空间站的"发现"号航天飞机机组成员。2002 年奥乔亚再度访问了国际空间站。

Ochoa，Severo　奥乔亚（1905-09-24，西班牙卢阿尔卡～ 1993-11-01，马德里）　西班牙出生的美国分子生物学家，1959 年因发现细菌内的多核苷酸磷酸化酶而与美国生物化学家 A.科恩伯格共获诺贝尔生理学或医学奖。他发现多核苷酸磷酸化酶后便得以合成核糖核酸（RNA，在细胞合成蛋白质的过程中必不可少的物质）。奥乔亚曾于马德里大学接受教育，1929 年获该校医学博士学位。毕业后在海德堡大学从德国生物化学家 O.迈尔霍夫研究肌肉的生物化学和生理学达二年。1935 年担任马德里大学医学研究所生理学部主任。1938 ～ 1941 年在牛津大学研究硫胺素（维生素 B_1）在人体内的功能，1942 年任医学副研究员。1946 年任纽约市纽约大学药理学教授，1954 年任该校生物化学教授及生物化学系系主任。1974 ～ 1985 年他与罗奇分子生物学研究所合作研究。以后在马德里自治大学任教。1956 年入美国籍。1955 年奥乔亚在研究高能磷酸盐时发现细菌内的一种酶，后来他为此获诺贝尔奖。他称这种酶为多核苷酸磷酸化酶。后来搞清该酶的作用是降解 RNA 而非合成 RNA。但在试管条件下，该酶所起的作用却与自然条件下的反应相反。该酶发现以来一直备受重视，因为它帮助科学家了解了基因内包含的遗传信息如何通过 RNA 载体转译成决定每个细胞的功能和特性的酶，并且重建这个过程。

Ochoan Stage　俄柯阶　美国上二叠统的年代地层单元。位于瓜达卢普阶之上（二叠纪开始于约 2.8 亿年前，延续约 0.55 亿年）。该阶的特点是蒸发岩广泛发育。在墨西哥境内该期的构造运动使米德兰、马尔法和特

拉华等盆地与西南方的二叠纪海隔绝，高蒸发率引起海盆水位的下降，而卡皮坦礁及平台地区露出水面。随后继续干旱，产生大量硬石膏和盐类沉积。在得克萨斯州西南部的特拉华盆地，由成层的硬石膏组成的卡斯蒂尔组厚度达 600 米，而在这个盆地的东部的萨拉多组，由 720 米厚的盐类和硬石膏互层组成。

Ochotskoje More 参阅 **Okhotsk, Sea of** 鄂霍次克海。

Ochs, Adolph Simon 奥克斯(1858-03-12，美国俄亥俄辛辛那提～1935-04-08，田纳西查塔努加) 美国报纸发行人。他从 1896 年后拥有《纽约时报》，使该报成为世界最杰出

美国不列颠百科全书公司供图

的报纸之一。他反对黄色新闻，强调全面而翔实的报道。学生时代当过报童，后当印刷所学徒和排字工。1878 年，他 20 岁时筹款 250 美元，买进濒临破产的《查塔努加时报》的控制股权，使其成为南部的主要报纸。创办南方美联社，1891～1894 年任该社社长，从 1900 年到去世时他是美联社的董事。1896 年《纽约时报》发生经济危机，他又借款 7.5 万美元取得该报控制权。提出“刊登值得排印的新闻”的口号，坚持所有报道必须符合这个标准。尽管缺乏资金，他拒登欺骗性的和低级趣味的广告，并把售价从 3 美分降至 1 美分，从而吸引了大批以前购阅更耸人听闻的小报的读者。他为《时报》增辟书评附刊和使用轮转凹版印刷插图。为便于读者检索，1913 年开始发行《纽约时报索引》。G.W.约翰逊曾为他写传记：《可敬的巨人》(1946)

Ochs, Peter 奥克斯(1752-08-20，法国南特～1821-06-19，瑞士巴塞尔) 瑞士革命者，撰写了中央集权制的《海尔维第共和国宪章》的大部分。生于法国的一个巴塞尔贵族之家。1769 年定居巴塞尔。1776 年获法学博士学位，后进入政界。他的思想深受启蒙运动的影响。法国大革命爆发后成为瑞士的革新者。他主张法国对这个古老的联邦进行干预，力促接受法国督政府关于剥夺传统的避难权和驱逐外国流亡者的要求。1796～1797 年在巴黎筹建瑞士革命政府，并拟定与 1795 年法国宪法极为相似的宪法草案，后成为《海尔维第共和国宪章》(1798-04-12)。他曾任海尔维第参议院议长和督政府主席。后因在巴塞尔参与制订新的政府组织法和刑法以及改革大学而在当地享有盛名。

Ochsenbein, (Johann) Ulrich 奥克辛本(1811-11-24，瑞士施瓦岑埃格～1890-11-03，伯尔尼贝勒维) 瑞士政治和军事领袖。在分离主义者联盟战争(1847)时期，任联邦政府首脑与 1848 年宪法改革委员会主席。伯尔尼激进分子，1845 年 3 月组织和指挥反对卢塞恩政府的军事政变。1846 年在伯尔尼为修改州宪法进行斗争，并出任陆军部长。1847 年任伯尔尼政府主席和联邦议会议长。后来任国民院议长。1851 和 1854 年两次竞选失败，1855 年退休去法国。

Ochus 奥库斯 参阅 **Artaxerxes III** 阿尔塔薛西斯三世；**Darius II Ochus** 大流士二世。

Ockeghem, Jean d' 欧克赫姆(约1430，佛兰德斯～约 1495，法国图尔) Ockeghem 又拼 Okeghem。圣乐和世俗乐作曲家，文艺复兴时期支配欧洲音乐的法兰克-佛兰德斯风格的伟大音乐家之一。曾在安特卫普大教堂任歌手(1443～1444)，并在波旁王朝查理公爵的小教堂中供职(1446～1448)，在法国国王查理七世、路易十一世和查理八世的皇家

15 世纪晚期手抄本插图画中的欧克赫姆(戴眼镜者)
美国不列颠百科全书公司供图

小教堂任牧师和作曲家，1465 年被授予“王室小教堂歌咏大师”称号。在图尔圣马丁修道院任司库时俸禄甚丰。曾进行广泛旅行，从而扩展了音乐知识。作为教师，他对下一代的作曲家产生巨大影响。伊拉斯谟曾为他的逝世著文以示哀悼，悼文由 J.卢贝配乐；莫利内的《哀悼》一文由若斯坎·德普雷配乐。现存作品有 14 首弥撒曲、10 首经文歌和 20 首尚松。他的音乐较前人 G.迪费和 J.邓斯塔布的音响浑厚丰富。在他的作品中，低声部的音域要比前辈的音乐中向下延伸至更低的音。不同声部中的长旋律线在不同的位置收束，因而音乐得以持续不断地流动。零零星星地有一些旋律模仿，但不突出。《扩展弥撒曲》及《谁之声弥撒曲》是他高度发展对位和卡农技巧的代表作。他常用现成的素材来取得音乐的统一性。他的弥撒曲在风格上比世俗音乐更为庄严，多采用四声部，旋律线条比在尚松中更为宽广。尚松中更多地采用旋律模仿，其节奏比弥撒曲中更为简单明确。

Ockham, William of 奥康姆(约1285，英格兰萨里？奥康姆～约 1347 或 1349，巴伐利亚慕尼黑[今在德国]) 又称 William Ockham。Ockham 又拼 Occam。别名 Venerabilis Inceptor 或 Doctor Invincibilis。方济各会修士、哲学家、神学家、政论家，被认为是晚期经院哲学家中的唯名论的创立者。唯名论否认除了由普遍或一般名词所表示的个别事物之外，像“父亲”这样的共相(普遍概念)具有任何实在性。一些历史学家认为他是 16 世纪伟大宗教改革家路德的先驱。早年加入方济各会，并长期专心研究逻辑。后入牛津大学读神学，由于持非正统观点而未获学位。他是一位“神学-逻辑学家”。其著作从两方面展示出其思想和精神面貌。一方面偏爱逻辑，强调对人的自然理性和人的本性的巨大信赖；另一方面，作为一个神学家，又维护上帝的至高地位，认为唯有上帝的全能的恩惠才能拯救人类。提出中古时代的“经济原则”，即：“没有必要不应当增加实体”，这已成为著名的“奥康姆的剃刀”，用来削除经院哲学家所构想的许多解释实在的实体。支持王权，反对罗马教皇。认为教皇的权力应以不妨碍教徒的自由为限，并为此写出 15、16 部政论著作，其中有些与他人合著，但卷帙最多的《九十日集》则是独自完成的。

Ockham's razor 奥康姆的剃刀 又拼 Occam's razor。又称 law of economy 或 law of parsimony。一种经济法则或极度节俭法则，由经院哲学家奥康姆的威廉(1285～1347或1349)提出，即除非必要不得增加实体。事实上，该原理早在奥康姆之前已由法国多明我会神学家和哲学家圣普尔桑的杜朗提出，他运用这一原理说明抽象概念就是对真正实体之理解过程，故亚里斯多德学派的认知能力、积极推理等为不必要。14 世纪法国物理学家奥雷姆也早在伽利略之前提出过经济原理为天体最简假说作辩护。后世其他科学家均提出同样的简约法则和原理。然而，由于奥康姆经常提及这一原理并且运用得无比锋利，因而获得“奥康姆的剃刀”之称。例如，他运用这一原理取消了关系，认为关系与事物中的根据是一回事；取消了效力的因果关系，倾向于把它看成仅仅是恒常的前后相继；取消了运动，认为那只是一事物在不同地点的再现；取消了心理能力，认为它与各种感觉方式无区别；取消了造物主心灵中理念的存在，认为理念不过是创造物自身。

O'Clery, Michael 奥克勒里(1575，爱尔兰多尼戈尔郡基尔巴伦～1643，布拉班特卢万) 爱尔兰编年史家。早年在卢万进方济各会隐修院。因精通爱尔兰历史和文学，1620 年被派回爱尔兰搜集各种手稿。编成《王室系谱》(1630)、叙述历次向爱尔兰移民的《入侵书》(1631)以及著名的《编年史》(1636)。

Ocoee River 奥科伊河 源出美国佐治亚州蓝岭山脉。西北距蓝岭市 9 英里(14 千

米),西北流,经范宁县进入田纳西州,经科珀希尔至波克县,然后向北,在本顿以北汇入希瓦西河。全长 90 英里。有 4 座田纳西流域管理局所属水坝:即佐治亚北部的蓝岭水坝(形成托科阿湖),田纳西州境内的奥科伊一号、二号、三号水坝。

O'Connell, Daniel 奥康内尔(1775-08-06,爱尔兰凯里郡凯尔西文附近～1847-05-15,撒丁王国热那亚) 19 世纪英国下院中第一位伟大的爱尔兰领袖,被人们称为"解放者"。法国大革命爆发时,他被迫离开法国杜埃的天主教学院,赴伦敦习法律,1798 年取得爱尔兰律师资格。他很有口才,能够利用法庭作为民族主义的讲坛。早在 1797 年参加革命团体爱尔兰人联合会。但拒绝参加翌年的爱尔兰叛乱。当《合并法》(1800-08-01)撤销爱尔兰议会时,他坚持要英国议会取消反对天主教徒的法律,以便和它声称代表爱尔兰人民的说法相一致。但从 1813 年起,他反对各种关于救济天主教徒的提案,因为政府在罗马教皇的默认下,对英国和爱尔兰的天主教主教的任命拥有否决权。虽然永久性的天主教徒的政治组织是不合法的,奥康内尔在全国范围发起一系列"集会",为严格的合法目的而请愿。1823 年 5 月 12 日,奥康内尔与理查德·莱勒·希尔(1791～1851)共同建立天主

美国不列颠百科全书公司供图

教协会,迅速获得爱尔兰全体神父和律师,以及当地受过教育的天主教在俗人员的支持,拥有众多会员,政府无法加以压制。1826 年它经过改组,成为新天主教协会,击败几名由大地主赞助的议员候选人。1828 年 7 月,在克莱尔郡,奥康内尔作为一名天主教徒虽然无资格被选入下院,却击败了一个既支持英国政府又支持解放天主教徒的人。这个结果使当时英国首相第 1 代威灵顿公爵阿瑟·韦尔斯利深感需要向爱尔兰的天主教徒作出重大让步。在 1829 年的《解放法》获得通过后,奥康内尔在一次没有对手竞争的重新选举中当选为议员。1835 年 4 月,他帮助推翻了皮尔的保守党政府。同年,他与辉格党缔结了《利奇菲尔德议会契约》,保证通过改革方案时,将在爱尔兰保持一段"完全平静的"时期。奥康内尔及其爱尔兰追随者于是帮助由第 2 代梅尔本子爵威廉·拉姆组成的虚弱的辉格党政府(1835～1841)。但到 1839 年他认识到辉格党对爱尔兰不会比保守党多作出多少贡献。他建立废除合并法协会以取消英爱立法机构的联合。在爱尔兰境内各地举行一系列群众集会,导致奥康内尔以阴谋煽动叛乱罪而被捕,但监禁 3 个月(1844 年 6～9 月)后,经过上诉获得释放。后来,因他健康不佳,民族主义运动的领导权转由激进的青年爱尔兰集团掌握。

O'Connor, Feargus Edward 奥康纳(约 1796-07-18,爱尔兰科克郡康诺维尔～1855-08-30,伦敦) 英国宪章运动的杰出领袖,使宪章运动成为英国第一个全国性的工人阶

美国不列颠百科全书公司供图

级运动。自称系古代爱尔兰国王的后裔。曾操律师业。1832 年进入英国议会,1835 年失去议席,在英格兰从事激进的宣传活动。他幽默机智,精力充沛,成为宪章运动最受人欢迎的演说家。他的刊物《北极星报》(1837 年创办)销路很大。1841 年他以煽动叛乱罪入狱 1 年,成为宪章派无可争辩的领袖,但未能引导该运动取得胜利。

O'Connor, (Mary) Flannery 奥康纳(1925-03-25,美国佐治亚萨凡纳～1964-08-03,佐治亚米利奇维尔) 美国长篇和短篇小说家,作品通常以美国南方农村为背景并常描写人的异化,探讨个人与上帝之间的关系。从米利奇维尔的佐治亚州立女子学院毕业后,曾在艾奥瓦大学学习创作。发表的第一篇作品是短篇小说,1946 年刊登在《重音》杂志上。第一部长篇小说《聪明血统》(1952),用她自己的话说,探讨"没有宗教的宗教意识"。随后发表的短篇小说收入她的第一部短篇小说集《好人难寻及其他故事》(1955),她亦因此而被认为是这种体裁的大师。其他作品有小说《狂暴者得胜》(1960)和短篇小说集《上升的一切必然会合》(1965)。应时散文作品集《神秘和风俗》1969 年出版。1971 年她去世后出版的《小说全集》包括几篇过去从未单独成书出版的小说。奥康纳因患红斑狼疮而成瘸子达 10 多年,最终证明为不治之症。她生活简朴,在她母亲祖传的农场上写作和喂养孔雀。她死后出版的书信集《人的习惯》(1979)为深入了解这位作品藐视传统等级划分的作家的生平和思想提供了有价值的材料。

O'Connor, Frank 奥康纳(1903,爱尔兰科克郡科克～1966-03-10,都柏林) 真名迈克尔·奥多诺万。爱尔兰剧作家、长、短篇小说家。作为 9～20 世纪盖尔语著作的评论家和翻译家,他起了将爱尔兰的生活和文学介绍给英语世界的作用。自幼家贫,在《独生子》(1961)中他细述了自己的童年。只受过很少正规教育,后在科克和都柏林当过图书馆员。青年时代,因参与爱尔兰共和军活动一度被捕入狱。30 年代,担任都柏林阿比剧院导演,协助该院上演过很多作品。第二次世界大战期间,在伦敦英国新闻部任播音员。其短篇小说于 1945～1961 年在《纽约人》周刊上发表,深受美国读者欢迎。50 年代,曾在几所美国大学任客座教授。写过大量短篇小说,善于通过貌似生活琐事的事件来揭示爱尔兰的现实,著名的有《国宾》(1931)和《海棠冻》(1944)。其他故事集出版于 1953、1954 和 1956 年。《小说集》收入故事 67 篇,1981 年出版。他还写过关于研究屠格涅夫和 M.柯林斯及其在爱尔兰革命中的作用的评论文章。奥康纳翻译成英文的盖尔语作品有 17 世纪 B.梅里曼的一首讽刺诗《午夜法庭》(1945),该诗被许多人认为是最优秀的一首爱尔兰诗歌。这首译诗后来收入奥康纳的翻译作品集《国王、贵族与平民》(1959)。

O'Connor, John Joseph Cardinal 奥康纳(1920-01-15,美国宾夕法尼亚费城～2000-05-03,纽约州纽约) 美国天主教高级教士,曾任纽约大主教(1984～2000),被认为是梵蒂冈在美国的主要发言人。出身工人阶级家庭,早年即决心成为教士,曾就读于费城圣博罗梅奥神学院。1945 年授圣职,后又获得乔治敦大学博士学位(1970)。1952 年加入美国海军任随军牧师,参加过朝鲜战争和越南战争,1979 年退役前已升至牧师最高级,授海军少将衔。1979～1983 年任库克枢机主教的纽约副主教。1983 年任宾夕法尼亚州斯克兰顿主教。1984 年教皇约翰·保罗二世任命他为纽约大主教,次年晋升枢机主教。奥康纳是忠诚的遵循传统者,直言不讳地捍卫天主教在性和伦理道德方面的教诲,其言论往往引起争论。他坚决反对堕胎,1990 年当他声称赞成堕胎的天主教徒应被驱逐出教时,曾激起强烈抗议。他也一贯反对死刑、移民控制和削减福利待遇。此外他还支持工人的权利,并领导推动天主教徒和犹太教徒的和解。著作有《一个随军牧师看越南》(1968)、《保卫生命》(1981)和《主教阁下与发出嘘声的人》(1989;与前纽约市长 E.克奇合著)。2000 年被授予国会金质奖章。

O'Connor, Rory(high king of Ireland) **奥康纳** 参阅 **Roderic O'Connor 罗德里克(奥康纳)**。

O'Connor, Sandra Day 奥康纳(1930-03-26,美国得克萨斯埃尔帕索～) 婚前名 Sandra Day。担任美国最高法院大法官的第一位妇女,属温和的保守派。她生长在靠近亚利桑那州邓肯市一个占地 16 万英亩的家庭大农场,1950 年毕业于斯坦福大学,1952 年毕业于斯坦福大学法学院,毕业时即与同班同学约翰·杰伊·奥康纳第三结婚。在亚利桑那州马利维尔市开业当律师后,1965～1969 年任该州助理总检察长,1969～1974 年任亚利桑那州参议院共和党议员,并成为议会中多数党领袖,这是美国第一位妇女担任此项领导职务。1974～1979 年当选马里科帕县高等法院法官,1979～1981 年任州首府

凤凰城的亚利桑那州上诉法院法官。1981年7月里根总统提名她为美国最高法院大法官,经美国参议院批准后,于1981年9月25日就任该职。她是一位温和的和讲实际的保守派,涉及社会问题有时与法院自由的少数派站在一起。她以在法庭上发表冷静、细致、经过慎重考虑的意见而闻名。2005年宣布从最高法院退休。

O'Conor, Rory(high knig of Ireland) **奥康纳** 参阅 **Roderic O'Connor** 罗德里克(奥康纳)。

Oconto 奥康托 美国威斯康星州东北部城市,奥康托县县城(1851)。西南距格林贝城50千米,在格林湾西岸,奥康托河口。原为印第安人村落。1669年建立传教机构;1869年设市。1886年建立世界第一座基督教科学派教堂,现仍保存该教创始人艾娣的一封推荐信。现为避暑地,有伐木、造纸、乳品、造(小)船和食品加工业。20世纪60年代发现印第安人墓地。拜耶堂博物馆展出公元前5500年的手工制品。人口4 708(2000)。

Ocotal 奥科塔尔 尼加拉瓜西北部城市。海拔606米。工商业中心。生产鞋、家具和饮料。有公路向南与泛美公路相连,向北通往洪都拉斯边界。1979年桑地诺游击队与政府军曾在此激战。人口约25 264(1995)。

Ocotepeque(city, Honduras) **奥科特佩克** 参阅 **Nueva Ocotepeque** 新奥科特佩克。

ocotillo(*Fouquieria splendens*) **墨西哥刺木** 又作 coachwhip, Jacob's staff 或 vine cactus。又称马鞭、雅各杖、蔓仙人掌,即光亮刺木。柽柳目刺木科有花具刺灌木,分布于美国得克

墨西哥刺木(*Fouquieria splendens*)
美国不列颠百科全书公司供图

萨斯西部到加利福尼亚南部,向南延伸至墨西哥一带,见于多岩石的荒漠地带。茎在近基部处分成几条纤细、挺直、外展的多刺分枝,株高一般2.5～6米。叶小、圆形,生于分枝上,冬雨季节之后迅即脱落,残留的叶柄逐渐变硬,成为硬刺。花鲜红色、鲜艳,簇生成顶生花序,长达15～25厘米。常作为绿篱植物,在原产地偶有栽培观赏。参阅 **Tamaricales**。

Ocotlán 奥科特兰 墨西哥中西部哈利斯科州中东部城市。近查帕拉湖东北岸,在苏拉河与圣地亚哥河汇合处,是交通枢纽,为通查帕拉湖游览胜地的大门。在墨西哥城通往州首府瓜达拉哈拉的铁路沿线。有机场。经济以工业、农业、渔业和野鸟养殖业为主。人口76 000(2000)。

octachlor(insecticide) **八氯** 参阅 **chlordane** 氯丹。

octahedrite 八面体陨铁 含镍量在6%～11%之间且具有八面形晶体结构的铁陨石。磨光表面一经腐蚀便会显出一种所谓维斯台登图案,它是由平行于八面体各面的片层系产生的。八面体陨铁按片层的宽度分类。除镍、铁以外,八面体陨铁的主要矿物是陨硫铁和陨磷铁镍石。

octane number 辛烷值 又称抗爆值。评定内燃机汽缸中混合气点燃时汽油抗爆震能力的指标。汽油的辛烷值是在标准条件下与两种基准燃料混合的燃料的爆震强度比较而定的,这两种基准燃料是最抗爆的异辛烷和最易爆震的正庚烷。辛烷值是指异辛烷-正庚烷混合物中异辛烷的体积百分含量,它是在标准试验机中进行油样与混合液对比试验得出的。参阅 **knocking**。

octave 八度 音程名称,其高音的声波振动频率是低音的2倍。例如,a音的振动为220赫(周/秒),而它的高八度的a′音的振动为440赫。由于这两个音之间在声学上的密切关系,听起来会觉得第二个音和第一个音相同,只是较高。八度包含各种各样的音阶,其中有教堂调式和西方音乐的大小调音阶。八度包含西方音乐的音阶中的8个音。它是几乎所有文化的音阶中唯一的作为一个常数出现的音程。

octave species 希腊八度音列 古希腊音乐理论中按全音(T)及半音(S)在一个八度内排列的任何音列。希腊的基本音阶音域为两个八度,称为大完全乐制。这一音阶体系的重要部分是从中央C上面的E至下面的E(即e′-e)这个八度,其音程排列(下行T-T-S-T-T-T-S)构成多里亚八度音列,d′-d的音列按T-S-T-T-T-S-T排列则为弗里季亚;其他音列为:a′-a为亚多里亚;g′-g为亚弗里季亚;f′-f为亚利底亚;c′-c为利底亚。b-B为混合利底亚。所有这些不同排列均可移调至希腊音乐表演中的重要部分e′-e这个八度上。参阅 **tonos**。

octaves, law of 八音律 化学术语。英国化学家J.A.R.纽兰兹1865年归纳出的规律:如果把化学元素按原子量的增加顺序排列,则每隔7个元素就会出现物理和化学性质相似的元素。纽兰兹是最早发现元素性质周期性的学者之一,他促进了后来周期律的发展。

Octavia 屋大维娅(约公元前69～前11) 屋大维(后为奥古斯都皇帝)胞妹,安东尼之妻。初嫁马塞卢斯,婚后生二女一子。马塞卢斯死后,改嫁安东尼(公元前40)。这一联姻有助于缓和安东尼与屋大维之间的紧张关系。当他们在公元前37年发生争吵时,屋大维娅从中调解,结果签订他林敦条约。但是,安东尼于公元前36年离开意大利,到安息去指挥军队,在那里与埃及女王克娄巴特拉旧欢重拾。尽管屋大维娅给他送去军队和金钱(公元前35),但他拒绝会面,并在公元前32年和她离异。屋大维娅是一位贤妻良母,连安东尼和克娄巴特拉所生的孩子也由她代为抚养。公元前23年儿子马塞卢斯死后,她退出公共生活。

Octavian(Roman emperor) **屋大维** 参阅 **Augustus**(Roman Empire)奥古斯都(罗马帝国)项下的 **Augustus Caesar** 奥古斯都。

octet 八隅律 化学术语。稀有气体原子外层电子的8电子排列。此结构决定了稀有气体的相对惰性和某些其他元素的化学性质。原子序数接近稀有气体的化学元素和其他元素相化合时,趋向于通过失去、得到或共用电子,获得稀有气体原子的外层8电子组态。这个发现分别由德国化学家W.科塞尔和美国化学家G.N.路易斯于1916年在各自的论文中发表。它通称为八电子规则或八隅律,用于确定一些元素的原子价和化合能力。

October 十月 格雷果里历的第10月。参阅 **month**。

October Manifesto 《十月宣言》(1905-10-30) 沙皇尼古拉二世颁布的文件,标志着无约束的独裁统治的完结和君主立宪制时代的开始。在1905年俄国革命事件的威慑下,尼古拉面临建立军事独裁或颁布宪法的抉择。在S.Y.维特的建议下,他发表《十月宣言》,声称保障公民有言论、出版和集会的自由,给予公民广泛政治权利,以及建立民选的立法机构杜马。它满足了参加这一革命的温和派,从而削弱了反政府力量,使革命被镇压。政府仅在形式上履行了承诺。1906年4月23日颁布了《基本法》作为宪法。建立的杜马改为两院制,仅其中一院由民选产生。杜马不再批准法律,其职权仅限于预算,无权过问政府的全部执行权。此外,基本法给予的公民权和选举权也比宣言许诺的要少。

October Revolution 十月革命 又称布尔什维克革命(俄历1917-10-24或25;公历11-06或07)。1917年俄国革命的第二个和最后的重要阶段。在这次革命中布尔什维克党在俄国夺得政权,创立了苏维埃制度。参阅 **Russian Revolution of 1917**。

Octobrist 十月党人 又称"10月17日"联盟。俄国自由保守的政党的成员,其温和的立宪主义纲领要求实现尼古拉二世的《十月宣言》。1905年11月纠合在一起,由工业家古契可夫领导,并得到自由派贵族、商人和一

些官僚的支持。他们在第三和第四届杜马(1907～1917)中占据多数席位，主张建立拥有实权的立法机构，但执行机构只向沙皇负责。由于与政府疏远，终于在1915年参加了进步同盟(**Progressive Bloc**)中的立宪民主党。

octopus 章鱼 八腕目头足类软体动物的通称。但严格意义上仅指章鱼属(*Octopus*)动物，广泛分布于浅水中(参阅 **cephalopod**)。章鱼的大小相差极大，最小的章鱼是乔木状

一种南非章鱼(*Octopus granulatus*)
美国不列颠百科全书公司供图

章鱼(*O. arborescens*)，长约5厘米，而最大的种可长达5.4米，腕展几达9米。典型的章鱼的身体呈囊状，头与躯体分界不明显，上有大的复眼及8条可收缩的腕。每条腕均有两排肉质的吸盘，能有力地握持他物。腕的基部以称为裙的蹼状组织相连，其中心部有口。口有一对尖锐的角质颚及锉状的齿舌，用以钻破贝壳，刮食其肉。章鱼将水吸入外套膜，呼吸后将水通过短漏斗状的体管排出体外。大部分章鱼用吸盘沿海底爬行，但受惊时会从体管喷出水流，从而迅速向反方向移动。遇到危险时会喷出墨汁似的物质，作为烟幕。有些种类产生的物质可麻痹进攻者的感觉器官。最熟知的章鱼是普通章鱼(*O. vulgaris*)，体型中等，广泛分布于世界各地热带及温带海域，栖于多岩石海底的洞穴或缝隙中，喜隐匿不出。主要以蟹类及其余甲壳动物为食。该种被认为是无脊椎动物中智力最高者；又具有高度发达的含色素的细胞，故能极迅速地改变体色，变化之快亦令人惊奇。章鱼雌雄异体。雄体具一条特化的腕，称为化茎腕或交接腕，用以将精包直接放入雌体的外套腔内。普通章鱼于冬季交配。卵长约0.3厘米，总数在10万以上，产于岩石下或洞中。幼体于4～8周后孵出，孵化期间雌体守护在卵旁，用吸盘将卵弄干净，并用水将卵搅动。幼章鱼形状酷似成体而小，孵出后需随浮游生物漂流数周，然后沉入水底隐蔽。章鱼主要以虾蟹为食，但有些种类食浮游生物。许多海鱼以章鱼为食。在地中海地区、东方国家及世界上一些其他地区的人们长期以来视章鱼为佳肴。

octroi 货物入市税 当某些种类货物进入某地区时，地方行政机构对货物所课征的税。它最早在罗马帝国时期的意大利实行。第二次世界大战后法国、意大利、西班牙、葡萄牙和奥地利仍有入市税，但实施范围已日趋缩小，有些地方已完全废止。

Oculi, Okello 奥库利(1942，北乌干达兰戈区多科洛县～) 乌干达小说家、诗人和非洲农村生活的记录者。他的作品充满了肯定非洲价值观念并谴责模仿欧洲的对话、格言及民间智慧的真实片断。曾在坎帕拉的马凯雷雷大学等校求学；在马凯雷雷大学编过学报《马凯雷雷人》。又留学于加利福尼亚斯坦福大学和英国埃塞克斯大学。在英国期间曾写小说《妓女》(1968)，内容描写一些为城市诱惑而离乡背井的人们的困苦。活泼的自由体诗歌《孤儿》(1968)是一篇充满激情的象征主义故事，写现代城市化的非洲。后期作品有《坎蒂·里蒂》(1974)、《马拉克》(1977)和《库科莱姆》(1978)。

oculus 眼状孔 各种眼状的建筑部件。包括圆形或椭圆形的小窗(如牛眼窗)，罗马万神庙穹顶上的圆孔，以及爱奥尼亚式柱头上涡卷形中心的圆凹等。

O'Curry, Eugene 奥柯里(1796，爱尔兰克莱尔郡邓纳哈～1862-07-30，都柏林) 爱尔兰盖尔语学者和古爱尔兰语手稿辑录者和翻译家，其著作对重新振兴盖尔语言和文学起了重要影响，并对19世纪后期爱尔兰文学的复兴颇有贡献。曾审查、编订爱尔兰皇家学院和三一学院图书馆许多爱尔兰语手稿，并为不列颠博物馆所收藏的爱尔兰语手稿进行编目。1854年任爱尔兰天主教大学爱尔兰历史和考古学教授。讲稿对中世纪编年史、历史性传奇、故事和诗歌予以全面叙述，于1861年出版。其后各卷出版于1873年，题为《论古爱尔兰人的风俗习惯》。

Oda Nobunaga 织田信长(1534，日本旧尾张国～1582-06-21，京都) 日本武将，藤原家族成员，曾推翻足利幕府，使日本的一半统一于他的治下，从而终止了长期的封建战争。作为实际的独裁者，他使政府恢复稳定，创造了统一全国的条件。出身官宦人家。1549年承袭父亲的产业。到1560年，他已把整个尾张置于自己统治之下，同年战败邻国领主今川义元的庞大军队，引起全国震惊。他在大名之中率先组织使用火枪的军队。一俟奠定经济基础，他就打算向近畿地方进军。1562年与德川家康结成同盟，1567年把作战基地北移歧阜。翌年他进入京都支持足利义昭为幕府将军，可是不久就与义昭闹翻，终于在1573年废黜义昭，推翻足利幕府。1576年在琵琶湖畔的安土城建造一座宏伟壮丽的城堡作为大本营，同时实行新的经济政策，取消收

美国不列颠百科全书公司供图

费的关卡和向行会征收捐税。他还极力加强军事力量。这时，佛教一向宗反对他统一国家的宏图，拉拢各地小领主，支持足利义昭。织田信长与一向宗的斗争持续10年以上。最后通过天皇朝廷的调解，到1580年才使一向宗的政治和军事中心大阪本愿寺停止抵抗。信长在京都执政后，保护耶稣会传教士，支持他们在京都修造教堂，在安土创立神学院。他把鼓励基督教当作遏制佛教寺院势力的一种手段。1582年信长征服日本中部，此后打算平定西部，但是年6月在一次心怀不满的家臣叛变中受伤后自杀。他死前已控制了将近半个日本。他推翻了权力分散于大名手中的旧秩序，为在政治上和经济上统一全国扫清了道路。

Odaenathus, Septimius 奥登纳图斯(？～267或268) 又拼Odenathus。罗马殖民地巴尔米拉(**Palmyra**)邦君。原为罗马公民。罗马皇帝瓦莱里安被波斯人俘虏时(260)，他仍忠于罗马。260年截击并大败洗劫安条克返国的波斯军队。后来又在埃梅萨击败篡夺帝位的奎图斯。因此，瓦莱里安的继承人加列努斯赐予他"东方总督"的称号。从262年开始，他把波斯人赶出罗马的美索不达米亚和奥斯罗伊那诸行省，恢复了罗马在东方的统治。后遇刺身亡。死后，其妻芝诺比阿(**Zenobia**)使帕尔米拉成为独立王国。

odalisque 宫女画 描绘女子体态(裸体或着衣)的一种绘画类型。其特色是多表现中

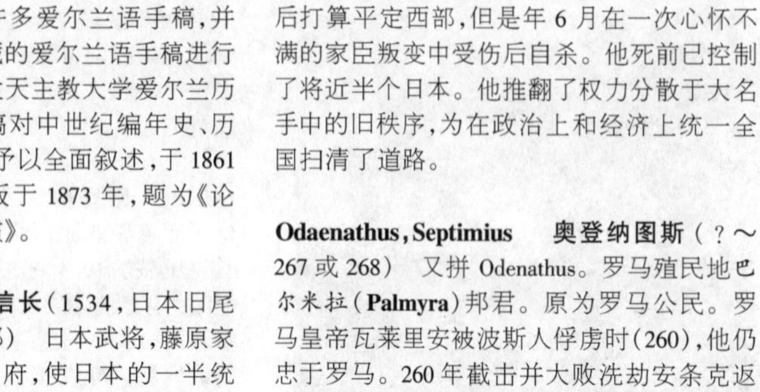

J.-A.-D.安格尔绘
《大宫女》(1814)
美国不列颠百科全书公司供图

东式的氛围和服饰，突出妖艳的情调。在西方画中，这种题材最早流行于19世纪初的法国，著名的画家有J.-A.-D.安格尔、E.德拉克洛瓦、P.-A.雷诺阿和H.马蒂斯。

O'Daly, Carroll 参阅 **O Dalaigh, Cearbhall** 奥戴莱。

Odantapurī 欧丹塔普里寺 又拼 Uḍḍandapura。印度古代著名佛教学术中心，遗址在今比哈尔邦巴特那县比哈尔镇。7世纪时巴拉王朝第一代统治者哥巴拉所建。显然是模仿邻近的另一个佛教学术中心那烂陀。若干吐蕃学者曾到此学习，吐蕃的桑耶寺即仿照该寺的形式而建。11世纪趋于衰落。约1200年，可能与那烂陀一起被穆斯林劫掠和破坏。

Ōdate 大馆 日本本州秋田县城市。濒临米代川。德川时代(1603～1867)为城堡镇，是周围农村地区的集市。现为伐木业中心，以产木制品闻名。1962年附近发现铁矿。经营米代川上游所产铜、铅、锌矿的贸易。人口67 214(1995)。

Odawara 小田原 日本本州神奈川县城市。介于酒匂川与早川之间，濒临相模湾。历史上为地方政治、经济和文化中心。德川时代(1603～1867)是东海道上驿镇。19世

小田原市的古城堡
美国不列颠百科全书公司供图

纪末传统食品和纺织业实现工业化生产。现为东京-横滨都市区的居民卫星城和通往箱根名胜区的门户。市内公园里有经修复的古城堡，多杏树和樱桃树。人口约200 092(1995)。

ode 颂歌 为公私重大仪式写的诗歌，诗中个人感情同总的沉思结合在一起。希腊语 *ōdē* 一词的意义是合唱歌，唱时通常伴有舞蹈。大多数欧洲现代语言已经吸收了这个词。阿尔克曼(公元前7世纪)首先发明了颂歌的诗节结构，诗节由两个或更多的有节奏诗行组成，作为一个单元反复出现。斯特西科罗斯(公元前7～前6世纪)创造了三部结构(诗节诗句后面跟着反诗节诗句，格律相同；最后是一个格律不同的结句，叫长短句)。品达罗斯和巴克基利得斯的颂歌就是这种结构。合唱的颂歌也是希腊戏剧的一个组成部分。在拉丁语中，人们直到公元前1世纪的贺拉斯时期才使用这个词。他用讲究的希腊格律写成的2行或4行一节的"歌"，现在通称颂歌。虽然暗指这些诗歌应在里拉琴伴奏下吟唱，但这可能只是文学上的惯例。品达罗斯和贺拉斯的颂诗形式在文艺复兴时期得到恢复，嗣后对抒情诗的影响一直持续到20世纪。例如，A.泰特的受到广泛赞誉的《南军死难将士颂》第一版，即问世于1926年。在伊斯兰教以前的阿拉伯诗歌里，盖西达赫(*qaṣīdah*)这种形式的颂诗十分盛行。在8～9世纪间有两大诗集。在10世纪的波斯诗歌中，盖西达赫还有赞歌和哀歌的意思，后逐渐被作为宴乐颂歌和情诗的较短的厄扎尔(*ghazal*)所取代。14世纪以后，波斯的诗式在印度诗人手中变得越来越晦涩和做作。

Odeca 参阅 **Central American States, Organization of** 中美洲国家组织。

Odenathus, Septimius 参阅 **Odaenathus, Septimius** 奥登纳图斯。

Ödenburg(Hungary) **厄登堡** 参阅 **Sopron** 肖普朗。

Odendaalsrus 奥登达尔斯勒斯 南非奥兰治自由邦矿业中心和城镇。海拔1 344米。虽1912年获城市地位，但1946年在3千米外发现金矿以前，仅为一村庄。此后迅速发展，成为一个现代化的有规划的城镇。大多数居民是黑人。人口：城市约21 249(最新统计)。

Odense 欧登塞 丹麦菲英州城市和首府。位于菲英岛北部，濒临欧登塞河。约1000年首见记载。10世纪后成为主教驻地。中世纪时为宗教朝圣中心。建成码头并开凿欧登塞运河(1804)后成为港口，促进了城市和贸易的发展。现在工业包括烟草、纺织、制糖、铸铁、造船、肉类和鱼类罐头。11世纪建的哥特式圣卡努特大教堂犹存。欧登塞城堡现为州行政机关所在地。著名童话作家H.C.

欧登塞市的H.C.安徒生故居
美国不列颠百科全书公司供图

安徒生1805年诞生于此，他的住宅现在是博物馆。另有露天博物院及艺术、考古、铁路、历史博物馆。在丹麦位居第三的欧登塞大学建于1964年。人口：市145 062；城市区约183 912(2000)。

Odenwald 奥登林山 德国一林木覆盖的高地区。长约50英里，宽25英里。为著名的旅游区。大部处在黑森州，小部分延伸至拜恩州和巴登-符腾堡州。位于内卡河和美因河之间，俯瞰莱茵河谷。与莱茵河之间为一人口稠密而富庶的狭长地带，为古代移民路线，名为贝格施特拉瑟(意为山街)。山上分布有城堡和中世纪建筑遗迹。西坡有果园和葡萄园。大片地区划入贝格施特拉瑟-奥登林山天然公园。早为尼伯龙根人(勃艮第人)狩猎地，是13世纪史诗《尼伯龙根之歌》的背景地。在19世纪十分流行的另一个传奇人物是舍费尔小说中的主人公"罗登斯泰因的野猎人"，据云此人带着可怕的喧闹声策马奔向施内莱尔茨城堡。该城堡现已成废墟，就在赖谢尔斯海姆村的西北。

Oder-Havel Canal 奥得-哈弗尔运河 在柏林东北部连接哈弗尔河和奥得河的德国水道。长83千米，宽33米，水深2米，可航行1 000吨的船只。原称霍恩措伦运河，建于1908～1914年，沟通哈弗尔河畔的柏林和奥得河口的斯德丁(今波兰什切青)。逐渐失去重要性，直至1945年因运河东部波兰边界附近的施韦特兴起化学工业，该运河又逐渐复苏。

Oder-Neisse Line 奥得-尼斯线 第二次世界大战末期同盟国所划定的波兰与德国的边界线。在雅尔塔会议(1945-02)上，英、苏、美三国决定让苏联将国境西移，使波兰的东部疆土缩减到接近寇松线。为了补偿波兰

奥得-尼斯线

所丧失的大片领土，三国同意波兰将国界西移，占据德国的领土。但是关于新边界的确切位置，西方同盟国同苏联之间有着严重的分歧。因此，在雅尔塔会议上，没有就德波边界问题作出决议。在召开波茨坦会议时，苏联军队业已占领奥得—尼斯线以东的全部土地，并交给波兰临时政府管辖。波茨坦会议(1945-07～08)同意波兰将该地区的德国人遣出。至于波德的最终分界线，他们决定交给未来的和会去解决。1950年德意志民主共和国与波兰在格尔利茨签订条约，承认奥得—尼斯线为德国永久的东部边界。然而西德坚决主张：这条线只是临时性的行政边界，

要在缔结最终和约时加以改正。1970年西德政府先后与苏联和波兰签订条约，承认奥得—尼斯线为波兰合法的和不可侵犯的边界。这一立场在导致德国于1990年统一的谈判中得到确认。

Oder River　奥得河　波兰语和捷克语作Odra。北欧的主要河流。源出捷克共和国上耶塞尼克山脉的奥得山，西北流向，注入波罗的海，全长约854千米。在古代被称为维亚杜阿河，迄今在许多历史时期和文化之中都发挥过重要作用。9～10世纪波兰国家的萌芽状态时，奥得河就是波兰与西面的德意志各邦的界河。自13世纪德意志扩张直至1945年8月波茨坦协议，奥得河基本上是德国的内河。第二次世界大战德国战败后，奥得河分别于1950年被东德、1970年被西德正式确认为波德的界河（参阅**Oder－Neisse Line**）。作为仅次于维斯图拉河注入波罗的海的第二大河，奥得河是具有相当重要经济意义的运输线。从河口上溯765千米可通航，有运河与维斯图拉河及西欧航道系统相连。它主要为波兰西里西亚工业区提供便利。下游有众多水道和水闸为航运服务。上游建有水库，可使该河在旱季不断流。

Oderhaff(Baltic Sea)　**奥得湾**　参阅**Szczeciński Lagoon** *什切青潟湖*。

Odessa　敖德萨　乌克兰西南部的一个州。东和东南临黑海，西界摩尔多瓦，西南以多瑙河三角洲与罗马尼亚分界。跨德涅斯特河口湾。面积33 300平方千米。西南部为坡度平缓的沿海平原直抵黑海，西北部为沃伦-波多利斯克高原南部丘陵。黑海沿岸地势低洼，多迅速淤塞的潟湖和有沙堤环绕的河口湾。全境地处沃土草原带，多已垦殖。气候干燥，少地表水，除大河外，河流夏季易干涸。集约经营农业，主要种植冬小麦、玉米和大麦，向日葵和甜菜为主要工业原料作物。市场园艺业发达。西南部多果园和葡萄园。畜牧业发达。行政中心敖德萨为大工业港口，人口占本州城市人口2/3。小城镇有食品加工业。人口约2 635 300(1991)。

Odessa　敖德萨　乌克兰西南部敖德萨州海港和行政中心。濒临黑海。海岸线浅水凹入处，在德涅斯特河口湾以北31千米，基辅市以南约443千米。自古代起就有居民点。现代城市历史可追溯到14世纪，当时鞑靼要塞哈吉贝即建于此。后归属立陶宛-波兰，1764年属土耳其。1789年被俄军攻占，1791年并入俄国。1792～1793年建新要塞。1794年为海军基地和商埠。1795年新港称今名。1866年通铁路后发展迅速，成为俄国第3座城市和第2个最重要港口。本地是1905年革命主要中心之一和"波将金"号舰起义地。第二次世界大战中受严重破坏。现为乌克兰最大港口，有设备良好的码头和修船厂。渔船队以此为基地。铁路通全国各地及摩尔多瓦和罗马尼亚。亦为主要工业中心，生产机床、起重机、化肥、油漆、染料、石油冶炼产品和食品等。多数工厂坐落在市北滨水区，而新厂多在西郊区。作为重要文化教育中心，有1865年建立的大学和多所高等教育机构。众多研究机构中以菲拉托夫眼科研究所最有名。建有博物馆、歌剧院和芭蕾舞剧院。港口南部海滨为游览区，多疗养院和度假营。人口约1 100 700(1991)。

Odessa　敖德萨　美国得克萨斯州西部城市，埃克托县县城(1891)。位于高平原南部，米德兰西南。1881年由俄罗斯铁路建筑工人命名。建于1886年，原为转运牲畜的铁路运输站。20世纪20年代发现石油后迅速发展。1927年设市。现已成为石油化学工业综合体的一个主要销售、加工和服务点。亦有畜牧业。市内有敖德萨学院(1946)和二叠纪盆地得克萨斯大学(1969)。每年夏季在仿伦敦原样建造的环球剧院举行莎士比亚节。人口：市约90 943；敖德萨都会统计区约237 132(2000)。

Odessa　地下党卫队　Organisation der Ehemaligen SS-Angehörigen 的缩写。纳粹德国*党卫军*(SS)的秘密逃亡组织，可能是1947年初在德国建立。这个很大的组织网帮助前党卫军和盖世太保成员、纳粹高官逃避搜捕，如被捕则获得法律援助，越狱或偷运国外。主要的逃亡路线有：①经奥地利、意大利至佛朗哥统治下的西班牙；②去中东的阿拉伯国家；③去南美洲，特别是当时在右翼政权统治下的阿根廷、巴拉圭和智利。战犯艾希曼显然是由这个组织协助逃往中东，然后转赴南美的。地下党卫队约于1952年停止活动，在国外由另一个组织所取代。后者仍致力于帮助逃亡纳粹分子隐藏和避免追捕。

Odessa Crater　敖德萨陨石坑　美国得克萨斯州敖德萨正南方高平原上陨石所成碗状浅坑。深约5米，直径约170米，坑缘高出周围地区不足1米。1939年在坑附近和坑缘收集到近1 500块铁陨石碎片。原坑底较周围地面低27米。该坑于1921年被发现，其时坑缘几已蚀去，故可能相当古老。1939年于其附近发现3个较小的撞击坑址。

Odets, Clifford　奥德兹(1906-07-18，美国宾夕法尼亚费城～1963-08-14，加利福尼亚好莱坞)　美国20世纪30年代社会抗议派

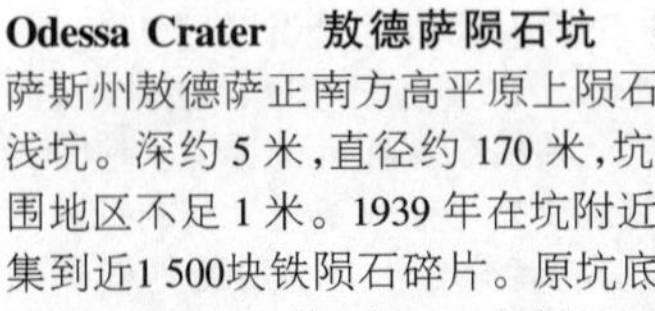

美国不列颠百科全书公司供图

戏剧的著名剧作家。他是著名的*同仁剧团*(**Group Theatre**)的重要成员，为该剧团在美国戏剧界的重大影响做出了贡献。1923～1928年，在若干轮演剧目剧院学习做职业演员。第一个获巨大成功的剧本是《等待老左》(1935)，演出时观众席和舞台都被利用，是一出为工联主义辩护的得力戏剧；《醒来歌唱》(1935)是一部自然主义的家庭情景剧；《有出息的小伙子》(1937)，写一个意大利青年怎样变成一个职业拳击家；《失乐园》(1935)则反映一个中产阶级家庭的悲惨生活。1936年与奥地利女演员L.赖纳结婚。30年代末移居好莱坞，写电影剧本，并成为一位成功的导演。后来的剧作有《大餐刀》(1949)、《乡村姑娘》(1950)和《盛开的桃花》(1954)。

odeum　演奏场　古希腊和罗马供音乐家、演说家表演和竞赛用的小型剧场。推测其起源是由于早期希腊乐器的声音还不能充盈大型的圆形剧场，故设计此种演奏场。据1～2

雅典市约公元161年的希罗德·阿提库斯演奏场
美国不列颠百科全书公司供图

世纪的希腊传记家普卢塔克记载，第一个演奏场是在约公元前435年由政治家伯里克利在雅典建造的，与狄奥尼索斯剧场相邻，供排练用，与后来演奏场的不同之处在于采用方形平面和尖屋顶。据古罗马建筑史家维特鲁威记载，这座演奏场于公元前1世纪的米斯拉达梯战争中被焚毁。161年希腊学者H.阿提库斯在雅典卫城下建造了一座新的演奏场，以纪念他的妻子，其平面与半圆形的狄奥尼索斯剧场很相似，并有一条长廊与之相连，有33排座位，可容纳约6 000名观众。表演区可能有屋顶。大部分已重建，现仍在使用。阿提库斯还在科林斯城建造了另一座演奏场。罗马帝国时大多数城市中都建有演奏场，供集会、演奏和比赛用。

Odienné　奥迭内　科特迪瓦西北部城镇。在通往马里和几内亚公路交叉点上。14世纪是较大的马里（马林克）帝国的一部分。曾为穆斯林马林克人的传统贸易中心（薯蓣、木薯、牛羊）。现有稻谷加工厂。为多山热带草原区（产锰和槿麻供出口）的农产品集市中心。人口28 266(1988)。

Odin　奥丁　又拼Wodan，Woden或Wotan。古斯堪的纳维亚神话中的主神之一。由于大量考古文物和文献资料所提供有关他的形象

颇为复杂，因而他的确切性质和作用难以确定。后来的文献说明，在基督教以前时代的末期，奥丁已是斯堪的纳维亚的主神。从远古起，奥丁就是战神，在英雄文学中，他以英

瑞典哥得兰出土的墓葬石刻局部，骑 8 条腿神马斯雷普尼尔的奥丁，约 800 年
美国不列颠百科全书公司供图

雄的保护神面目出现；阵亡将士都到瓦尔哈拉庙堂与他为伴。人们把狼和乌鸦奉献给他。他的神马斯雷普尼尔有 8 条腿，牙齿上有北欧的如尼字母，能驰骋太空，飞越大海。在诸神中，奥丁又是大魔法师，并同如尼字母有关系。他还是诗人之神。他的外表是一位高大的老人，长髯只眼（另一只眼被他用来换取了智慧）。他通常被描绘为身穿大氅，戴宽边帽，持矛。

Odinga, Oginga　奥廷加（1911?-10，东非保护国中尼安萨萨夸[今肯尼亚]～1994-01-20，肯亚基苏姆）　非洲民族主义政治活动家，他领导反对肯雅塔及其继位人莫伊的一党统治。奥廷加是属于肯尼亚第 2 大种族集团的卢奥族人。他与东非其他著名人物一样，曾受教育于马凯雷雷大学学院，原职业为教师。自 20 世纪 40 年代末起，奥廷加协助肯雅塔争取肯尼亚脱离英国而独立。他积极争取卢奥人支持独立运动。1952 ～ 1957 年他任政治、社会组织卢奥联盟主席。1957 年当选为立法院议会议员，代表中尼安萨。1960 年任新成立的肯尼亚非洲民族联盟副主席。奥廷加于 1963 年当选为众议院议员。同年 12 月肯尼亚独立，他任内政部长（1963 ～ 1964），旋任副总统。但是，他的社会主义主张与肯雅塔的更加温和主义的思想发生冲突，1966 年他脱离肯尼亚非洲民族联盟，另立左翼反对党肯尼亚人民联盟。1969 年肯雅塔宣布肯尼亚人民联盟为非法，联盟的一些成员，包括奥廷加本人，被政府扣押。奥廷加于 1971 年获释，重新加入肯尼亚非洲民族联盟，但再未获得肯雅塔信任，也不得竞选议员。1978 年莫伊任总统，继续把奥廷加排斥于议会之外。奥廷加继续批评政府腐败，要求改善人权并实行多党制。1982 年他被开除出肯尼亚非洲民族联盟，受监禁数月。1991 年奥廷加参与创建恢复民主论坛。同年晚些时候莫伊在国内及国际社会的压力下承认反对党合法。但是恢复民主论坛因民族冲突和个人角逐而陷于分裂，奥廷加在 1992 年的多党总统选举中得票数仅位居第 4。1967 年出版自传《尚未自由》。

Odlum, Jacqueline Cochran（flyer）　参阅 **Cochran, Jacqueline** 科克伦。

Odo OF BAYEUX　**奥多（巴约的）**（约 1036 ～ 1097-02，巴勒莫）　英国征服者威廉的异母弟，诺曼底的巴约主教。孔特维尔的赫卢英之子。他虽然道德败坏令人不齿，但异母兄仍封他为巴约主教。他曾参加诺曼人对英国的入侵（1066），在黑斯廷斯战役中作战。1067 年被封为肯特伯爵，守卫英国东南部。威廉出国期间，由他和另外两人统治英格兰。1082 年他因私自招募军队的罪名下狱，1087 年威廉二世即位后获释。他积极组织第一次十字军，但在前往圣地途中死去。

Odo OF CHÂTILLON-SUR-MARNE（pope）　**奥多（马恩河畔沙蒂永的）**　参阅 **Urban II** 乌尔班二世。

Odo OF CLUNY, SAINT　**奥多（克吕尼的），圣**（约 879，阿基坦 ～ 942-11-18，图赖讷图尔）　法兰西克吕尼隐修院第二任院长。由于他的努力，克吕尼隐修院获得不受教廷以外任何权威管辖的权利。他奉教皇约翰十一世的委派，整顿高卢和意大利境内各隐修院。他曾在巴黎和图尔受教育，927 年当选为院长。他奔走各地，往往是参加世俗外交谈判。据说一些乐理著作，例如以字母表示音调高低的标准中世纪乐谱，都是他的作品，但此说可能是讹传。

Odoacer　奥多亚塞（约433～493-03-15，拉韦纳）　又称奥多瓦卡尔。意大利的第一个蛮族国王。他掌权那一年即 476 年，传统上被认为是西罗马帝国灭亡的标志。原为日耳曼武士，470 年前后进入意大利，参加罗马军队。475 年奥雷斯特斯将军推翻内波斯皇帝，他率众反叛。476 年 8 月 23 日他被军队拥为王。5 天后他俘虏并处死奥雷斯特斯。他的目标是承认东罗马皇帝的霸主地位，而把意大利的统治权掌握在自己手里。他得到罗马元老院的支持。他改革意大利的行政管理体系，为追随者分配土地。尽管他信奉阿里乌主义，但很少干预罗马天主教会事务。480 年入侵达尔马提亚，两年内征服了这一地区。484 年袭击东罗马帝国的西部省份。487 ～ 488 年冬横渡多瑙河，打败蠢蠢欲动的鲁吉人。他从汪达尔人手里收复了西西里。在东罗马帝国皇帝芝诺支持下，东哥特国王西奥多里克于 489 年入侵意大利，迅速夺取了半岛的大部地区。奥多亚塞被迫逃往拉韦纳。493 年 3 月该城投降后被西奥多里克诱杀。

odonate　蜻蜓类　昆虫纲的一个小目。蜻蜓目（Odonata）的昆虫包括人们熟悉的蜻蜓、豆娘。成虫有两对等长的窄而透明的翅，脉序网状，翅前缘近翅顶处常有翅痣。胸部斜列，前胸小，能活动。足接近头部（以便于捕食）。腹部细长。眼突出，触角小而不明显。一般在池塘或河边飞行，稚虫在水中发育。捕食性，成虫在飞行中捕食飞虫。食蚊及其他对人有害的昆虫，但食性广，所以不能靠它专门防治某种害虫。蜻蜓目共有约5 000种。世界性分布。成虫的构造虽颇一致，但大小差别悬殊，体长从 1.8 厘米到 15 厘米，翅展从最小的 1.8 厘米到最大的 19.3 厘米。稚虫称为水虿，完全水生，形态和习性与成虫完全不同。各种的稚虫形态差异极大。以鳃呼吸。常静息不动，猎物靠近时方射出能缠卷的唇以捕捉之。发育过程中蜕皮 8 ～ 15 次，蜕皮次数在种内和种与种间均有所不同，无蛹期。从卵孵出后数分钟，第一龄稚虫的鞘状表皮即裂开，释出蜘蛛状的第二龄稚虫。早龄稚虫取食小甲壳动物和原生动物等水生动物；后期稚虫食摇蚊幼虫、水生甲虫和螺类，甚至小鱼。翅芽在早期出现，随着蜕皮次数的增多而长大。稚虫到最后一龄时，体内已形成成虫的器官，几天后稚虫爬出水面，蜕皮而露出成体（羽化）。最大的蜻蜓通常在日落后离水，日出前起飞，所以很少见到其羽化。较小的种类在白天羽化。刚羽化的成虫体软，生殖系统不成熟，色泽尚未完善。其最初的活动之一为飞离水域。成虫的生活分两个阶段：一为生殖前期，约 2 天至 2 周，随种类和气候而异；另一为生殖期，约 1 ～ 6 周。在第一阶段时积极取食，远离水域。第二阶段开始于性成熟时期，此时蜻蜓飞到交配的

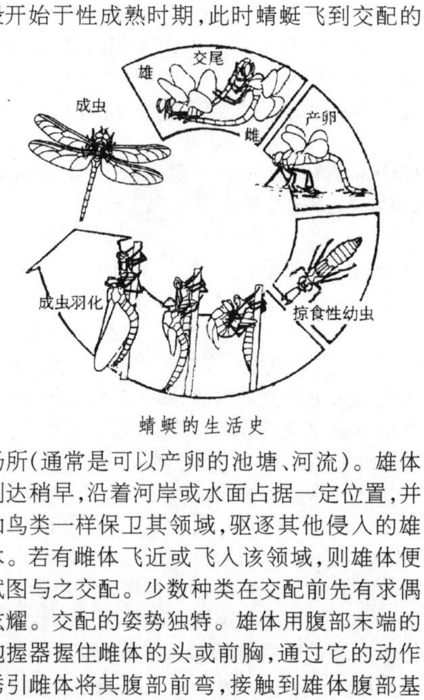

蜻蜓的生活史

场所（通常是可以产卵的池塘、河流）。雄体到达稍早，沿着河岸或水面占据一定位置，并如鸟类一样保卫其领域，驱逐其他侵入的雄体。若有雌体飞近或飞入该领域，则雄体便试图与之交配。少数种类在交配前先有求偶炫耀。交配的姿势独特。雄体用腹部末端的抱握器握住雌体的头或前胸，通过它的动作诱引雌体将其腹部前弯，接触到雄体腹部基部的阳茎。交配时多降落地面，但亦可在空中进行。交配时间数秒至数小时。交配后雌体立即产卵，或经数小时、数天后产卵。产卵方式有两种。产卵器发达的种类把卵产在水中或水上的植物组织内或其上，有的爬到水面下去产卵，可浸在水中达 1 小时以上。无产卵器的种类把卵从腹部末端洗落在水面上。有几种产卵在流水中，但有黏附或缠结装置，可防止被冲往下流。成虫需有温暖的气候、食物和适于产卵的水体才能生殖。鱼、鸟会捕食蜻蜓幼虫，幼虫间也互相残食。羽化时可能被鸟和小型鳄类捕食。但成虫在离开羽化场所后几无敌害，飞行迅速灵活，差不多能避开所有敌害。温带地区的种类多以幼虫越冬，幼虫期可达 1 ～ 5 年，成虫期寿命仅数周。

蜻蜓是少数在民间文学及艺术中占重要地位的昆虫之一。俗语常称之为螯马虫，或“魔鬼补衣针”。在日本，蜻蜓受人尊重，有本杂志《蜻蜓》专门刊载有关蜻蜓的生物学文

章。蜻蜓目分三个亚目：①束翅亚目（Zygoptera，豆娘）。二叠纪至今。体小，飞行力弱。前后翅同形，翅基狭窄，形成翅柄。两眼间距离大于一眼的直径，雄体有4尾突，雌体产卵管发达，稚虫有直形尾鳃。现存17科。②差翅亚目（Anisoptera，蜻蜓）。侏罗纪至今。体大，飞行力强，飞行动作灵活。后翅基部宽于前翅，两眼间距离近或相接触。雄体有3尾突，雌体产卵器有或无，稚虫有直肠鳃。现存8科。③间翅亚目（Anisozygoptera）主要繁盛于中生代。成体介于上述2亚目之间，稚虫似差翅亚目。11科，但仅1科——蟌蜓科（Epiophlebiidae）现存，2种，甚相似，分布日本及尼泊尔高地溪流。另4目已绝灭：巨差翅亚目（Meganisoptera）、原差翅亚目（Protanisoptera）、原束翅亚目（Protozygoptera）及古束翅亚目（Archizygoptera）。

O'Donnell, Calvagh 奥唐奈（？～1566-10-26?，爱尔兰伦敦德里郡德里附近） 爱尔兰蒂尔康奈的领主，S.奥尼尔的宿敌和俘虏。因与其父马纳斯和异母兄弟休发生争吵，遂到苏格兰寻求麦克唐奈家族的援助，结果废黜其父而取得蒂尔康奈的领主地位。休求助于奥尼尔。1557年奥尼尔率兵侵人蒂尔康奈，企图占据北爱尔兰，但被奥唐奈击败。1561年奥尼尔在一所隐修院俘获奥唐奈和他的妻子凯瑟琳。奥尼尔把凯瑟琳据为己有。奥唐奈被俘期间受到严刑拷打。1564年获释。他去英格兰向伊丽莎白一世女王求援。1566年亨利·西德尼爵士进军蒂尔康奈，恢复了奥唐奈的权利。但他于同年去世。

O'Donnell, Hugh 奥唐奈（活动时期1557～1592） 爱尔兰蒂尔康奈的领主，奥唐奈家族的族长。马纳斯之子，卡尔瓦的异母弟。在阋墙之争中，与S.奥尼尔联合反对卡尔瓦（1557）。后转而联合英格兰人彻底击败家族宿敌奥尼尔（1567）。1592年让位给其子*休·罗·奥唐奈*（**O'Donnell, Hugh Roe**）。

O'Donnell, Hugh Roe 奥唐奈（约1572～1602-09-10，西班牙锡曼卡斯） 爱尔兰古盖尔族最后一代国王。20岁成为奥唐奈家族族长。英格兰驻爱尔兰总督J.佩罗特害怕奥唐奈家族与奥尼尔家族联合反英，在奥唐奈尚未到16岁时将他绑架，囚于都柏林城堡。他于1592年1月逃出。他的首要目标是赶走英格兰的行政长官。达到目的以后，他对奥尼尔家族进行两次征讨。1595和1597年转向西方，在康诺特建立了牢固的统治。1598年的战争中在耶洛福德获大胜，他发挥了主要作用。他为了与蒂龙会师而向金塞尔进军，在24小时中率兵行走达40英里，而且跨过几乎不可逾越的费利姆山岭，但此役遭惨败。他逃往西班牙，死于该地。

O'Donnell, Leopoldo DUQUE（duke） DE TETUÁN **奥唐奈**（1809-01-12，西班牙所属加那利群岛圣克鲁斯-德特内里费～1867-11-06，法国比亚里茨） 西班牙军人、政治家，在1843和1854年的武装暴动中起过重要作用。1856～1866年间三度领导政府。他坚决支持伊莎贝拉二世（1833～1868在位），执行保守主义政策。他是奥唐奈家族的后裔，在博因河战役（1690）以后离开爱尔兰。在第一次卡洛斯战争（1833～1839）期间获得名望和地位。1843年参加推翻埃斯帕特罗将军的政府。后任古巴总督（1844～1848）。1854年领导武装暴动，出任陆军大臣。1856年7月任首相，10月下台。1858～1863年再次掌权。他执政时期，局势稳定，经济繁荣，教会财产问题也得到妥善解决。他对摩洛哥、圣多明各和墨西哥进行干涉。在摩洛哥战争（1859～1860）中，他亲自指挥远征军取得胜利，这大大地提高了他的声望，后来被封得土安公爵称号。1865～1866年又当首相，解职后不久去世。

O'Donnell, Manus 奥唐奈（？～1564-02-09，爱尔兰多尼戈尔郡利福德） 爱尔兰蒂尔康奈第一位伟大的领主。他的一生主要在与奥尼尔家族的战争和与其父、其子的家族纠纷中度过。他是休·达布·奥唐奈之子。约1511年其父赴罗马朝圣，此后即由他统治蒂尔康奈。1522年奥尼尔家族与奥唐奈家族再次发生战争。1531年，他请求英格兰政府给予保护，向亨利八世表示效忠。1537年其父死，他遂成为奥唐奈家族族长。其后，基尔代尔伯爵的继承人G.菲茨杰拉德与奥尼尔、奥唐奈、奥布赖恩等家族组成旨在重建基尔代尔伯爵领地并彻底推翻英格兰统治的联盟，但1539年奥唐奈在贝拉霍湖畔败于英格兰人。不过他在西部仍保持奥唐奈家族的统治地位。1542年前往英格兰参见亨利八世。1555年被其子卡尔瓦囚禁，并被废黜。

O'Donnell, Sir Niall Garve 奥唐奈（1569～1626，伦敦） 爱尔兰部族首领，与英格兰时而结盟，时而敌对。他是卡尔瓦·奥唐奈之孙。由于对族人休·罗·奥唐奈（参阅**O'Donnell, Hugh Roe**）任族长（1592）并夺去其利福德城堡强烈不满，因而发生家族内讧。他投靠英格兰人，以反对奥尼尔家族和休·罗·奥唐奈。但他于1601年与英王驻爱尔兰总督发生争吵，因为这位总督虽然应允封他为蒂尔康奈的领主，但不准他占有伊尼什欧文。1602年奥唐奈前往伦敦，由枢密院解决他的家族纠纷。后因被控曾参与1608年叛乱被关进伦敦塔，直至死去。

O'Donnell, Rory 奥唐奈 参阅**Tyrconnell, Rory O'Donnell, 1st earl of** 泰尔康内尔伯爵（第一）。

O'Donovan, Michael 奥多诺万 参阅**O'Connor, Frank** 奥康纳。

Odontoglossum 齿舌兰属 兰科的一属，300种，主要原产于热带美洲山地。假鳞茎大，生有一至数枚叶，花穗从假鳞茎基部生出，花的颜色和斑点差异很大。虎兰或称娃娃兰（*O. grande*），萼片上有黄色或褐色条纹。曾在本属和兰科其他属间进行种间杂交，得到不少花型美丽的杂种。本属各种间杂交亦产生数以百计的杂种。

一种齿舌兰属（*Odontoglossum*）植物

美国不列颠百科全书公司供图

odontolite 齿绿松石 又称骨绿松石（bone turquoise）或化石绿松石（fossil turquoise），由磷酸盐矿物*磷灰石*（**apatite**）组成的骨或齿化石，被蓝铁矿染成蓝颜色。它与绿松石类似，但化学成分不同。

odontostome 齿口虫 齿口目原生生物。形小，楔形，具有纤毛。前称栉口目（Ctenostomatida），后栉口目一词用于苔藓动物一目。通常仅见于有机物质分解率高的淡水中。背部和侧面呈半环状或弓形，覆盖着由坚固的板片形成的甲壳。齿口虫纤毛稀少，在小袋状的口腔内具有8片小膜（纤毛融合成的平板）。似溞虫属（*Epalxella*）有典型的齿口虫特征——体前端尖，但又包括淡水和海水种。

odor 参阅**odour** 气味。

Odoric OF PORDENONE **奥多里克**（1286，意大利阿奎莱亚的波代诺内附近维拉诺瓦～1331-01-14，乌迪内） 天主教方济各会修士和旅行家。他写的关于到中国的游记享有盛名，似曾被抄袭到14世纪的英国著作《约翰·曼德维尔爵士的航程与旅行》（通称《曼德维尔旅行记》）一书中。他在乌迪内修道院立誓后被派往亚洲（约1316～1318），在那里居住到1329年。在经过小亚细亚时，访问过今土耳其的特拉布宗和埃尔祖鲁姆的方济各会教堂。在去美索不达米亚的巴格达地区旅行之前，周游了波斯，在大不里士的方济各会教堂停留之后，又继续去过卡尚、亚兹德、波斯波利斯和设拉子。然后，到达波斯湾南端的霍尔木兹（在今伊朗），最后乘船去印度。大约在1322年在孟买的塔纳上岸之后，访问了印度的许多地方，可能还有锡兰；并曾乘帆船去苏门答腊北岸。在到达中国南部沿海之前，去过爪哇，也许还有婆罗洲。在中国周游甚广，访问过杭州，他详细地记述了这座城市的灿烂辉煌。在北京停留3年之后，可能取道西藏（包括拉萨）和波斯北部返回故里。他的旅行记曾在巴杜阿由其他修士译成简明的拉丁文。数月后，奥多里克死在去阿维尼翁的教廷途中。

Odoru Shūkyō 踊宗教 参阅**Tenshō Kōtai Jingū-kyō** 天照皇大神宫教。

odour **气味** 又拼odor。某些物质具有的性质,这些物质只要有很低的浓度就足以刺激动物的化学感受器。动物借助化学感受器取样验测环境中的空气和水。在昆虫、其他无脊椎动物和水生动物中,检测低浓度化学物的知觉,常常与检测高浓度化学物的知觉(味觉),以及其他特化的化学感觉融为一体难以区分。参阅 **smell**。

Odovacar(German king of Italy) **奥多瓦卡尔** 参阅 **Odoacer** 奥多亚塞。

O'Dowd, Bernard Patrick **奥多德**(1866-04-11,澳大利亚维多利亚博福特～1953-09-02,维多利亚墨尔本) 澳大利亚诗人。为澳大利亚诗歌增添了更多的哲理色彩,取代了多年占据主导地位的旧时的丛林歌谣。曾在墨尔本大学攻读人文学科和法律,曾做过教师、图书管理员,后成为澳大利亚议会法案起草人。第一部诗集《黎明将至?》(1903)表现了他强烈的政治信念。1906年出版了《寂静的土地》,1907年出版了哲理性作品《边界的管辖》。1909年出版了散文小册子《诗歌斗士》,认为诗人应起教育和宣传作用。其他作品有:关于澳大利亚民族的长诗《丛林》(1912);社会讽刺诗《维纳斯女神! 及其他诗篇》(1921)以及《奥多德诗集》(1941)。

Odra River(Europe) 参阅 **Oder River** 奥得河。

Odría, Manuel A. **奥德里亚**(1897-11-26,秘鲁塔尔马～1974-02-18,利马) 秘鲁总统(1948～1956)。奥德里亚是一名职业军官,1919年毕业于军校,1930年毕业于军事学院。1946年晋升准将,被任命为陆军总参谋长。1947年在布斯塔曼特总统任内,任内政部长和警察总长。1948年10月领导军事委员会;该委员会废黜布斯塔曼特,宣告奥德里亚为临时总统。奥德里亚立即解散立法机关,宣布由军人进行统治,着手采取措施恢复秘鲁经济和政治稳定,寻求美国的技术援助和私人投资。1950年6月1日暂时辞职,参加无人反对的竞选,7月28日就任总统。他上台后以政治镇压手腕抑制反对派。在他的自由经济政策下,经济起初曾有发展,但在他任期终了时,奥德里亚发现他已无法对付越来越大的贸易逆差和迅速的通货膨胀。工人的骚乱和公众抗议当权者的独裁统治,迫使奥德里亚在1956年允许举行自由选举。奥德里亚未再次参加竞选,自愿流亡国外,大部分时间住在美国。1962年及1963年再次竞选总统,总得票数居第3位。

Oduber Quirós, Daniel **奥杜维尔·基罗斯**(1921-08-25,哥斯达黎加圣何塞～1991-10-13,圣何塞) 哥斯达黎加总统(1974～1978),创立哥斯达黎加第二共和国(1948)的执政委员会成员,民族解放党(PLN)创始人之一。他半工半读在圣何塞法学院毕业,后即在该市开办了律师事务所。后来又去蒙特利尔麦吉尔大学及巴黎大学深造,1962～1964年任哥斯达黎加对外关系部部长,与美国建立了良好关系。1966年在竞选总统中被温和的保守派何塞·华金·特雷霍斯以微弱多数击败。1970年成为民族解放党主席,于1970、1971及1972年接连被选为立法议会主席。在担任此项职务时,他在改进社会福利、选举和银行管理以及教育等方面取得成功。1974年在经济困难时期当选总统,他采取措施通过减少通货膨胀和改善贸易平衡来恢复国家经济。另外,他继续扩大社会福利计划,制定土地改革政策,并推行环境保护措施。他于1975年恢复了共产党的合法地位,1977年与古巴重建外交关系。因被指控在1974年竞选中靠美国流亡金融家韦斯科捐赠的金钱取胜,他的总统地位受到动摇。他承认民族解放党曾向韦斯科借款,但当这一款项来源被公开时已经归还。

塔尔奇尼出土的约公元前450年的红色人物水钵绘画细部——奥德修斯杀死求婚者

美国不列颠百科全书公司供图

Odum, Howard W. **奥德姆**(1884-05-24,美国佐治亚伯利恒附近～1954-11-08,北卡罗来纳查珀尔希尔) 全称 Howard Washington Odum。美国社会学家。专门研究美国南部诸州的社会问题,是南方社会学教育先驱人物之一。他致力于消除那里的地方偏见,而以一种进步的乡村色彩代之,在社会计划、种族关系、文学艺术等方面都是如此,尤侧重于文学领域。他专攻美国黑人民俗社会学,超前其时代而主张给美国黑人以同等机会。他曾就读于克拉克大学和哥伦比亚大学,并分别在著名心理学家G.S.霍尔和社会学家F.H.吉丁斯的门下学习。1920年到北卡罗来纳大学任教,创办社会学系、公共福利系、社会科学研究所和《社会力量》杂志。主要著作有:《彩虹绕我肩:黑色尤利西斯的蓝色足迹》(1928)、《美国南部地区》(1936)和《了解社会》(1947)。应胡佛总统之邀,他与W.F.奥格本合编了《美国最近社会动向》(2卷,1933),供总统的社会动向调查委员会之用。

Odysseus **奥德修斯** 拉丁语作Ulixes(乌利克西斯),英语作Ulysses(攸利西斯)。荷马史诗《奥德赛》的主人公。西方文学中最常描述的人物之一。据荷马的说法,奥德修斯是伊萨基的国王拉厄耳忒斯和安提克勒亚(帕尔纳索斯的奥托吕科斯的女儿)的儿子。他同妻子珀涅罗珀生忒勒玛科斯(据后来的说法,奥德修斯是西绪福斯的儿子,他同喀耳刻、卡吕普索和其他人也生有儿子)。

在荷马笔下,他的智慧、口才、机敏、勇气和耐性都很出众。在《伊利亚特》里,奥德修斯是一个最适于调解希腊人中间人事纠纷的人物,并且在战斗中多次表现了自己的勇敢和能力。

24卷史诗《奥德赛》的中心题材是奥德修斯的流浪和他收复自己的家宅和王国,史诗还记述他如何通过木马计完成了对特洛伊的占领。第6至13卷记述他从特洛伊至伊萨基的流浪:他首先来到食莲者(**Lotus-Eater**)的国土,好不容易才使他的一些同伴逃脱因食莲而引起的昏睡。他遇上波塞冬的儿子库克罗普斯,即独眼巨人波吕斐摩斯,并弄瞎了他的眼睛,他贴在一只公羊的腹部才得以逃出巨人的洞窟。在吃人的莱斯特律戈涅斯人手里,他丧失了12只船中的11只,然后来到女巫喀耳刻(**Circe**)居住的岛,在这里他挽救了被女巫变成猪的一些同伴。这之后他又访问了亡灵的国土,在这里他从第比斯的预言者提瑞西阿斯那里学会了消解波塞冬怒气的办法。随后他又遇到了塞壬(**Siren**)、斯库拉和卡律布狄斯(**Scylla and Charybdis**),以及太阳神的牲畜。他的同伴不顾他的警告掠夺牲畜当作食品,结果在随后而来的暴风雨中,他是唯一生存下来的人;然后来到了仙女卡吕普索居住的有田园风光的岛。

过了几乎9个年头,奥德修斯才终于离开卡吕普索并最后来到伊萨基,而他的妻子珀涅罗珀和儿子忒勒玛科斯在他长时期离家期间一直在这里尽力维护他们的权力(参阅 **Penelope**)。在开头只有忠实于他的狗和一位奶妈认出他来,但是奥德修斯在雅典娜的帮助下证实了自己的身份,办法是拉开他的旧弓并射中目标,从而通过了珀涅罗珀的考验。随后在忒勒玛科斯的协助下他杀死了向珀涅罗珀求婚的人们,并且承认是她失散已久的丈夫和伊萨基的国王。

在《奥德赛》里,奥德修斯有很多机会表现了他玩弄诡计和进行欺骗的才能;但与此同时,他的勇敢、忠诚和宽厚仁慈也不断地得到了证明。古希腊作家有时把他说成是一个肆无忌惮的政客,有时又把他说成是一位明智可敬的政治家。哲学家通常都欣赏他的智力和智慧。实际上,每个时代都在不破坏原型人物的情况下以自己的方式对这位"具有多种天性的人"重新加以阐释。

Ōe Kenzaburō **大江健三郎**(1935-01-31,日本四国爱媛县～) 日本小说家,他的作品表现了第二次世界大战后一代人的醒悟和叛逆精神。1994 年获诺贝尔文学奖。他出身于一个富有的地主家庭,但是战后占领军当局强制实施的土地改革使他们失去了大部分

东京国际教育情报学社供图

财产。他 1954 年进入东京大学,1959 年毕业;他还在读书时便显露出来的写作才华,使人们赞扬他为继三岛由纪夫以后最有希望的青年作家。大江以他在《文学界》杂志上发表的《死者的奢侈》(1957)第一次引起文学界注意。但是他的文学作品是不均衡的。他的第 1 部长篇小说《拔芽击仔》(1958)受到高度赞许,并因《饲育》(1958)获得重要的芥川文学奖。但是人们对他的第 2 部长篇小说《我们的时代》(1959)的反应却不佳,因为他的同时代人感到大江越来越关心社会与政治评论。大江深深地卷进新左派的政治中去。1960 年日本社会党主席浅沼稻次郎被一右翼青年杀害。这件事激使大江在 1961 年写了两篇短篇小说《十七岁》和《政治少年之死》,而后者引起了右翼组织的猛烈批评。1960 年结婚后,他进入写作的又一个发展阶段。这期间他的头骨畸形的儿子在 1963 年诞生了,这件事使他写出了《个人的体验》(1964)。他对广岛的访问的结果是写出了《广岛札记》(1965)。70 年代初,大江的作品,特别是他的散文,反映出他日益关心核子时代的强权政治以及有关第三世界的问题。其他作品有《万延元年的足球赛》(1967)、《提高赛跑运动员的纪录》(1976)和《同时代的比赛》(1979)。《醒来吧,新人》这部小说发表于 1983 年,它以精湛的文学技巧和作者个人坦白时的真诚著称,描述一个弱智男孩的成长以及在他的家庭中造成的紧张与焦虑不安。

Oeben, Jean-François　欧本(约 1715,德国～1763-01-21,巴黎)　法国家具工匠,以杰出的镶嵌细工和精巧的机械器件而著称。移居法国的时间不详,1751 年进入卢夫尔一家工场做工。不久受到国王的情妇蓬巴杜夫人的眷顾,1754 年成为"王室工匠"。他的大部分作品都是为王室制作的,王室准许他在戈布兰工厂的一个车间享有特权。他的杰作——国王办公桌,从 1760 年开始制作直到他逝世前还在加工,后由他的助手 J.-H.里兹内尔最终完成。

OECD　参阅 **Economic Co-operation and Development, Organisation for 经济合作与发展组织**。

Oecolampadius, John　奥科兰帕迪乌斯(1482,符滕堡魏恩斯贝格～1531-11-23,瑞士巴塞尔)　德语作 Johannes Huszgen。人文学家、布道家和教父著作研究家。曾在海德堡大学求学,1510 年在魏恩斯贝格任布道员。1515 年移居巴塞尔,协助人文学者伊拉斯谟编订希腊文本《新约》。1520 年入旧明斯特的布里奇廷隐修院。他日益景仰路德,遂于 1522 年离隐修院,在埃伯恩堡城堡任牧师;不久返巴塞尔,1523 年在巴塞尔大学任讲师、教授。他在圣马丁教堂用三种语言布道,听讲者甚多,不久即成为巴塞尔名人。所著《论正确解释主的话》(1526)等书,支持茨温利的观点,鼓吹圣餐只是基督受难的纪念而不是它的重演。在1529年10月的马尔堡会议上,

美国不列颠百科全书公司供图

他维护茨温利的观点,反对路德。返回巴塞尔后,于 1530 年反对行政当局支配教会事务,主张由牧师与长老共同管理教会。1531 年他得悉茨温利在卡佩尔战役中被杀害,他惊愕不已,不久死去。

Oeconomus　奥科诺麦斯　参阅 **Hofmeister, Sebastian 霍夫迈斯特**。

OED　参阅 **Oxford English Dictionary, The《牛津英语大词典》**。

oedemerid beetle　拟天牛　又作 false tiger beetle 或 false blister beetle。又称伪虎甲或伪芫菁。鞘翅目拟天牛科昆虫,约1 500种,分布广。体细长,柔软,色多浅,有些种具蓝、黄、橙或红色斑纹。长 5～20 毫米,触角长。成虫常见于花周围,幼虫生活于腐木中。

Oedipus　俄狄浦斯　据希腊神话,他是无意中杀死亲生父亲并娶生身母亲为妻的第比斯国王。据荷马叙述,俄狄浦斯的母亲知道他们之间关系的真相之后就自缢身死,但俄狄浦斯显然继续统治第比斯,直到去世。据荷马以后的传说,最熟悉的是索福克勒斯的《俄狄浦斯王》和《俄狄浦斯在科洛诺斯》,其重点和细节有很大的不同。传说第比斯国王拉伊俄斯得到神谕警告说,他的儿子将把他杀死。因此当他的妻子伊俄卡斯忒(荷马说是厄庇卡斯忒)生下一个儿子时,他就把婴儿的踝骨穿在一起(俄狄浦斯意为肿脚),遗弃在基塞龙山中。一个牧人可怜这个婴儿;后来科林斯国王波吕玻斯和王后把这孩子当作自己的儿子抚养长大。俄狄浦斯长大后,

约公元前 430～前 470 年的阿提卡杯内所绘俄狄浦斯与斯芬克斯
美国不列颠百科全书公司供图

到德尔斐去求神示,得知他注定要杀父娶母,于是他决定永不返回科林斯。他去第比斯时,拉伊俄斯与他相遇,发生口角,拉伊俄斯被杀身死。他继续赶路时,遇到**斯芬克斯(sphinx)**降灾第比斯。女妖向所有过路人提出一个谜语,凡不能回答者都要遇害。俄狄浦斯说破她的谜底,斯芬克斯自杀身亡。作为报酬,他被第比斯人拥立为新王并娶孀居的王后,即他的母亲伊俄卡斯忒。他们生下 4 个孩子:厄忒俄克勒斯、波吕尼刻斯、安提戈涅和伊斯墨涅。后来当真相大白时,伊俄卡斯忒自杀身死。俄狄浦斯(据另一种说法)弄瞎自己的眼睛之后,由安提戈涅和伊斯墨涅陪同把自己流放出国,只留下他的姐夫克瑞翁担任摄政。他在雅典附近的科隆诺斯死去,在那里被大地吞没,成为守卫大地的英雄。虽然俄狄浦斯的传说可能有一件历史事实作基础,但不可能把它同它的民间故事的要素分离开来。俄狄浦斯出现在阿尔巴尼亚、芬兰、塞浦路斯和希腊的民间传说之中。这个古代故事有强烈的戏剧感染力;该题材通过塞内加传给一大批剧作家,其中包括高乃依、德莱顿和伏尔泰。在 20 世纪它也有特殊的吸引力,它使伊戈尔·斯特拉文斯基写出了世俗的清唱剧《俄狄浦斯王》,使纪德写出了《俄狄浦斯》,使让·科克托写出了《地狱机器》。弗洛伊德用俄狄浦斯情结一词来表示一个儿子对母亲的爱和对父亲的嫉妒与憎恨;不过在该故事的任何一种古代说法中,促成俄狄浦斯的行动或决定他的性格的并不是这样的感情。

Oedipus complex　俄狄浦斯情结　精神分析用语。对于异性生身亲长的性卷入的欲望,以及与之相伴随的对同性生身亲长的敌对感。是正常心理发展过程中的一个关键阶段。S.弗洛伊德在《梦的释义》(1899)一书中介绍过这个概念。该词源出希腊第比斯英雄俄狄浦斯的传说,他无意中杀死生父,娶生母为妻。女孩恋父憎母的本能愿望称埃勒克特拉情结,得名于参与杀死自己生母的希腊神话人物埃勒克特拉。弗洛伊德认为俄狄浦斯情结见于 3～5 岁的儿童。此期通常结束于儿童与同性生身亲长认同并抑制其性本能的时候。如果以前与双亲的关系比较亲密没有带来精神创伤,而且双亲的态度既不过分抑制又不过分刺激,这一阶段就会顺利地通过。但若存在精神创伤,便会发生"婴儿神经症",

成年后还会发生相似的反应。"超我"是一种道德因素,支配着有意识的成人心理,也起源于克服俄狄浦斯情结的过程中。弗洛伊德认为,对抗俄狄浦斯情结的反应是人类心理中最重要的社会成就。

Oedipus Rex 《俄狄浦斯王》 公元前5世纪索福克勒斯所著的悲剧。亚里士多德在其《诗学》(公元前4世纪)中认为,该剧为索福克勒斯最伟大的作品。在20世纪,它在作者的悲剧中也是最受重视、最受欢迎的一部。悲剧的主人公俄狄浦斯是第比斯的国王,他企图逃脱自己的宿命,却又轻率地朝自己的命运奔去。亚里士多德称此剧为悲剧形式的典范。它严谨的结构、不断上升的紧张感以及对发现和识别这些戏剧技巧的完美运用,使这出戏成为希腊悲剧中最有力量和令人难以忘怀的作品。

Oedogonium 鞘藻属 丝状绿藻的一个属。见于静水,固着于其他植物体上或自由漂浮。细胞圆柱形,除用为固着器的基部细胞外,每个细胞均含一个网状叶绿体和一个中心大液泡。能运动的繁殖细胞前端具一轮纤毛。营养繁殖形式为圆柱形细胞顶部形成环形的瘢痕样结构(顶冠),只有具顶冠的细胞才能产生动孢子或不动孢子,进行无性繁殖。有性繁殖为卵式。雄性丝状体与雌性丝状体等大,或其长度仅如几个细胞(这种长度的雄性丝状体附着于雌性线状体上)。雄性丝状体产生的精子形似具长鞭毛的小孢子。受精后合子形成,合子经过休眠,分裂成四个动孢子,再经萌发形成新的丝状体。

OEEC 参阅 **European Economic Cooperation, Organisation for** 欧洲经济合作组织。

Oehlenschläger, Adam Gottlob 欧伦施莱厄(1779-11-14,丹麦韦斯特布罗~1850-01-20,哥本哈根) 丹麦伟大的民族诗人、剧作家,丹麦浪漫主义运动的领袖。曾在诗人爱

美国不列颠百科全书公司供图

德华·斯托姆门下求学。短期从事演员事业之后,进哥本哈根大学攻读法律,接着转向写作。在会见挪威科学家兼哲学家亨利克·斯特芬斯之后,他写出了著名诗作《黄金号角》(1802)。斯特芬斯曾在丹麦积极传播德国浪漫主义的原理,其理想给了欧伦施莱厄冲破18世纪文学传统的勇气,诗作《黄金号角》在丹麦文学中则标志着冲破传统的转折点。1802年欧伦施莱厄的第一部诗集问世,其中收有《黄金号角》和《仲夏夜之剧》,后者是一部把文学讽刺与有关爱情和本性的诗体论说相结合的抒情剧。1805年他出版的《诗作》包括两组抒情诗和一部写他自身生活的诗剧《阿拉丁》,其中用灯的故事来象征富于直觉的诗人天赋。这时他已被看作是一位重要诗人。1805年他接受政府资助,出国游学,去了德国及其他国家,拜访了歌德及其他浪漫主义运动的领袖。1807年出版的《北欧诗歌》一书中包括了他的历史剧,他在剧中已多少摆脱了浪漫主义,转向北欧历史和神话去寻求素材。诗集中收有描写丹麦民族英雄的历史悲剧《远在里格的哈孔伯爵》和以挪威神话为题材的《好心的巴尔杜尔》。欧伦施莱厄于1809年回到哥本哈根,1810年在哥本哈根大学任美学教授。此后他又写了不少剧本,但一般认为这些剧本均不及他早期的作品。他的抒情诗通常要比他的戏剧诗具有更强的生命力。他晚期最重要的作品是史诗《北方诸神》(1819),它是一种现代的《埃达》。

oeil-de-boeuf window 牛眼窗 又拼bull's-eye window。又称圆窗。一种圆形或椭圆形的小窗,窗棂成车轮状。法王路易十四的凡尔赛宫(1661~1708)中有用这种小窗的前室,称为"牛眼室"。17世纪英国詹姆斯一世时期的庄园宅邸中也常用这种窗。

Oeiras, Sebastiło de Carvalho, conde de (count of) 奥埃拉斯伯爵 参阅 **Pombal, Sebastião de Carvalho, marquês de** 蓬巴尔侯爵。

Oeneus 俄纽斯 据希腊传说,他是卡利敦国王,阿尔泰娅的丈夫和墨勒阿革——狩猎卡利敦野猪的领袖——的父亲。他同希腊英雄赫拉克勒斯也有关系,因为他是赫拉克勒斯的新娘得伊阿尼拉(赫拉克勒斯从河神阿刻罗俄斯手中赢得了她)的父亲。俄纽斯最初可能是一位酒神,他的名字系从希腊语"酒"派生而来。根据一个传说,大酒神狄俄尼索斯才是得伊阿尼拉的真正的父亲。

Oenone 俄诺涅 据希腊神话,她是伊季山的泉水仙女,俄纽斯河的女儿,特洛伊国王普里阿摩斯的儿子帕里斯的情人。虽然俄诺涅同帕里斯生了一个儿子科里索斯,但帕里斯不久就遗弃了她,而爱上海伦。对此极为嫉妒的俄诺涅拒绝在特洛伊战争中帮助受伤的帕里斯,尽管她是唯一能治好他的人。俄诺涅最后发了怜悯之心,但到达特洛伊时已经太晚,未能挽救他的性命。极度悲伤的俄诺涅于是自杀身死。

Oèr-t'ai 鄂尔泰(1680~1745) 中国清代大臣。西林觉罗氏,字毅庵。满洲镶蓝旗人。雍正时任云贵总督,兼辖广西,在西南各地实行"改土归流",设置州县,改土司为流官,加强中央对地方的统治。雍正十年(1732)任军机大臣。雍正死,受顾命辅政。乾隆十年(1745),以病请解职。同年病死,谥文端。

oersted 奥斯特 厘米-克-秒物理单位制中的磁场强度单位。以19世纪丹麦物理学家H. C. 奥斯特命名。其定义为真空中使单位磁极(此磁极对离它1厘米处与之同性的磁极作用有1达因的排斥力)在磁场方向感受1达因的机械力的磁场强度。1932年以前,奥斯特与高斯混用,现在以高斯为磁感应强度单位。

Oersted, Hans Christian 参阅 **Ørsted, Hans Christian** 奥斯特。

Oerter, Al 奥尔特(1936-09-19,美国纽约州纽约阿斯托里亚~2007-10-01,佛罗里达迈尔斯堡) 原名Alfred Oerter。美国铁饼运动员,连续4次获奥运会金牌(1956、1960、1964和1968),每次都打破奥运会纪录。在他整个运动生涯中,4次刷新世界纪录(1962~1964)。他是历史上第一个把铁饼掷出200多英尺远的选手,他创造的第一个世界纪录是61.10米(200英尺5英寸)。他创造的最佳世界纪录是62.94米(1964),最佳奥运会纪录是64.78米(1968)。奥尔特少年时代曾练习举重,目的是使他瘦弱的身体更强壮些,后来在中学里踢足球,练习短跑。一次他无意中抓起铁饼一扔,扔得比田径队里任何人都远,这样他才发现了自己掷铁饼的才能。1954~1958年他靠田径奖学金在(劳伦斯)堪萨斯大学上学。从奥尔特大学毕业后从事数据传递工作。他的初衷是夺取5枚金牌。但由于当一名奥林匹克冠军要作出许多牺牲与承受压力,他参加了1968年奥林匹克运动会以后就退出了奥林匹克比赛。不过,1976年他重新恢复训练。虽然他未能通过1980与1984年的美国奥林匹克选拔赛(美国抵制了1980年在莫斯科举办的奥运会),但他在20世纪80年代初田径项目健将赛中仍然是铁饼项目的世界纪录保持者。1983年,成为第一批入选美国奥林匹克名人堂的运动员之一。

Oescus (ancient Europe) 参阅 **Iskŭr River** 伊斯克尔河。

Oeser, Adam Friedrich 厄泽尔(1717-02-17,匈牙利波兹索维~1799-03-18,莱比锡[德国]) 油画家、雕刻家和版画家。反对艺术中的矫饰风格,与新古典考古学者J. 温克尔曼一起主张通过学习古代的杰作来革新艺术,但其作品却较少受古希腊的影响。最初师事雕刻家R. 唐纳,后师从德国肖像画家A. 孟斯。曾为皇家剧院作装饰,并在休柏图斯堡作壁画(1749)。曾被任命为德累斯顿学院教授,在莱比锡创办艺术学校(1764)。为许多公共建筑物和收藏家画过壁画和油画。其最有代表性的作品是:为圣尼古拉教堂作的壁画,为选侯腓特烈·奥古斯特作的纪念碑,为诗人C. 盖勒特和为丹麦女皇玛蒂尔达作的小型雕像。还留下大量有特色的仿伦勃朗的铜版画。

oesophagus 参阅 **esophagus** 食管。

Oeuvre, Théâtre de l'　作品剧院 A.-F.-M.吕热-波于1893年在巴黎建立的法国象征主义剧院。他在此剧院一直执导到1929年。吕热-波是安托万自由剧院的演员兼舞台监督,他于19世纪90年代在福尔的艺术剧院首次接触象征主义戏剧。福尔退出该剧院后,吕热-波接任剧院领导,于1892年5月17日以象征主义手法演出梅特林克《普莱雅斯和梅丽桑德》一剧,从而宣布作品剧院的即将诞生。在诗人和评论家莫克莱和画家维亚尔的帮助下,吕热-波在作品剧院专门上演法国年轻的象征主义剧作家的作品和介绍国外著名戏剧,包括王尔德、豪普特曼和易卜生的作品。他寻求通过气氛的渲染和程式化的表演来创造一种诗意和梦境一体化的非现实主义戏剧的途径。其布景十分单纯、抽象,灯光时暗、时亮,表演程式化,对白用歌唱,服装简单且缺乏"时代性"。到1899年,作品剧院已上演51个剧目,并到英国、挪威、荷兰、丹麦和比利时巡回演出。吕热-波于1899年关闭作品剧院,1912年将其再次开张,第一次世界大战后又将其开张过一段时间,继续上演法国新剧作家如克洛岱尔等人的作品,也上演达达主义和超现实主义作家的剧本。

O'Faolain, Sean　奥法莱恩(1900-02-22,爱尔兰科克郡科克～1991-04-20,都柏林)　原名John Francis Whelan。爱尔兰作家。以描写爱尔兰下层阶级和中产阶级的短篇小说而闻名。他常常探讨民族主义斗争的衰落或爱尔兰天主教的失败。他的作品反映了由20世纪初爱尔兰文学的复兴所激发起来的人们对爱尔兰文化的再度关心。由于奥法莱恩对英国残酷镇压1916年复活节起义感到不满,他改了名字,学习盖尔人的语言,并在爱尔兰起义期间(1918～1921)参加反对英国的活动。他从都柏林的爱尔兰国立大学和美国马萨诸塞州的哈佛大学获得文学硕士学位。1926～1928年为英联邦的研究员,1928～1929年为哈佛大学研究员。1926～1933年,奥法莱恩在大不列颠和美国的一些大、中学教授盖尔语、英格兰-爱尔兰文学以及英语。回到爱尔兰后,他仍任教一段时间。第一部短篇小说集《仲夏夜的狂欢及其他故事》(1932)和写复活节起义(1916)至爱尔兰自由邦(1921)成立这段历史的长篇小说《一群纯朴的人》(1933)获得成功后,始全力从事写作。奥法莱恩只写了4部长篇小说,包括《孤独的鸟》(1936)和《回到爱尔兰》(1940),每部作品都集中塑造一个试图反叛并从中下阶级爬升上来的人物。此后,他写过短篇小说、论文、传记和游记,这些作品对爱尔兰的当今生活作了忠实并充满同情的现实主义的描绘。他对教会鼓动起的审查制度、爱尔兰教士的狭隘以及有约束力的家庭传统的批评,引起很大的争论。他的著名作品有《丹尼尔·奥康内尔生平》(1938)及自传《愿我长寿》(1964)。所著关于爱尔兰人民历史观点的论文收入《爱尔兰民族性格之研究》(1949,1969年修订)和《爱尔兰旅程》(1940)。《短篇小说选》出版于1978年,长篇小说《是又一次吗?》发表于1979年。《奥法莱恩短篇小说集》第一卷出版于1980年。1957～1959年,奥法莱恩任爱尔兰艺术委员会主任,1940～1946年任都柏林的爱尔兰文学期刊《钟》的主编。

Off-Broadway　外百老汇戏剧　美国剧坛上的小型专业性演出。多年来与纽约市百老汇以赢利为目的的戏剧演出相对立。这种戏剧通常在开销低廉的小剧场中演出。与百老汇所演的戏剧相比,它风格较自由,想象力也较丰富。它通过比较自由的联合经营、低工资和精选人员的办法来解决开销问题。百老汇和外百老汇的名称与剧院的所在地、剧院的大小及演出规模的关系不大;大多数百老汇剧院并不坐落在百老汇大街上,而是位于邻近的一些街上;有些外百老汇剧院却坐落在通称为"百老汇"的街区范围之内,只是它的大部分剧院坐落在距市中心曼哈顿区很远的地方。1952年后,外百老汇戏剧的质量和重要性大为提高,这是昆特罗的导演成就。20年来,外百老汇戏剧一直显得生气勃勃,培养了许多有才华的戏剧家,诸如导演J.帕普和获奖美国剧作家阿尔比、C.戈登、P.律德尔、L.威尔逊等人,他们的作品大都在外百老汇首演,帕普后来还在纽约中央公园免费演出莎士比亚戏剧。小剧场还培养出许多著名演员以及灯光、服装和布景设计专家。像百老汇戏剧一样,外百老汇戏剧后来也开始变得费用巨大,因而出现了仍较节省但更为大胆的演出,这种做法很快获得"外外百老汇戏剧"的名称。

Offa　奥发(?～796-07)　早期盎格鲁-撒克逊人在英格兰的最强大的国王之一。作为麦西亚国王(757～796),他使英格兰南部达到迄至那时为止最高水平的政治统一。出身于古老的麦西亚统治家族,在堂兄艾特尔鲍尔德被谋害后发生的内战中夺取政权。他残酷镇压境内和周围几个小邦的反抗,然后建立单一的国家,包括现约克郡以南的大部分英格兰地区。他希望与欧洲大陆的君主平起平坐。法兰克王查理曼曾经与他发生争执,但两人在796年缔结了贸易条约。他与教皇阿德里安一世保持友好关系,允许教皇加强对英格兰教会的控制和在利奇菲尔德建立大主教管区。他兴建了著名的**奥发大堤**(**Offa's Dyke**)。他的最大成就也许是制定新币,币面铸有国王的名字和称号,以及对货币质量负责的铸造者的姓名。

约787年银便士上的奥发像

美国不列颠百科全书公司供图

Offa　奥法　尼日利亚夸拉州城镇。与拉各斯通铁路。与伊洛林、拉菲亚吉和伊基伦通公路。为约鲁巴人在热带草原地区的传统居民点。现为周围地区所产薯蓣、木薯、玉米、高粱、牛油果的集散地。棉织及土法染布是重要经济活动。有医院和中学。人口约165 000(1989)。

Offa of Angel　奥发(安格尔的)(活动时期公元4世纪)　欧洲大陆上盎格鲁人统治者。盎格鲁-撒克逊人的麦西亚王室声称是他的后裔。据古英语诗《远方游客》称,他曾单枪匹马战败撒克逊王子,拯救了他年迈的父王。后成为很大的安格尔王国的统治者。据说其国界曾远达菲弗多尔(可能是今德国最北部的艾德河)。他或许就是古英语诗《贝奥武甫》中提到的奥发。

offal　杂肉　又称杂碎、下水、内脏。牛、羊、猪等胴体的非肌肉部分,可直接作为食品或用以制作其他食品。烹饪法发明后,杂肉就成为人类饮食的组成部分。以营养言,有几种内脏比肌肉更富有某些维生素、矿物质和不同种类的蛋白质;例如小牛肝是铁质的主要饮食来源,小牛的胰脏、胸腺比牛肉含有更多的水溶性蛋白质。牛杂碎包括胃、小肚(大胃)、脑、心、肝、舌、肾;小牛的杂碎还包括脊髓、蹄、肠系膜及胰脏、胸腺等。羊及羊羔的杂碎有肾、舌、脑、蹄、胃、心、肝、肺。猪的下水是肝、肾、脑、蹄和头。猪肠用作香肠肠衣,猪血是黑色布丁的原料。各种内脏在西方食谱中占有重要地位,主要是脑、肝、胃、肺和蹄。美国农家烹饪中一直应用杂肉,如猪肠和小肠等就曾是贫农的基本食品。这些食品通常用水煮或油炸,并佐以浓味调料。城市食品店经常供应炸小牛肝、牛肚冻、盐渍牛舌等,常作凉菜。在欧洲名菜佳肴中,杂肉能做各种传统菜:如卡恩卤肚和炙烤胰脏、胸腺等。

Offaly　奥法利　爱尔兰语作Uibh Fhailaí。爱尔兰伦斯特省一郡,面积1 998平方千米。北与韦斯特米斯郡和米斯郡、东与基尔代尔郡、南与莱伊什郡和蒂珀雷里郡、西与戈尔韦郡和罗斯康芒郡交界。西部边界为香农河。虽然西南边界为布卢姆山脉,但大部分地区属中央低地。全境大部为泥炭沼泽和冰川堆积物构成的可耕地。显著的地质特点为一系列漂亮的蛇形丘(冰河后期砾石堆成的长长的石堆),著名的有香农河附近的克朗麦克诺伊斯古修道院遗址的蛇形丘。7/10的土地为改良的农田。泥炭田为发电厂提供燃料。奥法利俯瞰着沼泽中的通道,现有许多史前山寨要塞和一排树丛。奥法利为古奥法利王国的一部分,奥康纳家族住在这里。布赖恩·奥康纳起义后,爱德华六世在位时期将其并入英国王室领地。1556年奥法利划为国王郡。玛利一世统治时期,政府采纳了一项在莱伊什和奥法利殖民的计划;但在16世纪后期当地居民一直反对这项计划,至詹姆斯一世登位(1603)初期奥法利才被征服。奥法利和莱伊什共由一个郡长管辖,但各有自己的郡议会。伯尔(Birr)和塔拉莫尔为城市地区,

2/5 以上的人口住在村镇里。最大城镇为塔拉莫尔，是郡立法会议和郡治所在地，有精纺毛织物厂、啤酒厂、酿酒厂和咸肉香肠加工厂。伯尔和伊登德里有制鞋厂，克拉拉有麻纺厂，伊登德里有家具厂。其他较小的地方为集镇，有每月一次的牲畜交易市场。该郡 2/3 经改良后的农地为永久性牧场，1/5 种植作物，其余用作牧草地。主要作物为小麦，大麦出售给啤酒厂。塔拉莫尔和克拉拉位于阿斯隆至波塔林顿的铁路支线上。有运河用于货运。人口59 000(1996)。

Offaly, Thomas Fitzgerald, Lord　奥法利勋爵　参阅 **Kildare, Thomas Fitzgerald, 10th earl of** 基尔代尔伯爵(第十)。

Offa's Dyke　奥发大堤　古代英格兰的巨大土石方工程。从切普斯托附近的塞文河起，一直延伸到迪河河口湾，全长 270 千米。8 世纪后半叶由麦西亚王奥发下令建造，故名。若干世纪以来，这条大堤标志着英格兰和威尔士的分界线。但如今仅有少数地区的分界线与该堤相符。堤高约 18 米，在威尔士一侧有深 3.6 米的壕沟。许多堤段目前仍依稀可见。现代沿该堤建有一条供步行游客使用的人行道。

Offenbach　奥芬巴赫　德国中西部黑森州城市，在运河化的美因河左岸，是以运输煤、石油为主的河港。977 年首见记载。1407 年在此建一造币厂。1698 ～ 1703 年间由于涌入胡格诺派手艺人开始繁荣起来。第二次世界大战中受严重破坏，后重建。建有市政厅及气象局、海关等联邦机构大楼。名胜古迹有伊森堡城堡(1564 ～ 1578)和含碱的凯撒-腓特烈泉等。克林斯波博物馆为现代书法和书籍印刷博物馆。制革业发达，有革制品展览馆和皮革贸易展览会。生产机械、电器、化工品和纺织品等。人口约119 208(2003)。

Offenbach, Jacques　奥芬巴赫(1819-06-20，科隆～1880-10-05，巴黎)　法国轻歌剧作曲家。犹太人，生于德国，早年随父去巴黎，1833 年入巴黎音乐学院习大提琴。1849 年任法兰西剧院指挥。1855 ～ 1866 年在自建的剧院演出了不少优秀的轻歌剧，如《地狱中的奥尔甫斯》(1859)等。成功之作有《美丽的海伦娜》(1864)、《巴黎的生活》(1866)、《盖罗尔施泰因的大公夫人》(1867)和《佩里肖勒》(1868)。1872 ～ 1876 年，经营快乐剧场。1874 年在该剧院上演《地狱中的奥尔甫斯》的修改本。1876 年去美国巡回演出。此后一直从事作曲。他唯一的大歌剧《霍夫曼的故事》生前没有完成。作品风格流畅、典雅。共作有歌剧、舞剧作品 100 部以上，多采用神话故事，并带轻蔑、讽刺之意。其中许多部在 20 世纪后仍然上演。

Offenburg　奥芬堡　德国西南部巴登-符腾堡州城市。位于黑林山西缘，金齐希河谷。1101 年首见记载。1289 ～ 1802 年为帝国自由城市。1846 ～ 1849 年为巴登革命运动中心。保存有哥特式和巴罗克式建筑以及古要塞遗迹等。为奥腾瑙葡萄酒和水果产区中心及铁路、公路交通枢纽，有印刷、型钢、机械、电气、纺织等行业。旅游业也很重要。人口约58 888(2003)。

Öffentliche Kunstmuseum　公共艺术收藏馆　参阅 **Kunstmuseum - Öffentliche Kunstsammlung Basel** 巴塞尔艺术博物馆-公共艺术收藏馆。

offerings of the five senses (in Tibetan Buddhism)　**五识之供**　参阅 **nang - mchod** 内供。

offroad racing　越野赛车　在地势起伏不平、无路标、通常是在荒地上进行的机动车比赛。第二次世界大战后，小路摩托车赛盛行，越野赛车也就应运而生。越野赛路线由参赛者们临时划定，沿途设检查站。现已发展出多条越野赛车道，最著名的是积分国际越野赛，它每年在下加利福尼亚州的沙漠主办拜雅1 000 英里赛(2000 年的比赛延长为拜雅2 000英里赛)。越野赛一般按各种普通等级和每一等级所用车型(摩托车、汽车、卡车以及适合所有地形的交通工具)来分组。通常根据每次比赛中累积的点数来认定每种类型车的年度优胜者。越野赛车现仍是北美洲流行的一种运动，不过在日本和澳大利亚也很普遍。

offset, dry (printing)　参阅 **dry offset** 干胶印。

offset printing　胶印　又作offset Lithography。又称平版印刷。一种广泛采用的印刷方法：图文部分着墨后，先印在橡皮布滚筒上，再转印到纸张或其他材料上面。由于橡皮布滚筒的挠曲性大，木料、布、金属、皮革、粗糙纸张等都可以印刷。1904 年美国新泽西州纳特利的 I.W.鲁布尔于无意中发现这种印刷方法，不久开办胶印厂。胶印印版上的图文，既不像凸版那样凸出于版面，也不像凹版那样低于版面，而是与印版在同一平面上，因此属于平版印刷。胶印由平印(**lithography**)发展而成，以水和油不相溶合的原理为基础，图文部分经过感脂处理，能吸收油墨，空白部分因含有水分，而不吸收油墨。胶印版通常用锌、铝或其合金制成，表面经过处理，使其具有渗透性，然后涂上一层感光材料。用原稿曝光后，图文部分的涂层硬化，空白部分的涂层被冲洗，露出润湿的金属，不吸收油墨。现代的胶印印刷机的基本构件为 3 个滚筒：印版滚筒、橡皮布滚筒、压印滚筒。印版滚筒先和一组润湿辊相接触，使印版的粒面润湿。然后，一组油墨辊滚过印版，吸水的非图文部分不吸收油墨，而感脂的图文部分却吸收油墨。着墨的图文先印在橡皮布滚筒上，然后转印到绕压印滚筒的纸张表面。

offshore bar　滨外坝　参阅 **sandbar** 沙坝。

O'Flaherty, Liam　奥弗莱厄蒂(1896-08-28，爱尔兰戈尔韦郡阿伦群岛伊尼什莫尔岛～1984-09-07，都柏林)　爱尔兰长篇和短篇小说家。他的作品交织着赤裸裸的自然主义、心理分析、诗情画意和辛辣嘲讽，也充满了对爱尔兰人民的勇敢、坚毅的崇敬。在第一次世界大战中当过兵，后到南美洲、加拿大、美国和中东等地游历，并当过伐木工人、旅馆服务员、矿工、工厂工人、洗盘子工人、银行职员和舱面水手。参加爱尔兰革命活动后，1922 年定居英格兰；20 年代中期返回都柏林。作品有：获得成功的第一部小说《邻居之妻》(1923)；描写一个精神备受折磨的退役士兵跑到遥远的西部小岛去寻找安宁的《阴郁的心》(1924)；叙述一个慌乱的革命者在爱尔兰的"动乱"中背叛了自己朋友的《告密者》(1925)；受到评论界赞誉、讲一个教区牧师和一个教师之间的冲突的《斯凯里特》(1932)；重现 19 世纪 40 年代爱尔兰大饥荒对一个小地方的个人的影响的《饥荒》(1937)；《短篇小说集》(1937)；描写 1916 年爱尔兰复活节起义的《叛乱》(1950)；《小贩的报复及其他故事》(1976)以及另外几部长篇小说和短篇小说集。他的自传《羞煞魔鬼》于 1934 年出版。

Ofonius Tigellinus　奥佛尼乌斯·提格林努斯　参阅 **Tigellinus, Ofonius** 提格林努斯。

og clock　参阅 **ogee clock** S 型曲线时钟。

Ogadai (Mongol ruler)　参阅 **Ögödei** 窝阔台。

Ogaden　欧加登　东埃塞俄比亚的干旱地区。位于索马里-埃塞俄比亚边界和埃塞俄比亚东部高原间的一片贫瘠的平原上。(哈勒尔及德雷达瓦均在此地区)。谢贝利河为此区的主要河流，其他间歇性小河均流入此河。欧加登西南边缘为久巴河的河源。此地区居民稀少，以操索马里语的游牧民为主。他们的祖先于 16 世纪移居该地，取代了原居此地的奥罗莫人。欧加登无大城镇。19 世纪末，埃塞俄比亚和索马里(意大利的保护国)都对欧加登提出主权要求。埃塞俄比亚皇帝门尼里克二世于 1896 年在北方的阿杜瓦打败了意大利军队，然后占领欧加登，使意大利军队在东部受阻。然而边界争执仍然存在。20 世纪 30 年代初期，意大利占领了沃勒沃勒的绿洲，并于 1935 年自索马里对欧加登发动了一次全面入侵。1936 年，包括欧加登在内的整个埃塞俄比亚被意大利占领，成为意属东非的一部分。尽管埃塞俄比亚于 1941 年被自由英、法军队解放，欧加登则直到 1948 年为止，一直由英国管辖。索马里于 1960 年独立后，欧加登的边界冲突和内部动乱重新发生。在穆克塔尔达赫的推动下，西索马里解放阵线采用游击战术反抗埃塞俄比亚的统治。1977 年下半年，在一部分讲索马里语居民的鼓励下，索马里军队侵占了欧加登。1978 年 2 ～ 3 月间，在古巴和苏联的援助下，埃塞俄比亚人赶走了索马里军队，并对欧加登的一些村庄进行轰炸和扫射，以报复村民在索马里军队入侵时的助敌行为。村民们相继逃离。到 20 世纪 80 年代初期，由欧加登逃到索马里的难民已超过 150 万人，其中绝大部分是妇女和儿童。20 世纪 80、90 年代地区不断发生骚乱。如何有效控制欧加登仍然是一个尚未解决的问题。

Ōgaki 大垣 日本本州岐阜县城市。濒临揖斐河。此地在史前时代已有人居住。现在的大垣城市是围绕着1535年建立的城堡发展起来的。明治时代(1868～1912)以后成为纺织和化工业中心。也生产机械,近郊地区生产稻米。大垣公园内有重建的城堡、神社、博物馆和体育馆。人口148 281(1990)。

ogam writing 参阅 **ogham writing** 欧甘文字。

Ogasawara-guntō 参阅 **Bonin Islands** 小笠原群岛。

Ogata Kenzan 尾形乾山(1663,日本京都～1743-06-03,江户[今东京]) 通称权平,别号深省。日本江户时期中叶的陶师和画师,为艺术家尾形光琳之弟。曾用乾山、紫

尾形光琳绘画、尾形乾山制作的方陶盘(17世纪末期至18世纪初期)
美国不列颠百科全书公司供图

翠、陶隐、尚古斋、习静堂等署名。受中国和日本传统教育,且皈依佛教禅宗。27岁开始向陶师仁清学习。1699年,在鸣泷开设陶窑。因经济上的困难,于1712年迁至京都附近的二条另起窑炉,但仍未能摆脱困境;又于1731年移居江户并再建新窑。他在40年的劳作生涯中,生产过大量陶器,包括乐烧(铅釉低温陶器)、一般陶器和瓷器,并运用多种技艺进行装饰,其色绘(彩色画)尤为精美,他所受的中国和日本传统教育在其许多作品中都有所反映。他也作画,在其生命的最后5年里作画尤多。其见于器皿上和绘画上的书法具有独创风格。著名作品有:绘有寿星的六角盘(与其兄光琳合作)、绘有雪松树丛的盘子、《花篮》(水色挂轴)和《八桥》(描绘三河国[现爱知县]一处诱人风光的画作)。

Ogata Kōrin 尾形光琳(约1658,日本京都～1716-07-20,京都) 原名尾形惟富,日本德川幕府时期(1603～1868)的艺术家,被看作日本装饰画"宗达-光悦派"的大师之一。尤以屏风画、漆工艺和纺织品图案驰名。1658年生于一个显贵家庭。其祖父宗柏、其父宗谦皆好艺术。从小即受艺术的熏陶,过着安逸的生活,曾师从山本素轩,山本为狩野派成员。光琳从其师逐渐掌握了中国水墨画和日本传统的土佐派装饰彩绘技法。1697年作专业画家,1701年43岁时获"法桥"(有造诣的艺术家)称号;自此,其作品签名均为"法

尾形光琳绘《红白梅屏风》
美国不列颠百科全书公司供图

桥光琳"。其全部重要作品都是在1697年以后的20年间创作的。最早的名作是一件描绘秋天花草的屏风,这件作品体现出两个最重要的特色:对抽象装饰设计的敏感和对自然的缜密研究。1701年创作的《燕子花屏风》是其早期代表作。1704年移居江户(现东京),其画为富商和一些封建大地主所争购。这时期的主要作品有:一幅描绘四季花卉的手卷、一幅描绘红白杜鹃花的轴卷和两扇浪花屏风。1711年回到京都后,受宗达画风的强烈影响。这一时期的代表作有《红白梅屏风》,这件作品充分显示了他在装饰设计上的天赋及其将自然与抽象色彩相结合的才华。他有许多学生和追随者,最杰出的有19世纪初期画家酒井抱一。

Ogbomosho 奥博莫绍 尼日利亚奥约州城镇。地处约鲁巴高原海拔366米的热带草原和农田区。与奥约、伊洛林、奥绍博和伊科伊通公路。17世纪中叶创建。原为约鲁巴人奥约帝国的边区村落。19世纪初富拉尼人征服奥约,大批奥约难民拥入,逐渐成为约鲁巴人最大居民点之一,1840年后归伊巴丹人。现为全国第三大城镇(仅次于拉各斯和伊巴丹)。居民主要为约鲁巴族农民、商人和工匠。所产薯蓣、木薯、玉米和高粱向南部可可产区销售,亦输出柚木。烟叶供东南93千米处的伊巴丹加工。约鲁巴布和萨尼安绸为该镇特产。妇女从事土法染布。手工艺以早期木刻艺术品和科索鼓闻名。该镇为牲畜转运点和市场,亦有鞋靴和橡胶工业。当地贸易以粮食作物、棕油、可乐果、豆类、水果和棉花为主。奥约-伊洛林公路为城镇的主要公路。中央清真寺的大方塔为显著的标志。有师范学院、工学院和美国浸礼会尼日利亚分会。为地方政府参议会所在地。人口约711 900(1995)。

Ogburn, William Fielding 奥格本(1886-06-29,美国佐治亚巴特勒～1959-04-27,佛罗里达塔拉哈西) 美国社会学家。因利用统计方法研究社会科学问题及提出"文化迟滞"论而闻名。曾任哥伦比亚大学教授(1919～1927)、芝加哥大学教授(1927～1951)以及胡佛总统的美国社会动向调查委员会研究部主任(1930～1933)。奥格本坚持用定量方法阐明社会学说,促使社会学由强调社会哲学及改革计划的研究方式转向发展一门更近于精确的社会现象之科学这个目标上来。他提出"创新"这个术语,即现有文化因素的新组合;主张创新应成为文化发展的基础。一个文化领域的创新,可能需要其他文化领域进行调整,因调整而延误的时间叫作"文化迟滞"。在历史的长河中,这种迟滞往往觉察不到,但是在某一特定时刻,却足以使社会有完全解体的可能。比如工业生产中的一项重要革新,就可能使一个国家的经济、政治、社会哲学等方面出现混乱状况。其后,又会出现新的平衡。其主要著作有《社会变革论》(1922)和与M.F.尼姆科夫合著的《社会学》(1940)。

Ogdai(Mongol ruler) 参阅 **Ögödei** 窝阔台。

Ogden 奥格登 美国犹他州北部城市,韦伯县县城(1852)。在大盐湖东侧,沃萨奇岭以西,韦伯河与奥格登河交汇处。1844年前后建居民点。初名布朗斯维尔,1850年规划,称现名。1851年设市。1869年联合太平洋铁路落成后成为山区农产品转运中心。运输、所得税分理业、轻工业和航空工业为经济支柱。设有州立韦伯学院(1889)和勃朗宁军械馆。市东奥格登山东坡为斯诺贝辛冬季运动区。附近的本·罗蒙德峰是派拉蒙电影公司的标识的原型。人口:市约77 226;盐湖城-奥格登都会统计区约1 333 914(2000)。

Ogden, C(harles) K(ay) 奥格登(1889-06-01,英格兰兰开夏郡弗利特伍德～1957-03-20,伦敦) 英国作家、语言学家和**基本英语**(**Basic English**)的创始人。基本英语是英语的简化体系,意图用之作为国际交往的统一的规范化的工具。1912年创办学术周刊《剑桥杂志》,哈代、萧伯纳、威尔斯等著名文学家都曾为它撰稿。1919年将周刊改为季刊,并且与文学家理查兹合作发表有关语言理论《意义之意义》(1923)一书的初稿。该书试图以现代心理学研究成果,说明词义的语言学问题。有关定义一章即含有基本英语萌芽,到1928年才定型。继《基本词汇》(1930)和《基本英语》(1930)之后,曾出版《基本英语体系》(1934)。他对基本英语发展情况的关注一直持续到1943年,那时丘吉尔在罗斯福支持下指派一个委员会研究基本英语的推广情况。奥格登的成就曾对语言学习的某些概念产生影响,至今仍属有益。

Ogden, Peter Skene **奥格登**（1794，魁北克～1854-09-27，俄勒冈地区俄勒冈市） 加拿大毛皮商和美国西部重要探险家，是从北到南穿越西部山区的第一人。父母是美国亲

美国不列颠百科全书公司供图

英分子，独立战争期间逃亡至加拿大。他早年入西北公司从事毛皮商业的冒险生活，以顽强和凶狠出名。西北公司于1821年与哈得孙湾公司合并，他继续在公司工作，每年带商队远征，与印第安人打交道。1825年他到达犹他州的奥格登河（以他的名字命名），1826～1827年进入俄勒冈州南部和加利福尼亚州东北部，1828年发现内华达州北部的洪堡河，1829年勘察内华达山脉东坡，见到卡森湖和欧文斯湖。1831～1844年负责不列颠哥伦比亚地区的贸易，1845年起任哈得孙湾公司哥伦比亚部主任。在1847年发生的印第安人屠杀传教士M.惠特曼及白人的事件中，他因救援幸存者而受到感念。他会讲几种印第安语，两次与印第安妇女结婚，并生有子女。他一直是英国臣民。著有《美洲印第安人生活和性格的特点》（1853）。

Ogdensburg **奥格登斯堡** 美国纽约州北部圣劳伦斯县港市，濒临圣劳伦斯河。在奥斯威加特河口，有奥格登斯堡-普雷斯科特国际桥梁（1960）同加拿大的安大略省相连。1749年始有居民，1817年设村，1868年设市。市内的雷明顿艺术博物馆藏有雕塑家F.雷明顿作品。1890年创办圣劳伦斯精神病医疗中心。是石油、天然气及煤炭重要集散地，有多种工业，包括纸制品和木制品制造业及办公器具和生活用品制造业。海关大楼（1809～1810）已正式划定为最老的美国联邦政府建筑物。设有圣母学院（1960）和沃德姆斯霍尔学院（1924）。1940年8月17～18日美国总统罗斯福与加拿大总理M.金在此举行会谈，会后发表《奥格登斯堡宣言》，两国同意在北美大陆防御方面进行合作。人口12 364（2000）。

ogee clock **S形曲线时钟** ogee又作og。19世纪30年代源于美国的时钟。钟壳外形呈S形，由一条向外凸出和一条向里凹进的曲线组成座钟，高约75厘米，钟摆式，用一组齿轮驱动。早期式样使用木齿轮，走30小时。后期式样改用黄铜齿轮，走时延长至8天。

ogham writing **欧甘文字** ogham又拼ogam或ogum。公元4世纪时一种字母文字，用以在石碑上刻写爱尔兰语和皮克特语。根据爱尔兰传说，它也用于刻木记事，不过尚无材料可资证实。形式最简单的欧甘文字由4组笔画或刻痕组成。每组5个字母，每个字母由1～5画构成。这样就有20个字母。字母沿石碑边缘雕刻，常成直行或从右到左。另外，还有一个第五组，由5个符号构成，爱尔兰传统上称之为附加字母，似乎是后来才形成的。关于欧甘文字的起源，仍有争议。有些学者认为它与如尼字母有关，并最后可溯源于埃特鲁斯坎字母；另一些学者则认为它由拉丁字母演变而成。欧甘文字有“h”和“z”，而爱尔兰语没有这种符号，这个事实说明欧甘字母并非真正源出爱尔兰。欧甘铭文很短，通常只有所有格形式的姓和名。这些铭文大概刻于公元4世纪，比其他资料更易说明爱尔兰语的早期情况，故能引起语言学家的兴趣。已知的欧甘铭文超过375条，约有300条是在爱尔兰发现的。在威尔士发现的铭文几乎全部都有拉丁语译音或对应词。

Ogier THE DANE **丹麦人俄吉** 法国中世纪叙事诗武功歌中的一个重要人物。一组叫《敦·德·梅央斯武功歌》的诗叙说了他的故事。该诗专述封建贵族反对查理曼的战争。俄吉原型为查理曼的弟弟卡洛曼的追随者奥恰里乌斯，卡洛曼死后，查理曼于771年侵占了他的王国。虽然在武功歌中的俄吉被说成是丹麦国王高弗莱之子，后来在丹麦民歌中又歌颂为民族英雄。俄吉又是12世纪初期另一武功歌《丹麦骑士俄吉》一诗中的英雄，诗中叙述了他与查理曼和解的事件。后来的《俄吉的童年》又叙说他被安置在查理曼的宫廷里，他的武术受到很高的评价，最后他带领法国人战胜了萨拉森人。关于俄吉的故事在冰岛、卡斯蒂利亚、加泰罗尼亚和意大利诸语言中均存在。

Ogilby, John **奥格尔比**（1600-11，爱丁堡或其附近～1676-09-04，伦敦） 英国印刷师，印制道路地图集的先驱。在他变幻不定的早期生涯中，曾在都柏林建筑一座剧院。他回

美国不列颠百科全书公司供图

到英格兰时贫困潦倒，学习希腊文和拉丁文，翻译维吉尔和荷马的著作出版，后来定居伦敦。1666年的大火灾后，他测量了有争议的伦敦房地产。他以“王室宇宙志专家和地图印刷家”的名义从事印刷工作，出版了许多以印刷和插图精美著称的书籍。1675年出版的《英国主要道路的历史和地理说明》是准备绘制的世界地图册的一部分，是历史上最精确的道路志。

Ogilvy, David M(ackenzie) **奥格尔维**（1911-06-23，英格兰萨里西霍斯利～1999-07-21） 英国广告经理人员，富有创作才能。大萧条期间他毕业于牛津大学，任见习厨师及炉灶推销员，旋参加他兄弟在英国开设的马瑟-克劳瑟广告公司。不久主管账务，并用一年时间在美国学习美国广告术。第二次世界大战期间，他在华盛顿英国情报部工作，一度任英国大使馆二秘。1948年与安德森·休伊特一起组成休伊特-奥格尔维-本森-马瑟公司。

Oglasa（Italy） **奥拉萨** 参阅**Montecristo Island** **蒙泰克里斯托岛**。

Oglesby, Richard (James) **奥格尔斯比**（1824-07-25，美国肯塔基奥尔德姆县～1899-04-24，伊利诺伊埃尔克哈特） 伊利诺伊州州长（1865～1869，1873，1885～1889）、美国参议员（1873～1879）。出身农家。父为肯塔基州议员。1833年成为孤儿，由叔父带至伊利诺伊州迪凯特。1845年获准为律师，开业至墨西哥战争（1846-04～1848-02）爆发。战时在伊利诺伊第四志愿军服役。1849年因淘金热去加利福尼亚。1851年回家重操律师业。1860年当选伊利诺伊州参议员，后辞职参加南北战争，任伊利诺利第八志愿军上校。1862年升少将。1864年当选州长。1869年重操律师业，1872年再次当选州长。后当选美国参议员。1885～1889年他连任3届州长，前所未见。奥格尔斯比镇即以他的姓氏命名。

Oglethorpe, James Edward **奥格尔索普**（1696-12-22，伦敦～1785-06-30或-07-01，英格兰埃塞克斯郡克拉纳姆霍尔） 英国陆军军官、慈善家，北美佐治亚殖民地的创建人。曾

美国不列颠百科全书公司供图

在牛津大学学习。1712年入伍，1717年参加奥地利军队与土耳其人作战。1722年回英格兰后进入议会。1729年主持监狱改革委员会。经过这一段经历，他想在北美建立一个新殖民地，使穷人开始新的生活，并为受迫害的新教徒提供避难的地方。1732年获得佐治亚殖民地的特许状。1733年率首批移民建立萨凡纳。1739年英西战争爆发，他领导保卫殖民地的战斗。1742年击退西班牙军对佐治亚的弗雷德里卡堡的进攻，保障了殖民地的安全。1743年回到英格兰，继续其议员生涯。

Ogmios **奥格米奥斯** 高卢地区凯尔特人崇奉的神灵。相当于罗马人所崇奉的赫拉克

奥格米奥斯浮雕像
美国不列颠百科全书公司供图

勒。其像为老者,肤色黝黑,手执弓箭和大棒。他又司掌辩才,因此又被画成招引许多听众并用链子将众人之耳系在他的舌上。

Ogo Highlands(Somalia) **奥戈高原** 参阅 **Galgodon Highlands** 加尔戈东高原。

Ögödei **窝阔台**(1186～1241) 又拼作Ogadai,Ogdai 或 Ugedei。大蒙古国第二代大汗。又称合罕皇帝。成吉思汗第三子。成吉思汗生前因长子术赤与次子察合台争夺汗位

中国大百科全书出版社供图

继承权,为避免内乱定窝阔台为继承人。1227年成吉思汗去世,暂由幼子拖雷监国。1229年窝阔台经蒙古王公贵族库利尔台大会(选汗大会)推举为蒙古大汗(在位13年,1229～1241)。次年领导攻灭金的战争,后又进攻南宋。1235年遣拔都(术赤之子,钦察汗国创立者)西征,攻取伏尔加河以西地区,直至波兰、匈牙利等地,欧洲为之震动。在位任用耶律楚材,采用汉法,制定赋税制度,遍设驿站,在蒙古高原营建哈剌和林城(遗址在今蒙古人民共和国额尔德尼召附近)。喜游猎饮酒。1241年在游猎中因饮酒过度暴死。后追上庙号为太宗。

Ogoja **奥戈贾** 尼日利亚克罗斯河州城镇。薯蓣、木薯、玉米、稻米、棕油、棕仁和可乐果的主要销售中心。居民多为埃科伊人。为地方政府议会所在地。有师范学院、中学、医院和诊疗所。人口约22 020(1982)。

Ogooué River **奥果韦河** 非洲中西部河流。几乎全在加蓬境内。源出刚果,在夏于山东坡。西北流,穿加蓬入大西洋。长1 200千米,流域面积222 700平方千米。可通航段运输繁忙,主要运输木材。主要支流有恩古涅河和伊温多河等。在恩古涅河和奥果韦河之间耸立着加蓬的主要分水岭夏于山(900米以上)。布拉柴在1875～1883年在上奥果韦河全程航行,1877年找到其源头。

O'Gorman, Juan **奥戈尔曼**(1905-07-06,墨西哥科约阿坎～1982-01-18,墨西哥城) 墨西哥建筑师、壁画家,尤以建筑上的镶嵌壁画著称。1927年毕业于墨西哥国立大学建筑学院。之后即开始按功能主义建筑师科比西埃的国际风格,设计住宅。1932年担任墨西哥城建筑部门的主管及国立工业学院的建筑学

奥戈尔曼设计的墨西哥国立自治大学图书馆及其巨幅镶嵌壁画
美国不列颠百科全书公司供图

教授。他积极从事绘画和壁画,1941年在一公共图书馆作了大幅壁画,描述特拉斯孔印第安部族的历史。1950年设计了墨西哥国立自治大学的图书馆。书库的整个墙面是一巨幅镶嵌壁画,象征性地展示出墨西哥的文化历史。他在墨西哥城的主要作品,还有国立人类学博物馆、飞机场及查普特佩克堡民族历史博物馆等建筑物上的镶嵌画及壁画。他的住宅一部分建在天然岩洞内,与周围火山熔岩十分调和,室内外墙面均为镶嵌饰面。

Ōgosho period(Japanese history) **大御所时代** 参阅 **Bunka-Bunsei period** 文化文政时代。

Ogot, Grace **奥戈特**(1930-05-15,肯尼亚中尼安萨区基苏木附近布泰雷～) 肯尼亚小说家,东非仅有的几位著名女作家之一。20世纪70年代初期,她是由东非出版社出版小说的唯一女性。其短篇小说曾在欧洲和非洲的刊物如《黑歌手》和《过渡》上发表,此外,还出有选集《没有雷声的地方》(1968)。这些作品揭示了卢奥人传统生活和社会的内幕,以及传统文化与殖民地文化及现代文化之间的冲突。小说《上帝应许的地方》(1966)描述了卢奥开拓者在坦桑尼亚和西肯尼亚的生活。她是一位职业护士,同时也是英国广播公司东非部的广播节目撰稿人和播音员。曾在肯尼亚之声电台和电视台工作,并曾任《东非旗帜报》"观点"的专栏作家。短篇小说选集《其他的妇女们》出版于1976年。

OGPU **国家政治保安总局** 苏联早期的政治警察和保安机构,克格勃(KGB)的前身。

O'Grady, Standish James **奥格雷迪**(1846-09-18,爱尔兰科克郡卡斯尔敦～1928-05-18,英格兰汉普郡怀特岛尚克林) 爱尔兰历史小说家和文学史家。所著爱尔兰英雄萨迦的英文版本很受欢迎,因此获"爱尔兰文学复兴之父"的称号。1868年毕业于都柏林三一学院后,通过盖尔语学者E.奥柯里的翻译作品,接触到爱尔兰古代英雄和传奇文学作品后,潜心研究爱尔兰古代习俗。1878年发表《爱尔兰史:英雄时代》,1880年发表《爱尔兰史:库库莱恩和他的同时代人》。1892年出版《芬恩和他的伙伴》,两年后又出版了《库库莱恩的来临》。他还写过几部历史小说,其中最佳者可能是《命运的沼泽》(1893)和《鹰之飞翔》(1897)。他的爱尔兰史诗具有非凡的叙事能力和想象力,对叶芝和19世纪末爱尔兰文学复兴时期的其他作家有深刻影响。

ogre **吃人妖魔** 民间故事和民谣中可怕的吃人巨人。17世纪晚期C.佩罗在其童话集《鹅妈妈的故事》中使用了该词,从此该词便流行开来,出现在许多书中,包括《大拇指汤姆》和《奇幻森林历险记》。书中的女巫便是吃人妖魔。《小红帽》中的狼类似吃人妖魔。神话和英雄文学中吃人的独眼巨人便是吃人妖魔。"吃人妖魔"的概念在文学中的含义更为广泛,常具隐喻性。如诱奸者、控制剥削他人的暴君和独裁者也是吃人妖魔。独裁者往往通过传播战争以及如纳粹政权犯下的种种野蛮行为来屠杀生灵。M.图尔尼埃的小说《吃人妖魔》(1970)中就有一个纳粹吃人妖魔协会。其他现代涉及吃人妖魔的作品有J.谢赛克斯的《吃人妖魔》(1973)和N.克米尔的突尼斯故事集《吃人女妖》(1975)。

ogre-faced spider **怪面蛛** 蜘蛛目怪面蛛科。有一双眼特大,故形似吃人妖魔。广布

准备向猎物掷网的微红怪面蛛(*Dinopis subrufa*)
美国不列颠百科全书公司供图

于热带。怪面蛛属(*Dinopis*)产于美国,携带着一张用以掷向猎物的网。

ogum writing 参阅 **ogham writing** 欧甘文字。

Ogun **奥贡** 尼日利亚西部一州。1976年由前西部州的前阿贝奥库塔省和前伊杰布省组成。面积16 762平方千米。大部地区覆盖着热带雨林,西北部为多树大草原。从溃散中的奥约帝国逃出的埃格巴难民的领袖,在1830年左右在现奥贡州中北部的阿贝奥库塔

建立了一个封邑。奥贡州的大部居民属约鲁巴族的埃格巴人和埃格巴多人。经济以农业为主,产稻米、玉米、木薯、山药、大蕉、香蕉、可可、可乐果、橡胶、棕榈油和棕榈仁、烟草、棉花和木材。矿产有石灰石、白垩、磷酸盐和黏土。工业产品有水泥、罐头食品、泡沫橡胶、颜料、轮胎、地毯、铝制品和塑料制品。首府阿贝奥库塔为重要的商业中心,有公路与铁路通往拉各斯和国内其他各地。吸引旅客的名胜有:奥鲁莫岩石,传说这是早期埃格巴移民避难的场所;埃格巴世袭统治者的住所,以收藏历史文物著名;还有位于阿贝奥库塔的世纪大厅。有几所师范学院。人口2 338 570(1991)。

Ogunde, Hubert 奥贡德(1916,尼日利亚伊杰布奥德附近奥索萨～) 尼日利亚剧作家、演员、剧院经理和音乐家,尼日利亚民间歌剧(以歌舞为主的戏剧)先驱,尼日利亚第一个职业剧团"奥贡德音乐剧团"(1945)的创始人。他常被看作尼日利亚的戏剧之父,寻求唤醒人们对他的国家土著文化的兴趣。奥贡德的第一部民间歌剧《伊甸园》于 1944 年成功地上演。该剧团因在 1945 年全国大罢工期间上演了他为配合形势而创作的《罢工与饥饿》一剧名扬整个尼日利亚。其早期剧作大都攻击殖民主义,而其晚期剧作带有政治主题,探究党派间争斗和尼日利亚政府的腐败问题。最著名的剧作《约鲁巴人,想想吧!》(1964 演出)对西尼日利亚的总理作了极为辛辣的抨击,致使剧团在该地区被禁演,这是独立后尼日利亚实施文艺检查的首例。《真理是痛苦的》(1965 上演)是针对西尼日利亚 1963 年的政治事件而作。其剧作只是写出歌词且只作歌曲的排演,对白都是即兴的,歌中曲调大多采用圣歌曲调。他的剧团无论在尼日利亚边远村庄还是在城市(以及整个西非)演出,均毫无困难。通过这个剧团,他树立了商业性剧团获得成功的榜样,并为仿其先例而成立的剧团在全尼日利亚打下观众基础。

Ogunmola, Kola 奥贡莫拉(1925-11-11,尼日利亚奥凯梅西～ 1973) 尼日利亚话剧演员、哑剧演员、导演兼剧作家。通过其约于 1947 年建立的奥贡莫拉旅行剧团,把约鲁巴民间歌剧改造为一种严肃的戏剧。他被普遍认为是 50 和 60 年代非洲最杰出的演员之一。他对同行奥贡德的技巧作了改进,取消了后者作品中喜剧性的滑稽成分,并写出结构更为紧凑的剧本,这些剧本通常是对社会以及愚蠢行为和社会的缺点进行温和的讽刺,但不加任何评论。代表剧作《爱财》约于 1950 年上演,但他获得的最大声誉却是《棕榈酒酒鬼》(1963 年上演),该剧系根据尼日利亚作家图图奥拉的知名小说改编而成,虽获声誉,但改编本失去了不少原作的本意。《良心》则是一出现实主义的社会讽刺剧,在歌舞方面十分高雅。

Oğuz 乌古思 至少到11世纪居住在中亚和蒙古草原上的突厥诸族的联盟。鄂尔浑碑文(**Orhon inscriptions**)记载的早期突厥族可能是指乌古思。11 世纪末,乌古思的一支塞尔柱人曾控制从阿姆河到波斯湾,从印度河到地中海的一个大帝国。

Ogwr 奥格乌尔 威尔士南部中格拉摩根郡的一个区。1974 年设立。面积 287 平方千米,北起奥格莫尔、加乌及林菲等矿区谷地,南至可耕低地和相当长的海岸线。梅瑟莫尔村附近出土的青铜与铁器时代的文物以及许多诺曼城堡的遗迹,进一步证明该地区的悠久历史。位于奥格莫尔河河谷的奥格莫尔城堡(建于 1116),其石塞是威尔士最早建筑之一。其他有位于布里真德北面的科伊蒂城堡(建于 12 世纪)以及梅瑟莫尔附近的坎德尔斯顿城堡(14 世纪)。尽管在林菲谷地的迈斯泰格城已引进了新兴工业部门,如机械制造、服装及化妆品,但在奥格乌尔区北部的采矿业仍发挥着重要作用。农业仍在南部经济上占有重要地位。区首府布里真德是这一地区发展最迅速的城镇之一,有铁厂、工业区和新建的购物中心。波斯考尔是南威尔士主要的海滨胜地。M4 号高速公路将布里真德与东面的纽波特和西面的斯旺西连接起来。人口约131 500(1984)。

Ogyū Sorai 荻生徂徕(1666-03-21,日本江户～ 1728-02-28,江户) 日本汉学家和儒者。主张以儒家学说统一并整顿法治,推进社会和政治改革。对江户幕府的初代将军、行政改革家德川家康(1543 ～ 1616)极为推崇。

Oh Sadaharu 王贞治(1940-05-20,日本东京～) 日本职业棒球运动员。1959 ～ 1980 年在中央联盟东京读卖巨人队 22 年,保持本垒打纪录。安打 5 次、打点 13 次联盟年度第一,9 次评为最有价值球员。带领巨人队赢得 14 次日本职业棒球锦标赛冠军。他左手击球,创造了所谓"金鸡独立"的击球姿势。在中央联盟有 15 个赛季本垒打第一,整个棒球生涯共击出本垒打 868 支。退役之后,1984 ～ 1988 年任东京读卖巨人队监督。1994 年入选日本棒球名人堂。1995 年起任太平洋联盟福冈大荣鹰队(2005 年改名福冈软体银行鹰队)监督。

Ohain, Hans Pabst von 奥海恩(1911-12-14,德国德绍～ 1998-03-13,美国佛罗里达州墨尔本) 德国第一台实用型喷气发动机设计师。在获格丁根大学博士学位,成为该校物理研究所长 H.冯·玻耳的助手,后经玻耳推荐,于 1936 年进入德国飞机制造商 E.亨克尔的工厂从事秘密研制工作。1937 年做实验台试验,1939 年制成一架可供正式使用的 He178 型喷气飞机。1939 年 8 月 27 日清晨试飞时,奥海恩设计的 HeS3b 型离心式涡轮喷气发动机运转良好,因飞机的起落架发生故障,试飞员未能将飞机加速到设计速度。后来他又研制成 HeS8-A 型发动机,于 1941 年 4 月 2 日试飞。由于德国统帅部主要把希望寄托在火箭上,因而奥海恩设计的发动机在第二次世界大战中很少使用。

Ohara 小原流 20世纪初小原云心创立的日本花道流派,一种在类似碟子的浅花盆中布置自然景物的盛花样式。这种盛花样式在保留 3 层基本结构的同时,表现出"投入"(新鲜和自然)的风格。这一流派的样式逐渐流行,贯穿于 20 世纪,取代了传统的形式主义的立花样式。参阅 **moribana**。

小原流盛花样式:(上)投入样式的秋海棠花、叶与石榴枝;(下)立花样式的睡莲、蝴蝶花与灯心草

美国不列颠百科全书公司供图

O'Hara, Frank 奥哈拉(1926-06-27,巴尔的摩～ 1966-07-25,美国纽约州法尔岛) 美国诗人。他用从城市环境中收集的典型描述了他的个人经历。一生大部分时间对诗和视觉艺术都感兴趣。20 世纪 60 年代任纽约市现代艺术博物馆助理馆长时,把他对现代绘画和雕刻的精辟评论投寄《美术新闻》等刊物,还为他布置的展览编写目录。在此期间,当地剧院演出了他的许多实验独幕话剧;其中包括《试试吧!》(1960),写一个军人返回家园,发现妻子另有新欢。不过,奥哈拉认为自己主要是诗人。他的诗表明,他是纽约诗派的一员。他的作品把引语、街谈巷议、电话号码、商业广告——任何一点他发现有趣的经历都糅合在一起。他讲他经历的事情,而不是企图向读者阐明自己的体验。结果他的作品既有纯粹表现个性的诗,也有生气勃勃、富

有幽默感的篇章。他的第一部诗集是《一个城市的冬天及其他诗》(1952)。《弗兰克·奥哈拉诗集》是作者逝世后于1971年出版的。

O'Hara, John (Henry)　奥哈拉(1905-01-31,美国宾夕法尼亚波茨维尔～1970-04-11,新泽西普林斯顿)　美国长篇和短篇小说家。他的小说可作为一部20世纪20～40年代向上攀升的美国人的社会史。他在宾夕法尼亚州的波茨维尔长大。该地在他的小说中以吉布斯维尔出现,是美国一个典型的小城市。他中学毕业后原计划上耶鲁大学,但父亲逝世后离家。广泛旅行以后,在纽约市当文艺批评家和记者。这段记者经历的影响在他小说客观、非实验性的风格中可以看出。奥哈拉为社会等级、金钱和性对美国人的影响所迷住,他描写好莱坞和百老汇的小说充满了社会组织的势利。他的第一部小说《在萨马拉的约会》(1934)探讨了一个小城市的一个上层阶级居民的崩溃和死亡,受到高度赞扬。1956年因《坦恩·诺思·弗雷德里克》(1955;电影,1958)获全国图书奖。他写下大量的作品,尽管一直毁誉参半,这些作品始终很受欢迎。他的许多畅销小说被搬上舞台和银幕,其中包括《巴特菲尔德8号》(1935;电影,1960)和《在凉台上》(1958;电影,1960)。短篇小说集有《等待冬天》(1966)和《其他小说》(1968)。评论界一致认为,奥哈拉的不朽成就是他用简朴的文笔记录的对话和琐事再现了一个社会时代。

O'Higgins　奥伊金斯　全称奥伊金斯将军区。智利中部一区。东与阿根廷接壤,西濒太平洋。1974年后由卡查波阿尔和科尔查瓜两省组成,面积16 393平方千米,以智利首任总统贝尔纳多·奥伊金斯的姓氏命名。大部人口集中在中央谷地的冲积平原。夏季长且干旱,通过灌溉种植小麦、水稻、豆荚菜、葡萄、大麦、饲料和玉米等作物。高地和安第斯山低坡放牧牛羊。经灌溉的牧场饲养奶牛和肉牛。区首府兰卡瓜(**Rancagua**)和圣费尔南多为贸易中心。有磨粉、碾米、制革业,生产鞋、玻璃和卷烟。采矿业集中在智利第二大产铜区埃尔特尼恩特。有炼铜厂、硫磺矿和沿海盐场。泛美公路和南—北铁路干线贯穿本区。人口约584 989(1982)。

O'Higgins, Bernardo　奥伊金斯(约1776或1778-08-20,拉普拉塔总督辖区智利奇廉～1842-10,秘鲁)　又译沃伊金斯。南美洲革命领袖,智利第一位国家元首(1817～1823),他统率的军队使国家脱离西班牙而独立。12岁去秘鲁利马上中学。4年后去西班牙。17岁时去英格兰深造,在伦敦同各国政治活动家来往。他与另外几个未来的革命领袖参加F.米兰达在伦敦建立的一个秘密的共济会,其成员均致力于拉丁美洲的独立。1799年离开英格兰去西班牙。1801年父亲去世,在奇廉近郊留下一个大种植园。奥伊金斯经营这一种植园,直到1803年。他在1806年成为镇议会议员。1808年拿破仑一世入侵西班牙。西班牙自顾不暇,无力管理各殖民地,西属美洲开始走向民族独立的第一步。1810年9月18日智利人在圣地亚哥建立联合政府。1811年智利建立议会,奥伊金斯任议会议员,在政局动荡中扮演重要角色。1814年西班牙驻秘鲁总督入侵智利,企图重建王权。几个月间,

美洲国家组织供图

奥伊金斯从民兵上校晋升为国防军总司令,后又任康塞普西翁省省长。但因战局不利,他被解除了指挥权。1814年10月智利爱国者在兰卡瓜大败于秘鲁的军队。随后3年,保王党人占领了全国。奥伊金斯翻过安第斯山,进入阿根廷。他用3年时间作收复智利的准备工作。1817年1月他同阿根廷将军何塞·德·圣马丁率安第斯山联军回到智利,2月12日在查卡布科大败西班牙人。智利大部地区收复后,奥伊金斯当选为临时最高执政官。在此后6年内,奥伊金斯对国家的治理总的说来是成功的,他建设海军,并同保王党人进行斗争。然而他的改革措施触怒了保守的教会和贵族。以后他又疏远了商界。奥伊金斯是以战争领袖的威望博得支持的,一旦战争威胁消除,他也失去了支持。1823年1月在反对力量压力下辞职。流亡秘鲁。终身未婚。

O'Higgins, Kevin Christopher　奥希金斯(1892-06-07,爱尔兰莱伊什郡斯特拉德巴利～1927-07-10,都柏林郡布特尔斯顿)　爱尔兰政治家。曾在都柏林大学学院求学。1916年复活节起义后参加新芬民族主义运动,一度入狱。1918年奥希金斯在狱中当选为

美国不列颠百科全书公司供图

议员,次年给地方政府部长W.T.科斯格雷夫当助手。他支持与英国签订的成立爱尔兰自由邦的条约(1921-12-06)。条约签订后的爱尔兰"动乱"期间,他曾试图严厉镇压爱尔兰共和军。1922年任爱尔兰自由邦内政部长和行政委员会副主席。1923年任内政和司法部长。曾参加起草爱尔兰自由邦宪法,并使之在下院通过。曾作为爱尔兰自由邦代表出席国际联盟。在任司法部长时期曾组织国民警卫队,在自由邦与爱尔兰共和军冲突之后采取及时措施恢复秩序。1922～1923年处死77名共和分子,使他树敌过多,在一次去教堂途中被刺身亡。

O'Higgins, Tierra de (Antarctica)　**奥伊金斯领地**　参阅 **Antarctic Peninsula 南极半岛**。

Ohio　俄亥俄　第一个从西北地区分离出来的州,1803年3月1日成为美国第17州。20世纪的俄亥俄州反映出美国从早年的农业时代发展到今天城市化、工业化与人种混合的情况。这里的生活方式具有很大的代表性,常常可以体现整个国家在教育、政治和工业方面的态度、设想和规划。有意义的是俄亥俄州是美国8位总统的出生地或居住地。他们是:哈里森、格兰特、海斯、加菲尔德、哈里森、麦金利、塔夫脱和哈定。

该州的交通便利可能是它发展的关键因素。它位于东部沿海和发展中的中西部之间,没有交通上的天然障碍,从而形成一条东西向的走廊。北滨伊利湖,东邻宾夕法尼亚州,东南和南接西弗吉尼亚州和肯塔基州,西邻印第安纳州,西北靠密歇根州。俄亥俄位于美国老工业地带的中部,靠近原料与劳动力等重要资源所在地,又接近东部、中西部和南部地区的市场。

该州面积44 828平方英里(116 104平方千米),不包括伊利湖3 457平方英里的水面。面积只居美国各州第35位,是阿巴拉契亚山脉以西最小的州之一,但人口几乎居各州之首。俄亥俄州初建时首府在奇利科西和曾斯维尔,最后于1816年迁至位于中部新建的哥伦布。州名取自一条河名,是易洛魁语,意为"大河"。

自然地理及人文地理

土地　俄亥俄州大部分地区的地形、水系、地下水和土壤都是冰川作用的产物,这些因素强烈影响着人类定居和土地利用的形式。

地形　俄亥俄州跨越美国内陆低地地貌区的两个主要亚区:东部为阿巴拉契亚高原,西部为中央低地,这两个亚区几乎各占本州的一半。阿巴拉契亚高原从宾夕法尼亚州和西弗吉尼亚州往西伸入俄亥俄州东部边境,包括从伊利湖附近到俄亥俄河的各县。东北部只是局部受过冰川作用,而东南部则没有冰川地貌。高原各部分的土地被蜿蜒流经陡峻高地的河流切割,许多地方海拔达1 300英尺(395米)。

阿巴拉契亚高原以西是中央低地。东部湖区,或名湖滨平原,沿着伊利湖延伸至西北各县及密歇根州边界,然后不规则地向南方伸展。这些平坦及稍微起伏的土地曾经被水淹没,而西北部托莱多周围的沼泽地在排干积水变成可耕地之前难以拓居。中央平原亦称冰碛平原,往西向密西西比河延伸,包括俄亥俄州的西部和西南部,拥有深厚的土壤。这个地区具有全州地势最高和最低的两点:最高点为甘贝尔山,海拔1 550英尺(472米),在贝尔方丹附近;最低点海拔433英尺(132米),位于辛辛那提附近的迈阿密与俄亥俄两河的汇流点。

俄亥俄州东部俄亥俄河畔明戈章克申的炼钢厂
美国不列颠百科全书公司供图

水系 主要水源是雨水补给的河川、湖泊与水库。过去频繁发生的洪水已被州和联邦修建的水坝和其他保护措施所控制。地下水广泛提供民间需用,但工业和人口中心的水资源有限。在州内中部和中南部冰缘川期前的谷地中储藏有大量地下水。

伊利湖平均深度仅62英尺(18.9米),是五大湖中最浅的,但它又很不平静,有锋面暴风雨经常从加拿大人境咆啸着扫过湖面,使湖岸遭受侵蚀、港口淤积、湖床沉积。湖水浅,加上流域内的人口和工厂集聚,引起严重污染。许多地区都有处理伊利湖问题的规划,因为该湖仍将是许多湖滨城市的主要水源。消灭伊利湖污染的意图开始出现了成功的迹象。鱼类回到了先前不适宜生活的水体,重新流行的垂钓与休憩活动促进了湖滨地带的经济发展。

一条低矮的分水岭把俄亥俄州分隔成两个水系:20%的面积属于注入伊利湖的莫米、凯霍加及其他河流流域,80%的面积属于注入俄亥俄-密西西比河水系的迈阿密河、赛欧托河、马斯金格姆河及其他河流流域。俄亥俄河只有一小段流在州管辖范围内,它的全程已改造成运河与通航河道,马斯金格姆河从曾斯维尔到玛丽埃塔的河段也是如此。全州共有100多个湖泊与水库可提供休憩及工业用水。

土壤 俄亥俄的大部分土壤很适宜农业种植。冰碛平原的土壤主要为肥沃的冰川石灰岩,但湖滨平原最为富饶。中部和东北部的砂岩土壤最适宜做牧场,而东南部侵蚀严重、土层很薄的丘陵地带农业产量很低,只有河流泛滥的低地例外。

气候 该州的气温和美国中北部及东部的气温相似,夏天高温与冬天低温很少分别会达到38 °C和 - 29 °C。开旷的地貌受到来自加拿大的干冷锋面和来自墨西哥湾的暖湿锋面的作用,这些锋面的频繁接触导致州内的大量降水,每年降水量达38英寸(965毫米)左右,包括平均年降雪量28英寸。

动植物 在欧洲人拓居以前,俄亥俄州95%的面积长有高大的阔叶林,现在减到不及25%。冰川作用过后的地区有成片的树林,包括栎、桦、槭、胡桃、椴、山核桃及山毛榉。东南部和中南部被过度滥伐的地方已经重新造林。野生的和家庭栽植的花卉很丰富,但州内早年的三叶草、野黑麦和早熟禾现已消失。

州内已知的350种鸟类中,至少有180种属土生种。在170种鱼中,有鲈、鲑及河鲈。哺乳类动物有60多种,其中有鹿、负鼠、狐、臭鼬、美国土拨鼠和兔子。

住区模式 俄亥俄州虽然有许多城市区,但4/5以上的土地为农田和森林。1910年城市人口首次超过乡村人口,到20世纪末城市人口已占总人口约75%,中心城市以外的各地人口占总人口的一半以上。该州和全国的住区模式一致,即大城市人口向周围郊区移动。哥伦布市的人口增长主要是由于区一级土地的兼并。

全州可划分为地貌、人文与自然资源以及经济特征明显不同的几个地区。

位于西北部的莫米河谷以农业为主,玉米、大豆和小麦,还有猪、奶制品与家禽饲养有重要地位。这里的最大城市莱马是工业和商业中心。伊利湖西南岸的湖滨平原区也拥有平坦富饶的平原,土壤肥沃。大城市托莱多是大湖工业带的一个重要中心,煤炭的主要装卸港,给附近的底特律提供玻璃制品和运输设备,给该地区农场的产品进行加工。

北部和东北部的莱克肖尔和阿普兰兹地区几乎占全州土地的1/5,拥有州内最大的工业集中区和2/3以上的人口。克利夫兰是工业、金融和文化中心。亚克朗是橡胶和聚合物工业中心,也是卡车运输中心。扬斯敦是主要的金属制造和加工基地。坎顿则是专门生产滚珠轴承、银行保险柜和真空吸尘器的地方。

中北部的桑达斯基河谷基本上是农业区,但马里恩、加利恩和比赛勒斯几个小城市有些制造业。州中部赛欧托河谷地绵延起伏的平原则具有多样化的经济基础。其中心城市哥伦布是州政府及包括俄亥俄州立大学在内的许多教育机构所在地,约有一半的劳动力受雇于政府、教育、金融及其他服务行业。

东部的塔斯卡罗瓦斯谷地及南部和东南部的俄亥俄河谷地主要是农村,这两个地区的地形限制了农业生产力。该地区的西南部分小麦、玉米、烟草和猪是主要农产品。采矿和伐木业占东南部国民收入的大部分。石料、制陶、化学制品和金属加工是主要工业。

西南部迈阿密谷地以辛辛那提和代顿为中心,辛辛那提的重要性在于生产机床及其他产品,代顿生产商用机械、计算机和汽车产品。附近的费尔伯恩是赖特-帕特森空军基地所在,是重要的研究中心。

人民 为俄亥俄州奠定基础的人民来自沿海几个较早的州。俄亥俄州和西北地区的第一个白人永久性居民点是玛丽埃塔,由在美国独立战争中作过战的新英格兰人连队于1788年所建立。同年,一群来自新泽西州的人在辛辛那提附近建立一个定居地,以后几年又出现了一些其他村落。在南方,特别在赛欧托与小迈阿密两河之间的弗吉尼亚军事区,有许多来自弗吉尼亚和肯塔基的移民。

1796年，主要来自康涅狄格州的新英格兰人在俄亥俄州东北部首先建立了西部保留地。

许多苏格兰-爱尔兰的新教徒定居者来自大西洋沿岸中部和南方各州。1830年以前，宾夕法尼亚的德国人和瑞士人来到东中部地区，1830年以后的移民直接来自德国和爱尔兰。许多爱尔兰人来俄亥俄州在运河上工作并留在此地，修建铁路时爱尔兰和德国工人就留下来成为永久定居者。排干了西北部黑色沼泽地区的德国人继续留在该处从事农场开发。

1830年后天主教徒从爱尔兰南部迁来，定居于克利夫兰、哥伦布和辛辛那提等城市，到1850年他们在海外出生的移民中的人数仅次于德国人而居第二位。在兰开斯特，来自符腾堡的移民和创建该城的宾夕法尼亚的德国人融合到一起。

在俄亥俄州东北部，坎顿和斯托本维尔是宾夕法尼亚的德国人建立的。德国拓居者也被起伏不平而土壤肥沃的韦恩县所吸引，使该地成了美国最发达的农业县之一。18世纪70年代初，讲德语的摩拉维亚传教士们在J.黑克韦尔德和D.蔡司伯格的率领下来到塔斯卡罗瓦斯谷地给印第安人传授基督教。1817年J.比迈勒在佐阿创建一处试验性的共产主义定居点，并一直维持到1898年。瑞士人定居在塔斯卡罗瓦斯县的多佛及舒格溪周围和门罗县。来自德国和瑞士的阿曼派信徒移民在霍姆斯县建立的定居点现在依然存在。目前俄亥俄州的阿曼门诺派信徒人数比瑞士本国的还多，而该州的老阿曼派社区也是世界上最大的。早在19世纪初，来自大西洋岸中部和南方各州的公谊会教徒就定居到俄亥俄州的东部和西南部地区。

威尔士人早在19世纪初就来到俄亥俄州一些地区开发矿产资源。他们在杰克逊县的人数特别多，在一个长时期内威尔士语一直是该地通行的唯一语言。威尔士吟游诗人的艾斯特福德诗会以及其他的威尔士文化因素和音乐都很繁荣，古老的威尔士歌声一代代地流传下来。在许多社区，威尔士语一直延续到第三代。

1850年，主体民族是苏格兰-爱尔兰人，但德国人和英格兰人也是重要成员。1870年，将近14%的俄亥俄州人和40%的克利夫兰人是在国外出生的。俄亥俄北部早期阶段的新英格兰特性正在变化，每个新群体都创办了自己的报纸、俱乐部、社交生活和教堂。

1880年以后，从东欧和南欧迁来俄亥俄州的移民数量日益增加。至1920年，为数众多的意大利人、波兰人、匈牙利人、俄罗斯人以及其他民族来到了克利夫兰、托莱多、扬斯敦和其他工业城市。从阿巴拉契亚来的南方白人大批到达亚克朗、代顿和辛辛那提。克利夫兰成了俄亥俄州人种最繁杂的城市，1880～1890年从奥地利、荷兰、俄罗斯、匈牙利、葡萄牙、希腊、中国、日本、土耳其及墨西哥新来的人补充了该市在国外出生人口。由于有50多个不同语言和文化背景的群体，该市的文化变得丰富起来了，许多新的天主教堂和东正教堂以及犹太教堂在当地建成。希腊人带来了他们的咖啡馆，斯洛文尼亚人和波兰人带来了他们的会馆。这些民族的后裔们则在该州的社会、经济与政治生活中牢固地建立起自己的地位。

该州不断变化的特点也表现在黑人人口的增长上。1850年全州黑人约有2.5万人，到1870年增至6.3万人以上。大部分黑人住在该州的南部，当地的威尔伯福斯大学是最先创办的永久性黑人教育机构之一。到1980年全州黑人超过了100万人，他们大部分住在城市，占州总人口的10%。全州总人口11 353 140(2000)。

经济 优越的地理位置、丰富的自然资源、肥沃的土壤、价廉的能源以及完善的运输设施，使俄亥俄成为美国工业大州之一。该州边境周围800千米的范围内居住着美国一半以上的人口。煤、石油、天然气、黏土、盐、石灰石、砂岩、页岩和石膏为本地工业提供了部分原料和能源。1/4以上的劳动力受雇于制造业，但自20世纪70年代以来重型基础工业的生产有所下降。该州的农业和矿业生产持续繁荣保证了其经济的平衡与多样化。

采矿 俄亥俄州矿产资源被大量开采，煤矿生产的收入最高，其次是工业用矿产品、天然气和石油。

早在1808年俄亥俄州就发现了煤矿，煤与铁矿石及石灰石一道用于该州东部和中南部纷纷涌现的、最早的铸铁业工厂，后来上米德韦斯特又发现了铁矿石，使该州北部成为重要的钢铁中心。该州东部及东南部各地都发现了可以利用的煤矿资源，大部分煤矿采用露天剥离法开采。控制露天剥离采矿，以及要求修复矿坑的强制法律，缓解了环境污染问题，但城镇居民团体仍在为争取更有效的保护措施而斗争。

石灰石广泛用于建筑业和制造加工业。俄亥俄是砂岩、砂和砾石产量最高的州之一。丰富优质的地表黏土、塑性耐火土、页岩以及一些石膏与泥炭使该州在制陶业方面居于领先地位。该州的盐产量大部分来自州内的大型岩盐矿，其余部分来自卤水。据估计，该州盐储量可供应全国几个世纪的需求。

自1860年起该州就开始生产石油和天然气，但到1900年州内产量下降。20世纪60年代初又发现了新的油气田，石油工业逐渐复苏。现在俄亥俄还必须进口大量石油和天然气。

农业 1850年，俄亥俄州的农业产量居全国第一位，以后继续位居前列。虽然农田面积、农场和农民的数目减少了，但现在州内仍有近2/3的土地是农田。商品化农业或农业在生产经济作物方面的综合经营基本上取代了家庭农场。但使用传统技术的阿曼门诺派信徒以及其他人仍然可以使家庭农场赢利。俄亥俄出产玉米、小麦、燕麦、大豆和饲料干草，水果、饲料、蔬菜以及牲畜和家禽的上市量一直很大。

工业 制造业是俄亥俄州最重要的经济活动，是全州就业人数最多的部门。运输设备、非电动机械、合金制品的企业在就业人数方面是制造业中的最大企业，尽管许多重工业已迁至国内和世界其他地区。钢铁和制陶业仍居重要地位。

运输 该州建州初年的主要运输系统与准州时期一样，都是水路。伊利湖及俄亥俄河为印第安商人、拓荒者和移民提供了东西向的通道，许多河流成为进入该州内地的捷径。建州后不久，运输设施便开始发展，1825～1838年间联邦政府延长了横贯该州的坎伯兰国道。1811年首批轮船出现在俄亥俄河上，19世纪20年代开始开凿运河，工程一直持续了30多年。第一条铁路建于1832年，19世纪50年代修筑了几条横跨该州的东西铁路干线。

该州的交通设施通过公路、铁路、河流、湖泊与航空在运送旅客与货物方面起了重要作用。往返于沿湖各港口的船运通向世界各地，俄亥俄河的运输吨位超过了巴拿马运河。铁路运输里程也是全国最长的。代顿的莱特兄弟奥维尔和威尔伯的飞行试验，导致飞机于1903年在北卡罗莱纳州基蒂霍克首次飞行成功，现在俄亥俄州是试验与商业飞行中心。

行政与社会状况 *政府* 俄亥俄州现行宪法于1851年通过。行政主管部门由州长、副州长、司法部长、州务卿、审计长及财政部长组成，任期4年。州议会包括参众两院，参议院有议员33名，任期4年；众议院有议员99名，任期2年。议会权力广泛，包括制订政策与财政拨款。司法系统包括7名成员组成的最高法院、12个上诉法院、88个县中各自的民事诉讼法院和遗嘱检验法院，以及其他州立法机构可以设立的初级法院。全部法官都由选举产生，任期6年。

除萨米特县享有地方自治权外，每个县的行政当局都带有准自治市的性质，是州政府的职能部门，但在立法上没有自治政府通常具有的权力。大多数较大的市都按照地方自治特许状行使职权，可以选择最适合它们需要的政府形式。以市长-市议会制最普遍，但辛辛那提和其他几个城市则按城市经理-市议会制行使职权。区是俄亥俄州最早的政府形式，现在依然重要，尽管由于区被并入自治市或者新成立的村也承担起区的职能，区的数目正不断减少。

州的法律详细制定了组建和管理政党、进行选举和投票的规定。一般实行两党制，但俄亥俄州也产生过一些小党派的领袖，如N.托马斯，多次作为社会党的总统候选人参加竞选；V.C.伍德哈尔，1872年竞选总统的第一位女性，得到了平权党的支持；J.考克西，1894年率"考克西失业请愿军"从俄亥俄州马西隆出发，赴华盛顿请愿，要求实施多项经济改革。

从一开始，共和党在全州范围的选举中就一直略胜于民主党，在全国的政治事务中两党则势均力敌。虽然俄亥俄的政治生活中不存在世袭制，但辛辛那提的塔夫脱家族可以算是个世袭家族。威廉·霍华德·塔夫脱曾任总统和美国最高法院首席法官，他的父亲在U.S.格兰特总统手下任陆军部长与司法部长，后又转任美国驻俄罗斯与奥匈帝国的公使。他的儿子R.A.塔夫脱1939至1953年任美国参议院议员；他的孙子R.A.塔夫脱(小)1971至1976年也在美国参议院任职。

教育 俄亥俄州公立中小学的管辖权归属州议会，从州内每个众议员选区各选出一名成员所组成的州教育委员会任命一位公共

教育机构的主管,负责领导俄亥俄州教育部。市、县、地方和免税学区是州组织的分支机构。公立学校的管理、行政和筹资(由州和地方税务机关分担)均委托给各个学区。私立和教会学校虽然同样受到与公立学校一样的法律制约,却得不到州的直接支持。

俄亥俄州素称"学校之乡",该州经鉴定合格的学院数量在全国名列前10位。俄亥俄大学于1804年由俄亥俄第一届州议会批准建立,是阿勒格尼山以西地区第一所公立高等学府。1809年成立的迈阿密大学是第二所。俄亥俄州立大学建于1870年,是州政府资助的规模最大的大学。这是一所接受政府赠与地兴办的大学,是重要的授予学位和培养专业人员的中心,也是全国拥有在校本科生最多的大学之一。俄亥俄州有数所州立综合性大学及许多分校、技工学院及社区学院。俄亥俄州许多小的独立学院对该州做出了卓越的贡献,在许多方面对教育进行了改革。创建于1833年的奥伯林学院是美国第一所男女合校的高等学府和最先招收黑人学生的高校之一。安蒂奥克学院(安蒂奥克大学的一部分)建于1852年,是美国最早的实验性文科学院之一,像俄亥俄州其他学府一样,该校实施了革新的教学大纲以促进少数民族学生的进步。

保健与福利 老人和穷人、盲人和残疾人、丧失工作能力者和受扶养的儿童都是该州一些机构的福利活动的受益者,其他州立机构负责监管预防和治疗疾病的计划。全州有6所医学院和一所骨科学院,还有许多设备不错的地区医院。克利夫兰专科医院享有国际声誉。一个青年委员会管理着几个诊断和训练中心、青年卫生队及短训班。该州有关劳工和工业的活动包括有就业与失业服务、工业安全以及工人工资的各种规划。

文化生活 俄亥俄州的早期移民把他们原先住地——新英格兰、美国中部滨大西洋诸州、肯塔基、弗吉尼亚——的特色带到了该州。各种艺术虽未形成明显一致的俄亥俄流派,但所有艺术形式都具有强大活力。

当早期的俄亥俄木屋时代结束时,大多数移民按照他们原先住地的建筑形式进行建设。在弗吉尼亚军事区人们用红砖和石块建起具有联邦南部风格的房屋。在西部保留地和玛丽埃塔地区,仿殖民地时期的和经改进的乔治风格建筑体现出明显的新英格兰影响。后来的发展一般趋向于遵循美国式的建筑风格,其中大多数恢复了早期的欧洲时尚,如希腊式、哥特式及罗马式。

该州出现过不同风格的作家,如W.D.豪威尔斯、A.比尔斯、P.L.邓巴、B.惠特洛克、C.F.布朗、D.R.洛克、S.安德森、L.布罗姆菲尔德和J.瑟伯,其中许多人以他们在俄亥俄的生活为背景进行写作。

克利夫兰管弦乐队属于世界最优秀乐队之一,辛辛那提(一度被认为是美国内陆的音乐中心)的交响乐队也颇具名望。位于克利夫兰和阿克朗之间的繁花音乐中心是一个夏季节日的活动场所。俄亥俄州各学院和大学里的音乐、戏剧、舞蹈和视觉艺术的节目很丰富,他们和社区的戏院与艺术中心一道,成为许多城镇的文化活动中心。克利夫兰市的克利夫兰剧场和希望成为黑人与白人之间文化桥梁的卡拉姆剧场在全国也已久负盛名。坐落在公园里的、以实验法而著名的辛辛那提剧场以及辛辛那提歌剧院是主要的地区性剧团。由州议会于1965年建立的俄亥俄州艺术委员会对社区及艺术组织进行帮助。

克利夫兰艺术博物馆属美国最重要的艺术陈列馆之列,辛辛那提、托莱多、扬斯敦及哥伦布等地的博物馆也拥有重要的收藏品。另外,还有许多历史名胜受到州或地方社会团体的保护,包括印第安人构筑的土墩、古堡与战场遗址,还有修复后的早期居民点、坟墓和家宅,以及来自俄亥俄州的总统及其他领袖人物的纪念馆。

除学院和大学图书馆以及许多领域的专业图书馆外,俄亥俄州还拥有完善的公共图书馆系统。俄亥俄州立图书馆位于哥伦布城,为全州居民服务。乡村地区则以流动图书馆服务为特色。

该州有许多实验室,由专业研究所及工业、教育和政府机构维持。阿克伦是橡胶研究的世界中心,克利夫兰则以照明研究而著名,这些反映出工业的高度集中。哥伦布市的巴特勒纪念研究所是世界上最大的私人研究组织之一。一些联邦中心致力于航空医学、航空航天、原子能、农业及林业的研究。

反映旧大陆起源的有克利夫兰、斯托本维尔、莱马、哥伦布和杰克逊的威尔士艾斯特福德诗会节和日尔曼赛歌节,还有40多个其他民族团体在全州各地节庆上呈献的大众音乐和舞蹈。俄亥俄有国内规模最大的州商品交易会之一,并为此而感到自豪。各县也有自己的年度集市,其他集市则有杰克逊的苹果节、朴次茅斯的河流节、奎克城的俄亥俄山地民俗节和瑟克尔维尔的南瓜节。

娱乐设施有广阔的州立公园和许多自治市的游乐区。凯霍加河流域国家游乐区位于克利夫兰与阿克朗之间。在俄亥俄州娱乐场所中还有公共花园、动物园、洞穴和地下溶洞以及私人经营的娱乐场。

历史

史前时期和殖民地开拓 俄亥俄州曾发现过公元前9000年古代居民的遗迹。后来的阿登纳文化与霍普韦尔文化建造了精心修筑的丧葬及礼仪用的土墩,并制作有精美的手工艺品,但这两种文化约在公元300～400年间便从该地消失了。现在的俄亥俄在17世纪欧洲人首次来到时基本上无人居住。历史上的印第安人村落,如迈阿密、怀恩多特、肖尼、特拉华、明戈和渥太华到18世纪才出现。

英法两国为控制外阿巴拉契亚以西地区的长期争斗以1763年英国的胜利而结束。后来美国在独立战争中获得该地区。根据1783年《巴黎条约》,国会将俄亥俄河以北地区建为西北准州并制订了1785年的法令,该法令建立了有条不紊的住区模式,继而又颁布1787年的西北法令,规定在当地建立一些新州。

建州时期 俄亥俄于1803年建州,是第一个完全从国有土地上建立起来的州。其社会从一开始就是多样化的。1812～1813年该州是战争的战场;O.H.佩里在伊利湖战胜英国舰队有助于扫除印第安人及他们的英国支持者的最后威胁。新开发的运河、公路与铁路网促进了当地人口的增长。到1850年俄亥俄成为美国第3个人口最多的州,居民将近200万,在发展多种农业方面也居领先地位。

经济的增长 俄亥俄州的工业结构建于1850～1880年间,当时该州的制造业产值比农业产值增长了一倍多,一个主要刺激因素是美国南北战争(1861～1865)。俄亥俄在这场战争中支持北方,尽管州内存在着强烈的反战情绪。战后经济继续增长,在东北部及伊利湖周围地区尤为明显。这种增长导致经济与社会发展不协调。1900年以后,克利夫兰、托莱多及其他城市开始进行市政改造,全州各地都制订了计划以减轻工业化带来的问题。1920年两位俄亥俄州人W.G.哈定和J.M.考克斯角逐总统职位,俄亥俄州从此在国家政治生活中一直扮演关键的角色。

俄亥俄州反映了60年代美国普遍存在的种族冲突,当时克利夫兰的主要黑人区霍夫与格伦维尔两地在动乱中死了不少人。1968年C.B.斯托克斯当选克利夫兰市长——美国大城市的第一位黑人市长。1970年5月阿克伦附近的肯特州立大学举行示威集会,国民警卫队前来镇压,杀害了4名学生。

70年代后期,克利夫兰经历了严峻的经济问题,城市债务负担沉重。虽然这些困难已得到解决;但不断变化的国家和全球经济状况继续制约着克利夫兰和俄亥俄州,因此从70年代以来俄亥俄的经济从制造业更多地转向服务业。

Ohio Company 俄亥俄公司 美国殖民史中,英国人和弗吉尼亚人为促进与印第安人的贸易并控制俄亥俄河流域而在1748年成立的一家公司。由于法国也声称对俄亥俄地区拥有主权,俄亥俄公司的活动引起最后一次法国-印第安战争的爆发。

Ohio Gang 俄亥俄帮 美国历史上,W.G.哈定执政时期身居要职而干出丑事的一批政客。为首的H.M.多尔蒂是策划哈定上台的主要人物,后被任命为联邦司法部长。其他成员包括:内政部长A.B.福尔,邮政部长W.H.海斯,退伍军人管理局长C.R.福布斯和司法部官员J.史密斯。1924年哈定去世后不久,国会委员会即开始调查哈定执政时期的贪污腐化行为,结果福布斯被指控并被裁定在任内犯有欺诈、密谋和受贿罪。福尔亦因蒂波特山丑闻和艾尔克山储油丑闻被控后定罪服刑,成为美国历史上第一个被判重罪的联邦政府现职部长。多尔蒂被控合谋非法出售经营酒类的许可证和特许证,后虽获释,仍被C.柯立芝总统强迫辞职。史密斯自杀身亡。

Ohio Idea 俄亥俄倡议 以纸币代替黄金偿付美国南北战争债券的倡议,最初于1867年由《辛辛那提问询报》提出,后由俄亥俄州参议员G.H.彭德尔顿发起提案。俄亥俄倡议是南北战争后主张使用硬币派与提倡软币(绿背纸币)派之间斗争的一部分。支持俄亥俄倡议者均系通货膨胀的可能受害者。该倡议曾列入 1868 年民主党纲领。它在中西部特别受欢迎。然而 U.S.格兰特就任总统后,俄亥俄倡议销声灭迹,1869 年 3 月 18 日《公债法》规定仍须以黄金偿付政府债务。

Ohio River 俄亥俄河 美国中东部主要河流。由阿勒格尼河和莫农加希拉河在匹兹堡汇成。西北流,出宾夕法尼亚州折向西南,至伊利诺伊州的开罗注入密西西比河。全长 1 579千米。为俄亥俄-西弗吉尼亚、俄亥俄-肯塔基、印第安纳-肯塔基、伊利诺伊-肯塔基之边界。流域面积528 100平方千米。为密西西比河最大支流。流速均匀,可通航,从殖民时期开始至今一直为重要商业通道。在历经几次洪灾后,河上建起一系列联邦政府修建的治洪水坝。水深保持 3 米,可供来往船只运送煤、油、钢材和制造品。总落差为 130 米,路易斯维尔附近的一些瀑布有碍航行,已筑起水闸在 4 千米流程上控制落差为 7 米。支流有田纳西、坎伯兰、卡纳瓦、大桑迪、利金、肯塔基、格林、马斯金格姆、迈阿密、瓦巴什和赛欧托河。沿河城市除匹兹堡、开罗外,还有惠灵、路易斯维尔、斯托本维尔、玛丽埃塔、加利波利斯、朴茨茅斯、辛辛那提、麦迪逊、新奥尔巴尼、埃文斯维尔、芒特弗农、帕克斯堡、亨廷顿、阿什兰、卡温顿、欧文斯博勒、帕迪尤卡。

Ōhira Masayoshi 大平正芳(1910-03-12,日本四国香川县丰滨～ 1980-06-12,东京) 日本首相(1978 ～ 1980)。基督徒。生长于贫苦农村。1936年东京商科大学(今一桥大学)

中国大百科全书出版社供图

毕业,在大藏省任职。1952 年被选为众议员,连任 10 届。以善于谈判而驰名。1960 年任内阁官房长官,1962 年在池田内阁中任外务大臣。在田中内阁任外务大臣时期,他为日本与中华人民共和国的关系正常化铺平了道路。1978 年以自民党总裁身份当选为首相,但两年后由于许多自民党员在一次不信任投票中投反对票,遂宣布大选。在竞选运动中突然逝世。

Ohlin, Bertil (Gotthard) 奥林(1899-04-23,瑞典克利潘～ 1979-08-03,沃洛达伦) 瑞典经济学家和政治领袖,以创建贸易动态学的现代理论而知名。1977 年与英国米德共同获诺贝尔经济学奖。15 岁入大学,受教于隆德大学和斯德哥尔摩大学,导师为 E.赫克谢尔。很早就对国际贸易感兴趣,1922 年写成一篇有关贸易原理的论文,深受瑞典经济学者 G.卡塞尔赞赏。曾在牛津、哈佛等大学学习,在哈佛受 F.陶西格和 J.H.威廉斯影响。1924 年在斯德哥尔摩大学得博士学位。次年任哥本哈根大学教授,1930 年继 E.F.赫克谢尔为斯德哥尔摩大学教授。1933 年出版《区际和国际贸易原理》一书,闻名全世界。其中贸易理论导源于赫克谢尔,而奥林加以完善,故称为赫克谢尔-奥林学说。奥林属斯德哥尔摩学派,以 K.魏克赛尔理论为基础阐明宏观经济政策学说和需求总量的重要性,为凯因斯学说开先河。1944 ～ 1967 年任瑞典自由党领袖,1944 ～ 1945 年任瑞典战时政府商业部长。

ohm 欧姆(Ω) 米-千克-秒制中的电阻单位,为纪念 19 世纪德国物理学家 G.S.欧姆而命名。等于 1 伏电势差产生 1 安培电流的线路的电阻(1Ω = 1 V/A);或者当 1 安培电流通过时耗散 1 瓦功率的电阻。*欧姆定律*(**Ohm's law**)指出,电阻等于电势差与电流之比。表达电学量时,欧姆、伏特和安培是世界通用的基本单位。阻抗为交流电的表观电阻;电抗为阻抗的一部分,产生于电容和电感上。阻抗和电抗是与电阻相似的线路特性,也用欧姆来度量。声学欧姆和力学欧姆是类似的单位,有时分别应用于声学系统和力学系统的研究中。

Ohm, Georg Simon 欧姆(1789-03-16,巴伐利亚埃朗根[德国]～ 1854-07-06,慕尼黑) 德国物理学家。发现欧姆定律,说明流过导体的电流与电势差(电压)成正比,与电阻成反比。1817 年任科隆耶稣会学院数学教授。欧姆定律最重要的方面在他的小册子《电路的数学研究》(1827)里作了概括。他的研究工作虽对当时的电流理论和应用起了重大的影响,但却受到冷遇,以致他决定辞去在科隆的职务。1833年接受纽伦堡工业学院的职务。

美国不列颠百科全书公司供图

最后他的著作开始得到重视,1841 年由英国伦敦皇家学会授予科普利奖章。一年后又成为该学会的外籍会员。测量电阻的物理量单位以欧姆的姓氏命名。

ohmmeter 电阻表 测量电阻的电工仪表,测得的电阻值以欧姆(简称欧)为单位。待测电阻可与仪表并联或串联。并联时,仪表耗电随电阻的增大而增大;串联时,仪表耗电随电阻的增大而减小。对于测大电阻的仪表,其刻度通常以兆欧为单位,称作兆欧表。

Ohm's law 欧姆定律 通过实验所发现的电学基本关系,也就是通过各种材料的稳恒电流的大小与材料两端的电势差(即电压)成正比。因此,如果由某种材料所制成的导线两端的电势差 V(单位伏特)增到 3 倍,则电流 I 也增到 3 倍,而其商 V/I 则保持不变。对于一段给定的材料,V/I 称为它的电阻 R,量度单位为欧姆。在电流与电压很大的范围内,只要欧姆定律适用,该材料的电阻就是不变的。欧姆定律可用数学公式表示为 $V/I = R$。当温度一定时,全电路或部分电路的电阻通常为一常数,德国物理学家 G.S.欧姆经过研究于 1827 年确立了这一结论。欧姆定律的其他表述是,导体中的电流等于导体两端的电势差除以该导体的电阻,即 $I = V/R$;或者说导体两端的电势差等于导体中的电流及该导体的电阻的乘积,即 $V = IR$。在电势差(或电压)为常数的电路中,加进一些电阻则电流减小;或者移去一些电阻则电流增加。欧姆定律也可以用电源(如电池组)的电动势 E 来表示电压。例如,$I = E/R$。如果加以修正,欧姆定律也可以应用于交流电路。在交流电路中,电压和电流的关系比直流电路中的复杂。这就是因为电流是变化的,除电阻以外,阻碍电流增加的还有电抗。电阻和电抗的组合作用称为电阻抗 Z。在交流电路中,当等效于电压和电流之比的阻抗是常数时,欧姆定律是适用的。例如,$V/I = Z$。如果作进一步修正,欧姆定律还可以推广应用到磁通势与磁通量之比为常数的*磁路*(**magnetic circuit**)中。

Ohře River 奥赫热河 德语称埃格尔河(Eger River)。易北河支流。源出德国的菲希特尔山脉。向东流,折向东北,在捷克经海布、卡罗维发利、扎泰茨和洛乌尼,在利托梅日采对面注入易北河。全长 316 千米,支流有南岸的泰普拉河、布尔桑卡河和北岸的霍穆托夫河。

Ohrid 奥赫里德 马其顿的城镇。在奥赫里德湖东北岸。为马其顿主要旅游胜地,与

马其顿的旅游胜地奥赫里德镇
美国不列颠百科全书公司供图

斯科普里通铁路、公路和飞机。经济以农业、渔业和旅游业为主。2世纪为希腊殖民地，518年受地震毁坏后由罗马人重建。名胜有圣索菲亚教堂(带有11～14世纪壁画)、圣克莱门特教堂(1295)、土耳其人所建清真寺、10～11世纪所建要塞的遗迹以及建于10世纪而俯瞰奥赫里德湖的圣瑙姆修道院等。人口:城市区约65 531(1991)。

Ohrid, Lake 奥赫里德湖 在欧洲东南部马其顿与阿尔巴尼亚交界处。面积347平方千米,最深286米,是巴尔干半岛最深湖。同东南的普雷斯帕湖有地下水道相通。以风景和渔业闻名,有数处湖滩。沿岸城镇有名胜古迹。

Oiapoque, Rio (South America) **奥亚波基河** 参阅 **Oyapock River** 奥亚波克河。

oidium 粉孢子 真菌的一类单细胞无性孢子。在低等真菌中,由菌丝体分割而成。或来自粉孢梗。白粉菌科(Erysiphaceae)的无性孢子,担子菌纲的小分生孢子和精子均属之。

oil 油 所有在室温下呈液态且不溶于水的油腻物质的统称,包括不挥发油、精油(essential oil)或矿物油(参阅 **petroleum**)。其中不挥发油的化学组成与脂肪相同,主要由甘油酯(一分子甘油与数分子脂肪酸的反应产物)构成。甘油酯油脂与蛋白质、糖类组成食物的3大类别。这种油除营养上的重要性外,还有种种工业用途。亚麻油、桐油与其他干性油(即高度不饱和油)以及大量的豆油、葵花籽油和红花油用于油漆、清漆与醇酸树脂中。这些油特别适合这种用途,因为它们一接触空气便立刻吸收氧而聚合成薄层保护膜。相当数量的特种油和磺化油用于皮衣与织物制造业。此外,部分甘油酯油类具药用价值,例如,蓖麻油有强泻作用;鱼肝油为维生素A、D的来源;猪油、橄榄油和杏仁油在制药上用作赋形剂;大风子油(含一种特殊脂肪酸,该脂肪酸带有一个环戊烯基环状结构)用于治疗汉森氏病(麻风病)。参阅 **fat**。

oil burner 燃油炉 使用燃料油的加热装置,燃料油在可控制条件下与空气混合而燃烧。大多数燃油炉在压力作用下通过喷嘴将油雾化喷出,再用鼓风机向雾化油供应空气。当喷出的燃油形成锥形喷雾时,通常用电火花点火。油路由热动开关控制。工业燃油炉使用重油,需用机械法使油雾化。

oil cake 油渣饼 各种油料种子榨油后剩余的粗糙残渣,富于蛋白质和矿物质,是有用的禽畜饲料。蓖麻籽、油桐籽等的油渣饼有毒,只能用作肥料,不可当饲料。大豆、花生、亚麻籽、菜籽、棉籽、椰仁、油棕和向日葵的油渣饼可用作饲料。棉籽和花生等一般须在加工前去掉外壳,棉籽油渣饼还须经过加工除去有毒的色素(棉子酚),才能用作非反刍牲畜(如猪)或家禽的饲料。参阅 **cottonseed; linseed; copra**。

Oil City 石油城 美国宾夕法尼亚州西北部韦南戈县城市。南距匹兹堡145千米,位于阿勒格尼河畔、石油河河口处。初建于1860年。1859年在泰特斯维尔钻成世界上第一口油井后,成为石油中心。1862年为自治镇。1871年与韦南戈市合并后设市。石油河油田的原油在这里装运。1860～1870年间经水路运往匹兹堡的石油多达数百万桶。石油生产、提炼及其产品的销售一直为主要行业。附近有天然气田。工业产品有钢、玻璃、金属制品、油漆、燃气发动机和钻井器材等。1962年建立州立克拉里恩学院韦南戈分校。附近有州立森林公园、水坝等。人口约11 504(2000)。

阿勒格尼河与石油河交汇处的石油城
美国不列颠百科全书公司供图

oil-drop experiment (physics) **油滴实验** 参阅 **Millikan oil-drop experiment** 密立根油滴实验。

oil extraction 油分提取 从动物副产物、橄榄和棕榈等多肉果实以及棉籽、芝麻、大豆、花生等油料种子中分离油分。一般采用三种方法:炼制法,应用于动物副产物及含油果实;机械压榨,用于油料种子及坚果;挥发性溶剂萃取,适用于大规模生产,比压榨法的出油率高。最原始的炼油方法是将橄榄等果实堆在太阳下曝晒,收集流出的油。以后改进为将棕榈仁在水中煮沸,撇出浮在表面的油,或将鲸脂切成小块在锅中加热,撇取油分。许多油料种子与坚果先经过研磨,轧片或辊筒压碎,然后用机械分离油分。新式连续螺旋压榨机,压强可高达207兆帕。近代榨油方法,油料种子或坚果经过精选,脱壳,磨成粗粉,压榨前经过或不经预热。冷榨油比热榨油质纯味美。油料种子或坚果榨后残余的油渣饼含油约5%～15%。这种油渣饼以及其他含油量少的油料种子或坚果的粗粉,可以用挥发性溶剂萃取,主要用石油醚(商品己烷或庚烷)。溶剂渗入粗粉将油溶出,最后将溶剂从溶液蒸发掉而得以回收油分。回收的溶剂可以反复使用。

oil gland 油腺 一类皮肤构造,可分泌功能各异的油性或脂性物质。鸟类整理羽毛时,位于尾基背面的尾脂腺分泌油质以涂饰羽毛。哺乳动物的皮脂腺则分泌脂质,作毛发和皮肤的保护剂与润滑剂;某些哺乳动物的臭腺会分泌一种带有特殊气味且常呈油性的物质,以标示领域的界限。在某些植物,从花中特化的腺体分泌出一些挥发油,从而使其花具有芳香气味。参阅 **preen gland**。

oil grass 香茅 早熟禾科香茅属(*Cymbopogon*)40种芳香含油禾草的统称,种植于亚、非热带,并引进热带美洲。多数种类叶片狭长易曲,密生成丛。柠檬香茅(*C. citratus*)含柠檬醛,可由叶蒸馏而得,用于芳香化妆品、

香茅油草(*C. nardus*)
美国不列颠百科全书公司供图

食物调味香料与医药。香茅油草(*C. nardus*)所含栊牛儿醇(香茅油)则用于制造化妆品及驱虫剂。

oil of rose 参阅 **attar of roses** 玫瑰油。

oil of turpentine 松节油 参阅 **turpentine** 松脂。

oil painting 油画 用易于干燥的油料调和磨研过的颜料所作的绘画。油画最易融合色调或色彩,容易取得运线自如和干净利落的效果,可分透明、半透明及不透明等画法。油画笔按大小各号规格分别制成四种固定形状:圆形(尖锋),扁平形,短扁平形(形扁、锋短而缺乏弹性)以及扇形(形扁、锋钝)。油画用的调色刀硬度适中,薄而富有弹性,是调合黏稠状油画颜色的便利工具。标准画布用亚麻布制成,表面涂以石膏粉(gesso)、油或丙烯酸,并绷紧在木框上。通常在完成的油画上

罩以上光油，以保护画面免受大气侵蚀、摩擦和积垢。早在11世纪就有用油作绘画材料的记载，而以油画颜色制作架上绘画则来自15世纪的**蛋彩画**(**tempera painting**)技法。17世纪油画技术大师西班牙画家委拉斯开兹采用威尼斯传统作画，笔法明确而简练；佛兰德斯画家鲁本斯用颜色明暗厚薄并置，这种画法对以后的画家影响甚大。17世纪第三位油画大师荷兰画家伦勃朗笔触流畅、施色薄涂，构图精心、绘画形式严谨，对以后的架上绘画影响很大。一些抽象派画家和部分仍具传统风格的当代画家不满传统的形式和技巧，需要性能更强的稀释或浓化以及迅速干燥的材料。一些艺术家在颜色中调入粗糙颗粒，以创造出新的纹理，而许多人则改用效能更广而且干燥迅速的丙烯颜料。

oil palm　油棕　两种产油的植物的统称。其一是非洲的几内亚油椰(*Elaeis guineensis*)，在原产地西非和中非以及马来西亚和印尼作为油料作物种植，在亚热带许多地方作为

几内亚油棕(*Elaeis guineensis*)
美国不列颠百科全书公司供图

观赏树种植。另一种为美洲油棕(*Corozo oleifera*)原产于中南美，有时被误称为黑果油棕(*Elaeis melanococca*)；早期美洲殖民者可能曾利用其油制蜡烛。在商业上，几内亚油椰较为重要，该树开许多小花，簇生于短枝上，结成一大簇卵形果实。果长4厘米，成熟时黑色，基部红色。加工时蒸其果实肉质外被以破坏其脂解酶，然后加压榨取棕油。因含有胡萝卜素，棕油颜色很深。果仁也可用螺旋压榨机榨取种仁油，其化学成分与果肉所提的油不同。棕油主要用于制肥皂、蜡烛和润滑油等，亦可用于加工马口铁及涂覆铁板。种仁油主要用于制人造黄油、巧克力糖等食品以及药品。种仁油渣是良好的饲料。美洲油棕和几内亚油椰的花、果均相似，因此被一些植物学家划归同一个属。但两者外形差异很大，美洲油棕的树干沿地面匍生，树叶扁平；几内亚油椰树干直立，小叶以不同角度着生。

oil plant　油料植物　可作为油料来源的人工栽培或野生的植物的总称。包括木本植物(如棕榈等)、草本植物(如亚麻等)、甚至某些真菌(如镰刀菌)。植物油主要作食用(在起酥油、人造黄油及色拉油和烹调油中都有大量的植物油)，也可用于肥皂、洗涤剂、涂料和清漆的生产以及其他工业生产。通常植物的种子中含有大量的油脂，有时果肉中也含有油脂，如油橄榄和油棕。种子的含油量在1%～60%以上。这种油为种子发芽提供高能营养物，大量油脂与大量蛋白同时存在。含油种子提油后剩下的渣滓或油渣饼是非常重要的副产品，往往能决定一种油料作物的经济价值。这种渣滓通常是饲养牲畜和家禽的一种高蛋白质精饲料，如果有毒(如蓖麻籽和油桐籽)则作为肥料。绝大多数的重要油料作物，包括油棕、蓖麻和椰子树，都生长在热带和亚热带地区，特别是在西非和中非、印度尼西亚、菲律宾和马来西亚等热带地区。寒带和温带的油料作物主要有大豆、亚麻、向日葵及十字花科植物。大多数油料作物，除薄荷一类草本植物外，都不适合于机械化种植。在所有的油料植物中，油棕的亩产油量最高。有几种油，如棉籽油和玉米油，是其他工业的副产品。即使是从大型装卸粮仓中筛选下来的野草籽中，也能加工榨出油来，特别是野萝卜籽和野芥籽。从有文字记载的时候起，人们便开始从植物中提油点灯、作涂料和用于烹调。在石油时代以前，人们曾用蓖麻油作马车轮轴的润滑油。19世纪，在法国开始用人造黄油代替黄油。到20世纪，世界植物油类的年产量已超过1 000亿磅。20世纪50年代以来，多烯脂肪酸含量高的食用油(如亚油酸)已被普遍采用，尤其是在美国，这已经引起人们对葵花籽油、红花油和玉米油的重视。参阅 **oil extraction**。

Oil Reserves Scandal(U.S.)　**石油保留地丑闻**　参阅 **Teapot Dome Scandal 蒂波特山丑闻**。

Oil Rivers　棕油河　今尼日利亚尼日尔河三角洲一地区，以产棕油得名。1885年英国人在此建立棕油河保护领地。1893年改名尼日尔河岸保护地。1900年并入英国管辖的尼日利亚领地。

oil seal(machinery)　**油封**　参阅 **shaft seal 轴封**。

oil shale　油页岩　含有在受热时能生成相当大量石油的固体有机物的任何一种细粒沉积岩。这种页岩油通常叫合成石油，是一种有潜在价值的化石燃料。油页岩在矿物成分上变化很大。例如，在真正的页岩里，黏土矿物占优势，而另一些矿物(例如白云石和方解石)以虽为次要但相当可观的数量出现于碳酸盐岩中。在所有页岩类型中，组成岩石的矿物层与较暗色的有机质层相交替。这种有机质主要由干酪根组成，干酪根是经细菌作用变化过的植物与动物碎粒的不溶解产物。油页岩产生在一定类型的地质环境中。厚的沉积物一般发现于早先大湖的盆地，特别是构造成因的湖盆。较薄的但延伸广泛的沉积物一般产生在浅海环境。一些油页岩也可以发现于早先的沼泽和潟湖，这些一般与煤层相互伴生。油页岩必须有大量的、足以提供比加工处理岩石所需数量更多能源的干酪根才具有商业价值。如果页岩的干酪根含量按重量是2.5%，那么，它的总发热值将在加工处理过程中耗尽。因此，干酪根含量低于2.5%这个临界值的油页岩不能用作能源。在美国，只有每吨能产42升(每短吨能产10加仑)油的油页岩才能认为是商业级的油页岩。页岩油的生产始于页岩之开采。然后页岩被破碎，送入蒸馏器中，在那里加热到约500 °C。强大的热力破坏干酪根大分子的化学键，使之释放出液态烃和气态烃的小分子，伴随着产生氮、硫和氧的各种化合物。另一种方法是在地下进行蒸馏。页岩在地面以下经过爆破而破碎，然后使之燃烧。岩石放出的烃被抽吸到地表并收集起来。从页岩里采收油，比起生产轻油至中油以及重油来，价格昂贵得多。现行的采油和精炼方法也有严重的缺点。它需要大量的水，这就使得在水特别珍贵的干旱地区成为不可行。此外，在精炼过程中，会产生大量致癌废物；并且，采岩过程本身也造成有害的环境。因此，在其他石油资源近于枯竭以前，可能不会大规模地开发页岩油。很少数国家有油页岩加工厂。爱沙尼亚、中国和巴西有生产数量有限合成原油的精炼设备，而美国政府则在科罗拉多州的帕拉丘特湾设置了一个实验工厂。

oil spill　原油溢漏　石油漏出到大片水面上的现象。海洋原油溢漏是20世纪60年代主要环境污染问题。主要原因为在大陆架加紧开采石油和使用载重量超过50万吨的特大油船。油井出油和油船航行都会发生原油溢漏事故。每年这种事故大小多达数千起，漏出到世界大洋的原油总量超过100万吨。由此造成的经济和生态损失都十分可观。海洋表面的原油对许多种水生生物有害，因为原油会减少透入水中的阳光，还会减少水中氧气的溶解量。此外，原油会使羽毛和鱼鳃失去作用，使鱼和鸟有可能与原油直接接触而死亡。特大油船以及水下油井和油管的事故都可能造成原油大量漏出。而厂矿和个人无意地或由于疏忽而把用过的汽油溶剂和曲轴箱润滑剂倒入海里，也大大加剧了环境污染。加上海底石油的自然渗漏和倒入全世界水道的石油，计每年有390万～660万吨原油漏出。目前尚无完全符合要求的办法清除大量漏出的原油。撇除法只对静水有效，即通过各种装置用物理方法来使油水分离，将油收集到油箱里。另一种方法是使用吸着剂，如稻草、火山灰和聚酯塑料屑片，从水里吸收原油；这种方法的缺点是原油吸着剂用过以后难以处理。原油溢漏直接的环境影响很快就被确认，但对受害地区生态系统的长期影响在近期内尚难确定。

oilbird(*Steatornis caripensis*)　**油鸱**　又作 guácharo。南美洲的夜出鸟类。洞居，食果实，以油棕果为主。从特立尼达、圭亚那分布到玻利维亚。夜鹰目的一个歧异种类，属油鸱科(Steatornithidae)。长约30厘米。尾扇

形。翅长而宽，暗红褐色，有黑色横斑和白色点斑。嘴强壮，末端钩曲，嘴裂宽阔，周围有长须。眼大而黑。在洞中像蝙蝠一样用回声定位法探路。在洞穴中栖息营巢。发声频率在人的听力范围内，发出阵阵急促声音，叫声快得惊人，每秒能多达 250 次，兼有凄厉的叫声，令人毛骨悚然，故西班牙文名称 guácharo，意为嚎哭鸟。夜间飞出觅食，一面盘旋，一面从树上采果。在洞中高处突出部石块上铺设有机物，产 2 ～ 4 枚白色卵。幼鸟在巢中由亲鸟吐食喂养 120 天，直到体重达到成鸟重量的 70% ～ 100%。印第安人将雏鸟熬油，其油无异味，用作烹调和点灯，俗名和学名均由此而来。

oinochoe　酒坛　又拼 oenochoe。古代希腊陶器(**Greek pottery**)的一种酒坛。这种容器带有精巧的弧状把手和三叶形嘴，造型十分

约公元前 450 年曼海姆画匠制作的赤陶人物图案酒坛，上绘 3 位出征的亚马孙人
美国不列颠百科全书公司供图

优雅。这种制品在文艺复兴时期恢复生产。到 18 世纪的新古典主义时期，又再次流行。

Oirat(people)　参阅 **Oyrat** 卫拉特人。

Oise　瓦兹　法国皮卡第大区的省份。位于巴黎北面。由过去的法兰西岛省的一部分和皮卡第的一小部分组成，面积5 860平方千米。由地势起伏平缓的高原和谷地组成，东半部被塞纳河支流瓦兹河分成两部分。省会博韦是一座大教堂城市，在西瓦兹中部濒泰兰河。气候温和，谷地中饲养牛，种植谷物和甜菜，谷地到处盛行商品菜园。还有开采黏土和沙石。工业主要集中在克雷伊和贡比涅附近的瓦兹河谷，有冶金、水泥、玻璃和化工等部门。由于与巴黎交通的改善，轻工业和住房也发展起来。巴黎和里尔之间的高速公路途经此地。法国北部两座最精致的罗马式教堂是在瓦兹省境内的圣勒德塞朗特和莫里昂瓦尔。该省下设博韦、克莱蒙、贡比涅和桑利斯 4 个专区。人口725 603(1990)。

Oise River　瓦兹河　欧洲河流。源出比利时希迈东南的阿登山脉，在伊尔松东北部流入法国，向西南流，经巴黎盆地，在孔夫兰汇入塞纳河，全长 302 千米。途经蒂耶拉什丘陵区，在吉斯下游通过一个平坦的冲积河谷。然后切过法兰西岛(地区)石灰岩台地北部，进入两侧为圣戈班、贡比涅、阿拉泰和尚蒂伊等森林的谷地。在贡比涅附近接纳埃纳河，又在克雷伊汇入泰兰河。是连接塞纳河系通航水道与法国北运河的重要一环。流域面积约 2 万平方千米。

Oisín(legendary warrior)　参阅 **Ossian** 莪相。

Oistrakh, David　奥伊斯特拉赫(1908-09-30，俄罗斯帝国乌克兰敖德萨～1974-10-24，荷兰阿姆斯特丹)　全名 David Fyodorovich Oistrakh。享有世界盛名的苏联小提琴演奏大师，以其卓绝技巧与音色称誉乐坛。5 岁开始学琴。1926 年毕业于敖德萨音乐学院，1933 年首次在莫斯科公演，后在苏联各地和东欧国家举行独奏会。1937 年获伊萨依小提琴比赛第一名。1934 年起在莫斯科音乐学院教授小提琴。1942 年获斯大林奖。他演奏的 20 世纪俄罗斯作品和古典小提琴曲目多被录制成唱片，西欧和美国最早从这些唱片中听到他的演奏。自 1951 年起在欧洲、自 1955 年起在美国广泛巡回演出。

Oistrakh, Igor　奥伊斯特拉赫(1931-04-27，苏联乌克兰敖德萨～　)　全名 Igor Davidovich Oistrakh。俄罗斯小提琴家，以简练的现代派表演而著称。曾从其父、著名小提琴家戴维·奥伊斯特拉赫学琴，就读于莫斯科中央音乐学校，1948 年首次在音乐会演出。后进入莫斯科音乐学院(1949 ～ 1955)，学习期间在匈牙利布达佩斯和波兰波兹南获国际比赛一等奖。1958 年开始在莫斯科音乐学院任教，初为其父助教，1965 年升讲师。奥伊斯特拉赫频繁到欧、美各地演出，偶尔与其父联合举办独奏音乐会，或由他独奏，其父指挥。

Ōita　大分　日本九州岛东北部县。濒临周防滩和丰后水道(太平洋)。内地多山，人口大部集中在沿海小平原上。深深切入的别府湾和圆形的国东半岛为这条长而曲折的海岸线的特色。首府大分市位于别府湾南岸。16 世纪为其鼎盛时期，到德川时期(1603 ～ 1867)逐渐衰落。人口以农民居多，种植粮食和某些经济作物(烟草、芦苇、柑橘)，饲养牲畜。山区多林业，工业(纺织、金属加工、水泥，化工产品)集中在主要沿海城市。在别府湾的别府为日本最有名的温泉疗养地之一。大分市现为内海贸易港口和九州重工业中心之一。围海填造的陆地上有炼油厂和石油化工厂。面积 6 338 平方千米。人口 1 236 924 (1990)。

Ojai　奥哈伊　美国加利福尼亚南部文图拉县的城市。在文图拉市北 19 千米四周环山的奥哈伊山谷中。此地可追溯到西班牙统治时期作为圣布埃纳文图拉传教团的前哨村落(传教团现在文图拉)。1874 年开拓之初，以加利福尼亚的赞助者及《适合于健康、娱乐和居住的加利福尼亚》(1872)一书的作者诺德霍夫的姓氏命名为诺德霍夫。1916 年该社区改名为奥哈伊，以其山谷的称谓命名，并鼓励市民将自己的房屋改建为或保持住西班牙传教团的风格。后来，奥哈伊除吸引了艺术家和手工艺者来居住外，还招引来了鼓吹坐禅、瑜伽修行、通灵论、自然论、占星术、整体论等各种唯灵论者和宗教家。旅行者和度假者则不仅被风景如画的山谷所吸引，还对市内外的大量陶器作坊、古玩店、美术馆、商店和妇女时装用品小商店大感兴趣。每年 4 月举行奥哈伊山谷网球锦标赛，5 月举行音乐节。经典影片《失去的地平线》(1937)的一部分就是在奥哈伊山谷的“香格里拉”拍摄的。人口7 862(2000)。

Ojibwa　奥吉布瓦人　又称奇珀瓦人(Chippewa)。操阿尔冈昆语的印第安人，原住在休伦湖北岸和苏必利尔湖南、北两岸，即从今明尼苏达州至北达科他州特特尔山脉一带。在加拿大境内，奥吉布瓦人住在温尼伯湖以西，名为索尔托人。当首次见于《耶稣会会士关系》(1640)的报道时，奥吉布瓦人只占有圣玛丽斯河附近及密歇根半岛北部，土地相对狭小；但随着皮毛贸易的扩展，他们也向西迁移。他们用从法国人那里得到的火枪攻打苏人、将苏人从米尔湖地区赶走，并且占据了明尼苏达州北部。奥吉布瓦人各部落都分为若干迁徙性家族。秋季各家族分为若干家

奥吉布瓦人首领阿西尼本的两个儿子：查理(左)和他的弟弟
美国不列颠百科全书公司供图

庭，四散于各自的狩猎地带。入夏各家庭聚集起来进入捕鱼地点。少数家族还以种植玉米和采集野稻作为其食物的主要来源。桦树皮广泛用于制造小舟、构建圆顶篷屋和制作器皿。族外婚氏族分布于各家族之间，起相互联系作用，弥补因缺少全部落或全民族首领带来的松散性。家族族长原来并非权力职位，但因与欧洲人进行皮毛交易，地位得到加强，形成男性世袭制。一年一度的大药师会庆祝活动是奥吉布瓦人的主要宗教仪式。大药师会是秘密宗教团体，吸收男女会员。据说成为会员可得到神奇的帮助和被授予某种特权。奥吉布瓦人由于在殖民战争时期远离

战争前线，因此在历史上并不著名。在美国，他们是孑遗土著中最大部族之一。20 世纪后期，约有30 000人(多数是混血血统)住在密歇根州、明尼苏达州、蒙大拿州、北达科他州及威斯康星州的保留地；另有约50 000人住在加拿大的安大略省、马尼托巴省及萨斯喀彻温省的保留地。

Ōjin　应神天皇(活动时期4～5世纪)　原名誉田別命。半传说性的日本第 15 代天皇。据传，他曾巩固天皇权力，实行土地改革，积极促进与朝鲜、中国的文化交流，引进先进的朝鲜纺织技术、中国的儒家学说和汉字的书写体系，从而促使日本文化开始发展起来。他的陵墓在大阪附近的羽曳野市，为日本现存的第二大皇陵，宏伟壮观，具有历史价值。后世奉祀应神为八幡，即武神。

Ojukwu, (Chukwuemeka) Odumegwu　奥朱古(1933-11-04，尼日利亚内维～2011-11-26，英国伦敦)　尼日利亚东部地区军事长官(1966～1967)，尼日利亚内战期间脱离联邦的比夫拉国的首脑(1967～1970)。伊格博(伊博)族一个富商之子。1955 年毕业于牛津大学，返回尼日利亚在政府中任职，两年后参军。1966 年 1 月尼日利亚的文职政府被推翻，奥朱古中校被任命为新的军政府领导下的东部地区的军事长官。但是豪萨族和约鲁巴族的军官担心伊格博族在新政府中占重要地位，发动了一次反政变，戈翁将军任新的国家元首。奥朱古仍任东部地区长官。但反对伊格博族的情绪，特别在北部地区日益强烈，1966 年 9 月北部士兵大规模屠杀伊格博平民。奥朱古建议在尼日利亚建立一个联邦式政府，允许伊格博族和其他几个大族有很大程度的政治自治权。联邦政府 1967 年 1 月同意这一解决办法，但不久又反悔。奥朱古在 1967 年 3～4 月使东部政府的行政及收入与联邦政府分开。最后伊格博人迫使奥朱古在 1967 年 5 月 30 日宣布东部地区为一个独立国家，称比夫拉共和国。联邦军队不久入侵比夫拉，1967 年 7 月爆发内战。比夫拉投降前夕，奥朱古逃往科特迪瓦避难。1982 年返回尼日利亚。1983 年 1 月加入尼日利亚民族党。1993 年加入社会民主党。1993 年、1994～1995 年，两度担任制宪会议成员。2003 年代表新政党进步大联盟竞选总统，但未成功。

Oka-Akoko　奥卡-阿科科　尼日利亚西南部城镇。地处约鲁巴丘陵。在奥沃-伊卡雷公路线上。为当地约鲁巴人的农产品(薯蓣、木薯、玉米、稻米、棕榈油、棕榈仁和秋葵荚)销售中心，亦是可可、棕榈产品、烟草和棉花的集散地。设有中学和公立产科诊所。人口约126 400(1991)。

Oka River　奥卡河　俄罗斯西部河流。伏尔加河右岸最大支流。发源于中俄罗斯高地。向北流经颇狭窄的弯曲峡谷到卡卢加后折向东，流经广阔低地，在下诺夫哥罗德处汇入伏尔加河，长1 500千米，流域面积245 000平方千米。该河的结冰期从 12 月初至翌年 3 月末或 5 月初。

Okada Beisanjin　冈田米山人(1744，大阪～1820-10-15，大阪)　又称彦兵卫。日本画家。出身粮商家庭，喜读书，爱好家藏画册。曾受画家兼音乐家浦上玉堂以及其他艺术家的影响。他熟研中国画册，擅长文人画风格的风景画。笔法粗犷，简练有致。他的作品有独创性，且朴实明快。代表作为《风景画册》。

Okada Keisuke　冈田启介(1868-01-20，日本福井～1952-10-17，东京)　日本海军大将、首相，曾力图节制政府中极端主义的军方势力。1901 年毕业于海军学院。1924 年成为海军大将，任联合舰队司令官。1927 年在田中内阁中任海军大臣，1932 年在斋藤内阁中任海军大臣，1934 年出任首相。在他任首相期间，东京大学教授美浓部达吉提出所谓“天皇机关”说。一些认为天皇神圣的右翼极端主义军人认为他应对美浓部的学说负责，加以谴责。1936 年 2 月 26 日一群青年军官发动政变。他幸免于难，后去职。1937 年成为元老。一直到第二次世界大战后，他仍然是日本政界的头面人物。在日本即将战败的时候，他支持推翻东条内阁而向同盟国求和的活动。

Okada Tamechika　冈田为恭(1823-10-20，日本京都～1864-05-20，大和[今奈良附近])　又作 Reizei Tamechika。原名冷泉为恭，又名晋三或三郎。日本德川(1603～1867)末期画家。对复兴大和绘贡献很大。他临摹古老的大和绘作品，以改进其技巧。在京都朝中为臣，熟悉宫廷生活，以之为重要画题。因常去德川幕府某官邸观赏大和绘，受保皇派怀疑。虽逃离京都，隐姓埋名，削发为僧，后仍遭到杀害。大树寺内的壁画与屏风画是其代表作，显示他在佛教艺术与大和绘方面造诣极高。他还擅长书法，通晓日本古典文学。

Okakura Kakuzō　冈仓觉三(1863-02-14，日本横滨～1913-09-02，赤仓)　笔名天心。日本美术评论家，对现代日本艺术有重大影响。1880 年在东京帝国大学毕业，后结识应日本政府聘请前来讲学的美国美术评论家**芬诺洛萨**(**Fenollosa, Ernest F.**)；芬诺洛萨在东京大学讲学期间，反对明治维新初期的现代化和西方化运动，捍卫日本传统艺术形式。在芬诺洛萨的影响下，他大力呼唤日本人民欣赏自己的文化遗产。1887 年创办东京美术学校，翌年任校长。1898 年因受排挤离校。后在菱田春草和横山大观的协助下创办日本美术院。他常出国旅行。20 世纪初，任波士顿美术博物馆东方美术部长。他热爱传统的日本美术，经常论证东方美术比西方美术优越。所著《东方的理念》(1903)、《日本的觉醒》(1904)、《茶经》(1906)等都以英文写成。

Okamoto Kidō　冈本绮堂(1872-10-15，日本东京～1939-03-01，日本)　本名冈本敬二。日本剧作家和戏剧评论家。一生写有约 200 部歌舞伎历史剧。1908 年在东京每日新闻社工作期间，为演员市川左团次二世及其歌舞伎剧团写了他的第一部剧作《维新前后》。随后继续创作历史剧，均以精确符合历史真实和富有诗意著称。其后期创作的《相马的金先生》等剧，题材均取自日常生活。1937 年成为艺术院的第一位戏剧家成员，此后便被人视作“新歌舞伎”的代表作家。还写有 100 多篇短篇小说和几部长篇小说。

okapi(*Okapia johnstoni*)　**㺢㹢狓**　一种反刍有蹄兽类，与**长颈鹿**(**giraffe**)同归入偶蹄目长颈鹿科。栖息在刚果的雨林中，约在 1900年才始有记载。颈和腿都比长颈鹿短。

㺢㹢狓(*Okapia johnstoni*)
美国不列颠百科全书公司供图

雌性比雄性大，肩高约 1.5 米。毛光滑，深褐色近紫红色；脸的两侧为暗淡的浅红色；臀部、大腿和前腿的上端有水平的黑白斑纹；腿的下部为白色，蹄以上部分有黑色环纹。眼和耳大，舌长且能卷曲。雄兽有短角，除角尖外都有皮肤包裹。胆小，避人，栖于浓密的丛林间，以树叶和果实为食，独栖。已在很多动物园展出，并且成功地在豢养中繁殖。妊娠期约 14～15 个月。

Okāra　奥卡拉　巴基斯坦中东部旁遮普省城市。繁荣的工业和商业中心。位于萨希瓦尔-拉合尔公路和萨希瓦尔东北 39 千米的铁路线上。市内有纺织、针织品、地毯和谷物加工厂、军队乳制品场和牲畜研究中心，还有旁遮普大学的一所管理学院。随着工业的发展已成现代城市，有铺面的道路、小花园和现代化的排水系统。人口153 483(1981)。

Okara, Gabriel(Imomotimi Gbaingbain)　奥卡拉(1921-04-21，尼日利亚布莫代～　)　尼日利亚诗人和小说家。对非洲的根本问题有深刻的认识。其诗作在本国极受欢迎，到 20 世纪 60 年代初期已被译成多种文字。小说《声音》(1964)是一次值得注意的语言试验，他把伊乔语直接译成英语，把伊乔语字句排列法移植于英语，为的是找到一条忠实表达非洲人的观念和比喻形象的途径。奥卡拉离开学校后以装订书籍为业，大体上自学成材。不久即开始为广播电台写剧本和专题节目。1953 年，他的诗《农河的呼唤》在尼日利亚艺术节获奖；至 1960 年，他已被公认为一位有成就的作家。奥卡拉写诗往往从一系列对比出发，使对比中的象征形象排比得工整鲜明。他的诗作最关注的是如何协调诸如生与死这类人生中的两极。那些有代表性的诗总是从日常现实出发，达到片刻的欢娱，然后又回到现实，如此循环。奥卡拉以非洲人的思想观念、宗教民俗以及比喻形象入其诗文。他的写作方法是从他的母语伊乔语到英语，将他所想的尽量表达出来。因此在《声音》中，他的散文在字面上反映着他的母语的习语、音律和词序。《声音》设计了一个使非洲传统文化的力量与西方物质文明力量在其中较量的象征性场面。主人公奥科洛既是个个人，又是个一般意义上的人，他所寻求的瞬息的"它"可以表现许多超然的道德价值观念。小说以悲剧告终，但奥卡拉刻画主人公内心冲突之巧妙实为那些笔下人物大多概念化的其他尼日利亚作家所不及。20 世纪 60 年代很大一部分时间，奥卡拉任在埃努古的东尼日利亚政府机构的新闻官。尼日利亚内战期间任比夫拉新闻官（1967 ～ 1969）。1972 ～ 1980 年，任哈科特港里弗斯州出版社社长。他的诗集《渔人的祈祷》出版于 1978 年，获 1979 年英联邦奖。

Okavango（Namibia） **奥卡万戈** 参阅**Kavango** 卡万戈。

Okavango River 奥卡万戈河 又称库班戈河。非洲南部第 4 长河，全长1 600千米。源出安哥拉中部，上游段称库邦戈河，基本上流向东南，进入博茨瓦纳北部喀拉哈里沙漠地区，在河的尽头形成巨大的内陆三角洲，称为奥卡万戈沼泽。这条河因纳米比亚北部的奥卡万戈人（或称卡万戈人）而得名。苏格兰传教士和探险家利文斯敦是已知的第一位看到此河的欧洲人，他于 1849 年到达此河的三角洲沼泽地带。奥卡万戈河源头库邦戈河发源于海拔1 780千米的比耶高原，在安哥拉维拉诺瓦之南。河水开始南流，然后向东南穿过安哥拉，河道蜿蜒曲折，急流众多。其中游段成为安哥拉与纳米比亚的界河。与其最大支流圭托河汇合后，奥卡万戈河穿过纳米比亚的卡普里维地带进入博茨瓦纳。进入博茨瓦纳后不久，奥卡万戈河开始拓宽河道流向平坦的沼泽地带，这就是该河的终点。博茨瓦纳境内的 113 千米的河段，河道扩张形成三角洲。最宽处约达 240 千米。此三角洲地区面积约16 800平方千米，其中长年沼泽地将近一半，三角洲地区大部分雨季洪水泛滥。沿河河水流量因季节变化、支流汇入、蒸发及河床吸收水分多少而产生巨大变化。奥卡万戈河上游河段穿过森林地区，向南流，越向南两岸林木越稀疏。转向东南后，河流穿行地区则全是稀树草原，即零星散布刺槐树的草地。在奥卡万戈沼泽区，主要有两种植被类型，一是滋生于河床和泛滥平原上的茂密的纸莎草和其他水生植物，另一种是占据三角洲较高地区的小块林地和稀树草原。三角洲中生长茂密的纸莎草不断堵塞河道，从而不断造成河水流向的改变。尽管奥卡万戈河为一片干透的土地带来了河水，其资源却基本上没有得到利用，沿河两岸人烟稀少。河中除可航行小船外基本上不能通航。茨瓦纳（博茨瓦纳）人是奥卡万戈三角洲的主要居民，如何控制舌蝇的问题一直困扰着他们。奥卡万戈沼泽东北角的莫里梅野生生物保护区面积达3 788平方千米，区内有许多动物，如狮、猎豹、野牛、牛羚、河马、斑马、野狗和鳄鱼等。鸟类有鹳、朱鹭、苍鹭、白鹭、鹤和织布鸟，还有许多鸭、雁及鹌鹑。鱼类有欧鳊、狗鱼、河鲃及虎鱼。

Ōkawa 大川 日本九州岛福冈县城市。在筑后川河口。德川时代（1603 ～ 1867）为渔港和农产品及木材的集市。19 世纪中叶引进荷兰的木工和家具制造技术；至 1949 年，木材工业成为该市的主要行业。以后，大川市的木材工业不断现代化和机械化，并使用从菲律宾和阿拉斯加进口的木材进行加工。人口43 341（1995）。

Ōkawa Shūmei 大川周明（1886-12-06，日本山形县～ 1957-12-24，东京） 日本极端民族主义的政治理论家。他的著作激励着 20 世纪 30 年代日本政治的许多右翼极端主义集团。他本人组织并参加许多重大的右翼行动。第二次世界大战期间曾协助制订大量日本政府的国内宣传计划。1911 年在东京大学哲学系毕业。他很早就与著名右翼分子北一辉结识，1919 年两人共同创立犹存社，出版《雄吼》杂志，鼓吹建立国家社会主义政府。犹存社有很多追随者，特别是在军队中影响很大。1924 年与北一辉决裂，另办《日本》杂志，主张成立军人政府，侵占中国东北。1929 年任日本政府新设的东亚经济调查局理事长，并为陆海军学院特聘讲师。1931 年初与一伙青年军官计划接管政府，这次政变虽然夭折，但它是右翼集团反对政府的第一次直接尝试。同年 10 月右翼分子又发动政变，未成。1932 年因参与刺杀犬养毅首相的事件（五·一五事件）被捕，判处 9 年徒刑。1937 年出狱，两年后又回到东亚经济调查局工作。同时领导一项由东京法政大学提出的，在日本人民中培养极端民族主义情绪的特别计划。1945 年作为甲级战犯被捕，但因精神错乱未加审讯，监禁两年后开释。余生从事写作，完成《古兰经》的日译本。

Okaya 冈谷 日本本州长野县城市。在諏访湖西岸。原为小村落。1875 年始建大缫丝厂。第二次世界大战后，原有丝厂转产食品和精密机械（钟、表、照相机等）。人口 62 210（1980）。

Okayama 冈山 日本本州西部县和市。邻接濑户内海。面积（包括岸外岛屿）7 086平方千米。冈山县经济以农业为主。南部种植稻米、葡萄、桃、蔺草（编草席用）、棉花和其他经济作物，耕作技术和机械化程度居国内前列。内地山区落后，经济以林业和养牛为主。制造业集中在冈山、仓敷、玉野等南部城市。县内水岛地区 20 世纪 60 年代发展很快，在围海填造的陆地上建起炼油、汽车、石油化工和钢铁厂。首府冈山市跨旭川，为主要贸易中心，以玉野为外港，铁路交通方便。生产机械、纺织品和橡胶制品。设有冈山大学（1949），其医学院最著名。市内后乐园开辟于 1786 年，为日本最著名公园之一。市东北备前市 8 世纪起即为制陶业中心。人口：市约616 056；县约1 951 159（1995）。

冈山市的古城堡

美国不列颠百科全书公司供图

Okazaki 冈崎 日本本州中部爱知县城市。位于三河平原，濒临矢作河。德川时代（1603 ～ 1867）为东海道上驿镇。1888 年不许东海道铁路通过，开始衰落。直至与名古屋、丰桥开通高速铁路线后才发展起来。现为工业中心，生产纺织品、食品、机械、化工品和金属加工制品。人口约 322 615（1995）。

Okazaki Genshichi 冈崎源七 参阅 **Kaigetsudō Ando** 怀月堂安度。

Okeechobee，Lake 奥基乔比湖 在美国佛罗里达州。全部在本国境内的第三大淡水湖。为史前时期的帕姆利科海的残存部分。东南距西棕榈滩 40 英里（65 千米），在大沼泽地的北缘。长 35 英里，岸线 135 英里，面积 700 平方英里（1 813平方千米）。平均水深 7 英尺，最深处约 15 英尺。奥基乔比湖的湖水主要来自北面的基西米河。每逢雨季湖水向四周泛滥，1881 年起开始治理，但均未成功。1928 年后，州和联邦政府的治洪开发工程动工。1937 年建成一条起自大西洋畔的斯图尔特、穿过奥基乔比湖、经克卢萨哈奇河、注入墨西哥湾的水道（155 英里）。该湖西北岸现仍有塞米诺尔人居住。

O'Keeffe，Georgia 奥基夫（1887-11-15，美国威斯康星森普雷里附近～ 1986-03-06，新墨西哥圣菲） 美国女画家。以描绘大自然的半抽象绘画著名。曾就学于芝加哥艺术学院（1904 ～ 1905）和纽约市艺术学生联合会（1907 ～ 1908）。1924 年开始画大朵的花卉和兽骨。1931 年在魁北克的加斯佩半岛作了许多画，如《白谷仓，一号》（1932）。1929 年访问新墨西哥州，对沙漠的美景印象极深，从此大量描绘沙漠。她的知名佳作出自 20 ～40 年代，但到 80 年代她仍是一位活跃的画家。她晚期的作品常常描绘新墨西哥

奥基夫绘《新墨西哥州阿比丘附近的景致》(1930)
美国不列颠百科全书公司供图

晴朗的天空和沙漠景色。1976 年她的自传出版。

Okefenokee Swamp 奥克弗诺基沼泽 美国佐治亚州东南部、佛罗里达州北部的沼泽和野生动物保护区。为一盘状浅洼地。长 65 千米，宽 40 千米，面积逾1 550平方千米。距大西洋约 80 千米。部分积水向南经萨旺尼河和圣玛丽河泻入大西洋。境内有低沙岭、稀树草原、沼泽间高地和长满灌木丛和树木的阴暗水区，植被茂密，栖息有大量野生动物，包括约 175 种鸟和约 40 种哺乳动物如浣熊、黑熊、白尾鹿、红猫、狐狸等；亦有鳄鱼。1937 年150 319公顷沼泽(几乎全在佐治亚州)辟为奥克弗诺基国家野生动物保护区(总部在韦克罗斯)。沼泽名称源自印第安塞米诺尔语，意为"震动的土地"。

Okeghem, Jean d' (Flemish composer) 参阅 **Ockeghem, Jean d' 欧克赫姆**。

Okehampton 奥克汉普顿 英格兰德文行政、历史郡西德文区的一个镇("堂区")。位于达特穆尔高地石南丛生的荒地北缘。原有一撒克逊人定居点，但在 1066 年诺曼人征服英格兰后被遗弃，现仍存有当时所建的城堡遗迹。爱德华一世(1272 ～ 1307)统治时期成为自治市。现为小型农业服务中心。人口 4 841(1991)。

O'Kelly, Sean T(homas) 奥凯利(1882-08-25，爱尔兰都柏林～ 1966-11-23，都柏林) 爱尔兰语拼作 Sean Thomas O Ceallaigh。爱尔兰民族主义的新芬党早期领袖之一，爱尔兰总统。早年在都柏林国立图书馆工作。1905 年与新芬党主要创始人 A.格里菲思一起当新闻记者。1908 ～ 1910 年任新芬党名誉书记。1915 ～ 1920 年任盖尔人同盟总书记。1916 年因参加反英的复活节起义被监禁一年。1918 ～ 1945 年几次为爱尔兰众议院议员，一度担任议长。1919 年代表爱尔兰共和国出席巴黎和会。后来任驻意大利和驻美国公使。1932 年在 E.德·瓦勒拉政府中任行政委员会副主席和地方政府部长。1945 年继 D.海德之后出任总统，1952 年连任，在第 2 届任期届满(1959)后退出政界。

Okene 奥凯内 尼日利亚夸拉州城镇。初建于附近的小山上，地处乌博河谷。与洛科贾、卡巴、伊卡雷、阿贾奥库塔和安奇通公路。为伊格比拉人农副产品(薯蓣、木薯、玉米、高粱、豆类、花生、棕油、棕仁、棉花)的主要销售中心。为伊格比拉王宫所在地。棉织为传统手工业。当地妇女以用进口丝织绸闻名。附近有铁矿开采业。有公立师范学院和清真寺。周围地区人口稠密，主要为约鲁巴人和伊格比拉人。伊斯兰为主要宗教。人口约 8 298(最新统计)。

Okha 奥卡 印度中西部古吉拉特邦西海岸城市，是伸入卡奇湾与阿拉伯海之间的卡提阿瓦半岛西端的港口。城市有汽车装配厂，西南方 8 千米处的米塔布尔有大型化工厂。渔业和制盐业有重要地位。奥卡是一条铁路线的终点，也有公路联系。人口约13 342 (1991)。

Okhlopkov, Nikolay Pavlovich 奥赫洛普科夫(1900-05-15，俄国西伯利亚伊尔库茨克～ 1967-01-08，莫斯科) 苏联实验性戏剧导演和演出人。早年曾学习美术和音乐。1923年

美国不列颠百科全书公司供图

进入莫斯科迈耶霍尔德剧团当演员。1931 ～ 1936 年任莫斯科现实主义剧院(原为莫斯科艺术剧院排演厅)导演。他最先采用希腊、中国、日本和莎士比亚时代的剧院原理，精心设计了一种位于剧场中央的舞台，常常将观众席位安排在表演场地之内，旨在密切演员与观众的关系。虽然他主要演出政治和无产阶级戏剧以适应苏维埃意识形态，剧院最终还是在 1938 年被政府关闭。他 1938 ～ 1943 年任瓦赫坦戈夫剧院、1943 ～ 1966 年任马雅可夫斯基剧院(1954 年前称为"莫斯科剧院")戏剧演出人。他还摄制并演出了一批电影。

Okhotsk, Sea of 鄂霍茨克海 俄语拉丁字母转写作 Okhotskoye More 或 Ochotskoje More。太平洋西北部的边缘海，大部分为东北亚的不同地形区所围绕。鄂霍茨克海西濒俄罗斯的西伯利亚海岸，南起阿穆尔河口湾，北至品仁纳河口。东以堪察加半岛和千岛群岛为界，南抵日本的北海道，西南至俄罗斯的萨哈林岛。鄂霍茨克海覆盖面积1 583 000平方千米，平均水深 777 米，海水冲刷着日本和俄罗斯两国的海岸。大陆沿岸大部分为高峻岩岸，其间散布着注入该海的地区性大河的河口，诸如阿穆尔河、乌第河、鄂霍塔河、吉日加河及品仁纳河等。海底由北向南和西南倾斜。北部和西北部为深达 200 米的大陆架，而其余地区(约占总面积的 70%)是深 200 ～ 1 500米不等的大陆斜坡。受亚洲大陆极端气候的影响，鄂霍茨克海东北部、北部和西部海域冬季严寒；从 10 月至翌年 4 月，这些海域气温非常低，海水一直封冻。南部和东南部海域靠近太平洋，属比较温和的海洋性气候。北部海域 2 月平均气温为 - 20 °C，8 月为 12°C。南部海域 2 月平均气温为 - 7 °C，8 月为 18 °C。10 月底海水开始封冻，到次年 3 月份冰冻最严重。鄂霍茨克海的海水由大陆排放的水、雨水、从太平洋穿过千岛群岛的无数海峡西流的水，以及从日本海经过拉彼鲁兹(宗谷)海峡北流的水组成。受这些洋流影响，海域东半部的水温较西半部高，海水总流向为反时针方向。从太平洋汇合的海水，特别是在千岛群岛东部和中部之间汇合的海水，在东部的几条支流上形成湍急的急流向北流去；而在西部，从西伯利亚大陆注入的河水则汇入类似的急流中向南流去。温暖季节的鄂霍茨克海水颇为适合海洋生物生长。这里的海生植物有海藻和海草，海生动物有小龙虾、贻贝、蟹、海胆、珊瑚虫以及多种鱼类，其中大麻哈鱼、鲱鱼、绿鳕、比目鱼、鳕、毛鳞鱼、胡瓜鱼以及蟹、褐虾等，经济价值都很高。此外还有鲸、海豹、海狮和海狗等哺乳动物。有定期航运沟通俄罗斯远东各港口。沿岸主要港口有纳加耶夫湾的马加丹和鄂霍茨克。萨哈林岛的科尔萨科夫以及千岛群岛的北库里尔斯克和南库里尔斯克也颇重要。冬季有大块浮冰妨碍航运，夏季有浓雾阻碍交通。

Okhranka 社会安全和秩序保卫局(1881～1917) 俄语缩写名称。革命前俄国秘密警察组织，为打击政治恐怖主义活动和左翼革命活动而建立。其活动的主要方式是向工会、政党及报社渗透。其密探曾成为马克思主义的刊物《开端》(1899)及《真理报》的编辑(1912 ～ 1913)。1905 年革命失败后，该局特别活跃。1917 年二月革命后，该局被临时政府取消。

Okhwangsangje 玉皇大帝 朝鲜普天教(Poch' ŏngyo)所崇奉的神祇。

Okigbo, Christopher 奥基博(1932-08-16，尼日利亚奥乔托～ 1967-08，尼日利亚) 尼日利亚最优秀的诗人之一。1956 年获伊巴丹大学西方古典文学学士学位之后，在尼日利亚大学各校区任教职、图书馆馆长、尼日利亚联邦调查与新闻部长的私人秘书，以及国际性文学期刊《过渡》的西非地区编辑。他在短

暂的一生中出版了3部诗集:《天国之门》(1962)、《极限集》(1964)和《沉默集》(1965)。他的诗歌全集在他去世之后于1971年问世,题为《雷电的迷津》。他十分熟悉伊博人神话、古代希腊与拉丁作家以及T.S.艾略特和E.庞德等现代诗人。他的诗歌高度个性化,富于象征手法,表现了他的体验、对诗人责任的思考及其他主题。他把对自己本族伊博人的风物如森林、动物与河流的形象性描绘,植入自己往往晦涩、富于典故或难懂的作品之中。尽管如此,他的诗歌具有强烈的感染力,并显示了精湛的写作技巧。他的作品至今依然是大多数尼日利亚作家汲取灵感的一个源泉。他曾拒领1966年达喀尔黑人艺术节授予他的一等奖,他认为授奖应根据作品本身的优劣,而不应依据作者是属于某一族群或人种来评定。

Okinawa　冲绳　日本的县。在东海,由琉球群岛(**Ryukyu Islands**)组成,面积2 255平方千米。冲绳岛为琉球群岛中最大的岛屿,长112千米,宽11千米,面积1 176平方千米。明治时代(1868～1912)前期为一兼受日本和中国影响的半独立王国。捕鱼、养牛、榨糖和生产菠萝罐头为目前主要经济活动。岛上种植甘薯、稻米和黄豆,也生产纺织品、米酒、漆器。岸外油井产石油。首府为那霸。冲绳岛为第二次世界大战中的激烈战场。战后曾被美军占领。1972年归还日本,但仍驻有美军。人口约1 273 508(1995)。

Okinawa　冲绳　日本冲绳县城市。在冲绳岛中部。原为农林地区。第二次世界大战后成为美军基地。1975年设市。现有热带植物

冲绳市的东南植物园
美国不列颠百科全书公司供图

园、水族馆、露天游乐场、动物园和冲绳民间艺术博物馆。人口约115 342(1995)。

Okita Saburo　大来佐武郎(1914-11-03,中国大连～1993-02-09,日本东京)　日本经济学家与政府官员。大来推行的发展计划使日本在20世纪60年代不到10年间将国民收入翻了一番。大来自东京大学毕业后,于1937年进入邮政省任工程师。1947年担任经济稳定局研究科科长,1953年出任经济企划厅(EPA)经济合作单位长官,1957年任经济企划厅计划局局长,1962年担任经济企划厅开发局局长。大来在担任这些职务期间,在发展池田勇人内阁(1960～1964)经济计划理论结构中发挥了重要作用,该计划大大加速了日本战后经济的发展。1964年任日本经济研究中心总裁,1973～1979年出任董事长。1979～1980年任外务大臣,其后继续是日本学术界主要发言人之一。他的关于经济计划与发展的著作甚多,其中有《日本经济的未来》(1960)、《经济计划》(1962)、《日本经济的远景》(1968)及《日本与世界经济》(1975)。1987年获不列颠奖。

Oklahoma　俄克拉何马　从该州的土地和人民来说,俄克拉何马是一个对比明显和出人意外的州。地势变化很大,东部与密苏里州和阿肯色州交界处是连绵起伏、森林茂密的群山,而西部则是一直延伸到得克萨斯州和新墨西哥州的无树高位平原。俄克拉何马州的中东部地区主要是由阿肯色河和红河形成的低地,前者从北方的科罗拉多州和堪萨斯州流入,后者几乎形成该州与得克萨斯州的南部分界线。俄克拉何马州过去基本上以农业为主,而且是J.斯坦贝克的著名小说《愤怒的葡萄》中所描写的干旱尘暴区,该州现在则有数百个湖泊和多样化的经济。

Oklahoma一词源出乔克托印第安语的两个词:“okla”(人民)和“humma”(红)。在19世纪期间,这个未来的州是美国历史上最不光彩的一章的象征,由于白人殖民者渴求得到土地的欲望不断增长,它变成了所谓的“印第安准州”,即强迫印第安人定居的区域。但是,自从1907年成为美国第46州以来,俄克拉何马已使当地的印第安人融入了现代经济和社会生活之中,这大概是任何其他州都无法比拟的。该州没有一般意义上的印第安人保留地。虽然不少“未开化的印第安人”可能只拥有一个铺盖卷,但其他的印第安人已经爬到很高的地位。许多人在分享石油资源给该州带来的巨大财富。

俄克拉何马州的面积为181 049平方千米。该州南部(俗称“小南国”)虽然棉花产量下滑,但人们的习惯和态度中仍保留着美国南方腹地的风俗。然而,北方小麦种植者的风俗则反映出他们主要来自堪萨斯。

自然地理和人文地理

土地　在地形、气候和其他特征方面,俄克拉何马都处在一个过渡地带,无论从东向西或从北向南,均由混杂的环境构成。

地形　美国的3个主要自然地理区延伸到或横跨该州。内陆高原在东部;沿海平原在南部,经得克萨斯州伸向墨西哥湾;内陆平原,包括中央低地和大平原,为该州的其余部分。俄克拉何马境内有10个亚区。3个亚区多山,位于南部,即沃希托山、阿巴克尔山和威奇托山,均以地形起伏不平和薄土为特征;主要经济活动是伐木业、放牧、农耕和采矿。东北部的欧扎克高原(大部分在密苏里和阿肯色州境内)地势崎岖,只有一些小块田地,主要用于种植水果和蔬菜。这个高原曾经是铅和锌的重要产地,现有一处切罗基人遗迹和几条美丽的河流,这使俄克拉何马州成为旅游胜地。

砂岩山为一条很宽的山脉,在红河与堪萨斯州边界之间穿过该州的中东部,农业和林业都很落后,但有丰富的石油、天然气和煤矿藏。该地区有几个被遗弃的或者石油开采结束后而奄奄一息的城镇,但塔尔萨是个例外,至今仍很繁荣。俄克拉何马西部的石膏山区人口稀少,主要发展放牧和农耕,北部有大面积小麦产地,南部有一些较小的棉花种植场。

其余4个地区比较平坦,有些地方稍有起伏,为农业生产区。红河平原一度是该州最好的农田,现已改种棉花。由于在小块土地上又种上了花生、瓜类和蔬菜,其农业已呈现多样化。这一地区人口较密,有许多小镇作为贸易中心。大草原平原地区在东北部,比较崎岖的地方主要发展放牧业,河谷布满菜园。油气田到处可见,正如露天采煤一样。这一地区内有一些中型城镇,其中几座建有从事制造业的小工厂。红层地区是最大的区,贯穿该州中部,这里人口密度最大,大多数较大城镇也坐落在该区。石油为该州带来大量收入。虽然该州南部主要种植棉花、北部主要种植小麦,但玉米、西瓜、高粱、苜蓿、蔬菜和家畜也触目皆是。西北部和锅柄状地带的高位平原地区的情况则截然不同。由于海拔最高和湿度最小,东部以小麦和天然气生产为主,西部以放牧为主。

俄克拉何马州的水系,包括阿肯色河、红河及两河的支流,从西北部近1 500米(5 000英尺)的高度向东南部海拔约300英尺的地区呈坡度倾斜。

气候　降水量各地不同,沃希托山每年1 140毫米(45英寸)以上,锅柄状地带则不足20英寸。西部比较干燥,以种植小麦和高粱为主;中部地区花生长势茂盛;东部比较湿润,适合玉米、大豆、蔬菜和浆果生长。在干旱的锅柄状地带,灌溉已使玉米种植获得成功。实际上该州所有地区都有青草生长所需的水分;因此,牧场随处可见。

俄克拉何马州南部的湿润地带与比较寒冷的北方大陆地带、湿润的东部地区和干燥的西部地区融为一体。结果是天气通常美好,年平均温度约15.5 ℃,从西北向东南逐渐升高。该州没有无风地区。当暖气团和冷气团在该州上空相撞时,温度突升突降,该州因而有大雷雨、暴风雪和龙卷风。

动植物　俄克拉何马州是一个动植物的过渡地区。有130多种树生长在当地;东部成片的槭树、枫香树、山胡桃、橡树和松树过渡为白杨、榆树、朴树以及草地的马利兰栎树和星毛栎。干旱地带的植物主要有牧豆树、鼠尾草和仙人掌。动物有鹿、麋、羚羊、兔、郊狼、狼、狐狸、草原犬鼠和美洲野牛。当地产的鱼有鲈鱼、河鲈、鲶鱼和牛鱼。实际上在该州可以见到密西西比河与落基山之间地区普遍存在的每一种鸟。当地还有角蟾蜍、蜥蜴、许多种无毒蛇、响尾蛇和棉口蛇。

住区模式　道路和农场的轮廓一般在景观中呈现出异常对称,显示出最初测量时所作6英里见方地区、1平方英里小区和1/4平方英里小区的区分法。在通常为小规模农耕的地方,小区方块居多,而在主要种植小麦和牧场所在的地方,方块非常大。但是,与全国其他地方一样,该州的城市化也是大势所趋。中部的红层地区发展最为迅速,全州4个最大城市有3个位于该地区,只有塔尔萨例外。

首府俄克拉何马城靠近该州中心附近,是全国较大的城市之一。银行业、保险业、制

造业、贸易和运输，州和联邦政府的机构，以及教育设施已使它成为该州工商业的中心。廷克空军基地在米德韦斯特城附近，是大都会区雇用人数最多的单位。劳顿是锡尔堡军事用地、威奇托野生动物保护区和该地区农业人口的中心。诺曼为俄克拉何马大学和州立精神病医院的所在地，也是靠近俄克拉何马城和米德韦斯特城的一个郊区。塔尔萨原是克里克族印第安人在沙岩山地区的一个村庄，在附近发现石油以前发展缓慢。炼油厂以及制造和销售油田必需品的各种工厂和公司已使该地成为许多石油公司的总部，它还有许多其他的金融和工业功能。伊尼德是万斯空军基地的所在地，并且是一个繁荣的农业社区的集市中心。

人民 俄克拉何马州的印第安人大多数住在该州东部从前的印第安准州。各平原部落仍留在俄克拉何马西部。有一些印第安人住在部落拥有的土地上，非正式地称为"保留地"。该州大多数黑人是五大开化部落（切罗基人、乔克托人、奇克索人、克里克人和塞米诺尔人）的奴隶的后裔，但有些是1865年以后从南部迁移来的，另一些是始于1889年的土地争购期间来的。大多数黑人居住在市区或在该州的南部和东部，有几个城镇的人口全部是黑人。

该州人口还包括许多其他种族和民族的血统。最早声称有权占据这块地方的法国人留下了他们的姓氏和世系，一般与印第安人家庭有连带关系；19世纪70年代的采矿热潮把欧洲人引入了这个"乔克托国"。这些意大利人、斯拉夫人、希腊人、威尔士人、波兰人和俄罗斯人矿工的后代现在依然居住在小南国。土地自由使用制从中国、日本、墨西哥、英国、法国和加拿大招来了分得土地的定居移民，小麦种植的普及把德国门诺派教徒和捷克人吸引到该州西北部。到20世纪80年代，已有相当多的墨西哥人和越南人来到该州。但是，几乎所有的俄克拉何马居民都反映出一种典型的美国中西部文化。

该州的宗教派别足以证明这种趋于一致的倾向。在占大多数的新教徒中，南方浸礼联会和联合卫理公会的势力最大，由此产生的保守主义使俄克拉何马纳入了《圣经》地带。其他主要派别有基督会、神召会、摩门教会和圣公会。全州各地均有天主教和希腊正教的教会，但犹太教会则仅限于各城市。虽然州宪章承认美洲土著教会（使用佩奥特碱药是其祭祀的一部分），但大多数印第安人均已接受某种欧洲宗教的形式。西部诸部落的太阳舞和鬼舞反映出早期的宗教习俗和对白人拓居地的反应。州人口3 450 654（2000）。

经济 俄克拉何马是美国较年轻的州之一，其经济发展不像建州时间比较早和比较富庶的地区那样均衡。该州过去一直过分依赖农业和石油，但州和地方官员吸引新的工业形式的努力已经取得一些成果。

农业 农业一向是俄克拉何马州岁入的一个重要部分，尽管俄克拉何马的农场面积略大于全国的平均值，而每英亩的产值却略低。与全国的趋势一样，平均值可能照旧不变，而单位数量大概会继续下降。在商品农业中，家畜位居首位，其次为小麦、乳制品、花生、棉花以及其他大田作物和一般农产品。

俄克拉何马州中东部奥克马尔吉附近一处小麦田中的石油钻井机

美国不列颠百科全书公司供图

工业 提供食品、原料和燃料的俄克拉何马州仍然有点像是工业发达的美国北部和东部的一个经济附庸。虽然大力推广多种经营，例如运输设备的生产已很重要，该州仍有很长的路要走。全州只有14%左右的工人从事制造业，低于全国平均数。批发和零售业雇用的人数最多，其次是服务业、制造业、运输和公用事业、金融、保险和不动产、采矿和建筑。

俄克拉何马州的矿物产值（包括石油、天然气、液化天然气、煤和石材）居全国前列。具有商业采伐价值的木材主要是针叶树。该州第一座大型商业性纸浆和纸品厂是1970年创立的。长久以来，石油和天然气的生产一直是俄克拉何马经济的主要组成部分。由于石油价格不稳定（如20世纪80年代的波动），石油和天然气的重要性有降低的趋势，并造成普遍的经济萧条，俄克拉何马大批银行倒闭便是例证。

运输 俄克拉何马州引入新兴工业的成绩斐然，其中运输设施的建设起了很大作用。该州有四通八达的公路、高速公路和铁路网。塔尔萨和俄克拉何马城是主要集散地。有几家航空公司向全国大多数城市提供直接客运和货运。错综复杂的管道网将石油产品输往外地，从塔尔萨到墨西哥湾，有一个通过阿肯色河上的水闸和水坝的驳船运输线。

行政与社会状况 *政府* 该州宪法（1907）的整体结构与其他各州的宪法相似，但是俄克拉何马州人加强了立法机构，作法主要是限制州长的任命权和连任的可能性（但后一禁令已于1966年撤销），规定法官由选举产生。通过公众的创制权和复决权来提出立法的权利也是罕见的。州长由选举产生，任期4年。参议员48人，任期4年（但任期相互错开）；众议员101人，任期2年。全州原有75个县，后来又增加两个，通过众议院的选区来代表。宪法中对区和自治市政府也有明文规定，但区的设置已于1913年废除。该宪法经常修正，现仍生效。

自从建州以后，俄克拉何马州人一直拥护民主党人。甚至在该州支持共和党总统候选人时，该党通常也只能希望得到1～2个国会议席，直到1962年共和党才竞选州长成功。俄克拉何马州人有强烈支持第三政党的历史；1914年，社会党人得到52 703张选票；1968年，争取南部各州权利的总统候选人G.华莱士获得20%以上的选票。

政府的一个重大变化是1967年修改了州法院制度，新制度取消了治安法官，规定根据著名的"密苏里法"挑选主要法官。按照此法，法官不是由各政党提名，而是由州长和州律师协会所推举的一个联合委员会提名。州最高法院独享民事案件的上诉审判权，而刑事上诉法院则独享刑事案件的上诉审判权；在这两个法院中，法官均由选举产生，任期6年。上诉法院的法官是由该州的每个国会众议员选区各选举出一名，只审讯最高法院交给的案件，该法院裁定后不得向其他州法院提出上诉。下级法院有24个区法院，法官由超党派的投票选举产生。1966年，区辩护律师取代了县辩护律师。

俄克拉何马州基本上依靠石油、天然气、汽油、个人收入和销售等方面的税收为该州各部门筹措经费来源。财产税主要用于资助县、自治市和学校的需要。1941年以后为防止浪费而制定的一个重大措施是俄克拉何马州的"预算平衡"修正案。据此修正案，立法机构的拨款不准超出上一年度的支出加估计的额外收益。

教育 公立学校由经选举产生的州督学和县督学进行监督，高等教育则由经州长任命的高教评议员协调工作。该州的大学体制往往被认为满足不了州的需求。位于诺曼的俄克拉何马大学（1890创办）和位于斯蒂尔沃特的俄克拉何马州立大学（1890）则是例外。两校均有许多水平较高的研究生部，私立大学的学生人数只约占大学学生总数的1/5。

保健与福利 精神保健部统管设在诺曼、维尼塔和萨普利堡的精神病院。公民服务部和教养部主管社会福利和刑罚事项。虽然对于联邦干预地方社会问题通常持保守态度，但该州仍推行联邦的大多数福利计划。另外，州内有100多个得到承认的福利机构或团体是根据印第安人、黑人、西班牙裔美国人等少数民族的倡议成立的。

文化生活 俄克拉何马州是一个新与旧相互交融的地方。在许多放牧人竞技会、每年的红土节演出或美国印第安人展览会上，可以见到许多牛仔和印第安人。阿纳达科每年都举办展览会，并建有美国印第安城、美国著名印第安人的精英堂和南方平原印第安人博物馆，是一个重要旅游胜地。该市特别吸引人的是不同的印第安人部落的房屋原大的复制品、他们领袖的图片和半身雕像以及他们的手工制品。俄克拉何马大学和设在俄克拉何马城的俄克拉何马历史学会藏有美国西部的历史文物。俄克拉何马城的全国牛仔名人堂和西部传统中心以及西部艺术品及牛仔服装展而著名。克莱尔莫尔威尔·罗杰斯的纪念博物馆以介绍俄克拉何马早期历史和罗杰斯当牛仔和专业演员时的展品为特色。

俄克拉何马州最著名的平面造型艺术家都是印第安人，许多博物馆既展出欧洲大师们的作品，也展出印第安人的作品。石油使该州在国际上影响很大，而那些靠石油致富的人也对画坛艺苑做出了巨大贡献。塔尔萨的托马斯·吉尔克里士美国历史与艺术研究所和菲尔布鲁克艺术中心、巴特尔斯维尔的伍拉洛克博物馆，最初注重的是石油巨商个人的欣赏能力，但现在这些博物馆已与其他美术馆(特别是俄克拉何马城的俄克拉何马艺术中心)合作，展出种类更多的展品。

塔尔萨、劳顿、伊尼德和诺曼均资助交响乐团。每年春天都举行三州音乐节，公立学校的音乐演出使节日气氛达到高潮。几位国际驰名的芭蕾舞女演员都具有俄克拉何马州印第安人血统，其中名气最大的有Y.舒托、R.海托华以及玛丽亚·塔尔奇夫和玛乔丽·塔尔奇夫姊妹。自从边疆时代起，看戏剧就一直是人们的娱乐的方式。各大学和城市团体现在继续提供多种多样的戏剧表演和职业培训。有些城镇每年都上演民间戏剧或露天古装戏，而塔尔萨则以一个在当地小有名气的歌剧团而感到自豪。塔尔萨小剧院50余年如一日，从不间断上演节目。该州在文学创作方面异常活跃，建立了许多作家俱乐部、诗歌协会和民间文学团体。

俄克拉何马州有多种多样的娱乐机会，并积极从其他各州招引游客。从山区到干旱地带均有公园。人们喜爱的自然景观有小撒哈拉休养地、大盐平原州立公园和石英山州立公园。俄克拉何马州并非像某些人想象的那样干旱，它有一个积极的蓄水计划，现在以独木舟泛道、钓鱼比赛和比大西洋海岸更长的岸线而自豪。该州有许多原始种族的纪念活动，还有全国著名的大学足球队、篮球队和摔跤队。

历史

早期聚居地和欧洲人的探险 在比较新的州中，就人类定居而言，俄克拉何马州是最古老的州之一。该州平原丰富的猎物引来了1.5万至1万年前的克洛维斯文化和弗尔萨姆文化的狩猎者。其他人也尾随其后，在公元500～1300年间创造出一个具有精美陶器、纺织品、雕刻和金属器皿的黄金时代。有证据表明当时的贸易和交往十分广泛。在西部平原原始民族发动猛烈进攻之前，这种高度文明显然已不存在了，直至1541年科罗纳多远征时，这一地区的人口包括至少3个主要印第安语族的代表。

科罗纳多声称这块地方归属西班牙，但它只不过变成了为东奔西跑的西班牙探险家准备的一条大道。1714年圣但尼到达俄克拉何马，随后其他一些法国人与印第安人建立了毛皮贸易。法国和西班牙争夺控制权的斗争一直延续到1763年，留下当地土著与西班牙当局对抗，直到1800年法国人又重返回。3年后，通过路易斯安那购地，俄克拉何马归美国所有。

美国的统治 作为此次购地最令人感兴趣的部分之一(由于有贸易机会)，该地区本来可以成为美国最早的几个州之一，但实际上却是在最后才成为美国一州。由于印第安人怀有敌意、西班牙人大搞阴谋、该地区无树平原被错误地认为是美洲沙漠，以及有将印第安人从东部移民定居区迁出的压力，美国国会于1828年决定俄克拉何马为印第安人居住地，要求所有白人撤离。到1880年，已有60多个部落在印第安准州与当地部落汇聚在一起。有些部落安定下来，和和平平从事农耕，而且半欧化了；另一些部落则四处流动和喜欢打仗。印第安准州由5个共和国(或国家)组成，各有固定疆界、成文宪法、法院和其他政府机构，与东部各州近似。最大的差异是在每一共和国中，所有土地都由一个部落共有或独有。由于这些政府在美国南北战争时期原为南部的盟友，它们在重建时期受到军事管制，这是对这些政府形成的第一个主要威胁。

重建条约除其他条款外，还规定将土地让与从前的奴隶，重新安置另外一些其他地方的部落以及铁路的通行权。虽然将自由黑人殖民于俄克拉何马州的方案始终没有实现，但印第安人政府的软弱却促使邻近各州的黑人或白人纷纷侵入。因此，该准州再次变成一个强迫印第安人定居的区域和一个甚至更大的、包括红色人种、白色人种和黑色人种的文化大杂烩。

白人殖民地和建州时期 想赚钱的铁路公司和想致富的白人都垂涎印第安人的土地。到1879年，有组织的团伙(即拥往新兴地区定居的人)，不顾联邦的法律而大批涌入。虽然大部分人都被赶走，但这种压力依旧存在，直到国会开放了印第安准州西部约80万公顷的土地，引起从1889年4月22日正午开始生效的著名的土地自由使用制时为止。这片被称为俄克拉何马准州的新开发地区，后来通过进一步实行土地自由使用制，将原印第安人领地的一半左右包括在内。此后，这一地区的移民(其中许多人被称为"捷足者"，因为他们在政府许可之前便进入了该地区)谋求把两个准州合并，从而取得州的地位。通过把土地分配给各不同部落，剩余的印第安准州即被取消。1907年印第安人参与了批准建州的宪法的活动。

20世纪30年代的干旱年破坏了俄克拉何马州的许多农村地区，迫使成千上万名农民远走他乡寻找其他的生计。但第二次世界大战带来的经济上的繁荣使得经济多样化。多样化的标志主要是石油和天然气工业的发展。在80年代，石油和天然气工业受到挫折。战后时期的主要政治发展是俄克拉何马州的印第安人口力量不断壮大，自信心不断增强。

Oklahoma City 俄克拉何马城 美国俄克拉何马州首府、俄克拉何马县县城。地近州的中心，濒临北卡内丁河，是美国面积最大城市之一(1 550平方千米)。初建于1889年4月22日，1890年5月2日设镇，1923年美国邮政局才启用俄克拉何马之名。渐发展为谷物、牛集散地。1910年定为州首府后加速发展，增设肉类加工厂。批发贸易随铁路线增多而扩大。现为主要交通枢纽，全州牲畜工业主要销售、加工中心，牛、棉花、小麦集散地。俄克拉何马城油田(第1口油井于1928年12月4日出油)产量高，气压大，油井深(1 200～2 100米)。因地处市区，明令限制钻采，油井数(一度曾达1 400口)不断下降。为全国最重要航空中心之一，有廷克空军基地及联邦航空局航空训练中心。制造业极其发达，生产石油产品、飞机、油田机械、电子设备、计算机、钢材等。设有俄克拉何马城市立大学(1904)、俄克拉何马城西南学院(1946)、俄克拉何马基督教学院(1950)、俄克拉何马州立大学技术学院(1961)、俄克拉何马保健科学中心(1900)和俄克拉何马医学研究院。还设有全国牛仔名人堂及西部传统中心(1965)、全国垒球荣誉厅和博物馆、俄克拉何马历史学会博物馆等纪念建筑多所。每年举行规模宏大的商品交易会，牧人竞技表演赛等活动。市内摩天大楼鳞次栉比。20世纪70年代所建的4个街区长的地下通道商家云集，连通市中心区。1995年4月19日，一卡车炸弹在市区的联邦政府工作大楼爆炸，导致168人死亡，500多人受伤，是美国最严重的恐怖主义事件之一。人口：市约506 132；俄克拉何马城都会统计区约1 083 346(2000)。

Oklahoma City bombing 俄克拉何马城爆炸 1995年4月19日在美国俄克拉何马州俄克拉何马城发生的恐怖袭击。当时藏匿在租用卡车上的一个威力巨大的自制炸弹发生爆炸，严重损坏了阿尔弗雷德·默拉联邦大楼。总共死亡168人，包括19名儿童，另有500多人受伤。该建筑后来被夷为平地，在原地建起一个公园。此次爆炸发生在9·11事件之前，一直是美国本土死亡人数最多的恐怖袭击事件。尽管最初错误地怀疑是中东的恐怖主义组织所为，但很快注意力就集中在了T.麦克维(他在爆炸发生不久因违反交通规则被逮捕)及他的朋友T.尼克斯身上。两人均曾在美国陆军服役，并与激进的极右爱国运动有联系。爆炸发生后两天，也就是在麦克维交通违规即将被释放之前，他被指控为犯罪嫌疑人，尼克斯后来主动向警方自首。麦克维被判犯有11项谋杀罪、阴谋罪和使用大规模杀伤性武器的罪名，并于2001年执行死刑，这是自1963年以来在美国因犯有联邦罪而被处死的第一人。尼克斯未被处死，但被判犯有阴谋罪和8项过失杀人罪，处以终身监禁。其他同伙被判犯有知情不报罪，一些观察家认为此次爆炸还涉及到其他人。尽管两人与任何重要政治组织都没有直接联系，但他们的观点具有爱国运动的性质，考虑到此种背景，俄克拉何马城袭击的日期就极为重要了，因为爆炸发生在两个重大的周年纪念日。4月19日标志着爱国者日，即1775年美国人反抗英国在马萨诸塞州列克星敦统治的周年纪念日，以及1993年联邦特工人员突袭得克萨斯州韦科的武装宗教派别的日期。麦克维声称选择俄克拉何马城这栋大楼为目标是为了替死在韦科的70多个人报仇。爆炸发生后，媒体和执法官员开始加紧调查武装的激进组织。到20世纪90年代末，美国民兵组织的成员已经大量减少。

Oklahoma City Zoological Park　俄克拉何马城动物园　建于俄克拉何马州俄克拉何马城的动物园，建立于1904年。在北美洲，展出的犬科动物种类最多，展览形式最好。全国蛇毒抗毒血清组织也以此为基地。占地面积45公顷，动物超过500种，约2 800只，是美国唯一有高山大猩猩的动物园，还有一群稀有的捻角山羊，以及一个金狮狨的繁殖种群。

Okmulgee　奥克马尔吉　美国俄克拉何马州中东部城市、奥克马尔吉县县城(1907)，在塔尔萨之南，北卡内丁河迪普福克支流附近。1907年俄克拉何马州建立前一直是克里克族的首府。1889年始有白人移居该地。1904年发现石油，开始繁荣。1908年设市。现为石油、天然气生产基地和农产品(棉花、山核桃、玉米、牛)贸易中心。还有玻璃和油田设备制造业。市中心有印第安博物馆。设有俄克拉何马州立大学分校。市西有奥克马尔吉湖游览区。人口约13 022(2000)。

okra（*Hibiscus esculentus*, or *Abelmoschus esculentus*）**秋葵**　锦葵科一年生草本植物。原产于东半球热带，已在西半球热带、亚热带广泛栽培或归化。植株被毛。叶心形，

秋葵（*Hibiscus esculentus or Abelmoschus esculentus*）
美国不列颠百科全书公司供图

3～5裂。花黄色，中心绯红。果为蒴果，基部多毛，上部渐尖，有10条棱，除矮生品种外，果实长10～25厘米，内含多粒卵状的深色种子。未成熟的幼嫩果实俗称秋葵荚，可以烹调食用或做腌菜，亦可如芦笋一样加工食用，在美国南部的各种炖菜和秋葵浓汤中作配料，因含有大量黏胶，可用作肉汤和汤菜的增稠剂。秋葵在伊斯坦布尔附近大量栽培。在某些国家用其种子为咖啡的代用品。叶和未成熟果实在东方一直普遍用作止痛的泥罨剂。黄葵(麝香绵葵、麝香秋葵，*Hibiscus abelmoscus*)与秋葵近缘，原产于印度，现在多数温热地区栽培，植株矮，稍木质，果实锥状，长7.5厘米，有5条棱，内含多粒棕色的肾状种子，种子较秋葵小，具麝香味。黄葵又产优质纤维；含黏胶亦多，在印度北部用以澄清糖类。

Okrika　奥克里卡　尼日利亚河流州城镇和港口。临邦尼河。在奥克里卡岛上。吃水9米以下的船可从邦尼湾上溯56千米至此。原为伊乔人小渔村。17世纪初成为奥克里卡王国的首邑和贩奴基地。19世纪30年代奴隶贸易废止后成为棕油港，1912年为哈科特港所取代。1965年附近建阿莱萨-埃勒梅炼油厂和铺设输油管道后，其商港地位得以恢复。精炼石油为唯一出口产品。奥克里卡为当地农产品销售中心。产品有鱼、油棕制品、当地加工盐、木薯、芋头、大蕉和薯蓣。建有中学。医院和诊疗所在大陆上。人口约48 610(1991)。

Oktoberfest　十月节　慕尼黑每年一度的节日。历时两周，截止于十月的第一个星期日。1810年10月12日，巴伐利亚储君(即后来的国王路易一世)与萨克森-希尔德堡豪森泰蕾莎公主结婚，为庆祝婚礼举行赛马，十月节即源于此。翌年，赛马与全国农村交易大会合并举行。1818年，节日期间首次有人设摊供应饮食。到20世纪末，这些棚摊已发展成为大型的临时啤酒馆，内部有楼厅，中央设音乐台，可容3 000～5 000个座席。慕尼黑各家啤酒厂都在这里建造此类胶合板木屋，供应一种啤酒，酒精含量4.5%，专为节日招徕顾客之用。节日期间啤酒消费总量超过117.5万加仑。

oktōēchos　八旋律型　音乐术语，指与早期拜占廷礼拜仪式圣咏有关的8种旋律型。参阅 **ēchos**。

Oktyabrsky　十月镇　俄罗斯西部巴什基尔城市。濒临伊克河。1937年附近开始生产石油时创建。1946年设市。20世纪50年代石油产量下降后，经济转向消费品生产，如低压电气设备、服装、靴鞋、陶瓷等。设有数所有关石油的研究所和一所音乐学校。人口约107 000(1993)。

Ōkubo Toshimichi　大久保利通(1830-09-26，日本鹿儿岛～1878-05-14，东京)　日本政治家，武士领袖之一。1868年推翻德川家族。明治维新后致力于使日本建设成为进步的国家。早年就显示出政治才能，成为萨摩藩领导人物之一。当时，虽然萨摩、长州两藩都反对德川幕府，但是两藩之间并不和睦。1866年他和萨摩藩另一主要人物西乡隆盛决定与长州结成联盟，共同进行倒幕活动。在推翻德川幕府之后，他成为明治政府中举足重轻的人物。他到西方考察以后，认识到迅速发展经济的必要性。为此，他提倡创办技术学校，主张政府一方面向私人企业发放贷款，一方面开办国营工厂。1873年他在对朝鲜的政策上与西乡隆盛发生冲突：西乡支持日本侵略朝鲜的策谋，而大久保则认为应该把内政改革和经济发展放在第一位。结果他的意见占了上风，并延续到他死后至1894年。1878年被对他不满的武士刺死。

Ōkuma Shigenobu　大隈重信(1838-03-11，日本佐贺～1922-01-10，东京)　日本政治家，两度出任首相(1898，1914～1916)。早年接受传统教育，后学西学，习英语。明治维新后代表佐贺藩参加新政府，很快成为掌握财权的重要人物。1869～1881年努力改革日本的财政制度。在讨论制订新宪法问题时，他提议次年举行选举，召开国会，建立英国式对议会负责的内阁制度。其激进态度，令同僚为之吃惊。同年末他揭露了在出售北海道的国家财产时的营私舞弊。由于这些意见和行动，他被逐出政府。但立宪运动得到很大推进，1889年2月1日颁布了宪法。他组织改进党，为实现英国式的议会制度而奋斗。1888年重新参加政府，两次任外务大臣。1898年与日本自由党创立者板垣退助合作，建立宪政党。1898年组阁，但几个月后即因内阁纠纷而倒台。1882年在东京创办早稻田大学。1907年退出政界，完全致力于早稻田大学的校务工作。1914年再次任首相。任内，由于第一次世界大战使贸易增加，日本经济大为繁荣；日本对中国提出“二十一条”导致中日关系恶化。1916年因病退休。

Okumura Masanobu　奥村政信(1686，江户[东京]～1764或1768，江户)　原名奥村亲

奥村政信绘《书贩》
美国不列颠百科全书公司供图

妙,号源八。日本画家。他悉心钻研鸟居清信(卒于1729)的作品。约于1724年成为插图书籍发行人并出版自己的作品。是当时江户(现东京)流行的中国印刷术中首批采用西方透视法的人之一。其版画具有透视的效果,故称为浮绘。画的色彩鲜明,线条柔美,严谨而庄重。作品甚多,著名版画有《剧场内图》,绘画有《琴之声》及《吉三郎》。

Ōkuninushi 大国主神 日本神道教出云神话中的主神;他是风神素戋呜的女婿。此神在成为"大国主"之前,经历过一系列折磨,折磨他的主要是他的淘气的众兄弟。因幡国白兔被鳄鱼剥皮,痛苦中得他忠告,白兔为报恩,为他斡旋,使他得以娶因幡国八神公主。他的主要配偶是素戋呜之女。大国主神趁素戋呜熟睡之际,把他的头发缚在椽上,携妻逃出素戋呜的地下宫殿,并带走了素戋呜的至宝:剑、琴和弓箭。琴擦到树上,惊醒了素戋呜,他急起追赶,追到光明之国与黑暗之国的边关,回心转意,饶恕了大国主神夫妇。于是大国主神在身材矮小的少彦名神的襄助下着手建设世界。他们发明了医术和防治鸟灾虫灾之术。大国主神统治出云国,直到天孙琼琼杵尊出世,就把政权交给他,自己继续掌握宗教事务。现代日本民俗认为大国主神医治疾病,保佑婚姻美满。

Ōkura Kihachirō 大仓喜八郎 (1837-10-23,日本新发田～1928-04-05,东京) 日本大仓公司创始人,自19世纪后期至20世纪初控制着日本经济。明治维新前以贩卖军火起家。后成立大仓公司,经营对外贸易。后来公司不断扩大,进入采矿业和工业企业。晚年将其企业发展到大陆,成为一个慈善家和中日友谊的促进者。

Ol Doinyo Lengai 伦盖伊火山 坦桑尼亚北部活火山。在纳特龙湖南端。为东非大裂谷火山之一,海拔2 878米。该山属玄武岩结构,有丰富的钠、钾矿藏。1880～1967年间有喷发记载,活动中心不止一处,近期喷发多在北部火山口。山麓地区土壤肥沃,出产葡萄和柑橘;较高的山坡上长满柝树、桦树和山毛榉;2 000米以上植被稀少。

Olaf 奥拉夫 统治者名,按国别分列于后,并各以●为标记。

与此字相等之外语:

丹麦语	Olav
挪威语	Olav
瑞典语	Olav
古瑞典语	Olof

丹 麦

● **Olaf Ⅲ Haakonsson 奥拉夫三世** 参阅 **Olaf Ⅳ Haakonsson** (Norway) **奥拉夫四世**(挪威)。

诺森伯里亚

● **Olaf Guthfrithson 奥拉夫·格思弗里思松**(?～941,苏格兰泰宁汉姆) 诺森伯里亚与都柏林国王。都柏林国王格思弗里思之子。934年成为都柏林国王。937年在英格兰参加反对艾特尔斯坦的布伦安伯赫战役。后回爱尔兰,似乎一度与奥拉夫·西特里克松同为诺森伯里亚国王。后在邓巴附近的泰宁汉姆被杀。

● **Olaf Sihtricson 奥拉夫·西特里克松** (?～981?,艾奥纳?) 丹麦人的诺森伯里亚王国与都柏林王国的国王。德伊勒国王西特里克之子。同英格兰国王艾特尔斯坦有亲戚关系。约927年西特里克死后,由于艾特尔斯坦并吞德伊勒,他去苏格兰和爱尔兰避难,直到937年。当时他为强大的诸侯联盟的领袖之一,这一联盟后来被艾特尔斯坦消灭。他再度投奔在爱尔兰的亲戚。940年艾特尔斯坦死去,他应诏前往英格兰。941年,英格兰新国王埃德蒙将德伊勒授予奥拉夫。但英格兰人与丹麦人之间的和平并不持久。944年他被埃德蒙赶出诺森伯里亚,他前去爱尔兰,统治丹麦人的都柏林王国。949年又成为诺森伯里亚国王,直到952年再度被逐。此后在爱尔兰作战,度过最后岁月。他的王国在980年由于丹麦人在塔拉战役中失败而土崩瓦解。他前往艾奥纳,可能在981年死于当地,另传他在994年仍在都柏林。

挪 威

● **Olaf Ⅰ Tryggvason 奥拉夫一世**(约964～约1000) 挪威国王(995～约1000)。金发哈拉尔一世的曾孙、特吕格维·奥拉夫松的遗腹子。据传,当父亲被灰袍者哈拉尔二世杀死后,奥拉夫随母逃到基辅,接受海盗训练。991年参加对英格兰的入侵,得到巨额贡金。994年与丹麦国王斯韦恩一世一道侵入英格兰后,他听说国内不断发生反对国王的叛乱,立即返回挪威。995年哈康大王去世,他被拥立为国王。他在所控制的滨海一带和西部各岛屿强制推行基督教,但对内地影响不大。他还把基督教传入设得兰、法罗、奥克尼等群岛以及冰岛和格陵兰。他虽有宗教热忱,却未能在挪威建立永久性的宗教机构。后在斯伏尔德战役(约1000年)中阵亡,挪威的大片领土又重新落到外国统治者手中。

● **Olaf Ⅱ Haraldsson 奥拉夫二世**(约995～1030-07-29,挪威斯蒂克尔斯塔德) 第一个对全挪威进行有效统治的国王,该国的主保圣人。金发哈拉尔一世的后裔。早年在波罗的海当海盗。1009～1011年对英格兰作战,但1013年协助英格兰统治者艾特尔雷德抗击丹麦人。丹麦人的国王斯韦恩一世战胜英格兰后,他前往西班牙和法国。1013年在法国信奉基督教。1015年返回挪威,收复以前被丹麦、瑞典占有的国土,次年巩固了对全挪威的统治。此后12年间,他强制推行基督教,1024年在莫斯特颁布一部宗教法典,被认为是挪威第一部国家立法。当英格兰和丹麦的共同国王克努特企图征服挪威时,他与瑞典人合兵进行抵抗。由于挪威的一些大酋长支持克努特,他于1028年逃亡俄国,到基辅避难。1030年他率兵收复挪威国土,但在挪威古代史上最有名的斯蒂克尔斯塔德战役(1030)中被丹麦军队击败。1031年被尊为圣徒。

● **Olaf Ⅲ Haraldsson 奥拉夫三世**(?～1093,挪威) 挪威国王(1066～1093)。他领导全国度过一个最繁荣的时期,维持挪威中世纪历史上罕见的和平,并加强挪威的教会组织。哈拉尔三世之子。1066年参加挪威人入侵英格兰的战争。战争失利后,其父阵亡。他与英格兰国王哈罗德二世媾和,返回挪威,与其兄弟马格努斯二世共同执政。1069年马格努斯逝世,他成为挪威唯一的君主。1068年他与丹麦国王斯韦恩二世缔结和约,从此挪威进入25年和平时期。他努力使挪威教会成为更加稳定的组织,与其父的仇人、教皇格列高利七世及卑尔根大主教阿达尔伯特和解。尽管他想仿效大陆教会的组织模式,但挪威教会很少受罗马的影响。他个人控制着全国的教士。他兴建许多教堂和几座城镇,包括重要贸易中心卑尔根。

● **Olaf (Ⅳ) Magnusson 奥拉夫四世**(约1099～1115) 挪威国王(1103～1115)。赤脚王马格努斯三世的私生子。1103年马格努斯逝世,奥拉夫与其兄埃斯泰因一世和西居尔共立为挪威国王。不久死去。他往往不被列为曾经在位的挪威国王。

● **Olaf Ⅳ Haakonsson 奥拉夫四世**(1370～1387-08-03) 丹麦国王(1376～1387,称奥拉夫三世)兼挪威国王(1380～1387)。哈康六世和丹麦国王瓦尔德马四世的女儿玛格丽特之子。1375年瓦尔德马去世,次年奥拉夫当选为丹麦国王。1380年又继父位为挪威国王,挪威政府由国务会议领导,但朝政主要由母后把持。1385年奥拉夫达到成年,但两年后死去。

● **Olaf Ⅴ 奥拉夫五世** (1903-07-02,英国诺福克桑德灵厄姆附近阿普尔顿豪斯～1991-01-17,挪威奥斯陆) 挪威国王(1957～1991),继其父哈康七世登上王位。曾先后在

美国不列颠百科全书公司供图

挪威军事学院和英国牛津大学求学。他在王储时期已是一位著名的运动员,特别擅长滑雪跳跃和快艇比赛。在1928年阿姆斯特丹举行的奥林匹克运动会上,他获得快艇赛金牌。1929年与瑞典的马撒公主结婚。公主于

1954年去世。他们有子女3人。1940年德国入侵挪威时，他随其父及挪威政府人员逃亡英国。1944年任挪威武装部队总司令。1945年奥拉夫先于其父数月回国，并一度任摄政。1955年其父因意外事故受伤，他再度任摄政。1957年其父去世，由他继承王位。和其他立宪君主一样，奥拉夫作为国王，其职责大部分是礼仪方面的。

瑞 典

● **Olaf 奥拉夫**（？～1022，瑞典） 古瑞典文又名奥拉夫（舍特科农）。瑞典国王（990～1022）。胜利王埃利克之子。他反对挪威发展成为强国，1000年联合丹麦国王八字胡斯韦恩一世进攻挪威获得胜利。奥拉夫虔信基督教，但本地的挪威宗教信仰者制止他强制人们改变信仰。他的生平在13世纪的冰岛传奇中广为流传。

Ólafsfjördhur 欧拉夫峡湾市 冰岛北部欧拉夫峡湾岸上一城镇，是埃亚峡湾西面海岸线上的一个内陆小港。欧拉夫峡湾市在阿克雷里这座冰岛北部最大城市、全国第3大城市以北63千米，在冰岛首都雷克雅未克东北257千米处。欧拉夫峡湾市为一渔港及生产鲱鱼罐头的中心。城镇的室内取暖及游泳池热水均由当地温泉供给。该城镇有航线及公路通岛上各地。附近的卡尔萨有一座为纪念造船匠埃文德·荣松（1678～1746）而建的建筑物，相传荣松是第一个建造海船的冰岛人。欧拉夫峡湾城镇于1944年建制为市。人口约1 205（1992）。

Ólafsson, Eggert 奥拉夫松（1726，冰岛斯奈山半岛～1768-05，冰岛西北海岸的布雷达峡湾海上） 冰岛诗人及文物收藏家，为保存和复兴冰岛语言文化做出极大贡献。他在哥本哈根大学获得学士学位，攻博物学，他的巨著《横越冰岛游记》（2卷，1772）记录了他1752～1757年所作的科学和文化考察。他的诗有历史价值，表达了他对冰岛文化和政治复兴的炽烈感情。诗歌《农耕诗》刻画了理想化的冰岛农民形象。他的作品对他的同胞在感情上富有吸引力，由于他在蜜月旅行归途中溺水而死，这种吸引力就更为强烈。他在后世冰岛爱国青年的心目中，是个理想化了的父亲。

Olah, George A(ndrew) 欧拉（1927-05-22，匈牙利布达佩斯～ ） 匈牙利-美国化学家，因于20世纪60年代初分离出正碳离子——带正电荷的烃分子的缺电子部分——的研究成果而获1994年诺贝尔化学奖。1949年获布达佩斯工科大学博士学位，在该校任教至1954年。在匈牙利科学院工作两年后在1956年革命期间移居外国。他曾为加拿大道氏化学公司（1957～1964）和美国马萨诸塞州弗雷明汉（1960～1965）的研究科学家，俄亥俄州克利夫兰的凯斯西部保留地大学教授（1965～1977），后赴洛杉矶的南加利福尼亚大学任教，1980年任洛杉矶的洛克烃研究所所长。虽然正碳离子数十年来在理论上被认识为许多有机反应中的常见中间体，但是未曾被观察到过，因为它们是一类短寿命的不稳定化合物。欧拉成功地利用超酸和超冷溶剂来分解、检验，然后重新组合正碳离子。他的突破发表于1962年，开创了有机化学的一个新分支，并导致开发出创新的碳基燃料和高辛烷值汽油。

'olam ha-ba 未来世界 希伯来语。在犹太教神学中有两种解释，一是死后的世界即天堂，另一是弥赛亚千禧年之后的新天地或恢复本来面目的世界。无论是根据哪一种解释，犹太人都认为，未来世界结束变化无常、多苦多难、纷争乱斗的局面。犹太教经籍以"未来世界"为"今世"的对立面，人要在今世行善，才能有资格进入未来世界。

'olam ha-ze 今世 希伯来语。在犹太教神学中指人目前在世上的一生，相对于未来世界而言。今世多灾多难、公义不张，但据《密西拿》说，今生无非是前庭，人在其中进行准备，使自己得以进入宴会厅即未来世界。人如理解到此点，人生观就会转变。

Öland 厄兰 瑞典在波罗的海中的岛屿，卡尔马省内的传统省。与瑞典本土隔有卡尔马海峡。面积1 342平方千米，是瑞典第二大岛。在行政上，与周围小岛一起组成瑞典最小的传统省。四周为石灰岩和沙脊，几乎是不毛之地。有少数小河和赫恩舍湖。狭窄的冲积海岸带种有甜菜、黑麦和土豆，另有畜牧业。工业有采石、水泥和榨糖。775年以后该岛在斯堪的纳维亚历史上曾占重要地位，多次成为瑞典与丹麦之间的战场。博里霍尔姆是岛上唯一的大镇，留有瑞典最好城堡及最坚固的要塞之一的废墟（约建于13世纪或更早）。人口：传统省约25 781（1994）。

Olathe 奥拉西 美国堪萨斯州东北部城市，约翰逊县县城。位于堪萨斯城西南郊。1857年在圣菲小道上初建。1868年设建制。现在主要制造牛仔靴、飞机电子部件、电池和机器。在20世纪末和21世纪初，成为堪萨斯发展最快的城市。建有堪萨斯州立聋哑学校（1866）和中亚美利加拿撒勒人会学院（1966）。人口约92 962（2000）。

Olbers, Wilhelm 奥伯斯（1758-10-11，德国不来梅附近阿尔贝根～1840-03-02，不来梅） 全称 Heinrich Wilhelm Matthäus Olbers。德国天文学家和医生。他发现小行星中的智神星和灶神星以及5颗彗星。1779年，他研究出一种计算彗星轨道的新方法。两年后他在不来梅开业行医，并把房顶改装成天文台，晚上的大部分时间用于天文研究。在搜寻火星和木星之间的行星工作中，他起着领导的作用。1802年3月他发现了小行星中的智神星，从而使人相信小行星可能是一颗曾位于小行星带区域中、具有中等大小的行星破裂而成的碎片。1811年，奥伯斯提出彗尾背离太阳是因受太阳辐射压作用的理论。4年后，他发现一个现称为奥伯斯彗星的天体。1832年，他通过观测比拉彗星预言地球将穿过其彗尾。这一预言在当时的欧洲曾引起恐慌，但当地球穿过彗尾时，并无灾难性的后果。奥伯斯还曾提出所谓奥伯斯佯谬。

美国不列颠百科全书公司供图

Olbers' paradox 奥伯斯佯谬 宇宙学中一个有关夜空为什么黑暗的问题。如果宇宙是无限的，其中均匀分布着亮星，则任何一根视线都将触及恒星的表面。这意味着夜空应该到处明亮，即在恒星与恒星之间不会有暗区，因而同看到的情况发生矛盾。1823年，德国天文学家 H.W.奥伯斯讨论过这一佯谬（或矛盾），而现今就把发现这一佯谬的功绩普遍归功于他。实际上，这一佯谬已有前人讨论过，可追溯到 J.开普勒，他在1610年就曾把它作为反对宇宙无限和宇宙中包含无数恒星的观念的一个论据。在各个时期曾提出一些解决这一矛盾的设想。如果上述假定成立，那么最简单的设想是，假定恒星的平均发光寿命太短，使极遥远恒星的光不能传到我们这里。如果假定宇宙膨胀，则也可作类似的推论：宇宙存在的时间太短，来自远方的星光还达不到我们这里。

Olbia 奥尔比亚 意大利撒丁岛东北部萨萨里省城镇。临奥尔比亚湾。初为希腊殖民地，后归罗马。公元前259年古罗马人在此战胜迦太基将军汉诺。1198年由比萨移民进行大部分重建。有腓尼基和古罗马坟墓遗迹。有著名的比萨-罗马式圣辛普利奇奥教堂。为撒丁岛与意大利大陆奇维塔韦基亚往来的主要旅客港口。居民主要从事贸易、渔业和木塞经营等。人口：城市区约40 600（1991）。

Olbrich, Joseph (Maria) 奥尔布里希（1867-11-22，西里西亚特罗保［今捷克共和国奥帕瓦］～1908-08-08，德国杜塞尔多夫） 德国建筑师，维也纳分离派的创始人之一。维也纳分离主义为欧洲新艺术风格在奥地利的翻版。奥尔布里希为欧洲现代建筑奠基人之一 O.瓦格纳的学生。他曾为分离派在维也纳举办展览会（1898～1899）设计了一座展览馆，体形简洁，在金属圆顶上有新艺术派风格的花饰。1899年应邀参加恩斯特·路易大公在达姆施塔特建立的艺术家村，在此设计了六栋住宅和一座中央大厅，并设计了达姆施塔特"结婚"纪念塔（1907），也有新艺术派的风格和现代派的趋向。晚期作品有：科隆-马林贝格的住宅（1908～1909）和杜塞尔多夫的

美国不列颠百科全书公司供图

一家百货商店(1906年设计,去世后建成)。

Ol'chon Island(Russia) 参阅**Olkhon Island** 奥尔洪岛。

Olcott, Henry Steel **奥尔科特**(1832-08-02,美国新泽西奥兰治~1907-02-17,印度马德拉斯阿迪亚尔) 美国作家、律师和哲学家。1875年与勃拉瓦茨基、贾奇等人共同创立神智学会,自任会长。该会是糅合佛教、婆罗门教和基督教奥秘教义而成的教派。1878年他与勃拉瓦茨基一同到印度,次年二人定居于该国,1882年在马德拉斯邦阿迪亚尔设立神智学会永久总部。他协助贝赞特在瓦拉纳西(贝拿勒斯)创办中央印度学院。为了推进锡兰佛教教育事业,在他努力下,使3所学院和250所学校得以成立。

old age **老年** 又作senescence。人生正常年龄的最后阶段。对老年所作的定义,与生物学、人口统计学、就业与退休以及社会学等范畴所涉内容并不完全一致。为统计及管理上的目的,常常把60岁以上或65岁以上划为老年。在各种社会之间或社会之内,没有一个公认的"老"的标准,往往众说纷纭,莫衷一是。此外,生物学家对于内在的生物演变过程,尚无一致意见。行政管理上对退休、养老金或社会保证金方面所规定的年龄限制,是从70余岁以下至40余岁,一般认为自50岁以至75岁以上都是老年,而很大一部分人则虽然已到60余岁,却认为自己不老。

近代社会中的老年人 近代工业社会老年人都能在做工、养家的年龄之后,仍然健在。在原始社会和农业社会里,老年人往往担任家务,能舞蹈或说故事,握有产权、族权,有经验,知识渊博。由于经济先进国家前此百余年的广泛变化,确定了今天老年人的地位,于是提出了为在经济上不再活动的人维持收入的问题。人口基础:西方国家老年人的数目一直在显著增加——其增长比率较之总人口数增长比率为高。这种比例的改变,主要是由于生育率下降,使青年人数增加慢,而不是由于死亡率下降。在老年人中,妇女的比例也在增长(男人比女人死亡率高)。寿命的延长并不是因为人类的生命"跨度"加长,而是因为达到高龄的人比例有所增加。经济地位:社会的年龄结构如何,与经济有密切联系。在这一范围内,老年人一般处于比较不利地位,虽然每个人的情况差异很大,但大都是由于参加劳动少而收入低。在多数工业化国家(与农业国不同)中,65岁以上参加劳动的人比例逐渐下降。与之有关的各种因素有:由于技术进步,不需老年人参加劳动也可应付目前生产的要求;老年人容易继续工作的农业及小本经营的行业减少;劳动者的文化水平逐步提高,对受教育时间长而新培养出来的工人有利;国家及私人企业退休金规划扩大,常常规定退休年龄。老年人中一部分收入多的,多年有积蓄,甚至有自己的房子,但多数收入低的没有什么资产,多半量入为出,用在生活及消闲方面的较少,用在保健方面的较多,若无政府的医疗保险制度,按经济学家所定的标准,还是不能满足需要的。教育:老年人比年轻人受的正式教育少,受新教育的也少,很少有人能具备高等教育水平。因此,绝大多数文化水平低的老人,不像文化水平高的老人那样能长期工作,而是更容易退休。居住条件:人口分布、社区规划、房屋设计和买卖等方面的历史性变动,都会影响老年人的自然和社会环境——影响他们与人们的接触面、每天的活动以及可利用的社会服务和便利。一般地说,老年人多不愿改变其社会环境,对其居住的地方感情较深,与近邻的关系密切,不愿移动。在家庭中的地位:随家庭结构变化,家庭都是核心家庭(即父母及其子女)。在西方国家,多数老年夫妻单独居住,不与子女共同生活;多数老年人喜欢独居,妇女尤其如此。

作为个体的老年人 个性方面:老年人在许多方面与其他人相似,而与青年人相比,则显得固执、被动、内向、谨小慎微,进取心不强。然而,性格上的不同及个人在某些方面的行为方式,是同其生理状况及在社会上所起的作用分不开的。没有证明表示老年人的这些独特之处,在多大程度上是由于经验丰富、学识较差、对于性格测验不熟悉、感觉和动作迟缓等等造成的。社会任务方面:一般说老年人的社会任务要较青年人少,应是退休而不是工作。但仍然在工作岗位上的男女老人,虽然身体的操作方面差些,但工作效率并不低,创造能力并不减退,如许多学术的、科学的和美术的老专家。

政策 近代人们常过分强调老年人的缺点而忽视了他们的优点及对社会进行贡献的潜力,应提出改善这种状况的办法。不然,这一事实对老年人可能是一种惩罚,而对社会则是一种人力资源的浪费。

Old Believer **旧礼仪派** 俄语拉丁字母转写作Starover。抵制莫斯科牧首尼康(1652~1658在位)强行在俄罗斯正教会内推行崇拜仪式改革而脱离正教会的人们。17世纪中,此派人数曾达到100万,后来又分裂成若干派别,有些派别流传至今。起初,尼康命令刊印依照希腊教会礼仪格式改编的礼拜书,采用希腊教会仪式和希腊式礼服,要求教士或信徒划十字时不再用三指而改用二指,这些改革得到沙皇阿列克谢的支持。以莫斯科一批神职人员为首的一派反对尼康的改革,其中尤其著名的是大司祭阿瓦库姆·彼得罗维奇。尼康由于干犯沙皇威权而于1658年被废黜,但是经过几次教会会议,仪礼改革终于获得通过,反对者一律被处以绝罚,阿瓦库姆等人被处死。反对尼康改革的信徒虽然在莫斯科也有,但主要集中在俄国北部与东部的边远地区,他们促进了这些地区的开发。他们反对任何变革,抵制彼得大帝的西方化运动。这些信徒没有统一组织,后来分裂为两派,一派称教堂派,主张吸收曾受神职的教士,19世纪组成一个主教区;另一派称反教堂派,否定神职和除洗礼以外的一切圣事。这两派又各分成若干支派,有些派别礼仪甚繁。1905年俄国颁布宽容旧礼仪派的教令,1917年俄国革命以后旧礼仪派大多数派别依然存在。无论是教堂派还是反教堂派中都有许多组织经过登记获得苏维埃政府的承认。1970年以莫斯科为中心的教堂派白克里尼察会议有约80万信徒。西伯利亚、乌拉尔、哈萨克斯坦、阿尔泰等地区可能有不少旧礼仪派信徒,但详情不知。在亚洲其他地区以及巴西和美国也有该派信徒。1971年俄罗斯正教会议决定撤销17世纪的咒逐令,承认旧礼仪有效。

Old Bones(racehorse) **老骨头** 参阅**Exterminator** 扫荡者。

Old Calabar(Nigeria) **老卡拉巴尔** 参阅**Calabar** 卡拉巴尔。

Old Castile **旧卡斯蒂利亚** 西班牙语作Castilla la Vieja。西班牙中北部的历史上省区名,大致包括卡斯蒂利亚王国在11世纪时势力范围内的疆界,北濒比斯开湾,南有瓜达拉马山脉把该地与新卡斯蒂利亚隔开。在近代西班牙的地理概念中,旧卡斯蒂利亚包括阿维拉、布尔戈斯、洛格罗尼奥、帕伦西亚、桑坦德、塞哥维亚、索里亚和巴利亚多利德诸省,总面积66 107平方千米。1979年以后,这个区域的一半被划入卡斯蒂利亚-莱昂(**Castile-León**)自治区。关于地区历史,参阅**Castile**。

Old Catholic church **老公会** 西派基督教中的一批教会,他们相信自己完全忠于统一的教会的教义和圣传,但在1869~1870年梵蒂冈会议之后脱离了罗马教廷。西派基督教会较晚近的历史的特点是,罗马教廷和教皇本人的日益集中化,自然地引起了反对。反对的表现形式不一,例如15世纪的公会议主义和17世纪的詹森主义。第一次梵蒂冈会议的召开和1870年教皇永无谬误教义的颁布计划激起了新的反对浪潮。这些计划遭到许多人激烈反对,其中最重要的人物是史学家多林格尔。多林格尔本人并没有另立教会,但是,由于他的建议和指引,在德国、瑞士、奥地利等国家出现了老公会。因为没有主教参加这一派,于是只好由荷兰詹森派教会为他们提供主教。詹森派教会自18世纪起就脱离罗马教廷而惨淡经营,但还保留着被罗马教廷认为虽不正规尚且合法的主教统续。1889年乌得勒支协进会组成,同年老公会众主教所发表的声明遂成为老公会的教义和组织宪章。参加协进会的有荷兰老公会、德国老公会、瑞士基督公教会、奥地利老公会、美国波兰民族公教会(教友主要是波兰裔美国人)。波兰、捷克斯洛伐克和南斯拉夫的老公会在第二次世界大战期间和其后遭受严重损害。老公会的主要权力机构是主教会议。乌得勒支主教享有名誉至尊地位。各主教区有大会,在大会上,神职人员和在俗信徒都可以充分参与教会事务的各个方面,包括选举主教。老公会人士否认他们宣传任何违背天主教教义和圣传的道理;他们承认《圣经》、《使徒信经》、《尼西亚信经》以及最初七次普世会议有关教义的决议。他们坚持教会的公会议原则,重视传统。他们承认七件圣事;认为主教身份是天主对教会的恩赐,各主教在教会内身份平等,都曾接受自使徒一脉相承的主教祝圣。但是,在习俗上老公会与天主教会有许多差异。老公会礼拜在各国都使用通俗语言而不是拉丁语,此点在当时被认为是新教的一个基本原则。教友向天主认罪不一定必须当着司铎的面,有些老公会教会也不硬性规定神职人员必须独身。1931年,根据波恩协议,英国圣公会与老公会建立关系;其后,美国波兰民族公教会和美国圣公会也于1946年达成了类似的协议。

Old Catholic Church of The Netherlands 荷兰老公会 荷兰语作 Oud-Katholieke Kerk van Nederland。又称荷兰詹森会(Jansenist Church of Holland)。源起于18世纪初的小规模的独立的荷兰天主教会。1702年荷兰天主教乌得勒支大主教科德有同情詹森派的嫌疑,被控为异端分子,许多荷兰神职人员和在俗信徒拥护科德而脱离天主教。法国几名詹森派教士定居荷兰,参加荷兰詹森会。1723年荷兰老公会选举斯滕霍芬为主教,巴比伦传信主教瓦尔莱为他祝圣,维持了使徒统续。该教会虽规模不大,但在荷兰存在下来。1870年许多天主教人士反对第一次梵蒂冈会议关于教皇永无谬误的决定,纷纷成立老公会,在这一运动中荷兰老公会发挥重大作用。脱离天主教会的团体在几个国家组成老公会,荷兰詹森会的主教为它们的主教祝圣。在20世纪荷兰老公会有一位大主教(在乌得勒支)和两位主教(在代芬特尔、哈勒姆)。该会自1910年起在崇拜仪式中采用荷兰语,1922年废除神职人员独身制。荷兰老公会的最高权力机关是乌得勒支协进会,该会于1889年由老公会全体主教组成,由乌得勒支大主教主持,公认协进会为老公会的最高权威。据悉,在20世纪末,荷兰老公会有1.2万教友。

Old Church Slavonic language 古教会斯拉夫语 又称 Old Church Slavic。主要以帖撒罗尼迦周围地区的马其顿诸方言(南部斯拉夫诸方言)为基础的斯拉夫语。9世纪时,出生于帖撒罗尼迦的传教士圣西里尔(世俗名字君士坦丁)与圣美多迪乌曾使用古教会斯拉夫语在摩拉维亚斯拉夫人中间布道,并用这种语言译成斯拉夫文本的《圣经》。古教会斯拉夫语是最早的斯拉夫文学语言,采用格拉哥里字母和西里尔字母书写。传统上都认为格拉哥里字母也是圣西里尔创制的。古教会斯拉夫语很快就在其他斯拉夫民族地区为人们所采用。在欧洲中世纪时期,这种语言始终是信奉正教的斯拉夫人的宗教语言和文学语言,只是在不同地区略有变化而已。12世纪以后,古教会斯拉夫语以各种地方变体出现,便被统称为教会斯拉夫语,而作为一种教会仪式语言沿用至今。19世纪以前,塞尔维亚人和保加利亚人都使用教会斯拉夫语作为书面语言,而这种语言对现代斯拉夫诸语言的发展曾有重大影响,尤其是对俄罗斯文学语言影响更大,因为俄罗斯文学语言本身就是俄罗斯土话中掺入许多教会斯拉夫语成分而形成的一种折中语言形式。

Old Comedy 旧喜剧 古希腊喜剧的初期形式(约公元前5世纪)。通过阿里斯托芬的作品而闻名,其特点是对著名的政治人物及事件进行多方面的尖锐的讽刺。阿里斯托芬的剧本由歌舞、插科打诨和人身攻击组成,并包括直言不讳的政治批评和对文学、哲学论题的评论。这些剧本由松散的几段插曲组成,在雅典宗教节日酒神狄俄尼索斯节上首次演出。它们由6部分组成:开场;进场(即合唱队进场);插话(即由合唱队向观众宣讲时事,并对著名的人士进行粗暴的批评);对驳(即双方主角之间的一种仪式化辩论);一系列笑剧场面;最后的宴会或婚礼。合唱队常常打扮成动物,人物则穿普通服装,并戴怪诞夸张的面具。旧喜剧有时也称作阿里斯托芬式喜剧,以其最著名的代表作而得名。流传下来的有《云》(公元前423)、《青蛙》(公元前405)等11部作品。雅典在伯罗奔尼撒战争中战败后,人们对于神和英雄的幻想破灭,旧喜剧也就此告终。

Old Cordilleran culture 早期山地文化 古代北美洲西北部太平洋沿岸文化,约在公元前9000年或前10000年,在某些地区持续至公元前5000年左右,以渔、猎及采集为生,其典型工具是柳叶形双尖投掷器。

Old Delhi 旧德里 印度城市,德里(**Delhi**)联邦区的组成部分。

Old English language 古英语 又称盎格鲁-撒克逊语,公元1100年以前英国的口语和书面语,中古英语和现代英语的母语。学者们都把它划入西日耳曼诸语言的盎格鲁-弗里西亚语分支。有4种方言:英格兰北部和苏格兰东南部的诺森布里亚语;英格兰中部的默西亚语;英格兰东南的肯特语;英格兰南部和西南的西撒克逊语。默西亚语和诺森布里亚语常被视为盎格鲁方言。大多数现存古英语文献都使用西撒克逊方言。9世纪阿尔弗烈德大王统治时期曾出现最早的一次文学创作高潮。古英语与现代英语形成对照:其名词和形容词有3个"性"(阳性、阴性、中性);名词、形容词和代词有"格"的词尾变化,其中名词和形容词有4个格(主格、属格、与格、宾格),而代词还有工具格形式;动词大部分是强动词(不规则动词),如现代英语的"sing,sang,sung"。许多强动词在现代英语中已成为弱动词(有规则动词),如 help"帮助"的古英语现在时的不定式是 helpan,它的过去时单数是 healp;过去时复数是 hulpon;过去分词则是 holpen。相应地在现代英语中则为"help,helped,helped,helped"。

Old English script 古英语字体 参阅 **black letter** 黑体字。

Old English sheep dog 老英格兰牧羊狗 18世纪初在英格兰培育的使役狗,主要用于将绵羊及牛驱到市场。体壮,步态拖曳似熊。体高56～66厘米,体重25～30千克。被毛

老英格兰牧羊狗
美国不列颠百科全书公司供图

蓬松厚密,能防风雨,长而遮眼,但不遮盖全部视野,视力不差。毛灰色、蓝灰色或带白色斑纹。出生后不久尾即被截去,故常称"截尾狗"。

Old Faithful 旧费斯富尔 一译老忠实泉。北美最著名的间歇泉。在美国怀俄明州黄石国家公园上间歇泉盆地顶端。1870年因认为它每隔65～70分钟便"忠实地"喷射一次而得名。然而,连续地观察发现,它每隔33～148分钟喷射一次,相当地不规则。每次喷出约4.5万升热水和沸腾的蒸汽。无风时水柱可高达52米并持续4分钟左右。地质学家推断其年龄为200～300年。

Old Farmer's Almanac 参阅 **Farmer's Almanac**《农用年历》。

Old Glory(U.S. flag) **古老的荣耀** 参阅 **Stars and Stripes** 星条旗。

Old Mālda(India) **旧马尔达** 参阅 **Mālda** 马尔达。

old-man cactus 老人掌 仙人掌科植物,通常指 *Cephalocereus senilis*。原产墨西哥中部。茎圆柱形,上有成束白毛,故名。夜间开花,花外面粉红色,内面白色。为极受欢迎的

老人掌(*Cephalocereus senilis*)
美国不列颠百科全书公司供图

盆栽植物,在地中海气候条件下室外栽培生长良好;植株开花前可高达6米,以后还能长高一倍。黄色老人掌(*C. palmeri*)亦供观赏,开花时高约60厘米。老人掌的花冠扁平,花从茎顶端或侧边的长形绵毛或硬毛丛中长出。其他栽培种还有金色老人掌(*C. chrysacanthus*)、奶奶掌(玉翁殿,*Mammillaria hahniana*)、智利奶奶掌(*Neoporteria senilis*)及山翁掌(*Borzicactus trollii*)。

Old Norse language 古诺尔斯语 又称古冰岛语。古代通行于冰岛的北日耳曼语,约1150～1350年间曾用它写作诺尔斯古代传说、吟唱诗以及《埃达》。它与同时期的挪威语几乎完全一样(有些学者将古诺尔斯语一名用于古斯堪的纳维亚语时期的所有语言和方言,将它分为西诺尔斯语——冰岛语和挪威语,东诺尔斯语——丹麦语和瑞典语)。古诺尔斯语(古冰岛语)文献比任何其他古代北日耳曼方言的都更丰富、更有价值。有些学者认为,自早期北日耳曼语时期至古诺尔斯语末期的历史,根据其发展阶段,可分为3个时期:①原始斯堪的纳维亚语(原始诺尔斯语)持续到公元500～700年,其时日耳曼语词尾和元音没有多少变化。现存用古北欧富托克如尼字母刻写的铭文约有150件。这个阶段末期已开始产生许多语音变化,包括:元音交替,非重读元音消失及许多辅音同化现象。②共同斯堪的纳维亚语(维金诺尔斯语)从原始斯堪的纳维亚语末期直到1050年,在此期间,原始斯堪的纳维亚语末期的变化已经完成。共同斯堪的纳维亚语由于海盗势力的扩张而传到诺曼底,英国的丹麦区(9世纪末叶丹麦人在英国北部、中部、东部的殖民区),奥克尼群岛、设得兰群岛、赫布里底群岛,爱尔兰和马恩岛,冰岛和格陵兰岛,还传到俄罗斯境内的诸瑞典王国。这些地区的斯堪的纳维亚居民,除在冰岛者外,在其后几个世纪或已被同化,或已完全消亡。现已发现的共同斯堪的纳维亚语的证物约有4 000块碑铭,是用晚期的16字母的如尼字母刻写的。③古斯堪的纳维亚语时期系由共同斯堪的纳维亚语末期至1450年。这时,北日耳曼语已分化为古诺尔斯(古冰岛语)、古挪威语、古瑞典语、古丹麦语。现代斯堪的纳维亚诸语言就是由这些方言发展而来的。参阅 **Icelandic language**。

Old Persian writing 古波斯语楔形文字 参阅 **cuneiform writing** 楔形文字。

Old Point Comfort 老波因特康弗特 美国弗吉尼亚州东南部历史上著名的海岬。汉普顿(**Hampton**)市的一部分,位于詹姆斯河与约克河之间的半岛的东南端。1608年以后不断在此修建城堡工事。1834年建成的门罗要塞是南北战争时联邦军发动半岛战役的基地。战争结束后,原南部邦联总统J.戴维斯在此囚禁2年。19世纪和20世纪初为著名的海滨胜地。

Old Pretender, the 老觊觎王位者 参阅 **James Edward, the Old Pretender** 詹姆斯·爱德华(老觊觎王位者)。

Old Prussian language 古普鲁士语 属西波罗的语支,17世纪时已消亡,曾通行于东普鲁士前德国人居住地区(现在波兰和俄罗斯部分地区)。很少佐证的亚特文吉亚方言与古普鲁士语关系很密切。古普鲁士语保存了许多东波罗的语(拉脱维亚语、立陶宛语)所不曾留传下来的古波罗的语因素。其中有原始波罗的语(古普鲁士语、拉脱维亚语、立陶宛语以及其他波罗的语言的原始母语)的词尾音-n,原始波罗的语的二合元音 ai 和 ei 以及中性名词(东波罗的语只有阳性和阴性名词)。古普鲁士语中还有许多未见于东波罗的语的屈折形式及词汇。古普鲁士语的地位介于东波罗的语和斯拉夫语之间。现代关于古普鲁士语知识,主要来源于约公元1300年所编以"易北词汇"闻名于世的德语-普鲁士语词汇,以及3篇16世纪的古普鲁士语教义问答。

Old Red Sandstone 老红砂岩 欧洲西北部泥盆纪一套厚的地层序列(泥盆纪开始于约3.95亿年前,延续约0.5亿年)。在英国已广泛研究。该地层多半是陆相成因而非海相成因,沉积在加里东(卡利登)山脉间的构造盆地中。在这些下沉盆地中缓慢地沉积了巨厚的砂和泥达1.1万米。沉积物分选差,而且有很大变化,有交错成层的砂岩、粉砂岩和页岩(有泥裂纹,甚至还有雨痕)。砂岩有红的、绿的、灰色的;页岩是灰色的。有植物化石;动物化石以被认为是淡水河流的原始鱼形脊椎动物为特点。参阅 **Breconian Stage; Farlovian Stage**。

Old River(Belize) **旧河** 参阅 **Belize River** 伯利兹河。

Old Roman chant 《旧罗马圣咏》 1890年左右发现的11～13世纪间创作于罗马的教仪曲调汇编。此汇编有5部手稿,其中最古老的一部所收圣咏(3段升阶圣歌和两段应答圣歌)谱成于1071年,而罗马教仪至迟在8世纪即已形成。至于此汇编与《格列高利圣咏》之间究竟有什么关系,问题复杂,始终未解决。从崇拜礼仪方面讲,两者基本上一致:弥撒的结构和祷词相似,各程序的文词鲜有不同。两者明显相异之处在于曲调,而在某些段落,《旧罗马圣咏》的曲调与《格列高利圣咏》大同小异,似乎是一种变体。根据最近的考证,这两套圣咏分别体现一地的礼仪,并不是产生于不同历史时代。《旧罗马圣咏》很可能是靠法兰克文化的传播而传播的,后来在中世纪后期逐渐为《格列高利圣咏》所取代。

Old Saint Peter's Basilica 旧圣彼得教堂 罗马的第一个圣彼得教堂。在326～333年间奉皇帝君士坦丁一世的敕令兴建,历约30年竣工。其平面设计为长方形,堂内座席间有5条甬道,西翼有壁龛。进教堂前先经过叫作"乐园"的天井,天井中央是花园,其中泉水潺潺。自天井有5道门通往堂内。中殿尽头是镶嵌画,绘有君士坦丁一世和圣彼得向基督呈上教堂模型之像。侧壁开11窗,壁画绘有以色列人列祖、众先知、众使徒以及《旧约》和《新约》故事。旧圣彼得教堂于16世纪初拆毁,在其址建新的圣彼得教堂(参阅 **Saint Peter's Basilica**)。

Old Saxon language 古撒克逊语 又称古低地德语。最早有文字记载的低地德语,9～12世纪间通行于莱茵河至易北河之间和北海至哈茨山之间的诸撒克逊部落中。古撒克逊语的显著特点和古弗里西亚语及古英语一样,都保存了诸日耳曼语共有的清塞音(p,t,k),而高地德语则把它们变成塞擦音(pf,tz,kh)或长擦音(ff,ss,ch)。约公元830年写成的头韵诗篇《救世主》(反映基督生活)和《创世记》的片断译文,都是现存最重要的古撒克逊文学著作,还有若干小段文献也保存下来。现代低地德语的各种方言就是由古撒克逊语发展而来的。参阅 **German language**。

Old Stone Age 参阅 **Paleolithic Period** 旧石器时代。

Old Testament 《旧约》 又称《希伯来圣经》,犹太教和基督教共有的一套圣书。基督徒和犹太人通称"一经之徒",《旧约》对于人生的解释和关于一位上帝创造宇宙的解释,成为包容这两种宗教教义的思想体系。"旧约"一词是公元170年左右美利托(萨迪斯的)提出的,用以区别于《圣经》的另一部分《新约》。《旧约》基本上是在公元前1200～前100年间用希伯来文写成,少数段落是用阿拉米文写成的。希伯来正典包括:①托拉(**Torah**),即"五经",既有叙事,也有戒规和训诲,各卷次第为《创世记》、《出埃及记》、《利未记》、《民数记》和《申命记》;②《奈维印》(**Nevi'im**),即《先知书》,分为前先知书和后先知书,前者有《约书亚记》、《士师记》、《撒母耳记》和《列王纪》,记希伯来伟人轶事;后者有《以赛亚书》、《耶利米书》、《以西结书》和《十二小先知书》，这些先知劝告以色列人重新听从上帝；③《圣录》(**Ketuvim**)，即《克图温》，内容为诗歌(崇拜诗歌和情歌)、神学著作和剧本，各卷名称为《诗篇》、《箴言》、《约伯记》、《雅歌》、《路得记》、《耶利米哀歌》、《传道书》、《以斯帖记》、《但以理书》、《以斯拉-尼希米记》和《历代志》。希伯来正典共有24卷，古代写作时即为24经卷。基督教所采用的《旧约》卷数较多，这是因为，天主教正典源出于"七十子希腊文本圣经"这个译本，它所吸收的一批著作后来由犹太教和基督教(新教)断定并非正典，列为外典(参阅 **apocrypha**)。同时，基督教把希伯来原本中一些卷细分为两卷或多卷，如《撒母耳记》、《列王纪》、《历代志》各分为上、下两卷；《以斯拉-尼希米记》析为《以斯拉记》和《尼希米记》；《十二小先知书》析成12卷。

Old Vic　老维克剧团　专门演出莎士比亚戏剧的伦敦剧团，后为国家剧院核心。该剧团的剧院最初名叫皇家科堡剧院，于1818年举行揭幕演出，上演流行的情节剧；1833年被重新整修并改名为维多利亚皇家剧院，后大家称之为老维克。1880年剧院变为禁酒游乐厅、皇家维多利亚厅和咖啡店。剧院慢慢兴旺起来，至1900年已举行过音乐会、莎士比亚戏剧片断和歌剧演出。1914年开始定期演出莎士比亚戏剧。1918年，老维克剧院成为伦敦唯一长期演出莎士比亚剧作的剧院，至1923年，演出过莎士比亚的全部剧作。20世纪20年代和30年代，剧院声望与日俱增。第二次世界大战时剧院受到严重破坏，当该院剧团于1944年从战时巡回演出返回伦敦时，只好住在新剧院里。老维克剧团演出的莎士比亚戏剧和其他古典戏剧令人难忘。1950年剧团回到修复好的原剧院。1952年由于缺乏场地和基金，其附属戏剧学校和青年维克剧团只得关闭。1963年老维克剧团解散，老维克剧院成为国家新剧院的临时基地。1970年重建青年维克剧团，1976年成为一个独立剧团。

Old World monkey　旧大陆猴　又作catarrhine。又称狭鼻猴。旧大陆某些类人灵长类的统称，与新大陆猴——阔鼻猴的类型有别。这个名称可以仅用于猴科成员(长尾猴，狒狒等)，也可以用来概括长臂猿科(长臂猿)、猩猩科(类人猿)和人科(人)。其特点为双侧鼻孔靠紧，方向朝前或朝下；耳道骨质；有尾亦不能缠卷；上、下颚两侧各具两个前磨牙。

Oldcastle, Sir John　奥尔德卡斯尔(约1378，英格兰赫里福德郡～1417-12-14，伦敦)　英格兰著名军人，殉教的罗拉德派领袖。理查德·奥尔德卡斯尔爵士之子。1400年参加对苏格兰的战役。在威尔士战争中与亨利四世的儿子威尔士亲王建立了友谊。1408年与第3代科巴姆勋爵约翰的女继承人琼结婚，从而成为贵族。1409年进入贵族院。1413年宗教会议指控他与罗拉德派具有同一观点。这时已成为国王亨利五世的威尔士亲王为他开脱，但他不屈服，结果以异端罪名被送

美国不列颠百科全书公司供图

入伦敦塔监禁。不久越狱，躲藏在书商W.费希尔家里，策划绑架国王。国王得到密告后，逮捕一批罗拉德派信徒。1417年他被吊在火堆上烧死。

Oldenbarnevelt, Johan van　奥尔登巴内费尔特(1547-09-14，西属尼德兰阿默斯福特～1619-05-13，海牙)　律师、政治家，是继威廉一世(沉默者)之后的第2个尼德兰独立之

美国不列颠百科全书公司供图

父。他为威廉之子莫里斯调集荷兰军队并设法于1596年同英法两国缔结了反对西班牙的三国联盟。在1609年签订的《十二年停战协定》中，他重申了荷兰在(联省)共和国中的统治地位。

早期经历　奥尔登巴内费尔特先后在卢万大学、布尔日大学、海德堡大学(在这里萌发了他最终转变为新教徒的念头)以及可能在帕多瓦大学研习法律。返回尼德兰后，他在设立于海牙的荷兰省上诉法院当律师。

1572年当尼德兰的两个省份荷兰和泽兰成功地推翻了西班牙在布鲁塞尔的统治后，奥尔登巴内费尔特并未随上诉法院逃往乌得勒支，而是决定把自己的命运同民族解放运动联系在一起，他甚至参加了为哈勒姆和莱顿两城解围的战斗。1576年被任命为鹿特丹的州长(严格地说是法律顾问，但是全日工作)。这个职位本身就意味着同时是省议会的议员。当解放运动扩展到其他省份时，他经常出席在布鲁塞尔或安特卫普召开的三级会议。1578年当帕尔马公爵亚历山德罗·法尔内塞率领的西班牙军队将要重新全面征服尼德兰时，他是"乌得勒支联盟"(1579年1月缔结)的谈判代表之一，这个联盟是为建立存在到1795年为止的联省共和国的一种权宜之计。在谈判中，奥尔登巴内费尔特的目标显然是要巩固荷兰在政治上无懈可击的地位，这一地位是这个在战略上并非无懈可击的省认为自己在单独同泽兰一起担当起义的先锋将近7年之后应该得到的。这些也使他得以同威廉(沉默者)频繁接触。

政治领导　1586年，即亲王[指威廉(沉默者)]被暗杀后两年，奥尔登巴内费尔特接受了荷兰议会的委派担任省土地顾问——这个职务在他垮台后被重新命名为"大州长"。在任职期间，他成了威廉(沉默者)的政治遗产的真正受托人。当威廉之子、拿骚的莫里斯这个杰出的军事指挥者负责战场的实际作战时，奥尔登巴内费尔特最初与他紧密合作，为他募集和协调能够得到的人力和资源，使战事得以顺利进行。作为这种活动之一，他积极参与建立荷兰东印度公司。

尽管从理论上讲，奥尔登巴内费尔特只是7个拥有主权的省中一个省的公仆，但他执行了一些同法国和英国的外交使命，实际上成了联盟的外交部长。在这些使命中，他遵循威廉(沉默者)的政策，并成功地将相互猜疑、政治上非正统的反抗其合法统治者的新的反叛者联盟统一起来。在这方面，他的最大成功是1596年同英法两国缔结了全面的3国联盟。

奥尔登巴内费尔特在外交方面的主要成就是通过长期的谈判于1609年达成的所谓《十二年停战协定》，它实际上放弃了原来的将西班牙统治者逐出全尼德兰的目标，而使北方7省联盟获得独立。另一方面，正是由于这项成就，使奥尔登巴内费尔特作为联盟主要政治家的地位的严重缺陷暴露了出来，即他只对古尼德兰的7个省份中的所谓"留在联盟内"的荷兰省宣誓尽职。由于此前两个主要的省份布拉班特和佛兰德被西班牙军队重新征服，荷兰这个外围地区填补了由此造成的真空而成为主导，它担负了近59%的联邦预算。在此情况下，很大程度的"荷兰中心主义"甚至"荷兰主义"似乎不可避免，土地顾问成了它在联盟机构中的主要代表和鼓吹者。

同样地，奥兰治的亲王们发现他们自己几乎自动地担负起联盟概念的主要鼓吹者的任务，正因为如此，尽管没有对复杂起因的详细研究，奥尔登巴内费尔特与莫里斯之间的斗争也就基本上是可以理解的了。在这种情况下，令人费解的是，莫里斯在其父死后通过奥尔登巴内费尔特及其政治盟友们出任荷兰省省长，其明显的目的是要在莱斯特伯爵罗伯特·达德利于1586年担任总督并试图对各省实行中央集权时保持荷兰省的独立存在和特殊地位。

宗教冲突　在十二年停战期间，原来潜在的矛盾集中体现在宗教方面。尼德兰独立运动的惊人的成功必然使"留在联盟内"的各省迟早处于加尔文主义少数派的统治之下，对于他们而言，除了放弃他们的信仰以外，不可能与严厉的统治者西班牙国王腓力二世和解。至于奥尔登巴内费尔特，和威廉（沉默者）一样，他也加入了新教。但他同与他共事的荷兰"摄政者们"坚持这样一种教会理想，它尽管是基于加尔文教派形式的宗教改革，但在其教义中有充分的自由主义以吸引或满足那些愿意放弃罗马戒律的人。按照这些荷兰统治者的说法，这个国家为了争取自由，包括宗教上的自由，曾经反抗西班牙统治者的集权和暴政，他们也同样不愿接受打上罗马或西班牙的标记的加尔文教派。另一方面，在许多神学家和牧师看来，反抗的发生是为了最不妥协的僵硬的教条主义形式的宗教改革。当时，在危险的宿命论问题上，对立的观点愈来愈两极分化，集中表现在莱顿的两位神学教授——严格的戈马尔派和比较温和的阿米尼乌斯——的争论上。奥尔登巴内费尔特和荷兰大多数有表决权的城市，尽管没有阿姆斯特丹，支持阿米尼乌斯主义者反对强大的加尔文教派的群众，这些群众是坚定的戈马尔派主义者，或如他们通常被称的，是反宗教改革者。自相矛盾的是，奥尔登巴内费尔特和他的追随者甚至不得不运用不宽容的手段去维护宽容的原则；尽管有各种命令对于顽固地不愿克制而宣传对立教义的传教士予以开除而且有时将其驱逐出境。

宗教争端也与省和联盟的对立关系交织在一起。那些反宗教改革的传教士坚持认为从他们的宗教来看是上帝赐予的"胶泥"将联盟黏合起来的。如果翻译成实际政治的术语，这意味着他们要求召开一个"全国性"——即跨省份——的宗教会议（后来证明这是错的），这个会议将建立一个加尔文模式的教会，这个教会将完全独立于所有世俗的权威，而世俗的权威的价值及其统治权都将由神职人员裁判。由于显而易见的原因，在奥尔登巴内费尔特领导的荷兰各州，认为这种宗教会议太危险而不赞成其召开。

同莫里斯亲王之争　回顾往事，这一斗争达到顶点是在1617年7月，当时莫里斯亲王公开地、尽管不是挑衅地支持反宗教改革者。这一对奥尔登巴内费尔特和荷兰执政集团的隐蔽的宣战，导致荷兰各州于1617年8月4日通过所谓"激烈的决议"，除其他内容外，它鼓励省内各城市招募不属于联盟甚至不听命于省总指挥莫里斯的军队。各州都有权采取这些措施。毫无疑问，莫里斯这样的人会认为这些措施是对联盟法令的不可容忍的侵犯。作为一个稳扎稳打的策略家，亲王花了不少于一年的时间来加强他在联盟中的地位，直至1618年8月29日突然逮捕了奥尔登巴内费尔特和他的一些最亲密的合作者，其中主要的有他的非正式的"王储"雨果·格劳秀斯——当时的鹿特丹州长。

在荷兰历史上，省与联盟的尖锐对立从未像在如何审判和由谁来审判奥尔登巴内费尔特这个令人头痛的问题上表现得更为显著。他自己的看法至少在理论上是无懈可击的，即他作为拥有主权的荷兰省的人民公仆，他只对荷兰省的司法部门负责；另一方面，他的政敌则要判他背叛联盟罪。然而由于没有联盟的司法部门，唯一可行的权宜办法是成立一个特别法庭：它由24名法官组成，但他们并不都是合格的律师，其中不少人不但是奥尔登巴内费尔特的政敌，而且是对他怀有私愤的人。尽管如此，经过半年多的监禁和审问，将他判处死刑的罪名并非刻意对公众宣传的叛国，而是"破坏"这个国家的宗教和政策。1619年5月，他在海牙被斩首。他的死刑比这个国家的任何其他事件都更使荷兰的历史编纂学甚至荷兰的政治学感到困惑。

Oldenburg　奥尔登堡　前德意志的一个邦。1946年成为西德下萨克森州的一个行政区。1977年行政区划改组使奥尔登堡成为威悉-埃姆斯行政区一个部分。1854～1937年奥尔登堡幅员最大，达6 423平方千米。首府奥尔登堡位于洪特河下游。12世纪初成为伯爵领地，并发展为城市。1448年奥尔登堡的克里斯蒂安伯爵被选为丹麦国王，并于1450年兼挪威国王，1457年兼瑞典国王，1460年获得石勒苏益格公爵领地和荷尔斯泰因伯爵领地。1454年，他将奥尔登堡让与弟弟格哈德。1667年格哈德的一支绝嗣，领地归属丹麦王室。1773年俄国沙皇保罗一世取得奥尔登堡领地，赐给统治吕贝克主教区的弗雷德里克·奥古斯特。神圣罗马帝国皇帝授予奥古斯特以奥尔登堡公爵封号。奥尔登堡于19世纪成为大公国，1853年加入关税同盟，在七周战争中（1866）支持普鲁士，1867年加入北德意志联邦，1871年加入德意志帝国。1919年接受魏玛宪法，大公国制度为选举的州政府所取代。1933年成为希特勒设置的一个大行政区的中心。第二次世界大战后与下萨克森州合并。

Oldenburg　奥尔登堡　德国西北部下萨克森州城市。在洪特河和屈斯腾运河汇合处。1108年首见记载。1345年设建制。曾为奥尔登堡伯爵、公爵领地首府和州首府。名胜古迹有公爵宫（1607～1615）、兰伯蒂教堂（1270；1790～1797年重建）等。有州剧院、美术馆、植物园、博物馆，还有1974年成立的奥尔登堡大学及其他院校。作为莱尔的农业贸易中心，有牲畜市场和大型肉类加工厂。有造船、玻璃制造和纺织业等。与不来梅港和鲁尔区通航运。人口约158 340（2003）。

Oldenburg, Claes　奥顿伯格（1929-01-28，瑞典斯德哥尔摩～　　）　瑞典出生的美国波普艺术雕刻家，以大件日用品软雕刻闻名。曾就读于耶鲁大学（1946～1950），并热心写作。1952～1954年在芝加哥美术学院学习。1956年迁居纽约，兴趣从绘画转向雕刻。1960～1961年用彩绘石膏制作食品、服装、珠宝等商品模型，构成作品《商店》，陈列在租来的真正的商店里。1962年开始以实验手法表现声音、运动、物品和人物。这类作品多为布料制作的巨大物件，内部充以纸和碎布。1962年展出一间商店，里面陈列着蒙在一层画布下用泡沫橡皮雕刻的冰淇淋蛋卷、汉堡包和一片蛋糕。像其他波普艺术家一样，他选择日常消费品为主题，并留心选择与人们关系密切的物品，例如浴盆、打字机、电灯开关和电风扇等。此外，还采用柔软易弯曲的

美国不列颠百科全书公司供图

乙烯基塑料为原料，使其作品具真人的质感，而且肉感。许多人认为这些作品的意义已远远超出单纯的幽默。1966年在纽约举行作品展览，除软雕刻外，还有他所谓的"巨大纪念碑"的一系列素描和水彩画。1977年奥顿伯格与库斯热·凡·布鲁根（第二位妻子）结婚后开始合作。1981年起他们的作品上出现了布鲁根的签名。1995年纽约市的古根海姆博物馆为他创制的软雕刻举行了超大型巡回展。

Oldfield, Barney　奥德费尔德（1878-01-29，美国俄亥俄州沃西翁附近～1946-10-04，加利福尼亚贝弗利希尔斯）　美国赛车驾驶员。1894年起从事自行车比赛。一度为职业拳击运动员。1902年受雇于福特汽车公司赛车队任机械师，不久为该队驾驶员，驾驶"福特-库珀999"汽车两次胜过曾被认为不可战胜的亚历山大·温顿"弹头"车，从而一举成名。1910年3月16日在佛罗里达州戴托纳比奇驾驶"闪电奔驰"汽车创时速131.724英里（210.758千米）的世界纪录。后厌恶汽车比赛。他有两次赛车发生事故，造成多名观众死亡，报纸对此大肆渲染，使他大为恼火。1918年退出比赛，大力宣传安全驾驶的重要。

Oldham　奥尔德姆　英格兰大曼彻斯特都市郡的一个都会自治市和市。在奔宁山脉西缘靠近梅德洛克河源头处。面积141平方千米。以奥尔德姆家族之名命名。早期为兼营羊毛业的农业中心。19世纪成为棉纺织业城镇。现工业项目已广及汽车制造和电子工业等。城区很大部分仍为乡野。著名建筑有建于1933年的奥尔德姆教区教堂和建于1841～1842年的旧市政厅。蔡德顿是一座砖砌庄园，约建于1700年。科贝特和丘吉尔都曾是来自奥尔德姆的下院议员。作曲家W.沃尔顿出生于此。人口约219 200（1998）。

Oldham, John　奥尔德姆（1653-08-09，英格兰格洛斯特郡希普顿莫因～1683-12-09，诺丁

汉附近霍尔姆皮埃尔蓬） 用英文写仿古讽刺诗的先驱。1674年在牛津大学获学士学位后，回到家乡，可能在他父亲的学校任教。1676年任克罗伊登学校（校长为J.谢泼德）助教。他的诗引起罗彻斯特伯爵的注意，伯爵到克罗伊登见他，据说对他的诗“十分喜欢”。伯爵死时，奥尔德姆模仿摩斯科斯悼彼翁的挽歌，写诗表达对死者的感激之情。在伦敦居住时，他处在“朝廷才子”的外围并结识了J.德莱顿。后者痛惜对奥尔德姆“知之太少，知之太晚”，曾写一篇高雅的挽歌以示哀悼。奥尔德姆在发展古典诗歌方面，占有显著的地位。《嘲弄耶稣会教士的讽刺诗》（1681）4篇，包括此前于1679年印在大幅印张上出版的《加尼特的鬼魂》，构成他最闻名的作品。这些作品很有说服力，但像通俗闹剧，充满粗俗的形象和不匀称的韵律，意在模仿尤维纳利斯的猛烈抨击风格。他的讽刺诗的新颖之处在于，它们针对一般主题，而不是进行人身攻击。

Oldham, Richard Dixon 奥尔德姆（1858-07-31，爱尔兰都柏林～1936-07-15，威尔士兰德林多德） 英国地质学家和地震学家。他发现了地核存在的证据。奥尔德姆在皇家矿冶学校接受训练后，于1879年参加印度地质调查局工作，后来担任该局局长，直到1903年。他研究1897年阿萨密地震时，发现地震仪纪录上揭示了3种单独的地震波，并确定了这些震波是沿不同路线、以不同速度穿过地球传播的。他还首次确切证实了地层垂向位移是地震运动的结果。为了阐述直向通过地球传播的地震波比斜向传播的地震波速度要慢，他假设有地核使距震中180°处观测到的地震波速度减慢了。

Oldman River 老人河 在加拿大艾伯塔省南部，为南萨斯喀彻温河主要源头之一。源出加拿大落基山脉，向东流经莱斯布里奇和省立塔伯公园，在梅迪辛哈特以西60千米处与鲍河汇成南萨斯喀彻温河。从主要源头克罗斯内斯特河发源处起，全长402千米。19世纪时为重要运煤航线。连同3条主要支流——贝利河、圣玛丽河和小鲍河——形成面积40多万公顷的灌溉区。

Oldowan industry 奥杜威文化期工艺 约200万年前的更新世早期一种石器制作传统，以加工粗糙的砾石工具（砍砸器）为其特征，没有标准化的器型。这类石器以石英、石英岩或者玄武岩为原料，沿砾石的两面打制成一种简单而粗糙、多用的石器，用以砍砸、刮削和切割。加工这种石器时剥落下来的石片，也可以作石器用。这些石器是由早期人类制作的（这个时期的人类大概包括坦桑尼亚奥杜威峡谷、埃塞俄比亚奥莫和肯尼亚东图尔卡纳的能人）。但是，在上述各个地点也同时存在粗壮型南方古猿。有些学者认为这些工具是附近居住的较为进步的人类制造的，其论据是粗壮型南方古猿可能是素食者，对他们来说，使用工具不是什么重大优势，而该遗址又一再发现有较为进步的人类与粗壮型人科同住。奥杜威文化期石器的分布区域，似乎超出了非洲范围，有可能是随同人属的一个早期种一同分布出去的。匈牙利维特斯佐洛、中国周口店等遗址，也曾出土与奥杜威石器器型相似的石器。在奥杜威峡谷第一层发现有布成圆圈的石块，可能是早期人科用以压住防风篱边缘的重石。奥杜威石器传统大约延续了100万年，经过技术上逐步改进之后，发展成为一种器型统一的石器工艺，称为阿舍利工艺。

Olds, Ransom Eli 奥尔兹（1864-06-03，美国俄亥俄杰尼瓦～1950-08-26，密歇根兰辛） 美国发明家和汽车制造商。他设计的装有弧形挡泥板的3马力奥尔兹汽车是第一次在商业上获得成功的美制汽车，也是第一次用流水线装配的汽车。这种装配法后来发展为现代化的大批量生产方式。1899年奥尔兹在兰辛富有的木材商S.史密斯的财力支持下，创办奥尔兹汽车工厂，1901年第一批奥尔兹汽车投入市场，1904年共销售了5 000辆。后因史密斯主张生产大型旅游车取代畅销的奥尔兹汽车，两人发生争执。1904年奥尔兹脱离原公司另建里奥汽车公司。到1907年，他把里奥公司建成为工业界第一流的公司，但1908年以后，该公司的地位在竞争中一落千丈。1915年以后，奥尔兹从事销售他所发明的割草机和土地投机等活动。

Olduvai Gorge 奥杜威峡谷 坦桑尼亚北部塞伦盖蒂平原东部考古遗址。峡谷两侧坡壁颇陡，谷长约48千米，深90米，有几个附属谷地。陡坡上暴露的堆积，所示时间跨度约为210万年前至1.5万年前。堆积中发现丰富的化石动物群，其中包含50多个个体的人科遗骸，以及考古学上迄今所知延续最长的石器制作工艺。奥杜威的堆积主要分7层。最早的第Ⅰ层最大厚度为60米，年代为170万年前至210万年前。它的上部（170万～185万年前）含有大量的各种动物遗骸和**奥杜威文化期工艺**（**Oldowan industry**）的考古遗址。人科遗骨属于能人和鲍氏南方古猿（以前称鲍氏东非人）。发掘出宿营遗址和一处屠宰遗址。在地势较低的湖畔遗址，发现一圈疏落分布的石块，表明当时建有粗陋的棚舍，建造方法是将树木枝干打入地面，排成一周，以石为础。第Ⅱ层（115万～170万年前）厚20～30米，分上、下两层。下层见有奥杜威工艺遗存；上层则是发达的奥杜威工艺和**阿舍利文化期工艺**（**Acheulian industry**）。下层出土能人遗骸，而靠近顶部则发现一个直立人的头盖骨。鲍氏南方古猿见于第Ⅱ层的不同深处。第Ⅲ层（80万～115万年前）和第Ⅳ层（60万～80万年前）的考古遗址代表发达的奥杜威工艺和阿舍利工艺。人科遗骸属直立人和其他形态。接着是马塞克层（40万～60万年前），约25米厚，只发现一处考古遗址，属阿舍利工艺。恩杜图层（3.2万～40万年前），最大厚度24米，有两个考古遗址，其资料与中石器时代相关。乃休休层（1.5万～2.2万年前），10米厚，有一个考古遗址，含细石器工具群和一具智人骨架，年代均约1.7万年前。

奥杜威峡谷的岩层
美国不列颠百科全书公司供图

Oleaceae 木犀科 木犀目（Oleales）的一科，为木本，除北极外分布于世界各地。含29属，约600种。原产于多森林的地区。一些种类有美学重要性；油橄榄（欧洲木樨榄，*Olea europaea*）是油橄榄果和橄榄油的来源；梣属（白蜡属，*Fraxinus*）种类以硬木著名；许多属有园艺价值：丁香属（*Syringa*）、茉莉属（*Jasminum*）、女贞属（*Ligustrum*）、连翘属（*Forsythia*）和木犀属（*Osmanthus*）。木犀科大部分种类为乔木或灌木，但少数种类，如大部分茉莉为木质攀缘植物。热带和暖温带种类为常绿植物，而较冷的北温带种类落叶。本科大部分种类的花具四枚花瓣，四枚萼片，二枚雄蕊和二心皮愈合成一枚上位的子房。四枚花瓣常于基部连合形成管状。除茉莉属少数种外叶对生于枝上。果为肉质（如油橄榄）、具翅（如梣树）、木质蒴果（如 *Shrebera* 属）或二叶的浆果（如茉莉）。油橄榄和梣树的木材坚硬耐用。木犀科许多种类栽培以观赏其美观

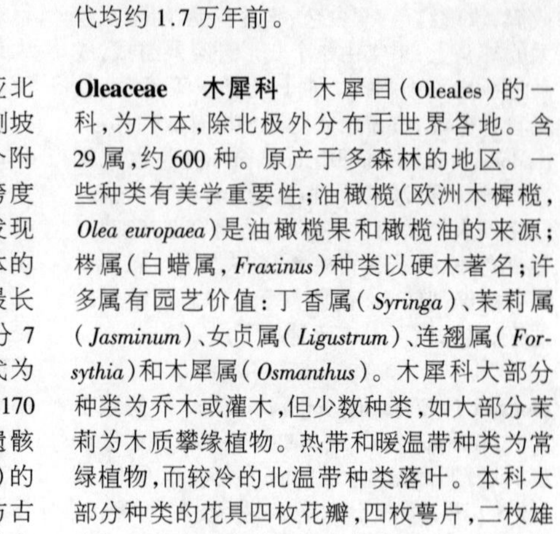

木犀科代表植物（西洋丁香，*Syringa vulgaris*）

且芳香的花。最常见的花色为白色，但丁香可有多种色型，连翘和少数茉莉为黄色。欧女贞属（*Phillyrea*）和女贞属的种用作树篱和观赏植物。茉莉花（*Jasminum sambac*）可制项圈，在夏威夷用制挂在颈上的花环。丁香、茉莉和木犀属尤以花朵芬芳著名。中国人和日本人珍爱茉莉花和木犀花，用其熏香茶叶。茉莉油取自西班牙和法国南部的大花茉莉（*J. grandiflorum*）。

Olean　奥利安　美国纽约州西部卡特罗格斯县城市。西北距布法罗 97 千米，临阿勒格尼河。1804 年始有居民。1808 年曾设为乡。1854 年设村，1893 年设市。因临近宾夕法尼亚油田，发展了以石油为基础的经济。现主要生产涡轮机、压缩机及电器零件。也产生磁砖、环氧基树脂及聚亚安酯产品、刀具。市西 3 千米处有圣波那文都拉大学（1859）。附近有州立阿勒格尼公园。1972 年 6 月3 000余幢住房毁于洪水。人口约15 347（2000）。

oleander　夹竹桃　夹竹桃科夹竹桃属（*Nerium*）所有常绿观赏灌木的统称，具有毒乳汁。普通夹竹桃（洋夹竹桃、欧洲夹竹桃，*N. oleander*）最为人熟知，原产于地中海地区，特征为高大灌木，叶对生，厚披针形。花顶生成簇，玫瑰红色，罕白色；雄蕊有毛，附着于粗大的柱头上；果实由 2 个长形蓇葖果组成，成熟时释出许多种子，种子上有一簇丝状毛。老普林尼说，古希腊人对夹竹桃有 3 种称呼：rhododendron，nerion 和 rhododaphne，他也提到夹竹桃玫瑰似的花朵和毒性。洋夹竹桃长久以来被人们栽植于温室，并已育有许多变种。香夹竹桃（白花夹竹桃、印度夹竹桃，*N. indicum*）植株则较小，花具香草气味。在温暖的地区，夹竹桃可以广泛种植于户外。

oleaster（*Elaeagnus angustifolia*）　胡颓子　又作 Russian olive 或 trebizond date。又称沙枣，俄罗斯油橄榄。胡颓子科落叶小乔木，高 4.5～6米，原产于欧亚大陆。枝皮光滑，深

胡颓子（*Elaeagnus angustifolia*）
美国不列颠百科全书公司供图

褐色，常有刺。叶窄，正面淡绿色，背面密布银白色的小鳞片。花小而芳香，浅绿色。果油橄榄状，黄色，味甜，粉质，可食。花和果外均被银白色的鳞片。耐寒，抗风，适应于贫瘠、干燥的土壤。可作防风篱，也常作观赏围篱植物。

olefin　烯烃　又作alkene。含有一对或多对由双键连接的碳原子的一类不饱和烃。有两种分类方法：①分为环烯烃和非环（脂肪族）烯烃，其中双键位于成环（闭环）碳原子之间或开链基团的碳原子之间。②分为单烯烃、双烯烃和三烯烃等，其中每个分子中的双键数目依次为 1、2、3 等。非环单烯烃的通式为C_nH_{2n}，式中C表示碳原子，H表示氢原子，*n* 为一正整数。烯烃在自然界很稀少，但在石油裂解（大分子断裂）成汽油过程中可大量生成。低级的单烯烃（即乙烯、丙烯和丁烯）已成为庞大的石油化学工业的基础。这些化合物的最大用途在于双键与其他化学物质的反应。化学通式为C_nH_{2n-2}的非环二烯烃，含有两个双键，其化学反应与单烯烃相似。最重要的二烯烃是丁二烯和异戊二烯，二者皆用于制造合成橡胶。分子中含 2～4 个碳原子的烯烃，在常温常压下为气体。含有 5 个或更多碳原子的烯烃，常温下通常是液体。烯烃仅微溶于水。

Oleg　奥列格（?～约912）　半传奇式的维金人（瓦朗吉亚人）首领，后为基辅大公，据认为是基辅罗斯国的缔造者。据 12 世纪的《俄罗斯编年史》记载，他在 879 年左右成为诺夫哥罗德的统治者。后率瓦朗吉亚人沿第聂伯河而下，882 年占领斯摩棱斯克和基辅，以基辅为自己的首都。在编年史中他被写成武艺超群的勇士。他曾击败哈扎尔人，907 年远征君士坦丁堡，迫使拜占廷帝国向他求和并大量赔款。911 年与君士坦丁堡签订通商协定，改善两国之间的贸易关系。

Olenekian Stage　奥伦尼克阶　下三叠统两个阶中最上面的一层，代表三叠纪奥伦尼克时期（24 500 万至 24 200 万年前）在全世界沉积的岩石。阶名源于西伯利亚的奥伦尼克河。根据 1956 年的界定，奥伦尼克阶是奥伦尼克河下层印度阶沉积物之上的地层，其上覆盖安尼阶沉积物。奥伦尼克阶细分为史密斯阶和斯帕思阶。全世界有 5 个菊石头足类动物生物带与奥伦尼克海相地层有关。其中已命名的类型中有 4 个在北美洲。但这些生物带不适用于非海相岩石。奥伦尼克阶位于中三叠统安尼阶之下，下三叠系印度阶之上。

Olenellus　小油栉虫属　三叶虫类（绝灭的节肢动物）的属。常见，但限于下寒武统（5.7

在美国佛蒙特州发现的小油栉虫属（*Olenellus*）化石
美国不列颠百科全书公司供图

亿年前至 5.4 亿年前），因此对下寒武统是有用的标准化石。头部发育完善，眼大、呈新月状，尾部小、发育差。

Olenin, Boris　奥列宁　参阅 **Chernov, Viktor Mikhaylovich** 切尔诺夫。

Olenyok River　奥列内奥克河　在俄罗斯中东部。源出中西伯利亚高原上的布科昌岭南坡，流经雅库特和北西伯利亚低地，注入拉普捷夫海，长2 292千米，流域面积 21.9 万平方千米。上游水流湍急，下游与西萨拉河汇合后河谷展宽。仅苏哈纳（距海约 966 千米）以下河段可航。

oleograph　石印油画　又作 chromo。又称彩色石印画（chromolithograph）。曾是最流行的彩色复印画。用手工将画中各种颜色分别制版，然后将各色石版套印。有时制作一幅版画要用 30 多块石版。此法创于 19 世纪 30 年代，但到 60 年代才广泛应用于商业。19 世纪末期则由效率更高的技法取而代之。参阅 **lithog-raphy**。

Oléron Island　奥莱龙岛　比斯开湾岛屿，属法国滨海夏朗德省，位于法国南部拉罗谢尔和吉伦特河口湾岸外。面积 175 平方千米，是法国第二大岛（仅次于科西嘉岛）。该岛有些像豆形。平均宽 6 千米，西北-东南走向。通过一座长约 2.8 千米的大桥与本土连接。大部地势平坦，1/3地区有林木。养殖牡蛎，种植蔬菜。西南部小城镇圣特罗让为海滨胜地。一些海港小镇和沿海村庄为度假人提供食宿。1966 年通往本土的大桥完工后，旅游业迅速发展。人口16 360（1996）。

Olesha, Yury Karlovich　奥辽沙（1899-03-03，俄罗斯帝国乌克兰伊丽沙白格勒～1960-05-10，莫斯科）　俄罗斯作家。其作品描写苏联早期新旧思想之间的冲突。在敖德萨长大。参加过红军。后来当新闻记者。20 世纪 20 年代初期发表幽默诗歌和尖锐的评论文章。1927 年发表长篇小说《嫉妒》，一举成名。书中 6 个主人公，3 个接受了苏联社会的机械呆板和因循守旧；3 个对这种社会厌恶反感并对其价值标准表示怀疑。他还写过短篇小说《爱情》（1929）、童话长篇小说《三个胖子》（1928）和一部剧本，但都是从不同角度重复《嫉妒》中的主题。30 年代初期，苏联文学界提出社会主义现实主义的口号，他认为自己无法“顺应时代潮流”。1934 年在苏联作家协会的一次会议上，他公开讲出自己的疑虑和担忧，从此在苏联文坛上销声匿迹。西方谣传他已被捕，关人劳改营。第二次世界大战后年代情况不详。直到斯大林死去，他的名字才重新在苏联文坛出现。1956 年出版短篇小说集，表明他已经彻底平反。

Oleśnicki, Zbigniew　奥莱希尼茨基（1389，波兰谢诺～1455-04-01，桑多梅日）　波兰政治家、枢机主教、国王弗瓦迪斯瓦夫二世的首席顾问、波兰摄政王（1434～1447）。波兰贵

族世家出身。1410年在格伦瓦尔德战役中拯救国王的性命,从而成为枢密院主要成员。1423年任克拉科夫主教。他代表教会和贵族利益,以限制王权作为条件保证贵族们承认年幼王储的继承权,从而开始了选择君王的传统。弗瓦迪斯瓦夫二世死后,他任摄政王。他反对胡斯派的宗教运动,并于1439年击败胡斯派贵族。1439年教皇犹金四世任命他为波兰首任枢机主教,进一步加强了他的地位。1444年弗瓦迪斯瓦夫三世在征讨行动中死去时,他成为国家的实际统治者,直到1447年卡齐米日四世即位为止。

olethreutid moth 小卷蛾 又作 fruit moth 或 bud moth。又称果蛾、芽蛾。鳞翅目小卷蛾科昆虫。世界性分布,包括一些重要害虫。幼虫灰白,卷叶习性显著,取食叶、果。如苹果食心虫(*Cydia*[前为 *Carpocapsa* 或 *Laspeyresia*] *pomonella*)原产于欧洲,现分布一切有苹果树的地方。幼虫钻入苹果,成熟后在残屑或树皮下或在土中化蛹。还有梨小食心虫(东方果蛾,*C.*[前为 *Laspeyresia* 或 *Grapholitha*] *molesta*)。小卷蛾的前翅顶端略呈方形,后翅有缘毛。翅展一般18毫米。墨西哥的跳豆小卷蛾(*Laspeyresia saltitans*)的幼虫生活在某些灌木(如地杨桃属[*Sebastiania*])的种子内,以果仁为食,幼虫的活动使种子跳动。

olfaction 参阅 **smell** 嗅觉。

Olga, Saint 奥尔加,圣(约890～969,基辅) 又称圣黑尔佳。俄罗斯有史以来第一位女性统治者、基辅统治家族中第一位信奉基督教的人,也是被追谥为圣徒的第一位俄罗斯人。她原是基辅大公伊戈尔一世的夫人,伊戈尔为属下所暗杀,奥尔加945～964年摄政,处死众凶犯,株连数百人。约957年她在君士坦丁堡受洗成为正教徒。她努力把基督教传入俄国,受到儿子斯维雅托斯拉夫的抵制,但她的孙子弗拉基米尔大公(?～1015)实现了她的遗愿。

Olgas 奥尔加山 澳大利亚北部地方西南部的突岩。由36块红色砾岩穹丘组成,矗立在马斯格雷夫岭以北的荒漠平原上。位于乌卢鲁国家公园(原艾尔斯山-奥尔加山国家公园,建于1958年)境内。为澳大利亚三大突岩之一。当太阳照射在岩丘深缝中时,茂盛的草木熠熠发光,岩石呈现各种变幻不定的色彩,蔚为奇观。

Olgierd(grand duke of Lithuania) 参阅 **Algirdas** 阿尔吉达斯。

Olhão 奥良 葡萄牙南部法鲁区港口城镇和镇区。位于法鲁镇以东。主要为渔港,建有罐头厂。作为游人众多的旅游地,经常有画家前往。人口:城镇19 817;镇区34 224(1981)。

olibanum(gum resin) 参阅 **frankincense** 乳香。

Olier, Jean-Jacques 奥利埃(1608-09-20,法兰西巴黎～1657-04-02,巴黎) 天主教苏尔比斯会创建人。该会由未受神职的教士组成,其任务是培养司铎。1641年,奥利埃在

美国不列颠百科全书公司供图

沃日拉尔建立神学院。第二年,任圣苏尔比斯教堂司铎,遂将这个神学院迁到巴黎。从此这个神学院通称圣苏尔比斯神学院。

oligarchy 寡头政治 由少数人统治的政治形态,尤指由一特权小集团为贪污和自私的目的而行使的专制权力。亚里士多德用oligarchia这个词来指少数人统治。这种统治的统治权不是由最优秀的人而是由坏分子不正当地行使。就这一意义而言,寡头政治是贵族政治的一种贬低的形式,而这种贵族政治是指少数人统治。这种统治的统治权授予最优秀的分子。当统治精英全部来自居统治地位的特权阶级——世袭的社会集团,即以宗教、血统、经济状况、威望甚至语言,区别于社会的其他阶级时,最典型的少数人统治就形成了。这些精英趋向于为他们本阶级的利益而行使权力。一种一再出现的概念是,所有的政治形态最后分析起来都可缩减至少数人统治。无论形式上的权力归属于人民、君主、无产阶级或独裁者,这种少数人统治都想得到有效的控制权,因此K.马克思和F.恩格斯强调,在整个资本主义制度下,大资本家控制了政府;为此他们提出了"国家是剥削阶级的管理委员会"的名言。意大利政治学家G.莫斯卡同样强调"统治阶级"总要建立有效的寡头控制。V.帕累托也在其"精英"论中详细阐述了这一概念。现代从"精英"的角度分析社会模式的倾向,虽然由于帕累托的理论而大大加强,但可回溯到马克思和恩格斯之前,马克思和恩格斯使用"精英"这个词来描述具有阶级意识的共产主义者,即无产阶级中的领导集团。"寡头政治"这个词的最著名的现代用法之一,见诸德国社会学家R.米歇尔斯所创立的"寡头政治的铁的定律"的概念,米歇尔斯用这一概念来指他所谓的政党和工会的官僚化、中央集权化和保守化是一种不可避免的倾向。他的理由是,即使政党或工会原本的思想意识和目标强调平等主义甚至激进,它们仍然必须有一个位居中央的人数有限的领导集体,这个集体能有效地行使权力。把要办的事情通过一个行政管理班子来完成,并形成一种严密的秩序和意识形态,当面临内部分裂和外部反对时,能确保其组织的生存。以后持各种不同见解的作家们,或是企图扩大米歇尔斯的论点,将它延伸至立法机构、宗教团体和其他组织;或限制和批判这一论点,指责说,"寡头政治的铁的定律"并非一概如此,有些工会和政党的确保持着一种行之有效的民主表达和管理的制度。

政治学与社会学开始愈来愈谨慎地区分各种不同的统治与权力形态。在与政党任何单一成员的压倒性关系上,民主政党领袖所持有的权力形态,与极权主义和独裁主义模式中的单一政党领袖所行使的权力形态极为不同。同样地,在民主的情况下(为外部的人在任何时候有效地向统治集团提出挑战提供条件),统治集团在组织内部所占的地位,也不能同独裁主义相比拟,假若有效的统治能像美国城市或英国工会一样迅速地更易领导人,那么把行使权力者称作"阶级"或"精英"就有问题了。"少数人"的概念太抽象,无法传达太多的信息。由于无法强调出一个政府在本质上的特征,"寡头政治"一词如同希腊哲学中其他纯粹以数字来表达政府的概念一样,已成为过时的术语。

Oligocene Epoch 渐新世 第三纪的世界范围的一个主要分期,开始于约3 660万年前,终止于约2 370万年前。继始新世之后,在中新世之前。Oligocene这个术语源于希腊文,意思是"近代族类很少的世",指在渐新世期间所产生的现代动物为数稀少。

西欧渐新世的开始以一次海水的侵袭为标志,这次海侵带来了为渐新世所特有的新的软体动物种类。不过,海侵期持续不久,半咸水和淡水环境很快就占了优势。海侵接着是建立半咸水然后是淡水环境的旋回,在渐新世期间反复出现。渐新世被分成两个期,其相应的地层也被分成两个阶——即鲁珀尔阶和卡蒂阶。

渐新世期间,淹没了部分欧亚大陆的特提斯海,海底上的沉积物在欧洲阿尔卑斯山形成的初期就发生了变形。渐新世的气候似乎是温和的,而且许多地区还有亚热带气候条件。草原面积在渐新世扩大了,而森林地带则缩小了。热带植被沿特提斯海边缘生长茂盛。当时温暖的沼泽条件在今德国的大部分地区占优势,所以形成了广泛的褐煤堆积。

渐新世海生动物中突出的一类是有孔虫,为近似变形虫而带有一种常常是钙质的介壳或甲壳的原生动物。货币虫是特别突出的一种。其他各种海生动物在外观上基本都是现代的族类。陆生无脊椎动物是丰富而多样的。英国怀特岛上的河流和湖泊沉积物中含有保存得很好的白蚁和其他昆虫的化石。在波罗的海区有许多种渐新世的昆虫被保存在琥珀里,如蝴蝶、蜜蜂、蚂蚁和蜘蛛等。

渐新世的丰富而多样的陆生脊椎动物群见于北美洲、欧洲、非洲和亚洲。北半球各大陆脊椎动物群之所以具有基本上是现代的面貌,多半不是由于新类型出现的结果,而是由于先前的始新世结束时古老脊椎动物的绝灭。北半球各大陆渐新世早期多种多样脊椎动物群之间的相似处使人想到动物的相对自由的流动,但渐新世晚期动物群却更显示地方性特点。蝙蝠的分布在渐新世变得更广,而且至少在局部地方是丰富的;它们在洞穴中的粪便形成大范围磷肥矿床,这种矿床现时在许多地方都有重要经济意义。原始河狸

出现于渐新世晚期。整个渐新世时期,现代食肉族类变得多样而又繁盛。自古以来最大的陆地哺乳动物巨犀属(*Baluchitherium*)产于亚洲,最早的剑齿象产于埃及。在北美洲,原始马当时在演化中,其中有三趾的类型如渐新马属(*Mesohippus*)和中新马属(*Miohippus*)。野猪和西貒最早出现在渐新世早期的欧洲,并于渐新世晚期到达北美。最早的类似猿的族类副猿属(*Parapithecus*)化石见于埃及的渐新世堆积物中,这些堆积物还产有好几种旧大陆猴类的化石。最早的新大陆猴类化石见于南美洲渐新世晚期堆积物中。在渐新世期间,南美洲同中美和北美是隔离的,所以那里发育了一种独特的哺乳类动物群。值得注意的是,渐新世的许多南美洲哺乳动物在适应环境过程中表现出与世界其他地区所见到的、关系并不亲近的种类极为相似。

oligochaete 寡毛类 寡毛纲环节动物,约3 200种。最熟知的种类为蚯蚓(**earthworm**)。世界各地常见,生活在海水、淡水和湿土中。大小从数毫米到3米多。无头及供运动用的疣足,有少数刚毛。许多种类体上有粗厚部分(环带),分泌卵茧。雌雄同体。直接发育,无幼虫期。寡毛类(尤其是蚯蚓)能翻松土壤及增加土壤的通气性,在生态上十分重要,也是鱼的重要饵料。

oligoclase 奥长石 又称更长石。长石类矿物斜长石(**plagioclase**)中最常见的变种。

oligomenorrhea 月经稀发 又作oligomenorrhoea。月经间隔时间延长的一种妇科症状。有此症状者一年可只来3～4次月经。原因为精神性、内分泌性或器质性。若未发生急性症状,则仅影响生育时才引起人们注意。无月经可能是某些疾病的一种症状。参阅**amenorrhea**。

oligopoly 寡头垄断 少数生产商(同类产品的生产商)中每一个都能影响市场但不控制市场的市场状况。每个生产者必须考虑价格变动对其他生产者的影响。一家公司削价可能导致其他公司的同等削价;其结果是除了利润幅度较低外,各公司仍保持与削价前相近似的市场占有份额。寡头垄断行业内部的竞争,常表现在如广告和产品差异之类的非价格形式上。美国有代表性的寡头垄断是钢铁、铝和汽车制造业。

oligosaccharide 寡糖 由3～6个单糖分子组成的糖类。将多糖部分降解可制备出许多寡糖。天然存在的寡糖种类很少,其中多数存在于植物中。蜜三糖见于多种植物,由蜜二糖(半乳糖和葡萄糖)和果糖组成。龙胆三糖亦为植物三糖。麦芽三糖是一种葡萄糖三糖,见于一些植物及某些节肢动物的血液中。

oligotrich 少毛虫 又译鲜毛虫。少毛目(鲜毛目,Oligotrichida)球形到梨形的纤毛虫。见于淡水、海水或半咸水。有的种有纤毛,纤毛往往融合成为成群的触毛状。少毛虫有明显的口缘纤毛。许多种类有由小膜片形成的

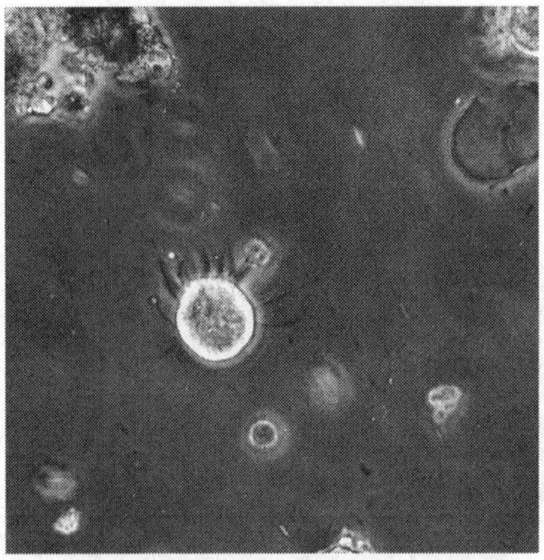

大弹跳虫(*Halteria grandinella*)
美国不列颠百科全书公司供图

前螺旋带(纤毛融合成的平板)用作有效的行动工具,在某些情况下,为唯一的移动工具。大弹跳虫(*Halteria grandinella*)是普通的淡水代表种,呈小球形,沿着细胞中部有一小沟,其中具有7组由3个触毛构成的束,触毛的活动使整个细胞在水中跳跃式地前进。

Ólimbos, Óros (Greece) 参阅 **Olympus, Mount** 奥林波斯山。

Olinda 奥林达 巴西东北部伯南布哥州东部城市。在州首府累西腓以北8千米大西洋岸的一座低山上。1537年由葡萄牙人建立,为殖民时期伯南布哥管辖区首府。到

奥林达市的圣本托教堂
美国不列颠百科全书公司供图

1600年经济以蔗糖为主。1630～1654年荷兰人占领该城。奥林达有16～17世纪的华丽教堂和寺院等殖民时期著名建筑物。市内有木雕和陶器艺人的聚居区。人口约349 380(1996)。

olingo 尖吻浣熊 又作cuataquil。浣熊科尖吻浣熊属(*Bassaricyon*)约4种小型树栖食肉动物的统称,栖息在中美洲和南美北部丛林。形细长,浅灰褐色,体长35～50厘米。尾蓬松,有模糊的环形花纹,长40～50厘米。毛柔软,吻尖,耳圆。外形像卷尾浣熊,但不及后者粗壮,吻部更狭,尾不能卷曲,尾毛更长。夜行性,常成小群活动,主要以果实为食。其他习性尚不清楚。

Oliphant, Laurence 奥利芬特(1829,开普敦～1888-12-23,英格兰米德尔塞克斯特威克纳姆) 英国作家、旅行家、神秘主义者。他是一个有争议的人物,寻求在巴勒斯坦建立一个犹太人国家。出身在官僚家庭,受过不连贯的教育,曾当过律师,不久即放弃法律工作而投身于冒险生活。他把24岁前的旅行见闻写成两部书:《加德满都之行》(1852)和《1852年秋俄国的黑海之滨,顺伏尔加河而下至顿河哥萨克人地区漫游》(1853)。后来在世界各地的经历——外交官埃尔金伯爵J.布鲁斯的秘书、《泰晤士报》战地记者,以及驻日本非官方英国观察员和英国公使馆一等秘书——均记录在诗作《冒险生活的插曲》

美国不列颠百科全书公司供图

(1887)和其他书中。《埃尔金伯爵出使中国和日本纪事》(1859)有趣地记述了19世纪的炮舰外交。1865年出版讽刺伦敦社会的长篇小说《皮卡迪利:当代传记的一个片断》。同年成为保守党议员。1867年赴美,参加属灵派"先知"哈里斯创办的新生活兄弟会。1878年向迪斯累里和索尔兹伯里侯爵第三R.塞西尔建议在巴勒斯坦建立犹太人国家的方案(他本人并不是犹太人),受到索尔兹伯里侯爵和东欧犹太人的欢迎,但遭到统治巴勒斯坦的土耳其苏丹的反对。1882年与妻子在海法定居,在该地形成一个小社会并合写《人类现有的进化力量》(1885),呼吁净化性生活。

Oliphant, Margaret Oliphant 奥利芬特(1828-04-04,苏格兰米德洛锡安沃利福德～1897-06-25,伦敦附近的温莎) 苏格兰多产女小说家、历史题材作家、传记作家,以擅长描写小城生活见称。1852年与堂兄、彩绘玻璃艺术家F.W.奥利芬特结婚,定居伦敦。1859年丧夫,靠写作扶养她和她兄弟的子女。

美国不列颠百科全书公司供图

自1849年至去世,共出版100多部书,其中最著名的是1863～1866年匿名出版的《卡灵福德记事》。这4部描写当时一个小城生活的小说包括《玛乔丽班克斯小姐》(1866),写一

个想在社会上向上爬的年轻女子；和《塞勒姆教堂》(1863)，写一个聪明的新教牧师与他心胸狭窄的教民的麻烦。她的苏格兰题材小说中的佳作是《玛格丽特·梅特兰夫人的生活片断》(1849)、《默克兰》(1851)和《克斯廷》(1890)。其他作品包括《一座被围困的城市》(1880)和讲述在一个神奇王国中猎奇的《幽灵世界的小香客》(1882)。还出版有对文学史家有重要意义的作品《一家出版公司的变迁：威廉·布莱克伍德和他的儿子们》(1897)。她对家庭生活的描述既亲切、风趣而又深刻。

Olita (Lithuania) **奥利塔** 参阅 **Alytus** 阿雷图斯。

Olitski, Jules 奥利茨基(1922-03-27，俄罗斯斯诺夫斯克～) 第一个在着色技术中用稀薄的颜料创造出优雅、精美色彩构图的美国大色域派画家。曾在纽约全国设计学会(1939～1942)和巴黎扎德基恩雕塑学校学习(1949)。1951年在巴黎举行首次个人画展。1961年其作品在卡内基国际绘画展览会上展出。《帕图茨基亲王指挥部》(1965)是其用染色法和喷色法获致华丽效果的典范作品。

Olivares, Gaspar de Guzmán y Pimental, conde-duque de(count-duke of), DUQUE DE SANLÚCAR DE BARRAMEDA **奥利瓦雷斯**(1587-01-16，罗马～1645-07-22，西班牙托罗) 即

美国不列颠百科全书公司供图

G.古斯曼-皮门塔尔、桑卢卡尔-德巴拉梅达公爵。西班牙首相(1623～1643)、国王腓力四世的宠臣，他力图加强中央权力，引起暴乱，终于去职。其父是西班牙驻罗马大使，其母为卡斯蒂利亚的名门闺秀。早年攻读宗教课程，1601～1604年间获得萨拉曼卡大学法律、神学和文学的学位。其兄去世以后，他放弃塞维利亚的神职，前往当时西班牙王宫所在地巴利阿多利德与其父一起生活。1615年成为腓力亲王的私人侍卫之一。1621年腓力加冕，他成为国王的宠臣，封大公。1623～1643年担任首相。他的国内政策主要是使半岛上的各王国实行民族大团结。他还进行多种经济改革，如限制国王的赏赐；重新铸造铜合金硬币；发行纸币；复兴王国的工商业；提高航运公司商船的竞争能力。然而，他发展贸易与工业的措施却以失败而告终。他采取步骤，使权力集中于国王及其大臣手中，是造成加泰罗尼亚和葡萄牙暴乱的主要原因之一。在外交政策方面，他梦想通过奥地利和西班牙两个哈布斯堡王朝联合而称霸欧洲，终于使西班牙深深陷入三十年战争而受挫于法国。由于王后策动宫廷政变，腓力于1643年1月将奥利瓦雷斯免职。后来，虽然国王有意将他召回，但由于别的大公长期以来妒嫉他的权势，终于使他被流放到托罗城。1644年12月异端裁判所审查他的行为，翌年逝世。

olive (*Olea europaea*) **油橄榄** 木樨科阔叶常绿乔木，也指其果实。产于亚热带。果实可供食用，亦可用于榨取橄榄油。株高3～12米，分枝多；革质叶，披针形，对生，上表面深绿色，下表面银白色。木材耐腐蚀，若梢部顶死，新干可从根部再生。美观的树形数千年来备受赞颂(在古代，它点缀着巴勒斯坦及亚洲西部许多地方的地表景色)。晚春开花，花小，白色，松散地簇生叶腋。花有两种：一为两性花，可发育成果实；一为雄花。风媒传粉。结果不稳定，在灌溉施肥不足地区，大小年交替出现成为规律，丰收之后，第二年甚至不开花。核果内含1～2枚种子。果实含油量很高，约占鲜重的20%～30%，从开花起算6～8个月的果实重量及含油量最大，此时果为黑色。用于榨油的果可让其在树上成熟，而食用的果实则在不完全成熟时采摘或摇落。温暖地区的食用和油用橄榄品种数以百计，产于加利福尼亚的Mission品种为食用型。产于欧洲的Picual、Nevadillo及Morcal等为油用型。希腊克里特岛在公元前3500年就已栽种食用油橄榄；闪米特人在公元前3000年也已栽种。古希腊在荷马时代即用橄榄油涂抹身体。公元前600年油橄榄已是古罗马的重要作物。之后传播到地中海各国。世界油橄榄商品生产分两个地带：分别在南、北纬30°～45°间，两个地带均有适于油橄榄生长及结实的气候条件。实生苗生成的植株结果质量不高，应芽接或嫁接到砧木上。繁殖方法是在春天将成熟枝成行扦插在苗圃或在繁殖温床用喷雾法使带叶插穗生根。结果需经4～8年，但丰产要15～20年后。20世纪后期，西班牙和意大利油橄榄产量最高，两国产量均占世界总产量的1/4；其次是希腊，约占1/10。其他重要生产国有土耳其、突尼斯、摩洛哥、叙利亚和葡萄牙。欧洲的油橄榄树近5亿株，占世界栽培总数的3/4强；亚洲约占13%。油橄榄主要用于制橄榄油。未加工的新鲜油橄榄含一种糖苷，极苦不能食，可用稀碱如灰汁将糖苷中和。加盐亦可去掉部分苦味。果实加工后可即食用或贮藏至成熟方食用。其果及油在地中海地区是烹调的主要成分，在其他地区亦受欢迎。油橄榄油可分5个等级：①初榨油，符合规定的标准；②纯橄榄油(可食橄榄油)，为初榨油与精炼油的混合物；③精炼油(商用油)，为除去酸质、颜色和气味的灯用油；④灯用油，酸度高，用作灯油，为将残渣加热水再度压榨而成(某些低级初榨油亦列为灯用油)；⑤硫化油，用溶剂提取，并反复精炼。

olive shell 榧螺 腹足纲前鳃亚纲榧螺科海螺。榧螺属(*Oliva*)化石见于自始新世(5 780万年前～3 660万年前)以来的地层。壳像香榧子，壳顶尖，迅即向外扩展为体螺层，螺口窄长。光泽如玛瑙，有纤细花纹。体螺层末端有特征性的折叠。于沙底掘穴生活。美国东南部海水中常见的字纹榧螺(*Oliva sayana*)长约6厘米。印度洋-太平洋地区的橙口榧螺(*O. sericea*)长8厘米。

Oliver, Isaac 奥利弗(1556?，法国鲁昂～1617-10-02，英格兰伦敦) Oliver又拼Olivier。细密画家。1568年随胡格诺派教徒的父母迁居

奥利弗自画像

美国不列颠百科全书公司供图

英格兰，并在那里学习绘画。不久赢得声誉并为皇室画细密画，包括肖像、宗教与古典题材。

Oliver, King 奥利弗(1885-05-11，美国路易斯安那阿本德～1938-04-08，佐治亚萨凡纳) 美国短号演奏家，在爵士乐的半神话性史前时代和有翔实文献记录的正宗历史之间起重要纽带作用。他扶助了被公认为新奥尔良音乐家中最伟大的人物L.阿姆斯特朗，因此他名垂青史。1907年开始吹短号。1915年已是一位功成名就的管乐队领队。两年后被誉为“王”。后迁居芝加哥。4年后邀请阿姆斯特朗作他的乐队的第二短号手，从而间接地促成爵士乐在欧洲乃至在全世界的传播。1928年去纽约市，在一家弹子房任记分员时默默无闻地死去。

Oliver, Sy 奥利弗(1910-12-17，美国密歇根巴特尔克里克～1988-05-28，纽约州纽约) 别名Melvin James Oliver。爵士乐小号演奏家、作曲家和乐队领队。20世纪30和40年代最杰出的音乐改编者之一。奥利弗的双亲曾在俄亥俄州任音乐教师，他就在那里长大成人。童年开始吹奏小号，17岁起任职于“扎克·怀特及其巧克力花花公子团”(1927～1930)。1933年参加J.伦斯福德管弦乐队，因其标新立异的改编而名噪一时。他的改编曲以富于想象力的配器和圆润厚实的音响见长。他还在自己的演奏中形成一种独特的声音，有时被称作“咆哮”小号。1939年入盟T.多尔西

的管弦乐队，担任歌手和乐曲改编。第二次世界大战期间从军，任军乐队领队，战后重返多尔西管弦乐队。40年代后期至70年代初从事多种工作，其中在德卡唱片公司任音乐总监达10年之久。70年代初组建一个9件乐器的管弦乐队，一直演奏到1984年。

Olives, Mount of　橄榄山　巴勒斯坦一条多山峰的石灰岩山脊。行政上在大耶路撒冷区内。1967年六日战争后由以色列直接管辖，不属西岸领土（犹太和撒马利亚）。在耶路撒冷旧城东面，之间隔汲沦溪谷。该山为犹太教和基督教的圣山，在《圣经》及以后宗教文献中屡见记载。橄榄山主峰通常指海拔808米的南顶。海拔806米的中峰上建有奥古斯塔和维多利亚医院。最高的北峰习称斯科普山，海拔820米。据记载，耶稣在死前一周的初始从这里进入耶路撒冷。4世纪起相继落成多座基督教教堂和圣徒纪念堂。根据古犹太传说，弥赛亚时代将在此山开始。因此，数世纪以来，该山坡成为犹太人最神圣的墓地。1918年希伯来大学在斯科普山（北部）奠基，1925年开学。1929年建犹太国立和大学图书馆。1934年建罗思柴尔德-哈达萨大学医院。70年代斯科普山的综合建筑经过修缮并被各大学院系所使用。

Olivetti & C. SpA　奥利韦蒂公司　意大利跨国公司，制造办公室设备和信息系统。总公司在意大利伊夫雷亚。公司由电气工程师C.奥利韦蒂（1868～1943）创立，1908年开始生产打字机。1925年其子赴美学习现代生产技术和工厂管理，回国后公司进行了彻底改组，制出新设计的M-40型打字机，在20世纪30年代大受欢迎。1938年小奥利韦蒂继任总经理，公司成为意大利第二大的机械装置出口商和欧洲主要的打字机与办公机械制造商。该公司还生产计算器、微型计算机、办公用具等。1982年与日本夏普公司成立一合资企业，生产高速复印机及其他办公器械。同年，一电子公司及美国领先的自动出纳机制造商道克泰尔公司收购，奥利韦蒂公司，使之成为公司内唯一最大的持股人，遂改名为道克泰尔/奥利韦蒂公司。1983年奥利韦蒂公司的1/4股份由美国电话电报公司（AT&T）收购，并协议由该公司作为AT&T产品在欧洲的主要经销人。

Olivier, Émile　参阅 **Ollivier, Émile** 奥利维耶。

Olivier, Isaac　参阅 **Oliver, Isaac** 奥利弗。

Olivier, Laurence (Kerr), Baron Olivier of Brighton　奥利弗（1907-05-22，英国萨里多金～1989-07-11，伦敦附近）　又称 Sir Laurence Olivier（1947～1970）。英国戏剧和电影演员、导演、演出人和制片人。第二次世界大战后，帮助重建英国老维克剧团。幼年多次登台表演。1924年入中央戏剧艺术学校学习。1926～1928年在伯明翰轮演剧目剧团中开始其职业演员生涯。随后在伦敦与吉尔古德一起交替在《罗密欧与朱丽叶》中扮演罗密欧和茂丘西奥两角。1937年参加伦敦老维克剧团，扮演过许多莎士比亚戏剧人物，包括与费雯丽搭档饰演哈姆雷特和奥菲利亚。在美国拍摄过几部成功的影片，其中包括《呼

奥利弗在《死魂舞》中饰埃德加的剧照
美国不列颠百科全书公司供图

啸山庄》（1939）、《蝴蝶梦》（1939）和《傲慢与偏见》（1940）。第二次世界大战时在英国海军航空兵部队服役。1944年成为合作导演，和演员兼演出人理查森爵士共同主持老维克剧团的指导工作，剧团一些最成功之作就是在他们共同指导的6年中取得的。他在莎士比亚戏剧中表演最成功的角色有：《理查三世》中的同名角色、《亨利四世》第一部中的霍茨波和《亨利四世》第二部中的夏禄法官。他还扮演过索福克勒斯《俄狄浦斯王》中的同名角色。1946年他把老维克剧团带到美国。一年后，由于他对戏剧事业的贡献，受封为爵士。在战后年代里他拍摄、导演并主演了《亨利五世》和《哈姆雷特》两部影片，后者赢得奥斯卡奖。由于他对电影事业的贡献，1979年又获荣誉奖。1950年起，在他自己主持的剧团中自导自演，其中比较著名的演出有：莎士比亚的《安东尼和克娄巴特拉》、萧伯纳的《凯撒和克娄巴特拉》（与费雯丽合演）和奥斯本的《卖艺人》（1957）。1962～1973年成为新建的、以伦敦为基地的国家剧团的导演，演出的剧目中包括莎剧《奥瑟罗》、斯特林堡的《死魂舞》和奥尼尔的《直到夜晚的漫长一天》。1970年被授予终身爵位，1981年接受荣誉勋章。50～60年代他拍摄了大量的影片，其中包括《乞丐的歌剧》（1953）、《理查三世》（1956，此片获英国电影学院奖），《奥瑟罗》（1965）。1972年由于在《斯雷斯》一片中的演出获纽约电影评论奖。后来的影片还有《马拉松人》（1976）和《来自巴西的小伙子》（1978）。他还演过一些电视片，1973、1975和1982年3次获埃米奖。1983年又将《李尔王》搬上荧屏。他的回忆录《一个演员的自白》于1982年出版。

olivine　橄榄石　一类镁、铁硅酸盐矿物中之任一成员。橄榄石存在于很多基性和超基性火成岩中，是构成地球上地幔之主要组成部分。它们也发现于一些（A类）月岩中和很多陨石中。

所有的橄揽石都属斜方晶，其中孤立的SiO_4四面体被含金属的八面体链联结起来。这结构中的氧原子处于近似六角形的紧密堆积，两个八面体的位置不是等价的，但在数量上是相等的。橄榄石的成分一般可以写成A_2BO_4，其中A八面体离子经常是镁和铁，也有少量的锰、镍和钙存在；B四面体离子是硅。天然橄榄石的成分变化在从近于纯的Mg_2SiO_4（镁橄榄石）到近于纯的Fe_2SiO_4（铁橄榄石）之间，其间有完全的固溶体。镍可以存在于富镁橄榄石中，钙一般存在于各种成分中，锰在富铁成分中常见。对于硅来说，不存在可预计的替代作用。橄榄石形成透明的黄色至浅绿黄色等轴状晶体，无明显解理。密度范围从镁橄榄石的3.2克/厘米^{3}到铁橄榄石的4.4克/厘米^3。

橄榄石对于解释火成岩的成因来说，是特别令人感兴趣的矿物。因为它一般是基性和超基性岩结晶的第一个矿物，所以，它的成分在某种程度上应当反映母岩浆的成分。特别是橄榄石的镁铁比值反映了它的岩浆比值的关系，正如实验所建立的和天然岩石之研究所表明的那样。次要元素的浓度也可以用来推测母液中的浓度；它们在有限的程度上也可以用作结晶环境的指示物。超基性岩中的纯橄榄岩和橄榄岩一般所具有的橄榄石是镁橄榄石分子百分数在88%～92%之间。而像辉长岩和玄武岩那样的基性岩则镁橄榄石分子百分数在40%～85%之间。因为橄榄石结晶早，所以，特别是在侵入火成岩中，由于重力沉积会导致产生厚厚的堆积。在一个晶体内的成分分带现象是很普遍的，并且反映出在结晶作用过程中变化着的岩浆成分。富铁橄榄石在含石英的正长岩中很普遍，它们也偶尔存在于花岗岩中。较纯的镁橄榄石存在于变质的石灰岩和白云岩中。橄榄石只有在高温下是一个稳定的相；在低温有水存在的情况下，它立即遭受水热蚀变，形成蛇纹石、绿泥石、磁铁矿或滑石。

普通橄榄石较难于熔化，能耐受1 500°C以上的高温，有时用作耐火砖。透明的绿色橄榄石叫做黄电气石，并用做宝石。完全蛇纹石化的橄榄石岩通常用作装饰石料。

附表：橄榄石，见377页。

Olivos　奥利沃斯　阿根廷大布宜诺斯艾利斯内维森特洛佩斯行政区的首府。临拉普拉塔河河口湾。建于1878年，原是圣伊西德罗行政区的一部分。1905年圣伊西德罗重新划分，成为维森特洛佩斯行政区的一部分。主要是供居住和休养的城市，20世纪40和50年代人口迅速增长。有供小型商船用的码头设施。总统官邸位于该市。通铁路和公路。

Öljeitü　完者都（1280～1316-12-16，伊儿汗伊朗加兹温附近苏丹尼耶）　穆斯林姓名穆罕默德·胡达班达。伊朗伊儿汗王朝第8代统治者。在位时期伊斯兰什叶教首次被宣布为伊朗国教。伊儿汗王朝创始者旭烈兀的曾孙。原曾受洗成为基督教徒，后皈依佛教，最后成为伊斯兰教逊尼派。1304年其兄第7代伊儿汗合赞死后，他轻而易举地清除敌手，登上王位。1307年征服吉兰，加强伊儿汗王朝在伊朗的统治，并在赫拉特粉碎一场叛乱。但1312年对马木路克的侵略却未得逞。他多次改变宗教信仰，最后信奉什叶教派。

Olkhon Island　奥尔洪岛　Olkhon 又拼 Ol'chon。贝加尔湖中岛屿。属俄罗斯伊尔库

橄 榄 石

名称 化学式	颜色	光泽	莫氏硬度	比重	结晶习性或晶形	断口或解理	折射率	结晶系空间群	备注
镁橄榄石-铁橄榄石系列									
镁橄榄石 Mg_2SiO_4	绿色至柠檬黄色	玻璃光泽	7	3.2	扁平状晶体；致密状或颗粒状块体；嵌入状颗粒	一组清楚解理 一组不完全解理	$\alpha = 1.631$ $\beta = 1.651$ $\gamma = 1.670$	斜方晶系 Pbnm	在镁橄榄石与铁橄榄石之间存在一个连续的固溶体系列，具有在分子结构中取代镁的铁，过渡性成员的性质介于二者之间
铁橄榄石 Fe_2SiO_4	浅绿黄色至黄琥珀色	玻璃光泽	6½	4.4		二组不完全解理	$\alpha = 1.827$ $\beta = 1.869$ $\gamma = 1.879$	斜方晶系 Pbnm	
锰橄榄石-铁橄榄石系列									
锰铁橄榄石 $(Mn,Fe)_2SiO_4$	褐黑色，灰黑色	玻璃光泽	6½	4.0～4.2 ⊄ 3.8		一组中等解理 二组不完全解理	$\alpha = 1.775 \sim 1.815$ $\beta = 1.810 \sim 1.853$ $\gamma = 1.826 \sim 1.867$	斜方晶系 Pbnm	在铁橄榄石与锰橄榄石之间存在一个连续的固溶体系列，具有在分子结构中取代锰的铁
锰橄榄石 Mn_2SiO_4	橄榄绿色或浅蓝绿色，灰色	玻璃光泽	6	3.1	晶体；颗粒	一组中等解理 一组不完全解理	$\alpha = 1.770 \sim 1.788$ $\beta = 1.803 \sim 1.810$ $\gamma = 1.817 \sim 1.825$	斜方晶系 Pbnm	
钙镁橄榄石 $CaMgSiO_4$	灰色或无色	玻璃光泽	5½～6		小柱状晶体；颗粒；双晶	不清楚的解理	$\alpha = 1.641$ $\beta = 1.646$ $\gamma = 1.653$	斜方晶系 pnma	形成具有钙锰橄榄石和钙铁橄榄石的有限固溶体系列，具有分别在分子结构中取代镁的锰和铁
硅镁石类群									
块硅镁石 $Mg(OH,F)_2 \cdot Mg_2SiO_4$	茶色至羚羊皮色	玻璃光泽至松脂光泽	6½	3.2	双晶；颗粒状；与本类群之其他成员共生	不清楚的解理；亚贝壳状至参差不齐状断口	$\alpha = 1.563 \sim 1.567$ $\beta = 1.567 \sim 1.579$ $\gamma = 1.590 \sim 1.593$	斜方晶系 Pmcn	硅镁石类群中的矿物是水镁石与镁橄榄石规则地共生，这样，它们就与橄榄石相关
粒硅镁石 $Mg(OH,F)_2 \cdot 2Mg_2SiO_4$	黄褐色，风信子红色	玻璃光泽至松脂光泽	6½	3.2～3.3			$\alpha = 1.592 \sim 1.615$ $\beta = 1.602 \sim 1.627$ $\gamma = 1.621 \sim 1.646$	单斜晶系 $P\frac{2_1}{c}$	
硅镁石 $Mg(OH,F)_2 \cdot 3Mg_2SiO_4$	黄色，暗橙色	玻璃光泽至松脂光泽	6	3.2～3.3			$\alpha = 1.607 \sim 1.643$ $\beta = 1.619 \sim 1.653$ $\gamma = 1.639 \sim 1.675$	斜方晶系 Pmcn	
斜硅镁石 $Mg(OH,F)_2 \cdot 4Mg_2SiO_4$	黄褐色	玻璃光泽至松脂光泽	6	3.2～3.4			$\alpha = 1.629 \sim 1.638$ $\beta = 1.641 \sim 1.643$ $\gamma = 1.662 \sim 1.674$	单斜晶系 $P\frac{2_1}{c}$	

茨克州。隔奥尔洪水道和小海海峡与贝加尔湖西岸相望。面积730平方千米。最高点日马山海拔1 276米。岛上大部为花岗岩和片麻岩。北部有森林，南部为草原。常有所谓"沙尔马"西北风。

Ollivier, Émile　奥利维耶(1825-07-02，法国马赛～1913-08-20，圣热尔韦莱班)　又拼Olivier。法国政治家、著作家、演说家。曾任拿破仑三世司法部长，力求使法国及其皇帝在拿破仑式的专政与代议政治之间谋求折中。曾学习法律。早年参加社会主义运动和浪漫主义运动。1848年革命爆发时任罗讷河

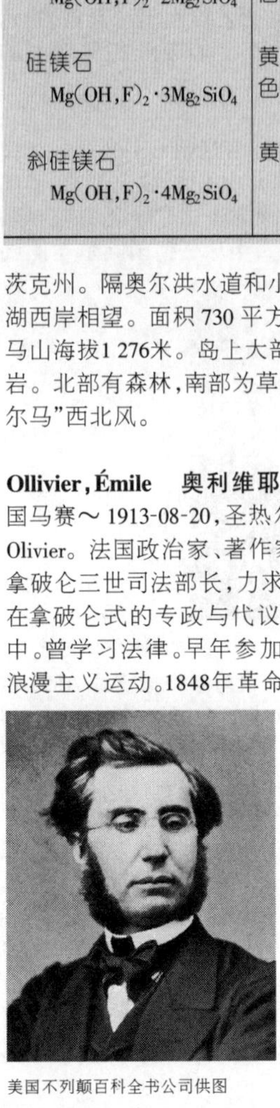

美国不列颠百科全书公司供图

口省总特派员。1849年路易-拿破仑任共和国总统，他即被免职，操律师业至1857年当选立法大会议员。参加共和主义少数派；这个少数派号称"五人派"，激烈反对拿破仑专制主义。1860年皇帝作出开明让步，奥利维耶遂与共和派决裂，转而拥护拿破仑。1870年1月2日，拿破仑任命他为司法部长。他草拟的新宪法在全民投票中获得近70%的支持；他成立许多委员会，准备在劳工、教育、法律等方面贯彻改革。一时他似乎已经通过不流血的、无暴力的手段使帝国从专制主义转入君主立宪政体。奥利维耶上台刚刚6个多月，普法战争的爆发毁灭了他的工作。他不希望战争，但未能控制事态发展，当普鲁士首相公布埃姆斯电报(**Ems telegram**)时，他认为这对法国是不可容忍的侮辱，遂对普鲁士宣战(1870-06-19)。法军的败北，使他于同年8月9日辞职。其后43年间，广泛涉猎，多方面发挥才能。65岁时写成《自由帝国》，既是第二帝国的历史，又是个人回忆录。1870年起他当选为法兰西学院院士。

olm(*Proteus anguinus*)　**洞螈**　有尾目洞螈科动物。喀尔巴阡山脉山洞内的一种盲蝾螈。体长约30厘米，白色，四肢细小。羽状

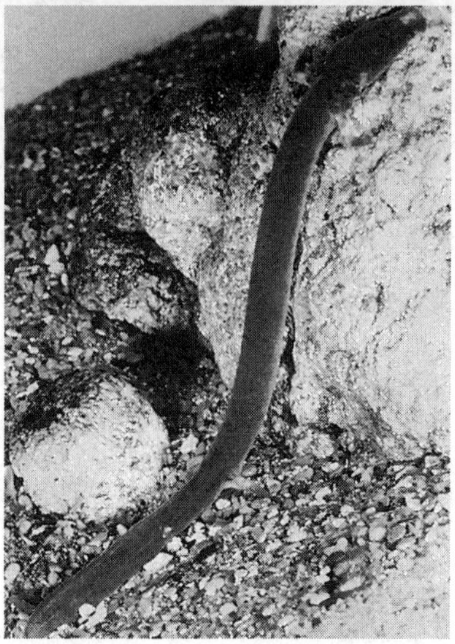

暴露在光线中体色变深的洞螈(*Proteus anguinus*)
美国不列颠百科全书公司供图

鳃红色。头狭小。吻钝。眼退化，隐于皮下，但能感受光线。多为卵生，有时卵胎生。

Olmec　奥尔梅克文化　中美第一个成熟的前哥伦布时期文化，墨西哥和中美后来的

奥姆斯特德与沃克斯1886年合作设计的华盛顿(哥伦比亚特区)加劳德特学院校园
美国不列颠百科全书公司供图

印第安文化所反映的基础形态,据认为有许多就是由它所奠定的。奥尔梅克人住在墨西哥湾沿岸炎热而潮湿的低地上,即现今墨西哥南部的韦拉克鲁斯州南部和塔瓦斯科州。其独特艺术风格的最初证据大约于公元前1150年出现在迄今最早的建筑遗址圣劳伦佐。该遗址有许多石雕,尤以脸型扁平、嘴唇较厚、有盔形冠戴的头像显得突出。较晚的祭祀中心拉文塔遗有大土墩、一片狭长的广场和其他几个祭祀围场。奥尔梅克人从事广泛的贸易,公元前1100～前800年,他们的文化影响向西北扩展到墨西哥河谷,东南及于中美若干地区。中美洲后来的本地宗教和画像术显然可以从所有这些地区追溯到奥尔梅克源头。除纪念性的建筑和雕像以外,奥尔梅克的艺术品还有小型玉雕、陶器等。其主题是一种兼具美洲虎和婴儿形态的图案化神像。从奥尔梅克人的建筑和雕刻及其艺术风格的复杂和力量看来,他们的社会显然是复杂和不平等的。约公元前800年以后,奥尔梅克的风格影响即告消失。不是所有奥尔梅克遗址都被放弃,而是奥尔梅克文化逐渐发生变化,这个地区不再是中美文化的主导。参阅 **Mesoamerican civilization**。

Olmedo, José Joaquín　奥尔梅多(1780-03-20,新格拉纳达瓜亚基尔[今在厄瓜多尔]～1847-02-19,厄瓜多尔瓜亚基尔)　厄瓜多尔诗人和政治家。为纪念南美从西班牙统治下获得独立所写的颂歌,表现了他那个时代的革命精神,鼓舞了一代浪漫主义诗人和爱国主义者。这些颂歌迄今仍是为南美解放运动中的英雄人物立下的丰碑。1805年毕业于利马国立圣马科斯大学,1811年代表瓜亚基尔出席加的斯议会。1816年回到瓜亚基尔,积极从事政治活动,并创作诗歌。他描写关于战役和解放的气势磅礴的诗歌,其灵感来自当代事件和荷马、贺拉斯、维吉尔的诗歌,使他很快被公认为解放运动的杰出发言人。最著名的颂诗《胡宁的胜利:献给玻利瓦尔的颂歌》(1825),是为纪念解放者玻利瓦尔率军抗击西班牙军队的决定性战役而作。其形式是新古典主义的,然而其灵感和形象却是浪漫主义的,被许多评论家认为是西班牙美洲英雄诗歌的优秀典范。

Olmert, Ehud　奥尔默特(1945-09-30,巴勒斯坦宾亚米纳附近[今在以色列境内]～　)　以色列政治人物。1993～2003年担任耶路撒冷市市长,从2006年起担任以色列总理。曾就读于耶路撒冷希伯来大学,获学士学位和法学学位。1973年,成为以色列最年轻的议员。他在议会中作为利库德集团的成员,以打击有组织犯罪和体育腐败而闻名。他在利库德集团中的地位不断上升,1988年被任命为不管部部长,负责处理与以色列阿拉伯人的关系。1990年成为卫生部部长。1993年当选耶路撒冷市长。2003年被总理A.沙龙重新召回,任副总理兼工业和贸易部部长。奥尔默特成为沙龙最亲密的政治顾问之一,也是沙龙从加沙地带和西岸撤离,强迫犹太人定居者离开当地的政策的主要策划者。2006年1月,沙龙突然严重中风,他出任代总理。2006年他所领导的前进党在大选中获胜,正式成为以色列总理,并组成联合政府。他承诺将继续沙龙从以色列占领地区撤出的政策,并在2010年之前与巴勒斯坦确定两国永久边界。

Olmi, Ermanno　奥尔米(1931-07-24,意大利贝加莫特雷维廖～　)　意大利电影导演,早期影片以反映商界生活为主,后期影片探讨宗教和社会问题。先在米兰戏剧艺术学院学表演,后在米兰的爱迪生沃特电力公司工作时学会制片。1952～1961年执导了40多部记录片,第一部故事片是《时间停止了》(1959)。之后与他人合办一家电影公司,拍摄了第一部商业片《工作》(1961)。接下来拍摄了影片《订婚》(1962),描述一对年轻米兰夫妻在西西里岛工作期间遇到的困难。后影片题材转向天主教和阶级结构,90年代拍摄的电影以这类题材为主。有关这类题材的第一部影片是《一个名叫约翰的人》(1965),描述隆卡利在成为罗马教皇二十三世之前的故事。《拾荒者》(1969)和蜚声国际影坛的《木屐树》(1978)是以意大利农民生活为题材的影片。奥尔米在80年代导演的作品有影片《走个不停》(1983)和记录片《米兰心事》(1983)等。80年代中期,他导演了两部最出色的影片:在威尼斯电影节上获银狮奖的《女士万岁!》和获金狮奖的《圣饮者传奇》。80年代末和90年代初导演了若干戏剧和电视片,包括《圣经》。

Olmsted, Frederick Law　奥姆斯特德(1822-04-26,美国康涅狄格哈特福德～1903-08-28,马萨诸塞布鲁克莱恩)　美国园林建筑师。1842～1847年在耶鲁大学学习工程和科学。1857年纽约市计划修建中央公园,举办设计竞赛,他与年轻的英国建筑师C.沃克斯合作的方案获首奖。他于1858年担任中央公园的总建筑师。该园建成后,获得普遍的赞许,各地都请他去设计公园。1864～1890年,任第一届约塞米蒂委员会主席,负责保护和设计加利福尼亚州的公园和绿地。并再次与沃克斯合作制订尼亚加拉瀑布公园的规划方案。1886年后致力于波士顿和布鲁克莱恩的公园及道路绿化系统和波士顿湾的风景改善规划。后设计了1893年芝加哥世界哥伦布博览会中的园林绿化。博览会结束后,他把会址改造为杰克逊公园。1974年劳拉编著的《奥姆斯特德传记》出版。

Olmütz(Czech Republic)　**奥尔米茨**　参阅 **Olomouc** 奥洛莫乌茨。

Olmütz, Punctation of　《奥尔米茨条约》(1850-11-29)　普奥两国在奥尔米茨(摩拉维亚奥洛穆茨,今在捷克共和国境内)签订的协议,调整了两国的关系。1850年秋,黑森选侯为镇压臣民起义而向普鲁士和奥地利请求援助,两国都出了兵,两军相遇,出现了冲突的危险。后因俄国皇帝支持奥地利,普军后撤。根据在奥尔米茨达成的协议,普鲁士放弃了建立一个不包括奥地利在内的德意志各邦联盟的计划,并接受由奥地利重新组织德意志邦联。因此,《奥尔米茨条约》意味着普鲁士在外交上的失败和奥地利的胜利。

Olney, Richard　奥尔尼(1835-09-15,美国马萨诸塞牛津～1917-04-08,波士顿)　美国国务卿,曾系统地阐述奥尔尼推论,使之与坚持美国有权干涉西半球任何国际争端的门

美国国家档案馆供图

罗主义保持一致。原为波士顿律师,1893年任司法部长,一跃成为全国知名人物。1894年芝加哥铁路员工举行反对普尔曼公司的大罢工时,他曾运用法院禁制令制止罢工者采取暴力行动,开创了运用禁制令破坏劳工运动的先例。1895年6月任国务卿后,立即面对委内瑞拉在与英国就英属圭亚那边界争端中寻求美国支持的问题。他在克利夫兰总统支持下,于7月20日强硬地要求英国遵照门罗主义交付仲裁以避免战争,并重申美国在西半球的霸权。此争端于1899年由仲裁解决,但奥尔尼已于1897年离任重操律师业。

Olof Skötkonung **奥拉夫(舍特科农)** 参阅 **Olaf**(Sweden)奥拉夫(瑞典)项下的 **Olaf** 奥拉夫。

Olomouc 奥洛莫乌茨 德语称奥尔米茨(Olmütz)。捷克共和国北摩拉维亚州城市,在摩拉瓦河和比斯特日采河汇合处,肥沃的哈纳农业区北端。9世纪左右为罗马人要塞。

奥洛莫乌茨市政厅塔楼上的天文钟
《黑星》杂志社供图

1063年建立主教管区,1777年成为大主教管区。《奥洛莫乌茨和约》(1478)将摩拉维亚地区割让给匈牙利。三十年战争(1618～1648)期间,奥洛莫乌茨被瑞典人占领与掠夺,但此后仍为军事要塞,在18世纪中期普鲁士人和奥地利人争夺西里西亚的斗争中起过重要作用。19世纪后期要塞被拆除。历史建筑物有建于14世纪的哥德式大教堂,其塔楼高达百米;顶上筑有70米高塔楼的市政厅,其塔楼之侧又饰有15世纪的天文钟(第二次世界大战遭毁坏后修复)。该市以特里顿温泉(1707)和西泽温泉(1720)而著称。有一所建于1573年的市立大学。工业产品有钢铁、机床、煤气用具、电冰箱、盐、糖、巧克力、麦乳精和啤酒。人口约105 690(1991)。

Olongapo 奥隆阿波 菲律宾吕宋岛西南部城市。位于近苏比克湾出入口之低地区。第二次世界大战中遭到严重破坏。1959年设市。1966年成为直辖市。因附近有苏比克湾美国海军基地而迅速发展。1992年美军撤出基地,将其交还菲律宾。该市现为旅游中心,多游览区和海滩。每年游人如织。人口约194 260(2000)。

Olson, Charles (John) 奥尔森(1910-12-27,美国马萨诸塞伍斯特～1970-01-10,纽约州纽约) 美国先锋派诗人和文学理论家,因对20世纪50年代末美国诗歌的影响闻名。曾在卫斯理大学就读,1933年获该校硕士学位。曾先后任教于克拉克大学、哈佛大学和拉德克利夫学院,但他的真正影响始于40年代末。当时,在北卡罗来纳的黑山学院,他先后担任讲师和院长(参阅 **Black Mountain poet**)。因《叫我伊斯梅尔吧》(1947)而初次获得赞誉,该书研究H.梅尔维尔的《白鲸》的文学影响。包含在《射影诗》(1950)一文中的他的诗歌概念,影响了R.克里利、R.邓肯和D.莱弗托夫等诗人。其《马克西穆斯的诗》(1953、1956,合订本1960)是一部连续的多卷长组诗,而《冰冷的地狱,灌木丛中》(1953)和《距离》(1961)收入了他最著名的一些较短的诗。

Olson, Elder (James) 奥尔森(1909-03-09,美国伊利诺伊芝加哥～1992-07-25,新墨西哥阿尔伯克基) 美国诗人、剧作家和文学批评家。新亚里士多德(又称"批评多元论者")文艺批评理论学派的主要人物,该派20世纪40年代在芝加哥大学名声很大。1934年在芝加哥大学获博士学位后,曾在芝加哥阿穆尔理工学院执教数年。1942年,重返芝加哥大学,并与他的老师和同事R.麦其翁、R.S.克莱恩和W.布思一道因对新批评派的反应而知名。他在《批评家和批评》(1952)、《悲剧和戏剧理论》(1961)和《喜剧理论》(1968)中,主张根据亚里士多德的《诗学》原理,对文艺批评采取系统和全面的态度。他攻击新批评派过分注意诗的措词,认为文艺批评应当集中注意诗歌的整体。奥尔森的诗歌不如他的文艺评论有名,但他的诗意象丰富,格调严肃、哀婉,语言敏锐、机智,技巧纯熟,主题富有哲理。他的诗集包括《悲哀事》(1934)、《吓人的基督及其他诗》(1954)、《剧作和诗》(1958)和《奥尔森的廉价游乐场》(1975)。

Olsztyn 奥尔什丁 原波兰东北部省份(1975～1998)。现为瓦尔米亚马祖尔省的一部分。

Olsztyn 奥尔什丁 波兰东北部瓦尔米亚马祖尔省省会。位于马苏里亚恩湖区的维纳河畔,有铁路和公路,为湖区商业中心。市内有马苏里亚恩地区博物馆和农业学校。1334

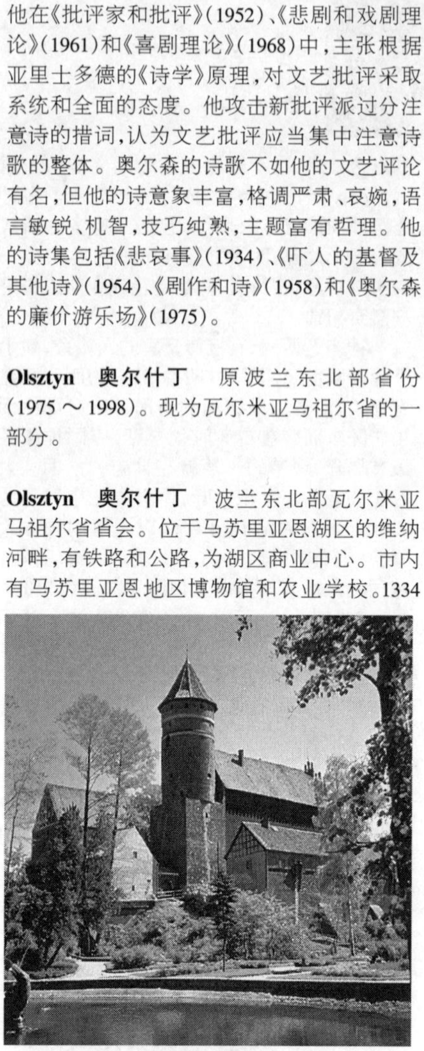

奥尔什丁的条顿骑士团城堡
美国不列颠百科全书公司供图

年条顿骑士团在此建立壮丽的城堡。由于周围居民增加,1353年建为城市区。1466年该城及附近地区成为波兰一部分。1772年为普鲁士吞并。第二次世界大战期间损坏严重,1945年复归波兰,新居民全是波兰人。古城堡和周围城墙之一部分尚存。工业包括轮胎制造业。人口约173 102(2002)。

Olt 奥尔特 罗马尼亚中南部一县。面积5 498平方千米。南邻保加利亚,北连外喀尔巴阡山。多瑙河、奥尔特河及韦代亚河流经该县。县城斯拉蒂纳(**Slatina**)建于14世纪,有食品和铝制品工业。卡拉卡尔镇出产木材,亦是17世纪前半期瓦拉几亚封建统治者住地。农业以牲畜饲养、谷物、葡萄园及果园种植为主。县内较大城镇之间有公路和铁路相通。人口约490 276(2002)。

Olt Defile 奥尔特峡谷 位于罗马尼亚中南部。由奥尔特河穿越特兰西瓦尼亚山脉(南喀尔巴阡山)而形成。公元前1世纪至公元2世纪罗马人曾沿奥尔特河与多瑙河汇流处以北开辟道路,并修建了一系列防御工事。该工事曾一度为罗马达契亚东部边境标志。在博伊察、克伊内尼和克利默内什蒂等村落发现有古罗马兵营遗迹。有14至18世纪修建的几座隐修院和隐居处。17世纪修建的图尔努隐修院的悬崖上有一些洞窟,为附近科济亚隐修院的隐士所凿。科济亚隐修院建于14世纪,以其露天壁画著称。奥斯特罗夫隐居处建于16世纪,科尔内隐居处建于17和18世纪。图尔努罗舒和博伊察有建于16世纪的要塞。布雷佐伊-蒂泰什蒂为温泉疗养地。环峡谷群山上生长核桃、橡树、野玫瑰和白色常春藤。勒姆尼库沃尔恰与锡比乌之间有铁路和公路相通。

Olt River 奥尔特河 在罗马尼亚中东部,源出接近穆列什河上游的丘克洼地,西南流670千米,在图尔努-默古雷莱注入多瑙河。该河自丘克洼地出现,穿越群山,在图什纳德

流经弗格拉什山脉的奥尔特河
美国不列颠百科全书公司供图

形成谷地。此处有数处旅游名胜与矿泉疗养地。再流经比尔赛和弗格拉什谷地,穿过南喀尔巴阡山的一个峡谷,然后南流贯穿多瑙河平原。通过南喀尔巴阡山图尔努罗舒关的河段,为罗马尼亚上述山脉最重要的隘口。中、上游有一些木材基地,下游有小船通航。主要支流有勒乌尔内格鲁河、洛特鲁河、奥尔泰茨河、奇宾河和泰斯卢伊河。

Olybrius 奥利布里乌斯(?～472-11-02) 西罗马皇帝(472年4～11月在位)。原是一个富有的元老院议员,娶瓦伦提尼安三世之女。汪达尔人国王盖塞里克希望他作西罗马皇帝,使他遭到东罗马皇帝利奥一世的猜忌。

利奥一世把他从君士坦丁堡调到罗马，打算借在位的西罗马皇帝安提米乌斯之手把他杀死。但是他刚一到达罗马（472-04），就被大将军里西梅尔捧上皇帝宝座。472年7月，安提米乌斯被赶下御座并被处死。同年8月和11月，里西梅尔及其傀儡皇帝奥利布里乌斯相继去世。利奥一直不承认他是合法统治者。

Olympia 奥林匹亚 古代的宗教圣地和奥林匹克运动会遗址，位于伯罗奔尼撒半岛西部，距伊奥尼亚海岸16千米，靠近阿尔菲奥斯河与克拉迪奥斯河汇合点。最早的遗迹始于公元前2000～前1600年，宗教建筑始于约公元前1000年。起初由比萨城控制，公元前570年以后受伊利斯和斯巴达管辖。从公元前8世纪至公元4世纪末，每4年举行一次宗教节日，竞技会即为节日活动之一。1829年法国的一支科学考察队在宙斯神庙首次发掘，揭示了神庙的整体布局。1875～1881年德国人进行大规模发掘，揭示了整个神庙区及其界外的若干建筑，以及体育场的位置。1936年继续开展工作，两次大战使发掘中断，1952年恢复，至1960年体育场发掘完毕，1961年修复。在这期间勘察的其他建筑中，最重要的是雕塑家菲蒂亚斯的工作间。神庙区称为阿尔提斯或宙斯圣园，呈不规则四边形，每边长182.9米，北以克洛诺斯山为界，其余3面筑墙。围墙内有宙斯神庙和赫拉神庙，以及祭坛、宝库和管理所等建筑。围墙外面为运动设施及旅舍、浴室等来宾招待设施。

宙斯神庙是奥林匹亚最大、最重要的建筑，也是希腊最大的多立斯式神庙之一，建于公元前约460年。正面有6根廊柱，两侧立13根。殿堂前后均有过厅，内殿以两排小柱分成3个开间。屋顶盖以大理石。神庙装饰华丽，其雕塑均系早期古典风格的佳作。殿内有一尊用黄金和象牙制作的宙斯神像，它出自雅典雕刻师菲迪亚斯之手，是最著名的古代雕像，世界七大奇观之一。雕像呈坐姿，右手持胜利女神像，左手执权杖。菲迪亚斯工作间位于神庙西面神庙区外。1954～1958年发掘。神庙北面有奥林匹亚宙斯大祭坛，呈带有阶梯的椭圆形，台高6.7米。赫拉神庙是奥林匹亚的最早神庙，也是全希腊最早的神庙之一。在单独修建宙斯神庙之前，人们将赫拉、宙斯二神共尊于此。现存神庙大概建于公元前约600年，更早的一个建筑期可能是公元前8世纪。神庙长而窄，两头立6根多立斯式圆柱，两边立16根。内殿以两排圆柱分成开间。殿内曾有赫拉坐像，她的身旁置宙斯立像。神庙区内的其他建筑主要有：珍宝库一排共12间，位于北面的最低山坡上，为多立斯神庙式，建于公元前6世纪，用于收藏供品；宝库下方有供奉大神母的多立斯式小庙，建于公元前4世纪；在宙斯、赫拉二神庙之间，建有纪念珀罗普斯英雄的露天圣坛；在赫拉神庙西南，有马其顿王腓力所建爱奥尼亚式圆形建筑，内置腓力、亚历山大及其他王室成员的黄金和象牙雕像；神庙区西北角，建有招待竞技会优胜者的宴会厅；神庙区东头有建于公元前4世纪中叶之后不久的彩绘柱廊，由于这里说一句话便能引起重复7次以上的回声，故俗称回声柱廊。在神庙区外面南侧有议事厅，包括两座多立斯式的长方形建筑，两者之间有一庭院，中央立一尊宙斯神像，主持宣誓，运动员在像前宣誓遵守竞赛纪律。

奥林匹亚圣坛围墙外的角力场遗迹
美国不列颠百科全书公司供图

神庙区西南，有接待贵宾的大旅舍，建于公元前4世纪，罗马时期重修；它的西北面建有摔跤、拳击训练馆和健身房。体育场位于神庙区东面。在古典时代早期，它同神庙区没有隔开，跑道的一端就在神庙的前面。大约在公元前4世纪中叶，体育场往东移了约82米。场内的跑道，3面环以土筑的倾斜大看台，北面则以自然山坡代之。体育场以有盖顶的入场口与神庙区相通。跑道约210米长，32米宽，一次可容20人赛跑。这个公元前4世纪的体育场已全面发掘，跑道和斜坡看台均已复原。在体育场以南开阔的阿尔菲奥斯河谷，有赛马场，未曾发现跑道。奥林匹亚博物馆有全世界最大的古希腊兵器收藏。

Olympia 奥林匹亚 美国华盛顿州首府，瑟斯顿县县城（1852）。临巴德湾和卡皮特尔湖，位于德舒特河口，东北距塔科马47千米。1851年始建。为美国海关大楼所在地。因近奥林匹克山而得名。1853年为准州首府。1859年设市。经济以木材工业为主，还有牡蛎养殖、乳制品和其他工业。现有港口服务业。1893年建旧议会大厦现为州办公大楼。新议会建筑（1935）位于一处公园的岬角上。该市通奥林匹克国家公园并设有奥林匹克国家森林总部。设有圣马丁斯学院（1895）和州立埃弗格林学院（1971）。人口：城市约43 963（2003）；都会统计区约207 355（2000）。

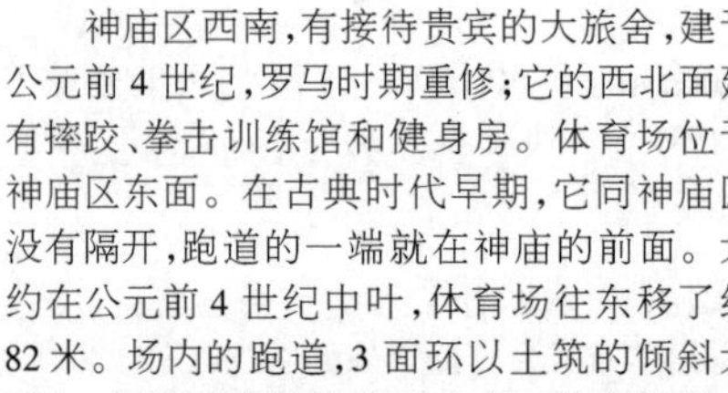

奥林匹亚市的州议会大厦
美国不列颠百科全书公司供图

Olympias 奥林匹娅斯（约公元前375～前316） 马其顿腓力二世的王后，亚历山大大帝的母亲。好激动而又专断，丈夫和儿子死后她在权力斗争中起过重要作用。伊庇鲁斯国王涅俄普托勒摩斯之女。原名显然是米尔塔勒，可能出于对腓力在公元前356年度奥林匹亚赛会上取得胜利的赏识而改名。嫁给腓力后，虽然国王多妻，但她的地位始终稳固。公元前337年腓力迎娶马其顿的名门闺秀克娄巴特拉，她回伊庇鲁斯隐居。次年腓力被害，她又回马其顿，把克娄巴特拉及其女婴杀死。在亚历山大侵略亚洲的最初几年，她常与马其顿的摄政安提帕特发生摩擦，最后在公元前331年左右又退居伊庇鲁斯。公元前319年安提帕特死去（亚历山大死于公元前323年），其继任者波利佩孔请她给幼孙亚历山大四世当摄政，她不就。直到公元前317年，安提帕特之子卡山得拥戴腓力二世的傻儿子腓力三世（阿尔里达伊俄斯）为马其顿国王，她才毅然出山。马其顿军人都支持她回朝。她处死腓力三世夫妇、卡山得的兄弟及其党羽百人。为此，卡山得率兵入马其顿，把她围困在彼得那。她在公元前316年春投降，被判处死刑，但是卡山得的士兵拒不执行命令。最后，她被自己所处死的那些人的家属杀掉。

Olympic Airways 奥林匹克航空公司 希腊航空运输企业。1957年4月由希腊船主A.奥纳西斯（约1906～1975）创建，1975年起为希腊政府所有。1957年开辟从希腊飞往西欧各地的业务；1980年空运已扩展到全国各地，自雅典出发可飞往欧洲和中东许多大城市，并可远达美国、加拿大、东非和南非、东南亚和澳大利亚。

Olympic Games 奥林匹克运动会 古希腊的重要体育竞赛，现代世界最重要的业余体育运动竞赛会。据传，首次比赛于公元前776年在希腊奥林匹亚举行，此后每隔4年举行一次，直至公元393年罗马征服希腊后被信奉基督教的罗马皇帝狄奥多西一世取消，大概是因为他反对奥运会那些非基督教的仪式。古代奥运会最初只举行赛跑一项，赛期一天，赛程限于赛场长度，后增加不同赛程的赛跑以及铁饼、标枪、跳远、拳击、摔跤、五项全能、马车赛等其他项目。包括宗教仪式在内，赛期延到5天。胜者被誉为民族英雄，音乐家写歌赞颂，雕塑家用大理石雕塑永久纪念他们的健美。19世纪晚期，由于法国人顾拜旦的努力，奥运会得以恢复。首届现代奥

奥 运 会 冠 军

夏季运动(1896～2004)

射 箭(男子)

个人

1972	J. 威廉斯	美
1976	D. 佩思	美
1980	T. 伊科兰宁	芬
1984	D. 佩思	美
1988	J. 巴尔斯	美
1992	S. 弗吕特	法
1996	J. 休伊什	美
2000	S. 费尔维瑟	澳
2004	M. 加里亚佐	意

团体

1988	韩
1992	西
1996	美
2000	韩
2004	韩

射 箭(女子)

个人

1972	D. 威尔伯特	美
1976	L. 赖恩	美
1980	K. 萨别里泽	苏
1984	徐香顺	韩
1988	金水宁	韩
1992	赵允顶	韩
1996	金京郁	韩
2000	尹美珍	韩
2004	朴成贤	韩

团体

1988	韩
1992	韩
1996	韩
2000	韩
2004	韩

足 球*(男子)

1900	英
1904	加拿大
1908	英
1912	英
1920	比
1924	乌拉圭
1928	乌拉圭
1936	意
1948	瑞典
1952	匈
1956	苏
1960	南斯拉夫
1964	匈
1968	匈
1972	波
1976	东德
1980	捷
1984	法
1988	苏
1992	西
1996	尼日利亚
2000	喀
2004	阿根廷

足 球(女子)

1996	美
2000	挪
2004	美

田径赛(男子)

100 米

			秒
1896	T. 伯克	美	12.0
1900	F. 贾维斯	美	11.0
1904	A. 哈恩	美	11.0
1908	R. 沃克	南非	10.8
1912	R. 克雷格	美	10.8
1920	C. 帕多克	美	10.8
1924	H. 亚伯拉罕斯	英	10.6
1928	P. 威廉斯	加拿大	10.8
1932	E. 托兰	美	10.3
1936	J. 欧文斯	美	10.3
1948	H. 迪拉德	美	10.3
1952	L. 莱明吉诺	美	10.4
1956	R. 莫罗	美	10.5
1960	A. 哈里	东西德联队	10.2
1964	R. 海斯	美	10.0
1968	J. 海因斯	美	9.9
1972	V. 博尔佐夫	苏	10.14†
1976	H. 克劳福德	特立尼达	10.06
1980	A. 韦尔斯	英	10.25
1984	C. 刘易斯	美	9.99
1988	C. 刘易斯	美	9.92
1992	L. 克里斯蒂	英	9.96
1996	D. 贝利	加拿大	9.84
2000	M. 格林	美	9.87
2004	J. 加特林	美	9.85

200 米

			秒
1900	J. 图克斯伯里	美	22.2
1904	A. 哈恩	美	21.6
1908	R. 克尔	加拿大	22.6
1912	R. 克雷格	美	21.7
1920	A. 伍德林	美	22.0
1924	J. 肖尔茨	美	21.6
1928	P. 威廉斯	加拿大	21.8
1932	E. 托兰	美	21.2
1936	J. 欧文斯	美	20.7
1948	M. 佩顿	美	21.1
1952	A. 斯坦菲尔德	美	20.7
1956	R. 莫罗	美	20.6
1960	L. 贝鲁蒂	意	20.5
1964	H. 卡尔	美	20.3
1968	T. 史密斯	美	19.8
1972	V. 博尔佐夫	苏	20.00†
1976	D. 夸里	牙	20.23
1980	P. 门内亚	意	20.19
1984	C. 刘易斯	美	19.80
1988	J. 德洛奇	美	19.75
1992	M. 马什	美	20.01
1996	M. 约翰逊	美	19.32
2000	K. 肯特里斯	希	20.09
2004	S. 克劳福德	美	19.79

400 米

			秒
1896	T. 伯克	美	54.2
1900	M. 朗	美	49.4
1904	H. 希尔曼	美	49.2
1908	W. 哈尔斯韦尔	英	50.0
1912	C. 里德帕思	美	48.2
1920	B. 拉德	南非	49.6
1924	E. 利德尔	英	47.6
1928	R. 巴尔布蒂	美	47.8
1932	W. 卡尔	美	46.2
1936	A. 威廉斯	美	46.5
1948	A. 温特	牙	46.2
1952	G. 罗登	牙	45.9
1956	C. 詹金斯	美	46.7
1960	O. 戴维斯	美	44.9
1964	M. 拉腊比	美	45.1
1968	L. 埃文斯	美	43.8
1972	V. 马修斯	美	44.66†
1976	A. 胡安托雷纳	古	44.26
1980	V. 马尔金	苏	44.60
1984	A. 巴伯斯	美	44.27
1988	S. 刘易斯	美	43.87
1992	Q. 沃茨	美	43.50
1996	M. 约翰逊	美	43.49
2000	M. 约翰逊	美	43.84
2004	J. 沃里纳	美	44.00

800 米

			分 秒
1896	E. 弗拉克	澳	2 11.0
1900	A. 泰索	英	2 01.2
1904	J. 莱特博迪	美	1 56.0
1908	M. 谢泼德	美	1 52.8
1912	J. 梅雷迪思	美	1 51.9
1920	A. 希尔	英	1 53.4
1924	D. 洛	英	1 52.4
1928	D. 洛	英	1 51.8
1932	T. 汉普森	英	1 49.7
1936	J. 伍德拉夫	美	1 52.9
1948	M. 惠德菲尔德	美	1 49.2
1952	M. 惠德菲尔德	美	1 49.2
1956	T. 考特尼	美	1 47.7
1960	P. 斯内尔	新西兰	1 46.3
1964	P. 斯内尔	新西兰	1 45.1
1968	R. 道贝尔	澳	1 44.3
1972	D. 沃特尔	美	1 45.9
1976	A. 胡安托雷纳	古	1 43.50†
1980	S. 奥维特	英	1 45.40
1984	J. 克鲁兹	巴西	1 43.00
1988	P. 埃伦	肯	1 43.45
1992	W. 塔努伊	肯	1 43.66
1996	V. 罗达尔	挪	1 42.58
2000	N. 舒曼	德	1 45.08
2004	Ye. 博尔扎科夫斯基	俄罗斯	1 44.45

1 500 米

			分 秒
1896	E. 弗拉克	澳	4 33.2
1900	C. 贝内特	英	4 06.2
1904	J. 莱特博迪	美	4 05.4
1908	M. 谢泼德	美	4 03.4
1912	A. 杰克逊	英	3 56.8
1920	A. 希尔	英	4 01.8
1924	P. 努尔米	芬	3 53.6
1928	H. 拉尔瓦	芬	3 53.2
1932	L. 贝卡利	意	3 51.2
1936	J. 洛夫洛克	新西兰	3 47.8
1948	H. 埃里克松	瑞典	3 49.8
1952	J. 巴特尔	卢森堡	3 45.1
1956	R. 德拉尼	爱尔兰	3 41.2
1960	H. 埃利奥特	澳	3 35.6
1964	P. 斯内尔	新西兰	3 38.1
1968	K. 凯诺	肯	3 34.9
1972	P. 瓦萨拉	芬	3 36.3
1976	J. 沃克	新西兰	3 39.17†
1980	S. 科	英	3 38.40
1984	S. 科	英	3 32.53

* 1900 年和 1904 年的比赛为非正式比赛。 †比赛首次以百分之一秒计时。

续表 1

1988	P. 罗诺	肯	3 35.96
1992	F. 加丘	西	3 40.12
1996	N. 莫塞利	阿尔及利亚	3 35.78
2000	N. 恩盖尼	肯	3 32.07
2004	H. 奎罗伊	摩洛哥	3 34.18
5 000 米			**分 秒**
1912	H. 科勒梅宁	芬	14 36.6
1920	J. 吉耶摩	法	14 55.6
1924	P. 努尔米	芬	14 31.2
1928	V. 里托拉	芬	14 38.0
1932	L. 雷赫蒂宁	芬	14 30.0
1936	G. 赫克特	芬	14 22.2
1948	G. 里夫	比	14 17.6
1952	E. 扎托佩克	捷	14 06.6
1956	V. 库茨	苏	13 39.6
1960	M. 哈尔伯格	新西兰	13 43.4
1964	R. 舒尔	美	13 48.8
1968	M. 加莫迪	突	14 05.0
1972	L. 维伦	芬	13 26.4
1976	L. 维伦	芬	13 24.76 *
1980	米鲁茨·伊夫特尔	埃塞俄比亚	13 21.00
1984	S. 阿乌伊塔	摩洛哥	13 05.59
1988	J. 恩古吉	肯	13 11.70
1992	D. 鲍曼	德	13 12.52
1996	V. 尼昂加博	布隆迪	13 07.96
2000	M. 沃尔德	埃塞俄比亚	13 35.49
2004	H. 奎罗伊	摩洛哥	13 14.39
10 000 米			**分 秒**
1912	H. 科勒梅宁	芬	31 20.8
1920	P. 努尔米	芬	31 45.8
1924	V. 里托拉	芬	30 23.2
1928	P. 努尔米	芬	30 18.8
1932	J. 库索辛斯基	波	30 11.4
1936	I. 萨尔米宁	芬	30 15.4
1948	E. 扎托佩克	捷	29 59.6
1952	E. 扎托佩克	捷	29 17.0
1956	V. 库茨	苏	28 45.6
1960	P. 波洛尼科夫	苏	28 32.2
1964	W. 米尔斯	美	28 24.4
1968	N. 特姆	肯	29 27.4
1972	L. 维伦	芬	27 38.4
1976	L. 维伦	芬	27 40.38 *
1980	米鲁茨·伊夫特尔	埃塞俄比亚	27 42.70
1984	A. 科瓦	意	27 47.54
1988	B. 布泰布	摩洛哥	27 21.46
1992	K. 斯卡	摩洛哥	27 46.70
1996	H. 格布雷塞拉希	埃塞俄比亚	27 07.34
2000	H. 格布雷塞拉西	埃塞俄比亚	27 18.20
2004	K. 贝克勒	埃塞俄比亚	27 05.10
马拉松			**时分 秒**
1896	S. 路易斯	希	2 58 50.0
1900	M. 提阿托	法	2 59 45.0
1904	T. 希克斯	美	3 28 53.0
1908	J. 海斯	美	2 55 18.4
1912	K. 麦克阿瑟	南非	2 36 54.8
1920	H. 科勒梅宁	芬	2 32 35.8
1924	A. 斯腾鲁斯	芬	2 41 22.6
1928	A. 埃尔·欧瓦非	法	2 32 57.0
1932	J. 扎瓦拉	阿根廷	2 31 36.0
1936	孙其祯	日	2 29 19.2
1948	D. 卡布雷拉	阿根廷	2 34 51.6
1952	E. 扎托佩克	捷	2 23 03.2
1956	A. 米蒙	法	2 25 00.0
1960	阿贝贝·比基拉	埃塞俄比亚	2 15 16.2
1964	阿贝贝·比基拉	埃塞俄比亚	2 12 11.2
1968	M. 渥尔德	埃塞俄比亚	2 20 26.4
1972	F. 肖特	美	2 12 19.8
1976	W. 齐尔平斯基	东德	2 09 55.0
1980	W. 齐尔平斯基	东德	2 11 03.0
1984	C. 洛佩斯	葡	2 09 21.0
1988	G. 博尔丁	意	2 10 32.0
1992	黄永祚	韩	2 13 23.0
1996	J. 图格瓦内	南非	2 12 36.0
2000	G. 阿贝拉	埃塞俄比亚	2 10 11.0
2004	S. 巴尔迪尼	意	2 10 55.0
110 米栏			**秒**
1896†	T. 柯蒂斯	美	17.6
1900	A. 克伦茨列英	美	15.4
1904	F. 舒勒	美	16.0
1908	F. 史密森	美	15.0
1912	F. 凯利	美	15.1
1920	E. 汤姆森	加拿大	14.8
1924	D. 金西	美	15.0
1928	S. 阿特金森	南非	14.8
1932	G. 塞林	美	14.6
1936	F. 汤斯	美	14.2
1948	W. 波特	美	13.9
1952	H. 迪拉德	美	13.7
1956	L. 卡尔霍恩	美	13.5
1960	L. 卡尔霍恩	美	13.8
1964	H. 琼斯	美	13.6
1968	W. 达文波特	美	13.3
1972	R. 米尔本	美	13.24 *
1976	G. 德吕特	法	13.30
1980	T. 蒙克尔特	东德	13.39
1984	R. 金多姆	美	13.20
1988	R. 金多姆	美	12.98
1992	M. 麦科伊	加拿大	13.12
1996	A. 约翰逊	美	12.95
2000	A. 加西亚	古	13.00
2004	刘翔	中	12.91
400 米栏			**秒**
1900	J. 图克斯伯里	美	57.6
1904‡	H. 希尔曼	美	53.0
1908	C. 培根	美	55.0
1920	F. 卢米斯	美	54.0
1924	F. 泰勒	美	52.6
1928	伯利勋爵	英	53.4
1932	R. 蒂斯德尔	爱尔兰	51.7
1936	G. 哈丁	美	52.4
1948	R. 科克兰	美	51.1
1952	C. 穆尔	美	50.8
1956	G. 戴维斯	美	50.1
1960	G. 戴维斯	美	49.3
1964	W. 考利	美	49.6
1968	D. 赫梅里	英	48.1
1972	J. 阿琪-布阿	乌干达	47.82 *
1976	E. 摩西	美	47.64
1980	V. 贝克	东德	48.70
1984	E. 摩西	美	47.75
1988	A. 菲利普斯	美	47.19
1992	K. 扬	美	46.78
1996	D. 艾德金斯	美	47.54
2000	A. 泰勒	美	47.50
2004	F. 桑切斯	多米尼加共和国	47.63
3 000 米障碍			**分 秒**
1920	P. 霍奇	英	10 00.4
1924	V. 里托拉	芬	9 33.6
1928	T. 娄科拉	芬	9 21.8
1932	V. 伊索-霍洛	芬	10 33.4 §
1936	V. 伊索-霍洛	芬	9 03.8
1948	T. 舒尔斯特朗德	瑞典	9 04.6
1952	H. 阿申菲尔特	美	8 45.4
1956	C. 布拉谢尔	英	8 41.2
1960	Z. 克热基斯科维亚克	波	8 34.2
1964	G. 罗兰茨	比	8 30.8
1968	A. 比渥特	肯	8 51.0
1972	K. 凯诺	肯	8 23.6
1976	A. 加尔德鲁德	瑞典	8 08.02 *
1980	B. 马林诺夫斯基	波	8 09.70
1984	J. 科里尔	肯	8 11.80
1988	J. 卡里乌基	肯	8 05.51
1992	M. 伯里尔	肯	8 08.84
1996	J. 科特	肯	8 07.12
2000	R. 科斯吉	肯	8 21.43
2004	E. 凯姆博伊	肯	8 05.81
4×100 米接力			**秒**
1912		英	42.4
1920		美	42.2
1924		美	41.0
1928		美	41.0
1932		美	40.0
1936		美	39.8
1948		美	40.6
1952		美	40.1
1956		美	39.5
1960		东西德联队	39.5
1964		美	39.0
1968		美	38.2
1972		美	38.19 *
1976		美	38.33
1980		苏	38.26
1984		美	37.83
1988		苏	38.19
1992		美	37.40
1996		加拿大	37.69
2000		美	37.61
2004		英	38.07
4×400 米接力			**分 秒**
1912		美	3 16.6
1920		英	3 22.2
1924		美	3 16.0
1928		美	3 14.2
1932		美	3 08.2
1936		英	3 09.0
1948		美	3 10.4
1952		牙	3 03.9

* 比赛首次以百分之一秒计时。 † 赛程 100 米。 ‡ 栏高 2 英尺 6 英寸，不是 3 英尺。 § 误多跑一圈 460 米。

续表 2

年份	姓名	国家	成绩
1956		美	3 04.8
1960		美	3 02.2
1964		美	3 00.7
1968		美	2 56.1
1972		肯	2 59.8
1976		美	2 58.65 *
1980		苏	3 01.10
1984		美	2 57.91
1988		美	2 56.16
1992		美	2 55.74
1996		美	2 55.99
2000		美	2 56.35
2004		美	2 55.91
20 公里竞走			**时 分 秒**
1956	L. 斯皮林	苏	1 31 27.4
1960	V. 戈卢布尼琪	苏	1 34 07.2
1964	K. 马修斯	英	1 29 34.0
1968	V. 戈卢布尼琪	苏	1 33 58.4
1972	P. 弗伦克尔	西德	1 26 42.6
1976	D. 鲍蒂斯塔	墨	1 24 40.6
1980	M. 达米拉诺	意	1 23 35.5
1984	E. 康托	墨	1 23 13.0
1988	J. 普里比利涅茨	捷	1 19 57.0
1992	D. P. 蒙特罗	西	1 21 45.0
1996	J. 佩雷斯	厄瓜多尔	1 20 07.0
2000	R. 科尔泽尼奥夫斯基	波	1 18 59.0
2004	I. 布鲁纳蒂	意	1 19 40.0
50 公里竞走 †			**时 分 秒**
1932	T. 格林	英	4 50 10.0
1936	H. 惠特洛克	英	4 30 41.4
1948	J. 云格伦	瑞典	4 41 52.0
1952	G. 多尔多尼	意	4 28 07.8
1956	N. 里德	新西兰	4 30 42.8
1960	D. 汤普森	英	4 25 30.0
1964	A. 帕米克	意	4 11 12.4
1968	C. 霍内	东德	4 20 13.6
1972	B. 卡内恩贝格	西德	3 56 11.6
1980	H. 高德尔	东德	3 49 24.0
1984	R. 贡萨雷斯	墨	3 47 26.0
1988	V. 伊万年科	苏	3 38 29.0
1992	A. 佩洛夫	联合队 †	3 50 13.0
1996	R. 科热尼奥夫斯基	波	3 43 30.0
2000	R. 科热尼奥夫斯基	波	3 42 22.0
2004	R. 科热尼奥夫斯基	波	3 38 46.0
跳高			**米**
1896	E. 克拉克	美	1.81
1900	I. 巴克斯特	美	1.90
1904	S. 琼斯	美	1.80
1908	H. 波特	美	1.90
1912	A. 理查兹	美	1.93
1920	R. 兰登	美	1.93
1924	H. 奥斯本	美	1.98
1928	R. 金	美	1.94
1932	D. 麦克诺顿	加拿大	1.97
1936	C. 约翰逊	美	2.03
1948	J. 温特	澳	1.98
1952	W. 戴维斯	美	2.04
1956	C. 杜马	美	2.12
1960	R. 沙夫拉卡则	苏	2.16
1964	V. 布鲁梅尔	苏	2.18
1968	R. 福斯伯里	美	2.24
1972	Yu. 塔尔马克	苏	2.23
1976	J. 夫佐拉	波	2.25
1980	G. 魏锡格	东德	2.36
1984	D. 默根堡	西德	2.35
1988	G. 阿夫杰延科	苏	2.38
1992	J. 索托马约尔	古	2.34
1996	C. 奥斯汀	美	2.39
2000	S. 克留金	俄	2.35
2004	S. 霍尔姆	瑞典	2.36
撑竿跳高			**米**
1896	W. 霍伊特	美	3.30
1900	I. 巴克斯特	美	3.30
1904	C. 德沃拉克	美	3.50
1908	E. 库克；	美	3.71
	A. 吉尔伯特(并列)	美	
1912	H. 巴布科克	美	3.95
1920	F. 福斯	美	4.09
1924	L. 巴恩斯	美	3.95
1928	S. 卡尔	美	4.20
1932	W. 米勒	美	4.31
1936	E. 梅多斯	美	4.35
1948	O. 史密斯	美	4.30
1952	R. 理查兹	美	4.55
1956	R. 理查兹	美	4.56
1960	D. 布雷格	美	4.70
1964	F. 汉森	美	5.10
1968	B. 西格伦	美	5.40
1972	W. 诺德维格	东德	5.50
1976	T. 斯卢萨尔斯基	波	5.50
1980	W. 科扎琪耶维茨	波	5.78
1984	P. 基农	法	5.75
1988	S. 布勃卡	苏	5.90
1992	M. 塔拉索夫	联合队 ‡	5.80
1996	J. 加尔菲翁	法	5.92
2000	N. 海松	美	5.90
2004	T. 马克	美	5.95
跳远			**米**
1896	E. 克拉克	美	6.35
1900	A. 克伦茨列英	美	7.18
1904	M. 普林斯坦	美	7.34
1908	F. 艾恩斯	美	7.48
1912	A. 格特森	美	7.60
1920	W. 彼得松	瑞典	7.15
1924	H. 德哈伯德	美	7.44
1928	E. 哈姆	美	7.73
1932	E. 戈登	美	7.64
1936	J. 欧文斯	美	8.06
1948	W. 斯蒂尔	美	7.82
1952	J. 比弗尔	美	7.57
1956	G. 贝尔	美	7.83
1960	R. 博斯顿	美	8.12
1964	L. 戴维斯	英	8.07
1968	R. 比蒙	美	8.90
1972	R. 威廉斯	美	8.24
1976	A. 鲁宾逊	美	8.35
1980	L. 董布罗夫斯基	东德	8.54
1984	C. 刘易斯	美	8.54
1988	C. 刘易斯	美	8.72
1996	C. 刘易斯	美	8.50
2000	I. 佩德罗索	古	8.55
2004	D. 菲利普斯	美	8.59
1992	C. 刘易斯	美	8.67
三级跳			**米**
1896	J. 康诺利	美	13.71
1900	M. 普林斯坦	美	14.47
1904	M. 普林斯坦	美	14.35
1908	T. 艾亨	英	14.91
1912	G. 林德布洛姆	瑞典	14.76
1920	V. 图洛斯	芬	14.50
1924	A. 温特	澳	15.53
1928	织田干雄	日	15.21
1932	南部忠平	日	15.72
1936	田岛直人	日	16.00
1948	A. 阿曼	瑞典	15.40
1952	A. 达西尔瓦	巴西	16.22
1956	A. 达西尔瓦	巴西	16.35
1960	J. 施密特	波	16.81
1964	J. 施密特	波	16.85
1968	V. 萨涅耶夫	苏	17.39
1972	V. 萨涅耶夫	苏	17.35
1976	V. 萨涅耶夫	苏	17.29
1980	Ya. 乌伍德马耶	苏	17.35
1984	A. 乔伊纳	美	17.26
1988	H. 马尔科夫	保	17.61
1992	M. 康利	美	17.63
1996	K. 哈里森	美	18.09
2000	J. 爱德华兹	英	17.71
2004	C. 奥尔森	瑞典	17.79
推铅球			**米**
1896	R. 加勒特	美	11.22
1900	R. 谢尔登	美	14.10
1904	R. 罗斯	美	14.81
1908	R. 罗斯	美	14.21
1912	R. 麦克唐纳	美	15.34
1920	V. 波尔霍拉	芬	14.81
1924	C. 豪泽	美	14.99
1928	J. 库克	美	15.87
1932	L. 塞克斯顿	美	16.00
1936	H. 韦尔克	德	16.20
1948	W. 汤普森	美	17.12
1952	P. 奥布赖恩	美	17.41
1956	P. 奥布赖恩	美	18.57
1960	W. 奈德	美	19.68
1964	D. 朗	美	20.33
1968	R. 马特森	美	20.54
1972	W. 科马尔	波	21.18
1976	U. 拜尔	东德	21.05
1980	V. 基泽廖夫	苏	21.35
1984	A. 安德烈	意	21.26
1988	U. 蒂默曼	东德	22.47
1992	M. 斯塔尔斯	美	21.70
1996	R. 巴恩斯	美	21.62
2000	A. 哈尔尤	芬	21.29
2004	Ye. 比洛诺格	乌克兰	21.16
掷铁饼			**米**
1896	R. 加勒特	美	29.15
1900	R. 鲍尔	匈	36.04
1904	M. 谢里登	美	39.28
1908	M. 谢里登	美	40.89
1912	A. 泰帕勒	芬	45.21
1920	E. 尼克朗德	芬	44.68
1924	C. 豪泽	美	46.15
1928	C. 豪泽	美	47.32
1932	J. 安德森	美	49.49
1936	K. 卡彭特	美	50.48
1948	A. 孔索利尼	意	52.78

* 比赛首次以百分之一秒计时。 † 1976 年未举行比赛。 ‡ 联合队，包括来自独联体及格鲁吉亚的运动员。

续表 3

1952	S. 伊尼斯	美	55.03
1956	A. 奥尔特	美	56.36
1960	A. 奥尔特	美	59.18
1964	A. 奥尔特	美	61.00
1968	A. 奥尔特	美	64.78
1972	L. 达奈克	捷	64.40
1976	M. 威尔金斯	美	67.50
1980	V. 拉什楚普金	苏	66.64
1984	R. 丹纳贝格	西德	66.60
1988	J. 舒尔特	东德	68.82
1992	R. 乌巴塔斯	立	65.12
1996	L. 里德尔	德	69.40
2000	V. 阿列克纳	立	69.30
2004	V. 阿列克纳	立陶宛	69.89
掷链球			**米**
1900	J. 弗拉纳根	美	49.73
1904	J. 弗拉纳根	美	51.23
1908	J. 弗拉纳根	美	51.92
1912	M. 麦格拉思	美	54.74
1920	P. 瑞安	美	52.87
1924	F. 图特尔	美	53.30
1928	P. 奥卡拉汉	爱尔兰	51.39
1932	P. 奥卡拉汉	爱尔兰	53.92
1936	K. 海因	德	56.49
1948	I. 奈麦特	匈	56.07
1952	J. 策尔马克	匈	60.34
1956	H. 康诺利	美	63.19
1960	V. 鲁登科夫	苏	67.10
1964	R. 克利姆	苏	69.74
1968	G. 齐沃特茨基	匈	73.36
1972	A. 邦达尔楚克	苏	75.50
1976	Yu. 塞吉克	苏	77.52
1980	Yu. 塞吉克	苏	81.80
1984	J. 蒂埃宁	芬	78.08
1988	S. 利特维诺夫	苏	84.80
1992	A. 阿布杜瓦利耶夫	联合队 *	82.53
1996	B. 基斯	匈	81.24
2000	S. 吉奥尔科夫斯基	波	80.02
2004	室伏广治	日	82.91
掷标枪			**米**
1908	E. 莱明	瑞典	54.83
1912	E. 莱明	瑞典	60.64
1920	J. 米拉	芬	65.78
1924	J. 米拉	芬	62.96
1928	E. 伦德克维斯特	瑞典	66.60
1932	M. 耶尔维宁	芬	72.71
1936	G. 施托克	德	71.84
1948	T. 劳塔瓦拉	芬	69.77
1952	C. 扬	美	73.78
1956	E. 丹尼尔松	挪	85.71
1960	V. 齐布连科	苏	84.64
1964	P. 奈瓦拉	芬	82.66
1968	Ya. 卢西斯	苏	90.10
1972	K. 沃尔费曼	西德	90.48
1976	M. 奈麦特	匈	94.58
1980	D. 库拉	苏	91.20
1984	A. 哈尔科宁	芬	86.76
1988	T. 科尔尤斯	芬	84.28
1992	J. 泽莱兹尼	捷	89.66
1996	J. 泽莱兹尼	捷	88.16
2000	J. 泽莱兹尼	捷	90.17
2004	A. 索基尔德森	挪	86.50
十项全能			
1912	J. 索普 †	美	

	H. 魏斯朗德	瑞典	
1920	H. 洛夫朗德	挪	
1924	H. 奥斯本	美	
1928	P. 伊里奥拉	芬	
1932	J. 鲍什	美	
1936	G. 莫里斯	美	
1948	R. 马赛厄斯	美	
1952	R. 马赛厄斯	美	
1956	M. 坎贝尔	美	
1960	R. 约翰逊	美	
1964	W. 霍尔多夫	东西德联队	
1968	W. 图米	美	
1972	N. 阿维洛夫	苏	
1976	B. 詹纳	美	
1980	D. 汤普森	英	
1984	D. 汤普森	英	
1988	C. 申克	东德	
1992	R. 兹梅利克	捷	
1996	D. 奥布赖恩	美	
2000	E. 努尔	爱沙尼亚	
2004	R. 塞布勒	捷	
田径赛(女子)			
100 米			**秒**
1928	E. 鲁宾逊	美	12.2
1932	S. 瓦拉西耶维茨	波	11.9
1936	H. 斯蒂芬斯	美	11.5
1948	F. 布兰克斯-柯恩	荷	11.9
1952	M. 杰克逊	澳	11.5
1956	B. 卡思伯特	澳	11.5
1960	W. 鲁道夫	美	11.0
1964	W. 泰厄斯	美	11.4
1968	W. 泰厄斯	美	11.0
1972	R. 斯特彻	东德	11.07‡
1976	A. 里克特	西德	11.08
1980	L. 康德拉切娃	苏	11.06
1984	E. 阿什夫	美	10.97
1988	F. 格里菲思·乔伊纳	美	10.54
1992	G. 德弗斯	美	10.82
1996	G. 德弗斯	美	10.94
2000	M. 琼斯	美	10.75
2004	Ye. 尼斯特连科	白俄罗斯	10.93
200 米			**秒**
1948	F. 布兰克斯-柯恩	荷	24.4
1952	M. 杰克逊	澳	23.7
1956	B. 卡思伯特	澳	23.4
1960	W. 鲁道夫	美	24.0
1964	E. 麦圭尔	美	23.0
1968	I. 泽温斯卡	波	22.5
1972	R. 斯特彻	东德	22.40‡
1976	B. 埃克特	东德	22.37
1980	B. 埃克特-渥克尔	东德	22.03
1984	V. 布里斯科-胡克斯	美	21.81
1988	F. 格里菲思·乔伊纳	美	21.34
1992	G. 托伦斯	美	21.81
1996	M.-J. 佩雷克	法	22.12
2000	M. 琼斯	美	21.84
2004	V. 坎贝尔	牙买	22.05
400 米			**秒**
1964	B. 卡思伯特	澳	52.0
1968	C. 贝桑	法	52.0
1972	M. 采尔特	东德	51.08‡
1976	I. 泽温斯卡	波	49.29
1980	M. 柯希克斯	东德	48.88

1984	V. 布里斯科-胡克斯	美	48.83
1988	O. 布里兹金娜	苏	48.65
1992	M.-J. 佩雷克	法	48.83
1996	M.-J. 佩雷克	法	48.25
2000	C. 弗里曼	澳	49.11
2004	T. 威廉姆斯-达灵	巴哈马	49.41
800 米			**分 秒**
1928	L. 拉德克-巴绍尔	德	2 16.8
1960	L. 李森科-舍甫佐娃	苏	2 04.3
1964	A. 帕克	英	2 01.1
1968	M. 曼宁	美	2 00.9
1972	H. 佛尔克	西德	1 58.6
1976	T. 卡桑琪娜	苏	1 54.94‡
1980	N. 奥利扎连科	苏	1 53.5
1984	D. 梅林特	罗	1 57.60
1988	S. 沃达尔斯	东德	1 56.10
1992	E. 范兰亨	荷	1 55.54
1996	S. 马斯特科娃	俄	1 57.73
2000	M. 穆托拉	莫桑比克	1 56.15
2004	K. 霍姆斯	英	1 56.38
1 500 米			**分 秒**
1972	L. 布拉金娜	苏	4 01.4
1976	T. 卡桑琪娜	苏	4 05.48‡
1980	T. 卡桑琪娜	苏	3 56.6
1984	G. 多里奥	意	4 03.25
1988	P. 伊万	罗	3 53.96
1992	H. 布尔梅卡	阿尔及利亚	3 55.30
1996	S. 马斯特科娃	俄	4 00.83
2000	N. 梅拉赫-贝尼达	阿尔及利亚	4 05.10
2004	K. 霍姆斯	英	3 57.90
3 000 米			**分 秒**
1984	M. 普伊克	罗	8 35.96
1988	T. 萨莫连科	苏	8 26.53
1992	Y. 罗玛诺娃	联合队 *	8 46.04
5 000 米			**分 秒**
1996	王军霞	中	14 59.88
2000	G. 萨博	罗	14 40.79
2004	M. 德法尔	埃塞俄比亚	14 45.65
10 000 米			**分 秒**
1988	O. 邦达连科	苏	31 05.21
1992	D. 托卢	埃塞俄比亚	31 06.02
1996	F. 里贝罗	葡	31 01.63
2000	D. 图卢	埃塞俄比亚	30 17.49
2004	邢慧娜	中	30 24.36
马拉松			**时分 秒**
1984	J. 贝努瓦	美	2 24 52.0
1988	R. 莫塔	葡	2 25 40.0
1992	V. 叶戈罗娃	联合队 *	2 32 41.0
1996	F. 罗巴	埃塞俄比亚	2 26 05.0
2000	高桥尚子	日	2 23 14.0
2004	野口水木	日	2 26 20.0
4×100 米接力			**秒**
1928		加拿大	48.4
1932		美	47.0
1936		美	46.9
1948		荷	47.5
1952		美	45.9
1956		澳	44.5
1960		美	44.5
1964		波	43.6
1968		美	42.8

* 联合队,包括来自独联体及格鲁吉亚的运动员。 † J. 索普 1913 年被取消金牌;1982 年恢复,成为并列冠军。 ‡ 比赛首次以百分之一秒计时。

续表 4

1972		西德	42.81 *
1976		东德	42.55
1980		东德	41.60
1984		美	41.65
1988		美	41.98
1992		美	42.11
1996		美	41.95
2000		巴哈马	41.95
2004		牙	41.73
4×400 米接力			**分 秒**
1972		东德	3 23.00
1976		东德	3 19.23 *
1980		苏	3 20.20
1984		美	3 18.29
1988		苏	3 15.18
1992		联合队 †	3 20.20
1996		美	3 20.91
2000		美	3 22.62
2004		美	3 19.01
80 米栏(1972 年后改为 100 米)			**秒**
1932	M. 迪德里克森	美	11.70
1936	T. 瓦拉	意	11.70
1948	F. 布兰克斯-柯恩	荷	11.20
1952	S. 德拉杭蒂	澳	10.90
1956	S. 德拉杭蒂	澳	10.70
1960	I. 普列斯	苏	10.80
1964	K. 巴尔扎	东西德联队	10.50
1968	M. 凯尔德	澳	10.30
1972	A. 艾尔哈特	东德	12.59 *
1976	J. 夏勒	东德	12.77
1980	V. 科米索娃	苏	12.56
1984	B. 菲茨杰拉德-布朗	美	12.84
1988	J. 东科娃	保	12.38
1992	P. 帕图利杜	希	12.64
1996	L. 恩奎斯特	瑞典	12.58
2000	O. 希希金娜	哈萨克斯坦	12.65
2004	J. 哈耶斯	美	12.37
400 米栏			**秒**
1984	N. 穆塔瓦凯	摩洛哥	54.61
1988	D. 弗林托夫-金	澳	53.17
1992	S. 冈纳尔	英	53.23
1996	D. 海明斯	牙	52.82
2000	Io. 普里瓦洛娃	俄	53.02
2004	F. 哈尔基亚	希	52.82
跳高			**米**
1928	E. 卡瑟伍德	加拿大	1.59
1932	J. 谢利	美	1.66
1936	I. 恰克	匈	1.60
1948	A. 科奇曼	美	1.68
1952	E. 布兰德	南非	1.67
1956	M. 麦克丹尼尔	美	1.76
1960	I. 巴拉思	罗	1.85
1964	I. 巴拉思	罗	1.90
1968	M. 雷兹科娃	捷	1.82
1972	U. 梅法特	西德	1.92
1976	R. 阿克曼	东德	1.93
1980	S. 西梅奥尼	意	1.97
1984	U. 梅法特	西德	2.02
1988	L. 里特	美	2.03
1992	H. 亨克尔	德	2.02
1996	S. 科斯塔迪诺娃	保	2.05
2000	Ye. 叶列西娜	俄	2.01
2004	Ye. 斯列萨连科	俄	2.06
撑杆跳高			**米**
2000	S. 德拉吉拉	美	4.60
2004	Ye. 伊辛巴耶娃	俄	4.91
跳远			**米**
1948	V. 贾尔马蒂	匈	5.69
1952	Y. 威廉斯	新西兰	6.24
1956	E. 克热泽辛斯卡	波	6.35
1960	V. 克烈普琪娜	苏	6.37
1964	M. 兰德	英	6.76
1968	V. 维斯科波林努	罗	6.82
1972	H. 罗森达尔	西德	6.78
1976	A. 沃依格特	东德	6.72
1980	T. 科尔帕科娃	苏	7.06
1984	A. 斯坦齐乌	罗	6.96
1988	J. 乔伊纳-克西	美	7.40
1992	H. 德雷克斯勒	德	7.14
1996	C. 阿吉瓦	尼日利亚	7.12
2000	H. 德雷克斯勒	德	6.99
2004	T. 列别杰娃	俄	7.07
三级跳远			**米**
1996	I. 克拉维茨	乌克兰	15.33
2000	M. 埃托内	喀麦隆	15.30
2004	T. 马里诺娃	保	15.20
掷铁饼			**米**
1928	H. 科诺帕茨卡	波	39.62
1932	L. 科普兰	美	40.58
1936	G. 毛尔梅尔	德	47.63
1948	M. 奥斯特梅耶	法	41.92
1952	N. 罗马什科娃	苏	51.42
1956	O. 费科托娃	捷	53.69
1960	N. 波诺马列娃-罗马什科娃	苏	55.10
1964	T. 普列斯	苏	57.27
1968	L. 马诺利乌	罗	58.28
1972	F. 麦尔尼克	苏	66.62
1976	E. 施拉克	东德	69.00
1980	E. 贾尔	东德	69.96
1984	R. 斯托尔曼	荷	65.36
1988	M. 黑尔曼	东德	72.30
1992	M. 马尔滕	古	70.06
1996	I. 维鲁达	德	69.66
2000	E. 兹维列娃	白俄罗斯	68.40
2004	N. 萨多娃	俄	67.02
推铅球			**米**
1948	M. 奥斯特梅耶	法	13.75
1952	G. 基比娜	苏	15.28
1956	T. 蒂什凯维奇	苏	16.59
1960	T. 普列斯	苏	17.32
1964	T. 普列斯	苏	18.14
1968	M. 古麦尔	东德	19.61
1972	N. 齐卓娃	苏	21.03
1976	I. 克里斯托娃	保	21.16
1980	I. 斯卢庇亚奈克	东德	22.41
1984	C. 罗西	西德	20.48
1988	N. 利索夫斯卡娅	苏	22.24
1992	S. 克里维利娃	联合队 †	21.06
1996	A. 库伯努斯	德	20.56
2000	Ye. 科洛尔奇克	白俄罗斯	20.56
2004	Y. 坎巴	古	19.59
掷标枪			**米**
1932	M. 迪德里克森	美	43.68
1936	T. 弗莱彻	德	45.18
1948	H. 鲍马	奥	45.57
1952	D. 扎托普科娃	捷	50.47
1956	I. 尧恩则麦	苏	53.86
1960	E. 奥佐利娜	苏	55.98
1964	M. 佩内什	罗	60.54
1968	A. 奈麦特	匈	60.36
1972	R. 弗赫斯	东德	63.88
1976	R. 弗赫斯	东德	65.94
1980	M. 科隆	古	68.40
1984	T. 桑德森	英	69.56
1988	P. 费尔克	东德	74.68
1992	S. 伦克	德	68.34
1996	H. 兰塔宁	芬	67.94
2000	T. 哈特斯塔德	挪	68.91
2004	O. 梅南德斯	古	71.53
链球			**米**
2000	K. 斯科利莫夫斯卡	波	71.16
2004	O. 库岑科娃	俄	75.02
五项全能(1984 年起为七项全能)			
1964	I. 普列斯	苏	
1968	I. 贝克尔	西德	
1972	M. 彼得斯	英	
1976	S. 西格尔	东德	
1980	N. 特卡钦科	苏	
1984	G. 努恩	澳	
1988	J. 乔伊纳-克西	美	
1992	J. 乔伊纳-克西	美	
1996	G. 舒娅	叙	
2000	D. 刘易斯	英	
2004	C. 克鲁夫特	瑞典	
10 公里竞走			**分 秒**
1992	陈跃玲	中	44 32.0
1996	Y. 尼科拉叶娃	俄	41 49.0
20 公里竞走			**时分 秒**
2000	王丽萍	中	1 29 05.0
2004	A. 特索梅利卡	希	1 29 12.0

羽毛球

男子单打		
1992	魏仁芳	印尼
1996	P.-E. 霍耶-拉尔森	丹
2000	吉新鹏	中
2004	T. 西达亚特	印尼
男子双打		
1992		韩
1996		印尼
2000		印尼
2004		韩
女子单打		
1992	王莲香	印尼
1996	方铢贤	韩
2000	龚智超	中
2004	张宁	中
女子双打		
1992		韩
1996		中
2000		中
2004		中

* 比赛首次以百分之一秒计时。 † 联合队,包括来自独联体及格鲁吉亚的运动员。

续表 5

混合双打		
1996		韩
2000		中
2004		中
棒　球		
1992		古
1996		古
2000		美
2004		古
篮　球(男子)		
1936		美
1948		美
1952		美
1956		美
1960		美
1964		美
1968		美
1972		苏
1976		美
1980		南斯拉夫
1984		美
1988		苏
1992		美
1996		美
2000		美
2004		阿根廷
篮　球(女子)		
1976		苏
1980		苏
1984		美
1988		美
1992		联合队 *
1996		美
2000		美
2004		美
沙滩排球		
男子		
1996		美
2000		美
2004		巴西
女子		
1996		巴西
2000		澳
2004		美
拳　击		
次特轻量级(48 公斤;106 磅)		
1968	F. 罗得里格兹	委
1972	G. 盖多	匈
1976	J. 赫尔南德兹	古
1980	Sh. 萨比罗夫	苏
1984	P. 冈萨雷斯	美
1988	I. 赫里斯托夫	保
1992	R. 马塞洛	古
1996	D. 博吉洛夫	保
2000	B. 阿洛姆	法
2004	Y.B. 巴雷拉	古
特轻量级(51 公斤;112 磅)		
1904	G. 芬尼根	美
1920	F. 德根纳罗	美
1924	F. 拉巴尔巴	美
1928	A. 科奇斯	匈
1932	I. 恩奈克斯	匈
1936	W. 凯瑟	德
1948	P. 佩雷斯	阿根廷

1952	N. 布鲁克思	美
1956	T. 斯平克斯	英
1960	G. 托罗克	匈
1964	F. 阿特佐里	意
1968	R. 德尔加多	墨
1972	G. 科思塔迪诺夫	保
1976	L. 兰道夫	美
1980	P. 莱索夫	保
1984	S. 麦克罗里	美
1988	金光善	韩
1992	崔喆洙	朝
1996	M. 罗梅罗	古
2000	W. 邦里德	泰
2004	Y.G. 托莱达诺	古
最轻量级(54 公斤;119 磅)		
1904	O. 柯克	美
1908	H. 托马斯	英
1920	C. 沃克	南非
1924	W. 史密斯	南非
1928	V. 塔马尼尼	意
1932	H. 格温	加拿大
1936	U. 塞尔戈	意
1948	T. 齐克	匈
1952	P. 哈马兰宁	芬
1956	W. 贝伦特	东西德联队
1960	O. 格里果列夫	苏
1964	樱井	日
1968	V. 索科洛夫	苏
1972	O. 马蒂内兹	古
1976	具永祚	朝
1980	J. 赫尔南德兹	古
1984	M. 斯泰卡	意
1988	K. 麦金尼	美
1992	J. 卡萨马约尔	古
1996	Y. 科瓦奇	匈
2000	G.R. 奥尔蒂斯	古
2004	G.R. 奥尔蒂斯	古
次轻量级(57 公斤;126 磅)		
1904	O. 柯克	美
1908	R. 冈恩	英
1920	P. 弗里希	法
1924	J. 菲尔兹	美
1928	L. 范克莱维伦	荷
1932	C. 罗布莱多	阿根廷
1936	G. 卡桑诺瓦斯	阿根廷
1948	E. 福尔门蒂	意
1952	J. 扎查那	捷
1956	V. 萨夫罗诺夫	苏
1960	F. 穆索	意
1964	S. 斯捷帕什钦	苏
1968	A. 罗尔丹	墨
1972	B. 库兹聂佐夫	苏
1976	A. 赫雷拉	古
1980	R. 芬克	东德
1984	M. 泰勒	美
1988	G. 帕里西	意
1992	A. 特夫斯	德
1996	S. 卡姆辛	泰
2000	B. 萨塔尔卡诺夫	哈
2004	A. 蒂希申科	俄
轻量级(60 公斤;132 磅)		
1904	H. 斯潘杰	美
1908	F. 格雷斯	英
1920	S. 莫斯堡	美

1924	H. 尼尔森	丹
1928	C. 奥兰迪	意
1932	L. 史蒂文斯	南非
1936	I. 哈朗吉	匈
1948	G. 德雷尔	南非
1952	A. 博洛涅西	意
1956	R. 麦克塔格特	英
1960	K. 帕基奥尔	波
1964	G. 格鲁基恩	波
1968	R. 哈里斯	美
1972	J. 斯捷潘斯基	波
1976	H. 戴维斯	美
1980	A. 赫雷拉	古
1984	P. 惠特克	美
1988	A. 齐洛	东德
1992	O. 德拉霍亚	美
1996	H. 索尔塔尼	阿尔及利亚
2000	M. 钦德兰	古
2004	M. 钦德兰	古
轻中量级(63.5 公斤;140 磅)		
1952	C. 阿特金斯	美
1956	V. 恩吉巴里扬	苏
1960	B. 奈麦策克	捷
1964	J. 库列伊	波
1968	J. 库列伊	波
1972	R. 西尔斯	美
1976	R. 莱那德	美
1980	P. 奥利瓦	意
1984	J. 佩奇	美
1988	V. 亚诺夫斯基	苏
1992	H. 维内特	古
1996	H. 维内特	古
轻中量级(64 公斤)		
2000	M. 阿卜杜拉耶夫	乌兹别克斯坦
2004	M. 布恩朱姆农	泰
次中量级(67 公斤;147 磅)		
1904	A. 扬	美
1920	T. 施奈德	加拿大
1924	J. 德拉尔日	比
1928	E. 摩根	新西兰
1932	E. 弗林	美
1936	S. 苏维奥	芬
1948	J. 托尔马	捷
1952	Z. 齐克拉	波
1956	N. 林卡	罗
1960	G. 本温努蒂	意
1964	M. 卡斯普热基克	波
1968	M. 沃尔克	东德
1972	E. 科里亚	古
1976	J. 巴赫菲尔德	东德
1980	A. 阿尔达马	古
1984	M. 布里兰	美
1988	R. 万吉拉	肯
1992	M. 卡鲁斯	爱尔兰
1996	O. 塞托夫	俄
2000	O. 塞托夫	俄
2004	B. 阿尔塔耶夫	哈
中量级(71 公斤;156 磅)		
1952	L. 帕普	匈
1956	L. 帕普	匈
1960	W. 麦克卢尔	美
1964	B. 拉古丁	苏
1968	B. 拉古丁	苏
1972	D. 科蒂希	西德

* 联合队,包括来自独联体及格鲁吉亚的运动员。

续表 6

1976	J. 里比兹基	波		
1980	A. 马蒂内兹	古		
1984	F. 泰特	美		
1988	朴时宪	韩		
1992	J. 莱穆斯	古		
1996	D. 雷德	美		
2000	Y. 伊布莱莫夫	哈		
次重量级 (75 公斤;165 磅)				
1904	C. 麦耶	美		
1908	J. 道格拉斯	英		
1920	H. 马林	英		
1924	H. 马林	英		
1928	P. 托斯卡尼	意		
1932	C. 巴恩	美		
1936	J. 戴思波	法		
1948	L. 帕普	匈		
1952	F. 派特森	美		
1956	G. 沙特科夫	苏		
1960	E. 克鲁克	美		
1964	V. 波本琴科	苏		
1968	C. 芬尼根	英		
1972	V. 列麦谢夫	苏		
1976	M. 斯平克斯	美		
1980	J. 戈麦斯	古		
1984	申俊燮	韩		
1988	H. 马斯克	东德		
1992	A. 埃尔南德斯	古		
1996	A. 埃尔南德斯	古		
2000	J. 古铁雷斯	古		
2004	G. 盖达贝科夫	俄		
重量级 (81 公斤;178 磅)				
1920	E. 伊根	美		
1924	H. 米切尔	英		
1928	V. 阿温达诺	阿根廷		
1932	D. 卡斯滕斯	南非		
1936	R. 米歇洛	法		
1948	G. 亨特	南非		
1952	N. 李	美		
1956	J. 博伊德	美		
1960	C. 克莱	美		
1964	C. 平托	意		
1968	D. 波兹尼亚克	苏		
1972	M. 巴夫洛夫	南斯拉夫		
1976	L. 斯平克斯	美		
1980	S. 卡卡尔	南斯拉夫		
1984	A. 约希波维奇	南斯拉夫		
1988	A. 迈纳尔德	美		
1992	T. 迈	德		
1996	V. 叶罗夫	哈		
2000	A. 莱布吉亚克	俄		
2004	A. 沃尔德	美		
最重量级 (81 公斤;179 磅以上,1984 年起为 91 公斤;200 磅)				
1904	S. 伯格	美		
1908	A. 奥尔德曼	英		
1920	R. 罗森	英		
1924	O. 冯波拉特	挪		
1928	R. 胡拉多	阿根廷		
1932	A. 罗维尔	阿根廷		
1936	H. 隆格	德		
1948	R. 伊格列希亚斯	阿根廷		
1952	E. 桑德斯	美		
1956	P. 拉德马彻	美		
1960	F. 德皮科利	意		
1964	J. 弗雷泽	美		
1968	G. 福尔曼	美		
1972	T. 史蒂文森	古		
1976	T. 史蒂文森	古		
1980	T. 史蒂文森	古		
1984	H. 蒂尔曼	美		
1988	R. 默瑟尔	美		
1992	F. 萨翁	古		
1996	F. 萨翁	古		
2000	F. 萨翁	古		
2004	O.S. 冯蒂	古		
超重量级 (91 公斤以上;200 磅以上)				
1984	T. 比格斯	美		
1988	L. 刘易斯	加拿大		
1992	R. 巴拉多	古		
1996	V. 克里琴科	乌克兰		
2000	A. 哈里森	英		
2004	A. 波伏特金	俄		
划 艇(男子)				
单人皮艇(500 米)			**分**	**秒**
1976	V. 迪巴	罗	1	46.41
1980	V. 帕尔费诺维奇	苏	1	43.43
1984	I. 福格森	新西兰	1	47.84
1988	Z. 久拉伊	匈	1	44.82
1992	M. 科莱赫曼宁	芬	1	40.34
1996	A. 罗西	意	1	37.423
2000	K. 霍尔曼	挪	1	57.84
2004	A. 范克沃登	加拿大	1	37.919
双人皮艇(500 米)			**分**	**秒**
1976		东德	1	35.87
1980		苏	1	32.38
1984		新西兰	1	34.21
1988		新西兰	1	33.98
1992		德	1	29.84
1996		德	1	28.697
2000		匈	1	47.05
2004		德	1	27.040
单人皮艇(1 000 米)			**分**	**秒**
1936	G. 赫拉德茨基	奥	4	22.90
1948	G. 弗雷德里克松	瑞典	4	33.20
1952	G. 弗雷德里克松	瑞典	4	07.90
1956	G. 弗雷德里克松	瑞典	4	12.80
1960	E. 汉森	丹	3	53.00
1964	R. 彼得松	瑞典	3	57.13
1968	M. 赫兹	匈	4	03.58
1972	A. 沙帕连柯	苏	3	48.06
1976	R. 赫尔姆	东德	3	48.20
1980	R. 赫尔姆	东德	3	48.77
1984	A. 汤普森	新西兰	3	45.73
1988	G. 巴尔顿	美	3	55.27
1992	C. 罗宾逊	澳	3	37.26
1996	K. 霍尔曼	挪	3	25.785
2000	K. 霍尔曼	挪	3	33.26
2004	E. 拉尔森	挪	3	25.897
双人皮艇(1 000 米)			**分**	**秒**
1936		奥	4	03.80
1948		瑞典	4	07.30
1952		芬	3	51.10
1956		东西德联队	3	49.60
1960		瑞典	3	34.70
1964		瑞典	3	38.54
1968		苏	3	37.54
1972		苏	3	31.23
1976		苏	3	29.01
1980		苏	3	26.72
1984		加拿大	3	24.22
1988		美	3	32.42
1992		德	3	16.10
1996		意	3	9.190
2000		意	3	14.46
2004		瑞典	3	18.420
四人皮艇(1 000 米)			**分**	**秒**
1964		苏	3	14.67
1968		挪	3	14.38
1972		苏	3	14.02
1976		苏	3	08.69
1980		东德	3	13.76
1984		新西兰	3	02.28
1988		匈	3	00.20
1992		德	2	54.18
1996		德	2	51.528
2000		匈	2	55.18
2004		匈	2	56.919
单人回转皮艇				
1972	S. 霍恩	东德		
1992	P. 费拉奇	意		
1996	O. 菲克斯	德		
2000	T. 施密特	德		
2004	B. 佩西埃	法		
单人划艇(500 米)			**分**	**秒**
1976	A. 罗戈夫	苏	1	59.23
1980	S. 波斯特列钦	苏	1	53.37
1984	L. 凯恩	加拿大	1	57.01
1988	O. 霍伊罗德特	东德	1	56.42
1992	N. 包哈洛夫	保	1	51.15
1996	M. 多克托尔	捷	1	49.934
2000	G. 科洛尼克斯	匈	2	24.81
2004	A. 迪特默尔	德	1	46.383
双人划艇(500 米)			**分**	**秒**
1976		苏	1	45.81
1980		匈	1	43.39
1984		南斯拉夫	1	43.67
1988		苏	1	41.77
1992		联合队*	1	41.54
1996		匈	1	40.420
2000		匈	1	51.28
2004		中	1	40.278
单人划艇(1 000 米)			**分**	**秒**
1936	F. 阿弥奥特	加拿大	5	32.10
1948	J. 霍列切克	捷	5	42.00
1952	J. 霍列切克	捷	4	56.30
1956	L. 罗特曼	罗	5	05.30
1960	J. 帕尔蒂	匈	4	33.03
1964	J. 艾思哈特	东西德联队	4	35.14
1968	T. 塔泰	匈	4	36.14
1972	I. 帕柴钦	罗	4	08.94
1976	M. 留贝克	南斯拉夫	4	09.51
1980	L. 卢贝诺夫	保	4	12.38
1984	U. 艾克	西德	4	06.32
1988	I. 克列门捷夫	苏	4	12.78
1992	N. 包哈洛夫	保	4	05.92
1996	M. 多克托尔	捷	3	54.418
2000	A. 迪特默尔	德	3	54.379
2004	D. 卡尔	西	3	46.201

* 联合队,包括来自独联体及格鲁吉亚的运动员。

续表 7

双人划艇(1 000 米)		分 秒
1936	捷	4 50.10
1948	捷	5 07.10
1952	丹	4 38.30
1956	罗	4 47.40
1960	苏	4 17.04
1964	苏	4 04.65
1968	罗	4 07.18
1972	苏	3 52.60
1976	苏	3 52.76
1980	罗	3 47.65
1984	罗	3 40.60
1988	苏	3 48.36
1992	德	3 37.42
1996	德	3 31.870
2000	罗	3 37.35
2004	德	3 41.802

单人回转划艇	
1972 R. 艾本	东德
1992 L. 波莱尔特	捷
1996 M. 马蒂坎	斯洛伐克
2000 T. 埃斯坦盖	法
2004 T. 埃斯坦盖	法

双人回转划艇	
1972	东德
1992	美
1996	法
2000	斯洛伐克
2004	斯洛伐克

划 艇（女子）

单人皮艇(500 米)		分 秒
1948 K. 霍夫	丹	2 31.90
1952 S. 塞摩	芬	2 18.40
1956 Ye. 捷缅切娃	苏	2 18.90
1960 A. 塞雷吉娜	苏	2 08.08
1964 L. 赫维多休克	苏	2 12.87
1968 L. 皮娜耶娃-赫维多休克	苏	2 11.09
1972 Yu. 里亚布钦斯卡娅	苏	2 03.17
1976 C. 奇尔佐夫	东德	2 01.05
1980 B. 费希尔	东德	1 57.96
1984 A. 安德松	瑞典	1 58.72
1988 V. 古切娃	保	1 55.19
1992 B. 施密特	德	1 51.60
1996 R. 科班	匈	1 47.655
2000 J.I. 盖里尼	意	2 13.84
2004 N. 亚尼茨	匈	1 47.741

双人皮艇(500 米)		分 秒
1960	苏	1 54.76
1964	东西德联队	1 56.95
1968	西德	1 56.44
1972	苏	1 53.50
1976	苏	1 51.15
1980	东德	1 43.88
1984	瑞典	1 45.25
1988	东德	1 43.46
1992	德	1 40.29
1996	瑞典	1 39.329
2000	德	1 56.99
2004	匈	1 38.101

四人皮艇(500 米)		分 秒
1984	罗	1 38.34
1988	东德	1 40.78
1992	匈	1 38.32
1996	德	1 31.077
2000	德	1 34.53
2004	德	1 34.340

单人回转皮艇	
1972 A. 巴曼	东德
1992 E. 米歇勒	德
1996 S. 希尔格托娃	捷
2000 S. 希尔格托娃	捷
2004 E. 卡里斯卡	斯洛伐克

自行车赛(男子)

争先赛	
1900 G. 泰扬迪埃	法
1920 M. 彼得斯	荷
1924 L. 米沙	法
1928 R. 波弗朗	法
1932 J. 范埃格蒙德	荷
1936 T. 麦尔肯斯	德
1948 M. 格拉	意
1952 E. 萨基	意
1956 M. 罗素	法
1960 S. 加亚尔多尼	意
1964 G. 佩泰内拉	意
1968 D. 摩尔隆	法
1972 D. 摩尔隆	法
1976 A. 特卡克	捷
1980 L. 赫斯利希	东德
1984 M. 高尔基	美
1988 L. 赫斯利希	东德
1992 J. 菲德勒	德
1996 J. 菲德勒	德
2000 M. 诺斯泰因	美
2004 R. 贝利	澳

奥林匹克争先赛	
2000	法
2004	德

1 000 米计时赛		分 秒
1928 W. 弗尔克-汉森	丹	1 14.4
1932 E. 格雷	澳	1 13.0
1936 A. 范夫利埃特	荷	1 12.0
1948 J. 杜巴	法	1 13.5
1952 R. 莫克里奇	澳	1 11.1
1956 L. 法金	意	1 09.8
1960 S. 加亚尔多尼	意	1 07.27
1964 P. 塞尔库	比	1 09.59
1968 P. 特朗丹	法	1 03.91
1972 N. 弗雷德波尔德	丹	1 06.44
1976 K.-J. 格伦克	东德	1 05.927
1980 L. 托姆斯	东德	1 02.955
1984 F. 施密戴克	西德	1 06.10
1988 A. 基里钦科	苏	1 04.499
1992 J. 莫雷诺	西	1 03.342
1996 F. 卢梭	法	1 02.712
2000 J. 奎利	英	1 01.609
2004 C. 霍伊	英	1 00.711

4 000 米个人追逐赛	
1964 J. 达列耳	捷
1968 D. 雷比雅	法
1972 K. 克努德森	挪
1976 G. 布朗	西德
1980 R. 迪尔-邦迪	瑞士
1984 S. 赫格	美
1988 G. 乌马拉斯	苏
1992 C. 博德曼	英
1996 A. 科利内利	意
2000 R. 巴特科	德
2004 B. 维金斯	英

4 000 米团体追逐赛		分 秒
1920	意	5 20.0
1924	意	5 15.0
1928	意	5 06.25
1932	意	4 52.9
1936	法	4 45.0
1948	法	4 57.8
1952	意	4 46.1
1956	意	4 37.4
1960	意	4 30.9
1964	东西德联队	4 35.67
1968	丹	4 22.44
1972	西德	4 22.14
1976	西德	4 21.06
1980	苏	4 15.70
1984	澳	4 25.99
1988	苏	4 13.31
1992	德	4 08.791
1996	法	4 05.930
2000	德	3 59.710
2004	澳	3 58.233

公路赛 (个人) *		时 分 秒
1896 A. 康斯坦蒂尼迪斯	希	3 22 31.0
1912 R. 刘易斯	南非	10 42 39.0
1920 H. 斯滕克维斯克	瑞典	4 40 01.8
1924 A. 布朗雄内	法	6 20 48.0
1928 H. 汉森	丹	4 47 18.0
1932 A. 帕韦西	意	2 28 05.6
1936 R. 卡彭蒂埃	法	2 33 05.0
1948 J. 贝亚尔	法	5 18 12.6
1952 A. 诺耶	比	5 06 03.4
1956 E. 巴尔迪尼	意	5 21 17.0
1960 V. 卡皮托诺夫	苏	4 20 37.0
1964 M. 扎宁	意	4 39 51.63
1968 P. 维亚内利	意	4 41 25.24
1972 H. 奎珀	荷	4 14 37.0
1976 B. 约翰松	瑞典	4 46 52.0
1980 S. 苏霍鲁钦科夫	苏	4 48 28.90
1984 A. 格鲁尔	美	4 59 57.0
1988 O. 路德维希	东德	4 32 22.0
1992 F. 卡萨尔泰利	意	4 35 21.0
1996 P. 里夏尔	瑞士	4 53 53.0
2000 J. 乌尔里希	德	5 29 08
2004 P. 贝蒂尼	意	5 41 44

麦迪逊赛	
2000	澳
2004	澳

凯林赛		时 分 秒
2000 F. 鲁索	法	11.020
2004 R. 贝利	澳	10.601

公路赛(计时)		时 分 秒
1996 M. 安杜兰	西	1 04 05.00
2000 V. 耶基莫夫	俄	57 40.420
2004 T. 汉密尔顿	美	57 31.74

100 公里团体计时赛		时 分 秒
1960	意	2 14 33.53
1964	荷	2 26 31.19

* 赛程自 87 至 310 公里不等。

续表 8

1968		荷	2 07 49.06
1972		苏	2 11 17.8
1976		苏	2 08 53.0
1980		苏	2 01 21.70
1984		意	1 58 28.0
1988		东德	1 57 47.70
1992		德	2 01 39.0
计分(积分)赛			
1984	R. 伊莱杰姆斯	比	
1988	D. 弗罗斯特	丹	
1992	G. 隆巴迪	意	
1996	S. 马丁内洛	意	
2000	J. 里亚内拉斯	西	
2004	M. 伊格纳季耶夫	俄	
越野赛			**时 分 秒**
1996	B.J. 布伦琴斯	荷	2 17 38.0
2000	M. 马蒂内茨	法	2 09 02.50
2004	J. 阿布萨隆	法	2 15 02

自行车赛(女子)

公路赛(个人)			**时 分 秒**
1984	C. 卡彭特-菲尼	美	2 11 14.0
1988	M. 克诺尔	荷	2 00 52.0
1992	K. 瓦特	澳	2 04 42.0
1996	J. 隆戈	法	2 36 13.0
2000	L.Z. 莫塞尔	荷	3 06 31
2004	S. 卡里根	澳	3 24 24
公路赛(计时)			**时 分 秒**
1996	Z. 扎比罗娃	俄	36 40.00
2000	L.Z. 莫塞尔	荷	42 00.781
2004	L.Z. 莫塞尔	荷	31 11.53
争先赛			
1988	E. 萨卢米亚埃	苏	
1992	E. 萨卢米亚埃	爱沙尼亚	
1996	F. 巴朗热	法	
2000	F. 巴朗热	法	
2004	L. 穆恩泽尔	加拿大	
计时赛			**时 分 秒**
2000	F. 巴朗热	法	34.140
2004	A. 米雷斯	澳	33.592
3 000 米个人追逐赛			
1992	P. 勒斯纳	德	
1996	A. 贝卢蒂	意	
2000	L.Z. 莫塞尔	荷	
2004	S. 乌尔默	新西兰	
计分(积分)赛			
1996	N. 朗西安	半	
2000	A. 贝鲁蒂	意	
2004	O. 斯里乌萨列娃	俄	
越野赛			**时 分 秒**
1996	P. 佩佐	意	1 50 51
2000	P. 佩佐	意	1 49 24.38
2004	G.-R. 达勒	挪	1 56 51

跳　水(男子)

跳板跳水		
1908	A. 居尔纳	德
1912	P. 根瑟	德
1920	L. 库恩	美
1924	A. 怀特	美
1928	P. 德斯甲丁斯	美
1932	M. 加里岑	美
1936	R. 德金纳	美
1948	B. 哈伦	美
1952	D. 布朗宁	美
1956	R. 克洛特沃西	美
1960	G. 托比恩	美
1964	K. 西茨伯格	美
1968	R. 赖特森	美
1972	V. 瓦辛	苏
1976	P. 波格斯	美
1980	A. 波尔特诺夫	苏
1984	G. 洛加尼斯	美
1988	G. 洛加尼斯	美
1992	M. 伦奇	美
1996	熊倪	中
2000	熊倪	中
2004	彭勃	中
高台跳水		
1908	H. 约翰松	瑞典
1912	E. 阿德勒兹	瑞典
1920	C. 平克斯顿	美
1924	A. 怀特	美
1928	P. 德斯甲丁斯	美
1932	H. 史密斯	美
1936	M. 韦恩	美
1948	S. 李	美
1952	S. 李	美
1956	J. 卡皮利亚	墨
1960	R. 韦伯斯特	美
1964	R. 韦伯斯特	美
1968	K. 迪比亚西	意
1972	K. 迪比亚西	意
1976	K. 迪比亚西	意
1980	F. 霍夫曼	东德
1984	G. 洛加尼斯	美
1988	G. 洛加尼斯	美
1992	孙淑伟	中
1996	D. 萨乌丁	俄
2000	田亮	中
2004	胡佳	中
跳板双人		
2000		中
2004		希
跳台双人		
2000		俄
2004		中

跳　水(女子)

跳板跳水		
1920	A. 里金	美
1924	E. 贝克尔	美
1928	H. 米尼	美
1932	G. 柯尔曼	美
1936	M. 格斯特灵	美
1948	V. 德拉夫斯	美
1952	P. 麦考密克	美
1956	P. 麦考密克	美
1960	I. 克拉默	东西德联队
1964	I. 恩格尔-克拉默	东西德联队
1968	S. 哥西克	美
1972	M. 金	美
1976	J. 钱德勒	美
1980	I. 卡利尼娜	苏
1984	S. 伯尼埃	加拿大
1988	高敏	中
1992	高敏	中
1996	伏明霞	中
2000	伏明霞	中
2004	郭晶晶	中
高台跳水		
1912	G. 约翰松	瑞典
1920	S. 弗赖兰德·克劳森	丹
1924	C. 史密斯	美
1928	E. 贝克尔·平克斯顿	美
1932	D. 波因顿	美
1936	D. 波因顿-希尔	美
1948	V. 德拉夫斯	美
1952	P. 麦考密克	美
1956	P. 麦考密克	美
1960	I. 克拉默	东西德联队
1964	L. 布什	美
1968	M. 杜奇科娃	捷
1972	U. 克那佩	瑞典
1976	Y. 瓦伊策霍夫斯卡娅	苏
1980	M. 雅西克	东德
1984	周继红	中
1988	许艳梅	中
1992	伏明霞	中
1996	伏明霞	中
2000	L. 威尔金森	美
2004	C. 纽贝里	澳
跳板双人		
2000		俄
2004		中
跳台双人		
2000		中
2004		中

马　术

大奖(花式)个人		
1900	C. 哈革曼	比
1912	C. 邦德	瑞典
1920	J. 伦德布拉德	瑞典
1924	E. 林德耳	瑞典
1928	C. 冯兰根	德
1932	F. 莱萨日	法
1936	H. 波莱	德
1948	H. 摩塞尔	瑞士
1952	H. 圣锡尔	瑞典
1956	H. 圣锡尔	瑞典
1960	S. 费拉托夫	苏
1964	H. 沙玛丹	瑞士
1968	I. 齐季莫夫	苏
1972	L. 林森霍夫	西德
1976	C. 司徒克尔伯格	瑞士
1980	E. 图勒尔	奥
1984	R. 克里姆克	西德
1988	N. 乌普霍夫	西德
1992	N. 乌普霍夫	德
1996	I. 韦尔特	德
2000	A. 范格伦斯文	荷
2004	A. 范格伦斯文	荷
大奖(花式)团体		
1928		德
1932		法
1936		德
1948		法
1952		瑞典
1956		瑞典
1964		东西德联队
1968		西德
1972		苏
1976		西德
1980		苏

续表 9

1984	西德
1988	西德
1992	德
1996	德
2000	德
2004	德
大奖（超越障碍）个人	
1912 J. 加里欧	法
1920 T. 莱奎奥	意
1924 A. 格米苏	瑞士
1928 F. 温图拉	捷
1932 西竹一	日
1936 K. 哈塞	德
1948 H. 马里莱斯 · 科蒂斯	墨
1952 P. J. 德奥里奥拉	法
1956 H. 温克勒	东西德联队
1960 R. 丁泽奥	意
1964 P. J. 德奥里奥拉	法
1968 W. 斯坦克劳斯	美
1972 G. 曼齐内利	意
1976 A. 肖克摩勒	西德
1980 J. 科瓦尔基克	波
1984 J. 法吉斯	美
1988 P. 杜兰德	法
1992 L. 贝尔鲍姆	德
1996 U. 基尔霍夫	德
2000 J. 杜贝尔丹	荷
2004 C. 奥康纳	爱尔兰
大奖（超越障碍）团体 *	
1912	瑞典
1920	瑞典
1924	瑞典
1928	西
1936	德
1948	墨
1952	英
1956	东西德联队
1960	东西德联队
1964	东西德联队
1968	加拿大
1972	西德
1976	法
1980	苏
1984	美
1988	西德
1992	荷
1996	德
2000	德
2004	德
三日赛（个人）	
1912 A. 诺兰德	瑞典
1920 H. 摩尔纳	瑞典
1924 A. 范基普	荷
1928 F. 德摩坦吉斯	荷
1932 F. 德摩坦吉斯	荷
1936 L. 司图本多夫	德
1948 B. 舍瓦耶	法
1952 H. 冯布林克森-芬内克	瑞典
1956 P. 卡斯滕曼	瑞典
1960 L. 摩根	澳
1964 M. 凯科利	意
1968 J. 戈雍	法
1972 R. 米德	英
1976 E. 科芬	美
1980 F. 罗曼	意
1984 M. 托德	新西兰
1988 M. 托德	新西兰
1992 M. 瑞安	澳
1996 B. 泰特	新西兰
2000 D. 奥康纳	美
2004 L. 劳	英
三日赛（团体）	
1912	瑞典
1920	瑞典
1924	荷
1928	荷
1932	美
1936	德
1948	美
1952	瑞典
1956	英
1960	澳
1964	意
1968	英
1972	英
1976	美
1980	苏
1984	美
1988	西德
1992	澳
1996	澳
2000	澳
2004	法
击剑（男子）	
花剑（个人）	
1896 E. 格拉维洛特	法
1900 C. 科斯特	法
1904 R. 封斯特	古
1912 N. 纳迪	意
1920 N. 纳迪	意
1924 R. 迪克莱	法
1928 L. 顾丹	法
1932 G. 马尔齐	意
1936 G. 高迪尼	意
1948 J. 布昂	法
1952 C. 德奥里奥拉	法
1956 C. 德奥里奥拉	法
1960 V. 日丹诺维奇	苏
1964 E. 夫朗克	波
1968 I. 德里姆巴	罗
1972 W. 沃伊达	波
1976 F. 达尔 · 佐托	意
1980 V. 斯密尔诺夫	苏
1984 M. 努马	意
1988 S. 切廖尼	意
1992 P. 奥莫内	法
1996 A. 普奇尼	意
2000 金永浩	韩
2004 B. 吉亚尔	法
花剑（团体）	
1904	古
1920	意
1924	法
1928	意
1932	法
1936	意
1948	法
1952	法
1956	意
1960	苏
1964	苏
1968	法
1972	波
1976	西德
1980	法
1984	意
1988	苏
1992	德
1996	俄
2000	法
2004	意
重剑（个人）	
1900 R. 封斯特	古
1904 R. 封斯特	古
1908 G. 艾利贝尔	法
1912 P. 安斯帕赫	比
1920 A. 马萨尔	法
1924 C. 德尔波特	比
1928 L. 顾丹	法
1932 C. 科纳基亚-梅迪契	意
1936 F. 里卡迪	意
1948 L. 坎托内	意
1952 E. 曼贾罗蒂	意
1956 C. 帕韦西	意
1960 G. 德尔菲诺	意
1964 G. 克里斯	苏
1968 G. 库尔萨尔	匈
1972 C. 芬尼维希	匈
1976 A. 普希	西德
1980 J. 哈门勃格	瑞典
1984 P. 布瓦斯	法
1988 A. 施米特	西德
1992 E. 斯雷基	法
1996 A. 别克托夫	俄
2000 P. 科罗布科夫	俄
2004 M. 菲舍尔	瑞士
重剑（团体）	
1908	法
1912	比
1920	意
1924	法
1928	意
1932	法
1936	意
1948	法
1952	意
1956	意
1960	意
1964	匈
1968	匈
1972	匈
1976	瑞典
1980	法
1984	西德
1988	法
1992	德
1996	意
2000	意
2004	法
佩剑（个人）	
1896 J. 格奥尔基亚迪斯	希
1900 G. 拉法莱	法

* 1932 年任何队都未跑完全程。

续表 10

1904	M. 迪亚斯	古
1908	J. 福克斯	匈
1912	J. 福克斯	匈
1920	N. 纳迪	意
1924	S. 波斯塔	匈
1928	O. 特尔兹蒂安茨基	匈
1932	G. 皮勒尔	匈
1936	E. 卡波斯	匈
1948	A. 格雷维奇	匈
1952	P. 科瓦克斯	匈
1956	R. 卡尔帕蒂	匈
1960	R. 卡尔帕蒂	匈
1964	T. 佩萨	匈
1968	J. 帕夫洛夫斯基	波
1972	V. 希吉亚克	苏
1976	V. 克罗沃甫司克夫	苏
1980	V. 克罗沃甫司克夫	苏
1984	J.-F. 拉摩尔	法
1988	J.-F. 拉摩尔	法
1992	B. 萨博	匈
1996	S. 波兹尼亚科夫	俄
2000	M.C. 科瓦留	罗
2004	A. 蒙塔诺	意
佩剑（团体）		
1908		匈
1912		匈
1920		意
1924		意
1928		匈
1932		匈
1936		匈
1948		匈
1952		匈
1956		匈
1960		匈
1964		苏
1968		苏
1972		意
1976		苏
1980		苏
1984		意
1988		匈
1992		联合队*
1996		俄
2000		俄
2004		法
击剑（女子）		
花剑（个人）		
1924	E. 奥希尔	丹
1928	H. 梅尔	德
1932	E. 普雷斯	奥
1936	I. 沙舍尔-埃列克	匈
1948	I. 埃列克	匈
1952	I. 坎贝尔	意
1956	G. 希恩	英
1960	A. 施米特	东西德联队
1964	I. 乌拉吉-勒脱	匈
1968	Ye. 诺维科娃	苏
1972	A. 拉尼奥·隆齐	意
1976	I. 施瓦尔岑伯格	匈
1980	P. 特兰盖	法
1984	栾菊杰	中
1988	A. 菲希泰尔	西德
1992	G. 特里利尼	意
1996	L. 巴代亚	罗
2000	V. 维扎利	意
2004	V. 维扎利	意
花剑（团体）		
1960		苏
1964		匈
1968		苏
1972		苏
1976		苏
1980		法
1984		西德
1988		西德
1992		意
1996		意
2000		意
佩剑（个人）		
2004	M. 萨格尼斯	美
重剑（个人）		
1996	L. 弗莱塞尔	法
2000	T. 纳吉	匈
2004	T. 纳吉	匈
重剑（团体）		
1996		法
2000		俄
2004		俄
曲棍球（男子）		
1908		英
1920		英
1928		印度
1932		印度
1936		印度
1948		印度
1952		印度
1956		印度
1960		巴基斯坦
1964		印度
1968		巴基斯坦
1972		西德
1976		新西兰
1980		印度
1984		巴基斯坦
1988		英
1992		德
1996		荷
2000		荷
2004		澳
曲棍球（女子）		
1980		津
1984		荷
1988		澳
1992		西
1996		澳
2000		澳
2004		德
体操（男子）		
全能（个人）		
1900	S. 桑德拉	法
1904	J. 伦哈特	美
1908	A. 布拉利亚	意
1912	A. 布拉利亚	意
1920	G. 赞波里	意
1924	L. 司图克尔吉	南斯拉夫
1928	G. 米兹	瑞士
1932	R. 内里	意
1936	A. 施瓦兹曼	德
1948	V. 胡坦宁	芬
1952	V. 楚卡林	苏
1956	V. 楚卡林	苏
1960	B. 沙赫林	苏
1964	远藤幸雄	日
1968	加藤泽男	日
1972	加藤泽男	日
1976	N. 安德里亚诺夫	苏
1980	A. 季恰廷	苏
1984	具志坚幸司	日
1988	V. 阿尔捷莫夫	苏
1992	V. 谢尔博	联合队*
1996	李小双	中
2000	A. 涅莫夫	俄
2004	P. 哈姆	美
全能（团体）		
1920		意
1924		意
1928		瑞士
1932		意
1936		德
1948		芬
1952		苏
1956		苏
1960		日
1964		日
1968		日
1972		日
1976		日
1980		苏
1984		美
1988		苏
1992		联合队*
1996		俄
2000		中
2004		日
自由体操		
1932	I. 佩勒	匈
1936	G. 米兹	瑞士
1948	F. 帕塔齐	匈
1952	K. 脱雷松	瑞典
1956	V. 穆拉脱夫	苏
1960	相原信行	日
1964	F. 梅尼凯利	意
1968	加藤泽男	日
1972	N. 安德里亚诺夫	苏
1976	N. 安德里亚诺夫	苏
1980	R. 布鲁克纳	东德
1984	李宁	中
1988	S. 哈里科夫	苏
1992	李小双	中
1996	I. 梅利山尼迪斯	希
2000	I. 维赫洛夫斯	拉
2004	K. 休菲尔特	加拿大
单杠		
1896	H. 怀恩加特内	德
1904	A. 海达;E. 亨宁(并列)	美
1924	L. 司图克尔吉	南斯拉夫
1928	G. 米兹	瑞士
1932	D. 比克斯勒	美
1936	A. 萨尔瓦拉	芬
1948	J. 司脱尔德	瑞士
1952	J. 根特哈德	瑞士

* 联合队，包括来自独联体及格鲁吉亚的运动员。

续表 11

1956	小野乔	日
1960	小野乔	日
1964	B. 沙赫林	苏
1968	M. 沃罗宁	苏
	中山彰规(并列)	日
1972	菅原武男	日
1976	菅原武男	日
1980	S. 德尔切夫	保
1984	梶谷信之	日
1988	V. 阿尔捷莫夫	苏
	V. 柳金(并列)	苏
1992	T. 迪马斯	美
1996	A. 维克	德
2000	A. 涅莫夫	俄
2004	I. 卡西纳	意
双杠		
1896	A. 弗拉托	德
1904	G. 艾瑟	美
1924	A. 吉丁格尔	瑞士
1928	L. 瓦查	捷
1932	R. 内里	意
1936	K. 弗雷	德
1948	M. 罗伊希	瑞士
1952	H. 欧格司特	瑞士
1956	V. 楚卡林	苏
1960	B. 沙赫林	苏
1964	远藤幸雄	日
1968	中山彰规	日
1972	加藤泽男	日
1976	加藤泽男	日
1980	A. 特卡乔夫	苏
1984	B. 康纳	美
1988	V. 阿尔捷莫夫	苏
1992	V. 谢尔博	联合队 *
1996	R. 谢里波夫	乌克兰
2000	李小鹏	中
2004	V. 冈查洛夫	乌克兰
鞍马		
1896	L. 祖特	瑞士
1904	A. 海达	美
1924	J. 威廉	瑞士
1928	A. 杭基	瑞士
1932	I. 佩勒	匈
1936	K. 弗雷	德
1948	P. 阿尔托宁;V. 胡坦宁	芬
	H. 萨沃兰宁(并列)	芬
1952	V. 楚卡林	苏
1956	B. 沙赫林	苏
1960	B. 沙赫林;E. 艾克曼(并列)	苏
1964	M. 塞拉尔	南斯拉夫
1968	M. 塞拉尔	南斯拉夫
1972	V. 克利缅科	苏
1976	Z. 马扎尔	匈
1980	Z. 马扎尔	匈
1984	李宁	中
	P. 维德默(并列)	美
1988	L. 古拉斯科夫	保
	Z. 博凯	匈
	D. 比洛泽尔采夫(并列)	苏
1992	V. 谢尔博	联合队 *
	裴吉洙(并列)	朝
1996	李东华	瑞士
2000	M. 乌尔吉卡	罗
2004	滕海滨	中

跳马		
1896	K. 舒赫曼	德
1904	A. 海达;G. 艾瑟(并列)	美
1924	F. 克里兹	美
1928	E. 麦克	瑞士
1932	S. 古列尔梅蒂	意
1936	K. 施诺尔兹曼	德
1948	P. 阿尔托宁	芬
1952	V. 楚卡林	苏
1956	V. 穆拉托夫	苏
	H. 邦茨(并列)	东西德联队
1960	小野乔	日
	B. 沙赫林(并列)	苏
1964	山下治广	日
1968	M. 沃罗宁	苏
1972	K. 科斯特	东德
1976	N. 安德里亚诺夫	苏
1980	N. 安德里亚诺夫	苏
1984	楼云	中
1988	楼云	中
1992	V. 谢尔博	联合队 *
1996	A. 尼莫夫	俄
2000	G. 德费尔	西
2004	G. 德费尔	西
吊环		
1896	J. 密特罗波洛斯	希
1904	H. 格拉斯	美
1924	F. 马蒂诺	意
1928	L. 司图克尔吉	南斯拉夫
1932	G. 古拉克	美
1936	A. 胡德克	捷
1948	K. 弗雷	瑞士
1952	G. 沙季尼扬	苏
1956	A. 阿扎里扬	苏
1960	A. 阿扎里扬	苏
1964	早田卓次	日
1968	中山彰规	日
1972	中山彰规	日
1976	N. 安德里亚诺夫	苏
1980	A. 季恰廷	苏
1984	李宁	中
	具志坚幸司(并列)	日
1988	H. 贝伦特	东德
	D. 比洛泽尔采夫(并列)	苏
1992	V. 谢尔博	联合队 *
1996	Y. 凯基	意
2000	S. 索拉尼	匈
2004	D. 坦帕科斯	希

体　操（女子）

全能(个人)		
1952	M. 格罗霍夫斯卡娅	苏
1956	L. 拉特尼娜	苏
1960	L. 拉特尼娜	苏
1964	V. 恰斯拉夫斯卡	捷
1968	V. 恰斯拉夫斯卡	捷
1972	L. 图里谢娃	苏
1976	N. 科马内奇	罗
1980	Y. 达维多娃	苏
1984	M.L. 莱顿	美
1988	Y. 舒舒诺娃	苏
1992	T. 戈特索	联合队 *
1996	L. 波德科帕耶娃	乌克兰
2000	S. 阿马纳尔	罗
2004	C. 帕特森	美
全能(团体)		
1928		荷
1936		德
1948		捷
1952		苏
1956		苏
1960		苏
1964		苏
1968		苏
1972		苏
1976		苏
1980		苏
1984		罗
1988		苏
1992		联合队 *
1996		美
2000		罗
2004		罗
平衡木		
1952	N. 波查罗娃	苏
1956	Á. 凯莱蒂	匈
1960	E. 波萨科娃	捷
1964	V. 恰斯拉夫斯卡	捷
1968	N. 库钦斯卡娅	苏
1972	O. 科尔布特	苏
1976	N. 科马内奇	罗
1980	N. 科马内奇	罗
1984	S. 保卡	罗
	E. 斯扎勃(并列)	罗
1988	D. 希莉瓦丝	罗
1992	T. 李森科	联合队 *
1996	S. 米勒	美
2000	刘璇	中
2004	C. 波诺尔	罗
高低杠		
1952	M. 科隆迪	匈
1956	Á. 凯莱蒂	匈
1960	P. 阿斯塔霍娃	苏
1964	P. 阿斯塔霍娃	苏
1968	V. 恰斯拉夫斯卡	捷
1972	K. 扬兹	东德
1976	N. 科马内奇	罗
1980	M. 格瑙克	东德
1984	J. 麦克纳马拉	美
	马燕红(并列)	中
1988	D. 希莉瓦丝	罗
1992	陆莉	中
1996	S. 霍尔金娜	俄
2000	S. 霍尔金娜	俄
2004	E. 勒潘内	法
跳马		
1952	Y. 卡林楚克	苏
1956	L. 拉特尼娜	苏
1960	M. 尼科拉耶娃	苏
1964	V. 恰斯拉夫斯卡	捷
1968	V. 恰斯拉夫斯卡	捷
1972	K. 扬兹	东德
1976	N. 奇姆	苏
1980	N. 沙波什尼科娃	苏
1984	E. 斯扎勃	罗
1988	S. 博金斯卡娅	苏
1992	H. 奥诺迪	匈
	L. 米洛索维奇(并列)	罗
1996	S. 阿马纳	罗

* 联合队，包括来自独联体及格鲁吉亚的运动员。

续表 12

2000	E. 萨莫罗德奇科娃	俄
2004	M. 罗苏	罗
自由体操		
1952	Á. 凯莱蒂	匈
1956	L. 拉特尼娜	苏
	Á. 凯莱蒂(并列)	匈
1960	L. 拉特尼娜	苏
1964	L. 拉特尼娜	苏
1968	V. 恰斯拉夫斯卡	捷
	L. 佩特里克(并列)	苏
1972	O. 科尔布特	苏
1976	N. 奇姆	苏
1980	N. 科马内奇	罗
	N. 奇姆(并列)	苏
1984	E. 斯扎勃	罗
1988	D. 希莉瓦丝	罗
1992	L. 米洛索维奇	罗
1996	L. 波德科帕耶娃	乌克兰
2000	E. 萨莫罗德奇科娃	俄
2004	C. 波诺尔	罗

手　球（男子）

1936	（室外）	德
1952	（表演赛）	瑞典
1972	（室内）	南斯拉夫
1976	（室内）	苏
1980		东德
1984		南斯拉夫
1988		苏
1992		联合队*
1996		克罗地亚
2000		俄
2004		克

手　球（女子）

1976	（室内）	苏
1980		苏
1984		南斯拉夫
1988		韩
1992		韩
1996		丹
2000		丹
2004		丹

柔　道（男子）†

轻中量级		
1964	中谷雄英	日
1972	川口孝夫	日
1976	H. 罗德里格斯	古
次中量级		
1972	野村丰和	日
1976	V. 涅夫佐罗夫	苏
中量级		
1964	冈野功	日
1972	关根忍	日
1976	园田勇	日
次重量级		
1972	Sh. 乔奇什维利	苏
1976	二宫和弦	日
重量级		
1964	猪熊功	日
1972	W. 卢斯卡	荷
1976	S. 诺维科夫	苏
60 公斤;132.5 磅		
1980	T. 雷伊	法
1984	细川	日
1988	金载烨	韩
1992	N. 戈斯塞诺夫	联合队*
1996	野村忠宏	日
2000	野村忠宏	日
2004	野村忠宏	日
65 公斤;143.5 磅		
1980	N. 索洛度辛	苏
1984	松冈	日
1988	李璟根	韩
1992	R. 桑巴约	巴西
1996	U. 奎尔马尔茨	德
66 公斤		
2000	H. 厄兹坎	土耳其
2004	内柴正人	日
71 公斤;156.5 磅		
1980	E. 冈巴	意
1984	安炳庆	韩
1988	M. 亚历山大	法
1992	古贺稔彦	日
1996	中村兼三	日
73 公斤		
2000	G. 马达罗尼	意
2004	李元熹	韩
78 公斤;172 磅		
1980	Sh. 哈巴雷利	苏
1984	F. 维内克	西德
1988	W. 莱京	波
1992	吉田秀彦	日
1996	D. 博拉斯	法
81 公斤		
2000	泷本诚	日
2004	I. 伊里亚迪斯	希
86 公斤;189.5 磅		
1980	J. 卢特尔斯伯格	瑞士
1984	P. 赛森巴赫尔	奥
1988	P. 赛森巴赫尔	奥
1992	W. 莱金格	波
1996	全已盈	韩
90 公斤		
2000	M. 胡伊津加	荷
2004	Z. 兹维亚达乌里	格鲁吉亚
95 公斤;209.5 磅		
1980	R. 范德瓦勒	比
1984	贺玄沫	韩
1988	A. 米戈尔	巴西
1992	A. 科瓦克斯	匈
1996	P. 纳斯图拉	波
95 公斤以上;209.5 磅以上		
1980	A. 巴里斯	法
1984	斋藤仁	日
1988	斋藤仁	日
1992	D. 卡卡莱奇维利	联合队*
1996	D. 杜耶	法
100 公斤		
2000	井上广成	日
2004	I. 马卡罗	白俄罗斯
100 公斤以上		
2000	D. 杜耶	法
2004	铃木桂治	日

柔　道（女子）

48 公斤;106 磅		
1992	C. 努瓦克	法
1996	桂顺姬	朝鲜
2000	田村亮子	日
2004	谷亮子	日
52 公斤;114.5 磅		
1992	A. 穆诺斯·马丁内斯	西
1996	M.-C. 雷斯托	法
2000	L. 贝尔德西亚	古
2004	冼东妹	中
56 公斤;123.5 磅		
1992	M. 布拉斯科·索托	西
1996	D. 冈萨雷斯	古
57 公斤		
2000	I. 费尔南德斯	西
2004	Y. 波伊尼希	德
61 公斤;134.5 磅		
1992	C. 弗勒里	法
1996	惠本裕子	日
63 公斤		
2000	S. 万德恩德	法
2004	谷本步实	日
66 公斤;145.5 磅		
1992	O. 雷维	古
1996	曹敏仙	韩
70 公斤		
2000	S. 贝拉尼斯	古
2004	上野雅惠	日
72 公斤;158.5 磅		
1992	金美廷	韩
1996	U. 韦伯洛克	比
72 公斤以上;158.5 磅以上		
1992	庄晓岩	中
1996	孙福明	中
78 公斤		
2000	唐琳	中
2004	阿武教子	日
78 公斤以上		
2000	袁华	中
2004	塚田真希	日

现代五项运动

个人		
1912	G. 利列霍克	瑞典
1920	G. 狄尔森	瑞典
1924	B. 林德曼	瑞典
1928	S. 托菲尔特	瑞典
1932	J. 奥克森斯蒂尔纳	瑞典
1936	G. 汉德里克	德
1948	W. 格鲁特	瑞典
1952	L. 霍尔	瑞典
1956	L. 霍尔	瑞典
1960	F. 奈麦特	匈
1964	F. 托罗克	匈
1968	B. 费尔姆	瑞典
1972	A. 波尔佐	匈
1976	J. 皮奇亚克-佩奇亚克	波
1980	A. 斯塔罗斯汀	苏
1984	D. 马萨拉	意
1988	J. 马尔蒂内克	匈
1992	A. 斯克吉帕斯克	波
1996	A. 帕里金	哈
男子		
2000	D. 斯瓦特科夫斯基	俄
2004	A. 莫伊谢耶夫	俄
女子		
2000	S. 库克	英
2004	Z. 沃洛斯	匈
团体		
1952		匈

* 联合队，包括来自独联体及格鲁吉亚的运动员。　†1968 年未举行比赛；1980 年柔道重量分级改变。

续表 13

1956		苏
1960		匈
1964		苏
1968		匈
1972		苏
1976		英
1980		苏
1984		意
1988		匈
1992		波
1996		哈

艺术体操(个人)

1984	L. 冯	加拿大
1988	M. 洛巴奇	苏
1992	T. 季莫申科	联合队 *
1996	Yu. 塞雷布里安斯卡娅	乌克兰
2000	Y. 巴尔苏科娃	俄
2004	A. 卡芭耶娃	俄

艺术体操(团体)

1996		西
2000		俄
2004		俄

蹦床

男子单人		
2000	A. 莫斯卡伦科	俄
2004	Y. 尼基金	乌克兰
女子单人		
2000	I. 卡拉维耶娃	俄
2004	A. 多戈纳泽	德

赛 艇(男子)†

单人双桨			分	秒
1900	M. 巴雷莱	法	7	35.6
1904	F. 格里尔	美	10	08.5
1908	H. 布莱克斯塔夫	英	9	26.0
1912	W. 金尼尔	英	7	47.6
1920	J. 凯利	美	7	35.0
1924	J. 贝雷斯福特	英	7	49.2
1928	H. 皮尔斯	澳	7	11.0
1932	H. 皮尔斯	澳	7	44.4
1936	G. 夏菲尔	德	8	21.5
1948	M. 伍德	澳	7	24.4
1952	Y. 丘卡洛夫	苏	8	12.8
1956	V. 伊凡诺夫	苏	8	02.5
1960	V. 伊凡诺夫	苏	7	13.96
1964	V. 伊凡诺夫	苏	8	22.51
1968	A. 尉奈斯	荷	7	47.80
1972	Y. 马雷舍夫	苏	7	10.12
1976	P. 卡尔皮宁	芬	7	29.03
1980	P. 卡尔皮宁	芬	7	09.61
1984	P. 卡尔皮宁	芬	7	00.24
1988	T. 朗格	东德	6	49.86
1992	T. 朗格	德	6	51.40
1996	X. 穆勒	瑞士	6	44.85
2000	R. 瓦戴尔	新西兰	6	48.90
2004	O. 图弗特	挪	6	49.30

双人双桨		分	秒
1904	美	10	03.2
1920	美	7	09.0
1924	美	7	45.0
1928	美	6	41.4
1932	美	7	17.4
1936	英	7	20.8
1948	英	6	51.3
1952	阿根廷	7	32.2
1956	苏	7	24.0
1960	捷	6	47.50
1964	苏	7	10.66
1968	苏	6	51.82
1972	苏	7	01.77
1976	挪	7	13.20
1980	东德	6	24.33
1984	美	6	36.87
1988	荷	6	21.13
1992	澳	6	17.32
1996	意	6	16.98
2000	斯洛文尼亚	6	16.63
2004	法	6	29.00

四人双桨		分	秒
1976	东德	6	18.65
1980	东德	5	49.81
1984	西德	5	57.55
1988	意	5	53.37
1992	德	5	45.17
1996	澳	6	06.37
2000	意	5	45.56
2004	俄	5	56.85

双人单桨(无舵手)		分	秒
1904	美	10	57.0
1908	英	9	41.0
1920	意	7	56.0
1924	荷	8	19.4
1928	德	7	06.4
1932	英	8	00.0
1936	德	8	16.1
1948	英	7	21.1
1952	美	8	20.7
1956	美	7	55.4
1960	苏	7	02.0
1964	加拿大	7	32.9
1968	东德	7	26.5
1972	东德	6	53.16
1976	东德	7	23.31
1980	东德	6	48.01
1984	罗	6	45.39
1988	英	6	36.84
1992	英	6	27.72
1996	英	6	20.09
2000	法	6	32.97
2004	澳	6	30.76

双人单桨(有舵手)		分	秒
1900	荷	7	34.2
1924	瑞士	8	39.0
1928	瑞士	7	42.6
1932	美	8	25.8
1936	德	8	36.9
1948	丹	8	00.5
1952	法	8	28.6
1956	美	8	26.1
1960	东西德联队	7	29.14
1964	美	8	21.33
1968	意	8	04.81
1972	东德	7	17.25
1976	东德	7	58.99
1980	东德	7	02.54
1984	意	7	05.99
1988	意	6	58.79
1992	英	6	49.83
1996	瑞士	6	23.47

四人单桨(无舵手)		分	秒
1900	法	7	11.0
1904	美	9	53.8
1908	英	8	34.0
1920	英	7	08.6
1928	英	6	36.0
1932	英	6	58.2
1936	德	7	01.8
1948	意	6	39.0
1952	南斯拉夫	7	16.0
1956	加拿大	7	08.8
1960	美	6	26.26
1964	丹	6	59.30
1968	东德	6	39.18
1972	东德	6	24.27
1976	东德	6	37.42
1980	东德	6	08.17
1984	新西兰	6	03.48
1988	东德	6	03.11
1992	澳	5	55.04
1996	丹	6	09.58
2000	英	5	56.24
2004	英	6	06.98

四人单桨(有舵手)		分	秒
1900	德	5	59.0
1912	德	6	59.4
1920	瑞士	6	54.0
1924	瑞士	7	18.4
1928	意	6	47.8
1932	德	7	19.0
1936	德	7	16.2
1948	美	6	50.3
1952	捷	7	33.4
1956	意	7	19.4
1960	东西德联队	6	39.12
1964	东西德联队	7	00.44
1968	新西兰	6	45.62
1972	西德	6	31.85
1976	苏	6	40.22
1980	东德	6	14.51
1984	英	6	18.64
1988	东德	6	10.74
1992	罗	5	59.37
1996	德	5	56.53

八人单桨(有舵手)		分	秒
1900	美	6	09.8
1904	美	7	50.0
1908	英	7	52.0
1912	英	6	15.0
1920	美	6	02.6
1924	美	6	33.4
1928	美	6	03.2
1932	美	6	37.6
1936	美	6	25.4
1948	美	5	56.7
1952	美	6	25.9
1956	美	6	35.2
1960	东西德联队	5	57.18
1964	美	6	18.23
1968	西德	6	07.00

* 联合队，包括独联体及格鲁吉亚的运动员。 † 男子赛艇比赛赛程时有变换：1904 年为 2 英里；1908 年为 1.5 英里；1912 ～ 1936 年为 2 000 米；1948 年 1 英里又 350 码；1952 年以来 2 000 米(1 英里又 427 码)。

续表 14

1972		新西兰	6	08.94
1976		东德	5	58.29
1980		东德	5	49.05
1984		加拿大	5	41.32
1988		西德	5	46.05
1992		加拿大	5	29.53
1996		荷兰	5	42.74
2000		英	5	33.08
2004		美	5	42.48
轻量级双人双桨			**分**	**秒**
1996		瑞士	6	23.47
2000		波兰	6	21.75
2004		波兰	6	20.93
轻量级四人单桨无舵手			**分**	**秒**
1996		丹麦	6	90.58
2000		法	6	01.68
2004		丹麦	6	01.39
赛艇(女子)*				
单人双桨			**分**	**秒**
1976	C. 希布利希	东德	4	05.56
1980	S. 托马	罗	3	40.69
1984	V. 勒奇勒	罗	3	40.68
1988	J. 贝伦特	东德	7	47.19
1992	A. 莉帕	罗	7	25.54
1996	Ye. 科德托维奇	白俄罗斯	7	32.21
2000	E. 卡尔斯滕	白俄罗斯	7	28.14
2004	K. 鲁茨乔-斯托姆波洛夫斯基	德	7	18.12
双人双桨			**分**	**秒**
1976		保	3	44.36
1980		苏	3	16.27
1984		罗	3	26.75
1988		东德	7	00.48
1992		德	6	49.00
1996		加拿大	6	56.84
2000		德	6	55.44
2004		荷兰	7	01.79
四人双桨			**分**	**秒**
1976		东德	3	29.99
1980		东德	3	15.32
1984		罗	3	14.11
1988		东德	6	21.06
1992		德	6	20.18
1996		罗	7	12.78
2000		德	6	19.58
2004		德	6	29.29
双人单桨(无舵手)			**分**	**秒**
1976		保	4	01.22
1980		东德	3	30.49
1984		罗	3	32.60
1988		罗	7	28.13
1992		加拿大	7	06.22
1996		澳	7	01.39
2000		罗	7	11.00
2004		罗	7	06.55
四人单桨(有舵手)			**分**	**秒**
1976		东德	3	45.08
1980		东德	3	19.27
1984		罗	3	19.30
1988		东德	6	56.00
1992		加拿大	6	30.85
1996		德	6	27.44
八人单桨(有舵手)			**分**	**秒**
1976		东德	3	33.32

1980		东德	303.32
1984		美	259.80
1988		东德	615.17
1992		加拿大	602.62
1996		罗	619.73
2000		罗	606.44
2004		罗	617.70
轻量级双人双桨			**分 秒**
1996		罗	6 19.73
2000		罗	7 02.64
2004		罗	6 56.05
射击(男子)			
多向飞碟射击			
1900	W. 尤因	加拿大	
1908	W. 尤因	加拿大	
1912	J. 格雷厄姆	美	
1920	A. 阿里	美	
1924	G. 哈拉塞	匈	
1952	G. 歇奈卢	加拿大	
1956	G. 罗西尼	意	
1960	I. 杜米特雷斯库	罗	
1964	E. 马塔雷利	意	
1968	J. 布雷斯韦特	英	
1972	A. 斯卡尔佐内	意	
1976	D. 霍尔德曼	美	
1980	L. 焦万内蒂	意	
1984	L. 焦万内蒂	意	
1988	D. 莫纳科夫	苏	
1992	P. 赫尔德利卡	捷	
1996	M. 戴蒙德	澳	
2000	M. 戴蒙德	澳	
2004	A. 亚利波夫	俄	
双向飞碟射击			
1968	E. 佩特罗夫	苏	
1972	K. 威恩海尔	西德	
1976	J. 帕纳策克	捷	
1980	H. 拉斯木森	丹	
1984	M. 戴克	美	
1988	A. 韦格纳	东德	
1992	张山(女)	中	
1996	E. 法尔考	意	
2000	M. 米尔切夫	乌克兰	
2004	A. 贝内利	意	
双多向飞碟射击			
2000	R. 费尔兹	英	
2004	A. 亚利波夫	俄	
自选手枪			
1936	T. 乌尔曼	瑞典	
1948	E. 瓦斯奎兹·卡姆	秘	
1952	H. 本纳	美	
1956	P. 林诺斯沃普	芬	
1960	A. 古什钦	苏	
1964	V. 马尔卡宁	芬	
1968	G. 科希赫	苏	
1972	R. 沙纳克	瑞典	
1976	U. 波台克	东德	
1980	A. 马伦切夫	苏	
1984	许海峰	中	
1988	S. 巴比	罗	
1992	K. 卢卡切克	联合队 †	
1996	B. 科克勒夫	俄	
2000	T. 基里亚科夫	保	
2004	M. 涅斯特鲁耶夫	俄	

手枪速射		
1948	K. 塔卡茨	匈
1952	K. 塔卡茨	匈
1956	S. 彼德来思库	罗
1960	W. 麦克米伦	美
1964	P. 林诺斯沃普	芬
1968	J. 扎佩茨基	波
1972	J. 扎佩茨基	波
1976	N. 克拉尔	东德
1980	C. 扬	罗
1984	蒲池猛夫	日
1988	A. 库兹明	苏
1992	R. 舒曼	德
1996	R. 舒曼	德
2000	S. 阿里费伦科	俄
2004	R. 舒曼	德
小口径步枪(卧射)		
1900	A. 卡内尔	英
1908	A. 卡内尔	英
1912	F. 赫德	美
1920	L. 涅斯兰	美
1924	C. 德利瑟尔	法
1932	B. 隆马克	瑞典
1936	W. 罗格勃格	挪
1948	A. 科克	美
1952	I. 萨尔布	罗
1956	G. 科莱	加拿大
1960	P. 康克	东西德联队
1964	L. 哈麦尔	匈
1968	J. 库尔卡	捷
1972	李浩准	朝鲜
1976	K. 施米斯策克	西德
1980	K. 瓦尔加	匈
1984	E. 埃策尔	美
1988	M. 瓦尔加	捷
1992	李垠澈	韩
1996	C. 克勒斯	德
2000	J. 埃德曼	瑞典
2004	M. 埃蒙斯	美
小口径步枪(三种姿式射击)		
1952	E. 康绍格	挪
1956	A. 波格达诺夫	苏
1960	V. 沙姆布尔钦	苏
1964	L. 威格	美
1968	B. 克林捷	西德
1972	J. 赖特	美
1976	L. 巴沙姆	美
1980	V. 弗拉索夫	苏
1984	M. 库珀	英
1988	M. 库珀	英
1992	G. 佩季基亚涅	联合队 †
1996	J.-P. 阿马特	法
2000	R. 德贝维奇	斯洛文尼亚
2004	贾占波	中
移动靶(跑猪)		
1900	L. 德布雷	法
1972	L. 杰列兹尼亚克	苏
1976	A. 加佐夫	苏
1980	I. 索科洛夫	苏
1984	李玉伟	中
1988	T. 海埃斯塔德	挪
1992	M. 亚科西茨	德
1996	杨凌	中

* 女子赛艇比赛赛程:1988 年以前为 1 000 米,1988 年改为 2 000 米。 † 联合队,包括来自独联体及格鲁吉亚的运动员。

续表 15

2000	杨凌	中	
2004	M. 库尔泽	德	
气步枪			
1984	P. 埃伯勒	法	
1988	G. 马克西莫维奇	南斯拉夫	
1992	I. 费德金	联合队 *	
1996	A. 卡德兹贝科夫	俄	
2000	蔡亚林	中	
2004	朱启南	中	
气手枪			
1988	T. 基里亚科夫	保	
1992	王义夫	中	
1996	R. 迪多纳	意	
2000	F. 迪穆兰	法	
2004	王义夫	中	
射　击(女子)			
多向飞碟射击			
2000	D. 古金涅维休特	立陶宛	
2004	S. 巴罗格	澳	
双向飞碟射击			
2000	Z. 梅夫塔赫特迪塔娃	阿塞拜疆	
2004	D. 伊加里	匈	
双多向飞碟射击			
1996	K. 罗德	美	
2000	P. 汉森	瑞典	
2004	K. 罗德	美	
运动手枪			
1984	L. 汤姆	加拿大	
1988	N. 萨卢克瓦泽	苏	
1992	M. 洛格维年科	联合队 *	
1996	李对红	中	
2000	M. 格罗兹捷娃	保加利亚	
2004	M. 格罗兹捷娃	保加利亚	
小口径步枪(三种姿式射击)			
1984	吴小旋	中	
1988	S. 施佩贝尔	西德	
1992	L. 梅莉	美	
1996	A. 阿勒克桑德拉	南斯拉夫	
2000	R. 莫尔-罗赞斯卡	波	
2004	L. 加尔金娜	俄	
气步枪			
1984	P. 斯珀金	美	
1988	I. 契洛娃	苏	
1992	吕甲顺	韩	
1996	R. 毛埃尔	波	
2000	N. 约翰逊	美	
2004	杜丽	中	
气手枪			
1988	J. 塞卡里科	南斯拉夫	
1992	M. 洛格维年科	联合队 †	
1996	O. 克罗切尼娃	俄	
2000	陶璐娜	中	
2004	O. 科斯泰维奇	乌克兰	
垒球(女子)			
1996		美	
2000		美	
2004		美	
游　泳(男子)			
50 米自由泳			**秒**
1988	M. 比昂迪	美	22.14
1992	A. 波波夫	联合队 *	21.91
1996	A. 波波夫	俄	22.13
2000	A. 埃尔文；G. 哈尔(并列)	美	21.98
2004	G. 哈尔	美	21.93
100 米自由泳			**分　秒**
1896	A. 哈约斯	匈	1 22.2
1904	Z. 哈尔梅	匈	1 02.8†
1908	C. 丹尼尔斯	美	1 05.6
1912	D. 卡哈纳莫库	美	1 03.4
1920	D. 卡哈纳莫库	美	1 00.4
1924	J. 韦斯摩勒	美	59.0
1928	J. 韦斯摩勒	美	58.6
1932	宫崎康二	日	58.2
1936	F. 奇锡克	匈	57.6
1948	W. 里斯	美	57.3
1952	C. 斯科尔斯	美	57.4
1956	J. 亨里克斯	澳	55.4
1960	J. 德维特	澳	55.2
1964	D. 斯科兰德	美	53.4
1968	M. 温登	澳	52.2
1972	M. 施皮茨	美	51.22‡
1976	J. 蒙哥马利	美	49.99
1980	J. 沃伊特	东德	50.40
1984	A. 盖恩斯	美	49.80
1988	M. 比昂迪	美	48.63
1992	A. 波波夫	联合队 *	49.02
1996	A. 波波夫	俄	48.74
2000	P. 范登霍根班德	荷	48.30
2004	P. 范登霍根班德	荷	48.17
200 米自由泳			**分　秒**
1900	F. 莱因	澳	2 25.2
1904	C. 丹尼尔斯	美	2 44.2 §
1968	M. 温登	澳	2 55.2
1972	M. 施皮茨	美	1 52.78‡
1976	B. 佛尼斯	美	1 50.29
1980	S. 科普利亚科夫	苏	1 49.81
1984	M. 格罗斯	西德	1 47.44
1988	D. 阿姆斯特朗	澳	1 47.25
1992	Y. 萨多维	联合队 *	1 46.70
1996	D. 洛德	新西兰	1 47.63
2000	P. 范登霍根班德	荷	1 45.35
2004	I. 索普	澳大利亚	1 44.71
400 米自由泳			**分　秒**
1904	C. 丹尼尔斯	美	6 16.2 ‖
1908	H. 泰勒	英	5 36.8
1912	G. 霍奇森	加拿大	5 24.4
1920	N. 罗斯	美	5 26.8
1924	J. 韦斯摩勒	美	5 04.2
1928	A. 佐里拉	阿根廷	5 01.6
1932	C. 克拉布	美	4 48.4
1936	J. 麦迪卡	美	4 44.5
1948	W. 史密斯	美	4 41.0
1952	J. 布瓦多	法	4 30.7
1956	M. 罗斯	澳	4 27.3
1960	M. 罗斯	澳	4 18.3
1964	D. 斯科兰德	美	4 12.2
1968	M. 伯顿	美	4 09.0
1972	B. 库珀	澳	4 00.27‡
1976	B. 古德尔	美	3 51.93
1980	V. 萨尔尼科夫	苏	3 51.31
1984	G. 迪卡洛	美	3 51.23
1988	U. 达斯勒	东德	3 46.95
1992	Y. 萨多维	联合队 *	3 45.00
1996	D. 洛德	新西兰	3 47.97
2000	I. 索普	澳大利亚	3 40.59
2004	I. 索普	澳大利亚	3 43.10
1 500 米自由泳			**分　秒**
1904	E. 劳希	德	27 18.2 ⇑
1908	H. 泰勒	英	22 48.4
1912	G. 霍奇森	加拿大	22 00.0
1920	N. 罗斯	美	22 23.2
1924	A. 查尔顿	澳	20 06.6
1928	A. 伯格	瑞典	19 51.8
1932	北村久寿雄	日	19 12.4
1936	寺田登	日	19 13.7
1948	J. 麦克莱恩	美	19 18.5
1952	F. 康诺	美	18 30.0
1956	M. 罗斯	澳	17 58.9
1960	J. 康拉兹	澳	17 19.6
1964	R. 温德洛	澳	17 01.7
1968	M. 伯顿	美	16 38.9
1972	M. 伯顿	美	15 52.58‡
1976	B. 古德尔	美	15 02.40
1980	V. 萨尔尼科夫	苏	14 58.27
1984	M. 奥布赖恩	美	15 05.20
1988	V. 萨尔尼科夫	苏	15 00.40
1992	K. 帕金斯	澳	14 43.48
1996	K. 帕金斯	澳	14 56.40
2000	G. 哈克特	澳	14 48.33
2004	G. 哈克特	澳	14 43.40
100 米蝶泳			**秒**
1968	D. 拉塞尔	美	55.9
1972	M. 施皮茨	美	54.27‡
1976	M. 沃格尔	美	54.35
1980	P. 阿尔维德松	瑞典	54.92
1984	M. 格罗斯	西德	53.08
1988	A. 内斯蒂	苏里南	53.00
1992	P. 莫拉莱斯	美	53.32
1996	D. 潘克拉托夫	俄	52.27
2000	L. 弗洛兰德	瑞典	52.00
2004	M. 菲尔普斯	美	51.25
200 米蝶泳			**分　秒**
1956	W. 约尔基克	美	2 19.3
1960	M. 特罗伊	美	2 12.8
1964	K. 贝里	澳	2 06.6
1968	C. 罗比	美	2 08.7
1972	M. 施皮茨	美	2 00.70‡
1976	M. 布鲁纳	美	1 59.23
1980	S. 费森科	苏	1 59.76
1984	J. 西本	澳	1 57.04
1988	M. 格罗斯	西德	1 56.94
1992	M. 斯图尔特	美	1 56.26
1996	D. 潘克拉托夫	俄	1 56.51
2000	T. 马尔乔	美	1 55.35
2004	M. 菲尔普斯	美	1 54.04
100 米仰泳			**分　秒**
1904	W. 布拉克	德	1 16.8†
1908	A. 贝博施坦	德	1 24.6
1912	H. 赫布纳	美	1 21.2
1920	W. 齐洛哈	美	1 15.2
1924	W. 齐洛哈	美	1 13.2
1928	G. 科贾克	美	1 08.2
1932	清川正二	日	1 08.6

* 联合队，包括来自独联体及格鲁吉亚的运动员。　† 100 码。　‡ 比赛首次以百分之一秒计时。　§ 200 码。　‖ 440 码。　⇑ 1 英里。

续表 16

1936	A. 基弗	美	1 05.9
1948	A. 斯塔克	美	1 06.4
1952	石井庄八	日	1 05.4
1956	D. 锡尔	澳	1 02.2
1960	D. 锡尔	澳	1 01.9
1968	R. 马特斯	东德	58.7
1972	R. 马特斯	东德	56.58 *
1976	J. 内伯	美	55.49
1980	B. 巴隆	瑞典	56.53
1984	R. 凯里	美	55.79
1988	铃木大地	日	55.05
1992	M. 图克斯伯里	加拿大	53.98
1996	J. 劳斯	美	54.10
2000	L. 克雷泽尔伯格	美	53.72
2004	A. 佩尔索尔	美	54.06
200 米仰泳			**分 秒**
1900	E. 霍彭伯格	德	2 47.0
1964	J. 格雷夫	美	2 10.3
1968	R. 马特斯	东德	2 09.6
1972	R. 马特斯	东德	2 02.82 *
1976	J 内伯	美	1 59.19
1980	S. 弗拉达尔	匈	2 01.93
1984	R. 凯里	美	2 00.23
1988	I. 波利扬斯基	苏	1 59.37
1992	M. 洛佩斯-苏贝罗	西	1 58.47
1996	B. 布里奇沃特	美	1 58.54
2000	L. 克雷泽尔伯格	美	1 56.76
2004	A. 佩尔索尔	美	1 54.95
100 米蛙泳			**分 秒**
1968	D. 麦肯齐	美	1 07.7
1972	田口信教	日	1 04.94 *
1976	J. 亨肯	美	1 03.11
1980	D. 古德休	英	1 03.34
1984	S. 伦德奎斯特	美	1 01.65
1988	A. 穆尔豪斯	英	1 02.04
1992	N. 迪贝尔	美	1 01.50
1996	F. 德博格拉耶夫	比利时	1 00.65
2000	D. 菲奥拉万蒂	意	1 00.46
2004	北岛康介	日	1 00.08
200 米蛙泳			**分 秒**
1908	F. 霍尔曼	英	3 09.2
1912	W. 巴特	德	3 01.8
1920	H. 马尔姆罗特	瑞典	3 04.4
1924	R. 斯凯尔顿	美	2 56.6
1928	鹤田义行	日	2 48.8
1932	鹤田义行	日	2 45.4
1936	叶室铁夫	日	2 42.5
1948	J. 佛德尔	美	2 39.3
1952	J. 戴维斯	澳	2 34.4
1956	古川胜	日	2 34.7
1960	W. 马利肯	美	2 37.4
1964	I. 奥布赖恩	澳	2 27.8
1968	F. 穆诺兹	墨	2 28.7
1972	J. 亨肯	美	2 21.55 *
1976	D. 威尔基	英	2 15.11
1980	R. 祖尔帕	苏	2 15.85
1984	V. 戴维斯	加拿大	2 13.34
1988	J. 萨博	匈	2 13.52
1992	M. 巴罗曼	美	2 10.16
1996	N. 罗萨	匈	2 12.57
2000	D. 菲奥拉万蒂	意	2 10.87
2004	北岛康介	日	2 09.44
200 米混合泳 †			**分 秒**
1968	C. 希科克斯	美	2 12.0
1972	G. 拉尔松	瑞典	2 07.17 *
1984	A. 鲍曼	加拿大	2 01.42
1988	T. 达尔尼	匈	2 00.17
1992	T. 达尔尼	匈	2 00.76
1996	A. 采奈	匈	1 59.91
2000	M. 罗索里诺	意	1 58.98
2004	M. 菲尔普斯	意	1 57.14
400 米混合泳			**分 秒**
1964	R. 罗思	美	4 45.4
1968	C. 希科克斯	美	4 48.4
1972	G. 拉尔松	瑞典	4 31.98 *
1976	R. 斯特罗恩	美	4 23.68
1980	A. 西多联科	苏	4 22.89
1984	A. 鲍曼	加拿大	4 17.41
1988	T. 达尔尼	匈	4 14.75
1992	T. 达尔尼	匈	4 14.23
1996	T. 多兰	美	4 14.90
2000	T. 多兰	美	4 11.76
2004	M. 菲尔普斯	美	4 08.26
4×100 米自由泳接力♀			**分 秒**
1964		美	3 33.2
1968		美	3 31.7
1972		美	3 26.42 *
1984		美	3 19.03
1988		美	3 16.53
1992		美	3 16.74
1996		美	3 15.41
2000		澳	3 13.67
2004		南非	3 13.17
4×100 米混合泳接力			**分 秒**
1960		美	4 05.4
1964		美	3 58.4
1968		美	3 54.9
1972		美	3 48.16 *
1976		美	3 42.22
1980		澳	3 45.70
1984		美	3 39.30
1988		美	3 36.93
1992		美	3 36.93
1996		美	3 34.84
2000		美	3 33.73
2004		美	3 30.68
4×200 米自由泳接力			**分 秒**
1908		英	10 55.6
1912		澳	10 11.2
1920		美	10 04.4
1924		美	9 53.4
1928		美	9 36.2
1932		日	8 58.4
1936		日	8 51.5
1948		美	8 46.0
1952		美	8 31.1
1956		澳	8 23.6
1960		美	8 10.2
1964		美	7 52.1
1968		美	7 52.3
1972		美	7 35.78 *
1976		美	7 23.22
1980		苏	7 23.50
1984		美	7 15.69
1988		美	7 15.51
1992		联合队 ‡	7 11.95
1996		美	7 14.84
2000		澳	7 07.05
2004		美	7 07.33
游 泳（女子）			
50 米自由泳			**秒**
1988	K. 奥托	东德	25.49
1992	杨文意	中	24.79
1996	A. 范戴肯	美	24.87
2000	I. 德布鲁因	荷	24.32
2004	I. 德布鲁因	荷	24.58
100 米自由泳			**分 秒**
1912	F. 杜拉克	澳	1 22.2
1920	E. 布雷布特里	美	1 13.6
1924	E. 拉奇	美	1 12.4
1928	A. 奥西波维奇	美	1 15.0
1932	H. 麦迪逊	美	1 06.8
1936	H. 马斯滕布鲁克	荷	1 05.9
1948	G. 安德森	丹	1 06.3
1952	K. 斯佐凯	匈	1 06.8
1956	D. 弗雷泽	澳	1 02.0
1960	D. 弗雷泽	澳	1 01.2
1964	D. 弗雷泽	澳	59.5
1968	J. 亨	美	1 00.0
1972	S. 尼尔森	美	58.59 *
1976	K. 恩德尔	东德	55.65
1980	B. 克劳斯	东德	54.79
1984	C. 施坦塞佛	美	55.92
	N. 霍格斯赫德(并列)	美	
1988	K. 奥托	东德	54.93
1992	庄泳	中	54.64
1996	乐靖宜	中	54.50
2000	I. 德布鲁因	荷	53.83
2004	J. 亨利	澳	53.84
200 米自由泳			**分 秒**
1968	D. 迈耶	美	2 10.5
1972	S. 古尔德	澳	2 03.56 *
1976	K. 恩德尔	东德	1 59.26
1980	B. 克劳斯	东德	1 58.33
1984	M. 威特	美	1 59.23
1988	H. 弗里德里希	东德	1 57.65
1992	N. 海斯莱特	美	1 57.90
1996	C. 波尔	哥斯达黎加	1 58.16
2000	S. 奥尼尔	澳	1 58.24
2004	C. 波泰克	罗	1 58.03
400 米自由泳			**分 秒**
1924	M. 诺尔利厄斯	美	6 02.2
1928	M. 诺尔利厄斯	美	5 42.8
1932	H. 麦迪逊	美	5 28.5
1936	H. 马斯滕布鲁克	荷	5 26.4
1948	A. 柯蒂斯	美	5 17.8
1952	V. 吉恩格	匈	5 12.1
1956	L. 克拉普	澳	4 54.6
1960	C. 冯萨尔扎	美	4 50.6
1964	V. 杜恩克尔	美	4 43.3
1968	D. 迈耶	美	4 31.8
1972	S. 古尔德	澳	4 19.04 *
1976	P. 蒂麦尔	东德	4 09.89
1980	I. 迪尔斯	东德	4 08.76

* 比赛首次以百分之一秒计时。 † 1976 和 1980 年未比赛。 ‡ 联合队，包括来自独联体及格鲁吉亚的运动员。

续表 17

1984	T. 科亨	美	4 07.10
1988	J. 埃文斯	美	4 03.85
1992	D. 哈泽	德	4 07.18
1996	M. 史密斯	爱尔兰	4 07.25
2000	B. 贝内特	美	4 05.80
2004	L. 马纳多	法	4 05.34

800 米自由泳

			分 秒
1968	D. 迈耶	美	9 24.0
1972	K. 罗思哈默	美	8 53.68 *
1976	P. 蒂麦尔	东德	8 37.14
1980	M. 福特	澳	8 28.90
1984	T. 科亨	美	8 24.95
1988	J. 埃文斯	美	8 20.20
1992	J. 埃文斯	美	8 25.52
1996	B. 贝内特	美	8 27.89
2000	B. 贝内特	美	8 19.67
2004	柴田亚衣	日	8 24.54

100 米蝶泳

			分 秒
1956	S. 曼	美	1 11.0
1960	C. 舒勒	美	1 09.5
1964	S. 斯陶德	美	1 04.7
1968	L. 麦克勒门茨	澳	1 05.5
1972	青木	日	1 03.34 *
1976	K. 恩德尔	东德	1 00.13
1980	C. 麦舒克	东德	1 00.42
1984	M. 马尔	美	59.26
1988	K. 奥托	东德	59.00
1992	钱红	中	58.62
1996	A. 范戴肯	美	59.13
2000	I. 德布鲁因	荷兰	56.61
2004	P. 托马斯	澳大利亚	57.72

200 米蝶泳

			分 秒
1968	A. 科克	荷	2 24.7
1972	K. 莫	美	2 15.57 *
1976	A. 波拉克	东德	2 11.41
1980	I. 吉斯勒尔	东德	2 10.44
1984	M. 马尔	美	2 06.90
1988	K. 诺德	东德	2 09.51
1992	S. 桑德斯	美	2 08.67
1996	S. 奥尼尔	澳	2 07.76
2000	M. 海曼	美	2 05.88
2004	O. 杰热伊扎克	波	2 06.05

100 米仰泳

			分 秒
1924	S. 鲍尔	美	1 23.2
1928	M. 布朗	荷	1 22.0
1932	E. 霍尔姆	美	1 19.4
1936	D. 森夫	荷	1 18.9
1948	K. 哈卢普	丹	1 14.4
1952	J. 哈里逊	南非	1 14.3
1956	J. 格林纳姆	英	1 12.9
1960	L. 伯克	美	1 09.3
1964	C. 福格森	美	1 07.7
1968	K. 霍尔	美	1 06.2
1972	M. 贝洛特	美	1 05.78 *
1976	U. 赖赫特	东德	1 01.83
1980	R. 莱茵尼西	东德	1 00.86
1984	T. 安德鲁斯	美	1 02.55
1988	K. 奥托	东德	1 00.89
1992	K. 艾盖尔塞吉	匈	1 00.68
1996	B. 贝茨福德	美	1 01.19
2000	D. 莫卡努	罗	1 00.21
2004	N. 考夫林	美	1 00.37

200 米仰泳

			分 秒
1968	L. 沃森	美	2 24.8
1972	M. 贝洛特	美	2 19.19 *
1976	U. 赖赫特	东德	2 13.43
1980	R. 莱茵尼西	东德	2 11.77
1984	J. 德罗弗	荷	2 12.38
1988	K. 艾盖尔塞吉	匈	2 09.29
1992	K. 艾盖尔塞吉	匈	2 07.06
1996	K. 艾盖尔塞吉	匈	2 07.83
2000	D. 莫卡努	罗	2 08.16
2004	K. 考文特里	津	2 09.19

100 米蛙泳

			分 秒
1968	B. 比耶多夫	南斯拉夫	1 15.8
1972	C. 卡尔	美	1 13.58 *
1976	H. 昂克	东德	1 11.16
1980	U. 格温尼格尔	东德	1 10.22
1984	P. 范斯塔弗伦	荷	1 09.88
1988	T. 丹加拉科娃	保	1 07.95
1992	Y. 卢科夫斯卡娅	联合队 †	1 08.00
1996	P. 海因斯	南非	1 07.73
2000	M. 库恩	美	1 07.05
2004	罗雪娟	中	1 06.64

200 米蛙泳

			分 秒
1924	L. 莫顿	英	3 33.2
1928	H. 施拉德尔	德	3 12.6
1932	C. 丹尼斯	澳	3 06.3
1936	前烟秀子	日	3 03.6
1948	H. 范弗利特	荷	2 57.2
1952	E. 斯泽凯奇	匈	2 51.7
1956	U. 哈普	东西德联队	2 53.1
1960	A. 伦斯布罗	英	2 49.5
1964	G. 普罗祖缅西科娃	苏	2 46.4
1968	S. 维奇曼	美	2 44.4
1972	B. 惠特菲尔德	澳	2 41.71 *
1976	M. 科谢瓦娅	苏	2 33.35
1980	L. 卡楚西切	苏	2 29.54
1984	A. 奥滕布赖特	加拿大	2 30.38
1988	S. 赫尔纳	东德	2 26.71
1992	岩崎恭子	日	2 26.65
1996	P. 海因斯	南非	2 25.41
2000	A. 科瓦奇	匈	2 24.35
2004	A. 比尔德	美	2 23.37

200 米混合泳 ‡

			分 秒
1968	C. 科尔布	美	2 24.7
1972	S. 古尔德	澳	2 23.07 *
1984	T. 考尔金斯	美	2 12.64
1988	D. 洪格尔	东德	2 12.59
1992	林莉	中	2 11.65
1996	M. 史密斯	爱尔兰	2 13.93
2000	Ya. 克罗奇科娃	乌克兰	2 10.68
2004	Ya. 克罗奇科娃	乌克兰	2 11.14

400 米混合泳

			分 秒
1964	D. 德瓦罗娜	美	5 18.7
1968	C. 科尔布	美	5 08.5
1972	G. 尼尔	澳	5 02.97 *
1976	U. 陶伯尔	东德	4 42.77
1980	P. 施奈德	东德	4 36.29
1984	T. 考尔金斯	美	4 39.24
1988	J. 埃文斯	美	4 37.76
1992	K. 艾盖尔塞吉	匈	4 36.54
1996	M. 史密斯	爱尔兰	4 39.18
2000	Ya. 克罗奇科娃	乌克兰	4 33.59
2004	Ya. 克罗奇科娃	乌克兰	4 34.83

4×100 米自由泳接力

		分 秒
1912	英	5 52.8
1920	美	5 11.6
1924	美	4 58.8
1928	美	4 47.6
1932	美	4 38.0
1936	荷	4 36.0
1948	美	4 29.2
1952	匈	4 24.4
1956	澳	4 17.1
1960	美	4 08.9
1964	美	4 03.8
1968	美	4 02.5
1972	美	3 55.19 *
1976	美	3 44.82
1980	东德	3 42.71
1984	美	3 43.43
1988	东德	3 40.63
1992	美	3 39.46
1996	美	3 39.29
2000	美	3 36.61
2004	澳	3 35.94

4×200 米自由泳接力

		分 秒
1996	美	7 59.87
2000	美	7 57.80
2004	美	7 53.42

4×100 米混合泳接力

		分 秒
1960	美	4 41.1
1964	美	4 33.9
1968	美	4 28.3
1972	美	4 20.75 *
1976	东德	4 07.95
1980	东德	4 06.67
1984	美	4 08.34
1988	东德	4 03.74
1992	美	4 02.54
1996	美	4 02.88
2000	美	3 58.30
2004	澳	3 57.32

花样游泳(个人)

1984	T. 鲁伊斯	美
1988	C. 沃尔多	加拿大
1992	K. 巴布-斯普拉格	美
	S. 弗雷谢特	加拿大

花样游泳(双人)

1984	美
1988	加拿大
1992	美
1996	美
2000	俄
2004	俄

花样游泳(团体)

1996	美
2000	俄
2004	俄

乒乓球(男子)

单打

1988	刘南奎	韩
1992	J. 奥韦·瓦尔德内尔	瑞典
1996	刘国梁	中
2000	孔令辉	中
2004	柳承敏	韩

双打

1988	中

* 比赛首次以百分之一秒计时。 † 联合队,包括来自独联体及格鲁吉亚的运动员。 ‡ 1976 和 1980 年未比赛。

续表 18

1992		中
1996		中
2000		中
2004		中

乒乓球（女子）

单打		
1988	陈静	中
1992	邓亚萍	中
1996	邓亚萍	中
2000	王楠	中
2004	张怡宁	中
双打		
1988		韩
1992		中
1996		中
2000		中
2004		中

跆拳道（男子）

50 公斤		
2000	M. 穆鲁索斯	希
58 公斤		
2004	朱木炎	中国台北
68 公斤		
2000	S. 洛佩斯	美
2004	H. 博内赫科哈勒	伊朗
80 公斤		
2000	A.M. 弗恩特斯	古
2004	S. 洛佩斯	美
80 公斤以上		
2000	金景勋	韩
2004	文大成	韩

跆拳道（女子）

49 公斤		
2000	L. 伯恩斯	澳
2004	陈诗欣	中国台北
57 公斤		
2000	郑在恩	韩
2004	张智媛	韩
67 公斤		
2000	李仙熙	韩
2004	罗微	中
67 公斤以上		
2000	陈中	中
2004	陈中	中

网　球（男子）

单打		
1896	J. 博兰德	英
1900	L. 多尔蒂	英
1904	B. 赖特	美
1908	M. 里奇	英
1912	C. 温斯洛	南非
1920	L. 雷蒙德	南非
1924	V. 理查兹	美
1988	M. 麦齐尔	捷
1992	M. 罗塞特	瑞士
1996	A. 阿加西	美
2000	Ye. 卡费尔尼科夫	俄
2004	N. 马苏	智
双打		
1896	J. 博兰德；	英
	F. 特劳恩	德
1900	L. 多尔蒂；	英
	R. 多尔蒂	
1904	E. 伦纳德；B. 赖特	美
1908	G. 希尔德；	英
	R. 多尔蒂	
1912	C. 基特森；	南非
	C. 温斯洛	
1920	O. 特恩布尔；	英
	M. 沃思兰	
1924	F. 亨特；V. 理查兹	美
1988	K. 弗拉奇；	美
	R. 塞古索	
1992	B. 贝克尔；	德
	M. 施蒂希	
1996	T. 伍德布里奇；	澳
	M. 伍德福德	
2000	S. 拉罗；D. 内斯托	加拿大
2004	F. 冈萨雷斯；	智
	N. 马苏	

网　球（女子）

单打		
1900	C. 库珀	英
1908	D. 钱伯斯-兰伯特	英
1912	M. 布罗盖迪	法
1920	S. 朗格朗	法
1924	H. 韦尔思	美
1988	S. 格拉夫	西德
1992	J. 卡普里亚蒂	美
1996	L. 达文波特	美
2000	V. 威廉姆斯	美
2004	J. 埃南-哈尔丹	比
双打		
1920	H. 麦克奈尔；	英
	K. 麦克凯茵	
1924	H. 威尔斯；H. 怀特曼	美
1988	Z. 加里森；P. 施赖弗	美
1992	G. 费尔南德斯；	美
	M.J. 费尔南德斯	
1996	G. 费尔南德斯；	美
	M.J. 费尔南德斯	
2000	V. 威廉姆斯；	美
	S. 威廉姆斯	
2004	李婷；孙甜甜	中

铁人三项（男子）

2000	S. 维特尔德	加拿大
2004	H. 卡特	新西兰

铁人三项（女子）

2000	B. 麦克马洪	瑞士
2004	K. 艾伦	奥

排　球（男子）

1964	苏
1968	苏
1972	日
1976	波
1980	苏
1984	美
1988	美
1992	巴西
1996	荷兰
2000	南斯拉夫
2004	巴西

排　球（女子）

1964	日
1968	苏
1972	苏
1976	日
1980	苏
1984	中
1988	苏
1992	古
1996	古
2000	古
2004	中

水　球

1900	英
1904	美
1908	英
1912	英
1920	英
1924	法
1928	德
1932	匈
1936	匈
1948	意
1952	匈
1956	匈
1960	意
1964	匈
1968	南斯拉夫
1972	苏
1976	匈
1980	苏
1984	南斯拉夫
1988	南斯拉夫
1992	意
1996	西

水　球（男子）

2000	匈
2004	匈

水　球（女子）

2000	澳
2004	意

举　重†(男子)

52 公斤级			**公斤**
1972	Z. 斯马尔策尔兹	波	337.5
1976	A. 瓦罗宁	苏	242.5
1980	K. 奥斯马那列夫	苏	245.0
1984	曾国强	中	235.0
1988	S. 马林诺夫	保	270.0
1992	I. 伊万诺夫	保	265.0
1996	H. 穆特鲁	土耳其	287.5
56 公斤级			**公斤**
1948	J. 德皮埃特罗	美	307.5
1952	I. 乌多多夫	苏	315.0
1956	C. 芬奇	美	342.5
1960	C. 芬奇	美	345.0
1964	A. 瓦霍宁	苏	357.5
1968	M. 纳西里	伊朗	367.5
1972	I. 弗埃尔迪	匈	377.5
1976	N. 努里基安	保	262.5
1980	D. 努奈兹	古	275.0
1984	吴数德	中	267.5
1988	O. 米尔佐扬	苏	292.5
1992	全炳宽	韩	287.5
1996	唐灵生	中	307.5
2000	H. 穆特鲁	土耳其	305.0
2004	H. 穆特鲁	土耳其	295.0
60 公斤级			**公斤**
1920	F. 德海斯	比	220.0
1924	P. 加贝蒂	意	402.5†
1928	F. 安德塞克	奥	287.5

* 1976 年废除推举，其后所列重量为挺举与抓举的总和。分级方法时有变更。　† 五次试举总和。

续表 19

1932 R. 苏维尼	法	287.5
1936 A. 特拉佐	美	312.5
1948 M. 法雅德	埃及	332.5
1952 R. 齐米什基扬	苏	337.5
1956 I. 伯格	美	352.5
1960 Y. 米纳耶夫	苏	372.5
1964 三宅义信	日	397.5
1968 三宅义信	日	392.5
1972 N. 努里基安	保	402.5
1976 N. 科列斯尼科夫	苏	285.0
1980 V. 马琴	苏	290.0
1984 陈伟强	中	282.5
1988 N. 苏莱曼诺古	土耳其	342.5
1992 N. 苏莱曼诺古	土耳其	320.0
1996 N. 苏莱曼诺古	土耳其	335.0
62 公斤级		**公斤**
2000 N. 佩沙洛夫	克罗地亚	325.0
2004 石智勇	中	325.0
67.5 公斤级		**公斤**
1920 A. 尼兰德	爱沙尼亚	257.5
1924 E. 戴科蒂尼斯	法	440.0 *
1928 K. 赫尔比格	德	322.5
H. 哈斯(并列)	奥	
1932 R. 迪维尔歇	法	325.5
1936 M. 麦斯巴赫	埃及	342.5
R. 芬(并列)	奥	
1948 I. 沙姆斯	埃及	360.0
1952 T. 科诺	美	362.5
1956 I. 里巴克	苏	380.0
1960 V. 布舒耶夫	苏	397.5
1964 W. 巴斯扎诺夫斯基	波	432.5
1968 W. 巴斯扎诺夫斯基	波	437.5
1972 M. 吉尔基诺夫	苏	460.0
1976 P. 科罗尔	苏	305.0
1980 Ya. 鲁塞夫	保	342.5
1984 姚景远	中	320.0
1988 J. 孔茨	东德	340.0
1992 I. 米里托扬	联合队 †	337.5
1996 占旭刚	中	357.5
69 公斤级		**公斤**
2000 G. 波耶夫斯基	保加利亚	357.5
2004 张国政	中	347.5
75 公斤级		**公斤**
1920 B. 冈斯	法	245.0
1924 C. 加林贝蒂	意	492.5‡
1928 F. 罗歇	法	335.0
1932 R. 伊斯梅尔	德	345.0
1936 K. 埃尔图尼	埃及	387.5
1948 F. 斯佩尔曼	美	390.0
1952 P. 乔治	美	400.0
1956 F. 波格达诺夫斯基	苏	420.0
1960 A. 库里诺夫	苏	437.5
1964 H. 兹德拉基拉	捷	445.0
1968 V. 库伦佐夫	苏	475.0
1972 Y. 比科夫	保	485.0
1976 Y. 密特科夫	保	335.0
1980 A. 兹拉切夫	保	360.0
1984 K.-H. 拉德辛斯基	西德	340.0
1988 B. 吉迪科夫	保	375.0
1992 F. 卡斯萨普	联合队 *	357.5
1996 P. 拉腊	古	367.5
77 公斤级		**公斤**
2000 占旭刚	中	367.5
2004 T. 萨吉尔	土耳其	375.0

82.5 公斤级		**公斤**
1920 E. 加丹	法	290.0
1924 C. 里古洛	法	502.5 *
1928 S. 诺塞尔	埃及	355.0
1932 L. 奥斯丹	法	365.0
1936 L. 奥斯丹	法	372.5
1948 S. 斯坦奇克	美	417.5
1952 T. 洛马金	苏	417.5
1956 T. 科诺	美	447.5
1960 I. 帕林斯基	波	442.5
1964 R. 普柳克费尔德尔	苏	475.0
1968 B. 塞利茨基	苏	485.0
V. 贝拉耶夫(并列)	苏	
1972 L. 詹森	挪	507.5
1976 V. 沙里	苏	365.0
1980 Y. 瓦尔达尼扬	苏	400.0
1984 P. 贝克鲁	罗	355.0
1988 I. 阿尔萨马科夫	苏	377.5
1992 P. 迪马斯	希	370.0
1996 P. 迪马斯	希	392.5
85 公斤级		**公斤**
2000 P. 迪马斯	希	390.0
2004 G. 阿萨尼泽	格鲁吉亚	382.5
90 公斤级		**公斤**
1952 N. 谢曼斯基	美	445.0
1956 A. 沃罗比耶夫	苏	462.5
1960 A. 沃罗比耶夫	苏	472.5
1964 V. 戈洛瓦诺夫	苏	487.5
1968 I. 坎加斯尼米	芬	517.5
1972 A. 尼科洛夫	保	525.0
1976 D. 里格尔特	苏	382.5
1980 P. 巴茨扎克	匈	377.5
1984 N. 维拉德	罗	392.5
1988 A. 赫拉帕蒂	苏	412.5
1992 K. 卡希亚奇维利	联合队 †	412.5
1996 A. 彼德洛夫	俄	402.5
94 公斤级		**公斤**
2000 K. 卡奇亚斯维里斯	希	405.0
2004 M. 多布雷夫	保	407.5
100 公斤级		**公斤**
1980 O. 扎雷姆巴	捷	395.0
1984 R. 米尔塞尔	西德	385.0
1988 P. 库兹涅佐夫	苏	425.0
1992 V. 特雷戈博夫	联合队 †	410.0
1996 A. 卡希亚什维利斯	希	420.0
105 公斤级		**公斤**
2000 H. 塔瓦库利	伊朗	425.0
2004 D. 别列斯托夫	俄	425.0
105 公斤以上级		**公斤**
2000 H. 拉扎扎德	伊朗	472.5
2004 H. 拉扎扎德	伊朗	472.5
110 公斤级		**公斤**
1896 V. 詹森	丹	111.5
1904 P. 卡库西斯	希	111.58
1920 F. 博蒂诺	意	270.0
1924 G. 托纳尼	意	517.5 *
1928 J. 斯特拉斯勃格	德	372.5
1932 J. 斯科比亚	捷	380.0
1936 J. 曼格尔	德	410.0
1948 J. 戴维斯	美	452.5
1952 J. 戴维斯	美	460.0
1956 P. 安德森	美	500.0

1960 Y. 弗拉索夫	苏	537.5
1964 L. 扎波廷斯基	苏	572.5
1968 L. 扎波廷斯基	苏	572.5
1972 Y. 托尔茨	苏	580.0
1976 Y. 宰采夫	苏	385.0
1980 L. 卡腊年科	苏	422.5
1984 N. 奥勃勃格	意	390.0
1988 Y. 扎哈列维奇	苏	455.0
1992 R. 韦勒	德	432.5
1996 T. 泰马佐夫	乌克兰	430.0
110 公斤以上级		**公斤**
1972 V. 阿列克赛耶夫	苏	640.0
1976 V. 阿列克赛耶夫	苏	440.0
1980 S. 拉赫马诺夫	苏	440.0
1984 D. 卢基姆	澳	412.5
1988 A. 库尔洛维奇	苏	462.5
1992 A. 库尔洛维奇	联合队 †	455.0
1996 A. 切梅尔金	俄	457.5
举　重(女子)		
48 公斤级		**公斤**
2000 T. 诺特	美	185.0
2004 N. 诺伊兰	土耳其	210.0
53 公斤级		**公斤**
2000 杨霞	中	225.0
2004 U. 波尔萨克	泰	222.5
58 公斤级		**公斤**
2000 S.J. 门迪维尔	墨西哥	222.5
2004 陈艳青	中	237.5
63 公斤级		**公斤**
2000 陈晓敏	中	242.5
2004 N. 斯卡坎	乌克兰	242.5
69 公斤级		**公斤**
2000 林伟宁	中	242.5
2004 刘春红	中	275.0
75 公斤级		**公斤**
2000 M.I. 乌鲁迪亚	哥伦比亚	245.0
2004 P. 通成	泰	272.5
75 公斤以上级		**公斤**
2000 丁美媛	中	300.0
2004 唐功红	土耳其	305.0
摔　跤‡(男子)		
自由式		
最最轻量级(48 公斤;106 磅)		
1972 R. 季米特列夫	苏	
1976 K. 伊萨也夫	保	
1980 C. 波利奥	意	
1984 R. 韦佛	美	
1988 小林孝至	日	
1992 金一	朝鲜	
1996 金一	朝鲜	
最轻量级(52 公斤;114.5 磅)		
1904 R. 柯里	美	
1948 L. 维伊塔拉	芬	
1952 H. 格米其	土耳其	
1956 M. 查尔卡拉马尼则	苏	
1960 A. 比列克	土耳其	
1964 吉田义胜	日	
1968 中田茂男	日	
1972 加藤	日	
1976 高田	日	
1980 A. 贝洛格拉佐夫	苏	
1984 S. 特热斯捷纳	南斯拉夫	
1988 佐藤满	日	
1992 李鹤顺	朝鲜	

* 联合队,包括来自独联体及格鲁吉亚的运动员。 † 五次试举总和。 ‡ 分级方法时有变更。

续表 20

1996 V. 迪米特罗夫-尤达诺夫	保
(55 公斤)	
2000 N. 阿卜杜拉耶夫	阿塞拜疆
2004 M. 巴季罗夫	俄
次轻量级(57 公斤;125.5 磅)	
1900 G. 梅纳特	美
1908 G. 梅纳特	美
1924 K. 皮拉甲马基	芬
1928 K. 马阿基宁	芬
1932 R. 皮尔斯	美
1936 O. 佐姆波里	匈
1948 N. 阿卡尔	土耳其
1952 石井庄八	日
1956 M. 达基斯坦利	土耳其
1960 T. 麦卡恩	美
1964 上武洋次郎	日
1968 上武洋次郎	日
1972 柳田英明	日
1976 V. 尤宁	苏
1980 S. 贝洛格拉佐夫	苏
1984 富山英明	日
1988 S. 贝洛格拉佐夫	苏
1992 A. 普埃尔托	古
1996 K. 克罗斯	美
(60 公斤)	
2000 A.R. 达比尔	R. 伊朗
2004 Y.M. 坎塔纳	古
轻量级(62 公斤;136.5 磅)	
1904 I. 尼夫洛特	美
1908 G. 多尔	美
1920 C. 阿克利	美
1924 R. 里德	美
1928 A. 莫里逊	美
1932 H. 皮拉甲马基	芬
1936 K. 皮拉甲马基	芬
1948 G. 比尔格	土耳其
1952 B. 锡特	土耳其
1956 笹原正三	日
1960 M. 达基斯坦利	土耳其
1964 渡边长武	日
1968 金子正明	日
1972 Z. 阿部杜尔别科夫	苏
1976 梁正模	韩
1980 M. 阿部谢夫	苏
1984 R. 刘易斯	美
1988 J. 史密斯	美
1992 J. 史密斯	美
1996 T. 布朗德斯	美
(66 公斤)	
2000 M. 乌马哈诺夫	俄
2004 E. 泰杰耶夫	乌克兰
轻中量级(68 公斤;150 磅)	
1904 B. 布拉德肖	美
1908 G. 雷鲁伊斯科	英
1920 R. 安蒂拉	芬
1924 R. 维斯	美
1928 O. 卡普	爱沙尼亚
1932 C. 巴科姆	法
1936 K. 卡儿帕蒂	匈
1948 C. 阿蒂克	土耳其
1952 O. 安德伯格	瑞典
1956 E. 哈比比	伊朗
1960 S. 威尔逊	美
1964 E. 吉莫夫	保
1968 A. 默瓦赫德	伊朗
1972 D. 加布尔	美
1976 P. 皮尼金	苏
1980 S. 阿部萨尔多夫	苏
1984 柳寅卓	韩
1988 A. 法扎耶夫	苏
1992 A. 法扎耶夫	联合队 *
1996 V. 博吉耶夫	俄
(69 公斤)	
2000 D. 伊加里	加拿大
次中量级(74 公斤;163 磅)	
1904 O. 罗姆	美
1924 H. 格里	瑞士
1928 A. 哈阿维斯托	芬
1932 J. 范勃伯	美
1936 F. 刘易斯	美
1948 J. 多古	土耳其
1952 W. 史密斯	美
1956 池田三男	日
1960 D. 布鲁波	美
1964 I. 奥干	土耳其
1968 M. 阿塔莱	土耳其
1972 W. 韦尔斯	美
1976 伊达治一郎	日
1980 V. 莱切夫	保
1984 D. 舒尔茨	美
1988 K. 蒙代	美
1992 朴章洵	韩
1996 B. 萨伊特耶夫	俄
2000 B. 斯莱	美
2004 B. 塞吉奥夫	俄
中量级(82 公斤;180.5 磅)	
1904 C. 埃里克森	美
1908 S. 培根	英
1920 E. 雷诺	芬
1924 F. 哈格曼	瑞士
1928 E. 基布尔兹	瑞士
1932 J. 约翰松	瑞典
1936 E. 布瓦尔维	法
1948 G. 布兰德	美
1952 D. 齐马库里则	苏
1956 N. 斯坦切夫	保
1960 H. 贡戈尔	土耳其
1964 P. 加尔德切夫	保
1968 B. 古列维奇	苏
1972 L. 切吉亚什维利	苏
1976 J. 彼德森	美
1980 I. 阿比洛夫	保
1984 M. 舒尔茨	美
1988 韩明愚	韩
1992 K. 杰克逊	美
1996 K. 马尔梅多夫	俄
(84 公斤)	
2000 A. 塞迪耶夫	俄
2004 C. 桑德森	美
次重量级(90 公斤;198.5 磅)	
1920 A. 拉尔松	瑞典
1924 J. 斯佩尔曼	美
1928 T. 舍奥斯特德	瑞典
1932 P. 梅林格	美
1936 K. 弗里德尔	瑞典
1948 H. 维滕伯格	美
1952 W. 帕尔姆	瑞典
1956 G.-R. 塔赫蒂	伊朗
1960 I. 阿特利	土耳其
1964 A. 梅德韦季	苏
1968 A. 阿犹克	土耳其
1972 B. 彼德逊	美
1976 L. 切吉亚什维利	苏
1980 S. 奥加涅西洋	苏
1984 E. 巴纳奇	美
1988 M. 哈达尔采夫	苏
1992 M. 哈达尔采夫	联合队 *
1996 R. 卡迪姆	伊朗
(96 公斤)	
2000 S. 穆尔塔萨利耶夫	俄
2004 K. 加查罗夫	俄
重量级(100 公斤;220.5 磅)	
1896 K. 舒曼	德
1904 B. 汉森	美
1908 G. 奥凯利	英
1920 R. 罗特	瑞士
1924 H. 斯蒂尔	美
1928 J. 里赫托夫	瑞典
1932 J. 里赫托夫	瑞典
1936 K. 帕卢萨卢	爱沙尼亚
1948 G. 波比斯	匈
1952 A. 麦科基什维利	苏
1956 H. 卡普兰	土耳其
1960 W. 迪特里希	东西德联队
1964 A. 伊凡尼茨基	苏
1968 A. 梅德韦季	苏
1972 I. 雅里金	苏
1976 I. 雅里金	苏
1980 I. 马特	保
1984 L. 巴拿奇	美
1988 V. 普斯卡苏	罗
1992 L. 哈贝洛夫	联合队 *
1996 K. 安格尔	美
超重量级(100 公斤以上;220.5 磅以上)	
1972 A. 梅德韦季	苏
1976 S. 安季也夫	苏
1980 S. 安季也夫	苏
1984 B. 鲍姆加特纳	美
1988 D. 戈别季什维利	苏
1992 B. 鲍姆加特纳	美
1996 M. 德米尔	土耳其
(120 公斤)	
2000 D. 穆苏尔贝斯	俄
2004 A. 泰马佐夫	乌兹别克斯坦
古典式 †	
最最轻量级(48 公斤;106 磅)	
1972 G. 贝尔奇亚努	罗
1976 A. 舒马科夫	苏
1980 Z. 乌什克姆皮罗夫	苏
1984 V. 马恩扎	意
1988 V. 马恩扎	意
1992 O. 库契林科	联合队 *
1996 沈权虎	韩
最轻量级(52 公斤;115 磅)	
1948 P. 隆巴迪	意

* 联合队,包括来自独联体及格鲁吉亚的运动员。 † 分级方法时有变更。

续表 21

1952	B. 古列维奇	苏
1956	N. 索洛维耶夫	苏
1960	D. 皮尔乌列斯库	罗
1964	花原勉	日
1968	P. 季罗夫	保
1972	P. 季罗夫	保
1976	V. 康斯坦丁诺夫	苏
1980	V. 布拉吉则	苏
1984	宫原厚次	日
1988	J. 罗宁根	挪
1992	J. 罗宁根	挪
1996	A. 纳扎尔延	亚
(55 公斤)		
2000	沈权虎	韩
2004	I. 马约罗斯	匈
次轻量级(57 公斤;125.5 磅)		
1924	E. 皮采普	爱沙尼亚
1928	C. 罗埃希特	德
1932	J. 布伦代尔	德
1936	M. 洛林茨	匈
1948	K. 佩特森	瑞典
1952	I. 霍多斯	匈
1956	K. 维鲁帕耶夫	苏
1960	O. 卡拉瓦耶夫	苏
1964	市口政光	日
1968	J. 瓦尔加	匈
1972	R. 卡扎科夫	苏
1976	P. 乌科拉	芬
1980	Sh. 谢里科夫	苏
1984	P. 帕萨雷利	西德
1988	A. 西凯	匈
1992	安汉奉	韩
1996	Y. 梅尔尼琴科	哈萨克斯坦
(58 公斤)		
2000	A. 纳扎良	保
(60 公斤)		
2004	郑智铉	韩
轻量级(62 公斤;136.5 磅)		
1912	K. 科斯凯洛	芬
1920	O. 弗里曼	芬
1924	K. 安蒂拉	芬
1928	V. 瓦利	爱沙尼亚
1932	G. 戈齐	意
1936	Y. 埃尔坎	土耳其
1948	M. 奥克塔夫	土耳其
1952	Ya. 蓬金	苏
1956	R. 马基宁	芬
1960	M. 锡勒	土耳其
1964	I. 波里亚克	匈
1968	R. 卢鲁阿	苏
1972	G. 马尔科夫	保
1976	K. 利皮恩	波
1980	S. 米吉亚基斯	希
1984	金原基	韩
1988	K. 马吉多夫	苏
1992	M. 皮里姆	土耳其
1996	W. 扎瓦兹基	波
(66 公斤)		
2000	V. 萨姆尔加乔夫	俄
2004	F. 曼苏罗夫	阿塞拜疆
轻中量级(68 公斤;150 磅)		
1908	E. 波罗	意
1912	E. 瓦雷	芬
1920	E. 瓦雷	芬
1924	O. 弗里曼	芬
1928	L. 克雷茨特斯	匈
1932	E. 马尔姆勃格	瑞典
1936	L. 科斯凯拉	芬
1948	G. 弗雷吉	瑞典
1952	C. 萨芬	苏
1956	K. 雷托宁	芬
1960	A. 科里则	苏
1964	K. 埃瓦兹	土耳其
1968	宗村宗二	日
1972	Sh. 希萨穆特季诺夫	苏
1976	S. 纳尔班吉扬	苏
1980	S. 鲁苏	罗
1984	V. 利斯雅克	南斯拉夫
1988	L. 焦尔法拉基扬	苏
1992	A. 雷普卡	匈
1996	R. 沃尔尼	波
(69 公斤)		
2000	F. 阿斯库伊	古
次中量级(74 公斤;163 磅)		
1924	E. 维尔特伦德	芬
1928	V. 科基宁	芬
1932	I. 约翰松	瑞典
1936	R. 斯维德伯格	瑞典
1948	G. 安德松	瑞典
1952	M. 斯基瓦希	匈
1956	M. 贝拉克	土耳其
1960	M. 贝拉克	土耳其
1964	A. 科列索夫	苏
1968	R. 维斯佩尔	东德
1972	V. 马查	捷
1976	A. 比科夫	苏
1980	F. 科奇斯	匈
1984	J. 萨洛马基	芬
1988	金永南	韩
1992	M. 伊斯康达里安	联合队 *
1996	F. 阿斯奎	古
2000	M. 卡尔达诺夫	俄
2004	A. 多克图里什维利	乌兹别克斯坦
中量级(82 公斤;180.5 磅)		
1908	F. 马尔滕松	瑞典
1912	C. 约翰松	瑞典
1920	C. 威斯特格伦	瑞典
1928	I. 穆斯塔法	埃及
1932	V. 科基宁	芬
1936	I. 约翰松	瑞典
1948	A. 格伦伯格	瑞典
1952	A. 格伦伯格	瑞典
1956	G. 卡尔托奇雅	苏
1960	D. 多布列夫	保
1964	B. 希米奇	南斯拉夫
1968	L. 麦茨	东德
1972	C. 赫格都斯	匈
1976	M. 佩特科维奇	南斯拉夫
1980	G. 科尔班	苏
1984	I. 德莱察	罗
1988	M. 马米亚什维利	苏
1992	P. 法尔卡斯	匈
1996	H. 叶尔利卡亚	土耳其
2004	A. 米申	俄
(85 公斤)		
2000	H. 耶尔利卡亚	土耳其
次重量级(90 公斤;198.5 磅)		
1908	V. 威克曼	芬
1912	A. 阿尔格伦	瑞典
	I. 波灵(并列)	芬
1920	C. 约翰松	瑞典
1924	C. 威斯特格伦	瑞典
1932	R. 斯温松	瑞典
1936	A. 卡蒂尔	瑞典
1948	K. 尼尔松	瑞典
1952	K. 格隆达尔	芬
1956	V. 尼古拉耶夫	苏
1960	T. 基斯	土耳其
1964	B. 拉捷夫	保
1968	B. 拉捷夫	保
1972	V. 雷赞采夫	苏
1976	V. 雷赞采夫	苏
1980	N. 诺特尼	匈
1984	S. 弗雷泽	美
1988	A. 科姆切夫	保
1992	M. 布利曼	德
1996	V. 奥莱尼科	乌克兰
(96 公斤)		
2000	M. 永贝里	瑞典
2004	K. 易卜拉辛	埃及
重量级(100 公斤;220.5 磅)		
1908	R. 魏兹	匈
1912	Y. 萨阿雷拉	芬
1920	A. 林德弗尔斯	芬
1924	J. 德格雷纳	法
1928	R. 斯温松	瑞典
1932	C. 威斯特格伦	瑞典
1936	K. 帕卢萨卢	爱沙尼亚
1948	A. 基雷奇	土耳其
1952	J. 科特卡斯	苏
1956	A. 巴尔费诺夫	苏
1960	I. 波格丹	苏
1964	I. 科兹马	匈
1968	I. 科兹马	匈
1972	N. 马丁内斯库	罗
1976	N. 巴尔波辛	苏
1980	G. 莱科夫	保
1984	V. 安德烈伊	罗
1988	A. 弗龙斯基	波
1992	H. 米利安	古
1996	A. 弗朗斯基	波
超重量级(100 公斤以上;220.5 磅以上)		
1972	A. 罗辛	苏
1976	A. 科尔钦斯基	苏
1980	A. 科尔钦斯基	苏
1984	J. 布拉特尼克	美
1988	A. 卡雷林	苏
1992	A. 卡雷林	联合队 *
1996	A. 卡雷林	俄
(120 公斤)		
2000	R. 加德纳	美
2004	K. 巴罗耶夫	俄

* 联合队,包括来自独联体及格鲁吉亚的运动员。

续表 22

摔跤(女子)			
自由式			
48 公斤			
2004	I. 梅兰妮	乌克兰	
55 公斤			
2004	吉田沙保田	日	
63 公斤			
2004	伊调馨	日	
72 公斤			
2004	王旭	中	
帆船			
蜿蜒滑翔级 *			
1984	S. 范登伯格	荷	
1988	B. 肯德尔	新西兰	
蜿蜒滑翔级(男子)			
1992	F. 达维德	法	
蜿蜒滑翔级(女子)			
1992	B. 肯德尔	新西兰	
芬兰人级(单人)‡			
1952	P. 埃尔弗斯特罗姆	丹	
1956	P. 埃尔弗斯特罗姆	丹	
1960	P. 埃尔弗斯特罗姆	丹	
1964	W. 库威德	东西德联队	
1968	V. 曼钦	苏	
1972	S. 穆里	法	
1976	J. 舒曼	东德	
1980	E. 雷哈德	芬	
1984	R. 库茨	新西兰	
1988	J.L. 多雷斯特	西	
1992	J. 范德普勒格	西	
1996	M. 库斯尼亚里维奇	波	
2000	I. 佩尔西	英	
2004	B. 安斯利	英	
470 级 ‡			
1976		西德	
1980		巴西	
1984		西	
470 级(男子)			
1988		法	
1992		西	
1996		乌克兰	
2000		澳大利亚	
2004		美	
470 级(女子)			
1988		美	
1992		西	
1996		西	
2000		澳	
2004		希	
欧洲级 §			
1992	L. 安德森	挪	
1996	K. 罗格	丹	
2000	S. 罗伯特森	英	
2004	S. 松德比	挪	
龙卷风级			
1976		英	
1980		巴西	
1984		新西兰	
1988		法	
1992		法	
1996		西	
2000		奥	
2004		奥	

荷兰飞人级			
1960		挪	
1964		新西兰	
1968		英	
1972		英	
1976		西德	
1980		西	
1984		美	
1988		丹	
1992		西	
激光级			
1996		巴西	
2000	B. 安斯利	英	
2004	R. 谢德特	巴西	
风浪板(男子)			
1996	N. 卡拉马纳基斯	希	
2000	C. 西贝尔	奥	
2004	G. 弗里德曼	以色列	
风浪板(女子)			
1996	李丽珊	香港	
2000	A. 森西妮	意	
2004	F. 梅莱	法	
索林级			
1972		美	
1976		丹	
1980		丹	
1984		美	
1988		东德	
1992		丹	
1996		德	
星级♀			
1932		美	
1936		德	
1948		美	
1952		意	
1956		美	
1960		苏	
1964		巴哈马群岛	
1968		美	
1972		澳	
1980		苏	
1984		美	
1988		英	
1992		美	
1996		巴西	
2000		美	
2004		巴西	
"49 人"型			
2000		芬兰	
2004		西班牙	
"英凌"型(女子)			
2000		丹	
2004		英	
冬季运动(1908 ~ 1994)			
两项全能滑雪(男子)			
10 公里			**分 秒**
1980	F. 乌尔里希	东德	32 10.69
1984	E. 夸尔福斯	挪	30 53.8
1988	F.-P. 勒奇	东德	25 08.1
1992	M. 基希纳	德	26 02.3
1994	S. 切皮科夫	俄	28 07.0
1998	O.E. 比约恩达伦	挪	27 16.2
2002	O.E. 比约恩达伦	挪	24 51.3

20 公里			**时 分 秒**
1960	K. 勒斯坦德	瑞典	1 33 21.6
1964	V. 麦拉宁	苏	1 20 26.8
1968	M. 索尔伯格	挪	1 13 45.9
1972	M. 索尔伯格	挪	1 15 55.50⇑
1976	N. 克鲁格洛夫	苏	1 14 12.26
1980	A. 阿利雅别夫	苏	1 08 16.31
1984	P. 安格雷尔	西德	1 11 52.70
1988	F.-P. 勒奇	东德	56 33.3
1992	Y. 列德基涅	联合队♀	57 34.4
1994	S. 塔拉索夫	俄	57 25.3
1998	H. 哈内沃尔德	挪	56 16.4
2002	O.E. 比约恩达伦	挪	51 03.3
12.5 公里追逐赛			**时 分 秒**
2002	O.E. 比约恩达伦	挪	32 34.6
4×7.5 公里接力			**时 分 秒**
1968		苏	2 13 02.4
1972		苏	1 51 44.92⇑
1976		苏	1 57 55.64
1980		苏	1 34 03.27
1984		苏	1 38 51.70
1988		苏	1 22 30.00
1992		德	1 24 43.5
1994		德	1 30 22.1
1998		德	1 21 36.2
2002		挪	1 23 42.3
两项全能滑雪(女子)			
7.5 公里			**分 秒**
1992	A. 列斯特佐娃	联合队♀	24 29.2
1994	M. 贝达德	加拿大	26 08.8
1998	G. 库克列娃	俄	23 08.0
2002	K. 维尔赫姆	德	20 41.4
15 公里			**分 秒**
1992	A. 米瑟斯凯	德	51 47.2
1994	M. 贝达德	加拿大	52 06.6
1998	Y. 迪福夫斯卡	保加利亚	54 52.0
2002	A. 亨克尔	德	47 29.1
4×7.5 公里接力⇧			**时 分 秒**
1992		法	1 15 55.6
1994		俄	1 47 19.5
1998		德	1 40 13.6
2002		德	1 27 55.0
10 公里追逐赛			**时 分 秒**
2002	O. 皮列娃	俄	31 07.7
4×7.5 公里接力⇧			**时 分 秒**
1992		法	1 15 55.6
1994		俄	1 47 19.5
1998		德	1 40 13.6
2002		德	1 27 55.0
雪橇(男子)			
双人有舵雪橇			**分 秒**
1932		美	8 14.74
1936		美	5 29.29
1948		瑞士	5 29.2
1952		西德	5 24.54
1956		意	5 30.14
1964		英	4 21.90
1968		意	4 41.54
1972		西德	4 57.07
1976		东德	3 44.42
1980		瑞士	4 09.36
1984		东德	3 25.56
1988		苏	3 53.48

* 1988 年以后,蜿蜒滑翔级项目男女分开比赛。 † 1988 年以后,芬人级项目只有男子参加。 ‡ 1984 年以后,470 级项目男女分开比赛。 § 只有女子参加欧洲级项目比赛。 ‖ 1976 年未举行比赛。 ⇑ 比赛首次以百分之一秒计时。 ♀ 联合队,包括来自独联体及格鲁吉亚的运动员。 ⇧ 1992年为 3×7.5 公里接力。

续表 23

1992		瑞士	4 03.26
1994		瑞士	3 30.81
1998		意;加拿大(并列)	3 37.24
2002		德	3 10.11

四人有舵雪橇 分 秒

1924		瑞士	5 45.54
1928		美	3 20.5*
1932		美	7 53.68
1936		瑞士	5 19.85
1948		美	5 20.1
1952		西德	5 07.84
1956		瑞士	5 10.44
1964		加拿大	4 14.46
1968		意	2 17.39
1972		瑞士	4 43.07
1976		东德	3 40.43
1980		东德	3 59.92
1984		东德	3 20.22
1988		瑞士	3 47.51
1992		奥	3 53.90
1994		德	3 27.78
1998		德	2 39.41
2002		德	3 07.51

雪 橇(女子)

双人有舵雪橇 分 秒

2002		美	1 37.76

冰 壶(男子)

1998	瑞士
2002	挪

冰 壶(女子)

1998	加拿大
2002	英

花样滑冰

男子单人

1908	U. 萨尔乔	瑞典
1920	G. 格拉夫斯特罗姆	瑞典
1924	G. 格拉夫斯特罗姆	瑞典
1928	G. 格拉夫斯特罗姆	瑞典
1932	K. 夏菲尔	奥
1936	K. 夏菲尔	奥
1948	R. 巴顿	美
1952	R. 巴顿	美
1956	H. 詹金斯	美
1960	H. 詹金斯	美
1964	M. 施内尔德费尔	东西德联队
1968	W. 施瓦兹	奥
1972	O. 奈佩拉	捷
1976	J. 柯里	英
1980	R. 卡曾斯	英
1984	S. 汉密尔顿	美
1988	B. 博伊塔诺	美
1992	V. 彼得连科	联合队
1994	A. 乌尔曼诺夫	俄
1998	I. 库利克	俄
2002	A. 亚古金	俄

女子单人

1908	M. 赛耶斯	英
1920	M. 穆罗瓦	瑞典
1924	H. 普朗克-斯扎伯	奥
1928	S. 赫尼	挪
1932	S. 赫尼	挪
1936	S. 赫尼	挪
1948	B. 斯科特	加拿大
1952	J. 阿尔特维格	英
1956	T. 奥尔布赖特	美
1964	S. 迪伊克斯特拉	荷
1968	P. 弗莱明	美
1972	T. 舒巴	奥
1976	D. 哈米尔	美
1980	A. 波希	东德
1984	K. 维特	东德
1988	K. 维特	东德
1992	K. 亚马古基	美
1994	O. 巴尤尔	乌克兰
1998	T. 利平斯基	美
2002	S. 休斯	美

男女双人

1908	A. 徐布乐;H. 布尔格	德
1920	L. 亚克布松;W. 亚克布松	芬
1924	H. 恩格尔曼;A. 贝尔格	奥
1928	A. 乔莉;P. 布吕奈	法
1932	A. 布吕奈;P. 布吕奈	法
1936	M. 海尔伯;E. 拜耳	德
1948	M. 兰诺夫;P. 包格涅特	比
1952	R. 法尔克;B. 法尔克	西德
1956	E. 施瓦茨;K. 奥佩尔特	奥
1960	B. 瓦格纳;R. 保罗	加拿大
1964	L. 别洛乌索娃;O. 普罗托波波夫	苏
1968	L. 别洛乌索娃;O. 普罗托波波夫	苏
1972	I. 罗德尼娜;A. 乌兰诺夫	苏
1976	I. 罗德尼娜;A. 扎伊采夫	苏
1980	I. 罗德尼娜;A. 扎伊采夫	苏
1984	E. 瓦洛娃;O. 瓦西里耶夫	苏
1988	Ye. 戈尔杰耶娃;S. 格林科夫	苏
1992	N. 米什库捷诺克;A. 德米特里耶夫	联合队†
1994	Ye. 戈尔杰耶娃;S. 格林科夫	俄
1998	O. 卡扎科娃;A. 德米特里耶夫	俄
2002	Y. 别列日纳娅;A. 西哈鲁利泽	俄
	J. 萨列;D. 佩雷蒂埃(并列)	加拿大

冰上舞蹈

双人

1976	L. 帕霍默娃;A. 戈尔什科夫	苏
1980	N. 利尼丘克;G. 卡尔波诺索夫	苏
1984	J. 托维尔;C. 迪安	英
1988	N. 别斯特米亚诺娃;A. 布基尼	苏
1992	M. 克利莫娃;S. 波诺马连科	联合队†
1994	O. 格里丘克;Y. 普拉托夫	俄
1998	O. 格里茨丘克;Y. 普拉托夫	俄
2002	M. 阿尼西纳;G. 佩泽拉	法

冰 球(男子)

1920	加拿大
1924	加拿大
1928	加拿大
1932	加拿大
1936	英
1948	加拿大
1952	加拿大
1956	苏
1960	美
1964	苏
1968	苏
1972	苏
1976	苏
1980	美
1984	苏
1988	苏
1992	联合队†
1994	瑞典
1998	捷
2002	加拿大

冰 球(女子)

1998	美
2002	加拿大

短 雪 橇

男子单人 分 秒

1964	T. 科勒	东西德联队	3 26.77
1968	M. 施密特	奥	2 52.48
1972	W. 希德尔	东德	3 27.58
1976	D. 古恩特	东德	3 27.688‡
1980	B. 戈拉斯	东德	2 54.796
1984	P. 希尔德加特纳	意	3 04.258
1988	J. 米勒	东德	3 05.548
1992	G. 哈克尔	德	3 02.363
1994	G. 哈克尔	德	3 21.571
1998	G. 哈克尔	德	3 18.436
2002	A. 佐杰勒	意	2 57.941

男子双人 分 秒

1964	奥	1 41.62
1968	东德	1 35.85
1972	意	1 28.35
	东德(并列)	1 28.35
1976	东德	1 25.604†
1980	东德	1 19.331
1984	西德	1 23.620
1988	东德	1 31.940
1992	德	1 32.053
1994	意	1 36.720
1998	德	1 41.105
2002	德	1 26.082

女子单人 分 秒

1964	D. 恩德赖茵	东西德联队	3 24.67
1968	E. 勒赫纳	意	2 29.37
1972	A. 穆勒	东德	2 59.18
1976	M. 舒曼	东德	2 50.621‡
1980	V. 佐祖利雅	苏	2 36.537
1984	S. 马丁	东德	2 46.570
1988	S. 瓦尔特	东德	3 03.973
1992	D. 诺伊纳	奥	3 06.696
1994	G. 魏森施泰纳	意	3 15.517
1998	S. 克劳斯哈尔	德	3 23.779
2002	S. 奥托	德	2 52.464

高山滑雪(男子)

速降 分 秒

1948	H. 奥雷耶	法	2 55.0

* 五人。 † 联合队,包括来自独联体及格鲁吉亚的运动员。 ‡ 比赛首次以千分之一秒计时。

续表 24

1952	Z. 科洛	意	2 30.8
1956	A. 塞勒	奥	2 52.2
1960	J. 乌阿尔内	法	2 06.0
1964	E. 齐麦	奥	2 18.16 *
1968	J.-C. 基利	法	1 59.85
1972	B. 路西	瑞士	1 51.43
1976	F. 克拉默	奥	1 45.73
1980	L. 斯托克	奥	1 45.50
1984	B. 约翰逊	美	1 45.59
1988	P. 祖布里根	瑞士	1 59.63
1992	P. 奥尔特利布	奥	1 50.37
1994	T. 莫	美	1 45.75
1998	J.-L. 克雷捷	法	1 50.11
2002	F. 斯特罗布尔	奥	1 39.13

回转

			分 秒
1948	E. 莱纳尔特	瑞士	2 10.3
1952	O. 施奈德	奥	2 00.0
1956	A. 塞勒	奥	3 14.7
1960	E. 辛特西尔	奥	2 08.9
1964	J. 斯蒂格勒	奥	2 21.13 *
1968	J.-C. 基利	法	1 39.73
1972	F. 奥乔亚	西	1 49.27
1976	P. 格罗斯	意	2 03.29
1980	I. 斯滕马克	瑞典	1 44.26
1984	P. 梅尔	美	1 39.41
1988	A. 通巴	意	1 39.47
1992	F.C. 亚盖	挪	1 44.39
1994	T. 施坦加辛格	奥	2 02.02
1998	H.-P. 布拉斯	挪	1 49.31
2002	J.-P. 维达尔	法	1 41.06

大回转

			分 秒
1952	S. 埃里克森	挪	2 25.0
1956	A. 塞勒	奥	3 00.1
1960	R. 斯陶布	瑞士	1 48.3
1964	F. 朋利厄	法	1 46.71 *
1968	J.-C. 基利	法	3 29.28
1972	G. 托埃尼	意	3 09.62
1976	H. 赫米	瑞士	3 26.97
1980	I. 斯滕马克	瑞典	2 40.74
1984	M. 尤伦	瑞士	2 41.18
1988	A. 通巴	意	2 06.37
1992	A. 通巴	意	2 06.98
1994	M. 瓦斯迈尔	德	2 52.46
1998	H. 迈耶	奥	2 38.51
2002	S. 埃伯哈特	奥	2 23.28

超级回转

			分 秒
1988	F. 皮卡尔	法	1 39.66
1992	K.-A. 奥莫特	挪	1 13.04
1994	M. 瓦斯迈尔	德	1 32.53
1998	H. 迈耶	奥	1 34.82
2002	K.A. 奥莫特	挪	1 21.58

高山混合

1936	F. 普夫尼尔	德
1948	H. 奥雷耶	法
1972	G. 托埃尼	意
1976	G. 托埃尼	意
1988	H. 施特罗茨	奥
1992	J. 波利格	意
1994	L. 休斯	挪
1998	M. 赖特尔	奥
2002	K.A. 奥莫特	挪

高山滑雪（女子）

速降

			分 秒
1948	H. 施伦内格	瑞士	2 28.2
1952	T. 约霍姆-贝瑟	奥	1 47.1
1956	M. 贝尔托德	瑞士	1 40.7
1960	H. 贝布乐	东西德联队	1 37.6
1964	C. 哈阿斯	奥	1 55.39 *
1968	O. 波尔	奥	1 40.87
1972	M.-T. 纳蒂格	瑞士	1 36.68
1976	R. 密特梅尔	西德	1 46.16
1980	A. 莫泽-普罗尔	奥	1 37.52
1984	M. 菲吉尼	瑞士	1 13.36
1988	M. 基尔	西德	1 25.86
1992	K. 李-加特纳	加拿大	1 52.55
1994	K. 赛青格	德	1 35.93
1998	K. 塞钦格	德	1 28.89
2002	C. 蒙蒂莱	法	1 39.56

回转

			分 秒
1948	G. 弗雷泽	美	1 57.2
1952	A. 劳伦斯	美	2 10.6
1956	R. 哥利亚德	瑞士	1 52.3
1960	A. 克格特维特	加拿大	1 49.6
1964	C. 哥瓦歇尔	法	1 29.86 *
1968	M. 哥瓦歇尔	法	1 59.85
1972	B. 科克伦	美	1 31.24
1976	R. 密特梅尔	西德	1 30.54
1980	H. 温采尔	列	1 25.09
1984	P. 马戈尼	意	1 36.47
1988	V. 施奈德	瑞士	1 36.69
1992	P. 克龙贝格尔	奥	1 32.68
1994	V. 施奈德	瑞士	1 56.01
1998	H. 格尔格	德	1 32.40
2002	J. 科斯泰里奇	克	1 46.10

大回转

			分 秒
1952	A. 劳伦斯	美	2 06.8
1956	O. 赖希尔特	东西德联队	1 56.5
1960	Y. 鲁埃格	瑞士	1 39.9
1964	M. 哥瓦歇尔	法	1 52.24 *
1968	N. 格林	加拿大	1 51.97
1972	M.-T. 纳蒂格	瑞士	1 29.90
1976	K. 格雷纳	加拿大	1 29.13
1980	H. 温采尔	列	2 41.66
1984	D. 阿姆斯特朗	美	2 20.98
1988	V. 施奈德	瑞士	2 06.49
1992	P. 维贝里	瑞典	2 12.74
1994	D. 孔帕尼奥尼	意	2 30.97
1998	D. 孔帕尼奥尼	意	2 50.59
2002	J. 科斯泰里奇	克	2 30.01

超级回转

			分 秒
1988	S. 沃尔夫	奥	1 19.03
1992	D. 孔帕尼奥尼	意	1 21.22
1994	D. 罗费-施泰因勒特	美	1 22.15
1998	P. 斯特里特	美	1 18.02
2000	D. 塞卡雷利	意	1 13.59

高山混合

1936	C. 克兰兹	德
1948	T. 贝瑟	奥
1972	A. 普罗埃尔	奥
1976	R. 密特梅尔	西德
1988	A. 瓦赫特尔	奥
1992	P. 克龙贝格尔	奥
1994	P. 维贝里	瑞典
1998	K. 塞钦格	德
2002	J. 科斯泰里奇	克

自由式滑雪

男子隆起滑雪

1992	E. 格罗斯皮龙	法
1994	J.-L. 布拉萨德	加拿大

男子空中技巧

1994	A. 舍恩拜希勒	瑞士
1998	E. 伯古斯特	美
2002	A. 瓦伦塔	捷

男子雪上技巧

1998	J. 莫斯利	美
2002	J. 拉赫泰拉	芬

女子隆起滑雪

1992	D. 魏因布雷希特	美
1994	S.L. 哈泰斯塔德	挪

女子空中技巧

1994	L. 切贾佐娃	乌兹别克斯坦
1998	N. 斯通	美
2002	A. 坎普林	澳

女子雪上技巧

1998	里谷多英	日
2002	K. 特拉	挪

北欧滑雪(男子)

10 公里越野

			分 秒
1992	V. 乌尔旺	挪	27 36.0
1994	B. 戴列	挪	24 20.1
1998	B. 戴列	挪	27 24.5

15 公里越野 †

			时 分 秒
1924	T. 豪格	挪	1 14 31.0
1928	J. 格罗通斯普拉滕	挪	1 37 01.0
1932	S. 乌特斯特罗姆	瑞典	1 23 07.0
1936	E.-A. 拉尔松	瑞典	1 14 38.0
1948	M. 伦兹罗姆	瑞典	1 13 50.0
1952	H. 布伦登	挪	1 01 34.0
1956	H. 布伦登	挪	49 39.0
1960	H. 布鲁斯温	挪	51 55.5
1964	E. 曼蒂兰塔	芬	50 54.1
1968	H. 格罗恩宁根	挪	47 54.2
1972	S.-A. 伦德巴克	瑞典	45 28.24 *
1976	N. 巴米科夫	苏	43 58.47
1980	T. 瓦斯伯格	瑞典	41 57.63
1984	G. 斯万	瑞典	41 25.60
1988	M. 杰维亚佳罗夫	苏	41 18.9
1998	T. 阿尔斯加德	挪	39 13.7
2002	A. 维尔帕鲁	爱沙尼亚	37 07.4

15 公里追逐赛 ‡

			时 分 秒
1992	B. 戴列	挪	1 05 37.9
1994	B. 戴列	挪	1 00 08.8

30 公里越野

			时 分 秒
1956	V. 哈库利宁	芬	1 44 06.0
1960	S. 耶尔恩伯格	瑞典	1 51 03.9
1964	E. 曼蒂兰塔	芬	1 30 50.7
1968	F. 诺内斯	意	1 35 39.2
1972	V. 维捷宁	苏	1 36 31.15 *
1976	S. 萨维列夫	苏	1 30 29.38
1980	N. 齐米雅托夫	苏	1 27 02.80
1984	N. 齐米雅托夫	苏	1 28 56.30
1988	A. 普罗库罗罗夫	苏	1 24 26.3
1992	V. 乌尔旺	挪	1 22 27.8
1994	T. 阿尔斯加德	挪	1 12 26.4
1998	M. 米吕莱	芬	1 33 56
2002	C. 霍夫曼	奥	1 11 31.0

50 公里越野

			时 分 秒
1924	T. 豪格	挪	3 44 32.0

* 比赛首次以百分之一秒计时。 † 1924 ～ 1952 年为 18 公里。 ‡ 10 公里(古典式)和 15 公里(自由式)比赛的综合成绩。

续表 25

1928	P. 赫德伦德	瑞典	4 52 03.3
1932	V. 萨阿里宁	芬	4 28 00.0
1936	E. 威克伦德	瑞典	3 30 11.0
1948	N. 卡尔松	瑞典	3 47 48.0
1952	V. 哈库利宁	芬	3 33 33.0
1956	S. 耶尔恩伯格	瑞典	2 50 27.0
1960	K. 哈马莱宁	芬	2 59 06.3
1964	S. 耶尔恩伯格	瑞典	2 43 52.6
1968	O. 埃勒夫塞特	挪	2 28 45.8
1972	P. 蒂尔杜姆	挪	2 43 14.75 *
1976	I. 佛尔摩	挪	2 37 30.05
1980	N. 齐米雅托夫	苏	2 27 24.60
1984	T. 瓦斯伯格	瑞典	2 15 55.80
1988	G. 斯万	瑞典	2 04 30.9
1992	B. 戴列	挪	2 03 41.5
1994	V. 斯米尔诺夫	哈萨克斯坦	2 07 20.3
1998	B. 戴列	挪	2 05 08.2
2002	M. 伊万诺夫	俄	2 06 20.8
自由式 1.5 公里计时赛			**时分 秒**
2002	T.A. 赫特兰德	挪	2 56.9
混合式追逐赛			**时分 秒**
1998	T. 阿尔斯加德	挪	1 07 01.7
2002	T. 阿尔斯加德	挪	49 48.9
4×10 公里接力			**时分 秒**
1936		芬	2 41 33.0
1948		瑞典	2 32 08.0
1952		芬	2 20 16.0
1956		苏	2 15 30.0
1960		芬	2 18 45.6
1964		瑞典	2 18 34.6
1968		挪	2 08 33.5
1972		苏	2 04 47.94 *
1976		芬	2 07 59.72
1980		苏	1 57 03.46
1984		瑞典	1 55 06.30
1988		瑞典	1 43 58.6
1994		意	1 41 15.0
1998		挪	1 40 55.7
2002		挪	1 32 45.5
跳台滑雪(70 米)†			
1924	J. 图林·塔姆斯	挪	
1928	A. 安德森	挪	
1932	B. 鲁德	挪	
1936	B. 鲁德	挪	
1948	P. 胡格斯特德	挪	
1952	A. 贝尔格曼	挪	
1956	A. 希瓦里宁	芬	
1960	H. 雷克纳格尔	东西德联队	
1964	V. 坎科宁	芬	
1968	J. 拉茨卡	捷	
1972	笠屋	日	
1976	H.-G. 雅申巴赫	东德	
1980	A. 茵瑙尔	奥	
1984	J. 魏斯弗洛格	东德	
1988	M. 尼凯宁	芬	
跳台滑雪(90 米)†			
1964(80 米)	T. 恩干	挪	
1968	V. 别娄索夫	苏	
1972	W. 佛尔图纳	波	
1976	K. 施纳布勒	奥	
1980	J. 托尔马宁	芬	
1984	M. 尼凯宁	芬	
1988	M. 尼凯宁	芬	
1992	E. 韦托里	奥	
1994	E. 布雷代森	挪	
1998	J. 索伊尼宁	芬	
2002	S. 安曼	瑞士	
跳台滑雪(120 米)†			
1992	T. 涅米宁	芬	
1994	J. 魏斯弗洛格	德	
1998	船木和喜	日	
2002	S. 安曼	瑞士	
跳台滑雪(团体 120 米)			
1988(90 米)		芬	
1992		芬	
1994		德	
1998		日	
2002		德	
15 公里速滑与飞跃混合			
1924	T. 豪格	挪	
1928	J. 格罗通斯普拉滕	挪	
1932	J. 格罗通斯普拉滕	挪	
1936	O. 哈根	挪	
1948	H. 哈苏	挪	
1952	S. 斯拉特维克	挪	
1956	S. 斯特奈尔森	挪	
1960	G. 托马	东西德联队	
1964	T. 克努岑	挪	
1968	F. 凯勒	西德	
1972	U. 威灵	东德	
1976	U. 威灵	东德	
1980	U. 威灵	东德	
1984	T. 桑贝格	挪	
1988	H. 肯普夫	瑞士	
1992	F. 居伊	法	
1994	F.B. 伦德贝格	挪	
1998	B.E. 维克	挪	
2002	S. 拉尤宁	芬	
7.5 公里速滑与飞跃混合			
2002	S. 拉尤宁	芬	
30 公里速滑与飞跃混合(团体)			
1988		西德	
1992		日	
1994		日	
1998		挪	
2002		芬	

北欧滑雪(女子)

5 公里越野			**分 秒**
1964	K. 博雅尔斯基赫	苏	17 50.5
1968	T. 古斯塔夫松	瑞典	16 45.2
1972	G. 库拉科娃	苏	17 00.50 *
1976	H. 塔卡洛	芬	15 48.69
1980	R. 斯麦卡尼娜	苏	15 06.92
1984	M.-L. 海迈莱伊宁	芬	17 04.00
1988	M. 玛蒂凯宁	芬	15 04.00
1992	M. 卢卡里宁	芬	14 13.8
1994	L. 叶戈罗娃	俄	14 08.8
1998	L. 拉祖蒂娜	俄	17 39.9
10 公里越野			**分 秒**
1952	L. 怀德曼	芬	41 40.0
1956	L. 科奇雷娃	苏	38 11.0
1960	M. 古萨科娃	苏	39 46.6
1964	K. 博雅尔斯基赫	苏	40 24.3
1968	T. 古斯塔夫松	瑞典	36 46.5
1972	G. 库拉科娃	苏	34 17.82 *
1976	R. 斯麦卡尼娜	苏	30 13.41
1980	B. 佩特佐尔德	东德	30 31.54
1984	M.-L. 海迈莱伊宁	芬	31 44.20
1988	V. 文采涅	苏	30 08.30
1998	L. 拉祖蒂娜	俄	46 06.9
2002	B. 斯卡里	挪	28 05.6
10 公里追逐赛 †			**分 秒**
1992	L. 叶戈罗娃	联合队 §	40 07.7
1994	L. 叶戈罗娃	俄	41 38.1
15 公里越野			**分 秒**
1992	L. 叶戈罗娃	联合队 §	42 20.8
1994	M. 迪琴塔	意	39 44.5
1998	O. 达尼洛娃	俄	46 55.4
2002	S. 贝尔蒙多	意	39 54.1
20 公里越野 ‖			**时分 秒**
1984	M.-L. 海迈莱伊宁	芬	1 01 45.0
1988	T. 吉洪诺娃	苏	55 53.6
30 公里越野			**时分 秒**
1992	S. 贝尔蒙多	意	1 22 30.1
1994	M. 迪琴塔	意	1 25 41.6
1998	J. 切帕洛娃	俄	1 22 01.5
2002	G. 帕鲁吉	意	1 30 57.1
混合式追逐赛			**时分 秒**
1998	L. 拉祖蒂娜	俄	46 06.9
2002	O. 达尼洛娃	俄	24 52.1
自由式 1.5 公里计时赛			**时分 秒**
2002	J. 切帕洛娃	俄	3 10.6
3×5 公里接力 ⇑			**时分 秒**
1956		芬	1 09 01.0
1960		瑞典	1 04 21.4
1964		苏	59 20.2
1968		挪	57 30.0
1972		苏	48 46.15 *
1976		苏	1 07 49.75
1980		东德	1 02 11.10
1984		挪	1 06 49.70
1988		苏	59 51.10
1992		联合队 §	59 34.8
1994		俄	57 12.5
1998		俄	55 13.5
2002		德	49 30.6

滑板滑雪

男子大回转		
1998	R. 雷巴利亚蒂	加拿大
2002	P. 肖赫	瑞士
男子滑道技巧		
1998	G. 西门	瑞士
2002	R. 鲍尔斯	美
女子大回转		
1998	K. 吕比	法
2002	I. 布朗	法
女子滑道技巧		
1998	N. 托斯特	德
2002	K. 克拉克	美

* 比赛首次以百分之一秒计时。 † 1924 ～ 1960 年跳台滑雪在同一高度上进行。1964 年分为两个项目,一个为 70 米,一个为 80 米。1968 ～ 1988 年为 70 米和 90 米。1992 年以来为 90 米和 120 米。 ‡ 5 公里(古典式)和 10 公里(自由式)比赛的综合成绩。 § 联合队,包括来自独联体及格鲁吉亚的运动员。 ‖ 1992 年分别被 15 公里和 30 公里所代替。 ⇑ 1972 年以后改为 4×5 公里接力。

续表 26

冰 撬（男子）

			时 分 秒
2002	J. 谢亚	美	1 41.96

冰 撬（女子）

			时 分 秒
2002	T. 盖尔	美	1 45.11

速度滑冰（男子）

500 米			秒
1924	C. 尤特劳	美	44.0
1928	C. 图恩伯格	芬	43.4
	B. 埃温森(并列)	挪	
1932	J. 谢伊	美	43.4
1936	I. 巴兰格鲁德	挪	43.4
1948	F. 赫尔格森	挪	43.1
1952	K. 亨利	美	43.2
1956	Ye. 格里申	苏	40.2
1960	Ye. 格里申	苏	40.2
1964	R. 麦克德莫特	美	40.1
1968	E. 凯勒	西德	40.3
1972	E. 凯勒	西德	39.44 *
1976	Y. 库利科夫	苏	39.17
1980	E. 海登	美	38.03
1984	S. 福基切夫	苏	38.19
1988	U.-J. 迈	东德	36.45
1992	U.-J. 迈	德	37.14
1994	A. 戈卢别夫	俄	36.33
1998	清水宏保	日	1 11.35
2002	C. 菲茨兰多尔夫	美	1 09.23

1 000 米			分 秒
1976	P. 穆勒	美	1 19.32 *
1980	E. 海登	美	1 15.18
1984	G. 鲍彻	加拿大	1 15.80
1988	N. 古利亚耶夫	苏	1 13.03
1992	O. 青克	德	1 14.85
1994	D. 詹森	美	1 12.43
1998	波斯特马	荷	1 10.64
2002	G. 范维尔德	荷	1 07.18

1 500 米			分 秒
1924	C. 图恩伯格	芬	2 20.8
1928	C. 图恩伯格	芬	2 21.1
1932	J. 谢伊	美	2 57.5
1936	G. 马蒂森	挪	2 19.2
1948	S. 法尔斯塔得	挪	2 17.6
1952	H. 安德森	挪	2 20.4
1956	Yu. 米哈伊洛夫	苏	2 08.6
	Ye. 格里申(并列)	苏	
1960	Ye. 格里申	苏	2 10.4
	R. 奥斯(并列)	挪	
1964	A. 安特索恩	苏	2 10.3
1968	C. 维尔克尔克	荷	2 03.4
1972	A. 申克	荷	2 02.96 *
1976	J.E. 斯托尔霍特	挪	1 59.38
1980	E. 海登	美	1 55.44
1984	G. 鲍彻	加拿大	1 58.36
1988	A. 霍夫曼	东德	1 52.06
1992	J.O. 科斯	挪	1 54.81
1994	J.O. 科斯	挪	1 51.29
1998	A. 松拉尔	挪	1 47.87
2002	D. 帕拉	美	1 43.95

5 000 米			分 秒
1924	C. 图恩伯格	芬	8 39
1928	I. 巴兰格鲁德	挪	8 50.5
1932	I. 贾菲	美	9 40.8
1936	I. 巴兰格鲁德	挪	8 19.6
1948	R. 利亚克列夫	挪	8 29.4
1952	H. 安德森	挪	8 10.6
1956	B. 西尔科夫	苏	7 48.7
1960	V. 科希奇金	苏	7 51.3
1964	K. 约翰森	挪	7 38.4
1968	F. 梅尔	挪	7 22.4
1972	A. 申克	荷	7 23.61 *
1976	S. 斯滕森	挪	7 24.48
1980	E. 海登	美	7 02.29
1984	T. 古斯塔夫森	瑞典	7 12.28
1988	T. 古斯塔夫森	瑞典	6 44.63
1992	G. 卡尔施塔德	挪	6 59.97
1994	J.O. 科斯	挪	6 34.96
1998	G. 罗默	荷	6 22.20
2002	J. 维特德哈格	荷	6 14.66

10 000 米			分 秒
1924	J. 斯库特那布	芬	18 04.8
1932	I. 贾菲	美	19 13.6
1936	I. 巴兰格鲁德	挪	17 24.3
1948	A. 塞法尔特	瑞典	17 26.3
1952	H. 安德森	挪	16 45.8
1956	A. 埃里克松	瑞典	16 35.9
1960	K. 约翰森	挪	15 46.6
1964	J. 尼尔松	瑞典	15 50.1
1968	J. 霍埃格林	瑞典	15 23.6
1972	A. 申克	荷	15 01.35 *
1976	P. 克赖恩	荷	14 50.59
1980	E. 海登	美	14 28.13
1984	I. 马尔科夫	苏	14 39.90
1988	T. 古斯塔夫森	瑞典	13 48.20
1992	B. 韦尔德卡姆普	荷	14 12.12
1994	J.O. 科斯	挪	13 30.55
1998	G. 罗默	荷	13 15.33
2002	J. 维特德哈格	荷	12 58.92

速度滑冰（女子）

500 米			秒
1960	H. 哈阿塞	东西德联队	45.9
1964	L. 斯科勃利科娃	苏	45.0
1968	L. 吉托娃	苏	46.1
1972	A. 亨宁	美	43.33 *
1976	S. 扬	美	42.76
1980	K. 恩克	东德	41.78
1984	C. 罗滕布格尔	东德	41.02
1988	B. 布莱尔	美	39.10
1992	B. 布莱尔	美	40.33
1994	B. 布莱尔	美	39.25
1998	C.L. 多恩	加拿大	38.39
2002	C.L. 多恩	加拿大	37.30

1 000 米			分 秒
1960	K. 古谢娃	苏	1 34.1
1964	L. 斯科勃利科娃	苏	1 32.6
1968	C. 格伊森	荷	1 32.6
1972	M. 普夫卢格	西德	1 31.40 *
1976	T. 阿维里娜	苏	1 28.43
1980	N. 佩特鲁谢娃	苏	1 24.10
1984	K. 恩克	东德	1 21.61
1988	C. 罗滕布格尔	东德	1 17.65
1992	B. 布莱尔	美	1 21.90
1994	B. 布莱尔	美	1 18.74
1998	M. 蒂默	荷	1 16.51
2002	C. 威蒂	美	1 13.83

1 500 米			分 秒
1960	L. 斯科勃利科娃	苏	2 25.2
1964	L. 斯科勃利科娃	苏	2 22.6
1968	K. 穆斯托宁	芬	2 22.4
1972	D. 霍勒姆	美	2 20.85 *
1976	G. 斯捷潘斯卡娅	苏	2 16.58
1980	A. 波尔金克	荷	2 10.95
1984	K. 恩克	东德	2 03.42
1988	Y. 范亨尼普	荷	2 00.68
1992	J. 伯尔纳	德	2 05.87
1994	E. 洪亚迪	奥	2 02.19
1998	M. 蒂默	荷兰	1 57.58
2002	A. 弗里辛格	德	1 54.02

3 000 米			分 秒
1960	L. 斯科勃利科娃	苏	5 14.3
1964	L. 斯科勃利科娃	苏	5 14.9
1968	J. 舒特	荷	4 56.2
1972	S. 巴阿斯-凯瑟	荷	4 52.14 *
1976	T. 阿维里娜	苏	4 45.19
1980	B.-E. 詹森	挪	4 32.13
1984	A. 舍内	东德	4 24.79
1988	Y. 范亨尼普	荷	4 11.94
1992	G. 尼曼	德	4 19.90
1994	S. 巴扎诺娃	俄	4 17.43
1998	G. 尼曼-斯特内曼	德	4 07.29
2002	C. 佩希施泰因	德	3 57.70

5 000 米			分 秒
1988	Y. 范亨尼普	荷	7 14.13
1992	G. 尼曼	德	7 31.57
1994	C. 佩希施泰因	德	7 14.37
1998	C. 佩希施泰因	德	6 59.61
2002	C. 佩希施泰因	德	6 46.91

短道速滑（男子）

500 米			秒
1994	蔡智熏	韩	43.45
1998	西谷武文	日	42.862
2002	M. 加尼翁	加拿大	41.802

1 000 米			分 秒
1992	金琪熏	韩	1 30.76
1994	金琪熏	韩	1 34.57
1998	金东圣	韩	1 32.428†
2002	S. 布拉德贝里	澳	1 29.109

1 500 米			分 秒
2002	A.A. 奥赫诺	美	2 18.541†

5 000 米接力			分 秒
1992	韩		7 14.02
1994	意		7 11.74
1998	加拿大		7 06.075†
2002	加拿大		6 51.579

短道速滑（女子）

500 米			秒
1992	C. 特纳	美	47.04
1994	C. 特纳	美	45.98
1998	A. 佩雷奥特	加拿大	46.568†
2002	杨扬	中	44.187

1 000 米			分 秒
1994	全李京	韩	1 36.87
1998	全利卿	韩	1 42.776†
2002	杨扬	中	1 36.391

1 500 米			分 秒
2002	高姬玄	韩	2 31.581†

3 000 米接力			分 秒
1992	加拿大		4 36.62
1994	韩		4 26.64
1998	韩		4 16.260†

* 比赛首次以百分之一秒计时。 † 比赛首次以千分之一秒计时。

续表 27

2002	韩			4 12.793
现已不举办的夏季奥运会比赛项目				
射 箭(男子)				
1900				
射猎赛	麦金脱什		澳	
金绶带赛(50 米)	H. 赫卢安		法	
玫瑰花冠赛	E. 摩干		法	
金绶带赛(33 米)	H. 范伊尼斯		比	
烛台赛	E. 福隆		法	
串珠赛(33 米)	H. 范伊尼斯		比	
金字塔赛	E. 格鲁弥乌		法	
1904				
个人(男子)				
美利坚赛	H. 泰勒		美	
约克赛	P. 布莱恩特		美	
个人(女子)				
哥伦比亚赛	M. 豪厄尔		美	
全国赛	M. 豪厄尔		美	
团体				
男子			美	
女子			美	
1908				
男子				
约克赛	W. 多德		英	
大陆式	E. 格里佐		法	
女子				
全国赛	Q. 纽沃尔		英	
1920				
个人(男子)				
固定靶(小型)	E. 范米尔		比	
固定靶(大型)	E. 克洛斯滕斯		比	
移动靶(28 米)	H. 范伊尼斯		比	
移动靶(33 米)	H. 范伊尼斯		比	
移动靶(50 米)	L. 布吕莱		法	
个人(女子)				
个人赛	O. 纽沃尔		英	
团体				
固定靶(二项)			比	
移动靶(28 米)			荷	
移动靶(33 米)			比	
移动靶(50 米)			比	
田 径(男子)				
60 米				**秒**
1900	A. 克伦茨列英		美	7.0
1904	A. 哈恩		美	7.0
3 000 米(团体)		**个人优胜者**		**分 秒**
1912	美	T. 贝尔纳	美	8 44.6
1920	美	R. 布朗	美	8 45.4
1924	芬	P. 努尔米	芬	8 32.0
3 英里(团体)		**个人优胜者**		**分 秒**
1908	英	J. 迪金	英	14 39.6
5 000 米(团体)		**个人优胜者**		**分 秒**
1900	英	C. 贝奈特	英	15 20.0
4 英里(团体)		**个人优胜者**		**分 秒**
1904	美	A. 牛顿	美	21 17.8
5 英里(个人)				**分 秒**
1908	E. 沃伊特		英	25 11.2
1 600 米接力(200×200×400×800 米)				**分 秒**
1908			美	3 29.4
越野(团体)		**个人优胜者**		**分 秒**
1912(约 5 英里)	瑞典	H. 科勒梅宁	芬	45 11.6
1920(8 000 米)	芬	P. 努尔米	芬	27 15.0
1924(10 000 米)	芬	P. 努尔米	芬	32 54.8
障碍赛				**分 秒**

1900(2 500 米)	G. 奥顿	美	7 34.4
1900(4 000 米)	J. 里默	英	12 58.4
1908(3 200 米)	A. 拉塞尔	英	10 47.8
竞走			**时 分 秒**
1908(3 500 米)	G. 拉纳	英	14 55.0
1908(10 英里)	G. 拉纳	英	1 15 57.4
1912(10 000 米)	G. 古尔丁	加拿大	46 28.4
1920(3 000 米)	U. 弗里杰里奥	意	13 14.2
1920(10 000 米)	U. 弗里杰里奥	意	48 06.2
1924(10 000 米)	U. 弗里杰里奥	意	47 49.0
1948(10 000 米)	J. 麦克尔松	瑞典	45 13.2
1952(10 000 米)	J. 麦克尔松	瑞典	45 02.8
200 米栏			**秒**
1900	A. 克伦茨列英	美	25.4
1904	H. 希尔曼	美	24.6
立定跳高			**米**
1900	R. 尤瑞	美	1.65
1904	R. 尤瑞	美	1.50
1908	R. 尤瑞	美	1.57
1912	P. 亚当斯	美	1.63
立定跳远			**米**
1900	R. 尤瑞	美	3.21
1904	R. 尤瑞	美	3.47
1908	R. 尤瑞	美	3.33
1912	C. 齐克利提拉斯	希腊	3.37
立定三级跳			**米**
1900	R. 尤瑞	美	10.58
1904	R. 尤瑞	美	10.54
推铅球(双手)			**米**
1912	R. 罗斯	美	27.70
掷铁饼(希腊式)			**米**
1908	M. 谢里登	美	37.99
掷铁饼(双手)			**米**
1912	A. 泰帕勒	芬	82.86
掷标枪(自由式)			**米**
1908	E. 莱明	瑞典	54.44
掷标枪(双手)			**米**
1912	J. 萨里斯托	芬	109.42
掷重 56 磅			**米**
1904	E. 德斯马尔多	加拿大	10.46
1920	P. 麦克唐纳	美	11.26
拔河			
1900		瑞典丹麦联队	
1904		美	
1908		英	
1912		瑞典	
1920		英	
五项全能			
1912	J. 索普	美*	
	F. 比耶	挪	
1920	E. 列托宁	芬	
1924	E. 列托宁	芬	
划 艇			
单人皮艇(10 000 米)			**分 秒**
1936	E. 克雷布斯	德	46 01.6
1948	G. 弗雷德里克松	瑞典	50 47.7
1952	T. 斯托罗姆贝格	芬	47 22.8
1956	G. 弗雷德里克松	瑞典	47 43.4
单人划艇(10 000 米)			**分 秒**
1936	G. 赫拉德茨基	奥	50 01.2
1948	F. 恰佩克	捷	62 05.2
1952	F. 黑文斯	美	57 41.1
1956	L. 罗特曼	罗马尼亚	56 41.0
单人折叠式划艇(10 000 米)			**分 秒**

1936	E. 赫拉德茨基	奥	50 01.2
双人折叠式划艇(10 000 米)			**分 秒**
1936		瑞典	45 48.9
单人皮艇接力(4×500 米)			**分 秒**
1960		东西德联队	7 39.43
双人划艇(10 000 米)			**分 秒**
1936		捷	50 33.5
1948		美	55 55.4
1952		法	54 08.3
1956		苏	54 02.4
四人皮艇(10 000 米)			**分 秒**
1936		德	41 45.0
1948		瑞典	46 09.4
1952		芬	44 21.3
1956		匈	43 37.0
板 球			
1900			英
槌 球			
1900			
单打(单球)	奥穆瓦泰		法
单打(双球)	韦代利克		法
双打	乔欣;奥穆瓦泰		法
自行车赛			
2 000 米双人自行车赛			
1908	M. 希耶;A. 乌弗雷		法
1920	H. 瑞安;T. 兰斯		英
1924	J. 居诺;L. 舒里		法
1928	B. 林;D. 范迪克		荷
1932	M. 佩兰;L. 舒里		法
1936	E. 伊贝;C. 罗伦兹		德
1948	P. 佩罗娜;F. 泰鲁齐		意
1952	R. 莫克里奇;L. 科克斯		澳
1956	J. 布朗;A. 马琴特		澳
1960	S. 比安凯托;G. 贝格托		意
1964	A. 达米亚诺;S. 比安凯托		意
1968	D. 摩尔隆;P. 特朗丹		法
1972	V: 塞缅涅茨;I. 策洛瓦尔尼科夫		苏
1896			
10 000 米		P. 马松	法
100 000 米		L. 弗拉萌	法
12 小时		F. 施马尔	奥
1904			
440 码		M. 赫尔利	美
586⅔码		M. 赫尔利	美
880 码		M. 赫尔利	美
1 英里		M. 赫尔利	美
2 000 米		M. 赫尔利	美
2 英里		B. 唐宁	美
5 英里		C. 施利	美
25 英里		B. 唐宁	美
1908			
5 000 米		B. 琼斯	英
20 000 米		C. 金斯伯里	英
100 000 米		C. 巴特利特	英
1920			
50 000 米		H. 乔治	比
1924			
50 000 米		J. 威廉斯	荷
计时赛			
1896	333.3 米	P. 马松	法
1908	660 码	W. 约翰逊	英
团体追逐赛			
1900	1 500 米		美
1908	1 英里 1 浪		英

* J. 索普 1913 年被取消金牌;1982 年恢复,成为并列冠军。

续表 28

公路赛(团体)		时 分	秒
1912	瑞典	44 35	33.6
1920	法	19 16	43.2
1924	法	19 30	14.0
1928	丹麦	15 09	14.0
1932	意	7 27	15.2
1936	法	7 39	16.2
1948	比	15 58	17.4
1952	比	15 20	46.6
1956	法	5 21	17.0

跳　水

潜水			
1900	德乌德维尔		法
1904	W.E. 迪基		美
高台跳水			
1912	E. 阿德勒兹		瑞典
1920	A. 沃尔曼		瑞典
1924	R. 伊夫		澳

马　术

超越高度			
1900	G. 加代尔		法
	G. 特里希诺(并列)		意
超越距离			
1900	范兰根东克		比
花样骑术			
1920	T. 布凯尔		比

击　剑

1896	职业(个人)花剑	L. 皮尔格斯	希腊
1900	职业(个人)花剑	L. 梅里聂亚克	法
	职业(个人)重剑	A. 阿亚	法
	职业(个人)佩剑	A. 孔特	意
	重剑(个人)公开赛	A. 阿亚	法
1904	单棒	A. 范佐·波斯特	古巴
	初级(个人)花剑	A.G. 福克思	美

高尔夫球

男子			
1900	C. 桑兹		美
1904	G. 莱昂		加拿大
女子			
1900	M. 艾博特		美

体　操

缘索			
1896	N. 安德里亚科波洛斯		希腊
1904	G. 爱瑟		美
1924	B. 苏普奇克		捷
1932	R. 贝斯		美
瑞典式体操(团体)			
1912			瑞典
1920			瑞典
自选体操(团体)			
1912			挪
1920			丹麦
1932			美
双杠(团体)			
1896			德
单杠(团体)			
1896			德
火棒操			
1904	E. 亨尼格		美
1932	G. 罗思		美
技巧			
1932	R. 沃尔夫		美
综合竞赛(9 项)			
1904	A. 斯宾尼尔		德
三项全能			
1904	M. 埃默里奇		美
七日项目			
1904	A. 海达		美
规定器械操(团体)			
1904			美
1908			瑞典
1912			意
团体操			
1952			芬
女子轻器械操(团体)			
1952			瑞典
女子分组操			
1956			匈
鞍马			
1924	A. 塞古安		法
1932	I. 佩勒		匈

古典网球

1908	J. 古尔德		美

柔　道

无差别级			
1964	A. 吉欣克		荷
1972	W. 卢斯卡		荷
1976	上村		日
1980	D. 罗伦兹		东德
1984	山下泰裕		日

兜网球

1904			加拿大
1908			加拿大

摩托艇赛

1908			
甲级	E. 图布伦驾驶"卡米尔"号		法
乙级	T. 桑尼克罗夫特驾驶"西里努斯"号		英
丙级	T. 桑尼克罗夫特驾驶"西里努斯"号		英

马　球

1900			英
1908			英
1920			英
1924			阿根廷
1936			阿根廷

网拍式墙球

1908			
单打	E. 诺埃尔		英
双打	V. 彭内尔;J. 阿斯特		英

槌　球

1904	C. 雅各布斯		美

赛　艇

1904			
单人双桨(协会高级组)		D. 达菲尔德	美
单人双桨(中级组)		F. 谢波德	美
1912			
四人内帆索具式(有舵手)			丹麦

英式橄榄球

1900			法
1908			澳大利亚
1920			美
1924			美

射　击

自选步枪			
1908	A. 赫尔格鲁德		挪
1912	P. 科拉		法
1920	M. 费希尔		美
1924	M. 费希尔		美
1948	E. 格吕尼格		瑞士
1952	A. 波格达诺夫		苏
1956	V. 波里索夫		苏
1960	H. 哈迈勒		奥地利
1964	G. 安德森		美
1968	G. 安德森		美
1972	L. 威格		美
1896			
军用枪(200 米)		P. 卡拉苏达斯	希腊
军用枪(300 米)		G. 奥尔法尼狄斯	希腊
手枪(25 米)		J. 弗朗古蒂斯	希腊
手枪(30 米)		S. 帕因	美
军用左轮手枪		J. 帕因	美
1900 年个人			
军用枪(300 米)		A. 赫尔杰拉德	美
军用枪(全能 4 000 码)		J. 米尔纳	美
全口径步枪(300 米立射)		L. 马德森	丹麦
全口径步枪(300 米跪射)		K. 斯泰赫里	瑞士
全口径步枪(300 米卧射)		A. 帕罗什	法
全口径步枪(300 米)		E. 克伦伯格	瑞士
六毫米小型枪(缺口式瞄准器)		C. 格罗塞	法
小口径步枪(影像靶)		W. 斯泰尔斯	英
1900 年个人			
小口径步枪(移动靶)		A. 弗莱明	英
军用左轮手枪		M. 拉罗伊	法
自选左轮手枪		R. 罗德勒尔	瑞士
左轮手枪和一般手枪		P. 范阿斯布罗克	比
跑鹿(单发)		O. 斯旺	瑞典
跑鹿(双发)		W. 怀南斯	美
活鸽		L. 德伦登	比
活鸽(猎枪)		R. 德巴尔巴林	法
1900 年团体			
军用枪(300 米)			挪
军用枪(全能)			美
全口径步枪(300 米)			瑞士
小口径步枪			英
左轮手枪			瑞士
左轮手枪和一般手枪			美
跑鹿			瑞典
碟靶			英
1908 年个人			
军用枪(1 000 码)		J. 米尔纳	英
小口径步枪(影像靶)		W. 斯泰尔斯	英
小口径步枪(移动靶)		A. 弗莱明	英
左轮手枪和一般手枪		P. 范阿斯布罗克	比
跑鹿(单发)		O. 斯旺	瑞典
跑鹿(双发)		W. 怀南斯	美
1908 年团体			
军用枪(全能)			美
自选步枪(300 米)			挪
小口径步枪			英
左轮手枪和一般手枪			美
跑鹿			瑞典
碟靶			英
1912 年个人			
军用枪(300 米)		S. 普罗科普	匈
军用枪(100 米)		P. 科拉	法
自选步枪(300 米)		P. 科拉	法
小口径步枪		F. 赫德	美
小口径步枪(影像靶)		V. 卡尔伯格	瑞典
左轮手枪和一般手枪		A. 莱因	美
决斗手枪		A. 莱因	美

续表 29

跑鹿(单发)	A. 斯旺	瑞典
跑鹿(双发)	A. 伦德伯格	瑞典
1912 年团体		
军用枪(全能)		美
自选步枪(300 米)		瑞典
小口径步枪(影像靶)		瑞典
左轮手枪和一般手枪		美
决斗手枪		瑞典
跑鹿		瑞典
碟靶		美
1920 年个人		
步枪(300 米两种姿势)	M. 费希尔	美
步枪(300 米立射)	C. 奥斯本	美
步枪(300 米卧射)	O. 奥尔森	挪
步枪(600 米卧射)	H. 约翰松	瑞典
一般手枪	C. 弗雷德里克	美
左轮手枪	C. 巴兰塞	巴西
跑鹿(单发)	O. 奥尔森	挪
跑鹿(双发)	O. 利洛埃-奥尔森	挪
1920 年团体		
步枪(300 米两种姿势)		美
步枪(300 米立射)		丹麦
步枪(300 米卧射)		美
步枪(600 米卧射)		美
步枪(全能)		美
小口径步枪		美
一般手枪		美
一般手枪和左轮手枪		美
跑鹿(单发)		挪
跑鹿(双发)		挪
碟靶		美
1924 年个人		
一般手枪	H. 贝利	美
跑鹿(单发)	J. 博尔斯	美
跑鹿(双发)	O. 利洛埃-奥尔森	挪
1924 年团体		
步枪(全能)		美
小口径步枪		法
一般手枪		美
跑鹿(单发)		挪
跑鹿(双发)		英
碟靶		美
1932 年个人		
一般手枪或左轮手枪	R. 莫里奇	意
1936 年个人		
一般手枪	C. 范奥延	德
1952 年个人		
跑鹿	J. 拉尔森	挪
1956 年个人		
跑鹿	V. 罗马年科	苏

游　泳

1896			分	秒
100 米海员	J. 马洛基尼斯	希腊	2	20.4
500 米自由泳	P. 诺伊曼	奥	8	12.6
1 200 米自由泳	A. 哈约斯	匈	18	22.2
1900			分	秒
1 000 米自由泳	J. 贾维斯	英	13	40.2
4 000 米自由泳	J. 贾维斯	英	58	24.0
200 米障碍泳	F. 莱恩	澳	2	38.4
60 米潜泳	W. 德乌德维尔	德	1	53.4
1904			分	秒
880 码自由泳	E. 劳希	德	13	11.4
1 英里自由泳	E. 劳希	德	27	18.2
440 码蛙泳	G. 扎卡利亚斯	德	7	23.6
200 码接力		美	2	04.6
100 码仰泳	W. 布拉克	德	1	16.8
1912			分	秒
400 米蛙泳	W. 巴特	德	6	29.6
1920			分	秒
400 米蛙泳	H. 马尔姆罗特	瑞典	6	31.8
300 米自由泳(女子)	E. 布雷布特里	美	4	34.0

室内网球

男子单打	
1908 A. 戈尔	英
1912 A. 戈贝尔	法
女子单打	
1908 G. 伊斯特雷克-史密斯	英
1912 E. 汉纳姆	英
男子双打	
1908 A. 戈尔;H. 罗珀-巴雷特	英
1912 M. 戈尔摩;A. 戈贝尔	法
混合双打	
1912 E. 汉纳姆;C. 狄克松	英

草地网球

混合双打	
1900 C. 库珀;R. 多尔蒂	英
1912 D. 科灵;H. 肖姆伯格	德
1920 S. 朗格朗;M. 德居吉	法
1924 H. 怀特曼;R. 威廉斯	美

举　重

1896			公斤
单手举重	L. 埃利奥特	英	71.0
1904			
哑铃比赛	O. 奥索夫	美	48 分

帆　船

1900		
10 米以上级		法
10 米级		德
8 米级(3 吨艇)		英
6 米级(2 吨艇)		瑞士
1908		
10 米以上级(12 米艇)		英
8 米级		英
7 米级		英
6 米级		英
1912		
10 米以上级(12 米艇)		挪
10 米级		瑞典
8 米级		挪
6 米级		法
1920		
40 米级		瑞典
30 米级		瑞典
12 米级(旧式)		挪
12 米级(新式)		挪
10 米级(旧式)		挪
10 米级(新式)		挪
8 米级(旧式)		挪
8 米级(新式)		挪
7 米级(旧式)		英
6.5 米级(新式)		荷
6 米级(旧式)		比
6 米级(新式)		挪
12 英尺稳舵艇		荷
18 英尺稳舵艇		英
1924		
8 米级(新式)		挪
6 米级(新式)		挪
12 英尺稳舵艇	L. 胡伊布雷希茨	比
1928		
8 米级(新式)		法
6 米级(新式)		挪
12 英尺小艇	S. 托雷尔	瑞典
1932		
8 米级(新式)		美
6 米级(新式)		瑞典
单人级	J. 勒布伦	法
1936		
8 米级(新式)		意
6 米级(新式)		英
单人级“努尔伯格”号		荷
1948		
6 米级		美
燕级		英
萤级	P. 埃尔弗斯特罗姆	丹麦
1952		
6 米级		美
5.5 米级		美
1956		
平底轻级		新西兰
5.5 米级		瑞典
1960		
5.5 米级		美
1964		
5.5 米级		澳
1968		
5.5 米级		瑞典

龙型			
1948	挪	1964	丹麦
1952	挪	1968	美
1956	瑞典	1972	澳
1960	希腊		
暴风雨型			
1972	苏	1976	瑞典

现已不举办的冬季奥运会比赛项目

1922		
混合速度滑冰(男子)	C. 图恩伯格	芬
滑雪巡逻		瑞士
冰上溜石		英
1928		
滑雪巡逻		挪
单人长橇	J. 希顿	美
1932		
狗拖雪橇	E. 哥达德	加拿大
冰上溜石		加拿大
1936		
滑雪巡逻		意
冰上射击(团体)		奥
射远	G. 艾登豪瑟	奥
射准	I. 雷特勒	奥
1948		
龙骨长橇	N. 比比雅	意
滑雪巡逻		瑞士
冬季五项运动	G. 林特	瑞典
1964		
奥地利式冰上溜石		奥

运会于1896年在希腊国王赞助下在希腊雅典特建体育场举行。此后除第一、二次世界大战期间外每4年一届，分别在世界不同城市举行。1924年在法国沙莫尼举行首次冬季奥运会。国际奥委会（总部设在瑞士洛桑）负责指导现代奥林匹克运动并管理比赛会。1896年后奥运会以田径为主，亦有从射箭到帆船等其他项目。现今比赛项目包括射箭、篮球、拳击、皮划艇、自行车、跳水、马术、击剑、曲棍球、（英式）足球、体操、手球、柔道、现代五项运动、赛艇、射击、游泳、乒乓球、网球、田径、排球、水球、举重、摔跤、帆船等。此外还有若干表演项目。冬季奥运会比赛有冬季两项运动（滑雪和射击）、雪橇、冰球、短雪橇、跳台滑雪、滑冰和滑雪。也可能设表演项目。

Olympic Mountains　奥林匹克山　在美国华盛顿州西北部，为太平洋山脉的一段。延伸至胡安·德富卡海峡以南、皮吉特海峡以西的奥林匹克半岛。有许多2 100米以上的山峰。最高点奥林波斯山海拔2 428米。包括60条冰川。降水丰沛（有些地方达3 550毫米

奥林匹克国家公园内的奥林匹克山
美国不列颠百科全书公司供图

以上）。雨林广布，多洋松、云杉、雪松和铁杉。有些树高达90米，直径为2.5米。有奥林匹克国家公园和国家森林区。

Olympic National Park　奥林匹克国家公园　在美国华盛顿州西北部。1938年开辟，以保护奥林匹克山区的森林和多种野生动物。占地370 129公顷。最高点为奥林波斯山（2 428米）。共有60条活动冰川。西坡雨林茂密，东坡林木较疏。园内有湖泊和草原。

奥林匹克国家公园内的奥林匹克雨林
美国不列颠百科全书公司供图

滨海区有海滩、小湾、岬角和3处印第安人保留地。园内野生动物有鹿、熊、美洲狮和稀有的罗斯福驼鹿以及多种鸟类。

Olympio, Sylvanus　奥林匹欧（1902-09，多哥兰洛美［今在多哥］～1963-01-13，洛美）多哥民族主义政治家和首任总统，在20世纪60年代非洲发生的一系列军事政变中第一个被杀的总统。第二次世界大战后，他是多哥统一委员会领导人。1946年当选为第一届领地议会主席。1947年他与法国殖民当局发生公开冲突。他早期奋斗的目标之一是把因英属、法属多哥兰的边界而分隔的埃维族统一起来。1956年，英属多哥兰在全民投票中决定与加纳合并，使他的希望破灭。1952～1958年没有担任职务。1956年多哥取得有限的自治权。1958年在联合国监督的选举中，奥林匹欧的党取得胜利，他出任总理，领导多哥在1960年实现独立。1961年当选总统。但是许多人尤其是受过西方教育的人，对政府的独裁统治极为不满。比较激进的人则希望他不要依赖法国援助。他在1963年1月发生的军事政变中被杀。

Olympiodorus THE YOUNGER　**小奥林匹奥多罗斯**（活动时期6世纪）　新柏拉图派哲学家。拜占廷皇帝查士丁尼于529年查封雅典的希腊学园及其他异教学校之后，他在亚历山大传承柏拉图的学说，并以此知名。现存著作包括：对柏拉图的《斐多篇》、《智者篇》、《斐勒布篇》和《亚西比德篇》的简洁而有价值的注释，柏拉图的传记，亚里士多德哲学的介绍，以及对亚里士多德的《范畴》和《迈泰奥拉》的注释。从小奥林匹奥多罗斯的著作中也能查到有关早期新柏拉图主义哲学家扬布利科斯和达马斯基奥斯等人的思想和著作的重要资料。

Olympus, Mount　奥林波斯山　现代希腊语拉丁字母转写作 Óros Ólimbos。希腊最高峰（2 917米）。在爱琴海塞尔迈湾附近的奥林波斯山脉，跨马其顿和色萨利边界。一称上奥林波斯，以别于南侧的下奥林波斯山（1 588

马其顿与色萨利交界处的奥林波斯山
美国不列颠百科全书公司供图

米）。山顶终年积雪，云雾笼罩。很久以来被认为是众神的居留地。希腊和小亚细亚亦有其他称为“奥林波斯”的山丘、村庄和神话人物。

Olympus Mons　奥林匹斯火山　火星上的一座大火山。可能也是太阳系中最大的火山。奥林匹斯火山的中心位于火星19°N、130°W处，由高21千米和直径540千米的中央峰和周围高10千米的外向陡壁组成。山顶是一个85千米直径的火山口（地球上最大的火山口——夏威夷的冒纳罗亚火山口——的穹丘是120千米，高出海底9千米）。火山边缘坡度平缓，并存在长的“河流”和熔岩沟，说明可能火山主要是由呈流态的玄武熔岩构成的。火山巨大的原因据认为是火星地壳的稳定和长时间的积累（估计超过10亿年）造成的。

Olynthus　奥林索斯　古希腊西北部哈尔基季基半岛上的城市。距亚得里亚海托罗内湾约2.5千米。公元前479年以前，当地居民为叫作沃特蒂埃安人的色雷斯人，后遭波斯军队屠杀，该地归当地从哈尔基季基来的希腊人。虽然此后一段时间受雅典控制，但公元前424年奥林索斯起义反对雅典，并在此后一直保持独立。奥林索斯成为斯特里蒙河（今斯特鲁马河）以西的希腊主要城市。公元前432年成立哈尔基季基联盟（哈尔基季基半岛希腊城市邦联），并成为盟主城市。至公元前382年，联盟的强大引起斯巴达的敌意。经过3年的战争，公元前379年斯巴达打败奥林索斯并解散了联盟。公元前371年第比斯击败斯巴达后，奥林索斯重整联盟，并比以前财富更多，权力更大。公元前357年马其顿的腓力二世与雅典爆发战争，奥林索斯起初与腓力结盟，但后来由于惧怕腓力日益强大，遂转向与雅典结盟。腓力对奥林索斯发出威胁，对此狄摩西尼发表了3次伟大的演说敦促雅典支持奥林索斯。但雅典人无动于衷，公元前348年腓力将奥林索斯夷为平地。雅典的美国古典研究学院的考古发掘显示了古城的方格式布局，并为研究古典希腊艺术和亚历山大大帝以后的希腊艺术之间的关系提供了材料。今奥林索斯城即建在旧城原址之上。

Om　唵　印度教和印度其他宗教的咒语。据说其法力超过其他一切经咒。由阿、乌、姆三个音组成，表示空、天、地三界；也表示梵天、毗湿奴、湿婆三大神；还表示印度古典经籍的《梨俱吠陀》、《夜柔吠陀》、《娑摩吠陀》三

唵

部《吠陀》。这样，唵就包罗宇宙的精华。印度教信徒在祈祷、诵经和禅思的开头和终结时，都要发此咒语，后来，佛教和耆那教的礼仪也普遍使用。6世纪以后的经文抄本或铭文都以唵字发端。

O.M. 参阅 **Merit, Order of** 功绩勋章。

Omagh 奥马 北爱尔兰原蒂龙郡一区，面积1 125平方千米，多起伏不平的低地和丘陵。区的北部和东部为不毛之荒野和542米高的马拉卡恩山。中部和南部为肥沃的河谷地。5世纪至16世纪均在奥尼尔家族统治下，1607年蒂龙伯爵(第二)出走后，该地区遂归英国统辖。种植一些大麦，但主要饲养奶牛和羊。奥马河里多鲑鱼，吸引了许多钓鱼人，高地则可狩猎松鸡，过去在淡水蛤贝中还采摘到珍珠。区首府为奥马镇。人口约47 300(1996)。

Omagh 奥马 爱尔兰语作An Ómaigh。北爱尔兰奥马区首府和城镇。临斯特鲁尔河。为该区的市场、购物和轻工业中心。传统的手工艺品(如桌布和钩针编织品)仍继续生产。该地节日和庆典活动众多，旅游业发达。每年奥马的西蒂龙文化艺术节均演出传统的爱尔兰音乐和艺术。阿尔斯特-美国民间公园位于奥马北面，是一户外展出场地，展出18～19世纪阿尔斯特的天主教徒和新教徒移民至美国时所用的工具、建筑物和运输工具。人口17 280(1991)。

Omaha 奥马哈人 北美大平原印第安民族。操苏语族德吉哈语支语言。曾随同奥萨格人、蓬卡人、坎萨人及夸保人自大西洋海岸向西迁徙。其早期居民点在弗吉尼亚及南北卡罗来纳等地。后移往相当于现在密苏里州西部的欧扎克高原及大草原，5个部落在此分开。奥马哈和蓬卡人北移至现在的明尼苏达州，一直生活到17世纪末期，又被达科他人驱往更西部地区，在现在的南达科他州，这两个部落又分开，奥马哈人迁往今内布拉斯加州的鲍克里克。1780年时奥马哈人口约有2 800人，到20世纪末，据报告内布拉斯加州保留地仅住有1 500名奥马哈人。奥马哈人也像其他大草原部落一样，农业与狩猎相结合。春秋时节住于永久性的村庄里，狩猎季节则移住圆锥形帐篷。奥马哈人社会组织复杂，有首领、祭司、医生、平民等。等级系由男系继承，不过个人可以采取贡献马匹、毛毯，或举办节日宴会等方式以提高社会地位。奥马哈人共有10个氏族，分为两个居民集团，分别以"天"、"地"命名。地族负责有关战争的仪式及食物供应，天族则负责筹划仪式并监督仪式举行以祈求神助。夏季猎捕野牛或迁移时，整个部落设营于野外，以圆锥形帐篷围成大圈，以象征其部落组织。奥马哈人也和其他许多平原印第安人具有相似之点：奖励战功，如临阵时直接与敌人接触从敌营盗走战马等英勇战功，均可受奖。

Omaha 奥马哈 美国内布拉斯加州东部城市，道格拉斯县县城。密苏里河西岸河港，隔河与艾奥瓦州康瑟尔布拉夫斯相望，1854年建立。1863年成为联合太平洋铁路的真正起点，奥马哈迅速成为工贸中心。1867年前曾为内布拉斯准州首府。连续几年干旱及1888年的暴风雪和1893年的恐慌使人口停止增长。1914年重新增长，且合并南奥马哈等郊区。经济活动主要与农业有关。是世界最大牲畜市场和肉类加工中心。美国生产的谷物有一大部分在此销售。仍为美国最大的铁路中心之一。有许多保险公司。其他工业部门有炼油、炼铅、铁路设备、电话、农机以及阀门和水泵制造等。市内有内布拉斯加大学(1908)、克赖顿大学(天主教，1878)、内布拉斯加大学医学中心(1880)、天主教圣马利亚女子学院(1923)、格雷斯圣经学院(1943)和大都会社区学院(1974)。乔斯林艺术博物馆陈列有古今艺术珍品。南郊的丰特尔森林是全州最大的未经采伐的天然林。市西16千米处有博伊斯镇(无家可归的男孩村)。人口：市约404 267(2003)；都会统计区约716 998(2000)。

O'Mahony, John 奥马奥尼(1816，爱尔兰科克郡米切尔斯顿附近～1877-02-06，美国纽约州纽约) 芬尼亚兄弟会(在英美活动的爱尔兰民族主义秘密团体)美国支部创始人。曾在都柏林三一学院学习。1848年参加青年爱尔兰起义，失败后逃往法国。1853年去美国，定居纽约，协助组织埃米特纪念协会。1857年与民族主义者J.斯蒂芬斯商议在爱尔兰建立一个革命团体。后来，他又创建一个由他自己领导的团体，名为芬尼亚兄弟会。到1865年，该团体发展壮大，向爱尔兰提供武器和金钱。1865年12月该组织分裂。他被迫支持向加拿大进行军事袭击的决定，夺取加拿大人质以换取爱尔兰的自由。在袭击新不伦瑞克的坎波贝洛岛时失败。个人威信遭受损失。死于贫困，遗体运回都柏林安葬。参阅 **Fenian**。

O'Malley, Walter (Francis) 奥马利(1903-10-09，美国纽约州纽约布朗克斯～1979-08-09，明尼苏达罗切斯特) 美国律师，全国联盟职业棒球队——布鲁克林道奇队(1958年后改为洛杉矶道奇队)主要股东。1930年在纽约市福德姆大学获得法学学位，1943年任法律顾问，1945年与另外两人合股经营道奇队，1970年任董事长。道奇队在布鲁克林4次获全国联盟锦标，在洛杉矶又7次夺冠。1951年奥马利当选为参加棒球最高执行委员会的全国联盟代表。在棒球大联盟中，道奇队是第一支争取到300万球迷拥护的球队。奥马利除经营棒球外，还向铁路、建筑材料和房地产等方面投资，在社会上颇有名望。

Oman 阿曼 全称阿曼苏丹国。位于阿拉伯半岛东南海岸的国家，从西南至东北约940千米，从西北至东南约为350千米。该国领土还包括位于阿曼湾和波斯湾之间的穆桑代姆半岛北端的一处飞地——吉巴勒角(意为"山顶")。阿曼本土西南与也门相邻，西与沙特阿拉伯接壤，西北与阿拉伯联合酋长国交界，北濒阿曼湾，南和东临阿拉伯海。首都马斯喀特。面积309 500平方千米。人口约2 621 000(2003)。

土地 高耸贫瘠的哈杰尔山脉与阿曼湾海岸平行，是阿曼地形的突出特征，沿艾赫代尔山脊，高度逾3 000米。该山脉将东北部32千米宽的冲积平原巴提奈与向西南延伸约600千米的砾质沙漠分开，占阿曼全境的3/4，与阿曼西南角佐法尔地区的山脉相连。

阿曼是一个炎热干旱的国家，沿海地区湿度较高。年降雨量仅约100毫米。马斯喀特海岸的夏季气温通常可达36 °C，冬季气温约17 °C。境内没有常年积蓄淡水的地带，当地天然植被稀少，大多为刺槐。

巴提奈平原遍布有灌溉系统的椰枣林，山区及内陆沙漠有零星分布的绿洲。境内种植水果和一些谷物，但全国仅约有0.2%的土地可以耕种。主食大米必须进口。阿曼主要的自然资源是石油和天然气。其估计储量并不像其他阿拉伯国家的储量那样丰富，但对一个人口并不很多的国家来说，其储量亦相当可观。

人民 阿曼的绝大多数人口是阿拉伯人(占总人口的3/4以上)并形成部落，然而还有相当数量的印度人、巴基斯坦人(大多为俾路支人)、孟加拉人、波斯人和黑人(来自东非)在境内工作。石油工业也吸引了一些西方人到阿曼工作。阿拉伯语为官方语言，俾路支语和马赫里族的语言亦有人使用。伊斯兰教为主要宗教。逊尼派伊斯兰教徒的人数也很多。该国年人口增长率较高，约有45%的人口年龄不足15岁。9/10以上的人口居住在农村。

经济 阿曼属于发展中的混合型经济，其中公有和私有经济成分共存。石油的生产和出口在该国经济中所占比重最大。在80年代的大部分时间里国民生产总值的增长要快于人口的增长。人均国民生产总值与发达国家的水平近似。

农业约占用一半的劳动力，但产值只占国民生产总值的3%。虽然该国以生存农业为主，但所产酸橙和椰枣均出口。由于年降雨量变化很大，农业耕作在很大程度上依赖河水灌溉。主要作物包括椰枣、紫苜蓿、酸橙、芒果、甜瓜、小麦、香蕉和洋葱。佐法尔地区饲养的山羊、绵羊和牛是主要牲畜。阿曼湾和阿拉伯海是从事渔业生产的主要海域。

1964年一家由政府和外国股份合资经营的开发公司在阿曼发现了具有商业开采价值的石油。石油收入约占该国国民生产总值的一半以上，为政府提供了大部分收入。

制造业仅占国民生产总值的4%。1964年以前，工业主要是以传统的手工业(如编织、皮革、金银制品及造船等)为主。石油生产以及政府对基础设施的投资，刺激了该国建筑业和制造业的发展。制成品包括水泥预

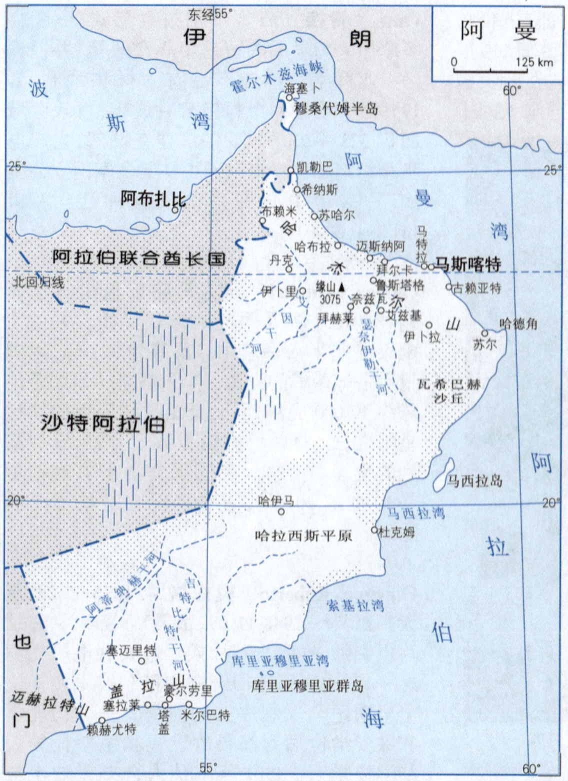

美国不列颠百科全书公司供图

制板、地板、家具、铝制品、家用器皿、化肥和玻璃纤维制品。

80年代末政府支出急剧增加，超过石油收入所得。阿曼不得不节制开支，并在经济上求助其他国家的财政援助。以原油为主的出口值通常超过进口值，后者包括机械和运输设备、工业制成品以及食品。主要贸易伙伴包括日本、阿拉伯联合酋长国和英国。

政体与社会状况 阿曼是一个独立的苏丹国，由一位专制君主在其亲自挑选的内阁辅佐下统治，1981年后由苏丹指派的顾问会议辅佐统治。该国没有宪法，也没有经选举产生的立法机构或合法的政党。阿曼的司法体系以沙利亚——古兰经中的教法和穆罕默德的口述教诲——为基础。政府已经受到来自阿曼人民解放阵线的反对，该组织是在阿曼南部佐法尔山区活动的一支游击队。

政府在70年代大幅提高了该国的健康服务质量和范围，降低了肺结核、沙眼和百日咳等疾病的高发病率。尽管如此，国民的健康状况仍普遍欠佳。相当多的阿曼人感染了疟疾和杆菌痢疾，婴儿死亡率仍然很高。阿曼人口的平均预期寿命为55岁，这一较低的水平也反映出该国的健康状况。

政府已将阿曼小学的数量从1970年的3所增加到现在的300多所，在现行教育制度下，男女儿童均可受到教育。苏丹卡布斯大学(建于1985年)位于马斯喀特。阿曼的文化生活严格遵守伊斯兰教的信仰。

历史 人类在阿曼定居至少有1万年之久。一些考古发掘证实阿曼可能就是苏美尔文献(约公元前3 000年)中所描述的具有半传奇色彩的马甘，一个繁荣的航海贸易国。古阿曼人曾制造和贩运过古代中东及地中海人民广泛使用的乳香。

阿拉伯人向阿曼的迁徙始于公元前9世纪。当时出现了两大不同家族：一是来自阿拉伯半岛西南部的卡坦家族，另一是来自阿拉伯半岛西北部的尼扎尔家族。这两大集团的对抗自古迄今一直影响着阿曼的历史。在7世纪皈依伊斯兰教以前，阿曼由于部落间的争斗和波斯人的入侵而变得支离破碎。至751年，信奉伊斯兰哈利吉教派的阿曼人，团结在伊巴迪传道者们的周围并选举朱拉达·伊本·马苏德为他们的伊玛目(精神领袖)。阿曼一直受伊玛目统治，直到1154年拜努·纳卜汉建立由诸位国王统治的王朝为止。1428年以后，伊玛目们重新提出他们的权力要求并向国王们挑战。1624年纳斯尔·伊本·穆尔希德成为伊玛目并结束了部落间的冲突。他的继任者将1507年占据阿曼海岸的葡萄牙人驱逐出境。

18世纪初，希纳继人(卡坦家族后裔)和加菲里人(尼扎尔家族后裔)之间爆发内战。约于1744年，两派共同选出布·赛义德家族的艾哈迈德·伊本·赛义德为伊玛目，从而结束了这场战争。他的继任者们开始被称为苏丹，在阿曼和东非建立起一个大帝国，桑给巴尔一度成为阿曼人的首都。1861年之后，阿曼和桑给巴尔实行分治。

阿曼内地各部落因继续支持选举产生的伊巴迪伊玛目而不支持苏丹，经常与统治王朝发生冲突。直到1959年最后一任伊巴迪伊玛目被逐出阿曼后，阿曼才恢复和平。

卡布斯·本·赛义德推翻了他的父亲赛义德苏丹，着手进行政府的自由化改革之后，阿曼于1970年获得国际社会的完全承认。受也门(亚丁)政府支持的佐法尔地区左翼游击队起义于1975年被挫败。1971年阿曼加入阿拉伯联盟和联合国，1981年成为海湾合作委员会的创始国。

Oman, Gulf of 阿曼湾 阿拉伯海西北部海湾，位于阿拉伯半岛东部的阿曼(西南方)与伊朗(北方)之间。长560千米，宽(从阿曼的哈德角到巴基斯坦-伊朗边境的加瓦特尔湾)320千米，以霍尔木兹海峡连接西北方的波斯湾。濒临阿曼湾的小港口有阿曼的苏哈尔、哈布拉、马斯喀特、苏尔和伊朗的贾斯克、贝赫什提港(前称恰赫巴哈尔)。该湾虽有一些渔业活动，但其重要性在于它是波斯湾沿岸石油产区的运输航道，是由阿拉伯海和印度洋进入波斯湾的唯一入口。世界主要石油输出及输入国家都关心其安全。

Oman, John Wood 奥曼(1860-07-23，苏格兰奥克尼～1939-05-17，英格兰剑桥郡剑桥) 基督教长老会神学家。先后毕业于爱丁堡大学和联合长老会神学院，然后留学德国。1907年任威斯敏斯特学院系统神学教授，不久任院长。他提出，人的宗教意识有独特性和独立性，人由于有关于神圣的观念，因此才在大自然发展过程中具有位格。1931年著《自然与超自然》，从认识与感觉、必然与自由以及历史和宗教分类等问题进一步阐发他这种观点。

Omar Khayyam 欧玛尔·海亚姆(1048-05-18，伊朗内沙布尔～1131-12-04，内沙布尔) 波斯诗人、数学家和天文学家。当时在他本国以其科学成就而知名，但是在英语国家的读者当中仅知其为1859年出版**菲茨杰拉德**(**FitzGerald, Edward**)所译的《欧玛尔·海亚姆的四行诗集》的作者。海亚姆一词意为帐篷制作匠，可能这是他父亲的职业。他在家乡内沙布尔，后在巴尔赫受到良好的科学与哲学教育。随后去撒马尔罕，在该地完成了有关代数的重要论文，以此闻名，因而受塞尔柱苏丹马里克·沙的邀请去从事天文观测为改革历法之用。他并受命与其他天文学家合力在伊斯法罕城修建一天文台。1092年，苏丹去世，欧玛尔去麦加朝圣。回内沙布尔后，他开始教课，并不时为宫廷预测未来事件。这位才华横溢的学者精通哲学、律法、历史、数学、医学和天文学，不幸他的著述大多失传，所存者仅有少量关于形而上学的短论和一篇论欧几里得的论文。欧玛尔在西方的声誉建立在相传是他所作的四行诗上。四行诗是一首四行都押韵的诗，但欧玛尔的四行诗第三行一般都不协韵。在菲茨杰拉德从中获得灵感写出他的闻名于世的《欧玛尔·海亚姆的四行诗集》之前，欧玛尔的诗作不大引人注意。嗣后译诗中一些名句不断为人传诵，如“一壶美酒，一条面包——还有你”，“拿了现钱，失了信用”以及“花一朝开过，便永远地谢了”。这些四行诗已被译成世界上几乎所有重要语言，欧洲人往往据此以推想波斯诗歌。有些学者怀疑欧玛尔曾写过诗，理由是他的同时代人未尝提到过他的诗，而且在他死后200年间，很少有署他名字的四行诗出现。但后来的A.J.阿伯里依据13世纪的稿本已经查明至少有250首四行诗确出于欧玛尔之手。欧玛尔的每首四行诗原来都为某一场合而作，并且本身是一首完整的诗。菲茨杰拉德译时想出了把其中的一些四行诗合起来成为一连续的悲歌系列，以显示诗人构思的完整统一，而这是为毫不连贯的原作所无的。菲茨杰拉德不拘泥于字面的意译，独出心裁，恰到好处，使他的译品简洁明快，有一种令人难忘的神韵。细读欧玛尔的真作便可发现他是耽于深思的人，苦于不能摆脱人间天上的究竟、生命之短促无常以及人与神的关系这些问题。他怀疑是否有天命与来世，嘲笑宗教的自以为是，叹息人的脆弱和愚昧。既得不到对这些问题的满意的回答，他便寄情于俗世的声色犬马的享受。然而尽管他在无可奈何中以此自娱，并发为诗歌，他仍不能回避这些难以捉摸的根本问题而不去针对它们进行认真的切中要害的思索。

Omayyad DYNASTY　参阅 **Umayyad dynasty** 伍麦叶王朝。

Ombede, Philippe-Louis　**翁贝德**　参阅 **Philombe, René** 菲隆布。

Ombi Islands(Indonesia)　**翁比群岛**　参阅 **Obi Islands** 奥比群岛。

Ombre　**奥姆伯**　一种3人玩的纸牌游戏。17、18世纪在欧洲流行。现基本废弃。玩法与惠斯特桥牌相似，包括叫牌、王牌、花色、做墩等。原用一套40张或48张的西班牙牌打，后改用一套52张的法国牌。规则很复杂。

ombres chinoises　**中国皮影**　又作 Chinese shadows。欧洲形式的中国皮影戏。18世纪中叶由归国旅客传入欧洲，不久就为法、英的戏剧演出者所采纳。法国木偶戏演员塞拉芬于1776年在巴黎首次演出了中国皮影戏。1781年他到凡尔赛演出，并使中国皮影戏进入法国宫廷。3年后他的演出在巴黎获得极大的成功。欧洲形式的中国皮影戏不用在中国民间流传的彩色透明画，而采用硬纸板人像投影，通常演出一些短小精悍的有趣寓言。虽然大部分皮影戏剧场到19世纪60年代都已关闭，但直至19世纪末仍在伦敦街头演出。1887～1897年，那些爱出示讽刺作品的画家、作家和音乐家，在法国蒙马特尔的一家“黑猫”咖啡馆里，使皮影戏表演技巧得到再生。参阅 **shadow play**。

ombudsman　**巡视官**　专门调查公民对官员渎职提出控告的立法机关特派员。该职务于1809～1810年创始于瑞典，后被斯堪的纳维亚国家、新西兰、英国、德国、以色列、美国的某些州、澳大利亚以及加拿大的某些省以不同形式袭用。立法机关任命巡视官，但不能干预他对特定案件的处理。他是政府与个人之间的独立的不偏不倚的仲裁人。他的管辖范围包括所有的政府机构、部门和委员会，但在有些地方不包括市政府(新西兰和挪威)、内阁决议(新西兰、挪威和瑞典)或法官(丹麦、新西兰和挪威)。尽管他的管辖范围很广，但他的权力只能是建议性的。他可以建议改变政府的行动，但不能对政府下命令。东欧各国的检察长和日本的行政管理署履行类似巡视官所执行的任务。英国设有议会特派员，负责调查议员提出的控告。夏威夷是美国于1967年设立巡视官的第一个州。

Omdurman　**恩图曼**　苏丹中东部三镇(喀土穆、北喀土穆和恩图曼)之一。临青、白尼罗河汇合点紧下方。1885年马赫迪战胜英国人前仅为一小村庄，马赫迪及其继承人阿卜

恩图曼的马赫迪陵墓
美国不列颠百科全书公司供图

杜拉将其定为首都，迅速发展成城镇。1898年恩图曼被英埃军队占领，但继续发展成苏丹文化、宗教和商业中心。阿卜杜拉故居现已改为博物馆，马赫迪陵墓已修复。恩图曼伊斯兰大学(1912建立)与大清真寺联合讲授伊斯兰法与神学。市内有一很大市场，经营皮革、阿拉伯树胶、纺织品、农产品、牲畜和手工艺品(金属、木、皮和象牙制品)。家具厂、陶器厂和制革厂对当地经济也很重要。现货物多由河运改为汽车运输。人口526 287(1983)。

Omdurman, Battle of　**恩图曼战役**(1898-09-02)　英国和埃及联军(由H.基钦纳少将指挥)击败马赫迪领袖阿卜杜拉的军队，从而攫取自1881年起由马赫迪派主宰的苏丹领土的一次决定性战役。1898年7月底，英国从开罗派遣增援部队前往基钦纳驻地瓦德哈麦德，开始准备进攻在恩图曼的阿卜杜拉的军队。8月24日，在瓦德哈麦德集结的英埃联军达2.6万人，包括英军两个旅、埃军4个旅，有骑兵、炮兵、工兵和一个小舰队。马赫迪派的军队约4万人，但是他们的简单武器无法与基钦纳的现代化装备相抗衡。由英国人指挥的一支阿拉伯非正规军向南行进，清除尼罗河东岸的反对派。基钦纳指挥的英埃联军沿西岸向南推进，没有遇到抵抗。9月1日，英埃联军的小舰队炮轰青尼罗河两岸的要塞，炸毁恩图曼的城墙。9月2日，基钦纳击退马赫迪军队对他的阵线的两次进攻，用机关枪和现代武器屠杀大批马赫迪军队，又以旧式的骑兵战横扫战场。然后，基钦纳向恩图曼进军，在那里进一步歼灭马赫迪的军队。马赫迪军队伤、亡各约1万人，5 000人被俘。英国人死伤约500人。这次战役的结果是：摧毁了阿卜杜拉的军队，消灭了苏丹的马赫迪运动，确立了英国对苏丹的统治。

Ōme　**青梅**　日本本州东京都城市。濒临多摩川。为早期的贸易中心和驿镇，并以棉纺织业闻名。传统产品有木材和木制品。1951年和附近两个村庄合并成市，行政区域面积323平方千米。工厂建在城郊，生产电机和纺织品。青梅是通往秩父多摩国立公园的门户，市中心御岳山顶有神社。人口141 394(2000)。

Omega Centauri　**半人马座 ω 星团**　星表编号 NGC5139，是最亮的球状星团。它位于南天星座半人马座中。星等为3.7等，用肉眼看是一微弱的光斑。半人马座 ω 星团距地球约17 000光年，因而是距地球较近的球状星团之一。据估计有恒星数十万颗，已观测到的变星数百颗。英国天文学家J.赫歇尔在19世纪30年代首先发现它是星团而非星云。

Omegna, Roberto　**奥梅格纳**(1876-05-28，意大利都灵～1948-11-09，都灵)　意大利纪录片摄影师、导演及制片人。意大利电影先驱之一，对电影的透彻研究和摄制技术使他位于早期纪录片制片人的前列。获得物理学和数学学位后到都灵的巴锡和里斯托里表演学校学习。1901年与他人合办爱迪生电影院并开始拍摄纪录短片。1905年协助建立安布罗西奥电影制片厂，18年间拍摄了将近100部影片。他担任所有影片的艺术指导，有时担任摄影师或导演。作为纪录片的先驱，他制作了最早的旅游、自然和医药纪录片，其中包括1906年的《穿越查科》、《布宜诺斯艾利斯》，1908年的《阿比西尼亚人的婚礼》、《追捕美洲豹》、《神经病理学》，1911年的《印度风俗》、《印度寺庙》、《缅甸的雨伞工厂》、《中国葬礼》和《蝴蝶的一生》。1926年加入教育电影技术协会并担任管理职务。1926～1942年，制作了约150部科学和教育纪录片，大部分为学校制作，也受到大众欢迎，其中包括《海底探索》(1936)和《神奇的世界》(1938)，两部片子都在威尼斯电影节上获奖。

omen　**征兆**　指经过观察而见到并据以预言吉凶的现象。古人所注意的征兆甚多，种类纷杂，如雷电、云的运动、鸟飞以及某些圣兽的踪迹等。参阅 **augury**。

Ömer(Ottoman poet)　**厄梅尔**　参阅 **Nef'i** 内菲。

Ometecuhtli　**奥梅蒂库特利神**　纳华特尔语意为“二主”。阿兹特克人的神、二元之主或生命之主，代表阿兹特克传说宇宙二元性的一个方面。奥梅蒂库特利神和奥梅西华特尔神一道居于奥梅约坎(“二地”或“双天”)，这是阿兹特克人的第十三重天，也是最高层的天。阿兹特克人的宇宙的对立因素包括雄与雌、光与暗、动与静、秩序与混乱。在阿兹特克诸神当中，奥梅蒂库特利是唯一既没有神殿也没有以其名义举行任何祭仪的神，但在祭仪的每一行动中及在自然界的每一节奏中，人们都能看到他的存在。作为奥

梅蒂俄特尔综合体的一部分，奥梅蒂库特利神被描绘为丰饶的象征并饰佩有玉米穗。据信，由他负责把婴儿的灵魂由奥梅约坎放出来，使之在地上降生为人。

Ometepe Island 奥梅特佩岛 又称上格拉西亚岛。尼加拉瓜西南部岛屿，为尼加拉瓜湖最大的岛屿。面积400平方千米。由一条3千米长的狭窄地峡连接的两个小岛组成。北岛较大，有康塞普西翁活火山(1 610米)。南岛几乎呈圆形，岛上马德拉火山锥海拔1 394米。土壤肥沃，森林茂密。主产咖啡和烟草。上格拉西亚和莫约加尔帕为岛上主要城镇。

Omicron Ceti(star) **鲸鱼座ο** 参阅**Mira Ceti** 蒭蒿增二。

Ōmiya 大宫 日本本州埼玉县城市。在东京市北。为冰川神社(相传建于公元前5世纪)所在地。德川时代(1603～1867)为驿镇，1891年起为铁路枢纽。市内有大型铁路工厂和调车场。当地公园以盛开的樱花闻名。人口约390 765(1988)。

Omkarji(India) **奥姆格尔吉** 参阅**Godarpura** 戈德尔布尔。

ommochrome 眼色素 一类生物色素，见于昆虫和甲壳动物眼中及头足类皮肤中的可变色素细胞内。是色氨酸分解的产物。昆虫眼的颜色由它造成。眼色素并不直接参与感光的生物化学过程。但在头足动物的可变皮肤细胞中，眼色素可能参与适应性应答。

omnibus 参阅 **bus** 公共汽车。

omnivore 杂食动物 有广泛食性，能吃植物性和动物性食物的动物。杂食动物在取食的结构和行为方面没有明显的特化。许多小型鸟类和哺乳动物为杂食性；鹿鼠和嘲鸫在不同时期的食物各异，或以昆虫为主或以浆果为主。许多一般被认为是肉食性的动物实际上是杂食性的，例如赤狐喜食果实，而啮龟的食物中1/3是植物。

Omo remains 奥莫化石遗存 1967～1974年，由Y.科彭、C.阿朗布尔和F.C.豪厄尔等组成的国际古生物考察队在埃塞俄比亚奥莫河地区发现的一组人科化石，其中年代最早者距今大约300万年。化石包括大约200个牙齿、4具下颌骨、一具部分保存下来的骨架、两具部分保存下来的颅骨和一条腿骨。这一发现标志着早期人类研究工作中的一项重大突破，因为在此之前，所发现的这类化石的最早年代大约距今只有175万年。这批化石遗存包括埃塞俄比亚副南方古猿、非洲南方古猿、鲍氏南方古猿和直立人的标本。有证据表明，鲍氏南方古猿在奥莫地区至少生存过100万年之久。学者们认为，鲍氏南猿并未直接进化为现代人。与上述化石一同出土的还有一些石器，属于最早的石器工艺。

Ōmoto 大本教 在第一和第二次世界大战之间曾有众多信徒而后又衍生出其他许多日本宗教的一种宗教活动。该教教义根据农妇出口直所传神谕，她最初靠为人治病招收徒众。她在1892年传神的启示，谓世界即将毁灭，救世主将在地上建成新天堂。出口直的女婿出口王仁三郎(1871～1948)把她的教义进行整理，使之系统化；他反对军备和战争，自称建立新秩序的领袖。他在20世纪30年代招引了200多万信徒，但引起日本政府的敌视，日本政府先后于1931和1935年逮捕他，摧毁设在京都附近绫部的该教中心机构。出口王仁三郎于1942年获假释，1946年恢复传教，改名为爱善苑。该教曾用过多种名称，最后恢复原名大本教。该教在1978年仅约有163 760信徒，但是它衍生出日本一批"新宗教"，如"生长之家"和"世界救世教"，两教都是出口王仁三郎的门徒所创。大本教强调普世宗教一家，提倡世界语，建立普世友爱协会(ULBA)。

Omotoso, Kole 奥莫托索(1943-04-21，尼日利亚西部州阿库雷～　　) 尼日利亚小说家、剧作家和评论家。以约鲁巴为背景，将幼时所听到的民间传说和成年后从阿拉伯文和英文学到的民间传说结合起来进行写作。在拉各斯受中等教育(1962～1963)后去伊巴丹大学深造。教过书，于1969年去苏格兰攻读博士学位，后返回尼日利亚在伊巴丹大学教阿拉伯文。作品有长篇小说《大厦》(1971)、《战斗》(1972)、《牺牲》(1974)、《费拉的选择》(1974)、《天平》(1976)、短篇小说集《奇迹及其他故事》(1973)、剧本《诅咒》(1976)、《地平线上的阴影》(1977)和许多评论。他的作品着重写种族间的通婚、比夫拉-尼日利亚冲突、约鲁巴人和伊博人之间的友谊，以及父母与子女的关系等题材。

Omphalea 脐花属 大戟科的一个属。约15种热带灌木或乔木，其中12种原产于美洲，3种产于旧大陆。牙买加大榛子(三雄蕊脐花，*O. triandra*)原产于西印度群岛，欧洲有栽培；树高3.5米；坚果黄色，厚3.75厘米，除去有毒种胚后可食用；果汁挤出后会变黑，可用制墨水及胶水。二雄蕊脐花(*O. diandra*)原产于哥伦比亚，含油种子可食用和作猪饲料。大果脐花(*O. megacarpa*)的核果较大，是西印度群岛很普遍的刺激性营养品。

Omri 暗利 希伯来语作ʻAmri。以色列国王(约公元前876～前869或约公元前884～前872在位)，亚哈之父。现代学者认为他是北方王国最重要的统治者之一。他的名字经常出现在亚述人的铭文中。据考证，他曾征服摩押，与推罗结盟，并将以色列首都迁往撒马利亚。

Omsk 鄂木斯克 俄罗斯中西部的一州。位于额尔齐斯河中游流域。面积139 700平方千米。全境地形平坦。北部多沼泽和湖泊。其中最大的是捷尼斯湖。有茂密的沼泽森林或泰加林(松、云杉和白桦)。南部为森林草原和草原带，土地肥沃，在20世纪50年代垦荒运动中多被垦殖。经济以农业为主，主要作物为春小麦、亚麻、向日葵和芥菜。鄂木斯克市周围园艺业兴旺，畜牧业、乳品业高度发达。北部地区有伐木业。人口约2 163 100(1991)。

Omsk 鄂木斯克 俄罗斯中西部鄂木斯克州城市和首府。位于额尔齐斯河与鄂木河汇流处。1716年建为要塞后发展成为农业中心。1804年设市。19世纪末期之前为西伯利亚哥萨克人军事重镇。1918～1919年为以高尔察克为首的反布尔什维克政府所在地。19世纪90年代西伯利亚大铁路的建设促进该城商业发展。第二次世界大战中工业得到发展。从伏尔加-乌拉尔油田和西西伯利亚油田有管道通往该市的炼油厂和石油化工厂。有合成橡胶、轮胎、机械制造、纺织、靴鞋、皮革、食品和木材加工业。设有农业、机械、医学和兽医学院及其他高等教育和研究机构。人口约1 166 800(1991)。

鄂木斯克市的列宁纪念碑
美国不列颠百科全书公司供图

Ōmura 大村 日本九州长崎县城市。临大村湾，在多良岳西部山坡。16世纪末成为对葡萄牙贸易的基地和基督教中心。现为工业中心，出产食品和人工养殖的珍珠。设有机场和日本自卫队基地。人口73 437(1990)。

Ōmura Masujirō 大村益次郎(1824，日本～1869-12，大阪) 日本学者和军人，日本现代化军队创建者。周防国(今山口县)长州藩医生家庭出身。早年接受儒学教育。后习西学和西医。1850年还乡业医。后去长崎学习西方的航海术。1856年去江户，在蕃书调所和讲武所任教，并向美国传教士J.C.赫伯恩学习英语，另外还学习西方兵法。1861年回长州，充当藩军事顾问。在1864～1865年长州藩对幕府军的战斗中，他以战略家闻名。1869年任兵部大辅，计划采用征兵制和废除武士阶级。后被反对改革的武士刺杀。在靖国神社祀有雕像，奉为皇军之"父"。

Ōmuta 大牟田 日本九州北部福冈县城市。位于有明海东岸。早年为采煤中心。20世纪60年代因石油取代煤作为燃料而衰落。继而因忽视矿井而导致土地沉陷，农田淹没，住房毁坏，政府通过公共事业投资援建工厂。1917年后成为重要工业城市，生产化工品、焦炭、锌、铁合金、钢、耐火砖、棉花、海藻产品和合成石油等。人口150 461(1990)。

On(ancient city) **安** 参阅 **Heliopolis** 赫利奥波利斯。

on **音读** 日文中对汉字的两种读法之一(另一种是训读)。日语中汉字往往音义模糊不清,主要由于汉字具有双重性质,即汉字之原义与汉字之原来读法。所谓音读,就是使日语汉字之读音宛如汉语之读法,而将其语音构成一个日语单词或单词之一部分。

Ona **奥纳人** 一度居住在火地岛而今已消亡的南美印第安人。他们在历史上分为两部分:舍尔科南人和豪什人。二者使用不同的方言,文化上稍有不同。奥纳人从事狩猎和采集,主要以由弓箭手猎取的小群美洲驼为生,也食用各种小动物以及贝壳类动物、鸬鹚和浆果。奥纳人是父系制社会,每 40 ～ 120 人结为一群,各有其狩猎区,禁止在本群内婚配,信仰至上神明。奥纳人无艺术活动。技术一如其毗邻民族,仍处于原始阶段。

Oña, Pedro de **奥尼亚**(1570?,智利洛斯孔菲内斯～1643?,利马) 第一位生于智利的著名诗人。曾参加军队,在几次镇压印第安人反抗的战役中作战。最著名的作品是一部偶句押韵的史诗,《阿劳科的征服》(1596),描写秘鲁总督卡内特侯爵的业绩。其他作品有《坎塔夫里亚的依格内修斯》(1639)和《1609年的利马地震》。

onager(*Equus hemionus onager*) **中亚野驴** 亚洲野驴的一个亚种,自伊拉克西北部至土库曼斯坦均有分布。体型小,毛色浅,鬃毛短而直立,耳长。古代人将其驯养,后为家

中亚野驴(*Equus hemionus onager*)
美国不列颠百科全书公司供图

马及家驴所取代。今已为数不多,行将绝灭。英文 onager 一词有时泛指亚洲野驴(*Equus hemionus*)。参阅 **ass**。

Onagraceae **柳叶菜科** 桃金娘目的一科,21 属,主要分布于新大陆温暖地区。该科最为突出的特点是花多为 4 基数(花瓣 4 枚,萼片 4 枚,雄蕊 4 或 8,但有例外),子房下位。在温暖地区最为人熟知的属是柳叶菜属(*Epilobium*),包括狭叶柳叶菜(*E. angustifolium*,俗名大柳草、火草)。月见草属(*Oenothera*)也为人熟知,约 80 种,在遗传学研究和进化研究中十分重要。丁香蓼属(*Ludwigia*)有 75 种,分布于世界温暖湿润地区,主要产于北美东部,水生或沼生,一年生草本至大型灌木;日间开花,花黄色,花瓣易脱落。本科还有 *Boisduvalia* 属;露珠草属(*Circaea*,果实具钩毛)、山桃草属(*Gaura*,果小,核果状,不开裂)、*Gayophytum* 属(一年生,茎线状,花小)、*Hauya* 属(灌木或乔木状,花大,白色至淡粉红色,原产墨西哥和中美洲)。参阅 **evening primrose**; **Fuchsia**。

Onassis, Aristotle (Socrates) **奥纳西斯**(1906-01-15,土耳其史麦那[今伊兹密尔]～1975-03-15,巴黎) 希腊海运业大王,国际贸易商人。他所建超级油轮及货轮船队的规模比许多国家的海军还大。家庭初为烟草富商,1922 年土耳其人入侵希腊,家产损失殆尽。逃亡中,由家庭送他往南美谋求出路,在布宜诺斯艾利斯的一家电话公司任夜班接线员;在友人的帮助下,白天经营进口烟草业务,后来又辞去接线员的工作。他出售烟草可从中获得 5% 的佣金,两年间获利 10 万美元。1928 年希腊政府任命他与阿根廷谈判贸易协定,随后又委任为总领事。他的商业活动有卷烟制造和各种商品的买卖。1932 年他第一次以 12 万美元从加拿大买来 6 艘货轮。1938 年建成第一艘油轮,第二次世界大战爆发前又购置两艘。在 20 世纪40 ～50 年代他的企业王国有所发展,船队有所扩大。在 50 年代中期,他一年之内就购买 17 艘新油轮。1946 年和船王 S. 利瓦诺斯的女儿结婚,1960 年离婚;1968 年与美国总统肯尼迪的遗孀结婚。他死后,财产估计有 5 亿美元。

Onassis, Jacqueline Kennedy **奥纳西斯**(1929-07-28,美国纽约州南安普敦～1994-05-19,纽约州纽约) 婚前名 Jacqueline Lee Bouvier, 亦称 Jacqueline Kennedy(1953 ～ 1968),别名 Jackie。美国第一夫人(1961 ～ 1963),美国第 35 任总统 J. F. 肯尼迪的妻子,以时尚高雅闻名。其第二任丈夫 A. 奥纳西斯是世界富豪之一。她 1951 年从乔治·华盛顿大学毕业,在《华盛顿时代前锋报》担任摄影记者。同年认识了来自马萨诸塞州的国会议员肯尼迪。1953 年两人结婚。1960 年就在生下儿子 J. F. 肯尼迪(小)的前几个星期,肯尼迪当选总统。她是近 80 年来最年轻的第一夫人。最大贡献是恢复白宫原有的优雅风貌,并保护白宫的所有物。她建立了白宫历史协会,负责教育公众和募集经费。她在白宫短暂居住期间,成为最受欢迎的第一夫人之一。在跟随总统到欧洲(1961)和中南美洲(1962)访问时,她的美貌、时尚和流利的多种语言为她赢得众人的赞扬。1963 年 11 月总统被刺杀,丈夫去世后,她搬到纽约市的一套公寓,这成为她的主要居所。1968 年 10 月嫁给希腊船王奥纳西斯,1975 年奥纳西斯去世后她继承了估计达2 000万～2 600万美元的遗产。她又回到原来的兴趣上,在维京出版社担任顾问编辑,后来又在双日出版社担任编辑。

Oñate, Juan de **奥尼亚特**(1550?,新西班牙～1630) 西班牙征服者,曾为西班牙建立新墨西哥殖民地,任总督,在其暴政统治期间,妄想搜求北美神话中的财宝,未果,但解开了今日美国西南部的不少有关地理方面的秘密。出身富有家庭,又与 H. 科尔特斯的孙女结婚,因而身价大增。他要求征服和统治新墨西哥,1595 年获准。1598 年 1 月率 400 名殖民者北进。7 月渡过格兰德河,在格兰德河与查马河汇合处的圣胡安建立总部。派人四出寻宝,一无所获。失望之中,许多人要求返回新西班牙,奥尼亚特予以拒绝,并处死数名为首者。他对印第安人更为残暴。1601 年 7 月,奥尼亚特再度去奎维拉(今堪萨斯州中部)寻宝,11 月空手而归,但发现大多数人在他外出期间已逃离该地。1604 年又率 30 名士兵探险,西到科罗拉多河,南至加利福尼亚湾,仍然败兴而归。1607 年辞职。后因在任时的罪行受审,以残暴虐民,道德败坏及谎报情况论罪,予以放逐,课以罚金,剥夺其头衔。1624 年他申诉得到平反但未能复职。

onchocerciasis **盘尾丝虫病** 又作 onchocercosis。简称 oncho。一种丝虫病。病原为旋盘尾丝虫(*Onchocerca volvulus*),传播媒介是黑蝇(蚋属 *Simulium*)。主要分布在美洲的墨西哥、危地马拉、委内瑞拉;非洲的撒哈拉周边的广大地区(西起塞内加尔西海岸,东到埃塞俄比亚,北起北纬 15 度,南至安哥拉和坦桑尼亚);此外,哥伦比亚、北苏丹和也门也有个案报告。盘尾丝虫的中间宿主黑蝇在河沟中产卵,危及水域居民;又因其微丝蚴多死在眼内而致盲,故盘尾丝虫病因其俗称"河盲"而被广为认知为严重的地方病。盘尾丝虫的成虫产卵期可长达 15 ～ 18 年之久。成虫不一定侵犯眼睛,致盲的原因是那些死在眼睛里的微丝蚴的分解产物主要损伤角膜及眼周组织。在非洲、危地马拉和墨西哥的一望无际的大草原上,河盲十分常见。但在热带雨林地区,盘尾丝虫病是四季传播,河盲反倒少见。盘尾丝虫病的其他症状主要有:新感染者皮肤奇痒;而后出现皮肤肿胀、丘疹、粗糙、色素沉着,最后形成皮癣;瘤样肉芽肿可大如鸽卵,盆腔、胸腔、头部等多处部位均可发生。也门和北苏丹的盘尾丝虫病以单侧下肢橡皮病最为常见。1974 年,世界卫生组织在西部非洲开展大规模消灭黑蝇的运动。但因盘尾丝虫的生活周期太长,黑蝇的迁徙范围又太大(飞行距离 640 千米/日),此次运动的效果很难作准确的评估。至 1987 年,抗丝虫药乙胺嗪已广泛用于临床,乙胺嗪可将微丝蚴逐出皮肤组织。苏拉明可同时杀灭成虫和微丝蚴,但副作用较大。20 世纪 70 年代开发出的抗原虫药异阿凡曼菌素被世界卫生组织推广用于盘尾丝虫病的治疗,它虽不杀成虫,但杀灭微丝蚴的效力十分强大,而且非常安全。

Oncidium **金蝶兰属** 兰科的一属。750 种,原产于热带美洲和加勒比海地区。种间形状和大小差异很大。多为寄生。花黄色,花径从6毫米至10厘米余。许多种具穗状花序或颀长的小花枝。蝴蝶金蝶兰(*O. papilio*)和克雷默氏金蝶兰(*O. kramerianum*)均俗

蝴蝶兰(*O. kramerianum*)
美国不列颠百科全书公司供图

称蝴蝶兰,有一枚花瓣和二枚萼片变态呈细窄的条状。此外还有一些种因色泽或外形而分别称为蜂兰、虎兰、骡耳兰和舞姬兰等。

oncogene 癌基因 能诱发恶性肿瘤的遗传物质,为一个脱氧核糖核酸(DNA)序列。该基因得到表达时,可引发一连串过程,导致细胞形成肿瘤。起初认为该遗传信息仅存于致癌病毒中,再自病毒整合入宿主细胞的DNA,使宿主细胞转变为恶性细胞。而至20世纪80年代初期,有证据表明,致癌基因包含在极多脊椎动物(包括人类)的正常细胞的染色体组中。这些基因在正常细胞中处于"沉寂"状态,未得表达;而当其表达时,细胞即变为恶性。目前的研究重点在于找出活化沉寂致癌基因的机制。

oncopod 瘤足动物 三类动物的统称,这三类常被视为纲,即自由生活的有爪动物纲(Onychophora)和缓步动物纲(Tardigrada)以及营寄生生活的五口动物纲(Pentastomida)。此三类的共同特征为:在生活史的某些阶段具形态相似的成对的有运动力的附肢(称为瘤足);有体腔(血腔);身体表面细胞分泌角皮,周期性蜕皮时脱去;消化道通常为直管;雌雄异体,生殖腺不同。此三类间也有不同处:有爪动物具有发达的器官系统;而五口动物和缓步动物的器官系统退化或缺失。这些动物引起人们兴趣的原因是:他们与原始的环节动物相似,又与最高级的无脊椎动物——节肢动物(如昆虫、甲壳动物)——相似。瘤足动物就如其他非常古老的没有化石或化石很少的类群一样,其进化只是推测的,对此尚未取得一致的意见。瘤足动物与节肢动物一样,在前寒武纪时期即起源于海生的底栖类型,这些类型也可能是现代环节动物的祖先。瘤足动物和节肢动物进化导致的适应性变化就是获得叶状足(有运动力的附肢),无须波浪状收缩身体,附肢便能行使运动功能。获得叶状足便导致各个体腔分隔间的消失并形成一个血腔;又使更坚强的角皮得以发育形成,并使蜕皮成为必要。角皮的发育形成也导致外纤毛的消失。缓步类的进化是趋向小型,继之身体组织也简化。它们的某些原始特征——角皮为蛋白质、脑的结构、头部无特化的附肢——表明其祖先很早即从"瘤足动物—节肢动物干"趋异。缓步动物与某些袋形动物(圆虫)相似,这点很引起人们的兴趣。五口动物的进化受其内寄生生活方式的很大影响;其结构亦简化。其具横纹肌的几丁质角皮及其脑结构均表明其祖先的生活方式更为活跃并比缓步动物更先进;可能五口动物与节肢动物有共同的祖先。五口动物于泥盆纪(4.08亿年前至3.60亿年前)可能从自由生活的类型进化而来,最初为鱼类的寄生虫,然后寄生于陆栖脊椎动物。有爪动物进化的一个特征是在柔软的表皮下形成坚强的"骨骼",这样可容许身体变形。在瘤足动物中,有爪动物将原始特征(神经索的结构,纤毛持续存在,有平滑肌)与瘤足动物或(和)基本节肢动物的特征(具几丁质,蜕皮,血腔,生殖腺,胚胎发育)最广泛地结合起来;也演化出自己独有的特化表现(如真皮,气管,卵胎生)。有爪动物和节肢动物都可能在前寒武纪时即在海洋中起源于 *Xenusion* 样的祖先,节肢动物获得坚硬的体片和关节,而有爪动物演化出坚强的真皮和薄层的角皮。有的权威认为,多足类-昆虫进化系与其他节肢动物不同,起源于有爪类祖先。参阅 **onychophoran; pentastomid; tardigrade**。

Ondangwa 翁丹瓜 纳米比亚北部居民区,在首都温得和克以北540千米处。1870年在翁丹瓜附近的奥南若奎设立奥万博第一个基督教传教会(芬兰信义会)。该传教会引进西方的保健和教育制度,并训练当地人学习砌砖、木工等技艺。早期住在翁丹瓜的传教士M.劳塔宁曾为当地的奥万博语言创造一套书写系统。翁丹瓜曾是奥万博行政长官的驻地(现已迁至西北方29千米处的奥沙卡蒂),现今则依旧是奥万博契约劳工往返东南方274千米处的铜、铅矿城镇楚梅布的重要转运站。

ondes martenot 马特诺音波琴 电子乐器,1928年由其发明人M.马特诺在法国示范表演。振荡的电子管产生两个超声波频率的电脉冲,这些脉冲又转而产生一个较低的

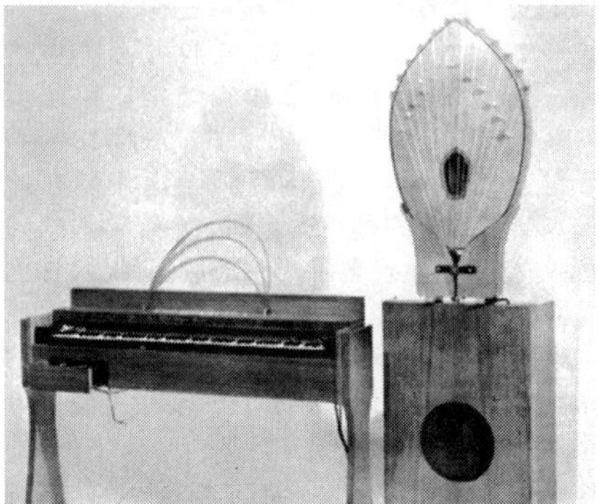

马特诺音波琴
美国不列颠百科全书公司供图

在可听范围内的频率,相当于它们的振动频率之差,经过放大和用扬声器转换成声音。许多音色是靠滤去可以听到的音的高次泛音(即结合音)而获得。为马特诺音波琴谱写作品的有瑞士籍法国作曲家A.奥涅格、法国作曲家D.米约和美国作曲家S.巴伯。

Ondo 翁多 尼日利亚西部一州。建于1976年。面积20 959平方千米。南临贝宁湾。近海湾一带有生长着红树的沼泽森林,中部有热带雨林,北部约鲁巴丘陵地带是生长着林木的热带草原。经济以农业为主,北部主要生产棉花、烟草,中部生产可可,南部和东部生产橡胶和木材;全州盛产棕榈油和棕榈仁供出口。其他作物有水稻、甘薯、玉米、咖啡、芋头、木薯、蔬菜和水果。传统工业有制陶、织布、服装、木器、打铁。矿藏有瓷土、黄铁矿、铁矿、石油和煤。居民大多数为约鲁巴族。城市居民占很大比例。州首府阿库雷正发展为工商业中心,有农业学校和联邦工艺学院。伊科戈西温泉和有历史意义的伊丹雷丘陵是旅游胜地。贝宁市至拉各斯的公路干线经过该州南部。人口3 884 485(1991)。

Ondo 翁多 尼日利亚翁多州城镇。在约鲁巴丘陵南缘。海拔287米。与伊费、阿库雷、奥基蒂普帕通公路。为可可、棕榈油和棕榈仁的集散地及当地农产品(薯蓣、木薯、玉米、家禽、水产、水果、棕榈产品等)的销售中心。生产木制门窗和家具。设有联邦贸易部一个分支机构以及阿德耶米教育学院、高等师范学院和初等师范学院。有中学和医院。人口约157 300(1993)。

Öndörhaan 温都尔汗 又拼 Undur Khan。蒙古人民共和国东部城镇。濒临克鲁伦河。位于乌兰巴托以东290千米,为乌兰巴托和乔巴山之间的交通枢纽。经济以采煤业为主。距该城80千米有木伦河谷煤田,其可采煤层厚达4.5米。人口11 100(1979)。

one-a-cat (game) 参阅 **tip-cat** 打木栓。

one-armed bandit 独臂匪徒 参阅 **slot machine** 投币式自动赌博机。

1-hexadecanol (chemistry) **1-十六烷醇** 参阅 **cetyl alcohol** 鲸蜡醇。

one-horse shay 单马两轮轻便车 又作 cheer 或 whisky。由法国式轻便马车改制而成的美国两轮马车。车身呈椅子状,用皮带挂在与车辕相连接的一对方木弹簧上。这种

约1870年的单马两轮轻便马车
美国不列颠百科全书公司供图

马车的顶篷早期是固定的，后来改为折叠式。

One Thousand Guineas 一千畿尼赛 英国5项古典马赛之一。在萨福克郡纽马基特市春季赛会上举行，地点是罗利1英里赛马场，赛程1英里，首次比赛于1814年举行，仅限3龄母马参加。

One Ton Cup 一吨级帆船杯 国际帆船赛奖杯。参加这种竞赛者限于吃水量在1吨左右的帆船。1907～1955年这项奖杯授予6米级的帆船，但由于这一级帆船逐渐被淘汰，1965年由法国巴黎帆船俱乐部规定将此杯授予7米级的帆船中的优胜者，定级须根据英国皇家海洋帆船俱乐部所规定的测量办法。每一国家最多可有3艘帆船参加比赛，根据各船在一系列比赛项目的表现决定胜者。早年比赛包括3项，其中第1、第3两项为48公里封闭式航道赛；第2项为500公里长距离赛，加倍计算成绩，各船不管水平如何概不让步。1968年又增加两项短距离比赛。1971年比赛根据国际帆船比赛联合会的规则把参赛帆船的级别重新定为8.4米，这一决定于1978年得到沿海竞赛理事会的承认。

O'Neal, Shaquille 奥尼尔（1972-03-06，美国新泽西纽瓦克～ ） 全名Shaquille Rashaun O'Neal。美国篮球运动员，绰号"大鲨鱼"。1996年当选美国全国篮球协会（NBA）历史上50名最伟大球员之一。在高中校队时就赢得得克萨斯州冠军。到路易斯安那州立大学后很快成为全国最佳球员之一。离开学校参加NBA选秀，首轮即被1992年奥兰多魔术队选中。2000年结束学业，获得大学学位。1992～1993赛季带领魔术队打赢20场，两年后打进决赛，但负于休斯敦火箭队。奥尼尔身高2.16米，体重143千克，进攻时几乎总是在球场边上停不住，而且罚球不准，于是对手们就采用所谓"砍鲨战术"，故意打他的手犯规，不让他投篮而让他罚球。他是"梦之队"的一员，赢得1996年奥运会金牌。同年加入洛杉矶湖人队。尽管奥尼尔在进攻上占有优势，然而在季后赛中湖人队还是不断战败。不过1999～2000赛季有了改变，他在新教练P.杰克逊指导下，他更注重配合、防守、篮板球和罚球，被评为最有价值球员，带领湖人队夺得2001、2002和2003年冠军。2004年加盟迈阿密热火队。1996年他主演一部电影《精灵也疯狂》。

Oneg Shabbat 安息日联欢 犹太人习俗，安息日或其前夕星期五晚间的非正式聚会。可以在会堂举行，也可以在住宅举行。这种聚会的社交性多于宗教性，内容有音乐、戏剧、讨论、演讲和歌唱颂诗，以落实《圣经》中"称安息日为可喜乐的"（《以赛亚书》58∶13）这一教导。

Onega, Lake 奥涅加湖 俄语作Onezhskoye Ozero。俄罗斯欧洲部分西北部湖泊。位于拉多加湖与白海之间，面积9 720平方千米（长248千米，最宽处80千米），最深116米。因受到第四纪冰川（160万年以前）作用，湖盆从西北向东南延展。北和西北岸为曲折高峻的岩岸（花岗岩），多森林，有深水港湾（彼得罗扎沃茨克、孔多波加和波韦涅茨）。南部为沙岸，多湖滩。湖中有约1 650个小岛，总面积260平方千米，多数分布在北部和西北部，有50条河注入，其中较大的是舒亚河、苏纳河及沃德拉河。奥涅加湖水泄入斯维里河。湖面水位夏季最高，3～4月最低，水位年高差约600毫米。由于湖岸区和湖中区水温不同，湖水循环呈扭曲型。秋天大风时，浪高约4.5米。气候寒冷。湖岸在11月底、中部深水区在1月中旬结冰（有些年份中部不结冰）。4月底解冻。湖水颜色中部呈深褐色，岸边为灰褐色。有40多种鱼类（胡瓜鱼、狗鱼及河鲈等），大部分有经济价值。通过白海-波罗的海运河与波罗的海及白海相联，经过伏尔加-波罗的海水道与伏尔加河相通，在国内及国际运输中都有重要意义。从芬兰、瑞典、丹麦和德国来的货物经此运往东部和北部各地。为了躲避湖中风浪，在南岸维捷格拉河口与斯维里河源头之间凿有一条运河。湖岸重要城市有彼得罗扎沃茨克、孔多波加和梅德韦日耶戈尔斯克。基济岛上设有国际著名的建筑学机构（以该岛命名）。

Oneida 奥内达人 操易洛魁语的北美印第安部落，居住在今纽约州中部，是**易洛魁联盟（Iroquois League）**原有5民族之一。过半定居生活，种植玉米，住长形房屋。各个家庭按照母系互有亲属关系。奥内达人分为3个氏族，各有3名代表参加联盟。每一社区也有一地方议事会，指导酋长的工作。奥内达人是联盟中人口最少的一个部落；17世纪时，只有一个设栅栏的城镇，拥有60～100个长形房屋；1696年该镇遭到一支法国-加拿大远征队的破坏。此后，这个社区分为奥内达人住区（上卡斯尔）和坎纳瓦罗基尔人住区。18世纪初，北卡罗来纳图斯卡罗拉人的一个村庄同奥内达人联合，成为易洛魁联盟中的第6个民族。20世纪后期，奥内达后裔约有3 000人，其主要集中地是加拿大和美国的威斯康星州、纽约州中部等地。

Oneida 奥奈达 美国纽约州中部麦迪逊县城市。位于锡拉丘兹以东42千米和奥奈达湖东南10千米处，临奥奈达河。始建于1834年，为一铁路站和物资供给站。1848年设村。1901年设市。1848年J.诺伊斯在此设立实验性质的奥奈达社团。1881年改组为一股份公司，生产各种第一流的银制品（现仍为主要工业）。奥奈达有限公司在奥奈达和附近的谢里尔设有大工厂。地方工业还包括木制品、棺椁及乳制品加工设备制造业。市南29千米的哈密尔顿有科尔盖特大学（建于1819）。人口10 987（2000）。

Oneida Community 奥奈达社团 又称纯全派或圣经共产主义派。美国空想宗教团体。其前身为1841年诺伊斯和一部分门徒在佛蒙特州帕特尼市创立的探索学会，该学会人员逐渐增加，发展成为社会主义团体。1831年诺伊斯20岁，在奋兴运动中，经过认罪悔改，改变信仰，放弃法律学业，而先后人安多弗神学院和耶鲁大学神学院学习。他坚持并宣传纯全派教义，谓人经过悔改就再不会犯罪，因此被认为不合正统教义，未得受神职。但最使他声名狼藉的是他有关两性关系的思想。根据他的婚姻观点，该社团实行群婚制，每个女人以所有男子为夫，而每个男人又以所有女子为妻。诺伊斯认为没有宗教，社会主义不可能实现，而群婚制可以消除自私自利之心，并确保纯全派理想可以实现。该社团于1847年迁到纽约州奥奈达。其主要特点是定期举行批评会或称治病会。起初批评会由全体成员参加，后来成员众多，乃改为分别在诺伊斯主持下的几个委员会内进行。受批评者在会上经受残酷的精神折磨。批评会侮辱人格以达到实行社会监督从而增强组织严密性的目的。由于四邻居民对纯全派的婚姻制度日益憎恨，诺伊斯乃于1879年劝说信徒放弃群婚制。社团改组期间，社团的社会主义所有制遭到成员的怀疑。诺伊斯率少数信徒前往加拿大，1886年死于该地。残余成员办起奥奈达社团股份有限公司，进行商业活动，制作和销售白银餐具等产品。

O'Neill, Conn 奥尼尔 参阅**Tyrone, Conn O'Neill, 1st earl of 蒂龙伯爵（第一）**。

O'Neill, Daniel 奥尼尔（约1612～1664-10-24） 英国内战期间查理一世和查理二世的爱尔兰支持者。奥尼尔家族克拉纳博伊支系出身。早年在查理一世的宫廷中服务。1639年在苏格兰任骑兵指挥官。1641年因卷入军队中的阴谋而被关入伦敦塔，后潜逃国外。英国内战爆发后回国，加入鲁珀特亲王的队伍，曾参加马斯顿荒原战役、第2次纽伯里战役和内斯比战役。1649年升陆军少将。他在海牙会到查理二世，参加向苏格兰的远征，并于1652年参加苏格兰对英格兰的入侵。王政复辟后得到国王许多赏赐。

O'Neill, Eugene(Gladstone) 奥尼尔（1888-10-16，纽约市～1953-11-27，波士顿） 美国最重要的戏剧家，1936年诺贝尔文学奖获得者。他的代表作《直到夜晚的漫长一天》（于1956年他去世后上演），是他一系列杰出剧本

耶鲁大学图书馆供图

中的顶峰之作。这些杰作包括《天边外》（1920）、《安娜·克里斯蒂》（1922）、《奇妙的插曲》（1928）、《啊，荒野！》（1933）和《卖冰的人来了》（1946）。

早期生涯 奥尼尔出身于戏剧之家。父

亲詹姆斯·奥尼尔是一位巡回剧团演员,19世纪最后25年里取得很大成功,最著名的角色是在根据大仲马小说改编的舞台剧《基督山伯爵》中扮演的主角。尤金·奥尼尔是全家长期巡回演出时在旅馆里出生的,并在旅馆房间里、火车上和剧场后台度过童年时期,因而受到戏剧的熏陶。作为一个孩子,他既从父亲那里受到一种农民式的爱尔兰天主教教义的影响,也从母亲身上感受到一种更高雅的、神秘而虔诚的作用。这两种影响常常处于戏剧性的冲突之中,引起高度的戏剧意识以及与上帝和宗教的斗争,而这一切均使得奥尼尔的剧本更富有特征。

奥尼尔是在寄宿学校接受教育的,1906～1907年进普林斯顿大学学习一年,随即离开学校开始了一种他后来认为真正受到教育的"人生经历"。接下来的6年历险几乎断送了他的性命。他出海航行,在布宜诺斯艾利斯、利物浦和纽约市等港口沿岸过着一种漂泊生活,沉迷于酗酒,甚至企图自杀。24岁时才有了短暂的转机,在《新伦敦电讯报》当了数月记者,为该报的诗歌栏目撰稿。但不久又染上肺结核病,被送往康涅狄格州沃林福德的格劳德农场疗养院休养6个月(1912～1913)。他第一次有机会冷静而明白地面对自己,抓住机遇来度过他后来称之为"再生"的这段时期,他开始编写剧本。

进入戏剧领域 奥尼尔起初花气力写的只是一些拙劣的情节剧,写有关妓女、遭遗弃的人和孤独水手等内容,也写上帝对人类的不公——这些题材到那时为止还仅局限于严肃小说的范围,并且这些内容被认为是不适宜在美国戏剧舞台上表现的题材。有位剧评家说服他父亲,把奥尼尔送进哈佛大学跟随乔治·贝克教授攻读编剧课程。虽然1914～1915年奥尼尔的创作剧本并不是贝克教授指导的结果,但这次稳定的研习编剧的机会却为他所选择的道路打下了坚实的基础。

1916年夏天奥尼尔作为剧作家首次露面,在马萨诸塞州普罗文斯顿一个安静的小渔村里,一群年轻的作家和画家在那里举行实验性戏剧演出。在他们那个建在码头上的、十分狭小的、摇摇欲坠的剧场里,上演了他的独幕海洋剧《东航加的夫》。他的才华在这个短剧中已有所显露,立即受到这群年轻艺术家的重视。那年秋天他们在纽约格林尼治村组建了剧作家剧院。1916年11月3日他们的第一个节目单中就包括《东航加的夫》,这是奥尼尔剧本在纽约的首次演出。他是这几位作家中唯一有剧本在"剧作家剧院"上演的人,并且在随后几年里他的贡献也为这个戏剧团体赢得了名声。1916～1920年间这个剧团上演了奥尼尔所有的独幕海洋剧,以及他的一些未费太大气力的作品。他的第一部多幕剧《天边外》于1920年2月2日在百老汇的莫洛斯科剧院上演,到此时这位青年剧作家已经有了一些名气。《天边外》以其悲剧现实主义给剧评家们留下深刻印象,为奥尼尔赢得第一个普利策戏剧奖,并且引起戏剧界对他更广泛的注意。奥尼尔共有4部剧本获普利策戏剧奖,其他3部是《安娜·克里斯蒂》、《奇妙的插曲》和《直到夜晚的漫长一天》。此后20年,他的声誉在国内外不断上升,继莎士比亚和萧伯纳之后,奥尼尔的戏剧在全世界被翻译得最多,上演也最多。

重要作品时期 奥尼尔的写作能力和献身于写作的力量都是惊人的。1920～1943年间共完成20部长剧本和一些短剧,长剧中有几部是上下集和三部曲。他的许多剧本稿子都经过多次重写,一般达五、六次,直到他满意为止。他的书架上放满了笔记本,里面记有研究笔记、提纲、剧本构思以及其他备忘录资料。最优秀的短剧包括早期创作的4个关于航海生涯的剧本:《东航加的夫》、《在这一带》、《漫长的返航》和《加勒比的月亮》,这4部戏写于1913～1917年之间,演出于1924年,总标题为《S.S.格伦凯恩》。较长一些的剧本有《琼斯皇帝》和《毛猿》,前者讲一个铁路搬运工变成热带小岛统治者之后精神发狂的故事,后者写一个远洋轮船司炉工备受歧视最后死于大猩猩怀抱里的悲惨结局。奥尼尔的剧本从强烈的个人观点出发,直接从其悲剧性家庭关系中汲取素材,反映出所受创伤的影响;他的父母亲既互相爱怜又互相折磨,他那个中年就死于酗酒的长兄既爱他又诱使他堕落,而奥尼尔本人则陷入一种对这3位亲人又爱又恨的感情痛苦之中。

他多幕剧中最著名的杰作是《安娜·克里斯蒂》,这出戏也许是"具有金子般的心的妓女"这类古老主题的经典的美国范例。它演出后立即受到欢迎,获得极大的成功。奥尼尔以严肃的、几乎是庄重的笔触来描写安娜,刻画出这个可怜的瑞典裔美国姑娘早年的贫苦生活以及后来被迫沦落风尘的遭遇。这出悲剧并不复杂,从写完的那一刻起他本人并不喜欢这出戏,因为照他的话说,这出戏显得"过于平淡"了。

在《榆树下的欲望》这出多幕剧中,奥尼尔第一次成功地反映出希腊悲剧的内容在人们生活中明显地和必然地重现,而这些是他亲身体验过的。奥尼尔依照他自己家庭的冲突背景,引用乱伦、杀婴罪和命运报应等希腊戏剧主题来构架这个戏剧故事。这个故事中有贪恋女色的父亲、软弱的儿子和谋杀自己亲生婴儿的不贞妻子,而表现故事的方式又全然不顾当时百老汇戏剧所具有的传统。由于它的风格纯朴、不落情节剧俗套,并具有真挚动人的情感而立即受到欢迎,被誉为一出有力的悲剧,并始终是20世纪美国最伟大的剧作之一。

在《伟大之神布朗》中奥尼尔写了一个重要主题,即唯心论和唯物论的冲突,在后来的一些剧本中他对这个主题还有更出色的表现。由于剧本过于抽象复杂,未能顺利地在1926年搬上舞台,但它象征性地使用面具和实验性地使用表现主义对话及动作却是很有意义的,这些实验设计从此之后就被舞台和银幕所普遍接受。尽管剧本的结构混乱,但它具有丰富的象征主义和诗歌式语言以及大胆的舞台技术实验,成为美国剧坛先锋派运动的先驱。

奥尼尔创造性的写作技巧在《奇妙的插曲》中继续发展。这出戏在风格和长度上都是一场革命:第一次上演时戏从傍晚开始,中间停顿一下吃晚饭,然后持续到传统的时间结束。其技巧对于现代戏剧来说也是新奇的,包括用旁白或独白以表现人物的内在思想。这出戏写一个"普通女性"的传奇故事,她严守礼仪般地扮演她作为女儿、妻子、情妇、母亲以及柏拉图式精神恋人等角色。尽管这个剧本富有创造性并在1928年令人大吃一惊,但它那明显的弗洛伊德式寓意使之很快成为过时的作品。

奥尼尔另一部经得起时间考验的杰作《哀悼》是剧作家运用希腊戏剧形式、主题和人物的最完美的例证。这出戏以埃斯库罗斯的三部曲《奥瑞斯忒亚》为基础,本身也形成一部三联剧。为了使故事具有当代的可信性,奥尼尔将戏的背景设置在南北战争时期的新英格兰地区,然而却又保留希腊戏剧的形式和人物间的冲突:英雄式主人公从战场回来;他那个通奸的妻谋杀了他;他那个忌妒的、受压抑的女儿通过谋杀母亲给父亲报仇;而他那个软弱的、犯乱伦罪的儿子受妹妹的驱使,先是去弑母尔后又自杀。

经过长期连续的悲剧创作之后,奥尼尔的唯一喜剧《啊,荒野!》于1933年在百老汇出现。他以一种快活的、乡愁的情调编写这部喜剧,部分是由于剧作家那种淘气的欲望,他想表明他既能刻画生活中悲剧的一面也能描写喜剧的一面。有意思的是,这出戏的背景和时代与他后来的杰出悲剧《直到夜晚的漫长一天》一样,也是在20世纪初期新英格兰的一个小城镇里。《啊,荒野!》写一个处在敏感青春期的男孩子成长中的苦恼,奥尼尔赋予此剧的特色是要表现出"生活的另一面",即要表现他自己青少年时代可能会具有的幻想,而不是他自己青春期所经历过的烦恼。

《卖冰的人来了》写于1939年,是他悲剧中最复杂的或许也是最佳的作品,尽管此剧直到1946年才得以在百老汇上演。这出戏夹杂着微妙的宗教象征主义,是对人类需要憧憬着美好生活的一种探索。

即使在他最后的写作阶段中,青年时代的经历始终是他作品的生活依据。他逝世后上演的最佳作品之一《直到夜晚的漫长一天》,是一部充满悲怆与痛苦的自传性剧本。此剧描写了一个家庭中父亲、母亲和两个儿子之间痛苦的相互关系,风格上十分坦直,描述上却令人感到希望破灭。它描绘了这家人的一天生活,一层一层地揭示出4个中心人物中每个人的生活特征,母亲是一个失败的吸食毒品者,父亲是一个事业上受挫的人,并且也是个不称职的丈夫和父亲,大儿子是个痛苦的酗酒者,而小儿子是个幻想破灭的青年,又染上肺结核病,体力和精神恢复的希望都很渺茫。

奥尼尔的悲剧性生活观还一直存在于他与前后3个妻子和3个孩子的关系之中。他的前两个妻子与他离异;长子小尤金·奥尼尔(第一个妻子凯瑟琳·詹金斯所生)40岁时自杀身亡;小儿子沙恩(第二个妻子艾格尼丝·博尔顿所生)不仅是在混日子并且患了情绪不稳定症;女儿乌娜(也是艾格尼丝·博尔顿所生)18岁时就在生活上与他断绝联系,嫁给了与奥尼尔年纪相仿的查理·卓别麟,从而使他大发雷霆。

尽管奥尼尔在美国已经受到尊敬,但直

到1953年他去世后许多年才在国外得到更多的重视。尤其瑞典一直给予他很高的评价,部分是由于他公开承认他受到瑞典剧作家奥古斯特·斯特林堡的很大影响,奥尼尔的剧本中常常流露出斯特林堡的悲剧主题。1936年瑞典科学院授予奥尼尔诺贝尔文学奖,这是第一次将这项奖金授予一个美国剧作家。

奥尼尔有一个永远未能完成的最富雄心的戏剧工程。30年代晚期他曾构思一部包括11个剧本的系列剧,准备在11天晚上连续演出。时间上从19世纪早期一直写到现时代,描绘一个美国家庭生活的发展。其中有几部他已写了提纲和剧情概要,另外几部他写了草稿,但是仅完成其中一部《诗人的笔触》。此后患偏瘫症不能再握笔写作。连续剧中的另一剧本《更庄严的大厦》的未完成稿于1964年发表,3年后在百老汇上演,尽管奥尼尔曾留下书面遗嘱,要求在他死后把这部未完成的剧本手稿毁掉。

奥尼尔的最后几年是在严酷的失望中度过的。他不能工作,在波士顿一家旅馆里坐等死亡的到来,除了他的医生、护士及他的第3个妻子卡洛塔·蒙特里之外不会见任何人。奥尼尔颓丧和悲惨地死去,正像他为舞台上创造的任何一个悲剧人物那样。

评价 奥尼尔是第一个把舞台当作文学手段的美国戏剧家,也是迄今获得诺贝尔文学奖的唯一的一位美国剧作家。由于他的努力,美国的戏剧事业得以在20世纪20年代发展成为美国文化领域中堪与最佳小说、绘画和音乐作品相提并论的艺术形式。直到1920年他的《天边外》一剧上演之前,百老汇的戏剧除音乐剧和偶尔来自欧洲的有质量的作品之外,上演的剧目大部分都是构思巧妙的情节剧和闹剧。奥尼尔认为剧院应当是可以表达严肃思想的场所。他本人深感生活的悲怆,因此寻求一种创作现代戏剧的途径,以最强有力的古希腊悲剧为基础,力图达到莎士比亚戏剧的感情高度。在20余年中,奥尼尔创作出像《榆树下的欲望》、《哀悼》和《卖冰的人来了》等杰作,并给其他严肃剧作家以启示,为百老汇戏剧的繁荣树立了榜样。

O'Neill, Gerard K(itchen) 奥尼尔(1927-02-06,美国纽约布鲁克林～1992-04-27,加利福尼亚雷德伍德) 美国物理学家,碰撞束存储环发明者和空间移民的倡导者。1954年在康奈尔大学获得物理学博士学位以后,进入普林斯顿大学任教,不久就开始做提高粒子加速器的输出能量的实验。他所发明的碰撞束存储环是利用在环形通道内沿相反方向运动的两束粒子发生正碰撞来取得巨大能量。1959年,他与斯坦福大学的W.潘诺夫斯基一起在该校建造了两台存储环。不久,这项技术便为许多高能装置所采用。60年代后期,他把注意力转向了空间移民问题。他设计过一个长1千米的密闭圆筒,设想用取自月球的材料来建造,以太阳能为动力,把这个圆筒安排在地球和月球之间的某个地点以维持一部分人长期在那里生活。他在《空中疆域》(1978)一书中指出,这样的空间殖民地可以最终解决地球上的污染、人口过剩和能源危机等问题。他去世前,正在研制一种能在真空中行进的用磁力推动的高速运载工具。

O'Neill, Hugh 奥尼尔 参阅**Tyrone, Hugh O'Neill, 2nd Earl of** *蒂龙伯爵(第二)*。

O'Neill, Hugh 奥尼尔(?～约1660,西班牙?) 爱尔兰军将官,著名的欧文·罗·奥尼尔之侄。1646年任欧文·罗所指挥的军队的少将。1650年保卫克朗梅尔,抗击O.克伦威尔,使克伦威尔遭受了在爱尔兰最惨重的失败。次年在利默里克作战被俘,被关入伦敦塔。1652年获释后去西班牙。

O'Neill, James 奥尼尔(1849-11-15,爱尔兰基尔肯尼郡基尔肯尼～1920-08-10,美国康涅狄格新伦敦) 爱尔兰出生的美国戏剧演员。因饰演基度山伯爵和身为剧作家尤金·奥尼尔的父亲而闻名。在辛辛那提首次登台演出,饰《玻恩姑娘》(1867)中跑龙套的小角色。1871年去芝加哥,在两家剧团演主角。尔后在纽约和旧金山几家固定剧团演出,被认为是当时最有前途的青年演员之一。1879年被S.莫尔斯看中,在《耶稣受难复活剧》中饰演基督。旧金山当局以禁演上帝的法律条令将他逮捕,引起全国注目。1882年演出了C.弗奇特以同名小说改编的《基度山伯爵》一剧中的邓蒂斯。首演之夜新闻界对此反应不佳,但观众却热情很高。尔后30余年,他走遍美国饰此角色,共演出6 000场,酬薪几乎达一百万美元。他在莎士比亚剧作中饰演的各种角色,如哈姆雷特等也很受欢迎。他还在《奥瑟罗》和《麦克白》中与名演员E.布思配戏。他晚期生涯中也出演过其他现代和古典剧目。在他儿子的半自传性剧作《直到夜晚的漫长一天》中,他饰演蒂龙,一个尖酸刻薄的人物。

O'Neill, John 奥尼尔(1834-03-08,爱尔兰莫纳亨郡～1878-01-07,美国内布拉斯加奥马哈) 爱尔兰出生的"芬尼亚人"美国支部军事领导人。14岁移居美国。1857年参加美国军队。南北战争时任联邦军骑兵军官。退役后定居田纳西州。他对芬尼亚人夺取加拿大以换取爱尔兰自由的计划很感兴趣。1866年他开始进攻加拿大,率600人渡尼亚加拉河,夺伊利堡,在莱姆斯通击溃一支加拿大民兵,然后逃回美国。到1867年他已成为芬尼亚人的领袖。1870年5月再次进犯加拿大。但在佛蒙特边境被加拿大人击退。他被美国警察逮捕,判刑2年。服刑3个月后被美国总统U.S.格兰特赦释。1871年10月又袭击马尼托巴,占领哈得孙港一据点后被美军拘禁。获释后脱离"芬尼亚人",致力于吸引爱尔兰人移民内布拉斯加。

O'Neill, Owen Roe 奥尼尔(约1590～1649-11-06) 爱尔兰天主教徒反英起义(1641～1652)部队的司令,1646年6月5日他在阿尔斯特省本伯布的胜利是该次战争中辉煌战绩之一。爱尔兰著名领主蒂龙伯爵(第二)休·奥尼尔(1616卒)之侄。在西班牙军队中服役约30年。1642年回爱尔兰北方任司令官。但很快与天主教联盟其他领导人发生冲突。他主张爱尔兰独立,其他人则主张宗教自由和在英格兰国王治下的立宪政体。本伯布战役获胜后,迫使天主教联盟废止了与英格兰签订的和约。但他与英格兰信奉安立甘宗的保王派结成同盟,反对英格兰议会派中的独立派。他在O.克伦威尔到达爱尔兰后3个月死去。

O'Neill, Sir Phelim 奥尼尔(约1604～1653) 爱尔兰的天主教起义者,1641～1652年反对英格兰在爱尔兰的统治的大起义的发动者。1641年选入爱尔兰议会。同年10月22日占领战略要地阿尔斯特的查尔蒙特城堡,他的追随者杀死几百名英格兰殖民者。1642年包围劳思郡德罗赫达,几个月后撤退。他继续英勇战斗到1652年起义最后失败。翌年以叛逆罪被英格兰人处死。

O'Neill, Rose Cecil 奥尼尔(1874-06-25,美国宾夕法尼亚威尔克斯-巴里～1944-04-06,密苏里斯普林菲尔德) 美国插图画家、作家和实业家。因为她创作了各种丘比特仙童和丘比特娃娃,并且销售大获成功,至今仍被人们所铭记。14岁为《奥马哈世界先驱报》创作的一幅素描获奖,引起人们注意。1893年迁居纽约市画素描画,卖给《真理》和《冰球》等杂志。1896年与G.莱瑟姆结婚,1901年离异。这段婚姻期间签名出售画作《奥尼尔·莱瑟姆》。1902年与《冰球》杂志编辑H.L.威尔逊结婚,1907年离婚。为《生活》和《好家政》等顶级杂志作插图,获得相当可观的收入。此外还著有小说《埃德维的情人》(1904)和《蒙着白色面纱的女士》(1909)。通过绘画丘比特人物,奥尼尔名利双收。这些丘比特仙童和他们的冒险故事迅速成为风靡全国的时尚。奥尼尔则由画这些仙童转向销售一系列丘比特娃娃。她于1913年获得这些娃娃的专利。这些现代化的丘比特仙童商品在全国热销。通过销售这些商品和丘比特系列书籍——《丘比特和亲爱的多蒂》(1913)和《丘比特们与逃跑的小孩》(1928)等书——奥尼尔获得巨额利润和版税。1921年在巴黎的德芳贝画廊展出她的严肃题材的素描画,这使她得以选入美术协会。晚年,她把钱财挥霍一空后,回到密苏里州欧扎克山区邦尼布鲁克她的家园过退隐生活。

O'Neill, Shane 奥尼尔(约1530～1567-06-02,爱尔兰安特里姆郡卡申登附近) 绰号沙恩(自豪者)。爱尔兰奥尼尔家族中最著名的爱国者。康恩·奥尼尔的长子,奥尼尔家族的首领。他拒绝帮助英格兰人反对安特里姆沿海一带的苏格兰移民,而与移民中最有势力的麦克唐奈尔家族结盟。伊丽莎白一世承认他的地位,迫切要求同他讲和。他在1562年1月到达伦敦。伊丽莎白承认他是蒂龙的领主。这时奥尼尔家族另一有力成员特洛阴谋取代他的地位。他回爱尔兰后,很快就取得胜利重振自己的权威,并继续进行部族战争。最后,伊丽莎白派兵去讨伐他,但两次远征均遭失败,结果伊丽莎白满足了他所提出的一切要求。他转而反对麦克唐奈尔家族,1565

年打败麦克唐奈尔家族，加强了自己的地位。但英格兰人利用奥唐奈击败了他。后被麦克唐奈尔家族杀害。

O'Neill, Turlough Luineach 奥尼尔 参阅 **Clanconnell, Turlough Luineach O'Neill, earl of 克兰康奈尔伯爵**。

oneiromancy 圆梦 根据梦境预测未来的占卜。在大多数古代文化形态中，圆梦是宗教活动，并以民俗的形式流传至今。人们认为梦境是由诸神或死者传达给灵魂的各种信息，大多是对活人进行警告，圆梦活动的根据即在此。在古希腊、埃及和巴比伦的高度发达的圆梦术中，圆梦者往往拥有很大的政治和社会势力。希伯来人的祖先约瑟为埃及法老解释7只肥牛和7只瘦牛之梦的故事，是现存古文献中关于圆梦术的最早记录。

Oneonta 奥尼昂塔 美国纽约州中东部奥齐戈县城市。位于奥尔巴尼西南129千米处的卡茨基尔山麓丘陵中，临萨斯奎汉纳河。最早的欧洲移民是J.范德韦尔克(1775)和A.布林克(1780)。1832年称现名(印第安语"多石之地")。1848年设村。1865年奥尔巴尼-萨斯奎汉纳铁路通车后，曾在此建铁路工厂。1883年成立"铁路员工兄弟会"。1909年设市。设有纽约州立大学奥尼昂塔学院(1889)、哈特威克学院(1928)。现在虽不再是铁路枢纽，却仍为繁忙的销售点。有电子元件、塑料、服装等制造业。城中有铁路博物馆。人口约13 292(2000)。

Onesquethaw Stage 欧纳斯阔索阶 北美中泥盆世时间地层的最低的单元(泥盆纪开始于约4.08亿年前，延续约0.48亿年)。位于卡泽诺维亚阶之下，下泥盆统迪尔帕克阶之上。该阶最有名的是纽约州和俄亥俄州富含无脊椎动物化石的海相灰岩——奥农多加灰岩组。该期阿巴拉契亚山地很低，海水又清又浅。

Oneşti 奥内什蒂 前称乔治·乔治乌-德治。罗马尼亚东部巴克乌县城市。15世纪为一居民点。1953年后按计划建造起新城市。初以共产党领导人乔治·乔治乌-德治名字命名，20世纪90年代初改名奥内什蒂。因特罗图什河谷石油、化工和工业综合企业而发展起来，包括达尔默内什蒂和特尔古-奥克纳旧居民区。市内有一炼油厂，正东南方有化工厂和合成橡胶厂，一座热电厂向该市提供电力。人口约59 008(1992)。

Onetti, Juan Carlos 奥内蒂(1909-07-01，乌拉圭蒙得维的亚～1994-05-30，西班牙马德里) 乌拉圭小说家。以其小说《短暂的生命》(1950)闻名。1963年获乌拉圭全国文学奖。早年在布宜诺斯艾利斯大学读书，并干各种杂务谋生。第一部小说《井》(1939)描写一个漫无目的地生活在一个都市里无法与他人心息相通的男人，反映了30年代乌拉圭的腐败和官僚化生活。1943年迁居布宜诺斯艾利斯，至1955年才离开。其间，他任路透社记者，并为一些刊物写稿。在小说《无主的土地》(1942)里，作者再度表现了对城市生活的虚无主义观点，认为它毫无精神内容。在《短暂的生命》中，他创造了一个虚构的城市圣玛利亚，主人公托梦进入另一个人身中，对生活进行幻想并试图恢复旧日的秩序和宁静。《实现了的梦及其他故事》(1951)是奥内蒂40年代创作的短篇小说集锦。1955年奥内蒂回到蒙得维的亚，两年后任市立图书馆馆长。小说《造船厂》(1961)主题与作者以往的作品相同，揭露了乌拉圭政治经济状况的混乱，再度对官僚主义制度进行了抨击。小说《收尸人》(1964)描写卖淫和天真无邪的丧失。1970年出版了奥内蒂的《全集》。以后的作品有小说《死神与小姑娘》(1973)、《故事全集》(1974)、小说《跟上时代》(1974)。1939～1968年就文学和政治人物所写的文章，收集在《献给福克纳的安魂曲》(1975)中。

oni 鬼 日本民间传说中的鬼，一般认为它们是随佛教从中国传来的。鬼性邪恶但能皈依佛法。艺术作品中的鬼形象不一，男女皆有，但一般肤色粉红、红或蓝灰，有角，三趾，三指，间或有三目者。

日本江户时代(1603～1867)的木雕鬼，为乞食僧人形象
美国不列颠百科全书公司供图

Ōnin War 应仁之乱(1467～1477) 日本京都地区发生的内战，是战国时代(1490～1590)的序幕，导致庄园制的终结和大名的加速兴起。由室町幕府管领细川胜元和本州西部大地主山名持丰之间的矛盾引起。1464年，足利义政命弟义视继将军职。翌年，义政的夫人生一子，遂依靠山名持丰夺权。但义视与细川胜元勾结，不肯让位。1467年双方开战，各地藩主为了得到更多领地分别支持一方，战乱迅即蔓延全国。1477年战事于僵持中结束，细川最后赢得对政府的控制，但各地的战争延续了100年，直到16世纪末织田信长和丰臣秀吉建立起霸权，统一全国。

onion(*Allium cepa*) **洋葱** 二年生草本植物，其鳞茎可食，可能原产于西南亚，属百合科。本科多有地下茎，有储藏作用；还包括郁金香、风信子、铃兰等观赏植物和韭葱、蒜、细香葱及青葱等食用植物。普通洋葱有一株或多株无叶的茎，高0.75～1.8米，顶端有一簇青白色小花。叶基在植物生长过程中膨胀，成为地下鳞茎。可用黑色形小的种子培植，但也可用小鳞茎或移植法培植。洋葱是世界上栽培最早的植物之一，史前的印度、中国和中东就已种植。古埃及人认为洋葱球形的鳞茎是宇宙的象征。其英文名onion可能来自拉丁文unus，意为"一个"。洋葱由古罗马人引入不列颠。在新大陆，美洲印第安人在炖菜时加入一种极为辛辣的野生洋葱。数世纪以来，人们认为洋葱对感冒、耳痛、喉炎、动物咬伤、火伤及疣等轻微病症有疗效。洋葱既用作炖菜、炙烧食品、羹汤、沙拉的调味品，也作为一种烹炒的蔬菜。其特有的辛辣味来自富含硫的挥发油。去皮时释出的挥发油可使人流泪，根据厨师们的经验在流水中去皮可免受刺激。洋葱的大小、形状、颜色及辣味各不相同，较温暖的地区生长的洋葱味柔而甜。球形洋葱呈白色、黄色或红色，有强烈的辛辣味。百慕大洋葱大而扁，色白或黄，口味柔和，常烹食，亦可做馅、烤食或油炸，可切片后加入沙拉生食或用于三明治。西班牙洋葱形状大，味甜多汁，颜色从黄到红，口味柔和，亦可做饰菜。意大利洋葱扁平，红色，口味柔和，可加入沙拉或三明治生食，黄红色的外层可做饰菜。珍珠洋葱不是一个具体的品种，而是生长到最多25毫米时即采摘的小而圆的白色洋葱；通常腌食，亦可用作饰菜并用于开胃食品。小白洋葱直径25～37.5毫米时采摘，味颇甜，用来调味炒蛋、其他蛋菜、酱汁及豌豆；又可以煮食或烤食。青洋葱又名春葱，是在其顶端仍是青色、鳞茎直径不足12.5毫米的时候即收获的嫩洋葱；味柔和，整株洋葱，包括顶部、茎、鳞茎，作沙拉生食，或用于酱汁，亦可作饰菜，又可用为调料。洋葱营养价值低，但风味极佳。多数完整的洋葱于上市前稍经干燥，使外皮变干，鳞片变薄。世界上主要的干洋葱生产国有中国、印度、美国、俄罗斯、日本和土耳其；西班牙是欧洲的主要生产国。有多种加工方式，可将煮熟或腌过的洋葱装入罐头或瓶内。可将切碎的洋葱或完整的洋葱冷冻保存。瓶装的洋葱汁可出售用作调味料。20世纪30年代以后生产的脱水洋葱用加热法或冷冻干燥法脱去大部分水分制成。这种产品可通过压碎、研磨、绞碎、切细和切片等方法加工。洋葱粉用脱水洋葱磨碎制成。有时加盐包装。干洋葱制品被食品工业用于各种预制食品中，也直接作为调料出售。在美国，加利福尼亚州是主要的洋葱生产地，所产洋葱用以制造干洋葱产品。

Onitsha 奥尼查 尼日利亚阿南布拉州港口和集镇。临尼日尔河。在该河与阿南布拉河汇流处以南。17世纪初由来自贝宁的人创建。后成为伊博人奥尼查王国的政治和贸易中心。1857年在此建英国商埠。现仍为尼日尔河三角洲上行货物及尼日尔河与贝努埃河沿岸城镇下行货物的主要集散港口。公路通埃努古和奥韦里。1965年跨尼日尔河至阿萨巴的大桥(长1 404米)建成后,与贝宁城和拉各斯通公路。棕油、棕仁为当地最主要的出口物产。有薯蓣、木薯、玉米、柑橘、棕榈产品、稻米、芋、水产和牛的贸易市场。市场大楼是尼日利亚最大的大楼之一,1968年在尼日利亚内战(1967～1970)中被摧毁,后又重建。有轮胎修理、木材、印刷、软饮料瓶装、唱片和纺织工业。镇内有天主教圣三一大教堂(1935)和圣公会万圣大教堂(1952)。为地方政府议会所在地。以每年举行奥法拉节闻名。人口约328 300(1991)。

online system　联机服务系统　以前称为可视图文(videotex),指向用户提供信息(通过电话线向个人计算机提供信息,或通过电缆向终端提供信息)的电子交互式系统。联机服务系统通常以文本方式提供有关新闻、教育、商业、娱乐、购物等方面的信息。有些还提供电子邮件服务和图形与声音信息。

联机服务是由主机(或网关)系统管理的,由它负责维护可由用户访问的信息库。普通终端(与大型机或中型机相连的,自己没有处理能力的终端)用户通过存储在系统中的程序访问信息库;个人计算机用户一般通过调制解调器(使计算机能通过常规的模拟电话线进行二进制数字数据通信的调制设备)在主机"登录"(log on,即访问主机)。个人计算机中的软件程序作为服务器和个人计算机之间的接口,使用户能进入联机服务系统,用键盘或鼠标选择不同的数据库。

全国的和地区的联机服务系统通常有一批本地的电话号码,个人计算机的调制解调器可以通过这些号码访问本地的或远地的信息库,这样可以节省昂贵的长途电话费用。有些联机服务系统允许用户把大量的信息下载(复制)到自己的存储设备中,这样可以极大地减少用户同联机服务系统连接的时间。

除了提供大量不同的信息库(范围由全文的报刊文库到有关丢失儿童的报道)之外,联机服务系统还允许用户做许多别的事情,例如预定机票、购买股票、购买日用消费品和同其他用户通信。为了享受这些服务,用户(即订户)一般要按月付成员费,也可能还要为进入某些数据库或下载某些信息而付费。美国最流行的全国性联机服务系统(它们都向用户提供为数众多的信息服务)有美国联机(America Online)、计算机服务(CompuServe)和普劳迪(Prodigy)系统。

有些联机服务系统,如著名的法国米尼特系统(Minitel),是20世纪70年代作为政府资助的计算机分时网络而出现的。80年代时,这种系统在美国获得广泛流行,主要是向个人计算机用户提供法律、商业和新闻方面的信息。过去影响联机服务系统取得进一步成功和改进的主要障碍是信息检索速度太慢,这主要是由调制过程引起的。

Onitsha market literature　奥尼查市场文学　20世纪由一批粗通读写的写作者(包括学生、见习记者、出租汽车司机)写出的富于情感和说教的中短篇小说和小册子,在尼日利亚东部热闹的奥尼查市场销售。最多产的写作者有F.N.史蒂芬、S.埃里克、T.O.依古和O.奥立萨。后两个写作者还写出有关知名文人的短剧。这些作品有两个显著特点:迷恋西方化的城市生活,以及想告诫刚成名的人要警惕腐化及随之而来的危险。虽然奥尼查小册子在文学上价值不大,但在教育上却起到双重作用:提高广大文化不高的读者的英语水平;谈论紧迫问题,如在大城市中如何生活,以及如何把乡村价值标准与一些令人迷乱的新的诱惑和生活方式调和起来。遗憾的是,传统的道德观念往往仅能得到半心半意的维护,留在乡村里的老人常被视作迂腐的象征,他们的不规范的粗鄙英语常被当作笑谈。大多数奥尼查写作者暗中把危险的城市作为羡慕的目标,而尼日利亚大作家对逝去的非洲往昔的怀念在他们的市场文学里却无影无踪。作为一种文学现象,这种尼日利亚小册子在使作者与读者保持密切联系而不必仰仗外部世界这一点上是重要的。这种次文学类型似将与尼日利亚文学的主流共同存在下去。

Onmun, Korean ŏNMUN (Korean alphabet) 参阅 **Hankul** 谚文。

Onn bin Ja'afar, Dato　贾法尔(1895,马来亚新山～1962-01-19,新山)　马来亚政治领袖。在独立运动和马来亚联邦(今马来西亚的前身)的建立中曾起重要作用。曾在英格兰留学。一度在柔佛任官职,后转入新闻界,主编《马来联盟报》和《马来亚新闻报》。第二次世界大战后,在马来亚政界极为活跃。1946年英国打算建立马来亚联盟,不分种族和宗教,给予马来亚所有公民以同等权利。但贾法尔表示坚决反对,他认为让在经济上占优势的中国人和印度人分享政治权利,马来民族就会"绝种"。同年3月,他联合40多个马来人的团体,创立巫统(马来民族统一机构)。当英国取消建立联盟的计划时,柔佛苏丹任命他为邦总理。1948年2月他任马来亚联合邦内政部长。1951年因建议巫统向各种族开放被拒绝而退出巫统。拉赫曼(东古)取代了他的职务,并成为后来的马来西亚联邦总理。1953～1955年间,他创立两个政党——马来亚独立党和民族党,但在与拉赫曼的新联盟党对抗中未赢得公众支持,此后,他退出马来亚政坛。

Onnes, Heike Kamerlingh　参阅 **Kamerlingh Onnes, Heike** 昂内斯。

Ono Tōfū　小野道风(894,日本～964,日本)　日本书法家,与藤原行成和藤原佐理共称"三迹",将日本"上代样"(即"古体")书体予以改进,使之更加完善。小野道风出身显贵,其书法脱离中国传统,别具风格,为嗣后日本书法的楷模。现存真迹有:《智证大师谥号敕书》(927),现藏东京国立博物馆;《屏风土代》六帖题诗(928)及《玉泉帖》,均为皇室所有;另有《白氏三体诗卷》。

onomatopoeia　声喻法　用类似的声音模拟来命名一物或一动作(如嗡嗡声或嘘声)。声喻法也可指以声暗示其义的一些词。这常常发生在诗歌中,可以表达被描述之事的特征。A.丁尼生勋爵的作品《溪流》中的几行诗即为例证:

I chatter over stony ways,
In little sharps and trebles,
I bubble into eddying bays,
I babble on the pebbles.

Onomichi　尾道　日本本州广岛县城市。濒临濑户内海。1168年开辟港口,近500年一直是稻米运输中心和与中国的贸易港。现与四国北部和濑户内海诸岛港口之间有船运

尾道市及其工业航运水道
美国不列颠百科全书公司供图

往来。有造船厂、汽车厂、佛教庙宇千光寺(建于9世纪)以及天文台和天文馆。人口100 640(1985)。

Onondaga　奥农达加人　操易洛魁语的北美印第安部落,居住在今纽约州。村落由木材和树皮构筑的长形房屋组成。他们根据季节搬迁住房,或移于新种菜园之旁,或移往捡取柴薪方便之所,或移近渔、猎地区。他们种植玉米、豆类、南瓜、向日葵及烟草。各村社由男丁议事会指导村长。17世纪时约有1 700人。奥农达加部落原为易洛魁联盟(**Iroquois League**)五民族之一,也是联盟的政治、地理中心。他们在联盟议事会中有14名代表,其中包括联盟主席和档案管理人员各1名,后者专门负责保管各项以贝壳串珠带交易的账目。20世纪后期在纽约州保留地约有1 000余人。

Onsager, Lars　昂萨格(1903-11-27,挪威克里斯蒂安尼亚～1976-10-05,美国佛罗里达科勒尔盖布尔斯)　挪威出生的美国化学家,因提出不可逆化学过程理论而获1968年诺贝尔化学奖。他早期对统计力学的研究工作引起了荷兰化学家P.德拜的注意。曾在苏黎世瑞士联邦理工学院师从德拜(1926～1928)。后来去美国,在巴尔的摩约翰斯·霍普金斯大学和罗得岛普罗维登斯布朗大学任教。1935年在耶鲁大学任教时,获博士学位,且于1945年任理论化学教授。他对溶液中离子运动与湍流和流体密度有关的论述,对物理化学的发展具有重大影响,被描述为拟

议中的热力学第四定律。

Ontake, Mount 御岳山 日本本州中部复合火山。在岐阜和长野两县交界处。海拔3 063米。冬季被积雪覆盖。其高度和受尊崇程度仅次于富士山。朝圣者每年都上山朝拜。

Ontario 安大略 加拿大第二大省。位于北部的哈得孙湾和詹姆斯湾与南部的圣劳伦斯水系一大湖区之间。东接魁北克省,西连马尼托巴省,面积1 068 580 平方千米,其中包括内陆水域面积177 390 平方千米 。省会多伦多。首都渥太华亦位于该省东南部。安大略是加拿大人口与经济中心,亦是国内政治中的主要力量所在地。

易洛魁部落最早定居在该省南部,居住在设防村子的长形房屋中,种植玉米。在其北面和西面,游牧部落阿尔贡金、奥吉布瓦和克里印第安人则主要以狩猎、捕鱼为生。随着1608年法国人到来,易洛魁部落的休伦人开始捕捉海狸,并用生皮与法国人易货。安大略南部遂成为把魁北克法国移民区同其在密西西比河地区的毛皮贸易站连接起来的重要纽带。该地区法国主要贸易站有弗龙特奈(即今该省金斯顿)、尼亚加拉和底特律,但该地区法国移民较少。

1763年法国印第安战争结束,安大略由法国割让给英国。1784年约1万名美洲的亲英分子从刚独立的美国移出,由英国人重新安置在安大略和伊利湖北岸及圣劳伦斯河沿岸地区。他们成了该省后来居民的核心。1791年,魁北克殖民地(安大略原为其一部分)被分成一个法语省(称下加拿大)和一个新的英语省(称上加拿大)。上加拿大接受代议制政府和英国国教以及沿袭英国模式的殖民行政机关。1815 ～ 1841 年,该省由“家庭协定”,即英国国教拥护者与捐赠土地用于在本省支持该教会的拥护者之间的联盟所支配。1841年上、下加拿大两省联合,上加拿大改称西加拿大。1867年加拿大联邦成立,西加拿大即改称安大略省。从19世纪后期至20世纪,在温和保守的省政府领导下,该省经济高度繁荣。

该省地理上分为两个地区。马特瓦河与渥太华河汇合处以北为北安大略;南安大略则以乔治湾上的弗伦奇河口为其西南边界。北安大略面积 900 000 平方千米,岩石重叠,地势起伏,森林茂密,多沼泽和湖泊,矿藏丰富。南安大略适宜农业和工业生产,面积虽不足全省1/10,却是加拿大人口、城市发展及工业的中心。

至1812年战争结束,该省白人居民多为从美国来的亲英分子以及美国宾夕法尼亚州的贵格会教徒和孟诺派教徒。1815 ～ 1850年,英国移民蜂拥而入。1896 ～ 1914 年间的欧洲移民方面又招来德国人、斯堪的纳维亚人、俄国人、波兰人、乌克兰人和意大利人。第二次世界大战后再次掀起移民浪潮,重点在工业地区。该省农村有为数不多的美洲印第安人。黑人多为奴隶后裔及美国和西印度群岛移民后裔。技术人员因移居美国而大为减少。

就业及经济活动大部分集中于制造业和服务业。农业人口多在南安大略,它是重要农业区。大部分农场主要从事乳制品生产和家畜饲养,但主要商品作物则是烟草。粮食从美国大量进口。尼亚加拉半岛及多伦多北部的霍兰沼地是主要的水果和蔬菜种植区,肯特县和埃塞克斯县则是该省主要粮食生产基地(主要是玉米和大豆)。

该省为加拿大主要采矿省,亦是世界主要产镍地之一。此外还生产大量铜、铁矿石、锌、金和铀等。全省就业人口占全国劳动力的一半,该省是主要的制造业省。20 世纪 60 年代末至70年代,汽车生产增至三倍。其他重要制造业包括纺织、家具、食品加工、工业机械、电气产品、农具、橡胶、合成纤维及飞机。虽然联邦政府控制经济计划,但省政府在工业研究与发展上却日益起到推动作用。

该省由立法议会管理。议会选任总理。总理任命自己的政务院或内阁。代理总督由加拿大总督指派,履行礼仪性职责。有三个政党:进步保守党、自由党和新民主党。新民主党成立于1961年,是社会主义组织和工会运动各派别的混合组织。

小学、中学至13年级为强制义务教育,由公立学校和天主教会学校共同承担。有21所授予学位的大学,其中多伦多大学最为著名。还有22所实用艺术和技术学院。全省居民均有综合医疗保险。在多伦多和渥太华有交响乐团、博物馆和美术馆。斯特拉特福以举办一年一度的莎士比亚戏剧节而著称。人口11 410 046(2001)。

Ontario 安大略 美国加利福尼亚州南部圣贝纳迪诺县城市。在洛杉矶都会区内。1882年建居民点,种植柑橘和葡萄。1891年设市。1887年通铁路后成为水果加工和转运中心。有电器、飞机零件、钢铁和塑料工业。建有安大略国际机场。安大略高速公路(1970)每年举行加州汽车赛。人口158 007(2000)。

Ontario 安大略 美国俄勒冈州东部马卢尔县城市。位于爱达荷州博伊西以西97千米处,斯内克河与马卢尔河汇合处。1884年太平洋联合铁路铺轨后建立,为通向俄勒冈牧区的大门。1899年设市。周围盛产马铃薯、甜菜、洋葱、苜蓿和玉米。工业以食品加工为主。附近奥怀希湖和峡谷地区为一旅游胜地。设有特雷热谷社区学院(1962)。人口10 985(2000)。

Ontario, Lake 安大略湖 北美洲五大湖最东和最小的湖泊。北为加拿大安大略省,南为美国纽约州。大致呈椭圆形,主轴线东西向,长311千米,最宽处85千米。湖盆面积70 400平方千米,不包括约19 554平方千米水域面积。有尼亚加拉、杰纳西、奥斯威戈、布莱克和特伦特河注入。湖水从48千米宽的东端注入圣劳伦斯河。平均深度86米,最深244米。经通航的韦兰运河和尼亚加拉河与伊利湖连接,经特伦特运河通乔治亚湾。北面为农业平原。工业集中在港口城市多伦多、哈米尔顿和罗切斯特(属纽约州)。其他港口有金斯顿、奥斯威戈(属纽约州)。仅沿岸水面封冻,港湾每年12月至来年4月不通航。1615年S. de 尚普兰曾来此。17世纪末与18世纪初法国人在此建碉堡,后法国人与印第安人之间发生战争,英国得以控制该地。美国独立战争加快了其居民点、商业和船运的建设。

Ontario Museum, Royal 参阅 **Royal Ontario Museum 皇家安大略博物馆**。

ontology 本体论 探讨存在本身、即一切实在的基本特征的一种学说。这一术语尽管最初是17世纪时创造的,但它和公元前4世纪时亚里士多德的形而上学和“第一哲学”的含义相同。由于形而上学研究的对象还涉及其他学科(如哲学的宇宙论和心理学),在探讨存在这一命题时就采用了本体论这一术语。18世纪时,这一术语因德国唯理论者C. 沃尔弗的使用而知名,他把本体论看成是一种导致有关存在本质的必然真理的演绎法。不过,他的主要继承者I. 康德提出过有影响的驳斥,否认本体论为一种演绎法,否认对上帝(作为至高无上和完善的存在)的必然存在所做的本体论论证。20世纪时由于形而上学重新抬头,本体论或本体论思想再度受到重视,包括M. 海德格尔在内的现象学者和存在主义者的论述尤其如此。

Onu (ancient city) **奥努** 参阅 **Heliopolis 赫利奥波利斯**。

Onverwacht series 昂维尔瓦赫特统 南非斯威士兰地区太古宙(38亿年前至25亿年前)的地层单元。本统在南非德兰士瓦东部的科马蒂谷的露头是由暗色安山质熔岩、白云质灰岩、燧石、碧玉以及蛇纹岩、辉长岩和橄榄岩组成。大部分岩石由于变质作用遭受强烈变形,这些作用过程的结果体现在局部富含片岩和大理岩。该地层伏于无花果树统下,形成该地区的基底岩石。经放射性方法测定,年龄约为37亿年。在其沉积成因的岩层中发现极微小的细胞状化石形态,对岩石中的碳氢化合物也作了研究。它可能含有地球上已知最早生物的痕迹,从无生命到有生命物质的转变在该统内部可能有记录。进一步的研究,可望阐明这种转变的具体过程。

onychophoran 有爪动物 又作 onychophore。又称有爪类。有爪动物纲无脊椎动物,体细长,陆栖,自由生活,约90种。在进化上介于环节动物与节肢动物(如昆虫和甲壳动物)之间。体长14 ～ 150厘米。因有爪动物陆栖,又不能抵御水分的丢失,故不能生活于干燥的生存环境。生活于森林中地面的枯枝落叶间,石块或落木下,落木里的虫道内,白蚁巢内,或土壤中的缝隙或虫道内,有时可深达1米多。具有将身体挤过狭窄通道的非凡能力,这是一种适应,使之能寻到足够潮湿的安全隐蔽处所。肉食性,用其颚将被捕到的猎物体表咬开,然后吸食其汁液。从口乳头喷出能迅速变硬的黏液,口附近有许多指状突起,这些均用以防御或制服猎物。

畏光，通常躲藏于不为人见的地方。触觉对有爪动物十分重要，身上有司触觉的刺，对空气流动敏感。有爪动物具发达的脑和两条距离甚远的腹神经索，上无神经节，于尾部直肠

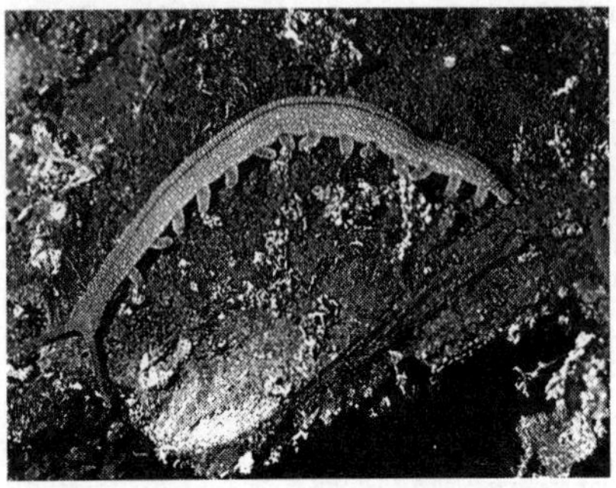

一种有爪动物(*Peripatoides novaezealandiae*)
美国不列颠百科全书公司供图

上方连合，这是一种原始的状态。其眼结构与某些环节动物的相类似。呼吸系统由无数不规则分布的小坑(气孔)组成，从此处联结许多细小的气管。气管伸入组织中，可以有分支。每个有足的体节内有一对分节的排泄器官，有纤毛的漏斗在排泄孔处通向体外。每个分节的排泄器官将水分和其他物质排出，但含氮废物(如尿酸)则排入中肠。栉蚕属(*Peripatus*)是一个常见的属，分布于西印度群岛、中美洲和南美洲北部。已知栉蚕属约有20种。体细长，躯干有14～44节，每一节具一对短足。体节数依种而异。皮肤干燥，天鹅绒样，颜色各异，与周围环境一致，从深石板色到浅红褐色，背部中央有一个颜色更深的条纹。栉蚕属种类栖于潮湿森林中阴湿的地方，以小昆虫为食。

onyx 缟玛瑙 硅氧矿物玛瑙具黑白交替条带状的次宝石变种。缟玛瑙可以用来作浮雕和凹雕宝石，因为它的各雕层可以显示出图样与基底之间的颜色对比。其他变种

产自美国亚利桑那州亚瓦佩县的缟玛瑙
美国不列颠百科全书公司供图

包括带有白色和红色条带的红面带纹玛瑙及带有白色和褐色条带的缠丝玛瑙。其主要产地在印度和南美。缟玛瑙的名字是罗马人用来泛指包括雪花石膏、玉髓和条纹大理岩的各种宝石的。缟玛瑙是《圣经·出埃及记》(28:20;39:13)中提到的用于装饰犹太教高僧法衣的12颗宝石之一。其物理性质与石英相同。

Oodnadatta 乌德纳达塔 澳大利亚南澳大利亚州北部城镇。濒临尼尔斯河。一度为澳大利亚中部的主要供应中心。澳大利亚中央铁路西延后衰落，现为运牛列车编组站。有澳大利亚最大的自流井供水。腹地贫瘠，物产少。人口220(最新统计)。

oogenesis 卵子发生 由初级卵细胞变为成熟卵子的生长过程。卵细胞的发育在胚胎时期即已开始。在8～20周的胎儿体内，将发育为成熟卵子的细胞即已增殖。在婴儿出生时，卵巢内约有初级卵细胞40万个。这些初级卵细胞在排卵前呈静止状态。有些初级卵细胞可以40年不成熟，亦有些退化。卵细胞进行细胞分裂时，细胞核亦分裂，一半染色体进入一个细胞，另一半进入另一个细胞。两个新细胞中较大的一个称次级卵细胞，较小的一个称极体。次级卵细胞在卵巢内生长成熟，然后随卵泡破裂释出，进入输卵管准备受精。参阅 **ovulation；ovum**。

Ōoka Tadasuke 大冈忠相(1677，日本江户[今东京]～1752-01，江户) 日本德川时代(1603～1867)最受崇敬的审判官。德川吉宗(1716～1745年执政)任命他为寺社奉行，不久便以才干和廉洁闻名。在处理案件方面，他表现出聪明和公正，因而成为传奇式的人物。

oölite 鲕粒 具有同心圆状或放射状构造的卵形或球形的结晶质沉积物。鲕粒大部分是由碳酸钙组成，有些由二氧化硅、菱铁矿、磷酸钙、铁硅酸盐或氧化铁组成。直径大小0.25～2毫米不等，其中大多为0.5～1毫米；直径大于2毫米的鲕粒称为豆粒。oölite(鲕粒)这个术语用在结核体上，也用在主要由这种构造组成的岩石上；为了避免模棱两可，这些构造有时被称为oöids(鲕石)、oöliths(鱼卵石)或ovulites(鲕粒)，而oölite这一术语则用来指岩石。这一术语也用作形容词，例如“oölitic limestone”(鲕状石灰岩)或“oölitic chert”(鲕状燧石)。假鲕粒具有类似鲕粒的外表，但没有规则的内部构造。钙质鲕粒是在寒冷海水流到温暖的浅滩形成的，如在巴哈马。碳酸盐沉淀在小片的贝壳、石英粒或其他核心上。钙质鲕粒也在泉水和洞穴中形成，成为穴珠。

Oomycetes 卵菌纲 真菌门的一纲。它们产生称为游动孢子的无性生殖细胞，这些孢子借1～2条鞭毛进行游动，并可生成新的真菌。成熟的真菌也可进行有性繁殖，其受精卵转化成不游动的卵孢子并进而也形成新的成熟个体。寄生或腐生。水霉属 *Saprolegnia* 生于水生生物体上，丝囊霉 *Aphanomyces* 造成豆类的根腐病，疫霉属 *Phytophthora* 造成根腐病及叶萎病；还有的专主寄生于高等植物，如造成霜霉病的单轴霜霉属 *Plasmopara* 和造成白锈病的白锈菌属 *Albugo* 等。

Oort, Jan Hendrik 奥尔特(1900-04-28，荷兰弗拉讷克～1992-11-05，莱顿) 20世纪中，为人类了解银河系本原作出最重要贡献的一位荷兰天文学家。奥尔特在格罗宁根大学毕业后，于1924年在莱顿天文台任职，于1945年出任台长，直到1970年离任。1925年，瑞典天文学家B.林德布拉德提出银河系自转理论，认为银河系沿银道面，绕银心自转。1927年，奥尔特运用他所取得的恒星在银河系中的运动速度的直接观测资料，证实了林德布拉德理论，并对之作了较大的修正，使其成为今日通用的表达形式。奥尔特在此之后的研究工作，以及他在荷兰发展起来的学派的研究方向，全都集中在深化和验证林德布拉德-奥尔特学说领域内。1935年，在他晋升为莱顿大学教授不久，他测定出太阳和银河系中心的距离为30 000光年，绕银心一周2.25亿年。1951年，星际空间的氢产生的21厘米射电波的发现，为他提供了测绘银河系旋涡结构的新方法。1950年，奥尔特推测，彗星起源于一个由众小天体组成的庞大云团，在约1光年的距离处，绕太阳运动；其他恒星朝向该云团的运动，会改变云团中某些彗星的轨道，并使之飞近太阳。该云团现被命名为奥尔特云。如今，大多数天文学家都认同这一彗星聚集区域的存在。奥尔特1958～1961年任国际天文学联合会主席，1935～1948年曾任该联合会秘书长。

Oort cloud 奥尔特云 一个以荷兰天文学家J.H.奥尔特命名的、由冰质小天体族组成的粗略成形的球状云。推测它和太阳的距离是现在所知距太阳最远的行星海王星的轨道长度的1 000多倍。云中小天体的直径一般都小于100千米，总数量或许能以万亿计，总质量估计是地球的10～100倍。尽管距离太远，尚不能直接加以观测，但确信奥尔特云是历史上出现过的大多数回归周期超过200年的长周期彗星的起源地。1932年，爱沙尼亚天文学家E.J.欧匹克提出推测，认为在太阳系外围可能存在一个彗星库。1950年，奥尔特计算出19个彗星的初始轨道。数据表明，其中10个都是首次从极其遥远的同样距离处飞临太阳附近，因此该处应有一个彗星库。随后，美国天文学家B.马斯登运用数量更多的轨道观测资料，计算出诞生彗星的奥尔特云的部分距太阳是40 000～50 000天文单位(1天文单位＝约15 000万千米)。在离太阳如此的远处，或是由于某一恒星或一个大型星际分子云的偶然临近，或是由于银河系圆盘结构的起潮力，都可能使冰质小天体的轨道变异而飞向太阳。马斯登还推算出，奥尔特云的内缘距离太阳约20 000天文单位(这里不能诞生彗星)，外缘为50 000天文单位，该处的距离相当于最近恒星距离的1/5。在奥尔特云的外缘之外则是空旷的星际空间。

Oostende (Belgium) 参阅 **Ostend 奥斯坦德**。

Oosterbaan, Bennie 乌斯特班(1906-02-24，美国密歇根马斯基根～1990-10-25，密歇根安阿伯) 原名Benjamin Gaylord Oosterbaan。美国大学橄榄球运动员，密歇根大学教练。他是大学橄榄球运动中最早一批善于接传球的球员。他所训练的队胜63场比赛，负33场，平4场。他担任教练员的第一年所辅导的队胜9场，一场未输，夺得了全国冠军。乌斯特

班在密歇根州马斯基根中学上学时，既打篮球又打橄榄球。他在密歇根大学（1924～1927）期间是全美国最优秀的边锋（1925和1927），他同前卫B.弗里德曼协同作战时，是给对方威胁很大的得分手。曾在一个赛季里在橄榄球、篮球和棒球得分方面为十大学联合会之冠。在这3项运动中他9次获大学奖励。毕业后乌斯特班先后担任橄榄球助理教练（1927～1937）、篮球教练（1938～1946）、橄榄球后场教练（1946～1947）和橄榄球主教练（1948）。在他任职期内，密歇根队3次获十大学联合会锦标赛冠军（1947～1948，1950），1949年与另外一个队并列第一名。1951年密歇根队在蔷薇体育馆橄榄球赛中获胜，1948年获全国锦标赛冠军。1958年乌斯特班退休，不再担任教练。

Ootacamund（India） **乌塔卡蒙德** 参阅 **Uthagamandalam** 乌塔加门德拉姆。

ooze 软泥 微体浮游生物残骸至少占30%的深海沉积物。软泥基本上是大洋底部的松软泥质沉积物。它们形成于距陆地足够远的海底，以致来自上覆水层的死亡微生物之缓慢而稳定的沉积作用不会被由陆地冲刷来的沉积物所搞混。软泥先被划分为钙质软泥（含有由碳酸钙组成的骨骼）和硅质软泥（含由二氧化硅组成的骨骼）两类，然后再根据占优势的残骸类型划分。例如钙质软泥包括：①抱球虫软泥，含浮游有孔虫的壳；②翼足类软泥，此类软泥主要由深海软体动物壳组成。硅质软泥包括：①放射虫软泥，此类软泥基本上由含温水原生动物残骸30%以上的褐色黏土构成；②硅藻软泥，含有硅藻细胞（微小的壳）。硅质软泥只出现在深海硅藻或放射虫残骸的补给率大于它们的二氧化硅溶解率的地方。因此，硅藻软泥只局限于北太平洋和南极海域的地带中，而放射虫软泥则仅发现于北太平洋的东段下面。抱球虫软泥是软泥中分布最广的，它既出现在大西洋，也出现在印度洋。翼足类软泥只见于大西洋中部。

Op art 奥普艺术 又称光效应艺术。20世纪中叶的几何化抽象艺术的分支。以光幻象为表现手段，通过系统而精确的色与形的变化获得艺术效果，既能利用透视错觉，也可依靠色调强弱来达到。主要用武之地是绘画，画中色与形的表面张力通常受到极大增强，以致观者能以肉眼感到画中的形体真在闪烁变动。本质上是注重色、线及其在画面上的整体构成。实际是由其他各种20世纪风格——俄耳甫斯主义、构成主义、至上主义及未来主义演变而成，特别是得力于后者所信奉的用图表示的运动及物力论。在色调的同时对比理论方面与19世纪的新印象主义也有相同之处。20世纪50～60年代的奥普艺术家与同时代的以坚硬锋利的几何形体作画的画家不同，他们反对仅靠在画布上求得色与形的完美巧合来创造奇特的形象。奥普艺术家通过色与形两者创造富有动势的非描写性表面。他们用故意变换平行线、方格图案和同心圆等对称形体的方法，设计出似是

V.瓦萨列里的奥普艺术绘画《织女星》（1957）
美国不列颠百科全书公司供图

而非的复杂的视觉空间；或用并列的亮度相同的互补色（从色彩学上看是抵触的）以形成色调强弱的变化等技巧，在画面上造成运动的幻觉。这就可以防止观者的视线长时间停留在画面某一部分，从而全面领会作品。

opah（*Lampris regius*） **月鱼** 又作moonfish。又称月亮鱼。月鱼目月鱼科的大型海鱼，广布于暖水海洋。体扁，口小，无牙。长可达约2米；重140千克，曾报道有更大者。

月鱼（*Lampris regius*）
美国不列颠百科全书公司供图

体色鲜明美观，上部为蓝色，下部玫瑰色，鳍及颌鲜红色，体具白色圆斑。月鱼十分罕见，但有食用价值。

opal 蛋白石 广泛用作宝石的硅氧矿物，一种方英石（**cristobalite**）的半显微结晶质的变种。在古代，蛋白石被列入贵重宝石之中，它被罗马人列为仅次于祖母绿而占第二位的宝石。在中世纪它被认为是幸福的象征，而在现代它又被认为是不幸的象征。基本上是无色的，但无色蛋白石很少见，多数是浸染有各种杂质的暗色变种。其颜色由氧化铁造成的黄色和红色到氧化锰和有机碳造成的黑色。许多白色和灰色蛋白石的乳白色是由于含有大量充满气体的细小空穴的缘故。带有深灰色或蓝色到黑色体色的黑蛋白石是罕见的，价值很高的带浅体色的白蛋白石和以黄色、橙色或红色体色为特征的火蛋白石较常见。珍贵的蛋白石是半透明到透明的，而且由于乳色到珍珠色乳光的混合和多种颜色吸引人的变彩而变得珍贵，当矿石从不同方向观察时，这些颜色会发生闪光和变化。这是由于沿着微小裂隙和其他内部不均匀处光的干涉引起的。蛋白石是由循环水沉积成结核、钟乳块体、细脉和皮壳的，并广泛地分布在差不多各种岩石中，在火山岩中最丰富，尤其在热泉活动的地区。它还形成硅化木和其他有机质化石的假象，以及石膏、方解石、长石和其他许多矿物被它交代后的假象。作为硅藻和放射虫等有机物分泌的硅质物质，蛋

产自澳大利亚的黑蛋白石
美国不列颠百科全书公司供图

白石成为许多沉积堆积物的重要组成部分。最好的蛋白石宝石是从澳大利亚的南澳大利亚州、昆士兰州和新南威尔士州得到的；莱特宁岭采场以产出优质黑蛋白石而闻名。日本的白蛋白石矿床，墨西哥和洪都拉斯的火蛋白石，印度、新西兰和美国西部的几种珍贵蛋白石变种也产出许多宝石蛋白石原料。古代销售的大量珍贵的蛋白石采自现在的斯洛伐克。各种形式的普通蛋白石被广泛地开采来作为研磨材料、绝缘体、填充剂和陶瓷配料。火蛋白石通常被琢成翻光面，但大多数其他贵重蛋白石都加工成圆形蛋白石，因为它们的光学性质在圆滑的表面体现得最好。尺寸不足的碎块被用作镶嵌料，分散在天然基质中的小块通常以“蛋白石根”之名而出售。由于蛋白石干燥时可碎裂或退色，因此许多加工完的宝石在售出前用水或油膜来加以保护。蛋白石容易吸附液体。非常多孔的变种称为水蛋白石，它能吸附大量的水；干燥时几乎是不透明的，而当水渗透饱和时则近乎透明。浅色蛋白石常常染色成类似罕见的深色变种。

opaline glass 乳色玻璃 约1810～1890年法国生产的白色或有色的不透明玻璃和晶质玻璃。与16世纪威尼斯生产的和18世纪英格兰布里斯托尔生产的乳白玻璃相似。主要产中心有克勒佐、巴卡拉和圣路易，产品包括碗、花瓶、盒子、杯子、细颈水瓶和香水瓶等。最早的颜色有青绿色、黄色和粉红色。19世纪中期生产的仿波希米亚不透明玻璃品，色

彩尤为鲜艳。1843 年前后，在巴卡拉和圣路易，继波希米亚之后制成天蓝色不透明玻璃，1845～1850 年，深蓝色流行一时。1850 年，在巴卡拉制造了蓝、白两色玻璃。1828年前

法国舒瓦西勒鲁瓦 1827 年生产的乳色玻璃碗
美国不列颠百科全书公司供图

后，在巴黎曾生产过少量的紫色不透明玻璃。此外，还生产过扁桃绿、海绿、叶绿等品种。装饰方法包括镀金、绘画和印花。1840 年以后，还用乳色玻璃仿制中国和日本的瓷器。

opalinid　蛙片虫　蛙片虫亚门的原生动物，约有 150 种；见于两栖动物及某些其他动物的肠道中。核数 2 个（如双核蛙片虫属［*Zelleriella*］）到多个（如棍蛙片虫属［*Cepedea*］）。司行动的细胞器（短毛状的突起）呈斜向纵行排列。蛙片虫属（*Opalina*）的种体长 90～500 微米。或行有性生殖（配子融合），或行无性生殖（细胞纵裂，核分配于两子

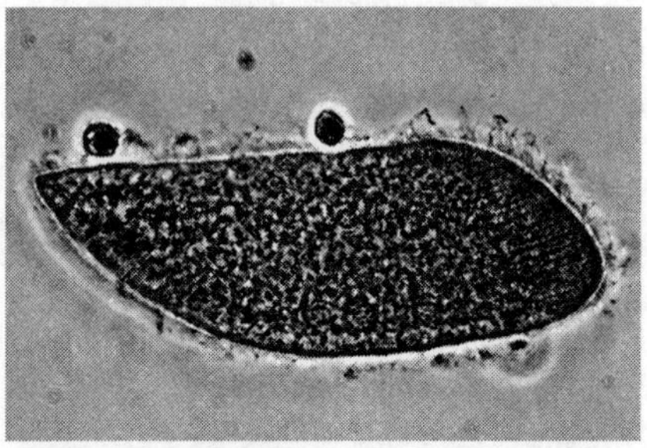

一种蛙片虫（*Opalina*）
美国不列颠百科全书公司供图

细胞中）。蛙片虫寄生于两栖类（如蝾螈和水栖蝾螈）、一些爬虫类和鱼类的肠道内。对寄主无害。繁殖后通过包囊传播；包囊随寄主粪便排出，被另一寄主吞食。蛙片虫广布全世界，但种类因地区而不同。后核双核蛙片虫（*Zelleriella opisthocarya*）体内又有另一种内阿米巴属原生动物 *Entamoeba paulista* 寄生。

蛙片虫在分类上的位置尚未确定。从前认为是一个独立的类群，曾称为原纤毛虫类（Protociliata）。目前怀疑它与现存纤毛虫类群到底有无密切关系。

Opaliński, Krzysztof　奥帕林斯基（1609，波兰谢拉库夫～1655-12-07，波兹南附近弗沃沙科维采）　波兰讽刺作家。受过高等教育，游历甚广，曾任波兹南省省长。在波兰文学史上以《对政府改革和波兰习俗的讽刺或警告》（1650）一书闻名。他最关心的是波兰缺乏强有力的中央政府和可靠的常备军。1655 年，他率该省向瑞典人投降，天真地以为瑞典国王查理十世古斯塔夫能医治波兰的积弊。

Oparin, Aleksandr　奥巴林（1894-02-18［新历，03-02］，俄罗斯莫斯科附近乌格利奇～1980-04-21）　全名 Aleksandr Ivanovich Oparin。俄罗斯生物化学家，以其对生命起源于化学物质的研究而著名，凭借其对化学的深刻理解，将达尔文进化论适用的时间范围向后扩展，用以解释简单的有机及无机物质如何结合形成复杂的有机化合物，复杂的有机化合物又如何形成原始的生物体。他出生的乡村无中学，九岁时全家迁至莫斯科。他在莫斯科州立大学主修植物生理学时，与 C.达尔文相识的俄罗斯植物生理学家 K.A.季米里亚捷夫对他影响甚深。奥巴林的思想间接受

美国不列颠百科全书公司供图

到达尔文的影响，这反映在他的著作中。进行博士后研究工作时期又受俄罗斯植物学家 A.N.巴赫的影响。十月革命后巴赫离开俄罗斯，以后又返回。尽管当时财政困难，为纪念他，苏联政府还是于 1935 年在莫斯科建立了生物化学研究所，奥巴林协助研究所的建立并任所长至逝世。1922 年春，在俄罗斯植物学会的一次会议上，他首次提出其假说：原始的生物体起源于已经形成的有机化合物的混合物。他认为最早的生物体是异养性的，亦即从已经大量形成的种类繁多的化合物中获取营养，这些化合物形成的方式与实验室中常用的手段相同。因此在该早期阶段，这些最先出现的生物体无须像今天的植物一样合成自己所需的营养物质。他又强调指出，在结构和功能上的高度条理化是生命状态的特点；这观点与“生命”本质上是由分子构成的这种观点相反。他观察到生物体是开放系统，必须从自身以外接受能量和物质，因此不受热力学第二定律的约束（该定律适用于能量在内部得到补充的封闭系统）；这点是很有远见的。奥巴林首次提出其假说时流行的观点是：最早的生物体能制造所有自己的有机化合物，因此几乎所有人都对他的说法持否定态度。经过反复再试验，其假说的要点被人接受。虽然生命可能自然发生的说法已传布了至少2 500年，物种形成的理论还须与现代活力论观点论争。此外奥巴林假说必需引以为据的有机化学在 19 世纪法国病理学家 L.巴斯德的时代还不够发达。看得出，奥巴林各种新颖的假设是相互间密切联系的。还需要找出对下列现象的解释：①在主要是预先决定的结构中组合成群的复杂大分子如何产生——这与广泛流行的观点（最早的蛋白质在结构上是随机的）是相反的。②最早的细胞样系统如何繁殖。当其他实验室的结果对这些问题作出解答时他直截了当地表示谢忱。这些解答主要包括：①因形态和电荷分布不同，氨基酸进行着有序的联合；②显微镜下才能看到的小滴会出芽，随后芽与母体分离并生长，此过程循环往复。为试验其基本假说，他用明胶和阿拉伯胶聚合成显微镜下才能见到的凝聚微滴，作为早期细胞的模型。实验证明，酶在这些人造细胞范围内发挥的效力强于在通常的水溶液中，从而有助于促使人们注意，对酶和代谢来说完整的细胞是非常重要的。奥巴林通过他的工作使其生命起源的异养假说得到广泛的注意。1957 年他在莫斯科组织了首届国际生命起源会议，来自 16 个国家的代表与会。第二届会议于 1963 年举办，第三届会议 1970 年于法国蓬塔穆松举办。他最重要的著作是《地球上生命的起源》（第三版［修订］，1957）。此外他对酶学以及密切相关的工业生物化学也有许多研究。为纪念其 70 寿辰出版了《进化生物化学与工业生物化学》一书，书名就反映出他兴趣广泛。但整个 20 世纪 70 年代，他的主要兴趣依然在 A.N.巴赫研究所，在他的指导下，研究人员着重研究生命起源问题。奥巴林获得过许多勋章和荣誉称号，包括列宁勋章，社会主义劳动英雄，巴赫奖，卡林加奖和梅奇尼科夫金质勋章等。

Opatija　奥帕蒂亚　意大利语作 Abbazia（阿巴齐亚）。旅游城镇，克罗地亚共和国伊斯特拉半岛最著名的海滨游览地之一。濒临亚得里亚海克瓦内尔湾。除中世纪城墙、城门遗迹外，有奥地利和匈牙利贵族于 19 世纪修建的精美别墅。第一次世界大战前归奥地利，1919 年割让给意大利，第二次世界大战后归南斯拉夫。19 世纪后半期发展为旅游与度假中心，至今每年吸引大批游客。人口：城市区约 29 785（1991）。

Opava　奥帕瓦　德语作Troppau（特罗保）。捷克共和国东部北摩拉维亚州城市，在俄斯特拉发西北，滨奥帕瓦河，近波兰边界。1195 年始有文字记载。14 世纪初叶为波希米亚君权的公国与封地，后成为奥地利西里西亚首府。拿破仑战争后的 1820 年，普鲁士、奥地利和俄国代表在此召集特罗保会议。第二次世界大战中市内许多历史建筑被毁，上街区高 72 米的市政厅塔楼幸存。下街区有建于 17 世纪、经过修复的耶稣会圣乔治教堂，以及前西里西亚议会楼。西里西亚博物馆有自然史、史前史、历史、艺术及文化展品。现为商业中心，有铁路和公路通国内其他地区以及斯洛伐克和波兰。生产服装、机器、火车车厢、食品等。人口约63 601（1991）。

OPEC　参阅 **Petroleum Exporting Countries, Organization of（OPEC）***石油输出国组织*。

Opel, Fritz von　奥佩尔（1899-05-04，德国吕瑟尔斯海姆～1971-04-08，瑞士圣莫里茨）　德国汽车工业家，曾与 M.瓦利尔、F.W.桑德

尔一道参加用火箭推进汽车和飞机的试验。世界上第一辆用火箭推进的汽车"奥佩尔-拉克"1号于1928年3月15日首次试车。同年5月23日,他亲自试驶改进型汽车"奥佩尔-拉克"2号。1929年9月30日试飞第二架火箭飞机(装有16台固体燃料火箭的哈特里式滑翔机)。

Opel AG 欧宝公司 又译奥佩尔公司。德国的汽车制造公司。为美国通用汽车公司独家占有的子公司。专制客车、小型公共汽车和轻型搬运车。总部设在吕塞尔斯海姆。1898年奥佩尔兄弟五人将自行车和缝纫机厂改组为汽车联合企业,组成欧宝公司。头一年制造出欧宝-卢茨曼汽车,但不久就放弃生产。经过进一步试验,1902年制出双缸的欧宝汽车。1911年工厂毁于大火。利用从平地建厂的时机,以最新的、效率最高的设备装备起来。1913年欧宝卡车投入生产。第一次世界大战后,它是德国第一家采用高效能装配线的工厂,生产率有所提高。所生产的树蛙车就是当时最出色的跑车之一。20世纪20年代公司产权易手,卖给了美国通用汽车公司。因第二次世界大战德国失败,一部分设施落入苏联手中,但剩下的部分很快恢复了生产。该公司是欧洲最大的工业公司之一,所产车辆约占德国车辆总产量的1/4,主要出口给欧洲其他国家和南非。

Opelika 欧佩莱卡 美国亚拉巴马州东部城市,利县县城(1866)。在查特胡奇河以西24千米处,与奥本毗邻。1832年始有人定居。1848年通铁路,成为周围农业地区的贸易中心。1854年设镇。1899年设市。附近的奥本大学所带来的工作机会是该城经济发展的最主要的因素。生产纺织品、轮胎和磁带。东亚拉巴马博物馆藏有当地文化展品。人口:市23 498;奥本-欧佩莱卡都会统计区115 092(2000)。

Opelousas 奥珀卢瑟斯 美国路易斯安那州中南部城市,圣兰德里堂区的中心(1805)。位于拉斐特以北32千米处,地处海湾沿岸平原。1720年建为法军驻防地和贸易点。西班牙统治时期为奥珀卢瑟斯区首府。1819年以前为州最高法院驻地。1821年设镇,1898年设市。南北战争中为设在路易斯安那州的南部邦联临时首都。当地经济以棉花种植和养牛为主,1929年发现石油和天然气。每年10月举办蕃薯节。鲍伊博物馆藏有法国-印第安遗物。人口22 860(2000)。

open cluster 疏散星团 由引力相互作用而保持在一起的一群年轻恒星(参阅 **star cluster**)。

Open Door policy 门户开放政策 美国在1899和1900年最先提出的原则声明,旨在维护同中国通商的各国享有均等的权利,并支持中国主权和行政权的完整。声明以通告照会的形式,由美国国务卿海约翰向英国、德国、法国、意大利、日本及俄国发出。门户开放政策在美国几乎受到一致的赞许,成为美国40多年对外政策的基石。对华贸易机会均等的原则,在1842～1844年的南京条约和望厦条约中已有规定。中日甲午战争(1894～1895)以后,各国(主要是俄国、法国、德国和英国)在华争夺势力范围的行径,不仅破坏了门户开放的原则,而且有使中国被列强肢解为各自殖民地的危险。美国在摆脱了19世纪90年代的经济萧条以后,开始对国外市场发生兴趣。当时美国在美-西战争中获胜,刚刚取得菲律宾、关岛和夏威夷,对中国的兴趣也越来越大,美国的纺织品制造商在中国找到了推销廉价棉织品的市场。1899年的门户开放照会规定:①每个国家均得自由进出条约规定的通商口岸,并得均沾口岸内的任何其他既得利益;②只有中国政府有权征收贸易税;③任何国家不得享有免征入港税和铁路费用的势力范围。各国对照会的答复均闪烁其词,但海约翰却把这些答复解释为各国承认了门户开放的原则。为了对欧洲出兵华北镇压义和团运动作出反应,海约翰于1900年再次发出通告照会,强调保持中国领土和行政权的完整的重要意义。他并未要求各国作出答复,但是所有国家都表示同意这些原则,仅日本除外。1915年日本向中国提出"二十一条",从而破坏了门户开放原则。1921～1922年举行华盛顿会议,后来又签订了《九国公约》,重申这一原则。1931年日本侵占中国东北,1937年中日战争爆发,促使美国采取维护门户开放政策的坚定立场,其中包括中断给日本的供应。日本在第二次世界大战中的失败以及共产党在中国内战中的胜利(1949),结束了外国在中国的全部特权,门户开放政策不再具有意义。

open-end trust 股份不定信托公司 参阅 **mutual fund 共同基金**。

open-field system 露地耕作制 欧洲农业上实行达2 000多年的基本社区耕作制。中世纪的露地耕作制最为人们所熟知,它由3部分组成:分散于不同土地中的个体农民占有的小块土地、作物轮作以及共同放牧。作物轮作的方式在早期是采用*二区轮作制*(**two-field system**),以后数世纪采用*三区轮作制*(**three-field system**)。无论采用何种轮作制,共同占有的田地总有部分休闲或用于共同放牧。这种耕作制特别适用于封建庄园制,庄园主和农民占有的土地混在一起,混合耕作。由于社会越来越复杂和市场经济开始出现,露地耕作制就让位给个体耕作制,于是有进取心的农民可以随心所欲地耕作,不必拘泥于古老的有约束性的耕作方式。

open-heart surgery 心脏直视手术 须将心脏切开以露出一个或多个心腔的外科手术。最普遍者为修补心瓣膜和矫治先天性心脏缺陷(主要为间隔与瓣膜缺损)。亦借以治疗严重的冠状动脉疾病。其执行须借助心肺机(一种使患者血液在患者体外保持循环和氧合的装置),如此,外科医师所处理的便是已经排空且不跳动的心脏。在这种心肺旁路装置初次使用前,多数瓣膜疾病及先天性缺损,或被认为无法施以手术,或仅能用非直视(不切开心脏)的方法。1953年美国外科医师J.H.吉本(小)首度利用心肺机完成心脏直视手术,将房间隔上的孔封闭。先天性或后天性的二尖瓣(左心房与左心室间的瓣膜)疾病亦可以心脏直视手术治疗,常以人工瓣膜取代缺损的瓣膜;手术时须切入左心房壁,使二尖瓣呈现在外科医师眼前。主动脉和肺动脉的瓣膜缺陷则无须开心即可修补。右心房与右心室间的瓣膜——三尖瓣——的置换虽不如二尖瓣手术普遍,但也可以心脏直视手术行之。

open-hearth process 平炉炼钢法 又称西门子-马丁法。为20世纪大部分时间中的主要炼钢技术,全世界所产钢多数用此法生产。W.西门子(德国人,1859年取得英国国籍)探求提高冶金炉温度的方法,使利用炉子排出废热的老建议再受注意。他将炉内热气引往砖砌的格式装置,将砖加热到高温,然后将空气经格子砖通往炉内,预热的空气显著地提高了火焰温度。1864年法国的P.-É.马丁首先使用这种装置生产钢,采用生铁和一些废熟铁作炉料。在英、美有大量易采的矿石特别适用于平炉炼钢法,其产品较贝塞麦转炉钢优越。用天然气或雾化重油作燃料,空气和燃料在燃烧前都要进行加热。装入的炉料为高炉铁水、废钢、铁矿石、石灰石、白云石和熔剂。炉膛和炉顶由高质量的耐火材料如镁砖砌筑。平炉容量可高达600吨,通常好几个炉子布置在一起,便于有效地使用装料和盛钢的巨大辅助设备。虽然在大多数工业化国家平炉炼钢法已为碱性氧气炼钢法和电弧炉炼钢法所代替,但世界上生产的全部钢中仍约有1/6用此法生产。

open-market operation 公开市场业务 指由中央银行当局买卖政府证券,有时也包括商业票据,以便对货币供应量和信贷状况进行持续的调节。公开市场业务还可用以稳定政府证券价格。当中央银行在公开市场购进政府证券时,其结果是:①增加商业银行用于扩大其贷款和投资的储备金;②提高政府证券价格,即降低其利率;③普遍降低利率从而鼓励企业投资。反之,如中央银行售出政府证券,其结果与上述相反。公开市场业务一般以政府短期证券进行(在美国常用国库券)。观察家们不同意此项政策的可行性;支持者认为以短期及长期证券交易,两者都会扭曲利率结构,因而影响信贷的筹募;反对者则认为完全正当,长期证券利率更能直接影响长期投资活动,而这种活动是就业及收入波动的根源。

open-pit mining 露天采矿 除煤以外,采掘其他矿物的*露天开采*(**surface mining**)。

Open Range 自由放牧区 美国历史上,得克萨斯州以北的公共土地。1866～1890年有500多万头牛运至公地,饲养后运出屠宰。西堪萨斯、内布拉斯加、南达科他、北达科他、怀俄明和其他西部州与准州,为得克萨斯牧民的畜群提供了辽阔的草原。牛群活动的范围从西得克萨斯向北,到中部和北部平原的辽阔无际的公地。水源稀少之处靠打井筑坝。19世纪80年代中期,有大量英国资本进入美国,开发自由放牧区的牧业。在此影响下,美国金融家和商人组织畜牛公司,生产牛肉供应国内外,获取了巨额利润。政府通过与畜牛公司订立合同进行合作。1886～1887年的灾难性冬天使该牧区的养牛行业陷于困境,从此一蹶不振。

open-source software　开放源代码软件　源代码被投入公共领域的计算机软件,要求遵守任何改进或衍生的软件包括源代码也将被投入公共领域这一约束。开放源代码涉及软件开发模式和知识产权意识。开放一词表明程序的源代码能被任何人获得。这意味着用户有更多的能力窥视代码的幕后;它意味着任何人可以修改和重新分配代码,不用支付版税或许可证费,只要修改过的版本也是开放的——即人们所知的"反版权"。实际上,这意味着上百甚至数以万计的程序员可以自由地为公共领域中某软件的发展作贡献。这个方法向传统的软件开发的私有化形式、版权和版税提出了挑战。开放源代码起源于UNIX操作系统的发展。1975年,麻省理工学院(MIT)人工智能实验室的R.M.斯托尔曼,把他的开放源代码版UNIX文本编辑器Emacs发布到ARPA网(因特网的前身)上。斯托尔曼后来建立了GNU[GNV's Not Unix(意为"不是UNIX")的递归缩写]项目来开发完全自由的操作系统。1985年他组织了自由软件基金会帮忙资助和指导开放源代码软件的发展,第二年他设计了保护开放源代码软件的基本法律文件,通用公共许可证(GPL)。1991年,芬兰计算机科学学生L.托瓦兹使用得自GNU项目的工具并遵循GPL,将第一版Linux操作系统公布在因特网上。1997年计算机程序员E.雷蒙德在他的著作《大教堂与市集》一文里明确地表达了开放源代码的基本原理。然而,开放源代码的商业生存能力依然不明朗。开放源代码背后的团体精神及其信息共享的思想方式,已经开始遇到法律挑战。一些公司企图限制那些允许使用者修改的未经授权的开放源代码软件的传播。开放源代码运动的未来依然明朗,尽管还有些朦胧。

open stage　无幕舞台　又称伸出型舞台(thrust stage)或平台式舞台(platform stage),是一种无舞台前部装置的戏剧舞台。它伸入到观众席里,观众则环坐在3面。无幕舞台用于西班牙戏剧黄金时代(始于约1570年)的露天剧场、日本传统的能剧表演。伦敦第一批剧院也用过这种舞台,其中包括建于伊丽莎白时代的寰球剧院。从17世纪中叶直至20世纪,有舞台前部装置的剧院一直占着统治地位。无幕舞台在现代演出中又开始时兴,这种演出强调演员与观众的接触,而非幻觉性的效果。加拿大安大略省斯特拉特福市莎士比亚戏剧节剧场也使用这种舞台,以求接近莎剧原来演出时的状况。

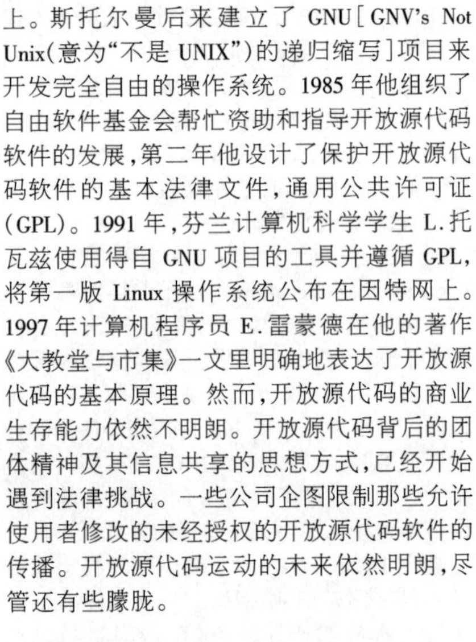

加拿大安大略省斯特拉特福市莎士比亚戏剧节剧场的无幕舞台

美国不列颠百科全书公司供图

Open University　开放大学　英国在成人高等教育方面进行的一种革命性实验。1971年1月创办,总部设在白金汉郡米尔顿凯恩斯新城。该校招生不受学历条件限制,其宗旨是使所有人都有受教育机会。课程由著名的学院统一组织,教学手段多样,包括电视、函授、学习小组、住校授课和分设在英国各地的中心站举办的研究班。但总的说来,教学方法以函授为主,电视讲座和研究班为辅。

opencast mining　露天采矿　露天开采除煤以外的矿物。参阅 **surface mining**。

opera　歌剧　配有音乐的戏剧,由管弦乐伴奏的声乐曲和管弦乐序曲与间奏曲组成。在某些歌剧(例如R.瓦格纳所作的)中每一幕的音乐一气呵成,连续不断;而在另一些歌剧中则被宣叙调或对话打断。歌剧起源于中世纪的礼拜式戏剧,这一形式在16世纪的佛罗伦萨和当时人们心目中的古典希腊悲剧结合起来。J.佩里、J.科尔西、F.卡瓦利和C.蒙特威尔地等早期歌剧作曲家的题材均选自关于达佛涅、尤利西斯和奥尔甫斯的古老神话,不过蒙特威尔地的《波皮亚的加冕》讲的是罗马历史人物尼禄和波皮亚。在巴黎的路易十四宫廷,这一新艺术在J.吕里的作品中得到进一步的推动;而在维也纳宫廷则上演P.A.切斯蒂的意大利歌剧。歌剧在英国的发展比较迟缓,但那里有一部歌剧杰作:H.普赛尔的《狄朵与埃涅阿斯》,是为一所女子学校的演出而作的。当18世纪中叶歌剧确实在伦敦盛行起来时,它采用的是从意大利引进并经德国出生的作曲家G.F.韩德尔改进的形式,而韩德尔则在很大程度上受A.斯卡拉蒂风格的影响,斯卡拉蒂将歌剧音乐定型为宣叙调和咏叹调。在这些咏叹调中剧情停止发展,由一个角色纵情倾诉此时此刻的感情。这时头牌歌手的作用变得更为重要;演唱大多数男角的阉人歌手获得特别的注意。在同一时期,法国的J.-P.拉莫也正在按照另外的路子发展歌剧,重点在于慷慨激昂的朗诵、更为灵活的形式和更鲜明的视觉表演,包括大段的间奏性芭蕾舞。与此同时一种更为世俗性的喜歌剧崭露头角。英国J.盖依的《乞丐歌剧》是一部出色的社会与政治讽刺剧。汉堡上演了一批题材更为通俗的歌剧。那不勒斯也提供了一些大众化主题的作品,例如G.B.佩戈莱西的《女佣做主妇》。

C.格鲁克在其事业的早期即对这一体裁做出了贡献。后来他又提出著名的歌剧改革设想,旨在减少歌唱家的炫耀技巧的作用,将重点放在戏剧效果上。他的《奥菲欧与欧里狄克》、《阿尔米德》、《阿尔西斯特》和两部关于伊菲革涅亚的歌剧均为这一新手法的范本,效果典雅古朴,感情色彩悲凉凄惋。W.A.莫扎特的第一部杰作《伊多墨纽斯》继承类似的风格,但是在他的三大杰作《费加罗的婚礼》、《唐·乔凡尼》和《女人心》中,他很快就把前人的特征与喜歌剧结合起来,加强了重唱的重要性,并在末乐章中采用交响乐形式。他的《魔笛》把"歌唱剧"(有说白的喜歌剧)提高到繁荣的顶峰。L.凯鲁比尼以其《美狄亚》、G.斯蓬蒂尼以其《贞洁的修女》发扬了严肃歌剧所追求的目标,并影响了L.van贝多芬,贝多芬的《菲岱里奥》在歌剧史中是无与伦比的。与此同时,D.契玛罗萨的喜剧《秘婚记》启示G.罗西尼写了一系列成功的喜歌剧,包括《塞维利亚的理发师》和《灰姑娘》。不过他后来的歌剧却是庄严并具浪漫主义的风格。它们的壮丽格调导致G.梅耶贝尔的甚至更加宏伟庄重的风格。

19世纪歌剧按照民族的路子发展。G.贝利尼的感人的作品和G.唐尼采蒂的悲剧和喜剧(共60余部)是通向G.威尔地的鼎盛时期的踏脚石,而威尔地本人则从早期的相当不成熟的作品逐渐过渡到《奥瑟罗》和《法尔斯塔夫》中出神入化的戏剧和音乐处理。在德国,C.M.冯·韦伯的浪漫主义歌剧《魔弹射手》和H.A.马尔施纳的作品为一代巨匠R.瓦格纳铺平了道路,后者的乐剧引起歌剧的革命性剧变,其主要作品如《名歌手》、《特里斯丹和绮瑟》、《帕西发尔》和《尼贝龙根的指环》至今雄踞歌剧成就的顶峰。

法国在D.-F.-E.奥柏的作品一度流行之后很快便进入C.古诺、A.托马、G.比才和J.马斯内的时代,在他们的作品中,正歌剧和喜歌剧巧妙地融于一体。H.柏辽兹也独辟蹊径,但他的成就直到20世纪中叶《特洛伊人》被公认为杰出悲剧史诗后才得到肯定。就在这时俄国和其他一些地方的民族主义思潮波及歌剧领域。M.I.格林卡的开创性作品导致I.柴可夫斯基和M.穆索尔斯基的不同凡响的歌剧。在捷克斯洛伐克,B.斯美塔那的爱国主义作品之后是A.德沃夏克的比较抒情的歌剧。至20世纪,L.雅那切克的现实主义作品赢得了越来越多的关注。匈牙利有B.巴尔托克及其《蓝胡子公爵的城堡》,西班牙则有M.德·法里雅的《人生短暂》。这些作曲家全都从各自国家的民间音乐中汲取大量素材。

在意大利,G.普契尼和P.马斯卡尼带头的"真实主义"乐派盛极一时。德国的R.施特劳斯在《莎乐美》和《厄勒克特拉》中实现了乐剧的目标,后又在一些同样成功的喜歌剧(以《蔷薇骑士》为代表作)中将它们的史诗特性加以抑制。在法国,C.德彪西的《普莱雅斯和梅丽桑德》虽是一部自出机杼之作,但其中《特里斯丹》的影响显然可见。M.拉威尔留下两部美妙的独幕剧。A.勋伯格的《摩西与亚伦》、A.贝尔格的《沃伊采克》和《卢卢》、I.斯特拉文斯基的《浪子的历程》和K.韦尔的一些讽刺性作品,以及B.布里顿的《彼得·格里姆斯》都是备受赞誉的现代名作。

Opéra 歌剧院 全称国立歌剧院。巴黎歌剧院，由 C. 加尼埃设计，于 1861 年动工建造，被视为第二帝国时期建筑风格的杰作之一。1875 年 1 月 5 日在开幕式上，由管弦乐队演出了音乐会。1875 年 1 月 8 日在那里上演的第一部歌剧为 F. 阿列维的《犹太女》。它也是国立音乐学院的校址。

opera buffa 滑稽歌剧 18世纪中期起源于那不勒斯的一种喜歌剧体裁。从正歌剧幕间演出的间奏曲或插剧发展而成。滑稽歌剧的情节主要由两组角色分担：一组是喜剧角色组，由 5 个男女角色组成；另一组是一对（或更多对）情人。对话是用歌唱来表达的。

opéra-comique 喜歌剧 法国式歌剧。由说白与独立的乐曲交错组成。它的最早形式是插有歌曲的讽刺喜剧；但后来发展成严肃的音乐戏剧，与其他严肃歌剧的不同点在于它的说白。它是在 18 世纪初由集市中表演的歌舞杂耍剧、滑稽文娱节目演变而成。1715 年这些形形色色的表演小组在巴黎结合成为“喜歌剧院”。18 世纪中叶法国剧作家 C.-S.法瓦提高了喜歌剧歌词的文学水平，增加新创作的歌曲，最后取代了通俗的歌舞杂耍剧，剧情开始以日常生活中的人物为中心。这种做法是由于受到 J.-J. 卢梭关于“高贵而简朴的生活”的理论的影响。18 世纪一些次要作曲家如 P.-A.蒙西尼和 F.菲利多尔等人专门写作喜歌剧。格鲁克是当时唯一大力献身于喜歌剧创作的大作曲家。这一时期的喜歌剧的特点是：社会议论、优美悦耳的音乐、阴谋诡计或风流艳事的情节。这种传统一直延续到 18 世纪末和 19 世纪初 A.格雷特里、F.布瓦埃尔迪厄和 D.奥柏的作品中。当时还有一种典型的形式，即“解救歌剧”，以击败政治上的专横暴虐为题材。到 1830 年喜歌剧发展成近似大歌剧的严肃乐剧，逐渐失去其讽刺特征。G. 比才的《卡门》（1875）是晚期喜歌剧的一个独特的例子，有说白，但其主题是悲剧性的。

opera seria 正歌剧 18世纪时统治欧洲歌剧舞台的意大利风格歌剧。形成于 17 世纪末，特别以 A.斯卡拉蒂（1660 ～ 1725）的作品和在那不勒斯工作的其他作曲家作品最为有名，因此，常称之为那不勒斯歌剧。正歌剧的主要音乐重点在独唱和当时绚丽的声乐风格——美声唱法——方面。合唱团和管弦乐队在当时的正歌剧里处于约束或受限制的地位。妇女和阉人演唱的高声部都受到培养。音乐和歌词分为宣叙调（有简单伴奏的对话，用语言节奏咏唱）和咏叹调两类：前者促进戏剧情节；后者以独唱反映人物感情，也是用来炫耀声乐技巧的媒介。咏叹调的曲式特征是反复首段的三段体（ABA），A 段在 B 段唱完后反复，反复时予以即兴装饰。

operant conditioning 操作性条件反射 行为心理学概念。条件作用（conditioning）的一个类型。

operating system 操作系统 控制计算机的许多不同操作及管理与协调计算机程序处理过程的软件。操作系统是一套非常复杂的指令集合，它调度由计算机执行的作业（用户的应用程序）的顺序，把这些作业分配给计算机的各种硬件系统，例如中央处理器、主存储器和外部设备，在装入、存储和执行程序时，以及在执行诸如访问文件、运行应用软件、控制监视器与存储设备以及解释键盘命令等具体任务时，中央处理器都在操作系统管理下进行工作。当计算机同时执行几项作业时，操作系统以效率最高的方式分配计算机机时和各种资源，以分时的进程优先处理某些作业。操作系统还管理计算机同网络中其他计算机的相互作用。英国数学家查尔斯·巴贝奇在设计（后来一直没有制造）他的“分析机”（1834）时构想出数字计算机的第一套操作指令。

第一台可使用的存储程序计算机是 1949 年在剑桥大学制成的。在 1950 年到 1980 年间得到广泛使用的操作系统主要是由私营公司为管理专有的主机和应用而开发的。其中最流行的是管理由计算机行业最大的大公司——美国国际商用机器公司（IBM）——制造的主机的操作系统：包括多重虚拟存储系统（MVS）、虚拟存储扩充磁盘操作系统（DOS/VSE）和虚拟机操作系统（VM）。除了专有操作系统之外，还开发了开放式（即可移植）操作系统，用于管理由其他厂家制造的计算机。80 年代，开放式操作系统上升到主导地位，现在广泛用于个人计算机和工作站（采用功能极强的个人计算机）。占统治地位的操作系统是由微软（Microsoft）公司开发的磁盘操作系统（DOS）。微软公司的“视窗 NT”（Windows NT）也是流行的操作系统，它以 DOS 为基础，提供增强的计算机图形能力。除了主机和个人计算机类操作系统之外，还开发了网络操作系统，使个人计算机和工作站可以共享外部设备并同主机或服务器（即存储信息和帮助计算机网运行的设备）通信。网络操作系统通常作为主操作系统（例如 DOS）之上的另一层。在这一类操作系统中占统治地位的是诺威（Novell）公司的 UNIX（为把工作站联网而设计的操作系统）和 Netware（它是处于领导地位的网络操作系统）。

operations research 运筹学 简称O.R.。用科学方法研究复杂的系统，以求在可获得的资源条件下改善该系统的效率和产出。已经证明有一些分析方法和一些典型问题对于了解大规模运行的系统或事业团体组织的效能是有价值的，运筹学可看作是这些方法和问题的总体。运筹学研究的目的在于向决策者提供赖以采取行动、描绘可行的选择方案和预期结果的一个量的依据，还提供必要的数据、信息、定量的看法和数学上的分析。大多数决策可能附带包含一些定性的或实用性的初始信息，但这些不是运筹学的重要作用方面。运筹学方法有广泛的应用。一家航空公司在各种物质的、组织的和财政的约束条件下，以及考虑到诸如用户的要求和由于在排队等待起飞着陆而造成耽搁等不定因素，要处理如何有效地安排班机时间表以及设备、人员、维修、更换等问题。一位公职人员想在资金有限与合格人才不足的条件下，为某地区提供尽可能好的保健服务，其中可能包括一个大型的城市医院的全部业务。一个制造商力求消除在高度集中的装配线上的“瓶口”现象或其他昂贵而又无效的设备，以改进生产力，同时生产出高质量的可靠产品。一家石油公司可能要涉及竞争性投标、难以确定的勘探、错综复杂的炼油设备、大量库存的管理、庞大的分布网和市场策略等问题。

早在 20 世纪 30 年代后期，运筹学就有了一些值得注意的结果。但这门学科主要是在第二次世界大战期间成长起来的。来自各种不同背景的科学家在各种军事问题上一起工作，这些问题包括装备和配给、后勤和通信、计划和行动、指挥和控制、探索和策略以及如何最好地利用某些像雷达这样新的高级设备。“运筹”一词，来源于军事术语。这一新出现的学科，其主要支持者是一些军事组织，包括英国皇家空军和美国海军。50 年代，它发展成为一门含义明确、成长迅速的专业，成为工业、商业和政府计划人员的有力助手和一种专门的学术领域。它把在基础研究中创造新的分析工具的不同专家和为解决有关领域中出现的问题的一般实际工作者结合起来。在大多数发达国家中已有运筹学的专业学会和杂志，它们具有地区性的或国际性的水平。为了对出现的许多大型的 O.R.问题求出数值解，必须同时发展数字计算机。运筹学的特点表现在：趋向系统研究的总方向解决问题的途径以及多科性。研究一个 O.R.问题，一般要用到许多有关学科中的专门知识和方法。通常，它要考虑在实施改变之后所引起的科学上、工程上、经济上以及政治上的后果。一个关键的概念是：在不同目标之间进行权衡，必须把各种效益与所涉及的不同费用进行比较。当考虑一系统中的人机关系或技术上的、体制上的改革对社会的影响时，也应该注意到人类的利害关系和价值。一个 O.R.问题的研究往往有来自工业界、商业界、学术界和政府方面的专家队伍共同工作。

运筹学运用科学的方法，问题提得明确并用方程表达清楚。它利用观测和搜集资料、做实验和提出原型，以及建立数学模型的方法。一个实际问题的主要组成部分常常以简化的数学模型来代替，这个理性替代中的元素和关系必须保持原问题中所出现的主要元素和变化规律。先从这一抽象模型中求出问题的一个解答，然后把这个解答放回到原问题中重新解释，并将所得结果与实际情况相比较。分析者往往要把这种建立模型的过程重复多次，直到得出一个能提供合理的、有意义的、令人满意的模型。用这种建立间接模型而不是只用直接观测的办法去发现新的认识，这是现代科学的基本目的。就运筹学来说，最终结果常常是一份选择表或推荐书，提供给决策者。

运筹学作为几种不同领域的综合产物而发展起来。它与系统分析、工业工程、后勤学、工程数学、管理科学和决策科学等领域有许多共同之处。它也使用许多来自经济学、成本计算、社会学和商业经营的方法。在当代数学中，它已成了一门重要学科，可以与应用数学中的其他一些主要分支，诸如计算机科学、概率论、统计学和出现在微积分学与物理学中的传统的经典应用数学相比。有几种现代数学领域如线性规划及其向非线性问题的推广、组合最优化、动态规划、网络流理论、现代图论的许多内容、排队论、库存论、模拟等等，几乎完全是在运筹学的范围内发展起来的。同时，这些数学结构有许多也已被抽象化和推广，并且凭其自身的内容，已经成为重要的学科。有些已是纯粹数学中的研究课题，并影响到数学的研究和教育。

总之，一个决策者所关心的是，清楚地陈述目标（计划），了解所考察的系统（系统分析），用数值表示各种偏好和可能的支付（效用理论），有效的运算和分配（约束最优化），加上均等、合作和竞争（对策论），以及不定性和随机事件（预测、统计学、概率论和随机过程）；因而必须从许多不同领域中汲取各种可资利用的方法。这一由各种分析方法所组成的松散总体以及多科性解决问题的途径就构成了运筹学这一领域。

operator 算子 数学中，表示要进行运算的任何一个符号。例如 $\sqrt{x}$（表示对 x 取平方根）与 d/dx（表示对 x 求微分）。作为函数的同义词，算子表示把一个对象集（自变量）对应到另一个对象集（因变量）的特殊的函数运算。自变量的区域被映射到因变量的值域上。算子可为变换或映射。

operetta 轻歌剧 类似歌剧结构的戏剧音乐作品。以其浪漫、多愁善感的情节为特征，伴有歌曲、管弦乐和颇精致的舞蹈场面连同对白等。轻歌剧在一定程度上源自一些流行戏剧体裁的传统，例如16～18世纪盛行于意大利的艺术喜剧和法国的歌舞杂耍表演。在19世纪，轻歌剧一词指带音乐的舞台表演剧，通常是滑稽和讽刺性质的，以J.奥芬巴赫的创作最为成功。他的《地狱中的奥菲欧》（1858）和《美丽的海伦娜》（1864），借希腊神话来影射讽刺当代巴黎人的生活和道德观。在奥芬巴赫的影响下，英国从19世纪70年代末起，也作出了他们自己的轻歌剧体裁作品。威廉·S.吉尔伯特爵士和阿瑟·沙利文爵士合作创作的《皇家海军舰艇皮纳福号》、《彭赞斯的海盗》、《日本天皇》和《约兰瑟》等都很成功。在维也纳，约1870年时小约翰·施特劳斯创作出一些更富浪漫色彩和旋律更优美的轻歌剧如《蝙蝠》等，它们在很多方面调和了轻歌剧与歌剧之间的差异。至19世纪末，也许是受维也纳轻歌剧的柔和特性的影响，法国风格也变得更为多愁善感，讽刺意味减少，追求精美雅致，而不是犀利的模仿嘲弄。施特劳斯在维也纳的继承人F.莱哈尔和O.施特劳斯，以及法国作曲家A.梅萨热等人对轻歌剧所做贡献导致它发展成今天的音乐剧。20世纪初奥地利、法国、意大利和英国的轻歌剧传统开始衰退，但在美国，轻歌剧获得发展。V.赫伯特、R.德科文和S.龙伯格都是创作轻歌剧来丰富美国音乐生活的重要过渡人物。在美国，G.格什温的《波吉与贝丝》（1935）、K.韦尔的《三分钱歌剧》（1928）、J.克恩的《演艺船》（1927）、L.伯恩斯坦的《西海岸的故事》（1957）以及S.桑德海姆的《斯威尼·托德》（1979）都是一些既够不上严肃歌剧又不能算喜剧的作品。参阅 **musical**。

operon 操纵子 一个多基因的表达单位，复杂的控制系统的一部分。是染色体上的一个区域，由两部分组成：一个操纵基因，用作开关；一组结构基因，被操纵基因激活后可转录合成各种蛋白质的信息（参阅 **genetic code**）。操纵基因在染色体上的位置恒在其控制的一系列结构基因附近，以便于发挥功能。操纵子系统也需要一个调节基因的存在，该调节基因可合成一种阻遏蛋白作用于操纵基因。调节基因无需位于操纵子附近。操纵基因以两种状态存在：开放和关闭。操纵基因开放时它所控制的基因就有功能，可合成蛋白质。操纵基因与阻遏蛋白相互作用时就处于关闭状态。阻遏蛋白又为一种特异性的物质——诱导物——所中和，诱导物可防止阻遏蛋白与操纵基因的相互作用；于是操纵基因开放，结构基因便指导氨基酸形成所必需的酶的合成。

Opet 奥佩特节 古埃及的新年节期。届时人们把阿蒙、阿蒙的配偶穆特和他们的儿子洪这三位神的像自凯尔奈克的圣所迁往卢克索（法老时代称伊佩特雷锡特，该节名源于此）。卢克索庙的柱廊有显示奥佩特节盛况的浮雕，制作于图特安哈门在位期间（公元前1333～前1323），表明白袍祭司抬着分别载有阿蒙、穆特和洪的像的金船通过古底比斯街道，登上河上大船，驶往卢克索。神像供人瞻仰之后，停在卢克索庙中约24天，全城庆祝。然后人们把神像循原路运回凯尔奈克圣所，沿途任人瞻仰，节期结束。现代在纪念伊斯兰教圣人优素福·哈加格的节日时，人们驾驶他的船围绕卢克索，众人欢庆，这是自古礼相承而来。奥佩特节既与穆特有关，它也适用于底比斯的一位地方女神，她与司掌化育与分娩的河马女神托尔特相似。

ophicleide 蛇形低音号 低音铜管乐器。有杯形号嘴和堵塞键，是老式有键军号的低音变种乐器。原文 ophicleide 一词源自希腊文 ophis（意为"蛇"）和 kleid（意为"键"），意指

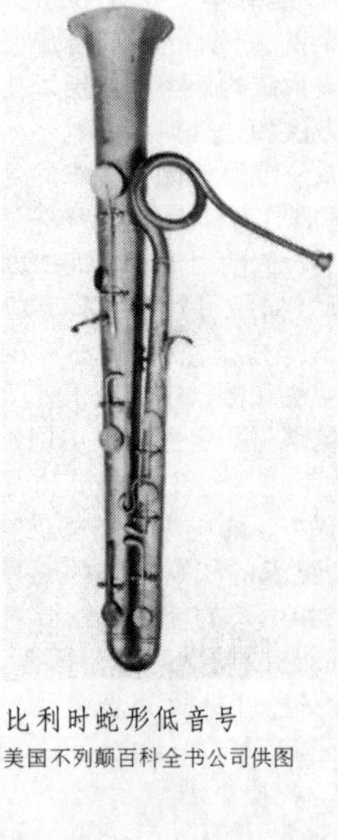

比利时蛇形低音号
美国不列颠百科全书公司供图

它是从军乐队的蛇形号发展而来，用11个铜键代替开放的指孔。通常为C调或B♭调，其音域与尤风宁号（次中音大号）相同（3个八度），音色也相似。1817年由巴黎人J.阿斯泰发明。在法国和英国管乐队和管弦乐队中曾被广泛地采用，直至19世纪末期才被大号所代替。

Ophioglossaceae 瓶尔小草科 瓶尔小草目（Ophioglossales）唯一的科。是一个与其他蕨类植物没有近缘关系的原始类群。3属，约55种。特点是其孢子叶分为不育的绿色

响尾蛇蕨（*Botrychium virginianum*）
美国不列颠百科全书公司供图

叶片和能育的穗两个部分。孢子囊埋在穗中。大多数种每季只长一个这样的孢子叶。孢子囊的位置和结构是分属的主要依据。瓶尔小草属（*Ophioglossum*）有热带和温带种，孢子囊在通常纤细而不分枝的能育穗近端排成两行。小阴地蕨属（*Botrychium*）分布于全世界，包括扇羽阴地蕨和响尾蛇蕨（弗吉尼亚小阴地蕨、斜阴地蕨、蕨纂）。七指蕨属（*Helminthostachys*）仅西兰七指蕨（*H. zeylanica*）一种，分布于斯里兰卡与从喜马拉雅山脉延伸到澳大利亚昆士兰的地区，孢子囊成小群着生在能育穗的两侧。

Ophir 俄斐 未能确定的一个地区。在《圣经·旧约》时期，这个地区以出产纯金闻名。从《创世记》第10章所列的地名表看，俄斐显然在阿拉伯半岛。而在所罗门时代（约公元前920），人们认为俄斐是在海外，为黄金、檀香木、象牙、猿猴和孔雀的产地。阿拉伯半岛上多处被人认定是俄斐原址，也有人提出东非和印度等地。根据埃及法老曾派遣海上远征队前去彭特（索马里）搜集猿猴、象牙、乳香和奴隶的记载，可知俄斐是在东非的某个地方。另一方面，犹太历史家约瑟夫斯和圣哲罗姆显然认为俄斐是在印度。此外，希伯来语中俄斐产种种物品的名称似是源于印度的几种语言。檀香木和孔雀一般见于印度，它们起码在现代不见于东非。

Ophite 蛇派信徒 公元2世纪和其后几个世纪盛行于罗马帝国的诺斯替教几个派别的成员。这些派别中包括纳赛尼派和该隐派，他们的信仰互有歧异但共同信奉激进二元教义，认为物质（恶）与精神（永恒之神）互相斗争；并以这种教义去解释基督教的基本

教义。根据该派的详尽的宇宙论,伊涌统治大地周围的各界,伊涌产生不可名状的光元。名为伊亚尔波思(即《旧约》所称雅赫维或耶和华)的伊涌自夸为唯一之神,于是名索菲亚(智慧)的伊涌乃创造人,意在让伊亚尔波思将生命之灵喷给人而丧失能力。但伊亚尔波思并未丧失能力,索菲亚乃利用蛇将诺斯(真知)传给亚当和夏娃。蛇派将《圣经》的善恶观念颠倒过来,以蛇为气根或灵根;因为蛇将诺斯授以人使人知道自己的灵来自未知的神。真正诺斯替教徒必须逃出地这个牢狱,升至最高天界,与光元重归于一。

Ophrys　眉兰属　兰科的一属。近30种,原产于欧亚大陆和北非。株高近30厘米。花数朵簇生,金属色,被毛,形似雌性昆虫,雄性昆虫企图与之交尾从而沾上花粉并为之传

一种眉兰属(*Ophrys*)植物
美国不列颠百科全书公司供图

粉。蝇兰(*O. insectifera*)和蜂兰(*O. apifera*)在欧洲常见。有数种称为蜘蛛兰,其唇瓣形似蜘蛛。

ophthalmology　眼科学　有关眼病诊治的医学专科。最早的眼科学专家是中世纪的走方郎中,他们在眼疾诊治和外科手术上往往表现出相当的技巧。16世纪撰有眼疾著作的德国医师G.巴蒂什,有时被视为眼科医业的奠基者。许多重要的眼科手术由走方郎中所创,如斜视的外科矫治系眼医J.泰勒于1738年首次施行。其后有关视觉缺陷的描述有青光眼(1750)、夜盲(1767)、色盲(1794)和散光(1801)。1803年格丁根大学医学院首开眼科学正式课程,1805年第一所注重教学的眼医诊所——伦敦眼科医院开张,引入现代专业知识。荷兰医师F.C.东德斯利用光学原理于1864年建立开眼镜处方与利用眼镜解决具体视觉问题的现代系统。检视眼底构造的检眼镜发明后,眼科医生便能把眼部缺陷与内科情况联系起来考虑。20世纪眼科学的进步主要为定期检查眼睛以预防眼疾,及早期治疗先天性眼部缺陷。另一个重要发展则是眼库的成立(1944年首设于纽约),眼库使角膜组织的移植更为普遍可行。眼的功能为视觉,任何对视觉有不良影响的事物皆为眼科医师关心的对象,不管它是肇因于眼的发育缺陷、疾病、伤害、毒血症、变性、衰老或屈光不正。医师须把测试视觉功能和检查眼的内部,当作一般体格检查的一部分,以发现系统性或神经科疾病的病征;还要开治疗眼疾的处方,对屈光不正者开眼镜处方,需要时进行手术。参阅 **optometry**。

ophthalmoplegia　眼肌麻痹　又称眼外肌麻痹。控制眼和瞳孔运动的眼外肌麻痹的现象,通常与第三脑神经(动眼神经)、第四脑神经(滑车神经)或第六脑神经(外展神经)有关。动眼神经麻痹时,内、上、下直肌及下斜肌功能受损,以致瞳孔移向中线外侧而不能移回内侧(鼻侧)。外展神经麻痹时,外直肌功能受损,眼移向中线内侧而不能转向外侧。滑车神经麻痹影响上斜肌,使受害眼在垂直方向偏离原位。复视是以上三种情况都有的特征性症状。眼肌麻痹通常由侵犯神经系统的疾病如多发性硬化症、脑瘤和脑血管病等所引起。眼肌麻痹有时是重症肌无力等肌肉疾病的并发症,此时眼肌麻痹通常伴有其他肌肉症状。

ophthalmoscope　眼底镜　一种检查视网膜的仪器,1851年为德国生理学家H.von亥姆霍兹所发明。可发出强光,经小镜反射入眼内,光线由视网膜反射折回,通过仪器上的小孔,检查者可看到眼底结构的放大影像,包括视神经乳头、视网膜、血管、斑点和脉络膜。

Ophüls, Max　奥菲尔斯(1902-05-06,德国萨尔布吕肯～1957-03-26,汉堡)　德国电影导演,由于他纯熟流畅地运用移动摄影,他的影片充满诗情画意,这成为他的创作特征。他对不同民族间的差异以及人物的天性都能体察入微,他的影片在国际上得到公认。第一部著名的影片是《爱情公司》(1932)。他在意大利拍摄《大众情人》(1934),为法国观众拍摄《软心肠的敌人》(1936)等。1947～1949年在美国拍摄了4部影片:《流放》(1947)、《一个陌生女人的来信》(1948,旧译《巫山云》)、《逮住》(1949)和《鲁莽时刻》(1949)。1950年回到法国后导演情趣横溢的《轮舞曲》和《快乐》(1952),一般认为这是他最优秀的两部影片。他最后的一部影片《洛拉·孟戴兹》(1955)亦获得很高评价。

Opie, Eugene Lindsay　奥佩(1873-07-05,美国弗吉尼亚斯汤顿～1971-03-12,宾夕法尼亚布林莫尔)　美国病理学家。最先证明X射线检查能确诊结核病,又研究了结核病的传播方式及免疫预防方法。1897年获约翰斯·霍普金斯大学医学博士学位,后在该校病理研究室任职。解剖了多例糖尿病患者的尸体后报告了其在胰岛中的病理变化。1923年任宾夕法尼亚大学亨利·菲普斯结核病研究所所长。当时,结核病的传播方式未明,他经研究证明,结核病系经接触传播。并认为X射线检查能发现无症状的结核病,通过验痰可预告家庭内部结核病传播的可能性。又发现可注射加热灭活的结核菌来预防感染。他始终以对实验病理学进行计划周密而精确的研究著称。在流行性呼吸道疾患的研究方面亦做出重要贡献。

Opie, John　奥佩(1761-05,英格兰康沃尔圣阿格尼斯～1807-04-09,伦敦)　英国18世纪末著名的肖像画家和历史画家。曾试作符合时尚的肖像,但主要是朴实无华的题材,其作

奥佩自画像,1785年
美国不列颠百科全书公司供图

品明暗对比强烈,构图粗疏有致,颇具天才。在其艺术中,可看到伦勃朗、卡拉瓦乔和委拉斯开兹的强有力影响。1787年入选皇家学院。1805年任学院教授。

Öpik, Ernest Julius　奥皮克(1893-10-23,俄罗斯帝国爱沙尼亚昆达港～1985-11)　爱沙尼亚天文学家,以研究流星和陨石著称。他还终生致力于阐明宇宙的结构和演化。奥皮克于1911年毕业于爱沙尼亚塔林大学,获金质奖。1916年,在莫斯科大学获得天文学学位。1919年,任职于塔什干天文台,1921～1944年在塔尔图天文台工作。20年代初,他的科研阐明了高速天体进入大气的理论,对了解流星的烧蚀,即流星在气化过程中的表面剥蚀现象具有奠基性意义。1922年,奥皮克提出一种由二位观测者同时异地观测流星的双重计数法。他对流星的研究结果,使他能够在火星空间探测实现之前许多年,就正确地预测火星表面的陨石坑和环形山的频数。他也曾致力于彗星研究,认为有一个彗星库环绕太阳运行,库中那些轨道偏心率足够大的彗星得以飞近太阳,并为人们所见。1922年,奥皮克曾提出,恒星能源是核能,与恒星内部温度密切相关。那时,他还估算出仙女星系的距离,和半个世纪以后的测定值相近。在30年代和50年代,奥皮克根据陨星,还根据银河系恒星统计和河外星系统计,先后估算出宇宙的年龄。第二次世界大战后,奥皮克离开了他位于波罗的海的家园,任职于北爱尔兰阿马天文台。从1956年起,还在美国马里兰州科利奇帕克的马里兰大学兼任教授。

opisthobranch　后鳃类　后鳃亚纲(Opisthobranchia)的海产腹足类动物,约2 000种。又俗称海蛞蝓。通过位于心脏后方的鳃或体表进行呼吸。壳和外套腔退化或缺失。由于胚胎期不对称的内脏发生部分反捻,因而在成体中又变成两侧对称。雌雄同体。包括泡螺(**bubble shell**)、裸鳃类(**nudibranch**)、海蝴蝶(**sea butterfly**)、海兔(**sea hare**)等。

Opitz (von Boberfeld), Martin　奥皮茨(1597-12-23,西里西亚本茨劳～1639-08-20,

但泽） 德国诗人和文学理论家。曾把外国的文学模式和规则介绍到德国诗歌中来。他在奥德河畔法兰克福、海德堡和莱顿学习过。后来过漫游的生活，为某些领地贵族服务。1625年，被神圣罗马帝国皇帝斐迪南二世封为桂冠诗人，后又被封为贵族。1629年，被选入最重要的文学团体丰收学会，该会宗旨在于改造德国的语言。1630年，他前往巴黎，在那里认识了荷兰学者H.格劳秀斯。从1635年到去世为止，一直住在但泽（格但斯克），任波兰的弗瓦迪斯瓦夫四世的史官和秘书。奥皮茨是所谓第一西里西亚诗派的首领，在世时还被认为是最伟大的德国诗人。他是“德国诗歌之父”，至少就形式方面来说是如此。他的《德国诗论》很有影响，写于1624年，规定了“纯洁”语言、文体、诗和诗韵的规则。奥皮茨所推行的学究气的、夸张而又高雅的风格主宰着德国诗坛，直至18世纪中叶。他的诗大部分属于教育性和说明性，为仔细斟酌过的题材配上精雕细刻的形式——所含有的美微乎其微，感情则更少。受他的作品影响而成长起来的一代诗人使他黯然失色。

opium 鸦片 又译阿片。从罂粟（poppy）未成熟蒴果中提取的麻醉性镇痛药。取其果实轻轻划破，搜集其乳白色液体，暴露于空气中，待液体干燥凝结，变为褐色即成，有些品种则呈黑色。生鸦片以圆块状、饼状或砖状出售，以后再行粉碎或进一步加工。鸦片的合法用途是用于医疗，包括提取纯鸦片生物碱（如吗啡[**morphine**]、可待因[**codeine**]等）及制造此类生物碱的衍生物（如二氢吗啡酮、二氢可待因酮等）。生鸦片或提纯的鸦片生物碱及其衍生物（如海洛因）等常被非法应用。鸦片的有效成分为生物碱，最主要的是吗啡。鸦片生物碱按化学结构和作用分为两大类。一类作用于神经系统，以吗啡、可待因及蒂巴因等为代表，有镇痛、麻醉作用，有成瘾性。另一类包括罂粟碱、诺司咳平（前称那可丁）等等，无麻醉、成瘾及镇痛作用，但能松弛平滑肌。虽然有不少效力高的合成代用品用于临床，多年来要缓解剧痛仍离不开吗啡。鸦片生物碱用于镇痛时可口服、灌肠或注射。止泻可口服鸦片酊或樟脑鸦片酊。古代曾将鸦片制成丸剂或加入饮料中服用。1世纪时，季奥斯科里泽斯在其《药物论》一书中已描述了鸦片。译自楔形文字的亚述医药文献中亦提及罂粟及鸦片，并称鸦片为“狮油”。人们为取得鸦片而种植罂粟，罂粟由希腊及美索不达米亚缓慢地向东传播。显然在古代，印度和中国没有鸦片，广泛种植罂粟对这些国家来说不过是较为晚近的事。约7世纪关于罂粟的知识首次传入中国，而日本可能直到15世纪才开始种植罂粟。吸鸦片烟的习惯是新大陆发现后才开始的，因为吸烟斗的习惯源出美洲。在中国约到17世纪中叶吸鸦片才开始成为一个社会问题。两次世界大战之间，已有人在墨西哥西部山区非法种植罂粟以提取鸦片。后来秘鲁和厄瓜多尔亦有部分种植。鸦片生产（无论是合法或非法的）主要在亚洲。主要的鸦片生产和出口国是印度和土耳其。虽然已有许多人工合成药物可以代替鸦片或鸦片生物碱，但到20世纪80年代，全世界医用鸦片的年需要量仍超过1 700吨。吸食鸦片成瘾后，可引起体质衰弱及精神颓废，寿命也会缩短。过量使用鸦片可引起急性中毒，可因呼吸抑制而死亡，解救用丙烯左吗喃或烯丙吗啡（**nalorphine**）。

opium trade 鸦片贸易 近代西方商人经营的对华毒品贸易。鸦片是罂粟果实浆汁制品，中国又称其为“烟土”。中国在唐代（618～907）已有少量鸦片流入，供药用。明代（1368～1644）将鸦片列入药材项下征税。17世纪吸食鸦片方法从南洋传入中国，进口猛增。1729年清雍正帝下令禁止吸食鸦片。1796年嘉庆帝取缔鸦片进口与种植。葡萄牙人在18世纪初即发现从印度买进鸦片卖到中国可获厚利。1773和1797年英国东印度公司先后取得鸦片专卖和制造特权，以后便向中国大量销售鸦片以攫取暴利。美国也将印度和土耳其鸦片输入中国。1800年输入中国的鸦片为4 570箱，1838年增至40 200箱，造成白银大量外流，银价飞涨，影响清廷财政。1839年清廷派钦差大臣林则徐到广东查禁鸦片。1840年6月英国为保护鸦片贸易发动侵华战争，史称“鸦片战争”。战后鸦片进口虽未合法化，但实际已默许免税大量输入。1856～1860年英法联军之役（史称“第二次鸦片战争”）中，清政府于1858年被迫同英、法、美签订《通商章程善后条约·海关税则》，规定鸦片以“洋药”名义进口，准许外商销售鸦片。从此鸦片成为合法商品，输入量不断增加，直到1918年鸦片贸易才基本停止（医药用进口除外）。

1839年停泊在广东海上的英国鸦片走私船
中国大百科全书出版社供图

Opium Wars 鸦片战争 19世纪中叶西方列强为了强行输入鸦片和取得在中国的贸易特权而发动的两次对华战争。第一次鸦片战争（1840～1842）是英国发动的侵华战争；第二次鸦片战争（1856～1860）是英、法在俄、美支持下联合发动的侵华战争，又称英法联军之役。

18世纪末起英国向中国大量输入鸦片，使中国白银大量外流，银价飞涨，影响政府财政。1839年道光帝派林则徐为钦差大臣，赴广东查禁鸦片。1839年6月3～25日林则徐在广州虎门销毁英、美鸦片商交出的鸦片2万余箱。10月，英政府以保护通商为名决定出兵，任命懿律和义律为正副全权代表。1840年6月侵华英军总司令懿律率舰40艘集结广东海面，鸦片战争正式爆发。英军攻广州、厦门均未得逞，转而攻占定海，北犯大沽，要挟清政府谈判。道光帝派直隶总督琦善到广州与英军议和，并将林则徐、邓廷桢革职。此时，义律接替懿律为英国全权代表。1841年改派御前大臣奕山赴广东主持战事。2月英军攻陷虎门，进逼广州。5月占领泥城、四方炮台，炮击广州。奕山求和，于5月27日与英国代表义律签订《广州和约》，得道光帝批准。广州城郊三元里等地民众数万人奋起抗英，包围四方炮台，英军在清军保护下退回军舰。英政府改派璞鼎查率军来华，扩大侵华战争，8月26日攻占厦门，10月1日再占定海，并连陷镇海、宁波。18日道光帝任命协办大学士奕经为扬威将军，率军援浙。1842年3月奕经大败。道光帝派钦差大臣耆英、伊里布赴浙求和，不允。6月13日英舰入长江口，16日陷吴淞炮台，7月陷镇江，8月4日英舰85艘侵入南京江面。29日耆英、伊里布与璞鼎查签订《南京条约》，主要条款是中国割让香港，开放五口通商，并赔款2 100万银元等。1843年英政府又强迫清廷签订中英《五口通商章程》和《五口通商附粘善后条款》（《虎门条约》），作为《南京条约》的附约。1856年10月，英国利用“亚罗号事件”（Arrow）制造战争借口，以图扩大其在中国的通商权利，冲突再起。“亚罗号”是一艘中国船，为走私方便，在香港英国当局注册，但已过期。英国借口中国兵勇侮辱船上英国国旗而挑起战争，并向法国政府提出联合出兵的要求。

北京天安门广场人民英雄纪念碑上的虎门销烟浮雕
中国大百科全书出版社供图

1857年法国以"马神甫事件"(法国天主教神甫马赖违法进入中国内地活动,胡作非为,在广西林县被处死一案)为借口,协同英军作战。12月29日广州失守,1858年5月20日大沽失陷。英法联军26日攻入天津。清政府慌忙派大学士桂良、吏部尚书花沙纳为钦差大臣,赴天津议和。6月26日、27日分别签订中英、中法《天津条约》。主要内容是:公使常驻北京;增开通商口岸;外国传教士可自由传教;外国商船可在长江各口岸往来;修改税则,减轻商船吨税;对英赔款银400万两,对法赔款银200万两。1860年2月,英、法以在北京换约为由再次挑起战争。1860年10月13日英法联军攻入北京,在圆明园大肆劫掠后,将其焚毁。10月24日、25日清政府被迫签订中英、中法《北京条约》,进一步扩大英、法殖民主义者在中国的特权,使中国社会更加半殖民地化。

Opobo (Nigeria) **奥波博** 参阅 **Ikot Abasi** 伊科特阿巴锡。

Opole 奥波莱 原波兰西南部一省(1975～1998)。现为奥波莱(Opolskie)省的一部分。

Opole 奥波莱 德语作Oppeln(奥珀伦)。波兰西南部奥波莱省省会。濒临奥得河。是重要河港和铁路枢纽。经济以水泥和铸铁工业为主。原为斯拉夫奥波莱族的故乡,9世纪始见记载。1202年成为奥波莱公国首府。先后属波希米亚(1327)、哈布斯堡王朝(16世纪)和普鲁士(1742),1945年归还波兰。有地区博物馆和许多著名历史建筑。人口约192 946(2002)。

Opolskie 奥波莱 波兰南部省份。北邻大波兰省和罗兹省,东连西里西亚省,南接捷克共和国,西邻下西里西亚省。为1999年波兰行政区划调整后建立的16个省份之一。主要包括前奥波莱省(1975～1998)地区和前琴斯托霍瓦省的一小部分地区。省会城市为奥波莱市。地势平坦,主要为广阔的河谷。是波兰人口最少、面积最小的省份之一。近2/3的土地为农田,产量很高。主要农作物包括燕麦、马铃薯、油菜籽、甜菜和草料。牛、猪、禽类饲养业很重要。工业生产与农业紧密相连,主要包括食品加工、酿酒、肉类加工。其他重要产业包括水泥和石灰生产、化工以及纺织品生产、冶金、汽车生产、造纸、机械和家电生产。地方交通网络发达,有直达波兰主要城市和部分德国和乌克兰城市的火车。奥得河和格里威克运河用于内陆航运。旅游业欠发达。19世纪初开始了产业革命,该地区成为钢铁和水泥生产中心。修建公路和铁路用于支持当地工农业生产。第一次世界大战以后,上西里西亚发生了三次关于该地区应归属德国还是波兰的冲突,最激烈的战斗发生在1921年。奥波莱地区最终仍然属于德国。在第二次世界大战中,当地有很多波兰人被屠杀或驱逐,德国人移居该地,并建立了集中营和劳改所。地方工业支持德国军队。战争结束后,西里西亚归入波兰。1945～1947年间,当地德国人口被波兰人口取代。面积9 412平方千米。人口1 065 043(2002)。

Oporto (Portugal) 参阅 **Porto** 波尔图。

opossum 负鼠 又作possum。有袋超目负鼠科(Didelphidae)约66种新大陆哺乳动物的统称。关于同目的热带美洲种类,参阅鼩负鼠(**rat opossum**);关于澳大拉西亚产、英文亦

普通负鼠(Didelphis marsupialis)
美国不列颠百科全书公司供图

称possum的有袋动物,参阅袋貂(**phalanger**)。墨西哥北部唯一的一种为普通负鼠(弗吉尼亚负鼠、有袋负鼠,*Didelphis marsupialis*),分布范围从加拿大的下东部和皮尤吉特湾向南(西部山区和沙漠除外)到阿根廷一带,本属唯一的另一个种阿扎拉氏负鼠(*D. azarae*)产于南美洲。普通负鼠大如家猫,体长可达100厘米(包括尾长)。毛粗,从浅灰白色(北方地区)到近于黑色(温暖地区)。脸尖,呈白色;眼小而黑亮;耳圆,黑色;体粗壮;尾无毛,被鳞片,长度约为身体全长之半,能缠卷。前足有五个利爪;后足最内侧的趾无爪,可与其他趾相对,用以抓握树枝。普通负鼠有50颗牙齿。几乎能食所有食物,包括昆虫、小型哺乳动物、鸟蛋、幼雏、各种果实,有时还食庄稼。几乎适应多种生境,但大部分树栖,故不见于无树木的干燥地区。其巢常见于空树洞中或树桩下、树根下。在地面上受惊时会装死。美国南部的人食其肉。每窝产仔25只(平均10只),妊娠期仅12～16天(平均12.5天)。初生幼仔盲目,无毛,似蛴螬,重仅2克;本能地用带爪的前肢往母体生有软毛的育儿袋爬去,爬进育儿袋就去寻找乳头(常有13个乳头),当乳头隆起时,就用口牢牢地吸住。有些新生幼仔爬不到育儿袋内;另一些幼仔死亡的原因则是由于母体无更多的乳头供它们吮吸。幼仔在育儿袋内生活4～5个星期,再骑乘在母背上随母体行动8～9个星期。分娩前雌体常将面部伸入育儿袋中将其清洁,故传说负鼠的幼仔从母体的鼻孔产出。水负鼠(奥亚波克负鼠、最小蹼足负鼠,*Chironectes minimus*,或称巴拿马蹼足负鼠[*C. panamensis*])是肉食种类,从墨西哥至阿根廷一带均有发现,是有袋动物中唯一能适应半水栖生活的种类,其后脚具蹼,被毛浓密而油亮,育儿袋口可收紧,以保持幼兽的干燥。体长30厘米,裸尾长38厘米;背部黑色有宽条纹。灰林负鼠(灰四眼负鼠,*Philander opossum*)和褐四眼负鼠(鼠尾负鼠、裸尾四眼负鼠,*Metachirus nudicaudatus*)眼的上方有一对苍白色的大斑。这两种均分布于中美洲和南美洲。头大,尾长,身体大小近似家鼠,褐四眼负鼠无袋。粗尾负鼠(小水负鼠,*Lutreolina crassicaudat*)主要见于南美洲安第斯山以东地区的河道中,但亦可栖居城市。体全长70厘米(包括30厘米的尾长),似鼬,是凶猛的食肉动物。绒毛负鼠包括安第斯山北部的丛尾负鼠属(雅负鼠属,*Glironia*)的两个种、智利的绢丝负鼠(*Dromiciops australis*)和墨西哥南部至巴西的棉毛负鼠属(*Caluromys*)的3个种。最小的负鼠为短尾负鼠属(*Monodelphis*)种类,其形似鼩鼱,眼小,尾相当短,产于南美洲,其中黑短尾负鼠(*M. melanops*)产于巴拿马;有些种身体与尾部加起来仅长15厘米。猛负鼠属(*Marmosa*)有40种,有时称为鼠负鼠,数量最多,分布于墨西哥北部到阿根廷一带。

opossum shrimp 负鼠虾 又作possum shrimp。即糠虾。糠虾目甲壳动物,已知450种,多数海产,少数分布于半咸水,极少数在淡水中。多数长1～3厘米。雌体有孵育囊,

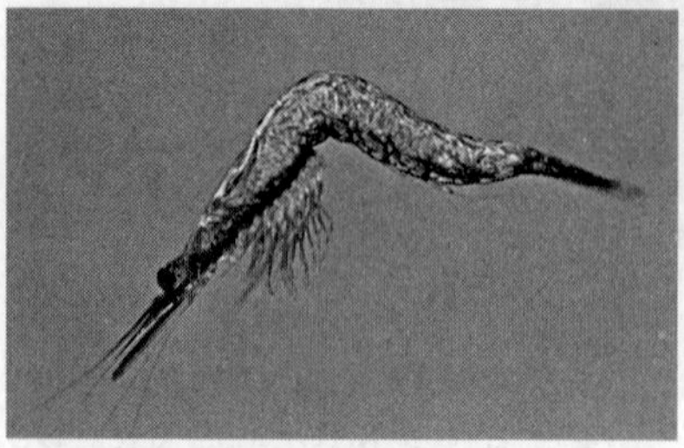

糠虾目(Mysidacea)负鼠虾
美国不列颠百科全书公司供图

幼体在囊内生活几周,故得其俗名。多数生活于深的冷水中;有的钻入底层,或在底部或在植物上爬行;有的在开阔的水域游泳,偶尔集成大群。淡水的孤糠虾(*Mysis relicta*)是北美洲、大不列颠和北欧冷水湖的常见种,是湖鳟的重要食料。加那利群岛的科特氏异糠虾(*Heteromysis cotti*)生活在洞穴中,眼盲或视力很差。

Oppeln (Poland) **奥珀伦** 参阅 **Opole** 奥波莱。

Oppenheim, E. Phillips 奥本海姆 (1866-10-22,英格兰伦敦～1946-02-03,英国海峡群岛根西岛彼得港) 全名Edward Phillips Oppenheim。英国小说家,以描写国际间谍和阴谋的长、短篇小说而蜚声国际。17岁辍学,协助父亲从事皮货生意,并在空余时间写作。他的第一部小说《赎罪》(1886)和后来所写惊险小说引起了纽约一个有钱商人的注意,这个商人在19世纪末买下了他的皮货商行,并高薪聘他为经理。他因此得以用大部分时间潜心写作。此后所著长篇小说和短篇小说集及剧本,总数超过150部。作品中的人物有老于世故的英雄、冒险的间谍和勇敢的贵族。

最著名的作品有《曼尼斯特的长臂》(1910)、《移动的手指》(1911)和《伟大的化身》(1920)。

Oppenheim, Lassa Francis Lawrence 奥本海(1858-03-30,美因河畔法兰克福附近温德肯～1919-10-07,英格兰剑桥郡剑桥) 德国法学家,曾在德国、瑞士和英国(1895年起)任法律教师,以其对国际法的实证主义的研究方法而闻名。1895年从瑞士的巴塞尔移居伦敦,在新成立的伦敦经济政治学院任教。1908年担任剑桥大学的休厄尔国际法教授。奥本海在其最重要的著作《国际法》(2卷,1905～1906)中详尽地论述了建立在各国间的专门协定和惯例而不是传统理论基础上的国际法理论。虽然他强调国内法和国家主权应高于国际法,但在第一次世界大战期间和以后,他逐渐相信建立国际联盟的必要性。

Oppenheimer, Sir Ernest 奥本海默(1880-05-22,德国黑森-拿骚弗里德贝格～1957-11-25,南非约翰内斯堡) 南非工业家、金融家,南非和罗得西亚采矿业最成功的领导人

美国不列颠百科全书公司供图

之一。他出生在德国,16岁时在伦敦钻石中间商丁克尔斯比勒公司任小职员。1902年移居于南非金伯利,担任该公司的代表。1917年,在金融家J.P.摩根大力支持下创办了南非英美有限公司,从事东威特沃特斯兰德金矿的开发。两年后,他建立了西南非统一金刚石矿业公司。这家金刚石勘探公司十分成功,使他获得了德比尔斯联合矿业公司的控制权,并于1930年创建了金刚石有限公司。1929年为开发北罗得西亚丰富的铜矿创建了罗得西亚英美公司。他是一位慈善家,还担任过市长和议员,也是南非政界中一位杰出人物。

Oppenheimer, J(ulius) Robert 奥本海默(1904-04-22,纽约市～1967-02-18,美国新泽西普林斯顿) 美国理论物理学家和科学管理官员,第二次世界大战期间担任制造第一批原子弹的"曼哈顿工程"的科学工作负责人。1925年在哈佛大学毕业后,到英国剑桥大学卡文迪什实验室与英国科学界共同推进对原子的研究。后应M.玻恩之邀到德国格丁根大学深造。1927年在格丁根获得博士学位后,回到美国,在伯克利加利福尼亚大学及加利福尼亚理工学院讲授物理学。奥本海默早期的研究工作特别注重于亚原子粒子的能量过程,包括电子、正电子和宇宙线。由于量子论是几年前刚刚提出来的,大学中的教职提供了一个绝好的机会,使他能全力以赴地探索和发展量子论的全部意义。此外,他还培养了整整一代的美国物理学家,他们都深受他的领导才能和思考独立性的影响。希特勒主义在德国的兴起首次激起了他对政治的关心。1936年,在西班牙内战中他站在公众

新墨西哥州洛斯阿拉莫斯科学实验室供图

一边,并在西班牙结识了一些共产党员学生。但是他从未参加共产党。纳粹德国于1939年入侵波兰之后,物理学家A.爱因斯坦和L.齐拉特警告美国政府:如果纳粹造出第一颗原子弹,将有危及全人类的危险。从那时起,奥本海默开始从天然铀中分离铀235和确定生产原子弹所需铀的临界质量数。1942年8月,研制原子弹的组织工作交给了美国军队,称"曼哈顿工程"。奥本海默被任命建立一个实验室并担任主任。在新墨西哥州洛斯阿拉莫斯建立了实验室,集中了许多杰出的科学家。在他们的共同努力下,在德国投降之后的1945年夏制成了第一批原子弹。同年秋季,他辞去了当时的职务。1947年,他到普林斯顿大学高级研究院任院长,1947～1952年间,担任原子能委员会的总顾问委员会主席。这个顾问委员会在1949年曾反对试制氢弹。1953年底,奥本海默受到军事情报机关的指控,说他过去曾与共产党人合作,庇护苏联间谍,反对制造氢弹。美国政府对他进行了审查。审查委员会的结论是:奥本海默没有犯叛国罪,但判定他不应接触军事机密。因而他被解除了原子能委员会总顾问委员会主席的职务。美国科学家联合会立即抗议对他的审查。奥本海默成了那些因试图解决由科学发现所产生的道德问题而成为政治迫害牺牲品的科学家的世界性象征。他的晚年全部用来探讨科学与社会的关系。1963年L.B.约翰逊总统把原子能委员会的费米奖授予奥本海默,以这种方式为他恢复名誉。1966年退休,次年2月18日因喉癌在普林斯顿去世。

Oppland 奥普兰 挪威中南部一郡。被居德布兰河谷分为两部分。面积25 260平方千米。从米约萨湖到兰斯湖向北延伸至尤通黑门山、多夫勒山和龙达讷山。大部为高原;北部山区大片土地无人居住。人口多分布于主要河谷地带,那里经济以农业为主,饲养家畜,种植谷物、马铃薯和水果。工业主要集中在利勒哈默尔(郡首府)和耶维克。旅游业发达,居德布兰河谷和北部的高峻山峰为主要游览地。人口约182 583(1993)。

opportunity cost 机会成本 参阅 **cost** 成本。

opposites, table of 对立表 毕达哥拉斯派哲学有一套10个成对的相反性质的表。亚里士多德最先提及此表。他说当时有一些毕达哥拉斯门徒在使用此表。亚里士多德提出的毕达哥拉斯对立表如下:

有限	无限	有限	无限
奇	偶	直	曲
一	多	明	暗
右	左	善	恶
阳	阴	正方	长方
静	动		

亚里士多德指出,克罗顿的阿尔克迈翁也提出成对的相反性质作为事物以及人类事务的第一"原则",毕达哥拉斯与他同时,因而弄不清究竟谁影响了谁。亚里士多德将道德行为之可敬与左边一栏联系起来,因为"善"的事物似乎都在这一栏。此表在亚里士多德时代颇为流行,但他的目的只是为了支持自己的观点。

opposition 冲 天文学名词,指两个天体出现在天空的相反方向。满月时,月球就正好同太阳冲(或称冲日),这时地球的位置几乎在月球和太阳之间。当地球在外行星(轨道距太阳比地球更远的行星)和太阳之间通过时,就出现外行星冲日。行星冲日时,它离地球最近,而且正好是满相,因而是观测行星的好机会。金星和水星的轨道位于地球轨道以内,这两颗行星永远不会出现冲日。参阅 **conjunction**。

opposition, square of 对当方阵 传统逻辑中,表示一个直言命题(**categorical proposition**)或陈述的4种具有相同主、谓项的形式及其成对关系的一种图形。其中 *A*, *E*, *I*, *O* 是4种形式:"所有 *S* 都是 *P*"、"所有 *S* 都不是 *P*"、"有些 *S* 是 *P*"和"有些 *S* 不是 *P*"。如这方阵所示,"所有天鹅都是白的"是"所

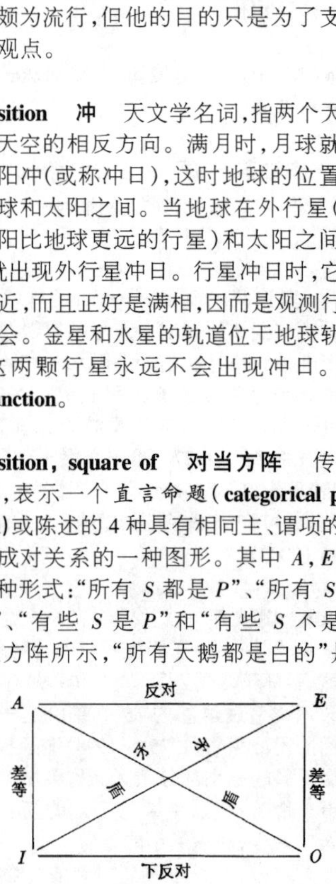

对当方阵图形

有天鹅都不是白的"的反对命题,是"有些天鹅不是白的"的矛盾命题。从这些形式之一引出的关于另一个形式的结论(如在特称命题中),据说是通过直接推理得到的。

oprichnina 沙皇禁苑 沙皇伊凡四世(雷帝)建立的用来管理沙皇特辖区土地的私人宫廷(1565)。它一般还涉及把俄罗斯土地一分为二并建立新的宫廷的经济和管理政策。沙皇特辖区的土地在莫斯科大公国北部和中部,它通过迫使波雅尔(上层贵族)迁离其大片私有土地而形成,波雅尔或被处决,或重新拨给土地按传统方式管理。它也指通过特辖军实行的恐怖统治。这些沙皇新宫廷的成员系擢升的低级贵族或外国人。恐怖统治最为严重的是剥夺全体诺夫哥罗德人的权力并洗劫(1570)这个反对莫斯科统治的北方城市。

这一政策削弱了波雅尔的政治势力，扰乱了俄罗斯的经济，但促进了莫斯科国家的中央集权化。1572年这一制度终被废除。

Optic, Oliver 奥普蒂克 参阅 **Adams, William Taylor** 亚当斯。

optic atrophy 视神经萎缩 一种眼科病，表现为视神经的退化变性。可为遗传性缺陷（雷伯氏病）；主要影响15～25岁的男性，使中心视力丧失；雷伯氏病的视力有时可以恢复，但完全恢复者很少见。机械性的损伤（如头部受打击），青光眼，肿瘤压迫神经，木醇、奎宁或砷中毒，以及视网膜疾病亦可引起视神经萎缩。参阅 **visual-field defect**。

optic disk 视神经乳头 参阅 **blind spot** 盲点。

optic nerve 视神经 将视网膜的神经冲动传到大脑视觉中枢的第二对颅神经。眼内的视觉神经纤维在视乳头处汇合形成视神经，穿出眼球沿脑底到达视交叉；两眼的视神经在此处会合。视乳头处并没有视觉神经细胞分布，不能感受光刺激，故称"盲点"。每只眼的视觉神经纤维有半数继续前进到达同侧大脑的视皮质，另一半在视交叉处与对侧眼球的视觉神经纤维会合，继续前进到对侧的视皮质，产生双眼视觉。视神经也传送出入虹膜、控制瞳孔反射的神经冲动，对光线强弱的改变作出反应。在结构上，视神经是中枢神经系统的神经束，而不是真正的周围神经。

optic neuritis 视神经炎 视神经的炎症。多由多发性硬化引起。其他原因有天花或麻疹等传染病所引起的脑与脊髓的炎症，以及木醇或铅中毒等。炎症部位可在视乳头（视乳头炎）或眼球后的视神经干（球后或轴性视神经炎）。炎症可累及神经纤维或仅累及神经鞘，亦可蔓延到附近的视网膜。主要临床表现为盲点（常在视野的中心）、眼球疼痛及患侧头痛。视神经炎通常可以恢复，但神经纤维可能遗留少许变性。参阅 **visual-field defect**。

optical activity 旋光性 物质使一束穿过它的光线偏振平面发生旋转的能力（在平面偏振光中，电场振动被局限于单一平面）。旋光性的强度以一个称作旋光率的量值表示。旋光率由一个把偏振平面的旋转角，穿过试样的光程长以及试样的密度（如试样存在于溶液中，则为试样的浓度）联系起来的方程式确定。因为旋光率依赖于温度和光的波长，所以还必须注明温度和波长值。以面对光源的观测者为准，若偏振光平面顺时针方向旋转，则规定旋光率为正值；反时针旋转则为负值。旋光率为正的物质称为右旋物质，以词头 *d* 或（+）号表示。旋光率为负的物质称为左旋物质，以词头 *l* 或（-）号表示。1811年法国物理学家F.阿拉戈在石英晶体中首次观察到旋光性。另一位法国物理学家J.-B.毕奥于1815年发现酒石酸或蔗糖溶液以及气态或液态松节油都具有旋光性。L.巴斯德是第一个认识到旋光性是由于晶体结构中或在某些化合物的单个分子中原子的不对称排列所引起的。

optical antipode (chemistry) **光学对映体** 参阅 **enantiomorph** 对映体。

Optical art 光效应艺术 参阅 **Op art** 奥普艺术。

optical axis 光轴 通过透镜的几何中心并连结透镜两表面的曲率中心的直线。透镜的光轴有时称为它的主轴。沿这一轴的光线路径垂直于透镜两表面，因此不发生变化。通过透镜及其光学中心（薄透镜的几何中心）的所有其他光路称为副轴。曲面镜的光轴通过它的几何中心和曲率中心。光学上所说的光轴与结晶学中所指的光轴不应混淆。

optical crystallography 光学晶体学 晶体学中研究晶体光学性质的分支。它具有重要的理论意义和极重要的实用价值。岩相学是一门主要用显微镜研究透明薄岩石断面外观的学科，这种显微镜有两个方解石起偏振棱镜。一块缺乏外观晶面的矿石（如岩石中的矿物）很容易通过它的某些光学性质来辨别。所有的晶体按照它们对平面偏振光的透过作用可归入下面所列五大类中的一类，这种分类同六大晶系的分类是一致的（第二类包括两个晶系）。除了少数例外，每个晶系的几种对称性在光学上是相同的。五大类是：①光学各向同性晶体（立方晶系），它对每种颜色的光只显出一种折射率；②光学单轴晶体（四方晶系和六角晶系），具双折射并对每种颜色的光有两个折射率，一个平行于光轴，一个垂直于光轴；③光学双轴晶体（正交晶系），有三个主折射率，它具有与三个晶轴相应的三个光轴；④三个光轴只有一个与晶轴相应的光学双轴晶体（单斜晶系）；⑤在光轴与晶轴间没有固定确切关系的光学双轴晶体（三斜晶系）。

optical image 光学像 通过透镜系统或反射镜系统对于光波的反射、折射或衍射而形成物体的表观再现。像分实像和虚像两类，实像是光线在像的位置聚焦，可在屏幕或一张纸上看到；虚像则不然。照相机的透镜在胶片上和投影透镜在电影银幕上所形成的就是实像。虚像并不是从像的似乎所在的位置那儿来的光线所组成的，比如平面镜的虚像就位于镜面背后某一距离处。

optical interferometer 光学干涉仪 能精确测量光束波长、表面不规则性与折射率等因素的仪器。它将一光束划分为若干沿不相等路径行进的光束，使其复合时强度相加或相减（相互干涉）。这种干涉所呈现的明带和暗带，称为干涉条纹。由测量条纹取得的信息，可定出精确的波长，量出极小的距离与厚度，研究光谱线及测出透明材料的折射率。在天文学上，干涉仪用来测量恒星间的距离和恒星的直径。

1881年美国物理学家A.A.迈克耳孙制成用于迈克耳孙-莫雷实验的干涉仪。迈克耳孙干涉仪及其改进型，在光学工业中用来测试透镜和棱镜、测量折射率，以及检查表面的微小细节（显微形貌学）。该干涉仪包含一个一半涂银的镜子，镜子将光束分为两等份，一份传递到固定镜面上，另一份反射到可动镜面上。计算镜面移动时产生的条纹，即可确定镜面精确的移动量。迈克耳孙还发展了恒星干涉仪，能测量恒星直径，以观测点与恒星两端点间所夹角度表示，可小至0.01弧度秒。

1896年英国物理学家瑞利勋爵描述了瑞利干涉折射仪，该仪器目前仍广泛用来确定气体和液体的折射率。瑞利干涉折射仪与迈克耳孙干涉仪同属分光束仪器。即令一光束作参考；另一光束先穿过折射率已知的材料，再穿过折射率未知的材料。由未知材料与已知材料干涉条纹间的位移，可确定未知材料的折射率。

1897年法国物理学家C.法布里和A.珀罗制造出法布里-珀罗干涉仪（变隙干涉仪），该仪器包含一个标准具（两片高反射的且严格平行的板）。由于标准具两板的高反射性，光波虽经连续多次反射，其强度减弱仍极其缓慢，故形成极狭窄的清晰条纹。这些条纹可用来显示线状光谱的超精细结构，以算出窄光谱线的宽度和重定米标准的长度。

斐索-洛朗表面干涉仪（见图）可显示磨光表面对一平面的偏离情形。该系统曾被法国物理学家A.-H.-L.斐索于1862年描述过，1883年改制成仪器，目前广泛用在光学工业上。在斐索-洛朗系统中，单色光穿过一针孔，照在参考面及直接位于参考面下方的工件上。光束垂直于工件；若使工件表面与参考面表面维持一个微小角度，则通过两者上方的反射器，便可看到等厚度条纹。这些条纹构成工件表面等高线图，使光学磨匠看到工作件表面的缺陷与不平而除去。

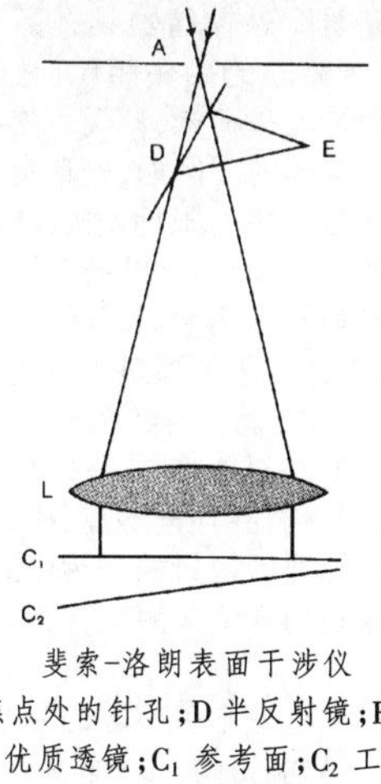

斐索-洛朗表面干涉仪

A透镜焦点处的针孔；D半反射镜；E观察点；L优质透镜；C_1 参考面；C_2 工件

由迈克耳孙干涉仪改制成的特怀曼-格林干涉仪，是英国电机工程师F.特怀曼和英国化学家A.格林1916年制成的，可用来测试透镜和棱镜。该仪器利用优质透镜焦点处的单色点光源；若光射向理想棱镜，则反射回观察口时恰似直接来自光源一样，可观察到均匀的亮度场。若棱镜玻璃上有缺陷，则波阵面会被扭曲。若光穿过透镜，由透镜后的凸镜反射折返，再穿过透镜，到达观察口；透镜上的缺陷同样会导致条纹的扭曲。

optical model　核光学模型　物理学中对原子核的一种描述，认为它像混浊的晶体球。当它被粒子束打击时，粒子部分被吸收，部分被散射，部分透射，类似光的性能。核光学模型在解释入射粒子能量约 $10^6 \sim 10^9$ 电子伏的核反应时极为成功。

optical pumping　光抽运　用光能把一系统的原子由一个能级提升到另一个能级。由原子组成的系统，其单个原子磁场的取向是无规则的。受到光抽运时，这些原子的单个磁场都按光束的方向重新排列，从而出现磁能级的重新排列；在某些情况下，大量原子将被定向而产生遍及整个系统的磁场。更为人所熟知的是，在激光器中的光抽运，由于吸收了光子的能量，电子的能量增大，处于较高能级，直到它们被触发，才以激光束的形式释放所储存的能量。激光束的光波全都有相同波长和振动的一致性。

optical sound recording　光学录声　利用光学系统将声音录在摄影胶片上，广泛用于制作电影片的*声迹*(**sound track**)。

optical storage　光存储器　利用低功率激光束记录和检索数字(二进制)数据的电子存储介质。在光存储技术中，激光束把数字数据以在光盘表面呈同心圆状的凹痕形式在光盘(或称激光盘)上编码，使用低功率激光扫描仪，通过来自凹痕的反射光强度的变化可读取这些凹痕，并将其转变为电信号。光存储技术被用于记录声音的*激光唱片*(**compact disc**)，存储文字、图像以及声音的*小型只读光盘*(**CD-ROM**)，能一次写入多次读出的存储光盘(WORM)，及可完全擦除重写的新型光盘。

光存储器比磁存储器具有更大的存储容量，因为与微小的磁头相比，激光束能够更精确地被控制和聚焦，从而可使数据浓缩在非常小的空间内。例如，一整套百科全书的内容能被存储在一张标准的 12 厘米的光盘上。除高容量外，光存储技术还能用来更可靠地复制声音和图像。同时，光盘制造成本较低：从主盘上压出塑料光盘简单得像制造唱片一样。光盘上的数据不会因为停电或磁干扰而损坏。光盘本身相对来说不受盘体磨损的影响，并且与磁盘、磁带不同，光盘无需保存在非常密封的防污染的容器中。光学扫描仪也同样经久耐用，因为它没有几个运动部件。

早期的光盘是不可擦除的，即数据编入光盘表面后，只能阅读，而不能擦除和重新写入。20 世纪 90 年代，随着 WORM 和可擦除重写光盘的发展，这个问题得以解决。光学设备存在的主要问题是它对信息检索的速率比常规磁存储介质慢。尽管如此，其超大的存储容量和记录特性，使光存储器十分理想地满足密集存储的需要，特别是它能把静止的和活动的画面、声音及大量文字结合起来。多媒体百科全书、电视游戏、培训教材和各种名录等，很容易存储在光学介质上。

optics　光学　关于光的产生和传播、光经历和产生的变化，以及同光紧密联系的其他现象的科学。光学有两个主要分支：物理光学和几何光学。物理光学主要研究光的本性和一些性质(参阅 **light**)。几何光学则研究支配透镜、反射镜和其他一些光学仪器成像特性的原理。它还包括光学数据处理(涉及处理相干光系成像的信息量)。参阅 **optics, principles of**。

optics, principles of　光学原理　研究有关透镜、反射镜和其他光学仪器的成像特性。光学这一术语原意仅相对用于眼与视觉。后来出现了扩大视觉的仪器，被称为光学仪器。现在“光学”一词扩大到光的整个应用范围，把不可见的电磁辐射如 X 射线、紫外线、红外线和微波也包括在内。

光学成像可以看作物体通过光学系统的表观再现，光只是一个载体。整个像可以同时一次产生，也可以是逐点扫描产生。然而，最终的接收器均为人眼。因此，不管采用什么手段，它必须或者能一次成像，或者是扫描速度足够快，使观测者能因视觉暂留而在一定视野内获得一幅完整的影像。要达到这样的效果，影像的重现速度(如电影)或扫描速度(如电视)至少要达每秒钟 40 次，才能使人眼感受到连续的影像。

几何光学　几何光学把光看作是直线传播的，其基础是三大定律，它是各种光学仪器设计的理论根据。①光的直线传播定律：光在均匀介质里沿直线传播。②反射定律：入射线、反射线和法线在同一平面内，反射角等于入射角。③折射定律：光线通过不同介质的界面时，要产生折射，其入射线、折射线和法线在同一平面内，入射角 I 的正弦与折射角 I' 的正弦之比等于两种介质中光速之比，即等于两种介质的折射率(n' 与 n)之比：$n\sin I = n'\sin I'$。当光线由光密介质(n)射入光疏介质(n')时，折射角等于 90°的入射角称为临界角 I_c；由上式可得出

$$n'\sin 90° = n\sin I_c \qquad (n > n')。$$

入射角大于临界角时，光线不再折射，称为全内反射。介质的折射率随波长而异的现象，称为色散。介质的色散率 w 定义为：太阳光谱中氢的“F”线(4 861埃)与“C”线(6 563埃)折射率之差与钠的“D”线(5 893埃)折射率减 1 之比，即

$$w = \frac{n_F - n_C}{n_D - 1}。$$

三角学光线追迹法是矫正光学系统透镜像差的必用之法。如图所示，在子午面(包含

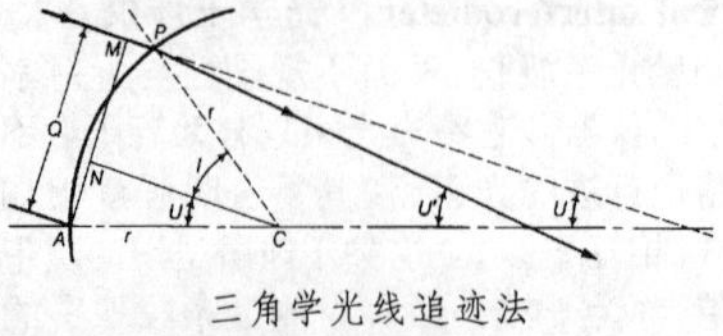

三角学光线追迹法

透镜光轴和物点的平面)内的入射光线，其倾角为 U，由折射曲面顶点 A 至入射光线的垂直距离为 Q。作一条平行于入射线并通过曲率中心 C 的直线，交 AM 于 N。因此，$Q = r(\sin U + \sin I)$。设由 A 至折射光线的垂直距离为 Q'，则同样可推出 $Q' = r(\sin U' + \sin I')$，式中 U' 为折射线的倾角，I' 为折射角。因 $\angle PCA = U + I = U' + I'$，所以 $U' = U + I - I'$。应用折射定律，给出 $\sin I' = \frac{n}{n'}\sin I$。由第一折射面至第二折射面的转换公式是：$Q_2 = Q'_1 - d\sin U'_1$，式中 d 为第一折射面至第二折射面的轴向距离。依次完成所有 k 个折射面的计算以后，可由公式 $L'_k = Q'_k / \sin U'_k$，得出最后折射面顶点至出射光线与光轴交点的轴向距离 L'_k。通过反复的追迹、不断修改参数、逐次逼近点像，直到得出满意的结果。不在子午面上的三角光线追迹，可用相应的导出公式。

傍轴光线追迹公式可用上述公式中三角函数值的极限即角的弧度值来代替，Q、Q' 用入射点距镜轴高度 y 来代替推得。傍轴光成像时，其物像距离公式为：

$$\frac{n'}{l'} = \frac{n}{l} + \frac{n' - n}{r}。$$

式中的小写符号 l、l' 和下面的 u、u' 是在傍轴光线的情形下与上述相应大写符号对应的量。物点距镜轴高为 h，像点距轴高 h'，其放大率

$$m = \frac{h'}{h} = \frac{l' - r}{l - r} = \frac{nu}{n'u'}。$$

由此式得：$h'n'u' = hnu$，乘积 hnu 在任何透镜面间的所有空间都是不变的，称为光学不变量。薄透镜的两个主平面在透镜内重合。此时透镜的共轭距 p 和 p' 分别等于物和像至透镜的距离 r_1 和 r_2。透镜的放大率

$$P = \frac{1}{f'} = (n-1)\left(\frac{1}{r_1} - \frac{1}{r_2}\right),$$

f' 为透镜的焦距。玻璃的折射率与入射光的波长有关，所以，透镜的各种性质如焦距、像距和放大率也随波长而变。像距随波长的变化称为色差，放大率随波长的变化称为放大率色差或横向色差。

光学系统　一般由透镜、反射镜、棱镜、纤维束组成。根据用途和功能，有时系统还带有光源、探测器或电子图像放大器。典型的光学系统都是由球面透镜组成的，非典型的光学系统常常因消像差等要求而需由非球面透镜组成。不管何种光学系统，都有一个限制光束的孔径光阑。光阑在物方的像称为入射光瞳，在像方的像称为出射光瞳。孔径光阑用来控制照度和景深。

波对理想球面的偏离称为光程差(OPD)，可用公式：

$$\begin{aligned}\mathrm{OPD} = {} & s_1(x_0^2 + y_0^2)^2 + s_2 y_0(x_0^2 + y_0^2)h'_0 \\ & + s_3(x_0^2 + 3y_0^2)h'^2_0 + s_4(x_0^2 \\ & + y_0^2)h'^2_0 + s_5 y_0 h'^3_0\end{aligned}$$

来表示。式中系数 $s_1, s_2 \cdots, s_5$ 称为赛德耳和，它们分别代表球差、彗差、像散、场曲和畸变，x_0、y_0 为出射光瞳孔内一点的坐标；h'_0 为最后的像点在透镜光轴之上的高度，因而它确定光束的斜度。

像的亮度　光学系统的成像亮度至关重要。亮度太低，照相底片或接收器就不能作

出满意的响应。设一平面物体的面积为 A，发光率为每单位面积 B 烛光，则其法向光强为 AB 烛光。若此光源发出的光射入半角为 U 的锥形空间，则其光通量 $F = \pi AB\sin^2 U$（流明）。设 t 为透镜的透射比，像的面积为 Am^2，m 为放大率，其值 $m = \sin U/\sin U'$，所以像的光照度：$E = t\pi B\sin^2 U'$。上式用透镜的 f 数和 m 来表示，则得：

$$E = \frac{\pi tB}{4(f\text{数})^2(1 + m/m_p)^2}。$$

式中 m_p 是入射光瞳孔径与出射光瞳孔径之比。由此可知，要保证像的一定亮度，就要增大物的亮度。

光学和信息理论　在 20 世纪 50 年代初，由于出现了通信和信息理论，使光学发展进入了一个新纪元。通信系统和成像系统具有很多的相似点：一是它们都是用来收集或传递信息的；二是都可以用同样的数学方法，即用傅里叶分析来描述各自有关的系统。所不同的是前者处理的信息一般是时间性的（例如被调制的电压或电流波形），而后者处理的则是空间性的（例如光波振幅或强度在空间的分布），但从抽象的观点来看，这一差别并不是实质性的。因此，这两门学科联系就愈来愈紧密。这两门学科的结合使得古老的光学获得了新生，特别是 20 世纪 60 年代激光出现以后，发展得就更为迅速。

采用不相干照明时，光学系统在强度上是个线性系统。为了讨论方便，系统被认为是空间不变的。光由物点传到透镜，通过透镜到达像平面时，像的强度就是系统对物光的脉冲响应（即点扩散函数）。这种响应既是物的分布，也是光学系统全部特征的响应。如果物由两点组成，则在像平面上像的强度就是物点脉冲响应的叠加。如果物点挨得比其脉冲半宽度还近，则此两点不能分辨。如果物是由许多孤立点组成的，则每一物点都在像平面上产生一个脉冲响应，脉冲响应的叠加就是像的强度。物通常是由强度的连续分布组成的，这时的结果就不再是简单的叠加，而是一个卷积。传递函数是光学系统的固有特征，物光的脉冲响应、传递函数与孔径函数有关。传递函数根本上就是强度脉冲响应的傅里叶变换，物光可以分解为一系列空间频谱的周期成分，像光就是对应物光的每一成分乘上传递函数对应值所得到的强度。

相干光学信息处理所需的基本系统是由双透镜组成的。相干照明的物通过第一透镜的夫琅和费衍射分频，成像在焦面上。在焦面上插入各种滤波器来改变频谱成分，再经过第二透镜夫琅和费衍射合频来达到改造图像的目的。

1948 年 D.伽柏提出一种新的两步无透镜成像法，称为波阵面重建（即全息术）。第一步令一束相干参考光波与物体的衍射光波相互作用，记录下含有后者的振幅和相位信息的干涉图样（称为全息图）。第二步把记录下的干涉图样用同样的相干光照明，就可以得到原来物体的共轭像和原始像。全息记录方式分共轴全息和离轴全息。全息术在干涉计量、微粒尺寸分析、干涉显微术、数据存储和检索、织造材料的无损检验等方面得到广泛应用。

用高相干和高能激光束通过光学系统，可看到非线性效应，最重要的是倍频。例如，在合适条件下，10 600 埃的钕激光红外输出在铌酸锶钡晶体中能被转换成 5 300 埃的绿光。

Optimates and Populares　贵族党和平民党　罗马共和国末期（约公元前 133 ～前 27）两个主要贵族政治集团。这两个集团的成员都属于富裕阶层。贵族党在元老院占有统治地位，他们压制元老院内另外一批人的意见。这另外一批人不得不到部落大会上去寻求对他们的提案的支持。贵族党就骂他们"蛊惑民众"，讥称"平民党"。因而，两党之别主要在方法上。贵族党试图维持寡头制，平民党则寻求民众支持反对寡头制。

optimization　最优化　应用数学的一个由许多原理和方法组成的领域，这些原理和方法是用来解决异常广泛的科学学科（诸如物理学、生物学、工程学、经济学、商业以及其他方面）中的定量问题的。这个数学领域的形成来自如下的认识：对于所考虑的表面上属于不同领域的各种问题，都能从理论上以这样的方式提出，使得能用一种集中起来的概念和方法来求得所有这些问题的解答。典型的最优化问题是：有一个系统（如一台机器、一群生物有机体或一个商业机构），其性能由几个特定的因素确定；系统的操作者（一个人或一个团体）的目标是使这个系统的性能达到最优。而最优，至少部分地取决于操作者可以控制的各种因素的水平，虽然系统的性能还可能受其他无法控制的因素的影响。因此操作者要寻求可控诸因素的合理水平，以尽可能地使系统的性能最优。例如，在银行系统中，操作者是总行的董事会，能控制的输入量是利率和货币支付，而系统的性能则用该银行系统控制下的各经济和政治机构的经济指标来描述。又如经营一个单独机构，如医院，控制医院性能的因素是专业人员的质量、设备的类型、物质条件的方便性等等。医院的性能可用病愈率、病床周转率等多种方法衡量。

应用最优化理论于实际问题，首先需要确定出有关的理论因素。这常常是分析问题时最困难的部分，因为这既需要对系统的运行有透彻的了解，又要有能用确切的数学术语描述系统运行的想象力。主要的理论因素是系统、它的输入和输出以及运行规则。系统具有一系列可能的状态；在系统活动的每个瞬间，它处于其中的某一个状态；随着时间的迁移，根据输入和输出所决定的某些规则，它从一种状态过渡到另一种状态。最优化问题中还有一个叫做"性能度量"的数值量，操作者要设法使它达到最大或最小；它在数学上是一个函数，函数值取决于系统在各种状态逗留的整个情况。操作者可以通过输入规程对性能度量施加影响。最后，系统的约束必须明确，这是一种不受操作者控制的对输入的限制。

最简单的一类最优化问题可以用初等微分学的方法进行分析。假定系统有一个单输入变量 x，并设性能度量可表示为一个实值函数 $y = f(x)$。约束则被表示为对输入变量 x 取值范围的限制（例如要求 x 是正数）。于是可以表达为如下面的数学形式：对满足指定约束条件的哪一个 x 值，使函数 $y = f(x)$ 取极大（或极小）值？在微分中已经证明，具有充分光滑图形的函数 $y = f(x)$ 的极值，只可能在两种点上取得：①其曲线的切线为水平的点（稳定点）；②区间端点，如果 x 被限制在该区间上（见图1）。这样，求函数在

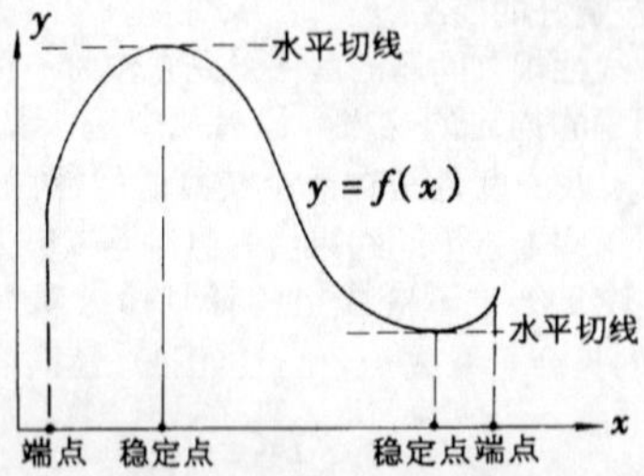

图 1

指定区间上的最大或最小值问题，就简化为在一个预选点的（一般是有限的）集合中求最大或最小值的问题，而这可以通过直接计算函数 $f(x)$ 在这些 x 点上的值得到。例如：从一块正方形金属板的四个角各切去一块小正方形，然后把各边折起来做成一个开口的箱子。板的边长为 L，是常数，切去的小正方形的边长为 x，则箱底的边长为 $L - 2x$，高为 x，因而容积为 $V = x(L - 2x)^2$（见图2）。

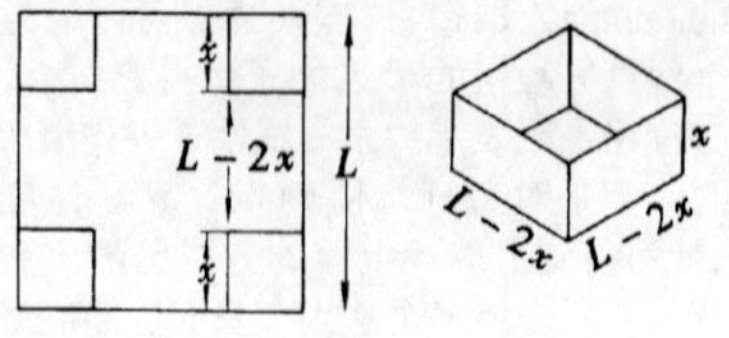

图 2

如果要大量投入生产，就希望用一定大小的金属板制造出容积最大的箱子，这里系统的性能度量就是箱子的体积，受控制的输入变量是被切去的小块正方形的边长 x，板的长度 L 是一个约束；由于从每一条边上要切去两小块，输入变量 x 就不能超过 $L/2$，因此要满足 $0 \leqslant x \leqslant L/2$，现在这个最优化问题就化成了可以用微积分方法处理的形式：要在从 0 到 $L/2$ 的区间上寻求 x 值，使得函数 $y = x(L - 2x)^2$ 取得最大值。可以证明，这个函数的图形在 $x = L/6$ 处的切线是水平的，根据上面的一般讨论可以推出，函数的极值只可能在端点 0 和 $L/2$ 或者在稳定点 $L/6$ 处取得。直接的计算表明，函数在两个端点取值为 0，而在稳定点上取值为 $2L^3/27$，达到最大值。

线性规划（**linear programming**）理论是为了解决包括两个或多个输入变量的最优化问题而发展起来的。它只须用到线性代数（**linear algebra**）的基本概念，也只能应用于性能度量是输入量的线性函数的一类问题。不过对于经济和工程中重要问题的应用来说，已经是充分普遍的了。例如，商品搭配问题。假定几种产品按包销售，每包装有多种产品，同一种产品在各包中的数量有多有少，可以按每包的内容把它们分成若干类，每一类的价格不同。根据消费者和生产者的不同目

的，这一类典型问题有两种提法：①消费者的问题是——每一类商品应当购买多少包？在这里要极小化的性能度量是总的费用，约束则由消费者最少的需要量确定。②生产者的问题是——每一类商品要准备多少包待售？这里要极大化的性能度量是所生产的商品的总销售额，而约束则由现有的各种产品的数量确定。这一模型在石油生产领域里有重要的应用。这里各种级别的石油代表“产品”，而对各种产品具有不同生产能力的炼油厂代表“包装好的商品”。

线性规划问题的解法受到它作为一种几何问题的描述的启发。设有两个输入量 x_1 和 x_2，性能度量是这两个变量的线性函数，加在这些变量上的约束由一组线性不等式给出。满足给定不等式组的计划输入量(x_1，x_2)的集合可看成一个凸集(图3)，性能度量

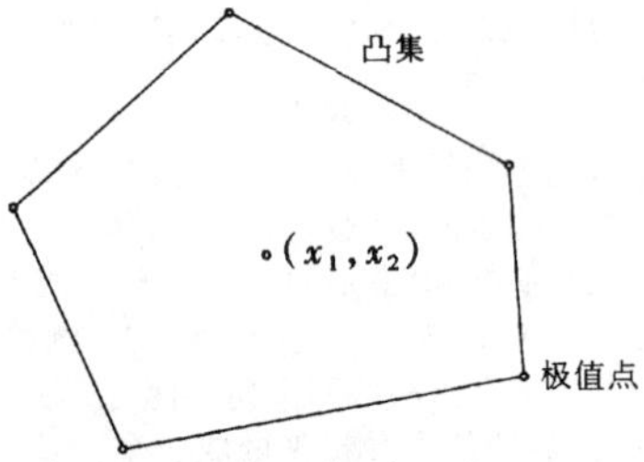

图 3

就定义在这个集合上。线性规划的基本定理指出，线性函数在凸集上的极值总是在该集合的隅角点上取得，这些隅角点可以通过解一个线性方程组的适当的子组得到，这个线性方程组是跟表示约束的线性不等式组相对应的。于是对每一个隅角点计算其性能度量，就可得到极值。上面的方法已推广到用于解具有两个或多个输入变量而性能度量不一定是输入变量的线性函数的最优化问题。在有两个输入变量的情况下，性能度量在数学上可描述为两个实变数 x_1 和 x_2 的函数 $y=f(x_1,x_2)$，其图形可看作张在 x_1，x_2 平面上方的一个曲面。如果这曲面充分光滑，函数一定在其定义域的边界点或其稳定点上达到极值，所谓稳定点是指曲面在该点的切平面为水平的点(图4)。这种方法也应用在对

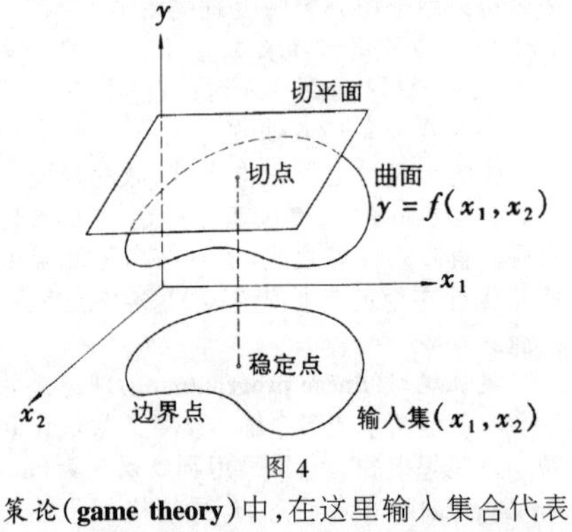

图 4

策论(game theory)中，在这里输入集合代表竞赛者的策略的集合，而性能度量则是要支付给该局对策的参加者的报酬。在上述最优化问题中，输入可表示为数值变量的有限集，因此极大化或极小化是在实数集或实平面上的集合上，甚至是在更高维空间中的集合上进行的。然而，有些问题中的输入变量不能用这种集合充分地描述，而需要无限维的集合。最优化问题，在物理学的专门研究中就作为一种自然现象出现。例如，考虑平面上或空间中由光滑的边界所围成的一个区域，其边界上分布着一定量的质量。根据牛顿万有引力定律，在区域内产生一个力场，这种场对应一个称为其总能量的量。后者随质量在边界上分布的形式而变化。位势理论的古典狄利克雷问题是：对于给定大小的质量，求使总能量最小的质量分布。如果把可能分布的集合看作系统的输入集合，并把总能量当作性能度量，则上述物理问题就与最优化问题类同了。在这里，输入的集合是分布的一个集合，而这是不能简单地用有限个数值变量来表示的。这种相似性已经证实是很富有成果的。解决狄利克雷问题的一个经典方法已成为变分法(calculus of variations)的基础。变分法是一种函数的微积分，其中独立变量不简单地是实数，而本身也是函数。这种方法使我们有可能处理像控制理论(control theory)中那样一些比较重要而又困难的最优化问题。假定一个系统在时间上连续地运转，操作者在 $t\geqslant 0$ 的每一时刻按数值 $f(t)$ 的方式规划输入量，那么性能度量将由输入函数 $f(t)$ 的值的整个集合所确定。性能度量可以看成一个泛函，即一种“超函数”，其定义域是函数 $f(t)$($t\geqslant 0$)的集合，而值域则是实数的一个集合。因此，这时的最优化问题就是要确定定义域内的一个元，并使这个泛函在这个元上达到它的最大值或最小值。

option(stock) **买卖特权** 参阅 **stock option 股票买卖特权**。

optometry 验光 测定屈光不正程度的一种业务。验光师的任务是开出眼镜处方并监督患者执行旨在改善视力的锻炼计划。眼科医师专攻眼病的诊治，也有权检查视力及开眼镜处方，但验光师无权开药方，也未受过手术的训练。在美国，验光师(O.D.)必须修完四年课程(包括一年实习)，并由政府颁发执照。全国的验光院校均需经验光院校协会认可。光学设备，尤其是验光师及眼科医师开的纠正镜片，由眼镜商及其他光学专家制造、装备及销售。

Opuntia 仙人掌属 仙人掌科最大的一属，原产于新大陆，特征是有具倒钩的硬毛

滨海生仙人掌(*Opuntia littoralis*)，一种荒漠肉质植物
美国不列颠百科全书公司供图

(钩毛)。茎分成许多节段。该属按茎的节段的形态又分为许多类群。各段呈圆柱状的称乔利亚掌(cholla)；其余的仙人掌属植物称为仙人果(prikly pear)，各段呈扁平状，从前一茎段的末端生出。该属几乎从加拿大西部的皮斯河起，一直到南美最南端均有分布。在北半球也是仙人掌科中分布范围达到最北的种类。最耐寒的是些小型种类，每节段仅长2.5～5厘米。相反，普遍栽培的墨西哥产的印度无花果(*O. ficus-indica* 或 *O. megacantha*，即霸王树)为乔木状，高达5米，茎干木质，节段长30～50厘米以上。

Opus 奥珀斯 又拼Opous。古希腊洛克里-奥彭提伊人的主要城市。它的地点可能是在今天的阿塔兰迪或基帕里西。荷马在《伊利亚特》中提到过它。品达罗斯的《奥林匹亚颂歌》第九首主要歌颂奥珀斯的荣誉和传统。公元前5世纪奥珀斯将其名给予某些东洛克里人。洛克里-奥彭提伊人在温泉关同希腊人一道战斗，但是他们投降波斯人，参加了波斯人的队伍；后来在伯罗奔尼撒战争期间他们支持斯巴达一方。公元前198年依附罗马人。

opus Alexandrinum 亚历山大工艺 9世纪在拜占廷广泛使用的一种铺面装饰用马赛克工艺。用几何形状的小块彩石和玻璃制成的人造宝石排成错综复杂的几何图案，并点缀以大块不很珍贵的盘形宝石。1071年，这一技术首次被介绍到意大利南部的蒙特卡西诺。在12世纪，亚历山大工艺的几个变种逐步形成于意大利的一些地方中心，其中有著名的罗马科斯马蒂工艺(Cosmati work)。

opus anglicanum 英国刺绣制品 拉丁语。约1100～1350年在英格兰制作的刺绣制品，其他任何地方都没有超过它的水准。英国工

1315～1335年的英国刺绣制品，绣有基督扛十字架图案
美国不列颠百科全书公司供图

人在运用镀金银线方面表现出无可比拟的技艺。金线广泛地用于彩丝绣制的人物图像衬地。英国刺绣制品的另一特点是人物造型的

表情和姿态活泼愉快，例如用细链状针法盘旋地绣脸颊和乌黑有神的眼睛。经仔细观察描绘的鸟兽形象，很明显是以当代动物图画为依据的，大都收集在装饰图册中。

Opus Dei　天主事工会　拉丁语。天主教在俗人员和司铎组织，其会士发愿一方面追求使自己成为完美信徒，另一方面在自选职业中贯彻天主教理想。该会态度保守，在神学和教规上忠于天主教会的训诲权威。该会分为男会及女会，会长皆由教宗任命。该会在全世界共有会士 85 000 人，其中司铎仅占微小的百分比。天主事工会于 1928 年在西班牙成立，创立人是 J. 埃斯克里瓦（2002 年封圣），他是曾学习法律和新闻的司铎。教宗于 1950 年正式批准该会。梵蒂冈教廷于 1982 年 8 月 23 日发布教令，规定其首脑与修会首脑同级，名衔也由总裁改为会长。该会本身并不与充分发达的各修会同等，它在一定程度上仍须服从各地方主教和主教区的权威和惯例。天主事工会的最高级成员称为正式会士，他们必须独身，甘愿将很大一部分时间贡献给该会。一切会士都必须经历一段见习期。正式会士参加月会，每年须有连续 5 天退修。最低级会士中包括合作会士，他们不参加会议和每年的退修，而且，经过教宗允准，非天主教徒也可充任。会士中不乏博学多识之士，因此西班牙领袖 F. 佛朗哥在决定执行经济改革计划后，于 1956 年向该会寻求援助。在佛朗哥晚年，其内阁 19 名阁员中 10 人为天主事工会会士。1975 年佛朗哥去世，其他党派参政，天主事工会的势力开始衰落。天主事工会在世界不同地区办有职业培训中心、贸易中心、家庭工艺中心和农业中心，还有许多中学、约 200 所大学生公寓、企业管理学校以及慈善事业，由此可见该会的财力。天主事工会创办并资助纳瓦拉大学（有政府协助），该校被公认为西班牙最好的大学。

opus interassile　镂空边饰工艺　在罗马发展起来并在 3 世纪广泛使用的金工技术，特别适于制作阿拉伯风格和其他非写实主义的装饰性图饰。可能源于叙利亚，系在金属上

公元 4 世纪的罗马镂空边饰手镯

美国不列颠百科全书公司供图

穿孔组成网状花边图案。某些拜占廷和早期基督教的图案（如流行的月牙形耳环）就保留有罗马镂空边饰工艺技术。

opus reticulatum（architecture）　参阅 **reticulated work** 网状面石工。

opus sectile　碎块拼镶工艺　一种马赛克工艺，用碎石块，有时用贝壳或珍珠母，经过切割成形，使之与图案各部分相配，以组成人物图案。它的制作与一般马赛克的区别在于，后者的图案全部用石头或玻璃的小方块（泰塞赖）拼成。碎块拼镶工艺一词专指希腊化时期的一种技艺，可能首先开始于意大利，继而成为欧洲的装饰传统。表现简单的几何和花卉图案的碎块拼镶工艺首先出现在罗马共和时代（公元前 2 世纪以前），公元 1 世纪产生了表现图画的碎块拼镶工艺。在整个罗马时代，这两种工艺都是装饰地面和墙壁的重要方法。古代晚期留存下来的一件精美的绘画碎块拼镶工艺品上有由彩色大理石组成的老虎食牛图。罗马和拉韦纳的早期基督教教堂也用这两种工艺装饰。在中世纪的欧洲，装饰性的古代碎块拼镶工艺发展为一种

罗马市朱尼厄斯·巴苏斯教堂内的 4 世纪的碎块拼镶墙壁图案——老虎食牛图

美国不列颠百科全书公司供图

更为专门的艺术，著名的有几何图案复杂严谨的拜占廷亚历山大工艺及其支派、罗马科斯马蒂工艺以及其他类似的意大利工艺。随着文艺复兴时期意大利教堂雄伟的大理石镶嵌结构的出现，绘画式碎块拼镶工艺变得十分复杂。17 世纪佛罗伦萨马赛克用色彩鲜明的成形石料拼接成的图画，在写实性上堪与绘画媲美，从而使碎块拼镶工艺达到顶峰。在整个中世纪和文艺复兴时期，几何图案碎块拼镶工艺始终是意大利教堂中装饰地面的主要方式。

opus signinum　原始马赛克工艺　罗马时期常用的一种简单、无图案或图案粗糙的铺地面工艺，是用石灰或黏土黏结鹅卵石、小块石头或赤陶碎片铺成。公元前 1 世纪至约公元 2 世纪它是罗马住宅流行的铺地方式，不久便被由成形的小块石片、瓷片或玻璃泰塞赖制成有图案的铺面马赛克所取代。

opus tessellatum　棋盘形镶砌工艺　用尺寸一致的泰塞赖（石头、大理石、玻璃、陶瓷或其他硬质材料的小方块）在地上组成画面和装饰图案的马赛克技术。棋盘形镶砌工艺是希腊化、罗马、早期基督教和拜占廷时期最常用的一种马赛克技术。这种工艺至少从公元前 2 世纪初，就被东地中海大部分地区应用于铺设整块马赛克地板。最早的棋盘形镶砌马赛克由石料和大理石泰塞赖构成，公元 2 世纪开始采用彩色玻璃泰塞赖，以产生特殊的色彩效果。希腊化时期（公元前 3 世纪～前 1 世纪），在希腊、非洲、西西里和意大利的城市中，用棋盘形镶砌工艺制成了具有高度艺术技巧的绘画马赛克。公元前 1 世纪，随着罗马帝国的崛起，意大利成为马赛克的生

公元前 2 世纪希腊化时期用棋盘镶砌工艺制作的神话人物图案，可能是骑在豹身上的狄俄尼索斯

美国不列颠百科全书公司供图

产中心，因为当时蠕虫状纹样工艺流行，棋盘形镶砌工艺主要起辅助的装饰作用。公元 1 世纪初，有人、物形象的棋盘形镶砌马赛克日益被用于铺砌整个地面，到基督教早期便成为最主要的方式。随着在高大的墙壁上广泛用马赛克装饰，棋盘形镶砌工艺便完全取代了蠕虫状纹样工艺。在整个中世纪，棋盘形玻璃镶砌工艺仍然是常用的马赛克技术。

opus vermiculatum　蠕虫状纹样工艺　希腊化时期和罗马时期经常使用的一种马赛克技术，部分或全部人或物的形象是由小的泰塞赖（石料、陶瓷、玻璃、或其他硬质材料的小

罗马市阿文蒂诺山出土的 3 世纪蠕虫状纹样工艺品——悲剧与喜剧人物面具

美国不列颠百科全书公司供图

方块）紧密镶砌而成，颜色层次分明细腻、图案轮廓准确。vermiculatum 一词意谓“像虫一样”，指泰塞赖排列成波纹状。通常用作饰有人物、动物的中心图案，周围用较大的泰塞赖砌成饰有几何或花卉图案的棋盘形镶砌马赛克。已知最早（约公元前200年）的蠕虫状纹样马赛克，中心图案是拟人化的亚历山大城图像。在庞贝，曾发现许多罗马时代精美的蠕虫状纹样马赛克，包括一幅人物众多的大型中心图案，一般认为是表现亚历山大大帝同波斯国王大流士三世所进行的伊苏斯战役的场面。公元 1 世纪以后使用蠕虫状纹样工艺不断减少，但直到 4 世纪它仍然是罗马帝国精美马赛克的主要制作技术。基督教早期随着广泛使用马赛克装饰墙壁和拱顶，蠕虫状纹样工艺便完全被远距离视觉效果较好的棋盘形镶砌工艺所取代。

Oquirrh Mountains 奥奎尔山脉 自美国犹他州大盐湖南端向南延伸约50千米的山脉，俯瞰图埃勒和盐湖谷地。山名取自哥休特印第安语，意为"林木繁茂的山脉"。最高峰路易斯顿峰海拔3 254米。作为兴旺的采矿和矿石加工中心已有一个多世纪，由此所开采的矿藏估计远远超过加利福尼亚、内华达和克朗代克淘金热所开采的总值。

oracle 神谕 为回答请求者的询问而传达的神旨，也指神示所本身。神谕是占卜的一个分支，但不同于占卜师偶尔作出的宣示，因为它同一特定的人或地点有联系。例如宙斯的神谕原出于多多纳、奥林匹亚或锡瓦；西比尔的神谕广为流传，但人们并不知道它们来自哪里。

在古代，神示所为数众多，在每一神示所人们都用一固定的占卜方法向神请示。占卜方法可以是简单的，例如掷骰子或听树叶的响声；也可以是比较复杂的，采取向一个降神的人直接询问，然后给予口头回答的形式。最常用的方法之一是梦卜，即请示者睡在圣域里并在梦中接受答复。古代最著名的神示所是德尔斐的阿波罗神示所，它位于帕尔纳索斯山的山坡上，俯临科林斯湾。传说这一神示所最初属于大地母亲女神(该亚)，后来才给了阿波罗或为他所偷占。在德尔斐传达神谕的是一个被称为皮提亚的50多岁女人，她同自己的丈夫分居并且穿少女的服装。虽然荷马已经知道最初这个神示所称为皮托，并且它是迈锡尼的一个居留地的所在之处，但它的名声直到公元前7世纪和公元前6世纪才传遍整个希腊世界，因为这时立法者、殖民者和创立祭仪的人都来向阿波罗请求指点或请求批准。在预测计划中的战争或政治行动的结果时，最需要听取皮提亚的意见。

请示正式限定在德尔斐月的第七天(阿波罗的生日)，起初在冬天的三个月里停止活动，因为人们认为阿波罗这时正在访问北方极北地区的居民，但后来在这一时期狄俄尼索斯取代了阿波罗在德尔斐的地位。按照一般的程序，赞助人是需要的，因为按规定要遵从严格的物质标准：奉献一张供饼和一头牺牲。皮提亚和向她请示的人先要在卡斯提利亚泉水里沐浴；这之后她饮卡索提斯圣泉的水，继而进入神殿。她显然是下到那里的一间地下室里去，坐到一个神圣的三角架上去，口里咀嚼着月桂树的叶子，月桂树是阿波罗的圣树。当皮提亚处于精神恍惚状态时，她开始讲话，她的话有时可以听懂，有时听不懂。但是她的话并不是由请示者直接记录下来，而是由祭司用往往十分含混的诗句加以解释并记录下来。除去德尔斐之外，在底比斯、特吉腊以及维奥蒂亚的普吐恩，在福基斯的阿巴厄、色萨利的科洛佩以及在提洛岛(阿波罗的出生地)也有请示者较少的神示所。在安纳托利亚，阿波罗在帕塔腊、布兰奇达伊、克拉洛斯和格律尼乌姆的神示所也是有名的，不过没有一处像德尔斐那样有名。

位于希腊西北部的多多纳的宙斯神示所被认为是最古老的。在多多纳，祭司(后来是女祭司)通过一株神圣橡树的叶子的沙沙声、一处圣泉以及一面锣的敲击声来揭示神的意旨。宙斯也从他在奥林匹亚的祭坛作出预言，祭司在那里根据供物来占卜。利比亚的锡瓦绿洲也有宙斯的神示所，那里原先是埃及阿蒙神的神示所。

通过梦卜传达的神谕被认为来自冥界的力量。病人睡在埃皮达鲁斯的医神阿斯克勒庇俄斯的大厅里并宣称通过梦接受治疗。在阿提卡的奥罗普斯的英雄安菲阿拉俄斯的一处神示所里，请示者是睡在皮子上面，而到莱瓦贾的特洛福尼俄斯(阿尔戈英雄之一厄耳癸诺斯的儿子)的神示所去的人们则睡在一个地穴里。在安斐克莱亚地方狄俄尼索斯的一处神示所里也实行梦卜，而在中部希腊阿谢隆河河边有一处神示所里则能请示死者。

正规意义上所理解的神示所一般只限于古典世界；但埃及人是根据街道上形象的活动来进行占卜的，而希伯来人占卜的依据则是圣物和梦。巴比伦神殿的女预言者也能圆梦。在意大利，对西比尔的崇拜是从安纳托利亚的埃利色雷传到库迈的，但人们对神示所的详细情况一般却不清楚。普勒尼斯特地方命运女神福尔图娜的神示所的神签是十分有名的，甚至皇帝也去那里求签。女神阿尔部涅亚在提布尔(蒂沃利)有一处托梦的神示所，而且浮努斯神的梦卜仪节同希腊的英雄安菲阿拉俄斯的梦卜仪节相似。

Oradea 奥拉迪亚 德语作Grosswardein(大瓦代恩)。匈牙利语作Nagyvárad(瑙吉瓦劳德)。罗马尼亚西北部比霍尔县县城，在离匈牙利东部边境约13千米的瑞克里什河

瑞克里什河畔的奥拉迪亚市
罗马尼亚国家旅游局供图

畔。1114～1131年间建城堡，1241年被鞑靼人所毁，15世纪重建。1660～1692年为土耳其人占据，后为匈牙利领土，1919年归属罗马尼亚。为文化中心，有国家剧院、木偶剧团、交响乐团、图书馆和博物馆。东有矿泉。第二次世界大战后成为重要工业中心，生产机床、采矿设备、化学制品、食品和靴鞋。人口约223 288(1997)。

Oradour-sur-Glane 格拉讷河畔奥拉杜尔 法国中南部利穆桑大区上维埃纳省村庄，在利摩日西北23千米处。1944年6月10日，200名德国党卫军将全村652名居民驱赶到广场，宣称要搜查暗藏的炸药和检查身份证。他们将男人锁入谷仓，妇女和儿童赶入教堂，闩上门然后放火烧村，对未烧死的人补以机枪和手榴弹。除10人幸免外，死难的642人中有190名男人、245名妇女和207名儿童。战后由于很难找到这些党卫军士兵，审判工作拖延很久。1953年开庭审判时，200名党卫军士兵中有21人受审。审判结果，除一人外，均被判有罪，其中5名被判监禁，2名被判死刑。战后，在该村废墟旁建新村，旧址辟为纪念地。人口2 010(1990)。

Öræfajökull 厄赖法冰盖 冰岛东南部火山。位于东斯卡夫塔山省境内，瓦特纳冰原(**Vatnajökull**)南端。山顶为冰雪覆盖。它的华纳达尔斯火山峰海拔2 119米，为冰岛最高峰。

Orage, Alfred Richard 奥雷奇(1873-01-22，英格兰约克郡达克尔～1934-11-06，伦敦)英国编辑、社会思想家。1893年在约克郡任小学教师。1900年参与建立先锋派性质的利兹艺术俱乐部。1906年移居伦敦。1907年与他人合编基尔特社会主义刊物《新时代》，自1909年起为该刊的唯一编辑。该刊成为进步报界人士的话坛并发表了许多著名作家的早期作品。奥雷奇的周围聚集了各种政论作家和文学人士。在第一次世界大战后，奥雷奇成为C.道格拉斯的社会信用理论的支持者。同时他又成为俄国神秘主义者G.古尔捷耶夫的学生，1930年回国，创办社会信用运动的刊物《新英格兰周刊》。

Oraibi 奥赖比 美国亚利桑那州东北部诺瓦霍县印第安人村落，霍皮印第安人保留地的非正式首府。为美国最古老的一直有人居住的地区(自约1150)。地处海拔1 980米的山上。山下下奥赖比村有贸易站和小学。

Orakzai 奥勒格宰 巴基斯坦西北边境省一少数民族特区。由联邦政府管辖。北界开伯尔特区，东界古勒姆特区，南临科哈特县，西部为山区，东部为丘陵。靠巴拉河支流灌溉。有畜牧业，生产小麦、大麦、黍类和蔬菜。居民大多是普什图奥拉克扎伊人。人口约356 000(1981)。

oral cancer 口腔癌 因癌细胞在口部(包括嘴唇)增生所致的疾病。常与扁桃腺后及喉腔背侧的癌症(口咽癌)有关。大部分口腔癌起源于口腔内壁的扁平细胞(鳞状细胞癌)，能扩散到颌部，可与喉、食道或肺部的癌症同时发生。已知有多种因素可增加罹患口腔癌的风险。吸烟和饮酒是主要的诱发因素，无论是吸烟还是饮酒都会使罹患的几率增加5倍。烟包括纸烟、雪茄、烟斗和嚼烟。男性罹患的几率是女性的两倍，原因可能是男性一般较喜欢吸烟、喝酒。维生素A缺乏也是一个因素，某些人类乳头状瘤病毒株能造成口部感染，这也会增加风险。暴露在日光的紫外辐射下也是造成某些唇癌的因素。症状因发生部位不同而各异。最常见的症状是口腔溃疡经久不愈。口内可见白色或红色的斑块状皮损也是口腔癌的早期征兆。口腔癌或口咽癌的其他症状包括颊部、颈部或颌部有肿块或肿胀，吞咽困难，或舌头、颌部动作困难，以及颌部和牙齿疼痛。事实上任何

口部持续疼痛都可能是口腔癌的症状。一旦疑是口腔癌,就应进行彻底的检查以判断其类型和病期。对可疑组织进行切片检查,以及用一个小镜子或喉镜对口、咽和喉部进行视诊。某些病例可能需要全身麻醉以对头和颈部进行详细的检查。也可以利用几种影像检查方法。一旦确诊为口腔癌,则应判定其病期,以明了肿瘤进展到什么阶段。若能早期发现则存活率相当高,但肿瘤一旦蔓延到远处器官则存活率很低。如同大部分癌症一样,口腔癌和口咽癌能用手术、放射疗法或化学疗法治疗。手术常是首选的治疗方式。也能用放射疗法治疗,使用体外光束照射,或通过手术植入放射小丸。对口腔癌来说,体外放射是最常用的措施,通常与手术合用,以破坏残留的少量癌组织。如果能避免那些重要的致危因素(吸烟和饮酒),则几乎能够完全预防口腔癌。健康膳食应摄取足量维生素A。定期接受牙科检查也可以发现早期口腔癌。戴假牙者于夜间应将假牙取下、洗净,以免致病物质存留刺激牙龈。

oral stage　口欲期　按照弗洛伊德精神分析理论的概念,口欲期是人的性心理发育过程中的最早一期。在此期,处于发育中的婴儿主要关注的事情只有一个,那就是口腔欲望的满足。正常发育婴儿的前18个月,口欲期对婴儿行为有直接影响。对他们来说,口腔是一切快乐的源泉。弗洛伊德说:婴儿是通过嘴和第一个里比多(性能量)器官——母亲的乳房——相接触。婴儿满足口腔欲望的方式还有吸吮手指、叼玩具、啃被子等。弗洛伊德认为,口欲期向肛欲期的转化,大约出现在1周岁末左右。

oral surgery　口腔外科学　研究颌骨及有关组织疾患、创伤及缺陷的诊断和外科治疗的一个牙科专科。最常见的口腔外科手术是拔牙。其他需要口腔外科医师处理的牙科问题包括口腔和颌骨的囊肿、肿瘤、损伤及感染等。需要口腔外科医生处理的较复杂的问题有颌骨及面部的创伤、腭裂、唇裂等,普通牙科医师及其他医师都把这类患者转给口腔外科医师诊治。口腔外科有其特殊的问题,主要原因是:①手术的进路为唇和颊所限制;②舌和下颌能运动;③口腔和咽部相通连;④口腔内不断有唾液分泌,口腔又是人体内微生物数目和种类最多的处所。在美国,获得牙科学位之后还要进修3年才能成为口腔外科医师。

Oran　奥兰　又称瓦赫兰。法语作Ouahran。阿尔及利亚西北部城市。由于附近有渔业中心凯比尔港,因而是该国次于阿尔及尔的第二大港口。建于10世纪初。因与欧洲有海上往来,商业发达。1437年为北非特莱姆森王国的港口。1509年被西班牙占领。1708年被土耳其据有。1732年被西班牙占领。1790年毁于地震,1792年又由土耳其控制,在当地建立了犹太人区。1831年法国人将该地建为现代港口,凯比尔港成为重要海军基地。1942年11月10日美军进入。1962年国家独立后成为商业中心。山上西班

奥兰市的圣克鲁兹要塞
美国不列颠百科全书公司供图

牙人所建旧城称拉布兰卡,法国人在1831年后建新城。有奥兰大学(1965)、奥兰科技大学(1975)、市立博物馆(展出罗马和布匿文物)、特莱姆森伊斯兰艺术博物馆、奥贝尔图书馆。奥兰港1848年后扩建。有长2 700米的防波堤。铁路通阿尔及尔、摩洛哥和贝沙尔。有食品加工业、各种制造业。主要输出葡萄酒、谷物、蔬菜和水果。人口约692 516(1998)。

orang(ape)　参阅 **orangutan** 猩猩。

Orange　奥朗日　法国东南部普罗旺斯-阿尔卑斯-蓝岸大区沃克吕兹省城镇。在阿维尼翁北面,罗讷河西岸肥沃平原上。在罗马古迹四周发展起来并以之闻名。一座可能

奥朗日镇的罗马剧场
美国不列颠百科全书公司供图

是罗马第一个皇帝奥古斯都在位(公元前27～公元14)时建的半圆形剧场保存极为完好,中心壁龛内有英武的奥古斯都雕像(高约3.7米)。凯旋门是最大建筑之一,高约19米,门上的精美雕刻再现出凯撒在公元前1世纪取得的军功。为一集镇,主要生产扫帚、玻璃、食品(果酱、罐头)等。镇名源出高卢神阿劳西奥。该城镇于11世纪成为独立的伯爵领地。后来又归拿骚王室。1660年,法王路易十四占领了该城镇,并拆除了防御工事。1713年,根据《乌得勒支条约》割让予法国。人口27 989(1999)。

Orange　奥兰治　美国加利福尼亚州南部奥兰治县城市。临圣安娜河。1868年始建。1871年规划。1875年称现名。1888年设市。随洛杉矶都会区而发展,有轻工业。设有查普曼学院(1861年建于洛杉矶,1954年迁此)和西岸大学分校。人口约128 821(2000)。

Orange　奥兰治　美国康涅狄格州西南部纽黑文县城镇。濒胡萨托尼克河,地处纽黑文正西。原为米尔福德殖民地一部分,称北米尔福德。1822年与纽黑文一部合并,设奥兰治镇。1921年西纽黑文独立设镇。主要为居民区,亦有多种制造业。面积45平方千米。人口13 233(2000)。

Orange　奥兰治　美国新泽西州埃塞克斯县镇区。在纽瓦克正西。1678年设居民点,1806年自纽瓦克分出,成为独立社区。1863年东奥兰治和西奥兰治与奥兰治分开,1869年南奥兰治设立。这几个市区同梅普尔伍德一道,包括近郊村镇,通称"奥兰治大区"。主要为纽约及纽瓦克二市的近郊住宅区。1872年设市。初为鞋、帽制造中心,后成为石油产品、工具、电器、商用机器及印刷产品中心。人口约32 868(2000)。

Orange　奥兰治　美国得克萨斯州东南部城市,奥兰治县县城(1852),邻路易斯安那州边界,是萨拜因河畔的深水港,有运河与墨西哥湾沿海航道相通。和博蒙特、阿瑟港形成"金三角"工业综合体。1836年始有人定居。1881年设市。早期为稻米、木材、造船业中心。第一次世界大战时造船业蓬勃发展。第二次世界大战后,美国海军在当地仍保留一个基地和一支后备舰队。位于石油、天然气主要产区,主要工业有钢制品、造船、石油化工、合成橡胶、纸制品及水泥。市内有拉马尔大学分校(1969)。人口约18 643(2000)。

orange　柑橘　芸香科柑橘属(*Citrus*)几种小乔木或灌木。其果实亦称柑橘,近圆形,果皮革质,含油腺,果肉多汁,可食。商业上最重要的柑橘有中国橙(普通橙、甜橙)、柑(一些品种称为橘[**tangerine**])以及酸橙(塞维利亚橙,种植较少)。其他品种尚有以色列的雅法橙、马耳他橙(血橙)和无核的脐橙等。甜橙树高6米,有时达10米。叶宽,光泽,常绿,中等大小,卵圆形;叶柄具狭窄的翼。花极芬芳。甜橙的果实通常为圆形,果肉橙色,但有变异。柑则形扁;血橙的果肉呈红色。甜橙的果肉味酸甜可口,果皮较为光滑,油腺凸出。1920年以前柑橘主要用作餐后水果。橘汁的流行(而非新鲜柑橘的果实)大大增加了人均的柑橘消费量。柑橘消费增加的另一个重要因素是人们越来越认识其营养价值:富含维生素C,也含维生素A。在美国最重要的柑橘制品是冰冻浓缩橘汁(柑橘产量的近40%用以制造橘汁)。副产品有精油、果胶、蜜饯橘皮和橘子酱。酸橙主要用以制造

橘子酱。加工剩余的部分用作牲畜饲料。据信柑橘原产于亚洲热带地区，特别是马来群岛；与其他柑橘类一样栽培历史甚长。柑橘栽培可能由原产地向印度、非洲东海岸，然后

柑橘(*Citrus*)
佛罗里达州商业厅供图

再由这些地方向地中海东部地区推广。古罗马人的征伐、阿拉伯商贸路线的发展和伊斯兰的扩张均对柑橘种植范围的扩大起重要作用。哥伦布航行的时代，柑橘树在加那利群岛十分常见。今天，柑橘栽培于亚热带和热带美洲、地中海北部和东部国家、澳大利亚和南非。在冬季偶有轻微霜冻、植株稍受寒冷的地方，柑橘生长最好；在此季节柑橘树处于半休眠状态，刚好低于冰点的温度不会伤害柑橘树，除非在柑橘树尚未完成其每年的生长时霜冻过早出现。若柑橘栽培在气候更寒冷的地区，则可用烟熏罐或无烟的天然气炉为果园加热。柑橘能在各种土壤条件下生长繁盛，包括沙质极多的土壤到含大量黏土的土壤；在中间类型的土壤中生长最旺盛。一般柑橘树栽于较深、排水良好的土壤中。柑橘树通常需芽接到砧木上。从经选择的果树上收集种子，种子播在条板屋内充分准备的土壤中；在此生长 12 个月后幼苗移到苗圃。幼树在苗圃生长 12 ～ 16 个月后即可用作芽接的砧木。当芽接上的梢端达 1 ～ 2 龄时，该果树即已长大到可以移植到果园中。常常在未成熟的柑橘树间栽种间作作物，如豆、番茄或瓜类。覆盖作物的生长能利用季节性的降雨，从而使有机物质得以生成，并结合入土壤中。在许多种植柑橘的地方，必须进行灌溉以补充降雨的不足；在得克萨斯、加利福尼亚、以色列、西班牙、墨西哥和南非部分地区就是这样做的。柑橘树于树龄 50 ～ 80 年(甚至更大)时产果量最高，有些老树，估计树龄已达数世纪，但仍结果。柑橘与某些落叶的果树不同，采摘后无后熟现象，品质也不会改进，故于完全成熟后方采摘。甜橙和酸橙为主要的商业性栽培种类，生产国是(按重要性排列)：美国、巴西、墨西哥、西班牙、意大利、印度、以色列、埃及、阿根廷和土耳其。世界的柑橘产量大约为每年3 600万吨。

Orange, HOUSE OF 奥兰治王室 中世纪法国南部古普罗旺斯的奥兰治公国的王公世家。这个世家在尼德兰的历史中占有重要地位，是该国的王室家族。奥兰治的几位伯爵由于阿尔勒封建王国的分崩离析而独立。他们从 12 世纪起成为神圣罗马帝国的藩臣，初时自称为亲王。1530 年奥兰治亲王 P. 德沙龙去世，其姊克劳迪娅之子拿骚的勒内继位。勒内于 1538 年又继承其父拿骚-迪伦堡-布雷达的亨利三世在德国的遗产以及分散在尼德兰各地的领地。勒内 1544 年去世时，又将其称号遗赠其表弟拿骚-奥兰治的威廉一世。号称沉默者威廉一世的奥兰治亲王，从 1568 年起至 1584 年他逝世止，领导尼德兰的反西班牙起义，并任 4 个起义省的执政。从此在荷兰共和国形成一个传统，即执政的地位长期由奥兰治亲王和拿骚伯爵所垄断，而他们又得到一个经久不衰的奥兰治“帮”的支持，这帮人由反对对立的荷兰贵族的贵族、正统的加尔文派领袖、手工艺人以及农民所组成。16 和 17 世纪的执政者们精明能干，而 18 世纪的奥兰治领袖则力量衰微。1795 年共和国崩溃，最后一个执政者逃往英国。继承称号的奥兰治亲王于 1814 年成为王储，1815 年成为国王，称威廉一世。他和继位者威廉二世和威廉三世也都是卢森堡的大公；此后，奥兰治亲王这一称号由荷兰王储所惯用。威廉三世于 1890 年逝世，男嗣中断。威廉明娜女王于 1908 年宣告她的后嗣应称作奥兰治-拿骚亲王与公主。参阅 **Nassau**。

Orange, councils of 奥朗日会议 先后于 441 和 529 年在法兰西境内奥朗日举行的两次宗教会议。第一次会议由阿尔勒的圣奚拉里主持，讨论戒律等问题，第二次会议更重要，主要宗旨在于驳斥福斯图斯的半贝拉基主义。教皇菲利克斯四世就上帝的恩宠和人的自由意志问题发出几次指示，主要根据来自奥古斯丁和阿基坦的普罗斯珀的著作。奥朗日会议通过其中 25 条，同时又通过补充声明，重新肯定奥古斯丁关于人的堕落、无能、上帝的先行恩惠、受洗重生等问题上的教义。这两次会议的决议日后成为天主教在上帝的恩宠、得救预定、人的自由意志等问题上的标准教义。

Orange Bowl 柑橘赛 美国大学校际橄榄球赛，新年期间在佛罗里达州迈阿密市举行。原来，每年冬季都有许多人到佛罗里达州旅游，1933 年该州遂创办这项球赛，以吸引游客提前 1 个月到来。球赛使当地商人和创办不久而挣扎着过日子的迈阿密大学双方得利。到 1936 年，迈阿密已不能自动成为比赛对手。到 50 年代中期，便从全国挑选高水平的球队代替南方球队。1935 年比赛移至现在的地点：柑橘体育场。柑橘赛除举行橄榄球赛外，还有狂欢游行、网球赛、篮球赛、放礼花和汽艇赛等活动。

Orange Free State 奥兰治自由邦 阿非利堪斯语作 Oranje Vry Staat。非洲南部的布尔人国家。1910 年成为南非共和国的一个省。南非 4 个传统省之一，北接德兰士瓦，东邻纳塔尔和莱索托，南和西连开普省。废除种族隔离制度后的第一届南非政府于 1995 年将该省改名**自由邦**(**Free State**)。在欧洲人到达以前，该地区是操班图语的半游牧族人的家园，如茨瓦纳人。欧洲人在 18 世纪第一次越过奥兰治河向北进入该地区。1836 年后发生大迁徙，大批布尔族农场主摆脱英国人的统治，向北越过奥兰治河。1848 年英国人吞并了奥兰治河和瓦尔河之间的地区。由于与索托人发生冲突，英国人于 1854 年退出。1854 年 2 月 23 日根据《布隆方丹公约》，英国人放弃他们的主权，当地的布尔人成立了独立的奥兰治自由邦。布尔人和英国人之间的紧张关系导致了南非战争(1899 ～ 1902)。在这场冲突中，奥兰治自由邦同其姐妹国南非共和国(即德兰士瓦)站在一边，同英国作战。1900 年英国军队占领布隆方丹后，英国吞并了奥兰治自由邦，建立了奥兰治河殖民地。布尔人又战斗了两年，但《弗里尼欣和约》(1902-05-31)结束了奥兰治自由邦和南非共和国的独立，使它们又处于英国统治之下。1907 年恢复自治。1907 年该殖民地成为南非联邦内的奥兰治自由邦。1961 年南非联邦成为南非共和国，该省地位不变。废除种族隔离制度后，各省政府于 1993 ～ 1994 年改组，奥兰治自由邦改名自由邦。

orange milkweed(plant) **橙花马利筋** 参阅 **butterfly weed 蝴蝶草**。

Orange Order 奥兰治党 原名奥兰治社团，绰号奥兰治人。爱尔兰新教政治集团，以英王威廉三世的名字命名。1795 年成立，以维护新教和新教的王位继承权为主旨。在爱尔兰，天主教徒和新教徒一直处于敌对状态。17 世纪，长老会教徒移入阿尔斯特，1641 年发生叛乱，1688 ～ 1691 年英王詹姆斯二世发动战争，更使敌对加剧。18 世纪末，教派之间的斗争如火如荼。1795 年，在“金刚石战役”以后，奥兰治社团秘密成立，在爱尔兰和英国各地设立分支机构。1835 年，英国下院为了取缔奥兰治社团，吁请国王禁止一切排他性的宗教秘密社团进行活动。奥兰治社团加强抵制 1912 年的《爱尔兰自治法》，一直是新教徒反对爱尔兰自治的坚强堡垒。

Orange Range(New Guinea) **奥兰治山脉** 参阅 **Jayawijaya Mountains 查亚维查亚山**。

Orange River 奥兰治河 南部非洲最长的河流。上游辛古河发源于莱索托高原，西流横贯南非共和国，称奥兰治河。流过喀拉哈里沙漠南缘，穿过纳米布沙漠，于南非亚历山大湾注入大西洋。此河上游有一部分是南非的奥兰治自由邦(北)和开普省(南)之间的界河，而其下游则成为纳米比亚(北)与南非共和国的界河。奥兰治河长约2 100千米，流域面积约为 852 000 平方千米。在莱索托的奥兰治河上游河道险峻，多急流险滩。进入南非共和国后，其主要支流是卡利登河。它与另一主要支流瓦尔河汇合后，奥兰治河时而流经水深的峡谷，时而流经宽阔的河谷。阿平顿以下，奥兰治河分为无数的岔流，分布宽约 1.6 千米。在卡卡马斯以下约 32 千米处，奥兰治河形成奥赫拉比斯瀑布。河的最下游，即自奥赫拉比斯瀑布至入海口，也是深的峡谷与更宽阔的河谷交替出现。奥兰治河最后沿里希特斯韦尔德大幅度折向北流，然后

向西流经滨海的纳米布沙漠，由此处注入大西洋。奥兰治河流域有两种截然不同的降雨量类型。在瓦尔河口以上地区，年降雨量达700～800毫米，降雨多在夏季。瓦尔河口以下，在纳米布，雨量减少，每年由230毫米至不到50毫米。温度愈向西则愈高，遂使奥兰治河下游之水蒸发量较大。沿岸有若干灌溉区，但无大城镇。奥兰治河规划工程恐亦难改变此种状况。该项工程始于1962年，计划将河水集中于3个大坝，从而使河水流入菲什河谷及森戴河谷。该工程竣工后，将可使奥兰治河流经伊丽莎白港、布隆方丹及金伯利等城市。

orange-tip butterfly 橙尖粉蝶 粉蝶科的种类，前翅端有一橙斑，故名。翅稍呈白色，有黑斑纹，下面有绿色大理石纹。幼虫以十字花科植物为食。粉蝶科分布世界各地，还包括白粉蝶和琉璃蝶（黄粉蝶），共千余种，成虫翅展37～63毫米。

Orange Walk 奥兰治沃克 伯利兹（前英属洪都拉斯）西北部城镇。在纽河西岸。殖民时代早期建立。19世纪末20世纪初，红木贸易一度兴旺。现经济以种植甘蔗和酿造朗姆酒为主。居民为马雅印第安人、克里奥尔人和少数基督教门诺宗信徒。近期考古发现公元前600年至公元50年的马雅遗址。人口约11 728（1992）。

Orangeburg 奥兰治堡 美国南卡罗来纳州中部城市，奥兰治堡县县城。濒临埃迪斯托河北支流。1735年有德国、瑞士及荷兰人定居。1883年设市。以农业为主的经济已被多样化的轻工业（纺织品、工具、化学制品等）所取代。设有克拉夫林学院（1869）、南卡罗来纳州立学院（1896）和奥兰治堡-卡尔洪技术教育中心。爱迪斯托公园内设有美国玫瑰和山茶花学会所属的试验场。奥兰治堡国家鱼苗场（1912）拥有面积8公顷的鱼池。人口约12 765（2000）。

Orangemen 奥兰治人 参阅**Orange Order** 奥兰治党。

orangeroot（plant） 参阅 **butterfly weed** 蝴蝶草；**goldenseal** 白毛茛。

orangery 柑橘园 为外来灌木、乔木过冬所修建的庭园建筑，原指为培植柑橘过冬的暖房。早期柑橘园属实验性建筑，以厚板、粗麻布覆盖，在霜冻季节用火炉供暖。16世纪后半叶，英国和法国都有这种暖房。17世纪后半叶与18世纪初，几乎所有大花园都有一座华丽的柑橘园，当时有大量的柑橘树种保存在大花园中最精心修建的暖房内。许多著名的柑橘园现仍存在，其中最有名的为法国的凡尔赛宫花园与伦敦的基尤植物园中的柑橘园。

Oranges, War of the 橘子战争（1801） 法国和西班牙对葡萄牙的短期战争。由葡萄牙在1800年拒绝拿破仑的领土要求引起。1801年4月法军进入葡萄牙。5月20日，他们得到由戈多伊统帅的西班牙军队的支援。在一次战斗中，戈多伊攻占了靠近西班牙边境的奥利文萨镇。得胜后，他从该镇附近采摘一些橘子呈献给西班牙的女王，并奏称他一定要进军里斯本。这就是“橘子战争”一词的来源。奥利文萨失陷以后，葡萄牙同法国和西班牙签订《巴达霍斯和约》（1801-06）。葡萄牙答应不让英格兰船只在该国港口靠岸，给予法国以商业特权，把奥利文萨割给西班牙，把巴西的一部分割给法国，并且赔偿损失。

orangutan（*Pongo pygmaeus*） **猩猩** 马来语，意为“森林人”。又拼 orangoutan，又作 orang。猩猩科大型类人猿。现分布范围仅局限于婆罗洲低地沼泽森林和苏门答腊的一个很小地区。从前猩猩亦生活于东南亚大陆的丛林中。其分布范围极度缩小的主要原因似为人类数千年来的猎杀。猩猩与其亲缘动物大猩猩和黑猩猩相似，体短而结实，臂长，腿短。与它们不同之处是体覆淡红色的浓密粗毛，臂与腿的长度更不相称，颅骨形状也有差别。成年雄体高约137厘米，体重约85千克。雌性个体的体重通常只有40千克左右。雄性与雌性的不同处，除躯体高大外，还有两个由皮下脂肪组织形成的颊部肿垂和一个垂在咽喉处的袋状气囊。猩猩主要树栖，白昼活动。在步行及在森林树冠层的枝间爬行时四肢并用。也能在枝间来回荡动，但此种动作不及长臂猿之经常。因为较细的枝条难以承受雄性成体的体重，它们有时必须下地步行很长一段距离。步行时，猩猩以握紧的拳头（而不是指关节）支地帮助行动。主要以从树上采集的野无花果及其他果实为食，但亦食小量树皮、树叶，甚至昆虫。每晚在树上用枝条交织筑成一个睡巢。猩猩与所有其他类人猿和猴类不同，成体独栖，仅于交配前的求偶活动时才短时间地聚在一起。在森林中其种群密度甚低，每平方英里仅2～3只。雌性妊娠期约为275天，每胎一仔，幼仔由母体哺育，母体常将幼仔抱在胸前或背在背上。幼仔通常于3岁末完全断奶，此时母猩猩又再交配。婴儿期及青春期的猩猩较成年猩猩更喜合群。雌猩猩8岁时性成熟，雄猩猩10岁时性成熟。饲养的猩猩寿命可超过30岁。猩猩极少出声，只发出些喉鸣声和咂嘴声，成年雄猩猩会发出响亮悠长的吼声，可能用来将自己所在的位置告诉其他猩猩。猩猩性情温和，谨慎，甚聪明，在饲养中已表现出一定的智能和恒心，并且有操作简单工具的特殊能力。《红皮书》中猩猩被列为濒危动物，导致兽口衰退的因素包括人类捕猎和破坏其生境。在印度尼西亚和马来西亚猩猩受到法律保护。

猩猩（*Pongo pygmaeus*）
美国不列颠百科全书公司供图

Oranian industry 奥兰文化期工艺 参阅 **Ibero-Maurusian industry** 伊比利亚-莫鲁斯文化期工艺。

Oranienbaum（Russia） **奥拉宁鲍姆** 参阅 **Lomonosov** 罗蒙诺索夫。

Oranjemund 奥兰治蒙特 世界主要宝石级金刚石产区内的公司城镇，在纳米比亚西南端。位于大西洋沿岸附近，奥兰治河河口以北约8千米处，地处极干燥的纳米布沙漠的沙丘上。20世纪20年代末期，在其附近发现宝石级金刚石。奥兰治蒙特在1943年成为垄断性的西南非联合金刚石矿业公司的总部。该公司至今仍限制一般人进入奥兰治蒙特和邻近地区。该城镇没有海港设施，但经由一条跨越奥兰治河的现代化公路大桥可通南非的亚历山大湾。经由亚历山大湾的空运航线可间接连通奥兰治蒙特、温得和克（纳米比亚首府）及开普敦。在其北部沿海的矿区建立了一些计划好的卫星居民点。人口4 112（1981）。

Oranjestad 奥拉涅斯塔德 荷属加勒比海阿鲁巴岛的首府和海港。位于该岛西岸。是一个自由港和石油加工与航运中心。人口约19 800（1986）。

orant 祈祷像 基督教艺术形象，显示人在祈祷，其姿势往往是直立而高举双臂。其主题可能是反映早期基督教徒的标准祈祷姿

罗马市普里西拉地下墓窟中3世纪晚期壁画上的祈祷像
美国不列颠百科全书公司供图

态。在从2世纪前后到6世纪前后的早期基督教艺术中，尤其是在2世纪后装饰古罗马墓室的壁画或粗雕中，这种形象十分普遍。墓室艺术中最常见的故事是《旧约》中所载上帝拯救虔信者的事迹，其中许多人物都表现为这种姿式，但最通常是用作墓主亡灵的抽象代表。有时祈祷人并不指特定的人，而只是一般地表明信心或教会。拜占廷帝国绘画中，"圣母祈祷像"是写童贞马利亚的重要作品之一，在许多教堂用来装饰主要半圆壁龛，其中马利亚作立姿，代表教堂全体教友向基督祈祷。

Oraon 奥昂人 又称库鲁克人(Kurukh)。印度比哈尔邦焦达纳格布尔的土著部落。自称库鲁克人，操与贡德语和印度中部其他部落语言相似的达罗毗荼语。操奥昂语的人数约190万。但在城市，尤其在基督徒中，许多奥昂人把印地语作为母语。每个部落都分为许多以动物、植物、矿物为图腾的氏族。每个村庄由头人和世袭祭司管理。乡村的社会生活中有一重要特点，就是设有未婚男子的公共宿舍。这种公共宿舍通常设在村落外围。也有单供女子使用的房舍。寄宿制度为青年的社群化和培训提供各种条件。传统宗教崇拜至高无上的神、祖先和保护神灵。印度教对其宗教仪式和某些信仰都有影响。许多人已成为基督教徒，其中大多数受过教育。

Orapa 奥拉帕 博茨瓦纳中东部矿业城镇。位于首都哈博罗内以北约385千米。地处卡拉哈里沙漠东部的边缘。1967年发现大金刚石矿之后为给矿工提供驻地而建。面积112公顷。1971年开采。经营者是由博茨瓦纳政府和南非德比尔斯联合矿业公司共同平等拥有的德布斯瓦纳公司。人口约8 330(1988)。

Oratio Dominica 参阅 **Lord's Prayer**《主祷文》。

Oratorian 奥拉托利会会士 天主教的两个奥拉托利会中任何一个奥拉托利会的成员，这两个修会相似，都由在俗司铎组成，一个以罗马为中心，另一个以法国为中心。圣菲力普·内里的奥拉托利会于1575年创立于罗马，下属兼收神长和在俗人员的奥拉托利小兄弟会。该会总部设在罗马，另外在意大利、西班牙、英格兰等地也有机构。耶稣和无原罪圣母奥拉托利会通称贝律尔会，是从前一机构衍生出来的，而且继承它的一些戒规，但完全是另一个修会，1611年由皮埃尔·德·贝律尔创立，1613年为教皇批准。后来它经过多次改组和重新被批准，最近一次改组在1925年。法国奥拉托利会的主要工作为培训司铎。

oratorio 清唱剧 根据宗教或半宗教题材写出的大型音乐作品，由独唱、合唱和乐队演出。唱词通常取自圣经经文，各场之间由不同声部演唱的宣叙调提供解说词，为咏叹调和合唱作好铺垫。所有成功的清唱剧都采用大体上属戏剧性的手法，虽然它们演出时可以用也可以不用戏剧表演。清唱剧并非为礼拜仪式而作，既可在教堂、也可在音乐厅演出。清唱剧主要分以下几个乐派：意大利乐派基本上是一种宗教歌剧；德国乐派是由基督受难故事发展而来；英国乐派则由作曲家韩德尔将多种形式综合而成。清唱剧一词的原文衍生于罗马教会的 oratory(私人礼拜堂)一词。16世纪中叶，圣·菲利普·内里首创在私人礼拜堂中举办具有道德教育意义的音乐娱乐，节目一分为二，中间加一场布道，因而意大利早期清唱剧通常为二幕形式。现存最早的清唱剧是E. 德尔希·卡瓦列雷的《灵魂与肉体的表现》，1600年演出时有戏剧表演，还包括芭蕾舞。将近17世纪中叶时，G. 卡里西米推出一种更为严肃持重的清唱剧，采用拉丁语唱词，以《旧约》为依据。他的清唱剧长短不一，朴素而毫不铺张华丽，运用合唱效果卓著。但其风格基本上属歌剧型，其中尤以解说词被打断而剧中人物倾诉衷情的片断最令人难忘。拉丁语和意大利语的清唱剧继续得到采用，但用方言的意大利通俗清唱剧(由歌唱大师演唱)更为盛行不衰，直至18世纪晚期。在18世纪晚期，意大利清唱剧已废除舞台表演。曾师从卡里西米的法国作曲家M.-A. 夏庞蒂埃成功地将意大利清唱剧移植到法国。德国清唱剧始于H. 许茨，这位作曲家的风格融德、意因素于一体；其清唱剧只用福音题材，具有强烈感情表现力，合唱处理强劲有力，是巴赫清唱剧的先兆。他在《复活节清唱剧》(1623年出版)中保留了每个人物的歌词谱以两个或更多声部的老传统。他的清唱剧既严峻朴素，又感情洋溢，二者谐调平衡，但至17世纪末这种平衡被破坏。这一时期的受难清唱剧(讲述耶稣死亡的故事)歌词往往不用圣经经文，而采用其诗歌体改写词加上感伤色彩的抒情解说词的综合形式。

J.S.巴赫的两部杰出受难清唱剧《圣约翰受难曲》(1724年首演)和《圣马太受难曲》(1729)恢复了许茨所达到的谐调平衡，但规模更为宏大，又因引用后来的意大利咏叹调而更为丰富多彩。巴赫不仅突出众赞歌的重要性，而且还以传道师的叙述为框架，把戏剧因素(剧中人物的话)和史诗的、沉思的段落(咏叹调、众赞歌、开始与结束合唱)结合在一起。巴赫的谱曲并无新颖之处，只是其中表现出的天才使其见长而复杂的结构得以保持完全的平衡。巴赫所作《圣诞清唱剧》和其他名为清唱剧的作品更确切地说应称之为教堂康塔塔。G.F. 韩德尔的清唱剧实质上是为剧场演出用的，它们反映出他作为歌剧作曲家的经历。他的大部分清唱剧采用写成现代脚本的圣经故事；受歌剧、假面剧乃至希腊悲剧的影响而由歌剧演员在剧场中演出(虽然由于宗教偏见而禁止舞台表演)，与教会没有直接关系。韩德尔在这一体裁中的成就涉及面很广，但后人只集中注意《扫罗》、《以色列人在埃及》(1739)、《弥赛亚》(1742)和《参孙》(1743)等清唱剧，而未能见其全貌。这些清唱剧和韩德尔的其他清唱剧表现出他工于性格描绘，对各种合唱表达法无不精通；更重要的是，他对故事所包含的道德问题进行了深刻而富于同情心的思索。巴赫与韩德尔之后，欧洲大陆的清唱剧除J. 海顿的作品外不再体现生动而有创造性的传统。海顿的《创世纪》(1798)显示出韩德尔清唱剧和A. 莫扎特歌剧的影响，把这些史诗的、戏剧性的因素同海顿本人对交响乐风格的修养融于一炉，从而使之成为一部杰作。海顿将《四季》(1801)称为清唱剧，虽然它采用世俗内容，在形式上只是把几段能使人产生感情共鸣的小品松散地连在一起。L. 冯·贝多芬唯一的清唱剧《基督在橄榄山》(1803)不是一部成功之作；另外许多为19世纪大歌舞剧场、合唱协会和音乐节(特别是在德国和英国)应景而作的清唱剧也大多未能取得成功。F. 门德尔松的《以利亚》(1846)是至今仍在上演的少数几部19世纪清唱剧之一。门德尔松曾努力推动巴赫作品的复兴，又亲自感受了韩德尔的音乐，这就导致他尝试将这两种风格合二为一。《以利亚》中的合唱富于活力，不同凡响。但他早期的清唱剧《保罗》(1836)一直被批评为没有表达任何宗教感情，只是像模像样地自我陶醉。门德尔松以后德国没有出现举足轻重的清唱剧。F. 李斯特的二部清唱剧《基督》(作于1855～1856)和《圣伊丽莎白传奇》(1873)以极大规模将宗教与戏剧因素融于一体。意大利清唱剧在18世纪以后处于停滞状态，斯拉夫作曲家们创作的清唱剧为数也甚少。H. 柏辽兹的《基督的童年》(1854)是一组戏剧场景，可能是法国唯一的重要清唱剧。爱德华·埃尔加爵士的《吉伦舍斯之梦》(1900)是20世纪英国清唱剧的一大杰作，它取材于C. 纽曼的一首诗，诗歌的戏剧骨架使得音乐可以在其中任意扩展而不致杂乱无章。I. 斯特拉文斯基的歌剧-清唱剧《伊底帕斯王》(1927)采用拉丁文唱词，在歌剧院中大受欢迎。瑞士的F. 马尔坦是20世纪中叶最活跃的清唱剧作曲家之一。苏联、东欧诸共产主义国家以及中国出版了许多大型作品，一般为世俗内容。特别引人瞩目的是波兰作曲家K. 彭德雷茨基的清唱剧《圣路加受难曲》。参阅 **Passion music**。

oratory 演说术 关于劝导性公开演讲的理论和实践。它直接与听众联系并获得反映，也能产生广泛历史反响，演说家可成为社会史和政治史的喉舌。马丁·路德·金1963年的演说就是个生动例子。他反复重复"我有一个梦"，运用了演说技巧，对千百万美国黑人继续争取权利的斗争起了推动作用。演说涉及演讲者、听众、时间和地点背景以及其他条件，还涉及信息内容及发言、口形、辅助体态的运用，可能有也可能没有直接后果等。修辞学是演说术的理论基础，它是有效地使用词语的艺术。演说术是实用的工具，与诗歌和文艺作品有区别，它的目的是说服人，使人们改变行为、增强信念和态度。演说家应改正听众的错误立场，建立有利于他所希望的心理模型，利用各种修辞手段以支持他达到目的是极必需的。演说家不必是一流的逻辑学家，但善于思维有助于他打动人心，造成好的效果。演说术在于以情动人，以理服人。在传统上演说术被分为法律的、政治的或仪礼的,或按亚里士多德的分法,论辩式的、评议型的或表演型的。典型的论辩式演说术主要为捍卫个人自由进行反诉,这种形式在古代雅典最为通行。公元前1世纪,古代罗马的西塞罗是最著名的雄辩家,他的影响持续存在于西方后代的演说术及散文风格上。西塞罗曾14次严厉地抨击安东尼的暴政。古雅典及以后相继出现许多著名演说家。另一种主要的说服性的演说是传教演说。在西塞罗后千余年,重要的演说家多是传教士而非政治家和律师。中世纪时期,教皇乌尔班二世在动员第一次十字军东征时的演说获得极大反响。其后的加尔文、马丁·路德均有精彩的演说。因为演说家直觉地表达听众的恐惧、希望以及态度,一次伟大的演说在很大程度上就是听众意见和感情的反映。例如古希腊伯里克利的听众,包括奴隶在内,常常是全人口20万或30万中的3万或4万之众。18世纪以来,英国议会中政治演说家大增,为议会自由、为机会和权利使政治演说家们精力十足地论争。美国国会的情况也与此相类似,继承了英国的并发展了自己的演说术。第二次世界大战以后,演说方法有了很大的不同,但效果相同。传统的演说术不再使用,广播、电视手段成功地起着说服作用。

oratory　私人礼拜堂　又称祈祷室。私人用的小礼拜堂(**chapel**)。

orb　王权宝球　以贵金属和珠宝制成的王权标志,顶上安有十字架的圆球。圆球象征宇宙,古罗马人把它同朱庇特联系在一起,而帝王则是他的人间代表。基督教徒在球上加

12世纪的神圣罗马帝国王权宝球
美国不列颠百科全书公司供图

个十字架以表示世界由基督教主宰。神圣罗马皇帝亨利二世于1014年登基加冕时第一个手捧宝球。此后,这种"帝王苹果"遂成为君主握有王权的重要象征。

orb weaver　圆蛛　蜘蛛目圆蛛科(Araneidae,或称黄金蛛科[Argiopidae]或Epeiridae科)动物。该科为分布广泛的一个大科,结圆网,已知2 500多种。其中著名的络新妇亚科(Nephilinae)种类的丝强度大,有时用于纺丝,故这些种类俗称丝蛛。黄金蛛亚科(Argiopi-

金色园蛛(*Argiope aurantia*)
美国不列颠百科全书公司供图

nae)的种类又名园蛛,颜色鲜艳,黄黑色相间或红黑色相间,常见于多草地区。

Orbigny, Alcide Dessalines d'　道尔比尼　(1802-09-06,法国库埃龙～1857-06-30,圣但尼附近)　法国微体古生物学奠基者,他1826～1834年旅行南美大陆的8年中,研究

美国不列颠百科全书公司供图

了这一大陆的人种学、自然历史和地质学。在《南美纪行》(10卷,1834～1847)一书中总结了这些研究工作,接着又绘制了南美大陆的第一幅综合性地图(1842)。道尔比尼最主要的成果就是根据在巴西巴拉那盆地观察出露的含化石地层而建立了地层古生物学。阐明沉积岩中截然分开的各层必定是在连续的一些时期内沉积于水中的,可由各层的化石知其年代。他第一个将地质构造划分成若干沉积阶段,但却认为每个阶段都代表一次特殊的创世作用所造成的独立的动物群。这样,他的立场就根本不同于C.达尔文提出的进化论,而达尔文正是在道尔比尼旅行南美大陆之时也正在那里作了大量考察并且也观察到同样现象的。为了鉴定这些阶段的年代,研究沉积岩中发现的小型的海相化石、花粉和孢子,从而开创了微体古生物学这门学科。这一学科现在对于石油勘探有很大的实用价值。1850年他对西北欧地质建造中侏罗纪化石所代表的那些阶段进行了详细划分。他的《法国古生物学》(14卷,1840～1854)虽然不是最完全的,但被认为是具有重大价值的不朽著作。

orbit　轨道　在天文学中,指天体绕吸引中心(如行星绕太阳或卫星绕行星等)运动的轨迹。在17世纪,J.开普勒和I.牛顿发现支配轨道的基本物理规律。在20世纪,A.爱因斯坦的广义相对论提供更严密的描述。很多轨道近乎椭圆,有些很接近圆,而其他的则很扁。有些天体的轨道可以是抛物线或双曲线(开放曲线)。一个从极遥远距离来到太阳系的天体,在绕过太阳以后,将再次退离到无限远空间去,它的轨迹即是开放曲线。要决定一个天体的轨道根数,至少须对这天体作3次位置观测。观测的时间应当拉开,以便使天体展布于轨道较长的弧段上。要求出更精确的轨道还必须计及微小摄动的影响,如各行星的吸引力和轨道中心物体的内部物质不规则性,而对某些人造卫星还须考虑大气阻力的影响。所谓轨道的6个根数是指6个能完全描述轨道并求出天体位置的量。这些根数是:①轨道倾角;②升交点黄经,这两个根数决定轨道平面;③轨道半长轴;④偏心率;⑤近日点黄经(参阅 **apse**),这个根数决定轨道的大小和形状;⑥过近日点的时刻,这个根数决定天体在轨道的位置。解释如下:太阳位于行星椭圆轨道的两个焦点之一。作一线连接行星最近太阳的一点(近日点)和距太阳最远的一点(远日点),通过太阳的直线称为拱线或轨道长轴,它的一半称半长轴。椭圆轨道的偏心率是表示轨道与圆偏离的一个量,可用椭圆两焦点之间的距离除以长轴

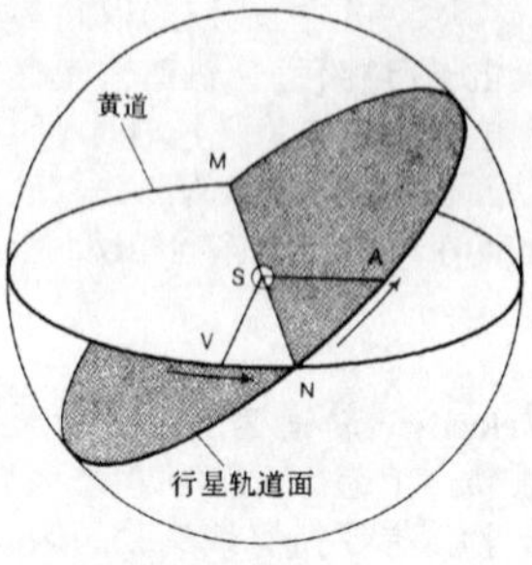

行星轨道面与黄道面的关系

求得。要预报行星在任何时刻的位置须知道它通过某一特定位置即近日点的时刻。行星的轨道倾角是从地球轨道面(黄道面)起算的度数。位于中心的S代表太阳,两轨道面的交线在天球上的投影称为交点,记为M和N。N为升交点,行星由N点进入黄道以北;M为降交点,行星经此点由北往南。V为春分点,它位于黄道上并作为几种天球坐标的起算点。角VSN为升交点黄经(以度表示),弧VN和NA在S张角的总和称为近日点黄经,它确定了长轴在轨道平面上的方向。

orbital　轨函数　化学和物理学中使用一种数学表述来描述原子和分子中电子的特性。最简单的原子是只有单个电子的氢原子,描述其电子的轨函数有时称为原子轨道波函数,或简称为原子波函数。原子波函数可给出电子出现在原子内空间各处的概率,它也是从理论上进一步研究多电子体系的基础。电子出现的概率为95%的三维区常被画出来作为原子波函数的几何表示,通常还沿用经典物理学的概念把这种图像简单地称为轨道。原子轨道一般是用代表轨道电子特

性的数字和字母的组合来标记，例如 1s、2p、3d、4f，其中数字叫做主量子数，它标出能级和距原子核的距离。1s 电子占据了离原子核最近的能级。2s电子所受束缚稍弱，绝大

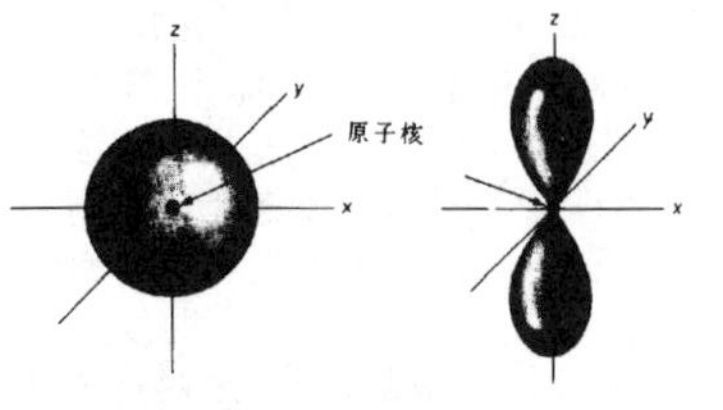

原子中的电子轨道：(左) s 轨道；(右) p 轨道

多数时间都在离原子核较远处。字母 s、p、d、f 标明轨道的形状(它决定于电子由于转动而具有的角动量)。s 轨道是以原子核为中心的球面，因此 1s 电子几乎全被限制在靠近原子核附近的球面区域内。2s 电子则被限制在较大的球面区域内。p 轨道的形状近似一对花瓣，分别位于原子核的两侧，略似哑铃；p 电子在这两半部出现的几率相等。其他轨道的形状则比较复杂。在了解到光谱与原子的电子结构间的关系之前，字母 s、p、d、f 是用于区分光谱中谱线系的(依次表示锐线系、主线系、漫线系、基线系)。第一能级不存在 p 轨道；在较高能级中，每一能级有 3 个 p 轨道，这 3 个 p 轨道好像是沿着 3 个互相垂直的轴线在空间取向，可用下标来区分，例如 $2p_x$、$2p_y$、$2p_z$。除头两个主能级外，其他能级都有 5 个 d 轨道；除了头 3 个主能级，各能级都有 7 个 f 轨道。所有这些轨道的取向都相当复杂。由于电子自旋，每个轨道只能有两个电子。每个电子可想象为绕其轴线顺时针或逆时针转动，而成为一微小的磁铁。被填满的轨道上的两个电子自旋方向相反而具有相反的磁性。

orbital velocity　轨道速度　维持天然或人造卫星在轨道上运行所需的速度。物体的惯性使运动物体有保持直线运动的倾向，而引力则使它向下运动。若增加山顶上一门大炮的炮弹的出膛速度，炮弹将打得更远。若炮弹速度足够大，则炮弹将不再落回地面。因为当炮弹或卫星下落时，地球表面也在弯曲，使之不能回到地面。运动物体的轨道速度与吸引中心的质量大小有关，吸引中心的质量越大，在一定距离处环绕它运行的物体轨道速度也越大。在地球表面，若略去大气阻力，则在地球表面附近环绕地球作圆运动的轨道速度约为 8 千米/秒。距吸引中心越远的卫星，受到的引力也越弱，因而轨道速度也越小。参阅 **escape velocity**。

Orbiting Astronomical Observatory（OAO）**轨道天文台**　从地球大气层外观察宇宙体的不载人的美国科学卫星系列。OAO-2 于 1968 年 12 月 7 日发射，装有两台大型望远镜、一套分光计和其他附属设备，重1 900余千克，是当时轨道卫星中最重的。OAO-2 可以拍摄年轻恒星的照片，这种星发射的光主要是紫外线。因为紫外线辐射被地球大气所吸收，天文学家用地面的望远镜，只发现过为数甚少的年轻恒星。OAO-3，又名"哥白尼"号，装有更有效的仪器，包括一台 81 厘米镜头的反射望远镜。它于 1972 年 8 月 21 日发射，主要用于研究来自恒星际气体和银河系远界内恒星的紫外辐射。

Orbiting Geophysical Observatory（OGO）**轨道地球物理观测台**　美国1964～1969年发射的不载人科学卫星系列，共 6 颗。卫星上装有磁强计，用来研究地球的磁层(地球周围的强磁力区)及其对太阳发射的高能粒子的影响。此外，轨道地球物理观测台还考察极光、磁暴和其他有关现象。OGO-1 于 1964 年 9 月4 日发射，重约113千克，装有可做 20～25 项实验的仪器。其余 OGO 卫星的大小和设备均与此相同。

orc　魔兽　一种神秘生物(如海怪、巨人或吃人妖魔)，长相恐怖。英语 orc 一词有两个截然不同的来源：①当该词含混地指鲸目怪物时，是借自一个或多个罗曼语单词，如法语的 orque 或意大利语的 orca，最终都源自拉丁语单词 orca，它很可能指杀人鲸这样一种小型鲸目生物；②另外 orc 一词暗指恶魔或吃人妖魔，出现在约公元 800 年古英语词汇中，并出现在诗集《贝奥武甫》中的复合词 orcneas(神秘怪物)一词中。与意大利语的 orco 和 orgre(吃人妖魔)一样，此词最早是源于拉丁语 orcus(冥王)。出现在《指环王》中的 orcs (半兽人)就很可能源于这种古英语生物的启发。

Orcagna, Andrea　奥尔卡尼亚（约1308～约 1368）　又称安德列亚。14 世纪中期佛罗伦萨最著名的画家、雕刻家和建筑师。父亲是金饰匠，3 个弟弟也是画家。1352 年加入石匠行会。1354年为佛罗伦萨的斯特罗齐礼

奥尔卡尼亚为佛罗伦萨市斯特罗齐礼拜堂绘制的多联祭坛画
美国不列颠百科全书公司供图

拜堂绘制多联祭坛画(署名并标明 1357 年)，人物很有个性，善于把多联画作为一个整体处理。1367 年 9 月受托为行会的保护人画表现圣徒马太生平的四个场面的祭坛画，约在完成此画后逝世。他最著名的雕刻作品是奥尔圣米凯莱行会小礼拜堂的神龛。1357 年和 1364～1367 年，他曾参加过佛罗伦萨大教堂的建筑师工作。1358 年，奥尔卡尼亚成为奥尔维耶托大教堂的建筑师。

Orchard, William Edwin　奥查德（1877-11-20，英格兰白金汉郡～1955-06-12，斯塔福德郡布朗希尔斯）　天主教司铎。积极参加普世教会运动。入剑桥大学威斯敏斯特学院，准备作长老会牧师，1904 年任米德尔塞克斯的恩菲尔德教堂牧师。1909 年获神学博士学位。1914 年任伦敦市金斯威厅公理会牧师。他希望普世基督教归一，并把天主教理论和仪式引进礼拜活动。他曾努力与圣公会求得和解，但经过长期谈判而未能达到目的。奥查德于 1932 年加入天主教会，1935 年受祝圣为司铎。

orchard grass　鸭茅（*Dactylis glomerata*）又作 cocksfoot grass。亦称鸡足草、鸡距草。早熟禾科多年生牧草、干草和饲草。叶片平

鸭茅(*Dactylis glomerata*)
美国不列颠百科全书公司供图

展，圆锥花序开展，形状不规则，分枝挺直。高 0.6～1 米，紧密成丛生长。北美、欧亚大陆和非洲温带地区广泛种植。

Orchardson, Sir William Quiller　奥查德森（1832-03-27，爱丁堡～1910-04-13，伦敦）　英国肖像画家、历史画家和风俗画家。1850～1857 年，在爱丁堡学习绘画，开始模仿拉斐尔前派的风格，为杂志作黑白插图。1863 年起参加皇家学院的展览，1877 年被选为院士，1907 年被授予爵士封号。其最有名的两幅画是《拿破仑在柏勒洛丰号船上》(1880)和《她的母亲的声音》(1888)。

orchestra　管弦乐队　不同规模和组合的器乐合奏团体。虽然根据西方和非西方音乐组成的各种不同合奏集体都可用这名称，但笼统地说它通常是指由弓弦乐器加上管乐器和打击乐器的典型西方音乐合奏集体，其中至少是在弦乐组中每个声部都有一个以上的演奏员。现代交响乐队的前身大约在 1600 年出现。最引人注目的一个早期的例子是意大利作曲家 C. 蒙特威尔地的歌剧《奥菲欧》中所要求的那种合奏。17 世纪末法国作曲家 J.-B. 吕里曾为王室指挥过一个乐队，以弦乐器为主，但也有木管，如双簧管和大管，有时还有长笛和圆号。在 18 世纪的德国，被称为曼海姆乐派的 J. 斯塔米茨和其他一些作曲家为现代交响乐队确定了基本编制：木管(长笛、双簧管和大管)、铜管(圆号和小号)、打击乐(两只定音鼓)及弦乐(第 1 和第 2

小提琴、中提琴、大提琴和低音提琴)等4个组。单簧管也是在这一时期用入管弦乐队的,较早的一些主要乐器,如拨弦键琴、诗琴和双颈诗琴则逐渐被淘汰。19世纪是管弦

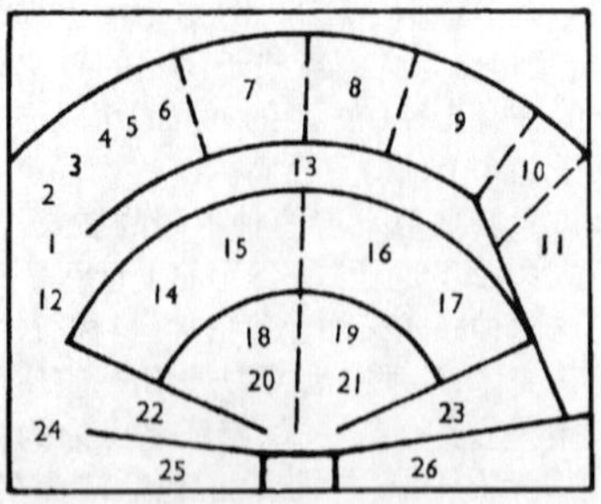

交响管弦乐队阵容图
(此为典型乐队的阵容;乐器的数量与位置可根据需要或指挥意见有所变动)
1竖琴 2钹 3三角铁 4大鼓 5钟琴 6小鼓 7定音鼓(4个) 8小号(4个) 9长号(4个) 10大号 11低音提琴(9把) 12钢片琴 13圆号(5个) 14低音单簧管 15单簧管(3支) 16大管(3支) 17低音大管 18长笛(3支) 19双簧管(3支) 20短笛 21英国管 22第2小提琴(17把) 23中提琴(12把) 24钢琴 25第1小提琴(18把) 26大提琴(11把)

乐队的丰产时期。木管组由每种乐器2人扩大到3～4人;铜管组由于增添第3小号、第3和第4圆号和采用了长号而扩大。19世纪后期至20世纪中叶的典型大型管弦乐队常由100名演奏员组成,还包括一些特殊作品所需要的其他各种乐器和设备。但到20世纪20年代,许多作曲家转而倾向于比较小型的、室内乐规模的合奏,有时保留、有时又摒弃传统的乐器配备。

orchestral bells (musical instrument) 参阅 **tubular bells** 管钟。

orchestration 管弦乐法 为乐器编配或创作音乐的过程,特别是管弦乐队中的乐器。参阅 **instrumentation**。

orchestrina di camera 乐队琴 伦敦W.E.埃文斯发明和制造的一组小型有键盘的簧风琴类乐器的通称。1862年他取得专利权。琴音模仿管弦乐队中的双簧管、单簧管、长笛、圆号、大管等乐器。当管弦乐队演出中缺乏上述乐器的演奏员时即以此组乐器代替。它们都有风箱吹动的活簧片,音域同它们所代替的乐器相同。

Orchha 奥尔恰 印度中部拉杰普特土邦的旧称,1500年左右创立。17世纪初,本德拉酋长朱杰哈尔·辛格叛乱后,被莫卧儿皇帝沙·贾汗有组织地破坏。英国统治时期是中印度辖区的一部分。印度独立后并入温迪亚邦(后中央邦),成为蒂格姆格尔县。

Orchha 奥尔恰 印度中部中央邦蒂坎加尔县古城。傍贝德瓦河。位于密林中。始建于1531年。1783年前为奥尔恰土邦首府。1783年后首府迁往蒂坎加尔,因而衰微。贝德瓦河岛屿上有一17世纪大堡垒和宫殿,其他古建筑有庙宇和贾汗季宫,是穆斯林居家建筑的优秀典范。每年有两次集市。

orchid 兰花 兰目兰科植物。约400～800属,15 000～35 000种。英语中orchid一词源于希腊词orchis,意为睾丸,因红门兰属(*Orchis*)一些种的块茎形似睾丸而得名。兰花分布于世界除极地外的大部分地区,尤多见于热带。为多年生草本植物,土生或附生,附生种常呈藤本状,根外被一海绵状根被,以从周围的空气中吸收水分。多为自养型,有些种腐生或依靠根部的共生真菌吸收养料。兰花有单轴或合轴分枝两种生长方式。较多见者为合轴式,即沿水平的根状茎的轴每年发出一条新茎,茎上常有一膨胀区域称为假

美丽多穗兰(*Polystachy a bella*)
美国不列颠百科全书公司供图

鳞茎。单轴分枝的兰花有一直立茎,逐年长高,叶和花也随之增多;花单生或簇生于直立或悬垂的花梗上,花径2毫米～38厘米。所有兰花均为两侧对称,萼片3枚,颜色和形状差异很大;其中一枚花瓣外形和颜色均异于其他各瓣,称为唇瓣,唇瓣在花芽中,位于花

虎兰(*Odontoglossum grande*)
美国不列颠百科全书公司供图

芽的最上部,在生长过程中花轴旋转(倒转)而使唇瓣移至花的最下部;雌雄蕊在花中央连合形成棒状,称为合蕊柱,大部分兰花合蕊柱顶部有一枚雄蕊,稀有2枚侧生;花药内有花粉粒集合而成的花粉块,粉质或蜡质,通常借虫媒或鸟媒行异花传粉,也有些种为风媒或自花授粉。许多兰花有高度发育的授粉机制(结构、香味等)以保证异花传粉,如一些种类的花酷似雌性昆虫而引诱雄性昆虫前来交配(拟交配)从而为之传粉。一朵兰花可产生多达200多万粒微小的种子,因此一些植物学家称兰目为微子目(Microspermae)。兰花的种子中营养物质贮藏很少,种子萌发需靠真菌提供营养。兰科植物中唯一有重要经济意义的产品是从香子兰属(*Vanilla*)几个种的种荚中提取的华尼拉草香料。有的兰花在民间也用作药物、饮料和食物。卡特利氏兰属(*Cattleya*)、万带兰属(*Vanda*)、兰属(*Cymbidium*)、莱利乌斯氏兰属(*Laelia*)是观赏植物属,已有数千个人工杂交品种种植于公园和温室以供观赏及用于花卉贸易。在兰科植物中,侧叶兰属(*Pleurothallis*)、*Lepanthes*属及*Stelis*属特点为株型极小,为园艺家所喜爱。

orchid cactus 兰仙人掌 参阅 **leaf cactus** 昙花。

orchil 苔色素 又作archil。又称染料衣色素。从某些地衣经发酵而获得的一种紫罗兰色染料。英文orchil一词也指由这种染料染出的任何颜色,或用以提取苔色素的地衣,如染料衣属(*Roccella*)、茶渍属(*Lecanora*)、肉疣衣属(*Ochrolechin*)及扁枝衣属(*Evernia*)等。

Orchis 红门兰属 兰科的一属,100种,原产欧亚大陆和北美。每株仅有一花穗,花多数。块根卵状、瓣状或叉状。大部分种茎基部有几片叶,花瓣和萼片常呈盔状,唇瓣通常浅裂。猴兰(猴红门兰,*O. simia*)和军帽兰(士兵兰、士兵红门兰,*O. militaris*)产欧洲,花形似戴头盔的人。雄红门兰(斑叶红门兰,*O. mascula*)等几个种的根含有丰富的淀粉,在欧洲南部,将其浸泡用制饮料沙列普。绿翅兰(*O. morio*)广布欧亚大陆。红门兰属的其他欧亚种类有的称为沼泽兰或斑点兰等。美丽红门兰(*O. spectabilis*)在北美洲的3种红门兰中最负盛名,其花粉红色或紫色,株高6～20厘米。

orchitis 睾丸炎 因感染或物理损伤所致的睾丸炎症和水肿。睾丸内有丰富的血液及淋巴循环,因此原发感染极少见。感染多从体内其他部位通过血管、淋巴管或精索播散而来。病原体有细菌、病毒、霉菌或寄生虫,其他因素包括化学性或物理性损伤。常见症状为高热、睾丸突然疼痛、恶心、呕吐、肿胀、坠胀感及睾丸触痛。睾丸周围可有脓性和血性液体存积。整个阴囊发红变厚。睾丸炎可由身体其他部位的感染及其他疾病引起。腮腺炎可能是最易累及睾丸的一种全身性疾病。一般睾丸炎在10天内会自然消退,很少有永久性损害。通常只是一侧睾丸受累,有时涉及附睾。极少数病例影响双侧睾丸而致阳痿及不育。物理性损伤(如严重的撞击)可降低机体对细菌的抵抗力而出现继发感染。化学物质如碘、铅及酒精等亦可造成睾丸损伤。大多数睾丸炎的治疗包括使用抗生素、

卧床休息、托起阴囊、冷敷,必要时手术缓解或引流。

Orchoë (ancient Mesopotamian city) **乌鲁克** 参阅 **Erech** 埃雷克。

Orchomenus 奥尔霍迈诺斯 又拼 Orchomenos 或 Erchomenos。古代比奥蒂亚城市,在科皮阿平原北部的一个海角上。是迈锡尼最北的一个设防城镇,米尼亚王朝家族所在地并且控制着比奥蒂亚的很大一部分。在远古时期,它是卡劳里亚同盟的一个成员,但是比奥蒂亚的政治霸权则转入第比斯之手。他是比奥蒂亚最早铸造钱币的城市之一(约公元前 550),传说以其财富而知名,对美惠三女神的崇拜是一个重要的祭仪。奥尔霍迈诺斯成了把比奥蒂亚从雅典统治下解放出来的寡头亡命者的根据地(公元前 447 或前 446),而在公元前 4 世纪它的政策是反第比斯的。公元前 4 世纪经过第比斯人的多次劫掠,这个城市趋于衰落,并受到科皮阿湖湖水的侵蚀。19 世纪末和 20 世纪初的考古发掘表明这是个重要的新石器和青铜时代的遗址,有青铜器时代晚期的“蜂窝式建筑”(索洛斯)、神庙和宫殿。

Orczy, Baroness Emmuska 奥切(1865-09-23,匈牙利陶尔瑙厄尔什～1947-11-12,伦敦) 匈牙利出生的英国小说家,主要因所著《深红色的海绿》而闻名。该书是 20 世纪最受欢迎的成功作之一。她是著名作曲家和指挥 F. 奥切男爵的独女,曾在布鲁塞尔和巴黎求学,后在伦敦研习艺术。曾在皇家学院展出过她的一些作品。1905 年因发表《深红色的海绿》一书成名,该书以法国大革命为时代背景,描写行迹不定的布莱克尼爵士自吹自擂的冒险经历,其使命是将法国贵族秘密转移到安全之地。她后来又写了续篇——《不可捉摸的海绿》(1908)、《深红色海绿的踪迹》(1933),但均不如原作成功。还写过《伦敦警察厅的莫利夫人》(1910)和《未解的难题》(1925)等侦探故事。

Ord River 奥德河 在澳大利亚西澳大利亚州东北部金伯利高原。源出艾伯特-爱德华山脉,流向东转北,注入剑桥湾。全长 500 千米。上游流经峡谷,中游流经草原和森林,下游流域为宽阔的冲积平原。流域降雨无规律。奥德河工程是主要防洪灌溉工程。1967 年建成库努纳拉分洪坝;1970～1972 年在库努纳拉以南河段修建大型灌溉和水电坝(拦成阿盖尔湖水库)。原设想建成棉花种植区,因虫灾未取得经济效益。试种其他作物亦甚少收成。已成为澳大利亚耗资最大及最有争议的灌溉工程。

Ordainer 约法爵士 全称 Lord Ordainer。英国由 21 名贵族和高级教士组成的委员会的成员,委员会的目的在于约束爱德华二世的王室和权力。1307 年爱德华二世即位后不久,冲突即已开始。1309 年兰开斯特伯爵托马斯成为反对派的主要领袖。1310 年 2 月,托马斯与沃里克、赫里福德和彭布罗克等伯爵公开指责爱德华浪费遗产,毁坏王国。爱德华不得不同意任命 8 名伯爵、7 名主教和 6 名男爵组成一个委员会。1312 年米迦勒节前,开始草拟革新朝政的法令。该委员会还将爱德华的宠臣加弗斯顿永远放逐国外,加弗斯顿返回后被处死。1322 年爱德华的新宠臣德斯彭瑟父子将该委员会推翻。

ordeal 神明裁判 裁断某种说法或指控真伪的一种方法,实行这种裁判的人们相信:它的结果必反映超自然力的判断,超自然力必助正败邪。神明裁判往往致死,但是它并不以惩罚为目的。神明裁判的主要方法有占卜、肉体考验和格斗。在缅甸,一种神裁方法是令双方各执一烛,长短相同,同时点燃,其烛后尽者胜。利用受害人尸体以断定凶手是另一种神裁。中世纪欧洲实行停尸架旁神裁,因为当时人们相信,死者的血在尸体接触或接近凶手时会流出来。肉体考验,主要是利用火或水,是最流行的神裁。根据印度教习俗,丈夫如怀疑妻子不贞,妻子必须步行过火,如有烧伤痕迹即证明此女不贞。在欧洲,对涉嫌巫术的人实行水浸法,因为人们相信,水是施洗礼的媒介,它会“收纳”无罪者,“排斥”有罪者,使他浮起。在格斗神裁中,据说胜者并非靠己力而是靠超自然力致胜。例如,在中世纪欧洲,人们认为上帝的裁决确定决斗的胜负。假如败者不死,他要被当作刑事犯以绞刑或火刑处决,也可以依民法砍去一只手或没收财产。

Ordelaffi FAMILY 奥戴拉菲家族 意大利贵族世家,14 及 15 世纪的大部分时间统治罗马涅的弗利城及其毗连地区。在但丁《神曲》的《炼狱篇》中,曾提到这个家族在 14 世纪初有效地控制弗利城。

order 柱式 又称建筑柱式。古典或新古典建筑的几种风格的柱型的总称。这些风格以立柱和柱顶檐部的特殊式样来区分,用柱式作为一个基本单元。立柱包括柱身、柱础和柱头。立柱支承一个檐部,檐部横在古典建筑物的上部,其本身(从下而上)由额枋、檐壁和檐口组成。柱头的形式是每种柱式最显著的特征。有 5 种主要柱式:多立斯式、爱奥尼亚式、科林斯式、托斯卡纳式和组合式。

一个完全的立柱和檐部是由许多不同的要件构成的(见下页图)。①柱底,柱子底下是柱基,这是铺好的连续平面,支承一排立柱。从柱基升起的方或圆块是底座,为柱础的最下部分。底座之上形成柱础其余部分的是一个或更多的圆花边,轮廓有种种不同;它们可以包括一个凸环(向外凸出的花边,轮廓半圆形)、一个凹环(轮廓凹入)和一个或多个嵌条(窄带)。②柱身,柱身架在柱础上面,是一个细长的立式圆柱体,有几种柱式刻凹槽(上下垂直的槽)。柱身也可以轻度内缩,以使底部略宽于顶部。③柱头,柱身顶上为柱头,它把檐部的重量集中到柱身上,也是檐部与柱身之间具有艺术美感的桥梁。多立斯式的柱头形状最简单,从下往上分 3 部分:缩颈,它是柱身的继续,但用一个或几个狭槽截然分开;凸圆线脚,一个圆形块体,其最上部向外凸出,以便更好地支承柱顶石;柱顶石,一个方形块体,直接支承上方的檐部,并将檐部重量传送下面柱子的其余部分。④檐部,由 3 个水平部分构成,互相间用花边和条带截然分开;檐部的 3 个部分由下而上称为额枋、檐壁和檐口。测量柱子使用的单位是柱础处的柱身直径(底直径);例如,可以描述一根柱子为 8 个(底)直径高。

古希腊建筑发展两种不同的柱式,即多立斯式和爱奥尼亚式,公元前 1 世纪罗马人采用这两种柱式又加上第三种(科林斯式)柱头及其变体,从那以后,西方建筑一直使用这些式样。①多立斯柱式,特征是微缩的锥形柱,在所有的柱式中最矮粗,包括柱头在内,高度仅约 4～8 底直径。希腊的多立斯柱式没有单独的柱础,而是直接竖在柱基上面,但后来的多立斯柱式则往往加上一个传统的带底座和凸环的柱础。多立斯式柱身开 20 个浅槽。如上所述,柱头有一个简单的缩颈、一个向上展开的凸圆线脚和一个方形柱顶石。多立斯柱式檐部的檐壁与众不同,由竖条纹饰组成,每一单元有 3 个由槽分开的竖条,各单元间是向内陷的方格,称为方形墙面,墙面可平,亦可浮雕。罗马的多立斯柱式比例较小,比希腊的多立斯柱式显得更轻盈,更优雅。②爱奥尼亚柱式,与多立斯柱式的不同点是:柱身有更多的槽,在柱头的凸圆线脚前部和后部上方有往下垂的涡形或涡卷形装饰。涡卷饰本身雕有卵和箭形装饰。爱奥尼亚柱式的整个柱(包括柱身、柱础、柱头和檐部)高 9 底直径。柱础有两个凸环(向外凸出的花边),中间由一个凹环隔开。柱身高 8 底直径,有 24 个槽。在檐部,额枋通常是由 3 个阶梯式檐板(横带)构成。檐壁没有多立斯柱式的竖条纹饰和方形墙面,因此这一区域可以容纳一长条雕刻装饰,例如人物群像。③科林斯柱式,是 5 种柱式中最优美的一种。它的突出特点是引人注目的柱头,刻有交错的两排钟状爵床叶和 4 个涡卷。柱身有 24 个锐缘槽,柱高 10 个直径。④托斯卡纳柱式,是罗马多立斯柱式的改造。柱身无槽,只有一个简单的带凸圆线脚和柱顶石的柱头。比例和轮廓与罗马多立斯柱式相同,但简单得多。柱高 7 个直径。在所有的柱式中,这一柱式最牢固。⑤组合柱式,在文艺复兴时代以前没有列为独立的柱式,它是罗马后期由科林斯柱式发展而来。所以称为组合式,是因为它的柱头是由爱奥尼亚式的涡卷饰和科林斯式的爵床叶装饰构成的。柱高 10 个直径。

多立斯柱式和爱奥尼亚柱式几乎是在爱琴海两岸同时产生的;多立斯式产生于希腊大陆,而爱奥尼亚式产生于小亚细亚的希腊各城市。这两种柱式都起源木造的神庙。多立斯式建筑保存完好的最早实例是公元前 600 年稍后在奥林匹亚建造的赫拉神庙。在希腊、西西里和意大利南部的建筑遗存中,可以追溯如何从这些萌芽的状态演化成多立斯式的石柱;在此后 800 年间,这些地方的巨大建筑物始终以多利斯式为主要柱式。希腊人和罗马人都认为科林斯式与爱奥尼亚式一样,仅仅换个柱头而已。现在已知最早在建筑物外边使用科林斯式柱头的是利西格拉泰

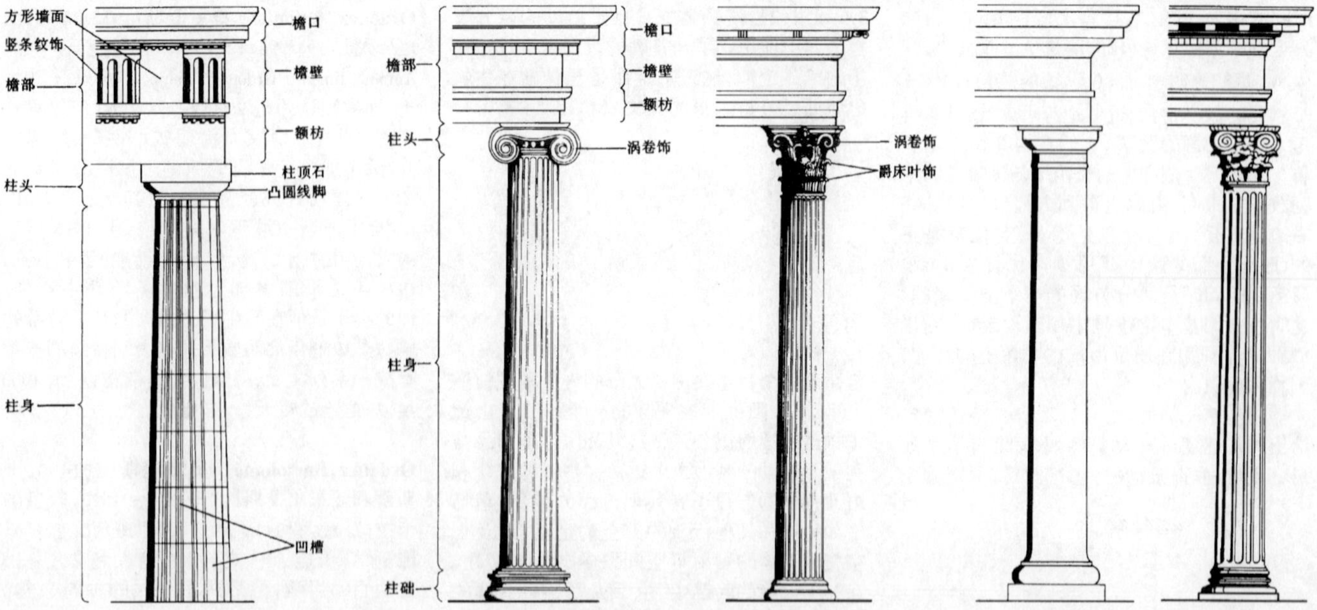

5 种柱式

从左至右依次为：多立斯柱式，爱奥尼亚柱式，科林斯柱式，托斯卡纳柱式，组合柱式

纪念亭(雅典，公元前 335 或前 334)。公元前 1 世纪的罗马作家和建筑师维特鲁威把科林斯式提升到柱式的行列。罗马人采用了多立斯、爱奥尼亚和科林斯三种柱式，并将它们改头换面，创出简化多立斯式的托斯卡纳柱式和合并爱奥尼亚式与科林斯式的组合柱式。罗马人的另一项革新是叠置柱式。当用柱子美化连续几层的建筑物时，通常用不同的柱式，从最重的柱式开始，依次上升，直至最细长的一种。因此，就把多立斯式的柱子放在建筑物的地面一层，把爱奥尼亚式的柱子放在中层，而把科林斯式或组合式的柱子放在顶层。为了省去每层用一种不同柱式的麻烦，文艺复兴时期的建筑师们发明了巨柱式，其柱高达建筑物的两层或更多层。在古希腊或罗马谈论建筑的作家当中，只有维特鲁威的作品流传到欧洲的中世纪。15 世纪初重新发现他为罗马建筑师们所写的手册《建筑十书》以后，他立即被称颂为古典建筑的权威。文艺复兴时期和巴洛克时期的意大利建筑师们根据他的著作制订一套美学经典，树立了叠置古典柱式的准则。这些建筑师们还规定了各种柱式以及其所有部件的比例关系，达到巨细靡遗的程度。他们写明了一种柱式的每个元件的精确比例尺寸，因此，只要给出柱子直径或任何其他的尺寸，就可以通过例行的计算重造整个柱式和它的所有的个别元件。他们的法则已经详细到了极点，希腊人做梦也没有想到过，罗马人也很少如此观察。

在随后的各艺术时代，又根据考古学恢复采用“正确”的柱式。不过，许多建筑师在采用各种柱式时仍然随心所欲，任意而为。在 20 世纪的现代主义建筑中，柱式已从实用性完全变成多余的装饰，其结构功能已由钢或钢筋混凝土的柱和墩所替代。

order, holy 参阅 **holy order** 神品。

order, rules of 议事规则 参阅 **parliamentary procedure** 议事程序。

order in council 枢密令 英国君主根据枢密院建议发布的条例。在现代则是根据内阁大臣建议所发布的命令。关于命令内容有关部门大臣要对议会负责。今有两种不同的枢密令：一种是根据君权发布的，一种是根据法律规定的权力发布的。例如宣布战争状态结束属于第一种命令，因为宣布战和属于君权的范围。但大多数枢密令是为实施议会通过的立法而发布的，例如 1946 年关于重新分配各部职权和撤销某些政府部门的内阁法，就是通过枢密令发布，并经两院批准的。枢密令最初从 18 世纪开始颁布，最著名的是 1807 年 11 和 12 月发布的英国对拿破仑欧洲实行封锁的枢密令。

Order of Geneva (religious manual) **日内瓦礼仪书** 参阅 **Common Order, Book of** 公共礼仪书。

Orderic Vitalis 奥尔德里克·维塔尔(1075-02-16，英格兰什罗普郡什鲁斯伯里～约 1142) 诺曼底修士、历史学家，所著《基督教史》对当时盎格鲁-诺曼人社会有极详明的记载。他是什鲁斯伯里伯爵 R. 德蒙哥马利的教士奥尔良的奥代勒里于斯的长子。1085 年被送往诺曼底，在圣埃夫罗尔当修道士。除少数几次外访其他修道院外，在此度过余生。

ordinary differential equation 常微分方程 数学中，含有单变量的未知函数的导数的方程。“常”是指微分方程只涉及一个自变量，以区别于涉及多个自变量的偏微分方程。单变量函数 f 的导数，记作 f' 或 $\frac{df}{dx}$，表示 f 在每点的变化率，即当自变量的值增加或减小时函数值的增减有多快；对于函数 $f = ax + b$ (它表示一条直线)，变化率就是其斜率，即 $f' = a$，对于其他函数，变化率随函数所代表的曲线上的点而变化。函数的导数也是一个函数，也可以计算导数的导数，记为 f'' 或 $\frac{d^2f}{dx^2}$，叫作 f 的二阶导数。高阶导数可以类似地定义。微分方程的阶数定义为它所包含的未知函数的最高阶导数的阶数，其次数定义为这最高阶导数自乘的幂次。例如未知函数 f 的微分方程 $(f''')^2 + (f'')^4 + ff' = 0$ 是二次三阶的。一次方程叫作线性的，如果未知函数及其导数都以一次幂出现并且每项的系数只与自变量 x 有关。一个微分方程说是齐次的，如果方程的各项所包含的未知函数或它的导数的幂指数之和都相等。方程 $xf'' + af' + bf = 0$ 是一个齐次线性微分方程。某些方程，例如 $\frac{ds}{dt} = 2t$，只要想一下什么函数其导数为 $2t$ 就能求得其解，它的一个解是 $s = t^2$，但不是唯一的解；因为常数 c 的导数是零，所以 $s = t^2 + c$(c 是任意常数)也是解。我们称这个带有任意常数的解为方程 $\frac{ds}{dt} = 2t$ 的通解，而把 $s = t^2$，$s = t^2 - 3$ 等叫作该方程的特解。但是大多数情形不能明显地用观察法来求解，而微分方程的课题就部分地包括了把方程分成能用各种方法求得解的许多类型。但微分方程并不总有解，所以更大部分的课题是研究是否有解的问题。

常微分方程在诸如电学、化学、核物理、应力分析、火箭技术、生物学和经济学等许多科学和工程领域中是很有用的。多少年来已经找到了解微分方程的各种方法，包括不能求得方程的精确解时使用高速计算机的数值方法。给出几个导致常微分方程的简单问题的实例是有好处的。首先，考虑一种放射性元素，例如镭。实验结果表明，当时间向前推移时，镭的总量以与该时刻的总量成比例的速率而减少(放射衰变)。设 N 是时刻 t 时镭的总量，这就表明

$$\frac{dN}{dt} = -bN \qquad (1)$$

其中 b 是一个正的比例常数，负号表示 N 随

时间的增加而减少,其变化率是负的。由微分方程的方法求得(1)的解是 $N = N_0 e^{-bt}$,其中 N_0 是初始时刻 $t = 0$ 时镭的总量,e 是一个重要的数学常数,近似地等于2.718 28。再考虑一个细菌的菌落,它们在培养物中增长着。在任何时刻细菌的繁殖率与该时刻的细菌数成正比例,由此也得到方程(1),但等式右边是正号,因为现在是增长,变化率是正的,因此上面的解中要用 b 来代替 $-b$。涉及运动的问题是微分方程的一个重要来源。这时有关的基本定律是牛顿运动定律,它说如果 F 是作用在质量为 m 的物体上的纯力,则物体将以由

$$F = ma \qquad (2)$$

给出的加速度 a 运动。例如,假定有一个质量不计的垂直振动的弹簧(图1),顶端固定

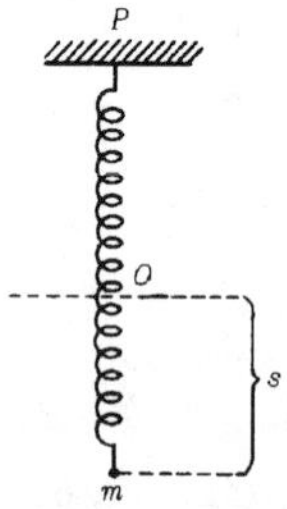

图 1

在 P 点,底部附着一个质点 m,设振动前质点的静止或平衡位置为 O,若 s 是弹簧的缩短量(或伸长量),也即在时刻 t 时,质点 m 至 O 点的距离(令在 O 点以下的 s 为正,以上为负),则根据(2)可推出运动的微分方程

$$m\frac{d^2s}{dt^2} = -ks \qquad (3)$$

这是因为加速度是 $\frac{d^2s}{dt^2}$,弹簧作用在质点上的力 F 是 $-ks$,而试图把质点恢复到 O 点的力与压缩量 s 成比例,负号是由于力的作用和压缩方向相反。求得的(3)的解是

$$s = A\cos\left(\sqrt{\frac{k}{m}}t\right) + B\sin\left(\sqrt{\frac{k}{m}}t\right) \qquad (4)$$

其中 A 和 B 是任意常数,依赖于初始时刻弹簧所处的振动状态。这个解表示质点的运动是周期振动,其一条周期波形曲线如图2所

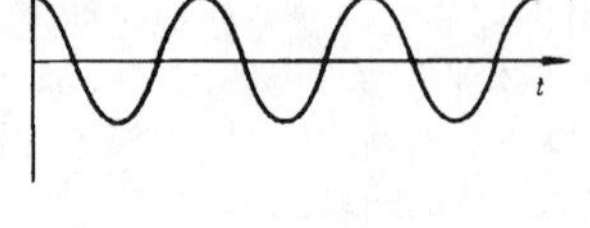

图 2

示。方程(3)及其解(4)也出现在无线电、电视和通信等电学问题中。

微分方程历史上最激动人心的应用之一是牛顿利用微分方程得出著名的万有引力定律:宇宙中的任何两个物体都互相吸引着,吸引力 F 的大小为

$$F = \frac{GMm}{r^2} \qquad (5)$$

其中 M 和 m 分别是两个物体的质量,r 是二者的距离,G 称为万有引力常数。牛顿通过研究行星在轨道上绕太阳运动导出了这个定律(行星绕太阳运动是由伽利略和哥白尼早先通过天文观测提出的)。设在任何时刻 t 相距为 r 的两点代表太阳和任何行星(图3),利用(2),牛顿建立了行星运动的微分方程。其中他用到了开普勒的行星运动三定律中的第一定律,这三个定律是开普勒在牛顿之前通过分析大量的天文资料得到的。第一

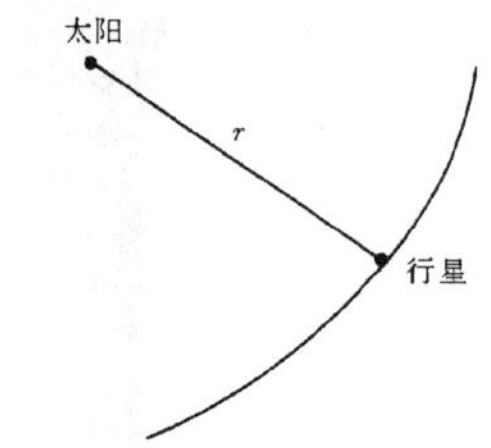

图 3

定律说每个行星在围绕太阳的一个椭圆轨道上运动,太阳位于该椭圆的一个焦点。由此牛顿就能推演出公式(5),以及作为副产品得到了开普勒的其他两个定律。牛顿的定律和由此得到的方程还有其他方面的应用,包括诸如地球和其他行星的卫星的运动,以及太空交通工具的发射等空间科学方面的应用。在关于火箭的问题中,由于火箭燃料气体的喷射,火箭的质量不是常数,方程(2)须修改为

$$F = \frac{d}{dt}(mv) \qquad (6)$$

其中 mv 叫做动量。若质量 m 是不变的,(6)化为(2),利用(6)可以研究火箭的运动。

ordinary language analysis　日常语言分析　关于语词表达方式怎样用于一种特定的、非技术性的日常语言的哲学探究方法。这一思想流派的主要来源是维也纳出生的哲学家L.维特根斯坦的后期著作。其后J.L.奥斯汀、G.赖尔、J.威兹德姆及G.E.穆尔及其他英国哲学家亦作出相应的贡献。维特根斯坦在其遗作《哲学研究》一书中宣称,在解决哲学问题的时候,懂得如何运用语言,比懂得它的意义更为重要。也就是说,说一句话的语境可能更有助于确定它的意义,而超过原有的语义学语境。在这方面,他偏离了早期实证主义立场,不再将语言看作是与实在有严格对应关系的。

ordination　按立圣职　即授神职礼。基督教会正式任命神职人员的仪式。主要内容为仪式主持人将手按在被按立者头上,同时祈祷圣灵赋予他才干、上帝对他实行恩眷,使他得以完成使命;一般还包括对受按立人的公开考核以及说明受按立人的职责的讲演。基督教的这一仪式是自犹太教举行按手礼任命拉比的习俗演化而来。在中世纪,拉丁系教会的按立圣职复杂化,增加一些祷文以及其他仪式,如在手上涂油、为受礼人穿上相应的礼服,并向他授予与职位相应的象征物,如对助祭是福音书,对司铎是圣体杯、圣体盘、饼和酒。1968年天主教会将按立圣职礼大大简化。在实行主教制的教会,按立礼必须由主教主持。长老会由区会牧师主持按立。归正宗平信徒任长老、执事也要由牧师和已在职的长老、执事实行按手礼。在实行公理制的各教会,由地方教会选出人员主持按立。根据东正教和天主教神学,按立圣职是教会必不可少的圣事,它使受礼人获得以其他途径无法取得的永不消失的品德。

Ordóñez, Antonio　奥多涅斯(1932-02-16,西班牙龙达～1998-12-19,塞维利亚)　全名Antonio Jiménez Ordóñez Araujo。西班牙斗牛士,通常被认为是20世纪50和60年代第一流的斗牛士。其父是海明威小说《太阳照样升起》中那个斗牛士的原型。据说海明威认为奥多涅斯的成就甚至高过其父。其孙F. R.奥多涅斯也继承家族传统,于1996年正式成为斗牛士。他于1951年成为斗牛士。1971年退役前参加过2 000多场斗牛赛事。他的妻子是他在斗牛场上最大的竞争对手的妹妹。1959年海明威将他们之间持续的竞争写成一系列文章,寄给《生活》杂志,后于1960年以《危险的夏天》一书出版。

Ordóñez, Bartolomé　奥多涅斯(约1490,卡斯蒂利亚布尔戈斯[西班牙]～1520,教皇国卡拉拉[意大利])　雕刻家,西班牙文艺复兴雕刻学派的创始人之一。受意大利文艺复兴大师们的影响,但形成了个人的独特风格。生于富有之家。曾在佛罗伦萨随A.桑索维诺学习。在那不勒斯作了两件雕刻,一为《卡拉乔里祭坛》(1514～1515,卡尔博纳拉圣乔瓦尼教堂),系与德西洛埃合作;一为安德烈亚·博尼法乔大理石墓雕刻(约1518)。大约1515年左右定居巴塞罗那。1517年受托作巴塞罗那教堂唱诗班座椅浮雕及后隔墙大理石浮雕。他熟悉多那太罗、达芬奇和米开朗琪罗的作品。《卡拉乔里祭坛》雕刻的主要部分《博士来拜》,人物组织清楚,透视细致,节奏分明,是他充分掌握文艺复兴风格的一件杰作,深刻影响了16世纪那不勒斯的主要雕刻家。

Ordos Desert　鄂尔多斯沙地　参阅**Mu Us Desert** 毛乌素沙地。

Ordos Plateau　鄂尔多斯高原　中国内蒙古高原的组成部分。位于内蒙古自治区南部。西、北、东三面有黄河环绕,南以长城与黄土高原相隔,面积12万余平方千米。海拔多为1 300～1 500米。西部地势较高,主峰桌子山海拔2 149米,北部为库布齐沙漠,中部为草原并夹有盐碱湖沼,南部为毛乌素沙地。因沙丘不断南移,中华人民共和国建立后已在长城沿线营造防护林带。80%的高原面积地下埋藏煤炭,储量达1 050亿吨,干旱缺水的高原北部发现特大地下水源。

Ordovician Period　奥陶纪　5.05亿年前至4.38亿年前的一段地质年代,是古生代的第二个最老的纪,随寒武纪之后,在志留纪之前。奥陶纪常被分成早奥陶世(5.05亿年前至4.78亿年前)、中奥陶世(4.78亿年前至4.58亿年前)和晚奥陶世(4.58亿年前至4.38亿年前)。奥陶纪期间所形成的地层构成奥陶系。奥陶系于1879年由英国地质学者C.拉普华思提出,以代表阿伦尼克山脉中出露的地层,此山脉位于英格兰和威尔士边境,并向东到达北威尔士的巴拉区。是古老凯尔特部族奥陶维西人所居住的地区的一部分。奥陶纪时代化石丰富的沉积岩层出现在现代所有大陆上。岩石的类型和所含的化石

表明，在奥陶纪期间，各大陆的轮廓及其地理分布和今天的情况大不相同。大陆块当中有许多——包括劳伦古大陆（主要由今天的北美洲和格陵兰构成）、西伯利亚、哈萨克斯坦、华北、澳大利亚以及东南亚和南极洲的碎块——在奥陶纪期间在南北热带范围内排成一列。随着奥陶纪时间的推移，劳伦古大陆和波罗的古陆（主要由今天的北欧，包括斯堪的纳维亚构成）开始互相接近，位于两者之间的艾阿沛特斯大洋开始闭合。沿北美洲东缘形成一个消减带（即一个狭长地带，构成地球表层的岩石圈板块当中的两块在此处聚会到一起，其中一块向下挠曲到另一块底下）。在晚奥陶世时，沿这个地带发生了造山运动和火山活动。此外，在奥陶纪，巨型大陆冈瓦纳古大陆（包括今天的南美洲、非洲、欧洲南部、中东大部、印度和澳大利亚）开始移动越过南极。在非洲中部和北部地区形成了大陆冰川。作为这次南极冰川作用（持续大约1 000万～1 500万年）的一种后果，海平面急剧降低约100米，甚至更多。奥陶纪的生物以海生无脊椎动物为主。笔石类（具有几丁质样韧性物质的骨骼的群体生物）在奥陶纪演化迅速，各种形态的腕足类（酸浆介）也是如此。其他重要海生无脊椎动物，如苔藓虫类、海百合类以及床板珊瑚和四射珊瑚类，在奥陶纪首次出现在热带的陆架海中。鹦鹉螺类也在这些温暖海域的浅水部分里繁殖，双壳软体动物类则栖息在各种近岸的环境中。甲胄鱼类（各种披甲的无颚鱼）同样也生活在近岸的热带海水中。据认为，有些陆生植物在中奥陶世可能已经出现。在中奥陶世的地层中发现有表明热带陆地环境的几种孢子。

Ordu　奥尔杜　土耳其北部的城市及港口。濒临黑海。位于博兹泰佩山（550米）东坡，梅莱特河河口。博兹泰佩山挡住来自西北方的风暴袭击。奥尔杜是公元前5世纪希腊拓居者所建科蒂奥拉古城故址。该城现为榛子加工和出口中心，地处特拉布宗以西约160千米的萨姆松—特拉布宗沿海公路上。人口102 107（1990）。

Ordyn-Nashchokin, Afanasy Lavrentyevich 奥尔丁-纳施金（约1605，俄罗斯普斯科夫省～1680或1681，普斯科夫附近圣约翰福音修道院）　俄国政治家和外交家，曾任沙皇阿列克谢（1645～1676在位）的外交事务首席顾问。出身于小地主家庭，在普斯科夫城较国际化的环境中受过良好教育。在沙皇米哈伊尔（1613～1645在位）统治时期，曾参加确定俄国-瑞典边界的大使级外交谈判，以干练出名。1656～1658年是俄国新从波兰-立陶宛占领的全部利沃尼亚土地的实际统治者。

在同瑞典打交道时获得的经验使他确信，俄国应该争取成为一个拥有波罗的海海岸的海洋强国。鉴于俄国不能在与瑞典争夺利沃尼亚的同时，又与波兰争夺乌克兰，他建议与波兰缔结和约，即使为此要失掉乌克兰。但是，阿历克谢驳回了他的计划，并同瑞典签订了《卡尔迪斯和约》（1661），恢复了战前的领土划分，并继续进行对波兰的战争，直到1666年他委派纳施金同波兰谈判签订停战协议。经过8个月的谈判，纳施金同波兰人签订了《安德鲁索沃停战协定》（1667－01），把第聂伯河以东的乌克兰以及基辅城和周围地区划归俄国。由于这次外交上的成功，他被提升为大贵族，就任外交大臣，同时还兼任其他几个部门包括乌克兰署（当时称小俄罗斯署）的首脑。纳施金担任阿列克谢的首席顾问后，不仅投身于外交事务，而且还在彼得大帝（1682～1725在位）之先鼓吹以西欧作为俄国发展的榜样。他颁布贸易法令以保护俄国商人不受外国竞争者和本国官僚的侵害（1667），提出同波斯和中亚发展贸易的前景，并加强了对造船工业的关心。

然而，当纳施金继续考虑以进入波罗的海地区作为俄国外交政策的主要目标、并支持同波兰建立友好关系的政策、从而排除对乌克兰其余部分的控制权进行争夺时，他同沙皇发生了冲突。1669年他被解除了乌克兰署首脑的职务，1671年被解除了外交大臣职务。1672年2月，纳施金立誓进修道院，后来只有短时间重操他的世俗旧业：在1679年与波兰进行谈判。

Ordzhonikidze（Russia）　**奥尔忠尼启则**　参阅 **Vladikavkaz 弗拉季卡夫卡兹**。

Ordzhonikidze, Grigory Konstantinovich 奥尔忠尼启则（1886-10-24［旧历10-12］，俄罗斯戈列沙～1937-02-18，莫斯科）　苏联共产党领导人，在格鲁吉亚实行苏维埃制度和苏联工业化中起过重要作用。1903年加入俄国社会民主工党布尔什维克派，1912年当选中央委员。同年4月第三次被捕，1917年2月帝俄政府被推翻才从西伯利亚流放地归来。他重新开始革命活动，任彼得格勒苏维埃执行委员会委员和布尔什维克党委员会委员。十月革命后任乌克兰地区特命人民委员（1918），党中央委员（1921）和中央委员会高加索局主席（1921）。他曾协助红军占领格鲁吉亚，然后把格鲁吉亚与亚美尼亚和阿塞拜疆合在一起成立外高加索联盟共和国。他在20年代中期的党内权力斗争中支持斯大林，1926年当选为联共（布）中央政治局候补委员、党中央监察委员会主席和工农检察院人民委员。1930年当选为政治局委员。他在第一个五年计划（1928～1932）中参加组织苏联工业的发展，1932年任重工业人民委员。30年代中期他反对斯大林的工业政策并表示不同意斯大林的恐怖统治。1937年突然死去，官方说是死于自然原因。1956年赫鲁晓夫说他是被斯大林逼迫自杀的。

ore　矿石　在经济上有重要意义的矿物的集合体，它足够丰富，以致能将矿物分离出来而有利可图。虽然已经鉴定出2 800多种矿物，但只有大约100种被认为是矿石矿物。在这些矿物中，有赤铁矿、磁铁矿、褐铁矿和菱铁矿，是铁的主要来源；有黄铜矿、斑铜矿和辉铜矿，是铜的主要来源；有闪锌矿和方铅矿，分别是锌和铅的主要来源。铜、钼和金通常见于浸染状矿床中，也就是说，或多或少较均匀地散布在大量岩石里。铜、铅和锌常常见于块状硫化物矿床中。很多这类矿床被认为是由于海底火山喷气作用沉淀而成，或是交代作用（溶解和沉积同时发生的过程）而形成。“矿石”这一术语原先是只用于金属矿物，但它的定义扩大到包括像硫磺、氟化钙（萤石）和硫酸钡（重晶石）这样一些非金属物质。没有一个矿床是完全由单一的矿石矿物组成的。矿石总是与无用的、没价值的岩石和矿物混在一起，这些无用的、没价值的岩石和矿物总称为脉石。矿石和脉石一起被开采出来，也就是用机械的或手工的方式从母岩中成块地采掘下来。然后，矿石通过总称为**选矿**（**ore dressing**）的各种不同手段与脉石分离开。希望得到的金属元素，通过各种不同的熔融、焙烧或沥滤的过程而从矿石中提炼出来。在这以后，金属可以进一步精炼（提纯），或者与其他金属制成合金，就像在炼铜厂和钢铁厂中所作的那样。这样，采矿、选矿和冶炼，就是开发利用矿床以获取金属的前后相继的步骤。

ore dressing　选矿　原矿石经机械处理分离出有价值的矿物。过去只用于贵金属（如金和银）矿石，现用以回收其他金属和石墨、硫、云母、长石、石棉和萤石等非金属矿物。选矿的基本操作是破碎、粉碎（或磨碎）以及精选（或富集）。筛分和分级、沉淀和过滤、干燥和加热处理以及造块或球团在操作过程中也十分重要。破碎通常先用初碎机和二次破碎机破碎，随之用研磨机磨细。研磨机为转动的圆筒，内部装有钢球（球磨机）、棒（棒磨机）、硬质砾石（砾石磨机）或矿石本身（自磨机）。研磨机可进行干磨或湿磨。在精选过程中，最简单的富集法是手选，从移动的工作台或传送带上拣出富矿或拣出废石。浮选可用来分离有不同浮力的物质。重选利用需要物质和废弃物质的比重不同来进行分离：跳汰选矿使用一个底部带有孔眼的开口箱（即跳汰室），从箱底通入脉动水流，粉碎的矿石从箱口送入，由于水流作用矿石成层状分布，较重的矿石沉淀到底部选出；另一方法是摇床选矿，按处理物料的粒度分为粗砂摇床或矿泥摇床，摇床稍呈倾斜并进行往复运动，使重的矿物移动到摇床端部，同时水流冲洗轻矿使其越过边缘进入下面的容器；风力跳汰机和风力摇床按同一原理操作，但只适用于轻而蓬松的矿物（如石棉）。磁性可用作分离含铁矿物的基础。静电性的矿物可利用电场进行分离。一般筛选装置可用于分选所含有价值矿物较脉石细小或粗大的多种矿石。水力分级利用粒度不同的混合颗粒在水中具有不同沉淀速度的原理。在风力分级中，空气代替水作介质。离心分级机利用离心力分离粗、细颗粒。沉淀和过滤是从混合物中脱除水分。干燥通常用回转窑进行，回转窑是倾斜的转动圆筒，在一端有燃烧器。加热处理或煅烧可用来改变矿石中矿物的形态或特性，使之易于富集。造块有烧结、球团、压块等方式，是使以细粒形式不能熔炼的矿物通过融结形成块状材料，可将粉矿加黏合剂（如淀粉、废糖浆、膨润土）混合后经加热或加压成型。

Ore Mountains 奥雷山脉 捷克语作Krušné Hory(克鲁什内山脉),德语作 Erzgebrige(奥雷山脉)。波希米亚高原边缘山系。沿德国-捷克边界延伸160千米,平均宽度40千米。波希米亚(东南)一侧有陡崖,局部高600～750米。西北侧坡度平缓。最高点为捷克境内的克利诺韦茨山(1 244米)和德国境内的菲希特尔山(1 214米),它们位于山脉之中心。东北端是洛乌奇纳山(956米),西南端为斯皮恰克山(1 115米)。该山脉的名称就表明这里具有采矿传统,工匠们世世代代成群结队前来开采金、银、铅、铜、钨和沥青铀矿。矿产资源吸引了来自西北方的中世纪德国移民矿工,给整个地区带来了浓厚的德国传统特色。这种情况一直延续到第二次世界大战后德国人被驱逐为止。除原有的矿业外,德国人发展起林业、家具制造、纺织业和一些种植业。山脉两侧居民点主要为小城镇。1945年后,该地区居民由几乎全是德国人变为几乎全是捷克人。有些地方,如伸入德国领土的西部,人口大量减少。第二次世界大战后,亚希莫夫(捷克境内)和奥厄(当时属东德)的铀矿得到开发。捷克比利纳河流域霍穆托夫和莫斯特周围开采了大量褐煤。奥雷山脉公路交通良好。也有铁路,但大陆崖形成障碍,使波希米亚一侧的线路蜿蜒曲折,常常是之字形路线。奥雷山脉众多矿泉和冬季运动场所促进了旅游业的发展。

Örebro 厄勒布鲁 瑞典中南部省份。北起贝里斯拉根矿区,东抵耶尔马伦湖,南达韦特恩湖。面积8 519平方千米。湖泊众多。有几条向东和向南的河流。已发现有铁、锌和铜矿。重要工业部门有木材、造纸、炼钢、金属冶炼等。省会厄勒布鲁在耶尔马伦湖西岸。人口约275 532(1994)。

Örebro 厄勒布鲁 瑞典中南部厄勒布鲁省省会。临耶尔马伦湖斯瓦特河口。为瑞典最古老城镇之一。厄勒布鲁在13世纪时已成商业中心,在瑞典历史上居重要地位。数

厄勒布鲁镇斯瓦河中一岛上的城堡
美国不列颠百科全书公司供图

次重要会议在此举行,其中最重要的一次是1810年法国陆军元帅让·贝纳多特被选为瑞典王位继承人查理十四世约翰。1854年毁于火,大部分重建。多古建筑,其中有位于斯瓦特河中一个岛上的16世纪城堡(现已辟为博物馆)和15世纪的王宫(瑞典保存得最好的木结构建筑)。厄勒布鲁大学建于1970年,是厄普萨拉大学分院。所产鞋和饼干亦很有名。铁路和航运交通方便,并位于国家公路的交叉点上。人口约127 733(2005)。

Orechovo-Zujevo(Russia) 参阅**Orekhovo-Zuyevo** 奥列霍沃-祖耶沃。

oregano 牛至 又作origanum。唇形科多种多年生草本植物(尤其是牛至属[*Origanum*]的普通牛至[*O. vulgare*])的干燥的叶和开花的顶枝,用于调味。在北欧和中欧广泛

普通牛至(滇香薷, *Origanum vulgare*)

用于多种食品调味。英语oregano一词来源于希腊文oros(山)和ganos(乐事)。长久以来,牛至是地中海地区菜肴基本成分。老普林尼认为牛至可治疗严重的消化不良。意大利菜有浓烈的芳香和辛辣苦味,即因用牛至所致。其他国家的浓味菜肴,如墨西哥红辣椒烧肉中均使用牛至。在美国,20世纪后叶,牛至的用量激增,主要原因是意大利肉饼的流行。意大利人称牛至为蘑菇草,但亦将蘑菇草一词用于其他食物。西班牙文orégano一词指墨角兰(小牛至,marjoram),牛至与墨角兰(小牛至)有时可以换用。牛至原产地中海各国及亚洲西部的丘陵地区,很早以前就传到西半球,在墨西哥和美国部分地区归化。各种牛至均含香精油,主要成分是麝香草酚或香芹酚。

Oregon 俄勒冈 美国伊利诺伊州北部城市。临罗克河,为奥格尔县的县府所在地。19世纪30年代由锯木厂厂主约翰费尔普斯创建。在州立洛登纪念公园北面附近有一所鹰巢营,1898～1942年曾是L. 塔夫脱和其他艺术家们的休养之处。1951年北伊利诺伊大学占用土地27公顷作为校园及运动场地。市内法院广场上有塔夫脱设计的"士兵纪念碑",河畔陡岸上有他于1911年制作的黑鹰雕像,以纪念美洲印第安人。市西部有怀特松林州立公园。俄勒冈市的经济以农业为主,印刷业和旅游业也为重要经济产业。1843年设镇,1869年建市。人口4 060(2000)。

Oregon 俄勒冈 1859年2月14日被接纳加入联邦,成为美国第33州。州内自然景观千差万别,丰姿多彩,西部占总面积的1/3,有湿润的雨林、高峻的山地和肥沃的河谷,东部气候干旱,有大片沙漠。不同地质时期和不同物质的山脉、高地、平原和河谷交叉排列,变化多端,内有许多景色奇观,如哥伦比亚河峡谷、俄勒冈山洞国家自然保护区、火山口湖国家公园、白雪皑皑的喀斯喀特岭和俄勒冈中部的"月亮乡"。俄勒冈州名可能来自印第安人。

全州面积251 418平方千米,北接华盛顿州,哥伦比亚河自华盛顿州流入俄勒冈州;东与爱达荷州交界,蜿蜒曲折的斯内克河及其赫尔峡谷形成两州之间一半以上的边界,赫尔峡谷是北美洲大陆最深的峡谷;南邻内华达州与加利福尼亚州,俄勒冈州的山脉与沙漠和这两个州的山脉与沙漠相连;西濒太平洋,因而西部地区气候温和。

西部和东北部森林密布的山脉是俄勒冈州经济的传统核心。有许多林场,生产的软质木材产量占全国产量的1/5以上,还生产大量软胶合板、硬质纤维板、纸浆和纸张。木制品的产量居全国首位。此外,哥伦比亚河系的多用途开发提供了充足的发电量、灌溉和工业用水、多条运输航道及水上娱乐场。威拉米特河谷是俄勒冈州心脏地带,内有波特兰、尤金和州府塞勒姆等大城市,以及富饶和多样化的农业。

自然地理和人文地理

土地 地形 俄勒冈州有9个主要地貌区,其中地势最低的是从科基尔河以北濒临太平洋有大片森林覆盖的海岸岭,海拔通常在2 000英尺以下,但科瓦利斯西南的玛丽峰海拔达4 098英尺。

克拉马斯山脉从加利福尼亚州伸入俄勒冈州境内,位于海岸岭以南,喀斯喀特岭以西。这些山岭由古老的耐侵蚀岩石构成,具有复杂的地质历史。地势高于海岸岭而且更加崎岖,没有南北走向。把这一地区分为两部分的罗格河是主要水系。山上密林广布,有丰富的矿产资源。

威拉米特河谷是一片冲积平原,其成因是邻近山脉上的一些支流冲下来的大量沉积物掩盖了溪流交错的低地。中部和北部低矮的丘陵地带由耐侵蚀岩石构成。该河谷有俄勒冈州最好的土地,宜于开展集约化农业。

喀斯喀特岭形成一个辽阔的熔岩高原。西部较为宽广,受到大降水量形成的许多溪流严重侵蚀,东部较少为溪流切割,有一连串火山峰。胡德山海拔3 428米,为该州最高峰。杰斐逊山海拔3 199米为次高峰。

中北部高原称为德舒特-尤马蒂拉高原,是哥伦比亚河流域的一部分,河谷深,形成陡峭地形。溪流间的地区广阔,没有沟谷切割,地势起伏平缓,是俄勒冈州的主要产麦区。

蓝-瓦洛瓦山脉包括该州东北部的两块高地。蓝山指从农业区拉格兰德和贝克河谷向西延伸的被侵蚀的高原和山脉。蓝山的山间盆地和山谷中有许多大牧场。瓦洛瓦山在拉格兰德和贝克河谷以东,靠近爱达荷州,内有东北部海拔最高的地区。这些山脉受到强

俄勒冈州纽伯格附近威拉米特河谷内的农场
美国不列颠百科全书公司供图

烈的冰川作用，景色壮丽。

高熔岩平原或称高原荒漠，在蓝山以南，喀斯喀特岭以东。这是俄勒冈州历史最短和侵蚀最少的地貌区，地表平坦，但为火山锥、地垛和火山口所切割；侵蚀不深，水系限于局部内陆河流。雨水稀少、生长期短而不稳定，造成土地贫瘠，植被零落，地表特征一览无遗。

南部盆地和山脉区的大盆地和高熔岩平原连成一片，狭长的非对称的断层山脉和广阔盆地相间。有许多小火山分布在该区西部，浮石改变了地表径流、植被和土地使用的情况。上克拉马斯湖地区是灌溉农业区，其他盆地和河谷用灌溉法种植草，但该区大部分地区是牲畜放牧地。

俄勒冈州东南部的马卢尔-奥怀希高地是一片凸凹不平的高原。内有较古老的熔岩，受侵蚀程度超过高熔岩平原。主要的水系奥怀希河在里姆罗克区切入几条著名峡谷。中东部斯内克河沿岸为富饶的灌溉农业区，也有牲畜放牧地。

气候 地区的气候差异显著，沿海地区为海洋气候，温和，变化不大，内地为大陆性气候，干燥，夏季酷热，冬季严寒。控制气候的主要因素是位置和海洋的关系、盛行风、暴风雨途径、地形和海拔。

狭长的沿海地区及邻近的山坡受海洋影响。气候温和，变化不大：7 月气温平均14～16 °C，1 月气温约为 4 ～ 8 °C。夏季相对干燥，仅一半的天数可能有日照，其他季节多云而潮湿。年降水量为 60 ～ 120 英寸（1 500～3 000毫米）或更多。

威拉米特河、安普夸河和罗格河中游的低地夏季较热，冬季稍冷，降水量少于沿海地区。7 月平均气温 19 ～ 22 °C，65%～ 70%的天数可能有日照；1 月平均气温约为 4 °C。10 月至次年 4 月为雨季，降水量平均为 35 ～ 40 英寸，只有罗格河中游河谷的通常降水量为 20 ～25 英寸。

喀斯喀特岭冬季降水量充足，雪量极大，夏季短，干燥，有日照。在3 000英尺以上地区，1 月平均温度低于 0 °C。10 月开始降雪直至次年 4 月结束，有些地区可持续至 7 月。较高的山峰有终年积雪和小冰川。7 月平均温度在 10 ～ 16 °C之间。

俄勒冈州中北部高原年降水量在 10 ～ 20 英寸之间。雨量分布相当平均，但大多数下雨天在冬季。夏季阳光充足，7 月平均温度为 21 ～ 24 °C。冬季寒冷干燥，多日照，1 月平均温度在 -1 ～ 1 °C之间。中部和东南部的气候与中北部高原相类似，但在海拔较高处降水量较少，温度较低。

蓝-瓦洛瓦山脉的气候随地点而变化。山间盆地和河谷的气候与中北部高原相类似，冬季较冷，海拔较高的暴露地区降水量很大，多来自冬季的降雪。

动植物 俄勒冈州约有1 200万公顷的土地被森林所覆盖。在占该州 2/3 的东部地区生长着美国黄松、大三齿蒿、北美西部圆柏，此外还有各种各样一年生的杂草和野花。在蓝-瓦洛瓦山和喀斯喀特岭的东部山坡有大片美国黄松，土地上覆盖着蔷薇科淡灰色灌木、绿熊果树和草本植物。喀斯喀特岭、克拉马斯山和海岸岭的西部山坡覆盖着稠密的黄杉群丛，根据群丛的年代还生长着不同程度的地下藤蔓和其他树木。在潮湿的沿海地区空地上有桤木和非商业性的落叶林。在高山区有落叶松，大果铁杉和落基山冷杉树丛，蓝山上生长有山区桃花心木。

俄勒冈的动物与气候区有关。在人口稀少地区，鹿和驼鹿繁衍很快，东部高原有羚羊，山麓丘陵有熊和狐。湖泊是水禽的繁殖地和候鸟的休息地。

住区模式 俄勒冈州错综复杂的天然景观和气候至少构成 5 种主要的土地使用模式。在林木覆盖的山区——海岸岭、喀斯喀特山脉、克拉马斯山脉和蓝-瓦洛瓦山脉——几乎没有人类居住或开垦的痕迹，只有在黄杉区、供伐木业和森林管理使用的公路、海拔较低处路旁零散的宅基地有砍伐的痕迹。伐木工人人数很少，大多住在河谷的小镇中。

威拉米特山俯视的西部河谷是俄勒冈州主要的人口、工业和运输中心。多数人住在人口稠密的中心附近。1947 年在河谷小镇中，或林木覆盖的山区的支流河谷中有近1 300个木材加工厂，到 20 世纪末，只剩下不到 300 个大型锯木厂、胶合板厂和纸浆厂。

俄勒冈州中北部为地势起伏、人烟稀少的产麦区，其东部地区的农场面积一般超过 600 公顷，为西部地区的两倍，西部地区实行小麦休耕轮作制。在自然侵蚀区，作物种植和休耕交替。农庄彼此相距甚远，农庄主通常住在城镇。

空旷放牧地的天然牧草长势不好，牛群散布在广阔地区上。有围栏，偶尔有金属水槽饮水处，牧场之间相距很远。

除了彭德尔顿以外，俄勒冈州东部多数城镇在喀斯喀特山脉东坡或爱达荷州附近的灌溉农业区，耕作高度机械化。

人民 俄勒冈州人主要为白人和在美国出生的人。有少数西班牙裔美国人、黑人和亚洲人。美洲印第安人占总人口的 1% 左右。天主教是最大的宗教教派，但天主教徒只占全部信徒的 1/3。其他较大的宗教教派有循道宗、浸礼会、长老会、基督会、路德会和摩门教。

人口分布不均，大多数人居住在威拉米特河谷喀斯喀特岭山脊以西，将近 60% 的俄勒冈州人居住在 3 个大都会区——波特兰、尤金和塞勒姆。波特兰位于威拉米特河和哥伦比亚河汇合处，为俄勒冈州的最大城市，也是西海岸的主要港口和该州主要的商业、工业、服务和文化中心。尤金和塞勒姆分别为第二和第三大城市，在贸易和加工业中居重要地位。州的首府塞勒姆是美国主要的食品加工中心之一，威拉米特河谷以外的大城市包括罗格河谷的梅德福、俄勒冈州中南部的克拉马斯福尔斯和中北部高原的彭德尔顿。人口3 421 399（2000）。

经济 俄勒冈州的经济一直侧重当地资源，严重依赖其森林和农场。然而通过多样化发展，各种新兴行业已建立起来，旅游、娱乐、贸易和服务业都有发展。

工业 林产品制造是俄勒冈州的主要工业。全州约有一半土地被森林覆盖，近 40%的地区生产商业木材。俄勒冈州商业林的 60%由政府控制，其余 40%由私人拥有。另有一些森林被辟为野生动植物保护区、娱乐区及其他专门用途。

最初林业只生产木材。自 1938 年以来，俄勒冈州在针叶木材的生产方面一直位居首位。然而产品有了变化，到 20 世纪末，只有 40%的林业收入来自木材。砍伐的原木有 1/3以上用于制造胶合板，其产值占林产品产值的 1/3 左右。其余收入来自纸浆厂和纸制品厂、硬质纤维板厂和碎料板厂。

与金属有关的工业——原生金属、经过加工的金属和运输设备——是第二次世界大战结束后的先导。高技术产业——机械、电气设备和器械——已取代与金属有关的工业成为主要的发展因素。与金属有关的工业最集中地区是波特兰大都会区。高技术产业在波特兰和威拉米特河谷。

农业和渔业 俄勒冈州的农业土地包括农田和牧场及放牧地。牲畜产品占商品总值的 1/3，主要是牛和牛犊；乳制品和家禽产品也占重要地位。小麦是主要的作物，但是马铃薯、大麦、梨、苹果和制酒用的葡萄也占重要地位。

最有价值的渔业产品包括大鳞大马哈鱼、银大马哈鱼、大马哈鱼和细鳞大马哈鱼，以及有壳的水生动物。其他鱼有鲽、金枪鱼、鲈鲉和岩鱼。

采矿 在采矿业，石材和建筑用的砂子和砂砾占产值的主要部分。每个县都有采石业，但城市区附近的采石量最大。全国唯一的镍矿及其附设的冶炼厂在里德尔附近。调查表明，俄勒冈州可能还有其他可开采矿藏。

旅游 旅游业已成为俄勒冈州整体经济中的一个主要部门。前来该州旅游的人欣赏该州美丽的景色和数不胜数的娱乐机会，包括远足、滑雪、钓鱼、在海滨捡贝壳和风帆冲浪。旅游业使提供食品、住宿、燃料及其他日常用品和服务的小型企业得到了发展。

运输 除了由州、联邦政府、县和自治市管理的高速公路和公路网以外，俄勒冈州还有森林开发公路、国家公园公路，以及由联邦机构及各地方政府管理的军用公路和印第安人保留地公路。铁路提供贯穿南北和东西的通道。最大的机场是波特兰国际机场；其他重要的商业机场在尤金、梅德福、彭德尔顿、克拉马斯福尔斯和雷德蒙德。

在该州历史上，水运一直居重要地位。6个港口区位于哥伦比亚河畔深水航道的上游，驳船在深水航道中主要运送谷物和石油顺流而下，运送水泥和建筑用钢材逆流而上。波特兰是最重要的港口，可停泊远洋货轮。其他港口区散布在俄勒冈州沿海地区和哥伦比亚河深水航道的上游。波特兰、阿斯托里亚、纽波特和库斯贝有通往外国的定期航运。

行政与社会状况 *政府* 俄勒冈州宪法于1857年通过。该州一直是美国政府数次革新运动的先驱，这些运动统称为“俄勒冈体制”。1902年创制和公民复决的概念得到采纳，投票人能够就法规或宪法修正案提出倡议和投票表决；1908年又补充了罢免制度，投票人可以倡议罢免经选举产生的官员。该州于1923年开始征收州所得税，是最早征收此税的州之一。

俄勒冈州政府仿效多数州的模式。州长在12年期间可任职两次，每次任期4年，州长负责监督州的预算，协调州的机构、委员会和局的活动，制订未来规划，是联邦和州的交往核心。州长也可否决拨款法案中的个别项目。州议会由参议院和众议院组成，参议院有30名议员，任期4年，众议院有60名议员，任期2年。

法院体系的最高机构是7名法官组成的最高法院，最高法院对所有其他的法院行使一般行政权力。法官由选举产生，任期6年，并选出一人为首席法官。

俄勒冈州的镇和市实行地方自治，即有权选择自己的政府形式。人口在2 500人以上的多数城市实行政务会-经理制，而较小的城市则由政务会和市长管理。波特兰由4位委员和一位市长进行管理。

1958年的一项宪法修正案允许县采用地方自治宪章，1973年的一条州的法律授予所有的县实行广泛的地方自治权利。在大多数县中，一位县法官和两位委员或一个委员会行使管理权利。这些官员通常经选举产生，任期3年。

俄勒冈州的预算包括普通基金收入和其他基金收入，普通基金收入的来源是个人和公司收入、国内货物税、遗产和保险税以及酒的销售；其他基金收入来自联邦拨款、使用税、信托基金、许可证以及服务和商品的销售。州议会1971年通过了一个处理空气和水污染问题的意义深远的计划。1973年通过了一项有关土地和资源开发和保护的强制性计划。

该州在历史上基本上由共和党人控制俄勒冈州的政治。然而随着第二次世界大战后的工业发展和人口增长，登记的民主党人数超过了共和党人。许多俄勒冈州人的独立立场在美国国会中引人注目。

教育 准州立法机构1849年创立了第一个免费的公立学校体系。州议会1951年成立了教育委员会，成员由州长任命。宪法规定由选举产生公共教育总监。

中学毕业后的教育机会由社区学院、3所大学（俄勒冈大学、俄勒冈州立大学和波特兰州立大学）组成的州的高等教育体系、3所地区学院、2所专科学院和几所私立学院提供。社区学院由公民组成的委员会管理，由地方税收资助，课程符合地方需求。私立学院有波特兰的列德学院（1909）、赛伦的威拉米特大学（1842）和波特兰的刘易斯和克拉克学院（1867）。

保健与福利 人力资源部统一管理该州主要的社会服务机构的工作。250多个计划为公民提供直接服务。设在波特兰的俄勒冈保健科学大学内有医学院、牙科医学院和护理学校、医院、门诊部和其他设施。这所大学的先进生物医学研究院是世界上第一批重点研究大脑的分子生物学的中心之一。

文化生活 俄勒冈是一个比较年轻的州，广阔地带上人迹罕至，因而其文化特性与长期有人定居的或人口更为稠密的地区无法相比。然而该州人民，不论在东部人烟稀少地区或威拉米特河谷人口较稠密地区，都具备美国人生活的相同特性。波特兰有几个大会堂和一个公共娱乐场。所有的城市和一些较大的镇都有戏剧和音乐团体，在阿什兰举行的俄勒冈莎士比亚节每年夏季都吸引了数千观众。大学和学院社区经常举行艺术和其他文化活动的公开演出。

除了一些体育活动有许多观众和运动员参加以外，俄勒冈州还有一些与其历史及位置有关的吸引公众的活动。这些活动包括吸引西部人民参加的彭德尔顿牲畜博览会；每年7月4日的奥尔巴尼世界伐木竞技表演大会，有伐木工人比赛项目、节目表演和庆祝游行；以及6月初波特兰的玫瑰节。

波特兰的梅尔特诺默县图书馆是第一个大规模向公众开放的图书馆，1864年开始为加入的会员服务，1902年开始免费服务。设在塞勒姆的俄勒冈州立图书馆提供一般的查阅服务，还有一批向收藏者借来的展品。

设在波特兰的俄勒冈历史中心和俄勒冈州立大学的霍纳博物馆拥有大量俄勒冈地区拓荒时期的展品。波特兰的俄勒冈科学和工业博物馆展示了俄勒冈州各种工业中应用的科学项目。波特兰艺术博物馆的展品显示了西北海岸的印第安人艺术和哥伦布到达美洲前的艺术。俄勒冈大学中默里·沃纳的东方艺术收藏品在美国的亚洲收藏品中名列前茅。本德的高地沙漠博物馆有西北部太平洋沿岸干旱地区土生土长的动植物活物展品。

历史

当第一批欧洲人到达俄勒冈地区时，这一地区还没有明确的界线，大体上相当于目前的西北部太平洋沿岸地区，当时约有分属125个部族的10万至18万印第安人居住在这里。在以后成为俄勒冈州的这一地区居住的主要部族有：哥伦比亚河下游沿岸、食大马哈鱼的奇努克人；西北部的蒂拉穆克人、雅梅尔人、莫拉拉人、克拉克默斯人和梅尔特诺默人；西南部的桑蒂安人和库斯人；喀斯喀特岭以东的旱地和蓝-瓦洛瓦山的卡尤塞人、北派尤特人、乌马蒂拉人、内兹佩尔塞人和班诺克人；中南部地区的克拉马斯人和莫多克人。他们的生活方式使他们的人口稀少。他们没有农业形态，除了狗以外没有其他驯养的动物，他们使用简陋的工具从事采集、狩猎和捕

流经俄勒冈州和华盛顿州的哥伦比亚河
美国不列颠百科全书公司供图

鱼。居住在哥伦比亚河沿岸的部族称作独木舟印第安人,他们擅长用大圆木制造极好的独木舟。

探险家 最早看到俄勒冈海岸的欧洲人是寻找西北通道的西班牙水手。1579年英国海盗F.德雷克乘坐他的“金鹿”号抢劫西班牙商船,寻找西北航道,在金门海峡以北的入口处停泊,并携带黄铜门牌为女王伊丽莎白一世“占领”这一地区。西班牙人在18世纪最后25年期间再次在沿海岸一带探险,在此之前一直无人勘探俄勒冈地区。英国商船船长J.库克1778年访问俄勒冈并在这里进行贸易。

1787年波士顿商人派出由船长R.格雷和J.肯德里克率领的两条船前去俄勒冈地区。格雷在第二次航行中进入以他命名的港湾(在华盛顿州),他在1792年5月乘船驶过哥伦比亚河的沙滩,并命名他的船为“哥伦比亚”号。这是美国第一次凭借发现了西北部太平洋沿岸地区而对之提出主权要求。

也有人从陆地进入西北部。两家皮毛公司——哈得孙湾公司和西北公司——争相横穿大陆,开辟通往太平洋的道路;美国人接踵而来。M.刘易斯和W.克拉克于1805年到达哥伦比亚河河口,加强了美国对这一地区的主权要求。太平洋皮毛公司负责人阿斯特1811年在阿斯托里亚建立起贸易站,这是白人在俄勒冈地区定居的开始。1824年哈得孙湾公司建立了温哥华堡,麦克劳克林被任命管理该公司广泛的事务。在此后22年中,他一直是该地区的主要人物。

永久拓居地 从1830年起,成千上万名美国人从中西部迁移到西北部太平洋沿岸。传教士在他们的拓居地起了作用。以J.李为首的循道宗信徒于1834年在威拉米特河谷建立了第一个永久拓居地。从19世纪40年代初起,便有大批移民前来,在他们经过的俄勒冈小道上,至今仍可见到当年大篷车轧出的车辙。1838年以后经常向美国国会提出美国对这一地区的主权要求和权利。在威拉米特河谷定居的移民表示他们希望成为美国的一部分。代表们于1843年在尚波格(开会组织临时政府)通过了以艾奥瓦法律为模式的一系列法律。英国政府在1844年最后裁定必须放弃哥伦比亚河界线,于是哈得孙湾公司把该公司在西北部的主要仓库移往维多利亚堡。尽管1844年的总统竞选活动中提出“要么54°40′要么战斗”的口号,两国仍同意以北纬49°线为边界,俄勒冈地区于1846年并入美国。

州的地位和发展 人口大量流入导致政治骚动,华盛顿准州于1853年获得独立地位。俄勒冈于1859年成为第33州。到1883年,俄勒冈的印第安人在同白人发生多次冲突后,多数人被赶到居留地。同年开始修建连接俄勒冈和国内其他地区的铁路,大大改善了经济发展的机会。农业和林业得到特别鼓励,在20世纪初,2/3的俄勒冈州人住在农村地区。然而在20世纪城市发展迅速,到20世纪末2/3以上的人住在城市地区。土地使用规划和法律已起到保护该州环境的作用。自1940年以来经济实行多样化,国际贸易增长迅速,从其他州迁往俄勒冈州的人数大幅增加。

Oregon Caves National Monument 俄勒冈山洞国家自然保护区 位于美国俄勒冈州西南部锡斯基尤山脉,靠近加利福尼亚州边界。山洞由四个层次的地下通道连接起来的一系列洞穴组成。1909年建立,占地197公顷。山洞由地下水溶解石灰岩形成。洞内有许多美丽的石笋、钟乳石以及造形奇特的岩石。山洞上面和山洞周围的地面上生长着杰佛里松树林。有许多松树高达30～55米,树龄长达200～400年。

Oregon City 俄勒冈市 美国俄勒冈州西北部克拉克默斯县县城(1843)。在威拉米特瀑布(高12米)和克拉克默斯河与威拉米特河汇流处。与格拉德斯通和西林联合成为三位一体的城市。原为印第安人村落,1829～1830年哈得孙湾公司的J.麦克劳克林定居该地,其故居(1845～1846)被划为国家历史文物。1842年始建。1849年设建制。曾为俄勒冈准州第一个首府。在加利福尼亚淘金热期间,发展成繁荣的供应点。1846年发行密西西比河以西地区首份报纸《俄勒冈观察家》。利用瀑布急流发电为造纸和毛纺工业提供动力。其他经济项目有乳制品业、果品种植业和旅游业。设有克拉克默斯社区学院(1966)。自江畔商业区至高达27米悬崖顶上的住宅区有一供步行者免费乘用的电梯。诗人E.马卡姆在此出生。人口25 745(2000)。

Oregon grape 俄勒冈葡萄 又作holly grape。又称冬青葡萄。小檗科十大功劳属(*Mahonia*)几种常绿灌木的通称,栽作观赏植物。冬青叶十大功劳(*M. aquifolium*)高90厘米或更高,原产于北美太平洋沿岸。叶革质,光亮,具有5～9枚小叶,叶缘具刺似冬青。花小,黄色,芳香,簇生于顶端,蓝色的小浆果可食。植株较低的种有匍匐十大功劳(*M. repens*,亦称蔓生棒果)、显脉十大功劳(*M. nervosa*,亦称水冬青)及矮十大功劳(*M. pumila*)等,用作生命力强的地被植物。

Oregon Question 俄勒冈问题 美国-加拿大历史上,西班牙、俄国、美国和英国关于太平洋西北地区所有权的争端。各国都以有本国人前去探险或定居而提出主权要求。西班

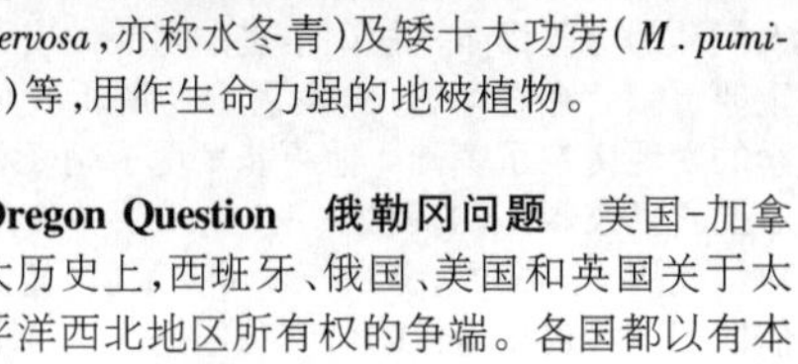

J.利奇表现俄勒冈边界争端的漫画《荒唐的表演,或美国佬把脑袋伸进英国狮的大口里》(1846)
美国不列颠百科全书公司供图

牙1790年与英国签订《努特卡湾协定》,1819年与美国签订《泛大陆条约》,首先放弃这种要求。美国和英国在《1818年协定》中确立对“俄勒冈土地”的共同占有权。1824～1825年俄国分别与美国和英国签订条约,放弃对这一地区的主权要求。1844年民主党人以独占这一地区为竞选纲领使J.K.波尔克当选总统。美国因美墨战争,英国困于爱尔兰的动乱,终于在1846年达成《俄勒冈条约》。妥协中英国在哥伦比亚河的航行权得到保障,边界沿北纬49°划定。温哥华岛以南的海岸部分最终于1872年由仲裁确定。参阅**Nootka Sound controversy**。

Oregon Trail 俄勒冈小道 美国历史上,向西北地区大移民的路线之一。起点为密苏里州的独立城,终点为俄勒冈州的哥伦比亚河地区。全长约3 200千米。小道地势不平,并经过沙漠和印第安人居住区。最初是毛皮商人和传教士使用,19世纪40年代突然繁忙起来,约有1.2万名移民的大篷车通过小道去俄勒冈。19世纪40年代末期,大批淘金者的队伍也由小道的东段前往加利福尼亚。俄勒冈小道在通往西部的陆上路线中使用最久。当铁路和货车取代这一通道后,它仍常为牛、羊群往东的放牧线路。

Oregon yew 俄勒冈紫杉 参阅 **western yew 西部紫杉**。

Oregonian, The 《俄勒冈人报》 俄勒冈州波特兰出版的日报,是美国西北地区的杰出报纸之一,多年间是西北7州唯一的报纸。该报创刊时波特兰市居民仅700人。初创时为周报,1861年改为日报。该报坚持独立的办报方针,以持论严正著称,并在技术上不断创新。它是首先使用电报传递纸版和无线电传送图片的美国报纸之一。1950年S.I.纽豪斯购下该报。1975年从活版印刷改为胶印。

Oreiller, Henri 奥雷耶(1925-12-05,法国巴黎～1962-10-07,巴黎) 法国滑雪和赛车运动员。第二次世界大战期间是法国抵抗运动成员,战后参加雄踞奥林匹克滑雪赛场多年的法国队。为人滑稽而自信。1948年冬奥会获滑降和高山混合项目金牌,小回转项目铜牌。他的动作有杂技般的风格,会毫无顾忌地飞过突变的气流,在空中重获平衡。冬奥会后参加其他比赛,席卷1949年哈里曼杯赛所有项目。后转向汽车运动,曾获法国越野赛冠军。1962年死于利纳-蒙莱里赛车道上的事故。奥雷耶在法国深受崇敬,一些街道和建筑以他命名。

Orekhovo-Zuyevo 奥列霍沃-祖耶沃 又拼Orechovo-Zujevo。俄罗斯西部莫斯科州城市。在莫斯科市的东面,临克利亚济马河。1917年由几个工业村镇合并而成。现已成为俄罗斯最大纺织城之一,尤以棉纺著称。此外化工和机械工业也占重要地位。附近开采泥炭。人口约136 800(1991)。

Orel(Russia) 参阅 **Oryol 奥廖尔**。

Orellana, Francisco de 奥雷利亚纳(约1490,西班牙卡斯蒂利亚特鲁西略～约1546,亚马孙河) 西班牙军人,第一位亚马孙河探

险家。1535年与F.皮萨罗一起参与征服秘鲁。后去瓜亚基尔，1538年任地方总督。1541年4月乘船开始探测亚马孙河流域。1542年8月到达河口。后继续向特立尼达行进。回西班牙后谈及途中所见密藏的黄金、肉桂和以貌似希腊神话人物亚马孙人的妇女为首的部落，他所探测的河可能因而名亚马孙。后来他重返亚马孙河，船队在去美洲途中迷路，他在亚马孙河口附近翻船溺毙。

Orem 奥勒姆 美国犹他州中北部犹他县的城市。位于普罗沃以北6.5千米处。东面为普罗沃河和大峡谷（包含景色优美的布赖德韦尔瀑布），西面为犹他湖，是古代博纳维尔湖的残迹，计390平方千米。该地区有许多商品蔬菜园，工业则集中在蔬菜罐头，尤其是番茄罐头业上。1919年设市。人口：城市84 324；普罗沃-奥勒姆都会统计区368 536（2000）。

Orenburg 奥伦堡 俄罗斯西部一州。地处乌拉尔山脉南端。西起奥布希山的石灰岩高原，中部为低低的乌拉尔山岭，东至平坦的图尔盖高原。面积124 000平方千米。境内大部为草原。北部及西北部有白桦林和松林。由于20世纪50年代垦荒运动，草原多被垦植，农业占重要地位，主要种植春小麦、玉米、黍类和向日葵。经济以采矿业为主，工业区分布在乌拉尔山南麓，集中在首府奥伦堡市附近。开采多种矿藏。钢铁、石油化工及机械制造业高度发达。人口约2 183 000（1990）。

Orenburg 奥伦堡 1938～1957年称契卡洛夫。俄罗斯西部奥伦堡州城市和首府。位于乌拉尔河与萨克马拉河汇流处。1735年在现奥尔斯克所在地（乌拉尔河与奥尔河汇流处）建要塞，1743年移至现址。初为乌拉尔哥萨克人的军事重镇。由于发展对中亚地区的贸易，尤其是1871～1873年修建通古比雪夫的铁路之后，商业地位日益重要。现有大型机械工业，生产重型机械和农业机械，还生产多种消费品和食品，并有天然气加工厂。设有师范学院、医学院和农学院。人口约547 000（1989）。

Orense 奥伦塞 西班牙西北部加利西亚自治区唯一内陆省份。南界葡萄牙，西接蓬特韦德拉省，北邻拉科鲁尼亚省，东北毗卢戈省，东连莱昂省与萨莫拉省。面积7 278平方千米。有米尼奥和锡尔河两水系流经。富庶谷地出产谷物和葡萄。本省里贝罗地区以产白葡萄酒闻名。工业有化工和锡、钨矿、花岗石开采。锡尔河有水电之利。旅游业也为经济项目。省会奥伦塞是仅有大城镇。人口约435 823（1988）。

Orense 奥伦塞 西班牙西北部加利西亚自治区奥伦塞省省会。位于拉科鲁尼亚东南偏南，米尼奥河东岸。5～7世纪大部在斯维比王国统治下。716年被摩尔人摧毁。约877年由阿斯图里亚斯国王阿方索三世重建。城市分中世纪区、19世纪扩建区和新建郊区三部分。有锯木、面粉、铸造和轻工业。米尼奥河古桥（1230）为本国最著名桥梁之一。人口约88 159（1982）。

Oreopithecus 山猿 灵长类的绝灭属。化石见于东非中新统上部、南欧上新统下部（年龄为1 120万年前至340万年前，最著名的是发现于欧洲煤系地层的完整而受挤压的标本）。该属与其他灵长类的关系曾有争论。看来它综合了原始和进步的特征，一方面，似乎与旧大陆猴类有关，另一方面，与进步的类人猿有关。很可能代表不产生更进步类型的、灵长目动物演化的特化旁支，一般包括在独立的山猿科内。为沼泽区的栖居动物。高约1.2米，有长臂。估计体重约40千克。头骨小，齿特化，很可能以柔软的植物为食料。习惯于直立这一点是值得怀疑的。

Oresme, Nicholas 奥雷姆（约1325，法国阿勒马涅～1382-07-11，利雪） 法语作Nicole d'Oresme。法兰西天主教主教、亚里士多德学派学者和经济学家。其著作为现代数学与科学的发展、为法国散文，特别是为科学辞汇的发展提供了一定基础。先在巴黎学神学，后任巴黎大学纳瓦尔学院的司库（1348～1356），继而任院长，直到1361年辞职。1370年任法国国王智者查理五世的侍从司铎，国王根据奥雷姆的租税合法论、租税长期存在的必要性，并结合稳定货币的必要性等理论，在财政事务方面进行重大改革。奥雷姆认为硬币是一定分量的贵金属，发行当局要保证其成色；货币属于公众，不属于帝王，帝王无权改变其本位、分量或两种金属之比例。其经济政策既不重视兑换的信用，又不重视兑换的票据，尽管这些做法当时已通行。查理十分重视书籍，并非常关心对其政府有利之学者，因而请他翻译亚里士多德著作（约1375）。奥雷姆从通行的拉丁文版本译出亚里士多德的《伦理学》、《政治学》和《经济学》，人们认为这些译本对法国语言的发展做出了重要贡献。在数学方面，奥雷姆为解析几何学的发现奠定了基础。他可能发现了制表和制图之间逻辑上的等价关系，并以某种方式建议使用一种图表，绘制一种可变量值，其价值以另一种可变量值的价值为依据。这种可能性系统的理论基础后来在笛卡儿的作品中有所发展。在科学方面，他对运动学（运动的原理和法则）做出重大贡献。其《天体论》和《天空与世界之书》揭示其独特的科学概念。著有《占卜之书》，以反对妖术和号称能预测未来的占星术士。主张有存在着几个宇宙的可能性；特别反对亚里士多德在《论天空》中提出的诸天体围绕着静止的地球运动的理论，在哥白尼之前便提出地动说。所著《货币论》（约1360）1484年出版，17世纪间多次重版。此书反对任何使货币贬值的意图。这一著作使他成为中世纪最伟大的经济学家。

Oresteia 《奥瑞斯忒亚》 古希腊剧作家埃斯库罗斯所著悲剧三部曲，公元前458年首次上演。这是他的最后一部作品，也是唯一保存完整的希腊戏剧三部曲，叙述阿特柔斯一家的故事。第一部《阿伽门农》描写国王从特洛伊战争胜利返回，被他的妻子克吕泰涅斯特拉和她的情夫埃癸斯托斯谋害的故事。第二部《奠酒人》描写阿伽门农的女儿埃勒克特拉和儿子俄瑞斯忒斯的事情。俄瑞斯忒斯为父亲之遇害报仇，杀死了自己的母亲和她的情夫。第三部《报仇神》叙述被复仇女神追逐的俄瑞斯忒斯的故事，因为他虽然应当为他父亲的死亡报仇，但是杀母之罪在诸神的心目中也是大逆不道的。他最后在雅典的最高法庭上为雅典娜女神所赦免。

Orestes 俄瑞斯忒斯 据希腊神话，他是迈锡尼（或阿戈斯）国王阿伽门农和妻子克吕泰涅斯特拉的儿子。据荷马的说法，当他父亲从特洛伊返回，死在他母亲的情夫埃癸斯托斯手中时，他并不在那里。他长大成人后为父报仇，杀死埃癸斯托斯和克吕泰涅斯特拉。据诗人斯特西科罗斯的说法，他在阿伽门农遭谋害时还是一个幼童，是他的保姆偷偷地救出了他，使他平安无事。克吕泰涅斯特拉在梦中受到警告说有立即遭到报复的危险，而俄瑞斯忒斯由于弑母罪在她死后受到复仇女神厄里倪厄斯的惩罚。在埃斯库罗斯的悲剧三部曲《奥瑞斯忒亚》中，俄瑞斯忒斯是按照阿波罗的旨意行事的。他乔装成陌生人来报告自己的死讯，在杀死他的母亲之后，就去德尔斐躲避复仇女神的惩罚。又是在阿波罗的催促之下，他到雅典最高法庭为自己辩护。审判官们对此意见不一，双方势均力敌无法判决，雅典娜于是投出赞成无罪释放的决定性一票，而复仇女神也息了怒，因为人们给她们以欧墨尼得斯（仁慈的女神）的称号。俄瑞斯忒斯的故事在古代文学艺术中是一个受人喜爱的题材。埃斯库罗斯的《奥瑞斯忒亚》显示了它的戏剧的潜力，而索福克勒斯和欧里庇得斯进一步开发了这种潜力。故事的各个方面也出现在后来许多西方戏剧家和作曲家的作品之中。

公元前5世纪古希腊花瓶上所绘俄瑞斯忒斯神话故事题材的图案

美国不列颠百科全书公司供图

Øresund（Baltic Sea） 厄勒海峡 参阅 **Sound, The** 松德海峡。

orfe（fish） 参阅 **ide** 圆腹雅罗鱼。

Orff, Carl 奥尔夫（1895-07-10，德国慕尼黑～1982-03-29，慕尼黑） 德国作曲家，以其歌剧和戏剧作品以及在音乐教育中的革新而特别闻名。曾在慕尼黑音乐学院学习，后在慕尼黑、曼海姆和达姆施塔特乐队指挥。所作《音乐教程》于1930年出版。1937年世俗清唱剧《布尔伦之歌》问世。此剧取材于一本中世纪诗歌的手抄本,演出时有舞蹈。接着他又创作了另外几部受希腊戏剧和中世纪圣史剧启示而得的作品,如《卡图卢斯之歌》

中国大百科全书出版社供图

(1943)和《阿佛洛狄忒的胜利》(1953)。其他作品有复活节康塔塔《基督复活》(1956)、"乐剧"三部曲《安提戈涅》(1949)、《暴君俄狄浦斯》(1959)和《普罗米修斯》(1966)。他的儿童音乐教育体系主要是通过集体练习和演奏打击乐器来发展节奏感,现已广泛应用。1924 年在慕尼黑与德国体操运动员 D.根特尔一起创办根特尔体操技巧、舞蹈与音乐学校。

Orfila, (Washington) Alejandro 奥尔菲拉 (1925-03-09,阿根廷门多萨~) 阿根廷外交官、美洲国家组织秘书长(1975 ~ 1984)。早年在布宜诺斯艾利斯大学、斯坦福大学和图拉内大学求学。曾任外交部秘书。1946 ~ 1952 年先后在莫斯科、华沙、旧金山、新奥尔良和华盛顿(哥伦比亚特区)担任外交职务。20 世纪 50 年代积极参加美洲国家组织的活动,任公共关系部主任 5 年。1958 ~ 1960 年任阿根廷驻美国特命全权公使,后任驻日本大使两年。1973 年任驻美国大使。1975 年当选为美洲国家组织秘书长,任期届满前一年辞职。

Orford, Horace Walpole, 4th Earl of 奥福德伯爵(第四) 参阅 **Walpole, Horace** 沃波尔。

Orford, Robert Walpole, 1st Earl of 奥福德伯爵(第一) 参阅 **Walpole, Robert** 沃波尔。

orfray (embroidery) 参阅 **orphrey** 精致绣品。

organ 器官 生物体内适应于完成具体功能的一群组织。在高等动物,器官组成器官系统;如食管、胃、肝脏等是消化系统的器官。较先进的动物通常有 10 个器官系统:被皮系统、骨骼系统、肌肉系统、神经系统、内分泌系统、消化系统、呼吸系统、循环系统、排泄系统和生殖系统。上述这些系统从较低等的动物起逐渐出现,在较高等的动物身上越来越复杂,功能也充分特化。植物的基本器官是根、茎和叶(以上器官有助于植物获得营养)以及生殖器官(花、种子和孢子等)。植物器官就如动物器官一样,完成机体维持生命的基本功能。

organ 管风琴 键盘乐器。由演奏者用手和脚操纵;压入的气流通过一系列按音阶排列的音管而发声。此词还包括簧风琴和电子风琴,但在一般情况下仅指管风琴。管风琴是所有乐器中最复杂、历史最悠久的一种,现存的演奏曲目在西方音乐中比任何其他乐器数量更多、更古老。虽然管风琴的技术发展所涉及的范围很广,但它的基本操作原则从 2 000 余年前被发现以至今日基本上保持未变。常规的管风琴由 4 个主要部分组成:一层或多层键盘和其他控制装置、发音的音管、在压力下供应气流的装置、连在键上使气流通向音管的机械装置。最简单的管风琴只装有一排音管,每一音管相应于手键盘上的一

奥地利圣弗洛里安修道院教堂内的18世纪的布鲁克纳管风琴
美国不列颠百科全书公司供图

个键。管风琴通常有几组音管。音管又称音栓,由几个手键盘和一个踏板操纵几排长短不一、形状各异的木制或金属制的音管。这些音管分成截然不同的唇管和簧管两类。音管排列在一个通过一套阀门而与琴键连接的气室上,气室靠电动或机械发动的风箱供气。一个用杠杆(或电动)连在滑板上的音栓使一排音管动作。要使音管发声,演奏者必须先拉动音栓,使滑板上的孔与趾板上的音管底部处于同一直线上。按下琴键即可使该音管下方的阀门打开,于是气流沿着狭窄管道穿过滑板孔而进入音管。直至 19 世纪,音管与键盘只有一种连接法,即采用机械连动装置,它至今仍然常用。机械辅助的连动装置通常有管式气动、电气动和直接电动等形式。一般的管风琴装成几层,各层都有若干单独的管列,由不同的键盘控制(要演奏那些洋洋洒洒的正统曲目至少得有两个手键盘和踏板)。大型管风琴可有 5 个键盘(特殊情况下可更多),分层排列,各自控制不同组合的音和音高。管风琴的一个特征是演奏者可以在基本音栓之外增加成比例地较高或较低音高的音栓以增强音量,调理音质。任何音管的音高都与其长度成比例。例如,8 英尺(2.4 米)音管发出标准键盘的音高,16 英尺(5 米)音管则低 8 度,4 英尺(1 米)音管则高 8 度。变音音栓发出的音高相应于同度音高的泛音。音管最长可达 32 英尺(10 米),最短不足 1 英寸(2.5 厘米),因而管风琴的音域可有 9 个 8 度,比任何其他乐器都广。

现知最早的管风琴是公元前 250 年的水压式风琴,这是希腊人发明的一种初级乐器,气流由水压调节。第一架有史可稽的只用风箱供气的管风琴直到将近 400 年后才问世。至 8 世纪欧洲已有人制造管风琴,从 10 世纪起管风琴与教堂结下不解之缘。管风琴发展的最重要阶段在 15、16 世纪,其时管风琴在音调上和机械上都有了长足的进步,许多国家出现管风琴制作学派。至 17 世纪初,这一乐器的主要元件均已开发定型,其后的发展只是音调变化和技术提炼的问题。管风琴达到家喻户晓普遍流行是在巴罗克全盛时期,这时出现了一位最重要的管风琴作曲家 J.S.巴赫(1685 ~ 1750)。在这一时期内,有两个主要的管风琴制作学派:法国学派以其色彩缤纷的簧管和变音音栓见长,而德国和荷兰学派则以其出色的合奏音栓取胜。巴赫去世后,管风琴制作日益衰落,特别是在德国和英国,1800 年以后制作的管风琴音质每况愈下。不过,制作者更加重视模仿管弦乐器的音栓。19 世纪得到普遍采用的乐器还有鼓气式簧风琴(**harmonium**)和美国式簧风琴(**melodeon**)。簧风琴利用自由振动的簧片(而不是像管风琴的簧管中所用的拍簧)来发声,通常没有共鸣器。它们比管风琴小而且简单,在家庭和小型机构中甚为流行,直到 20 世纪初才被电子风琴和大量生产的钢琴取而代之。20 世纪,管风琴结构中的古典理想得到复兴,管风琴作为一件拥有其独特曲目的独立乐器卷土重来。当 L.哈蒙德于 1935 年在美国推出电子风琴(**electronic organ**)时,它提供了一个经济而小巧的管风琴代用品,但它所模仿的声音从未达到原先管风琴的水平。

organ-pipe cactus (*Lemairocereus thurberi* or *Cereus thurberi*) **烛台掌** 原产美国亚利桑那州南部的一种仙人掌。近缘的种类产于墨西哥到委内瑞拉与秘鲁以及西印度群岛等地。烛台掌是美国亚利桑那州及墨西哥下加利福尼亚州、索诺拉州等地的索诺兰沙漠较温暖地区的特征植物。烛台掌及其一个相似种的果味美可口。烛台掌常扦插成密行作绿篱或作篱壁。同属的其他种,有的大如乔木,高 12 米以上;有的小如灌丛,高仅 2 ~ 3 米。还有一些分枝似烛台的仙人掌也称烛台掌。

Organ Pipe Cactus National Monument 烛台掌国家保护区 位于美国亚利桑那州西南部,北距阿霍城 19 千米,邻墨西哥边界。1937 年设立。面积1 339平方千米。保留有部分尤马(即索诺兰)山区荒漠原貌,因生长烛台状仙人掌获名。另有沙漠铁木、墨西哥刺木及其他沙漠植物多种。野生动物有基拉怪物(毒蜥蜴)、叉角羚、羚羊、郊狼及多种鸟类。历史上著名的"魔鬼路"(沿途曾有千百名西班牙矿工及移民丧生)的若干区段至今可辨。

organ-pipe coral 笙珊瑚 刺胞动物门珊瑚纲笙珊瑚属(*Tubipora*)动物。*Tubipora musica* 是唯一已知的种,生长于印度洋和太平洋浅水水域的珊瑚礁。水螅型形长,直立,

笙珊瑚(*Tubipora musica*)
美国不列颠百科全书公司供图

平行排列,有碳酸钙质的坚韧骨骼。触手有时绿色,骨骼鲜红或绯红。虫体死亡后,剩下形似笙或风琴管的管状色鲜艳的骨骼,故名。

organic compound 有机化合物 由一个或更多的碳原子以共价键与其他元素(氢、氧或氮最常见)的原子相连形成的一大类化合物。但少数含碳化合物包括碳化物、碳酸盐和氰化物等不归为有机化合物。参阅 **chemical compound**。

organic farming 有机耕作 又作 organic gardening。又称有机园艺。用生物学方法施肥和防治病虫害的农业措施,不使用化学肥料和杀虫剂。有机耕作法的支持者认为,化学肥料和杀虫剂有害健康,且污染环境,不是良好的收成所必需。有机耕作法有意识地摒弃现代农业化学技术,起源于 20 世纪 30 年代,当时英国农业科学家艾伯特·霍华德爵士采用了一套整体主义的顺乎自然的办法来经营农业牧业,方法是将城镇废物还给土壤用作养料。现各大陆都有部分地区使用这种方法将粪便、污水淤泥、堆肥、草皮、秸秆和其他作物残留物等各种有机物施用于田地,以便改良土壤结构和提高保水能力,并供给土壤养分,从而使土壤供给植物养分。病虫害的生物防治是采取预防的方法,包括多种栽种、轮作和栽种抗病虫害作物,并采用害虫管理技术(包括培养和施放不育的雄虫和害虫天敌)。有机耕作比传统的耕作方法节约石油,最适于小规模的集约式多种栽种。

Organic Statute 参阅 **Règlement Organique《组织规程》**。

organic unity 有机的统一 文学中的一种结构原则,首先由柏拉图(在《费德洛斯篇》、《高尔吉亚篇》和《国家篇》中)予以论述,后由亚里士多德予以说明和界定。按照这一原则,一则故事或戏剧的情节一定要表现为"一个完善的整体,其中的几个部分应紧密相连,如果任何一部分被移位或删去,都将拆散并打乱整体"。这一原则与文学类型的观念,即艺术应当适从于标准的和常规化的形式这一观念,是对立的。它假设艺术是从胚胎成长而来,并探索其本身的形式,而艺术家不应任意加修饰、妙语、韵事或其他媚俗的成分,从而干扰它自然发展。有机的形式是德国浪漫主义诗人所关注的,H.詹姆斯在《小说的艺术》(1884)中也主张小说应当具有这一形式。

Organización Regional Interamericana de Trabajadores(ORIT) 美洲区域工人组织 拉丁美洲劳工组织。1951 年 1 月成立,是 1949 年建立的国际自由工会联合会(**International Confederation of Free Trade Unions**)的区域性组织。该组织建立时其大批成员多原属于美洲劳工联合会的工会小组,美洲劳工联合会反对共产主义,但因其强烈的亲美倾向而受到政治攻击。新建立的组织的目标是土地改革、反对极权主义、支持工会制度薄弱地区的工会组织工作。

Organization of Pan Asian American Women 泛亚美国妇女组织 1976 年成立的维护公共利益政策组织,致力于亚太裔美国妇女的有关问题,以扩大亚裔妇女对制定政策和领导职务的参与程度。该组织同时也是作为亚太裔美国妇女的全国性网络,为成员提供领导岗位培训,帮助就业,尤其为英语水平不高的难民和妇女提供特殊帮助。并且以时事通讯和立法资料向成员提供与亚太裔美国妇女有关的国家政策信息,为帮助妇女就业,该组织举办各种研讨会和讲座。

organizational relations 产业关系 参阅 **industrial relations 劳资关系**。

organized crime 有组织犯罪 又译集团犯罪。以从事非法活动为职业的高度集中的联合组织。尽管欧洲、亚洲都有从事走私、盗窃珠宝和贩毒的国际集团,但将犯罪当作大型行业来经营却主要是一种在 20 世纪产生的现象而且盛行于美国。在美国,犯罪集团往往十分庞大,简直与合法的大型企业卡特尔不相上下。美国在禁酒时期(1920～1933)犯罪活动迅速蔓延开来,于是出现了一个全国性的犯罪组织。禁酒令取消之后,非法酿、卖、运酒的活动随即停止,犯罪集团的头目将目光转向了其他方面,有组织犯罪比禁酒时期组织得更严加密。这类组织内部一般都有严格的等级,由不同的"家族"或罪犯辛迪加组成,在许多大城市里进行犯罪活动。每个家族都有一名头领,他对本家族的成员握有生杀予夺的大权(参阅 **Mafia**)。非法活动——主要是赌博和贩毒——是罪犯辛迪加的主要经济来源。除此之外,它也可能经营名义上合法的行业,例如信贷公司(黑社会中称作"榨钱行")。这些"公司"放高利贷,并使用威胁或暴力的手段向债户逼债。同时罪犯辛迪加开设的房地产公司、干洗店、废物处理公司、自动售货店等行业也使用威胁和暗杀等手段对付竞争对手。1975 年由联邦政府发起对美国的有组织犯罪活动进行调查,结果表明,有组织犯罪活动控制的总金额每年达到 500 多亿美元。有组织犯罪在美国猖獗的原因包括:犯罪集团利用威胁、胁迫、暴力(包括暗杀)等方式阻止受害者和目击证人(包括集团内部成员)报案或出庭作证;干预陪审团工作和贿赂法官也是破坏政府反黑的战术。系统性的大规模行贿和支付黑钱活动也是确保地方警方包容有组织犯罪活动的工具。另一方面,很多美国人认为各种形式的非法赌博并不违反基本道德,对社会也无严重破坏性,因此执法机关不应在这一问题上过多干涉。但实际上,这些非法赌博活动为更丑恶的有组织犯罪活动提供了经济基础。

organogenesis 器官发生 在胚胎形成过程中,无组织结构分化的细胞团转变成完整器官的组织整合的过程。器官形成区的细胞经过分化、发育与移动,形成器官原基。该过程继续进行到器官具有其特定的特征为止。与此同时进行组织发生,结果形成构造上与功能上完整的器官。器官发生完成宣告胚胎期的结束和胎儿期的开始。参阅 **histogenesis**。

organometallic compound 有机金属化合物 分子中含有与金属原子相连的碳原子的一类物质。这类物质不包括金属与有机酸构成的离子型盐类。最著名的有机金属化合物是四乙基铅——一种抗爆汽油添加剂,硅氧烷聚合物则为普通工业化合物。有机金属化合物构成一大类物质,对于化学科学的发展起重要作用,它们大量用作催化剂和化学中间体。按所含的金属,有机金属化合物分为三类:第一类是元素周期表的主族金属如化学活泼金属锂和镁,第二类是过渡金属(包括被认为具有金属特性的元素)如铁和铂,第三类是准金属即半金属元素如硅和硼。有机金属化合物的碳是被包含在由碳和氢原子组成的烃分子结构中,有些有机金属化合物还含有其他元素的原子。这些化合物的物理和化学性质变化很大,有机金属化合物(特别是其中的烃为环状或芳香型的)多数是固体,有些是液体,有些则为气体。它们的热稳定性和氧化稳定性变化多样,有些很稳定,但有些能自燃。多数毒性大,特别是挥发性的有机金属化合物更是如此。有机金属化合物的性质多取决于所含的碳-金属键的类型:有些属于普通共价键(电子对由两原子共享),另一些属于多中心共价键(由两个以上原子成键),第三种类型属于离子键(成键电子对只由一个原子提供)。在给体-受体键中,金属原子与含碳-碳多重键的烃相连接。金属原子与碳原子形成共价键之处,成键电子通常不是等同地被共用,结果使键被极化,键的一端比另一端更负电性,极化程度取决于金属原子与电子结合的强度。有机金属化合物的极性强度可从甲基钾(其中的键几乎如离子键变化到甲基铅键的极性很小)。由于这种极性键,许多有机金属化合物具有反应性能,致使它们在化学合成中很重要。例如,有机镁卤化合物广泛用于有机合成化学,有机锂和有机硼化合物也同样如此;烷基铝也用于有机合成,与钛盐一起使用,可作为不饱和烃

(如乙烯和丙烯)聚合的重要催化剂。含有铅、锡和汞的有机金属化合物均有重要工业意义。例如,大量的有机锡化合物用作药物、农药、聚氯乙烯稳定剂和阻燃剂。甲基汞由于有毒已引起严重的污染问题,这个事实致使严格管制化学工厂将汞排向江河、湖泊和大海。工业上主要的有机铅化合物四乙基铅也是引起人们关心环境的一个原因,用它作汽油抗爆剂近年来已受到限制,因为在发动机内燃烧时它会向大气排放铅微粒。过渡金属有机金属化合物虽然直接的工业用途少但作为中间物和催化剂还是有价值的。某些合成可归因于过渡金属与碳-碳双键电子之间的反应,例如烷基钛铝催化剂的作用机理或许与钛原子和烃的双键之间的相互作用有关。一氧化碳容易和许多过渡金属原子反应而形成金属羰基化合物,此类化合物也属于有机金属化合物。最早被发现的金属羰基化合物之一为四羰基镍。四羰基镍是一种挥发性的镍化合物,成为提纯镍过程的基础,金属羰基化合物在许多石油工业反应中用作催化剂。

organum　奥加农　原指任何一种乐器,后特指管风琴。但中世纪后则专指按特定风格为格列高利圣咏所作复调配乐。据《音乐手册》(约 900 年出版)记载,最早的奥加农有两条同时进行的、逐音相对的旋律线条。有时,第二声部以低 4 度或 5 度(如 c 下面的 G 或 F)重复圣咏曲(即主要声部)。有时,两个声部从同音开始,向较宽阔音程进行。该两支旋律均可作 8 度重复。这一类早期奥加农(9～11 世纪)看来是由受过特殊训练的歌手自发地唱出来然后才写成手稿的。较精致的奥加农则在圣咏曲上面附加一支自由创作的、也是逐音相对的旋律。最后在西班牙圣地亚哥-德孔波斯特拉(约 1137)和法国利摩日的圣马蒂亚勒(约 1150),有人提出一个重要新原则是:在圣咏曲固定旋律声部之上创作一支装饰性极强的旋律。这种新的"花唱"式(即一字多音)奥加农在巴黎圣母院乐派的作品中臻于成熟,并收入《奥加农大全》一书(约 1170,可能为莱奥南所编)。在这种乐派的奥加农中,奥加农主部和"迪斯坎特"段落交替出现。在这些段落中,两支旋律都按中世纪后期节奏程式体系的 3 拍子节奏型进行。参阅 **rhythmic mode**。

orgasm　性高潮　又作 climax。一种生理状态,表现为极度的性兴奋和欣快及随之而来的肌肉、精神的放松。性高潮在男女之间有些不同。通常男性达到高潮较女性容易,所需时间及持续时间均短;而女性所需时间较长且容易生理性地中断,而一旦达到高潮常可持续较长时间,并且可以连续几次达到性高潮。男性达到性高潮时通常伴有射精,但除非相隔一段时间,否则不会有第二次。性高潮时男女均有短暂的肌肉收缩、血压升高、脉搏加快,女性阴道下段收缩,男性射精。男性一般在青春期早期即可有性高潮的体验;而女性则较晚,30 岁前后才充分发育。性交、手淫均可达到性高潮。性高潮也可在睡梦中出现。

Orgueil meteorite　奥尔盖尔陨石　在辩论陨石中的有机物是否为地外生命的证据而被提到的陨石。1864 年 5 月 14 日夜晚,在靠近法国图卢兹的奥尔盖尔村落下了一些陨石,人们拣回大约 20 块碳质球粒陨石型的碎片。紧接的研究表明,陨石中含有氢、碳和氧,而陨石质地则颇似泥煤和褐煤。在地球上,泥煤和褐煤是生命物质的产物。4 年后的进一步研究还揭示出有很像石油的碳氢化合物。这块陨石中的上述有机物以及此后在其他陨石和碳质球粒陨石中找到的有机物的来源遂成为一个谜。1962 年,对这块在博物馆盒子里封存约一个世纪的陨石块所作的研究,揭露出一个有意的骗局。人们发现,陨石里被嵌进了一些种子、少量欧洲芦苇以及砾石和煤的碎屑。它们一定是被煞费苦心地放进去的,因为当初在恢复陨石物质时已排除了偶然污染的可能性。这一明显的捏造看来同 1864 年法国所进行的关于生命能否从非生命物质演化而来的激烈辩论有关。

Orhan　奥尔汗(1288～1360)　又拼 Orkhan。奥斯曼王朝第二代统治者。奥斯曼一世之子。在位时期(1324～1360)奥斯曼开始了对巴尔干的扩展。在他领导下,位于安纳托利亚西北部的小小的奥斯曼公国继续吸收战士,与拜占廷进行斗争。1324 年占领拜占廷的布鲁萨,1331 年征服尼西亚,1337 年夺取尼科梅迪亚,约 1345 年吞并卡拉西公国,1346 年长驱直入巴尔干半岛,1354 年攻陷加利波利,作为奥斯曼人在欧洲的永久立足点。他在位时期曾经铸造银币,改组军队,修建清真寺和神学院。后来奥斯曼首都布尔萨成为主要的伊斯兰中心。

Orhon inscriptions　鄂尔浑碑文　Orhon 又拼 Orkhon。现存最古的突厥文字。1889 年在蒙古北部鄂尔浑河流域的两座纪念碑上发现,1893 年由丹麦语言学家汤姆森译解。这两座石碑分别立于 732 及 735 年,用以纪念突厥左贤王阙特勒(731 年卒)及可汗毗伽(734 年卒)。在蒙古、西伯利亚和中国新疆发现的一些铭文上也用此种字体,汤姆森称之为突厥草字。碑文以史诗语言叙述突厥族的祖源传说、鼎盛时代、臣服于唐朝、毗伽汗中兴等内容,文字风格优美,很能说明突厥语早期的发展概况。

Oribe, Manuel Ceferino　奥里维(1792-08-27,拉普拉塔联邦蒙得维的亚[今在乌拉圭]～1857-11-12,蒙得维的亚)　乌拉圭第二任总统(1835～1838),传说他是在西斯普拉蒂尼战争(1825～1828)中成功地为乌拉圭独立而战斗的 33 个民族主义战士之一。他就任总统后,企图把政府控制权扩向前总统 J. F. 里韦拉管辖的农村地区。1836 年里韦拉举行暴动,迫使他于 1838 年 10 月辞职。移居布宜诺斯艾利斯,接受阿根廷独裁者 J. M. de 罗萨斯授予的军职。1842 年他率领阿根廷军队打败里韦拉的部队,重返乌拉圭,围困蒙得维的亚 9 年(1843～1851)。通过这次内战,由里韦拉领导的红党和由他领导的白党对立起来。白党代表农村保守势力,红党代表自由主义者。1853～1855 年他被红党人排挤,不得不流亡欧洲。他死后,红党终于取得胜利,此后统治国家近一个世纪。

Oribe ware　织部陶瓷　日本型的陶瓷制品,通常采用蓝釉或绿釉,首次出现于庆长和元和时代(1596～1624)。"织部"这一名称来自织部陶瓷的首创者古田织部,他是千利休

17 世纪初叶江户时代的织部陶瓷盘
美国不列颠百科全书公司供图

的弟子。某些织部器皿和实用制品采用标准的陶瓷造型,但另一些则蓄意使之变形,在扭曲或不平衡中取得一种新的美感。蓝绿矾釉具有高级玻璃的光泽,而用铁质釉描绘的装饰图式则富于想象力和现代感,与在同期的纺织品上所见到的相同。很多图式带有异国情调,可能受了堺港(在大阪南)舶来品的影响,堺港也正是千利休的旧居所在。

oribi(*Ourebia ourebia*)　**侏羚**　奔跑迅速的非洲羚羊,属偶蹄目牛科。成对或小群栖于撒哈拉以南的草原。体型优美,皮毛柔软有光泽,耳大,尾短蓬松。肩高约50～66厘

侏羚(*Ourebia ourebia*)
美国不列颠百科全书公司供图

米,毛浅黄到红褐色,腹部白色。耳下有一块光秃的黑色斑点状区,膝盖上各有一簇长毛。雄体具细长的尖角。

oriel　凸肚窗　楼层上凸出墙外的窗,由挑出墙面的石制或木制托座支承。凸肚窗平面常为半六角形或矩形,于 15 世纪开始流行。在哥特式晚期和都铎式时期常设在庄园宅邸

H.雷德曼设计的伦敦汉普顿科特广场大门道上的凸肚窗，约1520年
美国不列颠百科全书公司供图

和公共建筑的门道或人口之上。19～20世纪初复古主义兴盛时重新流行。

Orient-Express 东方快车 又称辛普朗东方快车(1919～1977)。从巴黎到君士坦丁堡(伊斯坦布尔)行驶了80多年(1883～1977)的豪华列车。是欧洲第一列横贯大陆的快车，最初的行程约2 740千米，主要的中途停车站有慕尼黑、维也纳、布达佩斯和布加勒斯特。第一次世界大战时停业，1919年恢复行驶。第二次世界大战中再度中断，1947年恢复行驶。东方快车由比利时商人G.纳热尔马克创办，1883年开始运行。初办时，旅客由巴黎乘车到保加利亚的瓦尔纳港，换乘轮船经黑海到君士坦丁堡，到1889年便可乘火车直达。列车挂有卧车、餐车以及设有吸烟室和更衣室的客厅车，内部设置有东方地毯、丝绒帷幕、桃花心木镶板、西班牙软皮厚沙发，并具精美烹调。东方快车无比豪华和舒适，多年来吸引着欧洲社会名流和皇室首脑。也引起许多作家的想象，其中包括G.格林和A.克里斯蒂，通过他们作品中的描写，更使它遐迩闻名。在乘客持续下降几十年后，东方快车在1977年停驶。1982年美国人J.舍伍德恢复了在伦敦和威尼斯间的几条线路的行驶，称为威尼斯辛普朗东方快车。

Oriental button (infection) 参阅 **Oriental sore** 东方疖。

Oriental Jew 东方犹太人 希伯来语作Ben ha-Mizraḥ(意为东方之子)。数世纪居住在北非和中东、而其祖先未曾居留德国或西班牙的海外犹太人，总数约有150万人。他们既不同于德系犹太人，也不同于西班牙系犹太人。东方犹太人在阿拉伯世界内的摩洛哥、阿尔及利亚、突尼斯、利比亚、埃及、也门、约旦、黎巴嫩、伊拉克和叙利亚等地者，操阿拉伯语；在伊朗、阿富汗和布哈拉等地者，操波斯语；在库尔德斯坦(包括今土耳其、伊拉克、伊朗、叙利亚及亚美尼亚等国部分地区的一个区域)者，操古阿拉米语的一种变体语言。一部分东方犹太人迁居印度、中亚和中国。在也门和伊朗等地的东方犹太人，实行一夫多妻制。1948年以色列国成立，也门、伊拉克、利比亚等地的全体犹太人及其他各地的大部分东方犹太人都已迁居以色列国内。

Oriental lacquer 东方大漆 原产于中国、通称漆树(**varnish tree**)的树所产的清漆树脂。制造技术由中国传入日本后，一直保密达数世纪之久。由漆树的乳状液体蒸发浓缩得到黏性液体，用此液体漆涂成薄层，约一天后硬化成坚韧漆膜。此漆特殊之处在于它只在黑暗、潮湿的大气中才能干。如曝于光照及受热则总不能干透而发黏。大漆含有与气根毒藤成分相类似的皮肤刺激物。参阅 **lacquerwork**。

Oriental region 东洋区 又称印度区。根据动物区系特征而划分的世界6个动物地理区之一。隶属于大界，包括南亚和东南亚热带。包括由西里伯斯、摩鹿加、小巽他群岛和西巴布亚群岛组成的印度-澳大利亚过渡地带。东洋区由印度河及喜马拉雅山南坡，经中国南部至菲律宾和印度尼西亚，直到澳大利亚区的边界。相当的植被区称古热带界的印度-马来西亚亚界；其界限向东延伸至新几内亚，向北延伸至日本的琉球群岛。东洋区包括很多不同类型的脊椎动物，如各种雉、蛇、猴、水牛、鹿及亚洲象、原鸡、豹、虎和貘。

Oriental sore 东方疖 又作Oriental button。又称德里疖、阿勒颇疖、皮肤利什曼病。良性原虫性传染病。病原为热带利什曼原虫，由白蛉叮咬传播。流行于地中海地区、非洲中部和东北部及南亚、西亚。不同株的原虫分别引致湿型或干型皮肤溃疡，同一患者身上可见两种溃疡并存。数月后自愈，但遗留损形的瘢痕。参阅 **kala-azar**。

orientation 朝向 建筑物与东西方向轴线的相对位置。在美索不达米亚和古埃及，以及哥伦布以前的中美洲，建筑物的重要部分，如入口和走廊，都朝向日出的东方。建筑物的朝向常因宗教和实用原因而变化。早期犹太教和伊斯兰教徒在礼拜时分别朝向耶路撒冷和麦加。因此根据他们所在的地理位置而定建筑的朝向，如穆斯林朝向麦加来决定清真寺的朝向。基督教堂通常以在东端设置后堂或圣坛而决定其朝向，但并非总是如此。早期基督教的教堂常为西向，如罗马的老圣彼得教堂。建筑朝向的设计常以能最大限度地利用日照在日间和季节上的变化为依据，房屋最佳的朝向是综合考虑功能、位置以及热、光、湿度、风等环境因素而最后决定的。

orienteering 测向运动 类似越野赛跑而强调识图和辨方向能力的一种户外运动项目。各选手在树林、丘陵或其他地形复杂地区自选路线，依次通过规定的监督站。这种运动1918年始于瑞典，先流行于斯堪的纳维亚各国，后传遍欧洲各地，1961年国际测向运动联合会成立，欧洲锦标赛始于1962年，世界锦标赛始于1966年。加拿大全国测向运动联合会于1968年成立，美国全国测向运动联合会于1971年成立。各选手在共同起跑点上阅总图，并在自己的地图上标出各监督站的位置。使用的地图比例为1∶15 000，每隔5米高以等高线标示，尽管某些比赛允许使用其他比例和垂直间隔。参赛者根据地形选择自己的路线，跑完全程耗时最少者为胜。测向比赛有不同形式，包括按图循线赛(各选手走同一路线，各监督站必须严格按图循线前进才能找到)；按迹循线赛(路线不标在总图上，却标在地面上，要求选手在自己的地图上标出各监督站的位置)；记分赛(各监督站根据其地点的远近或寻找的难易具有不同分值，各选手按所到达的监督站计分)。此外，还可以骑自行车、驾赛艇、骑马或滑雪进行测向比赛，后一种形式流行于斯堪的纳维亚各国。

origami 参阅 **paper folding** 折纸。

Origen 奥利金(约185，亚历山大？～约254，腓尼基提尔) 早期希腊教会最重要的神学家和圣经学家。他最伟大的著作是《六文本合参》，即六种文本并列的《旧约》。据教会史学家优西比乌斯称，他的父母是基督徒，奥利金是克雷芒(亚历山大的)的门生，后来继克雷芒任教理学校校长。据说，奥利金青年时为了便于教诲女性学生而自阉。据波菲利说，奥利金曾听新柏拉图派创始人阿摩尼奥斯·萨卡讲学。奥利金聘请赫拉克拉斯协助他在教理学校教初级课程，自己从事高级教学和研究。此时(约212起)奥利金学习希伯来语，开始编纂《六文本合参》。他陆续写出大批论文和评注。他在亚历山大写有《杂论》、《论复活》和《论原理》。他还为了驳斥诺斯替派赫拉克利翁(瓦伦廷的追随者)而开始撰写关于圣约翰的长篇评论。他抽出时间访问罗马(在该地遇见神学家希波里图斯)、阿拉伯、安提阿和巴勒斯坦。约229～230年，奥利金前往希腊与瓦伦廷的另一追随者坎迪都斯辩论，路经凯撒里亚受祝圣为长老。奥利金继续旅行，235年到卡帕多西亚，适逢罗马皇帝马克西米努斯迫害基督徒。在罗马皇帝德西乌斯迫害基督徒期间(250)，奥利金被捕入狱，受酷刑，数年后死。奥利金一生主要从事校勘希腊文《旧约全书》和注释全部《圣经》。他所著《六文本合参》系《旧约全书》各种文本合参，包括希伯来文本、七十子译希腊文本、阿奎拉本、辛马库本和西奥多西翁本。《诗篇》部分则另附以两种译本，其中一种是由奥利金在约旦河谷于一只瓦罐中所发现。奥利金于231年以前著《论原理》，广泛而系统地介绍基督教义，主张凡基督徒必须接受使徒所规定的信条，即相信新旧约的上帝创世之主，相信太初与上帝同在的道成为肉身，相信三位一体真神中的一位圣灵，相信有理性的灵魂享有自由，相信灵魂可以脱离肉体，相信世界终必灭亡,日后必有审判。但他又主张,关于此范围以外的原理,信徒可以自由探索。奥利金的《驳塞尔索》(248?)逐段驳斥2世纪反基督教哲学家塞尔索的《真道》。奥利金的小册子《论祈祷》(约233)解释《主祷文》,兼论有关祈求的哲学问题。奥利金的全部神学理论归结到上帝圣善和受造之物享有自由两点上。对于由上帝创造的秩序说来,上帝既是受限制的,又是不受限制的;他既是自由的,又是受制于必然性的;因为上帝既是超乎万物之上的,又是具有内在能动性的。救赎之功的最高潮是太初与上帝同在的道成为肉身。奥利金当过教师,所以他一直强调灵性领悟也要由浅入深,循序而进。在他看来,基督教是登天之梯,起步者必须从诸圣学习,永远向上攀登。奥利金认为,神与人统一于基督一身,基督与信徒也应这样统一。他认为,《圣经》启示和信徒的灵性生活都是渐进的过程。后世有人指责奥利金以下几点谬误:他认为圣子低于圣父,因而成为后世阿里乌派的先声(阿里乌派兴起于4世纪,鼓吹圣父与圣子不同体);他否定肉体的复活;他否认地狱,这就成为普世得救论,对道德风尚不利;他妄测人出世以前就有灵魂,妄述世界循环;他运用比喻,把救赎的历史说成是不具有时间性的神话,从而使基督教义类同于诺斯替派教义(诺斯替派异端认为物质邪恶而精神圣善)。这些指责多少都有些根据,不过哲罗姆认为,奥利金是继使徒之后早期教会的最伟大的导师,不少学者同意哲罗姆最先提出的这个判断。

original sin　原罪　基督教教义名词,指人生来所处的有罪状态;亦指这种状态的根源。传统观点将此根源归于人类始祖亚当犯罪而遗罪于后代,亚当不听从上帝而食知善恶树上的禁果。关于原罪的教义以《圣经》为依据。《创世纪》开头几章关于亚当堕落的故事固然对人类处境的痛苦、死亡和普遍的趋罪性提出解释,但是《旧约》根本没有提遗传性的罪是如何传给全人类的。福音书也仅仅是间接地提到人类的堕落和普遍的罪恶。原罪教义的主要经文根据见于保罗书信,特别是《罗马书》第5章12～19节。保罗在一段话中将亚当与耶稣并列而提,指出罪和死通过亚当进入世界,而恩典和永生则通过耶稣更多地降临到人间。

Orihuela　奥里韦拉　西班牙东南部巴伦西亚自治区阿利坎特省城镇。地处富庶的塞古拉河谷,穆尔西亚东北。罗马时代以前已有人居住。罗马时代称奥赛利斯。公元713年被摩尔人占领。1264年被基督教徒收复。旧城在北岸,新城在南岸。名胜古迹有14世纪大教堂和1516～1701年建圣多明各学院等。地方农业仍受益于摩尔人修建的水利灌溉工程。出产柑橘、柠檬、马铃薯、胡椒、大麻、棉花、玉米、燕麦、小麦、扁桃、枣等并以其康乃馨闻名于世。人口约48 013(1991)。

Orillia　奥里利亚　加拿大安大略东南部锡姆科县城市。在多伦多北面100千米处,库契钦湖和锡姆科湖之间。市名可能来自西班牙语,意为"边、岸",因当时上加拿大省督P.梅特兰曾服务于西班牙。1839年后建立居民点。传统伐木业现已让位于轻型制造业。加拿大幽默作家S.李科克曾在此居住多年,其故居现为全国文学圣地。1867年设村;1875年设镇。人口25 925(1991)。

Orinoco River　奥里诺科河　西班牙语作Río Orinoco。南美洲主要河流。发源于委内瑞拉和巴西交界处的帕里马山脉西麓,流经委内瑞拉,全长2 740千米,在特立尼达岛附近注入大西洋,整个流程呈一巨大弧形。奥里诺科河大部分在委内瑞拉境内,只有一小段形成哥伦比亚与委内瑞拉的部分国界。奥里诺科水系中有卡罗尼河、马瓦卡河、阿普雷河、比查达河、梅塔河和瓜里科河等支流,该水系是南美洲四大水系中最北面的一个(另外三个水系为亚马孙水系、巴拉那-巴拉圭-拉普拉塔水系和圣弗朗西斯科水系)。奥里诺科河的河水主要由积雪融化而成,年平均流量约为每秒30 000立方米,但随着降水量的季节变化,河水流量相差悬殊。河水携带大量沉淀物使该河巨大的三角洲迅速向大西洋扩展。流域面积948 000平方千米,大部分由广阔的亚诺斯草原组成,东部和南部高原亦可见茂密的热带雨林,水生动物有食肉的锯脂鲤,体重可达90千克以上的鲇鱼,还有奥里诺科鳄鱼,这是世界最长的鳄鱼,身长可达6米。卡罗尼河上的马卡古和古里两大水坝名列世界最大水电站之列。东南部圭亚那高原蕴藏着丰富的铁矿和矾土矿资源。流域盆地大多由土著印第安人居住。奥里诺科河自河口至与卡罗尼河汇合处(约360千米)可以通行大型远洋船只。玻利瓦尔市和瓜亚纳市是奥里诺科河沿岸的主要港口城市和经济发展中心。

Oriol, Pierre　参阅**Petrus Aureoli**彼得(奥雷奥里的)。

oriole　黄鹂　旧大陆的黄鹂科黄鹂属(*Oriolus*)24种鸟类或新大陆的拟黄鹂科拟黄鹂属(*Icterus*)30种鸟类的统称。两科均为雀形目栖木鸟类。雄鸟均黑黄相间或黑橙相间,杂有白色。雌鸟羽色往往不及雄鸟鲜艳。黄鹂胆小,不易见于树顶,但能听到其响亮刺耳的鸣声而判知其所在。主要见于温暖地区,于林地、花园觅食昆虫,某些种亦食果实。欧洲唯一的种为金黄鹂(*O. oriolus*),黄色,眼周及翅黑色,体长24厘米,向东分布至中亚及印度。非洲金黄鹂(*O. auratus*)与之相似。栗色黄鹂(*O. traillii*)产于亚洲,分布于喜马拉雅至印度支那,体色深红。黄黄鹂(*O. flavicinctus*)产于北澳大利亚,仅以果实为食。拟黄鹂科拟黄鹂属最早由早期的美洲移民称为黄鹂;因为其黑黄相间的体色甚似欧洲的真黄鹂。包括的种类如下:著名的巴尔的摩黄鹂(*I. galbula*,即橙腹拟黄鹂)在北美落基山脉东部繁殖,黑、白和金黄橙色相间,北美西部有其近缘种布洛克氏黄鹂(*I. bullockii*,即布洛克氏拟黄鹂)。圃黄鹂(*I. spurius*,即圃拟黄鹂)为黑和栗色相间,遍布于美国东部和墨西哥。肩章拟黄鹂(*I. cayanensis*,即卡晏拟黄鹂)以及拟黄鹂(*I. icterus*,中南美产)是热带种。

(上)金黄鹂(*O. oriolus*);(下)巴尔的摩黄鹂(*I. galbula*)

美国不列颠百科全书公司供图

Orion　猎户座　位于赤经(类似于地球上经度的天球坐标)约5时30分,赤纬为零(在天赤道上)的大星座,用希腊神话中的猎人奥利安的名字命名。在许多民族文化中,猎户座在早晨升起被看作是夏季即将来临的标志;在黄昏升起被看作是冬季和暴风雪来临的象征;而当猎户座在半夜升起则预示摘葡萄季节的来临。猎户座是天空中最引人注目的星座之一。它有许多亮星。其中一颗是参宿四(猎户座α)。它是一颗变星,它那红中带黄的颜色使它很容易辨认。其他亮星则呈白色。参宿七在"猎户"的腿部。在可见光波段它的总亮度比参宿四还大。第三颗亮星是参宿五。"猎户"腰带上的三颗亮星几乎都在天赤道上。在猎户腰带南面的"宝剑"上,有一个肉眼可见的猎户大星云。这是一个包含着数百颗不规则变星的发射星云,星云暗弱的延伸部分实际上充满整个星座。

Orion　奥利安　希腊神话中一个伟岸英俊的猎人。早在荷马时代,即曾将他和以他命名的星座视为一体。关于奥利安的故事,传说纷纭。一般认为他出身粗野,据一后期传说,他从地里出生(生于一头掩埋了的死牛的皮上,皮上曾有三位天神溲溺过)。另一些传说把他说成是海神波塞冬的儿子。他与希俄斯岛关系密切,据称岛上的野兽都是他赶跑的。在岛上,他爱上了希俄斯国王的女儿梅罗普。国王不喜欢奥利安,不断将婚期推延,最后终使奥利安双目失明。初升的太阳的光芒使奥利安恢复了视力。他于是去克里特岛,与月亮女神阿耳忒弥斯同居,当了猎人。有关他的死说法不一,差别甚大:有的传说称他是阿耳忒弥斯的嫉妒的牺牲品;有的则说他死于太阳守护神阿波罗的醋意,因为阿耳忒弥斯深爱奥利安;有的还说他因一巨蝎所蜇而死。奥利安死后被置于众星之中。识别他的标志为他所持的棍棒,身披的狮子皮,腰带(或皮带)和佩剑。

Orion Nebula 猎户座大星云 NGC星表编号1976和M 42。明亮的弥漫星云,位于猎户座猎人腰带的宝剑处,用肉眼隐约可辨。星云距地球约1 500光年,内含数以百计群集在知名的"猎户座四边形"四个巨星周围的高热(O型)年轻恒星。这些星发出的辐射使星云灼热发光。猎户座星云是法国学者N.-C.F.de佩雷斯克于1610年发现的。瑞士天文学家J.曲萨特于1618年也独立发现了它。美国H.德雷伯于1880年拍得的第一张星云照片就是猎户座大星云。星云的照片不断改进,而20世纪80年代后期的技术进步使科学家能够借助电子红外天线阵摄像机拍摄到红外辐射源和猎户座星云的结构细节,所达到的程度是过去用光学仪器观测无法比拟的。哈勃太空望远镜虽然主镜有毛病,1991年也拍得揭示星云很多细节的最清晰照片,从中可以看出似乎有一射流(向外喷的高能射流),它与年轻恒星的诞生有关。

Oriskany, Battle of 奥里斯卡尼战役(1777-08-06) 美国独立战争中,英军与保卫莫霍克河谷的美军的一次激战。这次战役导致英军在北方作战的失败。英军B.圣莱杰中校率兵由纽约州中部东进途中,包围了斯坦威克斯要塞(今纽约州罗马)。美国N.赫基默将军率800名民兵前去解围,但在奥里斯卡尼河以西2英里处遭到约1 200名英军和印第安易洛魁人的伏击。经过激战,双方均有重大伤亡。圣莱杰终未攻克要塞,8月22日撤至奥斯威戈。

Orissa 奥里萨 印度共和国东部的一个邦。东南濒孟加拉湾,东北界西孟加拉邦,北接比哈尔邦,西邻中央邦,南与安得拉邦接壤。首府为布巴内斯瓦尔。奥里萨的这片土地曾被叫做乌特卡拉、羯陵伽和奥德拉代萨,这些名称最初是与特定的民族联系在一起的。佛祖时期这里是一个兴旺繁荣的王国。公元前3世纪,有著名的阿育王参与的一场大战便发生在这里。基督教纪元的最初几百年中,羯陵伽成为海上强国,恒伽王朝统治时期(1078～1264)达到鼎盛。13和14世纪,尽管印度为穆斯林所征服,这里却依旧是一个保持着印度宗教、哲学、艺术和建筑的独立堡垒。1568年,奥里萨丧失独立,向孟加拉的阿富汗统治者称臣,尔后成为莫卧儿帝国的一部分。18世纪莫卧儿帝国衰落之后,奥里萨的一部分仍由孟加拉的纳瓦布人统治,但大部分却转归马拉塔人管辖。1757年孟加拉统治部分被英国人控制,1803年马拉塔部分也被英国人接管。直到1947年印度独立,奥里萨采取现在的建制之前,地区内一直存在许多公国。

奥里萨由若干差异悬殊的地形构成。该邦具有历史意义的核心地带是人口稠密的默哈讷迪河冲积三角洲,河水向东流过奥里萨,注入孟加拉湾。沿海平原后面即是广阔的高原,默哈讷迪河穿过高原,形成巨大峡谷。由高原边缘地带向南是东高止山,这里山峦起伏,森林茂密,交通不便。默哈讷迪河之北是焦达那格浦尔高原。在该邦的西北部有默哈讷迪河的宽阔河道流贯高原表面的广阔地带。奥里萨位于热带季风气候带。主要季节为夏季(2月中旬至6月)、雨季(7月至10月)和冬季(11月至翌年2月中旬)。年平均降雨量约1 800毫米。

奥里萨的人口包括许多种族群,可分为讲蒙达语、达罗毗荼语和奥里雅语的部落。(奥里雅语是奥里萨的官方语言,也是最广泛使用的语言。)印度人占人口的90%以上,拥有压倒优势,许多部落几乎已难以同他们区分开来。大多数人口集中在农村,城市人口仅占12%。克塔克是该邦最大城市。

即使有些地区为不毛之地,其他地区一年也只能收获一季,农村人口中仍有2/3在务农。有些农民家庭从事非农业活动,以赚取额外收入。邦内可耕土地约有4/5种植水稻;其他主要作物有油籽、黄麻、甘蔗和椰子等。工业资源丰富。奥里萨邦的铬铁矿、锰和白云石产量居全国领先地位,此外还大量出产铁矿、煤、石灰石,并有蕴藏丰富的石墨和铝土矿。奥里萨有许多大型工业,包括生产钢铁、化肥、水泥和耐火材料等的工厂。其他工业产品有纸、纺织品、糖、氯、氢氧化钠和玻璃等。希拉库德水坝工程和默杰贡德水电站提供了能源。默哈讷迪河口的伯拉迪布建有全天候深水港,特别用于出口铁矿。邦内尚缺乏足够的铁路设施。奥里萨有丰富的艺术遗产,印度艺术和建筑中的一些最佳典范便出自这里。对艺术传统的维护见诸壁画、石雕、木刻、肖像画及棕榈叶画之中。手工艺工人的银丝饰品和装饰品闻名遐迩。在少数民族地区有各种各样伴着马达尔和长笛起舞的民间舞蹈。以奥蒂西著称的古典舞是一种在寺庙中表演的舞蹈,已流传了700多年。奥里萨有很多传统节日。比较独特的有拜船节典礼,在10月至11月的五天中举行。奥里萨的最大宗教节日是在布里举行的扎格纳特乘车节。这项活动每年都吸引几十万人从印度各地来到这里。奥里萨有几所大学、约100所从事普通教育的学院和少数医学院。这里也是印度中央水稻研究院的基地。有以促进音乐舞蹈发展为宗旨的卡拉维卡斯肯德拉中心,国家音乐协会亦服务于类似目的。面积155 707平方千米。人口约33 795 000(1994)。

oṛissī 奥蒂西 印度6种古典舞蹈中的一种,其余5种为:婆罗多舞、库奇普迪舞、卡塔克舞、卡塔卡利舞和曼尼普里舞。此种舞蹈产生于印度东部的奥里萨邦,遵循《舞论》(**Nāṭya-śāstra**)的规则。其姿态与古庙中的塑像姿态极为相似,说明这是一种古代舞蹈。奥蒂西舞基本形式类似婆罗多舞,强调动作柔软并以各种起伏变化的动作和跳跃增添舞蹈的生气。此种舞蹈专供妇女表演。

Oristano 奥里斯塔诺 意大利撒丁岛西部奥里斯塔诺省城镇和大主教区。在卡利亚里市西北面,近蒂尔索河口。公元前11世纪建为布匿城市,古城遗址在今城附近。亦有古罗马时期的古迹。镇内有E.达尔博雷亚(撒丁岛历史上的重要人物,1383～1404年统治该岛)纪念碑。还有圣克里斯托弗塔、大教堂等。现为农业中心和鱼罐头生产中心。人口:城市区约33 007(2000)。

Oṛiyā language 奥里雅语 属印度-雅利安语东部语支。主要通行于印度奥里萨邦,为印度宪法承认的14种语言之一。奥里雅语由阿尔达摩羯陀普拉克里特语直接派生而来,通行于古代摩羯陀王国,与迈德里语、阿萨姆语和孟加拉语有密切关系,自14世纪以来无大变化。所受外来影响(穆斯林和英国)也小,但文学作品的文体颇受梵语影响。奥里雅语在语法上区分有理性的和非理性的人和物;同孟加拉语一样,用动词多数形式表示对有理性的人的尊敬。

Orizaba 奥里萨巴 墨西哥中东部韦拉克鲁斯州中西部城市。在东马德雷山脉谷地中。土地肥沃,灌溉便利,气候温和。16世纪由西班牙人建镇。1774年为市。是墨西哥最早的纺织业中心之一。公共建筑物具有殖民时期特色。又是农业(烟草、玉米、甘蔗、粮食)和工业中心及旅游胜地。通公路和铁路。1973年8月发生强烈地震,破坏严重。人口约114 341(1995)。

Orizaba, Pico de(Mexico) **奥里萨巴火山** 参阅 **Citlaltépetl 锡特拉尔特佩特**。

Ørjasaeter, Tore 厄亚塞特(1886-03-03,挪威肖克～1968-02-29,肖克) 挪威乡土文学派诗人。他继承和发扬了民谣、民歌和自然抒情诗的传统,对农村生活及其传统、对高山大海怀有深情,这些在他的作品中均有象征意义。他的主要作品是史诗三部曲《古德布兰德·朗赖特》(1913)、《布鲁米伦》(1927)和《影子》(1927),改写后,1941年发表于《选集》中。书中主要反映个人与传统间的冲突。其最优秀的诗集是《小精灵之歌》(1932),描写一滴水汇入海洋的经过,象征着个人渴望自由和人类的休戚与共。在30年代,他的诗反映了欧洲变革的风云,如《生活必胜》(1939)表达了他对人类精神的信赖。战后,他的诗集《小阳春》(1953)、《晴朗的秋天》(1963)带有明显的现代派倾向。此外,在斯特林堡和拉格尔克维斯特的梦幻剧技巧影响下,写过一些剧本,如《克里斯托福罗斯》(1948)、《漫长的蜜月旅行》(1949)等。

Orkan, Władysław 奥尔坎(1875-11-27,奥匈帝国波伦巴-维尔卡[今在波兰]～1930-05-14,波兰克拉科夫) 波兰诗人和作家。原名弗兰齐谢克·斯姆雷琴斯基。父亲是个山民。他的《短篇小说集》(1898)和长篇小说《雇农们》(1900),对故乡塔特拉山区高原人生活所观察的实情,作了自然主义的描写。后来受“青年波兰”文学活动与政治运动的影响,写了《在岔道上》(1903)和《往昔》(1912);在前一书中,他抨击富农对贫苦高原人的剥削;在后部书中,他对第一批定居波德哈拉的移民作了富有诗意的描述。第一次世界大战中,志愿参加波兰军团。在《乡村书简》(2卷,1925～1927)中,表现了对波兰民族命运的深思。

Orkhan (Ottoman sultan) 参阅 **Orhan** 奥尔汗。

Orkhon inscriptions 参阅 **Orhon inscriptions** 鄂尔浑碑文。

Orkney and Shetland, James Hepburn, Duke of 奥克尼和设得兰公爵 参阅 **Bothwell, James Hepburn, 4th Earl of** 博思韦尔伯爵(第四)。

Orkney Islands 奥克尼群岛 位于苏格兰本土北32千米处,由70多个大小岛屿组成。其中仅有20多个岛上有居民。面积975平方千米。为一政务会辖区,属奥克尼历史郡。奥克尼人即古典文献中的奥凯德人。岛上保存许多史前遗迹:地下房屋、圆形场地、立石和土房。西梅恩兰岛的地下村社斯卡拉布雷是欧洲最完整的晚期的新石器时代遗迹。

挪威人8世纪末曾入侵该群岛,9世纪予以开拓,此后群岛就一直受挪威和丹麦的统治。挪威人于12世纪建造克尔克沃尔大教堂。奥克尼和设得兰群岛于1472年划归苏格兰。群岛中最大的梅恩兰岛(一称波莫纳岛)分东、西梅恩兰两部分,中间有约1英里宽的陆地相连。捕鳟业颇盛。岛上耕地零碎,但因使用现代的机械化方法,故产量很高。农产以肉牛和鸡蛋为主,养猪和乳制品(主要产奶酪)生产发展迅速。也种饲料,但大部靠进口。北海油田开发后,建设了一条供派珀和克莱莫尔油田使用的飞机着陆终点站。梅恩兰岛上仅有柯克沃尔和斯特罗姆内斯两个城镇,前者为群岛地区议会所在地。两城风景如画,但主要街道狭窄。柯克沃尔城内有圣马格努斯大教堂和一些壮丽的古建筑(主教宫及苏格兰伯爵的宫殿遗迹)。奥克尼群岛和苏格兰本土之间交通方便,每天有班机和轮船来往。人口约19 600(1999)。

Orlando 奥兰多 美国佛罗里达州中部城市。1856年为奥兰治县府所在地。约在1844年始有人在当地的美国陆军哨所加特林堡周围定居。该市原名杰尼根,后因纪念在塞米诺尔战争中阵亡的一名陆军哨兵奥兰多·里夫斯,于1857年改为现名。1880年南佛罗里达铁路通到此地,并于1883年延伸至坦帕(西南160千米)。1950年市东97千米处兴建了卡纳维拉尔角太空基地,1971年市西南35千米处建立了迪斯尼乐园后,人口激增,经济发展迅速。迪斯尼乐园现占地约11 300公顷。乐园建有佛罗里达州最大的旅馆(1 509个房间),并有若干吸引游客之设施,包括魔力王国、试验性未来社会典型中心、迪斯尼-MGM电影制片厂、游乐岛(晚间娱乐中心)。大奥兰多还设有佛罗里达环球电影制片厂、佛罗里达海洋世界及水上运动公园。其他经济项目有商业、制造业(特别是太空和电子设备方面)、柑橘和冬季蔬菜种植业。此地有许多政府机构,包括奥兰多海军训练中心。教育机构包括中佛罗里达大学(1968)和瓦伦西亚社区学院(1967)。1875年建市。人口:市185 951;奥兰多都会统计区1 644 561(2000)。

Orlando, Vittorio Emanuele 奥兰多(1860-05-19,意大利巴勒莫～1952-12-01,罗马) 意大利政治人物,第一次世界大战后期任首相,为参加凡尔赛和会的意大利代表团团长。1897年当选为众议员。1903～1905年任教育大臣,1907～1909年任司法大臣。1915年支持意大利参战。1917年任首相,1919年6月辞职,12月当选为众议院议长。1925年因法西斯党在选举中舞弊,愤而辞去议长职务。1946年当选为制宪议会议长。1948年被选入新成立的意大利参议院,同年成为共和国总统候选人。

Orléanais 奥尔良 1789年革命以前法国的财政区之一,包括原伯爵领地、日后的奥尔良公国以及邻近的一些领地,亦即包括现今的卢瓦雷省、卢瓦尔-谢尔省、厄尔-卢瓦尔省以及塞纳-瓦兹省和萨尔特省的部分地区。987年于格·卡佩登上法国王位以前,奥尔良已归卡佩家族所有。

Orleanist 奥尔良派 18～19世纪法国拥护波旁家族奥尔良系的立宪君主主义者。在路易-菲力普(1793～1830年为奥尔良公爵)的七月王朝期间,奥尔良派达到权势的顶峰。在法国大革命爆发时,奥尔良公爵菲力普采用平民菲力普的名字,以表现他具有极左的观点。他的儿子路易-菲力普作为夏尔特尔公爵,在共和的三色旗下战斗。由于1830年的七月革命,路易-菲力普和奥尔良派得以掌权。最后,奥尔良派分裂为二:一是保守的、主张巩固王朝和限制公民权利的抵抗派(如C.佩里埃、F.基佐);一是自由的、主张逐步扩大公民权利的行动派(以巴罗为首)。在七月王朝倒台(1848)后以及第二共和国和第二帝国时期,奥尔良派拥护路易-菲力普的孙子和继承人巴黎伯爵路易-菲力普-阿尔贝。1870年第二帝国的终结为恢复王朝提供了另一机会,但在奥尔良派与正统派关于人选争论不休时,第三共和国已经诞生。1883年,当波旁直接男系断绝后,许多正统派同奥尔良派联合起来支持巴黎伯爵,但已无法挽回局势。

Orléans 奥尔良 法国中北部中部大区卢瓦雷省省会。位于巴黎西南偏南,卢瓦尔河畔的博斯平原边缘一富庶谷地中。公元前52年被凯撒征服。查理曼统治时期为文化中心。10～11世纪其重要性仅次于巴黎。百年战争中,于1429年遭英军围攻达7个月之久。后被女民族英雄贞德率军解救。后人每年都要庆祝这一胜利(参阅 **Orléans, Siege of**)。16世纪宗教战争期间为胡格诺派中心。1572年圣巴多罗买节大屠杀(约有1 000人死亡)后为天主教徒控制。1870年,又遭普鲁士人长时间的围城后占领。第二次世界大战中遭猛烈轰炸,许多有历史和艺术价值的建筑被毁,包括贞德纪念馆和圣保罗教堂。卢瓦尔河流经市内,将城市分成两个不相等部分。南岸为小马尔梭区,是商业菜园中心。城市主要部分在北岸。旧城在第二次世界大战中遭到极大的破坏,后按18世纪风格进行了重建。城外公路旁建起新区,成为法国公路网中心和重要铁路枢纽。1305年所建大学于法国革命期间被取消。1962年新建一所大学。作为传统市场和商业菜园的中心,以出产奥尔良玫瑰著名。工业(从巴黎迁来)有纺织、食品加工、机械制造(汽车零件、农业机械)等。人口112 833(1999)。

Orléans, Bastard of 奥尔良(私生子) 参阅 **Dunois, Jean d'Orléans, comte de** 迪努瓦伯爵。

Orléans, dukes of 奥尔良公爵 法国贵族,曾组成4个王朝。按年代顺序分列于后,并各以●为标记。

● Orléans, Philippe I, duc d' 奥尔良公爵(1336-07-01～1375-09-01) 法国奥尔良公爵第一王朝的唯一成员。国王腓力六世的幼子。1343年原拟授予他的多菲内王储领地,后又授予其兄约翰(未来的国王约翰二世)。为了补偿,1344年腓力赐给他公爵领地,因无子嗣,死后,领地由查理五世重新收归法国王室。

● Orléans, Louis I, duc d' 奥尔良公爵(1372-03-13,巴黎～1407-11-23,巴黎) 法国国王查理六世之弟,奥尔良第二王朝第一公爵。他与勃艮第诸公爵的权力斗争是15世纪法国的重要事件。他的野心和风流韵事为人所共知。初称瓦卢瓦伯爵。1386年查理把图赖讷赐给他,1392年他以图赖讷换取奥尔良公爵领地。1386年与米兰公爵之女结婚,获得作为嫁妆的意大利北部,由此引起他建立王国的野心。她对米兰的继承权传给后代,成为路易十二和弗兰西斯一世对意大利发动战争的借口。他是查理的枢密会议的一员。查理患疯癫后,他与叔父勃艮第公爵大胆的腓力开始争权。1404年腓力死,又与腓力之子无畏者约翰继续竞争,1407年被约翰的奸细暗杀。于是,在奥尔良继承人组成的阿马尼亚克党与勃艮第派之间产生了长期的仇恨。其子著名诗人、奥尔良公爵查理(1394～1465)是阿马尼亚克党首领、路易十二的祖父。

● Orléans, Charles, duc d' 奥尔良公爵(1394-11-24,巴黎～1465-01-04,法国昂布瓦斯) 又称昂古莱姆公爵。法国最后的也是最伟大的宫廷诗人之一,流放英格兰时也以写英文诗享有盛名。父为奥尔良公爵路易

(法国查理六世之弟)。1407年其父被勃艮第人刺杀,他仅13岁,继承了爵位,并在阿马尼亚克伯爵贝尔纳第七一派的协助下进行复仇。1414年终于对路易的谋杀者公开定罪,使勃艮第人的气焰一时受挫。历时6年的和谈、休战和内战到此结束。1415年英王亨利五世入侵法国,法军向阿让库尔进军时,他任最高指挥官,兵败后被擒,囚于英格兰达25年之久。1440年7月2日获释,11月3日回到法国。他与克莱沃的玛丽结婚,隐居于布卢瓦,与重要文人交往,包括F.维永、G.夏特兰和J.梅斯基诺特等。其他许多人去拜访他或与他通信。1462年生一子,即日后的法王路易十二。他在英格兰被迫过着闲散的生活,因而有暇醉心于文学。被俘前就写过几首诗,而在英国除写诗外,还创作了一部完整的恋爱故事,主要用歌谣体。他还用英文写了6 000余行诗,叙述两个恋爱故事。过去人们认为这是一个英国人的作品,现在已经公认是他所写。他的英文诗集比他的法文诗更有文学价值。他回国后继续写法文诗。

● **Orléans, Louis II, duc d'　奥尔良公爵** 参阅 **Louis**(France)路易(法国)项下的 **Louis XII 路易十二**。

● **Orléans, Henri, duc d'　奥尔良公爵** 参阅 **Henry**(France)亨利(法国)项下的 **Henry II 亨利二世**。

● **Orléans, Charles, duc d'　奥尔良公爵** (1522-01-22～1545-09-09,法国福雷穆蒂埃) 法国国王弗兰西斯一世之子,著名的战士。曾参加多次战役。1542和1543年两次从神圣罗马帝国皇帝查理五世手中夺取卢森堡。原定他同一位哈布斯堡王朝的公主结婚,以便获得作为陪嫁的米兰或尼德兰部分地区,但因他猝死而未果。

● **Orléans, Charles, duc d'　奥尔良公爵** 参阅 **Charles**(France)查理(法国)项下的 **Charles IX 查理九世**。

● **Orléans, Gaston(-Jean-Baptiste), duc d'　奥尔良公爵**(1608-04-25,法国枫丹白露～1660-02-02,布卢瓦)　别名法兰西的加斯东。法国亲王。国王亨利四世的第三子,路易十三之弟。先为安茹公爵,1611年起称大亲王。1626年因母后玛丽·德·美第奇和首相黎塞留强迫他与玛丽·德·波旁结婚,他第一次与国王政府发生冲突。他在沙莱侯爵的鼓动下卷入暗杀黎塞留的密谋。1626年8月封奥尔良公爵,成为奥尔良第三王朝的第一位公爵。不久原配死于难产。玛丽·德·美第奇因要求罢免黎塞留,1631年2月被路易放逐。奥尔良公爵宣布支持母后,并开始招募军队。1632年2月他与洛林公爵的妹妹玛格丽特秘密结婚。几天后,路易十三的军队进入洛林,他被迫逃往西属尼德兰。同年7月他率领一支小部队重新进入法国,参加朗格多克总督蒙莫朗西公爵领导的叛乱。叛乱被镇压后,他又回到西属尼德兰。1634年黎塞留允许他返回法国。1636年在皮卡迪为路易十三与西班牙人作战。但国王仍拒绝承认他与玛格丽特的婚姻。1638年路易王储(日后的路易十四)诞生,粉碎了他继承王位的梦想。1642年参与森-马尔侯爵反黎塞留的密谋。路易十

美国不列颠百科全书公司供图

四即位后,他成为王国代理摄政。他帮助母后奥地利的安娜成为唯一摄政,但她却任命J.马萨林为首相。1648年发生投石党运动,他最初支持首相马萨林,但在1651年参加贵族集团,要求罢免首相。1652年政府军收复巴黎,路易十四把他流放。4年后他与国王和解。

● **Orléans, Philippe I de France, duc d'　奥尔良公爵(菲利普一世)**(1640-09-21,法国圣日耳曼昂莱～1701-06-09,圣克卢)　奥尔良末代波旁王朝的第一代公爵。法王路易十四之弟。路易十四制止他发挥政治影响,但对他却予以容忍,在宫廷表面对他尊重,暗中却加以鄙视。法王路易十三之子,原称安茹公爵,1660年继承其叔加斯东的奥尔良公爵爵位。在权力转移战争(1667～1668)和荷兰战争(1672～1678)中,他在西属尼德兰作战有功。他在卡塞尔击败奥兰治的威廉,获得重大胜利。据说路易十四因妒忌他的成功,没有再给他兵权。他的前妻(英王查理二世之妹)所生两个女儿,后均为王后;继配(巴拉丁选侯之女)所生儿子在1715～1723年任路易十五摄政。

● **Orléans, Philippe II, duc d'　奥尔良公爵(菲利普二世)**(1674-08-02,法国圣克卢～1723-12-02,凡尔赛)　法国幼王路易十五的摄政(1715～1723)。奥尔良公爵菲利普一世之子。初为夏尔特尔公爵,1701年继承其父

美国不列颠百科全书公司供图

为奥尔良公爵。曾参加大同盟战争(1689～1697),但其叔父路易十四不让他参与指挥。在西班牙王位继承战争(1701～1714)中,他曾指挥法国在意大利(1706)和西班牙(1707～1708)的军队。1715年,路易十四死后,他成为年方五岁的路易十五的摄政。路易十四在遗嘱中写明,一旦多病的路易十五死去,则由路易之孙、西班牙国王腓力五世继承法国王位。奥尔良公爵为了夺取王位,促使巴黎高等法院取消路易十四的遗嘱。他建立各部会议制度取代各部大臣的权力,并恢复高级贵族的政治权力。但各部会议制度缺乏效率,不得不于1718年9月取消,恢复各部大臣。1716年,他命令大臣G.杜布瓦(修道院长,后为枢机主教)与法国的世仇英国结盟,使英国出来反对腓力五世继承法国的王位。1719年英法两国与西班牙交战,次年腓力被迫放弃对法国王位的要求,承认奥尔良公爵为路易十五的继承人。1717年他委托苏格兰银行家J.劳改革法国财政,3年后彻底失败,使他威信扫地。1723年2月路易十五成年,结束摄政。8月,奥尔良公爵出任首相,但在四个月后死去。

● **Orléans, Louis, duc d'　奥尔良公爵**(1703-08-04,法国凡尔赛～1752-02-04,巴黎)　奥尔良公爵腓力二世之子。曾任多菲内总督(1719)、步兵司令(1721)和行政法院院长。夫人巴德女公爵奥古斯特-玛丽-让娜的去世(1726)使他长期悲伤难止,因而退隐圣热讷维耶沃隐修院,专事神学研究。他的名字经常出现在当时的回忆录中。

● **Orléans, Louis-Philippe, duc d'　奥尔良公爵**(1725-05-12,法国凡尔赛～1785-11-18,布里圣阿西斯)　又称夏尔特尔公爵。路易公爵之子。1744年任陆军中将,1747年任多菲内总督。1742～1757年功绩卓著。此后隐居,热衷于戏剧,赞助演员与音乐家。1759年妻子去世后,他热恋蒙泰松女侯爵,在获得路易十五允许后,1773年与她秘密成婚。女侯爵与丈夫同好戏剧,并上演优秀戏剧节目。

● **Orléans, Louis-Philippe-Joseph, duc d'　奥尔良公爵**(1747-04-13,法国圣克卢～1793-11-06,巴黎)　法国波旁王朝的亲王,1789年法国大革命时期支持人民民主政治。路易十六的堂兄弟。1752年封为夏尔特尔公爵,1785年继承其父为奥尔良公爵。1787年路易十六因财政问题与贵族发生冲突,他在巴黎高等法院对国王的权限表示异议。1789年当选为三级会议贵族代表。同年6月25日,他与一些贵族加入第三等级。当时第三等级已宣称它是国民议会。他的罗亚尔宫成为鼓动民众的中心,7月14日攻克巴士底狱的群众把他当作英雄。他于1790年进入国民议会,1791年加入雅各宾俱乐部。翌年8月推翻君主制后,他放弃贵族称号,接受"平民菲力普"的名字。在选入国民公会后,他支持山岳派,反对温和的吉伦特派,并投票赞成处死路易十六。1793年4月5日他的儿子夏尔特尔公爵与法军司令官C.-F.du P.迪穆里埃一起叛投奥军。他被指控与迪穆里埃同

美国不列颠百科全书公司供图

谋，同年4月6日被捕，11月送上断头台。后夏尔特尔公爵即王位，称路易-菲力普（1830～1848在位）。

● **Orléans, Louis-Philippe, duc d' 奥尔良公爵** 参阅 **Louis-Philippe** 路易-菲力普。

● **Orléans, Ferdinand-Louis-Philippe-Charles-Henri, duc d' 奥尔良公爵**（1810-09-03，巴勒莫～1842-07-13，法国赛纳河畔讷伊）法国路易-菲力普之子，1830年其父称国王时，承袭奥尔良公爵称号。原为军人，1834～1836年在阿尔及利亚服役。1837年同梅克伦堡的海伦娜结婚。1839年再去阿尔及利亚，因劳累过度，死于讷伊，时年31岁。其子拒绝奥尔良公爵称号：菲力普（1838～1894）为巴黎伯爵（参阅 **Paris, Philippe d'Orléans, Comte de**）；罗贝尔（1840～1910）为夏尔特尔公爵。菲力普的长子亦名菲力普（1869～1926），是最后一位奥尔良公爵，死后无子嗣。

● **Orléans, Louis-Philippe-Robert, duc d' 奥尔良公爵**（1869-02-06，英国米德尔赛克斯特威克纳姆～1926-03-28，巴勒莫） 第三共和国期间法国王位的觊觎者。巴黎伯爵路易-菲利普-阿尔贝的长子，国王路易-菲力普的曾孙。1886年因威胁共和政权安全而被放逐国外。1890年回国后被捕，并判处监禁。几个月后被押送出境。他周游欧洲和中东。1894年9月其父死后，大多数法国保王党人承认他为合法的国王。第一次世界大战期间，他要求在法军或协约国军队中服役，没有得到批准。死后无嗣，继承权传给堂弟吉斯公爵让（1874～1940）。

美国不列颠百科全书公司供图

Orléans, Anne-Marie-Louise d' 奥尔良 参阅 **Montpensier, Anne-Marie-Louise d'Orléans, duchesse de** 蒙庞西耶公爵夫人。

Orléans, Siege of 奥尔良之围（1428-10-12～1429-05-08） 英军围攻法国奥尔良城，是英法百年战争的军事转折点。英军攻占曼恩后，索尔兹伯里伯爵托马斯开始围攻奥尔良城。他占领了奥尔良附近的许多要冲和卢瓦尔河南岸的桥头堡，但于1428年11月3日因伤死去。继任的英军司令是萨福克伯爵威廉。同年12月，他构筑了许多堡垒。几周以后，法军企图切断英军的供应线，但在1429年2月12日被击败。圣女贞德在希农要求查理七世派兵解除奥尔良之围。她于1429年4月30日把大批军需送入奥尔良。在随后一周中攻陷英军的主要堡垒，萨福克伯爵放弃围攻，撤走。

Orléansville（Algeria） **奥尔良维尔** 参阅 **Cheliff, Ech-** 谢利夫。

Orley, Bernard van 奥尔莱（1492？，布鲁塞尔［今在比利时］～1542，布鲁塞尔） 佛兰德斯宗教画家、肖像画家和挂毯设计师。最早的重要作品为描绘使徒圣托马斯和马太的祭坛画（约1512年，维也纳艺术史博物馆）。采勒像（1519）是其现存唯一署名并标明年代的肖像画。设计的挂毯有《马克西米连狩猎》（罗浮宫博物馆）和《帕维亚的胜利》（那不勒斯博物馆）。美国收藏有他的名画《圣母子与众天使》（纽约大都会艺术博物馆）。

奥尔莱绘《约伯孩子们的宴会》（1521）
美国不列颠百科全书公司供图

Orlice Mountains 奥尔利采山脉 德语作Adlergebirge（阿尔代尔山）。捷克共和国波希米亚东北部苏台德山的支脉，构成40千米长的捷波两国边界线。山脉多结晶岩。大代什特纳山为最高点，达1 115米。

Orlov, Aleksey Fyodorovich, Prince（Knyaz） **奥尔洛夫**（1786-10-19［旧历10-08］，俄罗斯莫斯科～1861-05-21［旧历05-09］，圣彼得堡） 俄国军官及政治家，俄皇尼古拉一世及亚历山大二世内政及外交上有影响力的顾问。他是叶卡捷琳娜二世（大帝）的情人G.奥尔洛夫的侄子，F.奥尔洛夫伯爵的私生子。他在叶卡捷琳娜二世的监督下受教育。1804年加入陆军。拿破仑战争期间，参加1805年后所有的俄国战役。他反对俄国军官包括他的弟弟M.奥尔洛夫将军持有的激进思想，1825年任骑兵团团长，因帮助镇压十二月党人意图建立立宪政权的暴动有功，尼古拉一世封他为伯爵。后参加1828～1829年的俄土战争，升为中将。1829年率领代表团签订《阿德里安堡条约》。以后他又参加镇压1830～1831年的波兰暴动。1833年任黑海舰队总司令及驻土耳其大使后，与土耳其缔结《洪基阿尔-伊斯凯莱锡条约》。此约改善了俄国南疆的防卫条件，但也使俄国与英法两国的关系更加紧张。奥尔洛夫成为尼古拉信任的顾问后，1837年陪同俄皇出国旅行。1839～1842年参加意图建议为农民进行小幅度改革的秘密委员会。1844年被任命为沙皇办公厅第三处处长，负责安全警察部队，由于经常与皇帝接触，他对皇帝及皇帝的政策有极大的影响力。1854年克里米亚战争爆发后，奥尔洛夫被尼古拉派到维也纳劝说奥地利保持中立，但没有成功。战后他参加和会，协助谈判《巴黎和约》（1856）。回国后，新俄皇亚历山大二世封他为公爵，任命他为国务会议及大臣会议的主席。1858年任命他为调查农奴解放问题的委员会主席。虽然保守的奥尔洛夫有很大的影响力，但他仍不能阻止解放政策，解放农奴在他死前数月宣布。

Orlov, Aleksey Grigoryevich, Count (Graf) **奥尔洛夫**(1737-10-05[旧历09-24],俄罗斯特维尔省柳特金诺～1808-01-05[旧历1807-12-24],莫斯科) 俄国军官,在拥立叶卡捷

美国不列颠百科全书公司供图

琳娜二世为沙皇的政变中作用突出。1749年进入士官学校。彼得三世即位后,他与兄格里戈里·格里戈里耶维奇(叶卡捷琳娜二世的情夫)发动政变,将彼得废黜,立叶卡捷琳娜为女皇(1762)。他将彼得逮捕并流放到罗普沙村。几天之后,彼得三世即被杀害。政变后,奥尔洛夫立即晋升少将。在俄土战争(1768～1774)期间,1769年任俄国舰队司令,1770年7月6日在切什梅附近重创土耳其舰队。由于切什梅海战中的功勋,他获得在姓名之后加上"切什梅斯基伯爵"的荣誉称号。俄土战争以后,为了消除皇位觊觎者叶利扎维塔·塔拉卡诺娃对叶卡捷琳娜二世的严重威胁,1775年奥尔洛夫赴意大利将塔拉卡诺娃诱上军舰带回圣彼得堡监禁。同年奥尔洛夫退职,回到柳特金诺庄园专心养马,但后来,他被保罗一世皇帝召到圣彼得堡,强迫他捧着彼得三世的皇冠,陪送已故皇帝遗体迁葬到圣彼得和圣保罗大教堂。

Orlov, Fyodor Grigoryevich, Graf (Count) **奥尔洛夫伯爵**(1741-02-19[旧历02-08],俄罗斯特维尔省柳特金诺～1796-05-28[旧历05-17],莫斯科) 俄国军官和政治家,格里戈里·奥尔洛夫和阿列克谢·奥尔洛夫的弟弟。曾参加1762年拥立叶卡捷琳娜二世为女皇的政变。此后任枢密院检察长。1770年参加俄土战争,任俄国海军地中海分舰队司令。因功勋卓著受封伯爵。1774年退休。

Orlov, Grigory Grigoryevich, Graf (Count) **奥尔洛夫**(1734-10-17[旧历10-06],俄罗斯特维尔省柳特金诺～1783-04-24[旧历04-13],莫斯科附近涅斯库奇诺耶) 俄国军官,女皇叶卡捷琳娜二世的情夫。他组织政变拥立叶卡捷琳娜为沙皇,此后为她亲密的顾问。1749年奥尔洛夫入士官学校,后为炮兵军官,七年战争期间参加佐恩道夫战役(1758)。1759年去圣彼得堡谒见彼得大公和夫人叶卡捷琳娜,1760年左右成为叶卡捷琳娜的情夫。1762年彼得登基,为彼得三世。他与其弟阿列克谢策动政变推翻彼得,拥立叶卡捷琳娜为俄国女皇。他因此受封伯爵。他开始研究自然科学,参加创立自由经济协会(1765)。当叶卡捷琳娜草拟成立立法委员会的敕令时,他是女皇的顾问。后来他任该委员会的委员(1767～1768)时,极力主张通过可以改

美国不列颠百科全书公司供图

善农奴状况的改革方案。1772年叶卡捷琳娜派他作为首席代表参加结束俄土战争的和平会议,但他主张从土耳其统治下解放基督教徒以及瓜分奥斯曼帝国,结果未能完成使命。1772年左右,他不再是叶卡捷琳娜的情夫;他遂于1775年离开俄国,1777年与一表妹结婚。1782年妻子死后,他精神不正常,返回他在俄国的住所。

Orlov, Nikolay Alekseyevich, Knyaz (Prince) **奥尔洛夫公爵**(1827-05-09[旧历04-27],俄罗斯圣彼得堡～1885-03-29[旧历03-17],法国枫丹白露) 俄国外交家,以其在国内问题上的博爱精神而著称。阿列克谢·奥尔洛夫公爵之子。1845年参加军队,1849年在匈牙利作战,1854年在克里米亚战争中失去一只眼睛。1859～1869年任驻布鲁塞尔大使,1871年12月任驻巴黎大使。1882年奉召回国,后一度出使柏林。作为政论作家,他于1881年在《俄国旧事》月刊上发表过许多抨击体罚的文章,并主张宽恕不奉行国教的人。

Orlov diamond 奥尔洛夫钻石 来自印度的玫瑰花琢型宝石,是俄国罗曼诺夫王冠上的珠宝之一。呈半卵形,圆顶有许多翻光面,底部大体是平的,重量近200克拉。据传,原为迈索尔的婆罗门寺庙中神像的眼珠,被法国逃亡者偷往马德拉斯。一说18世纪中叶它为波斯国王纳迪尔·沙阿所有(被视为失踪已久的*大莫卧儿钻石*[**Great Mogul diamond**]),国王遇刺后被盗,卖给亚美尼亚的百万富翁。两种传说都认为1774年被G.G.奥尔洛夫伯爵购得,他徒劳地为了重新获得宠幸,将钻石献给叶卡捷琳娜二世女皇,叶卡捷琳娜将钻石镶在罗曼诺夫的王冠上。现由莫斯科保管沙皇服饰的俄罗斯钻石基金会收藏。

Orm 奥姆(创作时期约1200) 又称Ormin。中世纪英国作家,奥古斯丁会成员。著有一部早期中古英语以诗歌体讲道的作品(约成书于公元1200年)。该书以四福音书为蓝本,题名《奥姆卢姆》,意谓"奥姆所作之书"。此书毫无文学价值,但对语言学者却有重大价值,因为奥姆发明了一种以语音原理为基础的正字法,自成体系,读法谨严。他的用意明显地是想普及语音教学,并征引格列高利一世、比德及埃尔弗里克等人的论述,融入其诗行。为了帮助讲道人高声朗读其作品,奥姆的正字法表示元音音质(音长)的方法,是把闭音节短元音后面的辅音字母重复书写,同时由于原来使用凯尔特或海岛文字书写的古英语作品中,只用1个符号表示3个不同的语音,奥姆便采用3个符号分别表示之。

Ormandy, Eugene 奥曼迪(1899-11-18,布达佩斯～1985-03-12,费城) 匈牙利出生的美国指挥家,与晚期浪漫派和20世纪初的曲目关系密切。14岁毕业于布达佩斯皇家学院,17岁即任小提琴教授,并到中欧各地巡回演出。1924年在美国一次替代乐队正式指挥后,遂决定以指挥为终生职业。开始为电台指挥古典轻音乐,后在夏季音乐会上演出,因而得以应聘在费城管弦乐队举行的系列音乐会中充当托斯卡尼尼的助理指挥。接着又和明尼阿波利斯交响乐团签订合同(1931～1936)。随着一系列唱片的发行,在国内的名声大震。1936年回到费城管弦乐队,同斯托科夫斯基共同担任指挥职务,1938年任首席指挥,直到1980年退休。他训练这一乐队,使那种华丽的天鹅绒般的弦乐色彩成为该乐队的标志。

Ormazd (ancient Iranian deity) 参阅 **Ahura Mazdā 阿胡拉·玛兹达**。

Ormoc 奥尔莫克 菲律宾莱特省西部直辖市,位于卡莫特斯海小港奥尔莫克湾的顶端。为米沙鄢群岛东部唯一的甘蔗贸易中心。稻米、椰干和食糖为出口商品,糖、稻米和玉米加工业占重要地位。有飞机场和通戈南温泉国家公园。第二次世界大战中为日本人在莱特的大本营和后勤基地,1944年12月10日落入美国麦克阿瑟将军率领的军队手中。现城市在其旧址上发展起来。1947年设市。人口:市约144 003(1995)。

ormolu 仿金铜 具有黄金色泽的铜、锌合金(有时加锡),比例不等,但通常至少含50%的铜。仿金铜用于家具的边饰和其他装饰。浸在稀硫酸里,或用磨光的办法,可增加其亮度。17世纪中期法国最早制成仿金铜并始终保持其主要生产中心的地位。其镀金是将金粉与水银混合在一起调成糊状,刷在仿金铜铸件上;然后用火加热至一定温度,将水银蒸发;最后,把留在表面的金粉层擦亮或退光,以获得最佳的光泽效果。

Ormond Beach 奥蒙德比奇 美国佛罗里达州东北部沃卢西亚县城市。临哈利法克斯河,与代托纳比奇相毗连。主要为一游览地(有6千米长坚硬白沙滩)。1874年由康涅狄格州移民拓居。1880年设镇。后筑铁路先驱及旅游开发商H.M.弗拉格勒开发多处地产(包括洛克菲勒冬季住宅)。1930年设市,称奥蒙德。每年举办老式汽车节展。1949年改称现名。人口36 301(2000)。

Ormonde, EARLS AND DUKES OF **奥蒙德伯爵和公爵** 爱尔兰封爵贵族,属巴特勒家族。按年代顺序分列于后,并各以●为标记。

● Ormonde, Piers Butler, 8th earl of 奥蒙德伯爵(第八)(约1467～1539-08-21或26)

即P.巴特勒。爱尔兰巴特勒家族的重要成员。他站在英格兰人一边与叛变的爱尔兰贵族作战,1522年任爱尔兰总督。1528年封奥索里伯爵,1538年封奥蒙德伯爵。

● **Ormonde, Thomas Butler, 10th earl of 奥蒙德伯爵(第十)**(1531或1532～1614-11-22) 即T.巴特勒。爱尔兰贵族。在16世纪中叶的叛乱中站在英格兰人一边。在英格兰宫廷中长大成人,信奉新教。1554年回爱尔兰。1559年任财政大臣。在爱尔兰发生叛乱时,他站在英格兰一方,同时极力报他与菲茨杰拉德的德斯蒙德家族之间的私仇。1579年12月第十四代德斯蒙德伯爵公开叛乱,他于1580年被任命为芒斯特军事长官镇压叛乱。1597年任英王驻爱尔兰总督,镇压奥尼尔家族和伯克家族的叛乱。

● **Ormonde, James Butler, 12th earl and 1st duke of 奥蒙德伯爵(第十二)和公爵(第一)**(1610-10-19,伦敦～1688-07-21,英格兰多塞特郡金斯顿拉西) 即J.巴特勒。英格

美国不列颠百科全书公司供图

兰-爱尔兰新教徒。从内战开始到1688年革命为止的大部分时间为英格兰王室在爱尔兰的主要代表。巴特勒家族出生,在英格兰长大。1632年承袭伯爵爵位。1633年在爱尔兰开始步入政坛。1641年爱尔兰发生天主教徒叛乱后,他被任命为英格兰军中将,曾在芒斯特的基尔拉什(1642-04-15)和伦斯特的新罗斯(1643-03-18)击溃天主教联盟的叛乱分子。议会派在内战中打败查理一世后,他于1649年1月与联盟派签订和约,并联合新教保王派和天主教联盟分子支持查理二世。1649年8月克伦威尔在都柏林登陆,很快就征服了爱尔兰。1650年12月奥蒙德逃往查理二世在巴黎的流亡宫廷。此后10年,他为查理的亲密顾问。1660年查理二世复辟,他出任财政和海军专员。1662年任爱尔兰总督,大力发展爱尔兰的工商业。1669年因查理二世听信谗言而被解职。1677年重新得到国王的宠信,再度任爱尔兰总督。1682年封公爵。1684年又因宫廷阴谋而被召回。

● **Ormonde, James Butler, 2nd duke of 奥蒙德公爵(第二)**(1665-04-29,都柏林～1745-11-16,法国阿维尼翁) 即J.巴特勒。爱尔兰将军,1710～1714年英国托利党政府中最有权势的人物之一。爱尔兰政治家第一代奥蒙德公爵詹姆斯之孙。1688年承袭祖父爵位。1688～1689年革命中背弃了詹姆斯二世,并曾参加威廉三世战争。1703～1707年和1710～1713年任爱尔兰总督。在西班牙王位继承战争中任英军总司令,与法国作战,但在尼德兰登陆后即获秘密指示不配合盟国进攻,此时托利党政府背着盟国和辉格党与法国媾和。由于他与詹姆斯党有联系,1714年乔治一世即位后将他免职。1715年8月逃往法国。英国议会通过法令撤销他的爵位和没收他的财产。不久,在流产的詹姆斯党人叛乱中他企图在英格兰登陆,但没有成功。

Ormsby-Gore, William George Arthur, 4TH BARON HARLECH 奥姆斯比-戈尔(1885-04-11,伦敦～1964-02-14,伦敦) 英国政治家及积极促进英国殖民地教育的学者。曾就学于伊顿公学和牛津大学新学院(1907)。1910年当选为议会议员。第一次世界大战期间他在埃及工作,对犹太复国主义发生终生不懈的兴趣。1917年被任命为内阁助理大臣,1936年被任命为殖民地大臣。两年后因他取得贵族爵位及对纳粹德国的坦率批评,而辞去殖民地大臣职务。后又在政府部门及银行界担任高级职务。在处理英国的非洲殖民地问题方面,他提倡教育政策要符合当地的需要。他支持以科学研究来帮助解决英帝国不发达地区的医疗问题和农业问题。由于对教育感兴趣并有热情,他于1945～1957年一直担任威尔士大学校长。作为艺术和建筑学者,他与若干博物院有联系;曾任国立美术馆(1927～1934;1936～1941)及不列颠博物馆(1937～1964)理事。所著《15世纪佛罗伦萨的雕刻家》(1930)及《英格兰古迹指南》4卷丛书(1935、1936及1948),显示出他在艺术方面的学识和热情。

Ormuz(Iran) 参阅 **Hormuz** 霍尔木兹岛。

Ormuz, Strait of(Asia) 参阅 **Hormuz, Strait of** 霍尔木兹海峡。

ornament 装饰 建筑中添加在纯结构形式上的任何部件,通常作装潢或美化之用。建筑艺术的装饰有三种基本的、区别十分明显的类型:模仿性装饰,其形式具有确定的含义或象征性;应用性装饰,其意图是为建筑结构增添美感,但为结构外的附加物;有机装饰,为建筑物的功能或材料中固有的东西。

模仿性装饰是原始文化、东方文明以及整个古代的建筑艺术装饰中最常见的类型。它来源于人类对技术变化的普遍反应,即企图运用新材料和新技术再现过去所熟悉的轮廓与特征,而不考虑是否适当。例如墓穴、金字塔、神庙和塔楼等为古代最常见的建筑类型,它们最初都是对原始房屋和神龛形式的模仿。穹顶就是一个很明显的例子,它本来是一种用柔软材料建成的古老形式,后来发展成用木材或石头建造的永久性式样。在早期文明的成熟阶段,各种建筑类型趋向于从原始形态蜕化出来,然而它们的装饰通常仍以旧有模式为基础。由早期结构形式和象征形式衍生出的装饰主题极多而且十分普遍。在印度和中国已经发达的建筑艺术中,经常甚至过度地利用穹顶及其他原始结构形式来充当装饰。在古埃及的全部历史中,建筑细部始终如一地保存由纸莎草杆束构成的外观和其他类似的早期建筑形式。美索不达米亚的砖墙长期模仿原始的泥浆和芦草结构的表面状态。在希腊罗马柱式的石刻部件(柱头、柱楣、线脚)中,其沿袭古代木造结构的痕迹也总是明显可辨。

希腊古典时期的建筑艺术装饰体现了由模仿性装饰转向应用性装饰的普遍趋势,这些装饰既不具象征意义,也与其所取代的建筑结构无关。到了公元前5世纪,希腊柱式部件原先所具有意识的象征意义或结构意义已丧失殆尽,此时的部件仅为添加于建筑结构上的装饰成分。多立斯式饰带便是一个很好的例子:它原先模仿古代木造建筑交替出现的梁尾和百叶窗开口的痕迹仍然明显,但后来却只被当作一层装饰性挡板,与其后边的实际建筑形式毫无关连。不过,希腊柱式部件丧失其模仿性格后却获得一项新功能,它们在视觉上起联系建筑物的作用,作为一系列相互协调的视觉单位,把建筑物组织起来使之成为一个和谐的整体,而不是一堆孤立的单位。这就是贯穿整个希腊罗马时代的应用性装饰的概念。罗马时代的凯旋门是一个绝佳的例证,它利用其装饰性列柱和檐部的系统来连结一个基本上是块状的造型。文艺复兴和巴罗克时期的伟大建筑大都采取应用性装饰。大致说来,这些建筑风格间的差异亦即其装饰上的差异。

直到19世纪以前,审慎而明智地利用应用性装饰仍旧是大多数西方建筑的特色。然而,在维多利亚时期,应用性装饰的基本原理垮台了,不加选择且不适宜地使用装饰成为19世纪建筑艺术最显著的特征之一。当时建筑装饰和建筑形式本身倾向于各自为政,互不相关地各自独立进行设计。由于这种装饰显然毫无用途,因此无可避免地引起了反应;这种反应到了19世纪70年代开始显现。当时H.H.理查森采用罗马式风格来设计建筑,为的是要表达石材质感和纹理,而非出于它的历史性联想。在其19世纪80年代中期的成熟作品中,那些旧有的、应用性装饰意味实际上已消失不见,建筑物主要是依靠所用材料固有的性质来获得美感效果。在理查森以后的一代中,这种原则的进一步发展随处可见。

20世纪初期一切先进建筑艺术思想家都悉心研究建筑装饰的独特机能。到了20世纪中期,形成了一种可以称为有机的建筑装饰概念。在美国,L.沙利文对新的建筑表现做出最重要的贡献。他的都市建筑的主要基础是强调现代钢架结构所产生的动力学的线条和模式,但是他在建筑物的一部分立面上用训练有素的手法保留了自然主义装饰的带面和块面。然而,随着第一次世界大战后对维多利亚建筑原则的普遍反对,一些主要设计师甚至屏除这种应用装饰,仅利用建材本身的特质来完成装饰效果。在20年代后期和30年代期间,国际风格在先进的建筑设计中占有主要地位,以W.格罗皮厄斯和科比西埃为代表人物。在这种一直延续到60年代的严肃的国际风格支配时期,一些大建筑物的正面几乎看不到任何种类的建筑装饰。这种情形直到70年代出现了后现代主义建

筑运动才得以改观，该运动对国际风格的朴实的功能主义提出修正，允许适量地运用装饰，包括古典主题在内。

ornamentation 装饰法 在音乐中，是指对一支曲调的装饰，既可增加音符，也可改变节奏。欧洲音乐的装饰法是对一首已经完成的作品加以装饰，使其更优美动听。古代音乐和许多现代东方音乐没有装饰法，在这些音乐中装饰法、即兴演奏和作曲这三者之间的界线无法划分。参阅 **improvisation; melody**。装饰法在不同的时代和不同的国家里有很大差异。它的传统语汇反映着并常常影响着音乐风格。有些装饰法风格是由于乐器的技术性限制而形成的；有些装饰法风格则是因为人们希望在重复时能增加一些变化。装饰法与即兴演奏、作曲有关。直到18世纪末，演员们往往为了提高音乐的表达力而即兴表演华丽的装饰音。但是拙劣的即兴演唱(奏)装饰音会引起乐曲的混乱；评论家也埋怨由于技巧的使用不当而损害了装饰的效果。在宗教音乐中，对声乐加以装饰受到中世纪教士们反对，他们认为这样做有损于圣歌的纯正。在14世纪，意大利世俗音乐里出现了一种缩减或分割的基本装饰法技术，即把基本曲调的音符分成较短的音群，并把这种技术规范化，表演者可从几个缩减模式中选取一个来装饰乐句。缩减手法往往是收束性的，换言之，在一个段落结束时采用；这一手法后来成为18世纪协奏曲的一个特征(参阅 **cadenza**)。15世纪出现了第一部有关装饰法的理论著作，到16世纪，就有很多装饰法指南之类的手册问世，这些大半出于意大利作者之手，其读者对象是业余爱好者。在这些作品中声乐的装饰被设想为抽象的音乐表达，而不是文学构思的再现。它所关注的主要是如何反映歌词的情绪，而不是强化个别的词句。因此歌者对缩减手法的处理基本上与乐器演奏者相似。17世纪初，声乐曲和器乐曲的风格有了明确的改变，并形成了意大利和法国两种不同民族风格的装饰法。声乐装饰法被明确地用来加强歌词的感情内容。为做到这一点，一种新的、富有感情表现力的曲调写法及在韵律上有特殊风格的声乐装饰法乐汇获得了发展。在意大利，虽然缩减装饰法仍被应用，但这种新的装饰法风格是为独唱音乐所专用。缩减法的原则在17世纪法国与“宫廷恋歌”有关的声乐装饰风格中得到沿用，在拨弦键琴和诗琴音乐的变奏性重复中也保存下来。法国和意大利的装饰法风格，在18世纪的大部分年代里都保持着彼此相异。J.S.巴赫并不倾向于这两种风格中的任何一种，然而他能得心应手地运用这两种不同的风格。在J.海顿与W.A.莫扎特的作品中，各种装饰音体现出与其音乐语言相融合的手法。19世纪，除意大利歌剧外，很多装饰音已成为其音乐语言中的有机组成部分，不再让表演者随意处理。这样，F.肖邦和R.瓦格纳作品中的很多乐句都可追溯到早些时候的装饰法应用。

Orne 奥恩 法国西北部下诺曼底大区省份。面积6 103平方千米。由历史上的诺曼底(**Normandy**)省、佩尔什县和阿朗松公国组成。本省大部地区多丘陵，尤以西南部和东部为最。海拔在180米以上，最高点417米。是入英吉利海峡和入大西洋河流之间的分水岭。有20条河和800条溪流源出境内。气候温和，雨量适中，经济以农业为主。大部土地用于放养马、牛。黄油、干酪在当地主要产品之列。原种苹果树以供生产当地著名的苹果酒，后因让出更多的土地以扩展大规模的农业(菜牛和谷物)，苹果树被砍，苹果酒行业遂一蹶不振。阿让唐附近有路易十四时期建的种马场。工业有纺织、轻工等。阿朗松、阿让唐和莫尔塔涅欧佩什为三个专区的行政中心，属卡昂教育区。人口约294 100(1993)。

Orne River 奥恩河 法国北部下诺曼底大区河流。全长152千米，流经奥恩和卡尔瓦多斯两省，在卡昂东北偏北处注入英吉利海峡。源出塞市以东的佩尔什山，向西北过阿让唐集市镇，折向西经皮唐日-蓬泰克勒潘，下有水坝，继而穿圣奥贝尔峡谷，流经有诺曼底瑞士之称的风景区。经过牧场至卡昂，有一条与奥恩河平行的运河将卡昂与大海连接起来。下游河岸石灰岩石曾被英国人开采用于建造伦敦塔和诺威奇大教堂等著名建筑。

ornithischian 鸟臀类 鸟臀目(Ornithischia)的草食恐龙，腰带结构与鸟类相似，故得名。鸟臀目为恐龙的两个大目之一，另一目为蜥臀目。鸟臀目的主要特征在于腰带的结构，其耻骨有一个向后伸展的突起，这点与鸟类相似；而蜥臀类的耻骨向前伸展，与现代爬行动物相似。另一特征为下颌前端多出一块骨头。许多种类具无牙的角质喙，用于掐取植物为食，并具强有力的颊牙，用以磨碎食物。许多鸟臀类又有格构状骨腱，用以绷紧尾骨。所有鸟臀类恐龙均为植食性。鸟臀目可分5个(或4个)亚目：鸟脚亚目(Ornithopoda)、肿头龙亚目(Pachycephalosauria)、剑龙亚目(Stegosauria)、甲龙亚目(Ankylosauria)及角龙亚目(Ceratopsia)。鸟脚类均为双足行走，但习性、体型大小、分布等方面差异很大，如禽龙类与鸭嘴龙类在这些方面就很不相同。与之近缘的肿头龙亦为双足行走，但头部圆顶形，额部高，颅骨肿厚。剑龙四足行走，背部有两排骨质板，从肩部排列到尾部。甲龙的背部、体侧、头部布满甲板和棘刺。角龙的骨板仅见于巨大的头部，头骨后部的顶骨及鳞骨向后延伸成褶皱状的突起，用以保护颈部和肩部。鸟臀类取食植物的效率高于蜥臀类，部分原因是其用以研磨食物的牙齿埋于肉质的颊内，这样食物在咀嚼时不会从口中掉出去。由于这些优良的适应性结构，到白垩纪末期(6 640万年前)，鸟臀类的数量已超过植食性的蜥臀类恐龙。

Ornithogalum 虎眼万年青属 百合科的一属，约100种，原产欧亚和非洲。草本，有鳞茎，叶基生成丛。花钟状或星状，黄色或白色，数朵聚生于花葶顶部，具短梗和苞片。常见园艺花卉伞形虎眼万年青(伯利恒之星，*O. umbellatum*)叶具白色斑点；花白色，星状，花被片3枚，花被外有一条绿色宽带。

一种虎眼万年青属(*Ornithogalum*)植物

美国不列颠百科全书公司供图

Ornitholestes 掠鸟龙 小而轻的恐龙。化石见于北美的上侏罗统(距今1.59亿～1.44亿年)的沉积层中。人们因在怀俄明州发现了完整骨骼而对其有了比较充分的了解。身长约2米，头骨、颈部、尾巴都长，颈部显然很灵活；前肢很发达，末端有3个比一般恐龙类细长的带爪的趾，表明能捉住快速逃避的动物。有人提出，该属可能捕食早期鸟类，因此其名称的意思是“鸟盗”，还很可能吃快跑的小蜥蜴类，甚至早期哺乳类；后肢很发达，具有擅长奔跑的肌肉。该属是能够快速移动的两足行走动物，奔跑时伸展着颈部和尾巴以平衡身体。很可能这种灵敏的小型食肉动物占据着后来哺乳类的生态位置。大概栖居于北美晚侏罗纪森林的矮树丛中。

ornithology 鸟类学 动物学的分支学科，研究鸟类的科学。大多数有关鸟类的早期著作传奇性多于科学性，但也提供了广泛的知识基础，包括许多民间传说，后来的工作即建立在这基础之上，欧洲中世纪有许多文章涉及鸟类学的实用方面，特别是驯鹰和狩猎鸟类的管理问题。从18世纪中期至19世纪后期，鸟类学的主要目标是新种的分类和描述，那时的科学考察是在鸟种丰富的热带大量收集标本。到20世纪早期，大多数鸟类已被科学所认识，但许多种的生物学特点事实上仍一无所知。19世纪后半期人们对鸟类内部解剖的研究作出很大努力，主要目的是为分类学提供依据。20世纪前半期，生态学和行为学兴起，解剖研究相形见绌，但20世纪60年代又得复苏，重点研究鸟类的功能适应问题。鸟类学是仅有的非专业人员作出重大贡献的科学领域之一。许多研究工作是在大学和博物馆进行，在这里存放鸟皮、骨骼和标本，分类学家和解剖学家据此进行研究。另一方面野外调查工作则由专业和业余工作者同时进行，后者提供了关于行为、生态、分布和迁徙等有价值的资料。虽然大量的有关鸟类的资料是通过简单的直接的野外观察(一般只靠望远镜)得出，但鸟类学某些领域由于使用新仪器和新技术而得益不浅。鸟类的环志工作早在19世纪早期即已开始，现已成为关于鸟类寿命和移动路线的主要情报来源。

若干国家建立鸟的环志系统,每年有几十万只鸟被带上有号码的脚环标志。高灵敏度的雷达对鸟类运动的研究帮助极大。微型无线电发报机(遥测计)带在鸟体上或植入鸟体内,用于每天记录鸟类个体运动。借助于视力标志(如将羽毛染色,在脚和翅上带有号码或不同颜色的塑料箍),用肉眼就能辨认不同个体,而无需捕捉,借此业余爱好者也能协助研究人员寻回已标志的鸟类。随着高质量、可携带的声频设备的发展,人们已开始研究鸟类鸣声的性质和意义。

Ornithomimus　似鸟龙属　似鸟龙次目(Ornithomimosauria)的一属。化石见于中国西藏和北美的晚白垩纪(9 750万年前～6 640万年前)沉积物中。似鸟龙体长约 3.5 米。后肢细长,肌肉发达,适于奔跑,据信可用其伸展的长尾保持平衡。与其他“鸵龙”类一样,似鸟龙亦无齿,而具喙状的颌。头颅小,颅骨薄,脑腔异常地大。虽然在一段时间内似鸟龙属被认为即似鸵龙属(*Struthiomimus*),但后来权威们借前肢构造及地层分布将这两属区分开来(似鸵龙的前肢较为强壮)。似鸟龙的化石发现于较年轻的岩石中。据信这两属亦生活于不同的环境中。参阅 **Struthiomimus**。

ornithopod　鸟脚类　鸟臀目鸟脚亚目(Ornithopoda)恐龙,特点为能双足行走,与大多数其他鸟臀目恐龙不同,鸟脚类能用两后肢行走及奔跑,并将尾部抬离地面,但可能大部分时间四肢着地以较慢的速度行走。许多种类善跑,借其奔跑速度逃避掠食者。鸟脚类是相当于现代牛、鹿等反刍动物的恐龙;具角质喙,无牙齿。以喙采取植物,并用磨牙样的颊牙将其磨碎。鸟脚类繁盛于晚三叠纪至晚白垩纪(2.3 亿年前～6 640万年前),是最成功、生存时间最长的恐龙类动物之一。分为 5 个科:法布尔龙科(Fabrosauridae)、异齿龙科(Heterodontosauridae)、棱齿龙科(Hypsilophodontidae)、禽龙科(Iguanodontidae)及鸭嘴龙科(Hadrosauridae)。法布尔龙是最早最原始的鸟脚类,体小,细瘦,似蜥蜴,体长 0.6 ～ 1.2 米。异齿龙较为先进,开始出现角质的喙以及为鸟臀类特有的特化的牙齿。棱齿龙繁盛于晚侏罗纪至晚白垩纪(1.63 亿年前～ 6 640 万年前),是分布最广泛、生存时间最长的恐龙科之一。体长 1.5 ～ 7 米。有证据表明棱齿龙奔跑速度很快。棱齿龙可能是更为先进的禽龙和鸭嘴龙的祖先,后二者大部分时间四肢着地而行。禽龙为体型中等至大型的恐龙,具特化的用以磨碎食物的牙齿,这是高等鸟脚类的特征。禽龙属(*Iguanodon*)体型最大,最为人熟知,身长可达 9 米。鸭嘴龙吻部宽扁而长,喙内无齿,似鸭嘴,故得名。颌骨上用以磨碎食物的齿列复排,具颊袋,这些都非常适应于取食植物。鸭嘴龙通常体长 9 ～ 11 米,是白垩纪末期北美数量最多的恐龙之一。

ornithosis(disease)　**鸟热**　参阅 **psittacosis 鹦鹉热**。

Örnsköldsvik　恩舍尔兹维克　瑞典北部西诺尔兰省城市。临波的尼亚湾。建于 1842 年。1892 年通铁路。1893 年设市。主要工业产品和输出商品为纸浆。五金和制革亦很重要。建有机场和轮渡通芬兰的瓦萨。人口:城区约58 663(1995)。

Orodes II　奥罗德斯二世(?～公元前 37 或前 36)　安息国王(约公元前 57 ～前 37 或 36 在位)。曾协助兄弟米特拉达梯三世谋杀父王弗拉特斯三世,然后又取代米特拉达梯为国王。当米特拉达梯占据塞琉西亚和巴比伦时,奥罗德斯攻入这两个城市,立即把兄弟处死。他对部下冷酷无情,曾处死于公元前 53 年击败罗马执政克拉苏的将军。因其爱子(可能是同治国王)帕科罗斯被杀,安息才停止对罗马的叙利亚的劫掠。后被儿子弗拉特斯四世所弑。

orogeny　造山运动　一般指地槽区发生的造山运动。与造陆运动不同,造山运动往往是在长条形地带中,在相对短促的时间内发生的,且引起剧烈变形。其伴生的产物有地层的褶皱和断层,角度不整合的发育,以及碎屑沉积物楔状体在邻近造山带地区中的堆积,并且伴随着造山运动常有岩浆侵入和区域变质作用。造山运动的原因可能来自大陆块的碰撞,大洋板块向大陆的俯冲,大陆的裂开,大洋海岭被大陆仰冲,以及其他各种原因。参阅 **epeirogeny**。

orographic precipitation　地形降水　湿空气移过山脉时被迫抬升所生成的雨、雪或其他降水。当空气上升冷却时,形成起降水源作用的地形云,大部分降水落在山脊迎风面。有些也落在背风面不远的地方,有时称为飘来雨。通常,在山脉背风面雨量少,这一区域称为雨影。如果一条大的山脉横阻从暖洋面吹来的盛行风,在其迎风面上一般容易出现非常强的降水。

Or'ol(Russia)　参阅 **Oryol 奥廖尔**。

Oromo　奥罗莫人　又称加拉人(Galla),埃塞俄比亚第二最大种族集团,人口约占埃塞俄比亚人口的 35%,语言属含闪语系库施特语族。奥罗莫人原来定居在埃塞俄比亚的东南部,16 世纪不断外侵而迁移,占据了埃塞俄比亚南部,有些人沿肯尼亚境内的塔纳河定居;占据了埃塞俄比亚中部和西部多数省份,其中包括阿姆哈拉南部诸地区;再往北部,则占据了厄立特里亚附近的沃洛省和提格雷省。奥罗莫人在自然条件完全不同的地区,一定居下来,就遵从当地风俗习惯并与当地人通婚;结果,他们固有的文化特点和种族差别大部分消失。南方各省的大多数奥罗莫人仍以畜牧为生。东部和北部的奥罗莫人因长期和锡达莫人、阿姆哈拉人混居通婚,已成定居农民。南方奥罗莫人的各群体如阿鲁西加拉人和博兰加拉人都是异教徒,信奉天神。北方的奥罗莫人是穆斯林或基督教埃塞俄比亚正教信徒。1974 年革命后,奥罗莫人的影响大增。

Oron　奥龙　又称伊杜阿奥龙。尼日利亚阿夸伊博姆州城镇。临克罗斯河口。与乌约和奥波博通公路。为伊比比奥人农产品(薯蓣、木薯、鱼、棕榈油和棕榈仁)的沿岸贸易中心。镇内有尼日利亚联邦航海学院和藏有伊比比奥人古雕刻品的博物馆(1959)。有医院和师范学院。人口约70 550(1992)。

Orono　奥罗诺　美国缅因州南部佩诺布斯科特县城镇。位于班戈东北 13 千米处,临佩诺布斯科特河。1775 年始有人定居。1806 年设镇。1840 年为纪念美国独立战争中同当地定居者修好的印第安人首领奥罗诺而称现名。现主要为居民区。设有缅因大学校本部(1865)。有纺织和木、纸制品生产等轻工业。面积 47 平方千米。人口约9 112(2000)。

Orontes River　奥龙特斯河　阿拉伯语称阿西河。西南亚河流。源出黎巴嫩中部的贝卡。穿行黎巴嫩山脉和东黎巴嫩山脉之间,在叙利亚境内蓄成霍姆斯湖,再经加卜地区流入土耳其,折向西流,至萨曼达附近注入地中海。全长 400 千米。大部不能航行,但为重要灌溉水源。主要支流有库拉河和乌迪迈达尼河。沿河最大居民点为霍姆斯、哈马、安条克(安塔基亚)等。

oropendola　拟椋鸟　雀形目拟黄鹂科的 10 余种美洲热带鸟,体大于酋长鸟,但习性相似。在高大的孤树上编织悬挂巢(长可达 1.8 米)。集群营巢:雄鸟白天守护,但分开栖息;雌鸟负责筑巢(一棵树上有时有 100 个巢)并孵育幼鸟。雄鸟长约 30 ～ 50 厘米,雌鸟小得多。雌雄均多为黑色,有几种淡绿,有时带有淡红色或褐色色调。尾圆,黄色,嘴厚实,基端膨大形成额盾。冠拟椋鸟(*Psarocolius*[前作 *Ostinops*] *decumanus*)从巴拿马分布到阿根廷。

Oroqen　鄂伦春族　中国少数民族。主要分布在内蒙古和黑龙江的部分地区。人口 8 196(2000)。使用鄂伦春语,属阿尔泰语系满-通古斯语族通古斯语支。无文字,一般通

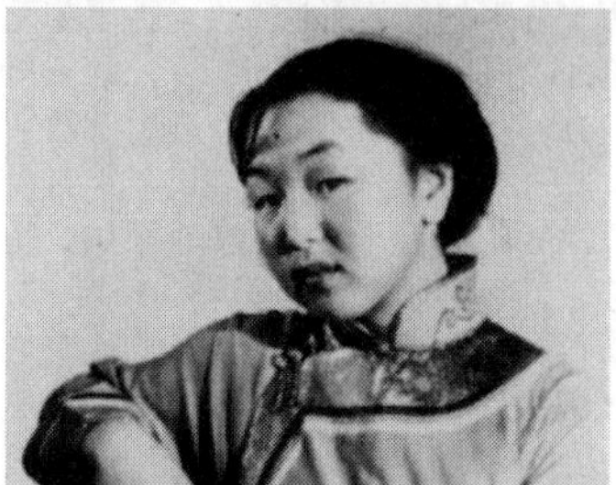

鄂伦春族姑娘
中国大百科全书出版社供图

用汉语文。“鄂伦春”最早见于清初(17 世纪中叶)文献,部分人旧称“玛涅克尔”、“毕喇尔”。17 世纪中叶因沙俄入侵,从黑龙江流域南迁大、小兴安岭。被编入布特哈(打牲)八旗。1949 年前主要从事游猎。鄂伦春族是典型的森林民族,过去主要从事狩猎,辅以捕鱼、采集和手工业。住房为“仙人柱”,俗称“撮罗子”,呈圆锥形,由 30 多根树杆搭成,外面夏覆桦皮,冬覆兽皮,中央终日燃火,便于

拆搭、迁移。实行严格的外婚制。普遍信萨满教，相信万物有灵的自然崇拜和祖先崇拜。1953年后，逐步实现定居。1951年在内蒙古建立了鄂伦春自治旗，并先后在内蒙古、黑龙江成立了6个民族乡。

Oroqen language　鄂伦春语　中国鄂伦春族语言。属阿尔泰语系满-通古斯语族通古斯语支。主要分布在中国内蒙古自治区呼伦贝尔盟鄂伦春自治旗、布特哈旗、莫力达瓦达斡尔族自治旗以及黑龙江省呼玛、逊克、爱辉、嘉阴等县。使用人口约3 100。鄂伦春语（甘奎努图克）语音特点：有19个辅音音位（双唇、舌尖中、舌根部位的清、清送气塞音各一套共6个，舌叶清、清送气塞擦音各1个，唇齿、舌叶、舌根清擦音各1个，双唇、舌尖中、舌面前、舌根鼻音各1个，边音、颤音各1个，双唇、舌面半元音各1个）；有18个元音音位（10个短元音和8个长元音）；有元音和谐现象。重音落在附加成分最后一个音节。有丰富的形态变化。名词有数（单数、复数）、格（主格、领格、宾格、不定宾格、造格、与格、从格、位格、位从格、方面从格、方向格、不定方向格、经格）、领属（人称领属、反身领属）；动词有态（被动态、使动态、互动态、共动态）、体（开始体、未完成体、渐动体、泛动体、多次体、持久体、加速体、延续体、愿望体、渴望体、行动体）、式（陈述式、祈使式）、时（现在-将来时、过去时、将来时）；句子主语在前，谓语在后；宾语和补语在主语之后，谓语之前；修饰语在中心词前。

Oroquieta　奥罗基达　菲律宾棉兰老岛西北部城市。东临伊利甘湾，东北临保和海。棉兰老海是重要的椰子种植区和主要农业贸易中心，有小港口。该市为椰干主要产区，有数家椰子加工厂。人口约53 000（1990）。

Orosius, Paulus　奥罗修斯（可能生于西班牙布拉加，活动时期公元414～417）　西班牙神学家，早期基督教正统教义的捍卫者，撰写世界历史的第一位基督教人士。他于公元414年前后以司铎身份前往希波，会见圣奥古斯丁。415年奉圣奥古斯丁差遣到巴勒斯坦，立即与贝拉基派进行斗争；在同年7月由耶路撒冷主教约翰召开的大会上指控贝拉基为异端分子，但未获得大会通过。416年初，奥罗修斯再次会见圣奥古斯丁，奉圣奥古斯丁的嘱托编写从历史上为基督教辩护的著作《以七部史书驳斥异教徒》。此书叙世界历史，起于创世，历经罗马建国及其发展，直至公元417年。奥罗修斯描述基督教出现以前的许多灾难，用以驳斥所谓罗马帝国信奉基督教招致近期灾难之说。他的这部书于中世纪初期在欧洲颇为流行，但其中对现代学者有价值的只有关于公元378年以后的叙事部分。

Oroville Dam　奥罗维尔水坝　美国加利福尼亚州费瑟河上的填土坝，1968年建成。是世界上最高的填土坝之一。高235米，顶长2 109米，体积5 963.5万立方米，形成的水库容积42.97亿立方米。是费瑟河计划的第一个关键工程，提供灌溉、防洪和水力发电（容量440兆瓦）。

Oroya（Peru）　奥罗亚　参阅 **La Oroya** 拉奥罗亚。

Orozco, José Clemente　奥罗兹科（1883-11-23，墨西哥古斯曼城～1949-09-07，墨西哥城）　墨西哥画家，现代墨西哥壁画运动主要领导人之一。其艺术风格和美学思想对20世纪20～40年代的许多美洲艺术家有很大影响。1890年随家迁到墨西哥城后，开始对绘画产生兴趣。在墨西哥著名的版画家J.G.波萨达的时事讽刺画影响下，开始到圣卡洛斯学院夜校学素描，90年代末改学农艺，后又当过建筑工艺师，17岁因工伤失去左手，遂从建筑转到绘画，1905年再次进入圣卡洛斯学院。与激进派学生G.牟利罗结识，受到他的强烈影响。牟利罗对当时流行的反墨西哥文化极为反感，号召艺术家抵制欧洲文化的控制，用作品反映本民族人民的生活。奥罗兹科与一批年轻画家积极响应，1910年为第一次墨西哥艺术家展览准备作品。为得到给政府大厦绘制壁画的许可，他们成立了名为“艺术中心”的团体。奥罗兹科厌恶当时占优势的“印象派热”，以贫民窟娼妓生活为题材，创

奥罗兹科自画像，1940年
美国不列颠百科全书公司供图

作水彩组画《泪之屋》，揭露社会的堕落，显示出其表现主义的早期艺术风格。1914年墨西哥内战爆发，他以任革命派《先锋报》讽刺画家的方式支持V.卡兰萨的军队。1917年批评家和道德家们阻挠《泪之屋》展出，奥罗兹科被迫到美国。1920年回国，在新政府的支持下，同西凯罗斯等人一起为国立预科学校绘制壁画，这是“墨西哥壁画运动”的开端。其《战壕》等作品是墨西哥艺术史上的不朽名作。1927年政府撤销对奥罗兹科等人的保证和计划，守旧派的攻击使他再次出走美国，定居纽约市。1930年接受加利福尼亚波莫纳学院的壁画订件。1932年到欧洲作短期旅行，拜占廷式镶嵌画引起他浓厚兴趣。1934年回国，以壁画《净化》表白了自己日趋悲观的历史观。奥罗兹科晚年集中创作民族题材的壁画，1947年受到墨西哥合众国总统的嘉奖。他倡导的墨西哥壁画运动在现代艺术史上也享有崇高的地位。

Orpen, Sir William　奥彭（1878-11-27，爱尔兰都柏林县斯蒂奥根～1931-09-29，英格兰伦敦）　英国画家。以肖像画著称。第一次在

奥彭自画像
美国不列颠百科全书公司供图

新英国艺术俱乐部参展并于1900年成为其会员。第一次世界大战时是英国官方美术家，作品有《在凡尔赛签署和平协议》（1919～1920，伦敦帝国军事博物馆）。1918年获英帝国勋位。1919年当选为英国皇家学院院士。他是位多产的艺术家，但作品有时流于肤浅。

Orpheus　俄尔甫斯　又译奥耳甫斯。古希腊传说中的英雄，有超人的音乐天赋。后来成为一个宗教运动（俄尔甫斯教）的保护者，该运动以据说是他自己所著的经书为依据。根据传说，俄尔甫斯是一位缪斯（可能是史诗的守护女神卡利俄珀）和色雷斯王俄阿戈洛斯（一说是阿波罗）的儿子。阿波罗把他的第一把里拉琴给了俄尔甫斯。俄尔甫斯的歌声和琴韵十分优美动听，各种鸟兽木石都围绕着他翩翩起舞。他参加了阿尔戈英雄的远征，用自己奏出的更强有力的音乐挽救了英雄们免受女妖塞壬的音乐的诱惑。他出征归来后，娶欧律狄刻为妻，但她不久即被蛇咬死。俄尔甫斯悲痛至极，冒险前去阴间，试图使欧律狄刻死而复生。他的音乐和悲伤之情感动了主宰阴间的冥王哈得斯，冥王允许他把妻子带回光明的人世。但哈得斯提出一个条件，即离开阴间时不得回顾。这对夫妇向上爬向通往人间的出口，俄尔甫斯在重新见到太阳时，转身想与妻子分享这种快乐，结果欧律狄刻立即消失。俄尔甫斯后为色雷斯的妇女所杀。关于杀死他的动机和方式各说不一，但据已知最早的埃斯库罗斯的说法，是酒神狄俄尼索斯怂恿迈那得斯们在一次祭酒神的仪式中把他撕成碎片，因为他主张崇拜对立的阿波罗神。俄尔甫斯的仍在歌唱的头和里拉琴向莱斯沃斯岛飘去，那里有为俄尔甫斯建立的神示所。缪斯女神们把他碎裂的肢体收集掩埋。他的里拉琴则作为一个星座被置于天上，即天琴座。

Orphism　俄耳甫斯主义　立体主义绘画中的一种倾向，强调色彩的优先性，1912年由法国诗人G.阿波里耐命名。在以这种风格作画的画家中，有R.德洛内（**Delaunay, Robert**）、F.莱热、M.杜尚等。德洛内与其妻索尼娅试图让美术模仿音乐，从而开创了将视觉

印象转变为抽象色彩和谐体的先例。德洛内使色彩与立体主义成功地结合的理论根据之一是化学家 M.-E.谢夫勒尔的《论色彩同时对比规律》(1839)一书。他极力根据这种理论以抽象方法探索色彩与光线不与物体接触时所产生的效果。在其抽象作品《同时构成：

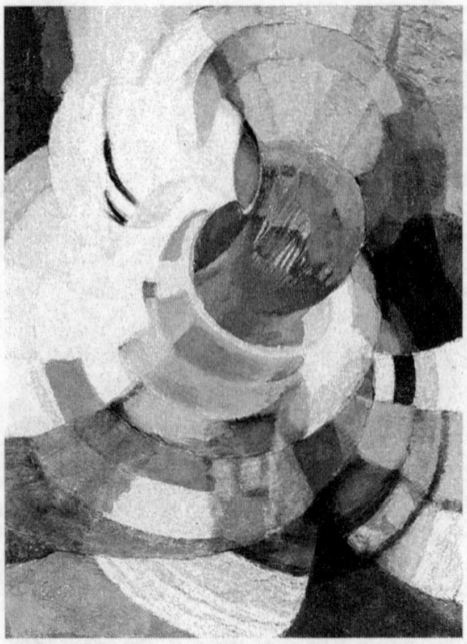

F.库普卡的俄耳甫斯主义绘画《牛顿轮或两日轮》(1912～1913)中,色环的重叠显出了本身的运动和节奏;圆形的画面使作品种色调的赋格研究》(1912)
美国不列颠百科全书公司供图

给人以雄伟壮观之感。德洛内的作品对 F.马尔克和 P.克利以后的创作影响甚大,而俄耳甫斯主义也影响到德国立体主义的发展。

orphrey　精致绣品　又拼 orfray。用精巧的刺绣工艺制成的绣花制品。常专指教士礼服等的装饰镶边或绣花带。用金丝织物、金色镶边或金丝和蚕丝作纬纱的织物制成,织物幅宽为带子的几倍,织成后裁开。

orpiment　雌黄　透明的黄色矿物,一种砷的硫化物(As_2S_3)。为温泉沉积物、蚀变产物(特别是从雄黄变来)或低温热液矿脉的产物。它发现于罗马尼亚的科珀尔尼克、德国的安德烈亚斯-贝尔格、瑞士的瓦莱和土耳其的彻莱梅里克等地。晶体属于单斜晶系。详细的物理性质,参阅 **sulfide mineral**(表)。古代中东的艺术家用雌黄作颜料(拉丁文"auri"指"金黄的","pigmentum"指"颜料"),但是直到18世纪开始生产人造三硫化砷之前,它在西方艺术家中很少受到注意。因为它有剧毒,所以被弃置不用,但其中只有一种很高级的"帝王黄"在使用"镉黄"(主要是硫化镉)之前,一直被采用。

orpine(plant)　参阅 **sedum** 景天。

Orr, Bobby　奥尔(1948-03-20,加拿大安大略帕里桑德～　)　加拿大出生的美国人,全国冰球联盟职业冰球后卫队员。1966年参加波士顿熊队,在该队参加10个赛季比赛,帮助该队连续八个赛季打进联盟决赛,并两次参加斯坦利杯赛。1967～1975年获诺

奥尔(身着4号球衣者)
美国不列颠百科全书公司供图

里斯奖(最有价值的后卫)。1970和1975年获阿特·罗斯奖(最高射门成功率)。1970～1972年保持哈特奖(最有价值的冰球运动员)。他经常在比赛时负伤。1976年与人对调加入芝加哥黑鹰队,1976～1977年任该队副教练。1978年退出冰球赛场,后因对美国冰球事业有卓越贡献而获帕特里克奖。

Orr, Sir John Boyd　参阅 **Boyd-Orr of Brechin Mearns, John Boyd Orr, Baron** 博伊德-奥尔。

Orrefors glass　奥勒福斯玻璃　20世纪瑞典南部奥勒福斯的玻璃厂生产的精制玻璃品。1916和1917年该厂雇用了两位画家:S.加特和E.哈德。他们是最早直接从事玻璃

1930年的奥勒福斯玻璃花瓶
美国不列颠百科全书公司供图

设计的艺术家。他们二人发明的格雷尔玻璃,将彩色浮雕装饰封闭在一层无色透明的晶质玻璃中,色彩绚丽,表面光滑。奥勒福斯玻璃以把简朴的现代装饰风格与18世纪细致的雕刻技巧结合起来作为装饰而驰名。产品有枝形吊灯和各种人工吹制的高脚酒杯。

orrery　太阳系仪　一种表演行星绕日运动的机械装置,可能是 G.格雷厄姆在奥雷里伯爵四世 C.博伊尔的资助下发明的。在几个世纪的使用过程中,这一装置一直被称为天象仪(现这一名词已用来称呼能在圆顶内壁上映出人造天空的投影仪)。太阳系仪表演的是从太阳系外部所见的行星图景。地球完成一次绕日公转的实际时间为一年,而太阳系仪的相应模拟时间约为10分钟,时间标度可定得相当精确。但大小和距离则不够精确,同距离标度比较,天体的尺度显得过大。参阅 **planetarium**。

Orrery, Roger Boyle, 1st Earl of, Lord Boyle, Baron of Broghill　奥雷里伯爵(第一)(1621-04-25,爱尔兰沃特福德～1679-10-16,爱尔兰卡斯尔马特)　爱尔兰权贵和作家,英国内战、共和和王政复辟诸时期的重要人物。他在内战时支持议会,成为O.克伦威尔的机要顾问,但1660年查理二世复辟时,作为诗人和剧作家他又变成王党中的红人。著有法国式的传奇故事《帕森尼萨》(1676),并把押韵的英雄戏剧引入英国。1660年封奥雷里伯爵,同年成为枢密顾问官和芒斯特枢密大臣。1669年有人指控他企图攫取爱尔兰总督一职,他在国会成功地为自己作了辩护。

orris oil　鸢尾油　黄色半固体香精油,来自鸢尾草的根。曾普遍用作糖果、软饮料及胶冻甜点的香精,但由于会引起过敏反应,现已减少使用。鸢尾油药性温和,以前曾用来治疗支气管炎、水肿和肝病。

Orry, Jean　奥里(1652-09-04,法国巴黎～1719-09-29,巴黎)　法国经济学家,18世纪初期在西班牙实行大规模的财政和行政改革,促进了在该国实现集中统一的行政管理。1700年法国路易十四的孙子继承西班牙王位,称腓力五世。1701年路易十四派奥里去西班牙调查财政状况。奥里提出详细的备忘录,建议不仅要集中管理财政,而且要彻底改革政治机构。他整顿税收,开辟财源,筹办军饷,提供给养,收回被窃取或转让的王室财产。1706年夏奉召回法国。1713年重返西班牙,成为西班牙的实际统治者。两年后被撤职,离开西班牙。

Ors y Rovira, Eugenio d'　多尔斯-罗维拉(1882-09-28,西班牙巴塞罗那～1954-09-25,西班牙维良努埃亚伊赫尔特鲁)　西班牙加泰隆小品文作家、哲学家和艺术评论家,20世纪早期加泰隆文化复兴的思想理论代言人。多尔斯在巴塞罗那学的是法律,并获得马德里大学哲学博士学位,但他的职业却是新闻工作者,为一颇有影响的名为《文综》的加泰隆语专栏撰稿(后选编出版)。1920年,移居马德里,继续为一卡斯提语专栏《新文综》撰文。他长于写短文杂感,在1906年一篇专栏文章中,他创造了一个新名词:"20世纪主义",来说明20世纪加泰隆文化的性质。他认为艺术应是"任意的"或是主观主义的,与传统的准则决裂的。他把这一观点用之于加泰隆民族主义的政治运动,因而能为加泰罗尼亚规划出一个政治和文化复兴的完整方案。在《普拉多博物馆中三小时》(1923)中,他对戈雅、塞尚和毕加索的艺术作出了极有价值的批评。他还是个颇有才能的讽刺画家,受英国漫画家比尔兹利的影响很深。多尔斯在巴黎大学从柏格森和布特鲁学习哲学,对理性和古典理想的研究尤感兴趣。他的《哲学的秘密》(1947)扼要陈述了他的许多观点。

Orsay Museum　奥尔赛博物馆　法语作 Musée d'Orsay。法国的博物馆，馆址原为巴黎的一个火车站——奥尔赛车站。这是一座华丽的大建筑物，采取美术学院风格，于1900年竣工，坐落在塞纳河左岸，与土伊勒里宫相对。由于火车客运萧条，在20世纪70年代，这个豪华的铁路车站大部分处于空闲状态。80年代初期由政府拨款将这一建筑物修缮和改装，1986年作为博物馆开放，广泛收藏19世纪中期和晚期的法国绘画、雕刻、摄影和装饰艺术作品。奥尔赛博物馆拥有原藏于网球场博物馆的印象派绘画、原藏于东京皇宫的后印象派的作品以及原藏于罗浮宫博物馆的绘画选萃。除广泛收藏19世纪法国学院派绘画和雕刻外，还有晚期浪漫主义、新古典主义、现实主义、巴比松派、印象派、后印象派、分色派和纳比派艺术家的作品。

Orsha　奥尔沙　白俄罗斯中东部维捷布斯克州城市。临第聂伯河。位于斯摩棱斯克西南约100千米处。1067年始见记载，过去为多条贸易通道的集中点。曾屡遭进攻和毁坏。第二次世界大战中德国占领期间受到巨大损害。现为莫斯科—华沙铁路和彼得堡—敖德萨铁路以及通往列佩利和克里切夫等地的铁路交叉点。工业产品有亚麻布、服装、机器和食品。人口约125 300(1991)。

Orsi, Paolo　奥尔西(1859-10-18，奥地利罗韦雷托～1935-11-09，罗韦雷托)　奥地利考古学家。发掘并研究西西里及意大利南部古代遗址的先驱人物，这些遗址年代起自史前

美国不列颠百科全书公司供图

迄于拜占廷时期。1888年被聘为西西里锡拉库萨博物馆馆长，致力于古遗址勘察工作。发掘全岛古墓地，发现西库兰文化，为其划分为四期的年代学奠定了基础。对西西里全岛和意大利南部大希腊区各省希腊城市进行了发掘，发现许多新址，并继续考察旧址，其中有西西里的锡拉库萨和杰拉、意大利本土克罗托内和洛克里。出土文物收藏于锡拉库萨博物馆和卡拉布里亚雷焦博物馆，公布项目达300件。曾主编《意大利古生物学通报》及《卡拉布里亚和卢卡尼亚历史学报》等刊物。

Orsini FAMILY　奥尔西尼家族　罗马最古老、最显赫王族之一。998年首见记载。12世纪末，贾钦托·奥尔西尼当选为教皇，该家族开始重要起来。此后一百年间，对教皇制的效忠成为该家族的传统。他们领导归尔甫派与亲皇帝的吉伯林派的斗争左右着罗马及其附近地区的政治达数世纪之久。1241年，马太奥·奥尔西尼作为罗马元老院议员，使该城免遭神圣罗马皇帝腓特烈二世占领。13世纪以来，奥尔西尼家族对教会政策和管理的影响日益增加，有四个人当选为枢机主教，其中一人成为教皇。他们在罗马的贵族政治中始终保持统治地位。1629年该家族成员成为神圣罗马帝国诸侯。1724年彼得·弗兰切斯科·奥尔西尼当选为教皇。

Orsini, Felice　奥尔西尼(1819-12-10，教皇国梅尔多拉[今在意大利]～1858-03-13，巴黎)　意大利民族主义革命者，G.马志尼的信徒。参加过1848～1849年罗马起义。后来在瑞士、匈牙利和英国给马志尼当代表。1855年去伦敦。他发表《在意大利的奥地利地牢》(1856)和《奥尔西尼的回忆和历险记》(1857)，很受欢迎。1857年与马志尼决裂，策划暗杀拿破仑三世。1858年1月14日夜，当拿破仑三世和皇后乘车前往巴黎歌剧院时，他和两个同谋者向车上投掷炸弹，殃及他人。后被处死。

Orsini, Giovanni Gaetano　奥尔西尼　参阅 **Nicholas** (Papacy) *尼古拉*(罗马教廷)项下的 **Nicholas III** *尼古拉三世*。

Orsini, Pietro Francesco Vincenzo Maria (pope)　**奥尔西尼**　参阅 **Benedict XIII** *本尼狄克十三世*。

Orsk　奥尔斯克　俄罗斯西部奥伦堡州城市。地处马格尼托哥尔斯克南约240千米处，位于乌拉尔河同奥尔河的汇流处。1735年建*奥伦堡*(**Orenburg**)要塞，要塞于1743年移至下游。现为工业中心，有大型炼油厂，原油经管道从里海之滨的油田输送到此。生产镍、钴、重型冶金机械和采矿机械、电机、合成酒精。人口约278 200(1994)。

Ørsted, Hans Christian　奥斯特(1777-08-14，丹麦鲁兹克宾～1851-03-09，哥本哈根)　Ørsted又拼 Oersted。丹麦物理学家和化学家，发现电流流过导线时能使磁化的罗盘针偏

美国不列颠百科全书公司供图

转，这个现象的重要性很快获得公认，推动了电磁理论的发展。1806年任哥本哈根大学教授。在该校最初的物理学研究是电流和声学方面的。1820年4月的一次晚间讲演中，他发现磁针转得与通电的导线相垂直，这是电磁之间关系的一个明确的实验证据。这个现象最初由意大利法学家G.D.罗马尼奥西在1802年发现，但他的宣告被人忽视。奥斯特在1820年对胡椒中刺激性成分之一的胡椒碱的发现，和他在1825年制出金属铝一样，是对化学的重要贡献。1824年建立一个致力于在公众中普及科学知识的协会。这个协会从1908年起，对丹麦物理科学家的出色贡献授予奥斯特奖章。1932年采用他的姓氏作为磁场强度的物理学单位。

Orta, Lake　奥尔塔湖　又称库西奥湖。意大利西北部皮埃蒙特区诺瓦拉省的一潭湖。在马焦雷湖的西面。长约13千米，宽约1.2

奥尔塔湖的圣朱利奥岛
美国不列颠百科全书公司供图

千米，面积18平方千米。最深处143米。湖面海拔290米。有尼戈利亚河自该湖北端流出，注入马焦雷湖。

Ortega, Domingo　奥尔特加(1906-02-25，西班牙托莱多博罗克斯～1988-05-08，马德里)　全名多明戈·洛佩斯·奥尔特加(Domingo López Ortega)。西班牙斗牛士。出身于劳动者家庭，1928年开始斗牛。自1931年作为斗牛士首次出场起从事斗牛20多年。他是西班牙最被人钦佩的斗牛士之一，他的技术和勇敢对许多后来的斗牛士产生影响。他的《斗牛艺术》一书(1950)介绍他自己的斗牛法，即进入牛的前进路线，诱使牛循弧线而不是直线擦过他的身躯。1954年退休。

Ortega Saavedra, Daniel　奥尔特加·萨维德拉(1945-11-11，尼加拉瓜拉利伯塔德～　)　尼加拉瓜游击队领袖，1979年掌权的桑地诺执政委员会的成员，1984～1990年任尼加拉瓜总统。桑地诺农民军老战士之子，50年代中期随家人迁往马那瓜。中学毕业后，一度就读于马那瓜的中美洲大学。1963年开始从事地下活动，参加桑地诺民族解放阵线(FSLN)。1967年负责该阵线反对索摩查统治家族的城市抵抗运动。1967年秋，因参与抢劫银行被捕，此后坐牢7年。1974年末，他和另几名桑地诺阵线战友在与索摩查政府高级官员人质交换时获释。奥尔特加与其他获释的人被放逐到古巴，他在那里接受几个月的游击队训练。潜返尼加拉瓜后，他在调和桑地诺民族解放阵线不同派系及联合商业与政治团体两方面均扮演重要的角色。这个政策逐渐把游击战转变为全面的内战，导致1979年桑地诺派的胜利。奥尔特

加是桑地诺执政委员会5位成员之一，1981年被任命为执政委员会的协调人，3年后当选为尼加拉瓜总统。1990年竞选连任时被查莫罗夫人击败。1996和2001年两次竞选总统，均告失败。

Ortega y Gasset, José 奥尔特加-加塞特(1883-05-09，西班牙马德里～1955-10-18，马德里) 哲学家和人文主义者。对20世纪西班牙的文化和文学复兴有重大影响。曾在马德里大学学习(1898～1904)，然后去德国深造(1904～1908)，在马尔堡大学受到新康德主义学派的影响。但后来在马德里大学任形而上学教授时(1910)，却偏离新康德主义哲学，见于所著《乐园中的亚当》(1910)、《吉诃德的冥思》(1914)和《现代题材》(1923)等书。他将个人的生活看成基本的实在：作为生命功能的理性("生命理性"或"历史理性")被用来代替绝对理性，每一个人的视角被用来代替绝对真理("我是我，和我的环境")。他和

美国不列颠百科全书公司供图

他的一代都关心"西班牙问题"。其作品有意识地写得"同当时情况相联系"，并发表在一些期刊上——他创办的《西班牙》(1915)、《太阳》(1917)和《西方杂志》(1923)。在1936～1945年动乱年代，自动流亡到欧洲和阿根廷，到第二次世界大战结束时回西班牙。1948年在马德里创办人文学院。最有名的作品是《没有脊梁骨的西班牙》(1922)和《群众的反抗》(1929)。

Ortelius, Abraham 奥特利乌斯(1527-04-14，比利时安特卫普～1598-07-04，安特卫普) 佛兰芒语作Abraham Wortels。比利时地图绘制家，地图、书籍和古玩商。第一部现代地图《世界概观》(1570)是他出版的。约在1554年开设书籍古玩店。约1560年在G.墨卡托影响下，对绘制地图发生兴趣。10年内编辑了心形投影世界地图(1564)，埃及地图(1565)，亚洲地图(1567)和第一版《世界概观》，内有地图70幅，根据87个作者的原作，用统一格式镌版，到1612年底止，多次出增补修订版，为当时最受欢迎的地图集。奥特利乌斯被任命为西班牙腓力二世的地理专家(1575)。《世界概观》在1964年影印出版。

orthochlorite 正绿泥石 *绿泥石*(**chlorite**)矿物的亚族。

orthoclase 正长石 常见的碱性长石矿物，为钾的铝硅酸盐($KAlSi_3O_8$)。具有多种颜色，常以双晶产于花岗岩中。正长石用来制造玻璃和陶瓷，透明的晶体偶尔用来琢磨宝石。正长石是重要的造岩矿物，大量地出现于碱性和酸性火成岩、伟晶岩和片麻岩中。

产自葡萄牙塞拉-迪佩内达的正长石

美国不列颠百科全书公司供图

详细物理性质，参阅**feldspar**(表)。长石矿物是钠、钾、钙的铝硅酸盐的混合物，可根据这三种纯化合物(即端员)各自的百分比来进行分类。正长石是此系统中含钾的端员，符号为Or。正长石和系统中含钠端员钠长石(钠的铝硅酸盐 $NaAlSi_3O_8$)形成碱性长石，即含钠长石和含钾长石互相混溶的系列，两个端员之间有连续的化学成分变化。正长石-微纹长石的中间成员不能混溶，因而它们形成了钠端员和钾端员的不同晶体的连晶。在铝硅酸盐晶体格架中，正长石中的铝原子和硅原子的有序度处于中间状态，即处于微斜长石的完全有序排列和高温透长石的无序排列之间。

orthodontics 正畸学 牙科的一个专科，其任务为牙列不齐的预防和矫正。这种工作通常称为正牙或矫治咬合或矫治错𬌗畸形。错𬌗畸形指相对牙列的接触不符合生理标准，其发生原因可为发育不全、牙齿丧失或颌骨生长发育异常。人的骨骼在18岁以前对牙齿移动的反应最好，因而一般说正畸治疗对儿童的疗效较成人为佳。正畸治疗远古即已存在，但较精细的现代化的治疗方法直到20世纪早期才出现，在美国，1901年成立美国正畸医师学会(ASO)(即今美国正畸科医师协会，简称AAO)之后，正畸科作为一门专科，便得到公认并迅速发展。美国的正畸科医师毕业后还要再进修2年。

orthodox 正统 真正的教义，又指坚持此种教义而反对各种异端、异端分子或异教的人。4世纪基督教会中的希腊教父首先使用这一名词。几乎基督教所有派别都自信为正统，故正统的意义必须根据产生的背景加以考察，方可做出正确判断。该词为希腊语系的教会及与之关联的各教会东(方)正(统)教会的正式名称之一部分。另有一些较小的东派教会同样用此名称，它们是在5世纪时因围绕基督神人二性问题产生的基督一性论争辩而与整个基督教社团分裂的。犹太教、伊斯兰教中亦有正统派。某些新教派别也自称正统派，它们在释经方面态度保守，所谓福音正统派指新教中认为《圣经》在字句上全面、绝对无误的各派。

Orthodox Church in America 美洲正教会 原名美洲俄罗斯正教和希腊公教教会。东正教的自治教会，其独立性得到俄罗斯境内母会的承认。1970年4月10日改今名。俄罗斯正教传教会于1794年成立于当时属俄国的阿拉斯加。1867年阿拉斯加被美国收购，其后该会发展到北美洲大陆其他地方。1872年中央机构从阿拉斯加的锡特卡迁到旧金山，1905年再迁到纽约。它容纳大批希腊天主教徒(东仪天主教徒)以及移居美洲后重新信奉东正教的奥匈帝国国民喀尔巴阡俄罗斯人。该会为俄罗斯裔、乌克兰裔、希腊裔、塞尔维亚裔、阿尔巴尼亚裔、罗马尼亚裔、保加利亚裔和叙利亚裔居民设立教区。1905年美洲东正教首脑总主教吉洪(日后于1918年任莫斯科牧首)向俄国圣彼得堡会议提出方案，规定美洲的正教会先实行自治然后实行独立。吉洪主张用英语进行礼拜，刊行英文礼拜书。俄国革命后，局势混乱，正教会教务瘫痪，同俄国教会的关系中断。1922年君士坦丁堡牧首在美国成立希腊正教总主教区。其后正教会分成若干按民族划分的教区，各从其本民族命名。原教会宣布与莫斯科断绝关系，1924年宣布自立，宁与俄罗斯教会一刀两断而不效忠苏联政府。美国总主教区自此事实上独立，但尚未经过教会法手续。1970年独立的美洲正教会成立，正教会取得永久性地位，不隶属于任何外国势力。后来罗马尼亚、保加利亚、墨西哥、阿尔巴尼亚等民族的正教信徒也纷纷参加美洲正教会，1978年共有信徒100万人。它设有培养研究生的纽约圣弗拉基米尔神学院，相当高等教育机关的宾夕法尼亚州南迦南圣吉洪隐修院以及培养阿拉斯加土著教士的阿拉斯加州科迪亚克神学院。美洲正教会参加世界基督教协进会和美国基督教协进会，共有400个主教区，礼拜大都用英语。美洲正教会并不包括美国和加拿大境内的全部正教会。其外尚有接受君士坦丁堡牧首领导的希腊正教大主教区和乌克兰正教会。美洲各派正教信徒总计约有300万人。

Orthodox Church of Cyprus 塞浦路斯正教会 参阅**Cyprus, Church of 塞浦路斯教会**。

Orthodox Church of Czechoslovakia 捷克斯洛伐克正教会 东正教的自主教会，1951年由莫斯科牧首创建。19世纪一部分捷克人组织正教教会。1918年奥匈帝国解体，贝尔格莱德牧首(塞尔维亚人)在波希米亚和摩拉维亚成立正教教会。同时，他还按立布拉格主教戈拉茨德为捷克第一任独立主教，并于1921年为喀尔巴阡俄罗斯信徒成立穆卡切沃教区。1930年一大批喀尔巴阡俄罗斯东仪天主教徒以及捷克斯洛伐克教会教士及信徒重新归属正教。第二次世界大战期间，捷克教会被解散，戈拉茨德主教和另四名正教教士被纳粹处死，只有穆卡切沃教会在斯洛伐克东部继续活动。第二次世界大战后，喀尔巴阡俄罗斯东部连同穆卡切沃一起并入苏联，全牧首区信徒一律加入俄罗斯正教会。同时，原于奥地利帝国统治时迁居沃利尼亚

(今乌克兰西北部)的1万名捷克正教信徒,此时返回捷克斯洛伐克。1950年普雷绍夫会议以后,另一大批东仪天主教信徒和神职人员也归回正教,捷克斯洛伐克教会大大发展,共有布拉格、奥洛莫乌茨、普雷绍夫、米哈洛夫采四个教区。俄罗斯正教会迅速承认捷克斯洛伐克正教会的自治地位。1968年杜布切克政府实行共产党政权的自由化,许多捷克斯洛伐克人认为正教代表苏联的势力,原属于东仪天主教的一部分信徒重回天主教会,希腊天主教会正式宣告恢复,正教信徒减少,名声下降。

Orthodox Church of Finland　芬兰正教会　芬兰的第二国定教会(第一国定教会为基督教信义会)。芬兰正教信徒大多来自卡累利阿。该地是芬兰的南部地区,1940年并入苏联。该地居民于12世纪经过俄罗斯修士劝化信奉基督教。正教现已传遍芬兰全境。芬兰正教会有库奥皮奥和赫尔辛基两个主教区,并有神学院一处。芬兰于第一次世界大战后成为独立的共和国,芬兰正教会也摆脱俄罗斯正教会的管辖。1919年莫斯科牧首承认它为自治教会,1923年归属君士坦丁堡正教会,自治地位不变。芬兰正教会有信徒约6万人,有3处隐修院。

Orthodox Church of Poland　波兰正教会　全称波兰自治正教会。成立于1924年。第一次世界大战以后,乌克兰和白俄罗斯境内大片领土划归波兰,这一带共居住着400万东正教信徒,该教会就是专为这些信徒成立的。第二次世界大战以后,上述大部分地区重归苏联管辖,那里的各主教重新归莫斯科牧首领导。波兰境内正教信徒已不足35万。1948年莫斯科牧首再次承认波兰正教会为自治教会。华沙都主教下辖华沙、比亚韦斯托克、罗兹、弗罗茨瓦夫和格但斯克等主教区。

Orthodox Jewish Congregations of America, Union of　美洲正统犹太教会众联合会　美国和加拿大正统派犹太教会堂的正式联合机构,与之相应的拉比组织是美洲拉比大会。联合会1898年成立于纽约市,以促进正统派的信仰和习俗为宗旨。为此,联合会兴办许多坚持正统派信仰的走读中、小学校并资助几所正统派高等教育机构。它还出版季刊《佩拉钦》以及《犹太生活》与《犹太行动》两个双月刊。联合会的主要辅助单位妇女支部(1924成立)出版《哈乔德什》,并开办希伯来女子师范学校。1954年成立全国犹太会堂青年会议。许多为适应犹太饮食法的规定而制造的食物有联合会的许可标志。

Orthodox Judaism　正统派犹太教　最严格地恪守传统信仰和礼俗的犹太教徒所奉的宗教。正统派犹太教认为,无论成文律法书(《托拉》,《旧约》的首5卷),还是口传律法(《密西拿》所收、《塔木德》所解释),都是传之万代而皆准的,至今仍是教徒生活的唯一准则。正统派一向坚持教规,例如:每日礼拜,遵守饮食禁忌,继续使用传统祷文和礼仪,经常研读《托拉》,会堂实行男女分座,并要求严守安息日与宗教节日,在公众礼拜中不使用器乐。正统派虽如此拘泥传统,但内部也纷纭不一。如19世纪末在希尔施倡导下兴起的新正统派即允许教徒着现代服装,礼拜使用通俗语言,而且对现代文化持更加积极的观点。美国许多正统派犹太教会堂联合组成美洲正统犹太教会众联合会。在以色列国内,正统犹太教为国定宗教,通过以色列大拉比院发挥很大权力。

Orthodoxy, Feast of　正统节　东正教会和东仪天主教会节日,即四旬斋期间的第一个星期日,庆祝843年各教堂重设圣像从而结束关于拜圣像问题的争论。730年拜占廷帝国宣布禁止崇拜圣像。反对拜像的皇帝狄奥斐卢斯死后,皇后狄奥多拉亲政,宣布恢复拜圣像。

Orthodoxy, Autocracy, and Nationality　正教、专制和民族性　俄国历史上,1832年国民教育大臣乌瓦罗夫在呈交沙皇的关于莫斯科大学和中学教育情况的报告中提出的口号。他主张在未来的教育纲领中应该强调正教、专制制度和俄罗斯人的民族性,以发扬俄国社会的优点和防止西欧思想的侵蚀。沙皇政府在非俄罗斯人居住地区的学校里推行俄罗斯化政策,强迫非正教集团改变信仰,并实行镇压非俄罗斯民族集团的各种严厉措施。

orthogenesis　直生论　又作 straight-line evolution。又称直线进化论。一种进化理论:进化系列中相继各代沿着笔直方向继续不断地发生变异。进化经常以直线方式进行,这点无可争辩。不过许多在直线进化系列内发展起来的显著特征似乎并没有什么适应价值,有时甚至还有明显的不利。许多理论试图解释直生论,但仅取得部分成功。

orthogonal polynomial　正交多项式　特殊多项式 $P_n(x)$ 的无穷集合,n 表示多项式的次数。它们是作为微分方程的解,以及在研究把任意(连续)函数表示为这些多项式的(可能是无穷的)和的可能性时引入的,后者在解物理学与工程中的微分方程时是经常采用的方法。这种多项式的最简单例子是勒让德多项式,它可以通过对 $(x^2-1)^n/2^n n!$ 求 n 阶微商得到。多项式满足所谓的二阶勒让德微分方程。它们在 -1 到 1 的区间上是正交的,其意思是任意两个这样的函数的乘积在 -1 到 1 的积分等于零。它们也可以从多项式序列 $1, x, x^2, x^3, \cdots$ 按下法构造出来,即从第一项开始,要求以后的第 n 项是与前面已找出的所有多项式正交的 n 次多项式。还有其他的正交多项式类,例如切比雪夫多项式与埃尔米特多项式,其中的区间可能不是 -1 到 1,还可能包含权函数,在计算乘积 $P_n(x)P_m(x)$ 的积分时要乘上这个函数。

orthogonal trajectory　正交轨线　与给定的一族曲线交成直角的曲线族。这种互相正交的曲线族出现在物理学的某些分支中,如静电学中,电力线与等势线是正交的;流体动力学中,流线与等速线是正交的。在二维的情形,曲线族由 $y = f(x, k)$ 给出,其中 k 称为

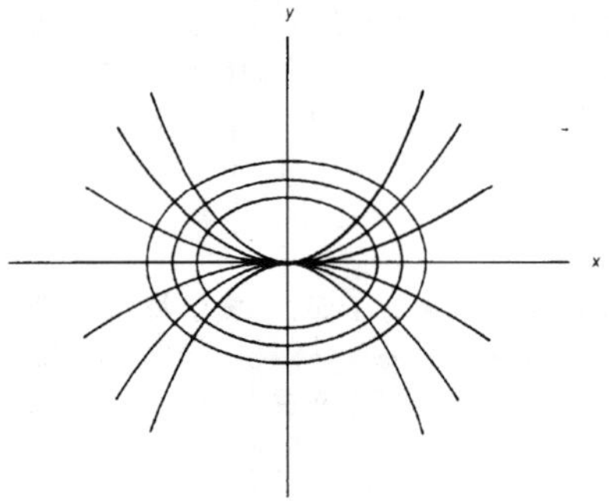

正交轨线

参数,决定此曲线族中的某条曲线。当两条直线的斜率互为负倒数时,它们互相垂直。对于两条曲线,若在交点处的切线互相垂直,就说它们正交。曲线在一点的切线的斜率,即为它的导数,可以用微分法求得。导数 y' 仍然是 k 与 x 的函数。在原方程中解出 k 作为 x 与 y 的函数,代入到 y' 的表达式中,得到 $y' = g(x, y)$ 作为 x 与 y 的函数。这样,正交轨线 y_1 的斜率必须满足 $y'_1 = -1/y' = -1/g(x, y)$,把它看成微分方程,其解就是原曲线族的正交轨线。例如,$y = kx^2$ 是一族抛物线,其导数 $y' = 2kx$,由 $k = y/x^2$ 得到 $y' = 2y/x$,对正交轨线来说,$y'_1 = -1/y' = -x/2y$,这个微分方程的解是 $y^2 + (x^2/2) = k$,它表示一族与原抛物线族正交的椭圆(见上图)。

orthographic projection　正投影　表现三维物体的普通方法,通常用三张二维图来表示,图中的物体是沿与图平面垂直的平行线来观察的。例如,一所房屋的正投影包括一张俯视图(平面图)、一张正视图和一张侧视图。

orthonectid　直泳虫　直泳虫纲稀少的蠕虫样寄生虫,寄生于各种海生无脊椎动物。有时归入**中生动物**(mesozoan,原生动物和后生动物之间的动物类群)。

orthopedics　矫形外科　又作 orthopedic surgery。有关骨骼系统及其相关构造(即脊椎骨,其他骨、关节和肌肉)功能的维持与恢复的医学专科。矫形外科学始于18世纪,当时J.A.韦内尔在瑞士创设治疗跛童骨骼畸形的研究所。19世纪,有关肌肉功能及骨骼生长发育的知识剧增;此时期重要的进步有新的腱切断术(将腱切断,以利畸形的矫正)、畸形足矫治手术、托马斯氏架(能更好地固定折断的四肢长骨)及速凝煅石膏在矫形外科绷带上的引用。由于R.琼斯爵士的努力和第一次世界大战的巨大伤亡,20世纪早期有许多矫形外科训练中心成立。现代矫形外科已不仅治疗骨折、肌肉扭伤、韧带和腱撕裂,以及其他外伤性损害,还处理各种先天性与后天性骨骼畸形以及骨关节炎等变性性疾病引起的障碍。该专科原来依赖沉重的梏具和夹板,现则利用骨移植物和人工塑料关节来治疗为伤病损害的髋骨和其他骨骼,并利用义肢、特制的脚套和梏具,使残疾人恢复活动能力。矫形外科除使用传统医学和外科学技术外,还用到物理医学、康复医学和职业疗法的技术。

orthophosphoric acid　正磷酸　参阅 **phosphoric acid** 磷酸。

orthopteran　直翅类昆虫　4 目近缘昆虫的通称。包括蜚蠊目、蛩蠊目、竹节虫目及直翅目。共同特征为:前翅狭长,革质,多翅脉,称为覆翅;后翅宽广,膜质,多翅纹,休息时折叠于前翅之下(蛩蠊类无翅);咀嚼口器;雌体有产卵器;发育为渐变态。在 19 世纪末,直翅目的外延较广,包括螳螂(今归入蠊螂目)及竹节虫(今归入竹节虫目),及蠼螋(今归入革翅目;前翅短而无翅脉,后翅翅脉放射形,尾须成为尾钳)。1914 年首次报告蛩蠊目,其他与直翅类近似的昆虫有等翅目(Isoptera,如白蚁,其前、后翅似直翅类,但有等级系统及社会性)。缺翅目(Zoraptera 缺翅虫,某些特征似蜚蠊,但跗节 2 节,翅脉特殊,有原始的等级系统),纺足目(Embioptera,足丝蚁[**webspinner**],形似直翅类,但前足第一跗节膨大,有纺丝腺,能纺丝织网),及襀翅目(Plecoptera,河蝼或石蝇,形似直翅类,但前后翅均膜质,稚虫水栖)。

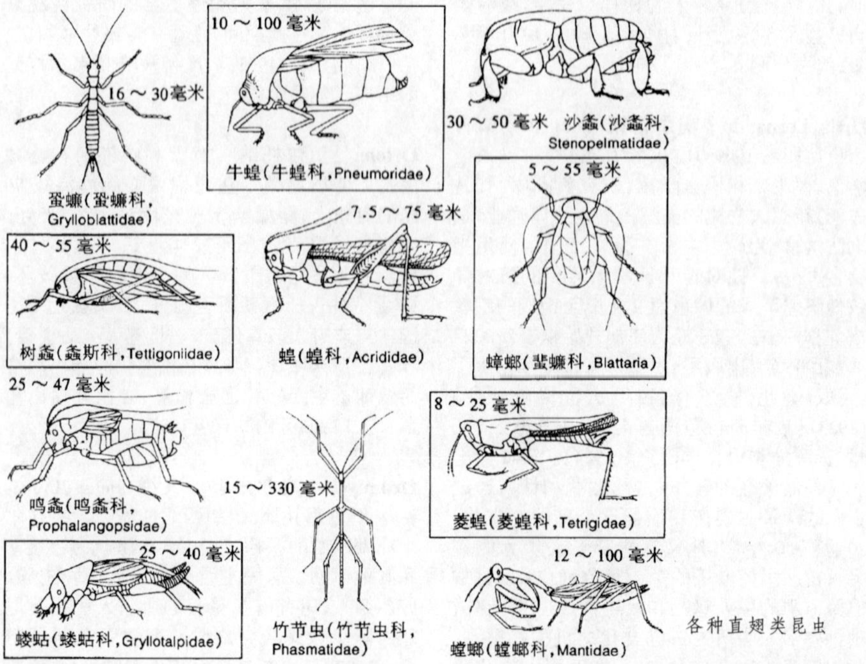

各种直翅类昆虫

直翅类昆虫形态及大小各异。生活于蚁巢中的无翅的蚁巢蠊属(*Attaphila*)蜚蠊(蟑螂)最小,长 2 毫米。有些热带的形似树枝的竹节虫最大,长 30 多厘米。竹节虫形似树叶或树枝。某些蚱蜢、螽斯形似叶,绿色或褐色,或具斑点而似病叶。有些蚱蜢形细长,紧附于草茎上不易发现。蜚蠊体扁,便于藏匿在石下或树皮下。螳螂前胸长,头部活动自如,视力发达,前足具刺,适于捕虫。蝼蛄、日本螽斯及某些蜚蠊的足(尤其是前足胫节)短而有力,具距,适于挖穴,用以栖居或产卵其中;挖穴时遇植物的根或块茎即取为食物。许多直翅目昆虫的后足主要用于跳跃。某些半水栖直翅目的后足胫节宽如桨状或有具缘毛的距。蜚蠊及某些螳螂善跑。直翅类昆虫(尤其蚱蜢)体色与生境一致,有些种类体色能迅速变化。澳大利亚的一种蚱蜢(*Kosciuscola tristis*)外皮细胞中含蓝褐两种色素颗粒,有阳光的日子蓝色颗粒接近细胞表面,褐色颗粒趋于深部,夜间或阴天则反之。许多直翅类能排出具刺激性或气味难闻的液体作为防御手段。许多蜚蠊(尤其在被惊扰时)气味难闻。美国东南部的二纹竹节虫(*Anisomorpha buprestoides*)会排出对眼有刺激性的乳样液。除蜚蠊外多能发声,尤其是蟋蟀、螽斯、蚱蜢,但有的种类所发的声在人耳听力范围以外。蚱蜢用后足股节内表面的锯齿与前翅突出的翅脉摩擦发声。蟋蟀和螽斯的雄体用两前翅摩擦发声,听觉器官为腹部(蚱蜢)或前胫节(多数蟋蟀、螽斯)上的鼓膜器,或为尾须、头部上的感觉毛或触角第二节上的约翰斯顿氏器官。许多直翅类昆虫有求偶行为(特殊的飞行方式、发声等),有的种类雌体借信息素吸引雄体。交配后雄螳螂若未及时逃遁则会被雌体吞食。直翅类的生活史分 3 个阶段。卵产于地面或植物上。蟋蟀及螽斯用产卵器将卵产于土壤或植物组织内。折翅蠊为卵胎生。有的种类具卵鞘。稚虫形似小型的成虫而无翅,刚孵出时常仅为可活动的胚胎,仍裹于一层薄膜之内,称为蛆形幼虫,蜕皮时脱去薄膜。蜕皮 4～13 次。有的直翅类只有雌体,营孤雌生殖。营两性生殖的种类稀行孤雌生殖。多以卵越冬。有些种类的卵要经 1 年至数年方孵出稚虫,如美国的普通竹节虫(*Diapheromera femorata*)的稚虫于卵产出次年方孵出。有的种类的生活史需数年的时间方完成。直翅类多为植食性,多为多食性,许多种有食物专一性,许多植食性种类亦食昆虫,如树蟋属(*Oecanthus*)主要食花、叶,亦食蚜虫及其他弱小昆虫。仅螳螂纯为肉食性。蜚蠊食腐物。隐尾蠊属(*Cryptocercus*)食腐木的纤维,其肠内共生的原生动物有助于纤维的消化。直翅类世界性分布,多为陆生,有数属蜚蠊半水栖,生活于积水的凤梨类植物叶基中,除蛩蠊外多日间活动,蟋蟀、螽斯多夜出,生境多样,从植被到土穴、洞穴中。蜚蠊常栖于人类的住处,并借人而传播世界各地。200 多种蟋蟀、螽斯及 30 多种蜚蠊生活于洞穴,20 世纪 20 年代于法国一个山洞中发现一块美洲野牛骨,上有史前时期刻下的一类欧洲穴蟋蟀属(*Troglophilus*)的形象。蝗虫、蚱蜢为害农业,又与牧畜争食。蜚蠊可机械地携带细菌或寄生虫。

直翅类昆虫中,蜚蠊的化石最多,年代最早(石炭纪)。直翅类昆虫共24 000多种。分类如下,1. 蠊螂目(Dictyoptera)。后足与中足相似,适于奔跑。跗节 5 节。稚虫前翅覆于后翅之上,触角通常丝状,30 多节。尾须多节。无鼓膜。(1)蜚蠊亚目(Blattaria),头常藏于前胸背板下。单眼 2 只,或为透明斑,前足奔跑式,前胃(嗉囊)内壁齿间有纵行皱褶,体长 2～100 毫米(平均 15 毫米),3 000 多种。①隐尾蠊科(Cryptocercidae)。②蜚蠊科(Blattidae)。③地鳖科(Polyphagidae)。④姬蠊科(德国小蠊科,Blattellidae)。⑤折翅蠊科(Blaberidae)。(2)螳螂亚目(Mantodea)。它的前胸长,头位于胸前。单眼 3 只。前足适于捕食。前胃内壁中等大小的齿间有纤细融合的嵴。1科:螳螂科(Mantidae)。约2 000种。2. 蛩蠊目(Grylloblattodea 或 Notoptera)。各足外形相似,适于奔跑。跗节 5 节,无翅,复眼小或缺。无单眼。触角长,丝状,约 25～40 节。雌体有发达的产卵器,似螽斯科。尾须长,8～9 节,1科:蛩蠊科(Grylloblattidae)。3. 竹节虫目(蛸目,Phasmida 或 Cheleutoptera,Phasmatoptera)。身体极为细长,有时宽乃至叶状。体长平均 60～70 毫米。各足形态相似,适于步行。跗节多 5 节,常无翅,若有翅则覆翅短于后翅。稚虫翅芽不反转。产卵器短,常隐蔽。雄体外生殖器不对称。尾须短,不分节,无鼓膜器或明显的发声器官。①竹节虫科(Phasmatidae)。约2 000种。②叶蛸科(Phylliidae)。4. 直翅目(Orthoptera)。后足强大,适于跳跃。跗节 3～4 节,偶少于 3 节或多于 5 节。前翅不同程度地加厚。稚虫期后翅部分覆于前翅的上方,末次蜕皮时反转,尾须几均不分节。有听器及发声器官。(1)螽亚目(Ensifera),触角长,30 多节。前足胫节基部可有鼓膜。覆翅基部可有发声机制。产卵器为刀状或剑形。①鸣螽超科(Phophalangopsoidea),1 科:鸣螽科(Prophalangopsidae)。②螽斯超科(Tettigonioidea)。分 2 科:螽斯科(Tettigoniidae)及拟竹节虫科(Phasmodidae)。③蟋螽超科(Gryllacridoidea)。分 6 科:沙螽科(Stenopelmatidae)、蟋螽科(Gryllacrididae)、裂头蝼科(Schizodactylidae)、灶马科(Rhaphidophoridae)、节尾螽科(Lezinidae)及哑蟋螽科(Henicidae)。④蟋蟀超科(Grylloidea)。分 2 科:蟋蟀科(Gryllidae)及蝼蛄科(Gryllotalpidae)。(2)蝗亚目(Caelifera)。触角短,不足 30 节。第 1 腹节两侧可有鼓膜。产卵器由成对瓣状结构构成,适于挖掘。①蚤蝼超科(Tridactyloidea)。分 2 科:蚤蝼科(Tridactylidae)及短足蝼科(Cylindrachaetidae)。②菱蝗超科(Tetrigoidea),1 科:菱蝗科(Tetrigidae)。③短角蝗超科(Eumastacoidea)。分 2 科:短角蝗科(Eumastacidae)及长角蝗科(Tanaoceridae)。④牛蝗超科(Pneumoroidea)。1 科:牛蝗科(Pneumoridae)。⑤蛸蝗超科(Proscopioidea)。1 科:蛸蝗科(Proscopiidae)。⑥蝗超科(Acridoidea),分 3 科:蝗科(Acrididae)、癞蝗科(Pamphagidae)及锥头蝗科(Pyrgomorphidae)。

orthopyroxene 斜方辉石 辉石族中常见的硅酸盐矿物系列。它们一般呈纤维状或薄片状，绿色，出现在火成岩、变质岩和陨石中。这些矿物由于镁与铁在晶体结构中的比例不

产自拉布拉多的紫苏辉石
美国不列颠百科全书公司供图

同而有差别，其化学成分可从纯镁硅酸盐（$MgSiO_3$）到纯亚铁硅酸盐（$FeSiO_3$）。此矿物系列包括：

顽火辉石	0%～ 10%Fe
古铜辉石	10%～ 30%Fe
紫苏辉石	30%～ 50%Fe
铁紫苏辉石	50%～ 70%Fe
尤莱辉石	70%～ 90%Fe
铁辉石	90%～100%Fe

除铁辉石是理论上的端员以外，其他都是天然产出的。富镁变种常产于超基性火成岩中，富铁变种产在变质的富铁沉积岩中。斜方辉石是苏长岩中的主要组成部分，也是紫苏花岗岩和麻粒岩的特征性矿物。除橄榄石外，富镁(铁含量在30%以下)的斜方辉石是陨石中常见的硅酸盐矿物；也是许多球粒陨石的主要组成部分，是中铁陨石及贫钙无球粒陨石的重要成分。详细物理性质，参阅**pyroxene**(表)。斜方辉石系列属斜方晶系(三根晶轴长度不等并互成直角)。类似的单斜晶系(三根晶轴长度不等并呈斜交切)斜顽辉石-斜铁辉石系列大部出现在陨石(无球粒陨石、球粒陨石和中铁陨石)中。

orthorhombic system 正交晶系 结晶固体的几种结构体系中的一类。该系中的晶体都具有三个相互垂直但不等长的轴。如果用点表示固体中的原子或原子团，并把这些点连起来，所形成的点阵将由一些有序堆垛的晶胞组成。正交晶胞以三根二重对称轴为特点，晶胞绕这些轴旋转180°时不显出外观的变化。这一特点要求晶胞的两个边棱间的夹角为直角，但边棱的长度则不限。α硫、渗碳体、橄榄石、霰石、正交顽辉石、黄玉、十字石、重晶石、白铅矿、白铁矿及硫砷铜矿都是正交晶系的晶体。

orthowater 聚合水 参阅**anomalous water 异常水**。

Ortigão, José Duarte Ramalho 奥尔蒂冈（1836-11-24，葡萄牙波尔图～1915-09-27，里斯本） 葡萄牙散文作家、新闻工作者，以其文笔精到，对其故土剖析深刻而著称。19岁时即为《波尔图日报》写稿。1868年到里斯本，在皇家科学院任职，并继续为葡萄牙各报撰稿，和当时的进步文化人士交往。1871年，与挚友埃萨·德·克罗兹一起创办讽刺刊物《投枪》。1872年克罗兹出国，奥尔蒂冈独立主编该刊物至1888年。在他主持下，《投枪》逐渐失去讽刺性，代之以更多的劝诫和描述，成为传播人文主义、实证主义和现实主义美学的工具。他的杰出作品也许是《荷兰》(1885)，赞美荷兰人民的生活方式和成就，把他们树立为葡萄牙人的榜样。晚年，政治倾向日益保守，由于反对推翻王政的1910年革命，辞去公职。

Ortiz, Fernando 奥尔蒂斯（1881-07-16，古巴哈瓦那～1969-04-10，哈瓦那） 古巴人类学家、评论家和语言学家，研究美洲(尤其是古巴)新黑人文化的先驱。最初执律师业，是刑法学家(为最先主张在警察工作中使用指纹者之一)。他对哈瓦那黑人罪犯的研究导致他研究黑人的城市亚文化以至他们的宗教信仰和习俗。这一经历使他开始从事新的职业。1906年，出版了《黑巫师》，1916年出版了《黑奴》。此外，还有《古巴语言特色种种》(1923)和《非洲特色语言汇编：语言学、词汇学、词源学和语义学研究》(1924)。1940年出版了他最著名的著作《古巴烟草和糖》，通过古巴的两种主要产品诠释这个岛国的文化。20世纪50年代，他又有两部意义重大的作品：《古巴民俗音乐的黑人特色》(1950)和《古巴民俗中的黑人舞蹈和戏剧》(1951)。此外，他创办了一些研究古巴文化的机构和报刊，如古巴语言研究院(1926)、古巴黑人文化研究会(1937)和刊物《古巴黑人文化研究》。1955年，奥尔蒂斯基金会在哈瓦那成立，旨在保护他的遗产和继续他开创的研究，尤其是那些有关古巴黑人文化的研究。

ortolan（*Emberiza hortulana*） **圃鹀** 又作ortolan bunting。雀科鹀亚科(Emberizinae)的一种鸟，分布于欧亚大陆园林和田野。秋天，集成大群准备迁徙到非洲北部和中东时，体

圃鹀（*Emberiza hortulana*）
美国不列颠百科全书公司供图

躯十分肥胖，成为人们爱猎的野味。长16厘米，背面褐色，有条纹，头和胸淡灰色，喉淡黄，腹粉红色。鸣声似近缘的黄鹀（*E. citrinella*），但速度较慢，变化更多，通常是6～7声清脆的鸣声后偶继以一声装饰颤音，巢筑在近地处或地上，内可有4～5枚浅绿光泽的卵，上有不同的紫色和褐色斑纹。

Orton, Joe 奥顿（1933-01-01，英格兰莱斯特郡莱斯特～1967-08-09，伦敦） 英国剧作家，以其荒谬绝伦、以死亡为主题的闹剧著称。原为不成功的演员。50年代末，在他的终身伴侣K.L.哈利韦尔的鼓励下转向写作。1964年他的广播剧《楼梯上的暴徒》由英国广播公司播出后，奥顿才初次取得成功。此后直至1967年去世，作为剧作家成就非凡。他的3部长篇剧本《款待斯隆先生》(1964)、《掠夺》(1965)和死后出版的《管家所见到的》(1969)是荒谬绝伦、不落俗套的黑色喜剧，它们对道德败坏、暴力和性贪婪的研究使观众感到震惊。在此期间，还写有4部独幕剧，包括《葬礼游戏》(1968)。奥顿被哈利韦尔打死而结束了他短暂的一生。

Ortona 奥尔托纳 意大利中部阿布鲁齐区基耶蒂省城镇。在亚德里亚海岸海拔70米的海角上，距佩斯卡拉东南约18千米处。原为古居民点。公元前4世纪与古罗马结盟。后为罗马城市。曾频遭地震严重破坏。18世纪并入那不勒斯王国，后归属意大利王国。史迹有大教堂(第二次世界大战后重建)和阿拉贡人城堡(1452)。商港和渔港。海滨游览地。生产砖和通心粉等，种植并输出葡萄。人口：城区约22 029(1984)。

Orūmīyeh 乌尔米耶 又拼Urmia或Urūmiyeh。旧称雷扎耶。伊朗西北部城市。在乌尔米耶湖以西的平原上，出产谷物、水果、烟草和其他作物。居民主要是突厥人阿扎尔族、库尔德人，还有信基督教的亚述人和亚美尼亚人等少数民族。该城长期属于奥斯曼帝国。1900年，基督徒几乎占人口的半数，但在1918年有许多人迁离。留下来的人大多数遭到屠杀。一些幸存者后被伊朗政府遣送回国。有公路通大不里士和克尔曼沙阿。附近有机场。人口约298 400(1985)。

Orūmīyeh, Daryācheh-ye(Iran) 参阅**Urmia, Lake 乌尔米耶湖**。

Oruro 奥鲁罗 玻利维亚中西部城市。海拔3 702米。1606年建立。殖民时期为富有采银地区的中心。19世纪银产量下降，锡、钨、铜的开采兴起。市内有工科大学(1892)

奥鲁罗市附近的锡矿
美国不列颠百科全书公司供图

和炼锡厂。是全国铁路网的中心，有公路和航空线。人口约178 393(1985)。

Oruzheinaya Muzey（Moscow） 参阅 **Armoury Museum 兵器博物馆**。

Orvieto 奥尔维耶托 意大利中部翁布里亚区特尔尼省城镇。位于帕利亚河与基亚纳河汇流处上方一块海拔195米的孤立岩石上。原为埃特鲁斯坎人城市，后为古罗马城

奥尔维耶托镇的大教堂
美国不列颠百科全书公司供图

市，曾为伦巴第公爵领地的中心。12世纪为独立社区。1448年由教廷管辖。该镇哥特式大教堂是全国最著名的大教堂之一。传说1263年某司铎在该镇西南的博尔塞纳镇看到经他祝圣的圣饼上出现一滴血。1290年为纪念该神迹建了这座大教堂。镇上多13世纪精美的房屋和宫殿，其中帕皮宫设有市博物馆，收藏许多艺术品和从附近埃特鲁斯坎人墓地发掘出的古物。农业中心。以产白葡萄酒闻名。手工业生产锻铁、陶瓷制品和花边等。有铁路和公路通罗马和佛罗伦萨。人口：城市区约22 761(1984)。

Orvieto ware 奥尔维耶托陶器 13世纪以来在意大利境内奥尔维耶托生产的马约利

15世纪上半叶的奥尔维耶托锡釉陶罐
美国不列颠百科全书公司供图

卡陶器（锡釉陶器），是仿西班牙境内帕特纳所出彩陶。最常用的是绿、锰紫等典型西班牙色彩，间或有蓝、黄等色。装饰风格为哥特式，有时带中东风韵。器型以罐居多，口甚大，与罐身尺寸不成比例。后来，奥尔维耶托陶器就成了这种风格陶器的通称。

Orwell, George 奥威尔（1903，印度孟加拉蒙蒂哈里～1950-01-21，伦敦） 英国小说家、散文家、评论家。以小说《兽园》和《一九八四年》著名。后者研究极权主义统治的危险，是一部深刻的反乌托邦小说。原名埃里克·阿瑟·布莱尔。他的第一部小说《巴黎伦敦落魄记》署名乔治·奥威尔（此姓源于东英吉利亚美丽的奥威尔河）。与姓名改变一致的是他的生活作风的深刻转变，从英帝国制度的支持者变为文学和政治的叛逆者。出生在印度孟加拉，父亲是英帝国在印度的小文职官员，母亲为法国血统，是在缅甸的一个营业不佳的柚木商人的女儿。奥威尔在贫穷、而又自视高人一等的生活环境中长大。与父母返回英国后，1917（获奖学金）～1921年在伊顿公学就读。A.赫胥黎是他的老师之一，他最初的作品即发表在伊顿公学的校刊上。1922年去缅甸，担任印度皇家警察的助理地区警监。由于认识到英帝国的统治违反缅甸人民的意愿感到内疚，于1927年离开缅甸，次年1月1日辞职。后以这段经历为素材，写小说《缅甸岁月》(1934)和自传体散文《猎象记》及《绞刑》。种族与阶级的差别使他无法与缅甸人

美国新闻处供图

生活在一起，他回英后为了赎罪，穿上褴褛的衣服到伦敦东部和巴黎的贫民窟同工人、乞丐和洗碟工生活在一起，与英国流浪汉一起流浪，与贫民去肯特的田野里收摘蛇麻草。根据这些经验，他写了《巴黎伦敦落魄记》(1933)。对帝国主义的反感不仅使奥威尔放弃资产阶级的生活，而且使他重新确定自己的政治态度。从缅甸回国后，他立即宣称自己是无政府主义者；但到30年代，他开始认为自己是社会主义者。他的第一部社会主义著作是《通向威根码头之路》(1937)，在书的结尾处尖锐地批评了当时的社会主义运动。1936年去西班牙报道内战，并留下来参加共和军方面的民兵，后升任少尉。在特鲁埃尔咽喉受了重伤。后因反对共产党镇压政治反对派的作法，1937年5月逃离西班牙。次年写了《向卡塔洛尼亚致敬》，从此他一生害怕共产主义。第二次世界大战爆发后，先后在英国广播公司印度部和工党左翼《论坛报》工作，成为多产的新闻记者与文艺评论作家。1944年写成讽刺俄国革命的政治寓言小说《兽园》，1945年出版后获得名声和优厚的收入。最后一部讽刺小说《一九八四年》(1949)的发表，使他更为出名，其中描写了一个过分集权的社会如何歪曲真相和不断地改写历史。他因肺病于1950年1月死于伦敦一家医院。

Ory, Kid 奥赖（1886-12-25，美国路易斯安那拉普拉斯～1973-01-23，夏威夷火奴鲁鲁［檀香山］） 美国长号演奏家和作曲家，他可能是第一位确立了长号在古典三声部对位式爵士乐即兴演奏中的作用的音乐家。其演奏风格与爵士乐之前的雷格泰姆乐队的风格有异曲同工之妙。1911年成为新奥尔良一个著名乐队的领队。1919年在洛杉矶组成新乐团，5年后在芝加哥加入金·奥利弗乐队。20世纪20年代末，他因录有大量爵士乐唱片而闻名。曾随奥利弗的"迪克西切分音演奏

美国不列颠百科全书公司供图

组"、L.阿姆斯特朗的"热五人组"（后为"热七人组"）和J.R.莫顿的"红辣椒小组"一起演出。1930年从音乐界引退，兴办养鸡场。1939年重返乐坛，获得更大的成功。曾参加影片配音，有《交叉火力》(1947)、《新奥尔良》(1947)和《本尼·古德曼传》(1956)等。对早期爵士乐有深远影响。其著名爵士乐作品有《麝鼠漫游》(1926)。

Oryān（Persian poet） **阿里扬** 参阅 **Bābā Ṭāher 巴巴·塔赫尔**。

Oryol 奥廖尔 又拼Or'ol，Orel。俄罗斯西部一州。面积24 700平方千米。位于中俄罗斯高地的波状起伏丘陵，多切割成宽浅河谷。大部地区属奥卡河上游流域。首府奥廖尔市。地处混交林与森林草原地带的过渡地带。土壤表明过去森林广为分布，但16世纪以来大部森林被砍伐，仅剩一些栎树丛和小松林，水土流失严重。经济以农业为主，但20世纪末有半数以上人口居住在城市。主要作物有黑麦、荞麦、燕麦、玉米、大麻、马铃薯和甜菜。人口约914 000(1996)。

Oryol 奥廖尔 又拼Or'ol，Orel。俄罗斯西部奥廖尔州城市和首府。位于奥卡河源头与奥尔利克河汇流处。1564年建要塞。市中心位于奥卡河左岸，有环形马路和辐射状街道。新、旧建筑群混杂在一起。街道多以在此出生或生活过的作家和诗人命名，如屠格涅夫大街、安德列耶夫大街等。奥尔利克河南和奥卡河对岸为新住宅区和工业区。工业有机械制造、服装和食品加工。屠格涅夫故居现辟为博物馆。有师范学院和机械制造学

奥廖尔市纪念在解放奥廖尔战斗中牺牲的苏军坦克兵墓碑
美国不列颠百科全书公司供图

院。人口约348 000(1997)。

oryx 大羚羊 偶蹄目牛科四种大羚羊的统称,成群栖居于非洲和阿拉伯的荒漠和干旱平原。东非长角羚和南非长角羚是东非大羚羊(*O. gazella*)的两个亚种,分别分布在非洲东部和南部。北非大羚羊(*O. dammah*)曾一度遍及北非,但到20世纪80年代初,只见于撒哈拉沙漠南边缘地带。阿拉伯大羚羊,即白羚羊,一度栖于西奈半岛和阿拉伯半岛的荒漠地区以及北部邻近地区;到20世纪70年代初失踪,但1982年又重新被引进阿曼。大羚羊身体粗壮,肩高102～120厘米。有鬃毛和毛尾,面部和前额有黑色斑块,眼的两侧各有黑色条纹,身上和腿上有黑色斑纹

阿拉伯大羚羊(*Oryx leucoryx*)
美国不列颠百科全书公司供图

(随品种而异)。东非长角羚和南非长角羚毛皮呈灰褐色,北非大羚羊灰白色,阿拉伯大羚羊白色。雌雄都有角,角长而尖,或直或曲。由于狩猎过度,阿拉伯大羚羊和北非大羚羊在《红皮书》中列为濒危种。它们在许多动物园里得到繁殖。东非长角羚有时被分类为 *O. beisa*,北非大羚羊有时被分类为 *O. tao*。

Orzeszkowa, Eliza 奥热什科娃(1841-05-25,波兰米尔科斯兹茨日纳～1910-05-18,俄国格罗德诺) 母家姓帕沃夫斯卡。当时波兰最受欢迎的小说家之一。她的作品洋溢着1863年参加反俄国沙皇的终归失败的起义者的理想:社会正义与平等、个人自由和人类博爱以及人终将能臻于完善的信念。出身于一个地主家庭,17岁时与地主彼得·奥热什科结婚。11年后夫妻关系解除,她定居格罗德诺,1879年在该地开设一家书店和出版社。

美国不列颠百科全书公司供图

1878年,出版了《梅伊尔·埃卓福维奇》,为白俄罗斯小城镇犹太人的生活描绘了一幅惨淡的画图,主张同化犹太人,而不仅仅是容忍他们。1882年,俄国当局查封了她的书店和出版社,将她置于警察监视之下达五年之久。1894年,她再次结婚,不幸第二个丈夫两年后即去世。奥热什科娃的著名的农民小说有《久尔济一家》(1885),描绘了一幅贫苦农民的愚昧和迷信的惊心动魄的图画;还有《乡下佬》(1888),讲的是一个卑贱的渔夫爱上了一个神经质的高雅的城市姑娘的悲剧故事。《涅曼河畔》(1888)则被认为是她的杰作,写的是立陶宛的波兰人社会。《出生好》(1892)写小村子里的地主破落户。奥热什科娃的许多小说在她去世前即被译成俄文、德文和瑞典文,有三部被译成英文。她的22卷文集于1937～1939年出版。

Oš(Kyrgyzstan) 参阅 **Osh** 奥什。

os penis(bone) 参阅 **baculum** 阴茎骨。

Osa 奥萨 俄罗斯彼尔姆州奥萨区的城市和行政中心。在卡马河左岸,靠近卡马河与图尔瓦河的汇合处。位于彼尔姆城西南约100千米处。最初是说乌戈尔语的民族汉特人(奥斯加克人)的一个村庄,1557年成为俄罗斯的城镇尼科斯卡亚-斯洛博达,1737年易名奥萨。普加乔夫1774年6月18～21日率领农民叛军围攻奥萨,奥萨投降后被烧毁。目前该地区有油井,工业有伐木和农产品加工。人口19 993(最新统计)。

Osa Gulf(Pacific Ocean) **奥萨湾** 参阅 **Dulce, Gulf of** 杜尔塞湾。

Osa Peninsula 奥萨半岛 位于哥斯达黎加南部,西北临科罗纳多湾,西滨太平洋,东接杜尔塞湾。东北-西南宽约30千米处,西北-东南长约55千米,为哥斯达黎加第二大半岛。整个地区地势都比较低,最高处为蒂格雷山,海拔782米。半岛多饲养家畜。杜尔塞湾的希门尼斯港为半岛主要城镇。无公路或铁路干线通达奥萨半岛。

Osage 奥萨格人 北美印第安部落,操苏语族德吉哈语支语言。奥萨格人与奥马哈人、蓬卡人、坎萨人及夸保人,自大西洋岸西迁:起初在皮德蒙特高原定居,该地位于弗吉尼亚及南北卡罗来纳的詹姆斯河与萨凡纳河之间;后又迁往现在密苏里州西部和欧扎克高原诸草原;五个部落自此分道扬镳,奥萨格人留在奥萨格河畔的村落里。1673年J.马奎特曾记述其居住地的位置。到19世纪早期,奥萨格人将其密苏里土地让与美国,再度西迁到坎萨斯州的尼奥肖河谷。奥萨格文化是大草原文化,主要特征是村居、农事与猎捕野牛相结合,其他重要猎物有鹿、熊及河狸等。村落由长形房屋组成,错落排列,空地则用于舞蹈和部落聚会议事。狩猎季节他们则住圆锥形帐篷。部落生活集中于宗教仪式,各氏族划分为象征性的天族与地族,后者再分为土族与水族。他们长于诗歌活动,其中

G.卡特林于1834年绘的奥萨格人首领克莱-蒙画像
美国不列颠百科全书公司供图

有向每个新生幼儿朗诵有关创造宇宙的历史。19世纪末,奥萨格居留地发现石油,后与美国政府达成协议,矿权全部为部落所有,按人口数分享土地使用费,因此他们成为印第安人中唯一富裕的部落。20世纪晚期共约5 000人。

Osage orange(*Maclura pomifera*) **奥塞奇橙** 又作bowwood,法语作bois d'arc。又称

奥塞奇橙(*Maclura pomifera*)
美国不列颠百科全书公司供图

桑橙、弓木。桑科桑橙属唯一的种。多刺乔木，其乳汁可引起皮炎。原产于美国中南部，已广泛种植于更北地方，直到密西西比河流域及其以东地区。种作防风篱或树篱，经修剪后可成为具防护作用的带刺的屏障。木材坚硬，黄橙色，从前奥萨格等印第安部落用以制弓及战棍，今用制枕木及篱柱。从其木材又可提炼黄色染料。果大如大型柑橘，直径可达13厘米，黄绿色，有皱纹，掉落时会造成危害，长期认为有毒，人们一直试图将其加工食用或制成可食的粉。

Osage River 奥塞奇河 源出美国堪萨斯州弗林特丘陵，原名梅里德辛河。与小奥塞奇河汇合后始称奥塞奇河，东流汇入密苏里河。全长800千米。流域面积39 600平方千米。中游有巴格内尔水坝，蓄成**欧扎克斯湖**(**Ozarks, Lake of the**)。大坝建于1931年，发电供应圣路易斯。

Osagian Series 奥塞奇统 北美密西西比系的重要地层单元(密西西比纪开始于约3.45亿年前，延续约0.2亿年)。在梅勒梅克统之上，金德胡克统之下。该统地层反映一次大海侵。在密西西比河谷地区广泛的露头主要由灰岩和层状燧石沉积组成。燧石一般形成透镜体和结核，也有层状沉积。布恩燧石特别闻名，在密苏里州则含铅矿和锌矿。

Ōsaka 大阪 日本的府。在本州，北界京都府，西北邻兵库，东接奈良，南交和歌山诸县，东南濒临大阪湾。面积(包括工业城市大阪和众多工业、住宅卫星城)1 869平方千米。生产钢铁、纺织品、化学品和电机。大阪府不包括神户，神户在兵库县。人口8 800 979(1999)。

Ōsaka 大阪 日本本州中南部大阪府首府。与邻近的神户和京都合为日本第二大城市工业综合区——**京阪神工业区**(**Keihanshin Industrial Zone**)。位于淀川三角洲，濒临濑户内海东端的大阪湾；其都市区地跨整个三角洲并延伸到淀川、大和川等河流的冲积高地。神户在大阪以西32千米，大阪湾西北岸。气候温和，冬季寒冷，夏季湿热；年降雨量约1 360毫米。9月多台风，有时成灾。市内街道呈网状，南北轴线为御堂街，东西轴线为中央大街。本町街由港口向东通往16世纪丰臣秀吉所建的大阪城。与御堂街平行的狭窄的心斋桥街是商店区的中心。主要商业区则在闹市区的北部，工业区在东部和东北部以及淀川三角洲的下游。大阪的中部基本上是商业地带。虽有几处大公园，但绿地面积很少；主要娱乐区均在市郊，沿海滩和靠近京都的琵琶湖一带。大阪原以大型纺织工业著称，但重点已转到重工业。主要工业有机械、电机、钢铁、金属加工、纺织、化工、纸浆和造纸。食品加工、印刷和出版也很重要。大阪为日本最大金融中心之一。其港口历来是日本最重要的港口之一，20世纪70年代已在管理上与神户合为一体。境内铁路纵横，是国有铁路网的枢纽。目前由国有铁路已改组的几家私有公司经营本地与各城市间的快速运输、本地区旅客列车和新干线(子弹号)特快列车。郊区和地区间还有其他私营电气火车设施。有高速公路与神户、京都及名古屋相通。大阪有两大机场。旧机场位于市北郊伊丹附近，供国内航线使用。1994年开设关西国际空港为该市日益增长的国际空运服务。大阪向为国家文化中心，有许多公立、私立大学和学院，如大阪大学、关西大学等。传统戏剧、现代戏剧、音乐、木偶戏以及西方音乐、歌剧和话剧均有演出。亦是新闻媒体中心。面积220平方千米。人口约2 602 421(1995)。

Ōsaka-Kōbe Metropolitan Area 大阪-神户都会区 大阪-神户都会区是日本第二个都市和工业聚集区，位于本州岛中西部濑户内海东端大阪湾。大阪与神户两市在地理学家称为阪神工业区之中央；由于其城区沿内海及往东北方面的城市京都扩展，该地区现包括在更大的京阪神工业区内。这两个区都不是政治实体，但较大的一个相当于日本的传统文化区关西。关西是一古老城市地区，为最早的日本国诞生地，历史上一直人口稠密，直至进入20世纪以后，为日本最工业化、经济最先进的地区。

大阪是大阪府的首邑。大阪府为一行政区划，包括大阪市及大片城乡地区。神户是兵库县的首府和最大城市，为日本主要港口之一。在这两个中心城市周围，有许多工业与供居住的卫星城市。

自然地理和人文地理

景观 城市位置 大阪位于淀川三角洲。中心城市以东的大阪城堡，原为丰臣秀吉所建，矗立在大阪府南部3 000多英尺高的高地向北延伸部分(海拔约65英尺)。这个都会区覆盖淀川、大和川及其他河流的三角洲，直至其冲积高地。这个地区东边是生驹山脉，南边是和泉山，西北边是六甲山脉。淡路岛形成大阪湾的西南边界。海湾西北岸便是神户，花岗岩的六甲峰(3 058英尺)踞高临下。这一地区地质不稳定。最严重的地震发生在1956年，另一次破坏了神户及其邻近城市的地震发生在1995年。两个城市之间的海岸线，由于修建港口设施和工厂而有变动。沿海地区和高地上有神户以及芦屋、西宫、池田、伊丹和丰中等城市的最好居住区。大阪正西面，神崎河三角洲上是重工业中心尼崎。大阪北面是丰中、吹田与茨木。千里山上，是20世纪60年代以来新开拓的地区。大阪东北，沿淀川有工业与居民城市高槻、守口、寝屋川和枚方。大阪以东有门真、东大阪和八尾，东南方有藤井寺、富田林、松原等，大多为历史老城镇。西南方，沿海平原上有堺、大津、贝冢、岸和田及泉佐野，有些属工业区，有些属居民区。都市化建设已发展到大阪以东25英里的奈良和东北25英里的京都。稠密的铁路和公路蜿蜒全区。

气候 本地区气候温和。年平均气温约16 °C，年平均雨量54英寸。8月气温常在30 °C或以上。夜间无海风。1月平均气温约4 °C，冬季降雪数次。雨季在6～7月与9～10月。9月常有一二次台风袭击。这个地区历史上最大的台风灾害发生在1934年，死难者达3 000人。1938年6～7月雨季，六甲山脉大崩塌将神户广大地区掩埋，山洪夺去870人的生命。

大阪市民曾将当地烟幕笼罩作为工业发展的标志而引以自豪，称之“烟都”；但及至

大阪城堡
美国不列颠百科全书公司供图

20世纪70年代中期，该市的烟雾及空气污染被视为有害，此后改善空气质量成为一个首要问题。受到注意的另一些环境问题还有水污染和尼崎地区的土地沉降。

城市布局 大阪中央的街道呈方格形分布，城市的其余部分则是有计划的方格与凌乱无章的街道相互补缀。南北以御堂筋（街）为轴，北连大阪火车站，南接难波车站。东西以中央大街为轴，从西面大阪港中央码头直到东边生驹山脚下。与御堂筋平行的狭窄的心斋桥筋是主要购物区。其南端，道顿崛是一个拥挤的剧场与饭店区。

主要商业区在闹市的北部。由弯曲的淀川围成的中之岛，包括市政厅、中央市民大厅、日本银行、朝日出版社等。直至第二次世界大战，传统的商业中心一直在船场街和岛之内街，后面是家院的老式白墙店铺，已存在几个世纪。

市内有两处大的娱乐区。北区位于大阪火车站正南，是全市土地价最高的地方，拥有一幢幢高层办公楼和一大型地下购物中心。南区有许多剧场和饭店。大阪工业区在淀川下游的三角洲和城市的东部与东北部。

神户的街道模式是因其介于山脉与海岸之间形成的。主要街道是东西走向，与南北向的短街交叉，间或有较长的街进入山里。主要购物街道元町，位于三宫与神户火车站之间。主要商业区在港口附近。

住区模式 大阪地区自史前时期以来便有人类居住并进行建设。已发现的贝丘与陶片可上溯到至少公元前7000年。有许多古坟时代（约公元250年～约550年）的古坟墩，其中一些文物有助于证实来自朝鲜半岛移民的存在。稻农所住的古老村庄在沼泽平原；宫殿、神社和寺庙则建于较高的地面。中世纪时的村落建在高地上。有些现代居住区设在旧时几个村落的遗址上。例如，位于老城堡以南的大阪住宅区帝冢山就建在一批古坟墩上。

大阪中部现在主要是商业区；自1920年以来，由于私营铁路公司使铁路沿线土地可用于郊区建房，出现了一次从城市向郊区的移居。阪急电气铁路公司对开发大阪西北的丰中起了特别大的作用。战后开发的两个大居住区千里山新町和泉北新町分别在1961和1965年开始兴建。

大阪府的住所约有2/3是公寓房。大阪之大部和几乎整个神户在第二次世界大战中被毁，内城地区如今大半被西式多层楼房所占；但传统的建筑风格依然能够在大阪的适塾（18世纪建的一所外语学校）、鸿池（始建于1708年，1853年重建）与神户的若干居民住房上看到。在中之岛上尚有早期受西方影响的建筑，例如，日本银行大楼（1903）和大阪府图书馆（1904）。20世纪60年代以来，这两个城市主要商业区由于重建，出现了许多大型、现代化、有所创新的建筑物：特别是大阪火车站前的办公楼与旅馆群；船场中心大楼，高仅4层，却沿中央大街延伸3/5英里长，且建造在地铁之上、高速高架公路之下；神户港湾人工岛上的会议中心。

人民 大阪-神户都会区的人口趋势与两大全国性趋势一致：即由于农村向城市移民和郊区化而城市人口持续地增长。一个多世纪以来，人们源源不断从农村迁入，使这个地区的人口膨胀；但大阪的人口——20世纪60年代中期达到约315万的高峰以后——由于人们从城市移向郊区而有所下降。此外，城市人口密度最高的地方，不是在中部而在边缘区，因为人口减少最多的是中央区。与之相反，神户的人口则稳步增长，虽然如同大阪一样，内城人口有所减少，但边缘区有很大增长。

大阪-神户都会区的人口，犹如关西地区总体情况，在日本是民族最多的。其中，有全国聚集最多的朝鲜人，他们大部分是1910～1945年朝鲜为日本殖民地时期移居日本的朝鲜人之后代，至今被视为外侨；有冲绳人，他们在法律上是日本人，但却待若内部的外侨；还有部落民，这是对受剥夺的贱民后裔的委婉称呼，这个群体一度在法律上，虽不在遗传上，与一般日本人有区别。这三个群体在教育、就业、婚姻与住房方面都受歧视。在神户也有相当大的华人、印度人和西方人社区，他们的存在使这个城市的文化增添了国际色彩。人口：大阪约2 648 166（1987）；神户约1 422 922（1986）。

经济 **工业** 大阪曾以庞大的纺织工业而被称为“东方的曼彻斯特”；如今主要的工业是电机和其他机器制造、钢铁、金属制品与化学制品。在大阪与神户之间还有几个工业城市。最大的城市尼崎是机械、冶金、化学制品、水泥与造纸生产的中心。神户的主要工

从港岛远望神户中部和六甲山脉
美国不列颠百科全书公司供图

业是造船与炼钢。重工业与化工工厂坐落在大阪湾沿岸,轻工业与装配工厂则在内地。

商业 从前,大阪商人在早上互相问好时说:“你赚钱吧?”现代的商人与经理人员互相招呼时仍问生意上的情况。这种问候反映了商业企业在大阪传统的重要性。大阪拥有全国批发贸易的约1/7。

大阪是日本第二大金融中心,与神户一起,是对外贸易的主要港口,经营全部出口的约1/5。

运输 大阪是全国铁路网的重要枢纽,运营东北方东京地区与往西和往南地区的交通。1987年原国营日本全国铁路公司私有化之后,大阪成为经营本州西部客运的西日本铁路公司的总部所在地,这地区还有新干线的“子弹列车”和国家铁路货运系统,两者均已成为私营实体。此外,还有私营铁路,为大阪与神户及其郊区、为本州中部各大城市,尤其是京都与名古屋之间,提供城市与郊区上下班和地区内城市间的客运服务。铁路线也从神户往内地,通向城市北边兵库县的农村地区。大阪的地铁,始建于第二次世界大战以前,在20世纪60年代后期进行了大扩建,80年代初期再次扩建;神户的第一条地铁线于80年代中期开始运营。

由于汽车交通繁忙,大阪的主要街道都是单行线。地面公路和高架高速公路网通过大阪与神户的主要部分,把两个城市连接起来,并使之与全国的高速公路系统相通。普通公路也贯穿全区。神户与大阪都是国际与国内的港口;客船、货船以及汽车轮渡驶往四国、九州诸岛与濑户内海各港口。国际航运由建于大阪湾人工岛上的、1994年开始运营的关西国际机场提供,从70年代中期以来,国内航班则使用市西北数英里的伊丹的较陈旧的设施。

行政与社会状况 **政体** 大阪是大阪府的首邑。大阪府下辖31个市和13个町、村。大阪也是近畿地方的中心,该地区包括大阪府、京都府、兵库县、奈良县、和歌山县、滋贺县与三重县七个府县。各县和地区性机构在大阪设有办事处。大阪、神户下设由委任区长领导的区,各区选举代表出席各自由当选市长领导的市政务会议。

公用事业 大阪主要的水源是淀川;神户在六甲山坡建造了几处水库。主要城区的污水处理设施合格,到处都供电,大多数城区可使用煤气。

保健 大阪的医疗保健是以大阪府立大学和大阪市立大学的医院及另几个医疗机构为中心。医院及保健站遍布全区。

教育 在大阪府与兵库县共有100多所大专院校。大阪大学、大阪外国语大学、大阪教育大学、神户大学以及兵库教育大学都是国立大学。都市级的公立院校包括大阪市立大学和大阪府立大学。大阪的关西大学和西宫的关西学院大学是本地区历史最久、规模最大的私立大学。

文化生活 大阪与京都早已是主要的文化中心:大阪以其烹调著称,较京都更繁华、更有民主风气;京都是日本文化灿烂的中心之一。都会区的剧场与会馆上演传统与现代的日本戏剧与音乐以及西方音乐、歌剧与戏剧。博物馆、美术馆与图书馆甚多。《朝日新闻》和《每日新闻》两张全国性报纸都在大阪出版。

大阪的城市绿地很少,然而娱乐场所到处皆是。重要的有中之岛公园、大阪城公园、鹤见绿地公园、长居公园及附设动物园与植物园的天王寺公园。郊区有许多古迹和大型娱乐区,除了服部绿地和明治森林箕面国定公园以外,还有太平洋上纪伊半岛的娱乐区、濑户内海沿岸的沙滩地区、奈良与京都的古代城镇,以及京都附近美丽的琵琶湖。在神户,可走路或坐缆车登上六甲峰;峰顶有一高尔夫球场,还有几个游泳池。在都会区有四个职业棒球队,全国性中学棒球锦标赛于夏季在西宫举行。大阪西北的宝冢市已发展成为一处游乐场,为少女歌剧舞剧场所在地。1970年日本世界博览会在千里山新町附近举行;博览纪念公园内有国立民俗博物馆、国立艺术博物馆和娱乐区。

历史

大阪 **古代和中古时期** 大阪平原在新石器时代便有人类居住,约在公元300年便是政治中心。大阪地区许多古代坟墩中,有半传说中的皇帝仁德天皇坟;这座古坟时代最大的墓是5世纪建筑物,周围有3条护沟,占地80英亩。古代浪速区——今大阪——在5世纪初期至7世纪中期曾断断续续地作为皇宫或首府机构所在地,但是奈良在710年取而代之成为第一个“永久”国都。

京都在794年成为帝国首都后,大阪与京都之间的陆路和水路交通都得到改善。淀川三角洲的开拓促进了新居住区的建设,其中包括渡边,它在中世纪时成为地方首邑和港口。及至14世纪,在大阪以南,大阪湾东海岸已崛起一港口镇——堺市。有证据表明,如同一些中世纪的欧洲城镇一样,堺市在15和16世纪实行自治,由当地的首要商人管理,直至1569年他们向武将织田信长投降。这些商人是因堺市有利可图的内外贸易而致富的;在他们资助下,堺市成为一个艺术中心,其时京都已毁于应仁战争(1467～1477)。堺市在16世纪末期与17世纪初期并且是改信基督教的一个中心;耶稣会传教士的记述中提到当时大阪的富有及其世界性都市风韵。

1496年——正值历时一个世纪的内战——佛教富有战斗精神的净土真宗高僧莲如择定在靠近淀川河口处建一要塞寺庙。石山本愿寺于1532年建成,成为一个大城镇的中心,该城被围困多年之后于1580年被织田信长所毁。织田的继承人丰臣秀吉在原址建造了一座有雄伟石墙与宽阔护城河的大城堡。这座城堡周围发展起来,便是今日大阪之起源。秀吉以此为基地,将整个日本置于其统治下。大阪为国家政权所在地直至他于1598年去世。

现代初期与现代 这座城堡和町于1614～1615年遭德川家康围困时受到严重破坏,人口急剧下降。德川消灭了秀吉的后嗣,巩固了身为幕府将军的权力。继任的将军们重建了城堡与城镇,德川时代(1603～1867)余年,大阪是由将军直接管辖的城市。与该时期其他城市不同,大阪不是一个政治中心,因此不受武士阶层统治。大阪成为日本主要的商业城市;全国各地的封建主沿着城市水渠建起了储存税米的库房,米的交易活跃。还有许多货物在大阪交易——及至1679年约有380个批发商社——大阪成为不断扩大的商业与制造业中心。这些活动促进了地区经济的迅速钱币化。

由于更加繁荣,大阪成为元禄时代(17世纪末～18世纪初)文化复兴的中心。创造了木偶剧与歌舞伎等新的戏剧形式。白话文小说出现了新门类,其风格与主题迎合城市平民的趣味,标志着摆脱武士阶层文化专制的转变。然而,在18世纪,大阪领导文化事业的地位被江户(今东京)所取代,但仍是一个教育中心,拥有古典研究与医科学校。19世纪中叶,日本仍向大多数西方人关闭之时,大阪的日本人就学习了荷兰语及西方科学。

大阪保持港口与工业中心的优势直到第二次世界大战。但在战争期间,城市大部为空中轰炸所毁,而战后的经济发展大量集中在东京-横滨都会区。中国革命使大阪丧失了重要的对华贸易,直至20世纪70年代初期日本政府日益增长的经济作用促使东京-横滨地区发展工业。

神户 神户的历史与大阪一样悠久。在古代,神户是一个小渔村的名字,与该区主要港口兵库之间有凑河相隔。兵库又名大和田和向日,早在8世纪时就是同中国与朝鲜进行贸易的重要港口。以后许多世纪,神户一直是日本对外贸易的主要港口,在15和16世纪尤其繁荣,政府在那里保持巡逻船只以控制濑户内海的海盗。12世纪时,平清盛曾使之取代京都为首都,为期不久。

德川时代,兵库作为大阪的外港,重开对外贸易,直至1868年。不久以后,被拥有较深港口的神户所超越并合并。1872年神户海关建立以后,两港合称神户港。兵库与神户于1889年合并为神户。19世纪在此定居的许多外国人使之具有国际与世界气氛。

在19世纪末和20世纪初,神户的面积因邻近社区的并入而扩大。第二次世界大战期间,空袭毁坏了城市之大部。战后迅速重建,其面积又因合并而扩大。神户成为日本最大的城市之一。其港口设施自从第二次世界大战以后大有扩展,70年代初期以来在行政上与大阪合并。1995年这一地区发生的地震摧毁了神户的大部地区和它的一些郊区,也使邻近的淡路岛遭到破坏。地震中有5 500人丧生。神户港的港口设施和交通体系也遭到严重损失。

Osasco 奥萨斯库 巴西圣保罗州东南部城市。海拔720米。临铁特河。在州首府圣保罗西北20千米处,是圣保罗都市区的一部分。由于圣保罗郊区重工业日益集中,带来污染和人口过密问题,奥萨斯库发展很快。有肉类加工、冶金、汽车附件、铁路车辆、纺织和化工等工业。有铁路和公路通往圣保罗。人口约566 949(1991)。

Osawatomie 奥萨沃托米 美国堪萨斯州东部迈阿密县城市。位于梅里德辛河畔,波塔沃托米河河口。1854 年拓居。1882 年设市。曾是活跃在堪萨斯准州的 J. 布朗派自由邦的总部所在地和为帮助黑奴逃亡的地下铁路的一站。因布朗杀死 5 名赞成奴隶制的定居者，1856 年 8 月 30 日遭到密苏里人进攻；约翰及 40 名废奴主义者逃离后，该镇遭焚毁。设有布朗纪念公园。地当密苏里-太平洋铁路路段分界点，有铁路工场。靠近油田和天然气田，为农业区的贸易中心。建有州立奥萨沃托米（精神病）医院（1863）。人口约4 645（2000）。

Osborn, Henry Fairfield　奥斯本（1857-08-08，美国康涅狄格费尔菲尔德～1935-11-06，纽约加里森）　美国古生物学家和博物馆管理专家，对美国和英国的博物馆陈列艺术和

纽约美国自然史博物馆供图

古生物学教育影响极大。在普林斯顿大学担任自然科学助理教授（1881～1883）和比较解剖学教授（1883 ～ 1890）时，对脑的解剖进行了富有成果的研究。曾任哥伦比亚大学生物学教授（1891 ～ 1896）和动物学教授（1896 ～ 1935），但大部分精力放在该市的美国自然博物馆。作为古哺乳动物部（后来改为古脊椎动物部）主任（1891 ～ 1910）和博物馆馆长（1908 ～ 1935），他收集的脊椎动物化石在世界上数一数二。他采用的博物馆陈列方式在教育观众方面取得成功，并有效地普及了古生物学。提出了适应性辐射的概念，认为一种原始的植物或动物通过散布在大面积陆地上并适应于不同的小生态环境，在很多情况下就演化成为几个种。还在美国地质勘探局任古脊椎动物专家（1900 ～ 1924）和高级地质师（1924 ～ 1935）。著有《从希腊人到达尔文》（1894）、《哺乳动物时代》（1910）以及《生物的起源和进化》（1917）。

Osborne, Dorothy, Lady Temple　奥斯本（1627，英格兰贝德福德郡奇克桑兹女修道院～1695-02，萨里法纳姆附近穆尔帕克）　英国贵妇人，以婚前写给她未来的丈夫 W. 坦

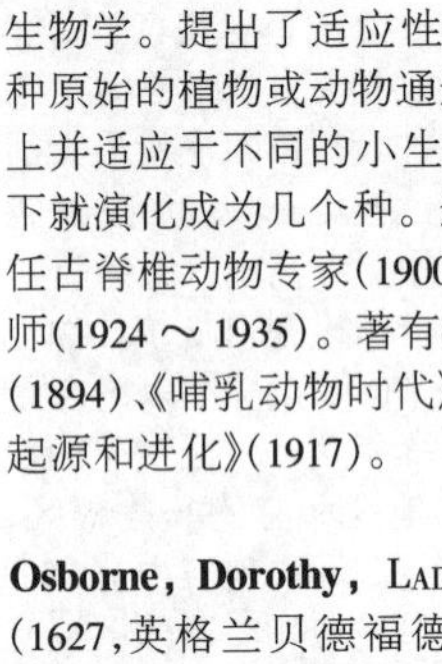

美国不列颠百科全书公司供图

普尔的书信闻名。这些书信用流畅的日常口语写成，展现出共和政体时期（1649 ～ 1660）一年轻英国贵妇人的有趣的生活图景；文笔婉丽流畅，充满机智、幽默和锋利的评论。她是彼得·奥斯本爵士的女儿，1647 年同坦普尔相识，他们不顾双方家庭反对，于 1655 年结婚。此后，她成为忠实的妻子，现存的几封晚年的信证实了这一点。生有 9 个子女，其中 7 个夭折。她是玛丽皇后的朋友，死后葬于威斯敏斯特大教堂。坦普尔保存了她在 1652 年 12 月至 1654 年 10 月他们恋爱期间写给他的信，他们以手稿的形式保存至 19 世纪。1891 年被出卖给不列颠博物馆。这些书信以 G.C. 穆尔·史密斯 1928 年所编的为最佳版本。

Osborne, John　奥斯本（1929-12-12，伦敦～1994-12-24，什罗普郡）　英国剧作家和电影制片人。其剧本《愤怒的回顾》（1956 上演）迎来了英国戏剧的一个新的运动，并使他作为第一个“愤怒的青年”（**Angry Young Men**）而为人所知。奥斯本的第一部剧作《他内心的恶魔》写于 1950 年，是与他的朋友和辅导教师 S. 林登合著的。后者是一个女演员，奥斯本最初的恋人之一。1956 年，他作为演员首次出现在伦敦舞台。同年《愤怒的回顾》由英国舞台剧团上演。虽然该剧在形式上无大的变革，但内容却出人意料。第二个剧本《卖艺人》（1957）中的主角是一落魄的喜剧演员，剧本以歌舞杂耍剧场传统的衰败为比喻，影射一个国家元气的衰落。1958 年奥斯本与导演 T. 理查森共同建立了伍德福尔影片公司，把

美国不列颠百科全书公司供图

《愤怒的回顾》（1959）和《卖艺人》（1959）拍成了电影，并把奥斯本根据菲尔丁的同名小说改写的电影剧本拍成故事片《汤姆·琼斯》（1963），获学院奖。《路德》（1961）是写宗教改革运动领导人马丁·路德的叙事剧，作品再次显示了奥斯本刻画适合舞台表演、富于反叛性的英雄的才能。他的两部《为英格兰而写的剧》（1962），包括讽刺王室的《班伯格一家之血统》和描写一对乱伦男女玩弄支配和服从花招的《明白借口》。其他剧作有《难以承认的证据》（1964）、《我的爱国者》（1965）、《苏伊士以西》（1971）。自传《一类更好的人》出版于 1981 年。自传的第二部于 1991 年问世，书名为《近乎一位绅士》。奥斯本的戏剧生涯始于演员，他以所写可扮演的角色而著名。他还因恢复了激烈的长篇议论在戏剧各组成部分中的重要地位而具有影响。但最重要的是，他使英国戏剧从描写上层阶级生活的佳构剧转向描写当代生活的朝气勃勃的现实主义戏剧。

Osborne, Sir Thomas, 2nd Baronet　奥斯本男爵　参阅 **Leeds, Thomas Osborne, 1st duke of 利兹公爵（第一）**。

Osborne, Thomas Mott　奥斯本（1859-09-23，美国纽约奥本～1926-10-20，奥本）　美国刑罚学家，他所创立的通过“互助福利协会”实施的犯人自助计划，成为后来刑罚学家的

纽约奥斯本学会供图

人道主义计划的模式。奥斯本在奥本教育局任职两届，并于 1903 年当选为奥本市长，任职一届。1913 年，他任纽约州监狱改革委员会主席，这个职务促使他化名“汤姆·布朗”在奥本监狱中待了一个星期，以便实地了解情况。由此他相信（用英国政治家格莱斯顿的话来说）“只有珍惜自由的人才配享有自由”，因而他创立了奥本监狱犯人的“互助福利协会”，这个协会担负的职责有：组织委员会对违反监规者进行审判和制定文娱活动计划。1914 ～ 1916 年，奥斯本担任纽约州奥西宁新心州立监狱（现为奥西宁教养所）的监狱长，1917 ～ 1920 年任新罕布什尔州朴次茅斯海军监狱指挥官；他在这两个地方都建立了“互助福利协会”。他在新心监狱的工作充满了风险，最突出的是被韦斯特切斯特县大陪审团以伪证罪和玩忽职守罪起诉。但是，指控被撤销了。奥斯本写了许多关于刑罚学的著作，并且创立了一个交流刑罚情报的全国性社团。

Oscan language　奥斯坎语　意大利诸语言之一。与翁布里亚语和沃尔希语关系密切，与拉丁语和法利希语关系较远，通行于意大利中、南部，可能是南意大利中部山区桑尼特人的本族语，逐渐被拉丁语所代替，到公元 1 世纪末完全消亡。现代关于奥斯坎语的知识，来自用数种字母（通俗拉丁字母、希腊字母，源自埃特鲁斯坎文字的本民族字母）书写的约 250 件文献和碑铭。奥斯坎语和拉丁语很相似，但语音音变则不相同（奥斯坎语 aasa：拉丁语 āra“圣坛”；奥斯坎语 pid：拉丁语 quid“什么”），词汇上也有歧异。

Oscar　奥斯卡　又拼 Oskar。瑞典国王之名，按年代顺序分列于后，并各以●为标记。

● **Oscar I　奥斯卡一世**（1799-07-04，巴黎～1859-07-08，斯德哥尔摩）　瑞典和挪威两国

美国不列颠百科全书公司供图

国王(1844～1859)。查理十四世约翰之子。早年对许多问题抱有自由主义观点和进步思想。1844年即位后,立即推行各项改革。1848年欧洲各国发生革命后,他日趋保守,尤其在宪法问题上。1857年患病,此后两年由儿子(后来的查理十五世)代理朝政。

● **Oscar II 奥斯卡二世**(1829-01-21,斯德哥尔摩～1907-12-08,斯德哥尔摩) 瑞典国王(1872～1907)兼挪威国王(1872～1905)。出色的演说家。爱好音乐和文学,出版过几部

美国不列颠百科全书公司供图

诗集,也写历史文章。在国内政治上,他属于保守派;在对外政策上,他主张斯堪的纳维亚各国合作。1866年以后支持德国,企图以此加强力量去对付俄国。他极力维护瑞典和挪威两国的联盟关系,但1905年却被迫逊挪威王位。

Osceola 奥西奥拉(约1804,美国佐治亚～1838-01-30,南卡罗来纳查尔斯顿) 又译奥斯西奥拉。第二次塞米诺尔战争中的印第安人领袖。从佐治亚迁居佛罗里达时还不是酋长,但已成为公认的塞米诺尔人领袖。1832年领导印第安青年反对《佩恩定居条

美国不列颠百科全书公司供图

约》,1835年刺杀准备率众迁离佛罗里达传统地区的酋长C.伊马斯拉和美国印第安事务官W.汤普森将军。其后美军企图粉碎塞米诺尔人的抵抗,他采用游击战术,周旋两年之久。1837年10月与几个首长去佛罗里达的圣奥古斯汀,拟与美军进行谈判,但被T.S.杰塞普将军投入狱中,后又被押解到南卡罗来纳州查尔斯顿城,在那里死去。

Osceola 奥西奥拉 美国阿肯色州东北部城市,密西西比县南县城(1832,北县城为布莱斯维尔)。临密西西比河。建于1830年,为一河轮燃料补给站。城市以著名的塞米诺尔印第安领袖名命名(1833)。1838年设市。后发展成为密西西比冲积带农作物的加工转运中心。有食品加工和轻工业。人口8 875(2000)。

oscillator 振荡器 用来产生交流电的电子器件,器件中通常利用调谐电路和热离子真空管这类放大部件。用来产生射电广播中的载波高频电流的振荡器,常用压电晶体(通常为石英)的振动与电子线路耦合使载波频率稳定。

Oscillatoria 颤藻属 蓝绿藻的一属,常见于淡水环境,包括温泉。丝状体不分枝,单生或交织成片,会作节律性颤动,故名。颤动是

颤藻属(*Oscillatoria*)蓝绿藻,高倍放大
美国不列颠百科全书公司供图

由于分泌的胶质将丝体推向反向而发生的。裂殖生殖,双凹形的死细胞(分离盘)将丝体分成若干个段殖体。无胶质鞘或有而很薄。

oscillograph 示波器 显示和记录随时间变化的电量(如电流、电压)的仪器。常用的两种基本型式为电磁式示波器和*阴极射线示波器*(**cathode-ray oscilloscope**)。严格说来,后者仅作当时显示之用,而前者能制出永久性记录。电磁式示波器的工作原理与达松伐耳电流计的工作原理相似,基于永久磁铁的磁场与载流线圈的相互作用。有些示波器配备有附着于线圈上的画笔,可在移动的图表纸上描出墨迹线。具有这种特性的最常见装置是心电图仪,它使用多匝细线圈,可研究心脏的活动情况。光束示波器的重量比笔描式仪器轻得多,因此,它能满意地响应500赫的较高频率,而笔描式只能响应到100赫。它利用附有一个小镜的线圈,光束从小镜上反射到恒速运动的感光胶片上。阴极射线示波器利用锐聚焦的电子束在与电视机相似的荧光屏上显示出两个变量之间的关系。它可以是三维或四维的记录仪器,后者用途非常广泛。

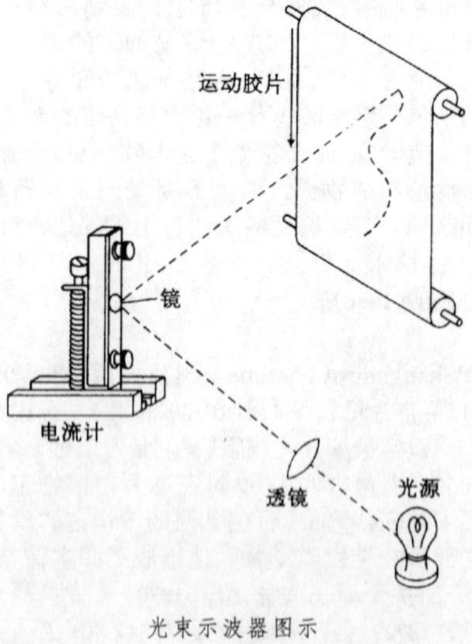

光束示波器图示

使用光学透镜系统或纤维光学面板,将能量转移到光敏记录片上,达到记录的目的。它可用于兆赫的频率范围。

oscine 鸣禽类 雀形目燕雀亚目的各种鸟类,包括所有鸣禽。参阅 **songbird**。

Osco-Umbrian languages 奥斯坎-翁布里亚诸语言 印欧语系意大利语族的语支,包括奥斯坎语、翁布里亚语和意大利中部的一些方言:马尔西语、马鲁西尼语、帕埃利尼语、萨比尼语、维斯蒂尼语和沃尔希语。奥斯坎语是萨谟奈人在坎佩尼亚地区的奥斯基人(Osci)中强行推广的语言,从公元前400～前89年的200多块碑铭中而见知于世的。翁布里亚语在某些语音特征方面和奥斯坎语不相同,它因*伊古维翁铜表*(**Iguvine Tables**)的发现而为人所知。奥斯坎-翁布里亚诸语言,与意大利语族另一语支*拉丁-法利希诸语言*(**Latin-Faliscan languages**)有许多相同之处。

Osee(king of Israel) 参阅 **Hoshea** *何细亚*。

Osei Tutu 奥塞·图图(1660～1712或1717) 阿散蒂王国(在今加纳)的奠基人和第一代君主。原为库马西小国的酋长。约1680～1690年,他认识到阿散蒂各小王国必须联合起来,以抵御南方的强邻登基腊。曾是登基腊朝廷中的一个人质,后向东逃跑到阿克瓦穆国,在那里接受了新的政治和军事思想。他在一批阿克瓦穆人陪同下,返回库马西后,库马西同其他阿散蒂王国合并。奥塞·图图在1698或1699～1701年率领各小王国的联军打败了登基腊人,然后又巩固和扩大势力,开创了一个有200年历史的强大而好战的国家,成为阿散蒂国王。

Ösel(Estonia) **厄塞尔** 参阅 **Saaremaa** *萨雷马*。

Osetiya(Russia) 参阅 **North Ossetia** *北奥塞梯*。

Osh 奥什 又拼Oš。吉尔吉斯斯坦西南部城市。临阿克布拉河流出阿莱山麓丘陵处，海拔1 000米。9世纪首见记载。13世纪为蒙古人所毁，后重建。15世纪发现海路前，曾是通往中国和印度的贸易通道的重要驿站。现有丝织、棉纺、食品加工等工业。是帕米尔公路干线奥什—霍罗格公路的起点。有师范学院、比什克克工业学院分院、剧院、博物馆和植物园。城西苏莱曼山为穆斯林朝觐地。市郊居民多居住在山麓谷地，灌区种植棉花、烟草、谷类和甜瓜。人口约220 500(1996)。

O'Shaughnessy, Arthur 奥肖内西(1844-03-14，英格兰伦敦～1881-01-30，伦敦) 英国诗人。以常被编选的颂歌《我们是音乐创造者》闻名。奥肖内西17岁时在不列颠博物馆的图书馆任抄写员，后在不列颠博物馆的动物学部研究爬虫类动物。他出版了四本诗集：《一部关于女人的长诗》(1870)、《法兰西短歌》(1872)、《音乐和月光》(1874)和《工人之歌》(1881)。奥肖内西深受斯温伯恩以及先拉斐尔派艺术家和作家的影响。他是许多维多利亚时代诗人的代表，他们注重音律和感情胜于理智内容。

Oshawa 奥沙瓦 加拿大安大略省东南部达勒姆自治区的城市。位于安大略湖北岸，多伦多东北。1795年初建。1842年用现名，为印第安语所指的一溪流渡口。现为一个输入港口和制造业中心，设有加拿大通用汽车公司。生产毛纺织品、铸件、机床零件、金属制品、玻璃、塑料、药品、家具、皮革和电器等。1924年设市。人口139 051(2001)。

O'Shea, William Henry; and O'Shea, Katharine 奥谢夫妇(威廉·亨利1840，爱尔兰都柏林～1905-04-22，英国苏塞克斯郡布赖顿；凯瑟琳1846-01-30，英国埃塞克斯郡克雷辛～1921-02-05，苏塞克斯郡利特尔汉普顿)1867～1890年为夫妇。他们与爱尔兰民族主义领袖巴涅尔的关系导致一桩离婚丑闻，断送了巴涅尔的政治生涯，分裂了爱尔兰舆论界，很可能还推迟了爱尔兰的自治。奥谢原为英国陆军上尉，1862年退伍。结婚后生

威廉·亨利·奥谢
美国不列颠百科全书公司供图

有三个子女。1880年奥谢夫人与巴涅尔相识，1881年起在伦敦附近姘居。这时，奥谢并未表示反对。奥谢于1880年当选英国议会下院议员并支持巴涅尔争取爱尔兰民族主义党的领导权。1881年巴涅尔因攻击爱尔兰土地法而下狱，奥谢又帮助他获释。但到1889年奥谢看到他分享其妻继承她姑母的遗产无望，认为没有理由再保持与其妻子的表面婚姻关系，遂指控妻子与巴涅尔通奸，提出离婚请求。巴涅尔受到英国不信奉国教者和爱尔兰天主教统治集团的责骂，失去政治领导地位，1891年6月，即他死前4个月与奥谢夫人正式结婚。

Osheroff, Douglas D. 奥谢罗夫(1945-08-01，美国华盛顿州亚伯丁～) 全名Douglas Dean Osheroff。美国物理学家，因与D.M.李、R.C.理查森一起发现同位素氦3的超流性而共获1996年诺贝尔物理学奖。奥谢罗夫在加利福尼亚理工学院获学士学位(1967)，在纽约州伊萨卡的康奈尔大学获博士学位(1973)。在康奈尔大学时他以研究生身份随李和理查森在低温实验室工作，1972年研究小组有所发现。当时该小组正在研究氦3在高于绝对零度(－273°C)千分之几度时的特性。奥谢罗夫注意到，所研究的氦3样品内压强有轻微的跳动，他把小组的注意力引向这些偏差。研究人员最后断定：氦3已历经相变，成为超流态，在此态中液体的原子失去其随机性而以协同的方式运动。这样的物质完全没有内摩擦，流动无阻，其行为表现依照量子力学定律，而不是古典流体力学定律。氦3超流性的发现使科学家能在宏观(或可见的)系统中直接研究量子力学效应，而这些效应原本只能在分子、原子、亚原子粒子中做间接研究。1972～1982年奥谢罗夫在贝尔电话实验室进行研究，1982～1987年在那里领导固态和低温研究。1987年成为加州斯坦福大学教授。

Oshkosh 奥什科什 美国威斯康星州中东部城市，温内巴戈县县城(1848)。位于密尔沃基西北偏北130千米，在上福克斯河河口，温内巴戈湖西岸。1836年始有人定居。1846年设村。1853年设市。早年有伐木业。现生产卡车、运输设备、机械、木制品和船具。设有威斯康星大学分校(1871)。人口：市约62 916；阿普尔顿-奥什科什-尼纳都会统计区约358 365(2000)。

Oshogbo 奥绍博 尼日利亚奥森州首府和城镇。临奥雄河。与拉各斯通铁路，与伊莱沙和埃代通公路。有国内机场。初为伊勒沙人创建，臣服依勒沙的伊杰沙王国。19世纪初叶从伊洛林的富拉尼征服者那里逃来了大批奥约-约鲁巴人，城镇扩大。1840年伊巴丹的军队在此战胜富拉尼人。这一胜利使伊巴丹成为约鲁巴人最大的城市。奥绍博后臣属伊巴丹。1951年设为奥雄区首府，1976年划入奥约州。1991年成为新成立的奥森州的首府。1906年通铁路后成为可可、棕榈油和果仁的主要集散地，亦是烟草、薯蓣、木薯、玉米、豆类、秋葵荚、棕榈产品和棉花的销售市场。当地手工业以织布、染布、轧棉为主，工业有食品加工和轧钢。镇内有师范学院、职业学校、商学院、中学和医院。有清真寺和市政厅。人口约465 000(1995)。

Osiander, Andreas 奥西安德尔(1498-12-19，安斯巴赫贡岑豪森[今在德国]～1552-10-17，普鲁士柯尼斯堡[今俄罗斯加里宁格勒]) 德意志基督教神学家。1520年受按立。曾与他人合作在纽伦堡帝国自由市严格按照路德的教义推行宗教改革。1532年参与草拟布兰登堡-纽伦堡教会命令。1548年神圣罗马帝国皇帝强迫纽伦堡接受《奥格斯堡临时敕令》，奥西安德尔逃往布雷斯劳转赴柯尼斯堡。他未曾获得神学学位，但于1549年任新成立的柯尼斯堡大学首席神学教授。次年，由于同仁嫉妒以及他本人生性执拗，引起激烈争辩。他认为，罪人称义的法律意义不值得重视，他又过分强调罪人必须内心存有基督才能称义，信义宗神学家和大会纷纷表示反对他的理论。

Osijek 奥西耶克 德语作Esseg(埃塞格)。匈牙利语作Eszék(艾塞克)。克罗地亚工业城镇和农业中心。临德拉瓦河，为一河港，同巴尔干半岛各国邻近地区及匈牙利通铁路。旧城位于要塞中心，新城为商业区和主要居民区。工业有纺织、制革、制皂和农业机械等。周围地区种植谷物、饲料作物、甜菜，饲养奶牛和家禽。博罗沃附近有一大型制鞋厂和橡胶厂。人口约129 792(1991)。

Osinniki 奥辛尼基 俄罗斯中部克麦罗沃州城市。位于坎达列普河与孔多马河交汇处。库兹涅茨克煤田(20世纪30年代兴起)的采煤中心之一，向新库兹涅茨克的库兹涅茨克冶金联合企业供煤。有一矿业学院。人口约63 200(1991)。

Osipenko(Ukraine) **奥西片科** 参阅**Berdyansk** 别尔江斯克。

Osiris 俄赛里斯 又作Usire。古埃及主神之一。起源不明。系下埃及布西里斯的地方神，可能是冥府(阴间)丰产神的化身或神

俄赛里斯青铜像
美国不列颠百科全书公司供图

化的英雄。但在公元前2400年左右，俄赛里斯显然起过双重作用：他既是一个丰产神，又是死而复生的国王的化身。这一双重作用反过来又与埃及的王权神授观念结合起来：国王死时成为冥府之神俄赛里斯；而死去的国王之子现任国王，被等同于天神何露斯。于是俄赛里斯与何露斯成为父子。女神伊希斯为国王之母，遂成为何露斯之母与俄赛里斯的配偶。塞特神被认为是俄赛里斯的谋杀者与何露斯的敌手。俄赛里斯不但是死人的统治者，而且是从阴间赐予万物生命的力量，从植物萌芽至尼罗河一年一度的泛滥，无所不管。约自公元前 2000 年起，人们认为，不仅死去的国王，每个人在死后均与俄赛里斯联系在一起。但这种与俄赛里斯的同为一体并不意味着复活，因为连俄赛里斯也并非起死回生。相反，它意味着生命在来世的继续和通过自己的后裔在大地上再生。对俄赛里斯的崇拜传遍埃及，而且往往与各地对丰产神和阴间诸神的崇拜相结合。在新王国时期（公元前 1539 ～前 1075）以前，俄赛里斯的形象是一具木乃伊，双臂交叉在胸前，一手拿着弯杖，另一手拿着连枷，头戴阿特夫冠，即上埃及白色王冠，上饰两根鸵鸟羽毛。

Oskaloosa　奥斯卡卢萨　美国艾奥瓦州东南部城市，马哈斯卡县县城（1844）。在得梅因河和斯康克河之间，位于得梅因东南 100 千米。1843 年有人定居。1853 年设市。1870 年当地开始开采煤矿。以后成为农产品的贸易中心。制造业以加工农产品为主，亦生产消防栓和水阀门等。该地有早期农业、手工业纪念馆和两所高等学院。市东 7 千米处有州立莱克凯奥马公园。人口10 938（2000）。

Osler, Sir William　奥斯勒（1849-07-12，加拿大西区邦德海德［今安大略］～ 1919-12-29，英国牛津）　加拿大医师、医学教育家。他长期行医、执教于英、美、加拿大的许多著名大

蒙特利尔麦吉尔大学奥斯勒图书馆供图

学和医院。在改革医学教育的体制和课程设置的过程中，他强调临床实习的重要性，因而成为重要的改革者之一。奥斯勒出身于宗教世家，但他本人却对自然科学有浓厚兴趣，与宗教根本无缘。1868 年入多伦多医学院，后获麦吉尔大学医学学位（1872）。游学欧洲、美国，1873 年研究了第三种血细胞（后称血小板）。后到麦吉尔大学任教。1888 年到美国巴尔的摩新建立的约翰斯·霍普金斯大学医学院任内科学教授。与 W.H.韦尔奇、H.A.凯利、W.S.霍尔斯特德一起改革了临床教学的组织及课程，让学生在病房观察患者，并进行化验检查。这种教学方法不久风行全美。1892 年，他发表《医学原理和实践》，该书成为当时最受欢迎的教科书。他是伦敦皇家学会会员。1904 年任牛津钦定讲座教授及博德利图书馆馆长。曾促成大不列颠和爱尔兰内科医师协会的建立及《医学季刊》的创办。与他的姓氏有关的医学术语有奥斯勒氏结节、奥斯勒-瓦凯二氏病、奥斯勒-朗迪-韦伯三氏病等。他好客、幽默。生前说过自己的墓志铭应刻有：他将医学带进病房。

Osler-Rendu-Weber disease　奥斯勒-朗迪-韦伯三氏病　又称遗传性出血性毛细血管扩张症。由于局部毛细血管损害而引起出血的遗传性疾病。紫癜病的一种。患者指尖、口周、鼻腔的毛细血管扩张、壁薄，呈鲜红色，损伤后容易引起组织出血或外出血。常因鼻或其他部位经常出血而引起严重贫血。凝血时间正常。

Oslo　奥斯陆　原名 Christiania（克里斯蒂安尼亚，1624 ～ 1877）或 Kristiania（1877 ～ 1925）。挪威的首都和最大城市，又单独形成一个郡；位于该国东南部奥斯陆峡湾后部。城原址在阿克尔河以东。1050 年前后由国王哈拉尔·哈德拉德建城。约 1300 年国王哈康五世建阿克什胡斯城堡。1624 年该城毁于火灾，其后，丹麦-挪威王国国王克里斯蒂安四世在原址以西即阿克什胡斯城堡墙垣之下建新城，命名为克里斯蒂安尼亚。克里斯蒂安尼亚市人口在 19 世纪增加，其原因之一是该市将周边的许多地区并入，逐渐成为挪威最大而且影响力最强的城市，取代了其对手西部沿海港市卑尔根。该市 1925 年改名为奥斯陆。第二次世界大战以后蓬勃发展，一日千里。1948 年奥斯陆兼并邻近的阿克尔市，其后几十年间，市东兴起许多卫星城和住宅区。奥斯陆是挪威全国贸易、银行业、工业和航运中心。奥斯陆港是全国规模最大、航运最繁忙的港口。主要工业有消费品生产、造船、电子技术和印刷业。挪威贸易博览会会址在城西斯奎恩。影响重大的挪威毛皮拍卖会场在城东北厄克恩。奥斯陆也是全国公路、铁路和航空线的枢纽。挪威的主要文化机构设在奥斯陆。市中心区有国家剧院、挪威剧院、奥斯陆新剧院和挪威歌剧院。在历史最悠久的大学附近，有历史博物馆（包括人种学博物馆）和国家美术馆，后者藏有绘画珍品。城东特于恩有植物园和几所博物馆，如蒙克博物馆。在比格德于，设有挪威民俗博物馆（一个北欧海盗船的展览大厅）、“前进”号船展览馆（展出挪威探险家南森和阿蒙森所用过的著名极地探险船“前进”号）、“康-提基”号木筏博物馆（纪念挪威探险家海尔达尔的太平洋探险事业）以及挪威航运博物馆，均展示奥斯陆往昔在航海方面的成就。市西区的弗拉格内尔公园展出挪威现代雕塑家维格朗的作品。奥斯陆大学附设一些科学研究机构。该校的图书馆是挪威的主要图书馆；该校的大礼堂的装饰是由画家蒙克所作，它是全市最著名的大厅，交响乐研究会在该址举行音乐会。除奥斯陆大学外，还有其他全国性高等教育中心。奥斯陆的天然条件特别适于冬季体育运动，尤其是越野滑雪。该市每年举行霍尔门科伦跳台滑雪赛，世界主要滑雪国家纷纷派选手参加，赛场内设有滑雪博物馆，引人入胜。比斯雷特竞技场位于市中心，是国际上闻名的速度滑冰竞赛场。人口：城市区约507 467（2000）。

Oslo Fjord　奥斯陆峡湾　濒临斯卡格拉克海峡的峡湾。从腓特烈克斯塔到奥斯陆，伸入挪威南部海岸达 100 千米。原来是冰蚀形成的地槽，面积有1 984平方千米，曾局部被填塞和重新开挖。沿岸森林密布，有许多城镇和港口，为挪威人口最稠密的地区之一。大量船舶频繁进出奥斯陆港。峡湾北端分成几个小峡湾。峡湾中岛屿众多，最大和最著名的是莫斯（Moss）附近的耶尔岛。挪威东南部所有重要河流均注入奥斯陆峡湾。

Osman　奥斯曼　又作 Othman。奥斯曼苏丹名称。按年代顺序分列于后，并各以●为标记。

● Osman I　奥斯曼一世（1258 ～ 1324，奥斯曼帝国瑟于特［今在土耳其］）　安纳托利亚西北部土库曼公国的统治者，奥斯曼土耳其国家的创建者，奥斯曼王朝和这个王朝所建

伊斯坦布尔大学图书馆供图

立的帝国都以他的名字命名。原为乌古思土库曼人，其父在安纳托利亚西北部以瑟于特为中心成立一个公国。他继位后，坚持不懈地对拜占廷人展开顽强的斗争。曾占领要塞，围攻安纳托利亚西北部的布尔萨和尼西亚。最大成就是在生前征服了布尔萨。

● Osman II　奥斯曼二世（1603-11-15，奥斯曼帝国君士坦丁堡［今土耳其伊斯坦布尔］～ 1622-05-20，君士坦丁堡）　绰号小奥斯曼。奥斯曼苏丹（1618～1622）。他雄心勃勃，很

伊斯坦布尔市托普卡珀故宫博物馆供图

有勇气，曾对波兰发动一次战争。1621 年因禁卫军缺乏纪律和堕落而战败。他认识到必须进行改革，打算到埃及和叙利亚去招募一支新的军队，以便粉碎禁卫军的权力。禁卫军获悉他的计划，痛恨他的政策，1622 年 5 月 19 日举行叛变，次日将其绞死。

Osman Ali　奥斯曼·阿里(1886-04-06，印度海德拉巴～1967-02-24，海德拉巴)　又名米尔·奥斯曼·阿里汗。印度海得拉巴土王(1911～1948)。一度是世界最大富翁之一。他统治的海得拉巴邦面积相当于意大利。早年受私塾教育。1911 年 8 月即位。他实行财政改革，自己发行货币，拥有大铁路网。1918 年创立奥斯曼尼亚大学。他极力维护海得拉巴的封建性质，不关心人民中居多数的印度教徒日益高涨的呼声，尽管他花了很多钱改善他们的生活条件。第二次世界大战期间向英军提供海上舰船和两个空军中队。1947 年英国撤出印度后，他拒绝服从印度的统治，曾向联合国提出海得拉巴完全独立的要求。1948 年 9 月印度军队迫使他投降，但在名义上仍为这个邦的“大君”，直至 1956 年。此后，他过着豪华的退休生活，有 3 妻、42 妾、200 子女、300 仆人，并拥有私人军队。

Osman Dinga　奥斯曼·丁加(约1840，苏丹萨瓦金～1926，埃及)　苏丹 1881 年爆发的马赫迪派叛乱的一个领袖。商人之子。早年因贩卖奴隶一度入狱，后参加狂热的神秘团体。1883 年投奔马赫迪穆罕默德·艾哈迈德门下。他被派往红海的内地发动起义，得到贝贾族人的拥护。1883 年 11 和 12 月率领贝贾族的勇士在托卡附近打败两支埃及军队，数月后占领这一重要城镇。从那时起至 1891 年指挥马赫迪的军队在苏丹东部作战，遏止埃及军队入侵。1891 年 2 月英埃联军重占托卡，他逃入山区。1899 年 11 月，马赫迪的继任人阿卜杜拉兵败身亡，奥斯曼·丁加企图逃往汉志，但于 1900 年 1 月在红海山区被俘，囚禁至 1908 年。

Osman Nuri Paşa　奥斯曼·努里帕夏(1832，奥斯曼帝国托卡特～1900-04-14，君士坦丁堡)　奥斯曼帕夏和陆军元帅，1877～1878 年俄土战争中以坚决抵抗而成为民族英雄。君士坦丁堡军事学院毕业。1853 年加入骑兵，曾参加克里米亚战争(1853～1856)和对黎巴嫩(1860)及克里特岛(1866～1869)的远征，并曾参与镇压也门叛乱(1871)。1876 年任军长，战胜塞尔维亚军队后晋升元帅。在俄土战争期间，他固守普列文，寸土不让，因而赢得“圣战胜利者”的称号。此后 4 次任陆军大臣。

Osmānābād　奥斯马纳巴德　印度西部马哈拉施特拉邦奥斯马纳巴德县县城、城镇。工业以轧棉为主。设有马拉特瓦达大学的两个学院。奥斯马纳巴德县面积14 117平方千米。位于奥斯马纳巴德高原。境内有曼杰拉河。雨量充沛，但人口稀少，多数从事农耕，主要农作物有黍类、豆类和油菜籽。也种植少量棉花。主要城镇还有拉杜尔和杜尔贾布尔。人口：城镇39 068；县2 230 620(1981)。

Osmeña, Sergio　奥斯梅纳(1878-09-09，菲律宾宿务～1961-10-19，马尼拉)　菲律宾政治家，国民党创建人和菲律宾总统(1944～1946)。1903 年在马尼拉圣托马斯大学取得法律学位。后在宿务城主编西班牙文报纸《新时代》。1904 年美国殖民政府任命他为宿务省长、宿务和东内格罗斯省检察官。1907 年选入菲律宾国民议会，并创立国民党，任党魁至 1921 年。1916～1923 年任众议院议长。1923 年选入参议院。1933 年去华盛顿敦促通过黑尔-霍斯-卡廷法案。但总统奎松对法案中关于独立后保留美军基地的条款持有异议。该法案遭菲律宾国会否决。1934 年代之以《泰丁斯-麦克达菲法案》。1935 年任副总统。日本占领期间，菲律宾政府流亡到华盛顿，他仍任副总统。1944 年 8 月奎松总统去世，他接替总统职务。1946 年 4 月在大选中败于罗哈斯。

osmiridium(mineral)　参阅 **iridosmine** *铱锇矿*。

osmium　锇(Os)　化学元素，周期表 VIII 族的一个铂系金属。为自然界密度最大的元素。为灰白色金属，很硬且脆，即使在高温下也难于加工。在铂系金属中锇的熔点最高，难于熔化和浇铸。在使用钨丝之前，早期白炽灯灯丝用的是锇丝。锇主要用作铂系金属合金的硬化剂，但一般可用钌代替锇。锇和铱形成的硬质合金，用于自来水笔笔尖和留声机唱针。四氧化锇用于一些有机合成中。自然界不存在纯金属锇。锇虽稀少，但存在于与其他铂系金属形成的天然合金：灰铱锇矿(含锇可达 80%)、*铱锇矿*(**iridosmine**)、铱锇金(含锇达 25%)中，天然铂中也含少量锇。英国化学家 S.坦南特在不溶于王水的铂矿残留物中，发现了锇和铱。1804 年他宣布制得了锇，并根据它的一些化合物的不愉快臭味定名为锇。在铂系金属中，锇最易受空气侵蚀，即使在常温下，粉末状金属也会散发出有毒的挥发性四氧化物(OsO_4)的特殊臭味。OsO_4 的溶液可被某些生物物质还原成黑色二氧化物(OsO_2)，故有时在显微检查中用于生物组织染色。锇在其化合物中呈现 0～+8 的氧化态(+1 除外)，在一些经过仔细鉴定的稳定锇化合物中，锇的氧化态为 +2、+3、+4、+6 和 +8。在所有元素中，只有钌和锇有 8 价。加热易使锇的一切化合物还原或分解，形成粉末状或海绵状游离元素锇。天然锇是 7 种稳定同位素的混合物：锇 184(0.02%)、锇 186(1.58%)、锇 187(1.6%)、锇 188(13.3%)、锇 189(16.1%)、锇 190(26.4%)和锇 192(41.0%)。锇原子序数 76。原子量 190.2。熔点3 000°C。沸点约为5 000°C。比重 22.48(20°C)。化合价 2、3、4、6、8。电子组态 2，8，18，32，14，2 或(Xe)$4f^{14}5d^{6}6s^{2}$。

osmoregulation　渗透调节　无论环境条件如何，生物体总在水与溶解质之间保持着内部平衡的现象。许多海生生物的细胞具有与海水相同的渗透压，因而其渗透作用无需任何调节机制。然而，其他生物体为了维持其内部的水-电解质的含量，必须主动地吸收、保存或排泄水分与各种盐类。

osmosis　渗透　水或其他溶剂自发通过或扩散穿过半透膜(一种能阻止溶解物质即溶质通过的膜)的过程。渗透过程在生物学上很重要。德国植物生理学家 W.普费弗尔于 1877 年首先彻底研究了渗透现象。早期研究者利用渗漏膜(如动物膀胱)作实验，由于水和渗漏物质均可在两个相反的方向通过，所以其研究工作不够准确。英国化学家 T.格雷姆于 1854 年引用 osmose 一词(现为 osmosis)。如果将溶液和纯溶剂用一块能够透过溶剂，但不能透过溶质的膜分隔开来，溶液趋于通过膜吸收溶剂而变稀。给溶液施加一定压力(称为渗透压)，可阻止这个过程。1886 年荷兰出生的化学家 J.H.范托夫指出，如果溶质很稀，使得溶液上的蒸气分压服从亨利定律(与它在溶液里的浓度成正比)，那么渗透压随温度和浓度的变化情况大致与该溶质作为占有相同体积的气体时的情况一样。上述关系，可以使我们根据溶剂的凝固点、沸点或蒸气压变化，导出测定稀溶液里溶质分子量的公式。

Osmund OF SALISBURY, SAINT　**奥斯蒙德**(?～1099-12-03 或 04，英格兰；1457-01-01 被尊为圣徒)　诺曼底神父、英格兰大法官(约 1072～1078)和索尔兹伯里主教(1078～1099)。据 15 世纪文献称，他是征服者威廉之侄，随同诺曼人到达英国，任威廉的私人牧师，曾参加编纂《末日审判书》。1092 年他建成威尔特郡旧塞勒姆的大教堂，并主持奉献仪式。他仿效诺曼人方式，组织由教区牧师组成的大教堂牧师会。他对礼拜仪式的改革成为后来整个不列颠群岛采用的“旧塞勒姆”礼拜仪式的基础。

Osmunda　紫萁蕨属　蕨类植物*紫萁蕨科*(**Osmundaceae**)的一属。具分裂叶，常高达 1.5 米。其紧密缠结的须根称紫萁纤维；弄碎后常用为附生兰科植物的栽培基质。

Osmundaceae　紫萁蕨科　紫萁蕨目(Osmundales，某些分类系统为紫萁蕨亚目[Osmundineae])唯一的科，约 20 种。为原始的类群,包括3个现存属和5～10个已绝灭的属(始于晚二叠纪[2.86亿年前至2.45亿年前])。该科的特征是孢子囊散生或聚生在小叶(羽片)的下表面或某些叶的特殊能育区的

锡兰肉桂蕨(*Osmunda cinnamomea*)
美国不列颠百科全书公司供图

两面,无膜质囊群盖。属间以孢子囊和囊群的着生方式而区别。紫萁蕨属(*Osmunda*)约12种,分布于从加拿大、欧洲到热带潮湿地区,孢子囊着生在特殊的能育小叶(羽片)上,包括锡兰肉桂蕨、绒蕨及玉紫萁。背囊蕨属(*Todea*)1种,即产于非洲、澳大利亚和新西兰的背囊蕨(*T. barbara*),其孢子囊生于普通绿色羽片的背面。薄叶蕨属(*Leptopteris*)7种,分布于新几内亚、波利尼西亚和新西兰,孢子囊的位置与背囊蕨属同,但其薄膜状叶仅2层细胞。紫萁蕨属的根和地下茎可提取纤维(紫萁蕨纤维),用做兰类和其他附生植物的培养基质。锡兰肉桂蕨和绒蕨是常见的温室植物。

Osnabrück 奥斯纳布吕克 德国西北部下萨克森州城市。濒临运河化的哈瑟河,在条顿堡林山和维恩山之间。原为撒克逊居民点。785年建立主教区。1171年设市。曾加入汉萨同盟,以奥斯纳堡亚麻布闻名。第二次世界大战中受严重破坏。现存古迹有选侯主教宫(1667～1690)、旧市政厅(1487～1512)、哥特式圣玛丽教堂(1280～1324)等。其他中世纪建筑有13世纪的罗马式大教堂及圣约翰教堂和圣凯瑟琳教堂。还有13～19世纪的城镇住房,其中一个是作家和政治家J.默泽尔的出生地。奥斯纳布吕克大学成立于1970年。附近有城堡和矿泉疗养地。为重要铁路枢纽,有炼钢、机械、汽车设备、化工、纺织等行业。人口约165 517(2003)。

Osorno 奥索尔诺 智利南部洛斯拉戈斯区奥索尔诺省省会。在达马斯和拉韦两河汇流处,距太平洋岸64千米。1553年初建。1558年重建。1599年遭阿劳坎印第安人袭击,1602年被毁。19世纪中叶随大批德国殖民者涌入而发展迅速。1895年圣地亚哥—蒙特港铁路通车,改变了奥索尔诺的闭塞状态。与圣卡洛斯-德巴里洛切(阿根廷)通公路和轮渡。有谷物、木材、乳品和肉类加工厂。地当智利著名湖区的门户,旅游业成为经济项目之一。人口约97 829(1982)。

osprey(*Pandion haliaetus*) **鹗** 又称fish hawk(鱼鹰)。鹗科鸟类(有时归入鹰科鹗亚科[Pandioninae])。体大,翅长。体长约65厘米。生活在海滨和面积更大的内陆水域中,捕鱼为食。上体褐色,下体白色,头上有白羽。鹗飞越水面,在猎物上盘旋,然后伸脚向下冲去,先用钩状长爪抓鱼,同时趾下的尖刺把鱼抓牢,带回喜欢的栖木上食用。食后有时拖着脚在水面低飞,似乎是在洗脚。

在巢中的鹗(*Pandion haliaetus*)
美国不列颠百科全书公司供图

其繁殖范围极广,包括所有大陆(除南美外,仅冬天可在南美发现)。单独或成群在高树上、小岛上或悬崖突出处筑巢。1900年后北美的鹗种群大为减少,尤其在20世纪中叶,原因似乎是受DDT农药残留物的影响,但到20世纪80年代数量又有所回升。约1910年,鹗在不列颠群岛已绝迹,1959年又作为一个繁殖种重新出现。巢的结构粗大,直径达2米,由树枝杂乱堆成。每窝产2或4枚具明显斑点的卵;孵化期5周左右,幼雏有绒羽,靠双亲喂养,6～8周龄长出飞羽。

Osraighe(ancient kingdom, Ireland) 参阅 **Ossory 奥索里**。

Osroëne 奥斯罗伊那 美索不达米亚西北的古王国,在幼发拉底河和底格里斯河之间,横跨今土耳其和叙利亚边境。首都埃德萨(今土耳其乌尔法)。它控制着库尔德高原南缘的东西战略要道,也部分控制着称为古波斯御道的从安纳托利亚通往美索不达米亚的商路。公元前1世纪至公元2世纪罗马和安息交战期间,它时而与罗马结盟,时而又与安息结盟,地位十分重要。罗马皇帝图拉真镇压公元116年美索不达米亚起义以后,废黜了奥斯罗伊那国王阿布加尔七世。123年阿布加尔之弟马努七世在罗马皇帝哈德良的庇护下登上王位。此后,这一王国拥有一些自主权。216年罗马皇帝卡拉卡拉占领埃德萨,灭此王国。后来,这一王国由阿拉伯王朝统治,它日益接受阿拉米文化的影响,成为抵制希腊化的民族反抗中心。到5世纪,埃德萨成为迦勒底叙利亚文学和学术中心。608年,被萨珊王朝的霍斯罗夫二世占领。638年落入穆斯林手中。

Oss 奥斯 荷兰中南部北布拉班特省城市。在斯海托亨博斯东北偏东,马斯河以南约5千米处。为食品加工城市,以制人造黄油和肉食品著名。亦制造药品、电气设备、羊毛制品和金属器皿。居民多为天主教徒。1399年设市。人口约52 132(1992)。

Ossa 奥萨 现代希腊语作Kissavos(基萨沃斯)。希腊山峰。在色萨利东部的拉里萨州,临塞尔迈湾,北隔滕比河谷与奥林波斯山相对。该山峰高达1 978米。据神话中载,海神波塞冬之子试图把奥林波斯、奥萨和皮利翁三座山摞起以攀缘到天堂。

Ossa, Mount 奥萨山 澳大利亚塔斯马尼亚州最高峰(1 617米)。在中央高地。位于克雷德尔山-圣克莱尔湖国家公园内。山坡有冰川侵蚀的深峭冰斗。

Osservatore romano, L' **《罗马观察家报》** 英语作The Roman Observer。梵蒂冈城出版的日报,意大利国内最有影响的报纸之一,也是罗马教廷事实上的喉舌。该报于1861年经教皇庇护九世批准创刊,报名袭用已停刊的一份罗马刊物。梵蒂冈教廷从一开始就资助该报,1890年教皇利奥十三世正式将它收买。《罗马观察家报》有专栏《我们的消息》,详细报道教皇的活动和任命,刊登教皇讲话全文,因而成为梵蒂冈教廷的记录性报纸。该报与许多政府办的官方报纸一样拥有众多读者并受到重视,因为它深入揭示梵蒂冈教廷在许多问题上的态度。在政治事态的报道和评论方面,该报总编辑有相当的自主权。1929年《罗马观察家报》迁入梵蒂冈市内的新厂,免受法西斯匪帮的骚扰。该报对墨索里尼的政府的公正报道和社论批评,使这个独裁者大为恼火。他扬言要查封《罗马观察家报》而始终未查封。该报发行量在第二次世界大战期间增到35万份以上,因为该报是唯一刊登盟国战报的意大利报纸。《罗马观察家报》遵循的既定方针是揭示事件、文件和趋势的宗教和道德意义,重视社论和评论。

Ossetia(Russia) 参阅 **North Ossetia 北奥塞梯**。

Ossetic language 奥塞梯语 属东部伊朗语言。通行于北高加索山区。有两个重要方言:东部的伊龙方言和西部的迪戈尔方言。大多数奥塞梯人操伊龙方言,它是文学语言的基础,现使用西里尔字母。奥塞梯语是从古代萨尔马特部落之一的阿兰人和中世纪阿斯人所使用的语言发展而来,保留很多古伊朗语的特点,有8个格,有动词前缀。语音系统受高加索非印欧语的影响极大,现代词汇中有很多俄语借词。用奥塞梯语写的民间史诗很多,最著名的是关于传说中英雄人物的故事。文学语言由民族诗人K.赫塔古罗夫(1859～1906)所创制。

Ossian 莪相 盖尔语作Oisín。描写芬恩及其作战队伍的英雄故事《芬尼亚故事》中的爱尔兰武士-诗人(参阅 **Fenian cycle**)。1762年,苏格兰诗人J.麦克弗森(**Macpherson, James**)"发现"了莪相的诗,并先后出版据认

为是译自3世纪盖尔语原作的史诗《芬歌儿》和《帖莫拉》。从此,莪相的名字传遍整个欧洲。实际上,尽管这些作品部分是根据真正的盖尔语民谣写成,但大部分是麦克弗森的创作,作品中有许多与荷马、弥尔顿和《圣经》相似的东西。这些所谓"莪相"的诗赢得了广泛赞扬,对早期浪漫主义运动产生了重要影响。歌德是这些诗的许多赞赏者之一,但这些诗引起了S.约翰逊等评论家的怀疑。这些诗任意将芬尼亚传说和厄尔斯特传说混为一谈,麦克弗森还宣称爱尔兰的英雄都是苏格兰人,因此他们是苏格兰历史的光荣,而不是爱尔兰历史的光荣,由此激怒了爱尔兰学者。直到19世纪末,当研究证明麦克弗森所提供的盖尔语原作不过是他自己英文作品的不规范的盖尔语译文时,莪相的争论才得以解决。莪相民谣(**Ossianic ballads**)一词指真正的盖尔语晚期诗歌,它们形成共同的苏格兰-爱尔兰盖尔传统的一部分,而不应该同被浪漫化了的"莪相"史诗混淆。

Ossianic ballads 莪相民谣 爱尔兰盖尔语抒情诗和叙事诗,以芬恩·麦库尔和他的作战队伍的传说为主题,以芬尼亚故事(**Fenian cycle**)的主要吟唱诗人莪相的名字命名。这些诗歌属于共同的苏格兰-爱尔兰盖尔传统;其中一些见于苏格兰高地,另一些见于爱尔兰,但它们的主题都源于爱尔兰。这些民谣共有80 000多行,形成于11世纪至18世纪之间,但追捕、救援、除妖、内讧、私奔和神秘来客等主题,可追溯到更早时期(约3世纪)。莪相民谣的风格与更早的芬尼亚文学明显不同,这反映了异教和基督教传统的相互尊重。莪相民谣通常以莪相和圣帕特里克之间的对话作为开场白,持异教和反教会的坚决立场,充满对以往荣耀的哀伤和对现今基督教的蔑视。圣帕特里克常被描绘为一个顽固偏执的教士。这些晚期民谣最先由J.麦格雷戈爵士于1512～1526年间辑录成书,以《利斯莫尔教长集》为名。

Ossietzky, Carl von 奥西埃茨基(1889-10-03,德国汉堡～1938-05-04,柏林) 德国记者、和平主义者、1935年诺贝尔和平奖获得者。1912年参加德国和平协会。第一次世界大战中在军队服役。1920年在柏林任德国和平协会秘书,1922年协助成立"永无战争会"。1927年任自由主义政治周刊《世界论坛》编辑,发表许多文章揭露德国国防军领导者在秘密重整军备。1931年11月被控犯有叛国罪,判处18个月监禁,1932年12月被赦释放。希特勒上台后,他再度主编刊物,拒不逃离德国。1933年2月被捕,旋押入帕彭堡集中营,1938年死于结核病。1936年,他被授予1935年的诺贝尔和平奖,世人公认这是全世界对纳粹主义的谴责。由此,希特勒下令禁止任何德国人接受诺贝尔奖。

Ossining 奥西宁 美国纽约州东南部韦斯特切斯特县奥西宁镇村庄,位于哈得孙河东岸。原为1680年英王赐地的一部分。1813年设辛辛村,1845年奥西宁镇建成前,系芒特普莱森特镇一部分。1901年改称现名。为船舶制造中心。农产品由此运至纽约市(南48千米)。工业产品有管道和电气设备、糊墙纸、药品及办公器具。人口约24 010(2000)。

Ossius OF CÓRDOBA 参阅 **Hosius of Cordoba** 霍修斯(科尔多瓦的)。

Ossory 奥索里 又拼Osraighe。爱尔兰古王国,可能在公元1世纪时取得在伦斯特王国范围内半独立国家地位。9世纪时由精明强干的国王塞尔巴尔统治。他的后裔采用菲茨帕特里克为姓。11世纪其后裔争夺伦斯特的王位,但被南伦斯特的麦克默罗家族击败。从现在的奥索里教区可以推断这一古王国版图的大小。

Ostade, Adriaen van 奥斯塔德(1610-12-10,尼德兰哈勒姆～1685-05-02,葬于哈勒姆) 荷兰巴罗克时期油画家和版画家。以农村风俗画著称,也作宗教画、肖像画和风景画。

奥斯塔德绘《室内狂饮的农夫》(约1638)
美国不列颠百科全书公司供图

一般在木板上作小幅油画,有时也作水彩画和生气勃勃的钢笔画,还作有50幅左右蚀刻铜版画。大约在1627年,他和佛兰德斯风俗画家A.布劳沃也许做过F.哈尔斯的学生,尽管哈尔斯的风格对他们两人都没有产生太大的影响。布劳沃对奥斯塔德风格的形成产生了最重要的影响。像布劳沃一样,他喜欢表现粗俗的农民生活景象(例如小酒店里的喧闹),通常是在灯光暗淡的室内,用一个光源照亮主要人群。以开阔有力的技法,在接近单色的有限色阶内处理题材,并使用相当的漫画因素来突出农村人物的粗鲁。在17世纪30年代他绘画的初期,色彩范围主要限定在蓝灰和棕色上,有时用明亮色彩的单色调使画面充满活力。从40年代起,逐渐采用比较鲜艳的色彩,题材大部分仍来自农民生活。其成熟时期(1650～1670)的作品,已有较多的露天场面,例如农民在村舍门旁,或在小饭馆前取乐。

Ostade, Isack van 奥斯塔德(1621-06-02受洗,尼德兰哈勒姆～1649-10-16入葬,哈勒姆) 荷兰巴罗克时期风俗画和风景画家,特别以描绘冬景和乡村客店景象著名。他是其哥哥阿德里安·奥斯塔德的学生,他们的风格如此相近,以致他的早期作品常与大奥斯塔德相混淆。17世纪40年代是其最显赫的时期。画过少数乘雪橇和滑雪的冬景,为荷兰这类作品中最佳者。其作品人物安排合

奥斯塔德绘《农舍小憩》
美国不列颠百科全书公司供图

理,轻松活泼。并以表现烟雾弥漫的气氛为其特长。奥斯塔德英年早逝(28岁),几乎没有什么学生,然而他对哈勒姆后来的画家影响甚大。

Ostaijen, Paul van 奥斯泰耶(1896-02-22,安特卫普～1928-03-18,比利时那慕尔附近) 比利时诗人和文学家。他用佛兰芒语所写的先锋派作品在比利时和荷兰影响很大。他的第一本诗集《音乐厅》(1916)开创了把现代都市生活作为佛兰芒语诗歌题材的先例。他的第二本诗集《信号》(1918)显示了第一次世界大战和德国表现主义的影响,鼓舞了佛兰德其他表现主义作家。作为政治活动家,奥斯泰耶曾受牵连,流亡柏林(1918～1921)。那里的政治和艺术空气及他所遭受的种种苦难,使他变成虚无主义者,他开始写达达主义的诗歌(《忙碌的城市》,1921)。但很快形成自己的体系,其目的在于创作出一种排除个人的和人道主义的忏悔的"纯诗",具体表现于《诗歌集》(1928)中,其中收录了他最优秀和最富独创性的诗歌。他对艺术和文学的论述和他的评论性文章,也都很重要(《散文批评》2卷,1929～1931)。他的有创造性的散文集,如《流放者》(1927)、《今日的儿童动物园》(1932),主要收录一些怪诞的随笔,想象十分丰富。奥斯泰耶这种散文有时使人想起卡夫卡的散文。1925年他用佛兰芒语出版了卡夫卡的5篇短小精悍的散文作品,成为第一个翻译卡夫卡作品的外国作家。

ostariophysan 骨鳔鱼 骨鳔超目(Ostariophysi)鱼类,包括全世界大多数淡水鱼。近6 000种,约为已知鱼类的1/4。除格陵兰和南极洲外,几乎盛产于所有大陆及岛屿的淡水中。只有两科是海产种类。多为中小型鱼类,体长2～30厘米。但亚洲的印度鲃,长2米,重90千克;欧亚大陆的六须鲇,长4.5米,重300千克。许多大中型骨鳔鱼可供食用,或为游钓鱼,或可供娱乐(如饲于水族馆)。最著名的水族箱种类为金鱼(*Carassius auratus*)及普通鲤(*Cyprinus carpio*)。起源于中国的鲤已传遍世界。青鱼、草鱼、鲢、鳙是温带著名的养殖鱼。有的则是人类的敌害。南美的剪刀鱼、虎鱼(锯脂鲤属[*Serrasalmus*])极

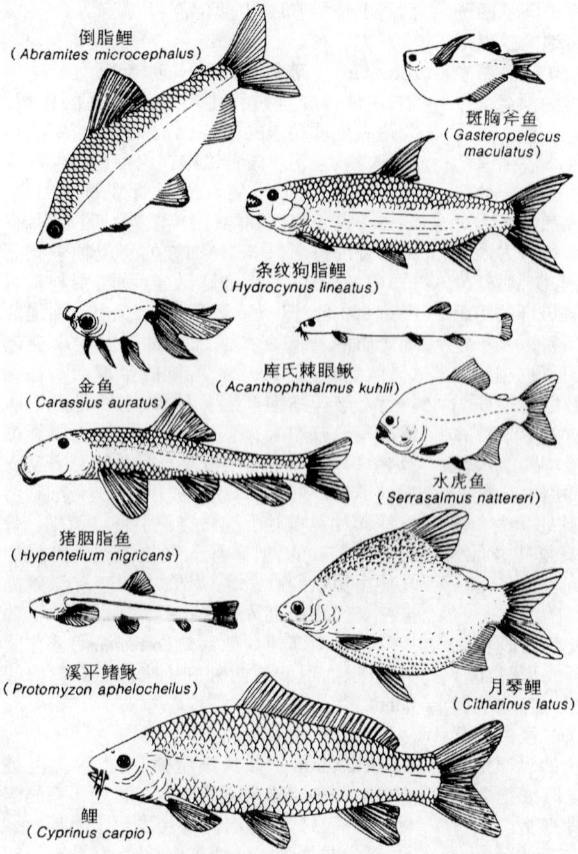

图1 骨鳔鱼类的体形图

凶恶,甚至袭击人畜;寄生鲇(*Vandellia cirrhosa*)钻入游泳者的尿道,引起剧痛及出血。骨鳔鱼类多在春季繁殖,热带种类可终年繁殖。均卵生,除少数须鳍鲇及南美的脂鲤类外,均体外受精。有些种类,如鲶鱼,在砾石或沙中筑巢;其他种类将卵产于木头、石头下或水生植物间。卵沉性,多能黏着于物体表面。有一种脂鲤(*Copeina arnoldi*),雌鱼跃出水面,和雄鱼一同抱住悬垂的叶子,产卵于叶的朝下一面。雌丝鳑鲏鱼(*Rhodeus sericeus*)把产卵管插入蚌的入水孔,而产卵于其鳃腔。亲鱼大多不保护幼鱼,但仍筑巢和护卵。如雄海鲇把卵含在口腔中孵化,还用口腔保护幼鱼。鲤类和脂鲤类多为中上层鱼类。胭脂鱼类、鳅类和多数鲇类属底栖鱼。地下水中的多种骨鳔鱼眼退化,色素消失,而侧线等感觉器官特别发达。很多小型骨鳔鱼有暗淡的保护色,大型食肉性种类则具强壮的颌及齿作为主动防御及进攻的武器。多数鲇类和某些鲤鱼的背鳍和胸鳍具棘,有些类群在棘的基部还有毒腺。电鳗(*Electrophorus electricus*)和电鲇(*Malapterurus electricus*)产生的电压足以击晕人和其他动物。骨鳔鱼食性多样,有些鲤类以高度发达的鳃耙滤食浮游植物。山溪鱼类多具吸盘状唇,能刮食岩石上的藻类。小型食肉种类食昆虫等无脊椎动物。食物链的最顶端是凶猛食肉者。如虎鱼颌短而强,具刀片状齿,能迅速撕下被食者的肌肉。毛鼻鲇附着在其他鱼的鳃上,吸食寄主的血液。联接内耳与鳔的韦伯氏器是骨鳔鱼独有,由紧接颅骨的前4(或前5)块椎骨部分转变而成,依次为闩骨、舟骨、间插骨和三角骨,第一对与内耳延伸出的膜质窗相连,最后一对接鳔室前壁。鲤类多被圆鳞,少数具栉鳞。鲇类多裸露无鳞,但有几个科的体侧具骨板形成的甲胄。鲹类和胭脂鱼类口中无齿,但下咽骨上有一组咽齿与口腔顶壁的角质垫咬合。食植物的种类具臼齿状磨齿,食肉种类的齿尖或带钩。鱼体在繁殖季节产生许多第二性征,包括雌雄的体型差异、婚色、鳍扩大和变形、生殖疣及抱握器。这些性状主要与求偶、交配、护巢及育幼有关。多数骨鳔鱼体略呈流线型。最普遍的运动方式是身体侧向波动,尾鳍有力摆动产生的推力占总推力的85%。有些游泳姿势反常,上口脂鲤类游泳时头斜朝下,间齿鱼科(Hemiodontidae)鱼类尾向下呈站立状。非洲的歧须鮠属(*Synodontis*)种类按正常姿势或翻过身来肚子朝天游泳。山溪中的鲇类可借鳍和吸盘爬登水面以上的垂直岩壁。虽然鳃是鱼类典型的呼吸结构,但有些骨鳔鱼类具各种空气呼吸器官。胡子鲇和异鳃鲇属(*Heterobranchus*)种类有树枝状的呼吸构造伸到鳃腔上方。异囊鲇属(*Heteropneustes*)种类有长形肺状囊向后伸到尾部。电鳗的口腔、被甲的鲇类的胃壁、鳅类的肠,都能进行气体交换。骨鳔鱼能发声,听觉比其他鱼类发达。水下声波引起鳔壁振动,经韦伯氏小骨放大振幅,传到内耳。骨鳔鱼能检测的频率范围为16～10 000赫。电鳗体每侧各有三个电器官,放电能力达350～650伏,电鲇放电450伏。裸背鳗只产生低压电流,在体周围形成电场,当电场遇动物或其他物体而改变时,皮肤中的电感受器能接受刺激,测出物体位置。生活在泥水中的鲇类及其他鱼类视觉较差,但有化学感觉能力。皮肤产生的黏液、生殖腺分泌物的气味及鱼体其他气味是化学信息,称为性外激素。骨鳔鱼还有特殊的"报警物质"。将受伤的鲹鱼放入同种鱼群中,其皮肤释放的"报警物质"会使群鱼受惊逃遁。骨鳔超目分为二目。(1)鲤形目(Cypriniformes),体常被圆鳞。①脂鲤亚目(Characoidei),口不能伸缩,颌具齿。②裸背鳗亚目(Gymnotoidei),臀鳍长,具电器

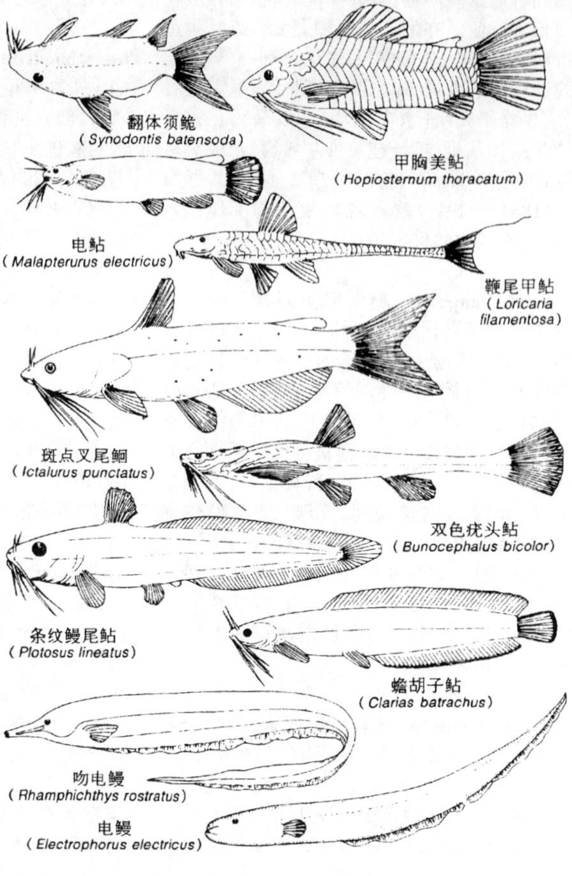

图2 骨鳔鱼类的体形图

官。③鲤亚目(Cyprinoidei),口能伸缩,颌无齿。(2)鲇形目(Siluriformes),体裸露或被骨板,常有脂鳍,背鳍和胸鳍常具棘。

osteitis deformans 变形性骨炎 参阅 **Paget's disease of bone** 骨的佩吉特氏病。

osteitis fibrosa cystica(disease) **囊性纤维性骨炎** 参阅**parathyroid adenoma**甲状旁腺腺瘤。

Ostend 奥斯坦德 佛兰芒语作Oostende。比利时西北部西佛兰德省城市。濒临北海,在根特-布吕赫运河终端。9世纪后为渔村。1830年比利时独立后,成为海滨游览胜地。

奥斯坦德市的港口,前为火车站
美国不列颠百科全书公司供图

第一次世界大战中是德国主要潜艇基地。第二次世界大战中,又成为德国的沿海要塞,曾受到严重破坏。战后重建,成为旅游胜地和比利时最重要渔港,有鱼类加工、牡蛎养殖和造船等行业。亦生产烟草和肥皂。威斯明鱼市素有盛名。著名参观游览点有:5千米长的迪格海滨大道、库尔萨尔娱乐场、皇家避暑处、热疗研究所(水电疗法)和赛马场。有海峡渡船和飞机(机场在拉维尔希德)连结英格兰,被称为"欧洲的铁路门户"。画家J.恩索尔(1860～1949)曾在这里生活和工作。人口:城市区约68 900(1992)。

Ostend Company 奥斯坦德公司 神圣罗马皇帝查理六世所创立的贸易公司(1719～1731),设在奥属尼德兰境内。查理六世创立公司的本意是企图夺取荷兰和英国东印度公司的赢利,同时这也说明他已认识到国际贸易及不久前(1714)奥地利获得奥斯坦德港的重要性。鉴于法国、俄国、普鲁士、英国和联省共和国都反对该公司,查理六世想使他女儿M.特蕾西亚的帝位继承权能获得国际上的承认,便于1727年停止公司活动达7年之久。1731年《维也纳条约》成立,为换取国际上完全承认特蕾西亚帝位继承权的国事诏书,该公司被解散。

Ostend Manifesto 《奥斯坦德宣言》(1854-10-18) 三位美国外交官致国务卿W.L.马西的信件。1854年10月18日,美国驻西班牙公使P.索尔、驻英国公使J.布坎南和驻法国公使J.Y.梅森在比利时的奥斯坦德进行会商,联名报告国务卿,极力主张美国从西班牙手中夺取古巴,以防止古巴、海地的奴隶叛乱波及美国。这标志着19世纪50年代席卷加勒比海地区的美国扩张主义达到顶点。

osteoarthritis 骨关节炎 又称骨关节病。一种关节变性疾病,显为老化过程的一种表现,或认为是由负重、姿势不良或意外伤害对骨和关节的慢性刺激所引起的一种应力性疾病。本病早期,关节软骨变软而粗糙,后软骨破坏,骨质外露,而渐硬化,关节被破坏的组织有一定程度的再生变化。症状为疼痛(不一定和病变的严重程度成比例)、关节僵硬(但活动后消失)。见于任何年龄及性别,但绝经期后的妇女相当多见。理疗(尤其是热疗和医疗体操)、镇痛药及关节内注射可的松均能缓解症状。有证据表明引起骨关节炎的原发病变不在关节本身,而在邻近关节的较软的骨内。该骨对关节起坐垫作用,但可由于反复冲击而发生多处微小骨折,并失去弹性。

osteoblast 成骨细胞 一种大型的骰状细胞,在骨骼开始形成时及骨骼再成型时能合成新骨。正在形成中的骨骼表面,有一层紧密排列的成骨细胞,成骨的细胞过程由此开始。成骨细胞由骨膜及骨内膜上的骨原细胞分化而成。血液供应正常时,骨原细胞分化为成骨细胞,否则分化为成软骨细胞。成骨细胞仅产生骨骼的无矿物质的有机成分——类骨质。类骨质含有两种物质:黏多糖(由戈尔吉氏体分泌,为类骨质的基本成分)及胶原纤维(由内质网分泌,能加强骨基质)。成骨细胞最后被包埋在不断增加的基质之中。基质钙化后,陷入的成骨细胞便不能再生成新骨,并被称为骨细胞(**osteocyte**)。参阅 **bone**。

osteochondroma 骨软骨瘤 又称外生骨疣。一种常见的孤立性骨肿瘤,瘤体部分是软骨,部分是骨。可在外伤后发生,亦可在遗传的基础上发生。有一种类型发生于外耳道,在不同的人群中发生率不同;人类学家对此很感兴趣。骨软骨瘤如果不妨碍功能,就不是什么严重的疾病。成年患者的孤立性骨软骨瘤偶可恶变,但在病理形态上与骨软骨瘤病相似。骨软骨瘤病亦称遗传性多发性外生骨疣或骨干性续连症,是一种儿童期常见的骨发育障碍性疾病,表现为长骨、肋骨和椎骨上出现骨性隆突;重者能阻止骨的生长,引致侏儒症;若肿瘤压迫腿、血管或神经,便引起相应症状。在正常情况下,到青春期末肿瘤即停止生长;若到成年期又见增长,则有恶性变的可能,恶变的发生率为5%～15%。

osteochondrosis 骨软骨病 又称骺缺血性坏死。儿童期的一种常见但了解不多的骨科病,表现为骺坏死,数年后逐渐为新生骨所置换。骨坏死的直接原因是血供给中断,但血供给中断的原因尚未明。最常见的骨软骨病是扁平髋,或称莱格-卡尔维-佩尔特斯三氏综合征,累及髋关节,多于6岁左右发病,男孩的发病率是女孩的4倍。此病可致残,中年患者还可并发变性关节病。治疗应避免外伤,同时应休息并进行关节固定。对重症病例需用外科方法取出坏死骨片。

osteoclast 破骨细胞 一种大形的多核细胞,在骨再成型过程中有吸收骨质的作用。为适应生理功能的需要,骨在不断地新陈代谢、改建、重建。破骨细胞在这个过程中发挥着至关重要的作用。位于骨表面的小凹陷——豪希普氏腔隙(因英国外科医师约翰·豪希普而得名,是破骨细胞的酶侵蚀骨质而成)中,似由许多小细胞融合而成,细胞核可多达200个,但一般仅为5～20个。细胞紧靠骨质的一侧有许多伸入骨表面的小突起(微绒毛)形成刷状缘,细胞的生理活动在此进行。破骨细胞产生多种酶,主要是酸性磷酸酯酶及胶原酶,用以溶解骨中的胶原纤维及钙、磷等。首先,用以黏合骨质的黏多糖胶质被溶解,坚硬的骨质碎成小片;破骨细胞将这些碎片吞噬并于胞质空胞中将其消化。骨分解后游离的钙、磷释入血流。破骨细胞的功能由甲状旁腺激素调节;甲状旁腺激素的分泌又受到血钙浓度变化的控制。以前认为甲状旁腺激素使成骨细胞(**osteoblast**)分化为破骨细胞,现知这两种细胞来源各异。参阅 **bone**。

osteoclastoma 破骨细胞瘤 又称骨巨细胞瘤。一种相当常见的发生在青壮年期的溶骨性肿瘤;好发于膝部,亦可发生于腕部、手、足、颌骨或椎骨。肿瘤多生长迅速,具有局部破坏性,但转移发生较晚。已知照射治疗能使破骨细胞瘤变为骨肉瘤。有效的治疗方法为大块切除或截肢,手术治愈率近于50%。

osteocyte 骨细胞 一种位于发育完全的骨基质内的细胞。骨的钙化基质中有小腔隙,称为骨陷窝,骨细胞即居于其中。骨细胞来源于成骨细胞,实质上就是为其分泌产物所包围的成骨细胞。骨细胞的胞浆突起在骨小管内伸向其他骨细胞;骨细胞借助这些小管来得到营养,排泄废物,以保持其活力。骨细胞处于静息状态,不再参与骨的合成。有人认为,血钙下降到很低的水平时,骨细胞具有将钙质自骨内移出的功能。

Osteodontokeratic tool industry 骨齿工具工艺 R.A.达特在非洲发现的石化兽骨,发现地点:一处位于距南非约翰内斯堡约320千米的塔翁,非洲南方古猿的第一件标本就是在这里发现的;另一处位于马卡潘洞穴,也发现过非洲南猿的标本。达特认为,这些化石是非洲南方古猿(人科一个早期的种)使用的工具;他还假设,带牙齿的牙床是当作锯和刮削器来使用的,长骨当作棍棒,等等。他解释其理论的根据是:有些部位的骨头经常出土,而其他部位的骨化石则很少见到。但是,后来的研究表明这种把遗骨普遍解释为曾经当作工具使用的说法是值得怀疑的。更为可能的是,达特在马卡潘洞穴研究的遗骨堆积是骨架的自然折断、食肉动物的偏爱和洞顶落下的石头损坏兽骨的结果。

osteogenesis imperfecta 成骨不全 一种遗传性结缔组织病。病变累及骨、巩膜、内耳、韧带和皮肤等。本病在不同发展阶段有不同的症状组合，故有多个名称，如先天性成骨不全、延迟性成骨不全、范德赫夫氏综合征等。先天性成骨不全多为死产，成活者也会因多发性骨折而致残，罕有成长至成人者。延迟性成骨不全患者出生时多无症状，但视其病变严重程度的不同，在以后的几年中会发生次数不等的骨折，原因多是一些轻微外伤，但青春期以后症状好转。范德赫夫氏综合征除有延迟性成骨不全的症状外，还有蓝色巩膜和耳聋。巩膜发蓝是因为它太薄，显露出脉络膜的色素之故。耳聋的原因是内耳听小骨畸形，以及骨性耳道畸形对听神经的压迫。此外，关节过伸、双关节、皮肤过薄也是此症的特有症状。

osteogenic sarcoma　成骨肉瘤　参阅 **osteosarcoma** 骨肉瘤。

osteoglossomorph　骨舌鱼　骨舌超目（*Osteoglossomorpha*）鱼类，一类原始的淡水鱼，包括象吻鱼、长颌鱼、巨骨舌鱼等。除月目鱼科（Hiodontidae，包括金目鱼，月目鱼等）外，骨舌超目种类是热带鱼类。其特征为骨骼多为硬骨；上下颌具齿；头和口形态多样；尾鳍有特征性。舌、颅底和口腔的骨有发达的牙齿。骨舌鱼自白垩纪（1.36 亿年前至 6 500 万年前）即已存在，据信其来自早期的真骨鱼。某些骨舌鱼的生殖习性非常有趣。尼罗裸臀鱼（*Gymnarchus niloticus*）能发电，会咬断沼泽禾草的茎，使之堆成槽形，从而筑成大型的浮巢；将卵产于其中，雌雄亲鱼轮流保护发育中的幼鱼约 18 天。其他种类将卵或幼鱼在口中携带。巨骨舌鱼（*Arapaima gigas*）产于南非，会挖一坑用以产卵，约 7 天后幼鱼孵出离坑，并由雄鱼保护。雄鱼的头部黑色，幼鱼可能借此认出雄鱼，并集合在其周围，但也可能有其他一些刺激，如味道和气味，用以吸引幼鱼，使之停留在雄鱼附近。长颌鱼科（Mormyridae）和裸臀鱼科（Gymnarcidae）的种类具发电器官，有助于区别猎物、掠食者、其同种个体及水中障碍物。某些长颌鱼独特的游泳习性也可能用其体内发电器官解释。裸臀鱼游泳时将细长的身体挺直，完全借背鳍作波浪形摆动而推进身体。驼背鱼科（Notopteridae）的种类游泳时身体亦挺直，用长形的臀鳍推进；因驼背鱼无发电器官，此行为可能与延伸到尾部的长形鳔有关。

Osteolepis　骨鳞鱼　叶鳍鱼的绝灭属。尽管残存到泥盆纪晚期（3.95 亿年前至 3.45 亿年前），但一般认为是很原始的。它与较进化的亲族同时生存。躯体覆盖着菱形

骨鳞鱼（*Osteolepis*）模型
美国不列颠百科全书公司供图

大鳞片，尾的上叶比下叶强壮。进步的特征是头骨和颌骨的一般骨骼形态属于早期两栖类祖先的形态。

osteoma　骨瘤　主要见于颅骨的小块新生骨。一般在学龄期或青春期发病，多为单发，有自限性，不会恶变，若影响正常功能便需手术切除，若不影响正常功能则无需治疗。

osteomalacia　骨软化　成人骨组织中钙和磷进行性耗损的一种病态。常见于多次妊娠的妇女或老年人，表现为骨骼变软及弯曲，易发生骨折。饮食中长期缺钙、缺乏维生素 D 或其前体麦角固醇、与骨矿物质或维生素 D 的吸收和代谢有关的器官功能受损、经常摄入可妨碍维生素 D 吸收的矿物油均可造成骨组织中矿物质缺乏。骨软化患者常有多种营养素缺乏的饮食史。骨软化的治疗包括高蛋白、高钙均衡饮食及适当补充维生素 D 浓缩剂或鱼肝油。

osteomyelitis　骨髓炎　一种骨组织的感染。一般在儿童期发病，最常见的致病菌是金黄色葡萄球菌。病原菌随血流或经局部创伤进入骨内引起炎症，破坏松质骨和骨髓，阻断血供给，致使骨组织死亡。周围的活骨环绕感染区，将已形成的死骨围绕在内；随着病变的修复，死骨逐渐被吸收。在慢性骨髓炎时，死骨仍有活动性感染，可有分泌物经由窦道周期性地排出体外。症状有：发热、寒战和患骨剧痛，随后感染区周围肿胀并发红。从前，骨髓炎的死亡率很高；现今，一般能用抗生素控制。骨髓炎可并发于多种疾病，如伤寒、梅毒、结核或镰状细胞性贫血；在中年期，脊柱骨髓炎可与膀胱感染并发。

osteon　骨单位　又称哈弗氏系统，密质骨的主要结构单位，由多层骨板及其中心孔围成的一条细长的中央管（哈弗氏管）所组成。小管与系统均以 17 世纪英国医师 C.哈弗而得名。骨单位为成熟骨质所特有，是在骨再成型过程中形成的。在骨表面形成新骨时，形成的骨单位称为初级骨单位。未成熟的编织骨及初级骨单位又为沿血管进入的破骨细胞所破坏，骨板中央形成一空腔。接着成层的成骨细胞沿空腔边缘形成多层新骨，逐渐将空腔闭合，只留下可容小血管通过的中央管。这样便形成了比初级骨单位稍大的次级骨单位。骨细胞的血液供应经过骨单位的血管通道而进入骨质。骨单位大致为圆柱形。紧密排列的相邻骨单位之间尚余空隙，由旧有骨单位的残余（间板）所充填。骨单位中有横行的通道称为福尔克曼氏管，因德国生理学家 A.福尔克曼而得名，用以连接相邻的骨单位，并将哈弗氏管中的血管与骨膜血管相连。在骨的横切面上，骨单位呈同心圆状，长数毫米，直径 0.2 毫米。在纵切面上骨单位随着血管的分支而分合。参阅 **bone**。

osteonecrosis　骨坏死　又作 necrosis of bone。表现为骨组织死亡的一种病理现象。病因为感染（如骨髓炎）或失去血供给（如骨折、脱位、沉箱病或放射病时）。患部的血循环中断，骨细胞死亡，骨髓腔内充满坏死组织的碎片，周围的骨质经数月或数年后能将死骨吸收取代，损害范围广泛时则需矫形外科手术治疗。

osteopathy　骨疗学　一种保健医疗技术，强调肌肉、骨骼的结构和器官功能之间的平衡关系。骨疗学医师用来诊治结构异常的方法有点像中医的正骨按摩。骨疗学最早起源于 19 世纪的美国，它主要是针对当时相当原始的治疗和外科技术而掀起的一场改革运动。骨疗学的奠基者是 A.T.斯提耳，美国南北战争时正在军中任军医的斯提耳对当时救治伤员的方法大为不满，于是他就制定了一整套骨疗学技术的诊疗常规。斯提耳曾几次试图说服几家医学院把他的学术思想纳入教学大纲，但都未成功。于是，1892 年他在密苏里州柯克斯维尔成立了一家新的医学院，并为此专门设置了骨疗学博士学位（DO），授予那些肯接受他的医学观念的医师。强调治疗效果的整体性原则，至今仍然是斯提耳学说的核心内容。骨疗学的主要基地还是在美国。加拿大骨疗学医师都在美国接受训练。在英国，骨疗学有时是作为博士后研究生的一个专业方向进入教学计划的。在世界各地行医的骨疗法医师，绝大部分都是在美国受训。综合性骨疗学医院提供各种类型的健康服务，但骨疗学专科医院主要有产院、肛肠科医院、骨关节病中心、急诊室和戒毒（酒）所等。在美国，骨疗学研究所是由美国骨疗医学会（AOA）授权创办，并从属于美国骨疗医院协会（AOHA）。骨疗医学的博士研究生教育和医学博士研究生课程大同小异。四年的课程包括基础医学、临床理论课程和病房实习。不过，骨疗学侧重于整体机制的重要性，并强调人体的结构和功能之间的关系。英国有两座骨疗学教学机构。不列颠骨疗医学专科学校的新生只需初中教育学历；他们的四年专业课程也只有诊断学和骨疗手法治疗学二门；毕业实习当然也仅限于此。但是伦敦骨疗医学院则面向医学博士招生，学制 14 个月，相当于博士后研究，专题是肌肉骨骼系统疾病和骨疗手法治疗学。毕业生的执业资格得到政府和社会的承认，可不受限制地行医治病。美国各州都允许骨疗医师执业，而且大部州政府对他们和其他所有医学博士都是一视同仁，在考取行医执照时，并无厚薄之分。其他国家对骨疗学医师的管理原则差异极大。骨疗学研究的主要科目有解剖学、神经-肌肉接点的功能、神经兴奋的传导、各种躯体反射功能、肾脏的发育和功能、血液动力学等。它还包括临床诊断实习、特殊骨科病症的麻醉和骨疗手法治疗、高血压病的骨疗手法疗效、把用常规方法治疗的慢性阻塞性肺气肿患者分成二组，一组佐以骨疗手法治疗，另一组则否，然后作对照研究，等等。

osteopetrosis　骨石化病　参阅 **marble bone disease** 大理石状骨病。

osteoporosis　骨质疏松症　骨质变松以致在轻微外力下发生骨折的病症。最常见于 50 岁以上的妇女，因矿物质代谢及营养紊乱造成。在骨质疏松病的患者体内，原来组成海绵骨间隔的细小坚硬的骨片变薄了，变成小棒状，其间腔隙变大。因此骨头的孔隙更多，密度和强度都变小。这些变轻变脆的骨头在一般不会发生不良后果的轻微外力下却

会出现骨折。时间一久,脊椎中的细小压缩骨折会使脊背弯曲,造成在许多老年骨质疏松症患者身上可见到的驼背和屈身姿态。髋和前臂的骨头也特别容易骨折。骨质疏松症的其他症状是身高降低和背痛。骨质疏松症起因于体内形成的新骨量和又被吸收的骨量间的平衡变化。发生骨吸收过程是因为,为了维持血中钙量和满足正常神经肌肉功能所需钙量,经常要动用骨中钙质。不管因为什么原因,只要机体没有其他钙储备可动用,就会动用骨钙,而骨中钙储备减少时,骨质也就减少。在骨质疏松症患者中,骨形成速率正常但骨吸收加速,造成骨总量的净减少。骨总量在刚进入成年时达到顶峰。之后是个稳定期,但从40岁前后开始又出现一个缓慢但平稳的减少过程。这是因为,年岁增加时,人体吸收膳食中钙质的效率在降低。钙的缺乏导致骨吸收的增加。妇女发生骨质疏松还有几个额外的原因。第一,是否易于发生骨质疏松还部分决定于原有的骨总量;骨质多且密度大的人比骨总量轻的人可以丢失较多骨质才变得容易骨折。因为男人的骨较女人的骨重,所以随着增龄而不可避免丢失骨质时,男人的骨头仍然密度较高(因而也较坚固)。第二,妇女到绝经期因缺乏雌激素和其他性激素,所以骨质丢失的速度更快。造成骨质疏松的其他常见原因还有膳食中缺钙,身体活动太少,以及膳食中摄入的钙和磷的比例不当。晚年发生的骨质疏松最好通过食入足量的钙,或在必要时补充钙剂来加以预防。适量的身体活动也很有用。对于40岁以上的妇女,使用雌激素合并孕酮可减缓骨质丢失的速度,不过现在还不清楚是否一切绝经期妇女都应该或说都必须这样做。现有证据说明,用氟化钠和钙可终止骨质疏松患者的骨质丢失并刺激脊椎骨的新骨质形成。

osteosarcoma 骨肉瘤 又称成骨肉瘤。骨骼中最常见的成骨性恶性肿瘤。男性发病率高于女性。多于30岁以下发病。主要发生于大长骨,好发于膝关节部。主要症状是疼痛(初为间歇性,后呈持续性剧痛)、肿胀、关节活动受限,病理骨折发生率很高,最后有发热和全身虚弱。转移发生较早,死亡原因多为肿瘤扩散到肺。作出诊断后平均存活期为18个月,5年存活率低于10%。一般所用的治疗方法是截除患肢。50岁以上发生的骨肉瘤常伴发**骨的佩吉特氏病(Paget's disease of bone)**。

Österbotten(Finland) 参阅 **Pohjanmaa 波的尼亚低地**。

Østerdalen 厄斯特谷 挪威东南部海德马克郡狭窄谷地。从多夫勒山脉东侧大致呈南北向延伸约120千米。挪威最长的河流格洛马河流经谷地。经济以伐木业、农业(谷物和牧草)和畜牧业为主。雷纳(位于雷纳河与格洛马河交汇处)有造纸和纸板厂,由格洛马河上的水电站提供动力。重要城镇有廷瑟、阿尔夫达尔和科庞等。适宜垂钓的格洛马河招来许多旅游者。

Östergötland 东约特兰 瑞典东南部省份。位于韦特恩湖和波罗的海之间。面积10 582平方千米。多湖泊。有穆塔拉等河流贯。部分地区为森林覆盖。有农业。矿产有铁、锌和铜。工业有纺织、采石等。省会林雪平及其他主要城镇均在低地,有约塔运河流经其间。人口约396 919(1989)。

Osterman, Andrey Ivanovich, Graf 奥斯捷尔曼(1686-06-09[旧历05-30],威斯特伐利亚波鸿[德国]～1747-05-31[旧历05-20],俄罗斯西伯利亚别廖佐沃) 俄国政治家,伯

美国不列颠百科全书公司供图

爵,1725～1740年间俄罗斯外交活动的主宰者。1703年到俄国。1708年入俄国外交部当翻译,1710年成为秘书。1711年参加与土耳其的和平谈判。1718～1721年在与瑞典和谈中起过重要作用。1723年与波斯签订条约,使俄国获得里海沿岸的一些土地(包括巴库和杰尔宾特)。由于这些外交成就,他被封为男爵,并任外交副大臣。1725年以后历任副总理大臣、最高枢密官、邮政大臣和商业特别委员会主席。1730年因帮助安娜·伊凡诺夫娜女皇获得专制政权被封为伯爵。1731年任第一内阁大臣。他坚持与奥地利结盟。1734年缔结《英俄商务条约》,大大提高了俄国作为欧洲大国的声望。安娜女皇死后,奥斯捷尔曼帮助他的同僚布·慕尼赫推翻了幼皇伊凡六世的摄政厄内斯特·比朗(1740-11-19或20),1740年后任海军大臣。1741年12月6日,彼得大帝之女叶利扎维塔推翻了幼皇伊凡六世及摄政母后安娜·列奥波尔多夫娜,于是他们的主要谋士奥斯捷尔曼被放逐到西伯利亚。

Osterode 奥斯特罗德 德国中部下萨克森州城市,位于上哈茨山西南缘。市内多中世纪半露木架结构房屋和建筑。有著名的16世纪的集市教堂和市政厅(1552)。雕塑家T.里门施奈德在此出生(约1460)。该市靠近哈茨山天然公园和瑟瑟河水库,为游览胜地。生产化工品、纺织品、机械和家具等。人口约26 631(1989)。

Österreich 参阅 **Austria 奥地利**。

Österreichische Gallery 奥地利美术馆 奥地利的艺术博物馆,1903年建于维也纳市区观景楼,收藏过去奥皇私人所藏艺术品甚多。主要分为三部分,分别为奥地利巴罗克博物馆、19～20世纪奥地利美术馆和中世纪奥地利艺术博物馆。自1957年起发行年鉴《奥地利美术馆通报》。第二次世界大战后,以展出凡·高、高更和塞尚等名家的作品为特色。

Östersjön(Europe) **东海** 参阅 **Baltic Sea 波罗的海**。

Östersund 厄斯特松德 瑞典西北部耶姆特兰省省会。濒斯图尔湖西岸。建于1786年。1862年通铁路。主要为农业和旅游业中心,另有工业,如化工、机械、家具、皮革制品等。耶姆特兰省立博物馆有考古与文化展览;福尔恩宾-耶姆特利是露天博物馆,内有很多该地区15～18世纪的建筑物。在连接市区与弗雷森岛的一座桥附近,有瑞典最北部的11世纪北欧碑文,记载该省改奉基督教的过程。人口:城市区约56 914(1987)。

Østfold 东福尔 挪威东南端一郡。西起奥斯陆峡湾,东至瑞典边境。面积4 183平方千米。境内多山,东部和北部多森林,海拔240～300米。主要河流为格洛马河和蒂斯特达尔河。由于这一地区到处发现石器时代的岩画和墓葬等古迹,很可能是挪威最早有人居住的地方。从经济上看,东福尔郡实际上是首都奥斯陆的郊区,一些主要城镇如莫斯(首府)、腓特烈斯塔、萨尔普斯堡和哈尔登等均在距奥斯陆100千米范围内。在这些城镇里有制造业(木制品、纸浆、化工产品和橡胶)和食品加工业。莫斯和腓特烈斯塔有重要造船厂。南部农村地区产大量蔬菜和奶制品供应奥斯陆市场。海滨和沿海岛屿为旅游胜地。人口约241 206(1997)。

Ostfriesland(Germany) 参阅 **East Friesland 东弗里斯兰**。

Ostia 奥斯蒂亚 意大利古城。原位于台伯河口,但现处河口以上6千米处。最早为罗马人拓殖地,后发展成为海港。布匿战争期间为罗马舰队主要基地。共和时期为罗马的港口,帝国时期为商业中心。浴室、神庙和库房随之兴建。2世纪初人口5万,臻于全盛。5世纪后不断被蛮族劫掠。9世纪废弃。

ostinato 顽固句 在音乐中,指在全曲中不断反复的短小旋律句,有时稍有变化,或转到不同的音高上。顽固句的技巧自13世纪以来就在西方乐曲中出现,例如在C.德·莫拉莱斯(约1500～1553)的经文歌《让我们变得更好》和P.兴德米特的《协奏曲》(作品第38号,1925年首演)中。在16世纪的舞曲中极为普遍,常用在低声部,故又称顽固低音或**基础低音(ground bass)**。

Østlandet 厄斯特兰 挪威东南部地理区域。包括东福德、阿克什胡斯、海德马克、奥普兰、布斯克吕、西福尔、泰勒马克和奥斯陆诸郡。面积94 660平方千米,从挪威最高山脉尤通黑门山延展至临斯卡格拉克和奥斯陆峡湾的沿海低地。境内多山(特别是西部和北部),森林密布。东部是挪威木材工业中心。有德拉门河、洛根河和格洛马河流经。湖泊

甚多，包括挪威最大的米约萨湖。众多城镇(包括首都奥斯陆)的人口占挪威的一半，并拥有挪威大部分工业。秀丽的湖光山色、冬季运动场所、适宜疗养的海滨地区以及奥斯陆的都市风光使厄斯特兰成为一冬夏皆宜的常年旅游胜地。沿海低地道路纵横交错，经山谷、河流和湖泊通往内地。面积94 591平方千米。人口约2 150 366(1997)。

ostomy　造口术　又译造瘘术。用外科方法为空腔器官打开一个人工开口的手术，ostomy一词也指开口本身。腹壁造瘘(人工肛门)可使因疾病或伤害而无法由正常排泄管道排出的体内废物得以排出体外。造口术有数种，其分类依与外界相连的器官而定。最常见者为结肠造口术(将结肠的下段除去，使其上段开口于体壁)、回肠造口术(将回肠连于体壁)，以及尿路造口术(将膀胱或输尿管除去后，利用一段小肠等造一个排尿与废液的新管道)。造口术可为暂时性的，使因疾病或腹部外伤而受损害的器官得以减轻负担，或为永久性的，以取代正常排泄管道(该管道或先天缺乏，或因患癌症或其他严重肠病而必须切除)。暂时性结肠造口术与回肠造口术一般进行如下：将一段肠襻提近腹壁，将肠切断，使两端开口均通向体外。一旦作造口术的理由消失，再行外科手术将肠的断端重新连接。暂时性造口术可借肠襻与肠系膜间自然形成的粘连固定，亦可借缝合固定。所有类型的造口术均须仔细清理开口，并经由造口术用具(一种佩戴在腹部开口的自附式袋)清除废物。有些手术可在身体内部造个收集袋，外部开口则盖一层简单的布，但须定期冲洗以排空袋子。大多数造口术病人应学会定期排泄，以减少不便。虽确信造口术不会干扰正常活动，但该手术却为病人带来巨大的心理冲击。

ostracism　贝壳放逐制度　古代雅典人的一种政治措施。当某一著名公民危及国家的安定时可不对其控诉而予以流放(不同时期中在阿戈斯、米利都、叙拉古、墨伽拉等处都有类似的做法)。在仲冬的一次例会上，人们不经辩论便决定是否在几周以后举行贝壳投票会。会上每个有权投票的人都可在贝壳或陶片上写出另一公民的名字，如果有足够的人写出了同一名字，该人就遭受放逐，他必须在10天之内离开阿提卡，在外流亡10年，但保留财产所有权。这种放逐应与罗马式放逐慎加区分，后者包括丧失财产和社会地位，并且是不定期的(通常是终身的)。亚里士多德在他的《雅典宪法》中说，贝壳放逐制度是希庇亚斯被放逐(约公元前508)后，克利斯提尼修改雅典法时制定的，但第一次实行似乎是公元前488～前487年，当时放逐了科里图的卡莫斯之子希帕尔科斯。这种制度在波希战争之后渐少实行，大约在公元前417年被废止。参阅 **exile and banishment**。

ostracoderm　甲胄鱼　一类绝灭的鱼形古生代脊椎动物。属于欧洲和北美的晚志留世和早泥盆世(4.21亿年前至3.87亿年前)地层内特别丰富的几个目。无颌，往往缺失成对的附肢。这些原始的特征表明，甲胄鱼类与现存圆口目同源，同属于无颌纲。具有骨质甲，往往还有内骨骼。有三个主要目：骨甲鱼目(Osteostraci)、缺甲鱼目(Anaspida)、异甲鱼目(Heterostraci)。骨甲鱼目的头部和鳃区覆盖着新月形宽骨甲，例如头甲鱼属(*Cephalaspis*)，背部有成对的眼窝和松果孔(中间眼)，在眼的前面，一个中间孔通向嗅囊和鼻垂体囊；嘴小；内部有一个大鳃腔，似与较低级的脊索动物类似，以过滤的方式摄食。缺甲鱼目包括纺锤形小鱼类，具有比骨甲鱼目窄而长的体形；没有扩大的头甲，由一连串燕麦状小鳞片覆盖着；不知其内部构造，但感觉器官的孔型和鳃类似骨甲鱼目。异甲鱼目以鳍甲鱼属(*Pteraspis*)为代表，其细长身体的前部由一副大甲片包裹，嘴在腹面横裂，适应于挖泥的进食方式；没有保存内部构造，但甲胄片里面的压痕表明其具有大鳃腔，每侧有一个外鳃孔。与异甲鱼目可能有亲缘关系的是花鳞鱼属(*Thelodus*)及其他属，这些属没有甲胄片或大鳞片，而整个身体覆盖着小鳞片。

ostracon　陶片画　指古代埃及人、希腊人和希伯来人在陶器碎片或石灰石碎片上所作的绘画。这种画通常是彩色的，大多描绘自然景色、日常生活。

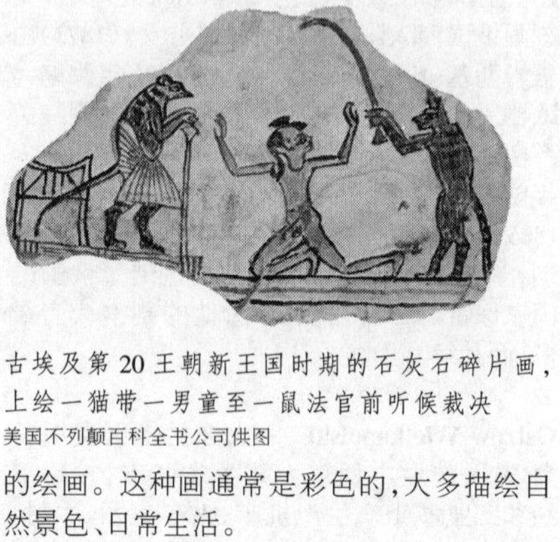

古埃及第20王朝新王国时期的石灰石碎片画，上绘一猫带一男童至一鼠法官前听候裁决
美国不列颠百科全书公司供图

Ostrava　俄斯特拉发　捷克共和国东北部北摩拉维亚州首府。在上西里西亚煤田南端。约建于1267年。历史建筑物有13世纪圣文采斯拉斯教堂和旧镇公所塔。还有几座剧院、交响乐团和美术馆。因周围有富饶的烟煤盆地，自1830年维特科维斯炼铁厂第一座鼓风炉建立以来，一直为重工业中心。一些煤井直逼市区边缘，其采煤铁塔架为该市地平线上常见的景观。大俄斯特拉发市包括卫星城镇和郊区在内总面积达700多平方千米。居民主要从事采矿和金属加工。制造矿山机械、火车车厢和汽车等。设有俄斯特拉发矿冶工业大学。人口约327 553(1991)。

ostrich(*Struthio camelus*)　**鸵鸟**　现存体形最大的不能飞行的鸟类，产于非洲，属鸵鸟目鸵鸟科。雄鸟成体高达2.75米，颈长几占体高的一半，重达150多千克；雌鸟稍小。鸵鸟卵平均长达150毫米，直径125毫米，重达1.35千克，是现代最大的卵。雄鸟体羽大部呈黑色，但翅和尾有白羽；雌鸟大部褐色。头和颈的大部分淡红至淡蓝，稍有绒羽；腿(包括强有力的大腿)裸露。头小，喙短而稍宽；眼大，褐色，具浓黑色睫毛。鸵鸟常结成5～50只一群生活，与食草动物相伴。鸵鸟用强有力的腿(仅有两趾，主要的趾发达几乎成为蹄)逃避敌人(主要是人及大型食肉目动物)。受惊时速度每小时可达72.5千米。被逼于绝境能用脚踢对手。鸵鸟主要以植物为食，也吃动物性食物；没有水也能生活很长期间。雄鸟互相争夺3～5只雌鸟，发出吼叫和嘘嘘声。几只雌鸟在地上刨成的共用巢中合产15～60枚带白色有光泽的卵。雄鸟在夜间孵卵，白天则由各雌鸟轮换。孵化期40天，1月龄的幼雏即能紧跟着成鸟奔跑。为了不被发觉，幼雏和成鸟可卧于地上仅伸出长颈。可能因此引出一个传说：鸵鸟于危险临近时将头埋于沙中。中世纪欧洲骑士、19世纪的妇女喜用鸵鸟羽毛装饰其头盔或华服，因此在南非、美国南部、澳大利亚等地建立了鸵鸟养殖场，但第一次世界大战后，这行业衰退。鸵鸟皮可制柔软、纹理细密的皮革。鸵鸟经训练后可供乘骑及驾单座两轮车。但鸵鸟耐力不足，且不易训练。在豢养条件下容易适应，可活50年。鸵鸟是不能飞行鸟类的典型。各地的鸵鸟在皮肤颜色、体型大小和卵的特征方面稍有差别，以前认为这是不同的种，今认为只是鸵鸟的亚种。人们最熟悉的是北非亚种(*S.c.camelus*)，分布自摩洛哥至

鸵鸟(*Struthio camelus*)，左为雄鸵鸟
美国不列颠百科全书公司供图

苏丹，其数量已减少。叙利亚和阿拉伯产的叙利亚亚种(*S. c. syriacus*)已于1941年绝灭。鸵鸟化石发现于俄罗斯南部、印度和中国中北部的上新世地层。

Ostrihom(Hungary) **奥斯特里霍姆** 参阅 **Esztergom** 埃斯泰尔戈姆。

Ostrogorsky, Moisey (Yakovlevich) 奥斯特罗果尔斯基(1854，俄国格罗德诺～1919) 俄国政治学家，首创对政党组织进行比较研究。曾在俄国司法部任职，后来去美国和英国考察政党多年，用法文写成《民主政治与政党组织》(1902)。回国后，1906年当选为俄国第一届杜马议员，是立宪民主党核心小组成员，杜马解散后退出政界。他在著作中指出，群众性政党有向官僚寡头组织发展的趋势。他通过在美国和英国的考察，对这两国的不同政党制度进行了比较和分析。他还对选举行为和舆论的形成提出了重要的假说。

Ostrogoth 东哥特人 哥特人(参阅**Goth**)的一个分支，3世纪时曾在黑海北边建立一个帝国。5世纪末在狄奥多里克大王领导下在意大利建立哥特王国。东哥特人自波罗的海地区向南扩张，建起一个其幅员由顿河至德涅斯特河(在今乌克兰境内)，自黑海至普里佩特沼泽地(白俄罗斯南部)的大帝国。在厄尔马纳里克统治时期，臻于鼎盛。据说370年前后，匈奴人入侵，厄尔马纳里克已届高龄，自杀殉国。虽然基辅以南及东南部多处东哥特古墓曾进行考古挖掘，但有关帝国资料毫无所获。东哥特人大概在3世纪开始使用文字，当时与罗马人贸易十分发达。东哥特人被匈奴人征服后，约80年未见记载。此后他们又以罗马盟邦出现于多瑙河中游潘诺尼亚地区。大批东哥特人移往中欧时，一小部分留在了克里米亚，历经整个中世纪，一直保持其传统未变。455年匈奴人败亡之后，东哥特人在狄奥多里克大王领导下开始再度迁徙，先到莫西亚(约475～488)，然后到达意大利。493年狄奥多里克称意大利王，526年死。其后是一段王室多变年代，导致拜占廷皇帝查士丁尼于535年进攻东哥特人，企图夺回意大利。战争持续几达20年，给意大利造成不可估量的损失，此后东哥特人即不复以一个民族存在于世。现存全部东哥特人文献是554年之前用意大利语写成的。

Ostrołęka 奥斯特罗文卡 原波兰东北部一省(1975～1998)，现属马佐夫舍省和瓦尔米亚马祖尔省。

Ostrołęka 奥斯特罗文卡 波兰东北部马佐夫舍省城市。临纳雷夫河东岸。1373年设市。16和17世纪发展为手工艺品贸易中心。1708年当地人民成功击退瑞典人侵者。第二次世界大战中遭严重破坏，后来对许多公共建筑及两座17世纪巴罗克式教堂进行了修复。现经济以造纸、纤维素和食品加工业为主。人口约54 238(2002)。

Ostrovsky, Aleksandr Nikolayevich 奥斯特洛夫斯基(1823-04-12，俄国莫斯科～1886-06-14，晓尔科沃) 俄罗斯戏剧家，一般认为是俄国现实主义阶段最伟大的代表人物。出

莫斯科国立特列季亚科夫画廊供图

身于政府职员家庭。在莫斯科大学学习法律。1843～1848年任莫斯科少年法庭书记。1847年写成第一个剧本《家庭幸福图》。1850年因第二个剧本《破产者》(后改为《自家人好算账》)揭露莫斯科商人的假破产事件惹出是非，结果被解除公职，剧本被禁演达13年之久。19世纪60年代写了几个历史剧本。但他的主要戏剧作品——两部悲剧和多部喜剧，包括他的杰作《贫非罪》(1853)——都是刻画俄国商人阶层的。他的《雪女》(1873)由里姆斯基-科萨科夫于1880～1881年改编为歌剧。他与莫斯科唯一的国家剧院小剧院关系密切，他的所有剧本均在那里首演。1874年创立俄国剧作家协会，并任该会主席。1885年任莫斯科帝国剧院艺术指导。他一共创作了47个剧本，几乎是独自创造了俄国的国家保留剧目。在俄罗斯，他的剧本读者最多，而且经常上演。

Ostrów Wielkopolski 大波兰地区奥斯特鲁夫 波兰中西部大波兰省城市。铁路枢纽和工业城市。生产机床、火车车厢、木材、陶瓷、纺织品等。13世纪始见记载，但直至18世纪方获准建市。1793年归属普鲁士，1918年重归波兰。人口约73 568(2002)。

Ostrowiec świętokrzyski 奥斯特罗维茨-圣十字山 波兰东南部圣十字省城镇。濒临维斯图拉河支流卡缅纳河。位于圣十字山正北的波兰高地。以炼铁工业闻名，同卢布林及凯尔采有公路相通。15世纪始有居民，19世纪炼铁厂建立后得以发展。其他工业有食品加工、陶瓷及建筑材料等。人口约75 639(2002)。

Ostsee(Europe) **东海** 参阅 **Baltic Sea** 波罗的海。

Ostwald, Wilhelm 奥斯特瓦尔德(1853-09-02，俄罗斯帝国拉脱维亚里加[今在拉脱维亚]～1932-04-04，德国莱比锡附近) 德国化学家。在把物理化学建成为化学的一个独立分支的过程中起了主导作用，因对催化作用、化学平衡及反应速度等方面的研究获1909年诺贝尔化学奖。他对待科学有很强的哲理性，主张用能量来解释所有物理现象，而拒不相信原子的存在。1878年在多尔帕特大学(今爱沙尼亚塔尔图州立大学)获博士学位，先在里加执教，后去莱比锡大学(1887～1906)。S.阿伦尼乌斯和J.H.范托夫的理论问世以后，很快得到了他的支持，他同他们一起为物理化学奠定了坚实的基础。他对科学发展的最大促进是由他主编并撰写的《普通化学教程》(两卷本，1885～1887)及其他一些有影响的教科书。他是创办《物理化学杂志》(1887)的主要负责人，在很长时间里这是一份在该领域内最有影响的刊物。1889年他开始发行当时化学、物理学科中重要论文的单行本丛刊《科学精萃》。奥斯特瓦尔德的实验室研究是从探索溶液中的反应动力学理论开始的，随后也转向电化学的研究。1894年他首次对催化剂下了现代的定义并把注意力转向催化反应的研究。他在1902年所获得的专利是用氨制取硝酸，这一方法具有重大的

美国不列颠百科全书公司供图

工业价值。1906年他辞去了莱比锡大学的职务，从事科学哲学方面的写作。他在1909年出版的著作《伟人》中探讨了科学研究能力的心理学根源。1926～1927年间他出版了三卷本自传。

Ostwald, Wolfgang 奥斯特瓦尔德(1883-05-27，俄罗斯帝国拉脱维亚里加[今在拉脱维亚]～1943-11-22，德国德累斯顿) 德国化学家，毕生从事教学、研究和编辑工作，促进胶体化学的发展。他是W.奥斯特瓦尔德的次子，大部分生涯在莱比锡大学度过。学化学前学过动物学。1935年成为正式教授。自1909年起，主编《胶体化学》和其他杂志。作为胶体学会的创始人(1922)和主席，他运用国际影响来推动胶体的研究。他本身的工作包括发现胶体的电性和光性。

Ostyak(people) **奥斯加克人** 参阅 **Khant and Mansi** 汉特人和曼西人。

Ostyako-Vogulsk(Russia) **奥斯佳克-沃古尔斯克** 参阅 **Khanty-Mansiysk** 汉特-曼西斯克。

O'Sullivan, Mary Kenney 奥沙利文(1864-01-08，美国密苏里汉尼拔～1943-01-18，马萨诸塞西梅德福) 婚前名Mary Kenney。美国劳工领袖、改革家。早年当制衣学徒，后入印刷装订厂工作。约1889年前往芝加哥，先后在几家装订厂工作。领导组建芝加哥装订女工工会。1892年帮助F.凯利调查血汗工厂及廉租公寓。同年4月被美国劳联主席S.冈珀斯任命为劳联首位女性总组织人。任职当

年将纽约和特洛伊的制衣工以及马萨诸塞的印刷工、装订工、制鞋工、地毯编织工组织起来。后返回芝加哥，担任新组建的工厂检查部检查员。1894 年与 J. F. 奥沙利文结婚。后在波士顿组建工业进步工会，调查工厂与车间状况。通过妇女教育与工业工会及其主席 M.M.凯休组织起橡胶工人、制衣工和洗衣工。1902 年丈夫故去后担任南波士顿样板廉租公寓经理。1903 年参加劳联年会，并与 W. E. 沃林一道组建全国妇女工会同盟。1914 年 11 月任劳工工业部工业安全处工厂检查员，1934 年 1 月退休。

O'Sullivan, Timothy H.　奥沙利文（约 1840，美国纽约州纽约～ 1882-01-14，纽约斯塔滕岛）　美国摄影家，以拍摄美国南北战争和美国西部风光而著称。曾在纽约市布雷迪

奥沙利文在巴拿马的自拍像，1870 年
美国不列颠百科全书公司供图

的摄影室里学习摄影。南北战争时期，作为布雷迪摄影队成员，在许多战场上进行拍摄。其最著名的一张照片《死神的收获》，是表现南部邦联士兵死于葛底斯堡战场的情景，拍摄于 1863 年 7 月 4 日清晨。1867 ～ 1869 年，在美国第 40 纬线地理勘探区当官方摄影师。1870 年作为一个勘探队成员前往巴拿马，勘测通过巴拿马地峡的运河。1871、1873 和 1874 年，参加一系列美国西南部的勘测。1880 年，被任命为美国财政部首席摄影师。

Ōsumi　"大隅"号卫星　日本第一颗人造地球卫星。于 1970 年 2 月 11 日从九州的鹿儿岛航天中心发射，并以航天中心所在地的地名命名。"大隅"号用美国制造的兰达 4S 运载火箭的第四级将卫星发射到地球上空 400 千米高的椭圆形轨道上。卫星上装有探测仪器，重 18 千克，主要用途是探测高层大气。

Ōsumi Archipelago　大隅诸岛　在日本九州大隅半岛南。属鹿儿岛县。由种子、屋久两大岛和几座小岛组成。总面积1 230平方千米。主要城镇为西之表（在种子岛）。1543 年葡萄牙人到此并首次传入甘蔗和枪械。人口 53 033（1990）。

Osun　奥森　尼日利亚西部的州。奥森州是由奥约州东部 1/3 的地区于 1991 年建成的。东北接夸拉州，东邻翁多州，南连奥贡州，西和西北界奥约州。约鲁巴山脉穿过奥森州北部。该州覆盖着热带雨林，乔奥森河是最重要的河流。奥森州的居民主要是约鲁巴人。该州经济以农业为主。主要作物有薯蓣、树薯、玉米、豆类、黍类、车前草、可可、棕榈油和棕榈仁以及水果。家庭工业生产黄铜器皿、织成的布匹和木刻。州的首府奥绍博有纺织业、食品加工厂和一个轧钢厂。旅游景点有奥绍博的姆巴里艺术中心和约鲁巴统治者在伊莱沙和伊费岛居住的宫殿。奥巴费米·阿沃洛沃大学（建于 1961 年）设在伊费岛。奥绍博和奥约州的伊巴丹有公路和铁路相连。人口2 203 016（1991）。

Osuna　奥苏纳　西班牙南部安达卢西亚（地区）塞维利亚省城镇。在塞维利亚市东一广阔平原边缘的山丘下。由伊比利亚人创建。罗马时期支持庞培与凯撒对抗。1240 年被费迪南德三世占领。后属希龙家族。17 ～18 世纪始繁荣。现经济以农业为主，但也生产面粉、橄榄油、生石灰和石膏。保存有许多 16 ～ 18 世纪的精美建筑。人口约 16 638（1991）。

Oswald, Saint　奥斯沃尔德，圣（约 604 ～ 641-08-05，英格兰马塞费尔德）　633 ～ 641 年的诺森布里亚的盎格鲁-撒克逊国王。将凯尔特人基督教传教士引进他的王国，后该教扩展到英格兰大部地区。其父艾特尔弗里思国王（616 年卒）曾统治伯尼西亚和德伊勒两个古老的诺森布里亚王国。616 年其叔埃德温即王位后，他和兄弟奥斯威被放逐，在赫布里底群岛中的艾奥纳岛避难，并改信基督教。632 年埃德温在作战时被杀。翌年奥斯沃尔德在赫克瑟姆（在今诺森伯兰）附近杀死圭内斯国王卡德沃朗。史学家比德称他统治了南英格兰的各个民族。信奉异教的国王彭达在马塞费尔德打败并杀死奥斯沃尔德。他后被尊为诺森布里亚教会的殉教者。

Oswald of York, Saint　奥斯瓦尔德（约克的），圣（约925，不列颠～992-02-29，伍斯特）丹麦血统的盎格鲁-撒克逊基督教大主教。曾参加本笃会改革派的重要活动中心、法兰西境内弗勒里隐修院。961 年任伍斯特主教，创建本笃会隐修院多处。972 年调任约克大主教，兼管并常驻伍斯特教区。作为教会地主，他出租田产，租用者必须向他提供各种劳役。租种土地限期为三代。奥斯瓦尔德支持邓斯坦（坎特伯雷的）任大主教，并同温切斯特主教阿瑟尔沃尔德合作建立传教中心，对盎格鲁-撒克逊隐修制度的改革有重要贡献。

Oswald, Lee Harvey　奥斯瓦德（1939-10-18，美国路易斯安那新奥尔良～ 1963-11-24，得克萨斯达拉斯）　被控为 1963 年 11 月 22 日在达拉斯刺杀美国总统 J. F. 肯尼迪的凶手。本人于事发两天后在达拉斯县监狱被 J. 鲁比（1911 ～ 1967）击毙。以最高法院院长 E. 沃伦为首的国会特别委员会自 1963 年 11 月 29 日至 1964 年 9 月 24 日进行了调查，结论是奥斯瓦德一人开枪杀死肯尼迪，但不能证明奥斯瓦德或鲁比参与了任何阴谋集团。1979 年 1 月，美国国会特别委员会经过两年调查后提出的报告中指出另一凶手可能也开了一枪，而且可能有一个阴谋集团，但证据争论很大。奥斯瓦德于 1956 年 10 月从中学退学，加入美国海军陆战队。他射击准确，但纪律很差，并开始发表亲苏言论和激进的政治观点。1959 年 9 月 11 日退役，同年 9 月 20 日前往苏联希望入籍，但未成功。后在明斯克工作，与 M.N. 普鲁莎可娃相遇，1961 年 4 月 30 日结婚。1962 年 6 月携带妻子和出生 3 个月的女儿琼·李回到美国。曾先后邮购左轮手枪 1 支、步枪 1 支和远距离瞄准镜 1 副。1963 年 10 月在达拉斯的得克萨斯教科书仓库谋得一项工作。11 月 22 日午后 12 点半，他从仓库大楼六层楼窗户向敞篷汽车上的肯尼迪总统和得克萨斯州 J. B. 康纳利州长连发 3 枪，肯尼迪身死，康纳利受伤。下午 1 点 45 分，警察根据报告在得克萨斯剧院逮捕了他。11 月 24 日转移到另一监狱时，被达拉斯一夜总会老板 J. 鲁比枪杀。这一举动据称是出于对总统死亡的愤怒和哀痛。鲁比以杀人罪被判处死刑（1964-03-14）。1966 年 10 月，得克萨斯州上诉法院驳回原判。但重新审判尚未开始，鲁比即因癌症引起的凝血症死亡（1967-01-03）。

Oswego　奥斯威戈　美国纽约州中北部港市，奥斯威戈县县城（1816）。临奥斯威戈河口，在安大略湖畔，东南距锡拉丘兹 56 千米。1722 年为英国毛皮贸易站。1727 年建奥斯威戈堡。另一个安大略堡建于 1755 年，现为纽约州历史博物馆。1796 年始为永久定居点。1828 年奥斯威戈运河的开凿推动了商业发展，同年设村；1848 年设市。铁路的贯通使港口失去风采，该城开始工业化。它是美国大湖区最东部的港口，1917 年成为纽约州巴奇运河网北端终点，经济再度繁荣。随着圣劳伦斯航道 1959 年通航，奥斯威戈成为全球性港口，主要装卸水泥、木材、纸浆、煤及谷物。奥斯威戈现有多种制造业，包括纺织品、纸张、船用发动机、服装、铝、金属薄板等。为纽约州北部地区重要电力基地，设有纽约州立大学奥斯威戈学院（1861）。人口约17 954（2000）。

Oswestry　奥斯沃斯特里　英格兰什罗普行政、历史郡的城镇和自治市。近威尔士边界。地处从前将英格兰与威尔士分开的土筑防御工事瓦茨大堤（Wat's Dyke，约 700）和奥发大堤（Offa's Dyke，约 784）之间景色优美的伯文山脉丘陵地。"旧"奥斯沃斯特里为一铁器时代山中要塞，与该城相距 1.6 千米，有复杂的防御工事，历史悠久。据推测因诺森布里亚国王奥斯沃尔德而得名。641 年奥斯沃尔德在梅瑟费尔思（或梅瑟费尔德）战役中，也许就在今该城附近，被麦西亚国王彭达杀死。当地多次发生英格兰人和威尔士人之间的边界冲突，中世纪时两度被焚烧一空。在卡斯尔班克有一座城堡废墟，为邻近的波伊斯地区的威尔士国王马多格·马尔杜德所建造。1407年成立了一所中等学校。1776年该

英格兰奥斯沃斯特里市“旧”奥斯沃斯特里铁器时代的山中要塞
美国不列颠百科全书公司供图

校迁往更大的校址,但原建筑依然保存。该城几世纪以来为威尔士物产,特别是羊毛的集散地。现有大牲畜市场和轻工业。面积256平方千米。除奥斯沃斯特里镇外,该自治市多为农业地区。人口:城镇12 448(1981);区约34 600(1998)。

Oświęcim　奥斯威辛　德语作Auschwitz。波兰南部别尔斯科-比亚瓦省城市。在维斯瓦河和索瓦河汇合处。为一铁路枢纽和工业中心。1940年纳粹在此设立万恶的奥斯威辛-比克瑙集中营(参阅 **Auschwitz**)。1946年建国立奥斯威辛博物馆用以纪念第二次

国立奥斯威辛博物馆
美国不列颠百科全书公司供图

世界大战中死难者。由战俘建立的化工厂战后重建,现为一大工业工厂。12世纪建镇,13世纪建城市区。曾为享有统治权的公爵领地首府,1307年宣誓效忠波希米亚。1457年并入波兰,1772年移交奥地利,1918年归还波兰。第二次世界大战后建立了工业新镇。人口约41 946(2002)。

Oswiu　奥斯威(612～670-02-15)　诺森伯里亚的盎格鲁-撒克逊国王(655～670)。艾特尔弗里思之子。641年其兄奥斯沃尔德国王死后诺森伯里亚再次分裂,他控制伯尼西亚。有13年臣服麦西亚国王彭达。655年彭达入侵伯尼西亚,被奥斯威的军队杀死。奥斯威重新统一诺森伯里亚,成为南英格兰的最高统治者。后来他兼并北麦西亚,而将南麦西亚交给彭达之子皮达。657年麦西亚贵族叛乱,推翻了奥斯威在南英格兰的统治。他是虔诚的基督徒,曾在惠特比会议上帮助调和凯尔特教会和罗马天主教会间的分歧。

Ōta　太田　日本本州群马县城市。濒临利根河。德川时代(1603～1867)为驿站和以大光寺为中心的城镇。1918年建立国内首家民用飞机厂。第二次世界大战中迁入一些军工厂,人口随之增长。现生产汽车、飞机、电机、橡胶、塑料和编织服装。人口约142 949(1992)。

Otago　奥塔戈　新西兰南岛东南部的地方行政区,内有片断的片岩高原奥塔戈山。该区向西延伸,从南太平洋横跨南岛,南阿尔卑斯山的东坡包括在内。该区内还有冰川掘蚀成的瓦卡蒂普湖、瓦纳卡湖和哈威亚湖,有里马克布尔山(2 072米)和其他内陆山脉,以及新西兰水流量最大的克卢萨河,该河在巴尔克卢萨和凯坦加塔等城镇附近注入太平洋。该区东部的欧洲人居民点始建于19世纪30年代末期,1861年的淘金热促其发展。该区西部以风景优美闻名,人口仍稀少。观光业、绵羊饲养和混合耕种是重要的经济活动。苏格兰移民于1848年建立的港口城市达尼丁是该区最大的居民点,亦是工业和教育中心,人口186 067(1991)。

Otakar　鄂图卡　又拼Ottokar,全名Přemysl Otakar。波希米亚国王之名,按年代顺序分列于后,并各以●为标记。

● Otakar I　鄂图卡一世(约1155～1230-12-15)　波希米亚国王(1198～1230)。他从德意志国王获得波希米亚的自治权,又为其普热美斯家族获得波希米亚王位的世袭权。1192年神圣罗马帝国皇帝亨利六世批准授予他波希米亚公爵。次年被废黜,但于1197年重新获得波希米亚的采邑。1198年获得国王称号,并使波希米亚几乎完全脱离士瓦本的腓力皇帝而实行自治。他的统治为波希米亚国家的强盛打下了基础。

● Otakar II　鄂图卡二世(1230～1278-08-26,奥地利迪恩克鲁特)　波希米亚国王(1253～1278)。一度使其王室领地成为神圣罗马帝国的最强大邦国。瓦茨拉夫一世之子。1251年11月当选为奥地利公爵。1253年9月继父位,为波希米亚和摩拉维亚国王。1254年征讨东普鲁士的异教徒。1260年从匈牙利人手中夺取施蒂里亚。1266～1267年征讨立陶宛人。1269年占领卡林西亚、卡尼奥拉和伊斯特拉。他的版图从西里西亚一直扩展到亚得里亚海。他成为神圣罗马帝国内势力最大的公爵。1273年哈布斯堡的鲁道夫当选德意志国王之后,他的命运很快发生了变化。雷根斯堡议会(1274)首先剥夺了他对奥地利、施蒂里亚和卡林西亚的权利。1276年鲁道夫侵入奥地利,迫使他放弃除波希米亚和摩拉维亚以外的所有领土。两年后,他为了收复失地而向维也纳进军,但在迪恩克鲁特一役中阵亡。

Otaru　小樽　日本北海道城市。濒临日本海的石狩湾。19世纪末发展起来。拥有天然良港,现为该岛仅次于函馆的第二大港口和西海岸最大工商业中心。有矿泉疗养地、公园和水族馆(日本最大水族馆之一)。人口163 215(1990)。

Otavalo　奥塔瓦洛　厄瓜多尔中北部城镇。位于安第斯高原。海拔2 573米。最初由奥塔瓦洛印第安人定居,后被印加人占领,16世纪成为西班牙人控制的居民点。1868年地震中城市大部被毁,后重建。现四周土地为印第安人所有。出产咖啡、甘蔗、棉花、谷物、马铃薯、水果和牲畜。每星期举办的印第安人贸易集市吸引游客,经营棉毛织品、皮革制品和本地产珠宝。与首都基多之间通铁路和泛美公路。人口约21 542(1990)。

Otetiani(Seneca Indian)　**奥特金尼**　参阅 **Red Jacket 红外套**。

Otfrid　奥特弗里德(活动时期9世纪)　阿尔萨斯魏森堡的修士,是第一个姓名可考的日耳曼诗人。曾在富尔达隐修院受教育,因所写《福音之书》(约870)成名。这是一首长达7 416行的诗,现存3份完好手稿。这个材料至为宝贵,不仅因为它在语言学上是最广泛使用古高地德语南莱茵法兰克尼亚方言写成的著作,而且在神学上也是了解德国早期基督教思想的入门之作。在德国文学史中,它是一个里程碑,因为它是脱离传统的日耳曼头韵诗、改用尾韵的第一篇诗。该书有选择地诠释了四福音书,中间穿插着简短的评注。在拉丁文献词中,他陈述了为什么重视用不规范的日耳曼语论述基督生平事迹,并说明他这样做是为了反对本地人对乡土英雄诗的偏爱。

other minds　他人心灵　在哲学中,指一个常识性的信仰:除自己而外他人也有心灵,而且能够在一定程度上像自己一样思维和感觉。由于难以提供足够的论据来证明这一信仰是正确的,就引起了哲学问题,不仅英国哲学传统内部,就连存在主义者们也曾讨论,在20世纪,它成为认识论、逻辑学和精神哲学中争论的一个课题。

传统哲学是以类比来证明他人心灵是可信的。19世纪的经验主义者J.S.穆勒的陈述很有说服力,他以第一人称论证说:由于我的身体和外在的行为显然与别人的身体和行为相似,以此类比,我已确信别人与我有相同的感觉,而不只是机械式动作的身体和行为。

自20世纪40年代以来,这一论证再三受到攻击,尽管有几位哲学家继续为它的某些形式辩护。L.维特根施坦的一位美国弟子N.马尔科姆断言这一论证是画蛇添足,或者其结论对于想使用这一论证的人来说是无法理解的,因为要理解“人体具有思想和感觉”这一结论是什么意思,那个“我”就必须知道在正确地或不正确地表达某人具有思想或感觉时要涉及一些什么标准——而知道了这些标准就会使类比的论证成为不必要了。但是,拥护这一论证的人们则认为:既然“我”和别人都以同样的方式表达内在的感觉,而且似乎彼此互相理解,那么,使用共同语言就可

证明类比的论证要比对身体和外在行为诸相似点的观察更胜一筹了。

另一种反对意见是:这一论证似乎假定人们事实上仅仅通过内省即能产生感觉。这种假定受到维特根施坦的弟子们的反对,他们认为这会导致承认有一种描述人们自身感觉的"私人语言"的可能性,而维特根施坦则以各种理由反对此种可能性。那些哲学家认为"我"根本不知道按适应论证的方式的自我感觉是什么,直至"我"从与他人交往的经验中学会以适当的语言描述那种感觉时才会知道。但是,有几位哲学家认为,此种情况会导致一个结论:正如当"我"说"约翰牙痛"时那个"我"可能会错误一样,当"我"说"我牙痛"时,"我"也会是错误的了。很多人不能接受这一论点,而认为真正的第一人称用现在时态陈述感觉时只能是真实的,亦即是"无可非议的"。

讨论这类问题很快就会陷入对自己感觉的陈述进行适当分析的困难境地。J.-P.萨特在《存在和不存在》(1943)一书中有很长一章详细说明存在主义者对于他人心灵问题的观点。

Otho 奥托(32~69-04-16,威尼斯克雷莫纳附近[意大利]) 罗马皇帝(69-01~04在位)。出身于执政官家族。公元58年任卢西塔尼亚总督,治理该省10年。68年参加邻省总督加尔巴发动的反尼禄叛乱。69年1月15日成为皇帝。可是日耳曼军团拥戴维特利乌斯称帝。维特利乌斯兵力雄厚,两军在克雷莫纳以东交锋,奥托一败涂地后自刎。

Oti River 奥蒂河 西非河流。发源于布基纳法索南部平原。蜿蜒向南,沿多哥-贝宁一段边界流过后折向西南穿过多哥北部,形成约100千米长加纳-多哥界河,继而南流经加纳注入沃尔特湖。全长约520千米。流域海拔约150米。沿河主要城镇有芒戈(多哥)和楠比里(加纳)。

Otis, Elisha Graves 奥蒂斯(1811-08-03,美国佛蒙特哈利法克斯~1861-04-08,纽约扬克斯) 美国发明家。最重要的发明是安全升降机。当他在奥尔巴尼一家工厂任技师时,

美国不列颠百科全书公司供图

发明了几种能节约劳力的机器。1852年他在扬克斯设计并安装了第一台装有自动安全设备的升降机,以防吊链或吊绳折断时发生事故。1853年他建立一座小型的升降机工厂,于当年9月20日出售了第一台装货用的升降机,但定货很少。1854年5月,他在纽约市的水晶宫表演了他的升降机,他站在升降机的平台上,高悬在空中,然后命令砍断吊绳。1857年3月23日他在纽约市的一家商店里安装了第一台为乘客服务的安全升降机。1861年1月15日,他获得了蒸汽升降机的专利。奥蒂斯还发明了许多其他机械装置。1852年获铁路手摇车和制动器的专利,1857年获蒸汽犁、1858年获烤箱的专利。

Otis, Harrison Gray 奥蒂斯(1765-10-08,马萨诸塞波士顿[美国]~1848-10-28,波士顿) 美国联邦党的政治领袖。他支持为反对重商主义政策和1812年战争而召开的哈特福德会议。其父S.A.奥蒂斯曾为邦联国会议员,美国参议院秘书。奥蒂斯1783年毕业于哈佛学院,1786年获准执律师业,不久即作为联邦党人驰名于政坛。1796~1797和1802~1805年为马萨诸塞州众议院议员,1797~1801年为美国众议院议员,1805~1813和1814~1817年为马萨诸塞州参议院议员,1817~1822年为美国参议院议员,1829~1832年任波士顿市长。奥蒂斯强烈反对1812年战争。他是主张州权的哈特福德会议的一位领袖,1824年发表一系列公开信为哈特福德会议辩护,在波士顿市长就职演说中亦然。

Otis, Harrison Gray 奥蒂斯(1837-02-10,美国俄亥俄玛丽埃塔附近~1917-07-30,加利福尼亚洛杉矶) 美国报纸发行人,从1886年起主持《洛杉矶时报》直至第一次世界大战后。他是殖民地时期政治活动家J.奥蒂斯的后代,童年很少受正规教育,当过印刷厂学徒,一度入俄亥俄州哥伦布市一所商业学院学习。移居肯塔基州后加入新成立的共和党。南北战争时在东部战场服役,升至中校。战后在俄亥俄州和华盛顿(哥伦比亚特区)从事各种职业。1876年移居加利福尼亚州圣巴巴拉,曾主编《圣巴巴拉新闻》数年。后移居洛杉矶,1882年购得《洛杉矶时报》部分股权,1886年购得全部控制权,以铁腕方式主编该报达30年,成为南加州最有实力的人物之一。他使该报代表极端保守的共和党政策,并强烈反对工会。1898年他极力鼓吹向西班牙开战,并以少将身份短期参战。1914年奥蒂斯按照法律程序把他的《洛杉矶时报》控股转给女儿和女婿H.钱德勒,但继续掌管该报日常工作直至去世。其子孙控制《洛杉矶时报》和时报镜报公司,直到2000年6月被论坛公司收购。

Otis, James 奥蒂斯(1725-02-05,马萨诸塞西巴恩斯特布尔[美国]~1783-05-23,马萨诸塞安多弗) 美国独立战争前准备阶段的政治活动家。他系统地阐述了18世纪60年代殖民地居民在英国政府统治下所受的苦难。小奥蒂斯是马萨诸塞政界知名人士老詹姆斯·奥蒂斯之子,1743年毕业于哈佛学院,1748年获准当律师。1750年从普利茅斯迁至波士顿,继续当律师。他的声望主要因反对英国强加的《援助令状》(旨在北美更严格地实施贸易法和航运法的普遍搜查证)这一著名事业而奠定。这种搜查证授权海关官员为搜查走私货物可以搜查任何住宅,而无须在搜查证上将住宅和货物明确列出。奥蒂斯在波士顿上级法院辩护时,提出了强调公民权利的自然法论点,并辩护说,这样的令状,即使由英国议会授权也是无效的。在追溯至英国宪法时,奥蒂斯向殖民地居民提供了一个根本论点,这一论点在此后的数十年里都为时事评论家所援引。据报道,他在这个时候,还提出了常被引用的"征税而民不予以闻者谓之暴政"的名言。

美国国会图书馆供图

奥蒂斯于1761年5月当选为马萨诸塞议会议员,此后在他身体健康的年月里,他差不多每年连选连任。1766年他被推选为议院议长,但这一选择被英王任命的总督所否定。1762年9月,奥蒂斯发表了《为马萨诸塞湾外省众议院行为之辩护书》,为众议院指责总督要求他们支付舰只费用进行辩护,这些舰只的派遣虽然是为了反对法国私掠船以保护新英格兰渔场,但并不是他们批准的。他起草了各项文件,向各殖民地提出为了共同的事业而实行征兵;他并将这类文件呈交英国政府,以维护殖民地居民的权利,陈述他们的苦情。他在推动和指导自由事业方面在英国所起的影响也是普遍感知和公认的,在1769年以前,很少有美国人像他这样在英国议会和报刊上经常地被援引,加以谴责或表扬。他是参加1765年在纽约市举行的反印花税法大会的代表,成为会上引人注目的人物,并参加致英国议会下院书起草委员会的工作。

他常常神经错乱,1769年同一位王室官员发生争吵时头部被击,以致精神失常,仅偶尔神志清醒,这种状况一直持续到他去世。1783年遭雷击身亡。

otitid fly 斑蝇 又作picture-winged fly。又称彩翅蝇。双翅目斑蝇科昆虫。翅有黑、褐或黄色的带纹或斑点。形小,常栖于潮湿处。其幼虫的情况尚不详。有的寄生,有的以植物为食,可能危害栽培植物。

otitis externa 外耳炎 外耳道(有时亦包括外耳)的皮炎。临床表现为局部疼痛,皮肤干燥,有鳞屑,瘙痒;分泌物有臭味,呈水样或脓性,发热,阵发性耳聋。诱因包括多汗、外伤、过敏、潜泳、跳水及环境暖湿。直接病因为细菌感染,可复发。

otitis media 中耳炎 中耳的急性或慢性炎症。病因为变态反应或病毒、细菌感染。变态反应性中耳炎若未并发细菌感染,致敏物质消失后症状常即消退。感冒蔓延至耳可

并发病毒性脑膜炎，感冒消退后亦即好转。急性细菌性中耳炎的症状为耳痛、发热及耳道流脓。治疗包括应用抗生素。慢性中耳炎为良性，局部用药有效；若侵蚀骨质，则需手术治疗。参阅 **mastoiditis**。

Otjiwarongo　奥奇瓦龙戈　纳米比亚中北部城镇。海拔1 460米。地处平坦的半干旱地区。饲养牛羊。原为伯格达马人（达马拉族）和桑人（布须曼族）居住地。19 世纪初赫雷罗族牧民取代了桑人。1891 年在此建德国信义会传教点。1904 ～ 1907 年间在德军驻地周围逐渐建立白人定居点。1933 年迁徙的布尔人自安哥拉回来，在附近定居。1939 年成为城市。现为当地的集市和铁路中心。有一乳酪制造厂。种植玉米和谷物。人口约 11 000（1988）。

Otlet, Paul（-Marie-Ghislain）　奥特兰特（1868-08-23，布鲁塞尔～ 1944-12-10，布鲁塞尔）　比利时律师，目录学家。同亨利-玛丽·拉丰泰因一起设计图书馆藏书分类的通用十进分类法（UDC）。曾就读于卢万大学和布鲁塞尔自由大学，1890 年获法学学位。因对律师业厌烦，爱好书籍并有志于图书馆业，遂就职于新建的社会和政治研究会，并结识另一律师——目录学家拉丰泰因。两人一起参与召开第一次国际目录学会议，成立国际目录学学会（后更名为国际文献联合会）。两人认为亟需创立一种国际文献索引，因此在杜威十进分类法的启示下创制了 UDC。1899 年首先以法文出版。第二版《通用十进分类法》于 1927 ～ 1933 年问世，1931 年开始译成英文。英文节本于 1948 年出版。欧洲大陆现广泛采用这种分类法。奥特兰特所著《文献学专论》于 1934 年出版。

Oto　奥托人　北美印第安民族。他们与密苏里人及艾奥瓦人都使用苏语族奇维雷语支语言。过去奥托人与艾奥瓦人、密苏里人共同自温内巴戈人分离出来后迁往西南。1673 年，曾与 J. 马奎特探险队相遇，当时住在现今艾奥瓦州得梅因河上游一带。1804 年前住在普拉塔河口附近地区。1830 年，将其密苏里及艾奥瓦的全部土地让给美国政府，最后又把堪萨斯及内布拉斯加的剩余土地也全部卖掉，1882 年迁往印第安准州（即今俄克拉何马州）。20 世纪后期，据报告俄克拉何马仅剩数百人，多已成为混血儿。

Oto-Manguean languages　奥托-曼格诸语言　美洲印第安语的一个语群。由以下语系和语族组成：奥托-帕梅语系、波波洛卡语系、米斯特克语系、萨波特克语系、奇南特克语系以及曼格语系。特拉帕内克语族和瓦维语族有时也被包括在奥托-曼格语群内。这些语系（族）的活语言仍通行于墨西哥。但是曼格语的所有变体，过去曾通用于从萨尔瓦多到哥斯达黎加的中美洲西海岸，现在都已消亡。奥托-曼格诸语言中最重要语言是奥托-帕梅语系的奥托米语，通用于墨西哥的伊达尔戈州、墨西哥州、韦拉克鲁斯州、克雷塔罗州及其邻接各州。米斯特克语系的米斯特克诸方言通行于格雷罗州、普埃布拉州及瓦哈卡州。萨波特克语系的萨波特克诸方言（或诸语言）通行于瓦哈卡州。奥托-帕梅语系的马萨瓦语通用于米却肯州和墨西哥州。许多奥托-曼格语的特点是，使用复杂的声调系统来区别话语的意思。

otolaryngology　耳喉科学　又作 otorhino-laryngology。又称耳鼻喉科学。有关耳、鼻、喉疾病诊治的医学专科。传统上，耳的治疗常与眼的治疗相结合。随 19 世纪后期喉科学的发展，耳、喉间的关系渐明，耳科才与喉科相联系。19 世纪前半期，J.-M.-G. 伊塔尔和 P. 梅尼埃尔对耳生理与疾病作了系统性研究，但耳病研究方面尚未建立明确的科学基础，与喉科亦无联系。迨至都柏林的 W. R. 怀尔德发表《耳手术的实地观察及耳病的性质与治疗》（1853），此一基础始行确立。耳镜（一种借以用视觉检查鼓膜的仪器）的发明更为耳科带来许多进步。当时喉及喉病研究则借助西班牙歌唱教师 M. 加西亚于 1855 年发明的喉镜，该仪器为研究喉病理的 L. 蒂尔克和 J. 切尔马克所采用。切尔马克还将喉镜的镜部上旋，考察鼻咽腔生理，从而使喉科与鼻科紧密联系起来。切尔马克的助手之一 F. 沃尔托利尼改善了喉镜的照明装置，并将该装置用于耳镜。1921 年 C. 尼伦率先利用高倍双目显微镜行耳科手术，手术用显微镜遂成为耳部精细构造的矫正手术开创新途径。而 30 年代所发展的电听力计（一种测量听力敏锐度的仪器）则为 20 世纪另一重要成就。

Otomí　奥托米人　居住在墨西哥中央高原的中美印第安人。操至少 4 种相近的语言，都称为奥托米语。相当多的现代奥托米人不再说奥托米语，但依然自认为是奥托米人。所有奥托米人在文化上有其相似之处。他们以务农和饲养家畜为生，主要种植玉米、豆类和南瓜，也种植多种用途的龙舌兰（墨西哥世纪树）。他们刀耕火种，用一种称作“科阿”的掘土尖棍和锄两用农具耕作。饲养绵羊、山羊、鸡、火鸡和猪。手工业有纺织、编织、制陶、编筐和制绳。认教父教母的制度很普遍。信仰天主教，但也有把某些天主教人物同非天主教神灵相混杂的情况。

O'Toole, Peter　奥图尔（1932-08-02，爱尔兰戈尔韦郡康尼马拉～　　）　英国著名舞台剧演员。因在电影《阿拉伯的劳伦斯》（1962）中成功地塑造了劳伦斯而获得世界声誉。在英国利兹长大，曾入伦敦皇家戏剧艺术学院学习。十多岁时，就已是约克郡《晚邮报》的记者，并在利兹民间剧团首次登台业余演出。在英国皇家海军服役两年之后，1955 ～ 1958 年参加布里斯托尔的老维克剧团。1956 年首次在伦敦演出，在《巴巴拉少校》中饰彼得·谢利。1960 年加入埃文河畔斯特拉特福的莎士比亚纪念剧院剧团，饰夏洛克的表演受到赞扬。1963 年在国家剧院演出《哈姆雷特》。后演出的剧目有《朱诺与孔雀》、《人与超人》、《等待戈多》、《万尼亚舅舅》和《苹果车》等。1980 年任老维克剧团助理导演。他的第一部电影是《历劫孤星》（1960）。两年后因《阿拉伯的劳伦斯》的表演而赢得国际好评。后来演过的电影有《吉姆爷》（1964）、《冬天的狮子》（1968）、《统治阶级》（1972）、《特技替身》（1980）及《金色年代》（1982）等。从 80 年代早期开始，出演了获奥斯卡奖的《末代皇帝》（1987），风靡一时的《名望之翼》（1989），电视连续短剧《黑天使》（1991），以及《精灵传奇》（1997）。在影片中精湛的表演巩固了其明星地位。1992 年，出版回忆录《蹉跎岁月：童年》；该书的续篇《蹉跎岁月：学徒》于 1996 年出版。在电视系列短剧《圣女贞德》（1999）中，因扮演高臣主教而获艾美奖。

otosclerosis　耳硬化　以中耳卵圆窗处更生新骨为特征的耳疾。于卵圆窗处，镫骨的底板与内耳淋巴液相触，并如活塞般将声音能量由鼓膜传入内耳液。耳硬化即因镫骨周围逐渐增生新海绵状骨组织，致镫骨与周围骨壁密接，无法移动而导致耳聋。本病为遗传病，为年轻成人进行性听力损害最普通的类型，通常一耳较另一耳先受害（最后两耳皆伤）。女性发生率高于男性。外科手术为最有效的疗法，目前多行镫骨切除术，即将病变镫骨除去，以塑料或金属丝代用品替换。

Otranto　奥特朗托　意大利东南部普利亚区莱切省城镇和大主教区。位于奥特朗托海峡萨伦蒂纳半岛（意大利的“靴后根”）东岸。与阿尔巴尼亚隔海相望。是意大利最东面的城镇，与希腊来往的古港。原为古希腊居民点，后归罗马统治，为其第二大港。在 11 世纪前奥特朗托一直保持其希腊语言与文化。1068 年被诺曼人占领，1480 年又被土耳其舰队破坏，此后再也没有恢复其昔日的重要性。20 世纪下半叶与希腊恢复海上往来。夏季有水翼船通科孚岛。人口：城市区约 4 986（1984）。

Ōtsu　大津　日本本州南部滋贺县首府。位于琵琶湖岸。原为 16 世纪丰臣秀吉所建城堡，地当古代交通要冲，长久以来为京都的门户和交通中心。市内石山寺因与 11 世纪日本文学名著《源氏物语》的作者紫式部有关而闻名。生产电器和纺织品。人口约 231 027（1984）。

ottava rima　八行诗　意大利一种诗节形式，每节 8 行，每行 11 音节，韵式是 *abababcc*。起源于 13 世纪末和 14 世纪初，由托斯卡纳诗人所创造，用于宗教诗、戏剧和行吟诗人吟唱的歌。16 世纪在西班牙和葡萄牙也有这样的诗体。1600 年引入英国（每行缩短为 10 音节），当时费尔法克斯在翻译塔索的作品时，曾采用这一诗体。薄伽丘在他的浪漫史诗《菲洛斯特拉托》（约 1338）和《苔塞伊达》（1340 ～ 1341）里，把它定为意大利史诗和叙事诗的标准诗体。在阿里奥斯托的《疯狂的罗兰》（约 1507 ～ 1532）和塔索的《耶路撒冷的解放》（1581）中，这种诗体有了灵活多变的新特点。在 17 和 18 世纪的英文诗歌里，八行诗体很多用于写作英雄诗，但拜伦的作品，如《唐璜》（1819～1824），把这种诗体作了最有效的发挥。雪莱在《阿特拉斯的女巫》(1824)中则把这一诗体用于严肃的主题。

Ottaviano 奥塔维亚诺 参阅 John XII 约翰十二世。

Ottaviano DE MONTICELLO (antipope) **奥塔维亚诺** 参阅 Victor(IV) 维克托(四世)。

Ottawa 渥太华人 操阿尔冈昆语的印第安人,其住区包括今渥太华河流域一部分、弗伦奇河、乔治湾、密歇根州北部以及附近各地区。根据传说,渥太华人、奥吉布瓦人(**Ojibwa**)和波塔瓦托米人(**Potawatomi**)原为一个部落,曾自西北迁往东南,在今密歇根州麦基诺城分开。已知最早的渥太华人住区是马尼图林岛。渥太华人以经商闻名,他们的地理位置恰好使之成为部落间贸易中介人的角色;独木舟商旅西至威斯康星的格林贝,东至魁北克;交易商品包括玉米粉、皮毛、葵花籽油、草席、烟草及草药。渥太华人营半定居生活,夏季聚居农村,冬季分为若干家庭群体,进行围猎。妇女担任农作、收获,男子负责渔猎。渥太华人的村落有时设置防护栅栏。17世纪末,这个部落拥有四五个分支,分支再划为地方性家族。据信,在各地方家族之中还存在着几个氏族。

Ottawa 渥太华 加拿大首都,卡尔顿县县城。其都会区位于安大略省和魁北克省交界处,渥太华、加蒂诺和里多三条河流汇流于此。1613年,法国探险家S.de 尚普兰首先来到渥太华地区。在以后的两个世纪中,上述三条河流成为探险家和毛皮商人前往内地的通道。拿破仑战争中,英国为造船,木材用量增加,渥太华流域提供此种资源。1800年,美国人P.赖特开始在渥太华河北岸伐木,以

渥太华市议会大厦的和平钟楼
美国不列颠百科全书公司供图

后发展为赫尔城。1812年英美战争期间,里多河成为渥太华和金斯顿之间的水上安全通道,促进了渥太华居民点的扩大。1826年,英国皇家工程兵中校约翰·拜到此修建运河,加速了该地的发展,当时的工程指挥部所在地被称为拜镇。因魁北克市与多伦多以及蒙特利尔与金斯顿的主管官员政见不合,觐见维多利亚女王要求指定一加拿大联合省首府,于是1855年将拜镇设为市,并以印第安部落的名称重新命名为渥太华。维多利亚女王选定渥太华作为加拿大的首府,该城从而成为加拿大东部发展最快的城市。1937年W.L.麦肯齐·金首相从法国请来建筑家J.格雷贝尔扩建首都地区。毛皮贸易已渐衰落,工业只使用一小部分劳力。联邦政府是最大雇主。全国各地的商业、金融机构及各国使馆均在该市。有两条铁路干线和几条国际国内航空线,市内有公共汽车。渥太华河和里多河除游艇外已不通航。市内三所大学是文化中心,除卡尔顿大学是单一的英语大学外,其余两所(渥太华大学和圣保罗大学)都是通行两种语言的大学。规模甚大的阿尔冈昆社区学院提供技术培训。市内有国家艺术中心,包括一歌剧院,两座剧院。有国家图书馆、公共档案馆和国家科技博物馆,还有加拿大国家美术馆。人口:市774 072;渥太华-赫尔都会区1 063 664(2001)。

Ottawa 渥太华 美国伊利诺伊州中北部城市,拉萨尔县县城(1831)。在福克斯河和伊利诺伊河汇流处。1830年始建,1837年设镇,1853年设市。地处富饶农业区,为粮食生产和销售中心。通伊利诺伊-密歇根运河(1848)和罗克艾兰铁路(1853)后得以迅速发展。1933年通伊利诺伊水道后又与芝加哥之间开辟水运。工业以硅砂、黏土、煤和碎石开采业为基础,主要生产玻璃和塑料。人口18 307(2000)。

Ottawa 渥太华 美国堪萨斯州东部城市,富兰克林县县城(1864)。位于梅里德辛河畔。始建于1864年,1866年设建制。1872年建铁路工厂后繁荣。现为谷物、家禽和家畜产区的贸易中心;制造业产品有纺织品、塑料和金属制品。人口11 921(2000)。

Ottawa Agreements 渥太华协定 1932年联合王国与英联邦国家之间以帝国特惠制(**imperial preference**)为基础谈判达成的贸易政策。

Ottawa River 渥太华河 加拿大中东部河流,圣劳伦斯河的主要支流。源出魁北克省西部的劳伦琴高地。水流湍急,西入蒂米斯卡明湖,然后转向东南,在蒙特利尔西面汇入圣劳伦斯河。是魁北克和安大略两省的界河。全长1 271千米,渥太华河和其主要支流流域面积14.2万多平方千米。流程多湖泊,主要有大维多利亚湖、锡马尔湖、蒂米斯卡明湖、阿吕梅特湖、查茨湖和德谢讷湖。渥太华河的主要支流有鲁日河、列夫尔河、加蒂诺河等。自从1613年由S.de 尚普兰勘察后,渥太华河即成为探险家、毛皮商和传教士前往五大湖北部地区的主要通道。19世纪开通渥太华河和安大略湖之间的里多运河,沿河两岸伐木业兴起。河上的几个水电站和乔克河上的核电站供应魁北克省和安大略省的大部分电力。沿河城市有彭布罗克、渥太华和赫尔。

Ottendorfer, Anna Sartorius Uhl 奥滕多弗 (1815-02-13,巴伐利亚维尔茨堡[今属德国])~1884-04-01,美国纽约州纽约) 婚前名Anna Sartorius或Anna Behr。美国出版商和慈善家,曾协助创办一份主要的德裔美国人报纸,并慷慨捐助德裔美国人机构。她所受教育极少。1836年前后移民美国,定居纽约市。1844年与丈夫印刷商J.乌尔买下一印刷所,并附有印行《纽约人国民新闻周刊》的合同。次年买下该报,二人共同编辑经营,甚至分担编辑室与印刷工作,将该报成功发行至德国人众多的其他城市。不久该报改为每周三刊,1849年成为日刊。1852年丈夫死后,即由她全盘负责。1859年与摩拉维亚移民O.奥滕多弗结婚,他于1851年加入《周刊》,1858年成为编辑。此后她即任该报总经理。晚年致力于慈善事业。1875年捐款10万美元在长岛阿斯托里亚为德裔老年妇女建立伊萨贝拉养老院。1881年创建乌尔纪念基金(纪念其已故之子),用以支持美国学校的德语学习(主要通过威斯康星州密尔沃基德裔美国人师范学院)。她为纽约德国人医院捐赠了妇女病房(1882)、德国人药房和阅览室(1884)。另外对其他一些德裔美国人机构也均有遗赠。

otter 水獭 鼬科4个属中半水栖兽类各种的统称。体型似鼬:躯体柔软细长,颈长,耳小,腿短。头扁平、尾基部粗如躯体。毛皮珍贵耐用,在兽皮中名列前茅;北方种毛皮颜

河水獭(*Lutra canadensis*)
美国不列颠百科全书公司供图

色更深,价值最高。脚上有蹼,善游泳,能潜水0.4千米而不浮出换气。喜走水路,腿虽短,但跑得比人快。捕食小型水生动物,有时成群捕鱼,也捕食小兽。妊娠期61~63天,一窝1~3仔。与其他野生动物不同,成年的水獭也好嬉戏,最爱好的运动是顺着陡峭的泥岸或雪坡滑下来,冲进水里或雪堆。聪明,友善,好奇。捕获的幼水獭很易驯养。著名的水獭种有:非洲中部和西部的非洲小爪水獭(非利普氏无爪水獭,*Aonyx philippsi*)亦称利比里亚水獭,主要栖息在雨林和山间溪流。有些作者分为以下3种:菲利普氏无爪水獭(*Paraonyx philippsi*)、刚果小爪水獭(*P. congica*)和小牙小爪水獭(*P. microdon*)。全长约95厘米(包括35厘米长的尾),重约7千克;毛皮深棕色有光泽,喉部和面部有浅色斑纹,部分长蹼的前脚和完全长蹼的后脚有钝而短的爪。中美洲和南美洲的中美水獭

(*Lutra annectens*)又称南河水獭;浅黄至浅红褐色,腹部浅灰褐色。无爪水獭(*Aonyx capensis*)分布于非洲中部及南部,栖息在水流缓慢的水域附近,又称非洲无爪水獭、好望角无爪水獭或非洲巨水獭;体长 95 ~ 100 厘米,尾长 55 厘米,体重 14 ~ 27 千克;毛褐色,颊和喉部有淡色斑块;无爪,只在第 3 和第 4 后趾上有退化的爪。欧亚大陆和北非河流中的欧亚水獭(*Lutra lutra*)也叫旧大陆水獭或普通水獭;体长56 ~83 厘米,尾长 36 ~ 55 厘米,肩高约 30 厘米,体重 6 ~ 15 千克;毛褐色,腹面色浅,颊和喉白色。大水獭(*Pteronura brasiliensis*)亦称巴西巨水獭、南美水獭、扁尾水獭,罕见,只栖息于南美洲水流缓慢的河流和溪流中,由于捕猎而濒于绝灭。尾扁有嵴,脚上有全蹼;毛褐色,胸有一白色大斑,可能是最大的水獭,体长达 1 ~ 1.5 米,尾长 0.7 米。亚洲南部的毛鼻水獭(苏门答腊水獭,*Lutra sumatrana*),因覆细毛的鼻垫而得名;全长约 103 厘米(包括 50 厘米的尾);毛浅红褐色,喉、颏和颊灰白色。东方小爪水獭(*Aonyx* [或 *Amblonyx*] *cinerea*)又称亚洲无爪水獭或印度小爪水獭;分布于东南亚,可驯养用以捕鱼;体重2.7 ~5.4 千克,体长 56 ~61 厘米,尾长 31 厘米;毛深褐色,腹面毛色较浅,颈部苍白色,脸部有斑纹。北美湖泊和溪流中的河水獭(加拿大水獭,*Lutra canadensis*),亦称陆水獭、普通水獭、北美水獭或弗吉尼亚水獭;体长65 ~75 厘米,尾长 30 ~50 厘米,体重 5 ~ 12 千克;毛光滑,深褐色,腹部毛色较淡,衬以灰白色的喉部和吻部斑纹。海獭(大海獭,*Enhydra lutris*)罕见,完全海栖,分布于北太平洋,通常栖于海底有大型褐藻的海区;会仰卧在水面,胸前放一块石头,把软体动物往石上猛击使之碎裂;后腿大,阔而呈鳍足状,前腿小;毛皮厚,有光泽,浅红至深褐色,常有灰斑,是最昂贵的水獭皮;体长76 ~120 厘米,尾长25 ~37 厘米,体重16 ~41 千克;1910 年以前由于滥捕而几乎绝灭,现在受到完全保护,数量渐增。东南亚的印度水獭(*Lutra* [或 *Lutrogale*] *perspicillata*)又称光毛水獭、光毛印度水獭,毛柔滑,浅红至浅黑褐色,腹部常色浅,有灰白色的脸斑和喉斑,体长 66 ~ 74 厘米,尾扁平,长 43 ~ 46 厘米。

otter shrew　獭鼩　马达加斯加猬科獭鼩亚科(Potamogalinae)3 种赤道非洲西部兽类的统称。或单独列为食虫目獭鼩科(Potamogalidae)。肉食性,在溪流和河口湾中营半水栖

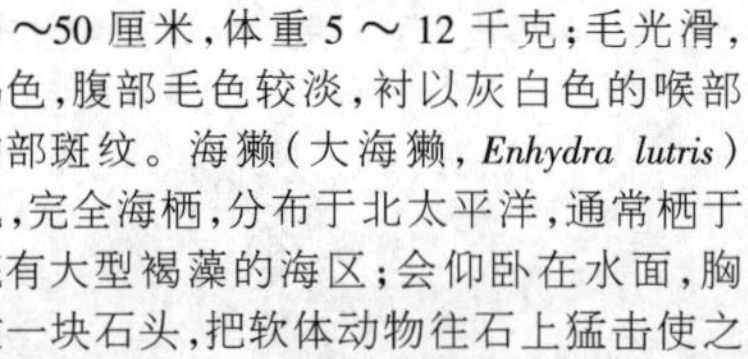

巨獭鼩(*Potamogale velox*)
美国不列颠百科全书公司供图

生活。体长,尾侧扁,用作水下推进器。毛浓密,褐白相间。最大的种为巨獭鼩(*Potamogale velox*),常称为巨水鼩鼱,长可达 64 厘米(包括 29 厘米的尾);后腿内侧有皮垂。小獭鼩属(*Micropotamogale*,包括中獭鼩属[*Mesopotamogale*])的两个种较小。

otterhound　猎水獭狗　从14世纪开始有记载的一个用以猎水獭的狗品种。原产地英格兰。似被毛粗糙的寻血猎狗。头大,耳悬垂,被毛厚而蓬松,能防水。足有蹼,极善游泳。体高 61 ~ 69 厘米,体重 36 ~ 52 千克。蓝灰色或黄棕色带黑和棕褐色条纹。

Ottilien (Papua New Guinea)　**奥蒂林河**　参阅 **Ramu River** 拉穆河。

Öttingen-Schrattenhofen faience　厄廷根-施拉滕豪芬彩陶　18世纪和19世纪制于巴伐利亚地区的德国锡釉陶器。陶器厂最初于 1735 年建在厄廷根,后迁至施拉滕豪芬。这类陶器具有许多巴伐利亚产品的特色(例如圆柱形的有盖大啤酒杯),其装饰也同样是巴伐利亚产品的洛可可式风格。该厂还生产一些装饰素雅的制品。后期也像许多德国彩陶中心那样,在英国韦奇伍德陶瓷的影响下生产奶油色陶器。

Otto　奥托　希腊语作Otho。统治者之名,按国别分列于后,并各以● 为标记。

巴伐利亚

● **Otto Ⅱ　奥托二世**(? ~ 1083-01-11)　巴伐利亚公爵、萨克森的大贵族,德意志国王亨利四世的死敌。1061 年获得巴伐利亚公国,翌年协助科隆大主教安诺劫持亨利四世,并利用亨利年幼而攫取王室领地。1070 年奥托被指控参与杀害国王的阴谋,因而失去巴伐利亚和萨克森的领地。1071 年被逮捕入狱。1072 年恢复他在萨克森的领地。1073 年反对亨利四世的萨克森叛乱爆发后不久,他成为领导。根据《盖斯通根和约》(1074),奥托收复他的巴伐利亚领地。1075 年 6 月战争再起,奥托被俘。亨利不但宽赦了奥托,而且委以萨克森的重任。1076 年教皇格列高利七世开除亨利教籍,并废黜亨利的王位,奥托重新加入萨克森造反派。1077 年他赞同推选莱茵费尔登的鲁道夫为德意志国王,反对亨利。他善于打仗,1078 年和 1080 年 1 月重创亨利的军队,10 月间又获得埃尔斯特河战役的胜利。

● **Otto　奥托**(1848-04-27,慕尼黑～ 1916-10-11,慕尼黑附近菲尔斯滕莱特宫)　患精神病的巴伐利亚国王。马克西米连二世之幼子。1872 年患精神病,1880 年以后不得不被置于严密监护之下。1886 年成为国王。其摄政的堂弟于 1913 年自立为国王。

德意志/神圣罗马帝国

● **Otto Ⅰ　奥托一世**(912-11-23 ～ 973-05-07,图林根梅姆勒本)　又称奥托大帝。萨克森公爵(称奥托二世,936 ～ 961),德意志国王(936 起),神圣罗马帝国皇帝(962 ～ 973),他镇压反叛的封臣并对匈牙利人取得决定性胜利,从而巩固了德意志帝国。他利用教会的稳定影响,建立了安定的国家,促使文化复兴。萨克森王朝的国王亨利一世之子。早年参加父王的一些战役。936 年 8 月 7 日在亚琛由德意志公爵们推选为国王。他即位后坚决维护自己对公爵们的宗主权,与法兰克尼亚的埃贝哈德和巴伐利亚的埃贝哈德以及他的异母兄弟坦克马尔领导的萨克森贵族交战。结果坦克马尔被杀,法兰克尼亚的埃贝

约 970 年的象牙雕牌,上有奥托一世向基督光环圣像奉献马格德堡大教堂模型
美国不列颠百科全书公司供图

哈德投降,巴伐利亚的埃贝哈德被放逐。939 年他的弟弟亨利叛乱,并得到法王路易四世的支持。奥托一世又获胜利,亨利降服。947 年亨利获得巴伐利亚公爵领地。奥托把德国其他的公爵领地也封给自己的亲属。950 年波希米亚公爵波列斯拉夫一世向他称臣纳贡。奥托抵制法国对洛林的要求,甚至把自己的影响扩展到勃艮第。951 年他进军意大利,取得伦巴第国王的称号。954 年马扎尔人侵入德国,次年 8 月奥托在奥格斯堡附近展开的莱希费尔德战役中将马扎尔人彻底击败,随后发动一系列战役,到960年已经征服易北河中游和奥得河中游之间的斯拉夫人。甚至波兰的梅什科也向奥托纳贡。961 年 5 月奥托让 6 岁的儿子加冕为德意志国王,称奥托二世。然后,他应教皇约翰十二世之请再次去意大利。962 年 2 月 2 日奥托到达罗马,加冕为神圣罗马帝国皇帝。11 天后缔结"奥托特权"协定,以调整皇帝与教皇之间的关系,确定并扩大了教皇的世俗权力。963 年 12 月奥托废黜约翰十二世,立利奥八世为教皇。964 年镇压了罗马人的叛乱。965 年利奥去世,奥托选约翰十三世为教皇,但是约翰被罗马人赶走。因此,奥托第 3 次进军意大利,在 966 ～ 972 年期间,他征服罗马,甚至攻入拜占廷。他返回德国后,于 973 年 3 月 23 日在奎德林堡召开宫廷大会。

● **Otto Ⅱ　奥托二世**(955 ～ 983-12-07,罗马)　德意志国王(961 年起),神圣罗马帝国皇帝(967 年起),973 年起单独执政。奥托一世之子。他继续执行其父促使德意志君主国强大并在意大利扩大其王朝影响的政策。961 年加冕,与其父同为意大利和德意志国王,967 年又同为皇帝。972 年与拜占廷公主特奥法诺结婚。973 年其父去世,他被接受为继任者。978 年平息巴伐利亚公爵亨利二世的叛乱,979 年波希米亚和波兰臣服奥托,980 年法兰西国王洛塔尔放弃对洛林的要求,奥托980年进军意大利,但982年在南意大利

奥托二世加冕图，约975年赖谢瑙画匠绘制
美国不列颠百科全书公司供图

被阿拉伯人打败。983年召开维罗纳议会，幼子奥托三世加冕为德意志国王。

● **Otto Ⅲ　奥托三世**(980-07～1002-01-23，意大利维泰博附近)　德意志国王、神圣罗马帝国皇帝。他策划在一个由罗马统治的普遍基督教的国家重建古罗马帝国的权力与荣耀，教皇在宗教及世俗事务中都从属皇帝。神圣罗马帝国皇帝奥托二世之子。983年当选德意志国王，同年12月在亚琛加冕，因年幼由母后摄政。991年母后去世，又由祖母阿德拉伊德摄政，直至994年他成年为止。

美国不列颠百科全书公司供图

996年他应教皇约翰十五世之请去罗马平定罗马贵族克雷申修斯二世领导的叛乱。但他到罗马时约翰十五世已死，于是他就拥立其堂兄卡林西亚的布鲁诺为教皇，称格列高利五世。这是第一个德意志籍教皇。996年5月，新教皇为奥托举行皇帝加冕礼。俟奥托回德意志后，克雷申修斯将格列高利五世放逐，另立约翰十六世为教皇。于是，奥托再度率兵进入意大利，998年2月占领罗马，重新立格列高利为教皇。接着，奥托以罗马为官邸和帝国的行政中心，施行拜占廷宫廷的礼仪，恢复罗马古老的习俗，并以基督教世界的领袖自居。999年格列高利去世，奥托又立法国人热尔贝为教皇，称西尔维斯特二世。1001年1～2月奥托先后平定意大利蒂布尔城和罗马人的叛乱。

● **Otto Ⅳ　奥托四世**(约1175或1182～1218-05-19，下萨克森哈茨堡城堡)　别名不伦瑞克的奥托。德意志国王、神圣罗马帝国皇帝。德意志反霍亨斯陶芬王室一派的当然代表人物，与该王室两国王闹对立后遭废黜。韦尔夫王朝成员，不伦瑞克的狮子亨利之子。由舅父英王理查一世抚养成人。1190年封约克伯爵，1196年封普瓦图伯爵和阿基坦公爵。1197年9月霍亨斯陶芬王室的皇帝亨利六世去世，德意志各邦诸侯选定士瓦本的菲利普为德意志国王，而反对派则于1198年6月选奥托即王位，因此引起战端。1208年菲利普被一德意志伯爵谋杀。1208年11月奥托在法兰克福当选为国王。为了加强自己的地位，他与菲利普10岁的女儿贝亚特丽克斯订婚。1209年10月奥托在罗马加冕为皇帝。不久，奥托四世占领托斯卡纳，入侵霍亨斯陶

美国不列颠百科全书公司供图

芬王室腓特烈的西西里王国，并且不顾教皇英诺森开除他的教籍，于1210年11月征服意大利南部。各邦诸侯召开纽伦堡会议，宣布废黜奥托，另立腓特烈。1212年3月奥托返回德意志，为了至少保有霍亨斯陶芬派的部分支持，他与贝亚特丽克斯结婚，但不到3个星期，新娘即死，由此失去支持。奥托与英格兰国王约翰结盟，进犯支持腓特烈的法国，1214年7月在布汶遭到惨败。1215年被正式废黜。

希　腊

● **Otto　奥托**(1815-06-01，奥地利萨尔茨堡～1867-07-26，巴伐利亚班贝格)　近代希腊第一个国王(1832～1862)，他专制地治理国家，直到1843年才被迫成为一个立宪君

美国不列颠百科全书公司供图

主。他曾试图以损害土耳其为代价扩充希腊的领土，但是他失败了并被推翻。奥托是巴伐利亚国王路易一世的次子，1832年5月在伦敦会议上被列强选任为希腊国王。1832年8月希腊国民议会批准了他的当选，1833年2月6日在一些巴伐利亚顾问的陪同下到达希腊。他制订新的法典，组织了一支正规军，但巴伐利亚人的专制统治和重税引起了人们的不满，1837年奥托的首相冯·阿尔曼施佩格辞职，不满情绪才得以平息。1841年企图兼并克里特失败，1843年希腊人又发动了一次叛乱。罗马天主教徒奥托，在信奉东正教的国家里不得不作出宪法规定，即由东正教徒继承他的王位。一个希腊的寡头集团将取代先前巴伐利亚的寡头集团。他标榜伟大的理想，即重建以君士坦丁堡为首都的拜占廷帝国。于是他参加克里米亚战争(1853～1856)反对土耳其，结果反促使英法占领比雷埃夫斯，而他却未取得任何领土。在意大利的独立战争(1859)中，奥托支持奥地利，这更加有损于他的声望。他在1862年10月23日的一次叛乱中被废黜后返回巴伐利亚。

萨　克　森

● **Otto Ⅱ　奥托二世**　参阅 **Otto Ⅰ**(Germany/Holy Roman Empire)奥托一世(德意志／神圣罗马帝国)。

Otto of Brunswick　奥托(不伦瑞克的)　参阅 **Otto** (Germany / Holy Roman Empire)奥托(德意志／神圣罗马帝国)项下的 **Otto Ⅳ 奥托四世**。

Otto of Freising　奥托(约1111～1158-09-22，香槟莫里蒙)　德意志主教，中世纪一部最重要的历史与哲学著作的作者。1138年任东香槟莫里蒙的西多会隐修院院长，不久调往巴伐利亚，任弗赖辛主教。著有《编年史》和《红胡子腓特烈》，前者以圣奥古斯丁的观点叙述从创世起到1146年为止的世界历史，后者写霍亨斯陶芬王朝以及红胡子腓特烈直至1156年的事迹。

Otto the Great　奥托(大帝)　参阅 **Otto** (Germany / Holy Roman Empire)奥托(德意志／神圣罗马帝国)项下的 **Otto Ⅰ 奥托一世**。

Otto, Nikolaus August　奥托(1832-06-10，拿骚霍尔茨豪森～1891-01-26，科隆)　德国工程师，研制成4冲程内燃机，这是第一台能代替蒸汽机的实用动力机。1861年他制成第一台煤气发动机。3年后，同德国工业家E.兰根合作，共同研制成一台改进的发动机，在

美国不列颠百科全书公司供图

1867年的巴黎博览会上获得金质奖章。1876年奥托制成一台4冲程循环内燃机。尽管4冲程循环已在1862年由法国工程师A.B.de罗夏取得了专利，但因奥托按照这项原理造出了第一台发动机，所以一般称为奥托循环。由于它性能可靠，效率高，而且噪声小，因而立即取得成功。在以后的10年内生产的这种机器多达3万余台。

Otto, Rudolf 奥托（1869-09-25，普鲁士派讷～1937-03-06，德国马尔堡） 德国神学家、哲学家和宗教史学家。因考察人对神圣事物之经验而闻名世界。其重要著作即题名

美国不列颠百科全书公司供图

《论神圣事物》（1917）。曾在埃朗根大学学习神学和哲学，后去格丁根大学学习，毕业后于1897年在该校任名誉讲师，讲授神学、宗教史和哲学史。1904年任格丁根大学系统神学教授。1914～1929年先后在布雷斯劳大学和马尔堡大学担任教授。1929年退休，其后继续生活在马尔堡，直至去世。一生除学术研究外还参与公共事务，但不是出于爱好，而是出于义务感。他的第一部著作是《马丁路德对圣灵之感觉》（1898），是研究路德生平之作，由此进而探究人对圣物之经验问题；在另一早期著作《自然主义与宗教》（1904）中将解释世界的自然主义方式与宗教方式相对比，提出它们之间的矛盾能否调和或应否调和的问题。他既反对简单地调和科学世界观与宗教解释，也反对宗教家敌视科学以及科学家轻视宗教。其主要意图是要阐明：即便在理性的范围内，对世界的宗教解释也揭示了人的理智具有一个独立的层面，超越科学的发现和普遍的科学知识。5年后出版的《康德和弗里斯的宗教哲学》（1909）则详细说明了一种适合宗教探索的理性。德国著名哲学家和神学家施莱尔马赫主张以人的"绝对依赖的感受"理解宗教，这一新方法曾一度深受奥托赞赏。但后来他批评施莱尔马赫的阐述过于接近普通的或"自然的"依赖感，遂用"受造物的感受"取而代之。这种感受的对象是"神圣的"或是"纯然他者"，完全超越尘世的范围，大约等同于传统用法中的"超自然"之物。奥托多年来参考其老师A.里奇尔把宗教置于价值评判领域以及友人E.托勒尔奇探求一种宗教的演绎推论作为解释和评定宗教之理由的方法，在W.詹姆斯和上述弗里斯等人的著作影响下，便进而探讨如何敏锐而恰当地对待宗教现象。他把这些"对真理的感觉"简要地论述于《论神圣事物》中，同时还仿照"ominous"源于"omen"的方式，由拉丁语numen（"神"、"灵"）一词引申出"numinous"这个形式，以表述宗教经验中的"令人生畏"的内涵。他在《论神圣事物》一书中表明他的研究的性质和基础均发生重大变化，开始一次新的探险。他强调宗教层面的非理性方面，认为神圣之感是宗教经验中引发敬畏的因素，无法用语言确切描述，只能用象征性表述加以讨论。神秘是神圣经验的形式，它超越概念的范围，却有强烈的实证性，可以通过神圣经验的性质内容加以体验。这种内容分两方面：①无法抗拒的敬畏和威严；②非凡的魅力和吸引力。前者产生恐惧感，使人感受到神的谴责和审判；后者使人深刻地体验到神的恩典和慈爱。他将这种方法应用到各种宗教，先后出版了《东西方神秘主义》（1926）、《印度的恩典宗教和基督教》（1930）、《上帝之国与人子》（1934）等书。他十分尊重各种宗教的特点，极力主张各种宗教的代表互相影响。他还提倡建立一种宗教联盟，以进行文化交流。

otto of rose（essential oil） 参阅**attar of roses 玫瑰油**。

Ottoboni, Pietro Vito 奥托波尼 参阅**Alexander**（papacy and antipapacy）**亚历山大**（教皇和敌对教皇）项下的**Alexander VIII 亚历山大八世**。

ottoman 褥榻 装有厚垫的各式坐榻，或有椅背或无椅背，18世纪末叶由土耳其传至欧洲。在土耳其，褥榻上铺着一排垫子，是一种最早的沿室内三面墙壁放置的固定家具，后由此而产生另一种较小的、装在室内一角的式样。19世纪后演变成圆形或八边形。有一种式样是扶手从中心向四面伸展，形成一个个坐位；另一种中间为一根有垫圆柱，圆柱顶端往往放一盆花或装有一个塑像，人们坐时可靠在柱上。不少褥榻在底部装有活动小凳，用以存放杂志等。

Ottoman court carpet 奥斯曼宫廷地毯 土耳其早期奥斯曼帝王统治时代的手织铺地用品。非常精细美观，羊毛毯面，丝底或羊毛底，彩花图案中常有大小不等的团花。还有为宫廷织制的类似的祈祷毯，可能都是16世纪在布尔萨生产的；较粗的纯毛地毯则是在1517年征服后在开罗或安纳托利亚生产的。

Ottoman Empire and Turkey, history of the 奥斯曼帝国与土耳其史 本条目包括奥斯曼帝国时期（1300～1922）和土耳其共和国时期（1922开始）的历史。

奥斯曼史第一阶段的特征是：奥斯曼土耳其人不断扩张领土，占有欧洲的东南部、安纳托利亚和阿拉伯世界。奥斯曼国家创始人奥斯曼一世的先世，出于乌古思突厥人的卡伊部落，12世纪时迁入安纳托利亚。奥斯曼一世原为安纳托利亚西北境比希尼亚小邦的王公，率领伊斯兰教战士（"加齐"）攻占拜占廷帝国在该地区的领土，当地的游牧部落和城市失业群众纷纷归向，以谋生计。其子奥尔汗（1324～1360在位）首先夺取布尔萨（1324），后又攻占尼西亚（1331）、尼科美底亚（1337）、斯库塔里（1338），其势力遂达于马尔马拉海以及加利波利半岛。奥尔汗之子穆拉德一世（1360～1389在位）进军东南欧，夺取亚得里亚堡（1361），直接威胁拜占廷首都君士坦丁堡，并在科索沃大败巴尔干诸国的联军（1389）。巴耶塞特一世（1389～1402在位）征服了巴尔干的许多地区，但在安纳托利亚平定土耳其诸族小邦时，却被来自中亚的帖木儿击败，被俘身亡。但其子穆罕默德一世（1413～1420在位）收复了10年来的失地，并平定了各小邦。穆拉德二世（1421～1451在位）又向欧洲进行征伐，1444年在瓦尔纳再次击败欧洲的十字军。穆罕默德二世（1451～1481在位）攻陷君士坦丁堡（1453），拜占廷帝国遂亡。君士坦丁堡（后改称伊斯坦布尔）成为奥斯曼帝国的新都。此时，奥斯曼帝国已直接统治巴尔干诸国以及多瑙河河口。谢里姆一世（1512～1520在位）东征伊朗，在查尔德兰击败萨非王朝的军队（1514）。嗣后又扫平马木路克王朝而称霸于叙利亚和埃及，从而控制了阿拉伯世界（伊朗和美索不达米亚除外），领土增加一倍以上。苏莱曼一世（1520～1566在位）东征西讨，海军也称霸于地中海东部，疆域扩大到匈牙利、美索不达米亚以及北非的的黎波里，成为地跨欧、亚、非三洲的帝国。16世纪初，奥斯曼帝国统治机构逐渐完善，宗教法与民法并行。境内非伊斯兰教民族则根据"米勒特"制度，享受宗教自治。16世纪中叶以后，帝国开始由盛转衰。苏丹多不亲政，沉湎后宫，大权旁落于"大维齐"（首相）之手。近卫军干涉政治，控制苏丹。财政拮据，工商业衰落，社会动荡不安。1683～1792年间的对外战争屡遭挫折，失地累累。谢里姆三世（1789～1807在位）曾组建"新军"，力图改革，因禁卫军和保守势力的反抗而失败。及至马哈茂德二世（1808～1839在位）时，一举消灭抗命的禁卫军，再度建立"新军"，削弱伊斯兰教士的权力，加强对地方官吏的控制，以提高苏丹的权威。但在此期间，对外战争继续受挫，埃及已取得事实上的独立，希腊、塞尔维亚皆获得自治，帝国仅能牢牢控制安纳托利亚、伊拉克，以及鲁梅利亚的大部分地区。阿卜杜勒-迈吉德一世（1839～1861在位）和阿卜杜勒-阿齐兹（1861～1876在位）统治期间，颁布了一系列的改革敕令（"坦志麦特"）。敕令中允许基督教臣民享有一些基本权利，但此项诺言并未完全实现。改革重点仍在改革军队和行政（包括中央和地方），在社会上则改革教育和法律。陆续开办海军、陆军、工程、医学、军事科学等院校，以及外交、行政学院。1846年制订第一个国家教育计划，建立大、中、小学的完整体系，1869年开始推行普及小学教育，因经费困难，发展缓慢，截至1914年，全国各级学校共有36 000多所。在改革中，陆续制订了欧式的商法、刑法、海事法、民法，旨在取消外国的领事裁判权，但实际上未能达到预期目的。奥斯曼帝国财力支绌，1854年开始举借外债，至1875年已达2亿英镑，加上国内人民的起义、属地的民族独立运动高涨以及列强的侵略，帝国的改革未见成效而危机转

深。在 1877～1878 年的俄土战争中，土军大败，帝国被迫签订《圣斯特凡诺条约》，在柏林会议(1878)上，承认罗马尼亚、塞尔维亚、黑山的独立，承认保加利亚的自治，割让卡尔斯和巴统给俄国。于是，帝国在欧洲的领土只剩下马其顿、阿尔巴尼亚和色雷斯。由于外债高举，帝国的财政也被迫接受列强控制的“奥斯曼国债管理处”的管理。在此之前，具有革新思想的米德哈特帕夏等于 1876 年发动宫廷政变，迫使新任苏丹的阿卜杜勒-哈米德二世(1876～1909 在位)同意实行宪政，颁布了帝国的第一部宪法。但它赋予苏丹的权力仍然很大，阿卜杜勒-哈米德二世不久即利用其权力复辟。1877 年，宪法被废除，国会遭解散，米德哈特被处死。阿卜杜勒-哈米德二世虽然继续改革军队、发展交通事业，但他一意推行泛伊斯兰主义，为了实行独裁统治并镇压反抗者，组织侦探机关，残酷迫害亚美尼亚人(1894～1896)，因而被欧洲人称为“血腥的苏丹”。1908 年 7 月，驻马其顿的第 3 军团在青年土耳其党人的影响下发动起义，宣布恢复 1876 年宪法；次年 4 月，进军首都，废黜阿卜杜勒-哈米德二世，代之以穆罕默德五世(1909～1918 在位)。青年土耳其党人执政期间，加强了中央集权，发展教育事业，但他们强制推行土耳其化，激起非土耳其各族人民的反抗。在两次巴尔干战争(1912～1913)后，帝国丧失了在欧洲的领土的 83%。第一次世界大战中，帝国战败，1918 年 10 月签订了《穆德罗斯停战协定》，在欧洲的领土只剩下伊斯坦布尔以及色雷斯的一部分。1919 年 5 月 15 日，希腊军队占领了伊兹密尔，推动了安纳托利亚人民的抵抗，帝国的将军穆斯塔法·凯末尔领导了民族抗战运动。他于 5 月 19 日在萨姆松登陆后，即在埃尔祖鲁姆和锡瓦斯召开国民代表大会，并于 1920 年 4 月在安卡拉成立大国民议会，号召穆斯林共御外侮。1921 年 1 月，大国民议会通过根本法，改国名为土耳其。大举推进的希腊军在萨卡里亚河惨败(1921-08-24)后，溃不成军，战事以土耳其军收复伊兹密尔(1922-09-09)而告结束。1923 年 10 月 29 日建立土耳其共和国，凯末尔任总统；1924 年 4 月 20 日通过宪法。土耳其在废除了苏丹制(1922)和废除了哈里发制(1924)之后，1928 年又取消了伊斯兰教为国教的宪法条文，土耳其变成了世俗国家。凯末尔所创建的共和人民党在执政期间(1924～1950)内进行了一系列改革，使土耳其社会有较快的进步，而生产事业的增长则较慢。1938 年凯末尔逝世，由伊斯麦特·伊诺努继任总统。第二次世界大战期间，土耳其保持中立，迄至 1945 年 2 月才参加同盟国一方。战后，它接受美国的援助，并参加北大西洋公约组织。1950 年，民主党代替共和人民党执政，初期曾使土耳其经济有所发展，但 1953 年后开始镇压反对党，封闭报社，经济上由于通货膨胀而引起人民不满。1960 年，以古尔塞勒为首的军人集团发动政变，推翻民主党政府，成立“全国团结委员会”。1961 年，颁布新宪法，大国民议会选举古尔塞勒为总统，由共和人民党和正义党(民主党的后身)组成联合政府。1965 年起，正义党执政，德米雷尔任总理，迄至 1971 年 3 月。其后，又改由军人支持的各届联合政府执政。土耳其自 1962 年开始实施 3 个五年计划以来，国民生产总值的年平均增长率 20 世纪 60 年代为 6%，70 年代为 7%，然而通货膨胀严重，1977 年的失业人数达 300 多万以上。土耳其在战后一直推行接近西方的外交政策，但由于塞浦路斯岛希腊和土耳其两族的内战，以及土耳其军队 1974 年 7 月占领该岛北部而遭到美国禁运武器以后，土耳其除与苏联以及巴尔干诸国家(希腊例外)交好外，还与中国以及阿拉伯世界建立友好关系。

Ottonian art　奥托艺术　德意志奥托诸帝及其最初几位撒利家族继承人当政时期(950～1050)的绘画、雕刻及其他视觉艺术。作为神圣罗马帝国的加洛林王朝传统的继承者，德意志皇帝吸收了加洛林王朝的艺术遗产，谨慎地恢复了古代晚期和基督教早期艺术的形式(参阅 **Carolingian art**)。但奥托艺术后来又发展了自己的风格，与加洛林艺术分庭抗礼。奥托艺术的装饰画家注重表现庄重的、戏剧性的人物姿态和强烈的色彩。奥托艺术的象牙雕刻仍用于礼拜仪式，雕刻手法受到特殊的限制，叙述内容借助于简单的姿势表达，并为独特的装饰(如那种典型的强烈背景)所活跃。奥托艺术在大型雕刻上有重要发展。石雕虽不多见，然而木雕耶稣十字架像和镶金片的木制圣体箱却使圆雕获得复兴。加洛林王朝所采用的古代工艺——铸铜也繁荣起来。奥托建筑较为保守，只是扩大和完善了加洛林王朝的形式，并未发展成新的风格。西部建筑，即顶有尖塔的城堡式建筑，内室和外部的地下室或与东端半圆形后殿相连的礼拜堂依然保留，仅在规模上有所扩大；加洛林式的两个半圆形后殿则更趋复杂，加了两个十字形耳室。奥托建筑比加洛林建筑更有规则，内部空间设计简单，布局更有系统性。

ottrelite　锰硬绿泥石　硅酸盐矿物*硬绿泥石*(**chloritoid**)的富锰变种。

Ottumwa　奥塔姆瓦　美国艾奥瓦州东南部城市，瓦佩洛县县城(1844)。位于得梅因河畔，在得梅因市东南 134 千米处。1843 年拓居，称路易斯维尔。1845 年改称现名。奥塔姆瓦一名为印第安语词，意为“潺潺的流水”。1851 年设镇。1857 年改为市。1947 年水灾后，由地方筹集资金推行的“自力更生”计划修复，成为商业和制造加工业中心。当地主要行业有肉类包装和农场设备制造等。设有艾奥瓦技术学院(1962)、奥塔姆瓦海茨学院(1925)和印第安希尔斯社区学院(1966)。市飞机场辟有航空博物馆，展出 20 余架古代和早期的飞行器等。人口约 24 998 (2000)。

Ottweiler porcelain　奥特韦勒瓷器　自 1763 年起出产于德国莱茵兰的硬质瓷。工厂由来自法国鲁昂的一名瓷器制造者在拿骚-萨尔布吕肯的威廉·海因里希王子的赞助下创办。奥特韦勒瓷厂就坐落在王子的花园内。奥特韦勒瓷器的样件现已罕见。在 1789

约 1765 年的奥特韦勒硬质瓷咖啡壶
美国不列颠百科全书公司供图

年之后，该厂只生产炻器，这种炻器称为英国炻瓷。

Otway, Thomas　奥特韦(1652-03-03，英格兰萨塞克斯米德赫斯特附近特罗顿～1685-04-14，伦敦)　英国剧作家、诗人。在一个英雄的但充满人为悲剧的时代，他令人信服

美国不列颠百科全书公司供图

地表现了人的感情而成为伤感戏剧的先驱者之一。他的杰作《被救的威尼斯》是当时舞台上最伟大的成功作品之一。曾在温切斯特学院和牛津大学学习，但未获学位而于 1671 年离校去伦敦。A. 贝恩曾邀他担任她剧作中的一个角色，由于怯场，第一次表演也就成了最后一次。他的第一部剧本押韵悲剧《阿尔基比阿底斯》1675 年 9 月在多塞特广场的公爵剧院上演。第二部剧本《唐·卡洛斯》1676 年 6 月上演，获极大成功，是他最好的押韵英雄剧。《蒂图斯和贝蕾尼斯》根据莫里哀剧作改编，《司卡潘的诡计》根据拉辛剧作改编，两剧都在 1677 年出版。1678 年，第一部喜剧《时髦的友谊》上演时，他在英军驻荷兰一个团队任职。下一部剧作《凯厄斯·马里乌斯》，是普卢塔克的一篇故事和改写过的《罗密欧和朱丽叶》的奇妙结合，1679 年上演。1680 年，出版了他的自述诗《诗人埋怨他的诗神》。他最值得纪念的剧作，却是在他短暂一生的最后几年完成的。1680 年春，优美的无韵诗家庭悲剧《孤儿》在舞台上取得成功。同年 3 月 1 日，他的最佳喜剧《士兵的幸运》上演。《被救的威尼斯》也是无韵诗，1682 年在公爵

剧院首演。19世纪中叶以前，该剧重新上演的次数也许仅次于莎士比亚的诗剧。德莱顿曾给它作序，高度赞扬了它。奥特韦的悲剧，尤其是《被救的威尼斯》，以心理分析可信和对人类感情清楚、有力的表现而著称。

Ötztal Alps　厄兹塔尔阿尔卑斯山　中阿尔卑斯山脉东段。大部在奥地利西部，部分在意大利北部。许多峰峦为积雪冰川覆盖。最高峰维尔德峰海拔3 774米。阿迪杰河彼岸意大利境内的奥特莱斯山有时亦被列为厄兹塔尔阿尔卑斯山的一部分。

Ōu Mountains　奥羽山脉　日本本州东北部的要山主脊。从青森县向南延伸至福岛县，长500千米。地质构造以第三纪沉积物为主，间或为花岗岩和片麻岩突起所遮断。山地东缘为北上川河谷断崖，西部为一系列纵向盆地。因与那须火山带层峰叠立，山地高度变化很大。1888年磐梯火山喷发，导致山北侧火山喷出物大量堆积，形成很多湖泊，使全区河流形势大为改观。奥羽山脉的凸出特征为纵轴线上有一系列洼地。自北而南，其较大者为花轮、霞石盆地、和贺川河谷、鬼首和猪苗代盆地。

Ou River　南乌河　老挝北部河流，湄公河12条主要支流之一。长380千米。发源于乌怒以北的中国边境。向南流，又折向西南，穿过老挝最北部的峡谷地带，在琅勃拉邦以北24千米的班巴乌注入湄公河。南乌河可通航至哈萨。下游谷地是老挝水稻产区之一，有连接越南北部和湄公河流域的公路穿过。

Ou-yang Hsiu（Chinese poet）　参阅 **Ouyang Xiu 欧阳修**。

Ouachita Geosyncline　沃希托地槽　沿北美洲南部边缘的地壳中，从密西西比河到墨西哥东部，一个堆积了古生代（5.7亿年前至2.25亿年前）地层的长条形凹槽。该地带大部分被密西西比河口海湾和墨西哥湾沿岸平原的未经变动的较新地层掩盖了。但是这个地带的一些边缘部分则出露在阿肯色州和俄克拉何马州的沃希托山脉里、得克萨斯西部马拉松隆起中以及墨西哥东北部的零星残丘上。出露最老的地层属寒武纪，最新的在沃希托山脉中的属宾夕法尼亚纪中期，在马拉松隆起上的属宾夕法尼亚纪晚期。从寒武纪直到泥盆纪末的地槽的岩层的组成为暗色的硅质页岩、砂岩和燧石，表明在漫长的时期里沉积作用是缓慢的。另一方面，从密西西比纪到宾夕法尼亚纪的岩层则是在沉降中的凹槽里迅速堆积的巨厚的页岩和砂岩层系。这个地槽的变形作用在其埋藏的内部大概是在古生代早期开始的，但其边缘上露出的部分，当时并未变形，在沃希托山脉里直到宾夕法尼亚纪中期过后才变形，而在马拉松隆起中则直到二叠纪早期。根据现在所得到的证据，变形作用似乎从地槽内部开始，后来向北迁移到边缘部分。沃希托造山运动这个名称是用于引起地槽边缘露出部分发生褶皱并向北逆掩的事件。沃希托地槽可能是阿巴拉契亚地槽向南的继续延伸，由于墨西哥湾在中生代早期张开的影响而向西迁移了。

Ouachita Mountains　沃希托山脉　美国欧扎克高原的延伸部分。在阿肯色州的小石城和俄克拉何马州的阿托卡之间，东西延伸360千米。自阿肯色河谷至沿海平原北缘，南北长约80～95千米。最高点里奇山899米。境内有温泉国家公园。山名得自一印第安部落之名。山脉覆盖橡树和松林。河谷底部有种植业。

Ouachita orogeny　沃希托造山运动　引起美国南部阿肯色州、俄克拉何马州和得克萨斯州西部马拉松隆起区一带的沃希托地槽中出露地层发生褶皱、断裂的造山活动。变形发生于晚古生代，大概在宾夕法尼亚纪晚期和二叠纪早期（约2.8亿年前）达到高潮。这次运动使地槽地层向北向西逆掩到毗邻的地台地层上。

Ouachita River　沃希托河　美国河流。源出阿肯色州中西部沃希托山脉，东南流，汇入雷德河。全长973千米。与滕萨斯河汇合处下游92千米长河段称布莱克河（**Black River**）。其6.5万平方千米流域面积大部处于阿肯色州和路易斯安那州的上海岸平原及密西西比冲积谷地。主要支流有贝夫河（**Boeuf River**）、滕萨斯河，巴塞洛缪河、萨利纳河。自18世纪晚期即可通航。1924年前河上已有6座船闸和水坝。沃希托山区的上游河道上有3座多功能水坝：温泉国家公园附近的布莱克利山水坝（1955）和卡彭特水坝（1931，拦成沃希托湖和哈密尔顿湖）以及雷梅尔水坝（1924，拦成凯瑟琳湖）。沿河主要城市有阿卡德尔菲亚、卡姆登、门罗。河名取自一印第安部落之名。

Ouachita River（U.S.）　参阅 **Washita River 沃希托河**。

Ouaddaï　瓦达伊　乍得东部的历史和文化地区。该区主要城市是阿贝歇。这一地区的热带草原大体上为以前独立的瓦达伊穆斯林王国（参阅 **Wadai, Kingdom of**）。主要居民为马巴人。他们是穆斯林，主要经济活动是养牛。其他有阿拉伯人和富拉尼人等。1873年德国地理学家纳赫蒂加尔在瓦达伊勘查后，欧洲人才知道这一地区。瓦达伊17世纪以前的历史不详，只知在1640年左右，一个马巴酋长阿卜杜勒·克里姆征服了这一国家，推翻了通古尔王朝。在此后200年中，为了能持续把瓦达伊的奴隶和阉人运到北方阿拉伯国家的宫廷中去，战争不断。瓦达伊苏丹穆罕默德·谢里夫（1835～1858在位）把赛努西伊斯兰兄弟会引入这一地区，在瓦达伊被法国人征服前，一直是主要的政治和宗教力量。根据1899年的英法协议，承认瓦达伊处于法国"势力范围"内，但在1904年瓦达伊人进攻沙里地区的法国哨所前，瓦达伊保持着独立地位。1908年前不断有零星的战斗。后法军击败瓦达伊军队，1912年消灭了该王国。1913～1914年的灾荒使瓦达伊受到破坏。19世纪70年代估计人口在200万人以上，至1917年已减至30万人左右。在1960年独立后，在法国人统治时期在瓦达伊长期横行的盗匪活动发展成穆斯林反对控制着乍得政府的南方基督教徒及泛神论者的游击战。因乍得内战持续不断，这一地区的战斗一直零零星星地进行到21世纪。

Ouagadougou　瓦加杜古　又拼Wagadugu。布基纳法索（原上沃尔特）首都和最大城市。曾是15世纪建立的瓦加杜古莫西王国的首都，莫西人的莫尔霍·纳巴（大王）居住和执政地。在纳巴·杜鲁古统治期间（1796?～1825?），国王们信奉伊斯兰教。市内树木葱郁，现代化建筑林立。有市场、手工艺中心、国家博物馆和瓦加杜古大学（1969）。铁路通往科特迪瓦阿比让港。有国际机场。生产纺织品、饮料、火柴和鞋类。人口约690 000（1993）。

瓦加杜古市的法国大使馆
美国不列颠百科全书公司供图

Ouahran（Algeria）　**瓦赫兰**　参阅 **Oran 奥兰**。

Ouaphris（Egyptian king）　参阅 **Apries 阿普里斯**。

Ouargla　瓦尔格拉　1981年后又拼Wargla。阿尔及利亚中东部城镇。在撒哈拉地区一大水洼的西缘。公元10世纪穆斯林的一个异教派在附近建立撒哈拉地区最早的居民点之一。11世纪他们受到逊尼派穆斯林的袭击后逃走。当地由柏柏尔人和非洲黑人定居。16世纪由土耳其人短期统治。1872年被法国占领。现城于1928年后在原址南侧修建。该城内有高耸的清真寺，四周有城墙，有6个城门。城内有带拱顶的市场和撒哈拉博物馆。城四周有椰枣林、果园和菜圃。经营牲畜、毛毯贸易。附近石油开采业促进了当地经济发展和人口增长。有一机场。人口：城市区约129 402（1998）。

瓦尔格拉镇的撒哈拉博物馆
美国不列颠百科全书公司供图

Ouarzazate　瓦尔扎扎特　摩洛哥中南部城镇。在大阿特拉斯山撒哈拉一侧。城镇初为法国占领期(1932～1956)军事哨所。现为军事重镇，是主要绿洲和公路枢纽。气候干

瓦尔扎扎特镇的要塞
美国不列颠百科全书公司供图

旱。仅谷地有居民。经济以伊米尼的锰矿和布阿泽尔的钴矿为主。有丰富铜矿。1971年落成的曼苏尔·辛赫比水坝使德拉河谷地的农业潜力扩大。人口39 203(1994)。

Oubangui-Chari　乌班吉-沙里　参阅**Central African Republic** 中非。

Oubangui River(Africa)　参阅**Ubangi River** 乌班吉河。

oud(musical instrument)　参阅**ʿūd** 厄乌德琴。

Oud, Jacobus Johannes Pieter　奥德(1890-02-09，阿姆斯特丹附近皮尔默伦德～1963-04-05，海牙附近瓦瑟纳尔)　荷兰建筑师，对现代建筑的发展具有开创作用。曾在阿姆斯特丹和代尔夫特工科大学学习。1917年与T.von杜斯堡共同创办了很有影响的《风格》杂志，宣传风格派先锋艺术家的理论。他设计过很多风格派的作品，其中有住宅、工厂、旅馆等，多具有非常突出的立方体形。1918年任鹿特丹市住宅设计建筑师，设计的斯潘根住宅区(1918)和塔斯琴迪肯住宅区(1920)表现出简洁朴素的风格，与阿姆斯特丹学派

奥德于1952～1960年设计的荷兰阿纳姆市心理障碍儿童康复中心
美国不列颠百科全书公司供图

精致华丽的风格截然不同。他在1924～1927年间设计的住宅区和咖啡店，已开始有与风格派分离的倾向。所著《荷兰建筑》(1926)一书使他获得国际声誉。

Oud-Katholieke Kerk van Nederland　参阅**Old Catholic Church of The Netherlands** 荷兰老公会。

Oudenaarde　奥德纳尔德　法语作Audenarde。比利时中西部东佛兰德省城市。位于根特以南，临斯海尔德河。名胜古迹有1526～1536年的市政厅(有一座五层的钟楼)、13世

奥德纳尔德市政厅
美国不列颠百科全书公司供图

纪的布业大厅、收藏钟琴的圣瓦尔伯格教堂和帕米勒圣母马利亚教堂(1325)。产啤酒和纺织品。人口:城市区约27 102(1992)。

Oudenaarde, Battle of　奥德纳尔德战役(1708-07-11)　西班牙王位继承战争中的一次战役，以马尔伯勒公爵和萨伏依的欧仁亲王战胜法国而告终。战场在奥德纳尔德城北，一方由马尔伯勒和欧仁统率的英希奥联军约8万人，另一方由旺多姆公爵路易·约瑟夫元帅和勃艮第公爵路易统率的8.5万法军。法国人正忙于围困奥德纳尔德而未设防。联军在65个小时内行军80千米后，于7月11日渡过斯凯尔特河，趁法军未部署前，立即发起进攻。整个下午恶战。马尔伯勒乘法军不备，派了一支荷兰部队向西迂回。这支部队向法军右翼进攻，欧仁则同时进攻法军左翼。到夜幕降临战斗停止时，法军已伤亡6 000人，被俘9 000人。联军损失约4 000人。第二天旺多姆纠集溃败的队伍，在根特击退了联军。1709年1月，马尔伯勒重新占领根特和布鲁日。法军乃向本国边境撤退。

Oudh(India)　**奥德**　参阅**Ayodhyā** 阿约提亚。

Oudinot, Nicolas-Charles, DUC DE REGGIO **乌迪诺**(1767-04-25，法国巴勒迪克～1847-09-13，巴黎)　法国将军、行政官，拿破仑战争期间的法国元帅。商人之子。1784年加入王家军队，因升迁受阻于1787年退役。法国大革命后，他原是默兹义勇军(1792)首领，次年调至正规军，因在凯撒斯劳滕抗敌英勇而升为准将(1794)。1799年晋升少将，在A.马塞纳麾下任参谋长，曾在瑞士和意大利作战，后在奥斯特利茨和奥斯特罗文卡战斗中指挥一个精锐的掷弹兵师。瓦格拉姆战役(1809)后擢升元帅，1810年封雷焦公爵。后在荷兰任行政长官(1809～1812)，并参加俄罗斯战役，但1813年在普鲁士大贝伦惨败，由M.内伊继任。1814年拿破仑逊位后，他投靠路易十八，在百日王朝时期(1815)仍继续效忠。1823年在西班牙服役，1842年起直到逝世任残废军人院总监。

Oudry, Jean-Baptiste　乌德里(1686-03-17，巴黎～1755-04-30，法国博韦)　法国洛可可艺术画家、挂毯设计师、插图画家和18世纪最伟大的动物画家之一。他的早期肖像画常

乌德里制作的《召集猎狗》挂毯(1742～1745)
美国不列颠百科全书公司供图

以田园牧歌作背景，具有洛可可艺术风格传统的魅力。早年作过许多静物画，嵌在木板内作为室内装饰。1719年成为法国皇家学院成员后，主要从事动物画、挂毯设计和书籍插图。1734年成为博韦挂毯厂主。他的某些设计使该厂声誉大噪。1736年任戈布兰挂毯厂

总监，设计了一系列描绘路易十五狩猎的挂毯(1736～1749)。后又任皇家狩猎正式画师。所设计的挂毯和所作的画同样备受赞誉。乌德里不仅为路易十五工作，而且受到俄国沙皇彼得大帝、瑞典王后和梅克伦堡-什未林王子的青睐。

Oudtshoorn 奥茨胡恩 南非开普省中南部城镇。跨格罗贝拉尔斯河两岸。在开普敦(西面)至伊丽莎白港(东面)中途。建于1847年。1887年正式设镇。为农贸中心，销售乳制品、苜蓿、水果、蔬菜和烟草。以鸵鸟养殖场和鸵鸟羽毛业闻名。有公路和铁路连接开普省其他地区。内尔博物馆(1953)收藏有拓荒者的古物。附近有坎戈石灰岩岩洞(1938年宣布为自然名胜保护区)。人口：城市区34 124(1985)。

oued(dry streambed) 参阅 **arroyo 干谷**。

Oued, el- 瓦德 阿尔及利亚东北部苏夫绿洲最大城镇。东距突尼斯边界80千米。街道狭窄弯曲，多方形圆顶土石建筑。城堡式寺庙等显示出摩尔和罗马建筑风格的影响。

瓦德镇的圆顶式民居
美国不列颠百科全书公司供图

在人工挖的漏斗形坑中种植椰枣林。为兴旺的商队贸易中心，输出高质量椰枣，并以出地毯和纺织品闻名。有具本地特色的苏夫博物馆。人口约70 073(1987)。

Ouémé River 韦梅河 Ouéme又拼Weme。源于贝宁西北部阿塔科拉山地。长约500千米，向南流，左岸汇入其主要支流奥帕拉河，右岸汇入祖河。下游分成两支，其一流入科托努附近尼日尔三角洲诺库埃湖，另一流入波多诺伏潟湖。海岸区有热带雨林。虽有急流阻碍，雨季可通航。所产淡水鱼的加工食品输往尼日利亚和多哥。流域内种植黍、甘薯和山药。在韦梅河流域实施的发展计划促进了农业发展。

Ouenza 温扎 阿尔及利亚东北部城镇。靠近突尼斯边界。附近温扎山(1 288米)有丰富的铁矿藏，使城镇成为该国主要采矿中心之一。人口：城市区约36 096(1987)。

Ouessant Island 韦桑岛 法国西部菲尼斯泰尔省的岩石岛。位于布列塔尼半岛西端岸外。岛长约8千米，宽约3千米，面积15平方千米。岛上的灯塔是英吉利海峡南入口的标志。北面入口的灯塔则在英格兰的兰兹角。小港口朗波勒是韦桑岛首府，也是渔民主要的居住地。岛上土地很少，传统上由渔民的妻子耕作。1778年7月在韦桑岛外英国和法国舰队进行了一场大规模的战斗。人口817(1982)。

Ouezzane 沃赞 摩洛哥中北部城市。位于里夫山脉西南边缘，布海拉勒山(海拔325米)北坡。建于1727年，原是一个宗教村社，有苏非派兄弟会修道所，被认为是北非马格里布地区的圣城之一，为朝圣中心。1920年该城被法国人占领。城郊附近种植谷物和饲养牛群，为当地的贸易中心。人口52 168(1994)。

Oughtred, William 奥特雷德(1574-03-05，英格兰白金汉郡伊顿～1660-06-30，萨里奥尔伯里) 英国数学家和基督教圣公会牧师，发明了最早的计算尺，即把两个等同的直线

美国不列颠百科全书公司供图

的或圆形的对数刻度合在一起，并用手调整。曾任教区牧师和教区长。最重要的著作是《数学秘诀》(1631)，其中有对古印度-阿拉伯的数字和小数的描述和部分的代数内容，他试用了许多不同的代数符号，他创造了用“::”表示比例和“×”表示乘法。他把J.纳皮尔的对数表应用于实际的标尺上；圆盘计算尺是1632年以前发明的，直尺计算尺是1633年发明的。他的《三角学》(1657)探讨了平面三角和球面三角。

Ouham River 瓦姆河 非洲中部沙里河的主要河源之一，源出中非共和国西部高原地区的两条主要支流。向北跨越国境流入乍得(在乍得称为萨拉河)，在萨尔北面注入沙里河。从最长的(东面的)支流到与沙里河汇合处，全长约676千米。下游可通航。

Ouida 韦达(1839-01-01，英国萨福克贝里圣埃德蒙兹～1908-01-25，意大利维亚雷焦) 英国女小说家，以写上流社会生活中放肆和耸人听闻的风流逸闻而闻名。原名玛丽亚·路易丝·拉梅或德拉拉梅。父亲是法语教员。第一部长篇小说《格兰维尔·德维涅》(后更名《奴隶生活》，1863)于1860年连载发表。她激动人心的叙述风格和令人耳目一新的避免说教甚合读者心意而使她的作品极受欢迎。以后又出版《斯特拉斯莫尔》(1865)、《钱多斯》(1866)和《在两面旗帜下》(1867)。去意大利旅行后，于1874年定居佛罗伦萨。以后所写的许多小说中《飞蛾》(1880)为最佳作品之一。她也写过一些动物故事，其中《弗兰德的狗》(1872)长时期为儿童所爱读。后来，由于挥霍无度导致晚年生活极为贫困。

Ouidah 维达 又拼Whydah。贝宁南部城镇。濒临几内亚湾。18和19世纪是阿波美王国主要港口。葡萄牙人、法国人、荷兰人、丹麦人、英国人和美国人曾在此竞争贩卖奴隶和夺取棕榈油贸易。1893年属法国。市内保留有古老堡垒、大教堂和阿波美传统宗教寺庙。种植椰子、棕榈和咖啡。有公路和铁路通往东面32千米的港口和商业中心科托努。人口32 474(1992)。

Ouija board 灵应牌 神秘学名词，指术士行术时所用而据说可借以自灵界中获得信息的一种设备。灵应牌为长方形木板，沿长边刻有全部字母，排成圆弧。圆弧之上有心形小板，装有小脚轮以自由滑动。占卜者以指轻按小木板，小木板受压而滑动，其尖每次所指字母有时可拼出单词甚至可成句。

Ouimet, Francis 乌伊梅(1893-05-08，美国马萨诸塞布鲁克莱恩～1967-09-02，马萨诸塞牛顿) 美国业余高尔夫球运动员。原来高尔夫球一直带有英国上层阶级的印记，乌伊梅的成就大大有助于消除这一特征，使这项运动得以在美国普及。起先当球童，并在干货店工作；1913年在美国公开赛中胜英格兰职业高尔夫球运动员瓦登和雷，这一胜利对美国高尔夫球运动起了推动作用，从此这项运动不断加速发展。1914和1931年乌伊梅获美国业余锦标赛冠军，1914年获法国业余锦标赛冠军。1922～1936年作为美国队队员参加沃克杯比赛。1936～1949年(战争年代除外)任场外队长。1951年当选圣安德鲁斯皇家古老高尔夫球俱乐部领导人，是获此项荣誉的仅有的非英国人。

Oujda 乌季达 摩洛哥东北端城市。靠近摩洛哥-阿尔及利亚边界。944年为柏柏尔人所建。后柏柏尔人、阿拉伯人和土耳其人争夺该城。乌季达被毁坏和重建多次，因而称为“危险之城”。法国人1907年占领该城后，方实现和平。城市为摩洛哥-阿尔及利亚铁路接合点、边界重镇和旅游中心。建有国际机场。南边有煤、铅、锌矿，因而经济发展。附近西迪叶海亚绿洲是1844年法国击败摩尔人的伊斯利战场，相传为约翰(施洗者)的葬地。平原肥沃的灌溉区盛产橄榄、葡萄和小麦，还产茅草(造纸原料)。有畜牧业(绵羊和山羊)。杰拉代附近有丰富的无烟煤矿藏，泰维西特有铅矿床，瓦迪海梅尔产铅金属矿脉。人口365 582(1994)。

Oulu 奥卢 瑞典语作Uleåborgs Län(于莱奥堡)。芬兰中西部省份。西临波的尼亚湾，东与俄罗斯接壤。面积56 866平方千米。1776年设省。沿海地势平坦，东部为山林，中南部有奥卢湖。经济以农业、林业、铁矿、养牛和生产木制品为主。主要城镇有奥卢(省会)、卡亚尼和拉赫。人口约453 469(1999)。

Oulu 奥卢 瑞典语作Uleåborg。芬兰中西部奥卢省省会。在波的尼亚湾奥卢河口。

欧洲中世纪时为贸易站。1610 年设镇。19 世纪成为芬兰主要商业中心之一。作为重要海港,主要输出木焦油。第二次世界大战中城市多处被毁,战后经大力重建面貌一新。1900 年起即为主教区中心。市内大教堂建于 1830 ～ 1832 年。为重要教育中心,设有大学(1959),并有地区医院。有木材、面粉加工和造船、渔业、制革、铸造等行业。市区所在的梅里河急流有水电和旅游之利。与本国其他地区之间有海陆空交通往来。人口:城市区约117 670(1999)。

Oum el-Bouaghi 乌姆布瓦吉 前称康罗贝尔。阿尔及利亚东北部城镇。位于泰勒阿特拉斯山区高地,在君士坦丁市东南约 65 千米。年降雨量 500 毫米。为附近小麦、大麦、无花果和橄榄产区的贸易中心。在阿尔及利亚独立后的最初几年中,这一地区被选定作为本·贝拉提倡的自治农庄的典范,工人参加管理并分享土地的收益。人口约44 199(1987)。

Oum er-Rbia, Wadi 乌姆赖比阿河 摩洛哥中部主要河流。源出中阿特拉斯山脉,注入大西洋。全长 555 千米。不通航。为重要水力和灌溉资源。主要支流有泰索特河和阿比德河。谷地出产柑橘、小麦、葡萄、棉花和亚麻。

Oun Kham 温坎(1811或1816～1895-12-15) 老挝琅勃拉邦国王(1872 ～ 1894)。19 世纪 70 年代以后,老挝北部日益受到一些中国强盗的侵扰,温坎无力抵抗。1885 年暹罗王派军队前来保护。1887 年暹罗军队撤离后,琅勃拉邦为泰人刁文池匪帮攻破。温坎在法国驻琅勃拉邦副领事巴维的援助下逃往暹罗边境巴莱,后在曼谷避难。1889 年重为琅勃拉邦君主,1894 年被其子坎苏取代。1893 年法国与暹罗发生冲突后,琅勃拉邦由暹罗手中转归法国。

ounce(*Leo uncia*) **雪豹** 又作 snow leopard。猫科长毛动物。栖于中亚和印度次大陆的山区,活动在海拔约1 800米(冬季)至约5 500米(夏天)的地带。毛柔软,包括一层

雪豹(*snow leopard*)
美国不列颠百科全书公司供图

浓密的保温隔热的内部绒毛和外面一层长 5 厘米的粗毛,淡灰色,有黑色的玫瑰花纹,脊背有一条黑色条纹。体下部绒毛长达 10 厘米,苍白色。雪豹体长约 2.1 米(包括尾长 0.9 米),肩高约 0.6 米,体重 23 ～ 41 千克。夜出猎食旱獭、野绵羊和家畜等动物。妊娠期约 93 天,一窝 2 ～ 4 仔。常和别的大型猫科动物一起列入豹属(*Panthera*)。有些学者因它的某些骨骼特征而将它列为雪豹属(*Uncia*)的唯一种。《红皮书》中已列为濒于绝灭的种。

ounce 盎司 英国常衡制的重量单位,等于 1/16 磅(437½格令);在金衡与药衡制中,等于 480 格令或 1/12 磅。常衡制盎司等于 28.35 克。若作为容量单位,则液盎司在美国惯用制中等于 1/16 品脱或 29.57 毫升;在英国度量衡制中等于 1/20 品脱或 28.41 毫升。作重量单位的盎司源自罗马的盎西亚(uncia,意指“1/12”),即罗马尺的 1/12。罗马尺的标准为一铜棒(它又是重量一磅的标准),全长分成 12 等分,每等分称作盎西亚;因此盎西亚既是重量单位,又是长度单位,并为现代术语英寸和盎司的起源。

Oundle 昂德尔 英国北安普敦行政、历史郡东北安普敦区市镇。濒临宁河。16 世纪 30 年代在亨利八世统治下修道院撤销后,贝德福德伯爵领有该邑。建于 1556 年的昂德尔男子学校 1930 年受皇家册封,1892 ～ 1922 年 F.W.桑德森(**Sanderson, Frederick William**)任校长时声名远扬。市镇本身较小且为住宅区,一年两度举办交易会。人口3 996(1991)。

Ouolof(people) 参阅 **Wolof** 沃洛夫人。

Ouolof empire(West African history) 参阅 **Wolof empire** 沃洛夫帝国。

Ouologuem, Yambo 沃洛盖姆(1940-08-22,法属苏丹莫普提区班贾加雷[今苏丹]～) 笔名乌托·鲁道夫。苏丹作家。第一部小说《暴力的责任》(1968)享有盛誉,获勒诺多文学奖。由此成为第一个获得法国重要文学奖的非洲作家。生于统治阶级家族,1962 年在巴黎获哲学、文学和英语学位。还曾在巴黎攻读社会学博士学位。他的最为著名的作品《暴力的责任》是关于一个虚构的苏丹帝国的史诗,展开了数百年的非洲历史,揭示了几个世纪以来造成黑人“奴隶心态”的三大势力(古代非洲皇帝,阿拉伯人,19 世纪中叶以来的欧洲殖民地行政官员)将黑人沦落为“黑色暴民”。对这部作品颇有争议,有些评论家认为它是非洲文学的新形式。

Our Father 我们在天上的父 拉丁语作 Pater Noster。基督教《主祷文》(**Lord's Prayer**)开头语。

Ouray 乌雷 美国科罗拉多州西南部城镇,乌雷县县城(1877),位于圣胡安山陡峭的山谷中,海拔 2 365 米。1876 年建为采矿营地。同年发现金矿后当地发展迅猛,常住居民达1 200人,更有许多临时人口。目前城镇大部建于 1880 ～ 1900 年。该城镇为常年山地运动胜地,建有多个滑雪场。还有乌雷温泉和落差 87 米的博克斯峡谷瀑布。人口 813(2000)。

Ourinhos 欧里纽斯 巴西圣保罗州中南部城市。位于巴拉那帕内马河畔,靠近巴拉那州。海拔 478 米。1948 年为城市区中心。附近出产咖啡、苜蓿、棉花、稻米和玉米。有农产品加工、酿酒、五金和弹药工厂。有铁路和公路通州首府圣保罗及附近城市。有一机场。人口约89 301(2000)。

Ouro Prêto 欧鲁普雷图 巴西米纳斯吉拉斯州东南部城市。位于多斯河流域,欧鲁普雷图山低坡,海拔1 016米。建于 1698 年,不到 10 年就成为金银开采热潮的中心。1711 年建市。巴西独立后为米纳斯吉拉斯省省会。1897 年后因运输困难,省会迁至贝洛奥里藏特,使欧鲁普雷图本已衰落的经济更加恶化。1979 年附近的阿尔坎炼铝厂投产,经济好转。现设有欧鲁普雷图联邦大学(1969)。有公路和铁路通贝洛奥里藏特。有许多古老建筑。1933 年该市设为国家纪念地,附近地区设为国家公园,以修复和保护市内精美的公共建筑、教堂和宅邸(大多建于 18 世纪末)。现存古建筑包括殖民时期的总督府(现为矿业学校),一座博物馆(收藏巴西特产矿石珍品)、一所殖民时期的大型监狱(现为展出该州金矿开采和文化史的因孔菲登西亚博物院)、巴西最古老的剧场(1861 ～ 1862 修复)和许多巴罗克式教堂,整个地区就像是一座露天博物院。20 世纪 70 年代末,由联邦政府提供资金,开始修复当地古迹。通过人称阿莱哈丁诺(“小跛子”)的 A.F.利斯沃亚巧妙的双手,宗教建筑物及雕刻变得十分完美。人口:城市区约55 823(2000)。

Ouroboros 自噬自生蛇 古代埃及和希腊的象征性蛇,它咬着自己的尾巴,不断吞噬自己又不断从自体再生。诺斯替教和炼丹术以此象征所有物质事物和精神事物的同一性,

1760 年以利扎著作插图中的自噬自生蛇
美国不列颠百科全书公司供图

它们永不消失,只是在死而再生的永恒循环中不断变化形式。19 世纪,德国化学家凯库勒由于梦见这种蛇而产生碳原子链形成苯环的概念。

Ouse, River 乌斯河 英格兰河流。源出北安普敦郡布拉克利以西 8 千米处,经白金

汉、贝德福德、亨廷登和圣艾夫斯至伊里斯，再穿过沼泽区，注入北海的沃什湾。河上建有船闸，船只可上溯至贝德福德。沿河有杂鱼捕捞业和砂砾开采业。该河有时也称为大乌斯河，以有别于其支流小乌斯河。

Ouse, River 乌斯河 英格兰中北部河流，流经奔宁山脉中部（经其支流）和约克谷地。由北约克郡中部巴勒布里奇以东的斯韦尔河与尤尔河汇流而成。乌斯河大致走向为东南，流经99千米（60英里）穿过约克市和塞尔比镇与古尔以北的艾尔河（在亨伯赛德郡的边界）汇合；又在古尔以东14千米处与北流的特伦特河汇流成亨伯河（注入北海）。乌斯河注入亨伯河的流量平均约100米^3/秒。乌斯河下游与贯穿高度工业化的西约克郡的艾尔和科尔德航道（英格兰最重要的内陆水系之一）相连，为原料与工业产品（包括钢、煤和纺织品等）的主要运输水道。两岸平原产大麦、小麦、马铃薯和甜菜等作物。20世纪末，乌斯河盆地的深竖坑煤田成为英国最重要的煤炭新资源，从而使乌斯河成为愈来愈重要的运输动脉。

ousel(bird) 参阅 **ouzel** 环颈鸫。

Ousmane Sembene 乌斯曼（1923-01-01，塞内加尔济金绍尔-卡萨芒斯～2007-06-09/10，达喀尔） 塞内加尔作家和电影导演。以其历史、政治性题材著称。乌斯曼早年在卡萨芒斯海岸捕鱼为生。就读于马尔萨苏姆陶瓷学校，后移居达喀尔，在那里先后当过瓦工、管子工和机械工学徒。1939年应征加入法国军队。1942年第二次世界大战期间，参加自由法兰西武装力量，1944年首次在法国登陆。复员后留在法国，在马赛当一名码头工人，成为一名富有战斗精神的工会会员。乌斯曼通过自学能够阅读法语和用法语写作。1956年出版了他的第一部小说《黑人码头工》，以他在马赛的经历为蓝本。由于脊髓功能失调，他被迫放弃体力劳动，而以写作为生。他随后的作品有：《祖国，我可爱的人民》（1957）和《神的女儿》（1960），后者描写了铁路工人的罢工和反对殖民主义的斗争；短篇小说集《上沃尔特人》（1962）、《热风》（1964年在《非洲现状》季刊上发表）及《哈拉》（1974）等。他并根据《哈拉》改编成一部优秀影片。1960年前后乌斯曼开始对电影发生兴趣，希望用电影教育广大非洲人民（其中80%不懂法语，也没有机会接触无论何种语言的书本）。乌斯曼在莫斯科电影学院学习后回到非洲，拍摄了三部具有强烈社会意义的短片。1966年拍摄故事片《黑妞》，这是非洲电影制作者摄制的第一部故事片。影片描写了法国一家庭雇用达喀尔的一个目不识丁的姑娘当仆人，而实际是对她进行奴役。该片在1967年戛纳电影节上获得大奖。随着反映达喀尔的日常生活和腐败现象的喜剧片《金钱的规律》的拍摄，乌斯曼于1968年作出了一项革命性的决定，即不用法语而用沃洛夫语拍片。他的杰作《塞多》（1977）就是用沃洛夫语拍摄的。这部影片对非洲宗教的各个方面作了大胆的、全面的描写，但在他的祖国塞内加尔却被禁映。《蒂亚罗耶兵营》（1988）描写了1944年法国军队屠杀营地里起来反抗的非洲老兵的事件。

Out Islands 外围小岛群 巴哈马群岛中除新普罗维登斯岛以外所有岛屿的统称。共有约3 000个岛屿和岩礁，总面积约10 500平方千米，其中仅20多个岛屿有人定居。人口82 899（1990）。

Outardes River 乌塔尔德河 加拿大魁北克省中部偏东河流，在北岸行政区。源出奥蒂什山地，向南流，通过普莱蒂皮湖注入圣劳伦斯河。全长480千米。乌塔尔德河的无数急流和瀑布在20世纪30年代促进了水电事业的发展。至60年代，开始建设马尼夸根-乌塔尔德水电工程。

Outback 内地 澳大利亚偏僻而人口稀少的内陆地区的俗称，一般指澳大利亚东部半干旱内陆地区和西部高原干旱的中部地区及其北部的半干旱平原。区内有麦克唐奈、马斯格雷夫、彼得曼等山脉和吉布森沙漠、大沙沙漠、维多利亚大沙漠、塔纳米沙漠等自然地区。19世纪70年代起最北部开始有养牛业。19世纪末，养羊业兴起。现除畜牧业外，还出产蛋白石和石油。当地基本的经济必需品要靠城市供给。皇家飞行医疗队为内地人民提供医疗服务，广播电视学校通过收发两用机和电视机对儿童进行教育。

outcaste 种姓除籍者 在印度社会的种姓制度中，一般是由于触犯礼仪被开除出种姓的个人或群体。种姓除籍可能是暂时的，也可能是永久的。在19世纪，一个印度教徒如果到国外去过，人们就认为他会在国外被迫违反种姓规则而受到污染，他就有被除籍的可能。这类被开除的触犯者可通过完成一定的仪式恢复种姓，一般是为同种姓兄弟举行一次宴会或交一笔罚金。永久的种姓除籍比较严重。因为既将触犯者从社会或经济困难支援中排除出去，又剥夺了婚配权。某些种姓联姻的后代（传统是由婆罗门母亲和首陀罗父亲的联姻）被认为是种姓除籍者。种姓除籍者由于经济地位不稳定，经常不得不去干谁也不愿干的下贱、肮脏的工作。这样，他们就不仅是种姓除籍者，而且成为贱民了。在印度内部或周围有些部落及所有外国人，都被自然地看做无种姓或"种姓外"的人。

Outcault, Richard Felton 奥特考尔特（1863-01-14，美国俄亥俄兰开斯特～1928-09-25，纽约弗拉兴） 美国漫画家，所作《黄娃》对连环漫画的发展颇有影响。曾在辛辛那提和巴黎学美术，后给一些杂志投稿。1885年起为《纽约世界报》作反映贫民区生活的连环漫画。所绘身穿黄色睡衣的顽童被《纽约世界报》选用作彩印试验，引起广泛的注意，并因此被叫作"黄娃"。同年，奥特考尔特脱离《纽约世界报》，受雇于《纽约日报》。1902年他在《纽约先驱报》创作出第二个重要的漫画人物《巴斯特·布朗》，一个外表整洁而缺乏男子气、在上流社会进行恶作剧的形象。巴斯特·布朗之名被广泛用于各类产品广告中。

Outer Banks 外滩群岛 又称The Banks。美国北卡罗来纳州沿海一串岛屿。自弗吉尼亚的巴克湾沿海岸向南延伸175英里（282千米）至卢考特角。由海岸沙丘构成。高度由几英尺到100多英尺以上不等。岛上居民有渔民和农民。该地区吸引着猎鸟人及钓鱼爱好者。大西洋沿海水道从外滩群岛与大陆之间穿过。有罗厄诺克岛（**Roanoke Island**）和莱特兄弟动力飞机作首次试航的基蒂霍克村等几处历史遗址。

Outer Hebrides 外赫布里底群岛 苏格兰西北岸外的岛群，建制为西部群岛地区，苏格兰三个岛区之一。如其名所示，外赫布里底群岛比内赫布里底群岛离苏格兰本土更远一些。群岛由北部的刘易斯岛延伸210千米至南部的巴拉黑德岛。与内赫布里底群岛之间北隔北明奇海峡与小明奇海峡，南隔赫布里底海。群岛呈新月状分布，离苏格兰本土约65千米，其中最大岛屿有刘易斯、哈里斯、北尤伊斯特、本贝丘拉、南尤伊斯特和巴拉等。群岛中许多岛屿无人居住，人口几乎都集中在刘易斯岛和哈里斯岛。由于缺乏经济机会，20世纪岛上人口减少很多。群岛是少数仍以苏格兰盖尔语为日常用语的苏格兰地区之一。群岛多野生动物，较孤立的岛屿上诸多大海鸟，如塘鹅、臭鸥和海鹦等。北部诸岛发现有红鹿，索厄岛上有野羊；大西洋灰海豹则栖息在许多沿海地区。群岛上的植被多为草原和苔原的草本植物，在排水不良的低地常发现有泥炭沼。几无树木，大部分地区景色开阔而荒凉。贫瘠的土壤只能种植些粗糙的饲料作物、马铃薯和少数蔬菜。小佃农农场是传统的经济主流，现今仍是如此。从沼地挖来的泥炭用于佃农家取暖。群岛以其手工织的高质量哈里斯粗花呢闻名。渔业虽自20世纪初全盛期后有所衰退，但仍很重要。人类在该群岛居住至少有4 000年，有许多史前遗迹，包括杰出的卡拉尼什（刘易斯岛）的巨石圈，它与史前巨石阵同样重要。刘易斯岛上的斯托诺韦是主要城镇和群岛的行政中心。有天然良港和船舶修理设施，还有一个为附近海上石油工业使用的施工场。

Outer Himalayas(Central Asia) **外喜马拉雅山脉** 参阅 **Siwālik Hills** 西瓦利克山脉。

Outer Mongolia 外蒙古 参阅 **Mongolia** 蒙古。

Outer Space Treaty 《外层空间条约》 约束各缔约国仅为和平目的而利用外层空间的国际条约。全称是：关于各国探测与利用包括月球和其他天体在内的外层空间活动所应遵循的原则条约（1967）。1966年6月，美国和苏联向联合国提交关于利用空间的条约草案，草案经联合国和平利用外层空间委员会法律小组委员会谈判，产生的文件由联合国大会于1966年12月19日批准。该条约经美、苏、英和若干其他国家批准后于1967年10月10日生效。根据条约的规定，各缔约国不得在轨道上、月球上或空间其他物体上装置核武器或其他大规模毁灭性武器。各国不得对月球或其他天体提出主权要求。各国应对其空间活动负责,应对从其领土发射到空间的物体所造成的任何损害负责,并且有义务协助处境危难的航天员。各国的空间设施和运载工具应在互惠的基础上向其他国家的代表开放。各缔约国一致同意公开地、并根据国际法的规定进行外层空间活动。

Outjo 奥乔 纳米比亚西北部城镇,位于起伏连绵的丘陵上,海拔1 260米。地处干燥地区,但可汲取地下水。具边陲重镇特色。1880年第一个欧洲移民兰伯特来此。1895年德国殖民当局在奥乔建立一个军事据点。1944年成为城市区。为附近农牧产品贸易中心,工业以生产肉类、乳制品和卡拉库尔羊毛为主。有一条铁路支线从东南47千米的奥奇瓦龙戈通该镇。人口约4 380(1983)。

outlaw music 叛道音乐 20世纪70年代美国的乡村音乐运动,由W.纳尔逊和W.詹宁斯领导。叛道音乐有时称为改革派乡村音乐,是对60年代美国乡村音乐的主流派纳什维尔之声的革新。这是H.威廉斯带头的低等酒吧风格的产物,它把民歌的内省歌词、摇滚乐的节奏和乡村音乐的配乐法结合起来。与源于洛杉矶的南方摇滚及乡村摇滚一样,叛道音乐是摇滚和根源音乐的混合种,有一种地方色彩。1971年纳尔逊离开田纳西州纳什维尔,回到故乡得克萨斯州。但是他那长发的形象不容于当地保守的社会,于是他来到奥斯汀重新开始。那里的俱乐部龙蛇杂处,既有嬉皮士,也有南方乡下人。兴于此地的这个运动名称是来自乐曲《淑女爱叛道》(1972),这是詹宁斯的专辑。纳尔逊的西大荒概念专辑《红头怪人》(1975)产量极少,迫使哥伦比亚唱片公司减少发行。随着其他叛道音乐的出现,该运动有落入自身窠臼的危险,但詹宁斯一直不墨守成规,纳尔逊则朝其他音乐方向发展。

outlawry 不受法律保护 指由于一个人拒绝服从合法管辖的法庭而被宣布不受法律保护。英国过去不论民事、刑事诉讼,只要当事人藐视法庭,就要剥夺其法律权益,只要证实有重大不受法律保护的情况(犯有叛逆罪或重罪),被告人就要被处死刑,而且往往立即处决或在逮捕时处决,并立即没收其全部财产。关于民事诉讼的这方面规定,已于1879年废除。根据现行英国法律,不受法律保护只能用于受到刑事指控的人。在其他国家,民事诉讼中几乎没有不受法律保护的规定。有些国家对并未犯罪但身心不正常的人采取不受法律保护的处置。例如印度把患有麻风病的人禁锢起来,驱逐到麻风地区居住,这些人不能享受社会上的一般权益。

Outram, Sir James, 1st Baronet 乌特勒姆(1803-01-29,英格兰德比巴特利附近～1863-03-11,法国波城) 英国将军和印度政治官员。以具有骑士精神而闻名,人称"印度的巴亚尔"。阿伯丁的马利夏尔学院毕业。1819年作为军官候补生去孟买。在第一次阿富汗战争中立有战功。1842年任驻信德政治代办。他曾将3万卢比的奖金捐赠给印度慈善机构,因为他认为这场战争是非正义的。后任巴洛达和勒克瑙驻扎官,于1857年兼并奥德。1857年率兵远征波斯,晋升中将。1858年封准男爵。

美国不列颠百科全书公司供图

Outremeuse, Jean d' 乌特雷默斯(1338?～1399?) 两部浪漫化的但又引人入胜的历史著作的作者。第一部《列日的伟绩》是一本消闲之作,半诗半文,叙述他的故乡之城神化般的历史。第二部《历史之镜》立意更加宏伟,声称系一部世界史,从宇宙洪荒写至14世纪。他不是严谨的历史学家,但他对过去的小说化的描述使人似可以看出中世纪人如何运用智慧。在大量纯属虚构的故事中,仍可发现关于作者所处的时代,尤其是关于当时文学的独特的史料。

Outremont 乌特勒蒙 加拿大魁北克省南部城市,属蒙特利尔行政区。位于蒙特利尔岛中央,与蒙特利尔市相邻。基本是人口密集的城郊住宅区。1915年建市。人口22 935(1991)。

outsourcing 外包 一种工作安排。指雇主将原可由本公司人员承担的工作雇用外界承包商完成。外包常常引起参加工会组织的劳工的争论。例如,假使一个雇主与工会订有劳务合同,而又将可由工会会员完成的工作外包,所以工会一般都会反对这一做法,因为它从工会会员手中夺走了工作。管理层愿意外包或转包给不承认工会的供应商,因为这样做常常可以降低成本。外包也能减少劳资谈判中的雇员人数。

outwash 冰水沉积 由冰川融冰水流搬运并堆积下来的成层砂砾沉积物。在冰川边缘厚度可达100米,虽然一般小得多,可能向前延伸许多千米长。例如,威斯康星冰期的冰水沉积物可追索到密西西比河口,距最近的冰川末端1 120千米。冰水沉积盖层上可能散布着未排干的锅穴,或被冰后期河流切割。冰水沉积平原通常具有反映不同粒径交替的交错层理。由于坡度和缓,较大的碎屑物质堆积在最靠近冰川的部位,而较小的颗粒散布的距离较远。冰川条痕石不多见,因为擦痕已在搬运中磨去。冰水沉积物是河流冰川沉积物中规模最大的,并且提供了风运物的重要来源。受谷壁限制的冰水沉积称为谷边碛。

Ouvéa Island 乌韦阿岛 Ouvéa又拼Uea。法语作Île Uvéa。太平洋西南部洛亚蒂群岛最北端的岛屿。属法国新喀里多尼亚海外领地。为新月形的珊瑚环礁,岛长50千米,宽7千米,面积132平方千米。土壤肥沃。沿潟湖边缘32千米长的海滩上有旅游设施。岛上有森林,出口椰干。法亚韦为主要村镇与行政中心。居民讲萨摩亚语和新赫布里底语。人口约3 974(1996)。

Ouvrier, Albert l' 工人阿尔贝 参阅 Albert l'Ouvrier 阿尔贝(工人)。

Ouyang Xiu 欧阳修(1007～1072) 又拼Ou-yang Hsiu。中国北宋文学家、政治家、史学家。字永叔,号醉翁、六一居士。谥文忠。吉州永丰(今属江西)人。幼年丧父,家境贫困。1030年中进士,官至枢密副使、参知政事。在当时革新派和保守派斗争中属范仲淹革新一派,因而受政敌打击,屡被罢官。主张文章"明道"、致用,反对宋初浮艳靡丽的文风,为北宋古文运动领袖人物,唐宋古文八大家之一。在散文、诗、词方面都有杰出成就。散文平易流畅,婉转自然,富抒情气氛,《朋党论》、《五代史伶官传序》、《醉翁亭记》、《祭石曼卿文》、《秋声赋》等都为世传诵。诗风与散文近似,以平易见长。不尚词采,不喜雕琢。词则沿袭唐末五代婉丽蕴藉的风气,大都写恋情、别意、宴饮,少许写景词清丽疏淡,颇有情韵。撰《新五代史》,并与宋祁合修《新唐书》,有《欧阳文忠集》。

中国大百科全书出版社供图

Ouyang Xun 欧阳询(557～641) 中国唐代书法家。字信本,潭州临湘(今湖南长沙)人。官至弘文馆学士,与斐矩、陈叔达共同编纂《艺文类聚》100卷。其书法学习王羲之,又融入北碑的劲峻,形成劲险醇古的风格,《九成宫醴泉铭》、《化度寺邕禅师塔铭》二碑系其代表作。评者谓其书"四面停匀,八边俱备","猛锐长驱","一片神骨",至被推为楷法极则,对后代影响很大。与虞世南(558～638)、褚遂良(596～658)、薛稷并称初唐四家。他的书体被称为"欧体"。著名的《欧阳

欧阳询书《化度寺邕禅师塔铭》
中国大百科全书出版社供图

询三十六法》即后人分析欧法所作。其书法远播海外，日本、朝鲜竞相仿效。其子欧阳通，能传家学，书法更为险厉。

Ouyang Yuqian　欧阳予倩（1889-05-12，中国湖南浏阳～1962-09-21）　中国戏剧艺术家、戏剧教育家。原名立袁，号南杰。出生于书香官宦家庭。1902年赴日本，曾求学于明

中国大百科全书出版社供图

治大学及早稻田大学。1907年参加新剧团体"春柳社"开始戏剧运动。1910年在上海组织"新剧同志会"，演出《家庭恩怨记》、《猛回头》、《热血》、《社会钟》等。为中国话剧主要奠基人之一。1914～1928年自编自演京剧剧目20多个。一时与梅兰芳齐名，有"北梅南欧"之名。此后主要从事戏剧和电影的编导工作。一生编写过40余部话剧，导演过50余出话剧。创作、改编和修改过的戏曲剧本不下50部。话剧代表作为《忠王李秀成》、《桃花扇》、《黑奴恨》。1947年撰写的大型话剧《桃花扇》系根据孔尚任同名传奇剧本改编，突出了正义与邪恶、爱国主义与卖国主义的斗争，塑造了李香君这一富有反抗性格、具有坚贞爱国情操的风尘女子形象。1919年9月主办南通伶工学社，破除旧的科班制度，建立新的办学宗旨，培养出一批年轻演员和乐队。1929年在广州创办广东戏剧研究所并附设戏剧学校、音乐学校。1950年以后任北京中央戏剧学院院长和中国戏剧家协会副主席。提倡戏曲和话剧互相学习，融会贯通，创造中国民族的演剧艺术体系。在他主持下建立了实验剧场及实验话剧院，并兼任话剧院院长。晚年还致力于整理毕生的艺术经验，出版有《欧阳予倩剧作选》（1956）、《自我演戏以来》（1933）、《电影半路出家记》（1962）、《一得余抄》（1959）、《唐代舞蹈》（1980）等著作。《欧阳予倩全集》于1990年9月出版。

ouzel（*Turdus torquatus*）　**环颈鸫**　又拼ousel，又作ring-ouzel。又称黑鸫。雀形目鸫科鸟类。特征为胸部有一白色新月状斑纹。体浅黑色，长24厘米。繁殖限于从大不列

环颈鸫（*Turdus torquatus*）
美国不列颠百科全书公司供图

颠、挪威到中东的高地。黑鸫一词以前用于近缘的欧洲产乌鸫（**blackbird**）。关于在墨西哥与黑鸫有亲缘关系的black ouzel（皂鸫），参阅**robin**。河乌（**dipper**）常称为水黑鸫（water ouzel）。

Ovambo（people）　**奥万博人**　参阅**Ambo** 安博人。

Ovamboland（Namibia）　**奥万博兰**　参阅**Owambo** 奥万博。

Ovando, Nicolás de　奥万多（约1451，卡斯蒂利亚布罗萨斯［西班牙］～约1511）　西班牙军事领袖，第一任西印度群岛王家总督。他率先实行的强迫印第安人劳动的制度后在西班牙美洲普遍推行。他在圣多明各建立稳定的西班牙人社区，成为以后定居者的基地和样板。出身贵族家庭，在与费迪南及伊莎贝拉宫廷关系密切的环境中长大，并成为王子的伙伴之一。他是阿拉坎塔拉骑士团成员，因协助改组骑士团有功，被任命为西印度殖民地总督。1502年随2 000多名殖民者和前往新大陆的最大船队到达圣多明各。后通过王室批准建立家长统治的监护征赋制（**encomienda**），企图以提供食物和安全换取印第安人的劳动，不久成为赤裸裸的残酷剥削。1509年因虐待印第安人被召回。回国后写有回忆录，并出版了圣多明各地图。

ovarian cancer　卵巢癌　一种以卵巢内细胞异常生长为特征的疾病。大部分始于卵巢外层，虽然有些癌症起于周围的结缔组织，或起于作为排卵前兆的细胞。卵巢癌并不直接起于遗传性基因突变，尽管几种基因的某些特定突变一直与这种疾病有关。此外，已知各种不同的非基因因素会增加罹患卵巢癌的危险。已知最常见的因素是雌激素水平长期过高，其他因素包括月经初潮过早（12岁以前）、停经过晚（52岁以后），以及没有怀孕。BRCA1和BRCA2基因的特定突变出现时，也会增加女性罹患卵巢癌的危险，使用受孕药或个人曾经罹患乳癌也是如此。症状通常到癌症有相当进展时才出现。症状可能包括腹肿、骨盆压力、肠胃胀气、肿胀、胃痛或腿痛、阴道异常出血等。卵巢癌的诊断始于彻底的身体检查，包括骨盆检查。也可以通过影像方法检测出来，但只有切片检查能够确定诊断。一旦诊断出卵巢癌，随即决定病期。病期能够指出癌症进展的程度。对大部分卵巢癌来说，外科手术是一种有效的疗法。卵巢切除术是最常见的手术。必要时也会切除输卵管。虽然有时与外科手术并用，辐射疗法却很少作为卵巢癌的主要疗法。当癌症扩散到卵巢以外时，化学疗法通常是较好的疗法，但也可用于外科手术之后。长期使用口服避孕药的女性会比较不易受卵巢癌危险的威胁，先前接受子宫切除术或怀孕后接受输卵管结扎的女性也是如此。怀孕本身也会增加卵巢癌的危险，哺乳亦然。

ovary　子房　花内雌蕊基部的膨大部分。内有胚珠。受精后胚珠发育成种子，而子房发育成为果实。单心皮子房由一个心皮（变态的叶）形成，一室，内有胚珠。多心皮子房由一个以上的心皮构成，一室或多室。子房的位置有分类学意义，子房着生于花托上者称子房上位，陷入花托内者称子房下位。参阅**flower**。

ovary　卵巢　产生卵子的雌性生殖器官。雌性脊椎动物有一对卵巢，可以产生卵子及维持生殖活动的激素；而在某些无脊椎动物（如刺胞动物）卵巢的形成与季节有关，或在同一动物体内既有卵巢又有睾丸。有些动物亦有性反转过程。人类新生儿和幼儿的卵巢为一团长形组织块，到青春期逐渐增大，形状改变，至成年时呈杏仁形，大小约为4厘米×2厘米×1.5厘米，共重4～8克。卵巢通过韧带连于子宫和输卵管，其表面不平并有瘢痕组织。女性婴儿出生时卵巢内约有卵泡15万～50万个，到青春期和青年期其数目降至34 000个左右，以后随年龄增长数目进一步减少，直到绝经期，生殖功能衰退，少数尚存的卵泡亦退化。在生育年龄（13～50岁）内，一般只有300～400个卵泡可以成熟；即每4周左右，左或右侧的卵巢中就有一个卵泡成熟。成熟的卵子从卵巢排出，进入生殖道准备受精。若未受精则在月经期间从体内排出。卵巢亦有内分泌功能，分泌雌激素和孕激素。雌激素由卵泡分泌，促进第二性征的发育（如乳房增大、阴毛生长、髋部及臀部脂肪蓄积），在月经周期内亦刺激子宫内膜的生长。孕激素由黄体细胞分泌，可促进受精卵在子宫内着床并发育成胎儿。卵巢的中心部位称为髓质，由结缔组织构成，包含血管、淋巴管和神经纤维等。髓质外包有一厚层皮质，中含许多卵泡。卵泡成熟时增大并移至卵巢表面，卵子从卵泡中排出后血液和黄体细胞进入滤泡腔形成黄体。如果卵子受精，则黄体一直存留到妊娠中止，并分泌孕激素。如果卵子未受精，则黄体变成白色瘢痕组织（白体），以后常自行消失。绝经后卵巢缩小，其组成多为陈旧纤维组织，雌激素的分泌显

著减少，但未完全停止。参阅 **ovulation**。

ovenbird 灶鸟 筑圆顶巢具巢口在侧面的数种小鸟，尤指橙顶水鸫（*Seiurus aurocapillus*，雀形目林莺科）。橙顶水鸫生活在北美落基山脉以东，越冬地南至哥伦比亚。上部橄榄色带褐色，胸部有条纹，有白色眼圈，冠橙色而有黑边，形似小型的鸫。在阴湿的林地连续发出一声比一声高的"tee-cher"似的鸣声。步态不像其他多数林莺那样呈跳跃式。巢置于地上，有青草做的圆顶。广义的"灶鸟"一词又指美洲热带地区的灶鸟科（炉鸟科，**Furnariidae**）的种类，尤指灶鸟属（*Furnarius*）的种

橙顶水鸫（*Seiurus aurocapillus*）
美国不列颠百科全书公司供图

类。长 15 ～ 20 厘米，浅红褐色，形似鸫，常见于南美洲的大部分开阔地区。巢炉灶状，用泥土和草筑成，高约 30 厘米，筑于树枝、木桩上或屋顶突出部。

over-the-counter market 场外交易市场 不在交易所内进行的股票和债券的交易。又常称为交易所外市场，有时称为未挂牌市场。不过后一名称易起误解，因为有些在场外交易的证券，是在交易所内挂牌的。场外交易往往是通过电话、电报或租赁的私人专用线路进行的。由于美国股票在交易所挂牌的要求条件非常严格，这类交易在美国最为重要。美国政府债券（即国库债券）以及其他许多债券和优先股票，都在纽约证券交易所挂牌，但都有其各自的重要场外交易市场。其他美国政府公债及州、市政府的债券，专门在场外交易。现在，由于像经营大量股票的共同基金之类的公共团体投资公司的重要性与日俱增，一个第三市场业已发展起来。在交易所挂牌的股票的交易，却常在场外进行；因为交易所内的佣金都是固定不变的，因而大宗交易也不可能取得优惠的折扣。场外交易市场的许多规章，都是通过全国证券交易商协会贯彻执行的。该协会根据国会法令于 1939 年建立，旨在制订经营规则并保护会员和投资者免受欺骗。

Overami（king of Benin） **奥韦拉米** 参阅 **Ovonramwen** **奥翁拉姆文**。

Overbeck, Johann Friedrich 奥韦尔贝克（1789-07-03，吕贝克帝国自由城～1869-11-12，罗马） 表现基督教题材的浪漫主义画家，德国艺术家社团"拿撒勒派"或称"路加弟兄会"的领导。1806 年入维也纳学院学习。由于对学院教学法的失望，与 F. 普福尔在 1809年建立"路加弟兄会"。试图复活中世纪

奥韦尔贝克绘《伊塔利娅与赫尔马尼娅》（1811 ～ 1828）
美国不列颠百科全书公司供图

的艺术行会，通过基督教的信念使艺术繁荣，并从丢勒和意大利文艺复兴艺术中，特别是从佩鲁吉诺和拉斐尔早期作品中寻求启示。1810 年，路加弟兄会去罗马，其绘画风格轮廓精确，色彩纯洁、明亮，突出宗教的象征主义。弟兄会曾集体完成壁画《约瑟被兄长们出卖》（1816），还为罗马马西莫别墅的圆厅作室内装饰画（1817 ～ 1829）。奥韦尔贝克在阿西西的波提翁库拉教堂中所作《圣方济各的玫瑰花奇迹》一画（1829）被认为是其主要作品。早期绘画和素描很有生气，后期创作显得苍白无力，趋于格式化。其晚期作品曾给 19 世纪基督教祈祷艺术和拉斐尔前派的绘画以很大影响。

Overbury, Sir Thomas 奥弗伯里（1581-06-18 受洗，英格兰沃里克康普顿斯科皮恩～1613-09-15，伦敦） 英国诗人和散文作家。詹姆斯一世宫廷一起阴谋事件的受害者。他的《妻子》一诗描述年轻丈夫应要求其妻子具有美德。该诗在促使他被谋害的事件中起了重大作用。曾在牛津大学受教育，1598 年入伦敦中殿律师学院学法律。在低地国家旅行

美国不列颠百科全书公司供图

归国后，1606 年成为国王宠臣罗伯特·卡尔（后来成为萨默塞特伯爵）的秘书和亲信顾问。1608 年受封为骑士。1611 年他因担心卡尔迷恋埃塞克斯伯爵夫人会对卡尔不利，直言不讳地说出自己对伯爵夫人的看法，并在宫中散布他的诗作《妻子》的抄本，结果被认为是对伯爵夫人的攻击，惹怒了国王，被关进伦敦塔，在伯爵夫人策划下，中毒而死。不久，卡尔同伯爵夫人结婚。一年后，丑闻披露于世。共谋犯被绞死，卡尔夫妇失宠。《妻子》于 1614 年出版。由于作者死后深受怀念，一年之内再版数次。

Overijssel 上艾瑟尔 荷兰东北部一省。南起海尔德兰省，北至德伦特和弗里斯兰省，东界德国，西邻弗莱福兰省。境内有艾瑟尔河、费赫特河、兹瓦特水道、雷赫河、特文特、上艾瑟尔运河及其他许多水道。面积3 339平方千米。省会兹沃勒。大部分地区为冰川作用三角洲形成的沙土地和低丘。兹沃勒以北大片沿海地带是低泥炭地，部分有黏土覆盖。西北部主要是牧场。沙土地区除生产乳品外，还经营农副业。萨兰德中部地区有果园。东北部曾一度为高泥炭地区。省内工业发达，东南部特文特地区为荷兰主要纺织业中心之一。大城市有恩斯赫德、阿尔默洛、亨厄洛和奥尔登扎尔，其他重要工业中心有代芬特尔、坎彭和兹沃勒。西北部有两个国家公园（1934；1957），一为泥塘和沼泽植物保护区，另一为水禽禁猎区。人口约 998 751（1986）。

Øverland, Arnulf 欧弗朗（1889-04-27，挪威克里斯蒂安桑～1968-03-25，奥斯陆） 挪威诗人、社会主义者。因所写诗歌在第二次世界大战中鼓舞挪威人抵抗德国占领军而闻

（纽约）挪威新闻处供图

名。曾学过哲学。第一部诗集《孤寂的节日宴会》（1911）发表后，即以其风格明快、简洁而受到赞赏。一生毫不妥协地为被压迫者奔走呼号。但直到第一次世界大战后，在《面包与酒》（1919）这部作品中他才对资产阶级社会和基督教徒采取激进的反对态度，并认识到有必要把他的诗作变成一种社会斗争的武器。他的 30 年代诗作意在引起挪威人警惕法西斯主义和纳粹主义，其中最著名的一首《你千万不能熟睡！》（1937），旨在反对纳粹占领挪威。他因秘密散发此诗，1940 年被德军关进集中营，监禁 4 年。

Overland Mail 参阅 **Southern Overland Mail Company 南方横贯大陆邮递公司**。

Overland Park 欧弗兰帕克 美国堪萨斯州东北部约翰逊县城市。为堪萨斯城南郊，靠近密苏里州界。1906 年始有移民定居。位于圣菲铁路线上，为美国西部第一所航空学校所在地。1960 年建市。现主要为住宅区，

设有约翰逊县社区学院(1967)。人口149 080(2000)。

Overlord, Operation　霸王计划　参阅**Normandy Invasion** 诺曼底登陆。

Overseas Surveys, Directorate of　海外测量理事会　英国海外开发局负责测量、制图和航空摄影的机构。成立于1946年,任务是为英国海外开发局和外国政府、机构就测量和制图的所有各方面事物提供技术咨询。以现代航空摄影和摄影制图法绘制地图。航空摄影工作主要由英国各空中测量公司承担。理事会向海外派遣其测量员,以建立水平的和垂直的地面控制点,供摄影之用。地面控制点为永久性标志,并经过协调,以便使测量结果能作为未来工作的基础。后期的地图依据航空摄影结果编绘。地图稿本由当地测绘部门校核并加注释。地图在理事会总部定稿,由大不列颠测量标准局印制。理事会设有技术图书馆,为查询其曾工作过的国家的资料和地图提供方便。还对外散发和交换有关测量、摄影测量和制图学诸领域中的新技术和新设备的情报资料。

Overton, Richard　奥弗顿(活动时期1631～1664)　英国内战和共和政体期间的平均派领袖和小册子撰写者。早年生活不详。他在绍斯沃克充当职业演员和剧作家以前,可能曾在荷兰居住,并在剑桥大学女王学院学习。1640年成为政治活动家,写过大约50本小册子,抨击圣公会、垄断集团、斯特拉福德伯爵和民法。他在1645～1649年间出版的40本一套的小册子和在平均派的报纸《温和主义者》(1648～1649)上发表的20篇社论中,阐明自己的激进政治理论和主要思想:人民拥有主权,在自然法则下人人平等,实行共和政治,以社会契约作为政府和社会的基础。他还要求实行重大的社会和法律改革,包括废除强迫征收的什一税,把圈地归作公共使用,以及进行大学改革。奥弗顿是平均派运动的主要领袖,他是这个运动的理论家、宣传家和组织者。为此曾被囚禁在纽盖特监狱(1646～1647)和伦敦塔(1649)。获释后仍企图联合平均派、军队中的共和派和保王派推翻克伦威尔。后虽被迫逃往欧洲大陆,但到1656年又回到英国。直到17世纪60年代初,他仍继续支持共和事业。

overtone　泛音　在声学中,指当一根弦或空气柱整体振动而产生基础音(第一分音)时,在该基础音上方发出的微弱的音。如果分成几段振动就产生一些泛音(上方分音)。听者一般能清楚地听到基础音,很专心时能听到泛音。泛音列是由分成等分的部分(如1/2、1/3、1/4)振动而产生的。振动的分段越小,泛音的音高就越高。各上方泛音的频率与基础音的频率形成简单的比率(例如2:1,3:1,4:1)。有些乐器能产生非泛音列中的泛音。音乐的色彩即音色受某一乐器独特泛音的极大影响。因此,单簧管由于较低的泛音使声音柔和丰满,而双簧管则因缺乏类似泛音而听上去比较尖利。参阅**combination tone**。

overture　序曲　一种音乐体裁,通常指位于一首乐曲(多为戏剧音乐)前面的开场音乐,但也可以是一种独立的器乐作品。最早认真地采用完整的序曲是J.-B.吕里的歌剧《黛赛》等作品。他的音乐形式,即众所周知的"法国式序曲"或"吕里式序曲"是以符点节奏的慢板乐段开始,接着用赋格或模仿风格的快板乐段,最后用缓慢的段落结束,它有时发展为完整的第3段——或用开头的慢板乐段,或用小步舞曲或加沃特等舞曲写成。吕里的序曲形式不仅广被歌剧作曲家效仿(如H.普赛尔的《狄多与埃涅阿斯》),同样也在清唱剧领域普遍采用(如G.F.韩德尔的《弥赛亚》)。他以一首舞曲来结束序曲的手法影响了管弦乐组曲的发展。意大利序曲在1680年以后在A.斯卡拉蒂的歌剧中被牢固地树立起来。它共分3段,1、3两段为快板,第2段为慢板。这就为最早的3乐章交响曲提供了范本。C.P.E.巴赫和J.A.本达的作品中都有意大利序曲。一种比较现代的歌剧序曲由C.格鲁克首创,他在其歌剧《阿尔塞斯特》(1767)的献词中声称序曲应该为剧情作铺垫,使观众思想上有所准备。在《阿尔塞斯特》和《伊菲姬尼在陶里德》中,序曲不是在帷幕升起前结束,而是融入第一幕的情绪。R.瓦格纳的歌剧中也采用了类似技巧。另外一种倾向,特别是在法国D.奥柏和F.布瓦埃尔迪厄(19世纪初)的歌剧中,是从剧中选用一些曲调,串连而成序曲。同一时期的意大利序曲只是用来吸引观众的注意力。例如,G.罗西尼常常是一首序曲供几部歌剧用。18和19世纪的许多序曲来自奏鸣曲式。但到19世纪末,序曲就常由自由曲式的短前奏曲取代,并直接引入第一场,例如在瓦格纳的《罗亨格林》和G.威尔地的《阿伊达》里。C.德彪西《普莱雅斯和梅丽桑德》和B.布里顿《彼得·格里姆斯》的歌剧"序曲"仅几小节的音乐引子。P.马斯卡尼《乡村骑士》中的序幕是在大幕前演唱的一首咏叹调。19世纪形成的音乐会序曲,是按浪漫乐派歌剧序曲风格写的一种独立的单乐章乐曲。它既可用古典的奏鸣曲曲式,也可用自由的交响诗曲式。

Overweg, Adolf　奥韦尔韦格(1822-07-24,汉堡[德意志]～1852-09-27,乍得马杜阿里)　德国地质学家、天文学家和旅行家。为环绕乍得湖航行并绘制湖区地图的第一位欧洲人。曾参加探索从非洲大陆北海岸往中非内地的定期贸易通道。1849年参加英国探险家J.理查森率领的英国政府探险队,目的是打开与中非各王国的商业关系。1850年春从利比亚的黎波里穿撒哈拉沙漠南行。1851年初探险队分裂后,奥韦尔韦格独自行进,经津德尔(在今尼日尔中南部)到达库卡瓦(尼日利亚东北部)。继而与探险队科学家(理查森死后继任领队)H.巴尔特(**Barth, Heinrich**)会合。两人费时18个月,到阿达马瓦酋长国(尼日利亚)、贝努埃河和乍得湖四周探险。奥韦尔韦格在继续向东南行时去世。

Ovetum(Spain)　**奥韦图姆**　参阅**Oviedo** 奥维耶多。

Ovid　奥维德(公元前43-03-20,罗马帝国苏尔莫[今意大利苏尔莫纳]～公元17,莫西亚托弥[今罗马尼亚康斯坦察])　以《爱的艺术》和《变形记》闻名于世的罗马诗人。其诗作由于对古典神话作了富于想象力的阐释以及作为技巧成就卓绝的范例而产生巨大影响。出生于一个古老的家族,家道小康。自幼学习修辞。但他并不喜欢这种训练,却对诗歌自然而然地发生了兴趣。由于他是罗马骑士阶级的成员,他的父亲企图把他培养为官场人物。先在雅典精修学校学习,又与他的朋友游历了小亚细亚和西西里。其后做过司法小官,但不久即弃职致力于诗歌,并与诗人交往。

早期诗作《恋歌》、《列女志》、《论容饰》、《爱的艺术》和《爱的医疗》的共同主题是情爱和情爱的勾引,反映了当时社会的繁华、机巧和对声色犬马的追逐。但这未必就是奥维德的全部生活方式。他一生结婚三次,前两次为时短暂,但第三位妻子对他的感情始终不渝;他谈到她时也是洋溢着尊重爱恋之情。

美国不列颠百科全书公司供图

奥维德在当时诗人中的地位稳固之后,便着手写作规模更为宏大的《变形记》和《岁时记》。前者将近完成,后者仅完成一半。不久便遭奥古斯都皇帝放逐至黑海之滨,罗马帝国的蛮荒边疆。罹祸的原因至今不甚清楚。本人指出有两点:一个起因是《爱的艺术》;另一原因是得罪了权势人物。但他只声称错在言行不检点,是过而不是罪。看来奥维德的一些言行既有损于奥古斯都革新道德风气的努力,也有损于皇室的颜面。不过放逐的方式还算宽大,保留了奥维德的财产和公民资格。他的妻子留在罗马为其奔走并照管他的资产。但一切争取减刑的努力均归无效,诗人终于在流放地死去。

奥维德现存诗作除《变形记》外,均用两行一节的哀歌体写成。约在公元前1年写出的《爱的艺术》,讲的是男方如何勾引女方与其私通之术。这样的作品对力求改善道德风气的奥古斯都是挑衅性的;其中有些词句更触犯了皇帝个人的尊严。然而在现代读者看来,它是一本杰作,其中包含形形色色讽刺社会和个人的精彩篇章,勾画罗马生活习俗的传神速写以及生动有趣的神话插曲。当时爱情哀歌这一体裁已写作过滥,奥维德转而尝试新的诗歌类型。他的叙事状物的天才得以尽情发挥。

《岁时记》每月一编,记载罗马年历和宗教节日,至今仅见6编。它被认为是民族的诗篇。其中有令人击节叹赏的叙事部分，但也有不少缺乏真情实感，目的在于取悦皇室的忠君爱国的篇章。

每句 6 韵步的 15 卷长诗《变形记》近 12 000行。它集神话传说之大成，从混沌初开，乾坤始奠写起，一直写到凯撒被刺，化为天神止；这是从混乱到有序的第一轮变形写到从内战的纷扰到奥古斯都缔造和平的最终一轮变形。然而变形的意义表面多于实质。实质上，诗作的主题是激情，激情比诗人巧妙地布下的那些连结与框架更能使全诗达到浑然一体的境界。早期诗作中对情欲的用心此时已扩大加深为对每一种人类情感的探索，因为他笔下的诸神其实只是人。这一来，奥维德的全部才华都发挥了出来：他的机智风趣，他的锦绣辞章，他的神话方面的学识，特别是他的想象力之丰富。他阅读吸收了大量希腊文和拉丁文的诗歌，经过他的创造性的改写而有了始料所不及的崭新面貌。由于他的叙事状物的卓绝才情，使数十种希腊传说有了最后确定的文本，其中有些以前鲜为人知。没有任何其他一部文学作品为后世保存了如此之多希腊先人的丰富想象的成果。

到了文艺复兴时期，奥维德的声誉日隆；1471 年起，他的作品集不断刊行。15 ～ 17 世纪之间，较有名望的诗人和画师少有不受他影响的。而《变形记》尤其成为后人掌握希腊神话的通途与捷径。然而奥维德的魅力主要在于他的作品的人本思想。是他的乐天情绪，他的同情心态，他的欢畅的文笔，他的生动如画、声色并茂的作品吸引了许多行吟诗人与宫闱诗人，吸引了乔叟、莎士比亚、歌德和 E.庞德。

oviduct（anatomy） **卵管** 参阅 **fallopian tube** 输卵管。

Oviedo 奥维耶多 古称（拉丁语）奥韦图姆（Ovetum）。西班牙北部阿斯图里亚斯省和自治区城市。在希洪西南 29 千米处。757 年由弗鲁埃拉一世创建。810年成为阿斯图里亚斯王国都城。中世纪时为未被摩尔人占领的仅有几个西班牙城镇之一。名胜古迹有始建于 1388 年的大教堂。其圣器保藏室原为阿方索二世 802 年所建小教堂的一部分。现经济以郊区煤、铁矿开采为基础，并有食品加工和其他轻型制造业。奥维耶多大学建于 1608 年。人口约199 549（1998）。

奥维耶多市一角

中国大百科全书出版社供图

Ovimbundu 奥文本杜人 又称翁本杜人（Umbundu）。聚居于安哥拉比耶高原树木丛生的草地，操班图语系的翁本杜语。到 21 世纪初，约有 400 万奥文本杜人。17 世纪时，奥文本杜人一些统治家族自东北部迁进高原，征服和合并了饲养牛的各土著民族。他们共分成 22 个酋长领地。在 20 世纪葡萄牙人实际占领之前，约有半数酋长领地臣服于一个大酋长。奥文本杜人的家庭通常包括男性家长和几名妻妾以及未独立生活的子女。亲属系统为双重继承制，土地按照父系继承而动产则依母系继承。他们设有启蒙学校，不过学校都是专为某些家庭的子女开设的。农业为主要经济活动，主要作物是玉米和豆类。大多数奥文本杜男人和男童都外出打猎，但也有一些专业猎手。他们饲养的家畜有奶牛、绵羊和山羊；公牛则用于交通运输。牛是衡量财产的标准，但很少家庭拥有大的畜群。蜂蜡过去是、现在仍然是奥文本杜人的重要交易品。奥文本杜人从前与其他非洲民族和葡萄牙人进行贸易。每一商队都有一名专业领导人兼任占卜师。各独立酋长领地之间订有贸易协议，用以发展区域性生产专业，如金属制品和玉米粉的生产。随着奴隶贩运遭到禁止及 1904 年本格拉铁路的建成，奥文本杜人的大规模商贸活动日趋衰落。在 20 世纪后期，奥文本杜人为萨文比和争取安哥拉彻底独立全国联盟的游击战争活动提供了广泛而重要的支援。

Ovington, Mary White 奥文顿（1865-04-11，美国纽约布鲁克林～ 1951-07-15，马萨诸塞州牛顿高地） 美国民权活动家，与黑人联合创建全国有色人种促进协会（NAACP）的白人改革家之一。成长于中上层家庭，父母为废奴主义者。她对社会改革与妇女权利的信念，也深受纽约布鲁克林海茨一位牧师的影响。1893 年经济萧条，她不得不中辍在哈佛大学分校的学业，益使她深信社会问题系由经济等级所致。曾出任全国消费者联盟布鲁克林分会副主席和纽约社会改革俱乐部的助理秘书。1903 年 B.T. 华盛顿在社会改革俱乐部的一次演讲使她对种族歧视的眼界大开，于是将实现种族平等作为终身事业。次年她开始研究纽约黑人人口中的住房和就业问题，终于写出《半个人：黑人在纽约的地位》（1911）。1909 年，奥文顿和其他民权改革家创建了全国有色人种促进协会，她在其中担任各项职务，历时近 40 年，包括主席（1919 ～ 1932）和司库（1932 ～ 1947）。黑人领袖传记集著有《着色肖像》（1927）、自传《大墙坍塌》，以及几本少儿图书和一部小说。

oviparity 卵生 排出未发育的卵（而非幼体）的一种繁殖方式。在鸟类或爬行类，卵在体内受精，两栖类和许多低等动物的卵在体外受精。总的来说，卵生动物产卵的数目远远超过胎生动物所产幼仔的数目，原因是产出的卵缺少母体的保护，其存活的可能性很低。参阅 **viviparity**。

Oviraptor 食蛋龙 小巧的食肉恐龙类的属。化石见于亚洲东部的晚白垩世（9 750 万年前至 6 640 万年前）地层中。大约 1.3 米长，是由二个长而发育完善的后肢支撑的两足行走动物。前肢细长，具有明显用于扒、扯、撕的爪状长指。其短的头骨具有被骨质环围着的大眼，大概能立体观察，很好地判别距离；显然靠视力获得食料超过靠嗅觉。颌部无齿，但很可能包着一层像鸟嘴的骨质覆盖物。已发现其遗体与其他恐龙类的窝伴生。由于可能吃恐龙蛋而得名（拉丁文“*ovum*”是“蛋”，“*raptor*”是“盗贼”）。

食蛋龙（*Oviraptor philoceratops*）化石

美国不列颠百科全书公司供图

Ovonramwen 奥翁拉姆文（?～1914-01，南尼日利亚卡拉巴尔［今尼日利亚］） 又名奥韦拉米。有 500 年历史的西非贝宁王国（在今尼日利亚）最后的独立的“奥巴”（国王）。在英国日益强大的压力下，他企图保持独立，但只能把尼日利亚殖民地并吞他的王国的时间推迟几年。他所继承的王国已由于英国的入侵而从最大的疆域(1700左右)缩小许多。他曾采取闭关锁国政策,但于1892年被迫同英国签订了保护条约。1897年1月英国人以代理总领事被杀为口实,大举入侵贝宁。2月,他向英国人投降,后死于流放地。

Øvre Anar River National Park　上阿纳尔河国家公园　挪威最大的国家公园之一。位于北部芬马克高原区东南部,与芬兰莱门河国家公园毗连。面积约1 390平方千米。园内丘陵为桦树林和松林覆盖,有泥沼和湖泊散布其间。园内有大批驯鹿。

Øvre Divi Valley National Park　上迪维河谷国家公园　挪威特罗姆斯郡迪维河谷东部公园。1971年建立。面积741平方千米。地貌复杂,有松林、桦林的低地、丘陵和高原。且有湖泊与沼泽散布全境。松林中有熊、山猫、狼和狼獾。夏季有大批驯鹿自瑞典来此。

ovulation　排卵　卵巢释出成熟卵细胞的一种生理现象。人类正常月经周期为28天左右,排卵时间约在月经周期的第14～16天,每次只排一个卵,偶排两个或更多。卵排出后方可受精。若未受精,则卵在排出后两周左右随经血一道排出。无排卵月经偶见。初级卵细胞于开始生长成熟之前有一段潜伏期,其时间有时可长达数年。卵细胞位于卵泡内,卵泡壁由许多细胞围绕而成,起保护卵细胞及为卵细胞的发育提供环境的作用。随着卵泡的成熟,卵泡壁逐渐增厚,并分泌液体至卵泡腔。卵泡亦从卵巢较深部向卵巢表面移行,一旦移至卵巢表面,卵泡壁即变薄,卵泡对卵巢表面的压力使卵巢壁凸出。卵泡破裂后卵子和液体及一些组织碎片一道排出,进入输卵管,然后到达子宫。在输卵管运行过程中若与精子相遇即受精。排卵受脑下垂体两种激素(促卵泡成熟激素和黄体化激素)的控制。卵子排出后,卵泡壁闭合,其空腔充以黄体细胞,形成黄体。黄体分泌孕激素,帮助受精卵着床。若卵子未受精,则约于排卵后9天黄体停止分泌孕激素。若卵子受精,则黄体继续分泌孕激素,胎盘功能成熟后,孕激素主要由胎盘分泌。孕激素能抑制脑下垂体激素的释放,所以在正常情况下妊娠期间不再排卵。参阅 **menstruation**; **oogenesis**。

ovule　胚珠　受精后发育成种子的植物结构。裸子植物的胚珠裸露地生在球花的鳞片上。被子植物的1或多枚胚珠被包在子房内,胚珠基部连结于珠柄。被子植物的成熟胚珠由珠心(内有胚囊和卵)和珠被(1或2层细胞,后发育成种皮)构成。胚珠顶端的珠被上有一个珠孔,以便花粉管能伸进胚珠将精细胞核排入胚囊,胚囊内的卵细胞受精后发育成种子。胚珠的形式和位置对植物分类有重要意义。直立胚珠的珠孔在珠柄相对的一端;弯生胚珠与珠柄成直角,合点与珠孔均靠近珠柄;倒生胚珠的珠孔靠近珠柄,合点在上方;此外,还有一些中间的形式。

ovum　卵子　又称卵。卵巢排出的单个细胞,受精后能发育成一个新的同种机体。卵在卵巢的卵泡里逐渐成熟,其发育约需4个月的时间。妇女到绝经期时,大多数未排出的卵泡即开始退化。卵泡刺激素促使卵子生长,卵成熟后,黄体化激素释放引起排卵。卵子的细胞核带有母方的遗传物质。卵细胞与带有父方遗传物质的精细胞结合,便决定了子女的遗传特征。胞核周围是胞浆(或称卵黄),其中含有卵细胞发育所需的营养成分。如果卵子排出后24小时内未能受精就将退化。受精卵进行一系列的细胞分裂。如受精卵完全分裂成二个分别发育的单体,则可导致外貌相似、性别相同的同卵双胎;如果此分裂过程不完全,则致联体畸形。双卵双胎是两个卵分别受精的结果。参阅 **implantation**。

Owain　欧文　又拼Owen。威尔士皇族之名,按年代顺序分列于后,并各以●为标记。

● **Owain** Cyfeiliog　**欧文·赛菲里奥格**(约1130～约1197)　威尔士的波伊斯亲王、战士,宫廷诗人中具有与众不同风格的诗人。在从1149～1195年统治了波伊斯人民之后,欧文·赛菲里奥格退隐到斯特拉塔马塞拉的西多会隐修院,该隐修院是他于1170年建造的。他死后埋葬在那里,尽管在1188年由于他不支持第三次十字军东征而受到了革出教会的处分。作为波伊斯亲王,欧文因对英格兰人的同情态度而知名。《欧文的角状杯》是他的作品中唯一存留下来的诗,这首诗因其戏剧性的描述而引人注目。该诗的背景是宫廷,在这里他的那些因战斗而疲劳的战士们聚集在宴会桌旁。每一节诗开头都是要侍酒者为一位英雄斟酒,然后在斟酒时称赞那位英雄。

● **Owain** Glyndwr　参阅 **Glendower, Owen** 格伦道尔。

● **Owain** Gwynedd　**欧文·圭内斯**(?～1170)　北威尔士即圭内斯最后一代伟大的国王。他对抗诺曼人和英格兰人的优势力量,增强了威尔士的独立地位。欧文与其弟卡德沃拉德尔于1136～1137年率兵3次南征,攻打英格兰的要塞塞罗迪金。兄弟二人大肆劫掠当地,并在那里称王。1137年他父亲去世,欧文继北威尔士王位。英格兰的国王斯蒂芬在位期间,欧文把北威尔士的边界几乎扩展到了切斯特城。亨利二世于1154年继英格兰王位,1157年向欧文挑战,双方打得都很惨,结果达成一项协定:欧文退到里兹兰和克卢伊德河,并且称臣纳贡。他信守协定直至1165年,此时又与他的侄子、南威尔士国君圭内斯·里斯以及波伊斯地区的欧文·赛菲里奥格联兵反亨利。由于天气不佳,对作战地区不熟悉,亨利只好收兵回师,将该地区拱手让给威尔士人。欧文再次占领贝辛沃克和里兹兰两城堡,将圭内斯的边界推进到迪河的入海口。他在世时始终保持北威尔士的独立自主,但是他的几代后人无能,圭内斯最终于1283年正式落入英格兰人手中。

Owambo　奥万博　亦称奥万博兰(Ovamboland)。纳米比亚北部一地理区。西与卡奥科兰区毗邻,东与卡万哥区相接,北面即是与安哥拉的国界。奥万博的雨量极少,为白沙所覆盖,是极为平坦的平原。其中有一系列低斜度、往南走向、彼此多呈平行的干枯河道,统称为库韦拉伊河,偶尔因下雨有水流入奥万博以南的埃托沙洼地(为一巨大盐池)。除了干河道与奥万博的人工开凿的运河支流供水外,南非政府资助的从卡鲁埃凯水坝(在安哥拉南部的库内河上)引水的主要灌溉运河的工程,使之连接到奥万博,并开发鲁阿卡纳瀑布(位于卡鲁埃凯水坝下游64千米、纳米比亚与安哥拉交界处)水力发电潜能。奥万博大致为草地,北部降雨较多的地方常可见稀疏的一丛丛猴面包树、棕榈、野无花果树。据传说,奥万博人(亦称Ovambo;安哥拉称之为Ambo)是自非洲中部迁来现在住地,此地便因而得名。奥万博人包含7个不同的部落,约占纳米比亚人口的一半,大都居于干河道之畔;种植玉米、粟、南瓜、甜瓜;饲养山羊和乳牛。芬兰的路德教派传教士于1870年来到奥万博,后来安立甘宗及天主教的传教士也来到此地。芬兰人不断为奥万博人修建医院与教堂。奥万博于1884年成为德意志帝国的一部分。第一次世界大战德国战败后,奥万博与西南非洲其他地方都变成由南非治理的托管地。西南非洲人民组织(简称SWAPO)与南非军队之间的战斗持续不断,到1990年纳米比亚获得独立。本区内有公路干线通往安哥拉以及东南方的铜、铅矿中心楚梅布。人口集中于沿安哥拉边界的中北部,主要的人口集居地有奥沙卡蒂、奥丹瓜、奥希坎戈以及翁巴兰图。

Owatonna　奥瓦通纳　美国明尼苏达州东南部城市、斯蒂尔县县城。19世纪50年代早期开始有人定居,为印第安人称为奥瓦通纳(意思是"直")河上的贸易站。建有该州第一个著名的温泉疗养地,现在矿泉公园中。

L.沙利文设计的国家农民银行大楼(1908)
美国不列颠百科全书公司供图

1886年创设州立残疾儿童学校。富有革新精神的美国建筑师L.沙利文,设计了该城的国家农民银行大楼(1908)。该地发展成混合农业区的贸易、工业及交通运输中心,有许多乳酪制造合作社,盛产奶油。制造业有珠宝、工具及农耕设备。昔年村(拓荒者大楼)在县的露天市场中。1854年设镇,1957年设市。人口约19 386(2000)。

Owen, Alun(Davies)　欧文(1925-11-24,英格兰利物浦～1994-12-06)　威尔士剧作家。

他的广播、电视、电影和舞台剧常常反映了他所出生的那座城市的文化和宗教冲突。父母为威尔士人，在威尔士及利物浦求学，其戏剧专业训练始于担任轮演剧目剧院的助理舞台监督(1942)，后成为一名话剧和电影演员。1957年开始为电台和电视台写剧本，很快证明他善于写对话和具有人物描写的天赋。共写有50多部电视剧，有时集中描写城市生活中的阴暗面，如《莱姆街不通电车》(1959)。他与L.奥利弗、P.斯科菲尔德、S.康纳里和M.凯恩合著的四部曲电视剧《雄性物种》(1969)极为成功，1974年被搬上舞台。欧文的舞台剧获得评论界的赞誉，其中包括《向公园前进》和《粗鲁和爽直的家伙》。两剧均于1958年在电台播出，1959年改编成舞台剧，描写宗教和文化的偏狭。1961年因《玫瑰事件》(电视剧1961，舞台剧1966)而获电影编剧人协会奖。该剧是神话传说《美人和野兽》的现代形式。1963年发表另一部剧作《可爱的冬天之恋》。在欧文的电影剧本佳作中，有为甲壳虫乐队的第一部电影《一个繁忙之日的夜晚》(1964)所写的脚本。20世纪70年代起，欧文主要写电视剧。

Owen, Daniel **欧文**(1836-10-20，威尔士弗林特郡[在今克卢伊德]莫尔德～1895-10-22，莫尔德) 威尔士作家，被认为是威尔士的民族主义小说家。他是一个天生的讲故事者，他的作品以他所处的时代为背景，塑造了一大批栩栩如生、令人难忘的人物，使他在其民族文学中的地位可与狄更斯在英格兰文学中的地位相比。欧文是煤矿工人之子，只受过很少的正规教育，12岁时当裁缝学徒。1864年开始传道，次年入巴拉沙尔文循道公会学院学习，但未完成学业便辍学回家。他重新从事布道并很快开始为刊物撰稿。他的作品有小说《里斯·刘易斯自传》(1885)、《埃诺克·胡韦斯的磨难》(1891)和描写一威尔士小教堂周围人们生活的《德雷弗兰——其人其事》(1881)。《提供隐遁》(1879)是他的布道和对循道公会教徒的描写；《剪刀》(1888)是诗歌、散文和短篇小说集。除选词充满活力外，他的作品具有强烈的幽默感，并不向读者说教，在19世纪的威尔士文学作品中这些特点一般少见。

Owen, Goronwy **欧文**(1723-01-01，威尔士安格尔西[在今圭内斯]兰韦尔马塔法恩埃塔～1769-07，弗吉尼亚不伦瑞克[美国]) 威尔士牧师、诗人，在近代威尔士文学中恢复了古典主义。他重新采用了中世纪威尔士吟唱诗人所用的诗歌形式"西威德"和"奥德尔"，具有其传统的精确性，但包含新的内容。在什罗普郡的唐宁顿担任地方学校教师和阿平顿的副牧师时，他的诗引起人们注意。其他诗人聚集在他周围，建立了一个古典诗歌流派，该派至今仍很活跃。尽管他饮酒过度，但经朋友们的努力，他于1757年被任命为弗吉尼亚州威廉斯堡的威廉和玛丽学院附属文法学校校长。失去校长职务后("因生活放荡")，成为不伦瑞克圣安德鲁斯的牧师，在该地居住到去世。他的最佳诗作有《上帝的最后审判日》、《宝石》、《诗人的血统和品质》和《西威德答红色诗人胡韦》。

Owen, John **欧文**(约1560，威尔士卡拉封郡[今圭内斯]拉纳蒙～1622，英格兰伦敦) 又称约翰·欧文纳斯，或奥都纳斯。威尔士讽刺诗人。精通拉丁文，因而赢得"英国的马提雅尔"的美名。马提雅尔为古罗马诗人。欧文就学于温切斯特学院及牛津新学院。1584～1591年，任新学院评议员，同时在威尔士的蒙茅斯附近的特雷勒克任教员，大约在1594年任沃里克由亨利八世捐资兴办的学校校长。他当时不仅以精通拉丁文著称，且以其所作讽刺诗的幽默和含意闻名于世。作为一个坚决的新教徒，他忍不住要运用他的机智来抨击罗马天主教会，这使他的诗集在1654年被列入罗马天主教的禁书单中，并使他的一个富有资财的笃信罗马天主教的叔父取消了他的遗产继承权。欧文的《讽刺诗集》分为12编，首4编于1606年问世，其余各编分4次陆续出版。欧文常将前人所作拉丁文诗句略加改制，用于自己诗作中，其中有的成为著名的警句格言，例如："时世变易，余等亦随之而变。"欧文死后，葬于圣保罗教堂，教堂中立有一碑，表示对他的纪念。

Owen, John **欧文**(1616，英格兰牛津郡斯塔德汉普顿～1683-08-24，伦敦) 英格兰基督教清教派牧师、多产作家、论辩家。1646年在伦敦科吉舍尔任教区牧师，赞成教会实行公理制。经常在议会讲道，遂得以接近克伦威

美国不列颠百科全书公司供图

尔。克伦威尔军队于1649年1月处死国王查理一世，其后自1649～1650年欧文随克伦威尔出征爱尔兰和苏格兰。克伦威尔任牛津大学校长后，1652年任命欧文为副校长，欧文在职直到1657年，自1651至1660年并兼任克赖斯特彻奇大教堂教长，1654年当选议员，代表牛津大学。他虽然拥护克伦威尔，但有所保留，反对克伦威尔当国王。1653年克伦威尔正式就任摄政时，欧文避不出席。1660年王政复辟，欧文退出政治舞台，同时下议院免去他的克赖斯特彻奇大教堂教长之职。

Owen, Sir Richard **欧文**(1804-07-20，英国兰开夏兰开斯特～1892-12-18，伦敦) 英国解剖学家和古生物学家。因对动物化石的研究以及对C.达尔文的强烈反对而著称。曾在兰开斯特中学受教育，后于1820年从当地外科医生学徒。1824年赴爱丁堡继续学医，但于1825年转至伦敦圣巴塞洛缪医院。他被接纳为英格兰皇家外科医生学会的一员并被任命为亨特收藏品(著名解剖学家J.亨特收集的标本)的管理员，并开始行医。1830年遇到著名的法国古生物学家G.居维叶。次

美国不列颠百科全书公司供图

年他去巴黎拜访居氏并在国立自然博物馆研究该处标本。1834年被选为皇家学会会员，1836年任皇家外科医生学会的亨特讲座教授，1837年又任该会的解剖学和生理学教授以及皇家协会富勒讲座的比较解剖学及生理学教授。1856年他不再行医转而搞研究，被任命为大英博物馆的博物学部主任。自此直至1884年退休为止他一直致力于发展伦敦南肯辛顿的大英博物馆(博物部分)。退休时被晋封为巴斯勋位爵士。欧文的早期著作有他根据伦敦外科医生学会博物馆所藏比较解剖学生理系列标本所写的《分类目录，附说明及图示》(1833)。这个工作使他取得了有关比较解剖学的丰富知识。他的《珠光鹦鹉螺》(1832)则为经典著作，使他成为受尊崇的解剖学家。但至1859年即达尔文的《物种起源》出版之时，他感到自己在生物界的声誉会丧失，于是就着手攻击他20多年的好友和同事达尔文。欧文写了一篇极长的匿名书评(爱丁堡评论，1860)。对此文，达尔文曾写道："文章极为恶毒，写得很机智，我恐怕文章会具有极大破坏力……需要详细研究才能看出对我的许多批评中的怨恨和恶意……他对一些段落断章取义，更改了引语中的文字……"据说，欧文还曾亲自指导威尔伯福斯主教来和达尔文的主要辩护者T.赫胥黎论战。当达尔文的论著在科学界中受到更多的承认时，欧文也改变了一些立场；虽然他仍否认达尔文学说，但他也承认达氏论据的精确性，称其为揭示文章所依据的原理的第一人。他的知名论著有：《牙体形态学》(1840～1845)，这是一本研究牙体结构的主要著作；《脊椎动物比较解剖学和生理学讲义》(1846)；《英国化石哺乳动物和鸟类的历史》(1846)；《英国化石爬行动物的历史》(1849～1844)；和《论脊椎动物解剖学》(1866～1868)。欧文的另外一个大错误则涉及始祖鸟，这是人们所知的第一个化石鸟，是欧文为博物馆搞到的，已加描述并在1863年发表了。这个标本在1954年又经人重新研究，此次科学家们肯定欧文当初把标本弄颠倒了，把背部当成腹部，同时还漏掉了两个极重要的特征：胸骨是扁平的，这证明它不会飞而只能滑翔；颅腔铸型类似爬行类。

Owen, Robert 欧文(1771-05-14,威尔士蒙哥马利郡纽敦～1858-11-17,纽敦) 19世纪初最有影响的空想社会主义者之一。他在拉纳克郡的新拉纳克纱厂及其社会及工业福利

美国不列颠百科全书公司供图

项目,成为政治家和社会改革家瞻仰的处所。欧文在当地学校上学到10岁,就进一家衣料店当学徒。由于擅长经营,到19岁时就当上曼彻斯特一家大棉纺厂的管理人。后来当上经理,便劝说他的股东们买下拉纳克郡的新拉纳克纱厂。新拉纳克镇有2 000人,其中500人是幼童,他们是由爱丁堡和格拉斯哥贫民院和慈善团体来的。厂里的生活状况并不令人满意。犯罪和恶习到处可见,教育和环境卫生无人过问,住房条件令人无法忍受。欧文修缮了房屋,并以个人影响,鼓励人们养成守秩序、爱清洁和节约的习惯。他还开了一家店铺,物美价廉,出售的酒精饮料也严加控制。1816年欧文还在新拉纳克厂开办了英国第一所幼儿学校,很快便获得了人们的信任,工厂的生意也越来越兴旺。但是有一些计划因开支庞大,股东们不太满意,便对他加以种种限制。他在失望之余,于1813年不得不另办一个新厂。同一年他出版了《新社会观,或论人类性格的形成》,详述了他的教育慈善事业制度的原理。他认为,人的性格是由环境造成的,因此形成人类性格的关键,就是从幼年起把他们置于适当的影响之下。在往后几年,欧文在新拉纳克所做的工作,在全国甚至欧洲都具有很大的意义。他于1825年在美国印第安纳州买下3万英亩土地,定名为"新和谐"社区。在欧文的实际指导下,社区的生活安排得井井有条,人们安居乐业。但是,过了不久,由于出现管理形式的意见分歧和宗教问题未能得到解决,1828年欧文退出了社区,损失了4万英镑财产。1829年欧文回到英国,工人们把他当作领袖看待,这时工会运动也获得空前发展。1834年以后,欧文致力于宣传他的教育、道德学说和婚姻改革思想。到了82岁,他成为一名唯灵论者。过了6年,在纽敦城逝世。

Owen, Robert Dale 欧文(1801-11-09,苏格兰格拉斯哥～1877-06-24,美国纽约莱克乔治) 美国社会改革家和政治家。英格兰改革家R.欧文之子。他深受其父的社会主义哲学的影响,在老欧文样板式的产业公社苏格兰"新拉纳克"中长大。1825年随父移居美国,在印第安纳州新哈莫尼创立一个自给自足的社会主义公社名为"新和谐"。他曾主编公社的《新和谐报》。1827年与另一改革家F.赖特结识,两人曾同去欧洲考察,回国后定居纽约。欧文又主编《自由问询报》,反对福音教派,主张更自由的离婚法,平等地分配财富,普及产业教育等,因而成为纽约激进派自由思潮的中心。1836～1838年任印第安纳州议员,其后又任两届美国众议员。1853年小欧文任美国驻那不勒斯代办,1855年任驻意大利公使。1858年回国,极力鼓吹解放黑奴。南北战争爆发时,他致函林肯总统要求结束奴隶制度。据说此信对总统有一定影响。1863年他领导一个委员会调查解放了的奴隶的状况。据此,他著书《奴隶制的邪恶》(1864)。晚年写成自传《我的生活经历》(1874)。

Owen, Wilfred 欧文(1893-03-18,英格兰什罗普郡奥斯沃斯特里～1918-11-04战死,法国) 英国诗人。因其对战争的残酷和浪费的愤怒,以及对战争牺牲者的怜悯著称。他还因在只押元音韵的诗歌方面所作的技巧探索具有重要地位,特别在20世纪30年代有很大影响。曾在伯肯黑德学院和伦敦大学求学。早期诗作均有意识地模仿济慈,常常雄心勃勃,表现出对诗歌作为一种技艺的欣赏。1915年加入艺术家步枪队。战壕中的战斗经历使他迅速成熟。1917年1月以后所写的诗充满了对战争残酷性的愤怒,对"那些像牲畜般死去的人"的哀悼和同情,表现了一种罕见的描述才能。1917年6月因伤被送回国,在爱丁堡附近一医院结识S.萨松。后者与他一样对战争感到反感,并对他的作品感兴趣。欧文阅读萨松的诗并与萨松讨论自己的作品,从而彻底改变了他的风格和对诗歌的看法。1918年8月返回法国,任连长。10月被授予十字军功勋章,停战前一星期阵亡。其唯一的《诗集》于死后由萨松出版,其中包括英语诗歌中有关这次战争的最辛辣的一些作品。C.戴-刘易斯所编的他的诗集于1964年出版。

Owen Falls 欧文瀑布 乌干达境内维多利亚尼罗河上的瀑布。位于维多利亚湖出口水道下游。欧文瀑布大坝(长831米,高31米)建

欧文瀑布上的水电坝
美国不列颠百科全书公司供图

成于1954年,利用维多利亚湖作为水库。瀑布已用于水力发电,电力输往乌干达和肯尼亚西部。

Owen Stanley Range 欧文·斯坦利岭 新几内亚岛中部高地的一部分,位于该岛东南端。绵亘300千米。自海岸平原陡然上升到海拔2 750米。最高点维多利亚山海拔4 040米。森林覆盖。为肯普韦尔奇、约达和穆萨等河的发源地。1942年日军企图翻越此山岭占领莫尔兹比港,被盟军击败。欧文·斯坦利岭于是成为日军在第二次世界大战中太平洋战场上的首次陆战败绩。

Owendo 奥文多 加蓬西北部的深水港。在加蓬河河口湾。设计以装运矿石为主。有水上飞机机场。公路通首都利伯维尔、科科比奇、梅杜纳和坎戈。1978年横贯加蓬铁路185千米长的第一段开通,使奥文多与内地通火车。建有锯木厂、胶合板厂、铁矿团粒厂和水电站。还有实验畜牧站和技术学校。

Owens, Jesse 欧文斯(1913-09-12,美国亚拉巴马丹维尔～1980-03-31,亚利桑那菲尼克斯) 美国田径运动员。保持跳远世界纪录25年,在1936年柏林奥运会上获4枚金牌。希特勒原打算利用那次奥运会宣传雅利

美国不列颠百科全书公司供图

安族优秀论,黑人欧文斯的胜利对希特勒的这种企图是一沉重打击。欧文斯在克利夫兰上中学时,就曾于1933年在芝加哥全国校际锦标赛上获3项冠军。1935年5月25日代表俄亥俄州立大学参加在密歇根大学举行的西部大学田径联赛,一天内以9.4秒的成绩平世界100码纪录,以20.3秒的成绩打破220码短跑世界纪录,以26.6秒的成绩打破220码低栏世界纪录,以8.13米的成绩打破跳远世界纪录。欧文斯代表美国队参加1936年奥运会,以10.3秒的成绩平100米奥运会纪录,又分别以20.7秒和8.06米的成绩打破200米赛跑和跳远世界纪录,并在美国400米接力队中跑末棒,该队以39.8秒的成绩破世界纪录。欧文斯曾一度保持或与别人一起拥有国际业余田径联合会所承认的所有短跑世界纪录。

Owensboro 欧文斯伯勒 美国肯塔基州西北部城市,戴维斯县县城(1815)。位于俄亥俄河畔,西北距埃文斯维尔51千米。1800年始建。1817年设镇。1866年设市。为富庶的石油和农业(烟草、玉米、小麦、大豆和水果)产区的中心。生产威士忌酒、合金钢、化工品、家具、真空管和卷烟等。设有肯塔基州威

斯莱学院(1858)、布雷西亚学院(1950)和自然科学博物馆。每年9月举办艺术节,6月举办欧文斯伯勒赛船会。人口:市54 067;都会统计区91 545(2000)。

Owerri(people) **奥韦里人** 参阅 **Itsekiri** 伊策基里人。

Owerri **奥韦里** 尼日利亚伊莫州首府。与阿巴、奥尼查、哈科特港和乌穆阿希亚通公路。农产品主要销售中心,产橡胶供出口。工业不发达。地处全国人口最稠密的地区之一,居民以信奉基督教的伊博人为主。设有伊莫新(联邦)大学和阿尔万伊科库教育学院。以手工艺中心而闻名。人口约35 010(1983)。

Owl **鸮** 鸮形目(Strigiformes)夜行性猛禽。分布在除南极及大部分大洋岛屿外的所有大陆。仓鸮(*Tyto albo*)及短耳鸮(*Asio flammeus*)等是分布最广的鸟类之一,而帕劳鸮(*Pyrroglaux podargina*)及塞舌尔鸮(*Otus insularis*)仅于某些岛屿有地方性分布,种群小。所有鸮类均具相同的体制,易于辨认。体长13～70厘米,翅展30～200厘米,多数种体形较小。头大。可向任何方向转动180°以上。眼大,固定在眼眶内,事实上不能动。两眼均向前方。几乎均在夜间活动的鸮其视网膜上仅有杆状细胞,无色视觉。鸮的视觉为双眼视觉。头部从中央平面移开便加强了深度知觉。与一般认为的相反,鸮在日间并非盲目,其瞳孔能极度缩小,其夜间视力较人更强。面部有面盆。耳大,围以纸状羽毛构成的羽领,其功能为集中声音。耳孔前缘有可活动的耳盖,其功能可能有如集中声音的反射板。许多鸮的两侧耳孔开口位置不对称,两耳对频率不同的声音敏感程度不同。因此可同时在两个平面上定位声源。有些鸮能在完全无光的夜间凭声音定位及捕取猎物。许多鸮在耳上方有直立的羽簇,如耳或角状,因此面形似猫,故俗称猫头鹰。耳羽簇的功能或谓为恐吓掠食者,或谓可打破面部的圆形轮廓有助于隐藏。喙尖端钩状。羽衣柔软,厚而蓬松。北方的种有厚层绒羽以保温。多数种的飞羽上表面覆以一层茸毛状物,故飞行无声。羽色各异,白色,不同色调的黄褐色、灰色、褐色、红褐色至深褐色。少数种羽衣单一,多数种有隐约的条状、点状斑纹,在树皮背景上有保护色作用,角鸮(*Bubo virginianus*)的北方亚种体型为南方亚种的两倍。叫鸮、鬣鸮等某些种群有色泽的二形现象,这些品系或被称为"刚出现的种"。鸮尾短。翅圆,颇长。足大;爪弯曲,尖锐如针。外侧的趾于栖息时反转,攫取猎物时向外侧或后侧。鸮几乎见于各种生境,从草原,冻原至稠密的林地和雨林。许多种的种群密度主要取决于可利用的营巢地而非可能猎物的数量。鸮均为肉食性,最常见的猎物为啮齿类,小型的鸮类食昆虫,鱼鸮属(*Ketupa*)及渔鸮属(*Scotopelia*)食鱼。猎物被整个吞下,不能消化的部分(如羽毛、皮毛和骨)成食团吐出。鸮多为夜行性,但深夜时多不活动,至破晓前鸣叫并猎食。常借声音通信,尤其是交配及保卫领域时。所发的声有上下喙片相击之声,飞行时的振翅声及各种嗓音。某些种的嗓音亦甚悦耳。善鸣的鸮亦借姿势通信。林鸮属(*Strix*)会鞠躬、屈膝、舞蹈,尤其是求偶时。大部分大型鸮于受威胁或保护巢穴时将翅半张开并向前转动,羽毛竖立使躯体看似增大,上下喙相击,身体左右摆动。日间则羽衣紧贴身体,耳羽簇竖起,眼半闭,羽衣色泽又似树皮,整个外形似断枝。鸮以树洞、峭壁岩洞、啄木鸟洞为巢,仓鸮及欧亚小鸮属(*Athene*)在建筑物的洞穴为巢。草原及冻原的鸮营巢于地面。巢内除猎物的残余部分及吐出的食团外并无其他铺垫材料。每窝产卵数可多至12个,卵近球形。产卵时间恰好使幼鸟独立生活时猎物种群最大。多数鸮的足仅适于栖木及攫猎物。地栖的穴鸮能在地面疾跑。典型的栖木是水平的树枝。鸮类最早的化石见于怀俄明的始新世地层。鸮形目分为1个化石科及3个现存科:①原鸮科(Protostrigidae)。仅存化石(始新世)。②草鸮科(Tytonidae)。下中新世至今。1属,9种。包括仓鸮及草鸮。③湾鸮科(Phodilidae)。中新世至今。1属,1种。④鸱鸮科(Strigidae)。始新世至今。22属,125种。即典型的鸮。有人将湾鸮属归入草鸮科或鸱鸮科。

鸮形目动物

owl-faced monkey(*Cercopithecus hamlyni*) **枭面猴** 又作Hamlyn's monkey(哈姆林氏猴)。一种刚果河流域密林中的树栖长尾猴(**guenon**)。浅绿灰色,腹部和前肢黑色,下背部和尾根为银灰色。特征是整个鼻上有一白色条纹,故形状如枭。

owl-fly **长角蛉** 脉翅目长角蛉科(蝶角蛉科,Asealaphidae)大型昆虫。翅膜质,触角长,棒状。幼虫以碎屑伪装自己,或藏在树皮下等待猎物。主要分布于热带,亦常见于美国南部和西南部。易误认为蜻蜓类。

owl monkey(primate) **枭猴** 参阅 **durukuli** 夜猴。

owl parrot **鸮鹦鹉** 又作kakapo。又称夜鹦鹉。鹦鹉科鸮鹦鹉亚科(Strigopinae)的新西兰产鸟类。参阅 **parrot**。

owlet **小型猫头鹰** 鸮类幼体的俗称,又指非洲和东南亚的鸺鹠属(*Glaucidium*)几种小型鸟类(参阅 **pygmy owl**)和亚洲南部的小鸮属(*Athene*)的2种鸟类(参阅 **little owl**)。

owlet frogmouth **裸鼻鸱** 又作owlet nightjar。又称鸮蛙嘴夜鹰。裸鼻鸱科裸鼻鸱属(*Aegotheles*),性怯懦、喜独居的夜出鸟类,7或8种。与蛙嘴夜鹰近缘。林栖,形似小猫头鹰，嘴宽，几为长须所遮，栖息方式亦似猫头鹰，但足纤细。在飞行中或从树枝扑上去捕食昆虫。发出柔和的颤鸣或哨声。每窝3～5卵，产于树洞中或沙滩上。冠裸鼻鸱

冠裸鼻鸱（*A. cristatus*）
美国不列颠百科全书公司供图

（*A. cristatus*）最为人熟知，在澳大利亚常称为蛾鸮；长22厘米，体色上灰下褐。其他种类见于新几内亚、新喀里多尼亚和摩鹿加群岛（马鲁古群岛），体长19～30厘米。

owlet moth　夜蛾　又作miller。鳞翅目夜蛾科昆虫。共20 000多种，世界性分布。或将夜蛾科分为数科。成虫体三角形，粗壮，翅展8～305毫米，一般暗灰褐色，但某些热带种

一星黏虫（*Pseudaletia unipuncta*）幼虫
美国不列颠百科全书公司供图

类色鲜艳而有虹彩光泽，密生粉状鳞毛。傍晚及夜间飞行。有趋光性。胸部有一绷紧的膜，上有盖保护，是其听器。成虫喙发达，吸食果汁和味甜的汁液。有几种在热带繁殖后向北迁移。许多种有保护色。夜蛾幼虫一般光滑，也有的生毛；或暗色，或多彩；食叶和种子，有的钻入茎和果实内，少数吃介壳虫。有些种类的幼虫在夜间出来危害玉米、禾草、番茄、豆类等，在地面附近破坏根、茎，俗名切根虫、地老虎。有的种类的幼虫吃叶和果。透翅缓夜蛾（*Crymodes devastator*）幼虫居于地下以根为食。一星黏虫（*Pseudaletia unipuncta*）的幼虫成群在地面移动，破坏玉米、甘蔗、棉花等，俗名行军虫。行军虫一词又指其他鳞翅目昆虫的成大群迁至新取食地的幼虫。谷实夜蛾（玉米果穗夜蛾，*Heliothis zea*）世界性分布，幼虫称玉米果穗螟蛉，亦称棉铃虫、番茄果虫、巢菜虫、烟草芽虫等，视寄主而定。许多夜蛾幼虫在地下作茧化蛹。其他一些种用丝、木屑、幼虫体毛等作茧。

ownership　所有权　指人（个人、团体、公司或政府）与客体之间的法律关系。客体可以是有形的，例如家具；或者纯粹是法律上规定的，例如专利、著作权或年金。它可以是能够移动的，例如牲畜；或者是不能移动的，例如土地。由于财产客体及其受法律保护的关系在各个文明社会里互不相同，而且因法律、习俗、经济制度和享有权利的人们的相对社会地位不同而异，因而很难给“所有权”下一个比较普通的定义。财产所有权可能至少是意味着一个人的政府或社会将帮助他不让其他人在未得到他的同意时使用或享用某件物品，而不给一定的代价他是不会同意的。参阅 **property law; copyright; patent; trademark; trust; bankruptcy; contract; mortgage**。

Owo　奥沃　尼日利亚翁多州城镇。在约鲁巴丘陵南缘。海拔344米。与阿库雷、卡巴、贝宁城和锡卢科通公路。为可可集散地和农产品销售中心。周围原覆盖着浓密的热带雨林，现种植棉花和柚树。城镇内有联邦工业学校，圣约翰师范学院，公立贸易学院，博物馆和几家医院。人口约193 900（1989）。

Owon（Korean painter）　**吾园**　参阅 **Chang Sŭng-ŏb** 张承业。

Owyhee River　奥怀希河　由美国爱达荷州西南部的几条溪流汇合而成。西北流，进入俄勒冈州后注入斯内克河。全长402千米。河上有奥怀希水坝（1932）拦蓄的人工湖。奥怀希为夏威夷旧称，以示对1819年在河边被杀害的夏威夷人的纪念。

ox（*Bos taurus* or *B. taurus primigenius*）　**牛**　驯化的牛科大角型哺乳动物。曾经成群地活动在北美、欧洲（已从该处消失）、亚洲和非洲。亚洲和非洲的牛有的仍处于野生状态，南美洲和澳大利亚无野生牛。经阉割的公牛性驯良，在世界上许多不发达地区被用作挽畜。在某些地区亦用作食品。

oxalic acid　草酸　又称乙二酸。无色结晶有毒的羧酸类有机化合物。广泛用作织物的酸性清洗剂，能把大部分不溶性铁的化合物转变成可溶性的络离子，可用以清除铁锈和墨水污渍。同理，草酸还用作汽车水箱多种除锈剂的主要成分。草酸分子式为（$C_2H_2O_4$），通常为晶体水合物$(COOH)_2 \cdot 2H_2O$。早在17世纪就已知草酸是酢浆草的组分，1776年首次合成草酸。在碱催化剂存在下加热甲酸钠、用硝酸氧化碳水化合物、用苛性碱加热木屑或在某些霉菌存在下使糖溶液发酵都可制得草酸。

Oxalis　酢浆草属　酢浆草科（Oxalidaceae）的一属。包括约850种小型草本植物，主要原产于南部非洲、热带美洲与南美洲。有些南美洲的种类具有可食的球根或根，大部分种类则供庭园观赏。属名源自希腊字oxalis（酸），因其植株具有酸味。产于北美东部及大不列颠的普通酢浆草（微酸酢浆草，*O. acetosella*）为具车轴草状三出复叶的小型无茎植物；叶由匍匐而多鳞片的根茎发出；花单生，花梗由叶腋抽出；花瓣5枚，色白而具紫色脉纹；果为瓣裂的蒴果；种子具肉质外皮，外皮向后反弹时将真正的种子射出；如同该属其他种一样，小叶在夜间会反卷下垂。除普通酢浆草外，北美洲还有约20种酢浆草，包括产于美国东部以及加拿大的黄花酢浆草（*O. stricta*）；产于美国东部，花呈玫瑰紫色的紫花酢浆草（*O. violacea*）；产于加利福尼亚至俄勒冈的红杉林带，花粉红到白色的俄勒冈酢浆

普通酢浆草（*O. acetosella*）
美国不列颠百科全书公司供图

草（红杉酢浆草，*O. oregana*）；以及原产于南部非洲，但已归化佛罗里达与百慕大，开鲜黄色花的大黄花酢浆草（百慕大毛茛，*O. cernua*）。匍匐酢浆草（*O. corniculata*）亦开黄花。黄花酢浆草与匍匐酢浆草已归化于旧大陆。原产南美洲的块茎酢浆草（*O. tuberosa*）的块茎与原产墨西哥的鳞茎酢浆草（*O. deppei*）之根均可食。

oxbird　牛鸟　几种小型鹬的俗名，尤指滨鹬（**dunlin**）。在非洲，牛鸟一词指牛织布鸟（**buffalo wearer**）及牛椋鸟。

oxbow lake　牛轭湖　位于废弃河道曲流湾里的小湖。当河流切通曲流颈以缩短其流程，使老河道迅速被堵塞时，就形成牛轭湖，随后河道又迁移离开牛轭湖。如果只有一个

加拿大萨斯喀彻温省北部由穆贾蒂克河形成的牛轭湖
美国不列颠百科全书公司供图

曲流湾被截去，形成的湖呈新月状，如果有几个曲流湾被截去，则湖将是蜿蜒盘旋的或迂回曲折的。牛轭湖最终被泥沙淤塞而形成沼泽，最后就成了曲流遗迹。其标志是具有不同的植被，且未被耕作过。牛轭湖通常为黏土粒级的沉积物所充填，这种沉积物比起周围的物质来说较不易被侵蚀，这样，就可能使得在其母体河流中形成更复杂的曲流系统。

Oxenstierna（af Södermöre），Axel，Greve（Count）　乌克森谢纳（1583-06-16，瑞典乌普萨拉附近凡岛～1654-08-28，斯德哥尔摩）瑞典首相（1612～1654）。以行政改革，外交谈判以及三十年战争时期的军事指挥著称。

1645年封为伯爵。出身于贵族家庭。在德意志的大学毕业后,任职财政部,后为参政员。1611年古斯塔夫二世登基,翌年1月任命他为首相。曾起草1617年的议会法和1619年

美国不列颠百科全书公司供图

关于城镇发展的敕令。1623年,对地方政府进行改革。1626年,制订贵族院法。在外交方面,曾受命进行一系列的重要谈判,1613年与丹麦签订《克奈勒德和约》,1622年与波兰签订《奥格拉停战协定》,1624年与丹麦在斯约里德进行谈判。1626年任波兰总督。1629年与波兰人达成有利的《阿尔特马克休战协定》。1631年调往德意志。1632年古斯塔夫去世,他成为瑞典驻德意志的高级负责人,拥有国王的大部分权力。1636年返回瑞典,成为未成年的女王克里斯蒂娜的五摄政之一,此后一直为瑞典的实际统治者。他在女王达到成年后,彼此关系不甚融洽。女王视他为急于限制王权的贵族领袖。他面临朝廷阴谋集团的算计,而同女王在外交与教会政策等方面又发生冲突。1650年后关系有所改善,他的地位巩固直至1654年去世。

Oxenstierna, Bengt Gabrielsson, Greve (Count) **乌克森谢纳**(1623-07-16,瑞典默尔比堡～1702-07-12,斯德哥尔摩) 瑞典政治家,查理十一世对外政策的主要顾问,为瑞典制定实际中立的外交政策,断绝同法国的同盟,形成与尼德兰、英国和神圣罗马帝国的联合。最初任外交官,曾参加与结束三十年战争的《威斯特伐利亚和约》(1648)有关的奥斯纳布吕克会议和纽伦堡会议。1655年参加查

美国不列颠百科全书公司供图

理十世对波兰的战争,1658年在托伦保卫战中立下功勋。1654年起担任政务大臣。1660年参加《奥利瓦条约》的谈判,1678和1679年参加《奈梅亨条约》的谈判。1680年任枢机大臣,从此掌握外交大权。他改变瑞典多年奉行的与法国结盟的政策,而与尼德兰和神圣罗马帝国皇帝签订《海牙条约》(1681)。在法国与欧洲主要国家进行的大同盟战争(1689～1697)中,他极力保持瑞典的中立。1697年查理十二世即位后,他的权势大大下降。

oxeye 牛眼鸟 某些小型鹬(尤指滨鹬[**dunlin**])和大山雀的英国俗名。参阅 **tit**。

OXFAM International 国际乐施会 又译牛津救灾委员会。全称为 Oxford Committee for Famine Relief。英国民间集资设立的机构,以对世界上陷于贫穷或遭到灾害侵袭的社区提供救济及援助其发展为宗旨。1942年,原为救助遭受战祸的希腊饥饿儿童,该会在英国牛津设立。第二次世界大战后,因援助难民,组织随之扩展。60年代,其援助重心转移至促进贫穷国家发展农业及增产粮食。该会设有海外管理机构,派员在当地执行其援助计划,但目标在于提供人力及培训资金,以使当地人学会如何自立更生。遍及各地的英国志愿者,筹募基金以支援此类援助计划。70年代,该会在美国、加拿大、比利时及澳大利亚成立分支机构。该会还为那些受干旱、洪水、地震以及其他自然灾害侵袭的地区提供紧急援助。主张在全球层面上解决穷困和经济不平等问题。

Oxford 牛津 英格兰牛津行政、历史郡的区(市),以坐落在区内的牛津大学而闻名。位于泰晤士河上游(在牛津称伊西斯河)和查韦尔河之间,即两河汇流处以北。撒克逊时代开始有人居住,为一渡口。早期居民不喜欢河谷低地,而居住于南北两边比较干燥的高地。牛津后来成为泰晤士河上的城堡,用以保卫韦塞克斯北部边境免遭丹麦人的袭击。有关牛津的最早记载见于《盎格鲁-撒克逊编年史》(912),据称,老爱德华"拥有伦敦、牛津及所有其他附属土地"。现在除了玉米市场街上圣迈克尔教堂的撒克逊罗马式塔楼外,牛津的撒克逊居民点几乎已无遗迹可寻。

R.狄欧里被任命为牛津的第一代诺曼人总督,负责建造牛津城堡,其遗址现为当地监狱。K.狄欧里还修筑了牛津最早的桥梁(马格达伦桥、福利桥及海斯桥)。诺曼人在居民点周围修建了一道石墙,墙内土地面积约38公顷。石墙现在只剩几处残垣断壁,如新学院中的一段。1542年成立主教辖区。牛津的第一个主教教区设于奥斯尼隐修院。1546年改由圣弗里斯怀德隐修院——基督教堂学院的"小教堂"——承担,这是英格兰所有大教堂中最小的一个。

牛津以哥特式城楼和尖塔的美丽空中轮廓而被称为"塔尖之城"。其中大半属于英国最古老的牛津大学。牛津大学校舍大多建于15、16和17世纪。牛津最早的学院是大学学院(1249)、巴利奥尔学院(1263)及默顿学院(1264)。每所学院都有两、三个四方形的院子,建有教堂、讲堂、图书馆及有围墙的花园。12世纪后半叶牛津大学创立后,牛津仍是一个集市城镇,但是13世纪以后,市场功能逐渐失去其重要性。此后,牛津大学的历史就等于是牛津城的历史,然而在一定程度上,"市镇与学究"之间一直互不相容。这种情绪的爆发在1355年的"圣经院日大屠杀"中达到顶点。

在英国内战时期,牛津的战略重要性使该城成为保皇派的大本营,国王在埃奇丘陵、纽伯里以及内斯比战败后退避此地。1646年5月,国会派统帅费尔法克斯爵士围攻此城,6月24日迫使其投降。此城曾为一重要驿站,相当多的驿站马车时代的客栈至今犹存。18世纪修筑了联结牛津与国内其他地区的运河网,1835年从伦敦到布里斯托尔的大西部铁路开始运行。

在1801年,牛津仍然是个拥有大约12 000人口的小集市城镇,许多居民依靠大学维持生活,但是到了20世纪初期,印刷业及出版业已经牢固地建立起来,蜜饯水果(尤其是带皮橘子酱)的生产也很重要。到1901年,牛津大约有50 000人口。英国的工业大亨W.莫里斯(后来的纳菲尔德爵士)在牛津城郊的考利开办了一个汽车制造厂,今日这一企业与相关的重工业及电机工程企业是当地经济的主要工业支柱。1926年在考利又成立一所汽车车体钢板冲压工厂,1929年牛津城区扩大,包括这一工业区。牛津工业学院成立于1970年,是英国最新的高等学府之一。人口118 795(1991)。

牛津大学马格达伦学院的钟楼(左)和奠基者塔楼(右)

美国不列颠百科全书公司供图

Oxford 牛津 美国密西西比州北部拉斐特县城市和县城(1837)。位于孟菲斯东南120千米处。原为一贸易点。1837年设为县城。设有密西西比大学(1848)。1962年秋,当密西西比州废除校园种族隔离制度时,牛津发生白人暴乱,反对黑人大学生J.H.梅雷狄斯注册入学。1930～1962年,作家W.福克纳在此居住。经营农业(家禽、乳品、蔬菜、玉米、棉花)、伐木业和制造业(电动机、电器)。附近有萨迪斯水库和霍利斯普林斯国家森林。人口11 756(2000)。

Oxford, EARLS OF 牛津伯爵 英格兰封爵贵族,有3个家族(德维尔、哈利和阿斯奎斯)获此称号。按年代顺序分列于后,并各以●为标记。

● Oxford, Robert de Vere, 9th earl of 牛津伯爵(第九)(1362～1392,尼德兰卢万) 即R.de维尔。英格兰国王理查二世未成年时的宠臣,领导一批廷臣支持理查从权贵手中夺取政府控制权,但未成功。1371年继承其父的伯爵爵位。理查二世即位后,他成为枢密顾问官和嘉德勋位爵士。1385年封都柏林侯爵,次年封爱尔兰公爵。他的飞黄腾达在那些野心勃勃与国王敌对的贵族中间引起很大的不满,其中包括王叔格洛斯特公爵伍德斯托克的托马斯。1387年他与格洛斯特的侄女离婚,更加激怒了这位公爵。1387年11月格洛斯特要求逮捕牛津和其他首要保王党人。牛津在英格兰西北部组成一支军队,但同年12月20日在牛津郡拉德科特布里奇被格洛斯特击溃。他化装逃往尼德兰,在流亡中死去。

● Oxford, John de Vere, 13th Earl of 牛津伯爵(第十三)(1442-09-08～1513-03-10) 即J.de维尔。英格兰军人和官员。玫瑰战争中兰开斯特派首领。协助亨利六世恢复王位,并使兰开斯特王室最后一位男性王位继承者亨利·都铎登上王位(即亨利七世)。第十二代牛津伯爵约翰的次子。1462年约翰及其长子奥布里在约克王朝的爱德华四世国王当权时被处死。数年后,牛津和沃里克伯爵理查德·内维尔逃往法国。他和沃里克回国后,拥亨利六世复位(1470)。他取代伍斯特伯爵出任英格兰王室总管,并将伍斯特处死,以报杀父兄之仇。1471年沃里克在巴尼特战役中被杀,约克派获胜,他再次流亡法国。1473年他又回到英格兰,占领圣迈克尔山岛,但在被包围后投降,被关入牢狱。1484年脱逃,投奔正在准备从法国入侵威尔士和英格兰的亨利·都铎。在著名的博斯沃思原野战役(1485-08-22)中,他任右翼指挥官,树立战功,因而重新获得爵位和领地,并被委任为国王侍从和英格兰海军上将。1487年在诺丁汉郡斯托克进行玫瑰战争最后一场战役时,他随亨利七世的军队作战,取得胜利。1497年在布莱克希思粉碎了康沃尔的奥德利男爵的叛乱。

● Oxford, Edward de Vere, 17th Earl of 牛津伯爵(第十七)(1550-04-12,英格兰埃塞克斯赫丁厄姆堡～1604-06-24,米德尔塞克斯纽因顿) 即E.de维尔。英国抒情诗人和"牛津人"剧团的赞助人。20世纪有些研究家认为,除莎士比亚本人之外,他最有可能是莎士比亚剧本的作者。

美国不列颠百科全书公司供图

1562年,他尚未成年即继承伯爵爵位,在威廉·塞西尔即后来的柏格雷爵士的监护下过了8年的王家被监护人生活。1571年与柏格雷的女儿安·塞西尔结婚。在此期间,他就读于剑桥大学的女王学院和圣约翰学院。16世纪80年代初,他由于缺乏理财头脑,经济十分拮据,他的年幼的子女由柏格雷赡养。1588年6月,安·塞西尔逝世,他于1591或1592年再婚,但他始终与柏格雷保持友好关系。1586年伊丽莎白女王批准每年付给他一千镑年金。

他从未被任命担任任何重要职务或军务,但曾被指定参加审理某些知名贵族的案件的委员会,还据说被詹姆斯一世封为枢密顾问官。因此有一种说法,认为付给他一千镑年金是为了他在供养一个剧团方面所作的努力;还认为他后来之所以默默无闻是由于他潜心从事文学创作的缘故。他确是一个小有名气的作家资助人。他曾雇用小说《尤弗依斯》的作者约翰·黎里为其秘书多年。

首先言之有据地提出牛津恐是莎士比亚剧本的真正作者的是卢尼,他的论文的题目是《莎士比亚实乃爱德华·德·凡亚,第十七世牛津伯爵》。他认为牛津的身世与《皆大欢喜》中的贝特兰姆以及哈姆雷特的身世近似,而牛津的诗作又与莎士比亚的早期作品颇为相像。牛津对戏剧的兴趣不限于贵族式赞助,因为他本人写过一些剧本,可惜无一流传至今。他的23首经确认的诗是在青年时期写的,由于牛津生于1550年,卢尼认为这些诗是他后来的成熟作品的先奏,这些成熟作品的第一部是1593年的《维纳斯与阿多尼斯》。似乎可以支持这一论断的是这样一个巧合:即牛津的诗作停止之时正好在莎士比亚的作品开始问世之前。此外,还有一种说法:即牛津为了保护他的家族不受因他以优伶为业而招来的非议,同时也由于自己放荡无度而在宫廷中声名狼藉,所以用了莎士比亚这一假名。这一论断之难以自圆其说在于牛津死于1604年,而根据公认的莎士比亚创作年谱,有14个剧本,包括许多最重要的作品,是在1604年以后首次上演的。

● Oxford, Robert Harley, 1st Earl of, EARL MORTIMER, BARON HARLEY OF WIGMORE 牛津伯爵(第一)(1661-12-05,英格兰伦敦～1724-05-21,伦敦) 即R.哈利。英格兰政治家,1710～1714年间领导托利党政府。从出身和所受教育来说,他是辉格党人和不从国教者;但他逐渐改变自己的政治观点,成为托利党和圣公会的领袖。长老会教徒家庭出身。1688年首次选入议会。1701～1705年任下院议长,1704～1708年任国务大臣。在此期间,他与第一代马尔伯勒公爵和财政大臣戈多尔芬一起左右安妮女王的朝政,并指导对法国的战争。1708年2月因持反对辉格党立场而被迫辞职。1710年公众对辉格党指导战争和处理萨谢弗雷尔(Sacheverell, Henry)事件不满,安妮重新任命他为财政大臣,领导托利党的内阁。至此,他的生平事业达到了顶峰。1711年被封为牛津伯爵和嘉德骑士勋位。1714年7月安妮女王逝世后,由汉威诺家族继承王位,他们永远剥夺了牛津伯爵的权力,并于1715年将他监禁。对他的弹劾虽未成立,但他以后再未发挥重要作用。

● Oxford and Asquith, H(erbert) H(enry) Asquith, 1st Earl of 牛津和阿斯奎斯伯爵(第一) 参阅Asquith, H(erbert) H(enry)阿斯奎斯。

Oxford, Provisions of 《牛津条例》(1258) 英格兰国王亨利三世为换取贵族的财政资助而接受的改革计划,可被视为英格兰第一部成文宪法。亨利因在西西里进行愚蠢冒险而被弄得焦头烂额。1258年春他召开复活节议会。由于急需议会批准岁入,不得不同意遵守一个由24人组成的皇家委员会起草的改革纲领。这24个人中有一半由亨利挑选,一半由贵族方面提名。牛津条例是委员会提出的报告,它由大贵族共同宣誓批准,将连续生效12年。其中规定:政府由国王和15人组成的贵族会议共同领导,一切重大事务都由贵族会议向国王提出建议。国家的所有高级官吏要向国王和贵族会议双方宣誓效忠。议会每年召集3次,讨论进一步的改革措施。任命一名首席政法官视察地方行政,郡长多数由本郡拥有土地的爵士担任。这一条例在1261和1262年两次教皇训谕废除,1264年1月又由法王路易九世在亚眠协约中宣告无效。但在1263年又由贵族恢复,1264年修改后颁行。1266年10月由凯尼尔沃思声明最后废除。

Oxford, University of 牛津大学 设在英格兰牛津郡牛津的英国自治高等学府。沿上泰晤士河(被牛津人称为伊希斯河)分布,位于伦敦北-西北80千米处。早在12世纪初,牛津就有了学校。12世纪末,该地建立了一所大学。大学的创建可能是由于1167年前后英国学生被巴黎大学拒收。该校建立之初,以巴黎大学为榜样,设神学、法律、医学和人文等学院。13世纪时,由于多明我会和方济各会等几个宗教团体在牛津城的建立,教学力量,尤其是在神学方面,有所增强。初创期间缺乏校舍,在租用的大厅里或教堂里讲课。牛津大学各学院最初只对贫困学生提供膳宿,主要帮助需要资助的文学硕士或学士,以便他们继续攻读较高的学位。这些学院中以大学学院问世最早,建于1249年。巴利奥尔学院建于1263年前后,默顿学院建于1264年。牛津早期声誉的基础是神学和人文学科。但它比巴黎大学更为认真地对待自然科学。R.培根离开巴黎后,曾于1247～1257年间在牛津进行科学实验和讲学。他是该校13和14世纪几个有影响的方济各会修士之一。除培根外,还有D.斯科托斯和奥康姆。J.威克里夫(约1330～1384)一生的大部分时间任牛津住校医生。13世纪初期,由于皇家颁发了办学许可证,牛津大学的地位得以加强,但牛津城的宗教基础却在新教改革运动中遭到镇压。1571年,议会的一项法令导致了大学的一体化。1636年,牛津大学校长威廉·劳德大主教编纂了该大学章程。16世纪初,教授职位开始得到资助。17世纪后半期,牛津对科学研究的兴趣大大加强。文艺复兴时期,D.伊拉斯谟将新学引入牛津,而著名学者如W.格罗辛、J.科利特、托马斯·莫尔爵士等人则提高了牛津大学的声誉。从那时起,牛津大学一直在古典文学、神学和政治学的学术和教学方面拥有至高无上的声誉。19世纪,大学招生数量和教授名额大增。20世纪时,牛津的课程实行现代化。科学被当作专业学科而进一步得到重视。牛津大学增设许多新学系,包括现代语言系、政治系和经济学系。牛津大学拥有*博德利图书馆*(**Bodleian Library**)和*阿什莫尔艺术与考古博物馆*(**Ashmolean Museum of Art and Archaeology**)。牛津大学出版社建于1478年,是世界上最大也最有声望的大学出版社之一。牛津大学与英国历史上的许多最伟大人物的名字联系在一起,从J.卫斯理和枢机主教沃尔西,到O.王尔德和理查德·伯顿爵士,以至C.罗得斯和沃尔特·雷利爵士。天文学家E.哈雷曾在牛津学习,而物理学家R.玻意耳则在牛津进行了他最重要的研究。曾在牛津学习的英国首相有:W.老皮特、坎宁、皮尔爵士、格莱斯顿、索尔兹伯里勋爵、阿斯奎斯、C.艾德礼、A.艾登、H.麦克米伦、E.希思、威尔逊爵士和玛格丽特·撒切尔。

Oxford English Dictionary, The(OED) **《牛津英语大词典》** 一部权威性的英语词典,原为12册,外加补编一册。它是《新英语词典》(按历史原则编订)(NED)1933年的修订增补本。《新英语词典》从1884年2月1日到1928年4月19日,共出10册。它的宗旨是汇集12世纪中叶以来所使用的英语词汇。1933年,《新英语词典》以12卷形式重印,另附《补编》一册,改名为《牛津英语大词典》。NED和OED都是由牛津克拉伦登出版社印行的。《牛津英语大词典》中的释义按其出现的年代先后顺序排列,并从英国文学作品及各种文献中摘引约240万个注明年代的例句加以说明。这部词典的目标(据1933年版中所述)是按字母顺序列出那些自从有记录以来直至今日构成英语词汇的所有字词,并列举一切有关字形、语义演变及词源的一切事实。1971年出版一部缩微影印2卷本,包括1933年的12册《牛津英语大词典》和补编,书名为《牛津英语大词典缩印本》。从1955年起,在R.W.伯奇菲尔德的指导下,开始编辑《牛津英语大词典补编》,共4卷(1972～1986)。解释在《牛津英语大词典》出版之后,英语世界中所出现的一切英语词汇,已由克拉伦登出版社出版。《牛津英语大词典》第2版,简称OED 2,1989年由牛津大学出版社出版,共20卷,统一按字母顺序收入OED的12卷和5卷补编。编印这一版时全部文字均已输入电子数据库。1992年发行了OED第2版的CD-ROM版。1993年和1997年分别出版了1卷补编。并开始为第3版进行全面的修订工作。

Oxford Group(revivalistic movement) **牛津团契** 参阅 **Moral Re-Armament** *道德重建运动*。

Oxford Movement 牛津运动 19世纪英国基督教圣公会内部以牛津大学为中心兴起的运动,旨在反对圣公会内的新教倾向,恢复天主教思想和惯例。1828～1832年政府与圣公会的关系发生变化,成为牛津运动的近因。关于市镇机构官员和政府官员必须参加圣公会的圣餐的法律已经废除,同时,根据新通过的法律,天主教徒所受的种种限制大多已取消。圣公会大有失去国定教会地位之虞,其收入也将丧失。于是圣公会内许多爱护本教会的人士宣称,圣公会不从属于国家,其权威来自它所宣传的基督教真理,圣公会主教是从使徒一脉相承而来。这个运动迅即进入神学、传教工作及虔修生活等领域。这个运动的主要思想由90部《时代书册》(1833～1841出版)阐明,其中24部是由运动的领导者之一纽曼(1801～1890)执笔,其他各部也经过他编订。书册派断言,公教(天主教)的教义权威是绝对的,而"公"即指恪守早期的统一教会的教义。他们认为,圣公会就是这种公教会。这个运动逐渐蔓延到整个圣公会。在它的推动下,礼仪趋于繁复,男、女隐修院成立,教牧人员更关心本教区的教会信徒。

Oxfordshire 牛津郡 英格兰中南部一行政、历史郡。行政郡下设查韦尔、牛津市、南牛津、白马谷与西牛津5个区。行政郡面积2 606平方千米。白马谷区和南牛津一部分地区位于泰晤士河以西,不属牛津历史郡,属伯克历史郡。全境由两个高地组成,中间隔有谷地(宽约16千米)。北牛津高地位于该郡东北部,埃奇丘陵海拔达210米。高地之间的黏土谷地自东北向西南延伸,分为牛津克莱谷和白马谷两部分。牛津郡几乎全部位于泰晤士河流域,河北岸有温德拉什河、埃文洛德河、查韦尔河注入,南侧有奥克河及其支流注入。在泰晤士河两岸泛滥平原砾石中有大量旧石器和中石器时代人工制品出土,当地还发现有新石器时代工具、陶器、长形古墓和直立的石头。当地主要考古遗址是铁器时代雕刻在白马山白垩上的乌芬顿白马,长110米,最高度40米。位于从锡尔切斯特至华特灵大道和托斯特的罗马大道上的重镇多切斯特和奥尔切斯特,为罗马时代全郡最重要的地方。在英王威廉一世(征服者)颁布土地调查记录《末日审判书》(1086)之时,郡内人丁兴旺,集市繁荣,主要聚居中心有牛津、沃灵福德、阿宾顿和班普顿等新兴市镇。境内多中世纪宗教建筑和住宅建筑。牛津南部的伊福利教堂为英国罗马式建筑最佳范例之一;班伯里南部阿德伯里,有一座十字架形教堂;敏斯特洛弗尔有垂直式教堂。非宗教建筑有布劳顿城堡(14世纪)、斯托诺尔公园、斯坦顿哈考特(1450)、查塞尔顿和布兰希姆府邸(18世纪早期)。英国内战期间(1642～1651),牛津是保王党的大本营。现经济以农业为主,北牛津高地以牧羊业和种植业占重要地位,从中世纪起直到最近,羊毛是经济的主要支柱。生产牛奶、牛肉;白马谷和唐斯北坡以生产水果闻名。境内有菱铁矿,各地开采黏土、砂和砾石。牛津郊区考利乃主要工业中心,生产汽车、压制钢等。班伯里的轻型机械和威特尼的毛毯亦很重要,该两地亦为重要的中心。沃尔夫科特、希普莱克、桑德福德和恩舍姆等地的纸厂利用纯洁溪水生产纸张。人口:行政郡约616 700(1998)。

oxidation-reduction reaction 氧化-还原反应 又作redox reaction。一种参加反应的化学物种的氧化数(oxidation number)变化的化学过程。氧化一词原指一种元素与氧化合的反应,例如碳的燃烧$C + O_2 \longrightarrow CO_2$;还原一词指一种元素与氧分离的过程,例如氧化铜(Ⅱ)与氢的反应$CuO + H_2 \longrightarrow Cu + H_2O$。现在认为,氧化-还原反应包含从一个化学物种到另一个化学物种的电子转移。这类反应通常是成对的。只要有一种氧化反应发生,就有一种还原反应同时等量发生;即氧化过程中失去的电子数等于还原过程中得到的电子数。例如,在描述铁生锈的过程中,总反应($4Fe + 3O_2 \longrightarrow 2Fe_2O_3$)可写为两个独立的方程式:$4Fe \longrightarrow 4Fe^{3+} + 12e^-$和$3O_2 + 12e^- \longrightarrow 6O^{2-}$。铁失去电子($e^-$),其氧化数由0增为+3,称为被氧化,起还原剂的作用。氢得到等量的电子,其氧化数由0降为-2,称为被还原,起氧化剂的作用。最强的氧化剂有氟和臭氧,它们容易从水中分离出氧。最强的还原剂包括钠和锂等高电正性金属,它们容易还原由贵金属形成的化合物,还可从水中分离出氢。描述氧化-还原反应过程中电子转移的两个方程式称为半反应或氧化-还原反应对。理论上,每个氧化-还原反应可分解为两个反应对,以表示出电子转移机理。半反应可在一个电化学电池的两个分隔的间格中进行,电子经由两电极之间的连接导线流动。氧化在阳极进行,而还原在阴极进行。所进行两种半反应的相对电位或称电压,决定总反应进行的方向。参阅 **electrolytic cell; electromotive series**。

oxide 氧化物 氧与其他元素化合而形成的一大类重要化合物的总称。几乎所有元素都形成氧化物,其性质随组成而异。金属氧化物是含有一个金属阳离子和氧化物阴离子(O^{2-})的结晶固体。它们典型地与水反应生成碱，或与酸反应生成盐。例如，氧化钙（CaO）与水反应生成一种强碱即氢氧化钙[$Ca(OH)_2$]，与盐酸反应生成一种盐即氯化钙（$CaCl_2$）。非金属氧化物是挥发性化合物，其中的氧原子与非金属原子共价键合。它们与水反应生成酸或与碱反应生成盐。例如，三氧化硫（SO_3）与水反应生成一种强酸即硫酸（H_2SO_4），与氢氧化钠反应生成一种盐即硫酸钠（Na_2SO_4）。两性氧化物含有氧和阳离子（如铝、锡或锌），它们与酸或碱化合都能生成盐。例如，氧化铝（Al_2O_3）与盐酸反应生成氯化铝（$AlCl_3$），与氢氧化钠反应生成铝酸钠（$NaAlO_2$）。某些有机化合物与氧气或其他氧化剂反应生成称作氧化物的物质。例如，胺、膦、硫化物分别生成氧化胺、膦化氧和亚砜，其中氧原子以共价键与氮、磷或硫原子结合。所谓烯的氧化物就是环醚。

oxide mineral　氧化物矿物　任何天然产出的无机化合物，其结构以氧原子的紧密堆积为基础，而较小的带正电荷的金属离子则出现于空隙中。氧化物与其他含氧化合物如硅酸盐、硼酸盐和碳酸盐不同，这些含氧化合物都含有一种很容易确定的、由氧和一个其他元素原子共价组成的原子团。氧化物矿物可分为简单氧化物和复杂氧化物两类。简单氧化物是一种金属（或半金属）和氧的结合，而复杂氧化物则有两个不等价的金属位置。氧化物结构通常以氧原子的立方或六方紧密堆积为基础，其八面体或四面体的位置或这两种位置都由金属离子占据；具有典型的等轴、六方、四方或斜方对称性。简单氧化物可以根据金属（或其他元素）的原子数目对氧的比率来分类，通用化学式为A_xO_y型，式中A是一种金属原子，x和y为整数，表示化学成分为AO、A_2O、A_2O_3、AO_2。明确的简单氧化物矿物有方镁石（MgO）、赤铜矿（Cu_2O）、赤铁矿（Fe_2O_3）和晶质铀矿（UO_2）。复杂氧化物表现化学变化较大，经常具广泛的固溶体。最常见的是尖晶石族，通用化学式为AB_2O_4，其中A、B是不同金属的离子，或同一种金属而具有不同的氧化态，或两者兼有。最常见的是A为二价，B为三价。经常出现的二价离子有镁、铁、锌、锰，而常见的三价离子是铝、铁、锰、铬。氧化物矿物可以作为硫化物的分解产物出现，可以出现于伟晶岩中，还可以作为超基性岩里早期结晶的矿物以及许多火成岩中的副矿物出现。

附表：氧化物矿物，见523～525页。

oxidoreductase　氧化还原酶　一类能催化物质（底物）脱氢和脱电子的酶。通常称为脱氢酶或氧化酶。氢和电子为辅酶（与氧化还原酶缔合并使其有活性的酶）所接受，并最后在动物代谢体系中转移给氧。有一些氧化还原酶在醛、酮氧化成羧酸及氨基酸脱氢等反应中起催化作用。

oxime　肟　含氮有机化合物，结构为

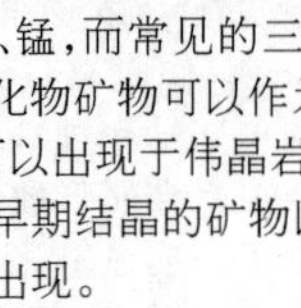

式中X和Y是氢原子或有机化合物脱一个氢原子而衍生的有机基团。通常由羟氨与醛、酮或醌制得。因为大多数肟为具有特征熔点的固体，故有利于鉴定液体的醛和酮。肟还可借助给氢试剂与某些硝基化合物的作用或亚硝基化合物的异构化制得。由醛制得的肟（醛肟）可脱水生成腈类化合物。肟的其他化学反应有转变成胺（用氢或其他还原剂处理）、酰胺（用强酸或五氯化磷作用）。肟转变成酰胺的大规模应用实例是环己酮肟转变成尼龙6的原料己内酰胺。

oxisol　氧化土　湿润热带和亚热带的强烈风化的土壤类型。这类土壤的识别特征是亚表层中大多数常见土壤矿物枯竭，仅保留水合的铁、铝氧化物，加上高岭石黏粒及石英砂。铁的氧化物露于干湿反复交替之处，使土粒胶结，形成铁籽"硬磐"（又称砖红壤）。氧化土发育于强烈侵蚀的古高地地面上，通常与老成土形成组合。世界上最大的两个氧化土区是南美洲亚马孙河流域及非洲刚果河流域。夏威夷与加勒比海诸岛氧化土上种的甘蔗、香蕉、菠萝、咖啡与水稻等经精心施肥均能获得高收成。

Oxley, John （Joseph William Molesworth）奥克斯利（1783或1785?，英格兰约克韦斯陶附近～1828-05-26，澳大利亚柯克姆）　英国探险家，曾任总测量官，对考察澳大利亚东部有重要贡献，并曾协助开发范迪门地（即后来的塔斯马尼亚）。他于1799年成为英国海军候补军官，1802年到达澳大利亚时是大副，后从事海岸测量工作。1805年由总督P.金任命为"水牛"号船长，1806年指挥另一艘船前往范迪门地。1807年在英国被授予中尉衔，次年返回悉尼，得到240公顷领地，并随带作为投资的货品。1809年写了有关范迪门地殖民的报告后返回英国。奥克斯利被任命为新南威尔士总测量官，从海军退役，1812年重返悉尼。后来的探测工作并不逊于早年：1817年与G.埃文斯共同考察拉克伦河地区；1818年沿麦夸里河探险，虽未找到源头，却发现了大片可供牧羊的土地。他所撰写的《两度远征新南威尔士内地》（1820）是有关该地区的第1部文献，为日后C.斯图尔特与T.L.米切尔的探险提供了基础资料。奥克斯利所做的海岸测量包括制作杰维斯湾与麦夸里港的海图（1819）。1823年从柯蒂斯港返回后，又探测莫顿湾，并且沿布里斯班河上溯80千米，所提出的报告促成麦夸里港与柯蒂斯港两地刑役殖民区的设立。1812年回到悉尼以后，便从事商业，担任好几个公司和贷款机构的经纪人，并且养牛，培育成功优良品种的羊。此外还任银行董事和农业顾问。1815年在柯克姆的广大地产上建起庄园。奥克斯利也积极参与圣经会、孤儿院、哲学研究会的活动，还担任过地方官和议员。死时却处境窘迫。

Oxnard　奥克斯纳德　美国加利福尼亚州文图拉县城市。近太平洋岸，位于洛杉矶和圣巴巴拉之间。1898年始建，1903年设市。当地经济以农业为主。附近建怀尼米港和军事设施后，发展迅速。现有多种制造业。设有奥克斯纳德学院（1975）和海峡群岛国家自然保护区管理处。市东北有奥克斯纳德空军基地。人口170 358（2000）。

oxpecker　牛椋鸟　又作tickbird，又称蜱鸟。雀形目椋鸟科牛椋鸟属（*Buphagus*）动物。产于非洲。共2种。黄嘴牛椋鸟（*B. africanus*）和红嘴牛椋鸟（*B. erythrorhynchus*），均褐色，长20厘米，嘴阔，尾坚挺，爪锐利。常停在牛或其他大型狩猎动物身上，啄食皮上的蜱和蛆。当受惊时则发出嘶嘶声，提醒宿主可能到来的危险。虽然给宿主清除了害虫，但亦吸食溃疡处的血，使伤口延迟愈合。

Oxus River（Asia）　奥克苏斯河　参阅**Amu Darya 阿姆河**。

oxygen　氧（O）　周期表VIa族非金属化学元素。无色、无臭、无味的气体，为地壳中含量最多的元素，它的最重要的化合物是水。约在1772年，瑞典化学家C.W.舍勒在加热硝酸钾、氧化汞（Ⅱ）和许多其他物质时发现氧气。1774年，英国化学家J.普里斯特利通过热分解氧化汞（Ⅱ）也独立地发现了氧，并于同年即比舍勒早3年公布了这一发现。1775～1777年，法国化学家A.拉瓦锡首先确认氧气是一种元素，并定名为氧。他反对燃素说，认为燃烧是氧气与燃烧的物质结合的过程。按体积计，氧在大气中占21%，按重量计，在海水中占85.7%，在地壳中占46.6%。从最近一些数字可认为在海水和地壳中氧的含量甚至于占更高的百分比。动物和低级植物呼吸时，从大气吸入氧气，呼出二氧化碳。高级（即绿色）植物则在阳光下通过光合作用吸收二氧化碳并放出氧气。大气中的游离氧气，几乎都来自光合作用。按体积计，在20 °C时100份淡水能溶解3份氧气，在海水中其溶解度稍低一些。溶解的氧对鱼类和其他海洋生物的呼吸非常重要。低于－183°C时，氧为淡蓝色液体。约在－218 °C时，氧变成固体。地面和下层大气的氧气，几乎都由双原子分子O_2组成。俗称臭氧（**ozone**）的三原子氧O_3和单原子氧O在上层大气中占优势。在那里，臭氧吸收太阳光紫外线辐射，使之不能到达地面。纯氧比空气重1.1倍。大气是工业用氧的主要来源，分馏液态空气可得到氧气。在空气的主要成分中，氧沸点最高，因此它比氮和氩更不易挥发。20世纪70年代以来，在炼钢和其他冶金过程中，在生产乙炔、环氧乙烷和甲醇等控制氧化的化学制品的化学工业中，工业氧或富氧空气已逐渐取代了普通的空气。氧在医学上用于氧气幕、人工呼吸器和早产婴儿保育箱。富氧气体麻醉剂在全身麻醉中能确保病人得到必要的氧气。在许多使用窑的工业中，氧是一个重要的元素。液态氧还用作火箭发动机燃料。天然氧为三种稳定同位素即氧16（99.759%）、氧17（0.037%）和氧18（0.204%）组成的混合物。氧有4种人工制备的放射性同位素，其质量数分别为14、15、19和20。寿命最长的氧15（半衰期为124秒）已用于研究哺乳动物的呼吸过程。氧的

氧化物矿物									
名称 化学式	颜色	光泽	莫氏硬度	比重	习性 或状态	断口 或解理	折射率或 抛光薄片数据	晶系 空间群	备注
锐钛矿 TiO_2	褐色到靛蓝和黑色，颜色多变	金刚光泽到金属金刚光泽	5½～6	3.8～4	锥状或板状结晶	两个完全解理面	$\omega = 2.561$ $\varepsilon = 2.488$ 极不一样	正方 $I\frac{4}{a}md$	强分散；化学成分和金红石、板钛矿相同，但对称性不同
软水铝石 AlO(OH)	纯软水铝石为白色		3	3.0～3.1	浸染或处于豆状集合体内	一个非常好的解理面	$\alpha = 1.64 \sim 1.65$ $\beta = 1.65 \sim 1.66$ $\gamma = 1.65 \sim 1.67$	斜方 Amam	化学成分和硬水铝相同，但对称性不同
板钛矿 TiO_2	杂褐色	金属金刚光泽到亚金属光泽	5½～6	4.1～4.2	只有结晶，通常为板状	亚贝壳状到参差不齐断口	$\alpha = 2.583$ $\beta = 2.585$ $\gamma = 2.700 \sim 2.741$	斜方 Pcab	化学成分和锐钛矿、金红石相同，但对称性不同
水镁石 $Mg(OH)_2$	白色到暗绿色，灰色到蓝色	蜡光泽，玻璃光泽	2½	2.4	板状结晶；扁平状集合体；纤维状或叶状块体	一个完全解理面	$\omega = 1.56 \sim 1.59$ $\varepsilon = 1.58 \sim 1.60$	六方 $P\bar{3}m$	热电体
锡石 SnO_2	浅红或浅黄褐色到浅褐黑色	金刚到金属金刚光泽，通常发亮	6～7	7.0	反复双晶；壳和结核	一个不完全解理面	$\omega = 1.984 \sim 2.048$ $\varepsilon = 2.082 \sim 2.140$ 浅灰，强非均质	正方 $P\frac{4}{m}nm$	
铬铁矿 $FeCr_2O_4$	黑色	金属光泽	5½	4.5～4.8	粒状到致密块体	无解理面，断口参差不齐	$n = 2.08 \sim 2.16$ 浅褐灰白；均质	等轴 Fd3m	有时弱磁性；和镁铬铁矿生成固溶体系列，在其分子结构中镁置换铁
金绿宝石 $BeAl_2O_4$	颜色多变	玻璃光泽	8½	3.6～3.8	板状或柱状，常为双晶	一个清晰的解理面	$\alpha = 1.746$ $\beta = 1.748$ $\gamma = 1.756$	斜方 Pmnb	
铌铁矿 $(Fe,Mn)Nb_2O_6$	铁黑色到浅褐黑色；常常有闪光的斑点		6～6½	5.2(铌铁矿)到8.0(钽铁矿)	柱状结晶，常常为大的团状；块体	一个清晰的解理面	浅褐灰白，弱非均质	斜方 Pcan	和钽铁矿生成固溶体系列，在磁结构中钽置换铌；顺磁性
刚玉 Al_2O_3	红色(红宝石)；蓝色(蓝宝石)；颜色多变	金刚到玻璃光泽	9(硬度标准)	4.0～4.1	锥状或桶状结晶；大块；圆粒	无解理面；参差不齐到贝壳状断口	$\omega = 1.767 \sim 1.772$ $\varepsilon = 1.759 \sim 1.763$	六方 $R\bar{3}c$	常常可见到星彩、荧光或磷光；只是氧化铝的天然形状
赤铜矿 Cu_2O	深红到浅红	金刚光泽到土状光泽	3½～4	6.1	八面、立方或毛细管状结晶；粒状或土状块体	贝壳状到参差不齐断口	$n = 2.849$ 蓝白色，异常非均质和多色	等轴 Pn3m	
赤铜铁矿 $CuFeO_2$	黑色	金属光泽	5½	5.4～5.5	板状结晶；葡萄状壳	一个非完全解理面	玫瑰红棕白色；强非均质；明显的多色	六方 $R\bar{3}m$	
硬水铝石 $HAlO_2$	白色，灰白色，无色，颜色多变	钻石光泽，玻璃光泽	6½～7	3.2～3.5	薄的片状结晶，鳞状块体；浸染状	一个完全解理面，一个稍差	$\alpha = 1.682 \sim 1.706$ $\beta = 1.705 \sim 1.725$ $\gamma = 1.730 \sim 1.752$	斜方 Pbnm	和软水铝石双形
黑稀金矿 $(Y,Ca,Ce,U,Th)(Nb,Ta,Ti)_2O_6$	黑色	钻石亚金属光泽到油脂或玻璃光泽	5½～6½	5.3～5.9	柱状结晶；块体	贝壳状到亚贝壳状断口	$n = 2.06 \sim 2.25$	斜方 Pcan	和复稀金矿生成固溶体系列，在其分子结构中钛置换铌和钽；放射性；混胶状
锌铁尖晶石 $ZnFe_2O_4$	褐黑色到黑色	金属到半金属光泽	5½～6½	5.1～5.2	八面体结晶；粒状块体		$n \approx 2.36$ 白色，非均质	等轴 Fd3m	弱磁性；和镁铁矿、磁铁矿、锰尖晶石、镍磁铁矿生成固溶体系列，在分子结构中镁、铁、锰和镍分别置换锌
三水铝石 $Al(OH)_3$	白色，浅灰，浅绿，浅红白色	玻璃光泽	2½～3½	2.3～2.4	板式结晶；壳和膜；致密土状	一个完全解理面	$\alpha = 1.56 \sim 1.58$ $\beta = 1.56 \sim 1.58$ $\gamma = 1.58 \sim 1.60$	单斜 $P\frac{2_1}{n}$	
针铁矿 $HFeO_2$	浅褐黑色(结晶)；浅黄或浅红褐色	金刚金属光泽	5～5½	3.3～4.3	柱状结晶；块体	一个完全解理面，一个稍差	$\alpha = 2.260 \sim 2.275$ $\beta = 2.393 \sim 2.409$ $\gamma = 2.398 \sim 2.515$ 灰色，强非均质	斜方 Pbnm	化学成分和纤铁矿相同，但对称性不同

续表1

名称 化学式	颜色	光泽	莫氏硬度	比重	习性 或状态	断口 或解理	折射率或 抛光薄片数据	晶系 空间群	备注
黑锰矿 Mn_2O_4	浅褐黑色	亚金属光泽	5½	4.8	假八面体结晶;粒状块体	一个接近完全的解理面	$\omega = 2.43 \sim 2.48$ $\varepsilon = 2.13 \sim 2.17$ 灰白色,清晰的非均质	正方 $I\frac{4}{a}md$	
赤铁矿 Fe_2O_3	钢灰色;暗红到鲜红	金属或亚金属光泽到阴暗光泽	5～6	5.3	板状结晶;玫瑰色;柱状或纤维状块体;土状块体;腰子状块体	无解理面	$\omega = 2.90 \sim 3.22$ $\varepsilon = 2.69 \sim 2.94$ 非均质;弱多色;常常呈层纹状双晶	六方 $R\bar{3}c$	
钛铁矿 $FeTiO_3$	铁黑色	金属到亚金属光泽	5～6	4.7～4.8	厚的板状结晶;紧密块状;粒状	无解理面,贝壳状断口	$n \approx 2.7$ 灰白色,非均质	六方 $R\bar{3}$	
纤铁矿 FeO(OH)	红宝石红色到浅红褐色	亚金属光泽	5	4.0～4.1	扁平的鳞片;孤立的圆形结晶;块体	一个完全的解理面,一个稍差	$\alpha = 1.94$ $\beta = 2.20$ $\gamma = 2.51$ 灰白色;强非均质和多色	斜方 Amam	化学成分和针铁矿相同,但对称性不同
一氧化铅 PbO	红色	油脂光泽到暗光	2	9.1～9.2	壳;铅黄上的蚀变产物	一个解理面	$\omega = 2.665$ $\varepsilon = 2.535$	正方 $P\frac{4}{n}mm$	化学成分和铅黄相同,但对称性不同
磁铁矿 Fe_3O_4	黑色到浅褐黑色	金属光泽到半金属光泽	5½～6½	5.2	八面体结晶;粒状块体		$n = 2.42$ 浅褐灰色;非均质	等轴 Fd3m	强磁性、良好的导电体,和镁铁矿、锌铁尖晶石、锰尖晶石、镍磁铁矿生成固溶体系列,在其分子结构中镁、锌、锰、镍分别置换二价铁
水锰矿 MnO(OH)	暗钢灰色到铁黑色	亚金属光泽	4	4.3～4.4	柱状结晶,经常为包裹体;纤维状块体	一个很完全的解理面,两个稍差	$\alpha = 2.25$ $\beta = 2.25$ $\gamma = 2.53$ 浅褐灰白色;非均质;弱多色	单斜 $B\frac{2_1}{d}$	
铅黄 PbO	硫黄色到雌黄	油脂光泽到暗光	2	9.6	土状或鳞片状块体	两个解理面	$\alpha = 2.51$ $\beta = 2.61$ $\gamma = 2.71$	斜方	化学成分和一氧化铅相同,但对称性不同
方镁石 MgO	无色到浅灰色;也有绿色、黄色或黑色	玻璃光泽	5½～6	3.6～3.7	不规则、圆形晶粒;八面体结晶	一个完全解理面	$n = 1.730 \sim 1.746$	等轴 Fm3m	
钙钛矿 $CaTiO_3$ (常常含有稀土元素)	黑色;浅灰或浅褐黑色;浅红褐色到黄色	金刚光泽到金属光泽	5½	4.0～4.3	立方体结晶	参差不齐到半贝壳状断口	$n = 2.30 \sim 2.38$ 暗蓝灰色	斜方 Pnma	铁电体
硬锰矿 $BaMnMn_8O_{16}(OH)_4$	铁黑色到暗钢灰色	亚金属光泽到暗光	5～6	4.7	块体;壳状;钟乳石;土状块体			斜方	
烧绿石 $NaCaNb_2O_6F$	褐色到黑色(烧绿石);淡黄到褐色(钽烧绿石)	玻璃光泽或树脂光泽	5～5½	4.2～6.4	八面体结晶;不规则块体	半贝壳状到参差不齐断口	$n = 1.93 \sim 2.02$	等轴 Fd3m	和钽烧绿石生成固溶体系列,在其分子结构中钽置换铌
软锰矿 MnO_2	浅钢灰色到铁黑色	金属光泽	2～6	4.4～5.0	柱状或纤维状块状;膜状和结核状	一个完全解理面	乳白色;明显的非均质;非常弱的多色	正方 $P\frac{4_2}{m}nm$	
金红石 TiO_2	浅红褐色到红色;颜色多变	金属金刚光泽	6～6½	4.2～5.5	细长到毛细管柱状结晶;粒状块体;包体,常常是定向的	一个完全解理面	$\omega = 2.556 \sim 2.651$ $\varepsilon = 2.829 \sim 2.895$	正方 $P\frac{4}{m}nm$	光敏;化学成分和锐钛矿、板钛矿相同,但对称性不同
尖晶石 $MgAl_2O_4$	各种颜色	玻璃光泽	7½～8	3.55(纯$MgAl_2O_4$)	八面体结晶;圆形或嵌入形晶粒;粒状致密块体		$n = 1.715 \sim 1.725$	等轴 Fd3m	和铁尖晶石、锌尖晶石及锰尖晶石生成固溶体系列,在分子结构中铁、锌和锰分别置换镁

续表 2

名称 化学式	颜色	光泽	莫氏硬度	比重	习性 或状态	断口 或解理	折射率或 抛光薄片数据	晶系 空间群	备注
黑铜矿 CuO	钢或铁灰色到黑色	金属光泽	3½	5.8～6.4	薄的集合体或板晶；弯曲板状或鳞片；土状块体	贝壳状断口	浅灰白色，强非均质；多色	单斜 $C\frac{2}{c}$	
方钍石 ThO_2	暗灰色到浅褐黑色和淡蓝色	动物角光泽到亚金属光泽	6½	9.7～9.9	圆形立方体结晶	参差不齐到半贝壳状断口	$n\approx2.20$ （变化不定） 非均质	等轴 Fm3m	放射性体
晶质铀矿 UO_2	钢黑色到丝绒黑色，浅灰，浅绿	亚金属光泽到油脂光泽或暗色	5～6	6.5～8.5 （块体） 8.0～10.0 （晶体）	结晶；块状；树枝状晶体集合体	参差不齐和贝壳状断口	浅淡褐灰色；非均质	等轴 Fm3m	放射性体

化合价是 2，能形成各种各样的共价化合物，其中包括水（H_2O）、二氧化硫（SO_2）和二氧化碳（CO_2）等非金属氧化物，醇、醛、羧酸等有机化合物，硫酸（H_2SO_4）、碳酸（H_2CO_3）、硝酸（HNO_3）等普通酸类，以及相应的盐类如硫酸钠（Na_2SO_4）、碳酸钠（Na_2CO_3）和硝酸钠（$NaNO_3$）。在氧化钙（CaO）等固体金属氧化物晶体结构中，氧以氧离子（O^{2-}）形式存在。在超氧化钾（KO_2）等金属超氧化物中含有 O_2^- 离子。在过氧化钡（BaO_2）等金属过氧化物中含有 O_2^{2-} 离子。氧原子序数 8。原子量 15.999 4。熔点 -218.4 °C。沸点 -183.0 °C。密度（1 大气压，0 °C）1.429 克/升。化合价 2。电子组态 2,6 或 $1s^22s^22p^4$。

oxygen cycle　氧循环　氧在自然界的各种形式的循环。空气中游离的和水中溶解的氧气，其总量仅次于氮。动物和植物都吸入氧，并将它以二氧化碳形式呼出，返回空气和水中，二氧化碳又被藻类和陆生绿色植物吸收，通过光合作用，转化为有用的碳水化合物和副产物氧气。地球上的水是生物圈中氧的主要来源。据计算，水中的藻类通过光合作用释放生物所用氧的 90%。氧在某种程度上参与所有生物地球化学循环。尽管已燃烧许多化石燃料，天然植被（陆上和海中）也已缩减，但大气中氧的浓度，总的来说，似乎是相对稳定的。这是因为全世界范围农业的进展使植物吸收二氧化碳和释放氧的总能力有了增加。

oxygen group element　氧族元素　又称硫属元素。构成周期表 VIa 族的 5 个化学元素，即氧（O）、硫（S）、硒（Se）、碲（Te）和钋（Po）。在宇宙各元素中，氧的丰度居第 4 位，仅次于氢、氦和氖。可是按质量计，氧约占地球大气层下层的 20%，地壳的 46% 和水的 90%。硫广泛分散在整个宇宙，但在所有元素中其总的丰度仅居第 9 位。按质量计，在有些陨石中硫约占 12%，但只构成地壳的 0.03%～0.06%。硒、碲和钋的含量均比硫少得多。氧族元素的特征是其电子组态，最外层有 6 个电子。具有这种电子结构的任何原子，增加 2 个电子形成稳定的 8 电子层，并产生带有 2 个负电荷的离子。这种形成负离子的倾向可用两种性质定量地表示：电负性（当分子中以共价键结合时，原子吸引电子的能力）和电子亲合势（一个中性原子获得一个电子成为一价负离子时所放出的能量）。在已知元素中，除了氟以外氧具有最高电负性和电子亲合势。随着原子序数和原子质量的增加，其余氧族元素这两种性质的强度依次减少。除钋以外，所有氧族元素另一共同的特性是成链作用，即一个原子与另一个相同的原子键合。这种形式的化合，硫表现得最清楚。

oxyntic cell（anatomy）　**泌酸细胞**　参阅 **parietal cell** *壁细胞*。

Oxyrhynchus　俄克喜林库斯　古代埃及上埃及第十九省省会。位于尼罗河谷地西部边缘，即今明亚省境内。以发现大量纸莎草古文书闻名。这些古文书大约属公元前 250 年到公元 700 年，主要用希腊文和拉丁文书写，也有用通俗埃及文、科普特文、希伯来文、古叙利亚文和阿拉伯文书写的。其内容包括宗教经文（如萨拉匹斯神迹、早期《新约全书》抄本以及像《多马福音》一类的伪经）和希腊古典文学名作。在纸莎草古文书中还有曾经认为失传的文本，如早期希腊抒情诗选辑、著名诗人品达罗斯的作品、剧作家米南德和卡利马科斯的作品，还有许多演说辞和历史著作等。现为拜赫奈萨村所在地。

oxytocin　催产素　临床上用来帮助起始或持续分娩过程、控制产后出血，并刺激乳房分泌乳汁的激素。1953 年 V.迪维尼奥首先合成催产素（同时还合成相关的抗利尿激素，因而获 1955 年的诺贝尔化学奖。从此，产科医疗广泛使用合成的催产素。天然催产素由下丘脑制造后送往脑下垂体后叶贮存，再自该处释放入血流。产妇授乳时，催产素使乳汁由乳房喷出。天然产生的催产素量少，所以在促使子宫收缩和刺激分娩方面效力不大。如果大量使用合成的催产素，就会促使子宫壁平滑肌收缩并发动分娩过程。子宫的平滑肌细胞含有特异性地与催产素结合的蛋白质；妊娠末期，这类催产素受体的数量增加。由于必须有雌激素存在，催产素才能对子宫平滑肌产生功效，所以在妊娠初期，催产素对子宫产生的效果小；妊娠将足月时子宫对之敏感，注射过催产素的产妇有 80%～90% 可产生子宫收缩。

Oya Current　亲潮　又称千岛洋流。沿堪察加半岛和千岛群岛向西南流的表面洋流。在日本以东遇到*黑潮*（**Kuroshio**）延伸流以后，亲潮一部分冷而含盐度低的海水下沉于黑潮之下，继续南流。两股洋流汇合的标志是形成雾堤。亲潮的流量据认为大约是每秒 1 500万立方米。

Oyama　小山　日本本州栃木县城市。濒临思川。早期为以城堡为中心的城镇。德川时代（1603～1867）为驿站和河港。现为栃木县南部的交通中心，是 3 条主要铁路的枢纽。第二次世界大战后发展成为东京-横滨都市区的工业卫星城。有采矿、运输设备制造和炼铝业。但商业发展缓慢。城外有一座亚洲最大无线电发射台。人口约146 487（1992）。

Oyapock River　奥亚波克河　葡萄牙语称奥亚波基河。南美东北部河流，发源于图穆库马克山脉，向东北流500千米，在奥兰治角附近注入大西洋。是法属圭亚那与巴西阿马帕的分界线。河口附近有法属圭亚那港口圣乔治及巴西港口奥亚波基、蓬塔-杜斯印第乌斯。

奥亚波克河口附近的萨拉马考村

美国不列颠百科全书公司供图

Oyem　奥耶姆　加蓬北部城镇。地处高原。海拔 900 米。为一农业地区的行政和运输中心。种植可可和咖啡运往港口输出。其他作物有橡胶和马铃薯。设有医院、教堂、农业学校、公立中学和海关站。人口约 89 600（1985）。

Oyo　奥约　尼日利亚西部一州。原为西部州一部分，1976年分出建州。面积37 705平方千米。东南部覆盖热带雨林，北部为毁林开垦后衍生的大草原。主要河流有奥贡河和奥雄河。居民多为约鲁巴族。经济以农业和手工业为主。农作物有薯蓣、玉米、木薯、豆类、

奥约州的葫芦雕刻手工艺
美国不列颠百科全书公司供图

粟、大蕉、烟草、可可、棕榈油和棕榈仁、棉花、可乐果、靛青及水果。该州以家庭手工业闻名，其中有纺纱、织布、染色、制革、木雕和编席。州首府伊巴丹是尼日利亚第2大城市，有罐头、酿酒、出版、烟草加工、铁木家具及汽车装配等工业。开采的矿产有锡、铌铁矿、金和大理石。伊巴丹为国际热带农业研究所、尼日利亚可可研究所和联邦农业研究所的所在地。旅游景点有伊巴丹大学动物园、阿戈迪动物园、姆巴里艺术中心和几位约鲁巴酋长的王宫。另有两所大学，一所文理学院、一所教育学院和几所师范学院。拉各斯-伊巴丹公路连接州的南北两部分。人口约3 488 789(1991)。

Oyo　奥约　尼日利亚奥约州中部城镇。与拉各斯通公路干线，亦为公路枢纽。奥约帝国都城旧奥约被富拉尼人焚毁后，19世纪30年代约鲁巴人在此建都，称新奥约。在19世纪中叶的约鲁巴人内战中，该镇与伊巴丹结盟。1887年遭达荷美人侵略，后与拉各斯联合反对法国。根据1888年的条约，整个约鲁巴人地区都置于英国保护之下。现该镇经济以农业和手工艺为主。为当地农产品(薯蓣、玉米、木薯、家禽、秋葵荚和豆类)销售中心。主要出产烟草、柚木和棉花。为棉纺、织布、染布等传统手工业的中心。以葫芦雕刻、革制品、羊皮、木刻和编席闻名。镇内有圣安德鲁学院(1897建立，为全国最早的师范学院之一)。人口约226 300(1991)。

Oyo empire　奥约帝国　拉各斯以北的约鲁巴人的国家，位于今尼日利亚。在全盛时代(1650～1750)，统治着沃尔特河与尼日尔河之间的大部分国家。据说奥约帝国由约鲁巴的英雄人物奥杜杜瓦创始，他从东方来到伊费定居。他的儿子成为奥约帝国的第1个统治者。奥约曾两度征服西面的达荷美王国(1724～1730，1738～1748)，并通过阿贾塞港(波多诺伏)同欧洲商人进行贸易。统治者阿比奥敦(约1770～1789在位)只重视经济，在沿海同欧洲商人做生意，而忽视军队和行政，因此加剧了帝国的衰落。19世纪奥约帝国开始失去通往沿海地区的商道，又受到达荷美的侵犯，1800年后为富拉尼人所灭。

Ōyōmeigaku　王阳明学派　日本德川幕府时代(1603～1867)国定指导哲学——新儒学3个主要学派之一。参阅 **Neo-Confucianism**。

Oyono, Ferdinand Léopold　奥约诺(1929-09-14，喀麦隆恩古莱马孔～　　)　非洲政治家、演员、喜剧作家。两部最著名的作品为《家僮的一生》(1956)及《老黑人和奖章》(1956)，是在巴黎学习法律及行政管理期间写的，反映了20世纪50年代日益增长的反殖民主义情绪。奥约诺的第1部作品《家僮的一生》是日记体小说，写一个为法军司令官效劳的仆役苦难的一生。《老黑人和奖章》，通过一个敬畏上帝的忠实的老村民的眼光，来讽刺殖民主义。他为法国牺牲了他的儿子和土地，在获得奖章之日，他完全改变了对白人的看法。奥约诺在这两部小说中对家长作风的传教士和行政官员的谴责是明确的。他的第3部小说《欧洲的道路》(1960)，写一个比自己的同龄人受到更好教育但仍然缺乏保证成功所必需的技巧的青年。50年代，奥约诺在写作头两部作品的同时，在巴黎担任舞台和电视演员。1960年他返回喀麦隆，进入外交界核心，1961～1962年任驻几内亚、马里、塞内加尔和摩洛哥特使。1963～1975年任驻利比里亚比荷卢联盟国家、欧洲共同市场、法国、意大利、突尼斯、摩洛哥和阿尔及利亚大使，后任联合国安理会主席、安理会政治委员会主席，及联合国纳米比亚委员会主席。任驻联合王国大使(1984～1985)后返回喀麦隆在内阁任职。

Oyono-Mbia, Guillaume　奥约诺-姆比亚(1939，喀麦隆姆武泰西～　　)　非洲戏剧家、短篇小说家，用英、法语写作并获得成功的少数喀麦隆双语作家之一。曾留学英国，1968年毕业于基尔大学。具有非凡的喜剧创作才能，人们常把他的写作技巧与莫里哀相比。他的喜剧有《三个求婚者……一个丈夫》(1962)、《等候下一步通知》(1967)和《我们的女儿不出嫁》(1969)，都是写的青年和成人、现代和传统的矛盾这一为他所喜爱的主题。70年代他写有3部关于故乡农村的短篇小说集《姆武泰西的编年史》(1971～1972)。从1969年起任喀麦隆雅温得大学文学教授。1972～1975年任新闻与文化部文化事务局首席行政官。

Oyrat　卫拉特人　又拼 Oirat，操蒙古语族西部方言的民族。13世纪时，西部蒙古人是成吉思汗帝国东部蒙古人的敌人。在随后几个世纪里，西部蒙古人各族结盟，号称四部卫拉特(卫拉特人由此得名)，独树一帜，与成吉思汗一系的东部蒙古人时而结盟，时而为敌。一部分西部蒙古人仍然留在本土，或在准噶尔，或在蒙古西部。卫拉特联盟的另一部分人(包括全部或部分土尔扈特人、和硕特人、德尔伯特人以及其他部族)在17世纪初横越西伯利亚南部向乌拉尔南部迁移，再由该地转移到伏尔加河下游。1771年，住在伏尔加河左岸即河东的那些人回归中国；右岸的**卡尔梅克人**(**Kalmyk**；包括当时的土尔扈特人、德尔伯特人、布扎瓦人)则留居俄国。有相当数量的卫拉特人仍然住在中国西北的新疆和青海地区，在那里估计有10万人操卫拉特方言。另有5万操卫拉特方言的人住在蒙古人民共和国西部，受人数上占优势的喀尔喀人控制。

Oyrot(Russia)　**奥伊罗特**　参阅 **Gorno-Altay 戈尔诺-阿尔泰**。

Øystein I Magnusson (Norwegian king)　参阅 **Eystein I Magnusson 埃斯泰因一世(马格努松)**。

oyster　牡蛎　牡蛎科(Ostreidae)或燕蛤科(Aviculidae)双壳类软体动物，分别称为真牡蛎及珍珠牡蛎。分布于温带和热带各大洋沿岸水域。海菊蛤属(*Spondylus*)与不等蛤属

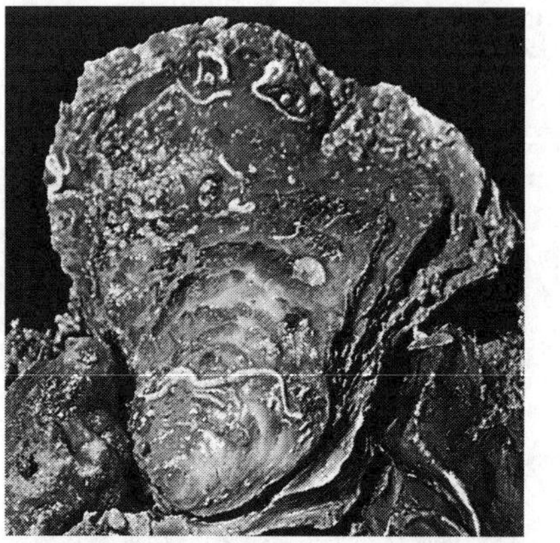

食用牡蛎(*Ostrea edulis*)
美国不列颠百科全书公司供图

(*Anomia*)动物有时亦分别称为棘牡蛎和鞍牡蛎。真牡蛎于公元前即已养殖以供食用；**珍珠**(**pearl**)可在珍珠牡蛎的外套膜中产生。牡蛎的两壳形状不同，表面粗糙，污灰色；上壳中部隆起；下壳附着于水底或其他物体上，较大，颇扁，边缘较光滑；两壳的内面均白色光滑。两壳于较窄的一端以一条有弹性的韧带相连。壳的中部有强大的闭壳肌，用以对抗韧带的拉力。壳微张时，借纤毛的波浪状运动将水流引入壳内(每小时流过的水量可达2～3加仑，1加仑合约3.8升)，并滤食水中的微小生物。鸟类、海星、螺类以及包括鳐鱼在内的鱼类均食牡蛎。钻蠔螺(灰色尾号螺，*Urosalpinx cinenea*)分布广，常在牡蛎壳上用舌钻一小孔，吸食其活组织。牡蛎多雌雄异体，但也有雌雄同体者。食用牡蛎(*Ostrea edulis*)能按季节或随水温的变化而改变性别(节律性雌雄同体)。牡蛎在夏季繁殖。有些种类的卵排到水中受精，而有的则在雌体内受精。孵出的幼体球形，有纤毛(称幼蚝)，游泳数天后永久固着于其他物体上。经3～5年后可收获供食用。真牡蛎(牡蛎科)包括牡蛎属(*Ostrea*)、厚牡蛎属(*Crassostrea*)和细齿蛎属(*Pycnodonte*)3属的种类。食用牡蛎(欧洲平牡蛎)分布在挪威沿岸到摩洛哥近海，经地中海到黑海一带；雌雄同体；长达8厘米。北美太平洋沿岸的奥林匹亚牡蛎(浅黄牡蛎，

O. lurida)长约 7.5 厘米。*O. frons* 亦常见。北美牡蛎(弗吉尼亚牡蛎,弗吉尼亚厚牡蛎,*C. virginica*)原产圣劳伦斯湾到西印度群岛,已引进北美西海岸;长约 15 厘米;雌体一次排卵可达5 000万枚;在北美的食用贝中商业价值最大。西欧沿岸有葡萄牙牡蛎(角厚牡蛎,)*C. angulata*)。日本牡蛎(长厚牡蛎,*C. gigas*)是最大的牡蛎,长达 30 厘米。与北美牡蛎一样,悉尼岩牡蛎(*Crassostrea commercialis*)也会改变性别;初生时为雄性,后变为雌性;是澳大利亚最具经济重要性的可食用牡蛎。牡蛎可剥壳生食、熟食、制罐头或熏制,少量冷冻处理。受欢迎的弗吉尼亚厚牡蛎品种包括:蓝点厚牡蛎和林黑文厚牡蛎(因分别采自弗吉尼亚州长岛的蓝点地区和林黑文湾地区而得名)。受欢迎的食用牡蛎品种包括英国的科尔切斯特牡蛎和法国的马雷讷牡蛎。珍珠牡蛎多属于 *Meleagrina* 属,又称 *Pinctada* 属或 *Margaritifera* 属。若一粒外物侵入牡蛎的壳内,牡蛎即分泌真珠质将外物层层包起而形成珍珠。食用牡蛎产生的珍珠不光泽,价值不高。只有少数东方的种类,特别是波斯湾的珠母贝(*Meleagrina*[或 *Pinctada*, *Margaritifera*] *vulgaris*)所产的珍珠质量最高。珍珠贝主要分布于 8 ~ 20 呎(1 呎合约 1.83 米)的海水深处。珍珠多采自 5 岁以上的牡蛎。用手工方法将小片供体贝的外套膜等植入珠母贝(受体贝)体内,便在其周围形成养殖的珍珠。大多珍珠养殖在日本或澳大利亚沿岸水域进行。

Oyster Bay 奥伊斯特贝 美国纽约州东南部拿骚县城镇。面积 270 平方千米。由长岛中部北岸延至南岸,包括 30 多个村镇。首批移民于 1653 年到此。1667 年该镇取得政府批准。独立战争时期雷恩汉大厅(1738,现为博物馆)曾作英军司令部。其他殖民地时期遗迹有威斯特里亚楼、基督教公谊会、特赖恩楼及卡曼宅地。19 世纪初捕鲸业兴旺。1836 年长岛铁路通车。附近有 T. 罗斯福纪念馆。1901 ~ 1909 曾为"夏季白宫"。罗斯福墓在邻近的杨氏墓地。第二次世界大战时兴建航空工业。现经济多样化,有多处工业园区。设有纽约州立大学理工学院(1912)、纽约州立大学学院(1968)、长岛大学波斯特分校(1954)等。人口293 925(2000)。

oyster plant 牡蛎草 参阅 **salsify** 蒜叶婆罗门参。

oystercatcher 蛎鹬 蛎鹬科蛎鹬属(*Haematopus*)几种滨鸟的统称。见于温带至热带地区。体粗短,长约 40 ~ 50 厘米。腿粗,淡绯红色。翼长而尖。嘴长而扁,楔形,橙红色。羽色由黑白花两色(包括一个白色宽翅斑)至全黑色。主要以软体动物(如牡蛎、蛤和贻贝)为食,退潮时软体动物留在海滨,贝壳半张开时,蛎鹬立即啄食。蛎鹬在地面营巢,产 2 ~ 4 枚卵于沙中。约有 7 个种,欧、亚、非洲产的欧洲蛎鹬(蛎鹬,*H. ostralegus*)上体黑色,下体白色。西半球海滨的美洲蛎鹬(*H. palliatus*)上体色深,头和颈黑色,下体白色。北美洲西部的黑蛎鹬(*H. bachmani*)和澳大利亚的

欧洲蛎鹬(*H. ostralegue*)
美国不列颠百科全书公司供图

乌蛎鹬(*H. fuliginosus*)除腿绯红色外,全身为深色。

oystershell scale (*Lepidosaphes ulmi*) **蚝壳介壳虫** 又称榆树牡蛎盾蚧。同翅目昆虫,身上所覆介壳形似微型的牡蛎壳。能给所栖居的乔木或灌木带来巨大的损害。防治方法

蚝壳介壳虫(*Lepidosaphes ulmi*)
美国不列颠百科全书公司供图

为预防喷药和利用天敌——鸟类、螨类和寄生黄蜂类。其生活史和雌性成虫的介壳均随所栖居的树种而异。蚝壳介壳虫见于丁香,山毛榉,槭树,柳树及许多观赏树种之上。在美国几乎见于所有的州,可能是从欧洲引进。

Oz, Amos 奥茨(1939-05-04,耶路撒冷~)以色列长、短篇小说家、散文作家。编辑过很有影响的以色列期刊《第七天》。曾在耶路撒冷希伯来大学和牛津大学受教育,并在以色列陆军中服役(1957 ~ 1960,1967,1973),除写作外,还当过兼课教师和临时工。他富有诗意的象征派小说反映了以色列生活中的分裂和紧张。知识界的传统、大众的要求、现实和幻想、乡村的犹太复国主义、对欧洲文明的渴望、创业开拓者的价值观和他们不信教的子孙们的看法,都是争议的话题。由于无法分享立国那一代人的乐观主义观点和明确无疑的思想,他以嘲弄的笔触介绍了现实,对以色列社会作了坦率而深入的考察。他的作品有《狼嚎之地及其他故事》(1965)、《我的米迦勒》(1968)、《触水、触风》(1973)、《黑盒子》(1987)、《第三国》(1991)等,还有一些引起争议的小品文。

Öz Beg 窝兹伯(活动时期14世纪) 又拼 Uzbek。俄国南部的金帐汗国的蒙古人领袖和汗。在他统治时期(1313 ~ 1341),金帐汗国达到全盛。他信奉伊斯兰教,也欢迎基督教传教士从西欧进入他的汗国。他鼓励莫斯科的王公们在他的信奉基督教的臣藩中占主要地位。他的名字在乌兹别克斯坦的乌兹别克民族中至今依然流传。

Ozaki Kōyō 尾崎红叶(1869-01-28,日本江户[今东京]~ 1903-10-30,东京) 尾崎德太郎的笔名。日本小说家、散文家、俳句诗人,现代日本文学的先驱之一。1885 年他和一些友人组织了砚友社,这个文学团体和杂志近 20 年间对日本小说的发展曾有过重大影响。通过他对德川时期(1603 ~ 1867)文学的研究,他诱导人们对 17 世纪的作家井原西鹤重新发生兴趣;他把西鹤那种敏锐的观察与他本人的富有诗意的美学糅合在一起,创造了带有浪漫主义色彩的现实主义风格。红叶积极投身于创造一种新的通俗文学语言的运动。他那精美的文体很适合于他所擅长的恋爱主题,以及对女人的描述。早期作品,如《两个比丘尼的色情忏悔》(1889)和《香枕》(1890),显示出他对 17、18 世纪文学的兴趣。以后他在《多情多恨》(1896)和《心》(1903)中表现出更多的现实主义倾向。他的杰作是《金色夜叉》(1897 ~ 1902)。这部长篇小说反映了现代化给社会带来的损害,因为这时金钱的力量彻底战胜了人的爱心和社会责任。年轻的作家都渴望得到红叶的指导。他的最知名的学生是浪漫派短篇小说作家泉镜花和自然主义小说家德田秋声。

Ozaki Yukio 尾崎行雄(1858-12-24,日本相模神奈川 ~ 1954-10-06,神奈川县逗子)日本著名民主政治家,曾 25 次连任众议院议员,被视为日本"宪政之父"。原是新闻记者,因追随后来任总理大臣的政治家大限重信而从政。1881 年大限重信因他提出的制订新宪法的建议未被采纳而辞职,尾崎也随之成为反对派。1898 年重新进入政府,在大限新组成的短命内阁中任文部大臣。但由于失言,称日本帝国为共和国,被迫去职。1903 ~ 1912 年任东京市长。1912 年率领立宪政友会的成员队伍走上街头,争取民众的支持,反对前军人桂太郎的寡头内阁。在几个月内,由于尾崎开展的这一运动,桂内阁终于垮台,并逐渐形成向议会多数党负责的内阁体制。1915 年在任大隈重信第 2 次内阁的法务大臣时,公开揭发大限在选举期间的贪污受贿行为。此后拒绝加入任何党派,但依然是一个有巨大影响的人物,终生为开展日本的民主政治而奋斗。他特别积极争取普选权,该权利终于在 1925 年确立。

Özal, Turgut 厄扎尔(1927-10-13,土耳其马拉蒂亚~ 1993-04-17,安卡拉) 土耳其政治家,1983 ~ 1989 年任总理,1989 ~ 1993 年任总统。厄扎尔曾在伊斯坦布尔工科大学学习电机工程,在该校结识了未来的总理德米雷尔。1967 ~ 1971 年任土耳其国家计划组织次长,70 年代期间,作为经济学家在世界银行工作。1979 年任德米雷尔政府顾问。1980 年军队推翻德米雷尔,但要求厄扎尔出任副总理。他执行一项经济改革计划,包括取消外汇管制和实行大规模贸易自由化。1982 年因一起银行丑闻被迫辞职。1983 年中间偏右的祖国党(厄扎尔是该党的创建者)在议会选举中赢得多数后,他出任总理。1987 年该党再度获胜。在总理任内,厄扎尔继续其自由市场和面向西欧的经济政策。

1987年他倡议土耳其申请加入欧洲共同体，未获成功。80年代末，他的声望开始下降，部分是因为长期通货膨胀和失业人数增加的原因。评论家们同时宣称他的行为如独裁者，并且容忍侵犯人权的行为。厄扎尔对此于1989年以由议会选举他为总统作为回答，这一职位传统上被认为是超出党派关系的，从而使得他在1991年祖国党选举失败后继续保住这一高位。他随即开始扩大总统的作用。1991年海湾战争期间，他领导土耳其参加联合国反对伊拉克的联盟；他还支持土耳其的库尔德少数民族获得更多的权利。

Ozamis　奥三棉示　又拼Ozamiz。菲律宾棉兰老岛西北部三宝颜半岛城市。位于潘吉尔湾。是该地区最大的居民中心、繁忙的港口和重要的椰子加工业中心。1948年设市。建有一飞机场。人口约110 420(2000)。

Ozanam, Antoine Frédéric　奥扎纳姆(1813-04-23，意大利王国米兰～1853-09-08，法国马赛)　法国历史学家、律师和学者，天主教味增爵会的创始人。1833年在巴黎大学与同学合作成立慈善会，救济贫民。两年后该会正式命名为味增爵会，通过章程。该会今天已是世界著名慈善组织。奥扎纳姆撰有关于法律、文学、历史和社会学说的精彩论文。

Ozark Mountains　欧扎克山　又称欧扎克高原。美国中南部林木茂密的高原地区。由密苏里州的圣路易斯向西南延伸，直到阿肯色河。面积13万平方千米，地跨密苏里、阿肯色、伊利诺伊和堪萨斯州。为阿巴拉契亚山与落基山脉间崎岖山地。600米以上高峰多在阿肯色州波士顿山中。当地多地下河和泉水，有奥塞奇、加斯科内德、怀特和布莱克河流经。多处湖区为旅游娱乐区。旅游业得益于H.B.赖特在其小说《山乡牧人》(1907)中对当地的浪漫描写，现为主要行业之一。其他行业有伐木业、农业和铅锌矿开采业。

Ozark - Saint Francis National Forest　欧扎克-圣弗朗西斯国家森林　美国阿肯色州中部和西北部森林地区，也包括该州东部密西西比河沿岸一部分地区。森林包括沃希托山和波士顿山的部分地方，以及斯普林菲尔德平原南端。欧扎克国家森林的最西端延伸到俄克拉荷马州边境，而圣弗朗西斯国家森林位于东部。欧扎克国家森林建于1908年。面积4 048平方千米。主体大部分为林木、分水岭和野生动物保护区，此外另有5个小区。境内马格津山(839米)为该州最高点。管理处设在拉塞尔维尔。圣弗朗西斯国家森林建于1960年，与欧扎克国家森林共同管理。包括85平方千米的森林低地。圣弗朗西斯河与密西西比河共同构成了森林的东部边界。

ozarkodiniform　奥扎克牙形石型　牙形石，形态和构造上像牙齿的小化石。有一个锯齿位于中心，两侧为不太尖的较小的锯齿。有些类型中锯齿列笔直，而另一些类型中锯齿列是弯曲的。奥扎克牙形石型是研究志留纪(4.38亿年前～4.08亿年前)非常实用的标准化石。

Ozarks, Lake of the　欧扎克斯湖　美国最大人工湖之一。在密苏里州中南部。为向圣路易斯地区提供电力，在奥塞奇河上修建巴格内尔大坝(1931)拦蓄河水而成。湖长200千米，面积242平方千米，岸线长约2 100千米。湖上有捕鱼和水上运动设施，为风景秀丽的欧扎克山区中的游乐休养胜地。附近有石灰石岩洞多处。1981年竣工的杜鲁门水坝和水库为该湖西端之延伸部分。

Ozawa, Seiji　小泽征尔(1935-09-01，中国辽宁～　)　日裔美国指挥家，以其雄浑有力的风格和对19世纪西方交响乐作品的挥洒遒劲的表演著称。童年在日本即对西方音乐

中国大百科全书出版社供图

发生兴趣，立志当钢琴家。但16岁时手部受伤，转而学指挥，在东京桐朋学园师事斋藤秀雄。初指挥日本管弦乐队，1959年赴欧洲，在贝桑松国际指挥比赛中获奖。翌年夏天在美国伯克希尔音乐节受业于C.蒙奇并获库塞维茨基奖。在此期间开始与波士顿交响乐团建立长期而成果丰硕的合作。旋又随H.冯·卡拉扬在柏林深造一年，继而应L.伯恩斯坦之邀担任纽约爱乐乐团助理指挥。1964～1968年任芝加哥拉维尼亚音乐节音乐总监。1965年与1970年分别就任多伦多交响乐团与旧金山交响乐团音乐总监。1973年受命担任波士顿交响乐团指挥兼音乐总监直到2002年，该团许多年来一向是欧洲指挥家独占的领地。2002年秋，他开始担任维也纳国家歌剧院音乐总监，该工作使他有机会探索歌剧音乐。

Ozenfant, Amédée　奥藏方(1886-04-15，法国圣康坦～1966-05-04，戛纳)　法国画家及艺术理论家，为20世纪纯粹主义运动创始者之一。原在家乡学习艺术，1906年至巴黎调色板学院研究绘画及建筑艺术，在此受到点彩派的影响。后来他沉醉于立体主义，1915年与M.雅科布和G.阿波里耐合创《飞跃》杂志，推广立体主义的原则。1917年，奥藏方渐渐对立体主义失望，他认为立体派失去原有的纯粹和严谨，完全变成了一种装饰工具。后来他结识了科比西埃，不到一年，他们就制定并在《立体主义之后》(1918)一文中发表了他们称之为"纯粹主义"的宣言。1919年他们创办了先锋派杂志《新精神》，探讨当代艺术的创作题材及方向。1928年奥藏方出版了他对这一问题的论著——两卷本《论艺术》。1931～1938年间，他致力于一幅纯粹主义风格的大型人物画，标题为《生命》。1935年他移居英国伦敦，创立奥藏方美术学校，3年后将该校迁至纽约市。1955年回法国。作为理论家，奥藏方提出秩序、理性和精密的原理，并号召建立一种以现代科技美学为基础的新古典主义。他自己的绘画作品强调清澈、宁静和手法简单。在他的静物画中，物品被画成存在于严谨的建筑构架中的平面色块。

Ozias(king of Judah)　参阅 **Uzziah 乌西雅**。

ozier pattern　奥齐尔花样　于18世纪30年代引进到迈森瓷餐具的一种德国生产的模制篮编式花样。这种花样可能是著名雕塑家J.J.坎德勒的发明创造之一。奥齐尔雕塑的

哥本哈根约1780年的老式奥齐尔型彩绘瓷碟

美国不列颠百科全书公司供图

基本器型有四种：普通奥齐尔型——之字形的篮编；老式奥齐尔型——具有辐射状的罗纹；新式奥齐尔型——其罗纹似S形曲线，出现在约1742年；以及布吕尔的多变化花样——用篮编纹样和贝壳和花卉等组成，花样四周装饰洛可可式涡形纹样。奥齐尔花样被德国和其他一些欧洲的瓷器厂所采用。

Ozma, Project　奥兹玛计划　一项试图在1960年接收近距恒星上"智慧生物"发出的无线电波的计划。1960年4～7月，经过约150小时的断续观测，并未发现这种信号。所用的探测波长接近21厘米，即星际氢自发产生的波长，因而可把它看成是任何想进行星际通信的人所熟悉的通用标准。使用的设备是一台同美国格林班克国立射电天文台直径26米射电望远镜连接的特殊接收机。挑选出来探测的两颗星(波江座ε和鲸鱼座τ)距地球都约为11光年。它们都是近距恒星，而且都很像太阳，因而可能也有住着居民的行星。第二项实验，称为奥兹玛计划Ⅱ。它是由B.祖克曼和P.帕尔莫二人共同主执的项目，在同一个天文台内运作。计划在4年(1973～1976)内探测650多个近距恒星。探测计划负责人F.D.德雷克用美国作家L.鲍姆作品中一个想象的极其遥远的地方奥兹(Oz)的公主的名字来命名这一计划。

ozokerite 地蜡 又拼 ozocerite。来源于希腊语 ozokēros,即有气味的蜡。自然形成的淡黄色至暗褐色的矿物蜡,主要组分为固体石蜡烃(主要为氢和碳原子连接成链的化合物)。地蜡常成薄的细脉和矿脉,充填在造山地带的岩石裂缝中。据认为,是含地蜡的石油渗过岩石裂缝时,就把它沉积在那里的。从美国犹他州矿坑中裂缝的切面,可看出这种过程。波兰的加利西亚、罗马尼亚和美国的犹他州等地,都有大型的地蜡矿。加利西亚和犹他州的地蜡矿已经开采,但由于从石油馏分冷却得到的石蜡和它竞争,1940 年之后,其生产已减少。提纯采得的地蜡(熔点为 58 ~ 100 °C)是用水煮,浮在水面的蜡用硫酸精制,再用木炭脱色。地蜡的熔点比典型的合成石蜡高,适合制复写纸、皮革油、化妆品、电绝缘体和蜡烛。

Ozolua 奥佐卢阿(?~1504) 非洲贝宁王国(在今尼日利亚)的最伟大的武士-国王,将贝宁的疆界大大扩展,使其东至尼日尔河,西至拉各斯。据传统记载,他是同葡萄牙探险者有接触的第一个西非统治者,当时葡萄牙人正在撒哈拉以南的西非海岸探险。他从 1481 年称"奥巴"(国王)之日起,即逐步征服周围各部落。他鼓励与葡萄牙人通商(约 1500),允许葡萄牙人设传教所。

ozone 臭氧(O_3) 氧的三原子同素异形体(分子含有 3 个原子,而普通氧分子含两个原子)。能使雷雨过后或电气设备周围的空气带有特殊的臭味。电机周围的臭氧气味早在 1785 年就有过报道。1872 年确定了臭氧的化学组成。臭氧是有刺激性气味的淡蓝色气体,甚至在低浓度下也易爆炸,而且有毒。地球大气同温层中天然存在的少量臭氧,能吸收太阳的紫外线辐射。否则,这种辐射会严重伤害地面上活着的有机体。一定条件下,在较低气压的氮的氧化物和烃之间的光化学反应产生的臭氧,其浓度较高,足以刺激眼睛和黏膜。通常利用在氧气流或干燥空气流中放电的方法来制得臭氧。所得臭氧和原有气体的混合物已能适合大部分的工业应用,当然,也可用各种办法从中制备较纯的臭氧。例如,液化时氧-臭氧混合物分离为上下两层,下层中臭氧含量可达 75%。由于浓缩的臭氧极不稳定、反应性极强,因而它的制备过程是困难而危险的。臭氧的密度为氧的 1.5 倍。在 – 112 °C时凝结成深蓝色液体。在 – 251.4°C 时冻结。当温度超过 100 °C或在室温下但有催化剂存在时,臭氧很快分解。臭氧虽在许多方面与氧相似,但其反应性比氧强得多,因此是一种极强的氧化剂,特别是在将烯烃转化为醛、酮或羧酸的过程中尤其有用。臭氧能使许多物质脱色,在工业上用作有机化合物的漂白剂;在饮水消毒和除去水中令人讨厌的气味和味道时,臭氧又可用作一种强的杀菌剂。参阅 **ozonosphere**。

ozonide 臭氧化物 由臭氧(**ozone**)和其他化合物反应而形成的一类化合物。通常由烯烃(**olefins**)制得的有机臭氧化物是不稳定的,其中大部分迅速分解为醛、酮和过氧化物等含氧化合物,或者与氧化剂或还原剂迅速反应。已知存在少数几种含有负离子 O_3^- 的无机臭氧化物,臭氧化钾(KO_3)就是一例。臭氧化钾是由氢氧化钾和臭氧反应形成的不稳定的橙红色固体,受热时分解为氧和超氧化钾(KO_2)。

ozonosphere 臭氧层 距地表约10~50千米的高层大气,其中臭氧浓度相当高,温度分布很大程度上取决于臭氧的辐射性质。臭氧的分子式为O_3,地球大气中总有微量臭氧存在,而以臭氧层的浓度最大,它主要是由于波长短于 242 纳米的太阳短波紫外辐射的作用形成的。太阳短波紫外辐射把正常的氧分子(O_2)分解为两个氧原子。氧原子与未分解的氧分子合并而生成臭氧。臭氧形成后也会被波长短于 300 纳米的太阳紫外辐射破坏。由于臭氧分子和臭氧强烈吸收太阳紫外辐射,使其不能到达大气的低层。距地表约 20 千米以内,由光化学作用所生成的臭氧为数不多。臭氧吸收太阳能对于在大约 50 千米高度上温度达到最大值非常重要。这个温度层称作平流层顶或中间层最高温度点。高层大气中臭氧层的存在及其吸收作用,有效地阻止了几乎全部短于 290 纳米的太阳辐射到达地球表面,否则这种紫外辐射会损害或毁灭大多数生物。空气污染物质,特别是氧化氮、海龙(氯、氟和溴的化合物)和氯氟烃常向臭氧层扩散,加速臭氧的破坏(参阅 **chlorofluorocarbon**)。20 世纪 80 年代中期科学家发现南极洲上空周期性出现臭氧洞,臭氧层也比正常浓度降低 40% ~ 50%。区域性臭氧减少被解释为一种自然现象,但另一个原因可能是氯氟烃和海龙的作用使臭氧层进一步遭到破坏。由于对地球臭氧层日益变薄的关心,国际上规定限制使用氯氟烃和海龙,计划减少其产量,并且规定了汽车所排废气中氧化氮的容许含量。虽然高空臭氧层的厚度大约有 40 千米,但那里大气很稀薄。臭氧的总量同其他主要大气成分气体比较,是十分稀少的。如果把整个垂直大气柱中全部臭氧压缩成海平面气压,只能形成几毫米厚的气层。

Ozu Yasujirō 小津安二郎(1903-12-15,日本东京~ 1963-12-12,东京) 一位开创所谓"庶民剧"的日本导演。"庶民剧"是描写日本中产阶级下层家庭生活的影片样式。他的影片专门描写家庭关系,深入细致地刻画人物性格,并创作出高度优美的画面形象,因而人们认为他是最具日本民族特色的导演,在国内获得比任何别的导演都高的荣誉。1923 年入东京松竹影片公司充任摄影助理。20 年代中期成为导演,但直到 30 年代初才由于导演《虽然大学已经毕了业……》(1931)和《我虽然出生了……》(1932)等出色的所谓庶民剧的无声喜剧片脱颖而出。十年后的《户田的妹妹们》(1941)深刻表现日本人对于母亲的态度,成为第 1 部在票房收入方面获得巨大成功的影片。小津在 1942 ~ 1947 年没有拍片。1947 年拍摄《长屋绅士录》,在此以后的一系列影片中,他进一步改进创作风格并表现出对战后国计民生的关切。情节纠葛几乎被排除了,而对气氛的表现和细致入微的性格刻画则十分出色。而且,他几乎完全摒弃移动摄影一类的手法,而偏重于优美的正面镜头。《晚春》(1949)、《麦秋》(1951)、《茶泡饭的滋味》(1952)、《东京物语》(1953)以及《早春》(1956)等影片代表了这种风格并使其蜚声国际。稍后的影片如《初秋》(1961)和《一个秋天的午后》(1962)则表现他在电影中出色地运用装饰色彩的高超技巧。

P

P－38　P－38战斗机　又称闪电式战斗机(Lightning),第二次世界大战期间美国陆军航空兵使用的战斗截击机。P－38战斗机是洛克希德飞机公司根据1937年的设计技术要求生产的。该技术要求生产一种重武装战斗机,能很快爬升到6 000米的轰炸机高度。设计师霍尔·希巴德和"凯利"·约翰逊采用了一种非常规的双尾梁构型,两台发动机用吊舱装在机翼的外翼段,吊舱向后延伸到垂尾上。两个垂尾之间用平直形的平尾连接,飞行员坐在一个短舱内,短舱装在中翼段上。闪电式飞机用涡轮增压的艾里森发动机(高空性能较好)为动力装置,在7 600米高度上,时速超过666千米。当飞机在急俯冲中速度接近音速时会发生扰动。P－38是美国在欧洲为中型轰炸机护航的主要战斗机,在太平洋也曾广泛使用。大多数闪电式飞机头部都携带一门20毫米火炮和4挺0.5口径的机枪。当P－51替代P－38作为轰炸机的护航机之后,许多P－38改为双座的战斗轰炸机,有一些改为照相侦察机。

洛克希德公司生产的P－38闪电式战斗机
美国不列颠百科全书公司供图

P－47　P－47战斗机　又称雷电式战斗机(Thunderbolt)。第二次世界大战中美国及其盟国使用的战斗机,也用作战斗轰炸机。它是美国共和航空公司为满足高速远程战斗的要求而研制的单座单发动机下单翼飞机。1941年试飞,次年3月生产。原型机翼展40英尺9⁵⁄₁₆英寸。18缸双排星型气冷式发动机直径约4½英尺,长6英尺,使飞机外形像一台飞行的发动机。发动机起飞功率2 300马力,在3 000英尺高度上为1 625马力;在紧急情况下通过喷水加力可发出2 535马力。发动机驱动一副4叶全顺桨恒速螺旋桨。座舱有装甲,装有8挺0.5口径机枪。最大载炸弹量为2 500磅(1 100千克),翼下可挂10枚5英寸的火箭。当携带全副武器装备和装甲时,最大速度达440英里/时(700千米/时),升限为40 000英尺(12 200米)。共生产了15 683架供盟国空军使用,比其他任何型号的战斗机都多。直到1955年还在美国空军服役。

P－51　P－51战斗机　又称野马式战斗机(Mustang)。第二次世界大战中最好的战斗机之一,单座单发动机下单翼飞机,由北美航空公司为英国皇家空军生产,后来为美国陆军航空兵(USAAF)采用。原型机按英国的要求设计,于1940年后期,也就是设计工作开始后仅数月便首次试飞,1941年11月服役。该机安装1台适合于低空飞行的阿利森发动机,最大速度为630千米/小时,所以常用于低空战术照相侦察任务,照相机安装在飞行员后侧。野马式飞机装备4挺0.5口径和4挺0.3口径机枪,有一种型号装备4门20毫米火炮,另一种型号(A－36A)则是美国陆军航空兵的俯冲轰炸机。1942年后期,采用罗尔斯-罗伊斯公司的默林式发动机,从1943年后期起称为P－51B,该机大量生产装备美国陆军航空兵,部分装备英国皇家空军。P－51D型飞机最大速度约为700千米/小时,装备6挺0.5口径机枪(每个机翼上安装3挺),是一种性能优越的远程进攻性战斗机,于1944年为从英国到柏林的美国轰炸机进行护航,又于1945年为从太平洋岛屿基地到东京进行轰炸的美国轰炸机护航。它为最后击败德国空军起到了重要作用。直到50年代还依然使用,在朝鲜战争初期执行了突击地面目标的任务。

Pa-an　帕安　缅甸语作Hpa-an,缅甸南部城市。位于萨尔温江左岸,在毛淡棉北面43千米处。有机场,公路西达直通,并跨越杜纳山脉至泰国。人口41 501(1983)。

Pa Chin (Chinese author)　参阅 **Ba Jin** 巴金。

Pa Hsien (in Taoism)　参阅 **Ba Xian** 八仙。

Pa Sak River　巴塞河　泰国中部河流。源出碧差汶山北麓。南流,在曼谷以北的大城府汇入华富里河。全长513千米。沿岸主要城市有隆塞、碧差汶和沙拉武里。巴塞河上筑有灌溉用的水坝。

Paamiut (Greenland)　**帕米尤特**　参阅 **Frederikshåb** 腓特烈斯霍布。

Paarl　帕尔　南非开普省城镇。在开普敦以东,濒临大贝赫河。1688年有胡格诺派教徒定居并引进葡萄栽培术。至今仍以葡萄园和酿酒著名;又产柑橘、烟草和橄榄。工业制成品有卷烟、纺织品和食品。也是教育中心。是要求承认阿非利堪斯语为国语和书面语言的运动的发源地。人口:城市63 671(1985)。

Paasche index　帕舍指数　由德国经济学家H.帕舍为计算报告期与基期的价格或数量水平之比而提出的指数。它和拉斯佩耶斯指数不同。它利用报告期的权数,即在计算指数时,按某一商品的价比(报告期价格与基期价格之比),再以该商品在报告期整个购货量中的比重加权求得。此指数是按报告期价格购买一笔某些规定的商品的总费用与按基期价格购买一笔相同的商品的总费用之比,再乘以100而得。帕舍指数有低估价格提高的倾向。

Paasikivi, Juho Kusti　巴锡基维(1870-11-27,芬兰坦佩雷～1956-12-14,赫尔辛基)　芬兰政治家、外交家、总理、总统。谋求同苏联保持和睦关系以保证芬兰获得某种程度的独立。他研究法律和历史,曾在赫尔辛基大学任教。后转入金融、银行和保险部门。他是个政治现实主义者,认为小国不能长期地反对大国,因而为保持芬兰在俄罗斯统治下的自治而斗争。1907年进入芬兰议会,次年任财政部长。1909年抗议俄国对芬兰推行俄罗斯化政策退出了内阁。1918年芬兰独立,他出任总理,推行亲德的政策。1920年10月与苏联签塔尔图和约。后来成为杰出的银行家和商人。1936～1939年任驻瑞典公使。在1938～1939年的危机时期,他主张接受苏联的要求,尽快结束苏芬战争(1939～1940),签署了割让十分之一领土的和约。1940年3月至1941年11月,他任驻苏联公使。1944年11月当苏联即将战胜纳粹德国时,他出任总理,认真执行媾和条件。1946年3月至1956年2月,他任芬兰共和国总统。1955年收回在1944年租给苏联作为海军基地的波卡拉。巴锡基维可能是芬兰最伟大的政治

美国不列颠百科全书公司供图

家。他对维护国家的独立始终坚定不移。他对其强大邻国虽保持合作关系,却抵制共产党对芬兰的渗透。他的战略成为第二次世界大战以后时期芬兰外交政策的基础。

PABA　参阅 **para-aminobenzoic acid** 对-氨基苯甲酸。

pabbajjā　出家　巴利语,意为"漫游",梵语作pravrajyā。佛教的授戒仪式。俗人经过出家礼成为沙弥。在缅甸等信奉上座部佛教的国家,少年到达青春期都要受出家礼。在中国西藏和内地,俗人先要经过见习时期方可受此礼,在此前无须削发、仍应服兵役。出家礼的细节因国而异,一般要求受戒者在10名受过戒的僧人面前申请加入僧团,于是剃除

须发,奉上僧衣,请方丈或长老僧人予以净化,披上僧衣和十受戒。最后向长老僧人顶礼,请求宽恕。

Pabianice 帕比亚尼采 波兰中部罗兹省城镇、罗兹市郊区。罗兹工业区第二重要城镇。位于罗兹-弗罗茨瓦夫铁路线上。纺织业中心。11世纪开始有人定居,为当地最古老的社区。1297年建镇。因处在克拉科夫和格但斯克贸易路线上而繁荣。在建于16世纪后期的文艺复兴时期城堡内设有博物馆。人口约72 974(2002)。

Pābna 巴布纳 又拼Pubna。孟加拉国中西部城市。濒博多河(恒河)支流依贾莫蒂河。工业中心。有黄麻加工厂,并以针织品和手工织品著称。历史遗迹有印度教的乔尔班格拉庙和巴布纳朱比利蓄水池(1887修筑)。设有真纳公园、精神病院和拉杰沙希大学的两个学院。周围地区处于巴布纳与贾木纳河交汇的三角地带,由于有洪水淤积层,土地肥沃。种植水稻、黄麻、甘蔗和豆类。人口:城市101 080(1981)。

Pabst, G(eorg) W(ilhelm) 帕布斯特 (1885-08-27,奥匈帝国波希米亚劳德尼采~1967-05-29,维也纳) 德国电影导演。他的影片跻于20世纪20年代最富艺术成就的作品之列。其特点是深入透视人物性格,尤其善于创造女性角色;始终关注社会政治问题,以及社会问题对个人的影响;通过得心应手的剪辑赋予每个镜头以深刻含义,而且使场面与场面间的转换平稳流畅。帕布斯特20岁开始成为舞台演员,曾在世界各地巡回演出。1923年从影,第一部成功之作是《没有欢乐的街》(1925),由于对战后维也纳受通货膨胀威胁的生活作了严峻的现实主义的描绘而赢得国际声誉。《珍尼的爱情》(1927)收进一些纪录片镜头,以增强现实主义气氛。不过,这部影片受到赞赏还由于摄影高超和剪辑流畅。这些影片,使其蜚声国际。他在20年代末和30年代制作的影片,更加强调社会状况和个人之间的相互关系,如《危机》(1928)、《潘朵拉的盒子》(1929)和《流浪女的日记》(1929)。30年代初,他在《1918年西线》(1930)、《三分钱歌剧》(1931)和《同志情谊》(1931)中表现了左翼观点。30年代中期,他移居巴黎,曾试图拍摄一部重头的有三种语言版本的《堂吉诃德》以及几部情节剧。他于第二次世界大战爆发时回到德国,执导《喜剧演员》(1941)等。战后最杰出的影片为《最后十天》(1954),影片重现了希特勒统治的最后日子。

paca (*Cuniculus paca*) **无尾刺豚鼠** 又称spotted cavy(斑点豚鼠)。啮齿目刺豚鼠科(Dasyproctidae)动物,主要栖息于墨西哥到巴西的低地森林。体结实,无尾。褐色,有白斑,是啮齿动物中的大型种,体长可达75厘米上下。头较大,在颧骨上有骨质隆起物,用作共鸣箱。夜间活动,食树叶、根和果实,偶食甘蔗和其他作物。居于地穴,善游泳,被追赶就奔向水中逃跑。每窝一仔。山地无尾刺

无尾刺豚鼠(*Cuniculus paca*)
美国不列颠百科全书公司供图

豚鼠(*Stictomys*[或 *Cuniculus*] *taczanowskii*)产于安第斯山。体小于低地种类,毛厚。两种刺豚鼠在本地均被视为珍贵食物。关于假无尾刺豚鼠,参阅 **pacarana**。

Pacaraima Mountains 帕卡赖马山脉 又拼Pakaraima。圭亚那高原平顶山地,位于巴西、委内瑞拉与圭亚那三国边境。为奥里诺科河和亚马孙河分水岭。东西走向,绵延400千米,形成巴西和委内瑞拉东南部之间及巴西和圭亚那中西部之间的边界。最高峰罗赖马山,海拔2 772米。发源于高原顶部的河流,自陡崖倾泻为飞瀑(如圭亚那凯厄图尔瀑布),景色壮观。

pacarana (*Dinomys branickii*) **长尾豚鼠** 又作Branick's rat。又称假无尾刺豚鼠、布拉尼克氏鼠、布拉尼克氏长尾豚鼠。安第斯山山谷和低坡的南美啮齿类。是罕见种,啮齿目长尾豚鼠科(Dinomyidae)唯一的现存种。白天活动,地栖,食树叶、果实等。体重,耳小,头较大,毛粗糙,黑或褐色,有白斑,尾多毛而粗。连尾在内全长约90～100厘米。

Pacatus Drepanius, Latinius 帕卡图斯·德雷帕尼乌斯(活动时期约390) 高卢裔罗马演说家、诗人。389年篡权阴谋家马克西穆斯遭到失败后,他写颂词称赞罗马的狄奥多西一世。他是异教卫士西马库斯和基督教诗人奥索尼乌斯的朋友。但他究竟是异教徒还是基督徒却不得而知;他在演说中曾对马克西穆斯迫害普里西利安异端分子作了谴责。390年,他被任命为阿非利加总督,后担任其他高级职务。

paccaya (in Buddhist philosophy) 参阅 **pratyaya** 缘。

pacceka-buddha(Buddhism) 参阅 **pratyeka-buddha** 辟支佛。

Pacelli, Eugenio Maria Giuseppe Giovanni (pope) **尤金尼奥·帕切利** 参阅 **Pius XII** 庇护十二世。

pacemaker 起搏器 一种能维持心搏的电子医疗器械,会产生有节律的电脉冲,可用以取代某些心脏疾病患者的心搏节律。健康人的心脏有自己的电传导系统,能控制心率及心肌各部分收缩的顺序。电脉冲自右心房内的窦房结产生,通过两侧心房的肌肉,使之收缩并将血液驱入心室;心房电活动又兴奋房室结,使之放电,并沿希斯氏束传导,引起心室收缩。人工心脏起搏器可分为:①临时性起搏器,将一个与细金属丝相连的微型电极通过静脉(常为臂静脉)引入心脏。电脉冲发生器留在体外,产生规律的电脉冲用以维持心搏,心脏的正常传导恢复后即停止使用。②永久性起搏器,可将电极通过静脉导入右心,又可通过手术将电极植入右心表面。电脉冲发生器则多用手术植于锁骨下方皮下。早期的脉冲发生器为非同步型(或称固定型),能产生频率固定的电脉冲,与心脏自律组织的节律会互相干扰。脉冲发生器的频率可于工厂内即调好,亦可由医师决定。多为70～75次/分。较新型的脉冲发生器为同步型(或称按需型),仅于正常心脏自发节律出现障碍时才起作用(多数情况下于心室自发频率低于68～72次/分时便发放电脉冲)。起搏器植入人体后的一段时间内无需再加处理,但每隔4～5年应更换脉冲发生器一次。当前的脉冲发生器多以电池为能源,以放射性同位素(如钚238)为能源者已在试验中。

Pachacamac 帕查卡马克 秘鲁沿海地区居民在被印加人征服以前所信奉的造物之神。利马以南卢林河谷许多世纪以来祭祀此神的圣地也称帕查卡马克。马雅人后来以帕查卡马克为火神,即太阳神之子。卢林河谷此神庙宇的遗址已经部分重建,其中有几座金字塔和一些殿堂。该地可能是公元1000～1440年前后统治沿海地区的一个王国的京城。

Pachacamac 帕查卡马克 前哥伦布时期大型遗址,位于今秘鲁中部海岸的卢林河谷。最早的主要居址及建筑工程可上溯至南美文化的早中间期(约公元前200～公元600),属于一般已知的早期利马文化。帕查卡马克神庙为一金字塔形砖坯建筑,建有台阶多级,也属于这一文化,而帕查卡马克以神庙所在地闻名大概亦始于这一时期。到中初生期(公元600～1000),此地仍为主要中心和朝圣地,可能也是瓦里帝国的主要沿海设施的所在地。到前哥伦布时期后期,印加人在这里建造了巨大的太阳神庙,约1532年遭西班牙人洗劫。

Pachacuti Inca Yupanqui 帕查库提·印加·尤潘基(活动时期15世纪) 印加帝国皇帝(1438～1471在位),帝国开创者之一。他努力扩展帝国领土,被比作与马其顿王腓力二世相当。先征服了今秘鲁南部的各民族,后向西北扩展到厄瓜多尔的基多。据说他曾亲自制定都城库斯科(位于今秘鲁南部)的建造规划。

Pachaimalai Hills 帕柴马莱丘陵 印度南部泰米尔纳德邦的丘陵。为东高止山向东延伸部分。位于泰米尔纳德高地东北部。是高韦里河和巴拉尔河分水岭的一部分。面积约13 500平方千米,断续形成一般海拔1 770～4 620英尺的高地。当地的维拉尔河、巴拉尔

河、邦奈亚尔河常年干涸。经济以农业为主。水稻、高粱、甘蔗、鹰嘴豆、花生等为自给性农作物,咖啡、腰果和胡椒为出口作物。有纺织、食品加工、化工等工业。机械工业也占重要地位。家庭工业有织席、编筐、木工、铁工及制作卷烟等。开采铁、锰、绿柱石和锌矿。居民有3/5住在哥印邦陀-马杜赖高地。重要城镇有蒂鲁文纳默莱、阿杜尔、拉尼贝德和金格姆。

Pacheco, Francisco 帕切科(1564,西班牙桑卢卡尔-德巴拉梅达~1654,塞维利亚) 西班牙画家、教师和学者。在绘画上成就不大,他所以出名,是因为他是委拉斯开兹和卡诺的老师,并著有《绘画艺术》(1649),这篇论文是研究17世纪西班牙艺术的最重要文献。早年从费尔南德斯学画,临摹意大利文艺复兴时期的名家作品。1611年在塞维利亚开办一所学院。他注重宗教画,所作《最后的审判》(1614)和《格拉纳达的殉难者》因循窠臼,呆板无味。

Pacheco, José Emilio 帕切科(1939-06-30,墨西哥城~) 墨西哥文学评论家、小说家、翻译家、诗人。就学于墨西哥国立自治大学,写过几部剧作,但从未公演。他的第一部短篇小说集《女妖墨杜萨之血》(1958)显示出博尔赫斯的影响。《夜晚的要素》(1963)是他1958~1962年发表在报刊上的诗歌集锦。在诗集《火之休眠》(1966)中,他静观一个正在瓦解的世界。小说《你会死在远方》(1967)描述了迫害犹太人的史实。诗集《别问我时光怎么消逝》(1969),表露了作者思古之幽情,其中不乏讥讽的妙笔点染。《欢乐的真谛》(1972)中的短篇小说,通过"苦难"这一反复出现的主题而串为一体。这些故事加强了帕切科的历史观,即历史是一系列不停地袭扰着人类的周期性事件。在诗集《漂流岛》(1976)中,他重新阐释历史和神话。以后出版的作品有《昨天难再》(1978)、《1975~1978年诗集》(1980)、《迟早》(1980)。他还编纂了《19世纪墨西哥诗歌》(1965)和《现代主义诗文选》(1978)。

Pacheco Pereira, Duarte 帕谢库·佩雷拉(活动时期15世纪晚期~16世纪早期) 葡萄牙船长和探险家。可能在1498年发现巴西,比勘探巴西海岸的P.A.卡布拉尔早两年。他在葡萄牙宫廷内长大,受过良好教育,曾是约翰二世国王的侍从。后成为杰出的制图员、驾驶员和船长。1488年勘察非洲海岸,与发现好望角的B.迪亚斯一同返航。1500年和迪亚斯一同出航,在这次航行中迪亚斯宣布巴西为葡萄牙王领地。1505年他协助保卫葡萄牙在印度科钦的贸易站,抵御卡利卡特土王的进攻。他率领约200名葡萄牙人,抵挡住2万多敌军。1505年回到葡萄牙,受到多种奖励。他根据自己的航海日记和地图,写了一本有价值的葡萄牙探险记(于1892和1903年印出现代版)。

Pachelbel, Johann 帕黑尔贝尔(1653-09-01受洗,纽伦堡~1706-03-03,纽伦堡) 德国作曲家。以管风琴作品闻名,是J.S.巴赫前一代中伟大的管风琴演奏大师之一。帕黑尔贝尔在阿尔特多夫和雷根斯堡学习管风琴,曾在维也纳、斯图加特和其他一些城市任管风琴师。1695年被任命为纽伦堡的圣塞巴尔杜斯教堂的管风琴师,在此终其一生。曾教授过管风琴,学生中有J.C.巴赫,后者又给其弟J.S.巴赫以键盘乐器的基础训练。帕黑尔贝尔所有作品都有简朴的对位风格。他的管风琴作品显示出对意大利曲式的精通。他的众赞歌前奏曲的重要性在于将新教的北德意志众赞歌旋律移植到天主教的南德意志较为抒情的音乐气氛中去。他著名的《D大调卡农》是为3把小提琴加通奏低音而作,出版时还加了一首同调的季格舞曲。他的儿子W.H.帕黑尔贝尔也是一位管风琴家和作曲家。

Pacher, Michael 帕赫(约1435,蒂罗尔县~1498-08,萨尔茨堡?) 德国晚期哥特式画家和木雕家,最早把文艺复兴绘画介绍到德国的艺术家之一。据认为曾到过意大利,

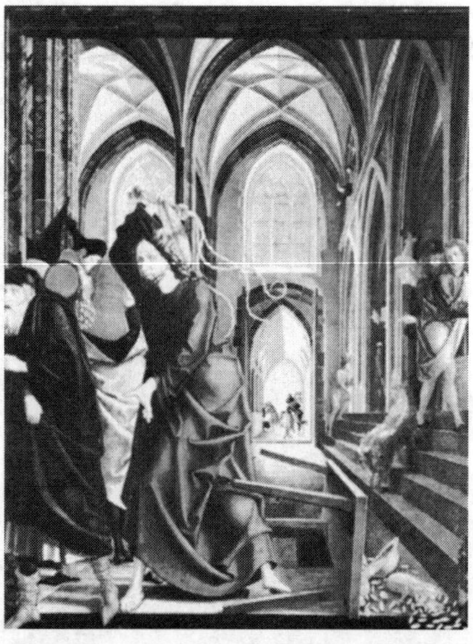

帕赫绘《驱逐圣殿中兑换银钱的人》(1478~1481)
美国不列颠百科全书公司供图

对文艺复兴时期意大利北方两个著名艺术家贝利尼与曼特尼亚的透视学试验极感兴趣。其《初期基督教教父祭坛画》(约1483,慕尼黑旧绘画陈列馆)以直接光和反射光造成令人信服的空间感。晚期作品如《马利亚订婚》和《鞭笞》(约1484,维也纳奥地利中世纪艺术博物馆)放弃了早期的动态构图,一变而为静态布局。

Pachisi 印度巴吉西棋 又作Ludo或Parcheesi。源起于印度的棋戏,有时称为印度的民族游戏。供4人玩,两人一组,棋子围绕棋盘中央十字形轨道进行,用掷贝壳或骰子决定前移步数。每人4子,从棋盘中心开局,向十字形轨道上自己一方移动,到达边道上再逆时针方向行进。先走完全程一周,再返回中心者胜。路程上有标记的方格代表城堡。已占领城堡的棋子不能被吃掉。但这城堡只向本组的其他棋子开放。如果对方棋子

印度巴吉西棋的棋盘与棋子
美国不列颠百科全书公司供图

落到非城堡的方格内,则这些格内的棋子全部要被吃掉,并送回中心重新开始。

Pachmann, Vladimir von 帕赫曼(1848-07-27,乌克兰敖德萨~1933-01-06,罗马) 俄国钢琴家,以演奏F.肖邦作品著称于世。曾在维也纳学习,1869年在敖德萨首次公演,后赴欧洲及美国各地进行广泛巡回演出。他几乎是只演奏肖邦的作品,处理得亲切如小品风格。他的演奏在"极轻"时层次细腻,触键平稳,因而闻名。

Pachomius, SAINT 帕科米乌斯,圣(约290,上埃及地区?~346) 古代基督教集体隐修制的创始人。他订立的隐修戒规是现存最早的一部。在罗马皇帝君士坦丁的北非军团中接触到基督教科普特派信徒。公元314年前后脱离军队,在家乡底比斯附近旷野隐居。不久与隐修士帕勒蒙和一批独修士共同生活。依靠他的管理才能把分散的隐修点集中到一个院落,制订作息规则,使隐修人员有劳动时间和祈祷时间,互助为生,进行灵修。

Pachuca 帕丘卡 墨西哥中东部城市,伊达尔戈州首府。新西班牙总督辖区最早建立的居民点之一。地处东马德雷山脉富矿区,海拔2 426米。早在1534年就发现银矿。附近雷亚尔德尔蒙特矿从1739年开采至今,是世界最大的矿场之一。16世纪梅迪纳在帕丘卡完善了利用混汞法从矿石中提取银的过程。20世纪发明了在这一过程中使用的帕丘卡槽。工业有冶炼厂和金属矿石选矿厂。1877年设矿业和冶金学校,现已改作伊达尔戈自治大学(1961)的校舍。人口231 089(2000)。

Pachycephalosaurus 肿头龙属 由体型大、形态独特的恐龙组成的属。化石见于北美的晚白垩世(9 750万年前~6 640万年前)。长约5米。具有强壮的后肢及较小的前肢,两足行走。异常独特的是穹顶状的高头骨,坚固的厚骨包着极小的脑子。缺少亲缘类型的头骨内常见的颞孔。头骨前面和两侧的大量骨节增添了外形的独特性。因此,该属及与之近缘的类型称为肿骨龙类。

Pachymeres, George 帕奇梅雷斯(1242,尼西亚[今土耳其伊兹尼克]~约1310,君士坦

丁堡[今伊斯坦布尔]） 杰出的13世纪拜占廷学者，所著帕里奥洛加斯王朝编年史是该时期的重要史料。1262年拉丁帝国灭亡，拜占廷皇帝迈克尔八世复位后，他前往君士坦丁堡受圣职，成为希腊正教司祭。他激烈反对东正教会与拉丁教会合一。他以公正的态度，撰述了两代皇帝赞成东西教会联合的迈克尔八世与反对联合的安德罗尼库斯二世时期的混乱局面，题名《罗马史》，共13卷。是G.阿克罗波利特斯所撰编年史的继续。《罗马史》是一部实录，侧重所述事件的神学性质，为后代拜占廷史学界所宗奉。此书文体虽然华而不实，但所录史实多为珍贵资料。他在君士坦丁堡学院的讲稿后来辑成《四艺精华》，这是一部关于算术、音乐、几何和天文的手册，其中使用了阿拉伯数字，成为希腊拜占廷文化中的标准学院教程。其他著作有亚里士多德哲学概要，伪丢修斯著作诠释以及许多修辞学习作。

Pacific, War of the 太平洋战争（1879～1883） 智利与玻利维亚和秘鲁之间的冲突，结果智利兼并了太平洋沿岸有争议的领土。战争因智利与玻利维亚争夺南美太平洋沿岸南纬23°和26°之间的阿塔卡马沙漠的部分控制权而起。该地区有丰富的矿产资源，特别是硝酸钠，但边界从未划定。智、玻两国曾谈判一项条约，以南纬24°为国界，并允许智利有权分享南纬23°与24°之间的玻利维亚领土上矿产资源的出口税。后来玻利维亚对此感到不满，并由于智利已控制了玻利维亚沿海地区的采矿业，而担心该地区被智利占领。秘鲁因多年与智利争夺太平洋沿岸的霸权，且其政府的肥料垄断事业和塔拉帕卡省硝酸盐工业的兴旺，均与上述玻利维亚沿岸地区的矿业有关，因而也卷入冲突。1873年秘鲁与玻利维亚秘密协议，互相保证领土与独立不受侵犯。1874年智利与玻利维亚修订条约，智利放弃分享玻利维亚矿石出口税的权利，玻利维亚则同意在25年内对在其境内的智利企业不增税，两国关系有所改善。1878年玻利维亚不顾智利政府的抗议，要增加对智利安托法加斯塔硝酸盐公司的征税额，使关系恶化。玻利维亚扬言要没收该公司财产，智利武装部队遂于1879年2月14日占领安托法加斯塔海港城市。玻利维亚对智利宣战，并向秘鲁求援。1879年4月5日智利同时对秘鲁和玻利维亚宣战。智利轻而易举地占领了玻利维亚沿海地区（安托法加斯塔省），继而向较强大的秘鲁进攻。由于在伊基克（1879-05-21）和安加莫斯（1879-10-08）两次海战胜利，智利控制了通向秘鲁的海路。智利陆军则侵入秘鲁。1880年10月美国进行调停未果。次年1月，智军占领秘鲁首都利马。在美国支持下，秘鲁的抵抗进行3年之久。最后，秘、智两国于1883年10月20日签订《安康条约》，秘鲁将塔拉帕卡省割让给智利。智利还占领了塔克纳省和阿里卡省，为期10年。10年后举行公民投票，决定归属。但两国对举行公民投票的条件长达数十年未能达成协议。1929年，通过美国调停，双方达成协议，由智利保留阿里卡，秘鲁收回塔克纳，并得到600万美元赔款和其他特许权。战争期间，秘鲁损失数千人和大量财富。战争结束后，又发生历时7个月的内战。此后数十年秘鲁在经济上一直陷于困境。1884年，玻、智订立休战协定，智利控制了整个玻利维亚沿岸地区（安托法加斯塔省），以及该地区的硝石、铜和其他矿业。1904年又订立条约，使这种安排成为永久性的。智利则同意修建连接拉巴斯与阿里卡港的铁路，并保证玻利维亚商品可以自由通过智利港口和领土。但玻利维亚仍力求打破内陆国的处境，通过拉普拉塔河系通向大西洋海岸，这一努力最终引发玻利维亚和巴拉圭两国之间的查科战争（1932～1935）。参阅 **Chaco War**。

Pacific Coast 太平洋海岸区 北美西部一个地区。地质和自然地理上指太平洋和海岸山脉之间地带。作为使用更广泛的政治地理概念，范围包括加利福尼亚、俄勒冈、华盛顿、爱达荷、阿拉斯加等州和蒙大拿州西部，以及加拿大的不列颠哥伦比亚省。夏威夷有时亦被纳入美国"太平洋"各州之列。在欧洲人到达北美之前，当地居住着土著印第安人和白令海区爱斯基摩-阿留申人。1513年巴尔沃亚发现太平洋后，西班牙人首先到太平洋沿岸勘察，并占据加利福尼亚达3个世纪。19世纪上半叶为争夺加利福尼亚和西海岸港口而导致美墨战争（1846～1848）。根据瓜达卢佩伊达尔戈条约（1848），加利福尼亚等墨西哥领土并入美国版图。1850年加利福尼亚成为美国第31个州。太平洋海岸区西北部的阿拉斯加于1867年由俄国卖给美国，1958年成为第49个州。加利福尼亚以北的俄勒冈地区19世纪初成为美英争夺的焦点。1846年划北纬49°为永久边界。俄勒冈于1859年、华盛顿于1889年、爱达荷于1890年成为美国的州。49°线以北的英国地区于1871年成为一省。至20世纪下半叶，不列颠哥伦比亚省已是加拿大最富有的省份。1959年夏威夷成为美国的州以前，岸区为美国的西部边疆区。由此多年形成某种地区自我意识，例如岸区居民自认为相对独立于本国其他地方。经过促进东、西部交通通信线路的连接，发展海上贸易和改善岸区军事防务这种意识得到纠正。但该地区仍面临许多西部特有的问题，如第二次世界大战后东方和墨西哥人的涌入使城市人口激增，西海岸工商企业几乎完全依赖东海岸的资金等。当地人一般被誉为富有个人进取心、有朝气、精力旺盛、乐观、服装随便和在企业经营管理上多有创新。

Pacific Coast Ranges 太平洋海岸山脉 构成北美洲西部主要自然地形的山脉。与加利福尼亚州、华盛顿州和俄勒冈州的太平洋海岸平行，在美国境内绵延7 250千米，并向北延伸入加拿大境内1 600千米，向南延伸入墨西哥境内约1 300千米。海岸山脉与东面较高的内华达山脉及喀斯喀特山脉之间有俄勒冈州和华盛顿州的威拉米特谷地-皮吉特湾宽阔低洼地区及加利福尼亚州的中央谷地相隔。其西面的海岸平原十分狭窄，不到40千米即是深海海岸。海岸山脉可分6个不同的地段，各有不同的地理起源和独特的地形。自北向南分别为加拿大不列颠哥伦比亚省的海岸山脉，美国华盛顿州和俄勒冈州的边缘海岸山脉，俄勒冈州克拉马斯山脉与圣弗朗西斯科之间的北海岸山脉，圣弗朗西斯科以南的中海岸山脉，洛杉矶附近的特兰斯威尔斯山脉，和延伸到下加利福尼亚的半岛山脉。平均高度约海拔1 000米，但有些峰、岭超过2 000米，最高峰特兰斯威尔斯山脉东部的圣戈尔戈尼奥山高达3 506米。华盛顿州西北角的奥林匹克山脉的上部有阿拉斯加以外美国北部最大的活冰川。太平洋海岸山脉的气候特点是北部夏凉冬温，南部夏季干燥。北部有世界上最茂密的高大红杉林。动物有熊、麋、鹿等大型狩猎动物，和水獭、麝鼠、野兔、山猫等小型毛皮动物。资源丰富，加利福尼亚地区以黄金、石油，葡萄闻名，并有大量水果、坚果和蔬菜。偶有地震、滑坡和森林火灾。

Pacific Grove 帕西菲克格罗夫 美国加利福尼亚州西部蒙特雷县城市。位于蒙特雷湾畔，与蒙特雷市毗邻。1874年创建。1889年设市。现为游览地、住宅区、集会中心。是起自卡梅尔的风景秀丽的"17英里车道"的北端终点站。灯塔大道有著名的蝴蝶树，每年冬天树上落满来自加拿大和阿拉斯加的蝴蝶。设有斯坦福大学所属霍普金斯海洋站和自然历史博物馆。人口约16 165（1999）。

Pacific Islands 太平洋岛屿 太平洋岛屿地理区。由美拉尼西亚、密克罗尼西亚和波利尼西亚3个人种地区构成，通常不包括邻近的澳大利亚大陆。太平洋岛屿地区的陆地面积约为130万平方千米，其中新西兰和新几内亚约占90%，海洋面积约为数百万平方英里。区内有独立国家、联邦、非太平洋岛屿国家的领土和附属国。

位于澳大利亚以北和以东、赤道以南的弧形群岛称为美拉尼西亚（源自希腊语，意为"黑人岛屿"），包括新几内亚、俾斯麦群岛、所罗门群岛、瓦努阿图（新赫布里底群岛）、新喀里多尼亚和斐济，大部分居民的皮肤呈黑色。

赤道以北、菲律宾以东为另一由岛屿构成的弧形，由西至东包括帕劳（亦作贝劳）、关岛、北马里亚纳群岛、密克罗尼西亚联邦（加罗林群岛）、瑙鲁、马绍尔群岛和基里巴斯（吉尔伯特群岛）。由于这一地区的岛屿和环礁面积较小，故称为密克罗尼西亚。

在东太平洋地区，由北部的夏威夷群岛，西南部的新西兰和东部较远的复活节岛构成的一个大三角形区域称为波利尼西亚（多岛之意）。在这一广泛区域内的其他岛屿包括（自西向东）图瓦卢（埃利斯群岛）、瓦利斯群岛和富图纳群岛、托克劳群岛、萨摩亚、美属萨摩亚、汤加、纽埃、库克群岛和法属波利尼西亚（包括社会群岛、土阿莫土群岛和马克萨斯群岛）。波利尼西亚是太平洋最晚有人居住的地区，岛民的文化传统与许多斐济土著关系密切。实际上，斐济群岛是美拉尼西亚和波利尼西亚之间的桥梁。太平洋岛屿的人口（不包括新西兰、印度尼西亚的新几内亚岛和夏威夷群岛，但包括巴布亚新几内亚岛）约11 325 000（1998）。

土地 太平洋岛屿主要呈西北-东南走向，斜跨赤道。按岛屿的形态可分为大陆岛屿和海洋岛屿两大自然地理区。大陆岛屿与亚洲和澳大利亚的古大陆地台相连(现已部分下沉)，位于火山和地震活动频仍的安山岩线西南方。大陆岛屿与东北方太平洋盆地内的海洋岛屿有许多不同。大陆岛屿由火山岩构成，硅和铝的含量很高(安山岩)。大陆岛屿(马里亚纳群岛、新几内亚岛、俾斯麦群岛、所罗门群岛、瓦努阿图群岛、斐济群岛、新喀里多尼亚岛和新西兰的北岛和南岛)的面积通常较海洋岛屿大，土壤中所含的矿物质也较丰富。

海洋岛屿由火山熔岩物质玄武岩构成，主要有较高的火山岛屿(如夏威夷群岛)和较低的珊瑚岛和环礁(如马绍尔群岛)两类。

太平洋岛屿一般属热带气候(新西兰属温带气候)，全年的气温、湿度和雨量相对平均。12月至次年2月赤道以北雨量较少，6至9月赤道以南雨量较少。各地温差较大，瑙鲁和基里巴斯年平均气温为28 °C，太平洋岛屿最南端的诺福克岛年平均气温为19 °C。降雨量向南和向东递减，西北部的雅浦岛(属密克罗尼西亚联邦)雨量在3 050毫米以上，东部(沿赤道)的坎顿岛雨量约为750毫米。

太平洋岛屿的植物大多从印度尼西亚和新几内亚岛传入，植物种类向东递减。由于各地环境的差异和相对隔绝，演变出许多新的当地特有的植物种类。从世界各地引进的新品种大大改变了太平洋岛屿的植物区系。可耕地约占总面积的2%。新西兰和巴布亚新几内亚岛以外的地区主要种植椰子和木薯，较大的岛屿大多饲养家畜。太平洋岛屿3/5的陆地面积为森林所覆盖。大多数岛屿矿物资源匮乏。

人民 如果将新西兰计算在内，欧裔人口占太平洋岛屿总人口的1/3；如果不将新西兰计算在内，欧裔尚不及1/10。除新西兰以外，欧裔人口最主要的集中地为夏威夷群岛。如果巴布亚新几内亚岛的美拉尼西亚人不计算在美拉尼西亚的总人口之内，则波利尼西亚人是太平洋岛屿人口最多的土著。如果将巴布亚新几内亚岛的美拉尼西亚人(占美拉尼西亚总人口的2/5)计算在内，则美拉尼西亚人是太平洋岛屿人口最多的土著。波利尼西亚人集中在新西兰(占波利尼西亚总人数的2/5)、夏威夷、萨摩亚、法属波利尼西亚和汤加。太平洋岛屿流行数百种不同的语言，大多源于澳斯特罗尼西亚语。大多数岛民粗通英语或法语。几乎所有的太平洋岛屿都以英语或法语为官方语言。基督教已经基本取代了传统的万物有灵论。

太平洋岛屿的人口(不包括大多数为欧裔人口的新西兰和大多数为巴布亚人的巴布亚新几内亚岛)集中在夏威夷群岛(占该地区总人口的1/3)、斐济(占1/5)和所罗门群岛。西萨摩亚群岛、法属波利尼西亚群岛、新喀里多尼亚岛、瓦努阿图群岛和关岛的人口各超过10万。大多数太平洋岛屿的人口稠密；人口密度各地不等，新喀里多尼亚每平方英里21人，瑙鲁每平方英里1 000人。人口集中在沿海地区。除少数岛屿外，所有岛屿的人口出生率均高于世界标准。一些较小的岛屿因人口移民美国、澳大利亚和新西兰，其较高的人口自然增长率有所下降。

经济 除夏威夷和新西兰以外，太平洋岛屿一般属于发展中的混合经济，公有和私有企业兼而有之。人均国民生产总值差异很大，图瓦卢、基里巴斯和所罗门群岛极低，而新西兰和法属波利尼西亚则达到发达国家水平。夏威夷群岛的人均国民生产总值最高。

大多数岛屿的经济以农业、渔业和服务业为主，少数岛屿以矿业为主。除一些最大的岛屿(不包括夏威夷群岛和新西兰)外，生存农业在太平洋岛屿占有主导地位。大岛屿一般种植椰树和其他经济作物。甜薯、木薯、芋头、面包果和香蕉为大多数岛屿的主要粮食作物。几乎所有的岛屿都种植椰树。椰子和椰干为主要出口产品。甘蔗、菠萝、柑橘、芒果、木瓜、咖啡和可可是夏威夷、斐济、法属波利尼西亚、新喀里多尼亚、巴布亚新几内亚、萨摩亚和库克群岛的经济作物。

牧场仅见于夏威夷、新喀里多尼亚、斐济、瓦努阿图和所罗门等较大岛屿，饲养的猪、牛和鸡均供出售。牛奶和肉类可自给自足。新西兰以饲养牛和羊著称。较小岛屿和新几内亚岛的村民在小型牧场饲养猪和山羊。斐济、新喀里多尼亚、新西兰、巴布亚新几内亚、所罗门、萨摩亚和瓦努阿图的森林具有商业开发价值，出产木材、锯木和供内销及出口的木制品。其他岛屿常须进口优质木材。

各岛屿(除夏威夷和新西兰外)的自然渔业均占重要地位，为当地居民摄取蛋白质的主要来源。所罗门群岛、基里巴斯和斐济约占这一地区鱼获量的4/5(夏威夷和新西兰除外)，多为商业捕捞。深海捕鱼，特别是捕捞金枪鱼，遍及整个太平洋。

矿业生产仅限于少数海拔较高的大陆岛屿。新喀里多尼亚产镍、镍铁、铬、钴、宝石、矿砂和砾石；斐济产金、碲矿砂、银和石灰；瑙鲁产磷酸盐；所罗门群岛产金、银和贝壳石灰；新几内亚产铜和金；新西兰产煤和天然气。

除夏威夷和新西兰以外，制造业在其他岛屿尚未发展起来，只限于鱼类和农产品的加工以及手工艺品制作。除夏威夷和新西兰外，拥有制造业的岛屿还包括关岛、斐济、新喀里多尼亚、法属波利尼西亚、巴布亚新几内亚和所罗门群岛，大多生产进口替用品。发电主要依靠进口燃料。

太平洋岛屿的旅游业非常重要。优美的海滩，垂钓、泛舟、当地的风俗和手工艺成为旅游的热点，现代化空中运输的发展也促进了旅游业的发展。法属波利尼西亚、关岛、夏威夷、斐济和新西兰的旅游业最为发达，其他岛屿亦正迅速发展各种旅游设施。太平洋岛屿的附属国在预算和发展上大多受其宗主国的援助，而较小的独立岛国则主要接受澳大利亚、新西兰、日本、英国和美国的援助。

飞机和航行于各岛屿间的船只是主要运输工具。美属萨摩亚群岛、库克群岛、斐济、法属波利尼西亚、关岛、夏威夷、马绍尔群岛、新喀里多尼亚、新西兰、巴布亚新几内亚，所罗门群岛和萨摩亚均建有国际机场。只有海拔较高的大岛有四通八达的公路网。

除新西兰和巴布亚新几内亚外，大多数太平洋岛屿每年的进口值大于出口值。移民的汇款和旅游业的收入只能抵消部分贸易赤字。椰干、矿产、咖啡、茶叶、可可、香料、糖、冷冻鱼和鱼罐头为当地主要的出口产品，主要销往日本、法国、美国和澳大利亚。机械和运输设备、矿物燃料、食品和制成品为主要进口产品，大多来自澳大利亚、法国、日本和美国。太平洋岛屿间的区域性贸易所占比例非常小。

政体与社会状况 太平洋岛屿中有6个君主立宪国家(斐济、新西兰、巴布亚新几内亚、汤加、图瓦卢和萨摩亚)、3个共和国(基里巴斯、瑙鲁和瓦努阿图)和1个议会制国家(所罗门群岛)。附属国和岛群有美国属地(美属萨摩亚群岛、关岛、约翰斯顿岛、中途岛和威克岛)、新西兰的自治邦(库克群岛、纽埃群岛和新西兰托克劳属地)、澳大利亚管理的岛屿(诺福克岛、豪勋爵岛和托雷斯海峡群岛)、法国海外属地(法属波利尼西亚群岛、新喀里多尼亚岛、瓦利斯群岛和富图纳群岛)和英属皮特凯恩岛。非太平洋岛屿国家在本区的领土有美国的夏威夷州和智利的复活节岛省。原联合国太平洋托管地，包括帕劳、密克罗尼西亚联邦、马绍尔群岛和北马里亚纳群岛，曾委托美国治理。现在托管地地位已于1986年结束，仅帕劳的政治地位仍在争议之中。其中北马里亚纳群岛仍为美国的自由联邦，其他岛群根据各自与美国达成的政治安排，已获得完全自治。

除复活节岛由智利派遣的总督治理外，所有有人居住的岛国和属地均享有不同程度的自治，民意代表以普选或有限制的成人投票方式选出。在土著占大多数的地区，酋长仍具有相当大的势力。司法制度仿照美国、英国或法国的模式，有些岛屿则加入了一些当地的特色。复活节岛遵循智利的司法制度。

仅有少数岛屿有社会保障和养老金制度，主要因为岛屿本土文化包含着社区照顾老年人和残疾人的规约。人口健康状况各地不同。美属萨摩亚群岛、库克群岛、斐济、法属波利尼西亚、关岛、夏威夷、瑙鲁、新喀里多尼亚、新西兰、纽埃群岛、托克劳群岛、瓦利斯群岛和富图纳群岛和西萨摩亚群岛的人口健康状况最好，医护人员比例最高。这些岛屿流行的主要疾病有高血压、糖尿病、癌症、心脏病和呼吸系统疾病。其他岛屿的卫生设施很差，导致疟疾、胃肠疾病、痢疾、丝虫病、寄生虫传染病、肺结核、流行性感冒和皮肤病流行。婴儿死亡率高，平均寿命相对较短。孤立的环礁经常缺少淡水资源，保健水平也最低。

各群岛几乎都有小学和中学教育。学校通常由政府和教会或传教组织管理。各国的主要岛屿通常有中学、技校和师范学校。斐济、关岛、夏威夷、新西兰、巴布亚新几内亚、所罗门群岛和萨摩亚设有大学。斐济的南太平洋大学在其他岛屿设有分校。

文化生活 土著人口占多数的岛屿最能代表波利尼西亚和美拉尼西亚文化。雅浦岛、特鲁克群岛和帕劳群岛保留的密克罗尼西亚文化最为完整。在其他岛屿，如夏威夷群岛、法属波利尼西亚群岛和新喀里多尼亚岛，本土文化已与欧洲、日本和美国的文化相互融合，多种综合性的社会已开始形成。

19 世纪期间许多岛屿上的传教活动使雕像、雕刻、宗教遗址和古物被破坏，也使欧洲文化传入之前的各种舞蹈、歌曲和仪式被抛弃。复活节岛、斐济、法属波利尼西亚、所罗门群岛、帕劳群岛和波纳佩(密克罗尼西亚联邦)为本土政治和宗教的中心，仍保留着欧洲文化传入之前的著名古迹。

独立和旅游业促使本土的服饰、舞蹈、仪式和手工艺再度复兴，所有这些对游客都颇具吸引力，尽管在许多地方，其原有的宗教意义已不复存在。航空事业的发展和高科技的西方文化的不断冲击，使传统的岛屿生活方式日益受到破坏，即使最边远的岛屿和环礁以及新几内亚的内地亦不例外。此外，太平洋的岛民在传统上属于流动民族，随着经济机遇的转换，他们在本区内和跨区域的迁徙更加频繁。

历史 太平洋岛屿何时开始有人类定居很难确定。公元前3000～前2000年间，澳斯特罗尼西亚人大概从菲律宾和印度尼西亚迁移到西美拉尼西亚。这些人后来又逐渐向东迁徙至密克罗尼西亚西部、美拉尼西亚的中部和东部，波利尼西亚的西部，其后在附近无人居住的岛屿定居。公元第 1 个千年期，波利尼西亚出现最大的移民潮。波利尼西亚和一些密克罗尼西亚文化发展出严密的等级社会结构，酋长一职采取世袭形式。美拉尼西亚文化比较注重获得个人的声望，而不太注重世袭的社会等级。

1520～1521 年间，麦哲伦作为欧洲人首先到达太平洋岛屿进行探险。16～18 世纪期间，西班牙、荷兰和英国的探险家也接踵而来，其中最著名的是 18 世纪中叶的库克船长。18 和 19 世纪，许多岛屿成立了欧洲传教组织和贸易团体。19 世纪末，欧洲列强已经在整个太平洋地区建立起殖民地的势力范围和贸易。德国人和西班牙人控制了密克罗尼西亚；英国人占据美拉尼西亚和波利尼西亚(包括新西兰)的部分地方；法国人吞并了塔希提及附近岛屿，建立了法属波利尼西亚。1898 年，美国吞并夏威夷群岛；在 1899 年的美西战争中，美国战胜西班牙后获得关岛。西班牙的战败促使其将马绍尔群岛、加罗林群岛和帕劳(后均成为托管地)出售给德国。

第一次世界大战期间，日本占领了德国属地，新西兰占领了萨摩亚，太平洋岛屿的殖民地结构发生改变。大战结束后，国联将这些岛屿委托给日本和新西兰管理。

两次世界大战期间，日本巩固了在太平洋所获得的土地，并将这些地方作为第二次世界大战期间入侵密克罗尼西亚其他地区的前进基地。许多岛屿，如所罗门群岛的瓜达尔卡纳尔岛，经过 1943～1945 年间的激烈战斗后被美军占领。1947 年，联合国允许原为日本领地的密克罗尼西亚成为美国的一个战略托管地；法属波利尼西亚群岛、新喀里多尼亚岛、瓦利斯群岛和富图纳群岛成为法国的海外领地。1959 年夏威夷成为美国第 50 个州。

第二次世界大战后，大多数太平洋岛屿获得独立或某种程度的自治。西萨摩亚(1962)、瑙鲁(1968)、斐济(1970)、汤加(1970)、所罗门群岛(1978)、图瓦卢(1978)、基里巴斯(1979)和瓦努阿图(1980)均获得独立。美国各托管地于 80 年代中期获得自治。法属波利尼西亚一直存在着一个独立运动。

Pacific Islands, Trust Territory of the 太平洋岛屿托管地 前联合国战略托管地，1947～1986 年由美国管辖。该地区由2 000多个岛屿组成，这些岛屿散布在西太平洋大约 777 万平方千米的热带水域，即赤道以北，北纬 1°～22°和东经 130°～172°之间。岛屿大都很小，总面积仅约有1 800平方千米。太平洋岛屿托管地包括密克罗尼西亚(意为“小群岛”)，主要由马里亚纳、加罗林和马绍尔 3 个岛群组成。马里亚纳群岛最南端的关岛不包括在托管地之内。卡平阿马朗伊和努阔罗两岛在文化上更接近波利尼西亚而不是密克罗尼西亚，却包括在托管地之内，太平洋岛屿托管地的政府所在地位于北马里亚纳群岛的塞班岛。

葡萄牙人和西班牙人早在 16 世纪便来到密克罗尼西亚地区探险。此后英、德、俄、日、美等国的探险家、商人和捕鲸者也先后到达该地区。西班牙人最初把势力范围扩大到整个密克罗尼西亚时，几乎没有遭到欧洲其他列强的反对。然而到 19 世纪末，西班牙人在这一地区的势力遭到德、英两国的挑战。1874 年，为巩固对该地区的控制，西班牙宣布对马绍尔和加罗林两岛群拥有领土主权。德国人则顺利进入马绍尔群岛，两国共同分享对密克罗尼西亚的统治权，直至 1898 年美西战争爆发。西班牙在这场冲突中战败，将关岛割让给美国，并将其在密克罗尼西亚占有的剩余土地卖给德国，这样德国就几乎控制了这一整个地区。

第一次世界大战一爆发，日本立即进军密克罗尼西亚，接管了德国在该地占有的土地。德国战败后，日本企图将密克罗尼西亚并入日本帝国的版图，但国联决定该群岛为托管地，由日本负责管辖。然而，东京政府对这一地区开发就好像该国是在行使完全主权。第二次世界大战期间，该地区成为一个战略要地，美国在太平洋战役中最终占领了这些群岛。日本战败后，美国一直控制着这些群岛。1947 年，这些群岛成为由美国管辖的联合国托管地。

1952 年制定的《托管地法》规定了在该地区内进行治理的法律基础。该法明确规定了公民的权利和义务，提供了一部正式法典并设立了 6 个行政区。该法承认习惯法，并允许任命(而不是经选举产生)官员。美国政府负责托管地的民政管理。50 年代期间，联合国托管理事会和美国国内对该托管地管理上的批评引起人们对当地自治运动越来越多的关注。1965 年，托管地选举了密克罗尼西亚国民大会，并赋予该大会以立法权。在 1975 年举行的一次公民投票中，北马里亚纳群岛赞成成为美国的自由联邦，并从 1976 年起与其他托管地实行分治。其余群岛重新组成 6 个区，1978 年这 6 个区对拟议中的密克罗尼西亚联邦宪法进行投票。其中 4 个区(科斯拉伊、波纳佩、特鲁克和雅浦全部位于加罗林群岛)批准了该宪法，并于 1979 年成立了新的联邦。两个投反对票的区，马绍尔群岛和帕劳(即贝劳，在加罗林群岛)，分别于 1979 年和 1981 年成立共和国。密克罗尼西亚联邦和马绍尔群岛及帕劳两个共和国在1982～1983 年举行的全民公决中分别批准并通过了与美国的《自由联盟条约》。根据该条约，自由联盟赋予共和国完全的内部自治和外交方面的实质性权力，但美国在今后若干年中，对保卫这些国家的安全负有全部的责任和权力。

1986 年，美国政府宣布托管地协定不再有效。(从技术上讲，解除托管须经联合国安理会批准，但是苏联由于政治上的动机极力阻止非殖民化的进程，导致美国单方面中止托管，联合国托管理事会以多数票赞成通过。)密克罗尼西亚联邦和马绍尔群岛共和国因此成为自治的主权国家，由美国负责它们的安全和防务；北马里亚纳群岛正式成为美国的自由联邦。在帕劳人民未正式批准《自

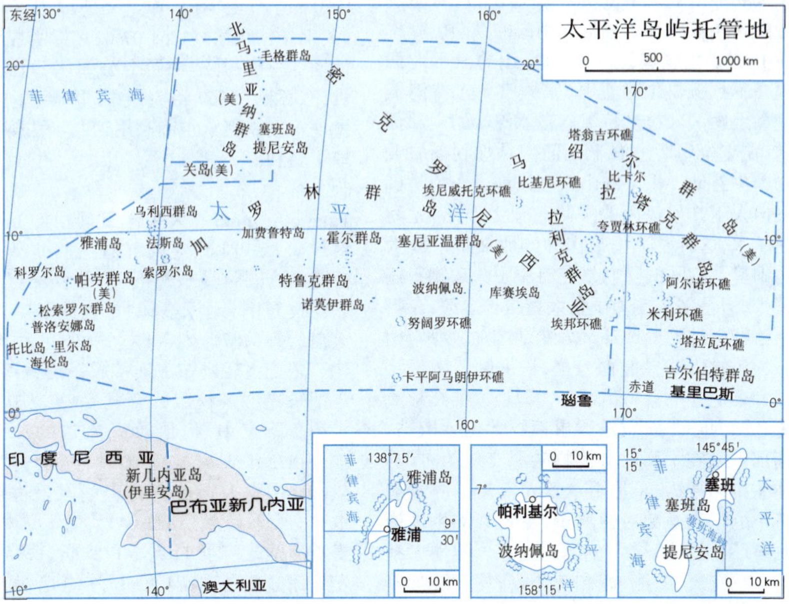

美国不列颠百科全书公司供图

由联盟条约》前，帕劳共和国加入该条约的问题暂被搁置。

Pacific Islands Forum　太平洋岛国论坛 1971年成立的南太平洋组织，供有关政府首脑商议独立或自治的南太平洋国家的共同问题。总部设于斐济首都苏瓦。1971～2000年称为南太平洋论坛。该论坛包括澳大利亚、库克群岛、斐济、基里巴斯、密克罗尼西亚、瑙鲁、新西兰、纽埃、巴布亚新几内亚、所罗门群岛、汤加、图瓦卢、瓦努阿图以及西萨摩亚。在1971年首次会议上，高级官建议设立一常设办公署以处理经济事务。1972年此项提议获得通过，于1973年建立了南太平洋经济合作局，以促进会员国在贸易、旅游、运输及经济发展方面的合作。

Pacific League　太平洋联盟　日本职业棒球队比赛的两个联盟之一（另一个为中央联盟）。太平洋联盟于1950年成立，共有6支球队参加。这些年来，球队名称和家乡的标记均有改变，现参加太平洋联盟的有阪急勇士队、近铁水牛队、罗德猎户星队、南海鹰队、日本火腿队和西武狮队等6个队。日本每年的职业棒球赛季，在太平洋联盟和中央联盟各自产生的冠军队相互间进行7场对抗赛时达到了高潮。

Pacific mountain system　太平洋山系　构成北美洲西部主要的自然地理特征的一系列山脉。它们与美国华盛顿州、俄勒冈州和加利福尼亚州的太平洋海岸平行，蜿蜒达7 250千米，向北延伸至加拿大的不列颠哥伦比亚达1 600千米左右。该山系形如有一封闭底座的长H。从北至南，H的西侧由下列诸山组成：夏洛特皇后群岛和温哥华岛上的山脉、奥林匹克山以及华盛顿州、俄勒冈州和加利福尼亚州的海岸山脉；H的东侧有不列颠哥伦比亚海岸山脉、喀斯喀特山脉（其本身又分北、中和南山脉）以及内华达山脉（参阅 **Sierra Nevada**）；H中部东西横向的有俄勒冈南部和加利福尼亚北部的克拉马斯山；从海岸山脉向东转弯的加利福尼亚南部的横向山脉构成H的封闭底座；在克拉马斯山的H形北面内是不列颠哥伦比亚、华盛顿皮尤吉特湾低地和俄勒冈威拉米特河谷被水淹没的内部通道；在克拉马斯山H形南面内是加利福尼亚的中央谷地。太平洋山系在该地区作为防御来自太平洋暴风雨的屏障起很大作用，尤其在冬季，这种暴风雨给山脉的西坡带来极大的雨量。内陆的降雨量在海岸山脉东侧普遍减少，但是在东侧降雨量大量减少之前，在喀斯喀特山脉的西坡却又大量地增加。海岸山脉的植被以球果植物为主，从俄勒冈南部至加利福尼亚的蒙特雷半岛尤以巨大的红杉最著名。内陆北部也以球果植物为主要植被，南部则以硬木和球果植物的混交林为主，再往东则为橡树-草原混杂区。海岸山脉最有特色的动物是溯河性鲑鱼，尽管其滋生地遭到破坏，威胁着这个鱼类的生存。陆地大哺乳动物有麋、黑熊、鹿和美洲狮；往南至加利福尼亚北部则多海狸。

Pacific Ocean　太平洋　南起南极地区，北到北极，西至亚洲和澳洲，东界南、北美洲的咸水水域。约占地球面积的1/3，是世界上最大的大洋。其面积，不包括邻近属海，约为165 250 000平方千米。是第二大洋大西洋面积的2倍，水容量的2倍以上。面积超过包括南极洲在内的地球陆地面积的总和。平均深度（不包括属海）4 280米。西太平洋有许多属海，自北向南为白令海、鄂霍茨克海、日本海、黄海、东海和南海。东亚大河黑龙江、黄河、长江、珠江和湄公河均经属海注入太平洋。西经150°以东的洋底较西部平缓。西太平洋水下600米以上的海脊在有些地方形成群岛。自西北太平洋的阿留申海脊向南延伸到千岛、小笠原、马里亚纳、雅浦和帕劳；自帕劳向东延伸至俾斯麦、所罗门和圣克鲁斯；最后由萨摩亚群岛向南至汤加、克马德克、查塔姆和麦夸里。由于北部陆地与海洋的比例高于南部，以及南极洲陆地冰盖的影响，北太平洋的水温高于南太平洋。赤道附近无风带和变风带海水的含盐度低于信风带。对太平洋垂直海流影响最大的是南极大陆周围生成的冷水。极地周围密度大的海水下沉，然后向北蔓延构成太平洋大部分底层。深层冷水在西太平洋以比较鲜明的洋流自南极洲附近向北流往日本。该深海主流的支流携冷水流向东然后在两半球均流向极地。深海环流受邻近洋流会聚区表层海水下沉的影响。在太平洋热带会聚区海水要下沉约91米才散开。太平洋亚热带会聚区分别在南北纬35°～40°之间，距赤道越远海水下沉的深度越大，最重要的会聚区在南纬55°～60°之间。

Pacific Railway Acts　《太平洋铁路法》（1862，1864）　由美国联邦政府为兴建横贯美国的铁路而在土地和贷款方面提供资助的两项法规。第一项法规（1862-07-01）批准建造太平洋铁路。授权联合太平洋公司自内布拉斯加州奥马哈向西建造，中央太平洋公司自加利福尼亚州萨克拉门托向东建造。两年后，铁路仍因建筑工程庞大、难以筹措充足的资金而陷于停顿。国会于是提出了第二项《太平洋铁路法》（1864-07-02），将所提供的土地增加一倍，并准许两个公司出售自己的债券。铁路于1869年完成后，国会通过调查，发现一些铁路承包商利用这两项法规非法牟取了暴利。

Pacific Scandal　太平洋丑闻（1872～1873）对加拿大总理J.麦克唐纳在批准横贯大陆铁路的合同时受贿的指控，导致麦克唐纳保守党政府倒台。不列颠哥伦比亚参加加拿大自治领（1871）的条件之一是在10年内修建一条把该省同东部连接起来的铁路。1872年把修建这条铁路的合同交给以加拿大船主和金融家H.阿伦爵士为首的一个辛迪加。1872年保守党竞选时，阿伦曾捐以巨款。自由党人指控麦克唐纳以批准合同换取这一财政支持（1873-04）。由于这种指控，麦克唐纳政府于11月5日辞职，铁路合同撤销。保守党在1874年1月的选举中一败涂地。

Pacific 10 Conference　太平洋十大学协会　美国西海岸大学体育联合组织，其前身为西部大学体育协会，而后者的前身又是太平洋岸大学际体育协会（创立于1915年）。太平洋十大学协会的成员有：伯克利加利福尼亚大学、洛杉矶加利福尼亚大学、南加利福尼亚大学、俄勒冈大学、俄勒冈州立大学、斯坦福大学、华盛顿大学、华盛顿州立大学、亚利桑那大学、亚利桑那州立大学。1916年起协会开始组织一年一度的玫瑰碗杯橄榄球赛。

Pacific yew（tree）　**太平洋紫杉**　参阅 **western yew** *西部紫杉*。

Pacifico Affair　参阅 **Don Pacifico Affair** *唐·帕西菲科事件*。

pacifism　和平主义　反对以战争和暴力作为解决争端手段的主张。和平主义确信，一个国家进行战争、一个个人参加战争，无论在何种情况下都是绝对错误的。在古代世界，有些社会认为战争是必要的恶，有些社会甚至不认为是恶。只有个别个人发出谴责战争罪恶的呼声。最早的和平主义运动来自佛教，佛教创始人要求其信徒绝对不可对其同类采取任何暴力行为。公元前3世纪印度虔信佛教的国王阿育王坚决否定战争，但他所指的战争主要是征服性的战争。在以后各个时期，佛教教义对阻止信奉佛教的国家的统治者进行战争似乎并不成功。在古希腊罗马，和平主义多半只是少数知识分子心目中的理想。希腊人的和平概念——包括斯多葛哲学——主要指个人的和平行为，并非指整个民族或国家。古罗马的和平是指各国间为建立“公正”状态并以互相承认为基础达成的协议。但这一法律意义上的和平只适用于“文明世界”。因此公元1和2世纪罗马的和平只是文明世界的和平，并不包括野蛮民族。而野蛮民族的威胁始终不断，罗马为保护其疆界不受此种威胁而进行的战争也同样始终不断。基督教按其教旨是主张个人非暴力和集体和平的。《新约》中记载的耶稣的一些言论可以解释为一种和平主义。但这种和平只适用于少数奉行严格伦理道德的人或教派，基督教会本身却不得不应付现世的需要。自耶稣的时代起，“兵的问题”就是令基督徒苦恼的追求和平与实行战争之间自我矛盾的问题。3世纪初，人们对福音书的某些地方作了这样的解释，即军队不仅是可以容许的，而且是为了战胜恶魔所必需的。5世纪初，圣奥古斯丁著《论上帝之城》，把现世的和平与超现世的和平加以区分。他认为现世的和平只有符合基督教律法才是可以接受的，现世的国家有责任保护教会，反对那些企图破坏教会权威的人。这种思想贯穿于整个中世纪，并由此产生一个神话，说将有一个末世皇帝出来扑灭不信教者，使世界得到和平。可见，基督教的和平也是需要时时加以保卫的，因为来自非基督徒——即恶魔的威胁是始终存在的。文艺复兴以来，和平主义观念带上了程度不同的政治色彩。17和18世纪的和平主义思想大多认为，把政权从掌权者手中转交给公众可以实现世界的和平，因为战争源自王公的野心和权欲。从而造成一种错觉,即君主制倾向于战争,而共和制将导致和平。由这种理论衍生出19世纪欧洲的一些和平主义组织,主张普遍裁军和设立特别法庭审理国际冲突。和平主义的话题引起公众的关注并涌现出大量著述。这也是建立海牙仲裁法院、国际联盟和联合国,以及各种裁军会议的由来,但其总的效果十分有限。19世纪是因欧洲5大国势力均衡的政治格局才维持了相对的和平。20世纪有两次世界大战,出现了核僵局,发达国家和发展中国家间冲突连绵不断,都说明和平主义原则和做法完全无效。和平主义也不是共产主义意识形态的内容。列宁公开否定和平主义。在马克思的著作中,"革命"与"战争"常是同义词。他们的理论认为,对资本家阶级的"正义"战争是必要的,最终目的是要在国际无产阶级获得世界革命胜利后建立无产阶级的社会和全面的和平。一般说来,和平主义有两种含义或类型。一种指一个国家实行和平主义,完全摒弃战争政策;另一种指个人出于自己的信念拒绝参与战争和一切暴力行为。主张国家实行和平主义的论据是强调战争的罪恶:人员伤亡、经济破坏,尤其是道德和人性的沦丧。二战后还强调核武器的可怕毁灭性力量。和平主义者还认为,只有国际社会建成良好组织、使其成员间实现完全公正,放弃战争作为一国政策才是可能的。非和平主义者认为和平主义未能充分认识一国面对外来侵略实行不抵抗将会招致的恶果。和平主义者则可能会说,对此可以用非暴力去对付,友善态度足以使最凶恶的侵略者放下武器,非暴力的反抗还可以通过全面的不合作给征服者造成困难和不便。然而20世纪的历史有大量事例证明非暴力方法并不能使敌人放下武器。基督教中一些奉行和平主义的教派自欧洲中世纪直到希特勒的纳粹统治这一漫长时期里始终是残酷迫害的对象;世代奉行非暴力的犹太人在许多世纪里受迫害的历史也是大家所熟知的。在非和平主义者看来十分明显的是,对外来侵略不抵抗迟早会导致外国对本国的控制。个人的和平主义较之国家的和平主义更为普遍。基督教一些小教派的成员严守耶稣的训诫,拒绝为国家服兵役,甚至不惜遭受刑事或民事的指控。

pacing　侧步　赛马用语,是轻驾车赛马(**harness racing**)运动中赛马步法之一。

pacinian corpuscle　帕奇尼氏小体　围绕某些感觉神经末梢的卵圆形同心层状结构,主要见于手和足的真皮深层和皮下组织内,是压觉及400次/秒以下的振动觉的感受器。为19世纪意大利解剖学家菲利波·帕奇尼首先记述,并因此得名。参阅 **Meissner corpuscle**; **Ruffini ending**。

Pacino, Al(fredo James)　帕奇诺(1940-04-25,美国纽约州纽约～　)　美国演员。演艺生涯始于担任舞台演员,并在1969年因演出《老虎打领带吗?》而获得托尼奖;1977年演出《赫梅尔的基础训练》。他在《教父》(1972)及续集(1974、1990)中,获得演出M. 柯里昂此一重要角色;他还主演了《瑟皮寇》(1973)、《热天的午后》(1975)、《为一切的正义》(1979)、《疤面煞星》(1983)、《激情刽子手》(1989)、《大亨游戏》(1992)、《女人香》(1992,获奥斯卡奖)、《魔鬼代言人》(1997)以及《惊爆内幕》(1999),这些演出为他赢得美国最佳男演员之一的声誉。

Pack, Otto von　帕克(1480?～1537-02-08,布鲁塞尔)　德意志政治家。他的阴谋和伪造的文件于1528年几乎酿成一场德意志天主教诸侯与基督教新教诸侯之间的大战。帕克为萨克森贵族,曾在莱比锡大学攻读法律,其后进入萨克森公爵乔治的宫廷。1519年主持政务,1522～1526年代表公爵出席帝国议会。1527年制造了所谓帕克事件:神圣罗马帝国皇帝斐迪南一世与天主教诸侯在布雷斯劳开会后,帕克向基督教新教徒黑森地伯菲利普汇报说已经成立反对德意志基督教新教诸侯的进攻性联盟。菲利普立即与萨克森选侯约翰结成防御同盟(1528),并进攻维尔茨堡和班贝格。菲利普公布了一份由帕克提供的所谓天主教条约。这个文件立刻被揭露纯属伪造,1529年帕克被逐出黑森。约7年后在布鲁塞尔被捕斩首。

pack ice　排冰　由两极海域内海水形成的大块漂浮冰体。排冰在冬季扩展,大约可覆盖北部洋面的5%,南部洋面的8%。当春夏两季出现融解时,排冰的边沿即后撤。

当海水冻结时,会有称作卤水袋的微小的咸水泡子被裹住。一旦冰原已经形成,卤水袋将随重力作用和温度递变率而透过冰块向下迁移。过几个星期到几个月之后,冰原的表层在含盐量方面就变得比深层中的低了。夏季,当冰温升高时,从冰块中向外迁移的盐份迅速增多。海冰的表层变得可饮用,而且事实上也被爱斯基摩人用来作为一种淡水源。

还有一点也是冰冻盐水的特征,那就是:即使冻结之后,冰下面的水仍将继续翻转,即循环。当靠近冰的表层海水变得冷些时,也就变得重些了,于是下沉,结果引起冰下海水的继续翻转或者说垂直循环。

在北半球的9、10两个月内,气温降低到足以在某些极区海域内形成薄薄的一层冰。一般的北部大洋水含盐成分按重量计约为3.5%(通常称作35‰),其冰点温度是-1.8°C。起初,这层冰膜完全是淡的,但是当更多的冰晶形成时,卤水袋就变得被裹在小冰板的薄叶(非常薄的层)之间了。由于细细的微风和海水的移动,这些薄冰片就到处乱撞,于是,几小时之后,形成了一块冰的水田;这些冰的圆饼被称作薄饼冰。如果温度仍保持在冰点以下,当更多的冰形成时,薄饼冰便合并起来,而且,几天之内,冰被层就可能有8～10厘米厚,并具有一种稍微呈波状的表面。当海水在浮冰块和冰场的底面和侧边继续结冰时,与海水和风的运动所引起的应力和应变相关联的压力,终于在有些地方引起小圆冰丘和冰脊的形成,在另一些地方则造成开阔的水体。随着冻结、部分的融化、雪以及风和浪涛的交替发生,冰场经过几星期到一个月光景,就发展成为15～60厘米深的大洋盖层了。在这种情况下,大船仍可以在冰场通航;不过,如果大船在激烈的表层冻结开始(10月下旬)后两个星期,发现自己位置远在北部的话,那就有在冬季余下的几个月里处在被锁住的危险境地。

北半球的排冰所覆盖的海域面积平均约为1 060万平方千米,布满了北冰洋海盆和邻近的北大西洋。北极冰场由大约470万平方千米的3～6米厚的永远不融化的北极冰构成。北极冰的运动追随一个顺时针方向的巨大涡流,其中心位置大致在北纬85°、西经170°。连同北冰洋海盆的季节性海冰一起,这片北冰洋排冰通过两条冰流排入北大西洋。漂移的排冰从北冰洋海盆的主要排出途径是顺格陵兰东侧。第二条北方冰流由通过加拿大的北冰洋群岛和顺北美洲东岸的一条排出线构成。在南极洲周围的大洋里所形成的排冰,大致是在北冰洋里所见到的排冰的两倍之多。

南大洋排冰的最大面积约为20 000 000平方千米。南大洋排冰形成一个顺时针方向的巨大涡流,其向北伸展的最远点出现在10月间的南半球冬季之末。南太平洋区排冰的最大伸展见于南纬大约62°,南大西洋的排冰则伸展到南纬52°。

pack rat　驮鼠　参阅 **wood rat** 林鼠。

packaging　包装　为便于运输、贮存和销售对商品进行处理的技术和艺术。早期西方商业用皮革、玻璃、泥罐等来盛东西,这是包装的开始。工业革命以来,包装的意义大为增加。包装在当今市场上是用来:①保护商品免受搬运中和环境条件引发的危险;②使包装好的商品对生产者、分销者及消费者成为易于处理的整件;③有利于识别货物,吸引消费者购买。包装材料必须易于制造,易于用来包装,比被包装的最终产品价格便宜。

包装材料:用瓦楞纸或硬纸板包装较轻的物品;金属包装流质商品;木箱及板条箱包装重量100千克以上物件,低于此重量者可用瓦楞或硬纤维板。塑料已被广泛用作缓冲器,由于其经久耐用及绝缘性能,又可用作运输液体及易坏食品的包装。纸盒普遍用来包装商品,因为它轻而且便宜,易于生产、印刷及贮藏,且可以做成各种各样的形状和尺寸。这些容器近一半用来盛食品。马口铁的罐头不论是封口的或顶部可以开启或更换的,也是用来贮藏食品的最好材料。马口铁容器也可用来装油漆、清漆、烟叶、药品及化妆品。由于它耐用并能抗化学品及机械的损伤,铝与之相比,重量虽然较轻,较易锻压,但和化学品很易互相起变化。铝可制瓶盖及易拉罐的顶盖。大部分喷射液体的喷雾器的主体是金属做的。

玻璃容器很容易用高温炉及压模机大批生产而且可以重复使用。它经久耐用,有抗化学作用,很卫生,所以储藏固体、液体食品、药物及化妆品很理想。最近塑料工业的发展,用热塑、注入或吹模法加工的塑料制品如盘子、口袋、瓶子、盒子、透明胶片等,重量轻、有弹性、有绝缘性,可用来加压包装需要加热或冷冻的食品。可折叠塑料管普遍用于包装化妆品、卫生间用品及医药用品。

包装商品的特点在容器选材上、设计上要特别注意。易碎的物品在运动中要通盘考虑其易碎程度、运输中潜在的危险性,所用容器的成本及效率,以便最大程度地起保护作用来减少运输费用。现在已经设计出很多用来运送对光线、温度、空气、湿度及与化学品接触有敏感的容器。

考虑包装的其他方面包括目标市场的性质、包装在商品上的作用及包装费用。运送的商品是食物时,包装设计必须着重防腐、防变质和防污染。包装必须适当密封,注意卫生及操作安全。包装的标签须易于印刷且能黏附于容器。

灌装液体最有效和节约的办法是应用真空吸引将溶液从输送管道吸入容器,直到真空密封关闭装满为止。液体也可预先量好容积或利用引力按时间长短流入容器。粉状、粒状、胶囊、片剂的物品通常按单位、容积或重量来包装。现在复杂的机械化加工在发展,制出了具有高效、能开启、装灌、密封的纸盒容器。这种技术也可应用于塑料袋、纸袋或布袋。

Packard, David　帕卡德(1912-09-07,美国科罗拉多普韦布洛～1996-03-26,加利福尼亚斯坦福)　美国电气工程师、企业家,生产计算机、计算机的打印机,以及分析和测量设备的休利特-帕卡德公司(惠普公司)的创始人之一。1934 年获斯坦福大学文学士学位之后,曾在纽约州施克奈克塔迪的通用电气公司工作。1938 年重返斯坦福大学,在那里取得电气工程师资格。1939 年他和 W.R.休利特合伙以 538 美元的资本在帕卡德的车库建立休利特-帕卡德公司。帕卡德擅长于企业管理,休利特则从事技术革新,使该公司逐渐成为全世界最大的电子测试设备的生产者。该公司还是个人计算机以及激光和喷墨印刷机的主要生产者。1947～1964 年帕卡德任公司总经理,1964～1968 年任首席执行官,1964～1968 年和 1972～1993 年任董事会主席。1968 年尼克松总统任命帕卡德为国防部长 M.莱尔德的副手,帕卡德到 1971 年才辞职并回到休利特-帕卡德公司,并于次年重任董事会主席。在 70 年代和 80 年代,帕卡德是白宫的国防供应和管理事务的主要顾问。

Packard, Sophia B.　帕卡德(1824-01-03,美国马萨诸塞新塞勒姆～1891-06-21,华盛顿[哥伦比亚特区])　美国教育家,佐治亚州亚特兰大美国黑人妇女学校创建人之一,该校后成为斯佩尔曼学院。就读于当地乡村学校,14 岁起即交替在校学习与在农村学校任教。1850 年毕业于马萨诸塞州查尔斯顿女子书院。从事教学若干年后,移居波士顿,1870 年出任肖马特街浸礼会教堂牧师助理。1877 年主持美国浸礼会国内传教妇女协会的组织会议,当年被选为司库,次年任通信秘书。1880 年周游南方,决定在佐治亚为美国黑人妇女和女童开办一所学校。在说服美国浸礼会国内传教妇女会提供帮助后,于 1881 年移居亚特兰大,与同伴 H.E.贾尔斯在教堂地下室开办学校。亚特兰大浸礼会女子书院入学人数迅速增加。除在学校任教外,她们两人还举行祈祷会,主持主日学校,在缝纫班执教。1882 年美国浸礼会国内传教会(妇女会前身)为学校预付款购得永久校址。1883 年初,学校即迁入新址。余款 J.D.洛克菲勒于 1884 年付清,为纪念其妻和岳父母,学校命名为斯佩尔曼书院。1886 年兴建洛克菲勒楼,有办公室、礼拜堂和宿舍,1888 年又建帕卡德楼。同年帕卡德出任董事会司库。她一直担任该职和学校校长,去世时学校已有学生 464 人,教职员 34 人,1924 年成为斯佩尔曼学院,1929 年与莫豪斯学院一起并入亚特兰大大学。

packing　填装　数学中组合几何中的一类问题,涉及用最经济的办法或在其他一些限制条件下把一给定大小或形状的图形放置到另一个给定的图形中去的问题。把一定数量的球放置到一给定体积的空间中去就是典型的填装问题。

Pacorus　帕科罗斯(?～公元前38)　安息王子,奥罗德斯二世(约公元前 57～前 37 或前 36 在位)之子,他显然从未登上王位。公元前 51 年夏被派去侵略叙利亚。公元前 45 年率领一支安息军队帮助被奥古斯都军队包围在阿帕梅亚的庞培手下的一名将军而干预了罗马政治。奥罗德斯后来决定支持避难的共和派将领 Q.拉比恩努斯。这样,当拉比恩努斯占领西里西亚并扫荡安纳托利亚南部时,帕科罗斯就率领军队进入叙利亚和巴勒斯坦。公元前 39 年拉比恩努斯兵败被杀。帕科罗斯返回叙利亚,后来也兵败被杀。他的首级在叙利亚一些城市展示,以警告人们指望安息国支持他们反对罗马是徒劳的。

Pacorus II　帕科罗斯二世(活动时期公元1和2世纪)　安息国王(78～约 115 或 116 在位)。关于他的统治时期情况不详。当时似乎不断发生叛乱。110年他曾将安息的附庸

公元 2 世纪钱币上的帕科罗斯二世像

美国不列颠百科全书公司供图

国奥斯罗伊那卖给阿迪亚贝纳的统治者阿布加尔七世。罗马皇帝图拉真入侵美索不达米亚(114～115)时,帕科罗斯是否在世,亦难确定。

Pacuvius, Marcus　帕库维乌斯(约公元前220,意大利南部布伦迪休姆～约前 130,塔兰托)　被认为是阿克齐乌斯之前罗马最杰出的悲剧作者。他有奥斯坎人的名字,可能受教育于塔兰托,因此谙悉奥斯坎语、拉丁语及希腊语。早年随恩尼乌斯到过罗马,加入了小西庇阿的圈子。他几乎把全部精力用于写悲剧,虽然据说他已写了一些有恩尼乌斯风格的讽刺作品。帕库维乌斯现在流传下来的只有 13 个剧目和一些片断,总共约 440 行。除了一部罗马剧《保罗斯》(庆祝保罗斯于公元前 168 年战胜马其顿的佩尔修斯)之外,12 部由希腊原作翻译过来并加以改编的剧本可能便是他剧作的全部。西塞罗还认为他是到那时为止罗马最伟大的悲剧作家。

Padang　巴东　印度尼西亚西苏门答腊省省会、市和县。苏门答腊岛西海岸主要港口,现为西苏门答腊米南卡保人的主要城市。1667 年荷兰人在此建立货栈和小城堡。1812～1818 被英国占领,19 世纪,由于巴东高原矿藏的开采,旅游交通的开辟,内地和沿海铁路的修建而繁荣起来。港口原先叫埃玛港,位于巴东河口,在巴东城南 8 千米,原来是翁比林煤田煤炭的出口港,现在还装运咖啡、橡胶、肉桂、茶叶、肉豆寇、藤条和胶合板。有一机场和安达拉斯大学。人口:市477 344(1990);县459 660(1980)。

Padang, Urang　参阅 Minangkabau 米南卡保人。

Padang Highlands　巴东高原　印度尼西亚西苏门答腊岛靠近西海岸的一个区域。为西苏门答腊省巴里桑山脉的一部分。有几座火山,最高的是默拉皮火山,海拔2 891米。此地气候宜人,风景秀丽,为旅游胜地。罗干、甘巴、因德拉吉里与巴当哈里 4 条大河发源于此。并有翁比林煤田。有公路连接巴东、棉兰、北甘巴鲁等地。高原地区的两座主要城镇武吉丁宜和沙哇伦多,都有铁路和巴东相通。物产有稻米、咖啡、椰子、烟草和茶叶。为米南加保人的故乡。

padauk　紫檀　紫檀属(*Pterocarpus*)几种热带乔木的统称。产于印度-马来亚地区的紫檀往往较其他地区的近缘种高大。紫檀是优良的遮荫树,其红色或红棕色木材也很受珍视。其红色的树液也有商业价值;红色染料木即来自紫檀,过去在印度大宗出口。

Paddington　帕丁顿　伦敦威斯敏斯特自治市内一区,1965 年前为都会自治市,位于圣玛丽勒本以西、肯辛顿公园和海德公园之北。南部有贝斯沃特居住区,北部为梅达韦尔。自古即有人居住,罗马大道从中穿过,大致即今日的埃奇韦尔路和贝斯沃特路。19 世纪初运河和公路系统开通之前为农村。18 世纪法国胡格诺派教徒定居于帕丁顿村庄,后有希腊人、犹太人和亚洲人不断迁来。其后沿埃奇韦尔路建起阿拉伯社区。帕丁顿火车站(1854)将伦敦及其西郊与南威尔士和布里斯托尔连接起来。摄政运河上的少数民族聚居区小威尼斯位于车站西北。

paddle tennis　板网球　类似19世纪90年代英国甲板网球的小型网球运动。20 世纪 20 年代初美国纽约市官员比尔将此项运动

引进纽约各游乐场，盛行一时，至今美国仍举行全国板网球锦标赛。后来出现的平台网球有时又称板网球。球拍为木制，方形、短柄，球由海绵橡胶制成，弹跳很慢。场地约为正式草地网球场的1/2(原长39英尺，宽18英尺，约为正规网球场的1/4)。成人用场地长44英尺，宽20英尺。1959年美国板网球协会将场地扩大至长50英尺，宽20英尺，更换比赛用球，修改比赛规则。规则和记分同网球。

paddle wheel 桨轮 船的推进装置，曾一度被广泛使用，但后来几乎完全被螺旋桨所代替。早期试验用蒸汽驱动桨叶时，某些发明家，包括R.富尔敦在内，在船尾或船舷装

桨轮蒸汽船
美国不列颠百科全书公司供图

上车轮式的桨叶。这种装置效率甚高，甚至可与现代螺旋桨相比，它被螺旋桨所代替的原因是桨轮在风暴中甚易损坏；当船横摇较大，桨轮离开水面时，驾驶发生困难。在内河航行中这一缺点并不重要，故桨轮蒸汽船在许多河流上长久以来一直在使用。

paddlefish 桨吻鲟 又作duckbill cat。鲟形目匙吻鲟科仅有的两种古老的淡水鱼类。吻呈桨状，口宽阔，皮肤光滑，骨骼软骨性。与鲟鱼近缘。摄食方式是口张开，用鳃耙从

美洲桨吻鲟(*Polyodon spathula*)
美国不列颠百科全书公司供图

水中滤取浮游生物。美洲桨吻鲟(*Polyodon spathula*)亦称匙吻鲟，淡绿或灰色，体重平均约18千克，生活于密西西比河流域的开阔水域。中国桨吻鲟(白鲟，*Psephurus gladius*)体型较大，吻更细长，产于长江流域。两个种的肉质均似鲇类，卵可制鱼子酱。

Paddock, Charlie 帕多克(1900-08-11，美国得克萨斯盖恩斯维尔～1943-07-21，阿拉斯加锡特卡附近) 美国短跑运动员。1921～1930年，保持100米赛跑世界纪录，1921～1926年保持200米赛跑世界纪录。100码(1921、1924～1926)，220码世界纪录(1921～1926)，也都由他保持。他所参加的4×100米接力赛队也保持世界纪录(1920～1924)。1922年帕多克毕业于南加利福尼亚大学，第一次世界大战期间(1918～1919)在美国野战炮兵队服役。1920年在安特卫普奥运会上获100米金牌和200米银牌，所参加的4×100米美国接力赛队获金牌。第二次世界大战期间帕多克在美国海军陆战队服役，因所乘飞机失事遇难。

paddy 水田 又作rice paddy。又称水稻田。南亚和东亚栽种水稻的保持水层浸淹的小块平整的田地。在水田栽种水稻，这是远东最普遍的栽种方法，那里栽种水稻只占用小部分土地，但所产粮食足以供应农村大部分居民的需要。栽培稻约于公元前3500年驯化，约2000年前，几乎所有现今种稻地区均已种上水稻，主要种在三角洲、泛滥平原、海岸平原和一些有梯田的溪谷斜坡上。许多水田靠河水和季风季节的降雨来浸淹，其余则必须灌溉。水田有不渗水的底土，边沿围以土堤，因此在占生长季节3/4的时期内，水田里能保持深10～15厘米的水层。在所有国家(除印度外)，水田仅由农家耕作，耕作方法与2000年前相同，用锄、锹及马、牛或水牛拉的带金属铧的犁等农具进行人力耕作。

Paderborn 帕德博恩 德国中部北莱茵-威斯特法伦州城市。临帕德河。为神圣罗马帝国的诞生地，799年查理曼在此会见教皇利奥三世，讨论创建日耳曼国家。对查理曼宫的发掘工作始于1964年。自805年起一直为主教区中心。13世纪加入汉萨同盟。现保存有三角形山墙的文艺复兴式市政厅(1613～1616)和巴罗克式方济各会教堂(1681)等著名古建筑。其他建筑还有几座11～13世纪的教堂、古典中学(1612)、哲学和神学学院以及耶稣会教堂(1682～1686)。主教博物馆内有B.伊马德的"圣母像"，是11世纪重要的雕像。为铁路公路枢纽和文化中心，又是周围农业区的产品集散地。所产面

帕德博恩市的大教堂(左)
美国不列颠百科全书公司供图

包、牛、啤酒颇著名。也为重工业和制造业(纺织品、化工品、建筑材料等)中心。人口约141 800(2003)。

Paderewski, Ignacy (Jan) 帕岱莱夫斯基(1860-11-18，俄属波兰波多利亚库雷沃夫卡～1941-06-29，纽约市) 波兰钢琴家、作曲家及政治家。1919年任波兰总理。1872年起在华沙音乐学院学习，1878年起在该院教授

美国不列颠百科全书公司供图

钢琴。1884～1887年在维也纳学习，师承T.列希蒂兹基，同时在斯特拉斯堡音乐学院任教。1887～1891年首次在维也纳、伦敦、巴黎、纽约公开演奏，取得令人震惊的成功；他在音乐会舞台上所表现的个性引来一种神秘的虔敬。而他的同行们对他则是忌妒多于尊崇。他主要演奏肖邦、巴赫、贝多芬和舒曼的作品。1898年定居瑞士。1901年，其歌剧《曼鲁》在德累斯顿上演。1909年《B小调交响曲》在波士顿上演，同年任华沙音乐学院院长。他一生都是坚定的爱国主义者。1910年他赠送克拉科夫市一座纪念碑，用以纪念波兰人战胜条顿骑士团。第一次世界大战期间任波兰国民委员会驻美国代表，劝说美国总统W.威尔逊支持波兰的独立。战后，国家临时首脑责成帕岱莱夫斯基在华沙组成一个没有党派倾向的专家政府。1919年1月17日该政府组成后，他任外交部长，后又任总理，但并不成功。作为一位演奏大师他习惯于听人奉承。他雄心勃勃，一心想当波兰共和国总统，但没有政党支持他。1919年11月27日辞去总理职务返回瑞士。此后未再回波兰。1921年恢复音乐活动，在欧美举行音乐会，主要为救济战争受害者。第二次世界大战初期，波兰流亡政府在巴黎成立，他任波兰国民议会主席。1940年法国投降后，他移居美国，不久逝世，葬于阿灵顿国家公墓。

Padilla, Heberto 帕迪利亚(1932-01-20，古巴比那尔德里奥戈尔佩港～2000-09-25，美国亚拉巴马奥本) 有争议的诗人，因古巴的"帕迪利亚事件"这一政治丑闻而引起国际关注。在家乡读完小学和中学后，前往哈瓦那大学攻读法律，但没有念完，未获得学位。1949～1952年和1956～1959年间居住在美国。1959年古巴革命胜利后回到古巴，出版诗集《公平的人类的机会》。曾作为古巴商务部代表和报刊驻外记者周游欧洲各国。1968年诗集《出局》被作家联盟授予年度诗歌奖，但该书后记里指责它为反革命作品。1972年选自这两本诗集的《被罚出局：帕迪利亚诗选》(英文版)出版。因受到当局的抨击，1971年以不明确的罪名被囚禁。此事件引起了许

多个人、团体和各国政府的强烈抗议。谴责古巴政府的人中有许多原是古巴政府的支持者。这个争议将拉丁美洲的知识分子和艺术家按所属的党派划分成两派。帕迪利亚被迫宣读公开声明，指控自己和其他一些人采取了与卡斯特罗政权相反的、也很难清楚界定的态度和行动。这使得国外的抗议浪潮更加高涨。1980 年获准离开古巴前往美国。到美国后先后在几所院校执教，并出版自传体小说《英雄们在我的花园里放牧》(1981)，描述他在革命的古巴的生活。1989 年出版回忆录，英文版书名为《对立面的自画像》。还曾出版过两本英西双语对照的诗集。他的诗看上去并不难懂，但字里行间充斥了当代的历史事件。看得出，诗人在诗中忠于日常生活，也害怕诗的政治化，而与此同时他也知道政治是无法躲避的。

Padilla, Juan　帕迪利亚(约1500，西班牙安达卢西亚～1542，今美国堪萨斯赫灵顿附近) 天主教教士，是在今美国境内殉教的第一位传教士。他曾在军中服役，后在安达卢西亚加入方济各会，1528 年到西班牙属墨西哥传教。1540～1541 年随同西班牙探险家科罗纳多寻找传说中的财富之乡基维拉国（可能在今堪萨斯州一带），结果徒劳；科罗纳多大失所望，率人返回墨西哥。帕迪利亚决定率人重访基维拉。他在印第安人威奇托部落中工作数月后，前往访问瓜斯部落，遭瓜斯人伏击而死，其他人逃回墨西哥。

Padilla, Juan de　帕迪利亚(1490?，卡斯蒂利亚托莱多～1521-04-24，西班牙比利亚拉尔) 西班牙贵族，他领导卡斯蒂利亚城市公社起事(1520～1521)，反对哈布斯堡皇帝查

美国不列颠百科全书公司供图

理五世（西班牙国王卡洛斯一世）政府，结果失败。1516 年卡洛斯即西班牙王位后，由于任用专横暴虐的外国人而激起全国人民公愤。帕迪利亚参加了 1519～1520 年托莱多的反国王活动。次年他拿起武器支持托莱多的人民起事。1520 年参加起事的各城市在阿维拉成立革命军政府时，他出任军事长官。后来军政府以希龙取代帕迪利亚，招致战场上的失利。希龙叛变后军政府重新召回帕迪利亚，受到热烈欢迎。帕迪利亚于 1521 年 2 月 28 日占领托雷洛瓦通道。7 个星期后王室部队节节推进，1521 年 4 月 23 日，他在比利亚拉尔被俘，翌日与其他领袖一起被处死。

Padjelanta National Park　帕亚伦塔国家公园　瑞典最大的国家公园，也是欧洲最大的公园之一。位于瑞典西北部北博滕省，西邻挪威，面积2 010平方千米。建于 1962 年。广阔山区分布湖泊（最大者有维里湖、瓦斯滕湖和萨洛湖）、谷地、冰川，有瑞典少见的阿尔卑斯植物种群，如沙生草本类委陵菜属等。有狼獾、北极狐、棕熊、金鹰、灰背隼等动物。

Padma 'byung-gnas(Buddhist mystic)　**白麦迥乃**　参阅 **Padmasambhava 莲花生**。

Padma River　博多河　恒河在孟加拉国西部尽头分为帕吉勒提河与博多河两支，博多河为主河道。向东南流，在拉杰巴里附近接纳贾木纳河（布拉马普特拉河）以后继续流向东南通过孟加拉国中部，经过一条名为克蒂马萨的 3 千米宽河道与梅克纳河汇合，然后作为梅克纳河继续南流注入孟加拉湾。全程 300 千米可以通行内河轮船。主要支流为默哈嫩达河，主要分流为莫图莫迪河。

Padmasambhava　莲花生（活动时期8世纪）又称 Guru Rimpoche（古如仁波且），藏语作 Slob-Dpon（师尊宝）或 Padma 'byung-gnas（白麦迥乃）。传说中的印度佛教密宗僧人。把密宗传入吐蕃（今中国西藏地区）并在该地建立第一座寺院。据说他出身于乌苌国（在今巴基斯坦境内），精通密宗教义兼习瑜伽，曾在那烂陀寺任教。747 年（唐天宝六载）应吐蕃王墀松德赞邀请到吐蕃。据说在桑耶以术制服制造地震的恶魔，使桑耶寺得以在 749 年建成。藏传佛教宁玛派自称是莲花生教义的最严格的宗奉者，据说由莲花生埋藏的宁玛派重要经典自 1125 年前后陆续有所发现。莲花生曾把梵文密教经籍多种译成藏文。

Padova(Italy)　参阅 **Padua 帕多瓦**。

Padre Island　帕德里岛　美国得克萨斯州墨西哥湾海岸堤礁。自科珀斯克里斯蒂向南延伸至伊莎贝尔港，长 182 千米，宽达 5 千米。岛上多草丘，海滩宽阔；滩上产蛤、海生蜗牛等水生贝壳类动物。周围地区以鲐鱼、旗鱼、大海鲢和种类繁多的飞禽而闻名。1962 年岛屿大部分划为国家海滨区。

Padri War　比达里战争(1821～1837)　在苏门答腊米南卡包，比达里人穆斯林（改良派）与荷兰人所支持的酋长之间的武装冲突。比达里人反对不符合伊斯兰教瓦哈比派纯洁教义的规章制度，这使地方酋长受到严重威胁，因为他们的权威是以**亚达特法**(**adat**)或习惯法为基础的。结果，比达里人向地方酋长展开游击战争。荷兰人虽然站在酋长一边，但是一直到爪哇战争（1825～1830）结束后，才得以派兵去镇压比达里人。比达里人的领袖邦乔尔于 1832 年投降，但不久又开始进行战斗。比达里战争一直延续到 1837 年，荷兰人俘获邦乔尔。该战争使荷兰人的控制扩展到苏门答腊内地。

Padua　帕多瓦　意大利语作 Padova，拉丁语作 Patavium。意大利北部城市，威尼托大区帕多瓦省省会。位于威尼斯西面，巴奇格莱恩河畔。据传说，罗马的帕多瓦城由特洛伊英雄安特诺尔所建。出生（公元前 59 年）于当地的罗马历史学家李维认为，公元前 302 年帕多瓦首见记载。这座城市非常昌盛，11～13 世纪时是意大利主要城市。诗人但丁曾在此居住。帕多瓦的圣安东尼葬于此地。1318～1405 年由卡拉拉家族统治，此后归属威尼斯直至 1797 年。1815～1866 年奥地利统治期间，积极参加意大利独立运动。1848 年发生起义。第二次世界大战期间遭到惨重轰炸，埃雷米塔尼教堂内曼特尼亚所作的壁画几乎全部被毁。斯克罗韦尼教堂（1303～1305）有乔托的著名壁画，“圣徒学校”（一座中世纪行会建筑）内有提香的壁画。大教堂（1552 年重建）内有罗马式洗礼堂。圣安东尼教堂（1232～1307）有圣徒墓地，高高的祭坛上有多纳太洛所作的塑像和浮雕。教堂前的广场上有多纳太洛为威尼斯雇佣兵队长德纳尔尼（人称加塔梅拉塔）制作的雄伟的青铜骑士塑像（1453 年落成）。其他著名世俗建筑物有：拉焦内宫（1218～1219；1306 年重建）；卡皮塔诺宫（1532），现为大学图书馆；16～17 世纪的博宫为大学的中心。该大学建于 1222 年，是仅次于博洛尼亚的全国历史最悠久的大学。市博物馆有艺术画廊和历史及考古展览以及图书馆、档案馆和雕塑及钱币收藏。植物园建于 1545 年，是欧洲最古老的植物园。植物园西边是一个名为普拉托德拉瓦莱的椭圆形广场，四周是运河，边上有一组帕多瓦名人雕像。该城是铁路、公路重要交通枢纽和兴旺的农业、商业和工业中心。生产电机、农业机械、摩托车、化工产品和人造与合成纤维纺织品。人口：城市区约 223 907(1988)。

Padua, University of　帕多瓦大学　意大利语作 Università Degli Studi di Padova。意大利帕多瓦的一所自治的男女合校公立高等学府。建于 1222 年，由脱离博洛尼亚大学的约 1 000名学生创办。1306 和 1322 年，又有一些学生从博洛尼亚迁此，加强了该校的实力。同博洛尼亚大学一样，它是一所由学生控制的大学，由学生选择教授，规定教授的工资。1228 年，许多学生退出帕多瓦，迁到韦尔切利。这所大学虽经过学生的迁移和当地专制政治的变化，仍存留下来。16～17 世纪时其名望盛极一时，成为欧洲两三所主要大学之一。该校教授中有著名的文艺复兴时期的哲学家、人文主义者和包括伽利略在内的科学家。在中世纪，该校主要是一所民法和宗教法学校，后逐步成立了哲学、法律、神学和医学各系。学生最初按照其籍贯组成 4 个组。1399 年该校分为两所学校，一所为艺术和医学学校，一所为法律学校。直到 19 世纪初，两所学校合并，由一个行政机构管理。该大学 1545 年修建的植物园在欧洲历史上堪称最为古老的一所。它的天文台建于 1761 年。现代化的科系包括法律系、政治学系、文学艺术系、哲学系、教育系、数学系、物理与自然科学系、经济与商业系、统计学系、药学系、农学

系、工程系和医学系。该校的地质研究所设有一个地质博物馆。

Paducah 帕迪尤卡 美国肯塔基州西南部城市，麦克拉肯县县城。位于田纳西河和俄亥俄河汇流处。1827年设镇，1856年设市。现为烟草、木材、草莓、谷物、牲畜和煤的重要贸易市场。地处世界最大的动力区，田纳西河流域管理局和原子能委员会(现为能源部)的建设工程极大促进了该城的发展。附近肯塔基湖和州立肯塔基坝村公园提供娱乐设施。设有帕迪尤卡社区学院(1932)。称为"美国被褥之城"，建有美国缝被人协会博物馆。人口26 307(2000)。

Padus (river, Italy) **帕杜斯河** 参阅 **Po River** 波河。

paean 派安赞歌 庄严的合唱抒情诗，表示祈求、欢悦或胜利，起源于古希腊，奉献给诸神医生(派安)的化身阿波罗。在宴会上唱完喧闹的酒神赞歌之后，在阿波罗节日以及在公共葬礼上，人们都唱派安赞歌。军队在行进和投入战斗之前，舰队在启程出港前和获胜后，习惯上也唱这种歌。后来，这种歌也奉献给其他的神和像公元前5世纪的斯巴达统帅来山得那样的人。他们因所建树的功业而多少被神化了。

paedogenesis 幼体生殖 又拼 pedogenesis。通过性成熟的幼体进行繁殖的现象，通常无需受精。幼体可以是卵(如同瘿蚊属昆虫)或是其他幼体形式(如吸虫)。这种生殖形式与幼态性熟生殖不同，幼体生殖是孤雌生殖，生殖后的幼体仍要成熟或变态直至发育成成体形式。

paedomorphosis 幼态现象 又拼 pedomorphosis。生物体将其年轻时甚至幼体特性保留在成体中的现象。幼态现象有两种不同的表现：性器官成熟较其他器官快(性器早熟)或身体发育较性器官发育慢(幼态滞留)。经典的例子见于某些两栖类：由于发育受阻，幼体形态和水栖习性持续保存到性已成熟并具有生殖能力之时。在有些种，仅少数器官系统保持幼态，而其他器官系统完全发育成熟；但发育滞留的特性的数量因种而异。例如，成年的人与其他成年灵长类相比，可显示各种幼态滞留的特征。而另一些种中所有器官系统均发育迟缓，个体已达性成熟后仍保持幼体状态。生殖能力的这种变化似乎对具这种现象的生物体有适应意义。从进化论的观点看，幼态滞留的过程表明：在某些环境条件下，现存生物体的幼年阶段和发育相可通过缩短生活环的长度而产生崭新的生物体。

Paekche 百济 古代朝鲜的3个王国之一，在半岛西南端。据传公元前18年为温祚创建于光州。在古尔王时代(234～286)，百济是个十分发达的王国。在近肖古王时代(346～375)，管辖区已达整个汉江流域。5世纪末高句丽王国夺去百济在汉江流域的领土，使百济把都城南迁到熊津(现公州)。在圣王时代(523～554)，百济又被高句丽吞并大片土地，都城再度南移到泗沘(现扶余)。百济国分为5方镇。中央政府官级有16品，最高级的6个佐平分理朝政。最高级官员称上佐平，每3年选举一次。百济佛教兴盛，建造许多庙宇。儒教也相当流行，曾出现大批杰出的学者。造型艺术技术圆满成熟，有些受中国六朝时代艺术的影响。百济为了抵御高句丽进攻和收复汉江流域的失地，曾与新罗联合，但结果却被新罗吞食了领土。660年为新罗与唐朝联军所败，王朝从此告终。

Paeligni 佩利尼人 意大利中部地区的一个古代民族，居住在亚平宁山脉东面的坡地。该民族曾与近邻马尔西人、马鲁奇尼人和维斯提尼人等结成同盟。同盟于第2次萨谟奈战争(公元前304)后解体。同盟者战争(公元前91)也在佩利尼人获得罗马公民权后结束。马鲁奇尼人和维斯提尼人的方言和佩利尼语颇为相似，这3种方言通称为北奥斯卡语族。

paella 平锅菜饭 音译作培拉。一种用番红花调味的大米与肉、海味、蔬菜烹调成的西班牙饭食。源出于西班牙地中海沿岸产米区，主要是巴伦西亚地区。培拉一名来自其烹调器皿——一种具有两个把手的圆底平锅。传统吃法是就锅取食。制作方法是将肉片(如鸡肉、猪肉或兔肉)和海味(如蛤、虾、蚝、小龙虾、乌贼)用橄榄油加上洋葱、大蒜和香草炒，然后移出，把大米、番茄、番红花用炒完肉的原汁煨炖，再和入肉与海味，并用豌豆、灯笼椒及其他菜蔬装饰。传统的培拉在室外用柴火烹制。

Paeonia 培奥尼亚 培奥尼亚人土地，原包括巴尔干半岛中南部的整个阿克休斯(瓦尔达尔)河流域及其周围地区。培奥尼亚人可能是色雷斯人-伊利里亚人的混血后裔，由于波斯人的入侵而告衰落(公元前490)，沿斯特里门河居住的诸部落为色雷斯人所控制。马其顿的兴起迫使残余的培奥尼亚人向北迁徙，公元前358年被马其顿王腓力二世击败。但地方王朝仍有高度威望。在罗马人统治下，培奥尼亚被纳入马其顿的第2、3区。到公元400年培奥尼亚人已失去其民族特点，培奥尼亚一名便仅仅是一个地理名词了。

Paeoniaceae 芍药目 或称牡丹目。双子叶植物的一目，包括芍药科(牡丹科)、芍药属(*Paeonia*)，约33种，分布于欧洲、亚洲及北美西部。多年生草本，有时为高约2米的灌木。有粗壮的根状茎。叶沿茎互生，三裂，每裂再分为三小裂。花大，两性，辐射对称，萼片5，花瓣5(有时为10)，雄蕊多数，子房上位，雌蕊2～5，分离，大而呈肉质，胚珠多数。种子大，先为红色，后变黑色，有肉质的假种皮。传统的分类系统认为芍药目与毛茛科近缘，但有人认为它与五桠果目(Dilleniales)近缘。芍药(peony)是很受欢迎的花卉，花形和颜色多样。有些欧洲南部种和亚洲种栽培供食用和药用。

日本重瓣牡丹(牡丹[*Paeonia suffruticosa*]的园艺变种)

美国不列颠百科全书公司供图

Paeonius 帕奥尼乌斯(活动时期公元前450～前400) 希腊雕刻家。生于色雷斯的门代，雕刻家菲迪亚斯和波利克里托斯的同代人和门徒。以雕像《带翅膀的胜利女神》(约作于公元前420年；奥林匹亚考古博物馆收藏)著称。该像于1875年在奥林匹亚发现。底座铭文记述该像为纪念墨赛尼亚人和诺帕克特人战胜敌人(可能是斯巴达人)而作。铭文还记述帕奥尼乌斯曾在一座庙宇的人字墙上角的装饰设计竞赛中获胜。

Paer, Ferdinando 帕尔(1771-06-01，帕尔马公国帕尔马～1839-05-03，巴黎) 作曲家，与D.契玛罗萨和N.A.津加雷利同为当时意大利滑稽歌剧主要作曲家。1791年在帕尔马创作第一部歌剧《奥尔甫斯和欧律狄刻》。1797～1802年住在维也纳，在那里创作他最成功的歌剧《卡米拉》(1799)。1807年前往巴黎，成为拿破仑的礼拜堂唱诗班指挥，并任喜歌剧院指挥，后主持意大利歌剧院(1812～1827)，此间最成功的歌剧是《礼拜堂唱诗班指挥》(1821)。一生共写有43部歌剧，此外还写有宗教音乐、室内乐及世俗康塔塔等。

Paeroa 派罗阿 新西兰北岛北部城市。位于奥希尼穆里河畔，近与怀霍河汇合处。建于19世纪80年代，为奥希尼穆里采金场的港口。1915年设有自治镇。1947年以前有定期内河航运。现为通往奥克兰、陶朗阿的铁路、公路交会点。主要为农业中心。所产矿泉水闻名全国。人口约3 670(1987)。

Paesiello, Giovanni (Italian composer) 参阅 **Paisiello, Giovanni** 帕伊西埃洛。

Paestum 帕埃斯图姆 希腊语称波塞多尼亚。意大利卢卡尼亚的古代城市。位于萨莱诺东南22英里，锡拉鲁斯河(现塞莱河)以南5英里。以它的希腊废墟和据信为仅见的古典希腊壁画而出名。可能于公元前600年左右为锡巴里斯的移民所建，到公元前540年成为兴旺发达的市镇。约公元前390年起帕埃斯图姆受卢卡尼亚管辖，到公元前273年罗马把它变为拉丁移民地。该城在第二次布匿战争中支持罗马。锡拉鲁斯河口淤泥逐渐堆积成一个污浊的沼泽。871年穆斯林大肆劫掠后，帕埃斯图姆终被遗弃。18世纪重被发现的城址中有陶器及保存得极好的神庙和墙壁。最出名的建筑物是所谓刻瑞斯神庙(实际上供奉雅典娜)，可能祭祀赫拉的长方

帕埃斯图姆古城所谓的刻瑞斯神庙
美国不列颠百科全书公司供图

形神庙，还有一座称为尼普顿神庙的赫拉神庙。1969年7月在一座卢卡尼亚古代坟墓的石灰石墓顶上又发现了古典早期风格的壁画。

Paetus, Thrasea (Roman senator) **帕图斯** 参阅 **Thrasea Paetus, Publius Clodius** 特拉塞亚·帕图斯。

Páez 帕埃斯人 哥伦比亚南部高地的印第安人。他们使用一种与现已消亡的皮豪语和科科努科语有密切关系的奇布查语（参阅 **Chibchan languages**）。主要作物是马铃薯。很多人也种植诸如小麦和咖啡这些非传统作物。每家都有自己的土地，但天主教会的土地则集体耕作。种植大多用掘土尖棍。居住区分散，各家住在自己的田地上。房屋以木桩为墙，中间填以土石。男子着粗布衣裤，女子穿裙子和宽大上衣。现代手工制品有陶器、织物和篮子。20世纪70年代估计有6万帕埃斯人。

Páez, José Antonio 派斯（1790-06-13，委内瑞拉阿里卡瓜～1873-05-07，纽约市） 委内瑞拉军人、政治家，独立运动领袖和首任总统。有部分印第安人血统。最初在大牧场当

美国国会图书馆供图

雇工，不久即获得土地和牲畜。1810年参加反西班牙的革命运动。他成为南美洲北部的解放者西蒙·玻利瓦尔在委内瑞拉的司令官，曾率领部下协助在卡拉沃沃（1821）和卡贝略港（1823）两次战役中取得胜利，由于这两次胜利，西班牙人被迫全部撤走。1826年，在反对大哥伦比亚（委内瑞拉是其省份之一）统治的起义后被任命为委内瑞拉军政首脑。1829年领导争取委内瑞拉成为主权国家的运动取得成功。1831年当选总统。以后，他或作行政首脑，或作历任总统的后台，一直控制着国家，直到1846年。他一般尊重宪法，允许一定的新闻自由，促进农业和工业的发展。他限制教会在非宗教事务中的权力，但支持其宗教权威。1846年受到自己提名的总统候选人的反对，他先后被监禁和流放。他于1861年返回委内瑞拉，在一个短时期内实行极为严酷的独裁统治，结果于1863年再次被迫流亡国外。他的余年大部分在纽约市度过，1867～1869年在那里出版了自传。

Páez (Xaramillo), Pedro 帕埃兹（1564，西班牙奥尔梅多～1622-05-20，埃塞俄比亚戈尔戈拉） 天主教耶稣会司铎。1582年加入耶稣会，1588年渡海前往印度果阿。1589年自果阿前往埃塞俄比亚，途中为土耳其海盗所俘，受海盗奴役，1596年才返回果阿。1603年终于到达埃塞俄比亚，学习该国两种主要语言，翻译教理问答，撰写论文，驳斥埃塞俄比亚教会的教义错误，撰写埃塞俄比亚历史。经过他的劝化，原来信仰基督一性论的埃塞俄比亚国王苏森约斯改奉天主教。在一段时间内，埃塞俄比亚大部分地区都接受天主教。帕埃兹是到达埃塞俄比亚西北部青尼罗河源塔纳湖的第一位欧洲人，因热病死于塔纳湖。

Páfos (Cyprus) 参阅 **Paphos** 帕福斯。

Pagadian 帕加迪安 菲律宾棉兰老岛西部城市。濒临帕加迪安湾。1969年建制。为重要的运粮港。椰子为该城市主要经济作物。居民以捕鱼为主要职业。林业亦重要。米沙鄢岛人（宿务人）多由此移入，在附近地区落户。人口约106 000（1990）。

Pagan 蒲甘（?～1880，缅甸曼德勒） 缅甸国王（1846～1853）。他在第二次英缅战争中战败，战后仰光、勃固省和缅甸南方的其他地区被英国吞并，称下缅甸。1846年废黜父王而即位。虽然他不是一位杰出的君主，但在战前时期他行事机敏而克制。1851年仰光地方长官貌欧指控两只英国商船船长犯有谋杀、侵吞和逃避关税罪。迫使他们缴付几百卢比，才得放行。英国驻印度总督达尔豪西即致书蒲甘，要求给予920英镑赔偿，并将貌欧免职。1852年1月6日英国人封锁仰光港口。3天后英国战舰开始炮击城市。2月13日达尔豪西给蒲甘送去最后通牒，要求赔款10万英镑。蒲甘尚未答复，英国军队就侵入缅甸领土。仰光失守，下缅甸全被占领。1853年2月18日蒲甘被其弟曼桐所废。

Pagan 蒲甘 缅甸的古都遗址。现为一村镇，濒临伊洛瓦底江，东北距曼德勒145千米。以保存有经过修复及重新装饰并仍在使用的古代佛教庙宇而成为朝拜中心。但1975年7月8日的地震使许多重要的建筑破坏得已无法再修复。该村尚有一漆器学校，远近闻名。最初可能建于公元849年，11～13世纪末成为一个地区（大致相当于今日缅甸）的首府。缅甸民族在国王阿奴律陀（1044～1077在位）率领下征服了本地区其他民族，定都蒲甘，并使之成为小乘佛教中心，开始了蒲甘的全盛时代。此后200年间，动用大量人力财力建起大批僧院和神庙，蒲甘成为当时东方最重要的佛教中心之一。古城围有城墙，目前该镇的相当一部分处于建有城墙的古城内。据研究，古时城墙内仅有皇室、贵族、宗教、行政的建筑物，百姓则住在城外。建筑物多为砖结构，以雕砖、灰墁和赤陶土构

蒲甘的阿难陀神庙
美国不列颠百科全书公司供图

成各种装饰性花纹。现存最早建筑物当为10世纪建造的朗江神庙。阿奴律陀国王建造的瑞西贡塔是一个巨大的台阶式金字塔，基部为四方形，塔身呈圆形，顶部有一个钟形塔，塔尖巨大的金色伞顶镶有宝石。1975年的地震使其受到相当程度的破坏。其他主要神庙有阿难陀神庙（1091）、他宾律神庙（1144）、苏拉玛尼神庙、高道巴林神庙（12世纪）等。主要塔庙、神殿的四周散布着较小的宝塔和建筑物。

Paganelli di Montemagno, Bernardo (pope) **帕加内利·迪·蒙泰马尼奥** 参阅 **Eugenius III, Blessed** 犹金三世（蒙福者）。

Paganini, Niccolò 帕格尼尼（1782-10-27，热那亚共和国热那亚［意大利］～1840-05-27，法国尼斯） 意大利作曲家、19世纪主要小提琴演奏大师。作为一位受人崇拜的偶像，他营造出一种围绕演奏大师的传奇性神秘气

美国不列颠百科全书公司供图

氛，并革新了小提琴演奏技巧。最初从父学习，后师从G.塞尔韦托和G.科斯塔。1793年首次演出，后到帕尔马向A.罗拉和G.吉雷蒂求教。1797年随父到伦巴第巡回演出，声誉日增。独立生活后即沉迷于酒色、赌博之中。一次竟当掉小提琴去还赌债，一位法国商人借给他一把瓜尔内里琴在音乐会上演奏，但在听了他的演奏后把琴馈赠于他。1801～1807年间，为无伴奏的小提琴谱写了24首《随想曲》，显示了他技巧的新特色。还有两套各6首小提琴与吉他奏鸣曲。1805年以小提琴家的身份重新出现在意大利，并被拿破仑的妹妹É.B.巴乔基任命为皮翁比诺的音乐总监。后在意大利许多城市中举行自己作品的音乐会。1828年在维也纳体验到取得极大成功的欢愉，1831年在巴黎和伦敦的演出均引起轰动。1832年在英格兰和苏格兰的巡回演出使他成为富翁。1833年定居巴黎，委托H.柏辽兹谱写交响曲《哈罗德在意大利》。但曲成后又认为其中中提琴独奏无大特色而拒绝演奏。在他投资的帕格尼尼娱乐场破产后，于1839年去马赛，然后去尼斯。他曾赠送给为生活而挣扎的作曲家柏辽兹两万法郎，这样的慷慨解囊似乎不符合他的个性；可能是因为他看出"贝多芬的继承人"是一个值得重视的天才，认为自己有责任助以一臂之力。他的小提琴技巧是以他的作品（主要是随想曲、小提琴协奏曲和几套变奏曲）为依据的，要求广泛地使用泛音和拨奏、新的指法，甚至新的空弦定音。他常在音乐会上才华横溢地即兴演奏。为了炫耀技巧，他不惜玩弄一些花招，诸如弄断小提琴上的一、二根琴弦，然后在剩下的琴弦上继续演奏。他的技巧创新得到后来的演奏家，特别是P.萨拉萨特和E.伊萨依的模仿。其他作品有6首小提琴协奏曲，其中第一首（D大调）尤其流行；12首小提琴与吉他奏鸣曲，6首为小提琴、中提琴、大提琴和吉他写的四重奏。帕格尼尼的演奏技巧还影响了管弦乐和钢琴作品，尤其对F.李斯特有巨大的影响。《随想曲》中的主题启发了李斯特、R.舒曼、J.勃拉姆斯和S.拉赫玛尼诺夫等人的创作构思。

Pagasaí, Gulf of 帕加塞湾 又称沃洛斯湾。希腊爱琴海大海湾。在色萨利区马格尼西亚州境内。被钩形的马格尼西亚半岛环抱，形成特里凯里海峡。海湾顶端有色萨利区主要港口沃洛斯。据希腊神话载，爱奥尔科斯国王曾派人乘船从帕加塞湾出发去寻找金羊毛。

page 学习骑士 在中世纪欧洲，贵族子弟在幼年时代离开家庭，到某个亲王或贵族的家中学习怎样当骑士，他要学习使用武器、打猎、音乐、跳舞和与社会地位相应的其他技能。然后，他可以晋升候补骑士，再从候补骑士晋升骑士。

Page, Clarence 佩奇（1947-06-02，美国俄亥俄代顿～ ） 美国报纸专栏作家和电视评论员。1969年获得俄亥俄大学新闻学学士学位，后成为《芝加哥论坛报》记者。1980～1984年在芝加哥WBBM电视台工作，先当社区事务导播，后任记者和编辑。1984年回到《芝加哥论坛报》，为辛迪加专栏作者和编辑委员会成员，并因其1989年的评论获普利策奖。经常撰写有关种族和美国黑人身份问题的文章。其有些最富激情的论文见于他的著作《显示我的肤色：有关种族和身份的粗鲁论文》（1996）。

Page, Sir Earle (Christmas Grafton) 佩奇（1880-08-08，澳大利亚新南威尔士格拉夫顿～1961-12-20，悉尼） 澳大利亚政治家。原为新南威尔士州医师。1919年进入联邦议

美国不列颠百科全书公司供图

会。1920年协助创建乡村党（今国民党），次年任该党领袖。1923～1929年同国民党联合执政，组成布鲁斯-佩奇内阁，兼任财政部长。曾拟订《国民保险法案》、协调联邦借贷政策和加强英联邦银行。1934～1941年两度任商业部长，其间曾于1939年任总理19天。1934年创立澳大利亚农业委员会。1938年受封爵士。1949～1956年任卫生部长，提出宏大的国民卫生计划。1955年任新英格兰大学校长。1955年再度当选议员直至1961年。有自传《玩忽职守的外科医生》（1963）。

Page, Sir Frederick Handley 佩奇（1885-11-15，英国格洛斯特郡切尔滕纳姆～1962-04-21，伦敦） 英国飞机设计家。制造汉德利·佩奇O/400型飞机，这是世界第一架双

美国不列颠百科全书公司供图

发动机轰炸机，也是第一次世界大战时使用的最大的飞机之一。原为电机工程师，后对飞行发生兴趣。他于1909年创办英国第一家飞机制造公司——汉德利·佩奇有限公司。在第一次世界大战期间，他生产了第一架双发动机轰炸机，能载815千克炸弹。后来又设计了V-1500型4发动机轰炸机，能载弹3吨从英国飞往柏林。但该机尚未及使用，战争已告结束。1919年成立汉德利·佩奇运输公司，经营飞往法国、比利时、荷兰和瑞士的航班，该公司后来并入帝国航空公司。在第二次世界大战期间，佩奇的公司制造运输机和哈里法克斯重型轰炸机。他的维克托B.2型远程中型轰炸机1962年初装备皇家空军轰炸机部队。1942年封爵。

Page, Geraldine 佩奇（1924-11-22，美国密苏里柯克斯维尔～1987-06-13，纽约） 多才多艺的美国女演员，主要因表演T.威廉斯剧作中的女性角色而知名。1942～1945年就学于芝加哥的古德曼戏剧学校，后入纽约市的H.伯格霍夫学校和美国戏剧之翼戏剧学校。随后在芝加哥地区定期参加演出，1952年在纽约外百老汇演出的威廉斯剧本中扮演角色，受到观众和评论界好评。1953年开始在百老汇登台演出，以在纪德的《蔑视道德的人》（1954）、拉蒂根的《分桌》（1957～1958）、威廉斯的《可爱的青春之鸟》（1959～1960）和《为一间消夏旅馆做的衣服》（1980）等剧和《夏天和烟雾》（1961）、《蝗虫的日子》（1975）、《内室》（1978）和《哈里的战争》（1981）等电影中的角色最为著名。她还得过奥斯卡电影奖和艾美电视奖。

Page, Thomas Nelson 佩奇（1853-04-23，美国弗吉尼亚比弗丹附近的奥克兰种植园～1922-11-01，加利福尼亚奥克兰） 美国作家。他的作品促进了描写南方种植园的浪漫

美国国会图书馆供图

传奇小说的发展。曾就读于华盛顿学院（今华盛顿和李大学），并在该校执教一年。1874年毕业于弗吉尼亚大学法律系。在法律界工作到1893年，后移居首都华盛顿，从事写作和讲学。他引起人们注意的第一篇小说《马尔斯·钱》发表在《世纪画报》上，这一篇以及其他类似的故事均收进《在老弗吉尼亚、马尔斯·钱及其他故事》一书（1887）中，这大概是佩奇最富有特色的一本书，反映了南北战争前在旧制度下的迷人生活和南北战争时期的动荡。他的随笔和社会研究论著，包括《老弗吉尼亚的社会生活》（1897）和《弗吉尼亚—她的形成和风俗》（1908），风格与他的小说一样。1913～1919年任美国驻意大利大使。其他作品包括儿童故事《两个小南部邦联分子》（1888）、《埋葬大炮及其他故事》（1894）、《布莱克斯托克的老绅士》（1897）和描写南方人反对重建的《红岩石》（1898）。

Page, Walter Hines　佩奇（1855-08-15，美国北卡罗来纳卡里～1918-12-21，北卡罗来纳派恩赫斯特）　美国新闻记者、出版家、作家和外交官。19世纪80和90年代在美国各

美国不列颠百科全书公司供图

地从事新闻记者工作。1898～1899年任《大西洋月刊》主编。1900年与F.N.道布尔戴共创道布尔戴与佩奇出版公司（后更名为道布尔戴出版公司）并创办《世界的工作》杂志，自任主编。1911年首先建议提名威尔逊为总统候选人。1913年威尔逊就职后，任命他为驻英大使。第一次世界大战爆发后，他极力维护英美两国的亲密关系并力主美国参战。1915年5月英国轮船"卢西塔尼亚"号被德国潜艇击沉，致使100多美国人丧生，他更加公开呼吁美国参战。1917年4月威尔逊总统要求国会通过决议对德国宣战时，就利用了佩奇两年半以来一直对他讲的那些理由。1918年8月佩奇病重，威尔逊同意他退休，回家后不久便去世。

Page, William　佩奇（1811-01-23，美国纽约奥尔巴尼～1885-10-01，纽约斯坦滕岛托滕维尔）　美国画家，以绘制维多利亚女王时代美国和英国名人肖像闻名。曾师从浪漫主义画

佩奇自画像，1860年
美国不列颠百科全书公司供图

家S.F.B.莫尔斯。在罗马期间（1849～1860），画过朋友的肖像。其最著名的作品《自画像》（1860）和《威廉·佩奇夫人肖像》（1860～1861），典型地反映了他的艺术创造力，肖像端庄，人物具有纪念碑性和雕塑感，用深沉的色彩组成热烈的、有表现力的色调。

pageant　庆典　规模宏大而辉煌壮观的戏剧演出或列队行进。此词起先专指为演出宗教剧或宗教连台本戏而设计的彩车；后来推而广之，既指演出的设备，又指演出活动本身。由于演出这类戏剧时一般随之举行盛大典礼，讲求表演技巧，因而此词含义进一步扩大，兼指任何盛大的演出，不分室内和露天，也不管其具体宗教内涵。公众为了引人注目而举行列队行进，称为游行（parade），是庆典的一种形式。

庆典一般是用以表达民族的、社区的、宗教的或其他的群体目的或特色。在原始社会中，列队行进一向是表示社区团结的一种最基本的形式。举行列队行进的场合各不相同，或者是祈求丰产的仪礼，或者是驱除邪神恶鬼，也或者是为了昭示武力。这种大典的节期以及与之有关的习俗和列队行进，一旦成为定例，往往从一种文化形态下传到另外一种文化形态。例如，在许多天主教国家，大斋节以前的嘉年华会列队行进，即狂欢节，可能源出于古代罗马异教的农神节、牧神节和酒神节（Bacchanalia），这些节日都是举行游行、奏乐、献祭和行欢作乐的时节。

自古戏剧是庆典中的主要内容，列队行进活动的主题通过道白和简单的戏剧动作表达出来。露天活动舞台戏是天主教会各大节日的必要内容，这种露天宗教剧逐渐演变成神秘剧和其他戏剧形式，成为西方世俗戏剧的先驱。在有些盛典中，舞台表演，亦即戏剧叙事，处在绝对重要的地位，远远超过一般的以壮丽和有趣为特色的种种活动。在这种露天剧中，有两出特别突出。在伊斯兰教什叶派，每年穆哈兰月（即希吉拉历一月）初一至初十演出殉难戏剧，叫做"台阿兹叶"，意为"哀悼"。这种戏剧往往十分动人地详细重现穆罕默德之婿阿里后人受残害情景，这种戏剧中的某些内容形式最初出现于10世纪。巴伐利亚上阿默高村的耶稣受难复活剧表演基督在世最后几个小时的情景，可能是西方最著名的露天活动舞台宗教戏剧演出。

在君主加冕、大婚礼和国事访问时举行庆典，是古已有之的习惯，在中世纪欧洲尤其受到重视，其后此风也不泯。这种文娱活动中既有列队行进也有固定的表演节目，在表演节目中，使用壮观的机械效果背景，烘托寓言角色的道白，以增益其效果。法兰西国王路易十二与英格兰都铎王室的玛丽在1514年的婚礼、英格兰国王亨利八世与法兰西国王弗兰西斯一世在1520年的会见，都曾经举行豪奢隆重的庆典，成为历史上著名的事例。16、17世纪为英格兰历代君主演出的精心排练的宫廷假面剧，是露天剧的一种型式，亦即庆典的一种型式，它们基本上就是日后的舞会或假面舞会的先声。由B.琼森编写，I.琼斯设计了一些这类的假面剧，各出主题简单，但大量配以音乐、诗歌，力求尽美，服装考究，布景变幻。

在现代世界，社会全体成员要求享受庆典的平等权利，因此，由一个特权阶级（宫廷和贵族）利用豪奢庆典的事势必然会消失。这种民主倾向特别体现在现代的狂欢节列队行进活动中，例如罗马、威尼斯、尼斯和里约热内卢的狂欢节；慕尼黑和科隆的狂欢节；新奥尔良的"油腻的星期二"狂欢活动。在这种狂欢活动中，成千上万的市民盛装参加列队行进，并有彩车、表演、鲜花、乐队和种种娱乐活动。日本的这种公众祭日特别丰富多彩，各大城市和许多小城市各有自己的祭日，届时有车、船、偶人、神辇列队行进，并有竞技，居民盛装游行，万紫千红。

很久以来，政治和军事场合也是举行游行和庆典的大好机会。国家庆典庆祝诸如国家独立、军事胜利或其他重大历史事件。古罗马的*凯旋式*（**triumph**）或许是最为具有表现力的军事庆典，得胜的将领率领部队，连同俘虏、战利品、官员和元老院议员，参与列队行进，穿过罗马城。而在第一、二次世界大战结束后各盟国首都的大规模胜利游行则是现代军事庆典之实例。

自古很多庆典都以比赛和赛跑为中心内容。例如在中世纪欧洲，马上比武和其他比赛往往是周密安排的武力示威活动的项目。意大利的锡耶纳城每年举行赛马节，其中包含许多庆典内容。美国加利福尼亚州帕萨迪纳每年在举行蔷薇体育馆大学生橄榄球比赛之前所举办的蔷薇体育馆游行，是世界上最著名的游行之一。

在20世纪初，"纯"露天活动舞台剧有所复苏，以历史剧为主要形式。其中最著名者是L.N.帕克的作品。他坚持精确地复述历史，利用天然背景而不用或少用人工布景，依靠业余演员，他这种做法使露天舞台剧作为一种历史剧得以重新推广。M.赖恩哈特在形形色色的场合演出戏剧，从而也对现代的露天戏剧作出重要的贡献。但是，这种仿古仍仅仅是现存庆典形式即游行、狂欢和喜庆列队行进的一种补充而已。实际上，每个国家都经常举办至少其中一种形式，这种形式在现代大社会中发挥维系民族或社区一致性的作用。

pageant wagon　彩车　一种用作演出中世纪当地组剧舞台的四轮大车。英国组剧与这种演出形式关系密切，约从1375年至16世纪中期在约克和切斯特这样的城市流行；这种形式在西班牙、比利时和荷兰也很普遍。组剧中的每出戏均在单独一辆彩车上演出，演出地点遍及当地市镇的各个地区。每辆彩车上有1至3个殿堂或场景，都由各商业行会制作。一年一度演出结束后，彩车由各行会拆除并保存起来。

Paget, Sir James　佩吉特（1814-01-11，英国诺福克大雅茅斯～1899-12-30，伦敦）　英国外科医师、生理学家，与R.菲尔绍同被视为病理科学的奠基人。在伦敦圣巴多罗买医院工作时（1834～1871），他发现（1834）人体肌肉中能引起旋毛虫病的寄生虫（后R.欧文命名为旋毛线虫）。在皇家外科医师学会工作时精确描述了佩吉特氏病（乳腺癌的一种类型，1874）及变形性骨炎（1877，即骨的佩吉特氏病）、佩吉特氏脓肿（再发性脓肿）。是很早就建议手术切除骨髓肿瘤（髓样肉瘤）而避免截肢的一位外科医生。他享有国际声誉，是菲尔绍、T.赫胥黎、C.达尔文、L.巴斯德、W.格莱斯顿、G.艾略特、R.布朗宁及A.丁尼

美国不列颠百科全书公司供图

生等的好友。长期任维多利亚女王的御医官。著有《肿瘤讲义》(1851)、《外科病理学讲义》(1863)和《临床讲义与论文集》(1875)等。

Paget's disease of bone　　骨的佩吉特氏病　又称变形性骨炎。中年时期相当常见的一种慢性病,特征为局部的破骨过程和成骨过程紊乱,引起畸形、骨折及钙代谢失调且易恶变。最常发生于长骨、椎骨、盆骨和颅骨,男性发病率要高于女性。在破骨阶段,患骨软化,血液积聚于患部,可引起心脏功能和血循环障碍;钙由骨内释出,血钙增多,有时可发生肾结石或全身性钙中毒。在成骨阶段,患骨变得致密而脆弱,容易发生骨折。现在尚无特效治疗方法。

Pagliero, Marcello　帕列罗(1907-01-15,英国伦敦～1980-10-18,法国巴黎)　意大利电影导演、编剧兼演员。在意大利长大并获得法学学位。最初从事剧本翻译,第二次世界大战期间与他人合作了几个剧本并导演了第一部影片《07号出租车》。之后,著名导演R.罗塞里尼邀他共同导演影片《女人》。1945年和他人共同执导意大利解放的记录片《光荣的日子》并在罗塞里尼的杰作《罗马,不设防的城市》中饰演共产党工程师,展示出他在台前和幕后的才华。1946年为罗塞里尼的影片《战火》编写剧本。同年参与执导影片《罗马,自由的城市》。尽管该片深受好评,但票房不佳。后移居法国,以表演为主,在《戏演完了》和《安特卫普的女人》中演出。他导演的杰出影片有:《城市中行走的男人》、《布拉-莫特的情人们》、《可敬的妓女》、《给裸体者穿上衣服》和《现代处女》。1955年导演完《亲爱的比比》后离开法国,在苏联和澳大利亚拍电影。最后回到英格兰,以演电视为主。此外还在罗马艺术剧院导演了《曼德拉草》。

Pagnani, Andreina　帕尼亚尼(1906-11-24,意大利罗马～1981-11-22,罗马)　意大利戏剧女演员。剧团裁缝的女儿,1928年在博洛尼亚一次业余表演比赛中获胜,脱颖而出成为首席女演员,在《聪明的妻子》、《忠贞的妻子》、《其他女人》、《生活是美丽的》、《关闭的门》和《皇室家庭》中的表演使她名声大噪。20世纪30～40年代多次更换剧团,和几个著名导演合作。尽管最初以饰演忧郁或喜怒无常的戏剧角色出名,但在轻喜剧或歌舞喜剧中也同样应付自如。50～60年代经常出演电视剧,如《乡下一月》和《雷奥卡迪亚》,60年代末在电视连续剧《梅格雷专员》中的表演获得巨大成功。除电视和戏剧演出外,也参加拍摄电影,著名影片有《圣母月》、《静水》、《彩色的地平线》、《悲惨世界》、《不忠》和《星期日永远是星期日》。1971年因病退出舞台。

Pagninus, Santes　帕尼努斯(1470-10-18,卢卡共和国卢卡[今在意大利]～1536-08-24,法兰西里昂)　天主教多明我会学者,他从希伯来文译成拉丁文的《圣经》(继哲罗姆译本之后的第一部)对于16世纪《圣经》其他译者大有助益。1528年他在里昂出版的《圣经》译本,显然是首次将经文按章分节的。1529年他刊行希伯来语词典《神圣词汇》,后来多次再版。

Pagnol, Marcel Paul　帕尼奥尔(1895-02-25,法国欧巴涅～1974-04-18,巴黎)　法国作家、电影制片人兼导演,以舞台喜剧大师和对自己的电影制片给予批判性的喝彩这两件事而闻名于世。1946年当选为法兰西学院院士,是第一位电影制片人赢得如此殊荣。其父为城镇学校的监督人,他本人也受到教书的训练,获法国蒙彼利埃大学教师文凭。他一边当教员,一边写作,写诗,写小说,还写剧本。第一次世界大战后他出版小说《陀螺》。1922年转到巴黎的学校教书,3年后与P.尼瓦合写剧本《光荣的商人》(1925)受到高度赞扬,但上演后并不卖座遂停演。1926年创作《爵士音乐》相当成功。1928年的《托帕兹》使他赢得了法国主要剧作家的名声。《托帕兹》在巴黎上演了两年,后来又改编成适合美国百老汇舞台的脚本,1933年拍成电影。接下来三部喜剧是《马里乌斯》(1929)、《芬尼》(1931)和《凯撒》(1936),称之为"马赛三部曲",讲马赛鱼贩子的故事。他使用马赛港人们使用的海洋味的语言并创造马赛港的气氛从而广受欢迎,所拍的电影影响了后来的新现实主义者。1931年帕尼奥尔决心成为电影制片人。1933年他开办了自己的电影制片厂,导演了如下的获奖影片:《安热尔》(1934)、《收获》(1937)、《面包师的妻子》(1938)、《掘井人的女儿》(1940)以及《我的磨坊来信》(1954)。其电影背景均在普罗旺斯。它们刻画了法国南方农业区的农民和店主们的生活。他还写了大量有关电影制片的作品和三卷自传。

Pago Pago　帕果帕果　原称Pango-Pango。太平洋西南部美属萨摩亚的首府和港口。在

帕果帕果的港口
美国不列颠百科全书公司供图

图图伊拉岛南岸。港内水深岸陡,沿岸林木茂密。1900～1951年为海军基地。现为各种船只停靠港。主要出口金枪鱼罐头。1964年当地国际机场通航促进了旅游业的发展。与全世界有无线电和电报通信联系。人口约3 400(1985)。

pagoda　佛塔　东亚及东南亚用石、砖、木等材料建造的高耸的多层建筑,常与佛寺相连。源于古印度的窣堵波,即穹顶形的纪念建筑,常建于圣者或帝王的遗骨或遗物上。

山西应县佛宫寺宋代木塔
美国不列颠百科全书公司供图

印度最著名的塔可能是2世纪迦腻色迦一世在白沙瓦为葬佛舍利而建的一座。以后中国、朝鲜、日本的佛塔均以此为蓝本,用一个基本单元(圆、方或多角)层层重叠,逐层收缩,每层各有屋檐,最上为刹杆和相轮。佛塔和窣堵波一样,最初被认为是象征宇宙的建

山西五台山塔院寺大白塔
美国不列颠百科全书公司供图

筑，塔心柱象征天地间的支柱，日本人认为木塔四周的柱子为擎天柱。逐层收缩的塔身可能象征神话中的高山，而相轮则象征若干重天。这种以建筑形式象征宇宙并因藏有舍利

日本京都市醍醐神社的方塔
美国不列颠百科全书公司供图

而具有宗教意义的思想可能源自印度的吠陀祭坛。佛塔主要为纪念性建筑，内部可使用的空间很少。

pagoda tree　塔形树　几种茎直立、树冠圆锥形、似塔的乔木的统称，尤指日本槐（*Sophora japonica*）。日本槐原产于亚洲东部，其他地区有观赏栽培。高12～23米。羽状复

槐属（*Sophora*）塔形树
美国不列颠百科全书公司供图

叶，互生，小叶 7～17 枚。花黄白色，长约 1 厘米，聚生成长 30～35 厘米的松散而美观的花簇。荚果长 5～7.5 厘米。塔形梾木即互生叶梾木（*Cornus alternifolia*），属山茱萸科，分枝呈水平方向，栽作风景树。

Pagosa Springs　帕戈萨斯普林斯　美国科罗拉多州中南部城市，阿丘利塔县县城，位于大矿泉附近。从犹他人手中夺得此地后于 1874 年建镇。在犹他语中 pagosa 意为“治疗之水”。原为供应中心和附近圣胡安山采矿营地的铁路终点站。有公路与大陆分水岭两侧的科罗拉多州和新墨西哥州北部相连。20 世纪 70 年代发展成为度假胜地。附近有滑雪场、圣胡安和里奥格兰德国家森林。人口 1 591（2000）。

Pagri　帕里　又作Pali。中国西藏自治区亚东县辖镇。位于自治区南部，喜马拉雅山系的觉莫拉里雪山脚下。四周雪山环抱。中间平坝宽阔，海拔约4 300米，有世界第一高城之称。城东雪峰脚下有方圆不足 2 千米的高原湖泊，每年藏历 7 月远近香客纷纷前来朝拜，相传用湖水酿制的青稞酒芳香浓烈。城西 10 千米处分布 12 个温泉，居民常前来沐浴。帕里地处亚东到江孜的古商道上，与不丹、印度邻近，经常有邻国香客、商队过境，已成为西藏南部的贸易中心之一。江孜至亚东的公路已修通。帕里年平均气温仅 5 °C，绝对无霜期 18 天，一向被视为农作物的“禁区”。现已种植青稞和马铃薯，还在郊区修筑长 10 千米的“幸福渠”，结束了不长庄稼的历史。人口2 183（2005）。

Pahang　彭亨　马来西亚（马来亚）东部的一区。东临南海。地处广阔的彭亨河流域。其西部由中央山脉环抱，北部接高原东部。据赵汝适（约1225年）所著《诸蕃志》载，彭亨属苏门答腊的室利佛逝王国。15 世纪后为马六甲王国之一部分，后受南方的柔佛控制，柔佛终于建立独立的苏丹国，并于 1887 年受英国保护。1895 年彭亨成为马来联邦的一邦，第二次世界大战后加入马来亚联邦。大部分地区为茂密森林覆盖。中部是河流交错的平原。沿海有 32 千米宽的冲积地，其中包括关丹、彭亨、珑宾、兴楼、丰盛诸河三角洲和河口湾平原。居民稀少，有马来人、华人和半游牧的土著。马来农民和渔民居住在沿河和沿海地区。西部较大城镇居民多为华人。关丹和北干为最大的居民点。彭亨有公路通吉隆坡和新加坡，金马士-吉兰丹铁路贯穿全区。关丹是马来半岛东岸最重要港口，在宜兰角有新式港口设备作为补充。内河运输虽极为分散于各地，但在无公路的内地仍属重要。沿彭亨河、铁路线和主要公路有橡胶园。沿海三角洲大面积种植水稻。并出产椰子、烟草、古塔胶（黏性树乳生成物）、藤条和大麻。大规模发展计划已清除几百平方英里茂密森林，以开辟油椰和橡胶的种植园，并使几十万人迁居到新村。珑宾铁矿储量丰富（1970 年停止开采）。劳勿有金矿。双溪林明为全国主要深层锡矿之一，1888 年开始开采。马来西亚的重要石油和天然气田位于南海靠近海岸处。塔曼奈加拉国家公园在彭亨区东北部，占地4 343平方千米，其中有马来半岛最高的大汉山（2 190 米）。克劳野生动物保护区位于彭亨中部。

Pahang River　彭亨河　西马来西亚（马来亚）彭亨区境内河流，为马来半岛最长的河流。源出而连突以北 16 千米处的哲莱和淡美岭两河，向南流经淡马鲁，与中央山脉平行抵达孟卡拉克后东折，在北干注入南海。全长 436 千米。流程约 400 千米可通行浅水船。

Pahāṛī　帕哈里人　又称帕尔巴蒂人（Parbate）、卡萨人（Khāsā）或切特里人（Chetrī）。一个血统混杂的民族，构成尼泊尔人口的3/5左右和邻近喜马拉雅印度（在喜马偕尔邦和北方邦北部）人口的多数。语言属印-欧语系中的印度-雅利安语支。帕哈里人历史悠久，在普林尼和希罗多德著作中曾提及，并在印度史诗《摩诃婆罗达》中有所描述。20 世纪末人口估计有2 000万。大多数帕哈里人是印度教徒。其种姓结构不复杂，仅分高、低两类，高级种姓为农民，低级种姓为工匠、乐师等。流行一妻多夫制，但其他婚姻形式也很普遍。有些家庭里丈夫和妻子的数目相等，少数家庭里，一个丈夫有几个妻子，有些家庭只有一夫一妻。多数女孩都在 10 岁以前结婚，而到成年以后才与其丈夫同居。对于妇女，存在两种性行为标准：她和丈夫共同生活时必须

帕哈里人妇女
美国不列颠百科全书公司供图

对丈夫忠实；然而已婚妇女回家看望其父母时，又可具有未婚女孩的自由。帕哈里人是农业民族，在山坡上种梯田，主要农作物是马铃薯、稻谷、大麦、小麦、葱头、番茄、烟草和各种蔬菜。饲养绵羊、山羊、牛。人人都会纺羊毛，织布则由低种姓成员担任。

Pahari languages　帕哈里诸语言　印度-雅利安诸语言的一支，通行于喜马拉雅山麓（pahāṛī 为印地语“山地的”），可分为 3 个分支：东部帕哈里语，以尼泊尔的尼泊尔语为代表；中部帕哈里语，通行于印度北方邦北部；西部帕哈里语，通行于印度喜马偕尔邦西姆拉城周围。帕哈里诸语言中最重要的是尼泊尔语，又名廓尔喀语。1769 年廓尔喀人征服尼泊尔，尼泊尔语随之普及，但原居民操一种藏缅语，故尼泊尔语中有大量藏缅语习语。中部帕哈里语有加尔瓦利语和库毛尼语。西部帕哈里语包括方言甚多，最重要者是西尔毛利语、加迪语、库鲁西语等。帕哈里诸方言和拉贾斯坦语及克什米尔语有一些共同的语言特征。

Pahari painting　帕哈里绘画　印度喜马拉雅山麓一些独立邦发展的一种细密画和书籍

插图画风格。共有两种不同画派：大胆、强烈的巴索利画派和精美、抒情的冈格拉画派。帕哈里绘画有时也称为山景画，在思想和情感上与拉贾斯坦绘画联系较为密切，都具有

约 1780 年的冈格拉画派帕哈里绘画——罗陀在克里希纳面前起舞
美国不列颠百科全书公司供图

拉杰普特不着色的艺术特点，偏重于表现牧羊神克里希纳的传奇主题。最早为人所知的山景绘画是巴索利风格的作品，这种风格一直延续到 18 世纪中期。其地位逐步被过渡风格所取代，在 18 世纪中期，一批艺术家形成晚期莫卧儿风格，完全抛弃了巴索利流派的特点。风景画的处理和透视一般更趋于自然主义，线条更优美、雅致。到 1770 年冈格拉画派的抒情气氛得到充分的发展，在桑沙·昌德王(1775 ～ 1823)统治早期，冈格拉画派艺术达到顶峰。由于这些地区城邦很小，彼此相距很近，要确定许多画的出处是困难的。帕哈里绘画共同的题材主要有印度诗歌、印度神话、勇士传奇以及画派主要人物及其家族的肖像等。1800 年后，该画派开始衰落。

Pahiatua 帕希亚图阿 新西兰北岛南部城市。位于惠灵顿东北 130 千米，芒阿泰诺卡河与芒阿拉马拉马河交汇处。建于 1881 年。1897 年附近“四十英里丛林”的大火几乎将该镇破坏殆尽。现为奶牛、肥羔羊和混合经营农牧场的服务中心。有多种轻工业。人口约2 690(1987)。

Pahlavī(Iran) **巴列维** 参阅 **Anzalī, Bandar-e** 恩泽利港。

Pahlavī, Bandar-e(Iran) **巴列维港** 参阅 **Anzalī, Bandar-e** 恩泽利港。

Pahlavi, Mohammad Reza Shah (shah of Iran) 参阅 **Mohammad Reza Shah Pahlavi** 巴列维。

Pahlavi, Reza Shah (shah of Iran) **巴列维** 参阅 **Reza Shah Pahlavi** 礼萨·巴列维。

Pahlavi alphabet 钵罗钵字母 Pahlavi 又拼 Pehlevi。自公元前 2 世纪到伊斯兰教诞生时(公元 7 世纪)波斯人的文字体系。祆教圣书《阿维斯塔》就是用钵罗钵字母的一种变体阿维斯塔字母写成的。钵罗钵字母源于阿拉米字母，至少有三种地区变体：西北变体，又称钵罗钵体或安息体；西南变体，又称波斯体或萨珊体；东部变体。三种变体的书写方式都是从右到左。22 个阿拉米字母，大多每个都代表 1 个以上的钵罗钵语音；有几个字母根本不用，有 1 个字母发展成 2 个字母。西北变体有 20 个字母；西南变体有 19 个字母；阿维斯塔体是草写体，有 50 个不同的字母，可能都是以钵罗钵字母为模式而独创的。钵罗钵字母的特点在于用阿拉米语词表示钵罗钵语词，这类词可以说是一种意符，例如，“国王”一词，钵罗钵语是 shāh，但它始终仿照阿拉米语 m-l-k 的形式而写成 ma-lka，却读为 shāh。许多意符在钵罗钵语中使用，包括全部代词和连接词以及许多名词和动词，使得这种文字读起来很困难。

Pahlavi Dam 巴列维水坝 参阅 **Dez Dam** 迪兹水坝。

Pahlavi language 钵罗钵语 Pahlavi 又拼 Pehlevi。中古波斯语主要形式。通行于 3 ～ 10 世纪，是萨珊帝国(226 ～ 652)的官方语言。此种语言见于祆教经典、钱币及铭刻中，使用一种源于阿拉米字母的钵罗钵字母，重要文献有《阿维斯塔》经文的译文及注释。前伊斯兰时期文献传世很少。现存祆教著作《创世书》及《宗教行事》，均成书于伊斯兰教创立早期。其手稿由孟买及其他各处的波斯人(祆教徒)保存下来。钵罗钵语为使用阿拉伯字母的现代波斯语所代替。

Pai (people) 参阅 **Bai** 白族。

Pai-ch'eng (China) 参阅 **Baicheng** 白城。

Pai Chiang (China) 参阅 **Bei Jiang** 北江。

Pai Marire (religio-military cult) **马里雷教** 参阅 **Hauhau** 豪豪。

pai-miao (Chinese painting) 参阅 **baimiao** 白描。

Pai-se (China) 参阅 **Baise** 百色。

Pai-yin T'ai-lai (China) **巴音塔拉** 参阅 **Tongliao** 通辽。

paiche (fish) 参阅 **pirarucu** 巨骨舌鱼。

paideia 派地亚 古典希腊和希腊化(希腊-罗马)文化的教育和训练体系，包括的学科有体操、语法、修辞、音乐、数学、地理、自然史和哲学。在基督教时代早期，希腊的派地亚在拉丁语中被称作人文学(*humanitas*)，成为基督教高等学府(如埃及亚历山大基督教学校)的典范；这类学校以神学为它们的课程中的最高学科。这个词同 *en kykōi*(“完整的体系”或“领域”)结合起来便指一般教育的巨大手册，“百科全书”(encyclopaedia)一词便由此而来。

Paiea (Hawaiian king) **派埃亚** 参阅 **Kamehameha I** 卡米哈米哈一世。

Paige, Satchel 佩奇(1906?-07-07，美国亚拉巴马莫比尔～ 1982-06-08，密苏里堪萨斯城) 美国职业棒球投手。他多年在美国黑人联盟中享有很高声誉，但由于体育界存在歧视黑人运动员的非成文规则，直到 1948 年才得以加入大联赛。他投球速度极快，又能全面掌握慢速变向投球技术。此前他在美国黑人南方协会和美国黑人全国联盟的各队中

美国不列颠百科全书公司供图

当投手。他是一个真正的“铁人”，当北方寒冬时，就去加勒比海、中美和南美当投手。他每年行程 3 万英里。1935 年连续投球 29 天。1948 年之前，尽管有肤色限制，但他仍在表演赛中迎战最佳的大联盟选手。在一场比赛中曾使棒球历史上的最佳右手击球员霍恩斯比三击不中出局。1971 年入选美国棒球名人堂。

Päijänne, Lake 派延奈湖 芬兰中南部的湖泊。在中芬兰省、海梅省和米凯利省境内。面积1 054平方千米。为芬兰境内最大的单一湖泊。最深点 93 米。约长 135 千米，宽 3 ～ 29 千米。数千岛屿遍布全湖。湖北端的于韦斯屈莱和湖湾东南岸的黑诺拉为主要城镇，它们与湖南边的大城市拉赫蒂之间经韦西耶温运河和韦西耶温湖通航。派延奈湖经屈米河向南注入芬兰湾。湖岸曲折，森林茂盛。有重要的采伐业，以湖作为运输手段。湖岸有许多村庄；南端湖湾幽静，多私人别墅。

paille-maille(game) 参阅 **pall-mall** 铁圈球运动。

pain 疼痛 一种和伤害或各种机体损伤有关的感觉。疼痛是一种保护性感觉，可以

使有机体免受有害刺激的伤害；同时，还有助于使已经受到损害的需要医治的组织的修复过程得到保证。但无论从范围还是从程度来讲，病变及其所致疼痛之间常常表现不相平行，疼痛常甚于实际的病变，神经系统损伤时表现尤为明显。

疼痛虽然是一种主观感觉和心理上的体验，但科学家们了解得更多的却是其解剖学和生理学基础。引起疼痛的最低限度的有效刺激必须是一种可至组织损伤的刺激，不管它是否可逆，也不管它是轻还是重。有证据表明，人们是从婴幼儿时代的某些经历中学会辨别疼痛的，人和动物都是一样，躲避有害刺激好像是一种与生俱来的本能。但如果为了使婴儿免受伤害而给他以过分的保护，就会使他对痛觉的感受能力降低，而且辨别伤害刺激的能力也会减弱。幼儿不怕火，是因为他还不知道被火烧是一种什么滋味。

有极少数先天没有痛感或是疼痛感受能力极差的病例，虽然他们也可能安全地存活下来，但他们因不慎而遭受烧伤、骨折或感染的可能性要比正常儿童大得多。中脑损伤也会导致痛觉消失或减弱。这类病人大多短命。

对正常成人来说，太重的外伤有时反而不疼；但有相当大的一部分患者的疼痛是源于某些心理原因，并无原发性器质性病变可寻，有时疼痛是在病变的基础上继发的。因此在受疼痛困扰的人群中有一部分人的疼痛不是来自躯体疾病而是来自情绪障碍。不过，无论如何，疼痛仍然是组织损伤的一种主要的特异性症状。把所有这些因素都考虑进去，可将疼痛操作性地定义为：是一种不愉快的主观体验，主要与有机体组织的损伤有关。

神经生理机制 19世纪前，人们普遍认为疼痛是一种情绪现象，而不是一种感觉。后来，人们根据解剖学和神经生理学的发现，把疼痛归类为单纯的感觉。但现代医学研究表明：虽然神经生理机制极其重要，但这种简单的分类方法远远不能反映客观的实际情况。

20世纪出现了“特异感受器”和“空间构型”两种疼痛学说。前者认为：游离神经末梢感受器是痛觉的特异性感受器。只有将损伤性刺激施加于有游离神经末梢分布的皮肤或其他组织后，机体才会感到疼痛。后者认为，分布极为广泛的各类刺激感受器的功能并非只和疼痛有关，皮肤上的每一个“刺激感受点”都有冷、热、触、痛等多种感觉功能，它们感受到的刺激以神经脉冲的方式通过感觉神经纤维被传导到脊髓。环境不同，感觉也不一样。于是有人认为：不同的感觉是由于神经系统以不同的脉冲整合方式反应在不同的解剖或生理环境下感受到的刺激，而根本不存在什么特异性的痛觉神经通路——此即所谓非特殊感受器的时间-空间构型学说。

现在有越来越多的证据支持特异感受器学说，有些感受器及其周围的某些神经纤维，确实能以相当特殊的方式对痛觉刺激产生反应；即便在最末梢部分，好像也有一些专司痛觉的神经成分。但它们的功能并非直来直去，似乎同时还受到更高一级神经活动的控制。一般说来，传导痛觉的传入神经纤维有两种类型，一种是细的、外被一层有绝缘作用的髓鞘的有髓神经纤维，另一种是更细的无髓纤维；它们的传导速度较粗纤维慢，后者主司触觉和压迫觉。

痛觉冲动由痛觉传入神经纤维传入脊髓后角，在胶状质细胞板层（第Ⅱ板层）换元后，在脊髓前联合交叉到对侧的前侧柱（白质区）内进入脊髓丘脑束上行，止于丘脑；再经中转，投射到大脑皮层躯体感觉区。临床实践表明，只一侧脊髓丘脑束任何节段的损伤都会导致病变节段以下的对侧躯体的痛觉障碍；而痛觉减弱的程度和范围则完全取决于脊髓丘脑束损伤的范围或程度。少数传导通路损伤患者出现躯体感觉消失，但在相应部位却常常出现特发性疼痛。当这种疼痛出现在周围神经损伤之后，临床表现为灼痛。类似的情况也会发生在中枢部位损伤的情况下（如脊髓或丘脑），称为中枢痛。断肢后的肢体幻觉有时还伴有幻肢痛。人们把这三种疼痛统称为神经原性疼痛。

故现代神经生理学认为：人类的神经系统的中枢和外周二部分共同构成了人类各种痛觉的物质基础。在用神经生理学理论解释神经冲动的传入时，特别强调了传入模式及可能的与大脑加工有关的心理现象。

心理和情绪因素 有些疼痛理论认为疼痛是心理学术语，神经基础并不重要。的确，心理（即情绪）因素不仅在心理性疼痛上发挥着重要作用，而且那些器质性疼痛也常常受情绪状态的影响。因此，每当遇到无法用神经生理机制解释清楚的疼痛时，就用心理学术语解释。有证据说，持续的肌肉紧张会导致肌肉疼痛，如长途旅行时窝着坐的时间长了，就会浑身酸痛。长时间的焦虑也会引起肌肉挛缩，尤其是头颈部的肌肉组织。这样，就可能形成一种恶性循环：劳累紧张导致浑身酸疼，进而引起焦虑和烦躁；这又会引起新的一轮头疼、脖子疼。遇到这种情况时，最好的办法就是休息和放松一下。这种疼痛可以称作心身性的，是心理功能障碍的机体反应。

有时疼痛也可源于一种意念。S.弗洛伊德曾对这种现象有过详细报告。一个患有髋关节炎伴严重粘连的病人被推上了手术台，他的兄弟在一旁看。因为是骨关节手术，所以响动就比较大。病人被麻醉，不知道疼，但手术的声音却使他的这位兄弟感到髋关节疼痛。心理学把这种现象称为共感认同作用。还有一种源于幻觉的疼痛（即幻痛），可见于严重精神抑郁的病人，偶见于精神分裂症和癫痫患者。

疼痛的缓解 除了一般的躯体器质性损伤和神经系统病变以外，和疼痛有关的因素主要有年龄、性别、职业、社会环境、学习过程和焦虑等。缓解疼痛可以依靠药物（如阿斯匹林）；也可以使用旨在减少焦虑、恐惧，增强信心的精神病治疗技术（包括用药）。如按照改变情绪的思路用药，那这些药的效果在一定程度上应归功于心理暗示和所谓“药物安慰”的作用。像糖片一类的安慰剂之所以能有效，是因为增加了病人病情好转的信心和希望，减少了他的焦虑和不安。把阿斯匹林当镇痛药用，实际上也是把它当成一种安慰剂，一半是用于解除焦虑，进而缓解了疼痛，而另一半则是满足了病人的心理期待。

用催眠法缓解疼痛早已为人们所接受。其实，人们并非是慕其名才接受这种治疗方法的，这是一种实践技术。调节情绪能缓解疼痛，这是个众所周知的事实。但这种方法只适用于中度疼痛，或是虽然较为强烈，但过程为慢性的疼痛；而对于那些急性、剧烈疼痛来说，此种方法就不那么灵了。不过，在某些特殊情况下（如战争），有些重伤员直到战斗结束后，才发现自己已经受伤。

催眠法、安慰剂、暗示、心理治疗以及其他所有旨在通过解除焦虑来缓解疼痛的方法，包括服用镇静剂和性能缓和的止痛药，它们的临床效果大同小异。要想有效地解除那些有器质性原因的剧烈疼痛，则须求助于强力镇痛药、局部麻醉剂和神经外科手术等方法。用脑外科切除某些皮层部位的方法可以有效地解除顽固性剧烈疼痛，但这种手术的适应症范围极小。

20世纪70年代以来，人们发现有一种神经化学物质——内啡肽——能够调节人类的痛觉。内啡肽的药理作用相当于机体内源性镇痛剂，当它和大脑皮层躯体感觉区的神经元结合，就能发挥镇痛作用；浓度越高，镇痛作用就越明显。现在看来，很多镇痛方法的作用机制可能就是提高了内啡肽水平，例如针灸的作用机制至少部分是这样的。此外像吗啡、海洛因及其他鸦片制剂等有特强镇痛作用的药物都有和内啡肽相似的化学结构、相似的药理作用机制。

慢性疼痛 慢性疼痛是一个比急性疼痛复杂得多的问题，而且几乎都伴有行为问题，常常要“治病”和“治心”双管齐下才能奏效。控制慢性疼痛的方法很多，如针灸、催眠、药物、生物反馈、电刺激，用化学或外科方法阻断神经传导、切断外周神经、脊神经，甚至做颅脑手术。

不过，很多患者的症状是一种习得现象，全无器质基础。有些慢性疼痛是源于对焦虑和恐惧的条件反射，有些则是受到利益的驱动。W.福代斯是用行为疗法治疗慢性疼痛的先驱，他把慢性疼痛分成“反应性”和“习得性”二类。很多疼痛门诊都在运用福代斯的理论：患者如果能从疼痛中捞到好处，那么他的疼痛行为（如呻吟、蹒跚）就会得到强化；疼痛体验和疼痛行为之间有密切的因果关系。若消除疼痛行为，疼痛就会大大减轻，这种疼痛门诊鼓励的是患者的“正确”行为。

顿悟疗法（即精神分析或格式塔疗法）也是致力于使病人认识到他们感觉疼痛的心理原因，并教会他们不用装病就能获得满足的方法。有些患者的疼痛为精神极度抑郁的表现，此时，抗抑郁药物可缓解疼痛。参阅 **behaviour therapy; biofeedback**。

Paine, John Knowles **佩因**（1839-01-09，美国缅因波特兰～1906-04-25，马萨诸塞剑桥）美国作曲家、管风琴家，第一位以作曲赢得广泛赞誉的美国人，也是美国大学中的第一位音乐教授。在波特兰打下全面的音乐基础后，在柏林修毕音乐课程（1858～1861）。

1861年在波士顿发起并举行一系列管风琴独奏会和讲座，遂于翌年应聘为哈佛大学音乐教授。他在那里组建的音乐系成为其他许多美国大学音乐系的典范。身为教师兼作曲家，对美国音乐发展产生过重大影响。作品多以德国古典音乐名著为典型。写有交响曲两部、《D大调弥撒曲》(1866～1867)和清唱剧《圣彼得》(1872)。

Paine, Robert Treat　佩因(1731-03-11，波士顿～1814-05-11，波士顿)　美国政治家、法学家、大陆会议代表(1774～1778)及《独立宣言》签署人。1749年毕业于哈佛大学，一度从事教学及传教工作，后改习法律，1757年在马萨诸塞州执律师业。1770年被选拔为检察官，对当年3月5日波士顿惨案中肇事英国士兵提起公诉，由是名声大振。其后连任几届马萨诸塞州议员，1777年任该州首任司法部长，1780年参与起草州宪法，1790～1804年间任州最高法院法官。佩因长期喜好天文学，1780年参与创办美国艺术和科学学会。

Paine, Thomas　潘恩(1737-01-29，英国诺福克塞特福德～1809-06-08，纽约市)　又译佩因，出生在英国的美国作家、政论家。其《常识》和《危机》等著名文章对美国独立战争

美国不列颠百科全书公司供图

产生巨大影响。其他作品如维护法国革命的《人的权利》和说明宗教在社会中地位的《理性的世纪》，使他跻身于历史上最伟大的政论家行列。他在青少年时代未受过充分教育，13岁开始自谋生计，做过多种工作，最后谋得一税务员职位。他的制止税务人员贪污的唯一办法就是提高工资的论点于1772年发表后，就被开除，因而失业。此时在伦敦结识B.富兰克林，富兰克林建议他到美国谋生，并为他写介绍信。1774年11月到费城，协助编辑《宾夕法尼亚杂志》。当时英国与殖民地人民的冲突进入高潮，他认为美洲人民的事业不仅是反对征税，而在于争取独立。他将这种意见写在50页小册子《常识》中，于1776年1月出版，数月内销售额超过50万册，为当年7月一致通过的《独立宣言》铺平道路。战争爆发后，他发表《美国危机，第一号》(1776)，当时华盛顿率领的军队濒于崩溃边缘，乃下令将这篇文章向部队宣读，大大鼓舞了士兵的斗志。美国独立战争结束后，他仍一贫如洗。他的爱国著作虽销售成千上万册，但他拒不从中谋利。在华盛顿的支持下，曾向国会提出经济帮助的呼吁，但因国会中反对他的议员从中作梗而石沉大海。所幸宾夕法尼亚州赠给500英镑，纽约州送给一座农庄，从此他专心从事科学发明，试制无墩铁桥和无烟烛。1787年去欧洲继续研究独拱桥，到英国后注意力转向法国革命。1791年3月出版《人的权利》，立即引起轰动，1年中至少再版7次。第二年又发表《人的权利，第二部》。他研究法国革命的根源，认为欧洲社会令人不满的原因在于：政府专制，以及贫困、无知、失业和战争。他提出以共和制度代替君主政体，并制订普及教育计划，救济穷人、实行老人津贴和国家为失业者举办公共工程等办法，所有经费统以征收累进所得税解决。统治阶级把这些主张称为"血淋淋的革命"。他的书被禁，出版者被捕，他本人也以叛国罪被控。他在逮捕令下达之前出走法国。他拥护取消王权，但反对对保皇党实行恐怖政策，企图拯救路易十六的生命，1793年当罗伯斯比尔执政时，被投入监狱，翌年因罗伯斯比尔下台而获释。在狱中时，出版《理性的世纪》第一部分(1794)；出狱后又出版该书第二部分(1796)。尽管他自称是自然神论者，信仰上帝，只是反对宗教组织，但这部著作却使他在正统宗教中获得无神论者之名。1797年发表最后一部著作《土地公平》，攻击财富分配的不平等现象，引起既得利益集团中许多人的敌视。1802年返美。去世时，美国大部分报纸转载《纽约公民》报讣告，内称："他做过一些好事，也干了许多坏事。"他去世百余年后，人们对他的评价有所改变。1937年1月30日伦敦《泰晤士报》称之为"英国的伏尔泰"；1952年5月18日纽约大学名人堂立起他的半身像。

Painesville　佩恩斯维尔　美国俄亥俄州东北部城市，莱克县县城(1840)。位于克利夫兰东北48千米处，靠近格兰德河口和伊利湖。约于1805年始建。1832年建村。克利夫兰—佩恩斯维尔—阿什塔比拉铁路(现为宾夕法尼亚中央铁路)1853年贯通此地后，养殖业得到发展。伊利湖学院1856年迁此。主要为居住区，1902年建市。1940年起发展工业，已成为伊利湖"化工湖岸"之一部分。人口15 699(1990)。

Painlevé, Paul　潘勒韦(1863-12-05，巴黎～1933-10-29，巴黎)　法国政治家、数学家、航空事业的赞助者，在第一次世界大战关

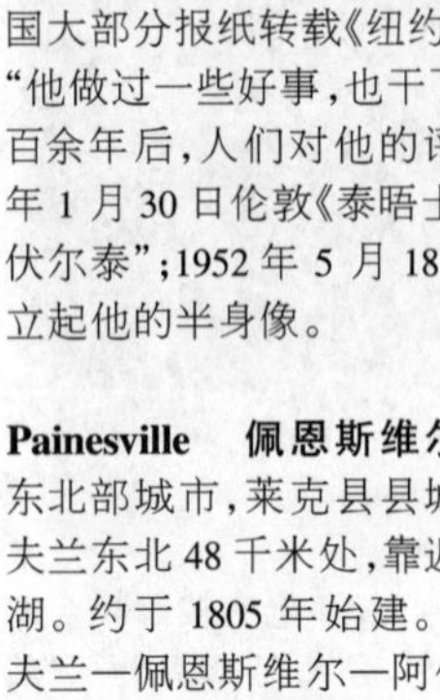

美国不列颠百科全书公司供图

键时期和1925年金融危机时两度出任总理。曾在巴黎高等师范学校和巴黎大学学习，1887年获数学博士学位。后在里尔大学、巴黎大学、巴黎综合工科学校任教。他对刚兴起的航空科学特别感兴趣，成为研究重于空气的飞行器的理论家。他是1908年同W.莱特一起飞行的第一个法国人，次年在航空学校第一次开设航空力学课程。后对政治发生兴趣，1906年由巴黎选入众议院。在A.白里安的战时内阁中任教育部长和发明部长。1917年3～9月任陆军部长，因决定以P.贝当将军取代R.-G.尼韦尔将军担任法军司令而引起争议。1917年9月组阁，10月同意在凡尔赛成立协约国最高委员会并选择F.福煦将军(后任协约国联军总司令)为法国代表，11月辞职，由G.克列孟梭继任。他是左翼联盟的创始人之一。1925年4月任总理，11月因未能与金融界在解决法郎贬值引起的金融危机问题上达成协议而辞职。此后，在白里安和R.普恩加来两政府中又任陆军部长，1930～1931年和1931～1932年任航空部长。他虽然不是杰出的政治领袖，却是国际承认的出色数学家。他对变换理论的研究，特别是对微分方程式和函数理论(其中之一称为潘勒韦超越函数论)的研究而闻名于世。曾获数学大奖(1890)等荣誉。1900年当选为法国科学院院士。

paint　油漆　由悬浮在载色剂或黏结剂中的颜料组成的一种液体装饰和保护用涂料，通常涂敷于坚硬的表面。载色剂一般为溶于溶剂中的树脂，干后成为一层坚韧的薄膜，使颜料附着于物体表面。早在公元前15000年，在法国和西班牙的山洞里，油漆即已用于绘画和装饰。公元前6000年，中国人用经焙烧的无机化合物和有机颜料混合物以改进最早期的天然矿物(氧化铁)颜料，载色剂由阿拉伯树胶、蛋白、明胶和蜂蜡配制。公元前1500年埃及人用染料如靛蓝和茜草制造蓝色和红色颜料。18世纪对亚麻籽油(一种用作载色剂的干性油)和氧化锌(一种白色颜料)的开发利用，使欧洲油漆工业迅速发展。20世纪出现了油漆工艺的重大进展，包括采用合成聚合物作为载色剂和合成颜料，对油漆的化学和物理性质有了新的认识，出现了阻燃、抗腐蚀和热稳定性高的涂料。最有意义的是水基乳胶漆有了新的用途，它兼有使用方便、易于清除的优点，并且可减少火灾事故。在现代油漆制造工业中，用滚筒研磨机将重金属球或陶瓷球在油漆中滚动，或用砂研磨机将砂悬浮物高速分散于油漆中，以便使颜料粒子在载色剂中分散。主要的白色颜料是氧化锌、硫化锌、锌钡白和二氧化钛；大多数黑色颜料由元素碳组成；常用的红色颜料包括矿物类氧化铁、镉红、氧化亚铜和各种合成有机颜料；黄色和橙色颜料有铬酸盐、钼酸盐和镉化合物；蓝色和绿色颜料有无机物(合成群青和铁蓝)，也有有机物(酞菁类)。有时加入一些增充剂或填充剂，可提高油漆的覆盖性和强度。

paint brush(plant)　**画笔草**　参阅**Indian paint brush**印度画笔草。

Painted Desert 佩恩蒂德沙漠 美国亚利桑那州中北部高原的一部分。自大峡谷沿小科罗拉多河北岸向东南延伸至霍尔布鲁克，长约150英里，宽15～50英里，面积达7 500

佩恩蒂德沙漠
美国不列颠百科全书公司供图

平方英里。海拔4 500～6 500英尺。地面呈波状起伏，间有孤山。北缘多朱红色平顶方山。火山活动迹象广布全区。土地贫瘠，气候干燥，年降雨量5～9英寸，年温差悬殊（-31～41 ℃）。东部部分地区属国家石化森林公园，其中布莱克森林为四大著名中生代（三叠纪，约1.7亿年前）石化森林区之一。大部为纳瓦霍与霍皮印第安人保留地。当地的著名沙画即以所产各色沙砾为材料制成。

painted lady 斑赤蛱蝶 鳞翅目蛱蝶科赤蛱蝶属（*Vanessa*）一些蝶类的统称，尤指美洲北部和中部的弗吉尼亚赤蛱蝶（*Vanessa virginiensis*）、非洲和欧洲的小苎麻赤蛱蝶（*V.*

弗吉尼亚赤蛱蝶（*Vanessa virginiensis*）
美国不列颠百科全书公司供图

cardui）。成虫翅宽（翅展约4～5厘米），具有橘红色、褐色、白色和蓝色鳞片形成的精致斑纹。春季大群向北飞，从非洲经地中海至欧洲，迁徙数千千米。第二代少数在夏末飞向南方，绝大多数死于北方冬季。美洲种的幼虫以菊科植物为食，非洲、欧洲种的幼虫以蓟和荨麻为食。

painted lady（plant） 参阅 **Indian paint brush 印度画笔草**。

painted snipe 彩鹬 鸻形目彩鹬科两种沼泽鸟类的统称。身体和喙似鹬，有明显的斑点，体长约25厘米，体羽褐白相间。旧大陆彩鹬（孟加拉彩鹬，*Rostratula benghalensis*）分布自非洲到澳大利亚和日本，眼周有淡黄色"眼镜"。南美彩鹬（半领彩鹬，*Nycticryphes semicollaris*）色较深，背具一黄色条纹。两种

孟加拉彩鹬（*Rostratula benghalensis*）
美国不列颠百科全书公司供图

彩鹬的雌鸟均较雄鸟大，颜色亦较鲜艳。雌鸟向雄鸟求爱，雄鸟承担大部分营巢工作。营巢于地面。旧大陆彩鹬每窝产卵4枚，南美彩鹬产卵2枚。幼雏有绒羽，出壳后很快即能入水。关于鹬科的沙锥，参阅 **snipe**。

painted turtle（*Chrysemys picta*） 彩色龟 又称锦龟。水龟科斑纹鲜明的北美洲动物。产于加拿大南部至墨西哥北部一带。甲壳光滑。体长约10～18厘米。背甲相对平坦，黑色或带褐绿色，上有红色和黄色斑纹。常生活在浅而静的淡水中，尤喜植物茂密的烂泥河底。以植物、小动物和腐肉为食。常

彩色龟（*Chrysemys picta*）
美国不列颠百科全书公司供图

集群取暖。许多地区的种类有冬眠习性。有时饲为玩物。

painter（cat） 参阅 **puma 美洲狮**。

Painter, Theophilus Shickel 佩因特（1889-08-22，美国弗吉尼亚萨勒姆～1969-10-05，得克萨斯斯托克顿堡） 美国动物学家、细胞学家，第一个鉴定了果蝇染色体内的具体基因。1913年获耶鲁大学哲学博士学位，并在该校任教（1913～1916）。1916年到得克萨斯大学任教，1946年任该校校长。他很早就认识到，果蝇唾液腺的巨大细胞特别适于基因和染色体研究。1933年发表一段上有150多个带的果蝇染色体详图，使测定基因的精确座位第一次成为可能。

Painter, William 佩因特（约1540～1594-02，英格兰伦敦） 英国作家。他根据古典和意大利原著编写的故事集《欢乐宫》是伊丽莎白时代许多剧作家的创作源泉。曾就读于剑桥大学圣·约翰学院，1560年被授予圣职。1561年起为伦敦塔军械库职员，直至逝世。《欢乐宫》第一卷出版于1566年，包括60则故事。次年又出一卷，包括34则新故事，增订版（1575）又添了7则。伊丽莎白时代以意大利为背景的剧本占很大比例，归因于《欢乐宫》和同类故事的广泛流行。早期悲剧，如J.韦伯斯特的《阿皮乌斯和弗吉尼亚》、R.威尔莫特的《坦克雷德和吉斯蒙德的悲剧》、莎士比亚的《雅典的泰门》、《终成眷属》都以此书为源（也许还有《罗密欧与朱丽叶》及《鲁克丽丝受辱记》的细节）。F.鲍蒙特和J.弗莱彻合写的《死亡的胜利》以及J.雪利的《爱情的残酷》等作品也是如此。

painting 绘画 美学表现的一种形式，在二度空间，利用颜料或其他有色素材在平面上创作出表象的、想象的或抽象的图案。图案的要素是线条、形式、色彩、色调和结构，而它们可能以无穷的变化方式来组合。绘画可能为仪式、奉献、装饰、修饰或其他动机而作。能运用的媒介有油画颜料、水彩、粉彩、漆、沙子和光线本身。

pair production 电子偶产生 电磁能脉冲穿过物质时在原子核附近形成的一正一负的电子偶。电子偶的产生是辐射能直接转化为物质。这是物质吸收高能γ射线的主要方式之一。产生电子偶所需的电磁能至少要等于两个电子的质量。电磁能以离散量（光子）表示。单个电子的质量根据爱因斯坦提出的质能关系式计算，等价于0.51兆电子伏的能量。因此，要产生两个电子，光子总能量至少必须为1.02兆电子伏。在电子偶产生时，超过这一数量的光子能量就转化为正负电子偶的运动。如果电子偶产生在径迹探测器（如云室）内，加上适当的磁场，则正负电子就从产生时的位置按曲率相同的弧线向相反方向弯曲。电子偶的产生就是根据这种现象于1933年首次探测到的。形成的正电子在与物质中另一负电子的湮没中很快消失，反转换为光子。内电子偶产生是γ**衰变（gamma de-**

cay)的一种。内电子偶产生于一个至少具有1.02兆电子伏过剩能量的不稳定核，它直接射出在自身电磁场内产生的正负电子偶，而不是先形成γ光子。

Páirtí Lucht Oibre（Ireland） 参阅 **Labour Party** 工党。

País, El 《国家报》 马德里出版的日报，是在佛朗哥死后的西班牙积极促进民主理想的独立报纸。1976年创刊，立即受到欢迎。创办这一报纸的想法是由哲学家J.奥尔特加-加塞特之子提出的，他在1972年成立了报社，到佛朗哥死时才被政府批准，6个月后开始出版。该报立意要成为适应不同利益阶层和政治派别的、具有高度可读性的、严肃高雅的全国性报纸。它全面报道本地新闻、全国新闻和国际新闻，并辟有文化、社会、体育和商业金融等栏目。

País Vasco（Spain） 参阅 **Basque Country** 巴斯克地区。

Paisiello, Giovanni 帕伊西埃洛（1740-05-09，那不勒斯王国塔兰托[意大利]～1816-06-05，那不勒斯） Paisiello又拼Paesiello。那不勒斯歌剧作曲家，其歌剧以强健的现实主义

美国不列颠百科全书公司供图

和戏剧感染力闻名。初学法律，后因表现出明显的歌唱天才，被送入那不勒斯圣奥诺弗里奥音乐学院学习。早期作品均为教堂而作。后又作《女学生》等歌剧，声誉鹊起后移居那不勒斯多年，作有一系列成功的歌剧。1776年应俄国女皇叶卡捷琳娜二世之邀赴圣彼得堡；在他为女皇创作的歌剧中，《塞维利亚理发师》(1782)被有些人认为是他的杰作。1784年离开俄国，开始为那不勒斯的斐迪南四世效劳。在那里任音乐总监的15年中，他创作了几部最优秀歌剧，包括《磨房姑娘》(1788)和《妮娜》(1789)。在经历了由于政治和王朝更迭而导致的许多枯荣沉浮之后，他又应拿破仑之邀而于1802年前往巴黎，在土伊勒里宫指挥音乐。但法国公众对他的歌剧《普罗塞平娜》(1803)反应平平，使他感到失望，遂返回那不勒斯，但已无力再创作新作。帕伊西埃洛共作有约100部歌剧。教堂音乐有约40首弥撒曲及许多小作品。器乐曲有交响曲、一首竖琴协奏曲、弦乐四重奏、竖琴奏鸣曲等。

Paisley 佩斯利 苏格兰中西部伦弗鲁政务会辖区和历史郡大市和工业中心，位于格拉斯哥西11千米，濒临克莱德河的支流怀特卡特河，在1163年建造的克卢尼亚克隐修院四周发展成为一个村庄。原隐修院于1307年被大火焚毁，现在的建筑是15世纪修建的。18世纪初已发展成为手工纺织亚麻布的中心。至18世纪末，新城镇已经遍布原隐修院遗址上。曾因生产佩斯利披巾而著称，披巾有丝的，也有棉布的，后来则有羊毛的。在佩斯利博物馆里展出了这些无价之宝。现代工业多样化，有化学品与染料、机械制造、造船、食品加工、纺织等部门。国家投资、内有150多家工厂的一个工业区于1937年建成。城内有许多优美的建筑，如市政厅、公共图书馆和博物馆、科茨天文台、托马斯·科茨纪念教堂和理工学院。人口75 526(1991)。

paisley 佩斯利披巾 苏格兰佩斯利生产的具有彩色曲线抽象图案的披巾。由羊毛精纺，颜色朴素的佩斯利披巾本身就很漂亮。现代纺织品继续广泛采用其丰富、抽象的圆

19世纪的英国佩斯利披巾
美国不列颠百科全书公司供图

弧形图案（这种图案源自莫卧儿艺术，并修改克什米尔披肩的图案而成），特别是用于服装上。大多数人认为莫卧儿装饰艺术中著名的、与放大的逗点相似的图案，是佩斯利披巾图案的一种。

Paisley, Ian(Richard Kyle) 伯斯力（1926-04-06，北爱尔兰阿马郡阿马～ ） 北爱尔兰基督教（新教）首脑，20世纪60年代以来使北爱尔兰陷于分裂的教派斗争中的强硬派领袖。伯斯力之父原是阿马浸礼会教堂牧师，后与该堂会众决裂，另在巴利米纳开办自己的教会。伯斯力也是孤立于任何派别之外的教士。他曾在南威尔士和贝尔法斯特的归正长老会所办学校求学，1946年受按立。1951年，他参与创建新教派北爱尔兰自由长老会，任大会主席，该会在20年间发展迅速，成立大约30个教堂，在北爱尔兰约有2万信徒和约20万同情者。1969年，伯斯力为贝尔法斯特市内他自己的教会开办北爱尔兰自由长老会殉教烈士纪念教堂，是20世纪在英国境内所建最大的宗教建筑物之一。自1979年起伯斯力任怀特菲尔德圣经学院院长。从20世纪60年代起，伯斯力即是新教极端派的代言人，在北爱尔兰各地领导示威和群众大会。他多次因非法集会而被监禁，其中一次(1966)是因为他率领示威队伍穿过贝尔法斯特市天主教区。他屡次抨击伦敦的政府官员与都柏林的官员会谈，尖刻地指出英国人与天主教会神职人员体系联合反对北爱尔兰。他还曾试图在罗马和日内瓦发动示威，反对罗马教廷和普世教会运动。1970年伯斯力当选为英国下院议员，1985年辞职以抗议当年的英-爱协议，1986年重新当选。自1979年起为欧洲议会选任议员；1971年参与创建民主联合党，并组成新教准军事组织，称为“第三势力”。伯斯力著有几种小册子和书籍，其中有《此处无教皇》(1982)、《新教先生》(1985)、《伯斯力袖珍讲道手册》(3卷，1987～1989)和《爱德华兹：奋兴运动神学家》(1987)。

Paiute 派尤特人 又拼Piute。两个独特的美国印第安居民集团，操犹他-阿兹特克语系努米语族（原称高原肖肖尼语族）语言。南派尤特人操犹他语，原来居住在犹他州南部、亚利桑那州西北部、内华达州南部及加利福尼亚州东南部；最后的一个居民集团，叫做切梅惠维人。北派尤特人（在内华达州称作帕维奥佐人）与加利福尼亚州的**莫诺人(Mono)**有血缘关系。他们居住在加利福尼亚州中东部、内华达州西部及俄勒冈州东部。其中一支名叫**班诺克人(Bannock)**，与肖肖尼人同住在爱达荷州南部，以猎捕野牛为生。北派尤特人和南派尤特人传统上都以采集食物为生，主要采集种籽、松果，兼猎捕小猎物，不过许多南派尤特人也种植小型园圃。他们居住

编筐的派尤特人妇女
美国史密森学会供图

临时用柴草搭成的住所；不穿衣服，只披兔皮毯子；编织各种筐篮，用以采集食物或调制食物。各家庭间互相通婚，彼此息息相关；但无正式的宗族或地区性组织，仅加利福尼亚州欧文斯谷地等肥沃地带例外。派尤特人的古

旧风俗除萨满教外多已消失。20世纪晚期，北派尤特人及南派尤特人大都居住在居留地或其附近，共约4 000人。

Paiwan 排湾族 中国台湾现存土著民族之一。语言属南岛语系印度尼西亚语族台湾语支。该族以大武山为故地，其分布向南达恒春半岛，向东越过中央山脉直达海岸再向

排湾族妇女
台湾中华书局供图

南延伸。现多聚居在屏东、台东两县的南部。依照风俗的不同，排湾族可分为两个支系：①拉瓦尔，与鲁凯族为邻，行长男继承制，没有五年祭；②布曹尔，分布于中央山脉两侧，行长嗣继承制，五年祭为重要祭祀。排湾族的社会是多层的阶级社会，有首长、贵族和平民之分。酋长控制所有的资源，贵族也有较多的特权，平民依靠酋长的保护并须向酋长纳税；但其社会并非奴隶社会，因为酋长与平民同出一源，甚至有些平民是酋长的亲戚。该族的长嗣继承制是一个重要制度，留在家里的长嗣的社会地位较离开家的余嗣要高，因而形成阶级社会。长嗣系以婚姻为单位，同父同母的同胞共拥有宗子，即是父母的长嗣。宗嗣有照顾弟妹的义务，因为他继承了父母的财产，所以在排湾族的传统社会中，父母的亲属地位是相同的。信奉多神，以蛇为图腾，行男子入赘女家，有漆齿、嚼槟榔等习俗。头目文身。居石板盖顶的石屋。人口约59 700（1993）。

Paiwan language 排湾语 中国台湾省高山族使用的语言之一。属南岛语系印度尼西亚语族台湾语支。主要分布在台湾岛南端，以大武山脉为中心的屏东、台东两县的部分乡镇。使用人口6万左右。排湾语（屏东县来义）的语音特点是：有24个辅音音位：有小舌塞音，塞音、塞擦音各分清浊，有舌尖、卷舌和舌面3套塞擦音，清塞音和塞擦音可自由变读为送气音，除借词辅音h仅出现在词首，半元音j、w仅出现在词中和词末外，其余辅音均可出现在词首、词中和词末；有i、e、a、u 4个元音音位；有重音，一般落在多音节词的倒数第二音节；有异化、脱落和合并等音变现象。词汇以多音节为主，有丰富的构词前缀、中缀和后缀，重叠方式也是构词的重要手段，借词主要来源于汉语闽南话和日语。词类有名词、代词、数词、动词、形容词、副词、连词、助词、叹词等9类。名词和代词有"格"语法范畴，分主格、属格和宾格；动词有"体"、"时"、"态"、"式"等语法范畴，体分常行、进行、一般完成和过去完成4种；时有现在将来时和过去时；态分主动和被动；式有陈述和命令。形容词有"级"语法范畴，分普通、比较和最高三个级。句子成分有主语、谓语、宾语、定语和状语；基本语序为谓语在前，主语和宾语在后；主宾语的位置因带结构助词而比较自由；名词作定语在中心词后，代词、形容词、动词作定语在中心词之前。

pajamas 睡衣裤 东方的一种宽而薄的裤子，或用真丝、棉或合成织物裁制的宽松的成套衫裤，供睡觉或休息时穿。17世纪由印度引进英国，约19世纪70年代成为西方男

英国1910年插图画中的穿睡衣裤男子
美国不列颠百科全书公司供图

子的睡衣裤。20世纪初，又被作为妇女睡衣裤，约在20年代被作为家中的晚服。

Pajjusaṇa（religious festival） 参阅 **Paryu-ṣaṇa 帕里乌沙纳节**。

Pajon, Claude 帕容（1626，法国布卢瓦附近罗莫朗坦～1685-09-27，卡雷） 法兰西基督教新教神学家。他于1666年任索米尔大学神学教授，1668年因持不同观点被迫辞职。他认为人犯罪是出于无知，因而有人怀疑他偏离正统。1668年在奥尔良任牧师，再次引起争论，被指责为贝拉基派和阿明尼乌派。他认为，圣灵作用于人的理性，条件一旦成熟，人就会凭借理性接受真道，这种观点与加尔文关于人的得救唯靠上帝恩宠的教义相抵触。

Pajou, Augustin 帕茹（1730-09-19，法国巴黎～1809-05-08，巴黎） 法国雕刻家兼装饰艺术家，主要以雕刻人物胸像，例如其赞助人巴里夫人的雕像（罗浮宫），以及指导凡尔赛宫歌剧厅的装饰闻名。是雕刻家J.-B.勒穆安的学生，1748年获罗马奖，在意大利居住了12年。1760年当选为巴黎学院院士。后曾在巴黎皇宫和奥尔良大教堂工作。遵照国王路易十六的旨意创作表彰法国伟人的雕像。为此作了许多胸像，其中有G.布丰、R.笛卡儿和J.-B波舒哀的胸像。1777年任国王古

帕茹的《被遗弃的普绪喀》（1791）
美国不列颠百科全书公司供图

物总管，曾奉命以J.古戎的风格完成巴黎圣婴喷泉雕刻。《被遗弃的普绪喀》（1791）是其优美妩媚风格的范例。

Pakaraima Mountains（South America） 参阅 **Pacaraima Mountains 帕卡赖马山脉**。

Pakhto language 参阅 **Pashto language 普什图语**。

Pakhtun（people） 参阅 **Pashtun 普什图人**。

Pakistan 巴基斯坦 全称巴基斯坦伊斯兰共和国。亚洲第7大国，位于印度次大陆西北部，面积796 095平方千米，不包括查谟和克什米尔巴基斯坦控制区。首都伊斯兰堡。巴基斯坦南北长1 600多千米，东西宽约880千米。西接伊朗，北连阿富汗，东北邻中国，东和东南与印度接壤，南濒阿拉伯海。人口约145 960 000（2002），包括阿富汗难民和查谟和克什米尔巴基斯坦控制区的人口。

土地 巴基斯坦依地形可划分为4个区：大高地、俾路支高原、印度河平原及沙漠地区。喜马拉雅山脉和外喜马拉雅山脉（喀喇昆仑山脉和帕米尔山脉）平均高度超过6 000米，包括一些世界最高峰，如K2峰（8 611米）和南伽山（8 126米），构成了广阔的高地，绵亘在该国最北部地区。俾路支高原位于西部和西南部，为一分断高地区，高度约300米，有许多山脊自东北向西南贯穿这一地区。印度河平原位于东部，为巴基斯坦最富饶的农业区，面积520 000平方千米，从北部的博德瓦尔高原边缘向南延伸1 000～1 100千米直至阿拉伯海。东南部为沙漠区，自北向南依次为特尔沙漠、焦里斯坦沙漠和塔尔沙漠，三者均为印度西部塔尔沙漠向北或向西的延伸。向西南流动的印度河为该国主要河流，其主要支流有杰纳布河、杰赫勒姆河、拉维河和萨特莱杰河。该国大部分地区很少发生地震活动，但奎达地区及巴基斯坦北部有严重地震。

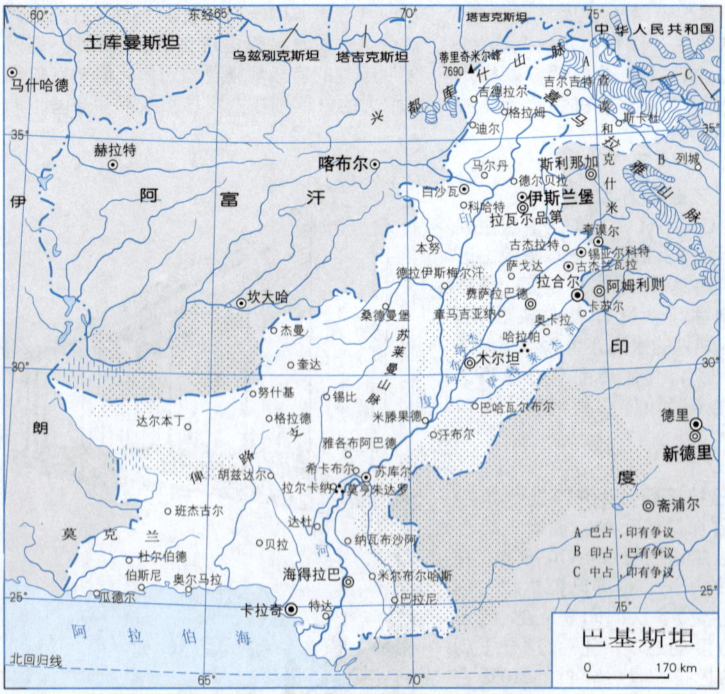

美国不列颠百科全书公司供图

巴基斯坦属大陆性气候，温差变化极大。1月(冬季)气温在印度河平原为14 °C，沿海地带为20 °C，高山区(海拔4 600米以上)为-20 °C。7月(夏季)气温在高山区为0 °C，沿海地带为29 °C，东南部沙漠地区为35 °C。西南季风(7～10月)为沿海地区带来150～200毫米的降雨量，为河流谷地带来380毫米的降雨量，为北部山区带来1 000毫米以上的降雨量。降雨量每年不同，常有连续性的洪水和干旱发生。

除长有森林的山坡外，巴基斯坦的天然植被主要有韧草、干灌丛和密灌丛，但印度河下游沿岸有滨河森林。北部山区野生动物众多，有棕熊、喜马拉雅黑熊、豹和数种野羊。

巴基斯坦已探明的矿藏包括煤、铁矿石、铬、石膏、铜、岩盐、大理石和其他矿藏，但大部分尚未开采。天然气是最重要的资源，已探明的储量约占世界总储量的0.5%。

人民　巴基斯坦的人口为各土著民族的复杂混合。人口的种族特色一直受到来自西北的雅利安人、波斯人、希腊人、普什图人和莫卧儿人不断涌入的影响。阿拉伯人在该国人口中也留下了印记。巴基斯坦的每一种语言都具有强烈的地方色彩，没有一种语言可以称之为全国的通用语。巴基斯坦的主要语族为旁遮普人(几乎占总人口的一半)；其他语族有普什图人(1/8)、信德人(1/8)、瑟赖奇人(1/10)、乌尔都人和俾路支人。此外，巴基斯坦还有许多来自阿富汗和伊朗的难民。乌尔都语是大多数受过良好教育的旁遮普人使用的语言，也是官方语言。几乎全部人口均为穆斯林。印度教徒和基督教徒只占人口的一小部分。

人口出生率和死亡率均很高，政府已采取措施降低这两个数字。政府鼓励女性就业和计划生育，希望能借此降低人口出生率，但并未完全成功。全国几乎有一半的人口年龄不足15岁。人口主要集中在肥沃的印度河谷以及该河在巴基斯坦东北部和北部主要的支流流域。相比之下，巴基斯坦西部和西南部的人口则十分稀少。尽管城市人口仅占总人口的1/3，农村人口涌入该国为数不多且很拥挤的城市，还是造成了房屋短缺、贫民区和交通过度拥挤的现象。卡拉奇是该国最大的城市；其他主要城市包括海德拉巴、木尔坦、拉合尔、拉瓦尔品第和费萨拉巴德。

经济　巴基斯坦属发展中的混合型经济，主要以农业、轻工业和服务业为基础。许多重工业在70年代初被收归国有，由于管理不善而逐年亏损。所有银行于1974年实行国有化。国民生产总值的增长速度快于人口的增长，但人均国民生产总值居亚洲最低之列。

农业约占国民生产总值的1/5，从业人口占劳动力的半数以上。由于大量的佃农对提高产量的积极性不高，农业产量一直很低。巴基斯坦采用土地改革和累进税来减少佃农人数。可耕地占土地总面积的1/4，其中大部分可以得到灌溉。但水力灌溉的分配一直不力。20世纪60和70年代，由于使用了改良品种，小麦产量大幅增加。这使巴基斯坦的粮食能够自给自足，但偶尔亦有粮食短缺。

小麦是主要粮食作物，甘蔗种植面积很大。棉花和稻米为主要出口商品。人均牲畜占有量很高，但由于饲料不够和管理不善，肉和奶的产量一直很低。山羊和绵羊的数量最多，其次为牛、水牛和骆驼。

森林仅约占国土面积的4%，每年砍伐的树木大多用作燃料。渔业是该国的一个重要行业，主要在印度洋进行捕捞。

采矿业大部为政府控制，约占国民生产总值的2%，大量的石油和钢铁必须依靠进口。煤矿和铁矿石(两者的品位都很低)、石油和大量的天然气都有开采。石灰石、铬和石膏亦广泛开采。

制造业约占国民生产总值的1/6，雇用了1/8的劳动力。纺织品特别是棉纺织品，是主要的制成品和出口最多的商品。小型工业通常比政府控制的重工业生产效率高。贸易和商业的从业人口约占劳动力总数的1/6。

原棉、棉纱、棉纤维、稻米、皮革和羊毛地毯是巴基斯坦的主要出口商品，大多销往日本、美国、德国、英国和意大利。进口商品亦主要来自上述各国，其中包括非电动机械、矿物油、食用油、谷物和面粉以及运输设备。

巴基斯坦约一半的电力依靠水电厂供应，其余电力由矿物燃料生产，一小部分来自核电。

该国失业现象十分普遍。向外移民已使国内熟练劳动力匮乏，技术人员、工程师、医生和各种工匠也存在短缺现象。在海外工作的巴基斯坦人汇回国的款项是该国外汇的重要来源。

预算收入主要来自关税和消费税。支出主要用于偿还公债、国防、津贴、教育和保健以及对地方政府的拨款。

政体与社会状况　在军人执政数年之后，1988年又举行了议会选举并恢复文官政府。根据经过修正的1973年宪法，总统任命国民议会多数党领导人为总理。司法系统的最高机构是最高法院，各省均设有高等法院。20世纪80年代成立联邦伊斯兰法院。

巴基斯坦的社会福利制度涵盖的范围有限。保健设施和医务人员短缺，许多人因此得不到及时治疗。严重的传染疾病普遍存在，食物经常缺乏。

全国识字人口仅约占总人口的1/4，妇女识字人数的比例更低，仅约占1/6。小学教育为免费，但仅有不到一半的学龄儿童入学。受定期检查的报纸几乎只报导政治新闻。由于文盲太多，无线电广播成为最重要的传媒。政府的电台以20多种语言播音。

近来国内和国外对伊斯兰教的意识形态都十分注重，使巴基斯坦对伊斯兰教文化产生了强烈的认同感。祈祷歌“夸瓦里”非常流行。名为“穆夏伊拉斯”的诵诗会组织得像音乐会一样。乌尔都语、信德语和普什图语诗人不仅仅是地方的，同时也是国家的英雄。西方风格的文学活动全部以巴基斯坦的各种现代语言举办，特别是乌尔都语、俾路支语、普什图语、旁遮普语、信德语和英语。乌尔都语著名文人是19～20世纪的诗人、哲学家伊克巴尔，他被誉为现代巴基斯坦的精神之父。

历史　早在公元前3500年左右，即有人在巴基斯坦俾路支地区居住。至公元前4千纪之末，俾路支的许多定居者已向东迁移至印度河谷，有些城市文明，如哈拉帕，就是在这里兴起的。印度河谷文明于公元前1500年左右突然结束。公元前2千纪期间，讲雅利安语的民族移入该地区。

公元前6世纪和5世纪的佛教著作曾提及印度河谷的犍陀罗国。公元前327年，亚历山大大帝进入犍陀罗国，企图征服波斯的阿契美尼德帝国这块边远领土。

公元前3世纪和前2世纪的部分时期，巴基斯坦成为孔雀帝国的一部分，到公元1世纪和2世纪时又成为贵霜王国的一部分。

在印度文化定型时期(320～540)，笈多王朝曾统治着包括印度河谷在内的印度北部地区。8世纪,穆斯林首次征服俾路支,从此穆斯林便活跃在该地区。13世纪穆斯林势力合并成一个以德里为中心的苏丹国,一直统治着次大陆的大部地区,直到16世纪初。

1526～1761年莫卧儿王朝控制次大陆。1757年英国东印度公司先逐走其他殖民势力,然后又征服了莫卧儿王朝。英国东印度公司控制次大陆的大部地区长达一世纪之久,由于1857年孟加拉军队中的印度士兵哗变,英国政府遂于1858年接管对该地区的统治。在英国殖民统治期间,现在的巴基斯坦(穆斯林)在当时隶属于印度(多数为印度教徒)。

早期印度民族主义的表现方式,体现在印度教徒占优势的印度国民大会(1885)和全印穆斯林联盟(1906)。1857年后的数十年中,穆斯林曾试图与英国人合作,但在第一次世界大战和奥斯曼帝国遭瓜分之后,他们又开始反对英国的统治。这一时期的穆斯林民族主义领袖是真纳(1876～1949)。

1940年,真纳领导的穆斯林联盟接受了将英属印度分为印度教和穆斯林两个国家的概念(即印度和巴基斯坦)。1947年8月,新巴基斯坦国(一个由东巴基斯坦和西巴基斯坦组成,在地理上互不连接的国家,中间隔有印度领土)成立,作为英联邦内的一个自治领,真纳就任总督。信德、俾路支及西北边疆等较落后地区全部归巴基斯坦;旁遮普和孟加拉则由巴基斯坦和印度瓜分,而克什米尔仍被列为有争议地区。巴基斯坦与印度的关系因克什米尔问题而逐渐紧张,最终导致1965年的全面战争。

东巴基斯坦的孟加拉人要求自治的呼声渐起,1971年爆发了东、西巴基斯坦之间的内战。东巴基斯坦得到入侵印军的帮助,于1972年成为独立的孟加拉国。西巴基斯坦仍保留巴基斯坦的名称。从1971年起阿里·布托一直领导着巴基斯坦政府,1977年被齐亚·哈克将军策划的一场军事政变所推翻。1988年齐亚·哈克死后,布托女儿贝娜齐尔在当年的议会选举中获胜,成为总理。1990年她被迫下台,她所领导的党也在同年败于一个获胜的保守派联盟。但3年后重新上台。1996年受到腐败指控再次下台,纳瓦兹·谢里夫组成政府。由于军方对政府不满,陆军参谋长佩尔韦兹·穆沙拉夫于1999年发动兵变。2001年,穆沙拉夫就任总统。

Pakistan, Church of　巴基斯坦教会　巴基斯坦基督教会。1970年成立,由圣公会、循道会、苏格兰长老会、信义会等教会和传教会组成。在穆斯林占人口97%的巴基斯坦,该教会是仅次于天主教会的大教会。16世纪基督教传教士开始在现属巴基斯坦的地区向印度教徒、锡克教徒和穆斯林宣讲教义。现巴基斯坦教会教友多为无地农业工人等低收入者。该教会除推行各种开发计划外,还培养教师、社会工作者和医务人员。总会设在锡亚尔科特。

Pakokku　木各具　缅甸中部城镇。濒临伊洛瓦底江。为亲敦江和尧河流域贸易中心,经营木材和棕榈糖。设有飞机场和柴油发电厂。地处干旱地带,靠伊洛瓦底江灌溉。花生、小米、芝麻为主要作物。亦生产稻米、绿豆、豌豆、蚕豆、烟草和玉米。西部森林产柚木,市南有仁安吉油田。居民主要为缅族人。人口257 258(1983)。

Pakxé　巴塞　老挝南部城镇。位于色敦河与湄公河汇流处。1966年以前为老挝主要进口港。镇东为波罗芬高原起点。集散山区出产柚木、茶、金鸡纳霜、木棉和豆蔻。有锯木、制砖瓦和制冰厂。设有农业实验站。1970年湄公河谷规划的水坝在色敦河下游建成,为巴塞提供电力,并使周围享有灌溉之利。有公路通往泰国边界和柬埔寨。人口32 500(1995)。

Pāla DYNASTY　巴拉王朝　8～12世纪统治印度比哈尔和孟加拉的王朝。创始人哥巴拉。其继承者达尔玛巴拉(约770～810在位)扩大了王国的版图。提婆巴拉执政时期(约810～850在位)多次向印度北部、德干高原和半岛部分发动进攻。随后,这个王朝逐渐衰落。默希巴拉一世(约988～1038在位)重振王朝,其影响远及瓦拉纳亚。但他死后,王朝重又衰落。罗摩巴拉(约1077～1120在位)是巴拉王朝最后一代重要的国王,他加强了王朝在孟加拉的力量和扩大王朝在阿萨姆和奥里萨的权力。他是梵文史诗《罗摩功行录》中的主人公。可是他去世后,巴拉王朝已经日薄西山,仅在比哈尔南部苟延残喘40年。巴拉王朝的主要首都位于比哈尔东的蒙吉尔。巴拉诸王拥护佛教。僧侣们前往西藏传教。在巴拉王朝的鼓励下,兴起了一个独特的艺术流派,留下了许多杰出的石雕和金属雕刻。

Pāla painting　巴拉绘画　参阅 **Eastern Indian painting** 东印度绘画。

Palabora(South Africa)　**帕拉博拉**　参阅 **Phalaborwa** 帕拉博鲁瓦。

palace　宫　帝王的住所,有时也指行政或宗教中心。后来英、法和西班牙等国大小贵族的华丽府邸以及教皇府邸都称为宫。由于统治者的权势,以及建造中所费的大量财力、物力和劳力,宫殿建筑往往集中体现了一个时代的文化和建筑精华。因此对于考古学具有重要意义。已知最古的王宫为埃及国王图特摩斯三世(公元前1504～前1450在位)和阿孟霍特普三世(公元前1417～前1379在位)在底比斯所建。后者遗址的发掘发现,有长方形的外墙,内有错综复杂的暗黑小室和庭院。后代东方的王宫大致沿用这种形式,例如亚述王国,在尼姆鲁德、尼尼微、豪尔萨巴德等地建造的规模宏大的宫殿,萨尔贡二世(公元前721～前705在位)的王宫占地9万多平方米,围有双重城墙,有两个中央大庭院和许多零散的小庭院,房屋建在台基之上。古巴比伦王宫较为对称,有通道和重重成组的房屋。公元前6、5、4世纪中波斯在苏萨和波斯波利斯建造了宏大的宫城,大流士一世、薛西斯一世、阿尔塔薛西斯三世3个国王的宫殿同在宫城内一个大台基上而各自又有其矮台基。古希腊克里特岛上菲斯托斯、克诺索斯等地的宫殿规模更为宏伟。但是宫殿作为权力的象征则在古罗马和东罗马帝国时期达到最高峰,在公元3～212年建造了9万平方米的宫殿,而在君士坦丁堡的圣宫为一组包括拜占廷教堂、学校和住宅的宏大建筑群,占地33.4万平方米。较晚的东方宫殿,例如中国的紫禁城和日本的皇宫也是在有围墙的广阔园囿内的一系列建筑(大多数是装饰华丽的低层木结构)。在美洲,宫殿没有那么复杂,例如在乌斯马尔的马雅统治者的宫殿(约900)和在米特拉的萨波泰克宫(约1 000),都是单层的带雕饰建筑,有许多房间,和东方一样,既是行政中心也是居住所在。中世纪西欧多以城堡代替宫殿,此后西欧的所谓宫多为装饰豪华的单幢建筑,常建在风景优美的花园中。在文艺复兴时期的意大利,每个公、侯都有其府邸,也称之为宫,例如佛罗伦萨的皮蒂宫和威尼斯大运河沿岸的许多华丽府邸。法国在各地都建有宫殿,其中著名的有罗浮宫和凡尔赛宫。西班牙则有马德里城外的埃尔埃斯科里亚尔宫,格拉纳达的艾勒汉卜拉宫。英国有3座宫殿,白金汉宫、圣詹姆斯宫和怀特豪尔宫,现已成为宅邸而并非行政中心。

(上)波斯波利斯的大流士王宫中的觐见厅(公元前528～前450);(下)圣彼得堡的沙皇冬宫(1754～1762建,1839重建)
美国不列颠百科全书公司供图

palace, mayor of the 参阅 **mayor of the palace** 宫相。

Palace Chapel 王宫教堂 参阅 **Palatine Chapel** 巴拉丁礼拜堂。

Palace Museum 故宫博物院 又拼 Ku-kung po-wu yüan。由中国明(1368 ～ 1644)、清(1644 ～ 1911)两代故宫构成的博物院。位于北京市中心,占地72万平方米。1914年故

故宫博物院内的太和殿
美国不列颠百科全书公司供图

宫前半部成立古物陈列所,展出青铜器、陶瓷等文物。1925 年 10 月 10 日成立故宫博物院。1947 年陈列所与博物院合并组成故宫博物院。1937 年中国抗日战争前夕,曾将大批文物、档案运往上海、四川。战后运回南京。1949 年前后这批文物一部分运回北京故宫博物院,一部分运往台湾地区(参阅 **National Palace Museum**)。现故宫博物院的陈列分两大类:一类是明、清两代宫廷史迹陈列,布置了清代帝后生活起居的陈设;一类是中国历代艺术品的陈列。分下列各馆:①历代艺术馆:陈列中国古代艺术品。有新石器时代晚期至清代的青铜器、陶瓷、绘画、法书、雕塑及竹、木、牙雕、景泰蓝、玉器等各种艺术作品。②陶瓷馆:陈列有彩陶、白陶、釉陶、青瓷、白瓷及青花、釉里红、三彩、五彩等各种釉色瓷器。③绘画馆:经常轮换展出历代名家绘画、书法。其中有晋顾恺之《洛神赋图》、隋展子虔《游春图》、五代顾闳中《韩熙载夜宴图》、唐阎立本《步辇图》、韩滉《五牛图》、宋张择端《清明上河图》、郭熙《窠石平远图》、王希孟《千里江山图》、赵佶《听琴图》等,都是历代珍品。④青铜器馆:陈列商代至战国时期的部分青铜器,有礼器、祭器、兵器和大量日常生活用品。⑤珍宝馆:展出金、银、珊瑚、珍珠、象牙、翡翠及各色宝石制作的工艺品,是故宫收藏的奇珍异宝的一部分。⑥钟表馆:陈列 18 ～ 19 世纪中国制造和由英、法等国购进或献赠的各色钟表,大都新奇精巧,独具特色。

Palacio Valdés, Armando 帕拉西奥·巴尔德斯 (1853-10-04,西班牙恩特拉尔戈～1938-02-03, 马德里) 19 世纪最受欢迎的西班牙小说家之一。他的作品的杰出之处,在于乐观主义、可爱的女主人公和现实主义,以及文风的朴实无华。曾在马德里大学攻读法律,以写评论开始文学生涯,不久即转向小说创作。他的小说大部分具有自传性质,因早年喜爱科学,所以作品有时显出自然主义的一面。《马大与马利亚》(1883)取材于《圣经》,是他写得最深刻的作品,内有故乡阿斯图里亚斯的浓厚地方色彩。其他有关阿斯图里亚斯的小说如《何塞》(1885),系海上生活的写真;《被毁的村庄》(1903),写为文明所摧毁的乡村生活。他感情真挚,笔调幽默,冲淡了有时表现出来的过于伤感的情绪。

Palacký, František 帕拉茨基(1798-06-14,奥地利帝国摩拉维亚霍德斯拉维采[今在捷克共和国]～1876-05-26,奥匈帝国波希米亚布拉格[今在捷克共和国]) 现代捷克史学奠基人,19 世纪波希米亚政界的头面人物。早年写过美学著作。1823 年定居布拉格,从事学术研究,并参加爱国运动。1827 年任波希米亚博物馆杂志编辑,发表许多关于美学和捷克语的文章。1832 年开始编写波希米亚和摩拉维亚捷克民族史。在政治方面他主张由享有平等权利的各民族组成奥地利联邦。1848 年任布拉格斯拉夫人大会主席。1848 ～1849 年参加在克罗梅日什举行的立宪议会。后因革命运动失败而退出政治活动,直至 1861 年当选帝国议会议员。著有《奥地利国家概念》(1865)。他提出的联邦主义不是以民族主义为基础,而是以哈布斯堡帝国的历史行省为基础。他对捷克的政治思想和史学的影响是巨大的。

Palade, George E(mil) 帕拉德 (1912-11-19,罗马尼亚拉西～2008-10-07,美国加利福尼亚德尔马) 罗马尼亚出生的美国细胞生物学家。研制成组织制备法,先进的离心技术,进行了电子显微镜研究,从而发现了几种细胞结构。1974 年与 A. 克劳德、C. 德迪弗共获诺贝尔生理学或医学奖。1940 年获布加勒斯特大学医学学位,并留校任教授。1946 年移居美国,到纽约洛克菲勒研究所工作。研究了线粒体、叶绿体、戈尔吉氏器等细胞结构的内部组成。最重要的发现是:原先认为是线粒体碎片的小体——微粒体,实际上是内质网的组成部分,后称为核糖体,内含大量核糖核酸。1952 年入美国籍。1958 年任洛克菲勒研究所细胞学教授。1972 年离任,去耶鲁大学医学院指导细胞生物学研究。

Palaeologus FAMILY 帕里奥洛加斯家族 11 世纪拜占廷的显赫家族,与康尼努斯、杜卡斯及安基卢斯诸皇族联姻。1259 年迈克尔八世在尼西亚即位为皇帝,1261 年在君士坦丁堡建立帕里奥洛加斯王朝。他的儿子安德罗尼卡二世(1282 ～ 1328)和孙子迈克尔九世(1320 卒)作为同朝皇帝继承皇位。迈克尔九世的儿子安德罗尼卡三世(1328 ～ 1341)传位给幼子约翰五世(1341 ～ 1391),约翰五世传位给次子曼努埃尔二世(1391 ～ 1425)。约翰八世(1425 ～ 1448)是曼努埃尔二世的儿子,其兄弟君士坦丁十一世(1449 ～1453)为拜占廷帝国的末代皇帝。

Palaeoscincus 古蜴甲龙属 披甲食草恐龙的属。生活于晚白垩纪(9 750 万年前至 6 640 万年前)。身披结实的骨质甲,体型硕大,体重可达 3.5 吨,外表相当臃肿。牙齿不发育。脑小而原始。

古蜴甲龙属(*Palaeoscincus*)骨骼
美国不列颠百科全书公司供图

Palaeospondylus 古椎鱼属 外表很像鱼但归属未定的脊椎动物化石属。发现于苏格兰阿查纳拉斯地区的中泥盆世(3.87 亿年前至3.74亿年前)老红砂岩内。虽然已知有数百件标本,但与其他鱼样脊椎动物的亲缘关系知之甚少。长约 5 厘米。与大多数同时代的类型不同,骨骼骨化很好,完全没有表皮甲(盾皮鱼类中显著的特征)。有一发育完善的尾鳍。

古椎鱼属(*Palaeospondylus*)的骨骼结构
芝加哥大学供图

Palaic language 巴莱语 通行于安纳托利亚西北部的古代印欧语言。近代有关巴莱语(帕拉语)的知识,来自博阿兹柯伊(古代称哈图萨,在今土耳其境内)赫梯档案馆遗址所出土的楔形文字泥板,其中有 21 段关于吉帕瓦神祭仪的记载,即为巴莱语。根据巴莱语的词形变化系统和代词形式,可看出它和赫梯语及卢维语的关系极密切,三者同属印欧

语系安纳托利亚语族。

Palaiopréveza（Greece） **帕莱奥普雷韦扎** 参阅 **Nicopolis Actia** 亚克兴胜利城。

Palais-Royal Theatre **皇宫剧院** 法语作 Théâtre du Palais-Royal。巴黎的一所剧院，以17世纪莫里哀上演剧作而闻名。枢机主教黎塞留去世前不久，请建筑师勒默西埃在其府邸重新设计建筑了一座私人小剧院，名为枢机主教宫剧院。这是法国第一家带有活动侧景和固定台口的拱形剧院。1641年开始演出。黎塞留死后，剧院成为皇家财产，改称皇宫剧院，供皇室娱乐演出之用。1660年剧院赐给莫里哀及其剧团使用，至莫里哀1673年去世为止。后因吕里要求为他创办的皇家音乐院收回皇宫剧院，因此，该剧院不久即成为演出他的歌剧的场所。1763年剧院被大火烧毁。重建后于1781年再次被烧毁。该地区随后发展为游乐区，包括许多剧院，在不同时期很多剧场都曾被称为皇宫剧院。其中有一所在1790年以杂耍娱乐剧场的名称开始营业，后又改名为共和国剧院，拿破仑时期成为法兰西喜剧院的固定院址，并以法兰西剧院闻名。1831年在皇宫对面出现一座剧院，被命名为皇宫剧院，用于演通俗喜剧。

Palamas, Saint Gregory **帕拉马斯，圣**（1296-11-11或14，君士坦丁堡[今土耳其伊斯坦布尔]～1359，拜占廷帝国塞萨洛尼卡[在今希腊]） 希腊正教修士、神学家、静修派的精神领袖和辩护人。出身于君士坦丁堡宗室，在帝国大学学习古典哲学，1316年不愿投身政界而赴希腊东北部正教中心圣山隐修。1326年受神职，后偕另外10人隐居于马其顿境内偏僻之处。1331年返回圣山加入圣撒巴斯隐修团，1335年任附近某女隐修院教义长。不久辞职返回圣撒巴斯隐修团。1332年参加前后持续25年之久的神学争论。他主要批驳居住在意大利境内的希腊修士巴尔兰。原来巴尔兰诽谤静修派，说他们是脐灵派，因为他们在默念时两眼注视胸下一点，以达到更好的灵修效果。1338年帕拉马斯撰写《为静修派辩》，该文为静修派奠定神学基础，说他们所提倡的灵修之道使人在心灵深处与神融合，在神光照下不仅是灵，而且包括魂和体都发生变化。帕拉马斯先后同许多神学家、人文学家进行公开辩论，1344年教会当局出于政治动机判处他绝罚。然后他撰写《论神圣》，系统地提出自己的论点。这本书是学习拜占廷奥秘神学的基本教材。关于静修派的争论发展成为拜占廷政治斗争的一部分，这种斗争后来爆发成为内战。1347年内战结束，帕拉马斯在保守派支持下任塞萨洛尼卡主教，并继续著述，反对人本主义。他用柏拉图哲学及亚里士多德哲学阐释其灵修经验，成为正教神学的典范。

Palamás, Kostís **帕拉马斯**（1859-01-25[旧历01-13]希腊帕特拉斯～1943-02-27，雅典） 希腊诗人，曾在近代希腊文学的发展中起过重大作用。在梅索隆吉昂和雅典受教育。他是19世纪80年代通俗文学运动的中心人物，运动的目的是要摆脱传统主义，从人民的生活和语言中汲取灵感，以建立新的希腊文学和艺术风格。帕拉马斯是"新雅典派"的创始人，该派反对浪漫主义的过度表现，提倡比较纯粹和严谨的诗体。1886年，他出版了第一部诗集《祖国的歌》，后来又出版了《抑扬格与抑抑扬格》(1897)和《静止的生命》(1904)、《吉卜赛人十二歌》(1907)以及《国王的笛子》(1910)等。他是表达希腊人的民族苦难和愿望的第一位诗人。他以抒情的风格，多彩的韵律，以及雄浑有力的语言改写了大量希腊历史、神话和哲学，使之同许多西欧的甚至东方的观念融和起来。他的剧本《三重贵族》(1903)抒情价值高于戏剧价值。他还写短篇小说，而他的文学评论提高了近代希腊文学评论的水平。

Pālamcottah（India） **帕兰科塔** 参阅 **Pālayankottai** 巴勒延戈代。

Palamedes **帕拉墨得斯** 希腊传说中的埃维亚国王瑙普利俄斯的儿子，特洛伊战争中的英雄。在荷马后的有关围攻特洛伊的传说里，他是一位著名人物。在战争之前他揭发了假装发疯以逃避军役的奥德修斯的诡计；他把婴儿忒勒马科斯放在奥德修斯的犁要经过的田地而迫使那位国王承认自己的精神是正常的。在围攻特洛伊期间，他同另外两位希腊英雄奥德修斯和狄俄墨得斯轮流指挥军队作战，但是他的才能引起了他们的嫉妒。据史诗的说法，他们趁他钓鱼时把他溺死，一说他们劝他到井里去寻宝，他下去后就用石头把井口堵死。悲剧的说法是，阿伽门农(迈锡尼或阿戈斯国王)、狄俄墨得斯和奥德修斯派一名奸细潜入他的营帐，把一封装着钱和伪托特洛伊国王普里阿摩斯送来的书信藏在他那里，然后他们就控告他勾结敌人，用石头把他砸死。他享有睿智的美名，古人把许多发明如字母、数字、重量、尺度、货币和按时就餐都归之于他。现在人们一般认为他就是腓尼基文化的化身，是许多这类新事物的源泉。

Palana **帕拉纳** 俄罗斯远东地区科里亚克共和国城镇和行政中心。位于堪察加半岛西海岸。临帕拉纳河。距该河口(鄂霍茨克海)8千米处。设有地区博物馆。人口约4 100(1993)。

Palangkaraya **帕朗卡拉亚** 印度尼西亚婆罗洲中加里曼丹省省会。位于卡哈扬河西岸。第二次世界大战中被日本人占领，1950年成为印度尼西亚的一部分。居民主要是土著达雅克人，还有华人和日本人移民。大部分达雅克人保留了传统的万物有灵论信仰，虽然有些人已改信基督教。家庭手工业有木雕、编织、纺织和制作念珠。水上交通连接瓜拉库伦和马辰。有机场，航班通桑皮特、巴厘巴板和庞卡兰布翁。设有帕朗卡拉亚大学。人口99 744(1990)。

Pālanpur **巴伦布尔** 印度中西部古吉拉特邦城市。位于阿拉瓦利岭与卡提阿瓦半岛之间的低地。现为农产品贸易和加工中心、铁路、公路的交叉点。以手工业著称。人口约80 620(1991)。

Pālār River **巴拉尔河** 印度南部河流。发源于邦奈亚尔河附近卡纳塔克邦的金达默尼市西南，向东南流经泰米尔纳德邦，于马德拉斯南面注入孟加拉湾。全长295千米。主要支流为邦奈河与杰耶尔河。水量变化较大，已筑坝引水灌溉。沿河大城镇为韦洛尔、阿尔果德与京格莱布德。

palas **帕拉斯地毯** 高加索、突厥斯坦或伊朗部分地区手工编织的平面铺地用品。在伊朗的其余地区、巴尔干和安纳托利亚，类似产品称为开立姆地毯。高加索帕拉斯地毯和

约1900年突厥斯坦的约穆特织法帕拉斯地毯
美国不列颠百科全书公司供图

长条挂毯编织工艺相同，希尔凡帕拉斯地毯没有大边，由一系列横条把多边形花饰连贯起来，颜色鲜明。加拉巴赫帕拉斯地毯为几何图案对角花，周围是窄大边。库尔德帕拉斯地毯没有真正的大边，六边形蜂窝图案，或是一系列的横条子，但比希尔凡帕拉斯地毯横条窄得多。土库曼帕拉斯地毯多为约穆特织法，有好几种不同的织锦品种，最常见的一种是菱形格子图案，四周是窄大边，两头有长裙边。大地透过织锦花饰外露。

Palāshi（India） **巴拉希** 参阅 **Plassey** 普拉西。

palatal **腭音** 语音学术语，指一种辅音，发音时舌面或舌前部接近或紧贴齿龈后的硬腭。德语ich(我)中的ch音，法语agneau(羊羔)中的gn音(发ny音)都是腭辅音。英语除you(你)中的y音(半元音)外，无纯腭辅音。ship(船)中的sh音，azure(天蓝色)中z所表示的zh音，一般属于腭-龈音。

palatalization 腭化 语音学术语。某些辅音发音时,舌面或舌前部比正常发音时更加靠近上腭(硬腭)。俄语腭化辅音发音时,好像试图同时发一个特定辅音和一个 y 音。英语 canyon(峡谷)中的 ny 音近似腭化音。腭化辅音与腭辅音是可以区别开的,发腭辅音时舌前部与硬腭构成主要发音部位。腭化也指如 k 之类的非腭辅音变成如 ch 或 sh 等腭辅音的音变过程。例如,法语 chaîne(链子;首音发成 sh 音)是由拉丁语 catena(首音发 k 音)发展而来的。

palate 腭 脊椎动物口腔的顶盖,用以分隔口腔与鼻腔。由前部的骨性硬腭及后部的软腭(哺乳动物)所组成。硬腭占整个腭部的 2/3,由骨板构成,覆以一层湿润而坚韧的黏膜组织,能分泌少量黏液。黏膜层形成数个小嵴,咀嚼时舌在口内搅动食物,小嵴有助于将食物固定。硬腭给舌的自由运动提供空间;硬腭质硬,又作为鼻腔的底部,不为口腔内的压力所推动,不致闭塞鼻腔通道。许多低级脊椎动物的硬腭上有牙齿生长。软腭由肌肉和结缔组织组成,无骨组织支撑,终于一条狭长的肉质突出部分(悬雍垂)。既能活动,又能维持一定形状。吞咽和吸吮时软腭抬起,使鼻腔、鼻咽部与口腔、口咽部分隔开来。软腭上抬造成口腔真空,从而使食物不致进入呼吸道。发育完好的腭部最早见于爬行动物(但只有硬腭)。鸟类和哺乳动物的腭与人类相似。有些鲸的腭部黏膜形成数块坚硬的板,称为鲸须(鲸骨)。腭裂(鼻腔与口腔之间的分隔不完全、食物可进入鼻腔)见于人类,可行手术矫正。

Palatinate 巴拉丁领地 德语拼 Pfalz。德国史上,巴拉丁伯爵(神圣罗马帝国主要的世俗邦君拥有的头衔)的封邑。在地理上,巴拉丁领地分为两小群地区:莱茵河的或下巴拉丁领地和上巴拉丁领地。莱茵河的巴拉丁领地包括莱茵河中游美因和内卡两支流之间两岸土地,直至 18 世纪其首府为海德堡;上巴拉丁领地在巴伐利亚北部,纳布河两岸。巴拉丁领地的疆界随着巴拉丁伯爵的政治和朝代的时运而变化。当地人在宗教改革运动初期仍信奉天主教,但 16 世纪 60 年代在选侯腓特烈三世统治下改信加尔文宗。巴拉丁领地成为德国新教的堡垒。1608 年选侯腓特烈四世成为新教联盟的领袖。1619 年腓特烈五世接受波希米亚王位,从而导致三十年战争,使巴拉丁领地遭受严重的破坏。1648 年威斯特伐利亚和约使腓特烈之子查理·路易重新获得莱茵河的土地及选侯地位。但上巴拉丁领地此后仍属巴伐利亚。法国大革命和拿破仑战争期间,莱茵河西岸的巴拉丁领地并入法国的版图,东岸的土地被巴登和黑森瓜分。后来,维也纳会议决定将东岸土地划归巴伐利亚。这些土地及周围一些地区于 1838 年重新取名巴拉丁领地。第一次世界大战德国战败后,法军暂时占领莱茵兰地区。第二次世界大战后,部分莱茵地区并入当时西德的莱茵兰-普法尔茨(莱茵兰-帕拉蒂纳特)州。参阅 **Rheinland-pfalz**。

palatine 巴拉丁 中世纪和近代早期欧洲许多国家里的不同官职的名称。起初,这个名称用于护卫罗马皇帝宫殿的侍从和卫队。在君士坦丁时期(4 世纪初),这个名称也用于可能随同皇帝出征的高级野战部队。在欧洲中世纪早期,巴拉丁这个名称用于日耳曼民族的一些官职。其中最重要的是巴拉丁伯爵,这种伯爵在墨洛温王朝和加洛林王朝时期(5 ～ 10 世纪)是宫廷事务官,特别是君主法庭的法官。巴拉丁伯爵除了他所担负的司法职能外,还有处理宫廷事务的行政职能。在萨克森和萨利安各王朝(919 ～ 1125)的日耳曼国王的统治下,巴拉丁伯爵的任务相当于加洛林王朝的“钦差”,即国王在各省的代表,负责在某些公国里行使国王的统治权和执行法律。10 世纪以后,洛林的巴拉丁伯爵成为加洛林王朝的巴拉丁伯爵的实际继承者。从这个职务产生了莱茵的巴拉丁伯爵领地,这块领地从腓特烈一世皇帝时起成为一个巨大的领地国。

Palatine 帕勒泰恩 美国伊利诺伊州东北部库克县村庄,是芝加哥的郊区,位于芝加哥西北 50 千米处。建于 1855 年。产品包括户外烧烤架、电子产品、黏合剂和安全设备。1866 年设建制。人口65 479(2000)。

Palatine Chapel 巴拉丁礼拜堂 又称王宫教堂。为查理曼在亚琛(今德国境内)的皇家礼拜堂与陵寝所在。是现存的加洛林王朝建筑艺术最重要的范例。790 年开始建造,805 年定为主教座堂。礼拜堂中央的八角形结构与周围 16 个面的回廊,都是以拉韦纳的拜占廷式圣维塔莱教堂为蓝本,但穹顶是日耳曼式的。礼拜堂高达 30.9 米,在许多世纪中一直是德国最高的砖石建筑,它对于后来的罗马建筑风格及哥特建筑风格都有影响。内部有古典式圆柱为装饰;巨大的铜门和铜栏按古典风格制成,可能出于伦巴第工匠之手。查理曼的墓上有石板墓铭,上方悬有红胡子腓特烈一世于 1168 年所献的青铜枝形吊灯。在哥特时期,增添了唱诗班席、若干小礼拜堂和门厅,扩建后的建筑被命名为亚琛大教堂。

Palatine Hill 帕拉蒂诺山 意大利语作 Monte Palatino。位于古罗马广场以南高约 40 米的四边形高地。其海拔约 51 米;周边约 1 740米。罗马城就建于该丘上,丘上的考古发现既有史前遗迹,也有帝国的皇宫废墟。帕拉蒂诺山地形复杂,其景色有吸引力。虽然该丘显得有些光秃,但也为所种植的庭园植物所美化。原址上建起了许多高层楼房。根据古罗马的传说,古罗马的建国者——马尔斯所生的双胞胎:罗慕路斯与雷穆斯兄弟——婴儿时即被抛弃在汹涌的台伯河中,后被缓退的河水冲到帕拉蒂诺山脚。该山的斜坡上有一个叫卢佩尔卡尔的洞穴,洞里的一只母狼喂养了他们,之后他们又为一名在斜坡上放养羊群的牧羊人所养育。古罗马就是自此坡地中心向四周发展而成。该丘原为三个高丘:北边的杰摩勒斯,连接帕拉蒂诺和旁邻的艾斯克林丘的类似地峡的韦利亚及南边的帕拉蒂乌姆。由于帕拉蒂乌姆最高,因此整个山丘就以之命名。在古代共和时期,该地兴建了许多领导者的寺宇和房舍。在帝国时期,此地成为贵族的住区。奥古斯都皇帝生于此地,并在此建立其帝居;图密善则命建筑师雷比瑞斯对此地作了大幅度改造。帕拉蒂诺的建筑随着帝国的没落而日渐失修,欧洲中世纪时,该地曾被改造成一要塞,但后来完全被废弃,直至意大利文艺复兴时期,该地的价值才再度受到肯定,罗马的望族也在此重建居所。

Palau (Caroline Islands) 帕劳岛 参阅 **Babelthuap** 巴伯尔图阿普岛。

Palau 帕劳 又拼 Belau(贝劳)或 Pelew(帛琉)。全称帕劳共和国。太平洋西部的国家。1947 年,帕劳成为联合国托管地,由美国管理。美国政府于 1986 年解除托管,但直到 1993 年才通过帕劳与美国之间的《自由联盟条约》。1994 年 10 月,帕劳共和国成立,正式成为主权国家。帕劳系由北部一个名为帕劳群岛的岛群,和西南部 4 个孤立的小珊瑚岛,松索罗尔、梅里尔、普洛安娜与托比,以及其附近的环礁海伦礁构成。它包含约 340 个岛屿,土地面积 488 平方千米,形成加罗林岛链的西端。帕劳自东北向西南延伸约 640 千米。其近邻包括西边的菲律宾,东北的密克罗尼西亚联邦的雅浦和南边印度尼西亚的伊里安查亚省。20 世纪 90 年代中期起,帕劳开始在梅莱凯奥克修建新首都,预计在 21 世纪初正式迁都。人口约19 900(2002)。

土地 帕劳有人居住的主要岛屿包括巴伯尔图阿普、科罗尔、马拉卡尔、阿拉卡贝桑和佩莱利乌。所有这些岛屿都位于一个堤礁之内,在西部围起一个1 267平方千米的潟湖。邻近的昂奥尔岛(位于西南)和卡扬埃尔环礁(位于北面)坐落在堤礁之外。巴伯尔图阿普是主岛群中最大的岛屿,面积 137 平方千米。位于巴伯尔图阿普正南的科罗尔岛是临时首府所在地和人口最多的岛。该岛高度为 628 米。阿拉卡贝桑岛和马拉卡尔岛均为火山运动形成。巴伯尔图阿普和科罗尔两岛上部分是隆起的石灰岩,部分是火山岩。奥卢普塔格尔、雅戈尔、乌鲁克萨佩尔、佩莱利乌和昂奥尔都是隆起的珊瑚石灰岩。在帕劳群岛中,只有佩莱利乌岛比较平坦。

帕劳属热带气候,每月气候变化不大。科罗尔的年平均气温是 27 °C,年降雨量为 3 800毫米,昂奥尔则为3 302毫米。帕劳群岛诸岛屿土地肥沃,沿海有红树林沼泽,其后是稀树草原、椰子树和棕榈树,山上则为热带雨林。外围的一些珊瑚岛上有树木,适合生长椰树。帕劳群岛有鳄鱼、毒海蛇和几乎绝迹的儒艮(或称海牛)。

人民 由于帕劳群岛位于大洋洲的西边,临近多岛屿的东南亚,因此人口混杂。帕劳人是马来人、美拉尼西亚人、菲律宾人和波利尼西亚人的混血后裔。约 3/5 的人口居住在科罗尔岛,1/3 居住在巴伯尔图阿普岛。大多数人住在传统的村落里,多为基督徒。当地人讲帕劳语(与印度尼西亚语相近)、松索罗尔-托比语和英语。20 世纪 90 年代中期，大量移民特别是菲律宾移民涌入帕劳就业。21世纪初，外国移民占总人口的1/4多。

经济 政府部门为帕劳的居民提供了大量就业机会。生存农业、猪和家禽的饲养及捕鱼是乡村的主要经济活动。芋头、树薯和甜薯是主要粮食作物；亦种植柑橘、面包果和香蕉。椰子油、金枪鱼、椰干饼和废金属出口是主要财政收入来源。亦有一些旅游业。进口商品包括食品和制成品。

科罗尔拥有良好的公路网。各岛之间的交通主要靠船和飞机，但科罗尔岛有桥与巴伯尔图阿普岛相连，有堤道与阿拉卡贝桑岛和马拉卡尔岛相通。主要港口、电台和电视台均位于科罗尔岛。巴伯尔图阿普岛建有一个国际机场。美元是帕劳的官方货币，帕劳自身无中央银行。1997年，加入国际货币基金会。1999年，被指责洗钱活动频繁，2001年开始银行业监管。

政体与社会状况 帕劳政府由普选产生的总统领导，设有包括16名成员组成的众议院和9名成员组成的参议院的两院制立法机构。美国国会负担帕劳90%以上的预算。无军队，由美国负责其安全。

科罗尔岛设有一家医院，其他住有居民的岛屿设有诊所，为岛民提供医疗保健。有居民的各个岛均设有小学，科罗尔岛上设有中学。1969年科罗尔岛还建立了密克罗尼西亚职业学院。

历史 西班牙航海家洛佩斯于1543年曾来到这些岛屿。其后300多年，这些岛屿在名义上一直为西班牙人所拥有。1899年，帕劳群岛连同马里亚纳群岛和加罗林群岛一起卖给德国。椰干产量增加，昂奥尔岛上的磷酸盐矿也得到开采（1955年岛上资源枯竭）。1914年日本军队占领帕劳群岛，他们进一步开采矿藏、发展种植园农业和商业捕鱼。第二次世界大战中，帕劳是日本的一个主要海军据点，1944年被美军攻占。

1947年，帕劳成为联合国太平洋岛屿托管地的一部分，由美国负责治理。经两次公民投票后，该岛于1981年通过了一部宪法，但规定帕劳同美国关系的《自由联盟条约》屡次因未能获得3/4票数而被否决。该条约以美国对帕劳的经济援助为条件，换取美国在该群岛建立和维持军事设施的权利。一个强有力的少数派反对美国军事设施（特别是核设施）在该群岛的继续存在。由于这项条约未能通过，帕劳仍属托管地，是联合国最后一个托管地。其他3个太平洋岛群都于1986年结束了各自的托管地位——马绍尔群岛和密克罗尼西亚联邦都和美国建立了自由联盟，北马里亚纳群岛则成为美国的自由联邦。1992年，选民批准了对宪法的修改，将投票票数3/4的多数要求改为1/2的多数要求，为《自由联盟条约》在1993年的批准铺平了道路。根据该条约，帕劳于1994年10月成为独立国家，于同年11月加入联合国。

1985年动荡的政治形势导致第一任总统雷蒙立克遇刺身亡。继任总统拉扎勒斯·塞利1988年也暴死。到90年代早期，帕劳政治开始稳定。1996年9月，连接巴伯尔图阿普和科罗尔的桥梁倒塌，对国家经济造成巨大伤害。大量居民的交通、电信、供水和供电被切断。日本政府出资2 500万美元重建该桥，但这次设计为浮桥，新的浮桥于2002年开通。

Palauan language 帕劳语 太平洋西部帕劳群岛上的主要语言，属于澳斯特罗尼西亚语系（马来亚-波利尼西亚语系）东部语支。帕劳语是印度尼西亚语类型的语言，与菲律宾诸语言的亲属关系极近，这点与马里亚纳群岛上的查莫罗语十分相似。帕劳语的特点是语音少，使用音位重音。20世纪末操此语者约1.2万人。

Palaung 崩龙人 又称塔昂人（Ta-ang）。缅甸掸邦和附近东部地区及中国云南省西南部的山居民族。20世纪末期人数约24万。操澳斯特罗-亚细亚语系崩龙语支的方言，与掸邦的泰语很不相同。他们与泰人密集杂居。崩龙人有悠久的产茶历史。有些崩龙人组成父系宗族，与其北邻克钦人相似，其余的则更与掸人相似。掸族式的佛教与各种以祖先崇拜为基础的当地宗教信仰同时并存。

Palaungic languages 崩龙诸语言 又称崩龙-佤语支，属澳斯特罗-亚细亚语系孟-高棉语族，主要通行于缅甸，也用于泰国、越南和中国云南省，包括通行于缅甸的布朗语，用于越南莱州省的莽语，泰国的拉瓦语以及通行于缅甸和中国的达瑙语，云南佧佤语、昂库语、卡梅语和佤语。通行于老挝的克穆诸语言有时也被划为崩龙语支的东部分支。

Palawan 巴拉望 菲律宾西南端大岛。在南中国海和苏禄海之间，岛呈狭长形，由东北斜向西南。面积11 785平方千米，最宽处39千米，主干山脉纵贯434千米长的全岛，南方的曼塔灵阿汉山海拔2 085米，是最高峰。南端的近海岛屿巴拉巴克-布格苏克群岛，原为更新世（160万～1万年前）时期连接巴拉望和婆罗洲的陆地桥，现留下断残部分；因此其动植物与婆罗洲的较为接近，而不同于菲律宾其他各岛。巴拉望绵长而不规则的海岸线有许多珊瑚礁和近海小岛。断续的沿海平原向内陆延伸很少超过8千米，人口大部分居住于这些平原上。东南沿海的平原最发达，是主要农业区，有岛上唯一的全天候公路。巴拉望附近约有1 800个小岛，其中主要岛群有北部的卡拉绵群岛、东北的杜玛兰-库约群岛和南部的巴拉巴克-布格苏克群岛。巴拉望中部东海岸的普林塞萨港是岛上最大城市。大部分地区居民分散，农业实行轮作，主要粮食作物是水稻，亦种植玉米、豆类和甘薯。普林塞萨港和泰泰有大规模的商业性渔业活动。矿产资源包括水银、矽石矿和铬铁矿。该岛大部分是巴塔族、巴拉望族、塔格巴努亚族的林区故乡。米沙鄢人、他加禄人、伊洛卡诺人和比科兰诺人等基督教徒移民已定居于北部和东部。南部有一些莫洛（穆斯林）村落。巴拉望西南岸孤立的塔朋山洞为重要的考古遗址。人口311 548（1980）。

Pālayankottai 巴勒延戈代 又称帕兰科塔。印度东南部泰米尔纳德邦南部城镇。与蒂鲁内尔韦利隔坦布拉珀尔尼河相望，成为一对双城。并为蒂鲁内尔韦利城镇群的居住区与教育区。为印度南部主要的基督教会中心。有私立基督教学校，并设有基督教大学和马杜赖大学的几个学院。周围地区的主要经济作物有棉花和扇叶树头榈。人口98 399（1991）。

Palazzo Ducale（Venice） 参阅**Doges' Palace** *首领府*。

Palazzolo Acreide 帕拉佐洛阿克雷德 意大利西西里岛东南部锡拉库萨省城镇。位于锡拉库萨西面伊布莱山地。原为叙拉古殖民地，名阿克雷，公元9世纪遭穆斯林劫掠，中世纪先后由欧洲一些家族统治，最后归属意大利王国。1693年遭受地震严重破坏。现大多数房屋是18世纪所建。在阿克雷原址上有希腊剧院和议会厅的遗迹。岩石上刻出的一个个亡灵堂有希腊铭文和献祭龛。此地还有公元前3世纪的12个神的岩石等身雕像。尤迪卡宫收藏有废墟中出土的文物。有水力发电站。生产橄榄、谷物、柑橘和杏等。人口：城市区约9 475（1991）。

pale 栅栏区 划定界限以区别于周围国土、或者实施不同的政法制度的地区。在1772～1795年间波兰3次被瓜分以后，有大批的犹太人流入俄国，形成一些移民区。1783～1794年，叶卡捷琳娜二世三令五申，限制犹太人只能在黑海沿岸地区经商。此后几年，这一地区就成了严格分开的栅栏区。19世纪60年代，有过一些例外：一些商人、手艺人、受过较高教育的人和服完军役的人，可以住在除芬兰外的其他地方。但1881年亚历山大三世即位后即发布《临时法令》，不准犹太人在栅栏区以外再开辟移民地。据1897年人口调查，约500多万犹太人居住在栅栏区内，仅约20万犹太人居住在俄罗斯欧洲的其他地方。第一次世界大战期间，大批犹太人为逃避德国人的入侵而逃到内地，栅栏区遂名存实亡。1917年4月，临时政府正式加以废除。另外，英国在爱尔兰和法国有过"栅栏区"。

Palembang 巨港 印度尼西亚苏门答腊省省会、自治城市，跨穆西河两岸。作为苏门答腊岛的最大城市，曾长时期是巨港苏丹王国的都城。从7世纪起成为佛教室利佛逝帝国的首都，一直到14世纪该王国被印度教麻喏巴歇帝国推翻为止。继此之后，巨港于1500

巨港市的大清真寺
美国不列颠百科全书公司供图

年左右归伊斯兰教徒控制。1617年荷属东印度公司在此建立贸易站，1659年发生了几次雇员被害案之后，荷兰在此建起一座要塞。1811～1814年和1818～1821年间，巨港曾断续地成为英国的附属国，1825年荷兰人彻底废除了苏丹王国。第二次世界大战期间，日本人占据此地，自1948年起，巨港为南苏门答腊自治州临时首府，1950年被纳入印度尼西亚共和国。重要建筑有大清真寺（1740年，尖塔建于1753年）、苏丹陵、博物馆、公共行政培训中心、室利佛逝大学（1960年建校）以及省议会大厅等。由穆西河出海，与马来半岛、泰国、中国以及其他印尼港口之间有相当多的贸易往来。输出橡胶、咖啡、木材、石油产品、煤、茶叶、香料、树脂、藤条、金鸡纳和胡椒。有船坞、铸铁厂、机械厂、橡胶厂和化肥厂。东郊的双溪格龙和布拉朱有大型炼油厂。通铁路、公路，还有一个飞机场。人口约1 084 483（1990）。

Palencia　帕伦西亚　西班牙北部的内陆省份。面积8 035平方千米。省会帕伦西亚。北部有坎塔布连山脉，最高点布雷索山海拔2 025米。其余部分为卡斯蒂利亚台地的肥沃草原区。皮苏埃尔加和卡里翁两河流经境内。南部为纳瓦湖沼，卡斯蒂利亚运河南通巴利阿多里德省，有灌溉和水运之利。山区矿藏丰富，有煤、铜开采业。农业出产小麦、蔬菜、甜菜、大麻和亚麻，绵羊饲养普遍。工业生产亚麻织品、毛织品、瓷器、皮革制品、纸张和毛毯。人口约181 656（1994）。

palencia　帕伦西亚　西班牙中北部卡斯蒂利亚-莱昂（地区）帕伦西亚省省会，位于布尔戈斯省西南的坎波斯平原上。古希腊地理学家斯特拉博和托勒密称之为帕兰蒂亚。为伊比利亚巴卡埃部落的主要城镇。哥德人和摩尔人统治时期历史不详。12～13世纪为卡斯提尔王国都城，王国的议会（议会性质或咨询性质的会议）所在地。1520年帕伦西亚参加卡斯提城市公社反对神圣罗马帝国皇帝查理五世的起义，最终失败。1208年阿方索八世在帕伦西亚建立大学，后于1239年迁至萨拉曼卡。供奉圣安托林的哥特式大教堂始建于1321年，1504年竣工。原址为那瓦拉和卡斯蒂利亚的桑乔三世加尔塞斯于1026至1035年在圣安托林洞穴上所建的一座教堂。大教堂内有格列柯所作的"圣塞巴斯蒂昂"以及其他名画、古老的佛兰芒挂毯和宏大的木雕和石雕。据说圣拉萨罗医院的部分建筑可追溯至熙德时代。熙德是西班牙史诗《熙德之歌》中歌颂的英雄战士，1074年在帕伦西亚与希梅娜结为夫妇。帕伦西亚现为重要交通枢纽。经济以生产铁、毛毯、烈酒、皮革、肥皂、瓷器、亚麻、棉花、羊毛、机械和火柴为主。人口约79 561（1994）。

Palenque　帕伦克人　又称瓜里内人（Guarine）。西班牙征服时期（16世纪）委内瑞拉北部的印第安部落。他们与邻近的**库马纳戈托人**（**Cumanagoto**）有密切关系。他们的语言可能属于阿拉瓦克语系。帕伦克人是热带森林人，以食人肉而且好战著称，居住区常设围栅。哥伦比亚的**帕塔戈罗人**（**Patángoro**）因住区也设围栅，过去有时也被称作帕伦克人。

Palenque　帕伦克　南美洲文化古典时期（约600～900）的马雅古城遗址，位于今墨西哥恰帕斯州卡门城以南130千米处。其原名已不可考，故以其邻近的圣多明各的村庄帕伦克之名名之。帕伦克古城的建筑物以灰泥饰面，平滑光洁，与通常以经过修打的石灰石砌造的马雅建筑迥异。不过，帕伦克的营造工匠却在内壁饰以雕刻，最佳的雕刻品雕于板上，再用泥灰黏附于墙上。灰泥塑像及赤陶塑像均有发现。所谓大宫殿有平行墙3道，中间夹有两道走廊，其上为帕伦克风格的尖状拱顶。碑铭神庙系保存完好的大型建筑之一，以其象形文字碑铭著称。1987年该市古城遗址被联合国教科文组织列为世界遗产。

Paleo-Asiatic languages　古亚细亚诸语言　参阅 **Paleosiberian languages 古西伯利亚诸语言**。

paleo-Christian art　古代基督教艺术　参阅 **Early Christian art 早期基督教艺术**。

paleoanthropology　古人类学　又称人类古生物学。研究早期人类起源与发展的一门边缘科学。它利用体质人类学和比较解剖学的技术，以及进化论的理论来研究生物化石。利用考古学和民族学的技术，对骨器和石器等人工制品进行鉴定，从而阐述它们对于早期人类体质和智力发展的意义。化石的断代可借助于地质学的地层、化学的分析测定或放射性的衰变率，这些都要求具备自然科学知识。

Paleocene epoch　古新世　又作Palaeocene epoch。为第三纪早期的一个世界范围的主要时代划分单元，始于约6 640万年前，延续约860万年。第三纪中最早的一个世，继白垩纪之后，在始新世之前。因古新世海相地层分布有限，所以有关古新世的很多资料都来自陆相地层。古新世地层的划分随地区而异。比如在欧洲，已认出古新世地层至少有3个阶：丹尼阶、蒙德阶和塔内特阶。在北美，尤其是在新墨西哥州的圣胡安河流域和科罗拉多州南部，那里的古新世地层发育良好，层序是根据哺乳类动物进化情况划分的，对各个阶都给予了地方性的名称，如普埃尔科阶、托雷洪阶和提凡阶。北美洲的古新世记录可提供有关古新世的生物和环境的最完整的景象；在别处，古新世的动物，尤其是哺乳动物，记录是缺乏的或少见的，要不然就是属于古新世晚期。已知的晚古新世动物群化石出自下列地区：法国的塞尔奈，蒙古的加什多和阿根廷巴塔哥尼亚的奇科河区。北美洲古新世的特征是气候有普遍温暖的趋势，很少霜冻，甚至无霜；季节变化大概就是旱季和雨季的交替。古新世脊椎动物群最突出的特点中有白垩纪时占优势的恐龙和其他爬虫类的完全消失，以及哺乳类动物的迅速繁殖和进化。古新世哺乳动物中有今天仍然存在的许多族类或目的代表，尽管古新世的种类大多数都是古老的或高度特殊化的。不过，就所占比例和相对数量而论，古新世动物群仍以今天无生存代表的哺乳动物占优势。古新世哺乳类动物群中包括有白垩纪的一些种，比如类似负鼠的有袋类，尤其是古老的、异乎寻常的多瘤类（为草食动物，其牙齿同后来的、更进化的啮齿类的牙齿在某些方面极为相似）。踝节类（古新世动物群中非常重要的组成部分）包括有正在向草食性转化的一些种类，但仍保留其食虫-食肉的祖先的原始特性。在古新世中期，灵长类数量更多，并显示出介于食虫类和狐猴之间的特征，尤其是就牙齿的结构而论。在古新世晚期，哺乳类的进化显示有转向体型更大、组合更多变化的一种趋势。原始的哺乳类食肉动物——古食肉兽，出现在古新世晚期，那时更出现有大型的草食类——原始啮齿类，还有类似眼镜猴的、最早的灵长类。蒙古出产的加什多动物群含有已知最早的野兔——原古兔属（*Eurymylus*）的化石，南美洲出产的古新世哺乳动物中，有在该地区晚第三纪动物群中占优势的动物的许多早期的代表。

paleoclimatology　古气候学　又拼palaeoclimatology。研究过去地质年代的持续性气候情况的科学。古气候学家探求对地球历史的任何给定时期内各地区的气候变迁作出解释，它有赖于许多有关学科的研究成果，但基本资料取自地质学和古植物学，并利用天文学、大气物理学、气象学和地球物理学的原理进行推理和说明。研究古代和现代地球气候有两个要素：地球和太阳之间关系的变化（即地球轨道相对位置的微小改变），以及地球表面的变化（如火山爆发、造山运动和泛古陆分裂后各大陆的分离）。有些问题在过去的研究中大部分已得到解释，例如古气候学家发现距今5.7亿年中至少有90%的时期北半球大陆块气候温暖，主要因为大陆越过纬度漂移，约在1.5亿年以前，北美洲和欧洲离赤道远比现在为近。其他问题如冰期和间冰期冰盖不规则进退的原因则很难作出解答，至今还没有提出完整的、令人满意的理论。

Paleogene period　老第三纪　又作Palaeogene period。又称古近纪。为新生代地层二分法中较老的一纪（新生代开始于大约6 640万年前，并延续到现在）。开始时期与新生代的开始时期重合的老第三纪，持续了大约4 270万年，随后是新第三纪。老第三纪包括古新世、始新世和渐新世。老第三纪这个术语是在欧洲创造的，用以强调在新生代最初3个世的地层中发现的海相化石的相似性，不同于后来的新第三纪的化石。但在北美洲，老第三纪和新第三纪的这种命名法没有得到广泛应用，只把新生代划分为第三纪（约6 640万年前至160万年前）和第四纪（约160万年前至现在）。因此，也可以把老第三纪看作是大致和第三纪的前三分之二年代相当。

paleogeography　古地理学　又作palaeogeography。地球表面选定地区在过去地质年代特定时间内的地理学。古地理学由以地图形式产生的解释性的恢复重建所组成，它代表很宽变化范围的、复杂地质学信息之栩栩如生的总结。这些图件提供了整个地质时期地球的一系列相对瞬间的情景。古地理图可以简单到仅仅提供古代陆地和海洋的分布情况，但也可以是极度综合性的，能表示出化石植物及动物群落、沉积环境(例如三角洲、礁、荒漠或深海盆地)、遭受抬升与侵蚀或遭受下陷与沉积的地区，以及主要气候带的存在与分布。遥远过去地质年代的解释，主要是以现代地质作用过程知识为指导对地壳岩石进行观察(即“将今论古”)。实际上，地质科学中所有的科学专业都对古地理学有贡献，而地层学与沉积学、古生物学与古生态学、构造地质学与地球物理学，以及岩石学与地球化学等分支学科尤其重要。

一般情况下，一幅古地理图涵盖着某一个时间间隔，并因此而代表该时间间隔里平均的地质状况。但是，对于任何特定的古地理重建而言，时间间隔应当相对于该地区地质变化的速率来要短。

对于确定地质时代间隔来说，有 3 种主要技术。①通过测定岩石的放射性。利用测量放射性母同位素对子同位素的比值来确定岩石年龄的技术，总会包含有某种内在的误差。所以，给出的岩石形成时间，与其说是作为一个特定的时间点，不如说是作为一个年代范围。②测定岩石年龄的第二个技术，是利用对比化石遗留物的相似性。区分出生物的演化阶段，就为建立世界各不同地区岩石的时间等值性提供了有用的年代时序。但是，演进变化的速率通常不足以大到能辨别小于几百万年期间的事件。③为了建立时间上的准确瞬息，相对较新的技术是由古地磁极性倒转的研究提供的。在过去年代的特定时间，地球磁场的极性发生过倒转，每一次倒转实质上是瞬间完成的。从深海沉积物和大陆熔岩流中发现的细粒三氧化二铁之极性和方向，已建立了最近 700 万年的古地磁极性倒转顺序。古地磁极性倒转最终可以提供出为准确重建地球地质历史所需的那样的瞬时时间信号。

最简单的一类古地理就是表示出古代陆地和海洋的位置。关系到这种重建的资料就包括由岩石中的动物和植物化石群所确定的海相与非海相沉积岩的分布。但是，化石生物可以提供的信息，比起它们所在沉积岩石是沉积于陆地上还是沉积于海里来说，还更要详细得多。大陆和海洋环境包括很宽的生境范围(例如，高位平原或高原、荒漠、森林、河谷、沼泽与湖泊、潮滩、海滩、潟湖、礁、三角洲、或开阔海洋)，在其中每一种生境里，都生活着特别适应于该特定生境生态的动植物组合。这样一来，关于化石生物生态需要的知识，就比起单纯标定“陆”和“海”来，允许更精确地解释古地理。

在古地理研究中，陆地植物化石长期被用作气候指示物。当内部细胞结构得以保存时，就有可能确定该植物是生活在干旱气候里，还是生活在潮湿气候里，还可确定在温度和降雨方面是否有明显的季节变化。在那些包含着具有现生后代的化石植物的地质上较年轻的岩石中，人们可以从现生种类的环境选择性来确定过去的气候。

除了叶、茎和果实的碎片与碎块而外，植物还提供另外的化石遗迹。事实上，大多数古气候解释都是根据孢子花粉化石的研究，孢子和花粉是植物细微的繁殖物体，它们具有抵抗力极强的外膜。因为孢子和花粉极大的耐蚀性及它们极大的初始丰度，所以化石孢子花粉可以从很多陆相的或者甚至边缘海的沉积地层中得到，这些地层可能反而缺乏较大的植物遗体。

海洋植物，特别是钙质藻类也发现并确认有呈化石状态的。它们不仅将表明其所赋存的岩石之海相成因，而且，因为光合作用需要光线，所以，这海相环境也当定为相对较浅水的环境(太阳辐射不能穿透几百英尺海水深度)。

脊椎动物化石，不管是鱼类、两栖类、爬行类、鸟类，还是哺乳类，也可以在古地理学中有用。与植物相似，个别的脊椎动物种有对它们环境的特殊适应性，以致于它们在古代岩石中的分布可为这些环境之存在及其范围的指示物。

带壳的海生无脊椎动物，包括细微的钙质及硅质始先类动物、海绵、珊瑚、外肛类苔藓动物、腕足类、软体动物、棘皮动物和节肢动物，照例也被古生物学家用来确定古代海洋中的环境。

并非所有的在岩石中发现的过去生物的证据都像带壳无脊椎动物的坚硬骨骼状遗体、钙藻或植物的存在那么直接。实际上，很多证据是很间接的。石油和天然气的有机成分来自海洋生物化石，石油天然气的存在一般可确定含油气的岩石成因是海相的，虽然在生油岩形成后，油气可以运移到储油岩中，储油岩的成因可能实际上是非海相的。粪化石是化石化的动物粪便遗物，它们偶尔也可以提供一些古地理情况。生命活动的其他间接证据是古代动物的足迹、移迹和潜穴。

古地理资料并不局限于化石残留物。所有种类的岩石，含化石的与不含化石的，都可用于古地理重建。火成岩、沉积岩和变质岩都是发生在地球表面或地壳内部的各种各样作用过程的产物。岩石所由形成的环境是沿着地理趋势分布的，并且这些环境所特有的成分、结构和内部构造常常被记录在个别岩石类型内部。对过去地质时期特定时间点的分析就使得能确定和解释这些主要的成岩环境，并指出它们的地理分布。

paleogeology 古地质学 又作 palaeogeology。指遥远的过去任一特定时期一个区域的地质学。以地图形式所作的古地质学再造，不仅表示出一个区域古代的地形，而且表示出地表之下岩石的分布以及像断层和褶皱这样一些构造。这类图件帮助研究者更好地确定一个区域岩石变形事件的例证，现已埋藏于沉积层之下的河流水系模式，以及古代海洋的规模。它们也为石油地质学家提供有用的工具，使他们能确定石油和天然气有可能埋藏其中的那些地质构造。

paleography 古文字学 又作 palaeography。研究古代和中古手写文字的学科。古文字学者的首要任务是识读过去的文献材料，判定其书写日期和地点。通常古文字学一般只研究希腊和拉丁文字，而不研究埃及、希伯来和中东、远东的古文字。

古文字学研究的是已发现的书写于纸莎草、羊皮纸和纸上的古代和中古文献的手写文字。自 1681 年它作为一门科学而起始，古文字学所关注的是准确地识读文字并判定其日期和地点。古文字学者必须通晓该文献的语言、缩略词的使用和各种不同的书写风格。

了解书写所用材料对研究古代的手写文字有实质上的意义。最古老的材料是公元前 3500 年前的纸莎草纸。气候对它的保存有影响。埃及的干燥气候使文献易于保存，而欧洲的潮湿却使之易受损坏。羊皮纸(绵羊皮或山羊皮)和羔皮纸曾在古代使用，直至现在仍在用。因为用兽皮书写的材料价格昂贵，因而经常擦净后重用。不很贵的书写材料是在木框中溶入黑蜡的蜡板，虽然最初蜡板的使用一如今天人们使用记事本那样简便，但许多永久性文献还是书写于蜡板上的。最先用纸的是中国，到 9 世纪它在阿拉伯世界已普遍使用，14 世纪传到欧洲。

书写材料的特性通常能决定书册的形式。在希腊，成页纸莎草纸可以粘连一起，轻微重叠，做成书卷。抄本，也就是今天我们所熟悉的那种书册的形式，多用羊皮纸制成，因为纸莎草纸太脆，不能折叠。手抄本最先用于记账，基督教徒以之作为福音书时，它即广为流行。

在各种材料表面书写的用具有很大差异。苇杆笔、金属笔曾用于古希腊和古罗马时代；用硬质的骨类或金属制的尖笔通常可用以书写蜡板。在不生长芦苇的地方，羽毛的翎管成为书写工具。墨水既可用墨鱼的黑色分泌物或用煤灰和胶汁混合的调制品，也可用橡子浸于硫化铁溶液中制成。

为了分析文献，古文字学家必须谙识不同的手写笔体的风格特点以及使用的时间和地点。希腊大写字母原来刻于石上以及写在纸莎草纸上，字形逐渐变成更圆润，并在埃及亚历山大文学界各种人物的手笔中显得更为优美；当时有许多希腊人居住在埃及。草体字多用于日常事务中，使用范围很广泛，留存下来者甚多，为研究古希腊人的日常生活情景，提供了文献资料。

拉丁文字的大写字母通常用于刻写在石头上，很少用于羊皮纸上。公元 1 世纪时，常用毛笔或粗笔在墙上以俗体字书写公告。到 4 世纪时，出现另一种叫做安色尔体的文字。拉丁文字如同希腊文字一样曾出现一种日常应用的草写体文字。在西方另一些地区还有另一种拉丁字母文字，最显著的是在爱尔兰修道院使用的岛风字体，以秀美著称。公元 597 年以后，岛风字体和安色尔字体随着罗马各教团一起传到英格兰。查理曼大帝成为发展加洛林小写字体的重要人物。加洛林体和现代铅字字体极为相似。12 世纪时，加洛林圆形字体被哥特体抄写人员改成有棱角的字体，但到 15 世纪这种笔体又恢复原来的形式，为意大利的印刷工人所采用。

古代的缩略词困扰着古文字学家，词尾被略去或词间字母被删掉，而用符号指出其变动(类似现在用省略号)，中世纪的欧洲为标志这种变化有 1.3 万多个符号用在这方面。不过,有关这些缩略词的知识却有助于断定文件的日期。手写体文字的风格和文献的内容(如果一项历史事件被记载下来时)也可用以确定撰写日期。

古文字学家根据手写体的特征判定不同的抄写员,从而断定其书写时期,但并不是一切抄写员都是可依据的。有些人实际上知识浅陋,只因他们会抄写,写得一手好字,才雇用来抄写文献,并不是来阅读文献的。一名抄写员的笔误,可能被另一名以他的抄本为模式的抄写人再次加以重复。有许多直笔画的哥特体文字可能被不懂文本所用语言的抄写员写得凌乱无章。这种直笔画的所谓"最低限度讹误"是古文字学的一个共同问题。

古文字学有一个领域不需要专门知识,那就是书册的装帧。苦心孤诣和高度的个人艺术创造相结合,精美的大写字母辅之以优美的书法,用美妙的彩图来展现抄本内容,这等精美绝伦的手抄本从 7 世纪起在爱尔兰的修道院中即极为著称。它们已进入世界艺术宝库中。

像一切艺术一样,伪造的可能性一直存在着。在中世纪欧洲,一些修道院都因土地受到君主侵夺的威胁曾出现过伪造地契的案件。现在,因为古代文献售价高,存在各种造伪的企图,但现代化的侦查手段,如紫外线即能迅速揭露出赝品。

paleohydrology 古水文学 又拼 palaeohydrology。研究过去地质历史时期地球上水文系统的科学。从岩石的蚀变、沉积和侵蚀等作用的证据推断出变化的水文条件。古水文学也研究在地质年代中植物和动物组合的变化情况,这些变化也深受水文变化的影响。

Paleolithic Period 旧石器时代 又作 Old Stone Age。人类发展过程的古代文化阶段或其水平,以使用原始的打制石器为其特征。旧石器时代早期(大约距今250万年至20万年)遗址出土简单的砾石工具,伴有可能是人类最早祖先的遗骸。旧石器时代早期一种比较复杂的石器工艺,称为砍砸器工艺(**chopper chopping-tool industry**),广泛分布于东半球。这种石器传统是直立人创造的。距今70 万年前,出现了一种旧石器时代早期的新型工具,叫作手斧。欧洲最早的手斧属于阿布维利文化期工艺(**Abbevillian industry**),它是在法国北部索姆河谷发展起来的;稍晚,比较精致的手斧传统见于阿舍利文化期工艺(**Acheulian industry**),其遗址存在欧洲、非洲、中东和亚洲均有发现。在坦桑尼亚奥杜威峡谷曾出土最早的手斧,伴有直立人的化石遗存。与手斧传统并列发展的还有一种与之区别明显的特殊石器工艺,即石片工具。在欧洲,克拉克顿文化期工艺(**Clactonian industry**)便是石片传统的一例。早期的石片工具工艺可能促进了莫斯特文化期的旧石器时代中期石片工具的发展。穆斯特文化期工艺(**Mousterian industry**)的石器,常常与尼安德特人的化石遗存一同出土。旧石器时代晚期(始于 4 万年前)出现了具有地区性的石器工艺,如欧洲佩里戈尔、奥瑞纳、梭鲁特等文化期的工艺,另外在旧大陆以及新大陆最早文化中还有其他的地方性工艺。伴随这种石器出土的化石人类(克罗马农人),在解剖学上属于现代人。这时期的工艺特征是石器复杂,用途各异,器型多样,同时出现了各具特色的地区性艺术传统。现代的考古学者认为旧石器时代的艺术可分为两大类型:一种是小型雕刻品,另一种是洞壁上的大型壁画、雕刻及浮雕。这些作品在地中海沿岸各地和欧亚大陆及非洲的少数地区都有所发现,但在东欧和西班牙、法国部分地区,则有大量这类古代艺术品保存下来。小型雕刻品是东欧旧石器时代晚期主要艺术传统,典型作品是小型泥塑、骨质雕刻品和象牙雕刻品。旧石器时代晚期大型艺术品主要盛行于西欧,亦即所谓法兰西-坎塔布连艺术流派(**Franco-Cantabrian school**)艺术品出土区域。这些地方的石灰岩洞穴,提供了创作壁画、雕刻和浮雕的表面,且有所遮蔽。在这类洞穴里也曾发现优美的小型雕刻和大量而多样的史前绘画,有简单的泥土手印,也有精致的彩绘,画面通常是动物,构图优美,形象生动,富于自然主义气息。旧石器时代的艺术品在当时人类的生活中究竟有何作用,或者创作的目的是什么,都是仍有争论的课题。

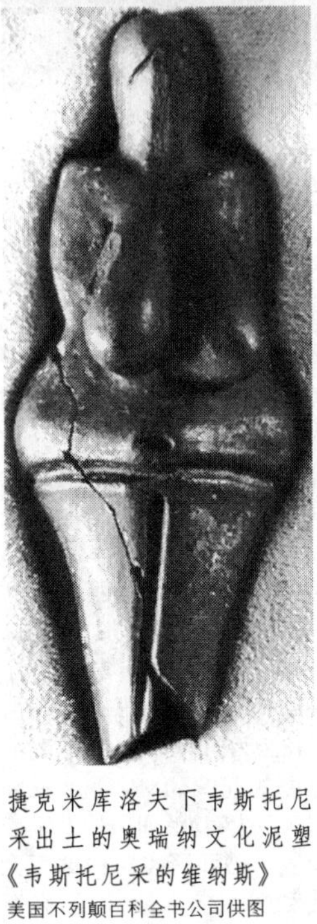

捷克米库洛夫下韦斯托尼采出土的奥瑞纳文化泥塑《韦斯托尼采的维纳斯》
美国不列颠百科全书公司供图

Paléologue, Maurice-Georges 帕莱奥洛格 (1859-01-13,法国巴黎~ 1944-11,巴黎?) 法国外交官和作家,在第一次世界大战前夕和期间鼓励法俄两国结盟。早年进入外交界,曾先后出使丹吉尔、罗马、德国、朝鲜和保加利亚。1909 年任外交部副司长,1911 年任司长。第一次世界大战爆发前不久任驻圣彼得堡大使至 1917 年布尔什维克革命时为止。战争期间他巩固了法俄联盟,协助俄方的军事行动,使之获得成效。1920 年任外交部秘书长。1921 ～ 1922 年发表《大战期间的沙俄》,这是他在圣彼得堡的外交经历的记录。其他著作有文学评论和几部长篇小说。1928 年被接纳为法兰西学院院士。

paleomagnetism 古磁性 参阅 **remanent magnetism** 剩余磁性。

paleontology 古生物学 又作 palaeontology。研究地质时代生命,即分析保存在岩石中的动植物化石(包括微体化石)的科学。涉及古代生命形态之生物学的各个方面:外形和结构、演化模式、在分类学上它们彼此之间的关系及与现代生物种属的关系、地理分布、与环境之间的关系等。它同地层学和地史学相互依赖,因化石是对沉积岩层进行鉴定和对比的主要手段。其研究方法包括生物统计法(用于生物学的统计分析),对机体形态作统计描述,并对其分类关系作定量表达。古生物学在恢复地球历史方面起了关键作用,并为进化论提供了很多证据。此外,古生物学资料,有助于石油地质学家寻找石油和天然气田的位置。这些化石燃料的产出常常与某些古代生命形态之残留物的存在相关。古生物学研究史可追溯到 19 世纪初期。1815 年英国地质学家 W. 史密斯论证了化石对研究地层的价值。同时,法国动物学家 G. 居维叶开创了对现存生物结构同化石遗体的对比研究。

Paleosiberian 古西伯利亚人 西伯利亚东北部诸民族之统称。据认为,古西伯利亚人乃早先分布较广、后被新西伯利亚人排挤进入上述地区的居民之残存部分。包括楚克奇人(**Chukchi**),科里亚克人,堪察加人,尤卡吉尔人(**Yukaghir**)和凯特人(**Ket**)。楚克奇人和科里亚克人传统上饲养和猎捕驯鹿;海岸居民集团则以猎捕海生哺乳动物和鱼类为生。堪察加人为定居渔民。尤卡吉尔人原以狩猎为主。

Paleosiberian languages 古西伯利亚诸语言 又名古亚细亚诸语言或希佩博雷安诸语言。通行于北亚(西伯利亚),为 4 组系谱上没有联系的语言:叶尼塞语、洛拉维特兰语、尤卡吉尔语、吉里亚克语。叶尼塞语组至少包括 4 种语言,即凯特语、科特语、阿林语、阿桑语。现在只有科特语仍在通用(约1 000人使用)。洛拉维特兰语系通常包括 5 种语言,即楚克奇语(约 1.3 万人使用)、科里亚克语(使用者约8 000)人、堪察加语、阿笛申语和克列克语,每种的使用者少于 350 人。尤卡吉尔语组的仅存的活语言是正统尤卡吉尔语(或称奥杜尔语)使用者约 450 人,已消亡的奥莫克语和楚万语均属这个语组。吉里亚克语(约4 000人使用)是独立语言,与古西伯利亚其他任何一个语组没有系属关系。

古西伯利亚诸语言使用者甚少,而地域十分辽阔。例如,操洛拉维特兰诸语言者生活在西伯利亚最东北地区,往南延及堪察加半岛。吉里亚克语通行于日本正北方的萨哈林岛及其附近地带。远距堪察加半岛3 900千米的西部地区生活着操叶尼塞诸语言的人们。尤卡吉尔语仅存在于彼此相距遥远的少数居民点中。在这片广大地区内的所有这些部族之间以及各该语族内部,还有一些非古西伯利亚语为乌拉尔语、通古斯语及突厥语的使用者。

自19世纪中叶以来，古西伯利亚诸语言虽然并无系谱联系，但却被划分在一起。它们被认为是更大语系的残存语言，该大语系一度曾覆盖亚洲广大地区。L. 冯·施伦克是第一个提出这个假说的学者。叶尼塞诸语、洛特维特兰诸语和尤卡吉尔语事实上过去通行地区要远远超过现在的范围，而吉里亚克语则曾可能继续向西扩展。但这并不足以说明它们曾有过共同的祖语。在西伯利亚史前时代，当乌拉尔族、通古斯族以及突厥族进入这里以前，可能这些语系的差异更大。

凯特语、尤卡吉尔语和吉里亚克语，迄今未曾被证明与其他语系如汉藏语系、高加索语系或乌拉尔语系等有谱系上的关系，虽然有些理论也曾提出过有这种联系。尤为显著的是，一种依据两个语群之间结构上的相似性而提出的尤卡吉尔-乌拉尔语(系)假说，曾多次讨论过，但尚无结论。

古西伯利亚诸语言现在用依据西里尔字母所创文字书写。尤卡吉尔语、科里亚克语(在一定范围内)从前曾使用图画文字，并在桦木皮上刻画图形。现在古西伯利亚诸语言的每一种都已创制文学语言。双语现象(与俄语并行)正在扩展，继续教育有助于使那些依照俄罗斯模式迅速发展起来的各种现代民族文学达到定型的程度。

古西伯利亚诸语言有大量不同来源的借词。有很大比率的借用词汇，特别是科技术语，来自俄语。不过，大多数借词都来自通古斯语(阿尔泰语之一支)和突厥诸语言，如雅库特语。凯特语有些语词来自塞尔库普语(一种乌拉尔语)。楚克奇语则有爱斯基摩语词汇。吉里亚克语中关于驯鹿的术语借自通古斯语但两者的联系早已断绝。吉里亚克语还有日本北部阿依努语的一些借词。

古西伯利亚诸语言的4个语组有一些共同的语言学特征。它们全都广泛使用复合构词法。后软腭辅音(即语音形成于口腔极后部，比K音更后)是共同都有的，另一特征是元音和谐。古西伯利亚诸语言都有辅音交替现象。除尤卡吉尔语之外，都有许多辅音丛。

古西伯利亚诸语言很少有相似点，单个的语言与其他语系的语言相类似之处多过它们彼此之间的相似性。例如吉里亚克语在某些语法范畴方面与日语相类似。尤卡吉尔语和乌拉尔语有一些相似的语法范畴，尤为明显的是一种特殊的带宾语动词的词形变化和另一种否定动词的词形变化。洛特维特兰语有复合形式更趋复杂的倾向并有唯被动结构(施事不作为主语来表现)。凯特语的显著特点是其动词的复杂体系已然简化。

Paleozoic Era　古生代　又作 Palaeozoic Era。为5.70亿年前到2.45亿年前的大段地质年代，是显生宙的第一个代。

传统上代的命名用以反映地球上生物发育形成过程中的重大变革。古生代(Paleozoic来自希腊语，意为"古老生物")后面是中生代(Mesozoic，"中间生物")和新生代(Cenozoic，"近代生物")。古生代分为6个纪：**寒武纪(Cambrian Period)**、**奥陶纪(Ordovician Period)**、**志留纪(Silurian Period)**、**泥盆纪(Devonian Period)**、**石炭纪(Carboniferous Period)**和**二叠纪(Permian Period)**。

早古生代(大致为最初的1.60亿年)的特征是地壳普遍的隆起和拗陷，其结果是在北美洲、欧洲和亚洲的部分地区形成造山运动和地槽(向下的挠曲)。在露出的地块的南部形成一些大海。北美洲的很大部分被一片温暖的浅海所淹没，海里有很多珊瑚礁。在寒武纪晚期以及随后的各纪里，接连有多次造山幕。在这段时期内，没有气候寒冷的证据；一度认为属于寒武纪的冰川作用，现在知道是在前寒武纪时期发生的。

早古生代的化石有蠕虫之类无脊椎动物和原始的无脊椎介壳，如沃尔博斯螺属(*Volborthella*)、软舌螺属(*Hyolithes*)等。的确，正是在寒武纪期间，今天的无脊椎动物的许多种类第一次出现了。寒武纪时，三叶虫(海生节肢动物，其骨骼分成3个纵向叶片)是最丰富的动物种类，也是今天最经常发现的化石种类之一。到晚寒武世末，几种海生生物种类十分丰富。占优势的4种是笔石类、头足类、腕足类和三叶虫，它们产生了一个繁盛的动物群，其组成有苔藓虫(海生群体动物)、软体动物(如腹足类——蜗牛和蛞蝓)、介形虫(小型的双壳甲壳类)、板足鲎(大型节肢动物，现已绝灭)等。原始的鱼也在古生代初期出现了。这个时期的植物主要是藻类，还有一些苔藓植物和蕨类。

约4.10亿年前到2.45亿年前的古生代晚期地球上发生了极大的变化。动植物在广阔温暖的浅海里繁荣起来，地球多种多样的回旋淀积了广泛的矿床。今天开采的铜、金、铅、锌和其他矿产很大部分来源于晚古生代的泥盆纪；现代的采矿活动大大地扩展了对于这一段地质时代的了解。巨大的沼泽森林区覆盖了北半球各大陆的很大部分，而这些大陆又反复地遭到海水的突然侵袭，海水埋没了植被，而后又用粉砂把它覆盖起来。后来海水撤退，森林复活，并且一次又一次在旋回中被埋没，这种旋回在旋回层中现在十分明显。热力和压力把埋没的植被转化成了对于现代世界非常重要的石油和煤炭。

在泥盆纪期间，动物从海洋里出来，各式各样的动物种适应了呼吸空气，并在陆地上到处走动。这是通过两栖类的方式发生的，两栖类在石炭纪和二叠纪逐渐进化而成，有相当大的多样性，体长从几厘米到3米。当沙漠环境在二叠纪又开始占优势时，两栖类被一种新的种类爬虫类所接替，爬虫类能在沙漠里产卵，卵能孵化并生出小爬虫，基本上不依赖水。爬虫类迅速演变，成了许多适应不同条件的种。

晚古生代也是昆虫生命的开始。研究石炭纪煤层中发现的化石，已知有500多种昆虫，其中包括横宽超过60厘米的蜻蜓和长达30厘米的有翅蜚蠊。如此，生物形态为进入空气已迈出了最先的几步，但是爬虫类长出翅膀仍然还要过一些时间，这才最终产生了空中的生物形态——鸟。

鱼类在晚古生代经历了迅速的演变。鲨和类似鲨的生物很普遍；最大的现已绝灭的恐鱼属(*Dinichthys*)体长超过6.8米，具有厚重的骨质甲板保护其头部并铰接在其颈部周围的体甲上。肉鳍鱼亚纲——具肉质鳍的硬骨鱼类，养成了呼吸空气的能力，这使它们在干旱时期能够在沙漠里幸存下来，这些肺鱼目的5个属现在仍然还活着。总鳍鱼类产生出了两栖类。

晚古生代的植物群包括大量的陆生植物。蕨类在石炭纪的森林里长到乔木一般高大。科达木类——球果植物的先驱，最早出现在石炭纪早期。

晚古生代的另一演变是出现几次大的冰川作用。南美洲、非洲、南极洲和澳大利亚都有早期冰川堆积，这种条件使很多暖水生物受到绝灭的威胁。接着是第二次和第三次冰川作用，然后在古生代终了时又在生物史上出现了一次最大的危机。气候变暖了，而且好几百万年再也没有冰川作用。适应冷水的生物类型当中的大多数，不论在种类上还是在数量上，几乎减少了一半。在陆地上也是一样，大约有75%的两栖动物的科和超过80%的爬虫类到二叠纪末都绝灭了。

Palermo　巴勒莫　意大利西西里岛区和巴勒莫省首府。自古为重要港口。最早由腓尼基商人于公元前8世纪建立。后转入迦太基人之手。公元前254年被罗马人攻占。831

巴勒莫市的大教堂

美国不列颠百科全书公司供图

年阿拉伯人征服巴勒莫，该城发展为与北非贸易的中心。但其黄金时代是在诺曼人统治时期(1072～1194)，尤其是在成为西西里王国的首都时最为昌盛。1194年日耳曼霍亨斯陶芬王朝取代诺曼人在西西里的统治。霍亨斯陶芬神圣罗马帝国皇帝腓特烈二世将帝国政治中心转到意大利南部和西西里岛上来，其在巴勒莫宫廷所创造的辉煌文化闻名于全西欧。1266年法国安茹王朝的查理征服了巴勒莫。1281年爆发起义，法军被逐。后该城由阿拉贡王朝统治。1412年后，西西里王国与阿拉贡王国合并，后又有西班牙加入。16、17世纪在西班牙总督管辖下对该市进行了重建。拿破仑战争后，西西里-那不勒斯归属西班牙波旁王朝。1820和1848年，那不勒斯又爆发反对波旁王朝的起义，1860年加里波第解放该城，巴勒莫归属意大利王国，恢复繁荣。第二次世界大战中破坏严重。1948年西西里成为意大利共和国一自治地区，巴勒莫成为本岛最大城市。新兴工业部门有制造、化工和印刷等行业。港口与那不勒斯和突尼斯之间有商船和客轮往来。主要输出柑橘、谷物、鲜鱼和化工品等。人口:城市区约694 749(1994)。

Palermo Stone　巴勒莫石刻　埃及最初5个王朝(约公元前2925～约前2325)的编年史和文化史的基本资料来源之一。现存6块大小类似的残片。其中有一块黑玄武石,

巴勒莫石刻(第一面)
意大利巴勒莫国家考古博物馆供图

1877年收藏于西西里岛的巴勒莫市,故名。这些石块原先可能立在埃及神庙或其他重要建筑物中。两面皆有象形文字。横写。最上一行列举前王朝时期国王的名字,下面各行则是每个国王统治时期的大事记。每行前面有一位国王的名字。此石刻可能是第25王朝沙巴卡时代的复制品。

Palés Matos, Luis　帕莱斯·马托斯(1898-03-20,波多黎各瓜亚马～1959-02-23,圣胡安)诗人。许多人认为他是波多黎各最杰出的抒情诗人,他以非洲人和美国黑人的民间文学和舞蹈的语言、主题和韵律丰富了西班牙语诗歌的词汇。早期的诗作结集为《杜鹃花》(1915),系模仿流行的现代主义派的诗歌,但他(作为一个白人)很快找到了表现黑人文化的方向。他在期刊发表的以黑人为主题的诗作为他牢固地树立了文学声誉,并促进了西班牙语美国人对他们的非洲文化传统的关心。帕莱斯·马托斯不同于同时代一些从事黑人诗歌运动的诗人,不讲究真实性。他宁愿作为诗人而不作为社会学家追怀一种文化。由于采用以黑人为主题的自由创作方法,他常常遭到关心准确性胜于关心诗的价值的人的抨击。他的惯于怀疑的讽刺调子被一些人视为态度傲慢。然而,他精通诗的格式和语言,甚至连那些攻击他的创作方法的人也不得不承认。"黑人诗歌"使他成为颇有名气、影响很大的诗人,但他勤于思考和内省的个性在许多其他基调和主题的诗作中都有所体现。《诗集,1915～1956》(1957)收集了他的大部分诗作,反映出他作为一位在现代世界中感到不安的抒情诗人和忧郁者的个人情感。

Palestine　巴勒斯坦　地中海东部的一个地区,包括今以色列、加沙地带和西岸部分地区。现在所称的巴勒斯坦地区,西起地中海(包括加沙海岸),东至约旦河,北起以色列和黎巴嫩两国的交界处,南至内盖夫,其最南端一直延伸至亚喀巴湾。在20世纪,该地区的犹太和阿拉伯民族运动之间经常发生权利冲突。

巴勒斯坦地区在《圣经》记载时代即受以色列和犹大两王国统治。该地区亦被称为"圣地",犹太教、基督教和伊斯兰教对此地都有不同程度的神圣感。犹太教称巴勒斯坦为"以色列的土地"传统上认为这里是上帝赐予的土地、唯一的圣地和民族独立的中心。基督教认为它是耶稣和众使徒生活和布道的地方,有许多特别值得崇敬的场所。伊斯兰教则把与先知穆罕默德有关的某些地方作为圣地。犹太复国主义者来此定居时(始于20世纪20年代初),一个当地的巴勒斯坦阿拉伯民族主义组织也发展起来,特别是在1948年以色列建国后发展更为迅速;该组织宣称巴勒斯坦是阿拉伯民族的家园和领土,因为阿拉伯人自7世纪穆斯林征服该地区后就一直在此居住。

巴勒斯坦的名称来自希腊语 Palaistina,后者源于希伯来语 Pleshet(意为"非利士人的土地"),指埃及东北部的一小块沿海地区,亦称非利士提亚。公元前2世纪罗马人以"叙利亚巴勒斯坦"作为叙利亚行省南部地区(包括以前的犹地亚地区)之名。第一次世界大战以后,巴勒斯坦一名恢复使用,作为英国人管辖的托管地之一部分(东起约旦河,西至地中海岸的全部区域)的正式名称。

巴勒斯坦的疆界随着历史的变迁发生了很大的变化,但通常包括西起地中海和沿海平原,经谢费拉过渡地带,至犹太(亦称犹地亚地区)和撒马利亚的丘陵区(古希伯来诸王国的中心地带)。犹地亚荒野向东倾斜至约旦河谷,即东非大裂谷的北段。南部为干燥、崎岖的内盖夫地区,止于亚喀巴湾。北部宽广肥沃的埃斯德赖隆平原将南部的撒马利亚与加利利丘陵带分开,加利利是巴勒斯坦地势最高、水量最充沛的地区。加利利海和现已干涸的胡拉谷地位于加利利的东部。但是,大卫王和所罗门王所统治的王国(约公元1000年)则包括今黎巴嫩和叙利亚的大部分地区。

巴勒斯坦的地形变化很大;耶路撒冷城北海拔为821米,死海沿岸在海平面以下约400米(为地球陆地表面最低点),两地之间相距仅23千米。全境属温和的地中海冬雨型气候,年平均降雨量在内陆地区(即向东)逐渐减少。

早在史前时代就有人类(主要为闪米特人)居住在巴勒斯坦,中东地区的每个强国都曾先后占领过该地区,其中包括埃及、亚述、巴比伦、波斯、亚历山大大帝的帝国及其继承者(托勒密王国和塞琉西王国)、罗马人、拜占廷人、伍麦叶王朝、阿拔斯王朝、法蒂玛王朝、十字军、阿尤布王朝、马木路克王朝及奥斯曼土耳其人等。第一次世界大战以后,巴勒斯坦作为国联的一个委任统治地,由英国管辖。此项委任统治是1917年《贝尔福宣言》的具体体现,该宣言声明英国支持犹太人在巴勒斯坦建立国家。英国在巴勒斯坦的统治一直持续到1948年,但它在当地的管理既没有使占人口多数的阿拉伯人满意,也没有得到移民人口日益增加的犹太人的认可。

第二次世界大战以后,英国已无理由继续对巴勒斯坦实行管辖,这个难题遂移交给联合国大会讨论。联大于1947年11月29日通过决议,建议在巴勒斯坦分别建立阿拉伯国和犹太国。以色列国于1948年5月14日宣布成立,最后一批英国官员亦在当日离开巴勒斯坦。

周围的阿拉伯国家对以色列国的成立并不承认,他们派出军队进入巴勒斯坦。随后的战争使以色列占有的土地比联合国计划分配的多50%,包括了整个加利利、海岸区、一部分加沙地带(埃及占领部分)、整个内盖夫及耶路撒冷西北部。约有72万巴勒斯坦阿拉伯人逃离以色列。1950年,约旦王国正式兼并约旦河西岸约5 180平方千米的土地,从此这片原在联合国计划中设想为阿拉伯国家一部分的土地被称为"西岸"。(约旦的行动未受到普遍承认)。1967年以色列占领了西岸、加沙地带、西奈半岛、戈兰高地和东耶路撒冷。根据《戴维营协议》(1979),以色列于1979～1982年将西奈半岛归还给埃及,但西岸、加沙地带、戈兰高地和东耶路撒冷仍在以色列手中。

那些在1948～1949年的战争中和战后离开新建立的以色列国的阿拉伯人被称作巴勒斯坦人,他们作为难民在周围的阿拉伯国家定居下来。此外,那些在西岸、加沙地带和东耶路撒冷受以色列统治的阿拉伯人和由于"六日战争"而逃往邻国的阿拉伯人也成为巴勒斯坦人社会的一部分。为便于区分,那些在以色列建国后仍留在以色列并已成为以色列公民的阿拉伯人现被称为以色列阿拉伯人。

1974年10月阿拉伯联盟在摩洛哥的拉巴特召开最高级会议,承认巴勒斯坦解放组织为巴勒斯坦阿拉伯人的唯一代表。在1969年的宪章中,巴解组织明确表明其目标为:消灭以色列,将原巴勒斯坦托管地变为由穆斯林、基督教徒和犹太人组成的独立国家。但是,1988年巴解组织首次表明支持关于巴勒斯坦问题的两国解决方案,即成立一个巴勒斯坦国,与邻国以色列并存。

1993年,以色列和巴解组织就以色列和巴勒斯坦人和平解决争端的一般原则达成共识。巴解组织承认以色列的生存权,作为交换,以色列承认巴解组织是巴勒斯坦人的唯一代表。双方同意一个5年的过渡期,在此期间以色列将逐步把西岸和加沙地带的管辖权转交给巴勒斯坦人,并承诺从上述地区部分撤军。关于西岸和加沙地带永久地位的谈判于1996年开始。到90年代末被占领土的大部分人口都由巴方统治。2000年末双方谈判因暴力活动而中断。参阅 **Arab-Israeli**

wars;**Palestine Liberation Organization**。

Palestine Liberation Organization（PLO）**巴勒斯坦解放组织** 简称巴解组织。凌驾于分支组织之上的总的政治组织，自称代表全世界约计445万巴勒斯坦人——1948年以色列国建立以前生活在委任统治地巴勒斯坦的阿拉伯人及其后裔。它成立于1964年，以集中领导以前作为地下抵抗运动进行活动的巴勒斯坦各组织，但在1967年6月阿以战争后才为世人所瞩目。这个运动致力于建立一个“民主和非宗教的”巴勒斯坦国。在1948年巴勒斯坦战争及其后的敌对行动中，阿拉伯各国带头同以色列作战，巴勒斯坦的阿拉伯人起着相对被动的作用。1967年“六日战争”中阿拉伯国家被以色列打败后，巴解组织被承认为巴勒斯坦人的发言人和独特的巴勒斯坦意识的宣扬者。

巴解组织内部或它所联系的主要各派有：法塔赫（**Fatah**）、解放巴勒斯坦人民阵线（简称人阵，**Popular Front for the Liberation of Palestine**）及解放巴勒斯坦民主人民阵线（简称民阵，**Popular Democratic Front for the Liberation of Palestine**）。与巴解组织有联系的恐怖主义组织有法塔赫的黑九月小组和解放巴勒斯坦人民阵线-总指挥部。巴解组织的成员数目随着其组成团体的改组与内部分歧时有变化。巴解组织内较温和的各派倾向于接受与以色列谈判解决问题，产生一个巴勒斯坦国。较激进的其他各派坚持以消灭以色列为目标，代之以一个穆斯林、犹太人和基督徒平等参加的非宗教国。巴解组织的经费来自同情它的国家以及对巴勒斯坦籍工人工资征收的税金。

1969年巴勒斯坦最大的组织法塔赫的领导人阿拉法特被任命为巴解组织主席。60年代后期以来，巴解组织从其在约旦的基地组织发动了对以色列的军事行动。但在1970年巴解组织与约旦国王侯赛因的政府冲突越来越大，1971年被约旦军队强行赶出约旦，把基地移至黎巴嫩。

从1974年起，阿拉法特主张巴解组织不参加以色列境外的国际恐怖主义，使国际社会接受巴解组织作为巴勒斯坦人民的合法代表。1974年阿拉伯国家元首们承认巴解组织为全体巴勒斯坦人的唯一合法代表。1976年巴解组织被接纳为阿拉伯联盟的正式成员。巴解组织被摒除在埃及与以色列的谈判之外，谈判结果在1979年达成了和平条约，该条约将以色列占领的西奈半岛归还埃及，但谈判未能使以色列同意在西岸和加沙地带建立巴勒斯坦国。巴解组织继续从叙利亚占领的黎巴嫩袭击以色列领土，导致以色列于1982年6月6日入侵黎巴嫩，力图抑制以黎巴嫩为基地的巴勒斯坦和叙利亚军队。作战数星期后，以色列军队包围贝鲁特，几年来贝鲁特一直是巴解组织总部所在地。通过谈判，结果是大部分巴勒斯坦人撤离黎巴嫩首都贝鲁特，前往同情的阿拉伯国家。阿拉法特从贝鲁特撤至突尼斯首都后，巴解组织内对其领导愈益不满，1983年叙利亚军队支持的巴解组织反对派迫使阿拉法特剩余的军队撤离黎巴嫩。阿拉法特仍获得一些阿拉伯国家领导人的支持，终于得以重申他在巴解组织中的领导地位。

1988年11月15日，巴解组织宣布建立“巴勒斯坦国”，那是一种流亡政府，1989年4月2日，巴解组织的领导机构——巴勒斯坦全国委员会选举阿拉法特为新的准国家的总统。在此期间，巴解组织也承认了以色列的生存权利，因而看来要放弃其消灭以色列的目标，赞成一种接受以色列与巴勒斯坦两国分开、后者占有西岸和加沙地带的政策。然而，以色列人与巴勒斯坦人之间的谈判由于许多疑虑和障碍而受阻，其中包括：①1986年以色列通过的法规禁止以色列与巴解组织交往；②巴解组织内好斗的各派愿意继续从事反对以色列的恐怖主义行动。阿拉法特在1990～1991年的海湾战争中支持伊拉克，引起巴解组织在海湾石油国家的主要经济资助人的反感。1993年，巴解组织与以色列就和解问题秘密谈判，达成奥斯陆协议。协议呼吁双方相互承认，并为西岸和加沙地带逐步移交巴勒斯坦民族权力机构制定了条件。随后的谈判时断时续，终于在2000年末因为日益增加的暴力活动彻底失败。

Palestinian Authority（PA） **巴勒斯坦权力机构** 正式名称 Palestinian Natinal Authority，阿拉伯语作 al-Sulṭah al-Waṭanīyah al-Filasṭīnīyah。根据以色列与巴勒斯坦解放组织达成的和平协议，于1994年成立的西岸和加沙地带巴勒斯坦自治区管理机构。1993年巴解组织与以色列在挪威举行秘密会议，签署历史性原则声明（奥斯陆协定），双方同意相互承认，并就逐步将西岸及加沙管理权交还一个巴勒斯坦委员会的条款达成一致。在此期间，双方将举行永久性和平协议谈判以解决这些领土的最终地位。双方达成协议，规定巴权力机构控制被占领土大部分居民区，由巴勒斯坦警察负责这些地区的安全，但应保证以色列人自由通行。1994年以色列开始首次撤出。同年，巴权力机构接管许多民事职责。1996年巴权力机构管辖地区举行总统及立法委员会选举。巴解组织主席Y.阿拉法特轻松当选主席，法塔赫赢得立法委员会多数席位。2003年设立总理一职，M.阿巴斯就任首位总理。2004年阿拉法特去世，阿巴斯继任巴解组织主席和巴权力机构主席。在2005年初的首脑会议后，阿巴斯和以色列总理沙龙同意结束对抗。2005年9月以色列从加沙地带完全撤军，巴权力机构取得了对该地区的控制。在2006年的巴勒斯坦立法委员会的选举中，哈马斯击败法塔赫赢得胜利。

Palestinian Talmud **《巴勒斯坦塔木德》** 又称《耶路撒冷塔木德》。犹太教教义和注释的两种汇编之一。先经过许多世纪口传，然后由留居巴勒斯坦的犹太教学者编纂而成。

Palestrina（Italy） **帕莱斯特里纳** 参阅 **Praeneste** 普勒尼斯特。

Palestrina, Giovanni Pierluigi da **帕莱斯特里纳**（约1525，罗马附近帕莱斯特里纳～1594-02-02，罗马） 意大利文艺复兴时期作曲家，作有不下105首弥撒曲和250首经文歌；对位作曲大师。生活在天主教反宗教改革时期，是16世纪教堂音乐保守观点的主要代表人物。

生平 幼年被带往罗马近郊，1537年成为圣马利亚大教堂唱诗班歌童，并学习音乐，

美国不列颠百科全书公司供图

直至1539年。1544年应聘在故乡的大教堂担任管风琴师和歌手，职责包括弹奏管风琴、协助唱诗班工作和教授音乐。1547年与L.哥里结婚。1551年返回罗马接受教皇对他的第一次任命，担任朱利安教堂唱诗班音乐总监，负责圣彼得教堂的音乐事宜。1554年出版奉献给尤利乌斯三世的第一集弥撒曲，翌年升任教廷唱诗班歌手。约在此时又成为教廷教堂作曲家。不过他并未忽视世俗音乐，因为他的第一集牧歌曲集亦于1555年问世。同年，奉行严格教规的新教皇保罗四世下令禁止已婚者在教廷唱诗班任职，帕莱斯特里纳被解雇，获得数量有限的退职金作为补偿。其后5年他在拉特兰圣约翰大教堂指挥唱诗班，但他的努力不断受到那些质量不高的歌手们的阻挠。最后离开这个令人不快的环境。1561年3月接受圣马利亚大教堂的新职位，感到心情愉快，留任约7年。然后又应枢机主教伊波利托之邀在罗马附近避暑胜地蒂沃利主持音乐事务。他为伊波利托工作4年，同时在新创办的罗马神学院任音乐教师。1571年，原在梵蒂冈任音乐总监的作曲家G.安尼穆契亚去世，帕莱斯特里纳有机会重返朱利安教堂唱诗班担任音乐总监旧职。大教堂的全体教士急于要他回去，给他增加薪水。为确认他作为最知名罗马作曲家的地位，1578年梵蒂冈大教堂授予他音乐大师称号。16世纪70年代晚期席卷意大利中部的连续的流行病夺走了他的妻子和两个大儿子的生命。遭受丧妻之痛的他宣告有意接受圣职，这使教皇格列高利十三世大为欣喜。但是在被任命为大教堂教士后，他又声明放弃誓约，因为要和富孀V.多莫利结婚。不过他仍保留圣彼得教堂的职务，并继续作曲。教皇格列高利十三世曾委托帕莱斯特里纳和A.佐伊洛将当时使用的素歌恢复成更正宗的形式。这一任务过于庞大，奔腾的创造性乐思使他无法继续编辑工作。这些音乐大多发表于他生命的最后12年，包括多卷经文歌、弥撒曲和牧歌。他还协助创办了一个职业音乐

家协会。在他去世前两年新教皇克雷芒八世提高了他的年俸。

音乐 帕莱斯特里纳的作品数量浩瀚,而且无论是宗教还是世俗作品,都保持着惊人的高水平。105 首弥撒曲风格各异,声部从 4 到 8 个不等。在《武装的人》、《圣母颂》、《你是彼得》和《圣灵降临》等弥撒曲中都采用了历史悠久的固定旋律技巧。这些曲名代表所用的特定固定旋律的名称。帕莱斯特里纳在对位技巧上的匠心妙笔可在其某些卡农式弥撒曲(其中一或几个声部取自其他声部)中得到充分的体现。他的某些以赞美诗旋律为基础的弥撒曲也明显表现出他善于将严肃的素歌加以装饰,使之成为织体的有机部分,有时几乎与其他自由创作的声部难以分辨。另一种类型的弥撒曲是为曼图亚所写的 9 首,其中的《荣耀经》和《信经》段落经过编排而使素歌与复调从头至尾交替出现。最后是一组数量不多但却重要的自由风格弥撒曲,其音乐素材完全是新创作的。帕莱斯特里纳的经文歌(现存 250 余首)也像弥撒曲一样形式多样,品种繁杂。大多线条分明,偶尔还反映出礼拜经文的造型,但很少以素歌为基础。他的 29 首以《所罗门之歌》的唱词为基础的经文歌提供了无数"牧歌特色"的例子,即采用一些令人浮想联翩的描绘如画特征的乐句。在"奉献诵"中,他彻底弃绝了老的固定旋律技巧而以自由风格写作音乐,而在赞美诗中他则将传统的旋律加以自由改写,通常在最高声部。虽然帕莱斯特里纳的牧歌一般被认为不如他的圣乐那么意味隽永,但其中却表现出对于形象化和田园式因素的感觉,其犀利程度绝不亚于同时代的任何其他作曲家。

19 世纪末有一种观点,认为帕莱斯特里纳代表着意大利复调音乐的顶峰,这在某种程度上损害了他的声誉,因为它把他的音乐定位为严格死板的教条。更不恰当的是一些高等院校的考试要求必须有"帕莱斯特里纳风格的对位",这一要求使帕莱斯特里纳曾经运用潇洒的风格变得荒谬可笑。事实上,他的音乐创作中的一大部分,特别是他的弥撒曲,至今仍应该得到人们的赞赏。总是存在着一个帕莱斯特里纳传统,因为他满足了人们对一个井井有条的曲式体系的需要,这是供初出茅庐的作曲家走入音乐界所用的。在他的鼎盛时期,帕莱斯特里纳是一位资深巨匠,运用当时占主导地位的风格,创作出以其精神品质和技术造诣引人注目的作品。

Paley, William 佩利(1743-07,英格兰北安普敦郡彼得伯勒[今在剑桥郡]～1805-05-25,林肯郡林肯) 英格兰圣公会牧师和功利主义哲学家,曾就基督教、伦理学和科学等问题发表有影响力的著作,其中一部分是从目的论观点论证上帝存在的标准英格兰神学著作。佩利受教育于吉格尔斯威克学校和剑桥大学基督学院,1763 年以超等成绩毕业于该院,1766 年任该院院士、教师。他曾先后在马斯格雷夫(1775)、多尔斯敦(1776)、阿普尔比(1777)任牧师,其后在卡莱尔任大会吏、继而任圣保罗教堂牧师(1794)、林肯副教长(1795)和比肖普-威尔茅斯牧师(1795)。在佩利最重要的著作中,《道德及政治哲学原理》(1785)是他在剑桥大学的讲义;《关于基督教义证据之我见》(1794)在 20 世纪以前一直是剑桥新生必读的读物;《自然神学》(1802)是以 J.雷的《从创世的工作中看上帝的智慧》(1691)为依据的。在《自然神学》中,佩利用手表作类比,指出世界和手表都必然有其制造者。此书对达尔文影响甚大。

Paley, William S. 佩利(1901-09-28,美国伊利诺伊芝加哥～1990-10-26,纽约州纽约)美国广播工作者,哥伦比亚广播公司总经理(1928～1946)、董事会董事长(1946～1983)、创建董事长(1983～1986)、代董事长(1986～1987)和董事长(1987～1990)。哥伦比亚广播公司(CBS)半个多世纪权力的化身。

其父为乌克兰犹太人移民,在芝加哥经营一家兴旺的雪茄烟公司。12 岁时,他在其名字中间加上首字母 S。当他准备升入大学时,全家迁居费城,他于是进宾夕法尼亚大学沃顿财经学院学习(1922 年获理学士学位)。进入其家庭开设的一家新的雪茄烟公司,任副总经理。为推销其公司的产品,他终于签订了一项早期的无线电广播广告合同。广告使公司的营业大为兴旺,这使佩利意识到无线电广播作为广告媒体的力量。于是他于 1927 年向他亲戚的一家小的无线电广播网——哥伦比亚留声机广播公司投资;1928 年 9 月 26 日任该公司总经理,将公司迁至纽约市,很快与 49 家广播电台签订合同(1929 年哥伦比亚广播公司将原来名字中的"留声机"一词删去)。在其后数十年间,佩利将 CBS 建成为世界上最主要的广播和电视网之一,雇用的娱乐界明星有:B.克罗斯比、K.史密斯、G.伯恩斯和 G.艾伦、米尔斯兄弟、W.罗杰斯、E.坎托、B.霍普和 J.本尼等,其中有些人是从对立的广播公司吸引过来的。

第二次世界大战期间,佩利在美国政府中任地中海区战时新闻局监察人,接着任战时新闻局心理作战处无线电广播室主任(1944～1945),后任心理作战处副处长。

战争期间和战后,佩利支持和鼓励 E.R.默罗为 CBS 组成一个优秀的新闻工作人员班子。他并在战后年代在东海岸和西海岸建立 CBS 播音室,制作了几个颇为成功的电视比赛节目、喜剧片和西部片,其中包括《我爱露西》、《硝烟》等,以及 A.戈弗雷和 E.沙利文的杂耍节目。佩利牢固地控制主要节目的播出工作,并于 1966 年废除 CBS 强制性退休条例,从而使他得以继续担任董事长,直至 1983 年。在经过 CBS 内部斗争后,于 1987 年重又担任董事长。

佩利和他于 1947 年第二次结婚的妻子巴巴拉("巴比")·佩利(娘家姓库欣)成为纽约社交界中心,他们举办豪华的宴会,成为慈善界显要人士。佩利长期任现代艺术博物馆馆长和托管人,还建立了他自己的一个庞大的艺术收藏馆,收藏的范围包括 P.塞尚、P.毕加索和 J.波洛克等人的作品。

Pālghāt 巴尔卡德 印度西南部喀拉拉邦中部城镇。傍邦纳尼河。地处西高止山的巴尔卡德山口。在战略与商业上具重要意义。为谷物、烟草、纺织品与木材集散地。工业有烟草加工、碾米、织布与轻型制造业。设有国立维多利亚学院(1888)与工学院。邦纳尼河北面为奥勒沃戈德铁路交叉点。人口:城镇 111 245;都会区 117 956(1981)。

Pālghāt Gap 巴尔卡德山口 印度西南部西高止山的重要山口。位于尼尔吉里丘陵(北)与阿奈马莱丘陵(南)之间。宽约 32 千米。为喀拉拉邦与泰米尔纳德邦之间主要通道。有公路与铁路通泰米尔纳德邦的哥印拜陀和博拉吉。西南季风与孟加拉湾风暴均穿过该山口,对印度南部气候产生影响。

Palgrave, Francis Turner 帕尔格雷夫(1824-09-28,英格兰诺福克大雅茅斯～1897-10-24,伦敦) 英国评论家、诗人。《英诗精华》一书的编者。曾就读于查特豪斯公学和

美国不列颠百科全书公司供图

牛津大学巴利奥尔学院。在行政机构的教育部门工作多年。1885～1895 年任牛津大学诗歌教授。当时许多著名人物,如政治家 W.格莱斯顿、诗人 R.布朗宁、A.丁尼生和 M.阿诺德都是他的朋友。在他有独创性的诗中,《英格兰的期望》(1880～1881)最为有名。然而,他对诗歌最大的贡献却是编纂《英诗精华》(1861)一书。这是一部内容全面、精心挑选和编排的诗歌选集。他所选的诗征求过丁尼生的意见。《英诗精华》对几代人的诗歌爱好都有很大影响,尤其在使华兹华斯的作品受人欢迎方面有特殊意义。

Pāli 巴利 印度西北部拉贾斯坦邦中部城镇。位于班迪河(卢尼河支流)北岸。被分为古老区和现代区。有几座古代庙宇。现在主要为农产品集市中心。有公路与铁路通贝阿沃尔和焦特布尔。工业有纺织、榨油、棉布印染、铜器、牙雕和檀香木工艺制造等。设有医院和拉贾斯坦大学分校。人口:城镇 91 568(1981)。

Pāli language 巴利语 佛教上座部的宗教语言。起源于北印度的中古印度-雅利安语,与古印度-雅利安吠陀语和梵语诸方言有密切关系,但非直接由上述任何语言所派生。释迦牟尼不愿使用梵语布道,鼓励其徒众使用本地语言,其后佛教教义口耳相传,由印度

至锡兰(约公元前3世纪),用巴利语记载下来(公元前1世纪),巴利语本来是混合当地一些土语发展起来的一种文学语言,最后就成为标准的佛教国际语言,与上座部佛典即《三藏》一起传入缅甸、泰国、柬埔寨、老挝和越南。巴利语作为文学语言,于14世纪在印度本土已不使用,但在其他地区延续使用至18世纪。

Pāli literature 巴利文文献 用巴利文写成的佛教上座部经藏和论藏。参阅 **Tipiṭaka**。

Palikao, Charles-Guillaume-Marie-Apollinaire-Antoine Cousin-Montauban, comte de (count of) **八里桥伯爵** 参阅 **Cousin-Montauban, Charles-Guillaume-Marie-Apollinaire-Antoine** 库赞-蒙托邦。

Palimé 帕利梅 旧作Kpalimé。多哥高原区主要商业中心和城镇。位于首都洛美西北约110千米的山区。为咖啡、可可和油棕榈的重要产区。这些作物大部分通过公路和铁路从帕利梅运往洛美。是多哥间的主要商业贸易中心。城镇及周围地区的居民为埃维人。人口27 669(1981)。

palimpsest 再生羊皮纸卷 手抄书卷,其中原有文字被全部或部分刮去,在上面另行书写文字,其原有文字即称为“再生羊皮纸卷”。即使羊皮纸面磨损,在现代实验室条件下使用诸如紫外线辐射这类科学方法,也可将原有文字复原。制作这种再生羊皮纸卷的原因一般认为是出于节省的目的,因为重新利用旧书卷比制备新的羊皮纸便宜。另一可能的原因是出于基督教的虔诚,即把异教的希腊文手稿改成早期基督教会作家的作品。

palindrome 回文 正读反读都一样的词、数字、句子或诗句。此名源自希腊文 *palin dromo*(“再跑回来”)。回文词如 civic(平民的),madam(夫人),radar(雷达)及 deified(神格化的)。回文数字包括正读反读(如1991)、正反颠倒读(如1961)都一样的数字排列。回文句子如“Able was I ere I saw Elba”(我登上厄尔巴岛之前,亦曾身经百战,叱咤风云”)及“Lewd did I live & evil I did dwel”(我曾生活淫荡而陷于邪恶)。回文诗句如拉丁文的“Roma tibi subito motibus ibit amor”(大意是:“罗马,吾一见而爱汝,爱其熙攘之状”),又如“Signa te, signa temere me tangis et angis”(大意是:“尔其雕之,吾偶雕之,持之,押之!)。有人更进一步写出每一个词都可正读反读的回文诗,如W.卡姆登所作的:

Odo tenet mulum, madidam mappam tenet Anna,
Anna tenet mappam madidam, mulum tenet Odo.

(大意是:“奥多牵着骡子,安娜拿着湿布,安娜拿着湿布,奥多牵着骡子。”)

下面的例子更复杂,除了可以自左至右、自右至左读,也可以由上往下、由下往上读:

S A T O R
A R E P O
T E N E T
O P E R A
R O T A S

这个方形的拉丁文回文是在英格兰赛伦塞斯特一面罗马人造的古墙上和庞贝城里发现的,可译为“播种者阿列波小心地握住轮子”。直到19世纪,这则回文仍被刻在驱邪符或吉祥符上,挂在孕妇身上以确保分娩顺利。

这个方块回文也和“鱼”形标记一样,曾在基督徒受迫害时期被用作辨识教友之物。按照“离合诗”的体例,希腊文含义为“鱼”的这个词是ichthys,词形恰与希腊语的“I(J)esus CHristos(“耶稣基督”),THeou U(Y)ios(“上帝之子”)及Soter(“救世主”)这些词的首字母相合,因而在基督教早期广为流传。上述那幅“播种者”的方块回文便仿照“鱼”形标记之例,把居中的TENET构成一个十字架,其余的字母又按十字架组成。

P
A
T
E
R
P A T E R N O S T E R
O
S
T
E
R

剩下的4个字母是A,O,A和O,分列于十字架上下左右各端的话可以代表alpha(希腊文第一字母)与omega(希腊文最后字母)。这个十字架的拉丁文语义是:“我们的天父”,后来便转为“主祷文”或“念珠”等含义。由于庞贝城很早(公元79)便毁于火山爆发,有人认为这则回文是犹太人写的,但十字架、祷告文、引典这三重基督教义却足以驳斥此说。另外,这则回文的字母也可重组排成Oro Te, Pater; oro Te, Pater; sanas,即:“父,我向您祈祷。您能治愈。”所以现在人们视为游戏的回文,事实上其起源却有着“微言大义”的浓厚色彩。

Palio, The 旗会 意大利节日庆祝活动。起源于中世纪,意大利某些城市每年举行,届时举行无鞍马赛;以锡耶纳市的旗会最为著名。除战时外,自1701年起每年两次,分别在7月2日和8月16日。马赛包括在城市广场转3圈,时间约1分钟。举行马赛前先由市内17个社(本来是互相角逐的中世纪军事组织,现为民间社团)派出代表组成队伍游行。每次旗会有10个社参加比赛。每个社聘职业骑师1名,身穿15世纪彩色服装,骑无鞍无镫马比赛。骑手在示意比赛结束的炮声中到达终点。锡耶纳的这种比赛始于1232年。马在比赛前先牵到教堂由司铎祝福。比赛进行中鼓声隆隆,各社代表纷纷抛起本社旗帜,表演技巧,绚丽多彩。

Palisa, Johann 帕利萨(1848-12-06,西里西亚特罗保[今捷克共和国奥帕瓦]~1925-05-02,奥地利维也纳) 西里西亚天文学家。因发现120颗小行星而闻名,也以编制两本包含约4 700颗恒星位置的星表而著称。在1872~1880年,帕利萨任设在波拉(Pola,今克罗地亚的普拉)的奥匈帝国海军天文台台长,官衔为海军中校。在此之前是维也纳和日内瓦两地天文台的助理天文观测员。1880~1919年又在维也纳天文台任职。当照相感光板在1891年被首次用于天文工作时,他发现了120颗小行星中的83颗,而且后来又用目视观测逐一加以认证。他的星表分别发表于1899、1902和1908年。

Palisades, The 帕利塞兹丘陵 美国纽约州东南部和新泽西州东北部,哈得孙河西岸的砂岩陡崖。高60~165米,是卡茨基尔山脉的延伸部分。这些陡崖从水岸边附近垂直拔地而起,其特征是隆起、断层和三叠纪(2.45亿年前至2.08亿年前)的末期熔融物质缓慢冷凝而发育的柱状构造。1900年建立帕利塞兹州际公园管理委员会,总部设在纽约州的贝尔山,管理沿河16个公园(总面积31 292公顷)大多数公园在纽约州,但也包括新泽西州的一个公园。各公园由帕利塞兹州际园林大道连接,从新泽西州利堡的华盛顿桥向北延伸,直到纽约州的贝尔山桥。最大公园是州立哈里曼公园(18 689公顷)。公园备有徒步旅行、游泳、钓鱼、泛舟、露营、野餐和滑雪设施。

Palissy, Bernard 帕利西(1509,法国拉卡佩勒比隆附近圣阿维特~1590,巴黎) 法国胡格诺派制陶师和作家。主要从事于制作彩色铅釉的简朴粗陶器,有时被误称为彩陶(锡釉陶器)。初为玻璃画师。后去法国南部和阿登省旅行,与一些著名人文主义者交往,并在拉罗谢尔附近的桑特住下来,改行为测绘员和陶工。他因是新教徒而遭受迫害,被投入监狱,直至蒙莫朗西警察局长雇用他去装饰埃库昂城堡时始获释。约1565年,为国王与皇太后制作朴素陶器,因而得以到巴黎工作。1575年起在巴黎举办有关自然历史的公开讲演,并于1580年成书出版,题为《令人惊奇的论述》。该书极受欢迎,显示了他是一名作家和科学家,是现代农艺学的创始人和实验方法的先驱,其科学观比同代人的更先进。在见过一只白釉杯子(可能是中国瓷器)之后,他决心探索它的生产奥秘,最初研究成果见《黏土的艺术》一书。1588年,因宗教原因被捕下狱并死在巴士底狱中。帕利西制作的陶器多为圆的和椭圆的碟子、水罐,以及船形调味壶,饰以花木、禽兽画或寓言神话故事画。所制作的有些陶器具有大理石花纹内壁,有些作品为模仿16世纪第一流法国金属制品工匠如F.布里奥等人作品的复制品。帕利西大概不用陶工转盘。其最著名的作品显然是先用模塑成形,然后再经捏塑修整或施以模塑的浮雕装饰而制成。其制作的真品无署名,无标记。17世纪中曾有人使用过他的范模,1840~1870年间则有人仿制过他的作品。

Palk Strait 保克海峡 孟加拉湾内的海峡,位于印度东南部和斯里兰卡北部之间,南以班本岛(印度),亚当桥(链状沙洲)和马纳尔岛(斯里兰卡)为界。宽64～137千米,长137千米。印度韦盖河等多条河流注入。内有多座斯里兰卡岛屿。斯里兰卡北部商业中心贾夫纳港与印度泰米尔纳德邦贸易频繁。海峡西南部分也称保克湾。

Pālkonda Hills 巴尔贡达丘陵 印度南部安得拉邦南部的一系列山地。西北—东南走向。属东高止山中段。为寒武纪山地的残余,由石英岩、板岩与熔岩构成。南部海拔900米。本内尔河流经该丘陵。河谷多筑坝成池,用于灌溉。主要农作物为高粱和花生。

P'alkwanhoe 八关会 朝鲜最重要的古老民族节日。其庆祝仪式基本上从佛教,但杂有道教和土著宗教成分。在这个节日,王宫修饰一新,人们燃灯焚香,欢歌漫舞;国王接受外国商人、各道长官及平民百姓的朝贺,颁赐食品和酒。今日朝鲜某些农村地区仍然庆祝这个节日,人们向上苍、山岳、江河及龙祈祷。

Pall (liturgical vestment) 参阅 **pallium** *白羊毛披肩带*。

pall-mall 铁圈球运动 法语作paille-maille。源起于法国而现已失传的、类似槌球的一种球戏。17世纪初英格兰旅行家曾记述法兰西人玩铁圈球之事,17世纪中期传入英格兰。布朗特所撰《难字解》(1656)载,铁圈球运动是"用槌打圆球,使之通过球道两端所设的铁圈,击球次数最少或不多于规定次数者胜"。1845年发现了铁圈球运动所用的一把槌和一些球,现存不列颠博物馆。槌形似槌球所用者,但槌端弯曲;球用黄杨木制成,周长约1英尺。据17世纪日记作家S.佩皮斯记述,球场"铺以有鸟蛤壳粉的硬砂粒",长短不一,长者达800码。

Palladian window 帕拉弟奥式窗 一种特殊形式的窗,中部较宽大、半圆拱顶,两侧较窄小、平顶。流行于17、18世纪具有意大利风格的英国建筑。源自16世纪意大利建筑师A.帕拉弟奥常用的门窗洞形式,在他1546年设计的维琴察巴西利卡式(长方形)教堂中重复使用这一形式。有时也称为威尼斯式窗。

Palladianism 帕拉弟奥主义 以A.帕拉弟奥(1508～1580)的著述和建筑为基础的建筑风格。帕拉弟奥是维琴察的人文主义者和理论家,16世纪后期最伟大、最有影响的建筑师。他主张建筑应服从理性,应遵循古代不朽之作所体现的原则;继承公元前1世纪的建筑师和理论家维特鲁威的建筑风格和理论原则。帕拉弟奥主义的特点是清晰明了,井井有条,均匀对称,而在采用古典形式和装饰纹样上也注重古代风格。除帕拉弟奥的嫡传门徒V.斯卡莫齐(1552～1616)外,几乎没有建筑师有志于继承帕拉弟奥的著述中对各种和谐比例的研究。真正师承他的是当时的G.L.贝尔尼尼(1598～1680),直至美国当代

W.肯特设计的帕拉弟奥风格建筑——1734年始建的英国诺福克的霍尔克姆大厦
美国不列颠百科全书公司供图

建筑师I.琼斯把帕拉弟奥式建筑传入英国,但并不一味模仿帕拉弟奥的设计,而是一种风格类似的再创造。琼斯曾去意大利旅行(1613～1614),回来后在伦敦首创帕拉弟奥主义风格,其根据就是他在那里研究帕拉弟奥著作和亲自观摩古代建筑和文艺复兴时期建筑的心得。现存的主要建筑物有格林尼治的女王大厦(1635年完成),怀特霍尔的宴会厅(1619～1622)以及圣詹姆斯宫的女王礼拜堂(1623)。在乔治一世到四世统治时期(1714～1830),开始再度对帕拉弟奥发生更大的兴趣。新得势的辉格党人反对斯图亚特王朝的豪华建筑,主张恢复比较合理和不太复杂的风格。帕拉弟奥的《建筑四书》(意大利文原著出版于1570年)英译本的出版和C.坎贝尔的第一部英国古典建筑研究《维特鲁威在英国》(1715),迎合了他们的心意。坎贝尔是英国第一位比较忠实执行新帕拉弟奥主义的建筑师;他在诺福克建造了霍顿大厦(1722年始建),在肯特建造了梅里沃思城堡(约1722)。业余建筑师R.B.伯林顿以及他的门徒W.肯特,与坎贝尔同为帕拉弟奥主义风格第二阶段的三大建筑师。在18世纪,帕拉弟奥主义在英国的再次兴起还对意大利发生影响,后来传到欧洲大多数国家和整个美洲殖民地。代表这一思潮的著名建筑师有意大利的F.M.普雷蒂、美国的T.杰弗逊、德国的G.克诺贝尔斯道夫。这一风格通过苏格兰出生的C.卡梅伦和意大利人G.夸伦吉的作品也传播到俄国,在瑞典和波兰也都有重要的影响。但是在1800年以后,由于新古典主义的兴起,上述风格到处受到冲击而趋于没落,因为新古典主义直接从古代建筑中吸取古典形式和细部处理手法,而不再需要通过帕拉弟奥的文艺复兴眼光进行取舍了。

Palladio, Andrea 帕拉弟奥(1508-11-30,威尼斯共和国帕多瓦[意大利]～1580-08,维琴察) 原名安德利亚·迪·彼得罗·德拉·贡多拉。16世纪意大利北部最卓越的建筑师,也是西方建筑整个发展过程中最有影响的人物之一。早年在石雕工厂当雕刻石工,接触到风格主义和文艺复兴盛期的建筑。1540年开始从事设计,曾数次访问罗马,测绘了古罗马建筑遗址,出版了《古罗马遗迹》(1554)一书,此后200年间成为标准的罗马导游书。其作品以邸宅和别墅为主,并最早将邸宅平面布置系统化,至1556年止创造了3种不同类型的邸宅设计。他虽然吸收了风格主义的某些式样,但其作品在平面和立面上宁静整齐,与风格主义建筑并不相同。早期风格较为朴素,后期受考察罗马帝国晚期建筑的影响,使用了较多的装饰细部。他从文献中领会古罗马别墅的形式并试图再现,为此,将古典神殿的正面处理用于别墅以强调入口的庄严。最著名的作品为位于维琴察的罗通达别墅(1550～1551),平面完全对称,四面各有六柱的柱廊,中央圆厅有穹顶。所设计的邸宅和别墅在整个西方世界被模仿达400年之久。他经过20年的实践,于1570年出版了《建筑四书》,作为他研究古典建筑的总结,可能为历来最有影响的建筑图册。他在书中引用了

帕拉弟奥设计的维琴察附近的罗通达别墅(1550～1551)
美国不列颠百科全书公司供图

他自己的许多设计以说明古罗马的设计原则。第一卷包括材料、古典柱式和装饰的研究。第二卷包括所作住宅设计图和古典建筑复原图,图中根据数学比例关系标出尺寸;这些比例关系来自当时音乐中的音程,他认为导致美的数学关系是一种普遍的规律。第三卷包括桥梁设计、古代城市规划、古罗马长方形会堂。第四卷是古罗马神殿的复原图。1570年后,他的主要工作是在威尼斯建造教堂,著名的有圣乔治-马焦雷教堂。他采用将两个古典神殿立面交叉的方法解决中堂较高而两边侧堂较低的问题。其建筑设计和著作的影响,在18世纪时,特别在英格兰、爱尔兰、美国和意大利达到了顶峰,形成所谓帕拉

弟奥风格，传播到世界各地。

Palladium　帕拉狄昂　在希腊宗教中，指帕拉斯(雅典娜)女神的神像，特别指那座十分古老的木制神像，这尊木像作为城市安全的保证被存放在特洛伊的城堡里。只要神像安全地保存在特洛伊，这座城市便不能被征服。据说，初建伊利昂(希腊人叫特洛伊)城时，众神之王宙斯把这尊塑像从天抛下，后来希腊战士奥德修斯和狄俄墨得斯从雅典娜神殿把它拿走，导致特洛伊城为希腊人所攻占。希腊和意大利的许多城市都宣称它们拥有真正的特洛伊的帕拉狄昂，但人们认为特洛伊城被毁后只有英雄埃涅阿斯带到意大利来，并保存在罗马维斯太女神神殿中的那尊才是真品。帕拉狄昂在希腊艺术是常见的题材，正如它的被窃是文学中常见的题材。它之自天而降的故事表明帕拉狄昂最初是一种圣石。

palladium　钯(Pd)　化学元素，周期表Ⅷ族铂系中最轻、熔点最低的金属，主要用作催化剂(能加快化学反应速度而不改变其产物的物质)，也用于生产合金。钯为灰白色贵重金属，延展性极好，易于加工。常温下钯在大气中不会生锈，因而钯及其合金可代替用于珠宝饰物或电气接触装置的铂。将钯锤成箔，可用于制作装饰品。用较小量的钯与金制成的合金是最好的白金。钯还用于镶牙合金中。纯钯的最大用途是在电话设备中用作电气接触器。用电沉积和化学镀法形成的钯镀层，已用于印刷电路元件上。天然钯虽很稀少，但它与少量铂和铱形成合金矿物，产于哥伦比亚(乔科县)、巴西(伊塔比拉、米纳斯吉拉斯)、乌拉尔山脉和南非的德兰士瓦。钯在地壳中分布量为 1.5×10^{-6}%。钯的矿物学性质参阅 **native element**(表)。钯也与天然铂形成合金矿物。1803 年，英国化学家和物理学家 W.H.渥拉斯顿首次从粗铂中制得钯。为了祝贺新发现的小行星——智神星(Pallas)，而命名这个元素。钯还跟一些金、银、铜、镍矿伴生。工业上，钯一般是作为精炼铜和镍矿石时的副产品而制得的。钯的表面是优良的催化剂，它可催化一些涉及氢气和氧气的化学反应，如不饱和有机化合物氢化反应等。在适宜条件下，1 体积钯可吸收 900 多体积的氢，在此过程中钯膨胀，硬度和强度增高，但延展性下降。生成金属性氢化物或类合金氢化物，提高温度并降低压力，可从中释放出氢气。由于高温下氢气可迅速通过钯，而其他气体却不能通过。因此受热的钯管，有半透膜作用，已用于封闭的气体系统中氢气的进出或氢气的提纯。钯比铂系金属中其他元素更易受酸腐蚀。钯能缓慢溶于硝酸生成硝酸钯 $Pd(NO_3)_2$，与浓硫酸作用生成硫酸钯 $PdSO_4 \cdot 2H_2O$。可制得一系列 +2 氧化态的钯化合物，已知有许多 +4 氧化态和少数 0 氧化态的钯化合物。钯与碳的成键倾向在过渡金属中最强。所有钯的化合物都易分解或还原成游离钯金属。四氯钯(Ⅱ)酸钾 K_2PdCl_4 水溶液是一氧化碳或烯烃气体的灵敏检出剂，因为极少量这类气体，就会析出黑色金属钯的沉淀。天然钯是 6 种稳定同位素的混合物：钯 102(0.96%)、钯 104(10.97%)、钯 105(22.23%)、钯 106(27.33%)、钯 108(26.71%)和钯 110(11.81%)。钯原子序数 46。原子量 106.40。熔点 155 2 °C。沸点 292 7°C。比重 11.97(0 °C)。化合价 2、4。电子组态 2,8,18,18 或(Kr)$4d^{10}$。

Palladius　帕拉第乌斯(约363，安纳托利亚加拉提亚～431 前，阿斯浦那)　修士、主教、史学家，所著《劳苏历史》记述早期埃及和中东地区隐修院生活情况。413 年帕拉第乌斯任加拉提亚地区阿斯浦那主教。419 ～ 420 年撰写《上帝之友传》，介绍埃及和小亚细亚各处最早的旷野隐修者事迹。献给罗马皇帝狄奥多西二世的宫廷大臣劳苏的《劳苏历史》，虽然仿照古希腊英雄史诗形式重述古代传说，有时缺乏考据，但也展示了他不讲虔修教理的严肃人文主义思想。

Pallas　智神星　已知第二颗最大的小行星，也是第二颗被发现的小行星。它是在最大的小行星——谷神星发现一年后被德国天文学家和物理学家 W.奥伯斯于 1802 年发现的。智神星的直径是 608 千米。轨道同黄道面的交角较大，达 35°，它的半长径和周期则是小行星的典型值，分别为 2.77 天文单位(414 390 000千米)和 4.61 年，因而位于火星和木星之间的小行星带中。据认为智神星呈球状，因其质量似能产生足够的引力把在形成过程中的物质吸引成球形。根据对其反射光谱的研究，智神星的表面看来属于早期形成的富含碳的黑色石质小行星(碳粒陨星)。所不同的是，智神星的表面物质还固含着水(即水不是以自由冰或流体形式出现)，石质中的磁性较高。智神星的反照率为 0.09，比典型的碳质小行星略高。

Pallas, Peter Simon　帕拉斯(1741-09-22，德国柏林～1811-09-08，柏林)　德国博物学家。提出了山脉形成的理论。不满 15 岁时就对一些动物种类提出新的分类要点。1761 年到英格兰研究博物学采集品并做地质观察。1768 年起任圣彼得堡帝国科学院博物学教授，同时参加对俄罗斯和西伯利亚的科学考察。此后6年内，他纵横穿越了这个幅员辽

美国不列颠百科全书公司供图

阔的大帝国，他发现了分布很广的猛犸象化石和犀牛化石，包括一些带有它们的保存很好的毛皮。1774 年回到圣彼得堡，带回了大量资料和许多化石标本，但身体健康严重受损。他把这次考察中的主要发现发表在三卷本的《俄罗斯帝国各省旅行记》一书里(德文原著，1771～1776)。他在地质上的主要贡献在于对乌拉尔山脉和西伯利亚的阿尔泰山脉的研究，提出从山脉的中心到两翼辨认岩层的时间顺序。

pallasite　橄榄陨铁　含有50%的橄榄石和锥纹石、合纹石、镍纹石和陨硫铁的石铁陨石。其中的橄榄石呈单晶体形式，比任何的其他的陨石类型所含的单晶体都大，而且还会形成聚集体。橄榄石通常被不显现维斯台登图案的锥纹石包裹，锥纹石占橄榄陨铁中金属的相当大部分。但大面积金属范围的中心区能够形成维斯台登图案结构。

Pallas's cat(*Felis manul*)　**兔狲**　又作 steppe cat 或 manul。又称帕拉斯氏猫、干草原猫、蒙古野猫。因博物学家 P.S.帕拉斯而得其英文名。猫科小型长耳的动物，栖息于从

兔狲(*Felis manul*)

美国不列颠百科全书公司供图

西藏到西伯利亚的荒漠和多岩山地。大小似家猫，毛柔软，浅银灰或浅褐色。尾端有环形黑纹，尾尖黑色。有些个体身上有不明显的深色斑纹。腹面的毛比背面的毛约长一倍，这可能是对其躺卧或蹲伏于阴冷地面的习性的适应。体长 45 ～ 60 厘米，尾长 23 ～ 30 厘米，体重 2.5 ～ 3.5 千克。头阔，眼位置高，耳位置低，这可能是对从岩石后盯视的适应，使自己在猎物(鼠兔、啮齿动物、鸟类)面前只暴露一小部分身体。

Pallava DYNASTY　帕拉瓦王朝　4～9 世纪统治印度南部的一个家族。源出德干的萨塔瓦哈纳王朝的部属，后迁至安德拉，再迁至甘吉(今泰米尔纳德邦甘吉布勒姆)而成为统治者。关于他们的世系和编年史众说纷纭。据普拉克里特文的记载，帕拉瓦王朝的最初统治者毗湿奴戈培(4 世纪中叶)曾被摩揭陀皇帝沙摩陀罗·笈多打败。帕拉瓦人是达罗毗荼国的皇帝。他们经营商业，并向东南亚地区移民。他们支持佛教、耆那教和婆罗门教，并奖励音乐、绘画和文学。曾遗留下许多宏大的建筑物。约于 880 年，帕拉瓦王朝的统治为朱罗王所取代。

Pallavicino, Oberto 参阅 **Pelavicino, Oberto** 佩拉维奇诺。

Pallenberg, Max **帕伦贝格**（1877-12-18，奥匈帝国维也纳～1934-06-26，奥地利卡尔斯巴德） 奥地利传统即兴闹剧演员。其才华对德国戏剧实践的发展有着一定贡献。其戏剧生涯始于1909年在维也纳演出的通俗歌舞时事讽刺剧和小歌剧。不久后即转到柏林德意志剧院，与赖恩哈特一起工作。在舞台上利用他的即兴表演才能来增强演出的即兴喜剧情趣，受到评论家和观众的一致好评，但却给同伴演员带来困难。他最受欢迎的角色是凯泽的《从早晨到半夜》中的出纳员、莫尔纳尔的《利利奥姆》中的戏票兜售员及莫里哀的《没病找病》中的阿尔贡。1928年在布莱希特改编自哈谢克的《好兵帅克》（皮斯卡托尔执导）一剧中饰主角。他创造的角色极适合于皮斯卡托尔这种多手段"叙事剧"的演出——它使用了硬纸片剪出来的卡通角色、生动的影片、踏车、指示牌、抽象的灯光等，用以谴责官僚主义的管理制度和麻木不仁的状态。30年代早期因他妻子是犹太人而被迫离开德国，后因飞机失事在演出途中遇难。

pallium **白羊毛披肩带** 又称pall。天主教教皇披在十字褡外面的礼服，或由教皇赠予大主教或管辖大主教区的主教表示允许他们分享教皇职权。是宽约5厘米的白羔羊毛

11世纪细密画中皇帝亨利二世身旁站立的两位着白羊毛披肩带的主教
美国不列颠百科全书公司供图

织成的环带，饰有四个黑十字架，围在肩上；胸部和背部各有一条饰有一个十字架的直带下垂，因此从前胸和后背望去大披肩呈"Y"字形。在东正教会，与此相应的礼服是披巾，即白绸或白丝绒绣花长披巾。

pallium（biology） 参阅 **mantle** 外套膜。

palm **棕榈** 棕榈目唯一的科——棕榈科（Arecaceae）的显花植物，近2 800种，很多种有经济价值，可提供食物、制衣材料、淀粉、油、蜡、酒精饮料、木材、燃料和纤维，又可用作建筑材料及提供遮蔽，在热带地区当地人

王棕（Roystonea regia）
美国不列颠百科全书公司供图

又用棕榈制造各种各样的小产品。该科主要为热带或亚热带乔木、灌木或藤本，通常具一高大、不分枝的圆柱形主干。干顶有巨大、有褶的扇形或羽状叶，叶鞘粗壮，叶柄多刺，柄基宿存，紧抱树干。花小，单性，簇生成一大花序。茎干从铅笔般大小到高60米，直径1米；叶长几厘米至9米；种子可小如火柴头，或大如大甜瓜。棕榈的大分布中心在热带美洲（巴西一国即集中了500多种）和热带亚洲。最重要的棕榈如下：

马来西亚的羽状桄榔（含糖桄榔、糖棕榈，*Arenga pinnata*［或 *saccharifera*］）高达12米，有20～28枚羽状叶；液汁可制糖、甜酒和亚力酒（一种蒸馏而得的烈酒）；髓部可做西米（一种淀粉性食物）；叶可制取防潮纤维。巴西榈（*Attalea cohune*）产于中美洲，高18米，羽状叶直立，种子油可制皂。南美洲亚马孙地区的制绳巴西榈（*A. funifera*）与之近缘，其叶也可制取防水纤维。

扇叶树头榈（*Borassus flabellifer*）产于热带亚洲，高20米，叶扇形；植物体各个部分的纤维均可用制扫帚、帽子和席，果实和种子可食。

散尾葵（*Chrysalidocarpus lutescens*）原产马达加斯加，有时种于室内观赏，高达10米，羽状叶长约60厘米。

银棕榈（*Coccothrinax argentea*［或 *garberit*］）无茎，原产美国东南角，叶扇形，背面银白色。

椰子（*Cocos nucifera*）原产马来西亚，现广泛分布热带沿海地区，株高30米，叶羽状；每年产坚果40～100个，直径25厘米；外果皮的纤维粗硬，称**椰壳纤维**（**coir**）；坚果内的白色果肉可生食，切碎晒干后可制糖果、蜜饯，晒干后用于食品工业者称为**椰仁干**（**copra**），核心液汁是可口饮料，称椰子汁；花梗的汁液可制棕榈酒（亚力酒）和醋；叶可编制成篮和席；主干可供材用。

巴西蜡棕（*Copernicia cerifera*）产于热带南美洲，株高10米，叶扇形，主干近基部处膨大；叶可提取棕蜡，用以制造擦光油、清漆和蜡烛。几内亚油棕（非洲油棕，*Elaeis guineensis*）产于非洲西部和中部，株高18米以上；果实黑色，卵形，200～300个成簇；果皮可提取棕榈油，种子可提取棕仁油。

底比斯姜果棕（*Hyphaene thebaica*）又称姜果棕、埃及姜果棕、姜饼棕榈，产于非洲；茎通常具分支，与其他棕榈不同；本种用处不大。

海椰子（**coco de mer**）即复椰子（*Lodoicea maldivica*［*callipyge*］），见于印度洋塞舌尔群岛，株高达30米。

枣椰树（**date palm**，海枣、椰枣刺葵，*Phoenix dactylifera*）原产于中东，自公元前6000年就有种植；株高达30米，叶羽状；一株树每年可产果（海枣或椰枣）250千克，产果期长达100多年。

王棕（*Roystonea regia*）原产美国东南部、西印度群岛和热带美洲；茎直立，高达30米，主干光滑，浅灰色，颜色及质地均似混凝土；具优美羽状叶；常栽培观赏。

扇叶菜棕（*Sabal palmetto*）产西印度群岛和美国东南部，高达24米，叶扇形；茎干耐水，可用作码头的桩材，常种于人行道上当作遮荫树；芽可食，叶可编篮和织席，叶柄可制硬刷子。得克萨斯扇叶菜棕（*S. texana*）与上一种相似，产墨西哥和美国西南部。

Palm Bay **帕姆贝** 美国佛罗里达州中东部布里瓦德县城市。位于印第安河岸。印第安河为一潟湖，它在帕姆贝被梅里特岛南部狭长的半岛与大西洋隔开。1960年设市时仍较小，1970年人口还不足7 000。后来航天工业的发展与扩大，连同肯尼迪宇航中心、卡纳维拉尔角空军站和帕特里克空军基地——均坐落在梅里特岛北部——大大刺激了帕姆贝的成长。旅游业和高科技产业对当地经济非常重要。人口约79 413（2000）。

Palm Beach **棕榈滩** 美国佛罗里达州东南部棕榈滩县城镇。在大西洋和沃思湖之间狭长坝滩上。有桥与隔湖的西棕榈滩相通。

棕榈滩镇俯瞰
美国不列颠百科全书公司供图

在西棕榈滩通铁路(1894)并建造饭店后成为旅游地。常有富人和名人前往,为全国最豪华的冬季旅游地之一。城区划分严格,无制造业。1911 年设建制。人口约10 071(1991)。

palm-chat (species *Dulus dominicus*) **棕榈鹏** 伊斯帕尼奥拉岛(海地和多米尼加共和国)和附近的戈纳夫岛的鸣禽,可能属于太平鸟科(Bombycillidae),但常另立为棕榈鹏科(Dulidae)。长19厘米;喙粗壮;体上部羽衣

棕榈鹏(*Dulus dominicus*)
美国不列颠百科全书公司供图

呈绿褐色,下部带白色,有暗色条纹(雌雄相似);成群觅食浆果和花。多达 30 对棕榈鹏在一株树上筑一个公共的大巢,每对棕榈鹏各有其单独的入口和巢室。

palm chestnut 棕榈栗 桃棕榈(*Bactris gasipaes* 或 *Guilielma gasipaes*)的可食的种仁。桃棕榈从中美洲向南直到厄瓜多尔广泛栽培。典型的成年树高 18 米。50 ～ 80 个橙黄色的果实聚生成簇,为数多达 5 簇,每一个果的直径为 5 ～ 7.5 厘米。落果少,采收后耐贮藏。果肉较干,粉质,在盐水中煮沸后易与种子分离,一般经发酵制成饮料。种子长 2 厘米,圆锥形,有一薄层黑色的硬壳,种仁白色,味似椰子。种子内含油多,在产地用于烹调。植株的木质坚硬,用作建筑材料和制弓。

Palm Springs 棕榈泉 又译帕姆斯普林斯。美国加利福尼亚州南部里弗赛德县城市。地处圣哈辛托山(海拔3 293米)山麓的科切拉谷地。最初因其温泉而得名,称为阿瓜卡连特(热水)。1872 年前即已成为亚利桑那州普雷斯科特至洛杉矶之间的驿站。1884 年麦卡勒姆法官在该地建立棕榈谷殖民地,其后开拓为典型的沙滩度假地。1938 年建市,现包括阿瓜卡连特印第安人居留地部分地区,该地已发展成为迷人的沙滩度假地和住宅区。好莱坞影星及其他名人常光顾此地。有豪华旅馆、时髦的饭店及时装商店,亦有大型娱乐场,可供网球、游泳、野营、滑雪等活动,尤其适合打高尔夫球(方圆 32 千米内设有约 50 个高尔夫球场)。附近有约书亚树国家保护区。人口约42 807(2000)。

Palm Sunday 棕枝主日 又译"圣枝主日",又称"受难主日"(Passion Sunday)。基督教节日,传统上定在圣周的第一天,亦即耶稣复活节前的星期日,纪念耶稣基督胜利地进入耶路撒冷。按照天主教(和其他一些派别)的习俗,这一天要祝福棕榈枝(枣椰树或当地所能找到的其他树木的枝),手执这种树枝列队行进。4 世纪后期耶路撒冷即有这种庆祝活动,载《埃瑟里亚朝圣记》。在西方,有关这种仪式的最早史料见于《博比奥圣事书》(8 世纪)。在中世纪欧洲,祝福棕枝的仪式甚为繁复:信徒列队从一个教堂出发,到达置有已经祝福的棕枝的另一教堂,再返回原教堂咏唱经文。列队行进之后的礼仪中的主要内容是由三位助祭咏唱《耶稣受难始末》(《马太福音》26:36 ～ 27:54)。众人咏唱部分有时由唱诗班咏唱。天主教会先后于 1955 和 1969 年改革礼仪,棕枝主日的典仪有所简化以更加突出基督的受苦和死。此日现在的正式名称是"受难主日";仪式始于祝福棕枝和执棕枝列队行进,但重点在于长时间地咏唱《耶稣受难始末》,分别由司铎、诵经员和全体教友分段咏唱。

Palma 帕尔马 西班牙巴利阿里省城市,西地中海巴利阿里群岛首府。位于帕尔马湾卡马霍卡岛西南岸。公元前 123 年罗马人将群岛设为行省后始见记载。5 世纪遭汪达尔人劫掠。6 世纪归属拜占廷帝国。8 世纪被阿拉伯人占据。1229 年由詹姆斯一世收复,14 世纪并入阿拉贡王国。1469 年阿拉贡国王费迪南德二世和卡斯蒂利亚的伊莎贝拉一世联姻后,属西班牙王室。老区多古迹,新区建筑优美,园林秀丽。文化设施有巴塞罗那大学的一部分和美术博物馆、画廊等。现经济以旅游、家具制造、制鞋和纺织业为主,亦有刺绣、制陶、玻璃工艺、铁器、编篮和橄榄木木刻等传统手工业。与大陆有航空和汽轮相通。人口约296 754(1991)。

帕尔马市及帕尔马湾,远景为大教堂
美国不列颠百科全书公司供图

Palma, Jacopo 帕尔马(约1480,威尼斯共和国贝加莫塞林纳～1528-07-30,威尼斯) 原名J.内格雷蒂。又称 P.韦基奥,意大利文艺复兴盛期的威尼斯画家,以精于宗教画与神话作品知名。专画圣者对话(没有历史联系的一批宗教名人共聚一堂)的宗教画。其15世纪后期的作品在色彩上效法乔尔乔涅

帕尔马绘《三姐妹》,16 世纪早期
美国不列颠百科全书公司供图

的田园诗般的幻觉,并采用散点透视的效果。其最好的作品如《圣巴巴拉祭坛画》(约 1510,威尼斯福莫萨圣马利亚教堂),人物高大,运笔潇洒,色调轻淡。晚年的许多画显出 L.洛托的影响。

Palma, Ricardo 帕尔马(1833-02-07,秘鲁利马～ 1919-10-06,利马) 秘鲁作家。以所写有关殖民地时期秘鲁的传说闻名,是西班牙语美洲文学中最受欢迎的文集之一。以写轻松诗歌、浪漫戏剧以及翻译雨果的作品开始其文学生涯。《利马宗教法庭纪年》(1863)出版后,他又连续发表了几本诗集。富有魅力的、轻松的《秘鲁传说》(1872)出版后奠定了他的声誉,这是一种短篇散文集,以事实和幻想相混合,描写殖民地时期秘鲁的虚饰浮华和阴谋诡计。他的写作素材来自民间故事、传闻以及长辈间的闲谈和从国立图书馆搜集的历史片断。这部集子的前六卷出版于 1872 ～ 1883 年间,随后又陆续出版了《旧衣服》(1889)、《虫蛀的衣服》(1891)、《我最后的传说》(1906)以及《我最后的传说补遗》(1910)。

Palmares 帕尔马里斯 1630～1694年期间,在巴西东北部阿拉戈斯州境内的自治共和国。由 10 个单独的逃亡黑奴的村社联合成立的自治地区。由于土地肥沃和葡萄牙人种植园中的奴隶纷纷投奔而繁荣起来。在共和国内,被俘的奴隶没有自由,而逃亡的奴隶则成为自由公民。到 17 世纪 90 年代,共有 2 万居民。一位由选举产生的"甘加·赞巴"(伟大的君主)按中非的方式进行统治。甘加·赞巴有权分配份地和委任官员(往往是他的亲

属)。他住在称为"马科科"的设防区内。1680～1686年,6支葡萄牙远征军企图征服该国,均遭失败。最后,伯南布哥总督雇用由D.J.贝洛率领的一支捕奴队伍,于1694年2月6日打败该国最后一代统治者的侄子率领的军队,共和国遂亡。

Palmas 帕尔马斯 巴西中北部托坎廷斯州的城市和首府,位于州的中部,托坎廷斯河的东面。托坎廷斯州于1989年建立时,其临时首府为托坎廷斯米拉塞马位于托坎廷斯河畔帕尔马斯的北面。帕尔马斯被定为该州的正式首府后就立即着手重大的发展规划。市中心由建筑师路易·斐南多·克鲁维内尔·泰西拉和瓦弗莱多·安通纳斯·德·奥里弗拉·费尔荷设计,并订有计划要求不同的建筑师各设计一个住宅区。1990年首府迁往帕尔马斯时,建筑尚在进行中。人口:城市区约24 261(1991)。

Palme, Olof 帕尔梅(1927-01-30,瑞典斯德哥尔摩～1986-02-28,斯德哥尔摩) 瑞典首相(1968～1976,1982～1986)。瑞典社会民主工党的杰出领袖、瑞典最著名的国际政治家。出身富裕家庭,曾在美国和瑞典受教育。自20世纪50年代早期起就是社会民主党的活跃人物,1958年进入瑞典议会。1963年参加社会民主党政府,任不管部大臣。1965年调任交通部大臣,1967年任教育部大臣兼管基督教教会事务。1969年继厄兰德任社会民主党书记和政府首相。此后不久他抨击美国在越南的战争政策并接纳美军逃亡者致使瑞美关系趋向紧张。1976年他的党执政44年后在大选中失败。他继续从事党务工作,并坚持其和平主义者的立场。1979～1980年任北欧理事会主席,并主持日内瓦裁军与安全独立委员会,还作为联合国特使在伊朗和伊拉克之间进行调解活动。1982年再次当选后,他试图在瑞典重新实行社会主义经济政策,并继续作为欧洲安全事务的发言人。1986年被暗杀,凶手尚未查明。

Palmela, Pedro de Sousa Holstein, Duke (duque) de 帕尔梅拉(1781-05-08,皮埃蒙特都灵[意大利]～1850-10-12,葡萄牙里斯本) 葡萄牙自由派政治家,女王玛丽亚二世的支持者。在国外出生和受教育,1796年参加军队,1802年人外交部,历任葡萄牙驻罗马、西班牙和英国的使节。1812年封伯爵,曾参加维也纳会议。1817年任葡萄牙外交部长,但到1820年他才到达里约热内卢履行职务,其时葡萄牙宫廷流亡于此。1821年随国王约翰六世返回葡萄牙,1823年封侯爵。1835年再度任外交部长,1841年为贵族院议长,1842和1846年两度任首相。他是一个英国式的温和自由派,力促约翰六世接受宪政。1826年约翰六世死后,他参加自由党,并全力投入在1834年把玛丽亚二世拥上王位的运动。1833年封公爵,生前始终积极从事政治和外交工作。

Palmer, A. Mitchell 帕尔默(1872-05-04,美国宾夕法尼亚穆斯黑德～1936-05-11,华盛顿[哥伦比亚特区]) 美国律师、议员和司法部长(1919～1921)。他极力鼓吹反对涉嫌激进分子的运动,引起了所谓1919～1920年的"赤色恐怖"。在青年时期他是一虔诚的公谊会教徒,后来诨名就叫"好斗的公谊会教徒"。早年在宾夕法尼亚州斯沃斯莫尔学院接受教育。1893年取得宾夕法尼亚州的律师资格,在该州的斯特劳兹堡市开业当律师,并积极参与民主党事务。1909～1915年担任美国众议院议员,1912年为W.威尔逊获得竞选总统提名起重要作用。1914年竞选参议院议员,但未获成功。在美国参加第一次世界大战期间,他被任命为外侨财产管理人。1919年威尔逊总统提名由他担任美国司法部长。在两年任职期间,他利用1917年的《谍报罪法》和1918年的《煽动叛乱罪法》为基础发动一场前所未有的运动,以对付政治上的激进分子、涉嫌的持异议者、左翼组织、以及外国侨民。他把坦白承认自己是无政府主义者的E.戈德曼和其他有颠覆活动嫌疑的人驱逐出国。1920年1月2日联邦政府特工人员在33个城市大肆搜捕数千人,其中有许多人未经起诉而遭长期拘留,而且曾发生要求探视在押人员的亲友遭到逮捕的若干事例。在"帕尔默大搜捕"期间,这种漠视基本公民自由权利的行为变得人人皆知,并招致普遍的抗议,最后使他名誉扫地。但他仍然为他的所作所为辩护,认为这是反对布尔什维克阴谋推翻美国政府的唯一有效手段。虽然他失去了1920年民主党竞选总统提名的机会,但直到去世以前他在民主党内仍很活跃,曾大力为总统候选人A.史密斯和F.D.罗斯福从事竞选活动。

Palmer, Alice Elvira Freeman 帕尔默(1855-02-21,美国纽约科尔斯韦尔[宾厄姆顿附近]～1902-12-06,法国巴黎) 婚前名Alice Elvira Freeman。美国教育家,在短期出任马萨诸塞州韦尔斯利学院院长期间,对该学院的学术和行政特色有很大和持久的影响。4岁即已识字,入当地乡村学校就读。1872年报考密歇根大学(当时录取女生的最高学府),虽有些科目成绩欠佳,但给予校长的印象颇佳,遂被破格录取。她1876年毕业。以后3年在威斯康星州日内瓦湖城学校任教,此后出任密歇根州萨吉诺高中校长,同时在大学暑期班攻读研究生课程。因需养家被迫于1877和1878年婉拒韦尔斯利学院教授数学和希腊语的邀请,但1879年受聘任历史系主任之职。1881年被任命为副院长代理院长,1882年出任院长。同年密歇根大学授予其荣誉博士学位。在其任院长5年期间,建立了许多师生组织机构的行政体制,并在以后长期实施。在提高学术水平和在全国建立15所预备学校为学院提供生源方面尤有成效。1881年参与创建大学校友协会(后为美国大学女子协会),1885～1886年担任该协会主席。1887年为与哈佛大学哲学教授G.H.帕尔默结婚,辞去韦尔斯利学院的职务,一时为众人所不解。她与韦尔斯利学院的关系从1888年起仍然以董事会成员的形式继续维持。1889年,州长任命她为马萨诸塞州教育委员会委员,使其得以大力改进该州的师范学校。1892年被任命为芝加哥大学第一位女子部主任,担任该职至1895年。期间还在哈佛大学附校(不久成为拉德克利夫学院)积极组织女子教育工作,加强该校与哈佛校本部的关系。

Palmer, Arnold (Daniel) 帕尔默(1929-09-10,美国宾夕法尼亚扬斯敦～) 美国职业高尔夫球运动员。第一个4次获优秀选手赛冠军的选手,也是第一个在比赛中赢得100万美元奖金的选手。从1954年成为职业高尔夫球运动员起,直到1975年为止,他在由美国职业高尔夫球协会批准的61场比赛中赢得冠军。从50年代后期到60年代中期,他是世界高尔夫球坛上一员主将,吸引了称为"阿尼大军"的大批球迷。帕尔默是一名高尔夫球场管理员的儿子,在北卡罗来纳州

美国不列颠百科全书公司供图

韦克福里斯特大学上学,并服役于美海岸警卫队。1954年赢得美国业余锦标赛冠军后成为职业运动员。他除了在优秀选手赛(1958、1960、1962、1964)中4次获胜外,还夺得了美国公开赛(1960)和英国公开赛(1961～1962)冠军。1980和1981年,他在美国职业高尔夫球协会老年人公开赛上获胜。他是一个机敏的商人,担任阿诺德·帕尔默公司的总裁,经营十分成功。他还是赫茨租车公司及彭兹石油公司等企业的全国发言人。著有自传和关于高尔夫球技术的书。

Palmer, Barbara, Countess of Castlemaine 帕尔默 参阅 **Cleveland, Barbara Villiers, duchess of 克利夫兰女公爵**。

Palmer, Bertha Honoré 帕尔默(1849-05-22,美国肯塔基路易斯维尔～1918-05-05,佛罗里达奥斯普里) 婚前名Bertha Honoré。美国社会知名人士,以其对妇女、艺术和芝加哥社会事务的积极贡献而为人们所铭记。1871年与富商P.帕尔默结婚,其夫很快以美国一流饭店帕尔默大厦闻名遐迩,她自然也成为芝加哥的社交界名流,并以其自身的才干、手腕、魅力和远大目标而赢得毫无争议的领袖地位。1891年被任命为2年后在芝加哥举行

的世界哥伦布博览会女士经理委员会主席。在其指导下,委员会为博览会创造了非常有效的女性风度。S.海登设计的女性厅展出了来自47个国家的展品,其中许多是帕尔默亲自从其所相识的政治领导人和皇家贵族取得的,成为博览会的一个亮点,充分显示出妇女的成就,以及她们所处的难有作为的环境。她是J.亚当斯的赫尔大厦社区的主要依靠,为之提供了大量资金和个人支持。1892～1896年为西北大学董事。1893年12月芝加哥市民联合会成立时,当选为第一副主席。1900年W.麦金利总统任命她为巴黎博览会美国专员中的唯一女专员。1902年丈夫去世。她接管了他的800万美元的财产,在其晚年使这些财产增值一倍以上。

Palmer, E(dward) H(enry) **帕尔默**(1840-08-07,英国剑桥郡剑桥～1882-08-11,埃及瓦迪锡德尔) 以语言学家和旅行家而知名的英国东方学家,译作甚多,其中《古兰经》译本

美国不列颠百科全书公司供图

虽有某些不确切之处,却把握了原作的精神,体现了原作的诗意。帕尔默学生时代即已显示出惊人的语言才能。1867年当选为剑桥大学东方学研究员。1868年参加陆军军用地图测量队,绘制以色列人自埃及穿越西奈沙漠到达耶路撒冷的道路。1870年陪同探险家C.T.德雷克进行一次更远的沙漠探险。在《〈出埃及记〉中的沙漠》(2卷,1871)一书里,帕尔默记述了这两次旅行。同年还发表了《耶路撒冷—希律和萨拉丁的城市》,这是用穆斯林的观点所写的耶路撒冷城的历史。1871～1881年任剑桥大学阿拉伯语教授。1882年在执行政府使命中遭伏击遇难。另著有《东方的神秘主义》(1867)和《芦苇之歌及其他》(1877)。

Palmer, Geoffrey (Winston Russell) **帕尔默**(1942-04-21,新西兰纳尔逊～) 新西兰工党领袖,1989～1990年任新西兰总理。帕尔默在威灵顿维多利亚大学接受教育,获文学学士和法学学士学位,还在美国芝加哥大学接受教育。1964～1966年在威灵顿的一家法律事务所当律师,之后执教,于1968～1969年任威灵顿维多利亚大学政治学讲师,1969～1973年任艾奥瓦大学和弗吉尼亚大学法学教授,1974～1979年重返维多利亚大学任英语和新西兰法律学教授。1975年加入新西兰工党后,1979年补选为议员。他成为总理W.E.罗林的私人助理,不久成为工党副领袖(1983～1989)和副总理兼司法部长和总检察长(1984～1989)。当总理D.R.兰格因在党内忠诚和公众舆论方面受到严重挫折而于1989年8月辞职时,他提名帕尔默为他的继承人,这一选择得到了党的领导人的认可。一年之后,帕尔默于1990年9月由于实质上同样的原因而辞职。

Palmer, Nathaniel B(rown) **帕默**(1799-08-08,美国康涅狄格斯托宁顿～1877-06-21,加利福尼亚旧金山) 又译帕尔默。美国船长和探险家。南极洲西部的一大片海岸和附近岛屿就以他的姓氏命名,称为帕默地。14岁开始航海生涯,在1812年战争中是一条偷越封锁线船上的水手,后来从事海豹捕猎,他去南极探险即为寻求新的海豹群栖地。1819年开始到合恩角地区和南极洲西部探险,先后发现格拉切海峡、南极洲的奥尔良水道、南奥克尼群岛。1822～1826年在西班牙所属南美沿海经商,在南美独立战争中曾为西蒙·玻利瓦尔运输军队和给养。在他的大部分工作中,对造船特别有兴趣,曾协助设计客船、游乐快艇及快速帆船。

Palmer, Phoebe Worrall **帕尔默**(1807-12-18,美国纽约～1874-11-02,纽约) 婚前名Phoebe Worrall。美国福音布道者、宗教作家,19世纪正统基督教圣洁运动中有影响的活跃人物。成长于严格的循道宗教徒家庭。1827年与循道宗教徒W.C.帕尔默医生结婚。二人对宗教都极为重视,19世纪30年代共同积极投身于奋兴运动。从1835年起,定期举办妇女家庭祈祷会,成为追求基督徒至善的圣洁运动的核心。40年代在穷人及囚禁者中积极施舍,50年代在纽约贫民区创立五项任务布道会,定期为至善运动期刊《圣洁指南》投稿,并撰写《圣洁之路》等书。1850年后的传教活动包括每年到美国东部和加拿大巡游,造访循道宗教徒野营集会,指导他们的圣洁奋兴活动。1859～1863年赴英国。1862年后的余生担任《圣洁指南》编辑。1865年出版其在英国布道经历的《旧世界的四年》。1867年组建全国圣洁促进会。

Palmer, Potter **帕尔默**(1826-05-20,美国纽约奥尔巴尼～1902-05-04,伊利诺伊芝加哥) 美国商人和不动产业主。在芝加哥1871年大火后,他负责开发建设了芝加哥闹市区和湖滨路区的大部分地区。他最初为纽约州达拉谟一家百货商店店员,两年当上经理,次年(1847)在纽约州奥内达自营纺织品商店工作。1852年其父为他提供资金在芝加哥开设一纺织品商店。在此,他采用一些当时在零售业务上还是新的做法,如退货、换货、送货试用、廉价推销等;他还注意做广告和陈列商品以吸引顾客。1867年他将其在此店的股权售给合伙人M.菲尔德和L.Z.莱特。他用从零售业务上赚的钱购买一段长1 200米的斯泰特街(当时还是闹市外围一条未曾开发的小巷),将其改造成为芝加哥主要零售商业大街。在1871年的大火中,他的32座大楼大多毁于一旦。他借款170万美元,盖起规模更大的建筑物,如一座大饭店即第二座帕尔默大厦。他还开拓了芝加哥北面的沼泽地,发展为湖滨路风景区。他与B.帕尔默(娘家姓霍诺雷,1849-05-22～1918-05-05)于1871年结婚。妻子帮助他处理财务,是芝加哥的社交名流和著名的慈善家。

Palmer, Roundell **帕尔默** 参阅**Selborne, Roundell Palmer, 1st Earl of** 塞尔伯恩伯爵(第一)。

Palmer, Samuel **帕尔默**(1805-01-27,英国伦敦～1881-05-24,萨里雷德希尔) 英国风景画家,版画家。父亲是个书商,鼓励其从事绘画,1819年即有小幅风景习作参加皇家学院的展览。早年作品笔法娴熟,保守。后由于从浸礼会教派皈依圣公会以及受中世纪艺术的影响,思想发生深刻变化。1824年的速写本显示出其风格的全部特色:奥秘的大自然和强烈的宗教色彩交织在鲜明的牧歌情调之中。1824年他的教父W.布莱克鼓励他在宗教画方面发展,并提供自己的作品供他临摹。在他的作品《圣家族的宁静》(1824～1825)与1825年制作的深棕色的素描中可以明显看到布莱克的这种影响。1827～1830年是他的多产期,此后显示出艺术衰退的迹象。此外,他曾以很大的热情阅读德国神秘主义者J.伯麦的著作和J.弥尔顿牧歌式的诗篇,特别是J.班扬的作品,这些对他的气质影响很大。

Palmer, (Edward) Vance **帕尔默**(1885-08-28,澳大利亚昆士兰班达伯格～1959-07-15,维多利亚墨尔本) 澳大利亚小说家、剧作家。其作品以用词规范、叙述谨严而著称。他被公认为澳大利亚戏剧的创始人之一。曾在昆士兰受教育。年仅17岁时即在英国杂志发表他的第一篇作品。两年后去伦敦,立志成为作家,并取得一些成就。后经芬兰、俄罗斯、西伯利亚及东方各国回国,在澳大利亚的内地从事过各种工作。以后继续进行写作。曾去伦敦和美国旅行。第一次世界大战期间在澳大利亚军队服役。1922～1926年,他和妻子纳蒂(娘家姓希金斯,她也是位作家)协助组织"先驱演员"剧团。该团在墨尔本专门演出澳大利亚戏剧。在他的小说中,以昆士兰卡伦德拉地区为背景写成的《通道》(1930)被认为是他最优秀的作品。它描述了一个家庭的生活和家庭成员之间,以及他们与环境之间的微妙关系。另一小说《戈尔康达》(1948)则描写昆士兰芒特艾萨地区矿工和管理部门之间的冲突,是帕尔默的政治三部曲的第一部,其余两部是《播种时期》(1957)和《大家伙》(1959)。此外,他还写有几本政治题材的剧本。他的短篇小说收入《各自的生活》(1931)、《海和带刺的海草》(1934)、《让鸟儿飞吧!》(1955)和《彩虹鸟》(1956)4卷集中。他还创作过2卷民谣体诗歌,其中以《先驱者》(1915)为最佳。另外还出版过几卷论文和文艺评论。

Palmer, William Henry (magician) **帕尔默** 参阅 **Heller, Robert** 赫勒。

Palmer, William Waldegrave **帕尔默** 参阅 **Selborne, William Waldegrave Palmer, 2nd**

Earl of 塞尔伯恩伯爵(第二)。

Palmer Archipelago　帕默群岛　又称南极群岛(Antarctic Archipelago)。南极半岛西北面的岛群。与南极半岛隔有热尔拉什海峡和俾斯麦海峡。这些群岛包括昂韦尔岛(长74千米、宽56千米)、列日岛、布拉班特岛和维昂克岛。1898年为比利时探险家A.de热尔拉什所发现。阿根廷和英国在群岛上建有研究站。阿根廷、英国、智利都宣称对该群岛拥有主权。

Palmer Land　帕默地　英属南极领地的一部分。位于南极半岛南部,在彼得一世岛以东约640千米处。1820年由美国捕鲸船长N.帕默所率探险队发现。境内多山,海拔2 000～4 200米不等,大部分为冰川覆盖。当地已探明有磁铁、赤铁、褐铁、黄铜、黄铁、蓝铜等多种矿藏。亦有金、银矿迹象。设有美国的赛普尔观察站。

Palmer, Peninsula (Antarctica)　**帕默半岛**
参阅 **Antarctic Peninsula 南极半岛**。

Palmerston (of Palmerston), Henry John Temple, 3rd Viscount　帕默斯顿子爵(第三)(1784-10-20,英国汉普郡布罗德兰兹～1865-10-18,赫特福德郡布罗克特霍尔)　英国辉

美国不列颠百科全书公司供图

格党-自由党政治家,曾任外交大臣(1830～1834, 1835 ～ 1841, 1846 ～ 1851)、首相(1855～1858, 1859 ～ 1865)等职。长期的政治生涯使他成为英国民族主义的象征。出身显贵。1795年入哈罗公学,1800年入爱丁堡大学。1802年继承其父的爵位和庄园,称第3代帕默斯顿子爵。1803年又入剑桥大学圣约翰学院。他从1807年直到去世一直是下院议员。1807年在托利党政府中任海军部副大臣。1809年任陆军大臣。1827年入坎宁内阁。1808年2月他在下院的第一次演说是为英国攻击丹麦舰队以免其落入拿破仑之手的行动辩护。1830年他曾任格雷伯爵领导的联合政府的外交大臣。他认为所有欧洲国家采取英国的责任内阁制是有益的。"自由和文明的扩展最大限度地促进了英国的自身利益和政治影响。"他是个民族主义者,曾说:"英国没有永恒的盟友,只有永恒的利益。"他虽然支持希腊和比利时的独立,但对波兰、匈牙利和罗马尼亚的爱国者的事业却一点忙也不肯帮。他支持希腊的条件是希腊必须接受英、法、俄的监督。他认为,比利时起义(1830)后争取荷兰承认以防止法国染指,是英国的利益所在。他认为列强中只有俄国和法国有可能直接危害英国的利益,因此,必须永远不让法国和俄国联合起来反对英国。1833年梅特涅组成奥、普、俄"三帝联盟",帕默斯顿立即反击,于1834年组成英、法、西、葡"四国同盟"。1840年,他动员列强孤立法国并遏制埃及的穆罕默德·阿里帕夏,从而在外交上和在议会中又取得一次重大胜利。1846年帕默斯顿再度在罗素的内阁中任外交大臣。1848年革命后,他既要保护法国的新政权,又要阻止它进行战争。他和沙皇都支持维也纳条约,主张势力均衡。1848～1849年帕默斯顿更专注于维护普遍和平,甚于支持自由主义。但他也通过谴责反革命分子的残酷行为、允许向西西里起义者提供英国武器、向土耳其施加压力等而赢得了激进派的赞赏。1850年7月8日发表长篇演说,为英国炮轰雅典、破坏与法俄两国就有关英国侨民向希腊提出的权利要求而在伦敦达成的协议进行辩护。博得了"曾经治理过英国的最能代表英国的大臣"的名声。罗素政府倒台后,他在阿伯丁的皮尔派—辉格党联合政府中任内务大臣。1853年辞职。罗素辞去下院领袖后由帕默斯顿继任。帕默斯顿在舆论的支持下出任首相。他企图在克里米亚战争中重整旗鼓,并纠正许多政府部门的严重弊端,但因任人不当而收效甚微。他在法国的压力下于1856年媾和,条件虽不够满意,但俄国也被迫放弃了对多瑙河口的控制。在1857年的选举中他获得胜利,但由于对法国攻击英国庇护阴谋杀害拿破仑三世的流亡者一事未能做出强硬反应,1858年2月他的政府在下院遭到失败而辞职。1859年选举中,托利党未能获得多数,帕默斯顿重任首相,与罗素和皮尔派的格莱斯顿共掌政权,直到他去世。在他死后,人们评论说:"没有哪个政治家或政治集团能够具有帕默斯顿勋爵那样非凡的影响。"他是一个保守的政治家,但采用激进的手段,在外交政策上则保持一种自由主义的姿态。

Palmerston North　北帕默斯顿　新西兰北岛南部城市。建于1866年。1868年设镇。1930年设市。为公路铁路交会点,是马纳瓦图平原及其周围丘陵地区的交通、商业和服务业中心。有食品加工、印刷、酿酒、砖瓦、靴鞋、服装、化肥、制药、通用机械和电器机械、汽车拖拉机装配等工厂。建有新西兰皇家空军喷气发动机试验设备和车间以及飞机装配厂。现为大学和科研中心,设有梅西大学、新西兰牛奶研究所和北帕默斯顿医学研究基金会。人口:城市70 318(1991);城市区约72 900(1992)。

Palmgren, Selim　帕尔姆格伦(1878-02-16,芬兰波里～1951-12-13,赫尔辛基)　芬兰钢琴家和作曲家,曾协助发起芬兰音乐民族化运动。1895年在赫尔辛基音乐学院学习,1899～1901年在德国师从F.布索尼。1909年在芬兰图尔库任指挥,在此上演了他的歌剧《丹尼尔·约尔特》(1910年用瑞典语演出,1929年修订后用芬兰语演出)。作为钢琴独

美国不列颠百科全书公司供图

奏家和他妻子、M.帕卡里南(歌唱家)的伴奏者广泛巡回演出。1923～1926年在纽约州的伊斯曼音乐学校任教。1939～1951年在赫尔辛基撰写音乐评论文章,并在西贝柳斯学院教作曲。他的钢琴小品最有名,其中有受民间歌曲启发而写的《芬兰抒情乐曲》。他的大型钢琴作品中,以5首钢琴协奏曲最为著名,受F.李斯特影响甚深。

Palmira　帕尔米拉　哥伦比亚考卡山谷省的城市。位于富庶的考卡谷地,海拔1 001米。建于1688年。帕尔米拉长期是重要的农业和牲畜饲养业中心,现为全省第二大城市,有"哥伦比亚农业之都"之称。当地出产烟草、咖啡、甘蔗、稻米和谷物。市内设有农业实验站和农艺学院。有泛美公路经此。有铁路通省会卡利和考卡谷地其他城市。人口185 224(1985)。

palmistry　手相术　又作chiromancy或chirosophy。指通过解释手掌的纹路与起伏断定人的性格和未来。手相术起源不详,可能兴起于古代印度而后传到其他地区。吉普赛人的手相术可能是他们自故土印度带来的。

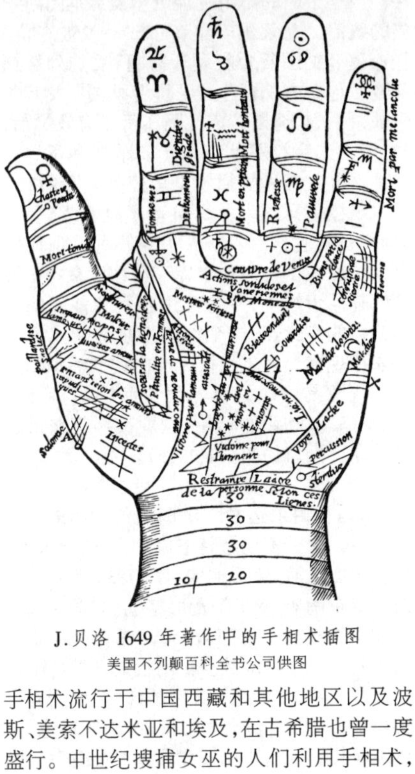

J.贝洛1649年著作中的手相术插图
美国不列颠百科全书公司供图

手相术流行于中国西藏和其他地区以及波斯、美索不达米亚和埃及,在古希腊也曾一度盛行。中世纪搜捕女巫的人们利用手相术,

发现谁手上有色斑就说他与魔鬼订有誓约。手相术一度为人所鄙弃,但在文艺复兴时期再度流行。17 世纪有人试图为手相术的基本原理寻求合乎理性的实验根据。启蒙运动时期,手相术再次衰落,19 世纪又在民间复兴。在 20 世纪,有人以新的目光看待手相术。关于观察手掌的生理特征可以靠通灵术或神秘学预言吉凶的说法,并无科学根据。但是,人的手确实可以显示健康和清洁情况以及职业特征或个人习惯(劳动造成胼胝,咬指甲癖形成缺痕)。医学诊断照例要观察人手。手相家可能就是利用从人手上发现的一些线索进行发挥。

Palmyra 巴尔米拉 叙利亚古城,又称泰德穆尔,今在霍姆斯省。早在公元前 19 世纪的卡帕多西亚泥板上对此城及其居民已有记载。巴尔米拉最初实行自治,但至少到提比

巴尔米拉的贝勒神庙
美国不列颠百科全书公司供图

略皇帝时代(公元 14 ~ 37 在位)已受罗马控制。哈得良皇帝访问时(约 129 年)它是自由市。3 世纪是巴尔米拉的鼎盛时期。227 年萨珊王朝在伊朗和美索不达米亚南部取代安息王朝以后,截断巴尔米拉通往波斯湾的商路。罗马帝国的不稳定促进了奥登纳图斯家族的统治。瓦莱里安皇帝(253 ~ 268 在位)任命奥登纳图斯为叙利亚总督,后加列努斯又赐予他东方总督称号。奥登纳图斯及其长子被杀后,其遗孀芝诺比阿实行了有效统治,270 年巴尔米拉军队夺取了安纳托利亚的大半地区并宣告独立摆脱罗马控制。但 272 年巴尔米拉重又落入罗马皇帝奥勒利安之手。634 年被哈立德·伊本·瓦利德占领。现代巴尔米拉城在伊拉克基尔库克至黎巴嫩特里波利的输油管线上,并为穿过叙利亚沙漠的各条公路的交叉点,这个城的遗址显示出当年的宏伟规模。巴尔米拉人经由波斯湾与印度人进行贸易。他们也与尼罗河畔的科普托斯、罗马、叙利亚的杜拉-欧罗波斯等城市进行贸易。人口约20 627(1985)。

Palmyra 帕尔迈拉 美国纽约州西部韦恩县城镇。位于罗切斯特东南偏东 32 千米处,临巴尔杰运河,建于 1789 年。1830 年 J. 史密斯在镇东南 45 千米的费耶特创建"耶稣基督后期圣徒教会"(摩门教会)。保存有经修复的史密斯少年时的故居。附近的丘莫拉山顶部立有一座 12 米高的天使雕像,为摩门教徒每年 7 月末举行历时七夜的盛典的地方。1819 年设村。有牛奶场和菜园,加工饲料、腌制食品、醋和泡菜,生产包装机械和纸箱。面积 87 平方千米。人口7 672(2000)。

Palmyra Atoll 巴尔米拉环礁 旧称萨马朗。一珊瑚礁。美国无建制领土,位于太平洋中西部的北莱恩群岛中,在檀香山南1 600 千米处。包括 50 个小岛,总面积 10 平方千米,平均海拔仅 2 米。1802 年由美国船"巴尔米拉"号发现,1862 年被夏威夷王国兼并,1889 年被英国并吞。1898 年美国国会的一项法案将其列入夏威夷群岛,后于 1912 年并入该群岛。第二次世界大战期间,环礁的中央潟湖与相连的小岛被用作简易机场。1959 年夏威夷成为美国的一个州时,不包括巴尔米拉在内。这片曾出产椰仁干的环礁现为私人所有,但仍归美国内政部管辖。没有常住居民。

Palmyrenian alphabet 帕尔米拉字母 一种闪米特字母,自公元前 3 ~前 2 世纪起通行于叙利亚和美索不达米亚间商路上的帕尔米拉城,迄于 272 年罗马人征服该城,后来此种文字乃告湮没。帕尔米拉字母由阿拉米字母发展而来,有 22 个字母,书写时从右到左,共有两种字体:公元前 250 年由阿拉米字母发展而来的圆形草写体和公元前 1 世纪由草体发展而来的装饰性铭刻体。帕尔米拉字母铭文在帕尔米拉、巴勒斯坦、埃及和北非其他地方都能找到,甚而远至黑海沿岸、匈牙利、意大利和英国等地也都有所发现。最早的铭文刻于公元前 44 年;最晚的铭文则刻于公元 274 年。

Palni Hills 伯尔尼丘陵 印度南部、泰米尔纳德邦西南部的丘陵。为西高止山向东延伸部分,与喀拉拉邦境内的阿奈马莱丘陵连结。伯尔尼丘陵长 23 千米,宽 70 千米。南部急止于陡坡。西段为地势起伏的丘陵,有劣草覆盖,谷地有茂密森林。主要山峰的海拔均在2 451米以上。山村种植蔬菜、水果和薯豆类作物。开采铝土矿。东段有排列不整的 900 ~1 500米高山峰,山峰之间为林木谷地。重要的经济作物有咖啡、香蕉、小豆蔻、柑橘和姜黄等。

Palo Alto 帕洛阿尔托 美国加利福尼亚州圣克拉拉县城市。位于圣弗朗西斯科湾西岸。建于 1891 年,1939 年设建制。初为斯坦福大学附近的禁酒村,现仍禁止销售酒。工业主要为科研服务,其中包括航天、通信和电子工业。人口58 598(2000)。

Palo Alto, Battle of 帕洛阿尔托战役(1846-05-08) 墨西哥战争的首次交锋。战场在得克萨斯东南部的一个小地方,位于墨西哥马塔莫罗斯东北约 14.5 千米处。墨西哥军队跨过格兰德河去包围布劳恩堡,并威胁到 Z. 泰勒将军的后勤库。泰勒将军率美军在帕洛阿尔托以猛烈炮火迎击入侵者。墨西哥军伤亡惨重,次日南撤。

palo verde 绿皮树 豆科假紫荆属(*Cercidium*)和扁轴木属(*Parkinsonia*)一小群乔木或灌木。散布于美国西南部、墨西哥、中美和委内瑞拉的干旱地区。有 3 种原产于美国,其中 2 种为乔木状。蓝花绿皮树(多花假紫荆,*C. floridum*)是灌木样乔木,高达 9 米,产于加利福尼亚南部、亚利桑那和墨西哥西北部,包括下加利福尼亚半岛的荒漠地区。树干较短,分枝缠结,树皮平滑,呈显眼的绿色;叶微小,雨季后脱落,由绿色的茎代行光合作用;花鲜黄色,聚生成簇;荚果圆柱形,长约 7.6 厘米;该植物是科罗拉多沙漠冲积层的标志植物。边境绿皮树(*C. macrum*)原产于墨西哥,向北分布至得克萨斯州东南部,荚果扁平,与前述种不同,易区别。墨西哥绿皮树(具皮刺扁轴木,*P. aculeata*)分布于亚利桑那西南部及得克萨斯至佛罗里达一带。

palolo worm 漂蚕 又称帕洛洛虫。环节动物门多毛纲矶沙蚕科和沙蚕科海栖蠕虫。具独特的生殖行为:在生殖季节(几乎每年都在同一时间)该蠕虫断成两半;带有生殖细胞

矶沙蚕属(*Eunice*)漂蚕
美国不列颠百科全书公司供图

的尾段分裂出来,游到水面,于此释出精子和卵。矶沙蚕科种类的成体长约 40 厘米,分成许多环状的体节,每节具一对桨状的附肢(疣足),鳃即在疣足上。头部有几对司感觉的触须。咽有齿,并可伸出口外。本科种类的雄体红褐色;雌体为蓝绿色。绿矶沙蚕(西西里漂蚕,绿漂蚕,*Palolo siciliensis* [*P. viridis* 或 *Eunice viridis*])栖于南太平洋珊瑚礁的缝隙和腔穴内。生殖季节临近时身体尾端发生剧烈的变化。肌肉和大部分器官退化,而生殖器官的体积迅速增大。后部体节的附肢变得更像桨状。于是矶沙蚕后退,部分身体离开管状腔穴,身体后段断裂,并自由游泳到水面,犹如另一个动物个体,每个体节的腹面中央有一个眼点。身体前段仍留在管穴中,并再生出失去的后段。自由游泳的身体后段总在 10 月份下弦月时连续两天于清晨露面。28 天后成更大的群于 11 月份下弦月时出现。在海面上排出精子和卵,精卵在此结合受精。波利尼西亚人喜食此种矶沙蚕尾,于其成群游动时大量捕捞作为美味。大西洋漂蚕(大西洋帕洛洛虫,分叉矶沙蚕,*E. furcata* 或 *E. schemocephala*)广泛分布于西印度群岛的岩珊瑚中,于 6 月至 7 月下弦月生殖季节成群游动。日本漂蚕(日本帕洛洛虫,异毛疣吻沙蚕,*Tylorrhynchus heterochaetus*)亦被视为美味,栖于日本海岸水域。

Palomar, Mount 帕洛马山 美国加利福尼亚州南部克利夫兰国家森林内山峰。位于

圣迭戈东北偏北约65千米处，海拔1 867米。有顺山坡面上扩展的州立帕洛马山公园（764公顷）和位于山顶的帕洛马天文台。

Palomar Observatory　帕洛马天文台　位于美国加利福尼亚州圣迭戈东北约65千米的帕洛马山上的天文台。它是著名的口径5米的海尔望远镜的所在地。这架望远镜已证明是研究宇宙的得力仪器。这架建成于1948年并为纪念美国天文学家G.E.海尔而命名的高倍率望远镜，在1976年苏联科学家建成6米反射镜以前，一直是这种望远镜中最大的。在帕洛马天文台的重要设备中还有一架具有0.9米孔径和1.2米镜面的广角施密特望远镜。50年代初这一设备用来实现摄制《帕洛马天图》的宏伟规划。这一天图所收集的恒星和星云的照片比以前任何一本星图都多。在80年代中期再次参加对全天进行拍照。帕洛马天文台是由设在帕萨迪纳的加利福尼亚理工学院于1948年创建的，1980年以前，它曾与威尔逊山天文台合并，称为海尔天文台。

Palomino　帕洛米诺马　马的一个品种，被毛呈奶油色、黄色或金色，鬃毛及尾毛银色。后代的毛色不一定与亲代相同。具上述毛色的骑乘型马，其先代至少有一种注册过的轻

帕洛米诺马
美国不列颠百科全书公司供图

型马者即可注册为帕洛米诺马。上述毛色者适用于娱乐及游行。其类型及用途决定于育种及训练方式。可与几个轻型马品种（如阿拉伯马或美国1/4英里赛马的品种类型）相比拟。美国帕洛米诺马育种者协会成立于1941年，帕洛米诺马协会成立于1936年，均注册该品种。

Palomino de Castro y Velasco　**帕洛米诺**（1655，西班牙布哈兰塞～1726-08，马德里）西班牙画家、学者和著作家，西班牙国王查理二世的最后一位宫廷画家。在科尔多瓦大学毕业后，先后从莱亚尔和阿尔法罗学画。1688年任宫廷画家。1699年以后，在各地教堂作巨幅壁画。其作品寓意深刻，气派宏伟，注重光线效果。代表作有《圣米迦勒》（现藏美国密苏里州堪萨斯市）。著有《绘画展览和光学尺度》（1715～1724）一书。该书分为两卷，一卷讲理论，另一卷讲技法，并附有西班牙著名画家、雕刻家以及在西班牙工作的外国艺术家的传记，是16～17世纪西班牙绘画最珍贵的史料。

palsy（disease）　**麻痹**　参阅 **paralysis** 瘫痪。

Palta　帕尔塔人　西班牙征服时期（16世纪）居住在安第斯高地的厄瓜多尔印第安文化语言集团。虽然厄瓜多尔高地现在仍住有印第安人后裔，但他们征服时期的语言、文化及部落关系已荡然无存。帕尔塔语可能属于阿拉瓦克语系。帕尔塔人大概是在西班牙征服前不久就由高地东部的热带森林迁到现今住地的。他们主要务农，种植玉米、马铃薯、豆类、南瓜、鳄梨及热带水果。他们的住区分散，各家住在自己的田地上，住房为泥草结构。人们对于帕尔塔人的宗教信仰、手工业及社会结构了解甚少。

Palu　帕卢　印度尼西亚西里伯斯岛中苏拉威西省省会、城市。位处丘陵环抱河口湾，濒临望加锡海峡。有公路通往该省东海岸托博利和托米尼及西海岸的栋加拉、马皮达和马帕加。居民主要有布吉斯人和望加锡人，大部分信奉伊斯兰教，也有少数基督教徒，多为海员和商人。贸易多靠小舟并局限于西海岸。家庭手工业有木雕、锯木、编绳和编篮子与垫子。小工厂加工食品以及制造和修理小船。深水捕鱼在经济上很重要。出口椰仁干和木材。人口298 584（1980）。

Paludan,（Stig Henning）Jacob（Puggaard）帕卢丹（1896-02-07，哥本哈根～1975-09-26，哥本哈根附近比克勒）　丹麦小说家、保守的文学批评家，其论著表达一种基于害怕欧洲文化将被美国化的一种对丹麦社会以及第一次世界大战后一代人的不信任。他是哥本哈根报纸《每日新闻》的首席评论家。由他译成丹麦文的外国文学作品有S.刘易斯的《多兹沃思》等。他最重要的贡献是小说。《灯塔周围的鸟》（1925）、《庄稼熟了》（1927）以及他的巨著、史诗式小说《约恩·斯汀》（2卷，1932～1933），都是流传广泛和译本众多的作品。

Paludan-Müller, Frederik　帕卢丹-缪勒（1809-02-07，丹麦菲英岛凯特明讷～1876-12-28，哥本哈根）　丹麦诗人，因写拜伦体史诗《女舞蹈家》（1833），很早就在丹麦浪漫主义运动中成名。他是主教之子。就学于哥本哈

美国不列颠百科全书公司供图

根大学，后成为一位道德家、浪漫主义价值观的批评家。他的长篇讽刺史诗《人之祖亚当》（1841，1848）则是丹麦文学最重要的作品之一；其自传体男主人公亚当·霍莫一生春风得意，但没有灵魂。他的情人阿尔玛虽遭遗弃，但始终尽心竭力的拯救他，终于成功。据说易卜生写的《彼尔·金特》的主人公即以亚当·霍莫为蓝本。

palygorskite　坡缕石　一种纤维状的镁铝硅酸盐矿物。坡缕石的结构包含延展的硅氧层片，证明把它保留在层状硅酸盐族中是有道理的，但是构成这些层片的 SiO_4 四面体群的排列方向形成伸长的板条状特征，从而造成纤维状的形态。这种矿物产于干盐湖和盐碱滩堆积物中，以及沙漠土壤和钙质的物质中。凹凸棒石（attapulgite）是美国佐治亚州阿塔普尔古斯发现的坡缕石的一个变种。关于凹凸棒石的化学式和物理性质，参阅 **clay mineral**（表）。

palynology　孢粉学　研究现存及化石植物花粉、孢子及极微小浮游生物的学科。孢粉学与植物科学及地质科学有关系，尤其与地层学、历史地质学和古生物学等方面有联系。

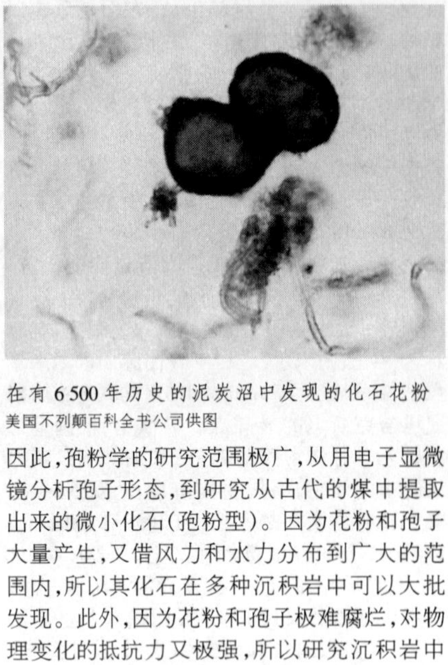

在有6 500年历史的泥炭沼中发现的化石花粉
美国不列颠百科全书公司供图

因此，孢粉学的研究范围极广，从用电子显微镜分析孢子形态，到研究从古代的煤中提取出来的微小化石（孢粉型）。因为花粉和孢子大量产生，又借风力和水力分布到广大的范围内，所以其化石在多种沉积岩中可以大批发现。此外，因为花粉和孢子极难腐烂，对物理变化的抵抗力又极强，所以研究沉积岩中孢粉的方法几乎与研究现存植物相同。对花粉和孢子微化石的鉴定极有助于搞清许多植物类群从寒武纪早期（5.9亿年前）到现代的地理分布。根据沉积岩中植物的大型化石遗骸可分析出植物进化的顺序，此进化顺序也记录在植物微化石的顺序中，所以此类微化石在判断地质年代时十分有用，在无大型化石的沉积岩中微化石尤为重要。因为这些微化石体积小，数量多，所以能从钻井作业获得的岩石小样品中取得。因此孢粉分析对石油勘探和其他地质研究（包括对地表下沉积物和结构的研究）有实用价值。对北欧泥煤沉积物的研究中归纳出一些技术和原理，专门研究化石的孢粉学各阶段就是在20世纪早期由此发展而来。在这样的研究中，可用统计学方法查明沼泽内已知深度处各种树木的花粉是否存在，其数量是多少。鉴于森林的

构成决定任何既定时间内沼泽表面获得的花粉的类型，因此可以说花粉内容的改变反映了森林构成的地区性改变。已经确定，森林构成的变化是冰期从北欧消失后数千年间的气候变化引起的。于是泥煤中的花粉内容、年龄（如在沼泽中的位置）和气候之间存在着一定关系。事实证明，这些发现的应用在后来对古气候的研究，特别是对更新世（160万年前至1万年前）冰期及间冰期的研究中，其价值是无法估量的。

pamaquine 扑疟喹啉 化学合成的抗疟药，1926年始用于临床。第一个由6-甲氧基喹啉（奎宁的组成部分）衍生的重要合成抗疟药。以油状形式存在，其甲撑双（β-羟基萘酸）盐治疟有效，但毒性较大，已为其他毒性较小、化学结构近似的药物（如氯喹啉、伯氨喹啉和氯酚喹等）所代替。其毒性反应包括正铁血红蛋白血症、白细胞减少症及中毒性肝炎等。

Pamirs 帕米尔高原 亚洲中部高原地区，位于中国新疆维吾尔自治区西南部、塔吉克斯坦东南部、阿富汗东北部一带。周围是兴都库什、昆仑、吉萨尔-阿赖、天山等山脉。帕米尔高原北面是外阿赖山脉，东面是萨雷阔勒岭，南面是佐尔库尔湖、帕米尔河和喷赤河的源头，西面是喷赤河的南北走向谷地。帕米尔一词并没有明确的界限。帕米尔是一组东西走向和南北走向的山脉的联合体，以东西走向的山脉为主。东西走向的外阿赖山脉构成帕米尔的北缘，山脉中段最高，平均5 795～6 100米，最高点列宁峰为7 134米。从外阿赖山脉往南伸出3条南北走向的山脉：西边的科学院山脉和中间的祖鲁马特山脉都相当短；东面的萨雷阔勒岭以东的地区，有时称为“中国帕米尔”。科学院山脉伸进帕米尔西北部，形成巨障，高达7 495米的共产主义峰是塔吉克斯坦的最高点。习惯上，根据地形将帕米尔分作东西两部分：东帕米尔以高原上的中山为主，海拔平均6 100米或更高，山峰的相对高度大都不超过1 100～1 800米，山体浑圆，山间谷地宽而平，海拔3 690～4 200米，流水平静，曲折蜿蜒，或者河床干涸，山坡与谷底覆盖着疏松的土层；西帕米尔是高山与低岭相间，山脊有积雪和冰川，谷地深窄，水流湍急，多险滩，河谷与洼地充满石砾，只在喷赤河支流谷地的冲积扇才有适宜人类定居的地方。东西帕米尔之间的地形是逐渐过渡的。大陆型气候，干燥，东部最显著。西部谷地年降水量为100～250毫米，东部为50～125毫米。高山上降水增加，费琴科冰川有800～1 000毫米。西部积雪厚达500～700毫米，东部只有37.5～100毫米厚。东部1月平均气温在海拔3 500米处为-17.8°C，冬季长（从10～4月）而冷，气温降至-50°C，布仑戈尔1953年曾低至-53.3°C；夏季短，气温在20°C以下。西部谷地比较温和，1月平均气温在海拔2 100米处为-7.4°C，7月为22.5°C，但气温变化很大，植物生长期（日平均气温≥5°C的持续期）在霍罗格有223天，穆尔加布只有140天。帕米尔有1 085条冰川，面积共计8 042平方千米，最大的山谷冰川费琴科长约71千米。帕米尔地区约有居民9.8万，平均每平方千米1.5人。居民90%以上是塔吉克人，住在西部，讲伊朗语，为什叶派穆斯林；东部为吉尔吉斯人，讲土耳其语，为逊尼派穆斯林。居民主要从事农耕和养畜，工业有几座小水电站和采矿场。多温泉和矿泉。有几条公路从西面的杜尚别穿过帕米尔，通往南面的霍罗格，再从霍罗格通往东面的奥什；另有一条公路从霍罗格向南面穿过喷赤河-帕米尔河谷。苏联在帕米尔进行了系统的勘察工作。苏联科学院调查队于1928年调查了费琴科冰川，进行了绘制西帕米尔地形图的工作；1933年在费琴科冰川海拔4 514米处建立了世界上第一座高山冰川观测站。

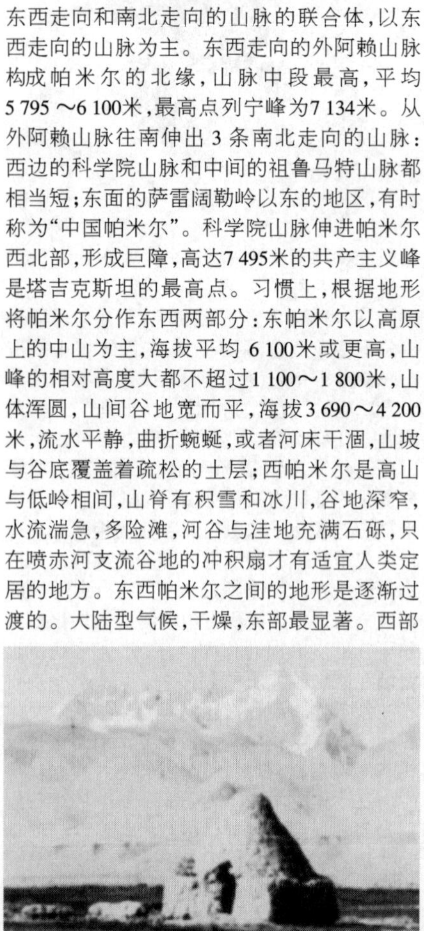

帕米尔高原上的丝绸之路驿站遗址
中国大百科全书出版社供图

Pamlico 帕姆利科人 操阿尔冈昆语的印第安人。欧洲人最初发现他们时，他们住在今北卡罗来纳州博福特县。帕姆利科人定居务农。1696年天花流行几乎消灭了这个部落，1710年时只有75名幸存者住在一个村庄里。1711～1713年间，他们同部分图斯卡罗拉人及其他部落联合起来，共同对白人移民作战；战争末期，图斯卡罗拉人与英国人订立条约，答应消灭帕姆利科人。其幸存者大概都成为图斯卡罗拉人的奴隶。

Pamlico Sound 帕姆利科湾 美国北卡罗来纳州东海岸浅水区。以狭窄沙坝与大西洋分隔，东端为哈特勒斯角。该湾向南延伸130千米，然后自罗厄诺克岛折向东南，宽13～48千米不等。有塔尔-帕姆利科河及纽斯-特伦特河流入。许多天鹅、鹅和鸭沿海滨栖息。该地有以产牡蛎为主的商业渔场。

Pampa 本伯（创作时期940年前后） 印度南部的诗人和著述家，被称为坎纳达语（建那佗语）的“最初的诗人”。他创立了一种成为后世所有坎纳达语作品楷模的文体。虽然本伯家族历代均为正统印度教徒，但他父亲阿毗罗摩提婆罗耶却率全家改信耆那教。本伯忠于自己所受的教养，无意于物质财富的占有，并且慷慨施舍自己所有的一切。他的伟大著作是《祖师往世书》，阐释耆那教的教义与信条。另一部史诗是《本伯婆罗多》（约950，婆罗多是印度的古称，同时也是一位著名国王的名字）。诗人把他的君主比做《摩诃婆罗多》中的神话英雄阿周那。

Pampa 潘帕 美国得克萨斯州北部城市，格雷县县城（1902）。西南距阿马里洛88千米。始建于1888年。1912年设市。为石油、小麦和养牛地区的中心。经济以石油、天然气、化学品以及相关工业为主。世界最大的碳黑与油田设备生产者之一的总部所在地。其他有肉类加工、服装制造业等。人口17 887（2000）。

Pampanga River 邦板牙河 菲律宾吕宋岛的河流。源自卡拉巴略山的几条源流，南流190千米注入马尼拉湾，形成宽阔的沼泽三角洲。在三角洲以北，昂阿特河与邦板牙河汇流，形成坎达巴沼泽，洪水时面积达500平方千米。其他主要支流有小邦板牙河和卢巴奥河。河的下游有大规模水利工程和许多养鱼场。

Pampangan 邦板牙人 又称卡潘潘甘人（Kapampangan）。菲律宾的文化-语言集团。20世纪末期人数约为197万。主要居住在吕宋中部平原及岛上其他地区。他们的分布区域北起马尼拉湾，人口密度颇高；佃农及雇农很多。他们信奉基督教，以天主教为主。邦板牙语言与菲律宾中部其他地区的语言关系密切，都属澳斯特罗尼西亚（马来-波利尼西亚）语系。

Pampas, the 南美大草原 又称潘帕斯。东起大西洋海岸，经过阿根廷中部，西至安第斯山麓，北接大查科，南连巴塔哥尼亚高原。只有西北部和南部有几条山岭，大部分地区平坦。南美洲其他几片较小的平原，如智利北部的沙漠，亦称南美大草原。阿根廷的南美大草原面积约76万平方千米，地势自西北向东南倾斜，分为两个截然不同的地区。西部的干旱大草原大都是荒漠，包括拉潘帕省大部分，有大片的盐碱滩、咸水河和沙漠。东部的湿润大草原面积较小，包括布宜诺斯艾利斯省部分地区。气候温和，水源充足，为阿根廷人口最密集、经济最发达的地区。来自南方的冷气团周期性地与来自北方热带的暖气团相遇，在布宜诺斯艾利斯附近形成强风暴雨天气，这种风暴称为帕姆佩罗风。大草原的动物主要有狐、臭鼬、红褐色美洲驼和鹞等。鸟类有麻雀、鹰和水鸟等。地主们从西班牙统治下解放出来（1816）后，与在平原上流浪的印第安人讲和，开始雇用移民（主要是意大利人）开发大牧场，种植苜蓿（作饲料）、玉米和精饲料。有铁路贯穿全境。东南部主要饲养优良品种的牛羊。西部种植苜蓿和小麦。罗萨里奥周围主要种植玉米和亚麻，也有畜牧业。布宜诺斯艾利斯附近地区已发展为首都蔬菜、水果和牛奶的供应地。自20世纪末以来，一些地区已发展为著名的葡萄种植区。该草原也是阿根廷加乌乔文学的创作源泉和大量阿根廷民间音乐的主题。

pampas cat（*Felis colocolo*） **潘帕斯猫** 猫科小动物，原产于南美洲。全长约60厘米（包括30厘米尾长）。毛长，浅灰色，上有棕色斑纹，有的个体斑纹不明显。对其习性了解很少。据报道它们生活于稠密的灌木丛中，夜间捕食鸟类和小动物。